DICTIONNAIRE
LATIN-FRANÇAIS

HENRI GŒLZER

DICTIONNAIRE
LATIN-FRANÇAIS

avec 8 cartes et plans

GF
FLAMMARION

© 1966, GARNIER FRÈRES, Paris.
ISBN : 2-08-070123-1

CARTES ET PLANS

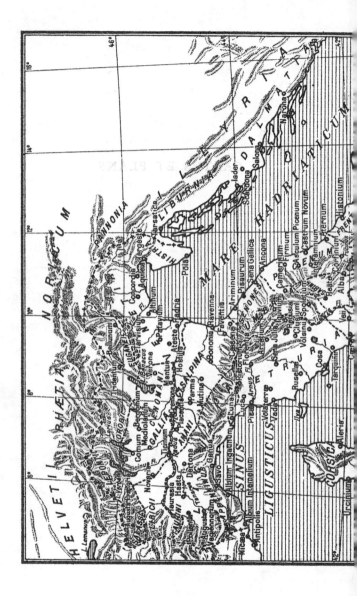

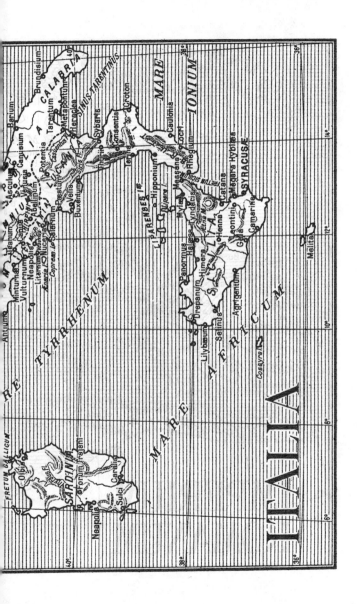

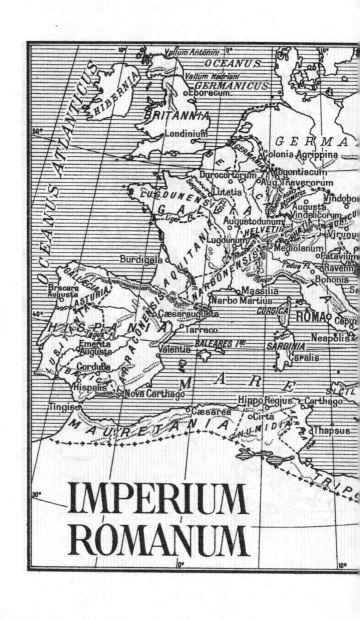

IMPERIUM
ROMANUM

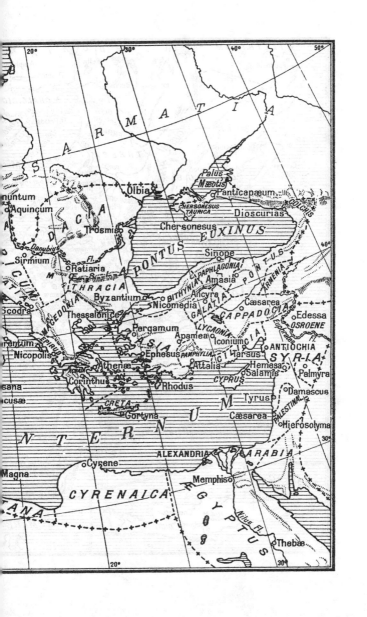

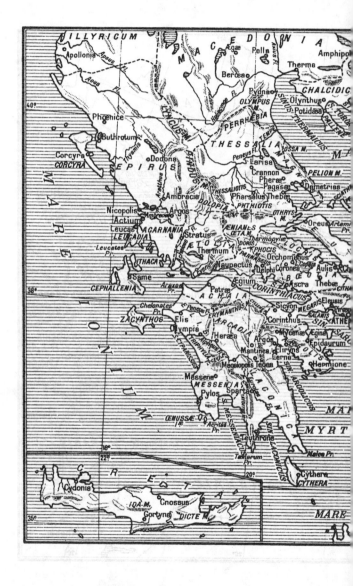

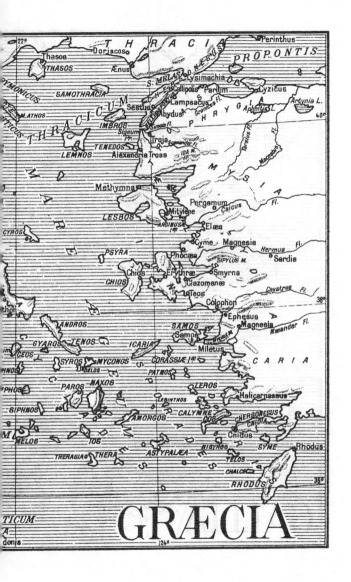

GRÆCIA

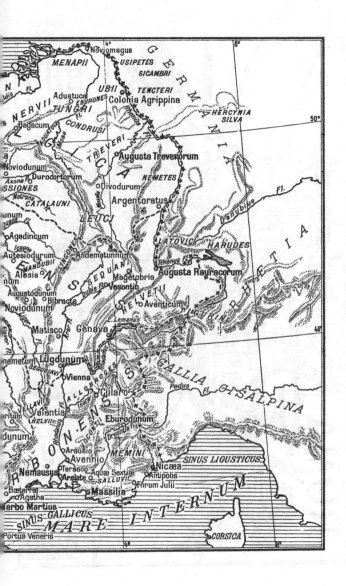

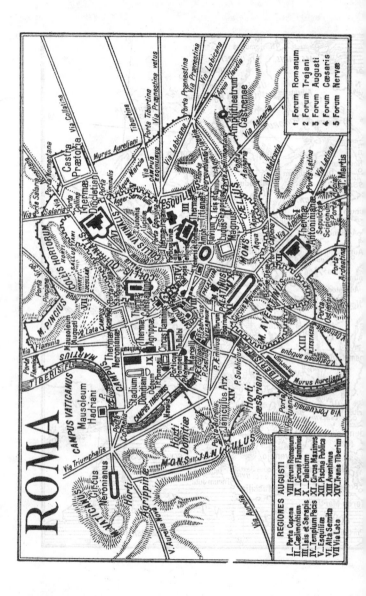

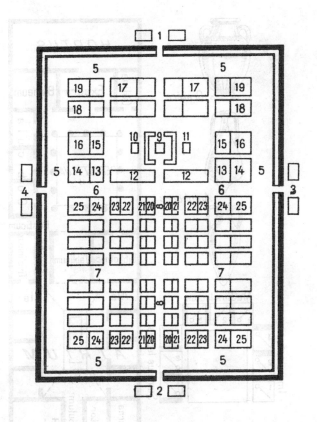

CAMP ROMAIN

1. Porta prætoria. — **2.** Porta decumana. — **3.** Porta principalis dextra. — **4.** Porta principalis sinistra. — **5.** Intervallum. — **6.** Via principalis. — **7.** Via quintana. — **8.** Via prætoria. — **9.** Prætorium. — **10.** Quæstorium. — **11.** Forum. — **12.** Tribuni. — **13.** Legati. — **14.** Præfecti sociorum. — **15.** Equites delecti. — **16.** Pedites delecti. — **17.** Pedites extraordinarii. — **18.** Equites extraordinarii. — **19.** Auxilia. — **20.** Cavaliers romains. — **21.** Triarii. — **22.** Principes. — **23.** Hastati. — **24.** Cavalerie alliée. — **25.** Infanterie alliée.

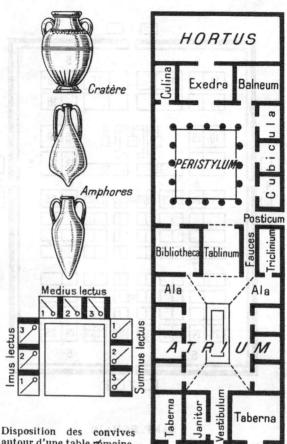

Cratère

Amphores

Medius lectus

Imus lectus

Summus lectus

Disposition des convives autour d'une table rómaine. Les numéros indiquent l'ordre des préséances sur les lits. La place d'honneur est la place nº 1 du medius lectus. Le maître de la maison occupe la place nº 3 de l'imus lectus.

MAISON ROMAINE

HORTUS

Culina — Exedra — Balneum

PERISTYLUM

Cubicula

Posticum

Bibliotheca — Tablinum — Fauces — Triclinium

Ala — Ala

ATRIUM

Taberna — Janitor — Vestibulum — Taberna

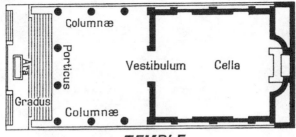

TEMPLE

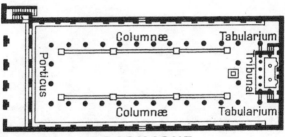

BASILIQUE

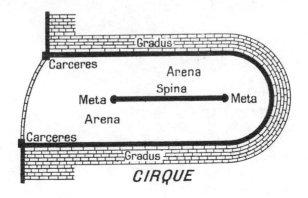

CIRQUE

TEMPLE

BASILIQUE

CIRQUE

DICTIONNAIRE
LATIN-FRANÇAIS

AVERTISSEMENT

CETTE ÉDITION, QUI CONTIENT TOUS LES MOTS USUELS DE
LA LANGUE LATINE DES ORIGINES A L'ÉPOQUE CAROLIN-
GIENNE, EST AUGMENTÉE D'UN LEXIQUE DES NOMS PROPRES,
D'UN TABLEAU DES COMPARATIFS ET SUPERLATIFS, ET D'UNE
LISTE DES FORMES DIFFICILES DES CONJUGAISONS ET DES
DÉCLINAISONS LATINES, PAR HENRI LEGRAND.

ABRÉVIATIONS

— Tient lieu du mot qui fait le sujet de l'article (pour les verbes, remplace l'infinitif et, pour les substantifs, le nominatif).

¶ Sépare les diverses significations d'un mot.

‖ Indique les subdivisions d'un sens principal.

= Égale, est la même chose que.

(?) Indique le doute.

abl.	ablatif.	*n.*	neutre.
absol.	absolument (sans complément).	*num.*	numéral.
		ordin.	ordinairement.
abstr.	abstrait.	*par anal.*	par analogie.
acc.	accusatif.	*par ext.*	par extension.
adj.	adjectif *ou* adjectivement.	*p.* ou *part*	participe.
adv.	adverbe ou adverbialement.	*p. adj.*	participe employé adjectivement.
arch.	archaïque *ou* archaïsme.	*p. subst.*	participe employé substantivement.
c.-à-d.	c'est-à-dire.		
collect.	collectif ou collectivement.	*péj.* ou *péjor.*	péjoratif *ou* péjorativement.
comp. ou *compar.*	comparatif.	*pers.*	personne ou personnel.
concr.	concret, dans un sens concret.	*pl.*	pluriel.
		plais.	(par) plaisanterie ou plaisamment.
conj.	conjonction.		
dat.	datif.	*poét.*	poétique *ou* poétiquement.
eccl.	dans la langue de l'Église.		
		pr.	au sens propre.
en gén.	en général.	*prép.*	préposition.
en part.	en particulier.	*pron.*	pronom.
ex.	par exemple.	*qqch.*	quelque chose.
f.	féminin.	*qqf.*	quelquefois.
fig.	figurément, au sens figuré.	*qqn.*	quelqu'un.
		rar.	rare ou rarement.
gén.	génitif.	*relat.*	relatif.
gramm.	en grammaire.	*rhét.*	rhétorique.
impér.	impératif.	*sens act.*	sens actif.
impers.	impersonnel.	*sens pass.*	sens passif.
indécl.	indéclinable.	*s.-e.*	sous-entendu.
indéf.	indéfini.	*simpl.*	simplement.
interj.	interjection.	*sing.*	singulier.
interr.	interrogatif.	*spéc.*	spécial *ou* spécialement.
intr.	intransitif.	*subst.*	substantif.
inus.	inusité.	*superl.*	superlatif.
jur. ou *jurisc.*	chez les jurisconsultes.	*surt.*	surtout.
m.	masculin.	*techn.*	technique.
méd.	terme de médecine.	*tr.* ou *trans.*	transitif.
méton.	par métonymie.	*unip.*	unipersonnel.
milit.	terme militaire.	*voc.*	vocatif.
mor.	au (sens) moral.	*voy.*	voyez.

A

1. a, n. indécl. Première lettre de l'alphabet latin. ¶ Abréviation du prénom AULUS; des formules ABSOLVO (j'acquitte, j'absous) ou ANTIQUO, je rejette (le projet soumis à l'assemblée).

2. a (AH), interj. Ah! hélas!

3. a, abs, ab, prép. av. l'Abl.: *Marquant éloignement:* de, d'auprès de, de chez. || *Point de départ.* De, depuis, à partir de; en comptant depuis; après. *Aller ab illo,* le second après lui. ¶ *Marquant direction:* du côté de. *Ab dextro cornu,* à l'aile droite. *Stare ab aliquo,* être du parti de quelqu'un. ¶ *Relativement à;* pour ce qui est de. *A pecunia,* quant à (relativement à) l'argent. ¶ (Fig.) *Marquant l'origine, la cause:* de; de la part de; par le fait de. || (*Après les verbes passifs.*) De; par. || Par suite, à cause de. ¶ (*En parlant du temps.*) A dater de, depuis. || Au sortir de; immédiatement après; (en commençant) par.   [crédence.

abacinus, a, um, adj. Du buffet; de la

abactio, onis, f. Action de chasser (pour enlever); enlèvement.

abactor, oris, m. (Celui qui chasse ou enlève) : voleur (de bétail).

abactus, us, m. Comme ABACTIO.

abaculus, i, m. Petit damier. ¶ Pièce de mosaïque.

abacus, i, m. Buffet; crédence. ¶ Comptoir. ¶ Table à jouer; damier; échiquier. ¶ Tailloir.

abaddir, n. indécl. Pierre que Rhéa substitua à Jupiter et fit avaler à Saturne.

abaestuo, as, are, intr. Bouillonner.

abalienatio, onis, f. Aliénation. || Cession, vente.

abalieno, as, are, tr. Aliéner; vendre. ¶ Aliéner, rendre hostile.

abaluid, adv. D'autre part.

abalterutrum, adv. L'un de l'autre.

abambulo, as, are, intr. Marcher (en s'éloignant).

abamita, æ, f. Grand-tante.   [vant.

abante, adv. Par devant. ¶ (*Prép.*) Devant.

abarceo, es, ere, tr. Repousser.

abarticulamentum, i, n. Articulation.

abascantus, a, um, adj. Qui ne peut être décrié.

abavia, ae, f. Trisaïeule.   [ternel.

abavunculus, i, m. Grand-oncle (maternel.

abavus, i, m. Arrière-grand-père; trisaïeul.

abax, acis, m. Comme ABACUS.

abbaeto, is, ere, intr. S'en aller.

abbas, atis, m. Abbé.

abbatia, ae, f. Abbaye.

abbatissa, ae f. Abbesse.

abbito, is, ere, intr. Comme ABBAETO.

abblandior, iris, iri, dép. intr. Cajoler.

abbreviatio, onis, f. Abrègement; raccourcissement.

abbreviator, oris, m. Abréviateur.

abbrevio, as, are, tr. Raccourcir; abréger. ¶ Affaiblir.

abcido. Voy. ABSCIDO.   [doit] renier.

abdicabilis, e, adj. Qu'on peut (ou

abdicatio, onis, f. Exclusion (de la famille) prononcée contre un fils déshérité. ¶ Abdication. || Renonciation; renoncement; abandon.

abdicative, adv. Négativement.

abdicativus, a, um, adj. Négatif.

abdicatrix, icis, f. Celle qui renonce ou qui renie.

1. abdico, as, are, tr. (*Avec un complément de pers.*) Dépouiller (légalement) qqn de ce qui lui appartient ou lui revient. || Exclure (un fils de la maison paternelle); déshériter. || ABDICARE SE, se démettre de; abdiquer. || Désavouer qqn; renier. ¶ (*Avec un compl. de chose.*) Abdiquer. || Renoncer à; répudier.

1. abdico, is, dixi, dictum, ere, tr. et intr. ¶ (Terme de la langue des augures.) *Intr.* Donner des présages défavorables (en parl. des oiseaux). ¶ *Tr.* Se prononcer contre; condamner. ¶ (Jurispr.). Refuser d'adjuger. || Débouter.   [secrète.] ¶ Profondément.

abdite, adv. D'une façon cachée ou

1. abditus, a, um, adj. Soustrait; dérobé (en parl. d'un enfant).

2. abditus, a, um, p. adj. Retiré; secret.

abdo, is, didi, ditum, ere, tr. (Mettre hors de la vue); écarter, reléguer. ¶ Cacher. || Plonger; enfoncer.

abdomen, inis, n. Abdomen; bas-ventre. || Panse; embonpoint. ¶ (Fig.) Gourmandise; basse sensualité.

abduco, is, duxi, ductum, ere, tr. Emmener (qqn); emporter (qqch.). || Détourner (qqn de sa route ou de sa tâche); distraire (qqn). || Détrousser; voler. || Détourner (qqn de ses devoirs); débaucher ou séduire. || Enlever (un mort). ¶ Avaler (un médicament).

abductio, *onis*, f. Action d'enlever; rapt. ¶ Retraite, solitude.

abdumen. Voy. ABDOMEN.

abecedaria, *ae*, f. Etude de l'alphabet; éléments (d'une étude).

abecedarii, *orum*, m. pl. Enfants auxquels on apprend l'alphabet; qui n'en sont encore qu'à l'alphabet. [bet.

abecedarium, *ii*, n. Abécédaire; alphabet.

abecedarius, *a*, *um*, adj. Relatif à l'A, B, C, D. ¶ Alphabétique; rangé d'après l'ordre des lettres.

abemo, *is*, *ere*, tr. Oter, retirer.

abeo, *is*, *ii*, *itum*, *ire*, intr. S'en aller. || S'écarter (du sujet). || Se démettre (d'une fonction). || Quitter (la terre); mourir. || Disparaître. ¶ Se changer en; passer à; devenir. [(à cheval).

abequito, *as*, *avi*, *are*, intr. Se sauver à cheval.

aberceo. Voy. ABARCEO.

aberratio, *onis*, f. Eloignement; distraction, diversion.

aberro, *as*, *avi*, *atum*, *are*, intr. S'égarer, ¶ S'écarter (de la règle; du but). || S'écarter (de la vérité); se tromper. ¶ Se distraire; faire diversion à.

abgrego. *as*, *are*, tr. Séparer (d'une troupe).

abhinc, adv. D'ici. ¶ A partir de ce moment. *Abhinc annos tres*, il y a de cela trois ans. ¶ Désormais.

abhorreo, *es*, *ui*, *ere*, intr. Avoir de l'aversion (pour); répugner; avoir en horreur; abhorrer. ¶ Répugner à. || N'avoir aucune disposition pour.

abhorresco, *is*, *ere*, intr. Commencer à avoir horreur de.

abhorride, adv. D'une manière choquante. || D'une façon impropre.

abicio. Voy. ABJICIO.

abiegineus, *a*, *um*, adj. De sapin.

abiegnius, *a*, *um*, adj. De sapin.

abiegnus, *a*, *um*, adj. De sapin.

abies, *etis*, f. Sapin. || Vaisseau. || Lance.

1. **abietarius**, *a*, *um*, adj. De sapin.

2. **abietarius**, *ii*, m. Charpentier; menuisier; ébéniste.

abiga, *ae*, f. Ivette.

abigator, *oris*, m. Voy. le suivant.

abigeator, *oris*, m. Voleur de troupeaux.

abigeatus, *us*, m. Vol de bestiaux.

abigeo, *as*, *are*, tr. Voler (des bestiaux). || Enlever, détourner.

abigeus, *i*, m. Voleur de bestiaux.

1. **abigo**, *as*, *are*, tr. Chasser. [expulser.

2. **abigo**, *is*, *egi*, *actum*, *ere*, tr. Chasser.

abitio, *onis*, f. Départ. || Mort.

abito, *is*, *ere*, intr. S'en aller.

abitus, *us*, m. Départ.

abjecte, adv. Bassement.

abjectio, *onis*, f. Action de laisser tomber. || Suppression; apocope. ¶ Abattement. ¶ Mépris. || Objet de mépris.

abjectus, *a*, *um*, p. adj. Abattu. ¶ Abject.

abjicio, *is*, *jeci*, *jectum*, *ere*, tr. Rejeter. || Abandonner, renoncer à. ¶ Jeter à bas. || Abaisser; avilir. || Vendre à vil prix; se défaire de. ¶ Laisser tomber (dans la prononciation).

abjudico, *as*, *avi*, *atum*, *are*, tr. Enlever par jugement. ¶ Enlever, ôter. ¶ Repousser; rejeter (en esprit).

abjugo, *as*, *are*, tr. (Détacher du joug); éloigner.

abjunctum, *i*, n. Expression concise.

abjungo, *is*, *junxi*, *junctum*, *ere*, tr. Dételer. ¶ Eloigner.

abjuratio, *onis*, f. Action de nier (un dépôt) avec serment.

abjurator, *oris*, m. Celui qui nie avec serment. || Celui qui nie.

abjurgo, *as*, *are*, tr. Refuser d'accorder (l'objet d'un litige).

abjuro, *as*, *are*, tr. Nier avec serment (un dépôt). ¶ Renier.

ablactatio, *onis*, f. Sevrage.

ablacto, *as*, *are*, tr. Sevrer.

ablaqueatio, *onis*, f. Déchaussement (d'un arbre). || Fosse (pour déchausser).

ablaqueo, *as*, *are*, tr. Déchausser (un arbre).

ablatio, *onis*, f. Enlèvement.

1. **ablativus**, *a*, *um*, adj. Qui a pour effet d'enlever. ¶ Qui signifie enlèvement *ou* éloignement. || Qui se construit avec l'ablatif.

2. **ablativus**, *i*, m. Ablatif.

ablator, *oris*, m. Ravisseur.

ablegatio, *onis*, f. Eloignement; renvoi. ¶ Relégation.

ablegmina, *um*, n. pl. Portions d'entrailles mises de côté pour les dieux.

ablego, *as*, *avi*, *atum*, *are*, tr. Eloigner. ¶ Bannir, reléguer. ¶ Tenir à l'écart.

ablepsia, *ae*, f. Aveuglement.

ablevo, *as*, *are*, tr. Alléger.

abligurrio, *is*, *ivi* (ou *ii*), *itum*, *ire*, tr. Lécher; avaler en léchant. ¶ Manger; dévorer.

abligurritio, *onis*, f. Gloutonnerie.

abligurritor, *oris*, m. Glouton. || (Spéc.) Dissipateur.

ablingo, *is*, *ere*, tr. Enlever (en léchant). || Passer la langue sur. ¶ Etendre un onguent sur; oindre.

abloco, *as*, *are*, tr. Donner à louer.

abludo, *is*, *ere*, intr. Jouer sur un ton différent. ¶ (Fig.) Ne pas s'accorder; différer.

abluo, *is*, *lutum*, *ere*, tr. Enlever en lavant, laver. ¶ Enlever au moyen de l'eau. || Etancher (la soif). || Emporter (des terres). ¶ Plonger dans l'eau; laver; nettoyer. || Baptiser.

ablutio, *onis*, f. Ablution. ¶ Purification. || Baptême. [baptise.

ablutor, *oris*, m. Celui qui lave *ou* qui

abluvio, *onis*, f. Action d'emporter (en parlant de l'eau). [Inondation.

abluvium, *ii*, n. Comme ABLUVIO. ¶

abmatertera, *ae*, f. Grand'tante (sœur de la trisaïeule).

abnato, *as*, *are*, intr. Partir à la nage.

abnegatio, *onis*, f. Négation, dénégation.

abnegativus, *a*, *um*, adj. Négatif.

abnegator, *oris*, m. Qui nie *ou* renie.

abnego, *as, are*, intr. et tr. Adopter la négative. ¶ (Intr.) Refuser de. ¶ (Tr.). Refuser. ‖ Renoncer à, faire abnégation de.

abnepos, *otis*, m. Fils de l'arrière-petit-fils *ou* de l'arrière-petite-fille.

abneptis, *is*, f. Fille de l'arrière-petite-fille *ou* de l'arrière-petit-fils.

abnocto, *as, are*, intr. Découcher.

abnodo, *as, are*, tr. Enlever les nœuds (d'un arbre).

abnormis, *e*, adj. Qui s'écarte de la règle. ‖ Irrégulier. ¶ Qui n'a pas de règle. ‖ Indépendant.   [Irrégularité.

abnormitas, *atis*, f. Absence de règle. ‖

abnuentia, *ae*, f. Dénégation.

abnueo. Voy. ABNUO.

abnuitio, *onis*, f. Négation, refus.

abnumero, *are*, tr. Compter entièrement.

abnuo, *is, nui, nutum, ere*, intr. et tr. Faire un geste négatif; faire signe que ne... pas... ¶ Refuser; ne pas accorder; ne pas permettre. ¶ Nier (ne pas reconnaître).

abnutivus, *a, um*, adj. Négatif; de refus.

abnuto, *as, are*, tr. Nier avec obstination; refuser à plusieurs reprises.

abolefacio, *is, feci, factum, ere*. Voy. ABOLEO.

aboleo. *es, evi, itum, ere*, tr. Détruire; anéantir. ‖ Effacer. ‖ Aboli; abroger. ¶ Débarrasser (des souillures); purifier.   [S'effacer, sortir d'usage.

abolesco, *is, levi, ere*, intr. Dépérir. ¶

abolitio, *onis*, f. Destruction. ‖ Abolition. ‖ Abrogation. ‖. Cassation. ¶ Amnistie.

abolitor. *oris*, m. Destructeur.

abolitus. *us*, m. Comme ABOLITIO.

abolla, *ae*, f. Manteau de soldat. ¶ Manteau de philosophe.

abominabilis, *e*, adj Abominable.

abominamentum, *i*, n. Chose abominable; abomination.

abominandus, *a, um*, adj. Abominable.

abominanter, adv. D'une façon abominable.

abominatio, *onis*, f. Horreur pour... ¶ (Méton.) Chose abominable, abomination.

abomino, *as, are*, tr Comme ABOMINOR.

abominor, *aris, ari*, dép tr. Détourner un présage funeste, souhaiter que n'arrive pas qqch. de fâcheux. ¶ Exécrer.

abominosus. *a, um*, adj. De mauvais présage; fâcheux, malheureux, funeste.

aborigines, *um*, m pl. Aborigènes (premiers habitants du Latium). ‖ Autochtones; indigènes.

aborigineus, adj. Relatif aux aborigènes.

aborior. *eris, ortus sum, iri*, dép. intr. S'éteindre; dormir. ¶ Avorter.

aboriscor, *i*, dép. intr. Périr.

aborsus, *us*, m. Comme ABORTUS.

1. abortio, *is, ivi, ire*, intr. Avorter.

2. abortio, *onis*, f. Avortement.

abortium, *ii*, n. Comme ABORTIO.

abortivum, *i*, m. Médicament abortif. ¶ Avorton.   [avant terme.

abortivus, *a, um*, adj. Abortif. ¶ Né

aborto, *as, are*, intr. Avorter.

abortum, *i*, n. Comme ABORTUS.

abortus, *us*, m. Avortement. ¶ (Métan.) Avorton.

abosus, *a, um*, adj. Haï; odieux.

abpatruus, *i*, m. Grand-oncle.

abra, *ae*, f. Esclave favorite; suivante.

abrado, *is, rasi, rasum, ere*, tr. Enlever en raclant. ‖ Sarcler. ‖ Raser. ¶ Enlever, retrancher. ‖ Extorquer.

abrasio, *onis*, f. Action de raser.

abrelego, *as, are*, tr. Reléguer; bannir.

abrelictus, *a, atum*, adj. Délaissé, abandonné.

abrenuntiatio, *onis*, f. Renoncement.

abrenuntio, *as, are*, intr. Renoncer complètement à.

abreptus, *us*, m. Rapt.

abripio, *is, ripui, reptum, ere*, tr. Enlever de force; arracher; ravir. *Abripere se*, se dérober (par la fuite), se sauver précipitamment.   [sybarite.

abrodiaetus, *a, um*, adj. Voluptueux;

abrodo, *is, rosi, rosum, ere*, tr. Enlever en rongeant; ronger.

abrogatio, *onis*, f. Abrogation.

abrogator, *oris*, m. Celui qui anéantit.

abrogo, *as, avi, atum. are*, tr Demander et obtenir l'annulation d'une loi existante; faire abroger: rapporter (une loi). ¶ Retirer à qqn légalement (une charge). ¶ (Fig.) Infirmer; anéantir. ‖ Enlever; ôter; retirer. ‖ de l'aurone.

abrotonites, *ae*, m. Vin aromatisé avec

abrotonum, *i*, n. Aurone (plante).

abrotonus, *i*, m. Comme ABROTONUM.

abrumpo, *is, rupi, ruptum, ere*, tr. Détacher en rompant; arracher. ¶ Séparer violemment; briser, rompre. ‖ Couper à pic; rendre escarpé. ¶ (Fig.) Trancher, supprimer ‖ Interrompre. ‖ Renoncer à.

abrupte, adv. En se déchirant. ¶ Brusquement. ¶ Violemment. ‖ Inconsidérément. ¶ Absolument; sans atténuation.

abruptio, *onis*, f. Rupture. ‖ (Partic.) Divorce. ¶ Interruption.   [Abîme.

abruptum, *i*, n. Précipice. ‖ (Fig.)

abruptus, *a, um*, p. adj. Escarpé; abrupt. ‖ Violent. ‖ (Fig.) Brusque; heurté, haché. ¶ Inabordable; intraitable.

abs. Voy. 3. A.

abscedo, *is, cessi, cessum, cedere*, intr. Se retirer. ‖ Mourir. ‖ (Fig.) Renoncer à. ¶ Disparaître, être perdu; cesser. ¶ (Spéc.) Former un abcès.

abscessio, *onis*, f. Retraite; éloignement.

abscessus, *us*, m. Comme ABSCESSIO. ¶ Issue. ¶ (Spéc.) Abcès.

abscido, *is, cidi, cisum, ere*, tr. Détacher en coupant; couper. ‖ (Fig.) Enlever, ôter; retrancher. ‖ Couper (la parole); faire taire; étouffer (la voix).

abscindo, *is, scidi, scissum, scindere*, tr. Enlever en déchirant, arracher. ‖ Séparer. ¶ (Fig.) Faire cesser supprimer.

abscise, adv. D'une manière concise.

abscisio, *onis*, f. Amputation. ‖ Apocope. ¶ Suppression. ¶ Aposiopèse; réticence.

abscisse, adv. Erreur p. ABSCISE.

abscissio, *onis*, f. Action de déchirer.

abscisus, *a, um*, p. adj. Escarpé. ‖ (Fig.) Laconique. ‖ Brusque, saccadé. ¶ Raide, rébarbatif (caractère).

abscondite, adv. En cachette. ¶ (Fig.) D'une manière obscure.

absconditio, *onis*, f. Action de se cacher.

absconditor, *oris*, m. Celui qui cache.

abscondo, *is, condi, conditum, ere*, tr. Mettre hors de la vue : serrer, tenir caché (*ou* éloigné). ¶ (Fig.) Cacher; dérober à la vue; perdre de vue.

absconse, adv. En secret.

absconsio, *onis*, f. Action de cacher *ou* de mettre à l'abri, hors de portée.

absconsor, *oris*, m. Recéleur.

absconsus, *a, um*, adj. Caché, secret.

absdo, *as, dedi, dare*, tr. Se défaire au profit d'un autre; donner. [lien avec.

absectus, *a, um*, p. adj. Détaché; sans

absegmen, *minis*, n. Rognure.

absens, *entis*, p. adj. Absent. ‖ (Fig.) Distrait. ¶ Mort.

absentaneus, *a, um*, adj. Absent.

absentatum, pour ABSINTHIATUM.

absentia, *ae*, f. Absence.

absentium. Voy. ABSINTHIUM.

absentivus, *a, um*, adj. Trop longtemps absent; qui se fait désirer.

absento, *as, are*, tr. et intr. Tr. Tenir éloigné. ¶ Intr. Etre absent.

absida, *ae*, f. Voy. ABSIS.

absilio, *is, ire*, intr. S'enfuir en sautant. ‖ S'enfuir. ¶ (Tr.) Se sauver de.

absimilis, *e*, adj. Dissemblable.

absinthiatus, *a, um*, adj. Aromatisé avec de l'absinthe.

absinthites, *ae*, m. Vin d'absinthe.

absinthium, *ii*, n. Absinthe. ‖ (Méton.) Comme ABSINTHITES. ‖ (Fig.) Amertume; chose pénible *ou* affligeante.

absinthus, *ii*, m. Voy. ABSINTHIUM.

absis, *idis*, f. Arc de cercle. ‖ Voûte. ‖ Abside; chœur. ‖ Orbite planétaire. ¶ Plat rond et creux.

absisto, *is, stiti, stitum, ere*, intr. S'éloigner de. ‖ (Fig.) Renoncer à, cesser.

absitus, *a, um*, adj. Situé loin de; éloigné.

absocer, *eri*, m. Bisaïeul du mari *ou* de la femme.

absolubilis, *e*, adj. Digne d'être absous.

absolute, adv. Absolument. ‖ Sans complément. ‖ Substantivement. ‖ Au positif. ¶ Clairement; avec netteté. ¶ Complètement; parfaitement.

absolutio, *onis*, f. Séparation. ¶ Délivrance; acquittement. ‖ Absolution. ¶ Paiement *ou* remise d'une dette.

‖ Quittance. ¶ Explication. ‖ Solution. ¶ Expédition; règlement. ‖ Achèvement, perfection.

absolutive, adv. Absolument. ‖ (Gramm.) Au positif.

absolutivus, *a, um*, adj. Absolu (*par opp. à relatif*).

absolutor, *oris*, m. Celui qui absout.

absolutorium, *ii*, n. Médicament qui délivre de.

absolutorius, *a, um*, adj. Relatif à l'acquittement; qui porte absolution.

absolutus, *a, um*, p. adj. Libre d'empêchements; sans restriction; indépendant. ‖ Absolu (construit absolument, *c.-à-d.* sans complément). ¶ Qui signifie achèvement. ‖ Qui a par soi-même un sens complet. ‖ Qui est au positif. ¶ Net, sans obscurité. ¶ Achevé, parfait; idéal.

absolvo, *is, solvi, solutum, ere*, tr. Séparer en dénouant; dénouer, délier, détacher. ‖ (Fig.) Libérer; acquitter; absoudre. ¶ Délivrer d'ennui (par solution satisfaisante). ‖ Payer (une dette); s'acquitter (envers). ¶ Démêler; exposer, raconter; interpréter; résoudre. ¶ Expédier, terminer, parfaire. ‖ Remplir (une promesse).

absonans, *antis*, p. adj. Qui n'est pas en harmonie avec. ‖ Différent; qui ne s'accorde pas avec.

absone, adv. D'une voix fausse. ¶ D'une façon peu harmonieuse. ‖ (Fig.) Maladroitement. ‖ D'une manière incorrecte. [¶ Qui est en opposition avec.

absonus, *a, um*, adj. Discordant, faux. ‖ (Fig.) Qui jure avec.

absorbeo, *es, bui, ptum, ere*, tr. Absorber; avaler. ‖ Engloutir. ¶ (Fig.) Absorber; tirer à soi.

absorbitio, *onis*, f. Absorption (fig.).

absorptio, *onis*, f. Absorption.

absp... Voy. ASP...

1. **absque**. Pour ET ABS.

2. **absque**, prép. En l'absence de. ‖ Loin de. ‖ Sans. ‖ Excepté, hormis.

abssectus. Voy. ABSECTUS.

abstantia, *ae*, f. Eloignement; distance.

abstemius, *a, um*, adj. Qui s'abstient de vin. ‖ Pendant lequel on ne boit pas de vin. ‖ Qui n'a encore rien pris; à jeun. ‖ Sobre. ¶ (En gén.) Comme ABSTINENS.

abstentio, *onis*, f. Rétention. ‖ Abstention.

abstergeo, *es, tersi, tersum, ere*, tr. Enlever en essuyant. ‖ Essuyer, éponger. ‖ (Fig.) Oter, effacer. ¶ Nettoyer (en essuyant); essuyer; balayer.

abstergo, *is, ere*. Comme le précédent.

absterreo, *es, terrui, territum, ere*, tr. Détourner (en effrayant). ¶ Ecarter, empêcher. ¶ Retirer *ou* refuser.

abstersio, *onis*, f. Action d'essuyer.

abstinax, *acis*, adj. Qui s'impose l'abstinence.

abstinens, *entis*, p. adj. Qui s'abstient; sobre; tempérant. ‖ Chaste. ¶ Désintéressé.

abstinenter, adv. Avec sobriété. || Avec réserve. ¶ Avec désintéressement.

abstinentia, *ae*, f. Abstinence; action de s'interdire qqch. || Tempérance, sobriété. || Diète, jeûne. || Continence; chasteté. ¶ Désintéressement; intégrité. ¶ Simplicité; absence de recherche. ¶ Abstention. ¶ (Méd.) Rétention.

abstineo, *es, tinui, tentum, ere*, tr. Tenir éloigné, tenir à l'écart; contenir, empêcher; forcer à s'abstenir; priver de. || (Jurisc.) Empêcher (un mineur) d'hériter. || ((Méd.) Mettre à la diète. || (Eccl.) Excommunier. ¶ *Intr.* S'abstenir. || (Jurisc.) Renoncer à se porter héritier. ¶ (Méd.) Etre à la diète. ¶ Etre exempt de.

absto, *are*, intr. Se tenir loin de...

abstollo, *is, ere*, tr. Voy. ABSTULO et AUFERO.

abstractio, *onis*, f. Action d'entraîner violemment; enlèvement. ¶ (Fig.) Abstention.

abstractus, *a, um*, adj. Abstrait.

abstraho, *is, traxi, tractum, ere*, tr. Séparer en tirant; entraîner, arracher. ¶ (Fig.) Arracher à une occupation; détourner; distraire.

abstrudo, *is, trusi, trusum, ere*, tr. Ecarter en poussant. ¶ Enfoncer, cacher profondément. [de cacher.

abstrusio, *onis*, f. Action d'enfoncer.

abstrusius, adv. D'une manière plus cachée; plus secrètement.

abstrusus, *a, um*, adj. Obscur; peu intelligible. ¶ Dissimulé; qui ne laisse pas pénétrer ses sentiments.

abstulo, *is, ere*, tr. Comme AUFERO.

absum, *abes, afui, esse*, intr. Etre absent. || Ne pas participer à. || Faire défaut (à qqn). ¶ Etre éloigné *ou* distant. || (Fig.) S'en falloir. || Différer de. || Ne pas convenir à. || Etre exempt de.

absumedo, *inis*, f. Consommation. || Consomption.

absumo, *is, sumpsi, sumptum, ere*, tr. Détruire (une chose) par l'usage; consommer; dépenser; anéantir (en dépensant, en absorbant, en dévorant). ¶ (En gén.) Détruire. [Destruction.

absumptio, *onis*, f. Consommation. ¶

absurde, adv. D'une voix fausse; d'une manière criarde *ou* discordante. ¶ (Fig.) Hors de propos, d'une manière absurde. [¶ Absurdité.

absurditas, *atis*, f. Fausseté (d'un son).

absurdus, *a, um*, adj. Discordant; faux. ¶ (Fig.) Qui choque l'esprit. || Hors de propos, déplacé. || Contraire au sens commun, absurde. || (En parl. de pers.) Incapable; inepte.

absynthium, v. ABSINTHIUM.

abundabilis, *e*, adj. Pléthorique.

abundans, *tis*, adj. Qui a beaucoup d'eau. || Où il y a beaucoup d'eau. || Inondé. ¶ (Fig.) Qui est en excès || Abondant. || Qui a en abondance; riche.

abundanter, adv. Surabondamment. ¶ Abondamment.

abundantia, *ae*, f. Débordement.¶ (Fig.) Profusion. || Abondance. || Opulence.

abundatio, *onis*, f. Débordement.

abunde, adv. A profusion. || Bien assez.

abundo, *as, avi, atum, are*, intr. Déborder. || (Fig.) Surabonder. || (Gramm.) Faire pléonasme. ¶ Abonder. || Regorger de. || Etre riche.

abundus, *a, um*, adj. Abondant.

abusio, *onis*, f. Abus. || (Rhét.) Catachrèse.

abusive, adv. Abusivement. || (Rhét.) Par catachrèse. ¶ Négligemment; par manière d'acquit.

abusivus, *a, um*, adj. Abusif. ¶ Employé par abus. || Impropre.

abusque, prép. Depuis.

abusus, *us*, m. Mauvais usage. || Consommation.

abusque, prép. Depuis. [sommation.

abutor, *eris, usus, sum, uti*, dép. intr. Consommer. || User pleinement de. ¶ Faire mauvais usage de; abuser. || (Rhét.) Employer par catachrèse.

abyssus, *i*, f. Abîme. || (Eccl.) L'enfer. || (Fig.) Profondeur insondable. || Profondeur où l'on est plongé. || L'immensité *qqf.* l'océan.

ac. conj. || Et, et même, et cependant. || Que. *Aliter ac*, autrement que. *Aeque ac*, autant que. *Perinde ac si*, comme si. *Simul ac*, dès que.

acacia, *ae*, f. Acacia.

acalanthis, *idis*, f. Chardonneret.

acanos, *i*, m. Onoporde (plante épineuse). [appelée helxine.

acanthice, *es*, f. Suc de la plante

acanthillis, *idis*, f. Asperge sauvage.

acanthion, *i*, n. Arbrisseau épineux.

acanthis, *idis*, f. Chardonneret. ¶ Seneçon (?)

acanthus, *i*, m. Acanthe. ¶ Acacia (d'Egypte).

acapnos, *on*, adj. Sans fumée; qui se fait *ou* s'obtient sans fumée.

acarna ou **acarne**. Voy. ACHARNE.

acatalecticus, *a, um*, adj. Pour ACATALECTUS.

acatalectus, *a, um*, adj. Acatalectique c'-à-d. dont le dernier pied est complet (t. de métrique).

acatium, *ii*, n. Petite embarcation; brigantin. ¶ Grande voile.

acatus, *i*, f. Brigantin.

acaunumarga, *ae*, f. Espèce de marne.

acaustos, *on*, adj. Incombustible. ¶ (Subst.) Escarboucle.

accado, *is, ere*, intr. Tomber près de. || Tomber devant.

accano, *is, ere*, intr. Joindre ses chants à.

accantito, *as, are*, tr. Fréquentatif de ACCANTO.

accanto, *as, are*, intr. Chanter près de *ou* devant.

accedenter, adv. D'une manière accessible.

accedo, *is, cessi, cessum, ere*, intr. Marcher vers; s'avancer; s'approcher. ||

S'avancer (en ennemi); attaquer. ||
S'avancer en suppliant; avoir recours
à. ¶ (*Fig.*) Arriver (en parl. du temps).
|| Se porter vers; se disposer à; se
charger de. || S'approcher de; prendre
la ressemblance de. || Accéder, ad-
hérer. || Se joindre à; entrer (dans le
parti de). ¶ Venir en outre; s'ajouter
à. || Croître; progresser.

acceia, *ae*, f. Bécassine.

acceleratio, *onis*, f. Accélération; hâte.

accelero, *as*, *avi*, *atum*, *are*, tr. Accélérer; presser; hâter. ¶ *Intr.* Faire
diligence, se hâter.

accendium, *ii*, n. Embrasement.

1. **accendo**, *is*, *cendi*, *censum*, *ere*, tr.
Mettre le feu à; embraser. || Rendre
brûlant; échauffer. || Rendre brillant;
éclairer. ¶ (*Fig.*) Enflammer; attiser.
|| Augmenter; rendre plus fort.

2. **accendo**, *onis*, m. Celui qui attise;
qui excite.

accenseo, *es*, *ui*, *censum*, *ere*, tr. Adjoindre; attacher; associer.

accensibilis, *e*, adj. Qui peut être allumé. ¶ Qui flamboie.

accensio, *onis*, f. Action de mettre le
feu à. || (Méton.) Embrasement; feu.

accensor, *oris*, m. Allumeur.

accensus, *i*, m. Attaché; surnuméraire.
¶ Soldat de réserve.|| Ordonnance (d'un
officier). || Appariteur; huissier; ser-
gent.

accensus, abl. *u*, m. Action d'allumer.

accentiuncula, *ae*, f. Accent tonique.

accentio, *onis*, f. Son renforcé.

accentor, *oris*, m. Choriste.

accentus, *us*, m. Son; jeu (d'un instru-
ment). || Ton, intonation. ¶ (Gramm.)
Accent tonique. ¶ (*Fig.*) Intensité.

accepta, *ae*, f. Lot (échu à qqn). [ble.

acceptabilis, *e*, adj. Acceptable; agréa-

acceptatio, *onis*, f. Comme ACCEPTIO.

acceptator, *oris*. m. Qui accepte *ou*
agrée. ¶ Espace libre autour d'un
monument.

acceptatus, *a*, *um*, adj. Acceptable.

acceptilatio, *onis*, f. Quittance; décharge.

acceptio, *onis*, f. Action de recevoir;
réception; acceptation. ¶ (Log.) Proposition acceptée par le contradicteur;
admission.¶ Sens (attribué à un mot);
interprétation; acception. ¶ Estima-
tion. || Acception (de personnes); pré-
férence.   [accepter fréquemment.

acceptito, *as*, *avi*, *are*, tr. Recevoir *ou*

accepto, *as*, *avi*, *atum*, *are*, tr. Recevoir
habituellement. || Recevoir régulière-
ment.

acceptor, *oris*, m. Celui qui reçoit ou qui
accepte. ¶ Celui qui admet *ou* approuve. ¶ Celui qui fait acception (de
personnes). ¶ Entrepositaire. ¶ Comme
ACCIPITER.

acceptorarius, *ii*, m. Fauconnier.

acceptorius, *a*, *um*, adj. Qui sert à
recevoir.

acceptrix, *icis*, f. Celle qui reçoit.

acceptus; *a*, *um*, adj. Reçu volontiers;
bienvenu; sympathique.

accersitor. Voy. ARCESSITOR.

accerso. Voy. ARCESSO.

accessa, *de*, f. Marée haute.

accessibilis, *e*, adj. Accessible.

accessibilitas, *atis*, f. Libre accès.

accessibiliter, adv. Accessoiremennt.

accessio, *onis*, f. Action de s'avancer,
de s'approcher. ¶ Accroissement. ||
(Méd.) Accès (de fièvre). ¶ (Méton.)
Surcroît; accessoire. || Pot de vin. ||
(Jurisc.) Répondant; sûreté.

accessito, *as*, *avi*, *are*, intr. Venir (*ou*
s'approcher) à plusieurs reprises.

accessus, *us*, m. Action de s'approcher;
approche. || Droit de s'approcher;
(libre) accès. || (Méton.) Accès, abord.
|| Espèce d'échelle d'assaut. ¶ Accrois-
sement; surcroît. || (Méd.) Accès (de
fièvre).

accia. Voy. ACCEIA.

1. **accidens**, p. adj. Qui arrive par
hasard; accidentel.

2. **accĭdens**, *dentis*, n. Evénement. ||
Hasard malheureux; accident. ¶ (Au
pl.) Circonstances d'un acte. || Symp-
tômes. ¶ (Log.) Accident. ¶ (Gramm.)
Adjectif.

accidentia, *ae*, f. Evénement; hasard.
¶ (Phil.) Accident (*opp. à* substance).

accidia,*de*, f. Accès (de fièvre). ¶ Comme
ACEDIA.

1. **accido**, *is*, *cidi*, *ere*, intr. Tomber
auprès de; tomber sur. || Arriver ino-
pinément; tomber. || Arriver; parve-
nir. || Aboutir. ¶ Arriver par hasard.
Impers. *Accidit ut*..., il est arrivé malheureusement que... ¶ Echoir en partage; appartenir à.

2. **accido**, *is*, *cidi*, *cisum*, *ere*, tr. En-
tamer.|| Tailler; couper; abattre. ¶ En-
tamer (avec les dents); ronger. ¶ (*Fig.*)
Entamer; affaiblir; ruiner.

accĭduus, *a*, *um*, adj. Qui arrive, qui
s'accomplit.

accieo, *es*, *ere*. Voy. ACCIO.

accinctio, *onis*, f. Action de se ceindre,
de s'armer.

1. **accinctus**, *us*, m. Comme le précédent.

2. **accinctus**, *a*, *um*, p. adj. Bien ajusté.

accingo, *is*, *cinxi*, *cinctum*, *ere*, tr.
Attacher à la ceinture; ceindre. ¶
Equiper; armer. || Mettre en état; dis-
poser.

accino, *is*, *ii*, *itum*, *ere*, intr. Chanter
avec. ¶ Chanter pour, à l'occasion de.

accio, *is*, *ivi*, *itum*, *ire*, tr. Appeler;
mander.

accipio, *is*, *cepi*, *ceptum*, *ere*, tr. Rece-
voir; prendre; accepter. || Accueillir.
|| (Fig.) Traiter (bien *ou* mal). ¶ Per-
cevoir; éprouver. ¶ Comprendre;
prendre (bien *ou* mal). || Apprendre;
entendre dire. ¶ Bien accueillir; approuver, admettre. ¶ Se charger de;
entreprendre.

accipiter, *tris*, m. Oiseau de proie; épervier; faucon. ¶ (*Fig.*) Voleur.

accipitrina, *ae*, f. Pâture d'un oiseau de proie. ¶ Epervière (plante).

accipitro, *as*, *are*, tr. Déchirer (comme fait l'épervier).

accitio, *onis*, f. Action de mander. ¶ Evocation.

accito, *as*, *are*, tr. Exprimer.

accitus, abl. *u*, m. Appel; convocation.

acclamatio, *onis*, f. Cri. ¶ Cri d'enthousiasme; acclamation. || Huée. ¶ (Rhét.) Epiphonème.

acclamo, *as*, *avi*, *atum*, *are*, intr. Pousser des cris (à l'adresse de...). || Acclamer. ¶ Huer. ¶ Proclamer.

acclaro, *as*, *avi*, *are*, tr. Rendre clair; révéler.

acclinis, *e*, adj. Appuyé à; adossé à. ¶ En pente. ¶ (Fig.) Enclin.

acclino, *as*, *avi*, *atum*, *are*, tr. Incliner; pencher; adosser. ¶ (*Fig.*) Disposer favorablement (pour qqn).

acclivis, *e*, adj. Qui va en montant.

acclivitas, *atis*, f. Montée; côte.

accognosco, *is*, *ere*, tr. Reconnaître.

accola, *ae*, m. Qui demeure à côté; habitant; riverain. ¶ Qui vient de l'étranger; colon.

accolo, *is*, *colui*, *cultum*, *ere*, tr. Habiter près de, au bord de. ¶ Cultiver.

accommode, adv. D'une manière appropriée. || Conformément.

accommodatio, *onis*, f. Appropriation; adaptation; accommodation. ¶ Humeur accommodante.

accommodativus, *a*, *um*, adj. Dont le sens est conforme.

accomodatus, *a*, *um*, p. adj. Approprié. ¶ Propre à; fait pour. ¶ Conforme; analogue.

accommode, adv. Convenablement.

accommodo, *as*, *avi*, *atum*, *are*, tr. Ajuster; adapter. ¶ (Fig.) Approprier; accommoder; conformer. || Assortir. ¶ Appliquer, employer, mettre (ses soins) à. || Mettre à la disposition; prêter. || Attribuer; imputer.

accommodus, *a*, *um*, adj. Propre à.

accongero, *is*, *gessi*, *gestum*, *ere*, tr. Ajouter à un tas; accumuler, entasser.

accorporo, *are*, tr. Joindre à un corps; ajouter (pr. et fig.).

accredo, *is*, *didi*, *ditum*, *ere*, intr. Ajouter foi à.

accresco, *is*, *crevi*, *cretum*, *ere*, intr. S'accroître. || Grandir, grossir, monter (pr. et fig.). || S'ajouter à (pour augmenter). [sance.

accretio, *onis*, f. Accroissement; croissance.

accubatio, *onis*, f. Pour ACCUBITIO.

accubitalia, *ium*, n. pl. Couvertures et coussins (d'un lit de table). [de table.

accubitaris, *e*, adj. Relatif aux lits

accubitatio, *onis*, f. Comme ACCUBITIO.

accubitio, *onis*, f. Action de se coucher; état d'une personne couchée (sur un lit de table). ¶ (Méton.) Lit de table.

accubito, *es*, *are*, intr. Prendre place à table souvent (*ou* volontiers).

accubitor, *oris*, m. Convive.

accubitorium, *ii*, n. Salle destinée (dans un tombeau) aux repas funèbres. ¶ Qqf. Tombeau.

accubitorius, *a*, *um*, adj. Relatif à la table, au lit de table, à la salle à manger.

accubitum, *i*, n. Lit de table.

accubitus, *as*, m. Action de se coucher auprès de *ou* sur. || Action de se mettre à table. || (Méton.) Place à table.

accubo, *as*, *are*, intr. Etre couché auprès de *ou* en s'appuyant sur. || (Fig.) Etre situé auprès de. ¶ Etre au lit. || Etre à table. [personne couchée.

accubuo, adv. Dans la position d'une

accudo, *is*, *cudi*, *cusum*, *ere*, tr. Frapper en sus (en parl. de la monnaie). || Donner de l'argent en plus. [RIUM.

accumbitorium, *ii*, n. Voy. ACCUBITO-

accumbo, *is*, *cubui*, *cubitum*, *ere*, intr. Se coucher. ¶ Se coucher pour manger. || Se mettre à table.

accumulatim, adv. A profusion.

accumulatio, *onis*, f. Action d'amonceler (la terre); rechaussement (des arbres). ¶ (*Fig.*) Accumulation.

accumulator, *oris*, m. Celui qui entasse, accumule.

accumulo, *as*, *avi*, *atum*, *are*, tr. Amonceler, entasser. || Rechausser (un arbre); butter (une plante). ¶ (Fig.) Accumuler. || Augmenter; porter au comble. || Combler (qqn) de.

accurate, adv. Avec soin, exactement. || Avec empressement; avec égards.

accuratio, *onis*, f. Soin; exactitude.

accuratus, *a*, *um*, p. adj. Soigné. || Exact.

accuro, *as*, *avi*, *atum*, *are*, tr. Donner ses soins à. || Soigner. || Faire avec soin.

accurro, *is*, *cucurri* et *curri*, *cursum*, *ere*, intr. Courir vers; accourir (pr. et fig.).

accursus, *us*, m. Action d'accourir.

accusabilis, *e*, adj. Accusable; répréhensible; blâmable.

accusatio, *onis*, f. Action d'accuser. ¶ Accusation publique. || Accusation secrète; délation. || (Méton.) Accusation; réquisitoire. ¶ Reproche, blâme.

1. **accusativus**, *a*, *um*, adj. Qui sert à accuser. || (Gr.) Qui se construit avec l'accusatif.

2. **accusativus**, *i*, m. Accusatif.

accusator, *oris*, m. Celui qui accuse. || Accusateur; plaignant. || Délateur. ¶ Celui qui blâme. [animosité.

accusatorie, adv. En accusateur; avec

accusatorius, *a*, *um*, adj. D'accusation *ou* d'accusateur.

accusatrix, *icis*, f. Accusatrice.

accusito, *as*, *are*, tr. Accuser souvent *ou* volontiers; s'en prendre à.

accuso, *as*, *avi*, *atum*, *are*, tr. Mettre en cause. ¶ Accuser (devant un tribunal). || Accuser, blâmer, reprendre.

acedia, *ae,* f. Incurie.¶ Découragement.

acedior, *aris, ari,* intr. Etre négligent. ¶ Se décourager; se dépiter. [faut.

acenteta, *orum,* n. pl. Cristaux sans défauts.

acentetus, *a, um,* adj. Non piqué.

acephalus, *a, um,* adj. [Sans tête] : acéphale (vers tronqué au commencement). ¶ Subst. *Acephali, orum,* m. pl. Hérétiques qui ne reconnaissent pas de chef à l'église.

1. **acer,** *eris,* n. Erable.

2. **acer,** *acris, e,* adj. Acéré. || (Fig.) Qui fait une impression vive (sur les sens): *sur la vue,* vif, éblouissant; *sur l'ouïe,* perçant; *sur le goût,* piquant, aigre, âcre; *sur l'odorat,* pénétrant; *sur le toucher,* mordant, cuisant. || Qui fait une impression vive (sur l'âme) : cuisant, pénible. ¶ *En parlant de l'âme ou des sens :* pénétrant, fin, subtil. ¶ *En parl. des pers.* Vif, actif, énergique; zélé. || Irritable, dur.

aceratos, *on,* adj. Sans cornes. [paille.

aceratus, *a, um,* adj. Mêlé de menue

acerbatio, *onis,* f. Action d'envenimer; aggravation.

acerbe, adv. Avec âpreté. || Durement, cruellement. ¶ Avec amertume.

acerbitas, *atis,* f. Saveur âpre; âpreté; verdeur. || (Méton.) Fruit vert.¶ (Fig.). *En parl. des personnes :* âpreté (du caractère); dureté, rigueur; aigreur, causticité. ¶ *En parl. des ch.* Amertume, dureté, cruauté (d'un événement). || (Méton.) *Acerbitates,* événements cruels, afflictions.

acerbitudo, *inis,* f. Comme ACERBITAS.

acerbo, *as, are,* tr. Rendre amer (ce qui était doux). || Gâter; empoisonner. ¶ Rendre plus amer : aigrir, envenimer.

acerbositas, *atis,* f. Voy. ACERBITAS.

acerbus, *a, um,* adj. Qui agace le goût; acerbe, âpre, vert. ¶ (Fig.) Qui n'est pas mûr; *d'où* prématuré; incomplet, inachevé. ¶ Qui agace (les autres sens); qui blesse l'oreille; aigu, criard, strident. ¶ (*En parl. des ch.*) Amer, pénible ; odieux; caustique. ¶ *En parl. des pers.* Morose; dur; cruel.

acerneus, *a, um,* adj. Voy. ACERNUS.

acernus, *a, um,* adj. D'érable. [paille.

acerosus, *a, um,* adj. Plein de menue

acerra, *ae,* f. Boîte à encens. ¶ Autel placé devant un mort pour y brûler de l'encens. [veux longs.

acersecomes, *ae,* m. Qui porte les che-

acervalis, *e,* adj. Qui forme un tas amoncelé.

acervatim, adv. En tas; pêle-mêle. ¶ (Fig.) En gros; sommairement.

acervatio, *onis,* f. Entassement; amoncellement. [amonceler.

acervo, *as, avi, atum, are,* tr. Amasser, entasser.

acervus, *i,* m. Amas; monceau (pr. et fig.). ¶ (Log.) Sorite.

acesco, *is, acui, ere,* intr. S'aigrir; se corrompre.

acesis, acc. *im,* f. Sorte de malachite.

acetabulum, *i,* n. Vinaigrier. || Vase (en gén.) ¶ Objet en forme de vase à vinaigre. || Gobelet (d'escamoteur); instrument de musique. || Mesure valant le quart d'une hémine. || Concavité cotyloïde. || Ventouse, suçoir. || Calice (de fleur). [salades.

acetaria, *orum,* n. pl. Vinaigrettes;

acetasco, *is, ere,* intr. Comme 1. ACETO.

1. **aceto,** *as, are,* intr. Prendre un goût de vinaigre.

2. **aceto,** *avi, are,* arch. p. AGITO.

acetosus, *a, um,* adj. Sûr (*litt.* qui a goût de vinaigre).

acetum, *i,* n. Vinaigre. ¶ (Fig.) Causticité; plaisanterie acerbe.

achaemenis, *idis,* f. Achéménis, plante magique.

achantum, *i,* ni Substance odorante.

acharis, *itis,* adj. Ingrat. [son.

acharne, *es,* ou *ae,* f. Loup de mer, pois-

achates, *ae,* m. Agate.

acheta, *ae,* m. Cigale mâle (celle qui chante).

achillea (s. e *herba*), *as,* f. Achillée; millefeuille (plante découverte par Achille).

achilleos, *i,* f. Comme le précédent.

achilleum, *i,* n. Sorte d'éponge tendre et fine. [l'Europe; *probabl.* élan.

achlis, acc. *in,* f. Animal du nord de

achor, *oris,* m. Gourme (maladie des enfants). [vage. || Poire sauvage.

achras, *adis* et *ados,* f. Poirier sau-

achromos, *on,* adj. Non coloré, c.-à-d. sincère (fig.).

acia, *ae,* f. Aiguillée de fil.

acicula, *ae,* f. Petite aiguille); épingle de tête.¶ Aiguille (de pin).

acide, adv. Avec aigreur; avec dépit.

aciditas, *atis,* f. Aigreur.

acido, *as, are,* intr. S'aigrir.

acidulus, *a, um,* adj. Aigrelet.

acidus, *a, um,* adj. Acide, aigre, sur. || Aigre (fruit). ¶ Désagréable; fâcheux. ¶ Mordant, caustique.

acieris, *is,* f. Hache de bronze (pour les sacrifices).

acies, *ei,* f. Pointe; tranchant; fil (d'une épée). ¶ (Fig.) Finesse. || Vivacité (du regard); vision, regard. || Pupille de l'œil; œil. || Pénétration (de l'esprit). ¶ Front d'une armée (en ordre de bataille). || Bataille rangée. || Champ de bataille. || Lutte, joute (oratoire).

acinaces, *is,* m. Cimeterre.

acinarius, *a, um,* adj. Qui a rapport au raisin; qui sert à mettre le raisin.

acinaticius, *a, um,* adj. Préparé avec des raisins (secs).

acinetos, *i,* m. (L'immobile), un des éons de l'hérésiarque Valentin.

acinas, *i,* f. Basilic sauvage.

acinosus, *a, un,* adj. Plein de grains de raisin. ¶ Semblable à un grain de raisin.

acinum, *i,* n. Comme ACINUS.

acinus, i, m. Baie ; grain (d'une grappe) ; grain de raisin.

acipenser, eris, m. Esturgeon (?)

acipensis, is, m. Comme le précédent.

acisco. Voy. ACESCO.

aciscularius, ii, m. Tailleur de pierres.

acisculum, i, n. Outil (petit marteau pointu) du tailleur de pierres.

acitabulum, i, n. Voy. ACETABULUM.

aclys, ydis, f. Javelot court avec courroie.   [carrés).

acnua, ae, f. Mesure agraire (120 pieds

acoenoetus, a, um, adj. Qui ne se décide pas à partager.

acoetum, i, n. Miel vierge.

acoluthos et acoluthus, i, m. Acolyte (clerc qui a reçu le plus élevé des quatre ordres mineurs).

aconiti, adv. (Sans la poussière [de la lutte]) ; sans effort, sans peine.

aconitum, i, n. Aconit. ¶ (Fig.) Poison.

acontias, ae, m. Météore (rapide comme une flèche). ¶ Serpent d'Egypte.

acontizo, as, are, intr. Jaillir (comme une flèche), en parl. du sang.

1. acopos, on ou um, adj. Qui chasse la fatigue.

2. acopos, i, f. Sorte de quartz cristallisé ou spath. ¶ Plante appelée aussi ANAGYROS.

acopum, i, n. Embrocation.

acor, oris, m. Aigreur. || Goût aigre. || Odeur aigre. ¶ (Fig.) Amertume ; contrariété ; déception ; déboire.

acora, ae, f. Gourme.   [geâtre.

acorna, ae, f. Chardon de couleur rougeoron ou acorum, i, n. Comme ACOROS.

acoros, i, f. Acore, plante des marais.

acquiesco, is, quievi, quietum, ere, intr. Prendre du repos ; se délasser. || Goûter le repos suprême ; mourir ; reposer (dans la tombe). ¶ (Fig.) Trouver du repos (ou une consolation) dans ; se complaire dans. || Se reposer sur ; se confier ; acquiescer.

acquiro. is, sivi, situm, ere, tr. Ajouter à ce qu'on a ; acquérir en sus. || Acquérir et intr. s'enrichir. ¶ Acquérir pour un autre ; procurer.

acquisitio, onis, f. Accroissement. ¶ Acquisition. || (Méton.) Bien acquis ; gain.

acquisitivus, a, um, adj. Qu'on acquiert ; acquis (opp. à naturel).

acquisitor, oris, m. Celui qui acquiert. || Acquéreur.

acra, ae, acc. an, f. Promontoire.

acratophorum, i n. Vase pour le vin pur.

acre, adv. Voy. ACRITER.

acredo, dinis, f. Acreté.

acredula, ae, f. Nom d'un oiseau inconnu, qui chante le matin.

acriculus, a, um, adj. Un peu vif ; un peu irritable.

acridium, ii, n, Scammonée.

acrifolium, ii, n. Houx.

acrifolius, a, um, adj. Aux feuilles piquantes. ¶ De bois de houx.

acrimonia, ae, f. Saveur piquante.

|| Odeur piquante. ¶ Acreté. || Aigreur (d'estomac). ¶ (Fig.) Acuité, finesse. || Vivacité, énergie. ¶ Acrimonie, aigreur.

acritas, atis, f. Acuité. ¶ Pénétration ; force ; énergie.

acriter, adv. Fortement, énergiquement, vivement. || Avec pénétration ; avec perspicacité. || Avec ardeur ; activement. || Sévèrement, durement.

acritudo, dinis, f. Acreté ; acidité. ¶ (Fig.) Energie. || Rudesse, sévérité.

acrivox, vocis, adj. A la voix perçante.

acro, onis, m. Extrémité des membres ; abats (de porc).

acroama, atis, n. Ce qu'on écoute avec plaisir ; concert. ¶ (Méton.) Celui qu'on écoute. || Chanteur, musicien. || Conteur amusant ; bouffon.

acroamaticus, a, um, adj. Relatif à la musique, au chant, à la récitation.

acroasis, is, acc. in, f. Audition. ¶ Discours, leçon ; lecture publique. || (Méton.) Auditoire.

acroaticus, a, um, adj. Communiqué aux seuls auditeurs ; ésotérique.

acrocerannius, a, um, adj. Dangereux. ¶ Triste.

acrochordon, onis, f. Durillon.   [porc.

acrocolefium, ii, n. Le haut d'un pied de

acrocolephium, ii, n. Comme le précédent.

acrocolia, orum, n. pl. Comme ACRO.

acrolithus, a, um, adj. Dont le haut est de pierre.

acroma. Voy. ACROAMA.   [statue).

acropodium, ii, n. Bout du pied (d'une

acror, oris, m. Comme ACRITUDO.

acroterium, ii, n. Pointe (qui abrite un port). ¶ (Au plur.) Acrotères (supports placés aux extrémités supérieures des édifices partic. sur les frontons). || Statues, figures (placées sur ces supports).

acruama. Voy. ACROAMA.

acrufolius. Voy. ACRIFOLIUS.

1. acta, æ, f. Rivage (de la mer). Côte escarpée ; falaise.

2. acta, orum, n. pl. Actes ; conduite. || Exploits. ¶ Actes officiels. ¶ Registres publics. || Actes, minutes. || Procès-verbaux. || Bulletin. ¶ Mémoires (d'un homme public).   [tophe.

actaea, ae, f. Actée (herbe de S. Christactaeus, a, um, adj. Du bord de la mer.

actarii, orum, m. pl. Teneurs de livres (comptables militaires).

acte, es, f. Hièble.   [zool.).

actinophoros, on, adj. Rayonné (t. de

actinosus, a, um, adj. Pein de rayons ; resplendissant ; radieux.

actio, onis, f. Mouvement (en avant). || (Arch.) Spire. ¶ Manifestation de l'activité. || Acte ; opération. || Acte (de la vie publique) ; fonction. || Négociation. || Proposition (faite dans une assemblée délibérante). || (Méton.) Acte officiel ; pièce authentique. ¶ Action en justice. || Plainte; accusation. || Recours. || Forme de procédure. || Débats (d'un procès). || Plaidoyer (de l'accusateur). ¶ Débit. || Action (oratoire). || Jeu (d'un acteur). || Représentation (au théâtre). || Gramm.) Voix active.

actionarius, *ii*, m. Agent.

actiosus, *a*, *um*, adj. Actif: affairé.

actito, *avi*, *atum*, *are*, tr. Traiter souvent *ou* volontiers (des affaires). || Plaider souvent *ou* volontiers. || Représenter souvent *ou* volontiers des pièces.

actiuncula, *ae*, f. Petit plaidoyer.

active, adv. A la voix active.

activitas, *atis*, f. Sens actif.

activus, *a*, *um*, adj. Actif, agissant; pratique. ¶ (Gramm.) Actif; de sens actif.

actor, *oris*, m. Celui qui met en mouvement *ou* conduit. ¶ Celui qui agit; auteur, agent. || (Partic.) Homme d'affaires; régisseur; chargé des intérêts d'une corporation. ¶ Celui qui agit en justice. || Demandeur, plaignant. || Avocat. ¶ Celui qui joue (un rôle); acteur.

actorius, *a*, *um*, adj. Fait pour l'action.

actrix, *icis*, f. Intendante. ¶ Demanderesse. ¶ Actrice.

actualis, *e*, adj. Actif; pratique. ¶ (Gramm.) Qui indique l'auteur de l'action.

actualiter, adv. En vertu d'une action.

actuariola, *ae*, f. Petite barque.

1. **actuarius**, *a*, *um*, adj. Qu'on peut faire avancer facilement. || Rapide, léger. *Actuariae naves*, vaisseaux légers (à rames et à voiles) pour le transport des troupes. *Actuarii canes*, lévriers. ¶ Assez large pour laisser passer un attelage; large de douze pieds. ¶ Qui marque les distances tous les 120 pas.

2. **actuarius**, *ii*, m. Sténographe. ¶ Greffier. ¶ Intendant. ¶ Officier comptable (chargé des approvisionnements de l'armée). [énergie.

actuose, adv. Avec activité. entrain,

actuosus, *a*, *um*, adj. Plein d'activité, d'entrain, d'énergie.

1. **actus**, *a*, *um*, adj. part. d'AGO.

2. **actus**, *us*, m. Action de faire avancer. || Action de mener (du bétail). || Droit de faire passer (du bétail *ou* un attelage) sur la propriété d'autrui. || Chemin, passage (servitude rustique). || Mesure agraire : *actus minimus*, surface de 120 pieds sur 4. *Actus quadratus*, carré de 120 pieds. *Actus duplicatus*, surface de 240 pieds. ¶ Mouvement en avant; marche; démarche. ¶ Activité; action. || (Méton.) Acte. ¶ Fonction; office; gestion; administration. ¶ Mimique; gestes. || Action (oratoire). || Jeu (de l'acteur); représentation théâtrale. ¶ Acte (d'une pièce de théâtre). || Période (dans la vie); époque.

actutum, adv. Tout de suite; immédiatement.

acualis, *e*, adj. Pourvu de l'accent aigu.

acuarius, *ii*, m. Fabricant d'aiguilles *ou* qui manie l'aiguille.

acula, *ae*, f. Petite aiguille.

aculeatus, *a*, *um*, adj. Pourvu d'un aiguillon. || Muni de piquants. ¶ Epineux. ¶ Produit par un dard. ¶ (Fig.) Piquant, *d'où* blessant. || Pointilleux; subtil.

aculeus, *i*, m. Aiguillon (de l'abeille). || Piquant; épine. || Pointe. ¶ Ce qui pique; ce qui blesse. *Aculei*, m. pl. Quolibets. || Ce qui fait impression. *Aculei*, m. pl. Traits brillants (dans le style). ¶ Ce qui excite; aiguillon.

aculos. Voy. ACYLOS.

acumen, *minis*, n. Pointe. || Extrémité. || Dard, aiguillon. ¶ (Fig.) Goût piquant *ou* acide. || Acuité (du son). || (Gramm.) Accent aigu. ¶ Piquant (de l'esprit); raillerie piquante. || Subtilité (d'esprit), finesse. Au pl. *Acumina*, finasseries, roueries. [guiser.

acuminarius, *a*, *un*, adj. Qui sert à ai-

acumino, *as*, *avi*, *atum*, *are*, tr. Rendre pointu. || Affiler.

acuncula, *ae*, f. Aiguille à repriser.

acuo, *is*, *ui*, *utum*, *ere*, tr. Aiguiser; affiler. ¶ (Fig.) Rendre aigu (en parl. du son). || (Gramm.) Frapper de l'accent aigu. ¶ Aiguiser, affiner (l'esprit). || Attiser (le désir). ¶ Aiguillonner; encourager.

acupedius, *a*, *um*, adj. Aux pieds agiles.

acupenser. Voy. ACIPENSER.

acupictura, *ae*, f. Broderie (à l'aiguille); broderie (sur étoffe).

acupictus, *a*, *um*, adj. Brodé. [(du blé).

1. **acus**, *eris*, m. Menue paille; balle

2. **acus**, *i*, m. Anguille (de mer); syngnathe (poisson).

3. **acus**, *us*, f. Aiguille (à coudre *ou* à broder). ¶ Aiguille (de tête); épingle (à cheveux). ¶ Pointe; ardillon (d'une boucle). || Dent (d'une houe).

acutalis, *e*, adj. Qui finit en pointe.

acutatus, *a*, *um*, adj. Taillé en pointe; aiguisé.

acutela, *ae*, f. Action d'aiguiser. [gus.

acutiangulum, *i*, n. Figure à angles ai-

acutule, adv. Avec quelque finesse.

acutulus, *a*, *um*, adj. Assez fin; quelque peu subtil.

1. **acutus**, *a*, *um*, p. adj. Aigu, affilé, pointu. || (Géom.) Aigu. ¶ Qui fait vive impression sur les sens : *la vue*, vif, éclatant; *l'ouïe*: aigu; *le goût*: piquant; *l'odorat* : pénétrant; *le toucher*, vif, fort; *la constitution physique* : aigu (*opp. à* chronique). ¶ Fin. || Perçant (en parl. du froid). || *En parl. de l'intelligence* : ingénieux, fin, pénétrant; spirituel. || *En parl. du style* : vigoureux et précis.

2. **acutus**, *us*, m. Action d'aiguiser.

acylos, *i*, f. Gland du chêne vert.

acyrologia, *ae*, f. Impropriété (d'expression).

1. **ad**, prép. avec l'Acc. (marque la direction vers un objet, puis l'arrivée auprès de cet objet, enfin la proximité). A, vers, dans la direction de, chez. ‖ A, auprès de, du côté de, chez. *Pugna ad Cannas*, la bataille de Cannes. *Ad Genevam*, du côté de Genève. ‖ A, c.-à-d. à l'aide de. *Ludere ad latrunculos*, jouer aux échecs. ‖ *(Dans les évaluations.)* Environ, à peu près. ¶ *Marque un mouvement d'approche.* Jusqu'à. *Virgis ad necem caedi*, être battu de verges jusqu'à ce que mort s'ensuive. ‖ *(Fig.)* Jusqu'à; y compris. *Ad assem perdere*, perdre jusqu'à un sou. ¶ *(Fig.) Tendance :* à, pour. ‖ *Intention :* en vue de. ¶ *(En parl. du temps.)* Jusqu'à. ‖ Pour. *Ad tempus*, pour un temps. ‖ A, lors de, au moment de. *Ad multam noctem*, au fort de la nuit. ‖ Dans, au bout de. ¶ *(Pour marquer la relation.)* Relativement à; au point de vue de. *Insignes ad laudem viri*, homme d'un mérite éclatant. ‖ Au prix de; en comparaison de. *Nihil ad Curtium*, ce n'est rien au prix de Curtius. ‖ Conformément à, d'après. ‖ A l'occasion de, à propos de. ‖ Par suite de; à cause de. ¶ *Marque addition.* En sus de; outre. *Ad hoc*, outre cela. *Ad id quod...*, outre que...

2. **ad.** Voy. AT.

adactio, *onis*, f. Action d'amener à.

adactus, *us*, m. Action d'appliquer, ¶ Contrainte.

adaequatio, *onis*, f. Action d'égaler.

adaeque, adv. Egalement; aussi.

adaequito, *as, are*, tr. Egaler.

adaequo, *as, avi, atum, are*, tr. Egaler; rendre égal à; mettre de niveau à (pr. et fig.). ‖ Egaler; comparer. ‖ Se rendre égal à; atteindre. ¶ *Intr.* Se diviser en deux parties égales. [naie; cote.

adaeratio, *onis*, f. Evaluation en monadaero, *as, avi, atum, are*, tr. Evaluer (en argent); taxer, coter. ¶ Supputer.

adaestuo, *as, avi, atum, are*, intr. Bouillonner contre. [amonceler.

adaggero, *as, avi, atum, are*, tr. Amasser.

adagio, *onis*, f. Adage; dicton.

adagium, *ii*, n. Comme le précédent.

adagnitio, *onis*, f. Reconnaissance.

adagnosco, *is, ere*, tr. Reconnaître.

adalligo, *as, avi, atum, are*, tr. Attacher à. [l'acier; qu'on ne peut briser.

adamanteus, *a, um*, adj. Dur comme

adamantinus, *a, um*, adj. Comme le précédent.

adamantis, *tidis*, acc. *tida*, f. Espèce d'herbe magique dont l'effet est irrésistible.

adamas, *antis*, acc. *anta*, m. Métal très résistant · fer, acier. ¶ *(Fig.)* Caractère inflexible *ou* insensible ¶ Diamant.

adamator, *oris*, m. Amant.

adambulo, *as, are*, intr. Marcher aux côtés de *ou* avec.

adamita, *ae* f. Grand'tante, au 6e degré (du côté paternel).

adamo, *as, avi, atum, are*, tr. S'éprendre de. ¶ Aimer avec passion.

adamplio, *as, avi, atum, are*, tr. Augmenter.

adamussim, adv. Régulièrement. Voy. AMUSSIS.

adaperio, *is, perui, pertum, ire*, tr. Découvrir. ‖ Révéler. ¶ Ouvrir.

adapertilis, *e*, adj. Qui peut s'ouvrir.

adapertio, *onis*, f. Action de découvrir *ou* d'ouvrir. ‖ *(Fig.)* Explication.

adapto, *as, avi, atum, are*, tr. Adapter; arranger.

adaquo, *as, avi, are*, tr. Pourvoir d'eau; abreuver; désaltérer; arroser.

adaquor, *aris, ari*, dép. intr. Faire provision d'eau. [marécageuses.

adarca, *ae*, f. Ecume autour de plantes

adarce, *es*, f. Comme ADARCA.

adaresco, *is, arui, ere*, intr. Arriver au dessèchement voulu.

adariarius, pour ODORIARIUS.

adarmo, *as, are*, tr. Armer. [arrhes.

adarro, *as, are*, tr. Donner comme

adaucto, *as, avi, are*, tr. Accroître de plus en plus. [augmente.

adauctor, *oris*, m. Celui qui accroît,

adauctus, *us*, m. Augmentation; accroissement.

adaudio, *is, ire*, tr. Comprendre en même temps; compléter par la pensée.

adaugeo, *es, auxi, auctum, ere*, tr. Augmenter encore; ajouter à .¶ *(Relig.)* Offrir en sacrifice (pour faire honneur).

adaugesco, *is, ere*, intr. Commencer à s'accroître.

adavunculus, *i*, m. Grand-oncle au 6e degré (du côté maternel).

adavus. Voy. ATAVUS.

adbibo, *is, bibi, ere*, tr. Boire. ¶ *(Fig.)* Boire (les paroles de qqn); écouter avidement; s'imprégner de.

adbito, *is, ere*, intr. S'approcher de.

adblandior, *iris, iri*, dép. tr. Cajoler (pour séduire). [caqueter.

adblatero, *as, are*, tr. Débiter encore; adc... Voy. ACC...

addax, *acis*, m. Espèce d'antilope (aux cornes recourbées).

addecet, impers. Il sied. [dîme (sur).

addecimo, *as, are*, tr. Prélever la

addico, *is, dixi, dictum, ere*, tr. et intr. ¶ *Intr.* (L. augurale) Donner des présages favorables (en parl. des oiseaux). ‖ Se prononcer en faveur de qqn; désigner. ¶ *(Jur.)* Prononcer en faveur de qqn; lui adjuger l'objet en litige. ¶ *(Dans les enchères).* Adjuger (au plus offrant); vendre. ¶ *(En. gén.)* Attribuer. ‖ Désigner, nommer. ‖ Dédier; consacrer. ‖ Livrer, céder, abandonner. ‖ Obliger; assujettir. ‖ Imputer, attribuer.

addictio, *onis*, f. Adjudication. ¶ Attribution. ‖ Désignation; nomination.

addictor, *oris*, m. Celui qui adjuge; celui qui vend; qui livre.

addictus, *i*, m. Débiteur (soumis à la contrainte par corps).

addisco, *is*, *didici*, *ere*, tr. Ajouter à ce qu'on a appris. ¶ Apprendre; recevoir la nouvelle de. [ment; appendice.

additamentum, *i*, n. Addition; supplé-

additicius, *a*, *um*, adj. Qui s'ajoute. ‖ Additionnel. ‖ Supplémentaire.

additio, *onis*, f. Action d'ajouter. ‖ (Méton.) Ce qui s'ajoute; addition.

additivus, *a*, *um*, adj. Qui s'ajoute.

addivino, *as*, *are*, intr. Deviner.

addo, *is*, *didi*, *ditum*, *ere*, tr. Mettre à, sur, près de; appliquer *ou* adjoindre. ‖ Donner; communiquer. ‖ (Fig.) Inspirer (du courage). ¶ Mettre en outre; donner en sus.‖ Ajouter.‖ Additionner.

addoceo, *es*, *ere*, tr. Enseigner en outre. ¶ Enseigner.

addormio, *is*, *ire*, intr. S'endormir.

addormisco, *is*, *ere*, intr. Se mettre à dormir. ‖ Faire un petit somme.

addubitatio, *onis*, f. Hésitation. ‖ (Rhét.) Dubitation (hésitation apparente touchant le jugement à porter sur qqn).

addubito, *as*, *avi*, *atum*, *ave*, tr. Pencher vers le doute; douter. ‖ Hésiter; montrer de la perplexité.

adduco, *is*, *duxi*, *ductum*, *ere*, tr. Tirer à soi. ‖ Tirer fortement. ‖ Tendre, bander (un arc). ‖ Contracter, plisser, froncer. — *frontem*, froncer les sourcils. ‖ Rider. ¶ Conduire à *ou* vers: amener, apporter. ‖ (Fig.) Amener; induire; pousser. ‖ Réduire. ‖ Amener, causer.

adductio, *onis*, f. Action de tirer à soi. ¶ Contraction. Au plur. *Adductiones*, crampes.

adductius, adv. En déployant plus de force. ¶ (Fig.) Avec une plus grande rigueur. [pourvoyeur.

adductor, *oris*, m. Celui qui amène.

adductorium, *ii*, n. (Tenture qu'on tire.) Tapisserie à l'entrée du tabernacle; portière.

adductus, *a*, *um*, p. adj. Contracté, resserré; étroit. ‖ (Fig.) Serré, concis. ‖ Plissé, froncé, ridé; refrogné. ‖ Sérieux. ‖ Sévère; dur.

adulco, *as*, *are*, tr. Adoucir.

adedo, *is*, *edi*, *esum*, *ere*, tr. Se mettre à manger. ¶ Mordre dans. ‖ Entamer (pr. et fig.). ‖ Miner, épuiser.

adelphides, *um*, f. pl. Adelphides (espèce de dattiers.)

ademptio, *onis*, f. Action d'enlever, de retirer; privation. [prive.

ademptor, *oris*, m. Celui qui ôte, qui

ademptus, *us*, m. Privation; perte.

1. **adeo**, adv. Jusqu'au point,¶jusqu'à l'endroit. ‖ (Temps.) Jusqu'à l'instant. ‖ (Fig.) Jusqu'au point. ¶ Au même degré, autant. ‖ Tellement, à un point tel. ‖ Tant il est vrai que... ‖ Extrêmement. ¶ Bien plus; que dis-je ? ‖ Surtout. ‖ Quant à.

2. **adeo**, *is*, *ii*, *itum*, *ire*, intr. et tr. Aller vers, se rendre à, aborder; aller voir, rendre visite. ‖ (Spéc.) Aborder qqn (pour lui demander conseil *ou* appui); avoir recours à, s'adresser à; consulter. ‖ S'avancer (en ennemi); attaquer, assaillir. ‖ Affronter. ¶ Se porter vers; entreprendre. ‖ Entrer en possession de; prendre.

adeps, *dipis*, m. et f. Graisse. ‖ Obésité *ou* embonpoint. ‖ (Fig.) Bouffissure. ¶ (Par anal.) Terre grasse, marne. ‖ Aubier (d'un arbre).

adeptio, *onis*, f. Acquisition.

adeptus, *us*, m. Comme le précédent.

adequito, *as*, *avi*, *atum*, *are*, tr. Chevaucher auprès de. ‖ Caracoler auprès de.¶ S'avancer à cheval vers *ou* contre.

aderro, *as*, *are*, intr. Errer auprès de *ou* autour de.

adescatio, *onis*, f. Action de gaver.

adesco, *as*, *atum*, *are*, tr. Gaver.

adf... Voy. AFF...

adg... Voy. AGG...

adhaerentia, *ae*, f. Adhérence.

adhaereo, *es*, *haesi*, *haesum*, *ere*, intr. Etre attaché *ou* accroché à; adhérer. ‖ Etre contigu. ¶ (Fig.) Tenir à; être partisan de; adhérer à.

adhaeresco, *is*, *haesi*, *haesum*, *ere*, intr. Devenir adhérent, s'attacher à (pr. et fig.). ¶ S'arrêter court. ‖ S'embrouiller.

adhaese, adv. D'une façon embarrassée.

adhaesio, *onis*, f. Adhérence; union. ¶ (Fig.) Adhésion (par respect); culte.

adhaesus, *us*, m. Adhérence.

adhalo, *as*, *avi*, *are*, tr. Souffler sur. ‖ Toucher de son haleine.

adhibeo, *es*, *bui*, *bitum*, *ere*, tr. Tourner, diriger vers. ‖ Approcher, appliquer, mettre. ¶ Présenter, offrir, donner. ¶ Ajouter, adjoindre.¶ Faire approcher, faire venir (à son côté); appeler, invoquer, convoquer. ‖ *Adhibere interpretes*, recourir à des interprètes. ¶ Faire servir (à un but); employer; user. ‖ *Adhibere fidem*, montrer de la loyauté. ¶ Traiter (de telle ou telle façon). ‖ *Adhibere se*, se montrer, se comporter.

adhibitio, *onis*, f. Admission. ¶ Usage, emploi.

adhinnio, *is*, *ivi* et *ii*, *itum*, *ire*, intr. Hennir à la vue de. ¶ (Fig.) Crier de joie à propos de.

adhortamen, *minis*, n. Motif d'encouragement. ¶ Exemple encourageant.

adhortatio, *onis*, f. Exhortation.

adhortativus, *a*, *um*, adj. Qui sert à exhorter.

adhortator, *oris*, m. Celui qui exhorte.

adhortatorie, adv. En termes encourageants.

adhortatus, *us*, m. Exhortation.

adhortor, *aris*, *atus sum*, *ari*, dép. tr. Exhorter; encourager.

adhospito, *as*, *avi*, *are*, tr. Traiter en hôte; se concilier (une divinité par des sacrifices).

adhuc, adv. Jusqu'ici. ¶ Jusqu'à présent; encore aujourd'hui. ¶ (Fig.) Encore; en outre; de plus. ¶ Tellement; à un tel point.

adhuccine, comme ADHUCNE (*adhuc* suivi de la particule interrogative).

adhumeralis, *e,* adj. Voy. ADUMERALIS.

adiantum, *i,* n. Capillaire (plante).

adiantus, *i,* n. Comme ADIANTUM.

adibilis, *e,* adj. Accessible.

adicio. Voy. ADJICIO.

adigo, *is, egi, actum, ere,* tr. Pousser vers; amener (du bétail). ¶ Pousser pour faire entrer; enfoncer. || Lancer. ¶ Pousser (de manière à forcer); contraindre.

adimo, *is, emi, emptum,* tr. Prendre pour soi; retirer à autrui. || Enlever, ravir. ¶ (Poét.) Empêcher de.

adimpleo, *es, evi, etum, ere,* tr. Emplir encore. || Remplir. ¶ (Fig.) Remplir, c.-à-d. accomplir.

adimpletio, *onis,* f. Action de remplir. ¶ (Fig.) Exécution, accomplissement.

adimpletor, *oris,* m. Celui qui remplit. ¶ Celui qui inspire.

adincresco, *is, ere,* intr. Croître de plus en plus. [outre; mettre en plus.

adindo, *is, ere,* tr. Faire entrer en

adinfero, *fers, tuli, ferre,* tr. Apporter; produire (un texte).

adinflo, *as, are,* tr. Enfler.

adingero, *is, ere,* tr. Lancer contre; diriger contre.

adingredior, *eris, gredi,* dép. intr. Parvenir à. [c.-à-d. plus exactement.

adinquiro, *is, ere,* tr. S'enquérir encore,

adinspiratio, *onis,* f. Inspiration.

adinstar. Voy. INSTAR.

adinsurgo, *is, ere,* intr. S'élever.

adintegro, *as, are,* tr. Rétablir dans son intégrité.

adintelligo, *is, ere,* tr. Comprendre.

adinvenio, *is, veni, ventum, ire,* tr. Inventer. [songe.

adinventio, *onis,* f. Invention. || Mensonge.

adinventor, *oris,* m. Inventeur. || Menteur.

adinvestigo, *as, avi, are,* tr. Chercher.

adinvicem, adv. Tour à tour; réciproquement.

adipalis, *e,* adj. Gras. || Graisseux.

adipata, *orum,* n. pl. Mets préparés avec de la graisse. ¶ Pâtés gras.

adipatus, *a, um,* adj. Garni de graisse; à la graisse. ¶ (Fig.) Bouffi (en parl. du style).

adipeus, *a, um,* adj. De graisse; gras.

adipinus, *a, um,* adj. Comme ADIPEUS.

adipiscor, *eris, deptus sum, pisci,* dép. tr. Atteindre; rejoindre. ¶ Atteindre à. || Obtenir; acquérir. ¶ Concevoir; comprendre.

adips. Voy. ADEPS.

adipsos, *i,* f. (Qui calme la soif). Sorte de datte. ¶ Réglisse.

aditialis, *e,* adj. Relatif à l'entrée. ¶ Qui se passe lors de l'entrée (en fonction).

aditicula, *ae,* f. Petite entrée.

aditiculus, *i,* m. Comme le précédent.

aditio, *onis,* f. Action d'aller vers ou d'aborder. ¶ Entrée en possession (d'un héritage, etc.).

adito, *as, avi, are,* intr. Aller souvent vers.

aditus, *us,* m. Action de s'approcher, de marcher vers. || Entrée. ¶ Possibilité de s'approcher. || Accès. || Audience. || (Jur.) Droit de passage (sur le terrain d'autrui). ¶ (Méton.) Lieu par lequel on arrive; accès, abord, entrée. ¶ (Fig.) Moyen, occasion d'arriver. || Accès (aux honneurs).

adjacentia, *ae,* f. Etat de ce qui est contigu.

adjacentia, *ium,* n. pl. Environs.

adjaceo, *es, ere,* intr. Etre couché auprès de. ¶ Etre situé auprès de.

adjaculatus, *a, um,* p. adj. Lancé.

adjectamentum, *i,* n. Addition.

adjecticius, *a, um,* adj. Additionnel.

adjectio, *onis,* f. Addition. ¶ (Partic.) Surenchère. || (Méd.) Tonique, reconstituant. || (Archit.) Renflement (du fût d'une colonne), saillie. ¶ (Rhét.) Répétition (d'un mot).

adjectivum, *i* (s. e. *nomen*), n. Adjectif.

adjectivus, *a, um,* adj. Qui s'ajoute.

adjectus, *us,* m. Jet. || Emanation. ¶ Action de mettre ou d'enfoncer. ¶ Action d'ajouter; addition.

adjicio, *is, jeci, jectum, ere,* tr. Jeter, lancer vers ou jusqu'à. || Diriger vers; appliquer. *Animum adjicere ad...,* tourner ses vues vers... ¶ Mettre à côté, sur, dans. *Adjicere album calculum,* mettre (dans l'urne) un caillou (un bulletin) blanc; émettre un vote favorable; *qqf.* absoudre. || (Fig.) Inspirer; donner. *Adjicere animos juveni,* inspirer du courage à un jeune homme. ¶ Mettre en sus. || Surenchérir. || Ajouter (à ce qu'on a dit).

adjocor, *aris, ari,* dép. intr. Plaisanter, badiner.

adjubilo, *as, are,* intr. Se réjouir.

adjudicatio, *onis,* f. Adjudication.

adjudico, *as, avi, atum, are,* tr. Attribuer par jugement; adjuger. ¶ (Fig.) Attribuer. [au joug. ¶ Attacher.

adjugo, *as, avi, atum, are,* tr. Attacher

adjumentum, *i,* n. Appui, assistance.

adjuncta, *orum,* n. pl. Circonstances accessoires (d'un temps, d'un lieu, d'un fait).

adjunctio, *onis,* f. Action de joindre, d'attacher. || Union, liaison. || (Fig.) Inclination; affinité (morale). ¶ Action d'ajouter; addition, adjonction. || (Partic.) Restriction (faite par addition); exception.

adjunctive, adv. En ajoutant.

adjunctivus, *a, um,* adj. Qui sert à lier. || (Gramm.) Subjonctif.

adjunctor, *oris,* m. Celui qui ajoute qui annexe.

adjunctum, i, n. Le propre; la carac téristique, l'essentiel.

adjunctus, a, um, p. adj. Qui se rattache à; connexe. || Lié étroitement à essentiel.

adjungo, is, junxi, junctum, ere, tr. Attacher. || Atteler. ¶ Attacher, c.-à-d. unir. || Associer. || Concilier. || Adjoindre; annexer. || Ajouter (à ce qu'on a dit). ¶ Accorder; attribuer. || Appliquer; consacrer.

adjuramentum, i, n. Prière instante.

adjuratio, onis, f. Action de jurer par; adjuration. ¶ Action de conjurer; exorcisme. [¶ Celui qui exorcise.

adjurator, oris, m. Celui qui conjure.

adjuratorius, a, um, adj. Qui repose sur un serment; appuyé sur un serment.

adjuro, as, avi, atum, are, tr. Jurer en outre. ¶ Jurer, affirmer par serment. || Jurer par. ¶ Adjurer, conjurer; prier ardemment; supplier. ¶ Conjurer; exorciser.

adjutabilis, e, adj. Secourable.

adjuto, as, avi, atum, are, tr. Aider; assister. [utile à.

1. adjutor, aris, ari, pép. tr. Se rendre

2. adjutor, oris, m. Celui qui aide, qui secourt. ¶ Aide, auxiliaire, collaborateur. || Comparse. || Complice. || Partisan. || Adjoint; second; commis. || Ministre (d'un souverain).

adjutorium, ii, n. Appui; aide.

adjutrix, icis, f. Aide; collaboratrice. || Complice. ¶ Surnom de légion.

adjutus, abl. u, m. Aide; secours.

adjuvamen, minis, n. Aide; assistance.

adjuvamentum, i, n. Comme ADJUVAMEN. [assistance.

adjuvatio, onis, f. Aide; secours;

adjuvo, as, juvi, jutum, are, tr. Aider; seconder; appuyer. || Favoriser; protéger. || Entretenir. || (Méd.) Fortifier. ¶ (Impers.) Adjuvat, il est avantageux.

adl... Voy. ALL...

admanensis, ae, adj. A anse.

admanet, mansit, imp. Il en reste là.

admartyrizo, as, are, intr. Assister les martyrs.

admatertera, ae, f. Grand-tante au 6e degré (du côté maternel).

admaturo, as, are, tr. Contribuer à la maturité d'une chose; hâter. [moire.

admemoratio, onis, f. Rappel à la mé

admentatio. Voy. AMENTATIO.

admentior, iris, iri, dép. intr. Inventer; prétendre faussement.

admeo, as, are, intr. S'approcher.

admetior, iris, mensus, sum, iri, dép. tr. Distribuer (en mesurant); distribuer des rations de. ¶ Mesurer.

admigro, as, are, intr. S'ajouter à (fig.); venir trouver.

adminicula, ae, f. Voy. ADMINICULUM.

adminiculabundus, a, um, adj. Qui soutient. [Secours.

adminiculatio, onis, f. Appui. ¶ (Fig.)

adminiculator, oris, m. Celui qui aide; qui seconde. [sûr.

adminiculatus, a, um, p. adj. Ferme;

adminiculo, as, avi, atum, are, tr. Appuyer; étayer; échalasser. ¶ (Fig.) Appuyer; aider; protéger. || Confirmer.

adminiculor, aris, atus sum, ari, tr. Comme ADMINICULO.

adminiculum, i, n. Ce qui soutient; appui; étai; échalas. ¶ (Fig.) Ce qui aide; instrument; moyen. || (Abstr.) Aide; protection.

administer, tri, m. Serviteur; aide; auxiliaire. ¶ Complice; séide.

administra, ae, f. Servante; aide; complice. Voy. ADMINISTER.

administratio, onis, f. Service; aide; coopération. ¶ Usage : pratique, maniement. ¶ Conduite; direction; gestion; administration; gouvernement.

administratiuncula, ae, f. Petit emploi.

administrativus, a, um, adj. Pratique (opp. à contemplatif, théorique).

administrator, oris, m. Celui qui dirige, qui gère; administrateur.

administratorius, a, um, adj. Relatif au service. Subst. Administratorius, ii, m. Agent. [TRATIO.

administratus, us, m. Comme ADMINIS

administro, as, avi, atum, are, intr. Servir; assister. ¶ (Tr.) Présenter; servir (à table). || S'occuper de; entreprendre; mettre la main à; exécuter. ¶ (Absol.) Faire son service; travailler. ¶ Diriger, administrer; gouverner.

admirabilis, e, adj. Etonnant; extraordinaire. ¶ Admirable, merveilleux.

admirabilitas, atis, f. Qualité (qu'a un objet) d'être admirable. ¶ Beauté merveilleuse; perfection.

admirabiliter, adv. Etonnamment. ¶ Merveilleusement.

admirandus, a, um, p. adj. Etonnant. || Admirable.

admiranter, adv. Merveilleusement.

admiratio, onis, f. Etonnement, surprise. ¶ Admiration. || Respect.

admirativus, a, um, adj. Qui exprime l'admiration; admiratif. [Amateur.

admirator, oris, m. Admirateur. ¶

admiror, aris, atus sum, ari, dép. tr. Voir avec étonnement. ¶ S'étonner de, être surpris de. ¶ Admirer. || Respecter, vénérer (qqn). || Se passionner pour (qqch.).

admisceo, es, scui, xtum, ere, tr. Mêler à; mélanger. ¶ (Fig.) Mêler à; impliquer dans. || Admettre à; associer. || Incorporer.

admissarius. ii, m. Etalon.

admissio, onis, f. Action d'admettre ou d'introduire. || Admission; audience. ¶ (Jur.) Envoi en possession. ¶ Monte; saillie. [montes.

admissionalis, is, m. Maître des céré

admissivus, a, um, adj. Qui donne de favorables présages.

admissor, *oris*, m. Celui qui laisse entrer. ¶ Celui qui commet (un crime).

admissum, *i*, n. Faute; crime.

admissura, *æ*, f. Monte: saillie.

admissus. *us*, m. Admission. ¶ Monte, saillie. ¶ Faute, crime.

admistio, *onis*, f. Voy. ADMIXTIO.

admistus, abl. *u*, m. Voy. ADMIXTUS.

admitto, *is*, *misi*, *missum*, *ere*, tr. Envoyer vers; faire aller. || Précipiter l'allure de; lâcher la bride à. ¶ Laisser aller, laisser entrer. || Admettre (auprès de soi); recevoir; donner audience; accueillir (une demande). ¶ Laisser (un fait) se passer; autoriser; admettre; permettre. ¶ Commettre (une faute, un crime).

admixtio, *onis*, f. Mélange. ¶ Alliage.

admixtus, abl. *u*, m. Comme ADMIXTIO.

admoderate, adv. D'une façon convenable, appropriée.

admoderor, *aris*, *ari*, dép. tr. Modérer.

admodulanter, adv. Harmonieusement.

admodulo, *as*, *are*, tr. Comme ADMODULOR. [pagner en chantant.

admodulor, *aris*, *ari*, dép. intr. Accommodum, adv. (Jusqu'à la mesure.) || Exactement, pleinement; tout à fait. || Extrêmement; beaucoup. ¶ Environ, à peu près; tout au plus. ¶ (Famil.) Parfaitement; mais oui.

admoenio, *is*, *ire*, tr. Dresser ses batteries contre.

admolior, *iris*, *itus*, *sum*, *iri*, dép. tr. Elever auprès de. ¶ Mettre auprès de; approcher. ¶ *Intr.* S'efforcer d'approcher de *ou* d'atteindre.

admollio, *is*, *ire*, intr. Devenir mou.

admoneo, *es*, *ui*, *itum*, *ere*, tr. Faire souvenir de; rappeler; avertir; informer. ¶ Faire songer à; avertir, exhorter, inviter. ¶ Donner une leçon; admonester.

admonitio, *onis*, f. Action de rappeler. ||Souvenir. || (Fig.) Ressentiment (douloureux). ¶ Avertissement; avis; remontrance. ¶ Sommation (de payer). ¶ Réprimande; correction.

admonitiuncula, *ae*, f. Petit avertissement. [souvenir, qui avertit.

admonitor, *oris*, m. Celui qui fait

admonitorium, *ii*, n. Avertissement.

admonitrix, *icis*, f. Celle qui fait souvenir, qui avertit.

admonitum, *i*, n. Avis.

admonitus, abl. *u*, m. Avertissement. || Exhortation. || Réprimande.

admordeo, *es*, *morsum*, *ere*, tr. Mordre dans; faire une morsure à. ¶ (Fig.) Escroquer.

admorsus, abl. *u*, m. Morsure.

admotio, *onis*, f. Action d'approcher *ou* de mettre; application.

admoveo, *es*, *movi*, *motum*, *ere*, tr. Faire approcher *ou* avancer. || Approcher, rapprocher. | Avancer; présenter; tendre. || Mettre à; mettre sur; appliquer. || Employer. || Inspirer (un sentiment); causer.

admugio, *is*, *ivi*, *ire*, intr. Mugir à la vue de. || Répondre par un mugissement. [la main.

admulceo, *es*, *ere*, tr. Caresser avec

admunio, *is*, *ire*, tr. Faire entrer dans le mur d'enceinte.

admurmuratio, *onis*, f. Murmure d'approbation *ou* d'improbation.

admurmuro, *as*, *avi*, *atum*, *are*, intr. Murmurer en signe d'approbation *ou* d'improbation.

admurmuror, *aris*, *atus*, *sum*, *ari*, dép. Comme ADMURMURO.

admutilo, *as*, *avi*, *are*, tr. (Mutiler); écorcher. || (Fig.) Escroquer.

adnascor. Voy. AGNASCOR.

adnato. Voy. ANNATO.

adnatus. Voy. AGNATUS.

adnavigo. Voy. ANNAVIGO. [sable.

adnecessarius, *a*, *um*, adj. Indispensable.

adnecte, adj. Conjointement.

adnecto. Voy. ANNECTO.

adnepos, *otis*, m. Descendant au 5e degré; petit-fils de l'ABNEPOS ou de l'ABNEPTIS.

adneptis, *is*, f. Descendante au 5e degré; petite-fille de ABNEPOS ou de l'ABNEPTIS.

adni... Voy. ANNI...

adno... Voy. ANNO... ou AGNO...

adnomen. Voy. AGNOMEN.

adnominatio. Voy. AGNOMINATIO.

adnosco. Voy. AGNOSCO.

adnu... Voy. ANNU... [vrir de terre.

adobruo, *is*, *ui*, *utum*, *ere*, tr. Recouadobrutio, *onis*, f. Amas (de sable).

adolefactus, *a*, *um*, adj. Allumé; brûlé.

adoleo, *es*, *ui*, *ere*, intr. Exhaler une odeur. ¶ *Tr.* Faire monter l'odeur; brûler (les offrandes) sur l'autel; offrir en sacrifice. || Brûler. ¶ Faire fumer l'autel; charger d'offrandes.

adolescens. Voy. ADULESCENS.

adolescentia. Voy. ADULESCENTIA.

adolescentior. Voy. ADULESCENTIOR.

adolescentulus. Voy. ADULESCENTULUS.

adolescenturio. Voy. ADULESCENTURIO.

1. adolesco, *is*, *olevi*, *ultum*, *ere*, intr. Grandir; se développer. || (Fig.) S'accroître. [la fumée des sacrifices.

2. adolesco, *is*, *ere*, intr. Brûler; exhaler

adonium, *ii*, n. Espèce d'aurone, plante.

adonius, *a*, *um*, adj. Adonique (sorte de vers). [Couvrir; cacher. ¶ Fermer.

adoperio, *is*, *perui*, *pertum*, *iri*, tr. adoperor, *aris*, *ari*, dép. tr. Célébrer un sacrifice. [obscure.

adoperte, adv. D'une manière couverte, adopertio, *onis*, f. Action de couvrir, de cacher. [propos de...

adopinor, *aris*, *ari*, dép. Conjecturer à

adoptabilis, *e*, adj. Souhaitable.

adoptaticius, *ii*, m. Fils adoptif.

adoptatio, *onis*, f. Comme ADOPTIO.

adoptive, adv. Par adoption.

1. adoptivus, *a*, *um*, adj. Adoptif. ¶ Acquis par adoption.

2. adoptivus, *i*, m. Fils adoptif.

adopto, *as*, *avi*, *atum*, *are*, tr. Choisir, prendre pour soi. || (Jur.) Adopter. ¶ (Fig.) Recevoir par la greffe

1. adoptulus, *a*, *um*, adj. Qui aime à adopter.

2. adoptulus, *i*, n. Jeune fils adoptif.

ador, *oris*, n. Blé de choix; épeautre.

adorabilis, *e*, adj. Adorable.

adoratio, *onis*, f. Adoration. || Prière.

adorativus, *a*, *um*, adj. Qui exprime l'adoration.

adorator, *oris*, m. Adorateur.

adoratus, abl. *u*, m. Comme ADORATIO.

adordinatio, *onis*, f. Action de mettre de l'ordre.

adorea, *ae*, f. Voy. ADORIA.

adoreum, *i* (s. e. *far*), n. Comme ADOR.

adoreus, *a*, *um*, adj. D'épeautre.

adoria, *ae*, f. Présent en blé (prix de la victoire); gloire donnée par la victoire. || Victoire.

adorio, *ire*. Comme ADORIOR.

adorinus, *a*, *um*, adj. Comme ADOREUS.

adorior, *eris*, *ortus sum*, *iri*, dép. tr. Se lever pour aller vers, aborder. || Se lever contre, attaquer (traîtreusement). ¶ Se mettre à qqch. || Tenter. || Commencer. [avec élégance.

adornate, adv. D'une manière ornée;

adorno, *as*, *avi*, *atum*, *are*, tr. Préparer; disposer. || Équiper; munir. ¶ Parer, embellir. || Rehausser; vanter.

adoro, *as*, *avi*, *atum*, *are*, tr. Adresser la parole à. || Invoquer. ¶ Rendre un culte à; adorer. || Rendre hommage à (qqn), saluer (en portant la main droite à la bouche). || Vénérer.

adosculor, *aris*, *ari*, dép. tr. Baiser.

adoxus, *a*, *um*, adj. Sans estime; vil.

adp... Voy. APP... [gré du côté paternel).

adpatruus, *i*, m. Grand-oncle (au 6e de-

adque. Voy. ATQUE.

adqui. Voy. ATQUI.

adquiesco. Voy. ACQUIESCO.

adquiro. Voy. ACQUIRO.

adquisitio. Voy. ACQUISITIO.

adquo, adv. Jusqu'où; jusqu'à quel point.

adrachle, *es*, f. Arbousier.

adrado, *is*, *rasi*, *rasum*, *ere*, tr. Raser, racler. || Polir. ¶ (Fig.) Duper.

adrectarius, *a*, *um*, adj. Voy. ARRECTARIUS. [en ramant vers (un point).

adremigo, *as*, *avi*, *are*, intr. Se diriger

adrepo. Voy. ARREPO.

adrepto. Voy. ARREPTO.

adrideo. Voy. ARRIDEO.

adrigo. Voy. ARRIGO.

adripio. Voy. ARRIPIO.

adrisio. Voy. ARRISIO.

adrisor. Voy. ARRISOR.

adrodo. Voy. ARRODO.

adrog... Voy. ARROG...

adroro, *as*, *are*, tr. Asperger; arroser.

adrumo, *as*, *are*, intr. Répandre un bruit.

adruo, *ere*, tr. Amonceler.

ads... Voy. ASS...

adsc... Voy. ASC...

adsp... Voy. ASP...

adst... Voy. AST...

adsum (ASSUM), *ades*, *affui*, *adesse*, intr. Être là. || Être présent, assister à. || (Fig.) Avoir sa présence d'esprit; ne pas avoir peur; être calme. ¶ (En parl. des choses.) Être à la disposition de, sous la main. || (En parl. du temps.) Être arrivé; être présent. ¶ Être là (en vue de qqch.). || Assister; aider; favoriser; protéger. || (Jur.) Assister (en justice); plaider pour. ¶ (Avec mouvement.) Se présenter; paraître. || (Jur.) Comparaître. || (Fig.) Être imminent. [fête religieuse).

adsuscipio, *is*, *ere*, tr. Célébrer (une adt... Voy. ATT...

adulabilis, *e*, adj. Accessible à l'adulation. ¶ Flatteur, flatteuse. [teuse.

adulans, *antis*, p. adj. Flatteur, flatadulanter, adv. Par flatterie.

adulatio, *onis*, f. Caresse (du chien); caresse. || Basse flatterie; flagornerie. || Prosternation.

adulator *oris* m. Flatteur; adulateur.

adulatorie adv. En plat courtisan.

adulatorius, *a*, *um*, adj. Plein d'adulation.

adulatrix *icis*, f. Flatteuse.

adulescens, *centis*, adj. Qui est dans l'âge où l'on grandit; jeune. ¶ (Subst.) Adolescent; jeune homme; homme entre 15 et 35 ans. || (Fém.) Jeune femme.

adulescentia, *ae*, f. Adolescence; jeunesse. ¶ (Méton.) Jeunes gens.

adulescentior, *aris*, *ari*, dép. intr. Faire le jeune.

adulescentula, *ae*, f. Toute jeune fille; fillette.

adulescentulus, *i*, m. Jeune garçon.

adulescenturio, *is*, *ire*, intr. Faire le jeune; folâtrer; badiner.

adulo, *as*, *avi*, *atum*, *are*, tr. Flatter, caresser (à la manière des chiens). || Caresser de ses flots une contrée, la baigner mollement (en parl. d'un cours d'eau). || (Fig.) Flatter; flagorner.

adulor, *aris*, *atus*, *sum*, *ari*, dep. tr. Flatter, caresser (à la façon des chiens) || Flatter, flagorner. || Faire la cour à. ||Se prosterner devant.

1. adulter, *era*, *erum*, adj. Falsifié; faux. || Adultère.

2. adulter, *eri*, n. Falsificateur; faussaire. ¶ Galant, amant; adultère.

adultera, *ae*, f. Femme adultère.

adulteratio, *onis*, f. Falsification; altération.

adulterator, *oris*, m. Falsificateur.

adulterinus, *a*, *um*, adj. Falsifié; faux. ¶ Adultérin; bâtard.

adulterio, *onis*, m. Comme 2. ADULTOR.

adulteritas, *atis*, f. Comme ADULTERIUM.

adulterium, *ii*, n. Falsification. ¶ Crime d'adultère. ¶ (Fig.) Greffe.

adultero, *as, avi, atum, are,* tr. Falsifier; altérer; contrefaire. ¶ Entraîner à l'adultère. ¶ (*Intr.*) Commettre l'adultère.

adulteror, *aris, ari,* dép. intr. Commettre un adultère. ¶ (*Tr.*) Altérer, falsifier.

adulto, *as, are,* intr. Comme ADOLESCO.

adultus, *a, um.* p. adj. Adulte. ¶ (En parl. du temps.) Avancé.

adumbratim, adv. A la façon d'une ébauche. ¶ En gros. || Imparfaitement.

adumbratio, *onis,* f. Ebauche. || (Fig.) Esquisse; imitation imparfaite. || Apparence (*opp. à* réalité).

adumbratus, *a, um,* p. adj. Esquissé, ébauché (*fig.*); incomplet; imparfait. ¶ Sans réalité; imaginaire; prétendu.

adumbro, *as, avi, atum, are,* tr. Mettre à l'ombre; abriter; couvrir, dissimuler. ¶ Esquisser, ébaucher. || Dessiner; représenter. ¶ (Fig.) Décrire, reproduire. || Imiter. ¶ Feindre. [l'éphod.

adumeralis, *e,* adj. Qui a rapport à

adunatio, *onis,* f. Action d'unir. ¶ Réunion.

adunativus, *a, um,* adj. Propre à réunir.

adunatrix, *icis,* f. Celle qui unit *ou* réunit. [courbé; courbure.

aduncitas, *atis,* f. Etat de ce qui est

adunco, *are,* tr. Rendre crochu; recourber. [dedans; crochu.

aduncus, *a, um,* adj. Recourbé en

adunitio, *onis,* f. Union; réunion.

adunitus, *a, um,* adj. Réuni. [réunir.

aduno, *as, avi, atum, are,* tr. Unir,

adurgeo (ADURGUEO), *es, ere,* tr. Presser fortement; appuyer sur. ¶ Presser, poursuivre; donner la chasse à.

aduro, *is, ussi, ustum, ere,* tr. Brûler à la surface; griller. || Dessécher. ¶ (Fig.) Enflammer, irriter (un tissu). || Enflammer, brûler (moral.).

adusque, prép. et adv. ¶ (Prép.) Jusqu'à (espace et temps). ¶ (Adv.) Entièrement.

adustio, *onis,* f. Action de brûler; brûlure. || (Méd.) Inflammation.

adustus, *a, um,* p. adj. Brûlé (par le soleil); hâlé; bruni. [tique.

advecticius, *a, um,* adj. Importé; exo-

advectio, *onis,* f. Transport; voyage.

advectitius, *a, um,* adj. Voy. ADVECTICIUS. [à plusieurs reprises.

advecto, *as, are,* tr. Apporter *ou* amener

advector, *oris,* m. Celui qui transporte.

advectus, abl. *u,* m. Action d'importer, d'introduire.

adveho, *is, vexi, vectum, ere,* tr. Amener, apporter (par eau, en voiture, à cheval). || Charrier, voiturer. ¶ Importer. [paroles.] || Querelle.

adveliatio, *onis,* f. Escarmouche (en

advelo, *as, are,* tr. Voiler; couvrir.

advena, *ae,* m. et f. Qui vient de l'étranger. || Etranger, étrangère. ¶ (Fig.) Etranger, *c.-à-d.* non initié; profane, novice.

adveneror, *aris, atus sum, ari,* dép. tr. Témoigner sa vénération à; vénérer; adorer.

advenientia, *ae,* f. Arrivée.

advenio, *is, veni, ventum, ire,* intr. Arriver, parvenir. || Arriver, advenir. ¶ Venir.

adventicius, *a, um,* adj. Qui vient du dehors; adventice. || Etranger, exotique. ¶ Qui arrive par hasard, fortuit. ¶ Relatif à l'arrivée. || Que l'on offre aux arrivants. [rivée.

adventinus, *a, um,* adj. Relatif à l'arrivée.

advento, *as, avi, atum, are,* intr. Se rapprocher de plus en plus; être près d'arriver. ¶ Se diriger en hâte vers.

adventor, *oris,* m. Celui qui arrive (du dehors); étranger. || Nouveau venu. ¶ Celui qui fréquente.

adventorius, *a, um,* adj. Relatif à l'arrivée. || Que l'on offre aux arrivants. *Adventoria* (s.-e. *cena*), *ae,* f. Repas de bienvenue.

adventus, *us,* m. Arrivée, venue, approche (pr. et fig.). ¶ Assaut; attaque; incursion.

adverbero, *as, are,* tr. Frapper sur.

adverbialis, *e,* adj. Employé comme adverbe; adverbial. || Dérivé d'un adverbe.

adverbialiter, adv. Adverbialement.

adverbium, *ii,* n. Adverbe.

advergo, *is, ere,* intr. Etre tourné vers, exposé à. [en balayant; entraîner.

adverro, *is, ere,* tr. Pousser (devant soi)

adversabilis, *e,* adj. Eventuel. || A forfait. [nemie; rivale.

1. **adversaria,** *ae,* f. Adversaire; en-
2. **adversaria,** *orum,* n. pl. Carnet de notes; brouillon. ¶ Arguments de la partie adverse. [tilité.

adversarietas, *atis,* f. Opposition; hos-

1. **adversarius,** *a, um,* adj. Que l'on a devant soi, devant les yeux. ¶ Opposé, contraire, adverse.
2. **adversarius,** *ii,* m. Adversaire; concurrent; rival; ennemi; contradicteur.

adversatio, *onis,* f. Opposition. || Contradiction.

adversativus, *a, um,* adj. Qui marque opposition; adversatif. [dicteur.

adversator, *oris,* m. Opposant. || Contra-

adversatrix, *icis,* f. Celle qui s'oppose *ou* contredit.

adverse, adv. Contradictoirement.

adversim, adv. A l'opposé.

adversio, *onis,* f. Action de tourner vers. || Application.

adversitas, *atis,* f. Qualité de ce qui est contraire. || Opposition, répugnance, antipathie. ¶ Adversité.

adversitor, *oris,* m. Esclave chargé de se porter à la rencontre de son maître.

adverso, *as, avi, are,* tr. Appliquer constamment *ou* avec soin.

adversor, *aris, atus, sum, ari,* dép. intr. Se tourner contre; lutter contre; résister à; s'opposer. || Contredire; répugner à. ¶ (*Tr.*) Contrarier.

adversum. Voy. 2. ADVERSUS.

1. **adversus**, *a, um*, p. adj. Tourné vers || Qui se présente de face. || En façade; sur le devant; antérieur. || Qui fait face à, placé en face; situé à l'opposite de; opposé. ¶ Dont le mouvement est dirigé vers, qui vient vers. || Animé d'un mouvement contraire (fig.); adverse, opposé, hostile (en parl. des pers.); défavorable, contraire, malheureux (en parl. des ch.). Subst. *Adversa, orum*, n. pl. Le malheur, l'adversité, l'infortune.

2. **adversus**, prép. Vis-à-vis de, en face de, devant. ¶ Dans le sens opposé à; en remontant; à la rencontre. *Adversus aquam*, contre le courant. *Adversus clivum*, en remontant la pente. *Adversus aliquem incedere*, marcher à la rencontre de qqn. ¶ Contre. || (Fig.) Contrairement à. ¶ Envers, à l'égard de. || En réponse à. || En comparaison de. || Relativement à, eu égard à. || Selon.

adverto, *is, verti, versum, ere*, tr. Tourner vers, diriger vers. || (Intr. et tr.) Mettre le cap sur; faire voile vers; aborder. || (Fig.) Tourner vers; appliquer. || Diriger son esprit, ses sens, sa pensée vers qqch.; appliquer son attention; faire attention à; remarquer, s'apercevoir de; apercevoir. || (Absol.) Être attentif à. || Punir, châtier. ¶ Appeler l'attention de qqn; :aire remarquer; avertir. || Attirer l'attention (vers soi). *Admonitio advertit* l'avertissement éveille l'attention.

advesperascit, *ravit, ere*, impers. Il se fait tard; il commence à faire nuit.

adviabilis, *e*, adj. Accessible. || Praticable.

advigilo, *as, avi, atum, are*, intr. Veiller auprès de. || Veiller sur. || Veiller à; faire attention à.

advivo, *is, vixi, ere*, intr. Vivre auprès de. || Vivre avec. ¶ Vivre encore, continuer de vivre.

advocatio, *onis*, f. Action d'appeler à soi, d'invoquer. ¶ (Jur.) Appel à l'assistance en justice; consultation de droit. || Office d'avocat *ou* d'avoué; assistance judiciaire. || Plaidoirie. || (Méton.) Corps des avocats ou des avoués : avocats, avoués. ¶ Sursis accordé en attendant que le plaignant ou l'accusé ait trouvé un conseil; délai, répit. ¶ (Eccl.) Consolation.

advocator, *oris*, m. Celui qui appelle à soi. ¶ (Eccl.) Consolateur.

advocatus, *i*, m. Celui qui est appelé en consultation. || Avoué. || Avocat. ¶ (Fig.) Appui; protecteur.

advoco, *as, avi, atum, are*, tr. Appeler auprès de; convoquer. ¶ Appeler à soi. || Appeler à son aide; recourir à; invoquer. || Demander conseil à; consulter. || Prendre ur avocàt, un défenseur. || Avoir recours à; employer; se servir de.   [procher en volant.

advolatus, abl., *u*, ia. Action de s'approcher en volant.

advolito, *as, are*, in r. S'approcher en volant à plusieurs reprises. || Voleter auprès de.

advolo, *as, avi, atum, are*, intr. Voler vers; s'approcher en volant. ¶ S'avancer en toute hâte; accourir.

advolvo, *is, volvi, volutum, ere*, tr. Rouler vers; faire avancer en roulant. ¶ Prosterner. ¶ Amasser; amonceler.

advorsum. Voy. ADVERSUS.

advorsus. Voy. ADVERSUS.

advorto. Voy. ADVERTO.

adynamon (*vinum*), n. Vin coupé d'eau.

adyticulum, *i*, n. Petit sanctuaire.

adytum, *i*, n. (Lieu impénétrable.) || Sanctuaire (interdit aux profanes). ¶ (Fig.) Partie secrète; fond; ce qu'il y a de plus intime, de plus caché.

adzelor, *aris, ari*, dép. intr. Se courroucer contre.

aecus, *a, um*, adj. Voy. AEQQUUS.

aedepol. Voy. EDEPOL.

aedes ou **aedis**, *is*, f. Chambre à feu; pièce.||Cellule (d'une ruche). ¶ Temple. || Édifice en forme de temple. || Niche. || Catafalque. ¶ (Au pl.) Ensemble de chambres; maison. || (Méton.) Maison, c.-à-d. famille, habitants (de la maison).

aedicula, *ae*, f. Petite chambre; petite pièce. || Petit temple; chapelle; niche. ¶ (Au pl.) Petite maison.

aedifex, *icis*, m. Constructeur.

aedificanter, adv. Avec édification.

aedificatio, *onis*, f. Action de construire; construction. || (Méton.) Construction; bâtiment.

aedificatiuncula, *ae*, f. Petit bâtiment.

aedificator, *oris*, m. Celui qui bâtit. || Constructeur.' || Architecte. ¶ Bâtiseur; qui a la manie de bâtir.

aedificatoria (s.-e. ARS), *ae*, f. Art de bâtir. || Architecture.

aedificatorius, *a, um*, adj. Qui concerne le bâtiment. ¶ Qui est cause de.

aedificialis, *e*, adj. Qui se rapporte à la maison. ¶ Adoré dans l'enceinte de la maison.

aedificiolum, *i*, n. Petit édifice.

aedificium, *ii*, n. Construction; édifice. || Bâtiment isolé.

aedifico, *as, avi, atum, are*, tr. Bâtir; édifier. || (Fig.) Créer, arranger, organiser. ¶ Couvrir de constructions; bâtir. ¶ (Eccl.) Édifier, c.-à-d. affermir dans la piété.   [d'édile.

aedilatus, *us*, m. Édilité; dignité

aediles, *is*, m. Voy. AEDILIS.

1. **aedilicius**, *a, um*, adj. Qui concerne un édile ou les édiles.

2. **aedilicius**, *ii*, m. Ancien édile.

aedilis, *is*, m. Édile (magistrat romain, chargé de l'inspection des maisons.

de la voirie, des marchés, des jeux, etc.).
¶ Edile, magistrat municipal en province.

aedilitas, *atis*, f. Edilité, fonction d'édile.

aedilitius. Voy. AEDILICIUS.

aedis, *is*, f. Voy. AEDES.

aeditimor. Voy. AEDITUMOR.

aeditimus, *i*, m. Voy. AEDITUMUS.

aeditua, *ae*, f. Gardienne d'un temple. ¶ Adoratrice. [temple.

aeditualis, *e*, adj. Relatif à la garde d'un

aedituens, *entis*, m. Comme AEDITUUS.

aeditumor, *aris*, *ari*, dép. intr. Etre gardien d'un temple.

aeditumus, *i*, m. Gar dien d'un temple. ‖ Gardien (en gén.). [TUMOR.

aedituo, *as*, *avi*, *are*, intr. Comme AEDItior, aris, ari, dép. intr. Comme AEDITUMOR.

aedituus, *i*, m. Gardien d'un temple. ¶ (Fig.) Celui à qui l'on confie le culte.

aedon, *onis*, f. Rossignol.

aedonius, *a*, *um*, adj. De rossignol; relatif au rossignol.

aeger, *gra*, *grum*, adj. Malade, souffrant. ‖ Mal en point. ‖ (Par anal.) En mauvais état, en ruine (en parl. de ch.). ¶ De malade; languissant. ¶ (Fig.) Malade (moralement); dévoré de soucis; morose; chagrin. ‖ Qui rend malade (moralement) : douloureux, affligeant, pénible. [culeuse.

aegilips, *ipis*, f. Sorte de plante tuber-
aegilopium, *ii*, n. Fistule lacrimale.

aegilops, *opis* (acc. sing. *opa*, acc. pl. *opas*), m. Nom d'une plante. ‖ Sorte de chêne (à glands comestibles). ‖ Sorte d'ivraie, parasite de l'orge. ‖ Sorte de plante bulbeuse. ¶ Fistule lacrimale.

aegis, *idis* (acc. *ida*), f. Egide. ‖ Bouclier de Jupiter. ‖ Bouclier de Minerve (avec la tête de Méduse). ¶ (Fig.) Abri; sauvegarde. ¶ Cœur de mélèze, bois de couleur jaune (employé dans la tabletterie). [bruit de l'égide.

aegisonus, *a*, *um*, adj. Qui retentit du

aegithus, *i*, m. Oiseau inconnu (*peut-être* la mésange bleue).

aegocephalus, *i*, m. (Qui a la tête d'une chèvre.) ¶ Oiseau inconnu. [neuse.

aegoceras. *atis*, n. Fenugrec (légumi-

aegolethron, *i*, n. (Mort des chèvres.) Nom d'une plante vénéneuse mortelle au bétail.

aegolios, *ii*, m. Sorte d'oiseau de nuit.

aegonychon, *i*, n. Lithosperme (plante).

aegophthalmos, *i*, f. (Œil de chèvre.) Sorte de pierre précieuse.

aegre, adv. Péniblement. ‖ A grand-peine. ¶ D'une façon affligeante *ou* fâcheuse. ‖ Avec peine, c.-à-d. malgré soi, à contre-cœur, de mauvaise grâce.

aegreo, *es*, *ere*, intr. Etre malade.

aegresco, *is*, *ere*, intr. Tomber malade, ¶ (Mor.) S'inquiéter; s'affliger; s'irriter. ‖ (En parl. des passions.) S'exaspérer; empirer; s'aigrir.

aegrimonia, *ae*, f. Indisposition. ¶ Souci; chagrin.

aegrimonium, *ii*, n. Maladie. ¶ Etat maladif.

aegris, *e*, adj. Voy. AEGER.

aegritas, *atis*, f. Maladie.

aegritudo, *inis*, f. Maladie. ‖ Indisposition; malaise. ¶ (Moral.) Maladie de l'âme; mauvaise humeur; tristesse; chagrin. ‖ Inquiétude.

aegror, *oris*, m. Maladie.

aegrotatio, *onis*, f. Maladie. ¶ (Mor.) Maladie de l'âme; désordre mental. ‖ Passion troublante. ‖ Affliction.

aegroticius et **aegreticus**, *a*, *um*, adj. Valétudinaire.

aegroto, *as*, *are*, intr. Etre malade. ¶ (Fig.) Aller mal. ‖ Etre en mauvais état. ¶ (Mor.) Etre malade dans l'âme; éprouver de l'inquiétude, du chagrin, etc.

aegrotus, *a*, *um*, adj. Malade. ¶ (Mor.) Qui a l'âme malade; qui éprouve de l'inquiétude, du chagrin, etc.

aegyptilla, *ae*, f. Espèce d'onyx (qu'on trouvait en Egypte).

aelinos, *i*, m. Chant funèbre.

aelurus, *i*, m. Chat.

aemidus, *a*, *um*, adj. Gonflé.

aemula, *ae*, f. Rivale. [valité.

aemulamentum, *i*, n. Emulation. ‖ Ri-
aemulanter, adv. Avec émulation; par désir d'égaler.

aemulatio, *onis*, f. Désir d'égaler; émulation. ¶ Compétition, rivalité. ‖ Jalousie.

aemulator, *oris*, m. Celui qui veut marcher sur les traces de (qqn). ¶ Emule.

aemulatrix, *icis*, f. Celle qui cherche à imiter.

aemulatus, *us*, m. Comme AEMULATIO.

aemulo, *as*, *avi*, *are*. Voy. AEMULOR.

aemulor, *aris*, *atus sum*, *ari*, dép. intr. S'efforcer d'égaler (en imitant); rivaliser avec. ‖ (Absol.) Rivaliser. ¶ Envier; jalouser.

1. **aemulus**, *i*, m. Rival.

2. **aemulus**, *a*, *um*, adj. Qui s'efforce d'égaler (en imitant); émule. ¶ Envieux, jaloux.

aena, *ae*, f. Camion (de peintre).

aenatores, *um*, m. pl. Ceux qui jouent de la trompette. ‖ Trompettes (m. pl.).

aeneator, *oris*, m. Celui qui joue de la trompette; trompette (m.). ¶ Cymbalier.

aeneatus, *a*, *um*, adj. Gravé sur le bronze.

aeneolus, *a*, *um*, adj. De bronze (en parl. d'un petit objet).

aeneum (s.-e. VAS), *i*, n. Ustensile de bronze; chaudron.

aeneus (AHENEUS), *a*, *um*, adj. De bronze. ¶ Qui a la couleur du bronze. ¶ (Fig.) D'airain, c.-à-d. solide; inébranlable.

aenigma, *atis*, n. Enigme. ‖ Obscurité; sens énigmatique; allusion peu claire. ‖ Secret; mystère. ¶ Emblème; image; effigie.

aenigmatice, adv. Enigmatiquement.

aenigmaticus, *a*, *um*, adj. Enigmatique.

aenigmatista, *as*, m. Celui qui propose des énigmes. || Poète qui traite les légendes fabuleuses et propose à ses lecteurs de véritables énigmes.

aenipes (AHENIPES), *pedis*, adj. Aux pieds d'airain.

aenulum, *i*, n. Petit objet de bronze.

aenus (AHENUS), *a*, *um*, adj. D'airain; de bronze. ¶ (Fig.) Dur comme l'airain. || Solide. || Indestructible. || (Mor.) Dur, impitoyable.

aeolipilæ, *arum*, f. pl. Eolipyle (instrument de physique pour étudier la cause du vent).

aeon, *onis*, m. Eon; être intermédiaire entre Dieu et les créatures.

aepulum. Voy. EPULUM.

aequabilis, *e*, adj. Qui peut être égalé à; qui balance; égal. ¶ Constamment égal à soi-même. || Constant, uniforme. || Egal; soutenu. || (Moral.) D'une humeur égale; constamment affable. || Equitable. || Impartial.

aequabilitas, *atis*, f. Egalité; uniformité. || Régularité. ¶ (Mor.) Egalité d'humeur. || Constance dans les actes. || Impartialité. || Sentiment de l'égalité.

aequabiliter, adv. Uniformément. ¶ Avec esprit de suite.

aequaevus, *a*, *um*, adj. Du même âge.

1. **aequalis**, *is*, m. Camarade.

2. **aequalis**, *e*, adj. Egal; de niveau; uni. ¶ Egal (à un autre). || Du même âge. || De la même époque; contemporaine. ¶ Egal à soi-même. || Uniforme. || Bien proportionné. || (Mor.) D'humeur égale. || Constant. || Uniformément bienveillant.

aequalitas, *atis*, f. Egalité (du sol); niveau. ¶ Egalité; conformité. || Egalité d'âge. || (Méton.) Réunion de personnes du même âge. ¶ Egalité (civile et politique). ¶ Egalité avec soi-même. || Proportion; symétrie. || (Mor.) Esprit de suite.

aequaliter, adv. D'une manière plane. ¶ Egalement; en parties égales. ¶ Uniformément; avec proportion; symétriquement. || Avec constance; avec suite. [ment.

aequamen, *minis*, n. Niveau (instrument.

aequamentum, *i*, n. Egalisation.

aequanimis, *e*, adj. Comme AEQUANIMUS. [Patience. || Indulgence.

aequanimitas, *atis*, f. Egalité d'âme. ||

aequanimiter, adv. Avec calme; avec patience.

aequanimus, *a*, *um*, adj. Qui garde une humeur égale. || Calme. || Patient.

aequatio, *onis*, f. Action de rendre égal; égalisation. ¶ Egalité.

aequator, *onis*, m. Celui qui égalise. || Essayeur (de la monnaie). || Contrôleur.

aeque, adv. Egalement; autant; aussi. ¶ Avec justice. || Avec bienveillance.

aequiangulus, *a*, *um*, adj. Qui a des angles égaux. [état acceptable.

aequibilis, *e*, adj. Qui se trouve dans un état acceptable.

aequiclinatum, *i*, n. Homéoptote (fig. de gr. : disposition symétrique des mots semblablement fléchis).

aequicrurius, *a*, *um*, adj. Qui a les jambes égales. || (Géom.) Isocèle.

aequidiale, *is*, n. Equinoxe.

aequidialis, *e*, adj. Equinoxial. [cédent.

aequidianus, *a*, *um*. adj. Comme le précédent.

aequidicus, *a*, *um*, adj. Composé de deux propositions dont les mots se correspondent.

aequidies, *ei*, m. Equinoxe.

aequidistans, *antis*, p. adj. Equidistant. || Parallèle.

aequiformis, *e*, adj. Qui a une forme simple. || Formé de termes simples.

aequilanx, *lancis*, adj. Dont les plateaux sont égaux. || Juste.

aequilatatio, *onis*, f. Eloignement constamment égal. || Parallélisme.

aequilateralis, *e*, adj. Equilatéral.

aequilaterus, *a*, *um*, adj. Comme AEQUILATERALIS. [TERALIS.

aequilatus, *eris*, adj. Voy. AEQUILATERALIS.

aequilavium, *ii*, n. Déchet de moitié subi par la laine lavée. || (En gén.) Perte de la moitié.

aequilibratio, *onis*, f. Action de mettre en équilibre. ¶ Pesée exacte. [libre.

aequilibratus, *a*, *um*, adj. Mis en équilibre.

aequilibris, *e*, adj. Qui est en équilibre. || D'aplomb. || Horizontal.

aequilibritas, *atis*, f. Equilibre. || Harmonie. || Proportion (entre les parties).

aequilibrium, *ii*, n. Equilibre. || Niveau. ¶ (Fig.) Compensation.

aequilibro, *as*, *are*, tr. Equilibrer.

aequimanus, *a*, *um*, adj. Ambidextre. ¶ (Fig.) Egalement adroit dans divers travaux.

aequinoctialis, *e*, adj. Equinoxial.

aequinoctium, *ii*, n. Equinoxe.

aequipar... Voy. AEQUIPER...

aequipedus, *a*, *um*, adj. Isocèle.

aequiperabilis, *e*, adj. Comparable.

aequiperantia, *as*, f. Comme AEQUIPERATIO.

aequiperatio (AEQUIPARATIO), *onis*, f. Comparaison. || (Méton.) Egalité.

aequiperativus, *a*, *um*, adj. Qui exprime la comparaison *ou* l'égalité.

aequipero, *as*, *avi*, *atum*, *are*, tr. Rendre égal, c.-à-d. mettre sur la même ligne, mettre en parallèle. || Comparer. || Opposer. || Egaler, c.-à-d. être, devenir égal à; atteindre. || Fournir en quantité égale aux besoins; fournir en quantité suffisante. [égaux.

aequipes, *pedis*, adj. Qui a les pieds

aequipollens, *entis*, adj. Equivalent.

aequipollentia, *as*, f. Equivalence.

aequipondium, *ii*, n. Poids égal. || Contrepoids.

aequiportio, *onis*, f. Partage égal.

aequisonantia, ae, f. Consonance; conformité de son. [dent.

aequisonatio, onis, f. Comme le précéaequisonus, a, um, adj. Qui a un son égal ou semblable.

aequitas, atis, f. Etat d'un endroit bien plan. ¶ Egalité. || Symétrie. || Proportion. || Harmonie. ¶ Egalité (devant la loi). || Egalité politique. ¶ Egalité d'âme: calme; patience. || Modération; résignation. || Désintéressement. || Indifférence. ¶ Equité; justice. || Equité supérieure (opp. à droit strict).

aequiter, adv. Voy. AEQUE. [éternel.

aequiternus, a, um, adj. Egalement

aequivaleo, es, ere, intr. Valoir autant. || Egaler.

aequivocatio, onis, f. Equivoque.

aequivocatus, a, um, p. adj. Comme AEQUIVOCUS. [voque.

aequivoce, adv. D'une manière équiaequivocus, a, um, adj. Equivoque.

aequo, as, avi, atum, are, tr. Aplanir. ¶ Mettre au niveau du sol; rendre égal à. ¶ Egaliser. || Répartir également. ¶ Egaler (c.-à-d. regarder comme égal); comparer. ¶ Egaler (c.-à-d. être ou devenir égal à); atteindre.

aequor, oris, n. Surface unie ou plane. ¶ Pays plat. || Plaine. || Plaine liquide; surface de la mer (quand elle est calme). || (En gén.) Mer. || Surface calme (d'un cours d'eau).

aequoreus, a, um, adj. Ayant l'aspect d'une plaine; plat; uni. ¶ De la mer; maritime; marin. [|| Plateau.

aequum, i, n. Surface plane. || Plaine.

aequus (AECUS), a, um, adj. Egal, non accidenté, plat, uni. ¶ Egal; pareil; semblable; même. ¶ Ayant l'humeur égale; calme; patient. || Indifférent. ¶ Juste, équitable. || Impartial. || (En parl. des ch.) Juste, raisonnable. || Bienveillant. || Favorable. || Propice. || (En parl. des ch.) Favorable; avantageux. || Commode; opportun.

aer, aeris (acc. a ou em), m. Air. || Ciel, climat. || Température. || Vapeur; nuée. || Souffle, vent. || Emanation; odeur.

1. aera, ae, f. Article (d'un compte). || Chiffre donné (par l'énoncé d'un problème). ¶ Ere (point de départ chronologique).

2. aera, ae, f. Ivraie.

aeracius, a, um, adj. De bronze; d'airain.

aeramen, inis, n. Airain.

aeramentum, i, n. Objet en airain ou en cuivre. [de cuivre.

aeraneus, a, um, adj. Cuivré. || Couleur

aeraria (s.-e. OFFICINA), ae, f. Endroit où l'on travaille le minerai de cuivre; mine de cuivre; fonderie de cuivre; forge. || Atelier de chaudronnerie.

aerarii, orum, m. pl. Citoyens de la dernière classe (assujettis à l'impôt mais ne votant pas).

aerarium, ii, n. Trésor public. || Trésor privé. ¶ Palais des archives.

1. aerarius, a, um, adj. Qui concerne le cuivre, le bronze, l'airain. ¶ Qui concerne l'argent monnayé. || Relatif à la paye. || Stipendié; mercenaire.

2. aerarius, ii, m. Ouvrier qui travaille le cuivre, le bronze, l'airain. || Fondeur. || Forgeron.

aerator, oris, m. Débiteur.

aeratus, a, um, adj. Garni de cuivre, de bronze, d'airain. ¶ De cuivre; d'airain. ¶ Muni de monnaie. || Riche.

aerelavina, ae, f. Comme AERARIA.

aereum, i, n. Couleur de bronze.

1. aereus (s.-e. NUMMUS), i, m. Pièce de monnaie de cuivre.

2. aereus, a, um, adj. De cuivre, de bronze, d'airain. ¶ Dur comme l'airain. || Eclatant comme une trompette. || Garni d'airain.

aericrepans, antis, adj. Qui fait entendre un bruit d'airain, de cymbales.

aerifer, fera, ferum, adj. Qui porte des cymbales.

aerifice, adv. En travaillant le bronze.

aerificium, ii, n. Ouvrage de bronze.

aerima. Voy. AERUMA.

aerinus, a, um, adj. D'ivraie.

aeripes, pedis, adj. Aux pieds d'airain; infatigable à la course.

aerisonus, a, um, adj. Qui retentit du bruit de l'airain.

aerius, a, um, adj. De l'air. || Aérien; qui vole dans l'air. || Aérien, qui s'élève dans l'air, haut, élevé. || Inconsistant comme l'air, vain. || De la couleur de l'air, bleu.

aerivagus, a, um, adj. Errant dans l'air.

aerizusa, ae, f. Pierre précieuse, peutêtre la turquoise. [d'airain.

1. aero, as, are, tr. Garnir de cuivre,

2. aero, onis, m. Voy. ERO. [l'air.

aeroides, is et ae, adj. Semblable à

aeromantia, ae, f. Divination par l'air.

aeromantis, m. Celui qui devine par l'air.

aeronalis. Voy. ERONALIS. [l'air.

aerophobus, a, um, adj. Qui a peur de

aerosus, a, um, adj. Abondant en cuivre. || Qui contient du cuivre.

aeruca, ae, f. Vert-de-gris (artificiel).

aerugino, as, avi, are, intr. Se couvrir de vert-de-gris. ¶ Se rouiller (pr. et fig.).

aeruginosus, a, um, adj. Couvert ou plein de vert-de-gris. ¶ (Fig.) Qui mendie des as (sous). || Avaricieux. || Quémandeur.

aerugo, ginis, f. Rouille du cuivre; vert-de-gris. || (Méton.) Monnaie rouillée. ¶ Rouille de l'âme; mauvais sentiments; malveillance, jalousie haineuse. || Cupidité; avarice.

aeruma (AERIMA), n. pl. Bassines ou récipients en cuivre.

aerumna, ae, f. Travail forcé; fatigue accablante. || Tribulation, tourment. || Tracas. ¶ Qqf. Désastre.

aerumnabilis, *e*, adj. Fécond en tribulations. ¶ Affligeant.

aerumnosus, *a*, *um*, adj. Accablé de peines, de tribulations.

aerumnula, *ae*, f. Crochet (pour porter les fardeaux).

aeruscator, *oris*, m. Mendiant. ¶ Gueux vivant d'expédients. [d'expédients.

aerusco, *as*, *are*, intr. Mendier. ‖ Vivre

aes, *aeris*, n. Minerai de cuivre. ¶ Alliage de cuivre et d'étain : bronze, airain. ‖ Tout objet de cuivre *ou* de bronze : vase, statue. ‖ Table (gravée). ‖ Cymbale. ¶ Argent monnayé (le cuivre étant la monnaie primitive).‖ Menue monnaie, billon. ‖ (Au plur.) Jetons (pour rendre le calcul facile); *d'où* articles (d'un compte compliqué). ‖ (Fig.) Valeur personnelle. ‖ *Aes alienum*, dette. ¶(Méton.) Salaire; solde. Au pl. *aera*, campagnes (d'un soldat). ‖ Gain; intérêt de l'argent.

aesalon, *onis*, m. Emerillon.

aeschrologia, *ae*, f. Equivoque obscène.

aeschynomene, *es*, f. Sensitive (plante).

aesculator, *oris*, m. Voy. AERUSCATOR.

aesculetum, *i*, n. Chênaie.

aesculeus, *a*, *um*, adj. De chêne. [LEUS.

aesculinus, *a*, *um*, adj. Comme AESCU-

aesculnius. Voy. AESCULEUS.

aesculor, *aris*, *ari*, dép. intr. Comme AERUSCO. [de montagne.

aesculus, *i*, f. Espèce de chêne. ¶ Chêne

aestas, *atis*, f. Été. ‖ (Par ext.) Année. ¶ (Méton.) Temps d'été; beau temps; ciel pur. ‖ Campagne d'été *d'où* campagne militaire. ‖ Tache de rousseur (qui se produit surtout en été).

aestifer, *fera*, *ferum*, adj. Qui apporte la chaleur. ¶ Qui supporte la chaleur.

aestifluus, *a*, *um*, adj. Où les flots bouillonnent. –[mable.

aestimabilis, *e*, adj. Appréciable; esti-

aestimatio, *onis*, f. Evaluation; estimation. ‖ (Méton.) Chose estimée. ‖ Bien fonds estimé à un prix déterminé. ‖ Paiement au moyen de la propriété ainsi évaluée. ¶ Jugement sur la valeur; appréciation. ¶ Estime, considération. ‖ Valeur, dignité.

aestimator, *oris*, m. Celui qui évalue, qui fixe le prix. ¶ (Fig.) Appréciateur.

aestimatorius, *a*, *um*, adj. Relatif à la mise à prix.

aestimatus, abl. *u*, m. Estime.

aestimiae, f. pl. Estimation.

aestimium, *ii*, n. Comme AESTIMATIO.

aestimo (AESTUMO), *as*, *avi*, *atum*, *are*, tr. Fixer (la valeur vénale de qqch.); mettre à prix; taxer. ¶ Apprécier la valeur intrinsèque de : juger, estimer, faire cas de. ‖ Estimer, être d'avis; penser.

aestiva, *orum*, n. pl. Camp d'été. ‖ Saison d'été. ‖ Campagnes d'été : campagnes militaires. ¶ Séjour d'été (pour les bestiaux). ‖ (Méton.) Les bestiaux eux-mêmes. ¶ Vêtements de fête.

aestivalia, *ium*, n. pl. Vêtements d'été.

aestivalis, *e*, adj. D'été. [légère.

aestive, adv. Comme en été. ‖ A la

aestivitas, *atis*, f. Temps d'été.

1. aestivo, *as*, *avi*, *atum*, *are*, intr. Passer la saison d'été.

2. aestivo, adv. En été. [fait chaud.

aestivosus, *a*, *um*, adj. Chaud. ‖ Où il

aestivus, *a*, *um*, adj. D'été.

aestuabundus, *a*, *um*, adj. Bouillonnant.

aestuarium, *ii*, n. Partie des côtes couverte à marée haute et découverte à marée basse. ‖ Baie. ‖ Estuaire (d'un fleuve). ‖ Marais, flaque d'eau de mer. ‖ Vivier en communication avec la mer. ¶ Soupirail. ‖ Ventilateur.

aestuatio, *onis*, f. Bouillonnement. ¶ Agitation (d'esprit). ‖ Inquiétude.

aestuo, *as*, *avi*, *atum*, *are*, intr. Etre brûlant. ‖ Avoir chaud. ‖ Souffrir de la chaleur. ¶ Bouillir; être en effervescence. ‖ Bouillonner. ‖ Etre houleux. ¶ Avoir l'esprit agité. ‖ Eprouver une vive passion. ‖ Etre perplexe.

aestuor, *aris*, *atus sum*, *ari*, dép. intr. Comme AESTUO.

aestuose, adv. Avec une chaleur ardente. ¶ A la manière de la houle.

aestuosus, *a*, *um*, adj. Très chaud. ‖ Extrêmement brûlant. ¶ Houleux.

aestus, *us*, m. Extrême chaleur. ‖ Ardeur. ¶ Ebullition. ‖ Effervescence. ¶ Bouillonnement des flots, houle. ‖ Marée. ¶ (Fig.) Agitation (de l'âme). ‖ Force *ou* violence d'un sentiment. ‖ Inquiétude. ‖ Indécision. ‖ Perplexité.

aetas, *atis*, f. Temps de la vie. ‖ Vie. ‖ Age (temps écoulé depuis la naissance). ‖ Age (une des époques de la vie). ‖ Age d'homme; génération; *qqf.* siècle. ‖ Epoque, période, âge du monde. ¶ (Méton.) Les hommes d'une époque. *Ferrea aetas*, les hommes de l'âge de fer.

aetatula, *ae*, f. Age tendre. [sable.

aeternabilis, *e*, adj. Eternel. ‖ Impéris-

aeternalis, *e*, adj. De l'éternité.‖ Eternel.

aeternaliter, adv. Eternellement.

aeterne, adv. Eternellement.

aeternitas, *atis*, f. Eternité. ‖ Immortalité. ‖ Très longue durée.

1. aeterno, adv. Eternellement.

2. aeterno, *as*, *are*, tr. Rendre éternel. [‖ Eterniser. [‖ Eternellement.

aeternum, adv. Pour toujours, à jamais.

aeternus, *a*, *um*, adj. Eternel. ‖ Immortel. ‖ Indestructible; impérissable. ¶ De très longue durée. [cieuse).

aethachates, *ae*, m. Agate (pierre pré-

aethalus, *i*, m. Raisin noirâtre (d'Egypte).

aether, *eris* (acc. *era*), m. Le feu qui a sa source dans l'empyrée. ‖ Empyrée, éther; la plus haute région du ciel. ¶ Espace céleste, ciel. ‖ (Méton.) Habitants du ciel. ‖ Choses célestes. ‖ Auréole (divine). ¶ (Poét.) Air. ‖ Le monde des vivants (*opp.* à l'enfer).

aethera, *ae,* f. Comme AETHER.

aetherius, *a, um,* adj. De l'éther; éthéré. ¶ Céleste. ‖ Divin. ¶ De l'air; aérien. ¶ De la terre (*opp.* aux enfers).

aethiopis, *idis,* acc. *ida,* f. Espèce de sauge d'Ethiopie, à propriétés magiques. [‖ Le ciel. ‖ Ciel pur, azur.

aethra, *ae,* f. Région supérieure du ciel.

aetiologia, *ae,* f. Recherche des causes; étiologie.

aetite, *es,* f. Plante grimpante inconnue.

aetites, *ae,* m. Pierre d'aigle.

aetitis, *tidis,* f. Pierre précieuse qui a la couleur du plumage de l'aigle.

aetoma, *ae,* f. Fronton triangulaire.

aevifico, *as, are,* tr. Eterniser; immortaliser. [¶ Durée infinie. ‖ Eternité.

aevitas, *atis,* f. Age. ‖ (Partic.) Vieillesse.

aeviternus, *a, um,* adj. Comme AETERNUS.

aevum, *i,* n. La durée sans limites, l'éternité. ¶ Temps limité. ‖ Temps de la vie. ‖ Age. ‖ (Partic.) Grand âge; vieillesse. ‖ Age d'homme; génération; siècle. ‖ Epoque .‖ (Méton.) Les hommes d'une époque.

afannae, Voy. AFFANIAE.

1. affaber, *bra, brum,* adj. Habile dans son art; industrieux. ¶ Artistement fait.

2. affaber, *bri,* m. Habile ouvrier.

affabilis, *e,* adj. Affable.

affabilitas, *atis,* f. Affabilité.

affabiliter, adv. Avec affabilité.

affabre, adv. Artistement.

affabricatus, *a, um,* p., adj. Ajouté artificiellement. [lité d'une fable.

affabulatio, *onis,* f. Affabulation; moraffamen (ADFAMEN), *inis,* n. Parole adressée à qqn. [échappatoires.

affaniae, *arum,* f. pl. Faux fuyants; affatim (ADFATIM), adv. A satiété. ‖ Assez; bien assez. ‖ Largement, plus qu'assez. [parole à qqn.

affatio, *onis,* f. Action d'adresser la affatus, *us,* m. Action d'adresser la parole à qqn. ¶ Lettre ou rescrit.

affaveo (ADFAVEO), *es, ere,* intr. Se montrer favorable à.

affectaticius, *a, um,* adj. Affecté; qui manque de naturel.

affectatio, *onis,* f. Effort pour atteindre à, poursuite, aspiration ou prétention à. ‖ Passion; manie. ¶ Affectation.

affectato, adv. Avec un soin extrême ‖ Avec affectation.

affectator, *oris,* m. Celui qui recherche, qui poursuit, qui aspire à.

affectatrix, *icis,* f. Celle qui cherche à imiter. [d'une impression).

affecte, adv. Avec vivacité (en parl.

affectio, *onis,* f. Impression causée. ‖ Impression reçue. ¶ Disposition. ‖ Etat. ‖ Disposition de l'âme; humeur; sentiment; passion; volonté. ¶ Disposition physique : diathèse. ‖ Etat (des choses). ¶ Disposition affectueuse. ‖ Affection. *Au plur.* Objets d'attention.

affectionalis, *e,* adj. Relatif au sentiment.

affectiosus, *a, um,* adj. Affectueux.

affectivus, *a, um,* adj. Qui exprime un désir ou une volonté.

affecto (ADFECTO), *as, avi, atum, are,* tr. Chercher à se ménager qqch., à obtenir; aspirer à; prétendre à. *Regnum affectare,* prétendre au trône. ¶ Affecter; se piquer de. ‖ Feindre.

affector, *aris, atus sum, ari,* dép. tr. Comme AFFECTO.

affectorius, *a, um,* adj. Qui fait impression. ‖ Efficace.

affectualiter, adv. Avec affection.

affectuose, adv. Tendrement; affectueusement. [adj. Affectueux; tendre.

affectuosus (ADFECTUOSUS), *a, um,* 1. affectus, *a, um,* p. adj. Disposé (phys. et moral.) de telle ou telle manière. ‖ (Partic.) Mal disposé; en mauvais état. ¶ Qui touche à sa fin; presque achevé.

2. **affectus,** *us,* m. Disposition du corps. ‖ Etat de santé. ‖ Maladie. ¶ (Moral.) Disposition de l'âme. ‖ Humeur. ‖ Impression. ‖ Sentiment; passion. ‖ Vif désir. ‖ Affection. ¶ (Jur.) Volonté.

affero (ADFERO), *affers, attuli, allatum, afferre,* tr. Porter à, sur ou contre, ‖ Porter vers; apporter. ¶ (En parl. de la terre.) Rapporter; produire. ¶ (Fig.) Apporter (une nouvelle), annoncer, raconter. ‖ Alléguer, citer. ‖ Prétexter. ¶ Causer, procurer. ‖ Inspirer.

affestino, *are,* tr. Accélérer.

afficio, *is, feci, fectum, ere,* tr. Mettre dans telle ou telle disposition. ‖ Traiter (bien ou mal). ‖ Indisposer, rendre malade. ‖ Impressionner, affecter, émouvoir; mettre de telle ou telle humeur. ¶ Causer un changement; modifier. ¶ Gratifier, pourvoir; combler de. ‖ Frapper; accabler de. *Afficere exilio,* punir d'exil. *Afficere muneribus,* combler de présents.

afficticius, *a, um,* adj. Ajouté. ‖ Rapporté. ‖ Attenant à.

affictio, *onis,* f. Subjection (fig. de rhét.). ¶ Paronomasie.

affigo, *is, fixi, fixum, ere,* tr. Attacher; clouer. ‖ Fixer, accrocher à. ‖ Enfoncer dans. ¶ (Fig.) Enfoncer; inculquer.

affiguro, *as, avi, are,* tr. Former, créer d'après un modèle).

affinalis, *e,* adj. Comme AFFINIS.

affingo, *is, finxi, fictum, ere,* tr. Façonner ou former en plus; ajouter à. ¶ (Fig.) Inventer (en outre), ajouter à la réalité; imaginer. ‖ Se figurer. ‖ Attribuer (faussement).

affinis (ADFINIS), *e,* adj. Contigu; limitrophe. ¶ (Fig.) Allié, parent par alliance. ‖ Mêlé à; impliqué dans; complice.

affinitas, *atis,* f. Contiguïté; voisinage.

¶ (Fig.) Alliance, parenté par mariage.
¶ Rapport, analogie; affinité.

affirmante, adv. Comme AFFIRMATE.

affirmate, adv. En termes formels.
|| Positivement. [rance.

affirmatio, *onis*, f. Affirmation. || Assu-

affirmative, adv. Affirmativement.

affirmativus, *a*, *um*, adj. Affirmatif.

affirmator, *oris*, m. Celui qui affirme.
|| Celui qui se porte garant.

affirmatus, *abl. u*, m. Affirmation.

affirmo (ADFIRMO), *as*, *avi*, *atum*, *are*,
tr. Rendre ferme. || (Fig.) Affermir,
fortifier. || Assurer. || Confirmer, prou-
ver. || Etablir. || Affirmer, certifier.

affixa, *orum*, n. pl. Dépendances (d'un
immeuble).

affixio, *onis*, f. Suite; enchaînement.
¶ Application. || Attention suivie.

affixus, *a*, *um*, p. adj. Attaché à. || Ap-
pliqué à; attentif à.

afflagrans, *antis*, p. adj. En feu.

afflamen, *inis*, n. Inspiration (divine).

afflaticius, *a*, *um*, adj. Inspiré.

afflator, *oris*, m. Celui qui souffle sur;
celui qui inspire.

afflatorius, *a*, *um*, adj. Qui brûle à la
surface (en passant).

afflatus, *us*, m. Action de souffler sur.
|| Souffle; brise. || Haleine. || Emana-
tion. || Rayonnement. || Lueur. ¶ (Fig.)
Souffle divin; inspiration. || Enthou-
siasme.

afflecto (ADFLECTO), *is*, *flexi*, *flexum*, *ere*,
tr. Tourner vers; incliner vers. ¶ (Fig.)
Fléchir; amener à (par des prières).

affleo (ADFLEO), *es*, *ere*, intr. Pleurer à
la vue de, au récit de. ¶ Mêler ses
larmes à celles de.

afflictatio (ADFLICTATIO), *onis*, f. Peine
morale jointe à un mal physique. ||
Tourment. || Abattement.

afflictator (ADFLICTATOR), *oris*, m. Celui
qui tourmente.

afflictim, adv. Avec abattement.

afflictio (ADFLICTIO), *onis*, f. Commo-
tion. || Coup violent. ¶ (Fig.) Coup du
sort. || Affliction; accablement.

afflicto (ADFLICTO), *as*, *avi*, *atum*, *are*,
tr. Heurter violemment et plusieurs
fois. || Maltraiter || Endommager.
¶ (Fig.) Tourmenter; accabler.

afflictor (ADFLICTOR), *oris*, n. Celui qui
abat. || Celui qui rabaisse. || (Fig.)
Celui qui tourmente *ou* persécute.

afflictorius, *a*, *um*, adj. Qui abat. || Qui
tourmente. [qui heurte, qui choque.

afflictrix (ADFLICTRIX), *icis*, f. Celle

afflictus (ADFLICTUS), *a*, *um*, p. adj.
Abattu; terrassé || Maltraité. || Mal-
heureux; misérable. || Abattu; déses-
péré; anéanti. || Bas, abject, mépri-
sable; méprisé. || Dépravé (en parl.
des mœurs).

afflictus (ADFLICTUS), *us*, m. Choc.

affligo (ADFLIGO), *is*, *flixi*, *flictum*, *ere*,
tr. Jeter brutalement à, sur, contre.
|| Heurter. || Jeter bas; terrasser;

abattre. ¶ (Fig.) Abattre, ruiner,
détruire. || (Simpl.) Endommager. ||
Maltraiter. || Gâter. || (Mor.) Affliger;
accabler.

afflo (ADFLO), *as*, *avi*, *atum*, *are*, tr.
Souffler vers *ou* sur. || (Tr.) Toucher
de son souffle, de son haleine. || (Intr.)
S'exhaler. || Rayonner; agir sur. ||
Brûler à distance.

affluens (ADFLUENS), *tis*, p. adj. Qui
est en abondance. ¶ Qui nage dans,
qui regorge de; riche. [fusion.

affluenter (ADFLUENTER), adv. A pro-

affluentia (ADFLUENTIA), *ae*, f. Afflux.
¶ (Fig.) Affluence. || Profusion.

affluitas, *atis*, f. Profusion.

affluo (ADFLUO), *is*, *fluxi*, *fluxum*, *ere*,
intr. Couler vers. || Couler auprès de.
¶ (Fig.) Arriver vers. || Arriver à flots,
en foule; affluer. ¶ Regorger de.
|| (Absol.) Etre riche.

affluus (ADFLUUS), *a*, *um*, adj. Qui
roule des eaux abondantes.

affluxio, *onis*, f. Afflux.

affodio (ADFODIO), *is*, *ere*, tr. Ajouter
en fouillant, en labourant.

affor (ADFOR), *aris*, *atus sum*, *ari*, dép.
tr. Adresser la parole à. || (Partic.)
Invoquer; implorer. || Saluer; dire
adieu. ¶ (Passif.) Etre interpellé.
|| (Augur.) Etre compris dans l'espace
délimité et consacré par l'augure.
|| (Impers.) *Affatum est*, cela est fixé
par le destin.

afformido (ADFORMIDO), *as*, *are*, tr.
Craindre vivement.

affrango (ADFRANGO), *is*, *fregi*, *fractum*,
ere, tr. Briser contre. || Appuyer vio-
lemment contre.

affremo (ADFREMO), *is*, *ere*, intr. Bruire,
murmurer en présence *ou* à l'occasion
de.

affricatio (ADFRICATIO), *onis*, f. Frotte-
ment contre qqch. || (Méton.) Ce qu'on
enlève par frottement.

affrico (ADFRICO), *as*, *fricui*, *fricatum*,
are, tr. Frotter à. || Frotter contre.
¶ (Fig.) Communiquer par contact.

affrictus (ADFRICTUS), *us*, m. Frottement. ¶ Friction. ¶ (Fig.) Contact.

affringo. Voy. AFFRANGO.

affrio (ADFRIO), *as*, *are*, tr. Emietter;
écraser sur *ou* contre.

affulgeo (ADFULGEO), *es*, *fulsi*, *ere*, intr.
Luire; briller aux yeux de (pr. et fig.).

affundo (ADFUNDO), *is*, *fudi*, *fusum*,
ere, tr. Verser; répandre sur *ou* dans.
¶ (Passif.) *Affundi*, se répandre; se
précipiter. || Se prosterner.

affurcillo (ADFURCILLO), *as*, *avi*, *are*, tr.
Priver d'appui; rendre chancelant.

affusio (ADFUSIO), *onis*, f. Action de
verser sur; aspersion. [S'écouler.

affuo, *is*, *ere*, intr. Couler loin de. ¶

aforis, adv. De dehors.

africia, *ae*, f. Sorte de gâteau sacré.

afro... Voy. APHRO...

agaga, *ae*, m. Entremetteur.

agagula, *ae*, m. et f. Entremetteur, entremetteuse.

agalma, *atis*, n. Statue.

agamus, *i*, m. Célibataire.

agape, *es*, f. Charité. || Aumône. ¶ Agape, repas fait en commun par les premiers Chrétiens.

agapetae, *arum*, f. pl. Filles ou veuves habitant avec des ecclésiastiques dans l'église primitive.

agaricon (AGARICUM), *i*, n. Agaric sorte de champignon.

agaso, *onis*, m. Anier; muletier. || Garçon d'écurie. ¶ Maraud.

agathodaemon, *onis*, m. Bon génie.

age, agedum, agitedum, impér. servant d'interj. (Pour encourager.) Allons ! || (Pour entrer en matière.) Or çà ! Eh bien !

agea, *ae*, f. Couloir (sur un navire).

agelarius, *a*, *um*, adj. Agraire.

agellulus, *i*, m. Tout petit terrain.

agellus, *i*, m. Petit champ; petit bien.

agema, *atis*, n. Troupe d'élite macédonienne.

agens, *entis*, p. adj. Voy. AGO.¶ (Subst.) Agens, *entis*, m. Homme d'affaires. || Arpenteur. || Commissaire.

ager, *agri*, m. Terre cultivée. || Champ. || Terrain. || Territoire, contrée. || (Au plur.) Les champs; la campagne. || La plaine; la vallée (*opp.* à la montagne). ¶ Etendue. In agrum, en profondeur (par opp. à in frontem, en largeur).

ageraton, *i*, n. Achillée; millefeuille.

ageratos, *on*, adj. Qui ne vieillit pas.

aggarrio (ADGARRIO), *ire*, tr. Débiter des niaiseries.

aggaudeo (ADGAUDEO), *es*, *ere*, intr. Se réjouir à l'occasion de. || Partager la joie de.

aggemo (ADGEMO), *is*, *ere*, intr. Gémir à propos de. || Partager la douleur de.

aggenero (ADGENERO), *as*, *are*, tr. Engendrer en outre.

aggeniculatio (ADGENICULATIO), *onis*, f. Génuflexion devant qqn.

aggeniculor (ADGENICULOR), *aris*, *ari*, dép. S'agenouiller devant.

agger, *eris*, m. Remblai. || Amas de terre. ¶ Levée de terre; terrasse. ¶ Levée; chaussée; route pavée. || Jetée. || Digue. ¶ Berge (d'une rivière). || Tertre. || Vague; lame. ¶ (En gén.) Amas; tas; monceau.

aggeratim, adv. En monceau; par tas.

aggeratio, *onis*, f. Amoncellement; entassement. || (Méton.) Levée; chaussée; digue. [lement.

aggereus, *a*, *um*, adj. Fait par amoncel-

1. aggero, *as*, *avi*, *atum*, *are*, tr. Remblayer. || Combler. || Elever en forme de chaussée. ¶ (Entasser); amonceler ¶ (Fig.) Augmenter. || Exagérer.

2. aggero (ADGERO), *is*, *gessi*, *gestum*, *ere*, tr. Porter à; apporter (en un même lieu); amonceler. || (Fig.) Accumuler; entasser.

aggestio (ADGESTIO), *onis*, f. Entassement. || (Méton.) Amas. [part.

aggestum, *i*, n. Retranchement; rem-

aggestus (ADGESTUS), *us*, m. Action d'entasser; entassement. ¶ Chose entassée; tas.

agglomero (ADGLOMERO), *as*, *avi*, *atum*, *are*, tr. Ajouter à un peloton. || Ajouter, joindre à. || Réunir, rassembler.

agglutinatio (ADGLUTINATIO), *onis*, f. Soudure. ¶ (Fig.) Attachement. || Dévouement.

agglutino (ADGLUTINO), *as*, *avi*, *atum*, *are*, tr. Réunir en collant. || Joindre. || Coller; cimenter; souder (pr. et fig.).

aggravatio, *onis*, f. Surcharge.

aggravesco (ADGRAVESCO), *is*, *ere*, intr. Devenir plus lourd, plus chargé. Devenir plus grave; s'aggraver.

aggravo (ADGRAVO), *as*, *avi*, *atum*, *are*, tr. Rendre plus lourd; alourdir. ¶ Surcharger, accabler. || (Fig.) Aggraver; empirer.

aggredio, *is*, *ere*, pour AGGREDIOR.

aggredior (ADGREDIOR), *eris*, *gressus sum*, *gredi*, dép. intr. Marcher vers. se rendre à. ¶ Aller trouver; aborder. ¶ Aborder avec intention : *amicalement*: chercher à se concilier, essayer de séduire; tenter; *hostilement*: fondre sur, assaillir; attaquer. ¶ Se mettre à; entreprendre; essayer.

aggregatio (ADGREGATIO), *onis*, f. Assemblage. || Réunion. || Accumulation || Addition.

aggrego (ADGREGO), *as*, *avi*, *atum*, *are*, tr. (Joindre à un troupeau); joindre à, associer. || Accumuler. || Additionner.

aggressio (ADGRESSIO), *onis*, f. Attaque; agression; assaut. ¶ Tentative. ¶ (Log.) Epichérème.

aggressor (ADGRESSOR), *oris*, f. Agresseur. ¶ Malfaiteur. || Brigand.

aggressura (ADGRESSURA), *ae*, f. Guetapens.

aggressus (ADGRESSUS), *us*, m. Agression; attaque. ¶ Entreprise; commencement.

agguberno (ADGUBERNO), *as*, *are*, tr. Gouverner. || Diriger (dans un certain sens).

agilipennis, *e*, adj. Aux ailes agiles.

agilis, *e*, adj. Facile à conduire. ¶ Flexible, souple. || Agile, vif, alerte. ¶ Rapide. || Actif.

agilitas, *atis*, f. Agilité; rapidité.

agiliter, adv. Agilement.

agina, *ae*, f. Châsse d'une balance.

aginator, *oris*, m. Petit marchand.

agino, *as*, *avi*, *atum*, *are*, intr. S'agiter.

agipes, *pedis*, adj. Qui a les pieds actifs.

agitabilis, *e*, adj. Facile à déplacer; mobile.

agitatio, *onis*, f. Agitation; mouvement. ¶ Activité (de corps ou d'esprit). ¶ Exercice. || Pratique.

agitator, *oris*, m. Celui qui mène. ¶ Muletier, chamelier, cocher. || Cocher du cirque.

agitatoria (s.-e. *fabula*), *ae*, f. Titre d'une comédie de Névius.

agitatorius, *a*, *um*, adj. Relatif à la conduite *ou* aux conducteurs de bêtes de somme.

agitatrix, *icis*, f. Celle qui meut.

1. **agitatus**, *a*, *um*, p. adj. Vif. ‖ Animé.

2. **agitatus**, *us*, m. Mouvement.

agito, *as*, *avi*, *atum*, *are*, tr. Chasser devant soi; conduire, diriger (des bêtes). ‖ Donner la chasse à, poursuivre; traquer. ‖ Faire la guerre à. ‖ Mettre en mouvement; remuer; secouer; agiter; lancer. ¶ (Fig.) Agiter (l'esprit): exciter; tourmenter. ‖ Exercer; occuper. ‖ Blâmer, critiquer. ‖ Agiter (dans son esprit); rouler (des pensées); penser à; examiner le pour et le contre. ‖ Projeter. ‖ Débattre (avec d'autres) : discuter. ‖ Traiter (une question). ‖ Faire habituellement, pratiquer, exercer. ‖ Célébrer (une fête). ‖ Passer (le temps). ‖ (Absol.) Vivre. ‖ Habiter. ‖ Se trouver; être.

aglaophotis, *tidis* (acc. *tim*), f. Nom d'une plante magique (l'éclatante). ¶ Pivoine.

agmen, *minis*, n. Ce qu'on pousse devant soi : troupe, troupeau, bande. ‖ Cortège. ‖ Armée en marche; colonne (de marche). *Primum agmen*, avant-garde. *Novissimum agmen*, arrière-garde. *Extremum agmen*, les dernières lignes de l'arrière-garde; la queue. *Agmen cogere ou claudere*, fermer l'arrière-garde, être en queue, fermer la marche. ¶ Troupe d'hommes (en marche *ou* immobile). ¶ Foule. ‖ (Spéc.) Corps d'armée; division. *Agmina*, bataillons. ¶ Troupe (de bêtes). ‖ Meute. ‖ Essaim. ¶ Foule rangée en files. ‖ Rangée; série. ¶ (Méton.) Marche; cours (d'un fleuve).

agmentum. Voy. AUMENTUM.

agminalis, *e*, adj. De l'armée en marche ‖ Du train (des équipages).

agminatim, adv. En troupe. ‖ Par bandes.

agna, *ae*, f. Agnelle; jeune brebis.

agnalia. Voy. AGONALIA.

agnascor (ADGNASCOR), *eris*, *natus sum*, *nasci*, dép. intr. Naître sur. ‖ Pousser sur *ou* auprès. ¶ Naître après. ‖ (Jur.) Naître après (le testament du père). ¶ Entrer (par adoption) dans une famille. [agnats.

agnaticius, *a*, *um*, adj. Relatif aux

agnatio (ADGNATIO), *onis*, f. Naissance sur. ‖ Excroissance. ¶ Communauté de sang. ‖ Parenté (du côté paternel). ¶ Naissance d'un enfant (après le testament du père).

agnatus, *i*, m. Parent du côté paternel. ¶ Enfant né après le testament du père.

agnellinus, *a*, *um*, adj. De petit agneau.

agnellus, *i*, adj. Agnelet; petit agneau.

agneus, *a*, *um*, adj. D'agneau.

agnicellulus, *i*, m. Voy. le suivant.

agnicellus, *i*, m. Joli petit agneau.

agnicula, *ae*, f. Agnelette.

agniculus, *i*, m. Agnelet.

agnile, *is*, n. Etable des agneaux.

agnina (s.-e. CARO). *ae*, f. Viande d'agneau.

agninus, *a*, *um*, adj. D'agneau.

agnitio, *onis*, f. Le fait de reconnaître. ‖ Reconnaissance. ‖ Connaissance, notion.

agnitionalis, *e*, adj. Connaissable.

agnitor, *oris*, m. Celui qui reconnaît. ‖ Celui qui connaît.

agnomen (ADNOMEN), *minis*, n. Surnom dû à une circonstance exceptionnelle et qui vient après le prénom, le gentilice et le cognomen.

agnomentum, *i*, n. Sobriquet.

agnominatio (ADNOMINATIO), *onis*, f. Paronomase. ‖ Allitération.

agnominativus, *a*, *um*, adj. Qui indique le surnom.

agnos, *i*, m. et f. Agnus-castus.

agnoscibilis, *e*, adj. Reconnaissable.

agnosco (ADGNOSCO), *is*, *novi*, *nitum*, *ere*, tr. Reconnaître. ¶ Connaître. ‖ S'apercevoir de. ‖ Concevoir. ¶ Reconnaître : tenir pour vrai; admettre; approuver.

agnotinus, *a*, *um*, adj. Reconnu.

agnua. Voy. ACNUA.

agnulus, *i*, m. Petit agneau.

agnus, *i*, m. Agneau. ¶ (Qqf. fém.) Agneau femelle.

ago, *is*, *egi*, *actum*, *ere*, t.r Faire avancer. ‖ Pousser devant soi; mener (un troupeau). ‖ Emmener (du bétail comme butin). ‖ Conduire (une voiture, etc.). ‖ Chasser, poursuivre. ‖ (Fig.) Inquiéter; tourmenter. ‖ Mener (des hommes), emmener. ‖ (Fig.) Pousser à, entraîner à. ‖ *Agere se*, se transporter, se rendre (à); (fig.) Se conduire se comporter. ‖ Remuer (qqch.); déplorer. ‖ Dégager; émettre; lancer. ‖ Faire entrer; enfoncer. ‖ Elever (en l'air); faire jaillir. ‖ Pousser (en droite ligne); tracer, construire. ¶ Passer (le temps). ‖ Etre (dans telle ou telle année de son âge) ‖ (Absol.) Passer sa vie. ‖ Vivre. ‖ Résider. ‖ Se trouver, être. ¶ Mener (une affaire). ‖ Se livrer à une occupation; faire; effectuer; réaliser. ‖ Célébrer (une fête). ‖ Pratiquer, exercer. ‖ Agir, être actif. ‖ S'occuper sérieusement de. ¶ Agiter (une question). ‖ Rouler (dans son esprit). ‖ Projeter. ‖ Traiter (une question avec d'autres); débattre. ‖ Plaider (une affaire). ‖ Intenter (un procès). ¶ (Passif.) *Agi*, être en jeu. *Agitur*, il s'agit. *Actum est*, c'en est fait. ¶ Débiter avec gestes; déclamer. ‖ Représenter; jouer (une pièce); jouer un rôle *ou* le rôle de. ‖ (Fig.) Faire le...; se conduire en...

agoea. Voy. AGEA.

agogae, *arum*, f. pl. Rigoles pratiquées

dans les mines d'or pour l'écoulement des eaux de lavage.

agoge, *es*, f. Gamme.

agolum, *i*, n. Houlette.

agon, *onis* (acc. sing. *ona*, acc. pl. *onas*), m. Jeu public. ¶ Exercice athlétique; concours, assaut, etc.

agonalia, *um* et *orum*, n. pl. Agonales (fêtes en l'honneur de Junon).

1. **agonia**, *ae*, f. Angoisse.

2. **agonia**, *orum*, n. pl. Comme AGONALIA.

agonicus, *a*, *um*, *adj.* Relatif aux jeux publics.

agonista, *ae*, m. Athlète.

agonistarcha, *ae*, m. Président des jeux.

agonisticus, *a*, *um*, *adj.* Athlétique.

agonizo. Voy. le suivant.

agonizor, *ari*, dép. intr. Lutter; souffrir.

agonothesia, *ae*, f. Fonction d'agonothète.

agonotheta, *ae*, m. Voy. le suivant.

agonothetes, *ae*, m. Agonothète (président *ou* ordonnateur de jeux publics).

agonotheticus, *a*, *um*, *adj.* Relatif à l'ordonnance des jeux publics. ¶ Affecté aux dépenses pour les jeux.

agoranomus, *i*, m. Agoranome; magistrat chargé de la surveillance des marchés (en Grèce).

agralis, *e*, adj. Comme AGRARIUS.

agrammatos, *on*, adj. Illettré.

agrarienses (s.-e. *naves*), *ium*, f. pl. Bateaux légers (employés sur le Danube pour la surveillance).

agrariensis, *e*, adj. Relatif à la surveillance des champs.

agraris, *e*, adj. Qui concerne les champs. Subst. *Agrares*, *ium*, m. pl. Les agriculteurs.

agrarius, *a*, *um*, *adj.* Relatif aux champs. Subst. *Agrarius*, paysan, cultivateur. *Agrarias* (s.-e. *stationes*), postes militaires pour surveiller la campagne. || (Partic.) Agraire; relatif au partage des terres. Subst. *Agrarii*, m. pl. Partisans des lois agraires.

agraticum, *i*, n. Impôt sur les revenus agricoles. [Voy. ACREDULA.

agredula, *ae*, f. Sorte de grenouille.

agrestinus, *a*, *um*, *adj.* Qui pousse dans les champs; sauvage.

agrestis, *e*, adj. Qu'on trouve dans les champs; sauvage. ¶ Champêtre, rustique, agreste. Subst. *Agrestis*, paysan. || Rustique; grossier; gauche.

agricola, *ae*, m. Cultivateur; laboureur; paysan.

agricolanus, *a*, *um*, *adj.* Qui concerne l'agriculteur *ou* les agriculteurs.

agricolaris, *e*, adj. Comme AGRICOLANUS.

agricolatio, *onis*, f. Agriculture. ¶ Economie rurale. [la culture.

agricolor, *aris*, *ari*, dép. intr. Faire de l'agriculture. Voy. AGRICOLA. [culture.

agricula. Voy. AGRICOLA.

agricultio ou **agri cultio**, *onis*, f. Agriculture.

agricultor ou **agri cultor**, *oris*, n. Agriculteur.

agricultura ou **agri cultura**, *ae*, f. Agriculture.

agrifolius, *a*, *um*, adj. Voy. ACRIFOLIUS. [penteur.

agrimensor ou **agri mensor**, *oris*, m. Arpenteur.

agrimensorius, *a*, *um*, adj. D'arpenteur.

agrimensura ou **agri mensura**, *ae*, f. Arpentage.

agrimonia, *ae*, f. Aigremoine.

agriophyllon, *i*, n. Plante nommée PEUCEDANUM.

agrios ou **agrius**, *a*, *um*, adj. Sauvage (en parl. des plantes).

agripeta, *ae*, m. Qui est à la recherche de terres; colon. ¶ Partisan des lois agraires.

agrius, *a*, *um*. Voy. AGRIOS.

agrostis, *is* (acc. *in*), f. Chiendent.

agrosus, *a*, *um*, adj. Riche en terres.

ah: interj. Ah ! Hélas !

ahen... Voy. AEN...

ai, interj. Aïe ! Hélas !

aiens, *entis*, p. adj. Affirmatif.

aientia, *ae*, f. Affirmation.

aigleucos, m. Vin doux (qu'on ne laisse pas fermenter). [tendre.

aio, *ais*, intr. Dire oui. || Affirmer. || Prétendre.

aithales, *is*, n. Joubarbe.

aix (acc. *aegos*), f. Chèvre.

aizoon, *i*, n. Joubarbe.

ajuga, *ae*, f. Bugle, ivette.

ala, *ae*, f. Aile (d'oiseau). || (Anal.) *Alae*, les voiles *ou* les rames (d'un vaisseau comparé à un oiseau). ¶ Aisselle. || Epaule. || Aile (d'un édifice). ¶ (T. milit.) Corps de cavalerie alliée (placé sur les ailes d'une armée). || Escadron (de cavalerie).

alabaster, *tri*, m. Vase à parfums (d'albâtre *ou* d'onyx). ¶ Tout objet rappelant la forme de ce vase lisse et sans anses : bouton de rose, etc.

alabastrites, *ae*, m. Albâtre.

alabastrum, *i*, n. Comme ALABASTER.

alabrum, *i*, n. Dévidoir.

alacer, *cris*, *cre*, adj. Animé; excité; agité. || Plein d'entrain, alerte; allègre. || Agile, léger.

alacrimonia, *ae*, f. Comme ALACRITAS.

alacritas, *atis*, f. Entrain, bonne humeur. || Ardeur. || Allégresse. || Folle joie.

alacriter, adv. Avec entrain. ¶ Gaiement.

alapa, *ae*, f. Soufflet, gifle. || Soufflet léger donné par le maître à l'esclave qu'il affranchit.

alapator, *oris*, m. Bravache.

alapo, *as*, *are*, tr. Souffleter.

alapor, *aris*, *ari*, dép. tr. Comme ALAPO.

alares, *ium*, m. pl. Cavalerie des alliés (voy. ALA).

alarii, *orum*, m. pl. Comme ALARES. ¶ Troupes auxiliaires à pied placées primitivement aux ailes.

alarius, *a*, *um*, adj. Comme ALARIS.

alaternus, *i*, f. Nerprun.

alator, *oris*, m. Rabatteur (chasse).

alatus, *a*, *um*, adj. Ailé.

alauda, *ae*, f. Alouette.

alausa, *ae*, f. Alose. [blanc.

alba, *ae*, f. Perle blanche. ¶ Vêtement

albamen, *inis*, n. La partie blanche d'un objet.

albamentum, *i*, n. Blanc (d'œuf).

albarium, *ii*, n. Crépi. || Stuc.

1. albarius, *a*, *um*, adj. Relatif au blanchiment.

2. albarius, *ii*, m. Stucateur.

albator, *oris*, m. Stucateur.

albatus, *a*, *um*, adj. Vêtu de blanc. ¶ Revêtu d'un habit de fête.

albeditas, *atis*, f. Voy. ALBEDO.

albedo, *dinis*, f. Couleur blanche. || Blancheur.

albegmina. Faute p. ABLEGMINA.

albeo, *es*, *ere*, intr. Etre blanc.

albesco, *is*, *ere*, intr. Devenir blanc; blanchir. || Poindre (en parl. du jour).

albicantius, adv. (au compar.) En tirant sur le blanc. [blancs.

albicapillus, *i*, m. Qui a les cheveux

albicasco, *is*, *ere*, intr. Comme ALBESCO.

albiceratus, *a*, *um*, adj. D'un blanc de cire.

albiceris, *e*, adj. Voy. ALBICERATUS.

albicerus, *a*, *um*, adj. Comme ALBICERATUS. [(*Qqf. tr.*) Rendre blanc.

albico, *as*, *are*, intr. Tirer sur le blanc. ¶

albicolor, *oris*, adj. De couleur blanche.

albicomus, *a*, *um*, adj. A la chevelure blanche. || Au feuillage blanc.

albido, *as*, *are*, intr. Etre blanchâtre.

albidulus, *a*, *um*, adj. Un peu blanchâtre.

albidus, *a*, *um*, adj. Blanchâtre.

albineus, *a*, *um*, adj. Tirant sur le blanc.

albinus, *i*, m. Stucateur.

albiplumis, *e*, adj. Au plumage blanc.

albisco. Voy. ALBESCO.

albitudo, *inis*, f. Blancheur. [blanc.

albo, *as*, *are*, tr. Blanchir; teindre en

albogalerus, *i*, m. Bonnet blanc (du flamen Dialis). [jaunâtre.

albogilvus, *a*, *um*, adj. D'un blanc

albor, *oris*, m. Blancheur. || Le blanc (de l'œuf). [phodèle.

albucus, *i*, m. Tige d'asphodèle. || Asalbuelis, *is*, f. Variété de vigne.

albugo, *inis*, f. Taie blanche sur la cornée. ¶ (Au plur.) *Albugines*, pellicules.

albulus, *a*, *um*, adj. Blanc (en parl. d'objets délicats). || Blanc d'écume.

album, *i*, n. Blanc (couleur). || Blanc (partie blanche). || Taie blanche (v. ALBUGO). || Tableau blanchi à la chaux. || Tableau portant l'édit du préteur; registre tenu par le grand pontife, *d'où* registre, rôle, liste.

albumen, *inis*, n. Blanc d'œuf.

albumentum, *i*, n. Comme ALBUMEN.

alburnum, *i*, n. Aubier.

albus, *a*, *um*, adj. Blanc (terne). || Blanc (de cheveux). || Pâle, blême. || Clair; serein. ¶ (Fig.) Propice; favorable.

alce (acc. *en*). Voy. ALCES.

alcea, *ae*, f. Alcée (plante).

alcedo, *inis*, f. Alcyon; martin-pêcheur.

alcedonia, *orum*, n. Jours de calme (pendant lesquels l'alcyon couve). ¶ Période de calme.

alces, *is*, f. Elan (animal sauvage).

alchymia, *ae*, f. Alchimie. [de serpents.

alcilion, *ii*, n. Plante contre les morsures

alcinus, *a*, *um*, adj. Qui concerne l'élan.

alcyon, *onis* (acc. pl. *onas*), f. Alcyon.

alcyoneum, *i*, n. Remède contre les taches du visage. [l'alcyon.

alcyoneus, *a*, *um*, adj. Qui concerne

alcyonia. Voy. ALCEDONIA.

alcyonidis (*dies*). Comme ALCEDONIA.

alea, *ae*, f. Jeu de dés. || Dé. ¶ Jeu de hasard. || Hasard; chance incertaine; risque; aléa. [les jeux de hasard.

alearis, *e*, adj. De jeu. || Qui concerne

alearius, *a*, *um*, adj. Comme ALEARIS.

aleator, *oris*, m. Joueur. [de jeu.

aleatorium, *ii*, n. Salle de jeu. || Maison

aleatorius, *a*, *um*, adj. De joueur.

aleatrix, *icis*, f. Joueuse. [tantiels.

alebria, *orum*, n. pl. Aliments subsalec. Voy. ALLEC.

alectoria (s.-e. *gemma*), *ae*, f. Pierre précieuse transparente (qui se trouvait, paraît-il, dans le jabot du coq).

alectoris lophos, *i*, m. Crête-de-coq (plante).

alecula. Voy. ALLECULA.

aleo, *onis*, m. Qui a la passion du jeu; joueur de profession. [Rapide.

1. ales, *itis*, adj. Ailé; volant. || (Fig.)

2. ales, *itis*, f. et m. Etre ailé : oiseau; insecte. || Dieu ailé. || Homme ailé. ¶ Gros oiseau : aigle, cygne, paon. ¶ Oiseau dont le vol donne des présages. || (Méton.) Présage. [per.

alesco, *is*, *ere*, intr. Croître; se développaletudo, *inis*, f. Embonpoint.

aleum. Voy. ALIUM.

alex. Voy. ALLEC.

alexipharmacon, *i*, n. Antidote.

alfa. Voy. ALPHA.

alfabetum, *i*, n. Voy. ALPHABETUM.

alga, *ae*, f. Algue; varech. || (Méton.) Lieu couvert d'algues; rivage.

algens, *entis*, p. adj. Froid.

algensis, *e*, adj. Qui pousse dans les algues. || Qui se nourrit d'algues.

algeo, *es*, *alsi*, *ere*, intr. Avoir froid. ¶ Se morfondre. [|| Se refroidir.

algesco, *is*, *ere*, intr. Prendre froid.

algidun, *i*, n. Le froid.

algidus, *a*, *um*, adj. Froid.

algificus, *a*, *um*, adj. Qui glace.

algor, *oris*, m. Froid; sensation de froid. ¶ Froid; hiver.

algosus, *a*, *um*, adj. Rempli d'algues.

algus, *us*, m. Comme ALGOR.

alia, adv. Par une autre route. || Par un autre moyen.

aliamentum, *i*, n. Plat à l'ail.

alias, adv. A un autre moment; une autre fois. *Alias... alias...*, tantôt...

tantôt... ¶ D'un autre côté; ailleurs.
¶ A d'autres égards; pour d'autres
raisons; d'ailleurs; autrement.

1. **aliatus** (ALLIATUS), *a, um*, adj. Assaisonné à l'ail. || Nourri d'ail. [homme.

2. **aliatus**, *i, m.* Mangeur d'ail. || Pauvre

alibi, adv. Ailleurs; dans un autre lieu.
Alibi... alibi..., ici... là... || Chez
autrui; auprès d'un autre. || Dans une
autre chose. || Dans une autre occasion. ¶ D'ailleurs.

alibilis, *e*, adj. Facile à nourrir, à engraisser. ¶ Nourrissant; nutritif.

alibrum. Voy. ALABRUM.

alica (HALICA), *ae*, f. Epeautre. || Bouillie
d'épeautre. || Tisane d'épeautre.

alicacabum, *i*, n. Plante soporifique.

1. **alicarius** (HALICARIUS), *a, um*, adj.
D'épeautre.

2. **alicarius**, *ii, m.* Meunier d'épeautre.
|| Brasseur d'épeautre. [d'épeautre.

alicastrum, *i*, n. Blé de mars; espèce

alice. Voy. ALICA.

alicubi, adv. Quelque part. [manches.

1. **alicula**, *ae*, f. Sorte de manteau à

2. **alicula** (HALICULA), *ae*, f. Diminutif
d'ALICA.

alicum, *i*, n. Voy. ALICA.

alicunde, adv. De quelque part. ¶
(Fig.) De quelque chose; de quelqu'un.

alid pour *aliud*. Voy. ALIUS.

alienatio, *onis*, f. Aliénation; cession,
vente. ¶ Perte de l'usage d'un membre,
dépérissement. || Egarement d'esprit;
aliénation mentale. ¶ Action de se
séparer de qqn; rupture; brouille.
|| Défection. ¶ *Qql.* Changement.

alienator, *oris*, m. Celui qui aliène,
qui vend. [ger; étranger.

alienigena, *ae*, m. Qui est né à l'étran-

alienigeno, *as, are*, tr. Aliéner; céder.

alienigenus, *a, um*, adj. D'origine étrangère; exotique. ¶ Hétérogène.

alieniloquium, *ii*, n. Allégorie. ¶ Langage incohérent.

alienitas, *atis*, f. Principe étranger au
corps, cause de maladies. ¶ Aliénation mentale.

alieno, *as, avi, atum, are*, tr. Rendre
étranger. || Aliéner; céder, vendre.
¶ Ecarter, éloigner. || Exempter. ¶ Altérer; faire dépérir. || Egarer; rendre
fou. ¶ Aliéner; éloigner l'affection de
qqn; désunir. || Mécontenter.

alienum, *i*, n. Bien d'autrui.

alienus, *a, um*, adj. Appartenant à
autrui; d'autrui. *Aes alienum*, dette.
¶ Qui est d'un autre pays; étranger.
¶ Etranger à qqch. || Indifférent. || Novice. || (Eccl.) Infidèle. ¶ Exempt.
|| Mal disposé pour, défavorable; ennemi, hostile (en parl. de pers.) || Contraire, désavantageux; intempestif,
inopportun; déplacé. ¶ (Méd.) Qui
dépérit; atrophié; paralysé. || Egaré,
délirant; aliéné.

alieus. Voy. HALIEUS.

alieuticus. Voy. HALIEUTICUS.

aliger, *gera, gerum*, adj. Ailé. || Rapide.

1. **alimentarius**, *a, um*, adj. Relatif aux
aliments; alimentaire. ¶ Pensionné;
entretenu (par des fondations charitables).

2. **alimentarius**, *ii, m.* Celui qui a une
pension alimentaire.

alimentum, *i*, n. Aliment. || (Par ext.)
Entretien; tout ce qui est nécessaire
à la vie. || Rétribution due pour l'entretien des enfants (éducation et nourriture); salaire de la nourrice. || Pension alimentaire (faite aux vieillards).

alimma, *atis*, n. Pommade; onguent.

alimo, *onis*, m. Nourrisson. ¶ Nourricier.

alimodi. Voy. ALIUSMODI.

alimon. Voy. HALIMON.

alimonia, *ae*, f. Nourriture; subsistance.

alimonium, *ii*, n. Usage d'une substance comme aliment; alimentation.

alio, adv. Autre part; ailleurs (quest.
QUO). || Vers un autre point. || (Fig.)
En vue d'autre chose. ¶ Vers une
autre personne.

alioqui et **alioquin**, adv. A d'autres
égards; d'ailleurs; au reste. || A cela
près. ¶ Autrement, sans cela; sinon.

aliorsum ou **aliorsus**, adv. Dans une
autre direction, vers un autre endroit.
|| Vers *ou* pour une autre personne;
vers un autre objet. || Dans une autre
intention. || Dans un autre sens. ||
D'une autre façon.

alioversum (ALIOVORSUM) et **alioversus**.
Voy. ALIORSUM.

alipes, *pedis*, adj. Qui a des ailes aux
pieds. || Aux pieds légers; rapide.
Subst. *Alipes*, le dieu Mercure. *Alipedes*, les chevaux.

alipilarius, *ii, m.* Voy. le suivant.

alipilus, *i, m.* Epilateur (esclave).

alipta, *ae, m.* Voy. le suivant.

aliptes, *ae, m.* Celui qui frotte d'huile
les athlètes. ¶ Esclave qui parfume
son maître aux bains.

aliqua, adv. Par quelque endroit, par
quelque chemin. ¶ (Fig.) Par quelque
moyen. || De quelque manière.

aliqualiter, adv. En quelque manière.

aliquamdiu, adv. Pendant quelque
temps. ¶ (Fig.) Sur une certaine longueur. [grande quantité.

aliquammultum, adv. En une assez

aliquammultus, *a, um*, adj. En assez
grande quantité. Au plur. Assez nombreux.

aliquandiu. Voy. ALIQUAMDIU.

aliquando, adv. A un certain moment;
une fois; un jour. || Autrefois. || Un
jour (à venir). ¶ Quelquefois. *Aliquando... aliquando...*, tantôt... tantôt. ¶ Enfin. [tantinet.

aliquantillum, *i*, n. Un tant soit peu; un

aliquantisper, adv. Pendant un certain
temps.

aliquanto, adv. Un peu; assez; pas mal.

aliquantorsum, adv. Jusqu'à une certaine distance.

aliquantulo, adv. Tant soit peu.

1. **aliquantulum**, *i*, n. Une petite quantité quelque peu de.

2. **aliquantulum**, adv. Tant soit peu.

aliquantulus, *a*, *um*, adj. En certaine quantité. [tité.

1. **aliquantum**, *i*, n. Une certaine quantité.

2. **aliquantum**, adv. Assez; pas mal.

aliquantus, *a*, *um*, adj. Assez grand. || Qui est en assez grande quantité. Plur. *Aliquanti*, qui sont en assez grand nombre.

aliquatenus, adv. Jusqu'à un certain endroit. || (Fig.) Jusqu'à un certain point. || Dans une certaine mesure.

1. **aliqui**, *aliquae*, *aliquod*, pron. Quelqu'un.

2. **aliqui**, adv. De quelque manière.

aliquicumque, *quaecumque*, *quodcumque*, pron. N'importe quel autre.

aliquilibet, *quaelibet*, *quodlibet*, pron. N'importe quel autre.

aliquipiam, *quaepiam*, *quodpiam*, pron. Quelque. || Quelconque.

aliquis, *aliqua*, *aliquid*, pron. Quelqu'un, quelqu'une, quelque chose. || Quelque autre. || Quelqu'un *ou* quelque chose de sérieux. ¶ *Aliquis*, m (adj.) Quelque.

aliquisvis, *quavis*, *quidvis*, pron. N'importe quel.

aliquo, adv. Vers quelque endroit; quelque part (av. mouvement).

aliquot, adj. pl. indécl. Quelques; plusieurs; un certain nombre de [droits.

aliquotfariam, adv. En quelques endroits. [aliquoties ou aliquotiens, adv. Un certain nombre de fois; plusieurs fois.

aliquoversum, adv. Dans quelque direction; de quelque côté. [ALIUD.

alis, *alid* (gén. *alis*, dat. *ali*). Voy. ALIUS.

alisma, *atis*, n. Plantain d'eau.

aliter, adv. Autrement. || D'une autre manière. *Aliter... aliter*, d'une manière... de l'autre. ¶ Autrement, sans quoi.

alito, *as*, *are*, tr. Nourrir beaucoup.

alitudo, *inis*, f. Alimentation.

alitura, *ae*, f. Nourriture. || Entretien.

1. **alitus**, *us*, m. Nourriture.

2. **alitus**, *us*. Voy. HALITUS.

aliubi, adv. Ailleurs; à une autre place.

alium (ALLIUM), *ii*, n. Ail.

aliunde, adv. D'ailleurs. ¶ D'un autre endroit. || D'une autre chose; d'une autre personne.

alius, *a*, *ud*, adj. et pron. Autre; un autre. *Alii... alii*, les uns... les autres. ¶ Différent. *Qqf.* Qui reste. *Alii*, les autres (p. *ceteri*). ¶ L'autre, l'adversaire.

aliusmodi, adv. D'une autre manière.

aliuta, adv. Arch. p. ALITER.

allabo (ADLABO), *are*, intr. Voy. le suivant.

allabor (ADLABOR), *eris*, *lapsus*, *sum*,

labi, dép. intr. S'avancer en glissant; s'avancer doucement et insensiblement; se glisser vers. || Parvenir, arriver; aborder.

allaboro (ADLABORO), *as*, *are*, intr. et tr. Peiner à faire qqch. ¶ Ajouter par un nouveau travail.

allacrimans (ADLACRIMANS), *antis*, p. adj. Pleurant à propos de.

allacto (ADLACTO), *as*, *are*, tr. Allaiter.

allaevo. Voy. 2. ALLEVO.

allambo (ADLAMBO), *is*, *ere*, tr. Arriver à lécher, lécher. || (Fig.) Lécher; effleurer.

allapsus, *us*. m. Approche insensible, glissement. ¶ Cours (en parl. de l'eau).

allampado (ADLAMPADO), *as*, *are*, intr. Briller. [geante.

allasson, *ontis*, adj. De couleur changeante.

allatio, *onis*, f. Action d'apporter.

allator, *oris*, m. Celui qui apporte.

allatro (ADLATRO), *as*, *avi*, *atum*, *are*, intr. et tr. Aboyer contre. || Gronder; mugir contre. ¶ Clabauder. || Décrier; dénigrer.

allaudabilis (ADLAUDABILIS), *e*, adj. Très digne d'éloges. [d'éloges.

allaudo (ADLAUDO), *as*, *are*, tr. Combler

allec (HALLEC), *ecis*, n. Sorte de condiment à base de petits poissons et de mollusques macérés. [d'allec.

allecatus, *a*, *um*, p. adj. Assaisonné

allectatio (ADLECTATIO), *onis*, f. Câlinerie. ¶ Chanson de nourrice.

allectio (ADLECTIO), *onis*, f. Admission (dans un corps, un collège, une confrérie, etc.); cooptation. || Enrôlement. || Collation d'un grade honorifique.

allecto (ADLECTO), *as*, *avi*, *atum*, *are*, tr. Engager; inviter. || Attirer. || Solliciter. [qui invite, qui attire.

1. **allector** (ADLECTOR), *oris*, m. Celui

2. **allector**, *oris*, m. Electeur. ¶ (Sous le Haut Empire.) Receveur du fisc.

allectorius, *a*, *um*, adv. Attrayant.

allectura, *ae*, f. Fonction de receveur du fisc.

allectus (ADLECTUS), *i*, m. Celui qui est admis dans un corps. *Allecti*, chevaliers admis au sénat. ¶ Celui qui est pourvu d'un titre honorifique. ¶ Percepteur; receveur.

allecula (HALLECULA), *ae*, f. Voy. ALLEC.

allegatio (ADLEGATIO), *onis*, f. Députation. || Sollicitation. ¶ Rescrit (impérial). ¶ Allégation; excuse; grief.

allegatus (ADLEGATUS), abl. *u*, m. Envoi en mission. || Commission.

1. **allego** (ADLEGO), *as*, *avi*, *atum*, *are*, tr. Envoyer (en mission). || Apporter. ¶ Alléguer. || Citer; produire. || Exposer. || Prétexter.

2. **allego** (ADLEGO), *is*, *legi*, *lectum*, *ere*, tr. Admettre. || Elire. || Faire entrer (par cooptation).

allegoria, *ae*, f. Allégorie (t. de rhét.).

allegorice. adv. Allégoriquement.

allegoricus, *a, um,* adj. Allégorique.

allegorista, *ae,* m. Celui qui explique les allégories. [allégories.

allegorizo, *as, are,* intr. Parler par

alleluia. Voy. HALLELUIA.

alleluiaticus. Voy. HALLELUIATICUS.

allenimentum (ADLENIMENTUM), *i,* n. Calmant.

alleum. Voy. ALLIUM.

allevamentum (ADLEVAMENTUM), *i,* n. Allègement. || Soulagement.

allevaticius, *a, um,* adj. Elevé en l'air.

allevatio (ADLEVATIO), *onis,* f. Action de lever, d'élever. ¶ Soulagement. || (Fig.) Douleur légère.

allevator (ADLEVATOR), *oris,* m. Celui qui élève *ou* relève. [Allégor.

allevio (ADLEVIO), *as, avi, atum, are,* tr.

1. **allëvo** (ADLEVO), *as, avi, atum, are,* tr. Lever (en l'air); élever; soulever. ¶ (Fig.) Alléger; atténuer. || Soulager; réconforter. || Encourager. || Soutenir; empêcher de faiblir.

2. **allēvo** (ADLEVO), *as, avi, atum, are,* tr. Rendre uni; rendre lisse; lisser, polir.

1. **allex.** Voy. ALLEC.

2. **allex** (HALLEX), *icis,* m. Gros orteil. ¶ Petit bout d'homme.

alliamentum. Voy. ALIAMENTUM.

alliator, *oris,* m. Spécialiste des plats à l'ail.

alliatus, *a, um,* f. Voy. ALIATUS.

allibesco. Voy. ALLUBESCO.

allicefacio. *is, factum, ere,* tr. Allécher.

alliceo. Voy. ALLICIO.

allicio (ADLICIO), *is, lexi, lectum, ere,* tr. Attirer (pr. et fig.). ¶ Charmer, séduire. || Se concilier. ¶ Engager; exciter.

allido (ADLIDO), *is, lisi, lisum, ere,* tr. Jeter brutalement contre. || Heurter. || Briser contre .¶ (Fig.) Faire sombrer; mettre en péril.

alligamen, *inis,* n. Comme le suivant.

alligamentum (ADLIGAMENTUM), *i,* n. Lien.

alligatio (ADLIGATIO), *onis,* f. Action d'attacher. || (Méton.) Attache, lien.

alligator (ADLIGATOR), *oris,* m. Celui qui attache.

alligatura (ADLIGATURA), *ae,* f. Action de lier. || Ligature. ¶ Ce qui attache; lien. || Amulette.

alligo (ADLIGO), *as, avi, atum, are,* tr. Attacher à. || Attacher; lier, enchaîner. || Bander. ¶ (Fig.) Retenir; empêcher. || Immobiliser; fixer. ¶ (Mor.) Obliger; astreindre. [ALLINO.

allinio (ADLINIO), *is, ire,* tr. Comme

allino (ADLINO), *is, levi, litum, ere,* tr. Etendre sur qqch.) un corps gras *ou* une matière colorante. || Etaler sur. || Coller à *ou* sur. ¶ Communiquer une souillure par le contact; salir, tacher.

allisio (ADLISIO), *onis,* f. Action de heurter. || Action de presser fortement; écrasement.

allium. Voy. ALIUM.

allocutio (ADLOCUTIO), *onis,* f. Action d'adresser la parole. ¶ Exhortation (d'un général à ses troupes); allocution. || Consolation.

allocutivus (ADLOCUTIVUS), *a, um,* adj. Qui sert à adresser la parole.

allocutor (ADLOCUTOR), *oris,* m. Celui qui adresse la parole. || Celui qui harangue. || Celui qui console.

allophylus, *a, um,* adj. (D'une autre tribu). Etranger; barbare.

alloquium (ADLOQUIUM), *ii,* n. Parole adressée à qqn; conversation. ¶ Exhortation. || Consolation.

alloquon (ADLOQUOR). *eris, locutus sum, loqui,* dép. tr. Adresser la parole à. || Exhorter. || Haranguer. || Consoler. ¶ Invoquer. [caprice. ¶ Envie.

allubentia (ADLUBENTIA), *ae,* f. Désir;

allubescentia, *ae,* f. Condescendance.

allubesco (ADLUBESCO), *is, ere,* intr. Commencer à plaire. ¶ Prendre goût à. ¶ Condescendre

alluceo (ADLUCEO), *es, luxi, ere,* intr. Luire aux yeux de. || Faire luire aux yeux.

allucinatio. Voy. ALUCINATIO.

allucinator. Voy. ALUCINATOR.

allucinor. Voy. ALUCINOR.

allucita. Voy. ALUCITA.

alluctamentum (ADLUCTAMENTUM), *i,* n. Moyen pour lutter.

alluctor (ADLUCTOR). *aris, ari,* dép. tr. Lutter contre. [ou plaisanter avec.

alludio (ADLUDIO), *as, are,* tr. Jouer

alludo (ADLUDO), *is, lusi, lusum, ere,* tr. Jouer *ou* plaisanter avec; badiner. || Se jouer (en parl. des vagues, du vent, etc.). || Jouer (sur un mot). || Faire allusion à. ¶ (Fig.) Sourire à; favoriser. [(couler auprès de).

alluo (ADLUO), *is, lui, ere,* intr. Baigner

allus (HALLUS), *i,* m. Gros orteil.

allusio (ADLUSIO), *onis,* f. Action de jouer avec. || Badinage. ¶ Allusion.

allutio (ADLUTIO), *onis,* f. Ablution.

alluvies (ADLUVIES), *ei,* f. Débordement; inondation. ¶ Lieu inondé. ¶ Dépôt laissé par l'inondation.

alluvio (ADLUVIO), *onis,* f. Comme ALLUVIES. ¶ Effet produit par l'inondation. || Atterrissement; alluvion.

alluvium, *ii,* n. Comme ALLUVIO.

alluvius (ADLUVIUS), *a, um,* adj. D'alluvion.

allux (HALLUX). Voy. ALLUS.

almificus, *a, um,* adj. Bienfaisant.

almifluus, *a, um,* adj. De qui découlent les bénédictions.

almitas, *atis,* f. Grâce (t. protocolaire).

almities, *ei,* f. Grâce; beauté.

almitudo, *inis,* f. Comme ALMITAS.

almivolus, *a, um,* adj. A la volonté bienfaisante.

almus, *a, um,* adj. Nourrissant; nourricier. ¶ Réconfortant. ¶ Bienfaisant, bon. ¶ Vénérable ; auguste.¶ Aimable. ¶ Beau; gracieux.

alneus, a, um, adj. De bois d'aune.

alnus, i, f. Aune ou verne. || Poutre en bois d'aune. || Bateau; navire.

alo, is, alui, alitum et altum, ere, tr. Faire grandir; développer. || Elever (un enfant); nourrir; entretenir; défrayer. ¶ (Fig.) Alimenter; nourrir, c.-à-d. augmenter. grossir ou aggraver. || (Mor.) Développer, faire prospérer. || Fomenter. || Encourager, animer.

aloa, ae, f. Comme le suivant.

aloe, es, f. Aloès. || (Fig.) Amertume.

alogia, ae, f. Manque de raison, sottise. ¶ (Absence de paroles.) Repas funèbre pris en silence.

alogior, aris, ari, dép. intr. Déraisonner.

1. alogus, a, um, adj. Privé de raison. || Déraisonnable. ¶ Dont on ne peut rendre raison; irrationnel.

2. alogus, i, f. Signe mis dans les vers en face d'un passage corrompu et dépourvu de sens.

alopecia, ae, f. Alopécie. Au plur. Alopeciae, places où manquent les cheveux.   [pécie.

alopeciosus, a, um, adj. Atteint d'alopecis, cidis, f. Espèce de vigne dont les grappes ressemblent à des queues de renard.   [vulpin (plante).

alopecurus, i, f. Queue de renard;

alopex, ecis, f. Renard de mer (poisson).

alosa. Voy. ALAUSA.

alpha, n. indécl. Alpha (1re lettre de l'alph. grec). || Commencement. || Le premier en son genre.

alphabetum, i, n. Alphabet.

1. alphita, ae, f. Comme le suivant.

2. alphita, orum, n. pl. Vivres.

alphitum, i, n. Farine d'orge.

alphus, i, m. Tache blanche sur la peau; sorte de maladie de peau.

alsine, es, f Mouron (plante).

alsiosus, a, um, adj. Sensible au froid.

alsito, as, are, intr. Etre frileux.

1. alsius, a, um, adj. Frileux.

2. alsius, adj. (comp.) n. Plus frais.

alsus. Voy. le précédent.

altanus, i, m. Vent qui vient de la mer. || Vent qui souffle de la terre. || Autan (vent du s.-o.).

altar, is, et altare, is, n. Voy. ALTARIA.

altaria, ium, n. pl. Grand autel. || Autel.

altarium, ii, n. Voy. ALTARIA.

alte, adv. Haut; en haut; de haut. ¶ Profondément.

altecinctus. Voy. ALTICINCTUS.

altegradius, a, um, adj. Qui marche la tête haute.

altellus, i, m. Tendrement élevé.

alter, tera, terum, adj. L'autre (en parl. de deux). || L'un (des deux). Alter..., alter, l'un... l'autre. ¶ Second. ¶ Autre; différent. || Opposé, contraire. ¶ (Subst.) Un autre, autrui. Alterius causa, dans l'intérêt d'autrui.

alteras, adv. Voy. ALIAS.

alteratio, onis, f. Changement.

altercabilis, e, adj. Où chacun parle à

son tour. || Où il y a altercation.

altercatio, onis, f. Débat entre deux adversaires; discussion. || Altercation; dispute. ¶ (Droit.) Discussion juridique (par demandes et réponses). || Argumentation.

altercator, oris, m. Argumentateur.

altercatrix, icis, f. Celle qui discute ou dispute.

alterco, as, are. Comme ALTERCOR.

altercor, aris, atus sum, ari, dép. intr. Parler tour à tour. || Débattre. ¶ Discuter âprement. || Se quereller. ¶ (Droit.) Argumenter.

alterculum, i, n. Voy. ALTERCUM.

altercum, i, n. Jusquiame.   [différence.

alteritas, atis, f. Le fait d'être autre;

alternabilis, e, adj. Changeant.   [TIO.

alternamentum, i, n. Comme ALTERNA-

alternatim, adv. Alternativement.

alternatio, onis, f. Alternative. || Alternance. ¶ (Droit.) Obligation alternative.

alterne, adv. Alternativement.

alternis (s.-ent. vicibus), adv. Alternativement, tour à tour, à tour de rôle.

alternitas, atis, f. Comme ALTERNATIO.

alterno, as, avi. atum, are, tr. Faire alterner; faire que deux choses se succèdent à tour de rôle. Alternare fidem, accorder puis retirer sa confiance. ¶ (Intr.) Alterner. || Hésiter.

1. alternus, a, um, adj. Qui alterne

qui se produit une fois sur deux; qui se fait à tour de rôle. Alterna, adv. Alternativement. || Réciproque.

2. alternus, i, f. Voy. ALATERNUS.

1. altero, as, are, tr. Rendre autre. || Modifier. ¶ Altérer. || Empirer, aggraver.

2. altero, adv. Secondement.

alterplex, icis, adj. Comme DUPLEX.

alterplicitas, atis, f. Duplicité.

alteruter, tra, trum, pron. L'un ou l'autre, l'un des deux. || (Log.) Contradictoire. ¶ L'un l'autre.

alteruterque, traque, trumque, pron. L'un et l'autre, chacun des deux.

alterutro, adv. Réciproquement.

alterutrum. Voy. ALTERUTRO.

altesco (seul. à l'inf.), altescre, intr. Devenir profond ou élevé.

althaea, ae, f. Guimauve.

althea. Voy. ALTHAEA.

altiboans, antis, p. adj. Qui crie fort.

alticinctus, a, um, adj. Qui a retroussé son vêtement, d'où actif, affairé.

alticomus, a, um, adj. Dont le feuillage s'élève haut.

altifico, as, are, tr. Hausser; élever.

altifrons, frontis, adj. Qui porte haut le front. || Dont les cornes sont élevées.

altijugus, a, um, adj. Dont le sommet est élevé.   [épaisse.

altilaneus, a, um, adj. A la toison

altiliarus, ii, m. Engraisseur de volailles.

1. altilis, e, adj. Que l'on engraisse. ||

Engraissé; gras. ‖ Grossi . ¶ (Fig.) Gras, *c.-à-d.* riche. ¶ Nourrissant; nutritif.

2. **altilis** (s.-e. AVIS), f. Volaille engraissée; poularde. *Altiles, ium,* f. pl. et *altilia, ium,* n. pl. Volailles grasses.

altiloquium, *ii,* n. Elévation de langage.

altipendulus, *a, um,* adj. Qui pend de haut.   [en l'air.

altipeta, *ae,* adj. m. Qui tend à s'élever

altipetax, *acis,* adj. Comme ALTIPETA.

altisonans, *antis,* adj. Comme le suivant.

altisonus, *a, um,* adj. Qui fait retentir le haut de l'air. ¶ Grandiose; sublime.

altithronus, *a, um,* adj. Dont le trône est élevé.

altitonans, *antis,* adj. Qui tonne d'en haut. ¶ Qui fait grand bruit.

altitudo, *inis,* f. Hauteur; élévation (pr. et fig.). ¶ Profondeur. ‖ Dissimulation.   [assez grande hauteur.

altiuscule, adv. Un peu haut. ‖ A une

altiusculus, *a, um,* adj. Un peu haut.

altivagus, *a, um,* adj. Qui erre dans les hauteurs. [*Altivolantes,* les oiseaux.

altivolans, *tis,* adj. Qui vole haut.

altivolus, *a, um,* adj. Comme le précédent.

alto, *as, atum, are,* tr. Hausser.

altor, *oris,* m. Celui qui nourrit, qui élève. ‖ Nourricier.

altrinsecus, adv. De l'autre côté. ¶ Des deux côtés.

altriplex. Voy. ALTERPLEX.

altrix, *icis,* f. Celle qui élève, qui nourrit; nourrice.

altrorsus, adv. Comme le suivant.

altroversum ou **altroversus,** adv. Vers l'autre côté. ‖ Dans l'autre sens.

altum, *i,* n. Hauteur (le ciel, les airs, la haute mer, la mer). ¶ Profondeur.

altus, *a, um,* p. adj. Haut; élevé. ‖ (Fig.) Haut placé; relevé; sublime. ‖ Qui remonte haut; reculé. ¶ Profond. ‖ Concentré, dissimulé.

2. **altus,** abl. *u,* m. Action de nourrir.

alucinatio (HALLUCINATIO), *onis,* f. Parole ou action extravagante. ¶ Rêverie, chimère.   [creux.

alucinator, *oris,* m. Visionnaire; songe-

alucinor, *aris, atus, sum, ari,* dép. intr. Raisonner d'une manière extravagante. ‖ Parler à tort et à travers. ‖ Rêvasser; extravaguer. ‖ Faire des farces.

alucita, *ae,* f. Cousin; moustique.

alucus, *i,* m. Effraie (oiseau de nuit).

alum, *i,* n. et *alus, i,* f. Cousoude officinale. ¶ Espèce d'ail sauvage.

alumen, *inis,* n. Alun.   [chand d'alun.

aluminarius, *ii,* m. Fabricant ou mar-

aluminatus, *a, um,* p. adj. Qui contient de l'alun.   [riche en alun.

aluminosus, *a, um,* adj. Alumineux;

alumna, *ae,* f. Celle qui est élevée; élève; pupille; fille adoptive. ‖ Fille. ¶ Celle qui élève; nourrice; mère adoptive.

alumno, *as, are* et **alumnor,** *aris, atus sum, ari,* dép. tr. Elever, nourrir.

alumnus, *a, um,* adj. Elevé; nourri. ‖ Instruit. ¶ Qui élève, qui nourrit; nourricier. ¶ Natal.

alus, *i,* f. Voy. ALUM.

aluta, *ae,* f. Peau préparée à l'alun; cuir souple. ¶ (Méton.) Chaussure fine. ‖ Sachet; bourse. ‖ Petit emplâtre, mouche.   [de cuir souple.

alutacius et **alutarius,** *a, um,* adj. Fait

alutiae, *arum,* f. pl. Mines de platine (?).

alvarium, *ii,* n. Voy. ALVEARIUM.

alveare, *is,* n. Comme ALVEARIUM.

alvearium (ALVARIUM), *i,* n. Ruche d'abeilles. ‖ Endroit où sont les ruches; rucher. ¶ Pétrin.

alveatus, *a, um,* adj. Creusé en forme d'auge ou de canal. [creusé; cannelé.

alveolatus, *a, um,* adj. Légèrement

alveolus, *i,* m. Petite cavité. ‖ Jatte; sébile. ‖ Petite auge. ‖ Pétrin. ¶ Lit d'un petit cours d'eau. ¶ Table à jouer; échiquier. ‖ (Méton.) Le jeu de dés. ‖ Navette (de tisserand).

alveus, *i,* m. Cavité oblongue. ‖ Récipient allongé; auge; cuve, baquet. ¶ Bateau allongé; canot. ‖ Vaisseau. ‖ (Partic.) Coque; cale. ¶ Bassin pour le bain; baignoire; piscine. ‖ Lit (d'un cours d'eau). ⫻ Fosse allongée pour recevoir les pieds de vigne. ‖ Ruche. ¶ Table à jeu (contre le rebord de laquelle on jette les dés); trictrac. ‖ (Méton.) Jeu de dés.

alvinus, *a, um,* adj. Atteint de diarrhée.

alvus, *i,* f. Cavité où sont logés les intestins; ventre, entrailles. ‖ (Méton.) Flux de ventre; déjections. ‖ L'appareil digestif. ‖ Sein maternel. ¶ (Par anal.) Flanc (d'un navire); cale.

alypon, *i,* n. Globulaire (plante).

alyseidion ou **alysidion,** *ii,* n. Chaînette.

alysson, *i,* n. Plante qui prémunit contre la rage.

alytarches, *ae,* m. Alytarque (magistrat chargé de la police des jeux publics).

alytarchia, *ae,* f. Fonction d'alytarque.

alytus, *is,* f. Comme PERDICIUM.

am . . Voy. AMB . .

ama, *ae,* f. Voy. HAMA.

amabilis, *e,* adj. Digne d'être aimé; aimable. ‖ Agréable. ¶ Propre à faire naître l'amitié.

amabilitas, *atis,* f. Amabilité. ¶ Dilection (terme protocol.)

amabiliter, adv. Avec tendresse. ¶ Agréablement.

amalocia, *ae,* f. Camomille.

amalusta, *ae,* f. Comme AMALOCIA.

amandatio, *onis,* f. Eloignement. ¶ Exil.

amando, *as, avi, atum, are,* tr. Eloigner. ¶ Reléguer, bannir, exiler.

amandula, *ae,* f. Comme AMYGDALA.

amandus, *a, um,* p. adj. Aimable.

amaneo, *es, mansi, ere,* intr. Passer la nuit hors du logis; découcher. ¶ Attendre.

amans, *antis*, p. adj. Affectueux; tendre. Subst. Amant; amante.

amanter, adv. En ami; affectueusement.

amanuensis, *is*, m. Scribe. ¶ Secrétaire, agent.

amaracinum, *i*, n. Essence de marjolaine. [laine.

amaracinus, *a*, *um*, adj. De marjolaine.

amaracion. Voy. AMETHYSTUS.

amaracum, *i*, n. Marjolaine.

amaracus, *i*, m. et f. Comme AMARACUM.

amarantus, *i*, m. (Qui ne se flétrit pas). Amarante. [acrimonie.

amare, adv. Avec amertume. ¶ Avec

amaresco, *is*, *ere*, intr. Devenir amer.

amaricatio, *onis*, f. Action d'aigrir. || Action d'irriter.

amarico, *as*, *avi*, *atum*, *are*, tr. Exciter (à l'aigreur); irriter. [S'irriter.

amaricor, *aris*, *atus sum*, *ari*, dép. intr.

amaricose. Voy. AMARITOSE.

amaricosus. Voy. AMARITOSUS.

amarifico, *as*, *are*, tr. Rendre amer.

amaritas, *atis*, f. Amertume.

amariter, adv. Amèrement (fig.).

amaritia, *ae*, f. Amertume.

amarities, *ei*, f. Comme AMARITIA.

amaritose, adv. Avec grande amertume.

amaritosus, *a*, *um*, adj. Plein d'amertume.

amaritudo, *dinis*, f. Saveur amère; amertume. ¶ Impression (*ou* sensation) désagréable. *Vocis* —, voix aigre. ¶ Impression pénible; amertume; peine, souci. || Aigreur; ressentiment. || Apreté (d'un discours, d'une raillerie).

amarizo, *as*, *are*, intr. Devenir amer.

amaro, *as*, *are*, tr. Rendre amer.

amaror, *oris*, m. Amertume.

amarulentus, *a*, *um*, adj. Plein d'amertume. || Caustique.

amarus, *a*, *um*, adj. Amer (au goût). ¶ (Fig.) Désagréable; pénible. || (Mor.) Amer, triste, affligeant. || Désagréable d'humeur, acariâtre. || Mordant, blessant.

amasco, *is*, *ere*, intr. Se mettre à aimer.

amasia, *ae*, f. Amante.

amasio, *onis*, m. Comme AMASIUS.

amasiolus, *i*, m. Petit amoureux.

amasiuncula, *ae*, f. Petite amante.

amasiunculus, *i*, m. Petit amoureux.

amasius, *ii*, m. Amant. || Galant.

amatio, *onis*, f. Amour.

amator, *oris*, m. Celui qui aime. ¶ Amateur; partisan. ¶ Amoureux, amant. || Coureur (de bonnes fortunes). ¶ (*Qqf. adj.*) Amoureux.

amatorculus, *i*, m. Petit amoureux.

amatorie, adv. Amoureusement.

amatorium, *ii*, n. Philtre.

amatorius, *a*, *um*, adj. D'amour; relatif à l'amour; galant; érotique.

amatricula, *ae*, f. Petite amoureuse.

amatrix, *icis*, f. Celle qui aime; amante; maîtresse. || Amie. [mer.

amaturio, *is*, *ire*, intr. Avoir envie d'ai-

amatus, *i*, m. Amant.

amaxa. Voy. HAMAXA.

amaxopodes. Voy. HAMAXOPODES.

amb, particule insép. Autour.

ambactus, *i* (mot gaulois), m. Serviteur; employé; agent.

ambage (à l'abl. sing.) et ambages, *um*, f. pl. Chemin détourné; détour. || Dédale. ¶ (Fig.) Détours (qui enveloppent la pensée); ambages. || Détails oiseux. ¶ Obscurités; énigme. || Allégorie. || Equivoque. ¶ Biais, subterfuges. ¶ Perplexité.

ambagiosus, *a*, *um*, adj. Enigmatique. || Equivoque.

ambago, *inis*, f. Comme AMBAGES.

ambarvalia, *ium*, n. pl. Ambarvales; processions autour des champs (en l'honneur de Cérès, au mois de mai).

ambarvalis, *e*, adj. Promené autour des champs.

ambaxium, *ii*, n. Monceau.

ambe. Voy. AMB.

ambecisus, *us*, m. Action de rogner tout autour. [ronger.

ambedo, *is*, *edi*, *esum*, *ere*, tr. Entamer;

ambegnus. Voy. AMBIEGNUS.

ambestrix, *icis*, f. Celle qui ronge || Celle qui dévore.

ambi. Voy. AMB.

ambidens. Voy. BIDENS.

ambidexter, *a*, *um*, adj. Ambidextre.

ambiegnus (AMBEGNUS), *a*, *um*, adj. Entouré de deux agneaux.

ambienter, adv. Avidement.

ambifariam, adv. De deux côtés; de deux façons.

ambifarie, adv. De deux côtés.

ambifarius, *a*, *um*, adj. Ambigu, à double entente.

ambiformiter, adv. A double sens.

ambigenter, adv. Avec doute, avec hésitation. [nature.

ambigenus, *a*, *um*, adj. D'une double nature.

ambigo, *is*, *ere*, tr. et intr. Balancer, élever des doutes. || Disputer, discuter, contester. [équivoque.

ambigue, adv. D'une manière ambiguë,

ambiguitas, *atis*, f. Ambiguïté, équivoque.

ambiguo, adv. Voy. AMBIGUE.

ambiguum, *i*, n. Doute, incertitude. || Ambiguïté.

ambiguus, *a*, *um*, adj. Qui a deux faces, changeant, flottant, variable || Irrésolu, incertain. || Ambigu; litigieux.

ambilustrum, *i*, n. Ambilustre.

ambio, *is*, *ivi* et *ii*, *itum*, *ire*, tr. Aller autour. || Faire le tour de; investir. || Circonvenir, solliciter, briguer.

ambisinister, *a*, *um*, adj. Qui a deux mains gauches (épith. de Satan).

ambitextus, *a*, *um*, adj. Tissé des deux côtés.

ambitio, *onis*, f. Révolution (d'un astre) ¶ Entourage, cortège. ¶ Tournée (électorale); sollicitation, brigue. || Ambition. ¶ Vœux intéressés, obséquiosité.

ambitiose, adv. De manière à flatter; par intérêt; avec complaisance. ¶ Par ambition : par vanité.

ambitiosus, a, um, adj. Qui va autour: qui fait des détours. ¶ Qui cherche à plaire, à faire sa cour. ¶ Intrigant, ambitieux. ¶ Fastueux, magnifique.

ambitor, oris, m, Sollicíteur.

ambitudo, dinis, f. Révolution.

ambitus, us, m. Mouvement circulaire; révolution. "|| Circuit, détour. || Enceinte. || Période; périphrase. || Période (de temps). ¶ Poursuite des honneurs; brigue.

ambivium, ii, n. Comme BIVIUM.

ambix, icis, f. Chapiteau (d'un alambic).

ambligonius (AMBLYGONIUS), a, um, adj. Obtusangle. [ensemble.

ambo, ae, o, adj. num. Tous deux

ambolo, as, are, intr. Voy. AMBULO.

ambrices, f, pl, Lattes transversales.

ambrosia, ae, f. Ambroisie (nourriture des dieux). ¶ Baume divin; parfum. ¶ Armoise. [broisie.

ambrosialis, e, adj. Qui donne de l'ambroisie.

ambrosiifer, adj. Comme AMBROSIALIS.

ambrosius, a, um, adj. D'ambroisie; délicieux comme l'ambroisie.

ambubaja et ambubeja, ae, f. Chicorée sauvage. [flûte.

ambubajae, arum, f. pl. Joueuses de flûte.

ambulabilis, e, adj. Qui peut aller et venir; mobile. [allée (d'arbres).

ambulacrum, i, n. Promenade, avenue.

ambulatilis, e, adj. Mobile.

ambulatio, oni , f. Action de se promener. || Action d'arpenter la tribune. ¶ Promenade; lieu où l'on se promène.

ambulatiuncula, ae, f. Petite promenade.

ambulator, oris, m. Promeneur. || Désœuvré. || Colporteur.

ambulatorius, a, um, adj. Qui concerne la promenade. || Qui va et vient; mobile. Changeant.

ambulatrix, icis, f. Promeneuse. || Coureuse. || Désœuvrée.

ambulatura, ae, f. Amble (pas d').

ambulatus, us, m. Faculté d'aller et venir; marche.

ambulo, as, avi, atum, are, intr. aller et venir, se promener. ¶ Marcher, cheminer, voyager ¶ trans. parcourir.

amburbale (AMBURBIALE), n. Voy. AMBURBIUM.

amburbales (hostiae), f. pl. Victimes promenées autour de Rome.

amburbium, ii, n. Procession autour de Rome. [tout autour; griller.

amburo, is, ussi, ustum, ere, tr. Brûler

ambustio, onis, f. Action de brûler; brûlure. [petit feu. ¶ Rôti.

ambustulatus, a, um, p. adj. Brûlé à

ambustum, i, n. Brûlure.

ambuvia, ae, f. Comme AMBUBAJA.

amcisus, a, um, Voy. ANCISUS.

ameo... V.y. AMIC...

amellus, i, m. Plante semblable à l'aster.

amen (mot hébreu). Ainsi soit-il !

amendo. Voy. AMANDO.

amens, entis, adj. Hors de sol, égaré. ¶ Hors du bon sens, fou, insensé. ¶ (En parl. de ch.) Qui égare, qui fait perdre la tête. [trait.

amentatio, onis, f. Action de lancer un

amentatus, a, um, p. adj. Pourvu d'une courroie (voy. AMMENTUM).

amentia, ae, f. Egarement d'esprit.

amento, as, ari, are, tr. Garnir d'une courroie (voy. AMMENTUM). ¶ Lancer avec la courroie. || Lancer avec force. || (Fig.) Décocher.

amentum, i, n. Voy. AMMENTUM.

amerimnon, i, n. Joubarbe.

ames, mitis, m. Perche d'oiseleur; chevalet. ¶ (Au pl.) Amites. Brancard de litière. ¶ Traverse de bois.

amethystinatus, a, um, adj. Habillé de vêtements couleur d'améthyste.

amethystinus, a, um, adj. Qui a la couleur de l'améthyste violet. Subst. Amethystina, vêtements violets. || Garni d'améthystes. Amethystina, n. pl. Garniture d'améthystes.

amethistizon, ontis, acc. pl. ontas, adj. Qui se rapproche de l'améthyste. (pour la couleur.)

amethystus (qui préserve de l'ivresse), i, f. Améthyste. ¶ Sorte de vigne donnant un vin léger.

ametros (sans mètre), on, adj. Ecrit en prose.

amf... Voy. AMPH...

amflexus, a, um, p. adj. Courbé.

amfractus. Voy. ANFRACTUS.

ami, nom indéclin. n. Ammi (plante).

amia, ae, f. Thon (poisson).

amiantus (qui ne peut être souillé), i, m. Amiante.

amica, ae, f. Amie. || Amante; maîtresse.

amicabilis, e, adj. Amical.

amicabiliter, adv. Amicalement.

amicalis, e, adj. Amical.

amicaliter, adv. Amicalement.

amicarius, ii, m. Entremetteur.

amice, adv. En ami; amicalement || Avec bienveillance.

amicimen, inis, n. Comme AMICTUS.

amicinus, i, m. Col d'une outre.

amicio, is, icui ou ixi, ictum, ire, tr. Envelopper d'un manteau. || Draper. || (Fig.) Envelopper.

amiciroulus, i, m. Faute p. HEMICIRCULUS. Demi-cercle.

amiciter, adv. Comme AMICE.

amicitia, ae, f. Amitié. || Bons rapports (entre nations). || Alliance. || Sympathie. || Analogie. ¶ (Méton.) Comme AMICI (les amis). [rable.

amico, as, are, tr. Rendre ami ou favorable.

amicor, aris, ari, dép. Se conduire en ami. [tiés (amis ou amies).

amicosus, i, m. Qui a beaucoup d'amitiés.

amictor, aris, ari, dép. S'envelopper.

amictorium, ii, n. Voile; guimpe.

amictus, us, m. Action de se draper, de se vêtir. || Manière de se draper; tenue, mise. ¶ Vêtement mis pardessus les autres : toge, manteau; voile; guimpe. || Vêtement. ¶ (Fig.)

Tout ce qui sert à draper; enveloppe.
amicula, *ae*, f. Bonne amie.
amiculatus, *a*, *um*, adj. Vêtu; habillé.
amiculum, *i*, n. Petit vêtement de dessus; mantelet.
amiculus, *i*, m. Petit (*ou* tendre) ami.
1. **amicus**, *a*, *um*, adj. Qui aime; qui est aimé; bien disposé (pour qqn); favorable; ami; propice. || Agréable; cher.
2. **amicus**, *i*, m. Ami. || Allié. || Partisan. || Protecteur. || Courtisan (du prince). [nager.
amigro, *as*, *are*, intr. Emigrer. ¶ Déménager.
amissibilis, *e*, adj. Qui peut être perdu.
amissio, *onis*, f. Perte.
amissus, *us*, m. Perte.
amita, *ae*, f. Tante paternelle; sœur du père. *Amita magna*, grand-tante. *Amita major*, sœur du bisaïeul. *Amita maxima*, sœur du trisaïeul.
amitinus, *a*, *um*, adj. Né de la tante paternelle. Subst. *Amitini*, m. pl. Cousins germains. *Amitinae*, f. pl. Cousines germaines.
amitto, *is*, *misi*, *missum*, *ere*, tr. Faire partir; congédier. ¶ Laisser partir. || Laisser échapper (une occasion). || Laisser passer; laisser (une faute impunie). || Renoncer à, se désister de. ¶ Lâcher. || Perdre.
amium, *i*, n. Voy. AMI.
amma, *ae*, f. Grand duc (oiseau), le plus grand des rapaces nocturnes.
ammentum, *i*, n. Courroie de javelot. ¶ Courroie (pour les chaussures).
ammi. Voy. AMI.
ammiror. Voy. ADMIROR.
ammites, *ae*, m. Voy. HAMMITIS.
ammitto. Voy. ADMITTO.
ammium. Voy. AMIUM.
ammochrysos. Voy. HAMMOCHRYSOS.
ammodytes. Voy. HAMMODYTES.
ammodum. Voy. ADMODUM.
ammoneo. Voy. ADMONEO.
ammonitron. Voy. HAMMONITRUM.
ammoveo. Voy. ADMOVEO.
amnacum, *i*, n. Matricaire (plante).
amnalis, *e*, adj. De fleuve; fluvial.
amnensis, *e*, adj. Situé sur un fleuve.
amnestia, *ae*, f. Amnistie.
amnicola, *ae*, m. f. Qui habite (*ou* croît) sur les bords d'un fleuve. | Ruisseau.
amniculus, *i*, m. Petit cours d'eau. ||
amnicus, *a*, *um*, adj. Fluviatile.
amnigena, *ae*, m. Né d'un fleuve.
amnigenus, *a*, *um*, adj. Né dans un fleuve. || D'eau douce.
amnis, *is*, (abl. *e* ou *i*), m. f. Fleuve. || Cours d'eau. || Torrent. || Courant, fil de l'eau.
amo, *as*, *avi*, *atum*, *are*, tr. aimer, aimer d'amitié, aimer d'amour. ¶ Se complaire à, être reconnaissant à. ¶ Avoir coutume. [désormais.
amodo, adv. A partir de maintenant;
amoebaeus, *a*, *um*, adj. Dialogué; amébée; alternatif. *Pes amoebaeus*,

pied, composé de deux longues, de deux brèves et d'une longue (pērpĕndĭcŭlŏ).
amoene, adv. D'une manière riante. || D'une manière charmante. || Délicieusement. [de l'agrément.
amoenifer, *fera*, *ferum*, adj. Qui donne
amoenitas, *atis*, f. Aspect riant. || Charme; agrément. || (Méton.) Beau site. ¶ (Par ext.) Charme; attrait.
amoeniter, adv. Délicieusement.
amoeno, *as*, *atum*, *are*, tr. Rendre riant; embellir. || Egayer. ¶ Divertir; amuser.
amoenus, *a*, *um*, adj. Plaisant (aux regards); riant. Subst. *Amoena*, n. pl. Beaux sites; paysage délicieux. ¶ Agréable; charmant. || Elégant, raffiné. ¶ (En parl. de pers.) De manières engageantes; d'un commerce charmant.
amoletum. Voy. AMULETUM.
amolimentum, *i*, n. Préservatif; amulette.
amolior, *iris*, *itus sum*, *iri*, dép. tr. Enlever (avec effort); ôter. || Ecarter, éloigner. || (Fig.) Ecarter (une objection); réfuter.
amolitio, *onis*, f. Action d'écarter. || Eloignement.
amolo. Voy. AMYLO.
amomis, *idis*, f. Nom d'une plante odoriférante. V. le suivant.
amomon ou **amomum**, *i*, n. Amome, plante. || (Méton.) Fruit de l'amome. || Parfum extrait de l'amome.
amor, *oris*, m. Amour; tendresse. || Affection. || Amitié. || (Méton.) *Amores*, personnes aimées. ¶ Désir ardent.
amorabundus, *a*, *um*, adj. Amoureux.
amoratus, *a*, *um*, adj. Enamouré.
amorifer, *fera*, *ferum*, adj. Qui cause l'amour. [l'amour.
amorificus, *a*, *um*, adj. Qui fait naître
amorosus. *a*, *um*, adj. Amoureux.
amos. Voy. AMOR.
amotio, *onis*, f. Action d'écarter, de déposséder. || Eloignement; élimination.
amoveo, *es*, *movi*, *motum*, *ere*, tr. Eloigner, écarter. || Oter, retirer. || Ravir; dérober. || Bannir. || Révoquer, destituer. [leur de vigne.
ampelinus, *a*, *um*, adj. De vigne; cou-
ampelitis, *tidis*, f. Terre bitumineuse disposée autour des vignes contre les insectes.
ampelodesmos (lien de la vigne), *i*, m. Herbe souple et solide employée pour attacher la vigne. [leuvrée.
ampeloleuce (vigne blanche), *es*, f. Cou-
ampeloprasos, *i*, f. Poireau de vigne; poireau sauvage.
ampelos (vigne), *i*, f. Mot grec qui n'est pas employé seul. *Ampelos agria*. Voy. LABRUSCA. *Ampelos chironia*, bryone noire. *Ampelos leuce*, voy. AMPELOLEUCE.

ampendix. Voy. APPENDIX.

amphemerinos, on, adj. grec. *Amphe-rinon genus febrium*, espèce de fièvres quotidiennes; accès quotidien de fièvre.

amphibalum, i, n. Manteau dans lequel le prêtre s'enveloppe.

amphibion, i, n. Amphibie.

amphibium. Voy. le précédent.

amphibole, adv. Amphibologiquement-

amphibolia, ae, f. Amphibologie; équivoque.

amphibolice, adv. Amphibologiquement.

amphibologia, ae, f. Amphibologie.

amphibolus, a, um, adj. A double sens.

amphibrachys, yos (acc. yn), m. Amphibraque, pied composé d'une longue entre deux brèves.

amphibrevis. Voy. le précédent.

amphicolus, um, adj. Boiteux de deux côtés.   [cieuse.

amphicome, es, f. Sorte de pierre préamphicyrtos, on, adj. Convexe; arrondi des deux côtés. [aussi CHRYSOCOLLA.

amphidanes, e, adj. Pierre appelée amphidoxus, a, um, adj. A double sens; ambigu.   [appelé aussi crétique.

amphimacrus, i, m. Amphimacre, pied

amphimallium, i, n. Voy. le suivant.

amphimallum, i, n. Etoffe de laine (velue des deux côtés).   [CRUS.

amphimeres, is, m. Comme AMPHIMA-

amphyprostylos, i, m. Edifice garni de colonnes à la façade antérieure et à la façade postérieure.

amphisbaena, ae, f. Amphisbène (serpent qui rampe en arrière aussi bien qu'en avant).

amphiscii, orum, m. pl. Habitants de la zone torride (dont l'ombre se projette tantôt au nord, tantôt au midi).

amphitanes. Voy. AMPHIDANES.

amphitapes, i, m. Couverture laineuse à l'endroit et à l'envers.

amphithalamus, i, m. Chambre des servantes (attenante à la chambre des maitres).   [phithéâtre.

amphitheatralis, e, adj. Relatif à l'am-amphitheatricus, a, um, adj. D'amphithéâtre. *Amphitheatrica carta*, papier fabriqué près de l'amphithéâtre (d'Alexandrie).

amphitheatrum, i, n. Amphithéâtre.

amphora, ae, f. Vase à deux anses; amphore. ¶ Amphore (mesure de capacité pour les liquides (26¹,26). ¶ Unité de mesure pour le jaugeage des navires; tonne, tonneau.

amphoralis, e, adj. De la capacité des amphore.   [amphores.

amphorarius, a, um, adj. Mis dans des

amphorula, ae, f. Petite amphore.

ampla, ae, f. Anse; poignée.

ample, adv. Largement. *Amplius*, plus; davantage. *Amplius biennium*, plus de deux ans. *Amplius ducenti*, plus de deux cents. || Abondamment. ¶ Magnifiquement; d'une manière imposante.

amplectibilis, e, adj. Qui peut être embrassé, entouré.

amplecto. Voy. le suivant.

amplector, eris, plexus sum, plecti, dép. tr. Prendre dans ses bras; embrasser. || (Fig.) Accueillir avec joie; s'attacher à. || Avoir des égards pour. || Faire sa cour à. ¶ Embrasser (un parti, etc.); se livrer à. ¶ Embrasser (par la pensée); concevoir. || Embrasser (par la parole); exposer; traiter. ¶ (En gén.) Embrasser, c.-à-d. entourer; contenir, comprendre.

amplexabundus, a, um, adj. Prodiguant les embrassements.

amplexatio, onis, f. Embrassement; connexion.   [(Fig.) Mélange.

amplexio, onis, f. Entrelacement. ||

amplexo. Voy. AMPLEXOR.

amplexor, aris, atus sum, ari, dép. tr. Presser fortement dans ses bras: tenir étroitement embrassé. ¶ (Fig.) Prodiguer des marques d'affection (ou d'estime) à. || Choyer. ¶ S'attacher avec passion (à un parti, à une doctrine, etc.).

amplexus, us, m. Etreinte. ¶ Contour, enceinte.

ampliatio, onis, f. Elargissement; agrandissement. ¶ (Jur.) Remise; ajournement.

ampliator, oris, m. Bienfaiteur.

amplificatio, onis, f. Agrandissement; augmentation. ¶ (Rhét.) Amplification.

amplificator, oris, m. Celui qui agrandit.

amplificatrix, icis, f. Celle qui amplifie.

amplifice, adv. Grandiosement.

amplifico, as, avi, atum, are, tr. Elargir. || Agrandir; augmenter. ¶ (Fig.) Rehausser. || (Rhét.) Amplifier. || Donner du relief à.

amplificus, a, um, adj. Grandiose.

amplio, as, avi, atum, are, tr. Elargir. Agrandir. || Accroître. || (Fig.) Rehausser; relever, glorifier. ¶ (Jur.) Ajourner (jusqu'à plus ample informé).

ampliter, adv. Comme AMPLE. ¶ Somptueusement. || Grandiosement. || En termes magnifiques.

amplitudo, dinis, f. Etendue. || Importance. ¶ (Fig.) Grandeur. || Dignité; éclat. || Haut rang. || Magnificence (du style).

amplius, adv. Voy. AMPLE. ¶ Plus longtemps. ¶ (Jur.) Jusqu'à plus ample informé.   [plus étendue.

ampliuscule, adv. D'une manière un peu

ampliusculus, a, um, adj. Assez important.   [pression); ennoblir.

amplo, as, are, tr. Relever (par l'ex-

amplus, a, um, adj. Etendu, ample. || Grand, important, considérable; abondant. ¶ (Fig.) *En parl. de ch.* Imposant; grandiose; éclatant. || (*En parl. de pers.*) Considérable; distingué.

ampotis, is, f. Reflux.

amptruo, as, are, intr. Sauter en dansant (comme les prêtres saliens).

ampulla, *ae*, f. Petite amphore; fiole, ampoule. ¶ (Fig.) Boursouflure (du style).   [la forme d'une ampoule).

ampullaceus, *a*, *um*, adj. Bombé (qui a

ampullagium, *ii*, n. Fleur de grenadier prête à porter fruit.   [de burettes.

ampullarius, *ii*, m. Fabricant de fioles,

ampullor, *aris*, *ari*, dép. intr. Parler emphatiquement.   [souflures.

ampullosus, *a*, *um*, adj. Rempli de bour-

ampullula, *ae*, f. Toute petite fiole.

amputatio, *onis*, f. Action de couper. || Emondage. || (Méton.) Ce qu'on enlève en coupant, en émondant. ¶ Suppression; arrêt, cessation.

amputatorius, *a*, *um*, adj. Qui sert à couper.   [émonde.

amputatrix, *icis*, f. (Fig.) Celle qui

amputo, *as*, *avi*, *atum*, *are*, tr. Couper (autour); tailler. || Elaguer. ¶ Couper (un membre); amputer. || (Par anal.) Priver de l'usage de; paralyser. || (Fig.) Rogner; écourter.

amsegetes, *um*, m. pl. Propriétaires de champs en bordure d'une route.

amtermini, *orum*, m. pl. Limitrophes.

amula, *ae*, f. Bassin.

amuletum, *i*, n. Amulette.

amurca, *ae*, f. Marc d'huile.

amurcarius, *a*, *um*, adj. Fait pour recevoir le marc d'huile.

amusia, *ae*, f. Manque de culture.

amusos, *i*, m. Qui ignore la musique.

amussis, *is* (acc. *im*), f. Règle; cordeau. || (Fig.) Régularité. *Ad amussim*, avec exactitude. avec précision.

amussitatus, *a*, *um*, adj. Tiré au cordeau. || (Fig.) Parfait.

amussium, *ii*, n. Rose des vents.

amycticus, *a*, *um*, adj. Propre à irriter la peau. || Irritant.

amygdala, *ae*, f. Amande. ¶ Amandier.

amygdalaceus, *a*, *un*, adj. Analogue à l'amandier.

amygdaleus, *a*, *um*, adj. D'amandier.

amygdalinus, *a*, *um*, adj. D'amande. || D'amandier.

amygdalites, *ae*, m. Espèce de tithymale (plante).   [AMYGDALITES.

amygdaloides, *ae*, acc. *en*, m. Comme

amygdalum, *i*, n. Amande. || Amandier.

amygdalus, *i*, f. Amandier.

amylico, *as*, *are*, tr. Comme le suivant.

amylo, *as*, *atum*, *are*, tr. Mêler d'amidon.

amylum (AMULUM), *i*. Amidon.

amynticus, *a*, *um*, adj. Préservatif.

amystis, *tidis* (acc. pl. *tidas*), f. Le fait de vider une coupe d'un seul trait. ¶ Grand gobelet?

an, conj. Ou est-ce que, ou si... || Ou; soit. ¶ Si... ne pas. *Haud scio an...*, peut-être. || Si, si vraiment (voy. NUM). ¶ Est-ce que par hasard? eh quoi ! est-ce que...?

ana, adv. Par doses de...

anabasis, *is* (acc. *im*), f. Prêle (plante).

anabasius, *i*, m. Estafette.

anabathmos, *i*, m. Echelon.

anabathra, *orum*, n pl Estrade.

anabibazon, *ontis*, m. (Astrol.) La lune qui monte.

anaboladium, *ii*, n. Echarpe (de femme).

anabolicarius, *ii*, m. Armateur. ¶ Patron (de barque).

anabolicus, *a*, *um*, adj. D'importation

anabolium, *ii*, n. Outil de chirurgien.

anacampseros, *otis*, f. Plante magique; vermiculaire.   [verse.

anacamptos, *on*, adj. Retourné. || In-

anacephalaeosis, *is* (acc. *in*), f. Récapitulation.   [désert).

anachoresis, *eos*, f. Retraite (dans le

anachoreta, *ae*, m. Anachorète.

anachoretalis, *e*, adj. D'anachorète.

anachoreticus, *a* *um*, adj. D'anachorète.

anaclinterium, *ii*, n. Dossier recourbé d'un lit de repos.

anaclitos, *on*, adj. Pourvu d'un dossier.

anaclomenos, *on*, adj Brisé; replié (fig.).

anacoeliasmus, *i*, m. Laxatif; purgatif.

anacollema, *atis*, n. Cataplasme.

anacoluthon, *i*, n. Anacoluthe.

anactorium, *ii*, n. Glaïeul. ¶ Armoise.

anadema, *atis*, n. Diadème, bandeau.

anadendromalache, *es*, f. Voy. HIBISCUS.

anadesmus, *i*, m. Lien. || Bandeau.

anadiplosis, *is* (acc. *im*), f. Réduplication; répétition (fig. de rhét.).

anadiplumenus, *a*, *um*, adj. Redoublé; répété.

anadyomene, *es*, f. Sortant de l'onde; anadyomène (surnom de Vénus).

anagallis, *idis* (acc. *ida*), f. Mouron rouge (plante).   [ciselés.

anaglypha, *orum*, n. pl. Ciselures: objets

anaglypharius, *ii*, m. Ciseleur.

anaglyphus, *a*, *um*, adj. Ciselé.

anaglypta, *orum*, n. Bas-reliefs. ¶ Ciselures: objets ciselés.   [ciselure.

anaglyptarius, *a*, *um*, adj. Relatif à la

anaglypticus, *a*, *um*, adj. Comme ANAGLYPTUS.

anaglyptus, *a*, *um*, adj. Ciselé.

anagnostes, *ae*, m. Lecteur.

anagnosticum, *i*, n. Morceau de lecture.

anagoge, *es*, f. Hémoptysie. ¶ (Rhét.). Anagoge.¶ (Eccl.) Interprétation mystique.

anagogicus, *a*, *um*, adj. Anagogique.

anagon, *onis*, m. adj. Qui n'a pas encore pris part à un concours.

anagyros, *i*, f. Anagyris (arbrisseau).

1. **analecta**, *ae*, m. Esclave chargé de balayer les miettes d'un repas.

2. **analecta**, *orum*, n. pl. Miettes qui tombent de la table. ¶ Glanures, recueil de fragments.

analemma, *matos* (gén. plur. *matorum*, abl. pl. *matis*), n. Support de cadran solaire. ¶ Tracé indiquant la longueur de l'ombre à midi.

analepticus, *a*, *um*, adj. Reconstituant.

analeptris, *idis*, f. Coussinet servant aux femmes à rembourrer leurs épaules.

analogia, *ae*, f. Proportion; symétrie. || Conformité. ¶ (Gramm.) Analogie.

analogice, adv. Symétriquement. ¶ D'une manière analogue. [logie.

analogicus, *a*, *um*, adj. Relatif à l'ana-

analogium. *ii*, n. Pupitre. ¶ Chaire.

analogos, *on*. adj. Proportionné. || Symétrique ¶ Conforme; analogue.

analytica, *orum*, n. pl. Traité d'analyse.

1. **analytice**, *es*, f. Analyse.

2. **analytice**, adv. Analytiquement.

analyticus. *a*. *um*, adj. Analytique.

anamnesis. *is*, f. Réminiscence.

anancaeum. *i*, n. Grande coupe qu'on était forcé de boire d'un trait (dans les défis bachiques).

ananchitida, *ae*, f. Voy. ANANCITIS.

anancites, *ae*, m. Vainqueur (mot grec désignant le diamant.)

anancitis, *tidis*, f. Nom d'une pierre précieuse inconnue. [anapestiques.

anapaestica, *orum*, n. pl. Pièce de vers

anapaesticus, *a*, *um*, adj. Anapestique; qui consiste en anapestes.

anapaestum, *i*, n. Vers anapestique.

1. **anapaestus**. *a*. *um*, adj. Frappé à rebours (t. de métr.); anapestique.

2. **anapaestus**, *i*, m. Anapeste (pied qui est le contraire du dactyle).

anaphonesis, *is*, f. Déclamation à haute voix; exercice pour développer la voix ou l'entretenir.

anaphora, *ae*, f. (Astron.) Lever; ascension (des astres). ¶ (Rhét.) Anaphore (répétition d'un même mot au commencement de plus. propos.). ¶ (Gramm.) Syllepse.

anaphorious, *a*, *um*, adj. Qui indique le lever des astres. ¶ Atteint d'hémoptysie; poitrinaire.

anaphysema, *atis*, n. Vapeur; exhalaison qui sort de la terre.

anapleroticus, *a*, *um*, adj. Qui remplit les vides; qui fait repousser la chair.

anarchos, *on*, adj. Sans commencement.

anarrhinon, *i*, n. Comme ANTIRRHINON.

1. **anas**, *atis* (génit. plur. *atum* et *atium*), f. Canard; cane.

2. **anas**, *atis*, f. Maladie de vieille femme.

anascova, *ae*, f. (Rhét.) Renversement. || Art de rehausser un sujet de mince apparence. [réfuter.

anascevasticus, *a*, *um*, adj. Servant à

anastasis, *is*, f. Résurrection.

anastrophe, *es*, f. Anastrophe, *c.-à-d.* inversion. [s'occupe de canards.

anatarius, *a*, *um*, adj. De canard. || Qui

1. **anathema**, *atis*, n. Offrande; ex-voto.

2. **anathema**, *atis*, n. Anathème; excommunication. || (Méton.) Maudit, excommunié.

3. **anathema**, *ae*, f. Voy. 2. ANATHEMA.

anathemabilis,*e*,adj. Digne d'anathème.

anathematizatio, *onis*, f. Excommunication.

anathematizo, *as*, *avi*, *atum*, *are*, tr. Frapper d'anathème. || Excommunier. || *Qqf.* Se maudire soi-même.

anathemo, *as*, *are*, tr. Comme le précédent.

anathymiasis, *is*, f. Vapeur, exhalaison. || Gaz, flatuosité.

anaticula, *ae*, f. Caneton. || Petit canard (t. affect.).

anatina (s.-e *caro*), *ae*, f. Chair de canard.

anatinus, *a*, *um*, adj. De canard.

anatocismus, *i*, m. Intérêt composé.

anatolicus, *a*, *um*, adj. Du levant; d'orient.

anatome, *es*, f. Dissection. || Autopsie.

anatomia, *ae*, f. Anatomie.

1. **anatomica** (s.-e ARS), *ae*, f. Anatomie.

2. **anatomica**, *orum*, n. pl. Traité d'anatomie.

anatomici, *orum*, m. pl. Anatomistes.

anatomicus, *a*, *um*, adj. Qui concerne l'anatomie; anatomique.

anatonus, *a*, *um*, adj. Allongé (en hauteur); élevé.

anatresis, *is*, f. Perforation.

anaxo, *as*, *are*, tr. Nommer.

anazetesis, *is*, f. Consoude (plante).

ancaea, *orum*, n. pl. Vases ciselés.

ancala, *ae*. f. Jarret.

ancasius, *ii*, m. Bête de somme; âne.

anceps, *cipitis*, adj. Qui a deux têtes. || Qui a deux côtés *ou* deux faces. ¶ Qui coupe des deux côtés; à double tranchant. ¶ Qui menace de deux côtés. ¶ Qui a une double nature; double; amphibie. || Qui a double sens: ambigu, équivoque. || Incertain: douteux. || *En parl. des pers.* Hésitant, perplexe.¶*En parl. de ch.* Scabreux. Subst. *Anceps*, *cipitis*, n. Situation critique.

anchistrum. *i*, n. Voy. ANCISTRUM.

anchomanes, *si*, f. Voy. DRACONTIUM.

anchora. Voy. ANCORA.

anchoralis. Voy. ANCORALIS.

anchusa, *ae*, f. Orcanète (plante tinctoriale). Voy. ANCORALIS. [riale.

ancile, *is*, n. Petit bouclier oblong, échancré des deux côtés. || Bouclier sacré (tombé du ciel). Subst. pl. *ancilia*, *um* et *orum*, n. Même sens.

ancilla, *ae*, f. Femme esclave, servante. || (T. de mépris.) Homme esclave; vil courtisan. [vantes.

ancillariolus, *i*, m. Amoureux des ser-

ancillaris, *e*, adj. De servante; propre aux servantes; ancillaire. || Bas, servile. [domesticité.

ancillatus, *us*, m. Condition de servante;

ancillo, *as*, *are*, intr. Voy. ANCILLOR.

ancillor, *aris*, *atus sum*, *ari*, dép. intr. Servir; être aux ordres de. || Se faire l'esclave de.

ancillula, *ae*, f. Jeune servante.

ancipes. Voy. ANCEPS.

ancisio, *onis*, f. Incision circulaire.

ancistrum, *i*, n. Scalpel recourbé.

ancisus, *a*, *um*, p. adj. Coupé autour.

anclabris, *e*, adj. Employé dans les sacrifices. || Relatif au service des dieux.

anclo, *as*, *are*, tr. Voy. ANCULO.

anclor, *aris*, dép. tr. Voy. ANCULOR.

ancon, *onis* (acc. *ona*), m. Objet coudé à angle droit. || Bras d'une équerre.

¶ Console. ¶ Crochet *ou* crampon. ¶ Comme **AMES**. || Bras (d'un fauteuil). || Vase à boire coudé.

ancora, *ae*, f. Ancre. || (Fig.) Espoir de salut. ¶ Crochet; grappin; harpon.

ancoralis, *e*, adj. Qui concerne l'ancre. Subst. *Ancorale*, *is*, n. Câble qui retient l'ancre.　　　　　　　　　　[RALIS.

ancorarius, *a*, *um*, adj. Comme **ANCO-**

ancoratus, *a*, *um*, adj. Pourvu d'une ancre.　　　　　　[entre les arbres.

ancrae ou **angrae**, *orum*, f. pl. Intervalles

ancula, *ae*, f. Déesse inférieure servante des autres.　　　　　　　　　　[|| Verser.

anculo, *as*, *are*, tr. Servir. || Présenter.

anculus, *i*, m. Dieu inférieur au service des autres.　　　　　　　　　　[kylosé.

ancus, *a*, *um*, adj. Dont le coude est an-

ancyla, *ae*, f. Articulation du genou.

ancyromagus, *i*, m. Espèce de chaloupe.

andabata, *ae*, m. Gladiateur muni d'un casque sans ouverture pour les yeux et se battant à l'aveuglette.

andrachle, *es*, f. Pourpier.

andremas. Comme **ANDRACHLE**.

androdamas, *antis* (acc. *anta*), m. Pyrite. ¶ Sanguine. ¶ Marcassite.

androgynus, *i*, m. Androgyne; hermaphrodite. ¶ Homme mou, efféminé.

andron, *onis*, m. Comme **ANDRONITIS**. ¶ Corridor. || Allée. || Ruelle.

andronitis, *tidis*, f. Appartement des hommes. || Salle réservée aux festins.

androsaces, *is*, n. Sorte de zoophyte.

androsaemon, *i*, n. Rue sauvage, plante.

andrunculus, *i*, m. Petit andron.

anecatus, *a*, *um*, p. adj. Cuit dans le bouillon.

aneclogistus, *a*, *um*, adj. Qui n'est pas astreint à rendre des comptes.

anellarius, *ii*, m. Fabricant d'anneaux.

anellus, *i*, m. Petite bague : petit anneau.

anemone, *es*, f. Anémone (plante).

aneo, *es*, *ere*, intr. Être vieille. || Trembler comme une vieille.

anesco, *is*, *ere*, intr. Devenir vieille.

anethatus, *a*, *um*, adj. Assaisonné d'aneth.　　　　　　　　　　[neth.

anethinus, *a*, *um*, adj. D'aneth. || A l'a-

anethum, *i*, n. Aneth (plante), fenouil bâtard.

anethus, *i*, m. Comme le précédent.

aneticus, *a*, *um*, adj. Rémittent; pendant lequel il y a rémission.

anetius, *a*, *um*, adj. Innocent.

aneurysma, *atis*, n. Anévrisme.

anfractorius, *ii*, m. Celui qui emploie des subterfuges.

anfractuosus, *a*, *um*, adj. Plein de détours. || (Fig.) Tortueux.

anfractum, *i*, n. Sinuosité; détour.

1. **anfractus**, *a*, *um*, adj. Tortueux; sinueux.

2. **anfractus**, *us*, m. (Brisure.) Tournant, coude. || Détour, sinuosité. || Repli. || Echancrure. ¶ (Fig.) Détour; biais; subterfuge. || Circonlocution. || (Rhét.) Période.

angaria, *ae*, f. Fourniture obligatoire d'attelages (pour les services publics).

angarialis, *e*, adj. Relatif au service des transports publics.

angario, *as*, *avi*, *are*, tr. Mettre en réquisition pour un service public.

angarius, *ii*, m. Courrier. || Exprès.

angarizo, *as*, *are*, tr. Comme **ANGARIO**.

angela, *ae*, f. Ange (fém.).　　　[quement.

angelice, adv. Comme un ange. || Angéli-

angelicus, *a*, *um*, adj. De messager; rapide. ¶ (T. de métr.) Dactylique. ¶ D'ange; angélique.

angelificatus, *a*, *um*, p. adj. Fait ange; changé en pur esprit.

angellus, *i*, m. Petit angle; petit coin.

angeltice, *es*, f. Poésie gnomique.

angelus, *i*, m. Ange.

angina, *ae*, f. Angine. ¶ (Fig.) Angoisse.

angiportum, *i*, n. Ruelle.

angiportus, *i*, n. Voy. le précédent.

angistrum. Voy. **ANCHISTRUM**.

angitudo, *inis*, f. Comme **ANGOR**.

anglisso, *as*, *are*, intr. Parler angle (anglais).

ango, *is*, *ere*, tr. Serrer (à la gorge); étouffer. || Gêner. ¶ Tenir à l'étroit; resserrer. ¶ (Fig.) Serrer le cœur. || Tourmenter.　　　　　　　[inconnue.

angobates, *ae*, m. Automate d'espèce angol... Voy. **ANGUL**...

angor, *oris*, m. Constriction du gosier. ¶ (Fig.) Serrement de cœur; angoisse. || Tristesse.

anguen, *inis*, n. Voy. **ANGUIS**.

angueus, *a*, *um*, adj. De serpent.

anguicomus, *a*, *um*, adj. Qui a des serpents pour cheveux.

anguiculus, *i*, m. Petit serpent.

anguifer, *fera*, *ferum*, adj. Qui porte des serpents. Subst. *Anguifer*, le Serpentaire (constellation). ¶ Qui produit des serpents.　　　　　　　　　[serpent.

anguigena, *ae*, m. f. Né *ou* née d'un

anguilla, *ae*, f. Anguille. || (Méton.) Peau d'anguille; fouet; lanière.

anguillatio, *onis*, f. Action de se tortiller comme une anguille.

anguimanus, *i*, m. Qui a pour main un serpent. || Pourvu d'une trompe. || Subst. Eléphant.

anguineus, *a*, *um*, adj. Qui consiste en serpents. ¶ Semblable à un serpent.

anguinum (s.-e. **OVUM**), *i*, n. Œuf de serpent.　　　　　　　[blable à un serpent.

anguinus, *a*, *um*, adj. De serpent; sem-

anguipes, *pedis*, adj. Qui a pour pieds des serpents; qui finit en serpent. Subst. *Anguipedes*, *um*, m. pl. Les Géants.

anguis, *is*, m. et f. Serpent. ¶ Nom de constellation, comme le Serpentaire, le Dragon et l'Hydre.

angularis, *e*, adj. Angulaire; anguleux; qui a des angles. Subst. *Angularis*, *is*, m. Vase carré. ¶ Placé dans un angle; d'angle.

angulariter, adv. Diagonalement.

angularius, *a, um*, adj. Placé aux encoignures.

angulatilis. Voy. QUATUORANGULATILIS.

angulatim, adv. Dans tous les coins.

angulo, *as, are*, tr. Disposer en angle. || Replier.

angulosus, *a, um*, adj. Anguleux.

angulus, *i*, m. Angle; coin. ¶ Objet en forme d'angle : golfe; cap, pointe (de terre); bastion. ¶ Coin, c.-à-d. retraite, endroit retiré.

anguste, adv. A l'étroit; dans un espace restreint. ¶ (Fig.) Etroitement; parcimonieusement; chichement. || Sans développements; sèchement.

angustia, *ae*, f. Etroitesse. || (Méton.) Passage étroit. *Angustiae*, défilé, gorge. *Angustiae maris*, détroit. *Angustia* (ou *angustiae*), court moment. ¶ (Fig.) Etroitesse, c.-à-d. mesquinerie (de sentiments). || Style trop serré; sécheresse. ¶ Gêne; embarras. || Difficulté. || (Fig.) Situation pénible *ou* critique. || Gêne; embarras d'argent.

angusticlavius, *a, um*. Relatif à l'angusticlave. Subst. *Angusticlavius, ii*, m. Tribun plébéien (qui porte une bande étroite de pourpre à sa tunique).

angustio, *as, avi, atum, are*, tr. (Fig.) Tourmenter.

angustiosus, *a, um*, adj. Plein d'angoisse.

angustiportum, *i*, n. Voy. ANGIPORTUM.

angustitas, *atis*, f. Comme ANGUSTIA.

angusto, *as, avi, atum, are*, tr. Resserrer; rétrécir. || (Fig.) Restreindre, limiter.

angustum, *i*, n. Comme ANGUSTIA.

angustus, *a, um*, adj. Etroit; resserré. || Borné, étroit (en parl. du temps). ¶ (Fig.) Borné; limité. || Mesquin; petit, bas (en parl. des sentiments). || Etriqué; sec (en parl. du style). || Peu abondant, médiocre, pauvre. || Critique.

anhelabundus, *a, um*, adj. Essoufflé.

anhelatio, *onis*, f. Essoufflement. || Asthme.

anhelator, *oris*, m. Asthmatique.

anhelitus, *us*, m. Comme ANHELITUS.

anhelitus, *us*, m. Essoufflement.

anhelo, *as, avi, atum, are*. intr. et tr. ¶ (*Intr.*) Haleter. || Respirer. ¶ (Fig.) Gronder. ¶ (*Tr.*) Exhaler. || Souffler. || (Fig.) Respirer.   [peine.

anhelosus, *a, um*, adj. Qui respire avec

anhelus, *a, um*, adj. Essoufflé; haletant. ¶ Qui essouffle.

anhydros, *i*, f. Narcisse (plante).

aniatrologetos ou **aniatrologetus**, *i*, m. Qui ignore la médecine.

anicetum, *i* n. Voy. ANISUM.

anicilla, *ae*, f. Petite bonne femme; petite mère.

anicula, *ae*, f. Comme le précédent.

anicularis, *e*, adj. De petite bonne femme.   [bonne femme.

anilis, *e*, adj. De vieille femme. || De

anilitas, *atis*, f. Vieillesse (de la femme).

aniliter, adv. En vieille femme, comme une vieille.   [vieille femme.

anilitor, *aris, ari*, dép. intr. Devenir

anilla, *ae*, f. Comme ANICULA.

anima, *ae*, f. Souffle; vent. || Emanation. || Odeur. || Haleine. || Principe vital; âme végétative. || Ame (sans corps); ombre. || Vie; existence. || (Méton.) Etre vivant. ¶ Comme ANIMUS.

animabilis, *e*, adj. Vivifiant; qui donne la vie.

animadversio, *onis*, f. Attention prêtée à qqch.; remarque; observation. ¶ Réprimande, blâme. || Correction, punition. || Droit de vie et de mort.

animadversor, *oris*, m. Celui qui remarque. || Observateur.   [tion.

animadversus, *us*, m. Châtiment, puni-

animadverto, *is, verti, versum, ere*. tr. Appliquer son esprit. || Faire attention à; observer. || Veiller à. || Remarquer. ¶ Réprimander; censurer. || Châtier; punir. || Mettre à mort; exécuter. || Subst. *Animadversus*, le supplicié.

animaequitas, *atis*, f. Egalité d'âme. || Patience.   [égale. || Patient.

animaequus, *a, um*, adj. Qui garde l'âme

animal, *alis*, n. Tout être animé; animal. ¶ Animal; bête brute.

1. animalis, *e*, adj. D'air; formé d'air. || Qui sert à la respiration. ¶ Qui concerne la vie. || Qui sert à la vie, vital. || Vivant; animé. ¶ Dont on n'offre aux dieux que la vie (sans les chairs). || Qui a d'abord été un homme (en parl. d'un être divinisé).

2. animalis, *is*, f. Etre vivant.

animalitas, *atis*, f. Animalité.

animaliter, adv. A la manière des êtres animés. ¶ A la façon des bêtes.

1. animans, *antis*, p. adj. Animé · vivant.

2. animans, *antis*, m. f. Etre vivant. || Créature.

animatio, *onis*, f. Action d'animer. || Création. || (Méton.) Créature.

animator, *oris*, m. Celui qui donne la vie || Créateur.

animatrix, *icis*, f. Celle qui encourage.

1. animatus, *a, um*, p. adj. Qui a une haleine; animé. || Vivant. ¶ Intentionné. || Plein d'entrain; animé. || Plein de courage.

2. animatus, *us*, m. Respiration.

animitus, adv. Du fond de l'âme; de tout cœur.

animo, *as, avi, atum, are*, tr. Emplir d'air, souffler dans; jouer (d'un instrument à vent). ¶ Donner la vie à; faire vivre; animer. || Ranimer. ¶ Mettre dans telle ou telle disposition d'esprit; disposer. || Animer; encourager.   [sion.

animose, adv. Avec courage. || Avec pas-

animositas, *atis*, f. Ardeur; courage. ¶ Animosité.

animosus, *a, um*, adj. Où il y a beaucoup de vent; venteux. || Qui souffle

violemment. ¶ Plein de cœur; coura-
geux; fier. || Passionné; emporté.

animula, ae, t. Petite âme; petite vie.
¶ Léger souffle de vie.

animus, i, m. Ame; ensemble des fa-
cultés; esprit, cœur, caractère. || Es-
prit; état d'esprit; sentiment. || Cou-
rage; hardiesse. || Confiance en soi.
|| Prétention; morgue. || Vivacité; co-
lère. || Désir, envie, fantaisie. || Satis-
faction personnelle. ¶ Volonté; intention. ¶ Facultés de l'esprit : pensée;
mémoire. || Jugement. || Conscience.

anisatum, i, n. Vin d'anis.

anisocycla, orum, n. pl. Rouages consti-
tués par des cercles inégaux.

anisum, i, n. Anis (plante).

anisus, i, m. Voy. le précédent.

anitas, atis, f. Comme ANILITAS.

anites. Voy. ANAS.

anlego, ere, tr. Estimer.

annalia, um, n. pl. Sacrifices annuels
(au jour anniversaire de l'empereur).

1. **annalis**, e, adj. Qui dure un an; an-
nuel. || Qui se fait tous les ans; annuel.
¶ Qui relate les événements année par
année. *Annalis* (s.-e *liber*) et *annales*
(s.-e. *libri*), m. pl. Annales; chronique.
¶ Qui concerne les années; relatif à
l'âge (légal).

annarius, a, um, adj. Relatif aux années; qui concerne l'âge (légal).

annascor. Voy. AGNASCOR.

annatio. Voy. AGNATIO.

annato (ADNATO), as, avi, atum, are,
intr. Nager vers. || Nager à côté de.

annavigo, as, avi, are, intr. Naviguer
vers.

anne. Voy. AN.

annecto, is, nexui, nexum, ere, tr. Attacher à. ¶ Joindre; ajouter à.

annellus. Voy. ANELLUS.

annexio, onis, f. Liaison; jonction. ¶
(Rhét.) Zeugma. [alliance.

annexus, abl. u, m. Liaison (fig.);

annicto, as, are, intr. Faire signe de
l'œil. [d'un an.

anniculus, a, um, adj. D'un an; âgé

annifer, fera, ferum, adj. Qui porte
fruit toute l'année. ¶ Dont la tige
repousse chaque année.

annifera, orum, n. pl. Plantes qui
donnent des fruits toute l'année.

annihilatio, onis, f. Mépris.

annihilator, oris, m. Celui qui (prend
pour rien), qui méprise; contempteur.

annihilo, as, avi, atum, are, tr. Prendre
pour rien : ne faire aucun cas de.

annisus, abl. u, m. Effort.

annitor, eris, nisus (ou nixus) sum,
niti, dép. intr. S'appuyer sur. ¶ Faire
effort; s'efforcer de. ¶ Qqf. tr. S'efforcer
d'obtenir. || S'efforcer de produire

anniversalis, e, adj. Comme ANNIVER-
SARIUS.

anniversarie, adv. Tous les ans.

anniversarius, a, um, adj. Qui revient
tous les ans; annuel.

annixus. Voy. ANNISUS.

1. **anno** (AD-NO), as, avi, atum, are,
intr. S'approcher en nageant. || Arri-
ver par eau. ¶ Nager auprès de.

2. **anno**, are, intr. Passer l'année.

annodo. Voy. ABNODO.

annominatio. Voy AGNOMINATIO.

annomino, as, avi, are, tr. Surnommer.

annon, c'.-à-d. *an non*. Voy. AN.

annona, ae, f. Récolte de l'année. || Pro-
visions pour l'année. || Provisions de
bouche, vivres. || Service de l'approvi-
sionnement (en blé). || Prix des
vivres. || Bon marché des denrées;
abondance des provisions; *ou au contr.*
disette; cherté. || Subsistances mili-
taires. || *Annonae*, rations. || Pension;
solde (payée en nature).

1. **annonarius**, a, um, adj. Relatif à
l'approvisionnement. || Qui concerne
les distributions de blé au peuple. ||
Chargé de fournir le blé pour l'approvisionnement. [vivres.

2. **annonarius**. ii, m. Commissaire aux

annono, as, avi, are, tr. Pourvoir à la
subsistance de; nourrir.

annonor, aris, ari, dép. intr. Aller aux
provisions. [nées.

annositas, atis, f. Grand nombre d'an-

annosus, a, um, adj. Chargé d'années.

annotamentum, i, n. Annotation.

annotatio, onis, f. Annotation; remar-
que. || Note de la main de l'empereur.
¶ Inscription (d'un absent sur une liste
d'accusés).

annotatiuncula, ae, f. Petite remarque.

annotator, oris, m. Celui qui épie; qui
aime à noter. ¶ Contrôleur. [vation.

annotatus, abl. u, m. Remarque; obser-

annotinus, a, um, adj. Qui date d'un an.
¶ De l'année passée.

annoto, as, avi, atum, are, tr. Mettre
une note à. || Faire une remarque (à
l'occasion de); annoter (un livre). ¶
(Fig.) Remarquer; s'apercevoir de.
Passif *Annotor*, je me fais remarquer.
¶ (Jur.) Porter (un absent) parmi les
accusés. || Désigner (un condamné
pour une peine). || Assigner (pour puni-
tion à un condamné).

annualis, e, adj. Annuel; qui dure un an.

annuatim, adv. Annuellement.

annubilo, as, are, tr. Amener du
brouillard (*ou* de l'obscurité) sur.

annuclus, a, um, adj. Voy. ANNICULUS.

annuculus, a, um, adj. Voy. ANNICULUS.

annularis. Voy. ANULARIS.

annularius. Voy. ANULARIUS.

annulatus. Voy. ANULATUS.

annullatio, onis, f. Anéantissement.

annullo, as, avi, are, tr. Anéantir.

annulus. Voy. ANULUS.

annumeratio, onis, f. Compte; calcul.

annumero, as, avi, atum, are, tr. Compter (à qqn); payer à (qqn). ¶ Compter,
faire le compte de (pour qqn). ¶ Ajou-
ter à un nombre. || Compter parmi.

|| Mettre au nombre. ¶ Imputer; attribuer. [L'Annonciation.

annuntiatio, *onis*, f. Annonce. ¶ (Eccl.)

annuntiator, *oris*, m. Celui qui annonce.

annuntiatrix, *icis*, f. Celle qui annonce.

annuntio, *as*, *avi*, *atum*, *are*, tr. Annoncer. || Faire savoir. || Raconter.

annuntius, *a*, *um*, adj. Qui annonce; messager.

annuo, *is*, *ui*, *utum*, *ere*, intr. et tr. ¶ (*Intr.*) Faire un signe (avec la tête). || Donner son assentiment; dire oui; consentir; approuver.¶ *Tr.* Promettre par un signe.||Désigner (par un signe). || Donner à entendre.

annus, *i*, m. An, année. || Période astronomique (d'une durée plus ou moins longue). ¶ (Méton.) Saison (division de l'année). || Récolte de l'année.

annutativus, *a*, *um*, adj. Affirmatif.

annutivus, *a*, *um*, adj. Comme le précédent. [signes de tête.

annuto, *as*, *are*, intr. Faire de fréquents

annutrio, *is*, *ire*, tr. Elever à côté de.

annuum, *i*, n. Annuité; rente annuelle.

annuus, *a*, *um*, adj. D'un an; qui dure un an; annuel. ¶ Qui revient chaque année; annuel. [leurs.

anodynus, *i*, n. Remède contre les douanomale, adv. Irrégulièrement.

anomalia, *ae*, f. Anomalie.

anomalos, *on*, adj. Anomal; irrégulier.

anomalus, *a*, *um*, adj. Comme le précédent. [la même substance.

anomoeusios, *on*, adj. Qui n'est pas de

anonis, *nidis* (acc. *in*), f. Bugrane, plante. [nommé.

anonomastos, *on*, adj. Sans nom; in-
1. **anonymos**, *on*, f. Anonyme.
2. **anonymos**, *i*, f. Nom d'une plante inconnue. [pétit.

anorectus, *a*. *um*. adj. Qui manque d'appanquina, *ae*, f. Cordage qui attache la vergue au mât.

anquiro, *is*, *quisivi*, *quisitum*, *ere*, tr. et intr. Chercher tout autour de soi. || Chercher avec zèle. || (Fig.) Rechercher, examiner. ¶ (Jur.) Faire une enquête; instruire (une affaire). || Exercer une poursuite.

anquiromacus. Voy. ANCYROMAGUS.

anquisitio, *onis*, f. Enquête judiciaire. || Instruction. || Poursuite.

ansa, *ae*, f. Anse. || Poignée. || Toute sorte d'attache; anneau; crampon. ¶ (Fig.) Prise. || Occasion.

ansarium, *ii*, n. Droit d'ancrage.

ansata (s.-e. *hasta*). *ae*, f. Javelot pourvu d'une courroie (en boucle).

ansatus, *a*, *um*, adj. Muni d'une anse, d'une poignée, d'une attache.

anser, *eris*, m. Oie.

ansera, *ae*, f. Comme ANSER.

anserarius, *ii*, m. Eleveur d'oies.

anseratim, adv. A la façon des oies.

anserculus, *i*, m. Oison.

anserinus, *a*, *um*, adj. D'oie.

ansula, *ae*, f. Petite anse; petite poignée; petit anneau.

antachates, *ae*, m. Voy. AUTACHATES.

antae, *arum*, f. Piliers (d'une porte); jambages. ¶ Pilastres (aux angles d'un édifice).

antagonista, *ae*, m. Antagoniste.

antamoebaeus, *a*, *um*, adj. (Métr.) Pied opposé à l'amébée, *c.-à-d.* composé de deux brèves, de deux longues et d'une brève (sŭpĕrānnĕxā).

antanaclasis, *is*, f. Antanaclase (fig. de rhét.)

antanapaestus, *a*, *um*, adj. Qui est le contraire de l'anapeste (nom d'un pied, le dactyle).

antapocha, *ae*, f. Pièce par laquelle le débiteur affirme qu'il a payé sa dette.

antapodosis, *is*, f. Antapodose (fig. de rhét.).

antarcticus, *a*, *um*, adj. Antarctique.
1. **antarius**, *a*, *um*, adj. Qui sert à soulever.¶ Qui maintient en équilibre une masse qu'on soulève.
2. **antarius**, *a*, *um*, adj. Qui a lieu devant (les murs de la ville).
1. **ante**, adv. Devant. || Sur le devant. || En avant. || En tête.¶ Auparavant; jadis; d'abord.
2. **ante**, prép. Devant. || Avant; de préférence à. || Avant (dans la durée). *Ante hos sex menses*, il y a maintenant six mois.

antea, adv. Auparavant.

anteactus, *a*, *um*, adj. Fait auparavant. || Passé; Ecoulé.

anteaedificialis, *e*, adj. Qui se trouve devant l'édifice.

anteambulo, *onis*, m. Esclave (ou client) chargé d'écarter la foule devant son maitre (ou son patron).

antecanis, *is*, m. Procyon, le petit chien (constellation).

antecantamentum, *i*, n. Prélude.

antecantativus, *a*, *um*, adj. Qu'on chante avant.

antecapio, *is*, *cepi*, *ceptum* (ou *captum*), *ere*, tr. Prendre d'abord. || Prendre avant un autre. || Prélever. || Anticiper. || Prévenir; devancer.
1. **antecedens**, *entis*, p. adj. Précédent. || Supérieur.
2. **antecedens**, *entis*, n. Antécédent. *Antecedentia*, antécédents.

antecedo, *is*, *cessi*, *cessum*, *ere*, intr. et tr. Marcher devant; précéder. ¶ Devancer; prendre de l'avance sur. ¶ Précéder; devancer. ¶ (Fig.) Prendre le pas sur; surpasser.

antecello, *is*, *ere*, intr. L'emporter; être supérieur.¶ (Tr.) Surpasser.

antecenium, *ii*, n. Collation; goûter.

antecessio, *onis*, f. Action de précéder, de devancer. || Avance. || (Méton.) Antécédent.

antecessor, *oris*, m. Celui qui marche devant. ¶ (T. milit.) Avant-coureur;

fourrier. ¶ Initiateur. ¶ Prédécesseur.

antecessus, *us*, m. Avance; anticipation.

antecaenium. Voy. ANTECENIUM.

antecolumnium, *ii*, n. Espace devant les colonnes. [¶ Précéder.

antecurro, *is*, *ere*, tr. Courir devant.

antecursor, *oris*, m. Avant-coureur. ¶ (T. milit.) Fourrier. ‖ Eclaireur.

antedico. Voy. ANTE et DICO.

anteeo, *is*, *ivi* et *ii*, *ire*, tr. et intr. Aller devant. ‖ Devancer. ‖ Prévenir. ¶ Savoir par avance. ‖ Deviner. ¶ Surpasser, être supérieur à.

antefatus, *a*, *um*, p. adj. Susdit.

antefero, *fers*, *tuli*, *latum*, *ferre*, tr. Porter devant. ¶ Préférer; mettre avant ou au-dessus. ¶ Prendre ou obtenir par anticipation.

antefixus, *a*, *um*, p. adj. Attaché devant; fixé à la façade. Subst. *Antefiza*, antéfixes (terres cuites, marbres, bronzes, décorés de palmettes, de moulures et même de figures diverses).

antegenitalis, *e*, adj. Qui a précédé la naissance. [sion.

antegradatio, *onis*, f. (Astron.) Précession.

antegredior, *eris*, *gressus sum*, *gredi*, dép. intr. et tr. Marcher devant. ‖ Précéder; devancer.

antehabeo, *es*, *ere*, tr. Faire passer avant. ‖ Préférer.

antehac, adv. Auparavant. ‖ Jusqu'à présent. ‖ Jusqu'alors.

anteidea. Voy. ANTIDEA.

antelatus, *a*, *um*. Voy. ANTEFERO.

antelena, *æ*, f. Voy. ANTILENA.

anteliminaris. *is*, n. Avant-seuil.

antelius, *a*, *um*, adj. Exposé au soleil. ‖ Placé devant la porte.

antella, *ae*, f. Comme ANTILENA.

antelogium. *ii*, n. Prologue.

antelongior, *oris*, adj. m. Qui excède en longueur.

anteloquium, *ii*, n. Droit de parler le premier. ¶ Avant-propos. ‖ Préambule.

antelucano, adv. Comme ANTELUCIO.

antelucanus, *a*, *um*, adj. Qui se passe avant le jour.

antelucio, adv. De grand matin.

antelco, *as*, *are*, intr. Faire (qqch.) avant le jour.

anteluculo, adv. Comme ANTELUCIO.

anteludium, *ii*, n. Prélude.

antemeridialis, *e*, adj. Qu'on fait ou qui se fait avant midi.

antemeridianus, *a*, *um*, adj. Comme ANTEMERIDIALIS. [la matinée.

antemeridiem, adv. Avant midi. ‖ Dans

antemitto. Voy. ANTE et MITTO.

antemna. Voy. ANTENNA. [levard.

antemurale, *is*, n. Avant-mur. ‖ Boulantenna, *ae*, f. Antenne; vergue.

antenovissimus, *a*, *um*, adj. Avant-dernier.

antenuptialis, *e*, adj. D'avant la noce. ‖ Qui précède le mariage.

anteoccupatio, *onis*, f. Prolepse (t. de rhét.). [(tième syllabe).

antepaenultima, *ae*, f. L'antépénultième; qui précède l'avant-dernier.

antepaenultimus, *a*, *um*, adj. Antépénultième; qui précède l'avant-dernier.

antepagmentum, *i*, n. Chambranle.

anteparta, *orum*, n. pl. Bien acquis auparavant.

antepassio, *onis*, f. Premier ressentiment (d'une douleur, d'une passion).

antependulus, *a*, *um*, adj. Qui pend par devant. [MUS.

antepenultimus. Voy. ANTEPAENULTI-

anteperta. Voy. ANTEPARTA.

antepes, *pedis*, m. Pied de devant. ¶ Comme ANTAMBULO.

antepilanus, *i*, m. Soldat placé devant les triaires. Subst. *Antepilani*, soldats des deux premières lignes. ¶ (Voy. ANTESIGNANUS). ¶ Celui qui commence la lutte; celui qui donne l'exemple.

antepolleo, *es*, *ere*, tr. et intr. Etre supérieur (en puissance); surpasser.

antepono, *is*, *posui*, *positum*, *ere*, tr. Placer devant. ‖ (Partic.) Servir sur la table. ¶ (Fig.) Mettre devant; préférer. [puissance ou en richesse.

antepotens, *tis*, m. Qui l'emporte en

antepraecursor, *oris*, m. Précurseur.

antequam et ante quam, conj. Avant que.

anterides. Voy. ANTERIS.

anterior, *us*, adj. Placé devant (dans l'espace); antérieur. ‖ Précédent; premier. ¶ (Dans le temps.) Antérieur; précédent. [trefort; arc-boutant.

anteris, *idis* (gen. plur. *idon*), f. Contrefort; arc-boutant.

anteritas, *atis*, f. Antériorité. [tôt.

anterius, adv. Antérieurement. ‖ Plus

anterumenos, *a*, *on*, adj. Opposé.

antes, *ium*, n. Rangées; files (de ceps, de soldats, etc.). ‖ Planches, c.-à-d. plates-bandes. [Sous-maître.

antescholarius et antescolarius, *i*, m.

antesignanus, *i*, m. Qui combat devant les enseignes. *Antesignani*, soldats d'élite (placés aux premiers rangs). ¶ (Fig.) Qui se met en avant; chef.

antesignator, *oris*, m. Défenseur de l'étendard.

antesto. Voy. ANTISTO.

antestor, *aris*, *atus sum*, *ari*, tr. Prendre à témoin; appeler en témoignage. Au passif *antestari*, être appelé en témoignage.

anteurbanus, *a*, *um*, adj. Situé devant la ville, auprès de la ville; suburbain.

antevenio, *is*, *veni*, *ventum*, *ire*, tr. et intr. Gagner de vitesse; *fig.* prévenir. ¶ Dépasser, l'emporter sur.

anteventulus, *a*, *um*, adj. Qui avance; qui vient sur le devant.

anteversio, *onis*, f. Action de devancer. ‖ Avance prise (sur qqn).

anteverto, *is*, *verti*, *versum*, *ere*, tr. Prendre l'avance sur, précéder. ‖ (Fig.)

Prévenir. ¶ Faire passer avant; préférer.

ante-vio, *as*, *are*, tr. Devancer.

ante-volo, *as*, *are*, tr. Devancer en volant (*ou* en courant).

anthalium, *ii*, n. Souchet comestible.

anthedon, *onis*, f. Sorte de néflier.

anthemis, *idis*, f. Camomille.

anthera, *ae*, f. Infusion de fleurs.

anthereon, *onis* (acc. *ona*), m. Cou; gorge.

anthericus, *i*, m. Tige de l'asphodèle.

anthias, *ae*, m. Poison inconnu. [fumé.

anthinus, *a*, *um*, adj. De fleurs; parfumé.

anthologica, *on*, n. pl. Anthologie (recueil); florilège. [cédent.

anthologumena, *on*, n. pl. Comme le précédent.

anthophorus, *on*, adj. Qui porte des fleurs. || Fleuri.

anthoristicus, *a*, *um*, adj. Qui oppose définition à définition.

anthracias, *ae*, m. Comme ANTHRACITIS.

anthracina, *orum*, n. pl. Vêtements noirs. [charbon; noir.

anthraxinus, *a*, *um*, adj. Couleur de anthracites, *ae*, m. Espèce d'hématite. ¶ Comme ANTHRACITIS.

anthracitis, *tidis*, f. Escarboucle.

anthrax, *acis*, m. Cinabre natif. ¶ (Méd.) Anthrax.

anthriscum, *i*, n. Sorte de cerfeuil.

anthropiani, *orum*, m. pl. Hérétiques qui niaient la divinité de Jésus.

anthropographus, *i*, m. Peintre de portraits.

anthropolatra, *ae*, m. Qui adore un homme; qui refuse d'admettre la divinité de Jésus.

anthropomorphitae, *arum*, m. pl. Hérétiques attribuant à Dieu une forme humaine. [phages.

anthropophagi, *orum*, m. pl. Anthropophanthus, *i*, m. Peut-être la hoche-queue.

anthyllion et -um, *ii*, n. Nom d'une plante inconnue. [(plante).

anthyllis, *idis*, f. Bugle musquée

anthyllum, *i*, n. Comme ANTHYLLION.

anthypophora, *ae*, f. (Rhét.) Figure qui consiste à supposer une objection et à la réfuter par avance.

anti. Voy. ANTE. [sur le front.

antiae, *arum*, f. pl. Cheveux rabattus

antibachius, *a*, *um*, adj. Contraire du bacchius. || *Antibacchius*, *pes* pied composé d'une brève suivie de deux longues. *Antibacchius versus*, vers composé de quatre de ces pieds.

antibacchius, *i*, m. Vers composé de pieds antibacchius.

antibasis, *is*, f. Pièce d'une catapulte (colonne postérieure).

antiboreus, *a*, *um*, adj. Exposé au nord.

anticategoria, *ae*, f. Action reconventionnelle.

anticessor. Voy. ANTECESSOR.

antichresis, *is*, f. (Droit.) Antichrèse (contrat par lequel un débiteur remet

à son créancier une valeur immobilière comme garantie).

anticipalis, *e*, adj. Antérieur; préliminaire.

anticipatio, *onis*, f. Connaissance anticipée, idée première. ¶ (Plur.) *Anticipationes*, premiers mouvements d'un animal qui va marcher. || (Rhét.) Prolepse *ou* anticipation. [avance.

anticipator, *oris*, m. Qui conçoit par

anticipo, *as*, *avi*, *atum*, *are*, tr. Prendre *ou* recevoir d'avance. || Concevoir d'avance. ¶ Prendre les devants sur. || Prévenir. || Dépasser; l'emporter sur.

anticus, *a*, *um*, adj. De devant; antérieur. || (Augur.) Qu'on a devant soi. ¶ Voy. ANTIQUUS.

anticyprios, *i i*, m. L'inverse du cyprius, pied composé d'une longue, d'une brève, de deux longues et d'une brève.

antidactylus, *a*, *um*, adj. Inverse du dactyle; anapeste.

antidea, adv. Voy. ANTEA.

antideo. Voy. ANTEEO.

antidhac, adv. Voy. ANTEHAC.

antidotum, *i*, n. Contrepoison; antidote.

antidotus, *i*, f. Comme ANTIDOTUM.

antifrasis. Voy. ANTIPHRASIS.

antigerio, adv. Beaucoup.

antigradus, *i*, m. Gradin antérieur.

antigraphus, *i*, m. Signe critique.

antilena, *ae*, f. Partie du harnais.

antimetabole, *es*, f. Réversion; figure qui consiste à ramener les mêmes mots dans l'ordre inverse.

antinomia, *ae*, f. Antinomie.

antipagmentum, *i*, n. Voy. ANTEPAGMENTUM. [préservant des maléfices.

1. antipathes, *is*, f. Espèce de corail noir

2. antipathes, *is*, n. Espèce de philtre.

antipathia, *ae*, f. Antipathie.

antipharmacon, *i*, n. Remède. [dent.

antipharmacum, *i*, n. Comme le précédent.

antipherna, *orum*, n. pl. Avantage qu'un mari fait à sa femme, en lui reconnaissant une dot par contrat.

antiphora, *ae*, f. Antienne.

antiphrasis, *is*, f. Antiphrase. [vant.

antipodæ, *arum*, m. pl. Comme le suivant.

antipodes, *um* (acc. *as*), m. pl. Antipodes. ¶ (Fig.) Gens qui font de la nuit le jour et du jour la nuit.

antipodus, *a*, *um*, adj. Diamétralemen opposé.

antipofora. Voy. ANTHYPOPHORA

antiptosis, *is* (acc. *in* ou *im*), f. Empioi d'un cas pour un autre (antiptose).

antiquarius, *a*, *um*, adj. Relatif à l'antiquité. Subst. *Antiquarius*, *ii*, m. et *antiquaria*, *æ*, f. Celui (*ou* celle) qui a le goût de l'antiquité, qui aime les vieux auteurs. *Antiquarius*, *ii*, n. Paléographe; copiste exercé.

antiquatio, *onis*, f. Abrogation. || Remise (d'une peine).

antique, adv. A la manière antique. || Selon l'ancienne mode. ¶ Jadis; il y a longtemps.

antiquitas, *atis*, f. Ancienneté; antiquité. ‖ (Méton.) Les anciens. ‖ Les choses de l'antiquité. ‖ (Au pl.) *Antiquitates*, histoire ancienne; archéologie; recherches sur l'antiquité. ‖ Ancienne mode; ancienne coutume. ‖ Austérité; simplicité; loyauté comparable à celle du bon vieux temps. ¶ Prédilection; haute considération. ‖ Grande sollicitude.

antiquitus, adv. Depuis longtemps. ‖ Jadis; autrefois.

antiquo, *as*, *avi*, *atum*, *are*, tr. Laisser dans l'ancien état. ‖ (Spéc.) Rejeter (une propos. nouvelle); ne pas accepter (un projet de loi). ¶ (Au passif.) Devenir suranné.

antiquus, *a*, *um*, adj. D'autrefois. ‖ Ancien, antique. ‖ Passé, précédent. ‖ Semblable aux anciens, loyal, sincère, simple, droit. ¶ Qui dure depuis longtemps, ancien, vieux; vénérable. ¶ (*Au compar. et au superl.*) Qui passe avant, préféré. ‖ Précieux; qui tient au cœur.

antirrhinon, *i*, n. Muflier (plante).

antisagoge, *es*, f. Allégation opposée à une autre.

antiscia, *orum*, n. pl. Lieux également distants des quatre points cardinaux; lieux situés symétriquement.

antiscii, *orum*, n. pl. Dont les ombres sont dirigées en sens contraire des nôtres. ‖ Habitants de l'autre hémisphère. [science de.

antiscius, *a*, *um*, adj. Qui a la pre-

antiscorodon, *i*, n. Plante alliacée.

antisigma, *matis*, n. Caractère imaginé par l'empereur Claude pour signifier *ps*. ¶ Signe critique dans les mss.

antisophista, *ae*, m. Sophiste qui soutient une doctrine opposée.

antispasticos, *on* ou *us*, *a*, *um*, adj. Antispastique; composé d'antispastes.

antispastus, *i*, m. Pied composé de quatre syllabes (dont deux sont du mouvement contraire), deux longues entre deux brèves (mĕdŭllōsā).

antispecto, *as*, *are*, intr. (Regarder en avant); être dirigé en avant.

antispodos, *i*, f. Cendre qui ressemble à l'oxyde de zinc.

antistatus, *us*, m. Prééminence.

antistes, *stitis*, m. et f. Chef. ‖ Président ou présidente. ‖ Directeur ou directrice. ¶ (Relig.) Grand prêtre ou premier prêtre (d'un temple); grande prêtresse. ‖ Évêque (chrétien). ¶ (Fig.) Maître (qui excelle dans un art ou une science).

antistita, *ae*, f. Prêtresse.

antistitium, *ii*, n. Dignité de grand prêtre (ou de grande prêtresse).

antisto, *as*, *stiti*, *stare*, tr. Avoir la prééminence; l'emporter sur.

antistrephon, *ontos*, m. Argument qu'on peut rétorquer.

antistropha, *ae*, f. Antistrophe.

antistrophe, *es*, f. Voy. le précédent.

antistrophus, *a*, *um*, adj. Qui peut être renversé; réciproque.

antithesis, *is*, f. Figure qui consiste à remplacer une lettre par une autre.

antitheta, *orum*, n. pl. Antithèse; contraste né du rapprochement de deux idées ou de deux expressions contraires.

antitheticus, *a*, *um*, adj. Antithétique.

antitheus, *i*, m. Qui se fait passer pour Dieu. ¶ Le diable.

antizeugmenon, *i*, n. Construction où un même mot est déterminé par divers compléments. [l'eau. ‖ Pompe.

antlia, *ae*, f. Machine pour puiser de

antlo. Voy. ANCLO. [blable à Antoine.

antonesco, *is*, *ere*, intr. Devenir sem-

antonomasia, *ae*, f. Antonomase.

antonomasivus, *a*, *um*, adj. Qui ne peut convenir qu'à un seul substantif.

antroo, *are*, intr. Voy. AMPTRUO.

antrum, *i*, n. Antre, grotte. ‖ Toute espèce de cavité.

antruo. Voy. AMPTRUO.

anucella. Voy. ANICELLA.

anulare, *is*, n. Blanc obtenu en pilant de la craie avec des verroteries telles que les gens du commun en portaient à leurs bagues.

anularis, *e*, adj. De bague. ‖ A bagues. ‖ Qui concerne les bagues ou les anneaux. [(aux vétérans).

anularium, *ii*, n. Don d'un anneau

1. **anularius**, *a*, *um*, adj. Comme ANULARIS.

2. **anularius**, *ii*, m. Fabricant de bagues.

anulatus, *a*, *um*, p. adj. Qui porte des anneaux, des bagues. ¶ Qui porte les anneaux des chaînes; enchaîné.

anulla, *ae*, f. Petite vieille. [d'anneau.

anuloculter, *tri*, m. Couteau en forme

anulus, *i*, m. Petit cercle. ¶ Anneau. ‖ Bague; bague à cachet (insigne de l'ordre des chevaliers). *Ius anulorum*, rang de chevalier romain. ¶ Anneau d'une chaîne; chaînon. ¶ Toute espèce d'anneau ou d'objet ayant la forme d'un anneau. ‖ Boucle (de cheveux). ‖ Vrille (de la vigne). ‖ (Archit.) Annelet. ¶ Anus. Voy. le suiv.

1. **anus**, *i*, m. Cercle. ¶ Anus; fondement. ¶ Anneau. Voy. ANULUS.

2. **anus**, *us*, f. Vieille femme. ‖ (Chez les poét.) Sibylle; devineresse. ¶ *Adj. f.* Vieille. [anxieuse. ‖ Tourmenté.

anxianimus, *a*, *um*, adj. Qui a l'âme

anxie, adv. Avec anxiété. ¶ Avec un soin scrupuleux.

anxietas, *atis*, f. Anxiété; inquiétude. ‖ Chagrin. ‖ Caractère timoré. ¶ Exactitude scrupuleuse. ‖ Scrupule exagéré.

anxietudo, *inis*, f. Comme ANXIETUDO.

anxifer, *fera*, *ferum*, adj. Qui cause de l'inquiétude, du tourment.

anxior, *aris*, *atus*, *sum*, *ari*, dép. intr Être anxieux. ‖ Se tourmenter.

anxiosus, *a, um,* adj. Qui inquiète *ou* tourmente. || Troublant.

anxitudo, *inis,* f. Comme ANXIETAS.

anxius, *a, um,* adj. Qui a le cœur serré. || Anxieux, tourmenté. ¶ Qui a l'humeur inquiète; chagrin. ¶ Scrupuleux à l'excès; trop méticuleux. ¶ Irrésolu, perplexe. ¶ Qui serre le cœur, inquiétant.

anydros. Voy. ANHYDROS.

aoratos, *on,* adj. Invisible.

aoristus, *i,* m. Aoriste (t. de gramm.).

apaetesis, f. Réclamation (fig. de rhét.).

apage, interj. Arrière ! [(œuf).

apalus, *a, um,* adj. Tendre; mou; mollet

aparctias, *ae,* m. Vent du nord.

aparemphatus, *um,* adj. Qui exprime (l'action verbale) d'une façon indéterminée. Subst. *Aparemphatum, i,* n. L'infinitif.

aparine, *es,* f. Grateron (plante).

apathia, *ae* (acc. *an*), f. Apathie.

ape, impér. arch. Arrête; empêche.

apecula. Voy. APICULA.

apeliotes, *ae,* m. Vent d'est.

apello, *is, ere,* tr. Repousser. || Chasser

apenarii, *orum,* m. pl. Bouffons.

aper, *apri,* m. Sanglier. || Sanglier femelle; laie. ¶ Sorte de poisson.

aperculus, *i,* m. Diminutif d'APER.

aperio, *is, perui, pertum, ire,* tr. Ouvrir. ¶ Découvrir, mettre à nu. || (Fig.) Manifester, révéler; trahir (un secret). || Exposer; raconter. ¶ Ouvrir, frayer. || (Fig.) Rendre accessible *ou* possible. || Mettre à la disposition de.

aperitio. Voy. APERTIO. || Anatomie; dissection.

aperte, adv. Ouvertement; manifestement. || Publiquement. ¶ Sans rien cacher; franchement.

apertibilis, *e,* adj. Apéritif.

apertilis, *e,* adj. Qu'on peut ouvrir.

apertio, *onis,* f. Action d'ouvrir; ouverture. ¶ (Partic.) Ouverture solennelle d'un temple à certains jours. ¶ (Méd.) Anatomie; dissection.

apertivus, *a, um,* adj. Apéritif.

aperto, *as, are,* tr. Ouvrir tout grand.

apertor, *oris,* m. Celui qui ouvre. ¶ (Fig.) Celui qui donne l'exemple de.

apertularius, *ii,* m. Celui qui ouvre avec effraction.

apertum, *i,* n. La rase campagne.

apertura, *ae,* f. Action d'ouvrir; ouverture. || (Méton.) Trou, ouverture.

apertus, *a, um,* p. adj. Découvert; nu. || (Fig.) Manifeste; notoire. || Intelligible; clair. || Ouvert, *c.-à-d.* franc. || Effronté, sans gêne. ¶ Ouvert, *c.-à-d.* libre, accessible. || Qui a lieu en rase campagne. ¶ Qui a l'esprit ouvert; qui a la conception prompte.

apes. Voy. APIS.

apex, *icis,* m. Sommet (d'un cône). || Cime; pointe. || Faîte (pr. et fig.) ¶ Sorte d'aigrette (au bonnet du flamine

Dialis). || Bonnet (du flamine). || Fonction du flamine. || Coiffure analogue au bonnet du flamine : mitre, tiare. || (Méton.) Puissance royale. ¶ Aigrette; houppe. || (Gramm.) Signe orthographique. || (Fig.) Vétille. || Trait d'écriture; caractère. *Apices,* m. pl. Lettre; rescrit. [douille.

apexabo ou apexao, *onis,* f. Sorte d'andouille.

aphaca, *ae,* f. Sorte de gesse. ¶ Pissenlit.

aphace, *es,* f. Comme le précédent.

aphaedros, *i,* f. Marrube (plante dont le suc passait pour éclaircir la vue).

aphaerema, *atis,* n. Gruau d'épeautre.

aphaeresis, *is,* f. Aphérèse.

aphantica, *orum,* n. pl. Lieux incultes.

aphanticus, *a, um,* adj. Désert; inculte.

apheliotes. Voy. APELIOTES.

aphita, *ae,* f. Voy. ALPHITA.

aphorismus, *i,* m. Aphorisme. [pontée.

aphractus, *i,* m. Embarcation non

aphrissa, *ae,* f. Comme DRACONTIUM.

aphrodes, m. f. Ecumeux (nom donné au pavot sauvage).

aphrodisia, *orum,* n. pl. Fêtes de Vénus.

aphrodisiaca, *ae,* ou aphrodisiace, *es,* f. Pierre de Vénus (gemme inconnue).

aphrodisiacum (METRUM), *i,* n. Espèce de mètre choriambique.

aphrodisias, *adis,* f. Voy. ACOROS.

aphron, *i,* n. Comme APHRODES.

aphronitrum, *i,* n. Ecume (*ou* fleur) de nitre; espèce de salpêtre.

aphthae, *arum,* f. pl. Aphthes.

aphye, *es,* f. Anchois.

apiacon, *i,* n. Plante recherchée des abeilles; mélisse.

apiacus, *a, um,* adj. Semblable à l'ache. Subst. *Apiacum, i,* n. Espèce de chou pommé; mélisse (voy. APIACON). ¶ D'ache.

apiana (s.-e. HERBA) *ae,* f. Camomille (plante)

apianus, *a, um,* adj. Qui concerne les abeilles. ¶ Aimé des abeilles. *Apiana uva,* raisin muscat.

apiarium, *ii,* n. Rucher.

apiarius, *ii,* m. Apiculteur.

apiastellum, *i,* n. Renoncule (scélérate). || Comme BRYONIA.

apiastra, *ae,* f. Mérops *ou* mésange (oiseau destructeur d'abeilles).

apiastrum, *i,* n. Mélisse (plante recherchée des abeilles).

apiata (s.-e. AQUA), *ae,* f. Bouillon d'ache.

apiatus, *a, um,* adj. A l'ache; bouilli avec de l'ache. ¶ Parsemé de grains d'ache; moucheté. [sous le ventre.

apica, *ae,* f. Brebis qui n'a pas de laine

apicatus, *a, um,* adj. Coiffé de l'apex (bonnet du flamine).

apiciosus, *a, um,* adj. Chauve.

apicula, *ae,* f. Petite abeille.

apicularius, *ii,* m. Comme APIARIUS.

apiculum, *i,* n. Fil de laine à l'aigrette du bonnet du flamine.

apinae, *arum,* f. pl. Bouffonneries.

apinarii. Voy. APENARII.

apinor, *aris, ari*, dép. intr. Faire le farceur.

apio, *is, ere*, tr. Attacher; adapter.

apirocalus, *a, um*, adj. Qui n'a pas le sentiment du beau; sans goût.

apis, *is*, f. Abeille.

apiscor, *eris, aptus sum, pisci*, dép. tr. Atteindre. || Rejoindre, rattraper. ¶ Saisir, s'emparer de. ¶ (Fig.) Saisir, *c.-à-d.* comprendre. ¶ (En gén.) Obtenir; remporter.

apium, *ii*, n. Ache; persil. || Céleri.

apius, *i*, m. Comme APIUM. Au plur. *Apii*, m. pl. Racines d'ache, pieds de céleri.

aplanes, *is*, adj. Non errant. || Fixe.

apluda, *ae*, f. Balle: menue paille. ¶ Son.

aplustra, *orum*, n. pl. Comme APLUSTRIA.

aplustre, *is*, n. Employé surtout au pluriel. *Aplustria*, ornement placé à la poupe des navires (hampe garnie de banderoles).

aplustria, *um*, n. pl. Voy. le précédent.

aplysiae, *arum*, f. pl. Eponges de mauvaise qualité.

apo, *is, ere*. Voy. APIO.

apoca. Voy. APOCHA.   [calypse.

apocalypsis, *is* (acc. *im*, abl., *i*), f. Apo-

apocarteresis, *is* (acc. *im*), f. Suicide par la faim.   [au même point.

apocatastasis, *is*, f. Retour (d'un astre)

apocatastaticus, *a, um*, adj. Qui revient au même point (en parl. d'un astre). ¶ Qui reparaît continuellement (en parl. d'un nombre).

apocha, *ae*, f. Quittance; reçu délivré par le créancier payé.   [quittance.

apocho, *as, are*, intr. Délivrer reçu,

apochyma, *atis*, n. Poix raclée (sur les vaisseaux).

apocleti, *orum*, m. pl. Membres du Conseil secret (ligue étolienne).

apoclisis, *is*, f. Figure de rhétorique qui consiste à s'arrêter au moment de prononcer un mot.   [en citronille.

apocolocyntosis, *is*, f. Métamorphose

apocopa, *ae*, f. Apocope.

apocope, *es*, f. Comme APOCOPA.

apocopus, *a, um*, adj. Coupé. || Châtré.

apocrisiarius, *ii*, m. Légat ecclésiastique.

apocrotus, *a, um*, adj. Qui a une vie rude.   [cryphes.

apocrypha, *orum*, n. pl. Ecrits apo-

apocryphus, *a, um*, adj. Dont l'auteur est inconnu; apocryphe.

apoculo, *as, are*, tr. Dérober aux regards.

apocynon, *i*, n. Plante qui empoisonne les chiens; cynanche. ¶ Os de grenouille venimeuse qui passait pour empêcher les chiens de mordre.

apodecta, *ae*, m. Receveur || Percepteur.

apoderinus, *a, um*, adj. Fait avec des amandes *ou* des noix écalées.

apodicticus, *a, um*, adj. Démonstratif; convaincant.   [preuve irréfutable.

apodixis, *is* (acc. *in*), f. Démonstration;

apodyterium, *ii*, n. Vestiaire (aux bains);

salle où l'on quitte ses vêtements.

apoforeta. Voy. APOPHORETA.

apogaeus, *a, um*, adj. Qui vient de la terre.   [terre.

apographon, *i*, n. Copie.

apolactizo, tr. Repousser du pied. || Mépriser.

apolectus, *i*, f. Thon de grosse espèce destiné à être salé. || Morceau de thon salé.

apollinaria, *ae*, f. Comme STRYCHNOS.

apollinaris, *is*, f. Plante nommée HYOSCAMUS. ¶ Espèce de solanée.

apologatio, *onis*, f. Apologue.

apologeticon ou apologticum, *i*, n. Apologie; écrit justificatif.

apologia, *ae*, f. Apologie; défense; justification.

apologismos, *i*, m. Fig. de rhét. qui consiste à faire des concessions apparentes dont l'adversaire, on le sait, ne peut tirer parti.   [dédaigner.

apologo, *as, avi, are*, tr. Repousser;

apologus, *i*, m. Apologue.   [d'hydromel.

apomel, *mellis, et* apomeli, *itis*. n. Sorte

apophasis, *is* (acc. *in*), f. Négation. ¶ Fig. de rhét. par laquelle on affirme en paraissant nier.   [la pituite.

apophlegmatismos, *i*, m. Remède contre

apophlegmatizo, *as, are*, tr. Faire évacuer les mucosités.   [de rhét.).

apophonema, *atis*, n. Apophonème (fig.

1. apophoreta, *orum*, n. pl. Présents faits par un hôte à ses convives. ¶ Présents offerts par les candidats à l'empereur.

2. apophoreta, *ae*, f. Assiette plate.

apophoretus, *a, um*, adj. Qu'on peut emporter. Subst. *Apophoreta*, n. pl. Voy. 1. APOPHORETA.

apophygis, *is*, f. Apophyge (partie inférieure ou supérieure du fût d'une colonne).

apopiras, *atis*, n. Remède.   [rhét.).

apoplanesis, *is*, f. Diversion (fig. de

apoplecticus, *a, um*, adj. Apoplectique.

apoplectus, *a, um*, adj. Frappé d'apoplexie.

apoplexia, *ae*, f. Comme APOPLEXIS.

apoplexis, *is*, f. Apoplexie.

apoproegmena, *orum*, n. pl. Choses secondaires (qu'on doit rejeter).

apopsis, *is*, f. Endroit d'où l'on a une belle vue; belvédère.

apor, arch. p. APUD.   [plexité.

aporia, *ae* (acc. *an*), f. Embarras; per-

aporiatio, *onis*, f. Comme APORIA.

aporior, *aris, atus sum, ari*, dép. intr. Etre embarrassé.

aporria, *as*, f. Rosée qu'on croyait découler des astres pendant les nuits sereines.

aposcopeuon, *ontis*, m. Celui qui regarde au loin (nom d'un tableau).

aposiopesis, *is*, f. Aposiope; réticence.

aposphragisma, *atis*, n. Figure gravée sur le chaton d'une bague; cachet.

asplenos, *i*, f. Romarin (plante).

apostasia, ae, f. Apostasie.

apostata, ae, m. Apostat; renégat.

apostatatio, onis, f. Apostasie. [TATIO.

apostatatus, us, m. Comme APOSTA-

apostaticus, a, um, adj. D'apostat. ¶ Suppuratif.

apostato, as, avi, are, intr. Apostasier.

apostatrix, icis, f. Celle qui apostasie.

apostema, atis, n. Apostème; abcès.

apostola, ae, f. Femme apôtre.

apostoli, orum, m. pl. (Jur.) Lettres de renvoi d'un tribunal à un autre devant lequel on fait appel.

apostolatus, us, m. Apostolat.

apostolice, adv. A la manière des apôtres.

apostolici, orum, m. pl. Disciples immédiats des apôtres. ‖ Secte d'hérétiques.

apostolicus, a, um, adj. Des apôtres; apostolique.

apostolus, i, m. Apôtre.

apostropha, ae, f. Voy. le suivant.

apostrophe, es, f. Apostrophe (fig. de rhét.).

apostrophos et apostrophus, i, m. Apostrophe (signe de ponctuation).

apotactitae, arum, m. pl. Secte d'hérétiques appelée aussi apostolici.

apotamia, ae, f. Office. ‖ Garde-manger.

apotelesma, matis, n. Influence des astres sur la destinée humaine.

apotelesmatice, es, f. Astrologie, science des horoscopes.

apotelesmaticus, a, um, adj. Relatif à l'astrologie ou aux horoscopes.

apotheca, ae, f. Réserve à provisions; office; magasin; cellier. ‖ Grenier situé au-dessus du foyer et où l'on exposait à la fumée le vin contenu dans des amphores. [lant.

apothecarius, ii, m. Marchand détail-

apotheco, as, are, tr. Emmagasiner.

apotheosis, is, f. Apothéose.

apotome, es, f. Demi-ton mineur.

apoxyomenos, i, m. L'homme qui s'étrille (titre d'une statue de Lysippe).

apozema, atis, n. Infusion. ‖ Décoction.

apozymo, as, are, tr. Irriter (une plaie pour en hâter l'ouverture).

appaginecuti, orum, m. pl. Ornements; enjolivements.

appango. Voy. 2. APPINGO. [RATUS.

apparamentum, i, n. Comme 2. APPA-

apparate, adv. Avec apparat; magnifiquement. ¶ D'une manière apprêtée (à propos du style).

apparatio, onis, f. Action d'apprêter; préparation; apprêt. ‖ Magnificence. ¶ Apprêt; recherche (de style).

apparator, oris, m. Celui qui apprête. ‖ Ordonnateur. Voy. APPARITOR.

apparatorium, ii, n. Endroit clos attenant à un tombeau où l'on célébrait les repas funèbres.

apparatrix, icis, f. Celle qui apprête. ¶ Voy. APPARITRIX.

1. apparatus, a, um, p. adj. Apprêté. ‖ Somptueux; magnifique. ¶ Apprêté; maniéré (en parl. du style).

2. apparatus, us, m. Action de préparer. ‖ Préparation; apprêt. Plur. Apparatus, apprêts, préparatifs. ¶ Ce qui est apprêté : appareil, attirail, matériel. ‖ (Partic.) Grand équipage, apparat, magnificence; pompe. ‖ (Fig.) Recherche, affectation (style).

apparentia, ae, f. Apparition. ¶ Apparence; extérieur.

appareo, es, ui, itum, ere, intr. Apparaître; devenir visible. ‖ Comparaître. ‖ (Fig.) Se manifester. Impers. Apparet, il est visible ou évident. ¶ Être aux ordres de; être attaché au service (d'un magistrat). [apparaître.

apparesco, is, ere, intr. Commencer à

appario, is, ere, tr. Acquérir en sus.

apparitio, onis, f. Apparition. ‖ Epiphanie. ¶ Fonction d'appariteur. (Méton.) Apparitiones, les appariteurs.

apparitor, oris, m. Appariteur.

apparitorium. Voy. APPARATORIUM.

apparitrix, icis, f. Confondu avec APPARATRIX. [teur.

apparitura, ae, f. Fonction d'appari-

apparo, as, avi, atum, are, tr. Apprêter; préparer. ¶ S'apprêter.

appasco, is, ere, tr. Repaître.

appectoro, as, avi, atum, are, tr. Presser sur sa poitrine.

appellatio, onis, f. Action d'adresser la parole. ‖ Action de s'adresser à; recours. ‖ (Jur.) Appel; pourvoi. ‖ Dénomination, appellation. ‖ (Méton.) Nom; titre; intitulé. ¶ (Gramm.) Nom (ou substantif); nom commun. ‖ Enonciation; prononciation.

appellativus, a, um, adj. Qui sert à dénommer. ‖ (Gr.) Appellatif ou commun (opp. à propre). ‖ Ainsi nommé, prétendu (opp. à réel). [droit.

appellator, oris, m. Appelant (t. de

appellatorius, a, um, adj. Relatif à l'appel; d'appel.

appellito, as, are, tr. Avoir coutume d'appeler ou de nommer.

1. appello, as, avi, atum, are, tr. Adresser la parole à; interpeller; saluer. ‖ Appeler (qqn) par son nom. ¶ S'adresser à qqn (en vue de qqch.). ‖ Solliciter; chercher à séduire. ‖ Invoquer; avoir recours. ¶ (Jur.) Faire appel. ‖ Citer (en justice). ‖ Faire commandement à. ‖ Prendre à témoin. ¶ Appeler, c.-à-d. dénommer; désigner. ¶ Prononcer; articuler.

2. appello, is, puli, pulsum, ere, tr. Pousser vers; faire approcher. ¶ (Fig.) Amener (à un certain état); appliquer (son intelligence) à. ¶ (Spéc.) Faire aborder. ‖ (Absol.) Aborder; atterrir.

appendeo, es, ere, intr. et tr. ¶ (Intr.) Etre suspendu à. ‖ (Tr.) Pendre, accrocher. ‖ Poser. [soire.

appendicium, ii, n. Annexe. ‖ Accessoire.

appendicula, ae, f. Petite annexe.

appendium, ii, n. Poids qu'on suspendait aux pieds des mauvais débiteurs mis en croix.

appendix, *icis*, f. Appendice. ‖ Dépendance. ‖ Annexe. ‖ Accessoire. ‖ Supplément; corollaire. ¶ Epine-vinette (plante).

appendo, *is*, *pendi*, *pensum*, *ere*, tr. Suspendre, accrocher à. ¶ Poser qqch. devant qqn. ‖ *Qqf.* Payer.

appensio, *onis*, f. Pesée. ‖ Estimation.

appensor, *oris*, m. Celui qui pèse.

appensorius, *a*, *um*, adj. Qui concerne celui qui pèse.

appensus, *us*, m. Action de peser.

appertineo, *es*, *ere*, intr. Etre attenant à; faire partie de.

appetens, *entis*, p. adj. Désireux, avide. ‖ Cupide; intéressé.

appetenter, adv. Avec convoitise.

appetentia, *ae*, f. Désir; convoitise.

appetibilis, *e*, adj. Désirable.

appetisso, *is*, *ere*, tr. Aller chercher (un argument).

appetitio, *onis*, f. Effort pour saisir. ‖ Désir, convoitise; passion. ¶ (Spéc.) Appétit.   [¶ Amateur.

appetitor, *oris*, m. Celui qui convoite.

appetitrix, *tricis*, f. Celle qui convoite.

appetitus, *us*, m. Attaque; agression. ¶ Désir, passion. ‖ Appétit.

1. **appeto**, *is*, *ivi* et *ii*, *itum*, *ere*, tr. et intr. ¶ (*Tr.*) Se porter vers. ¶ Chercher à saisir. ‖ (Fig.) Désirer, convoiter. ‖ Aimer, avoir du goût pour. ¶ Se diriger vers; aller s'établir (à *ou* dans). ‖ S'attaquer à; assaillir. ¶ (*Intr.*) S'approcher; s'avancer (en parl. du temps); être sur le point d'arriver (en parl. d'un événement).

2. **appeto**, *onis*, m. Celui qui convoite. ¶ Celui qui attaque. ‖ Brigand.

1. **appingo** (ADPINGO), *is*, *pinxi*, *pictum*, *ere*, tr. Peindre, représenter à côté de *ou* parmi. ‖ Ajouter à ce que l'on peint. ‖ (Fig.) Ajouter à ce que l'on écrit.

2. **appingo**, *is*, *ere*, tr. Attacher; fixer.

appiosus, *a*, *um*, adj. Atteint d'un étourdissement.   [les œufs).

applar, *aris*, n. Petite cuiller (pour

applaudo (ADPLAUDO), *is*, *plausi*, *plausum*, *ere*, tr. et intr. ¶ (*Tr.*) Frapper contre (de façon à faire claquer); jeter contre (terre); terrasser. ¶ (*Intr.*) Battre des mains; applaudir.

applausor, *oris*, m. Celui qui applaudit.

applausus, *us*, m. Applaudissement.

applicatio, *onis*, f. Attachement; mouvement affectueux. ¶ Action de s'attacher (comme à qqn).

applicatus, *a*, *um*, p. adj. Bien adhérent; qui ne s'écarte pas.

applicior, *oris*, adj. (au compar.). Plus étroit; plus serré.

applicitus, *a*, *um*, p. adj. Parfaitement adapté à; moulé sur.

applico, *as*, *avi* et *ui*, *atum* et *itum*, *are*, tr. Mettre sur *ou* contre; appuyer à

adosser. ‖ Mettre en contact avec; appliquer, faire adhérer; approcher, faire avancer. ‖ (T. de mar.) Diriger vers; faire aborder à. ‖ (Intr.) Aborder à. ¶ (Fig.) Unir; ajouter. *Se applicare*, s'attacher (comme client à qqn); se lier avec. ‖ Diriger; tourner son esprit, appliquer. ‖ Employer; faire servir à. ‖ Mettre sur le compte de; imputer.

appluda. Voy. APLUDA.

applumbatus, *a*, *um*, p. adj. Soudé avec du plomb.

appono, *is*, *posui*, *positum*, *ere*, tr. Poser sur *ou* auprès de, devant. ‖ (Spéc.) Poser (les mets sur la table), servir. ‖ Placer aux côtés de; adjoindre. ‖ Apporter. ‖ Ajouter; compter comme.

apporrectus, *a*, *um*, p. adj. Etendu auprès.   [‖ Transport, charroi.

apportatio, *onis*, f. Action d'apporter.

apporto, *as*, *avi*, *atum*, *are*, tr. Apporter. ¶ (Fig.) Apporter; amener; être cause de.

apposco, *is*, *ere*, tr. Demander en outre.

apposite, adv. Convenablement; comme il sied. ‖ Exactement.

appositio, *onis*, f. Action de placer sur, auprès, devant. ‖ Action de servir. ‖ (Méd.) Application. ‖ (Fig.) Imputation. ‖ Addition. ‖ (Gramm.) Apposition.

appositivus, *a*, *um*, adj. (Gr.) Construit en apposition.

appositum, *i*, n. Epithète.

1. **appositus**, *a*, *um*, p. adj. Attenant à, limitrophe. ‖ (Fig.) Enclin à, ¶ Approprié; convenable; commode; opportun. ‖ Apte, adroit.

2. **appositus**, *us*, m. Application (d'un remède). ‖ Action de servir sur la table.

appostorium, *ii*, n. Rallonge.

appostulo, *as*, *are*, tr. Demander en outre. ‖ Demander avec insistance.

appotus, *a*, *um*, adj. Qui a bu copieusement.

apprecio. Voy. APPRETIO.

apprecor, *aris*, *atus sum*, *ari*, dép. tr. Adresser des prières à; invoquer.

apprehendo, *is*, *prehendi*, *prehensum*, *ere*, tr. Saisir avec les mains; empoigner. ‖ Appréhender au corps; arrêter. ‖ (En gén.) Se saisir de, s'emparer de. ¶ (Fig.) Saisir, concevoir, comprendre. ‖ Embrasser (une opinion). ‖ Comprendre, mentionner.

apprehensibilis, *e*, adj. Compréhensible. ‖ Concevable.

apprehensio, *onis*, f. Action de saisir. ‖ (T. méd.) Catalepsie. ¶ (Fig.) Compréhension. ‖ Connaissance.

apprendo. Voy. APPREHENDO.

apprenso, *as*, *are*, tr. Saisir plusieurs fois. ‖ Chercher à saisir.

appretiatio, *onis*, f. Appréciation.

appretio, *as*, *avi*, *atum*, *are*, tr. Mettre à prix; évaluer; apprécier. ¶ Acheter.

apprime, adv. Supérieurement. || Particulièrement. ¶ Extrêmement; beaucoup, très.   [Presser contre.

apprimo, *is*, *pressi*, *pressum*, *ere*, tr.

apprimus, *a*, *um*, adj. Supérieur, éminent.

approbabilis, *e*, adj. Digne d'approbation.

approbamentum, *i*, n. Preuve.

approbatio, *onis*, f. Approbation; assentiment. || Assurance (de l'esprit). || Adhésion (de la volonté). ¶ Preuve; démonstration. || (Rhét.) Confirmation.   [l'assentiment.

approbativus, *a*, *um*, adj. Qui exprime

approbator, *oris*, m. Celui qui approuve.

approbatus, *a*, *um*, p. adj. Admissible. || Convenable.

approbe, adv. Parfaitement bien.

approbo, *as*, *avi*, *atum*, *are*, tr. Reconnaître pour de bon aloi. || Approuver; admettre. ¶ Faire reconnaître pour bon, pour recevable. || Faire approuver; faire accepter. ¶ Prouver, confirmer; démontrer.   [excellent.

approbus, *a*, *um*, adj. De bon aloi;

appromissor, *oris*, m. Celui qui se porte garant. || Répondant.

appromitto, *is*, *misi*, *missum*, *ere*, tr. Promettre pour autrui; se porter garant.

approno, *as*, *are*, tr. Pencher. || Baisser.

appropero, *as*, *avi*, *atum*, *are*, tr. et intr. ¶ (*Tr.*) Hâter. || (*Intr.*) Se hâter.

appropinquatio, *onis*, f. Approche.

appropinquo, *as*, *avi*, *atum*, *are*, intr. Approcher; s'approcher.

appropio, *as*, *avi*, *are*, intr. Comme le précédent.   [assimilation.

appropriatio, *onis*, f. Appropriation;

approprio, *as*, *are*, tr. Approprier. ¶ (*Intr.*) S'assimiler.

approximo, *as*, *are*, intr. S'approcher.

appugno, *as*, *are*, tr. Attaquer.

appulsus, *us*, m. Action de pousser vers, de faire approcher. || (Jur.) Droit de mener des troupeaux à l'abreuvoir. ¶ (Mar.) Accès à un rivage; action d'aborder; débarquement. ¶ Voisinage, contact. || Atteinte.

appungo, *is*, *ere*, tr. Usité seul. au part. *appunctus*, *a*, *um*, marqué d'un point.

apra, *ae*, f. Sanglier femelle, laie.

aprarius, *a*, *um*, adj. Relatif au sanglier.

apricatio, *onis*, f. Action de se chauffer au soleil.

apricitas, *atis*, f. Douce température (d'un lieu exposé au soleil); air doux.

aprico, *as*, *are*, tr. Exposer au soleil. || Echauffer. || (Fig.) Réchauffer.

apricor, *aris*, *atus sum*, *ari*, dep. intr. Se chauffer au soleil.

apriculus, *i*, m. Sorte de poisson, *peut-être* le grondin.

apricum, *i*, n. Endroit où il y a du soleil. || Le grand jour.

apricus, *a*, *um*, adj. Exposé au soleil. || Qui se plaît au soleil. || Où il y a du soleil; clair, lumineux, chaud.

aprilis, *e*, adj. D'avril. Subst. *Aprilis*, *is*, m. Le mois d'avril; avril.

aprina, *ae*, f. Viande de sanglier.

aprineus, *a*, *um*, adj. Comme APRINUS.

aprinus, *a*, *um*, adj. De sanglier.

aprocopus (voy. APOCOPUS). A qui rien ne réussit.

aprogineus. Voy. APRUGINEUS.

apronia, *ae*, f. Comme BRYONIA.

aproxis, *is*, f. Plante dont les racines peuvent prendre feu de loin.

apruco, *onis*, f. Saxifrage (plante).

aprugineus, *a*, *um*, adj. De sanglier.

aprugna, *ae*, f. Chair de sanglier.

aprugnus, *a*, *um*, comme APRINUS.

aprunculus, *i*, m. Marcassin.

aprunus. Voy. APRINUS.

aps... Voy. ABS...   [cleuse.

apsyctos, *i*, f. Nom d'une pierre précieuse.

aptabilis, *e*, adj. Approprié; convenable.

aptabilitas, *atis*, f. Aptitude.

aptabiliter, adv. D'une manière appropriée *ou* convenable.

aptatura, *ae*, f. Action d'arranger; de mettre en état.

apte, adv. En s'adaptant exactement. ¶ (Fig.) D'une manière appropriée. || Convenablement. || Avec justesse.

aptifico, *as*, *are*, tr. Comme APTO.

apto, *as*, *avi*, *atum*, *are*, tr. Adapter; ajuster; emboîter. || Appliquer; fixer. ¶ Equiper, mettre en état. ¶ (Fig.) Adapter, approprier; conformer.

aptote, adv. D'une manière indéclinable.

aptotus, *a*, *um*, adj. Qui n'a pas de cas; indéclinable.

aptra, *orum*, n. pl. Feuilles de vigne.

aptus, *a*, *um*, p. adj. Attaché, fixé. || (Fig.) Attaché à; qui dépend de. || Où tout se tient étroitement. || (Fig.) Rigoureux, précis (en parl. du style et de la composition). ¶ Mis en état; arrangé; équipé. || Muni de. || ¶ Qui s'adapte bien; qui va bien. || (En gén.) Exact, convenable; fait pour; apte, propre à, capable de.

apua, *ae*, f. Comme APHYA.

apud, prép. (av. l'acc.) Auprès de, chez, en présence de. || Chez (un auteur); dans. || Du temps de. || Auprès de, à. *Dicere apud populum*, parler au peuple. ¶ (Avec un nom de lieu.) *Pugna apud Cannas*, la bataille livrée à Cannes, la bataille de Cannes. || En. dans. || *Qqf*, *mais incorr.* A, chez (avec mouvement).

apuliae, *arum*, f. pl. Toiles tendues au-dessus du théâtre contre le soleil.

apus, *podis*, m. Martinet (hirondelle qui ne se sert jamais de ses pattes).

apyrenum, *i*, n. Sorte de grenades dont les grains sont très tendres.

apyrenus et apyrinus, *a*, *um*, adj. Sans grains; sans pépins.

apyretus, *a*, *um*, adj. Qui est sans fièvre.

apyros, *on*, adj. Qui n'a pas été au feu; (métal) vierge *ou* natif.

aqua, *ae*, f. Eau. ¶ (Partic.) Amas d'eau; rivière, lac, mer. || Pluie. || Larme. || (Au plur.) Eaux, sources minérales *ou* thermales.

aquaeductio, *onis*, f. Conduite des eaux.

1. **aquaeductus**, *us*, m. Droit d'amener l'eau dans son domaine. ¶ Aqueduc.

2. **aquaeductus**, *i*, m. Comme le précédent. [de l'eau.

aquae haustus, *us*, m. Droit de puiser

aquaelicium, *ii*, n. Sacrifice pour obtenir des dieux la pluie. ¶ (Méton.) Victime immolée à cette occasion.

aquaemanalis, *is*, m. Aiguière. || Cuvette.

aquagium, *ii*, n. Rigole (d'adduction d'eau).

aquale. Voy. AQUALIS.

aqualiculus, *i*, m. Panse. || Estomac (du cochon). ¶ Bas-ventre.

aqualis, *e*, adj. Relatif à l'eau. Subst. *Aqualis*, *is*, m. ou *aquale*, *is*, n. Pot à eau; seau (d'eau).

aqualium, *ii*, n. Pot à eau.

aquariolus, *i*, m. Diminutif d'AQUARIUS.

aquaris (MOLA), f. Moulin à eau.

aquarium, *ii*, n. Réservoir d'eau. || Abreuvoir. ¶ Aiguière.

1. **aquarius**, *a*, *um*, adj. Relatif à l'eau; qui sert à amener l'eau *ou* à la recevoir. Subst. *Aquarius*, *ii*, m. Porteur d'eau. || Fonctionnaire du service des eaux. || Le Verseau (signe du zodiaque).

2. **aquarius**, *ii*, m. Voy. 1. AQUARIUS.

aquate, adv. Avec de l'eau; en y mettant de l'eau. [geux.

aquatica, *orum*, n. pl. Lieux marécaguatica, *a*, *um*, adj. D'eau; qui vit dans l'eau; aquatique. || Humide. ¶ Qui est couleur d'eau.

aquatilia, *ium*, n. pl. Animaux aquatiques. ¶ Vésicules pleines d'eau (maladie du bétail).

aquatilis, *e*, adj. Qui se trouve dans l'eau. ¶ Qui contient de l'eau; aqueux.

aquatio, *onis*, f. Action d'aller chercher de l'eau. || (Méton.) Endroit où l'on trouve de l'eau; abreuvoir. ¶ Action de fournir de l'eau, arrosement. || Pluie. || (Méton.) Flaque d'eau; mare.

aquator, *oris*, m. Celui qui va à la provision d'eau.

aquatus, *a*, *um*, p. adj. Étendu d'eau; mêlé avec de l'eau. ¶ Qui contient de l'eau; aqueux. ¶ Fluide, clair (en parl. d'un liquide). [de l'eau.

aqueus, *a*, *um*, adj. D'eau; de la nature de l'eau.

aquicelus. Voy. RAVICELUS.

aquiducus, *a*, *um*, adj. (Méd.) Qui tire les humeurs. [LIUS.

aquifolius, *a*, *um*, adj. Comme ACRIFO-

aquifuga, *ae*, m. f. Hydrophobe.

aquigenus, *a*, *um*, adj. Né dans l'eau.

aquila, *ae*, f. Aigle (oiseau). || Aigle (enseigne de légion). || (Méton.) Légion. || Grade de porte-enseigne. || (Au plur.)

Aigles, ornements au fronton du temple de Jupiter Capitolin. ¶ Aigle de mer, espèce de raie (poisson). || Aigle (constellation).

1. **aquilegus**, *a*, *um*, adj. Qui sert à puiser de l'eau.

2. **aquilegus**, *i*, m. Comme AQUILEX.

aquilentana, *orum*, n. pl. Contrées septentrionales.

aquilentanus, *a*, *um*, adj. Septentrional.

aquilentus, *a*, *um*, adj. Chargé d'eau.

aquilex, *legis*, m. Sourcier.

aquilicium. Voy. AQUAELICIUM.

aquilifer, *feri*, m. Officier porte-enseigne.

aquilinus, *a*, *um*, adj. D'aigle: aquilin.

aquilius, *a*, *um*, adj. Comme AQUILUS.

aquilo, *onis*, m. Aquilon, vent du nord.

aquilonalis, *e*, adj. Du nord; du septentrion. [NALIS.

aquilonaris, *e*, adj. Comme AQUILO-

aquilonianus, *a*, *um*, adj. Comme AQUILONALIS. [trional.

aquilonius, *a*, *um*, adj. Boréal; septen-

aquilus, *a*, *um*, adj. Brun foncé; basané (en parl. du teint).

aquimanile, *is*, n. Aiguière.

aquiminale, *is*, n. Aiguière.

aquiminarium, *ii*, n. Comme les précédents.

aquipedius. Voy. ACUPEDIUS.

aquivergium, *ii*, n. Puisard.

1. **aquola**. Voy. AQUILA.

2. **aquola**. Voy. AQUULA.

aquor, *aris*, *atus sum*, *ari*, dép. intr. Aller chercher de l'eau; faire la provision d'eau.

aquositas, *atis*, f. Abondance de matières aqueuses.

aquosus, *a*, *um*, adj. Abondant en eau; humide; pluvieux. || Transparent comme de l'eau.

aquula, *ae*, f. Petit filet d'eau; petite quantité d'eau; petit ruisseau.

ar, arch. p. AD.

1. **ara**, *ae*, f. Autel. || (Méton.) Refuge. ¶ Tout objet pouvant être assimilé à un autel: tertre, bûcher; cippe; borne.

2. **ara**, *ae*, f. Voy. HARA.

arabarches, *ae*, m. Arabarque, receveur des douanes en Egypte.

arabarchia, *ae*, f. Fonction d'arabarque.

arabice adv. A la façon des Arabes; en langue arabe.

arabilis, *e*, adj. Arable.

arachidna, *ae*, f. Gesse souterraine (plante). [cadran solaire.

arachne, *es*, f. Araignée. ¶ Sorte de

aracia. Voy. ARATIA.

aracos, *i*, m. Pois sauvage.

araeostylos, *on*, adj. Dont les colonnes sont très espacées.

aranea, *ae*, f. Araignée. || (Méton.) Toile d'araignée. || Fil (aussi fin qu'une toile d'araignée). [font leur toile.

araneans, *antis*, adj. Où les araignées

araneola, *ae*, f. Petite araignée. || (Méton.) Petite toile d'araignée.

araneolus, *i*, m. Petite araignée.

araneosus, *a*, *um*, adj. Plein de toiles d'araignée.¶ Semblable aux fils d'araignée.

araneum, *i*, n. Toile d'araignée.

1. araneus, *i*, m. Araignée. ¶ Vive (poisson).

2. araneus, *a*, *um*, adj. D'araignée. *Araneus mus*, musaraigne.

arapennis. Voy. AREPENNIS.

arater, *tri*, m. Comme ARATRUM.

aratia (s.-e. FICUS), *ae*, f. Sorte de figue blanche.

aratio, *onis*, f. Action de labourer; labour. || Agriculture. || (Méton.) Terre labourée; champ. Au plur. *Arationes*, terres du domaine public affermées.

aratiuncula, *ae*, f. Petit labourage. || Petit sillon.

arator, *oris*, m. Laboureur. || Cultivateur. homme des champs. ¶ Fermier du domaine public.

aratorius, *a*, *um*, adj. De labour. Subst. *Aratoria*, n. pl. Terres labourables.

aratro et artro, *as*, *are*, tr. Donner un second labour.

aratrum, *i*, n. Charrue; araire.

aratus, *us*, m. Labourage.

arbiter, *tri*, m. Témoin (oculaire et auriculaire); confident; spectateur. ¶ (Jur.) Arbitre. ¶ Celui qui décide de. || Maître absolu; souverain.

arbiterium, *i*, n. Voy. ARBITRIUM.

arbitra, *ae*, f. Celle qui est témoin; confidente. || Celle qui décide.

arbitralis, *e*, adj. D'arbitre; arbitral.

arbitrario, adv. D'une façon incertaine.

arbitrarius, *a*, *um*, adj. Relatif à l'arbitre; arbitral. ¶ Qui dépend de la volonté; arbitraire; incertain.

arbitratio, *onis*, f. Comme ARBITRATUS.

arbitrator, *oris*, n. Souverain maître.

arbitratrix, *icis*, f. Celle qui préside à.

arbitratus, *us*, m. Arbitrage. || Volonté; bon plaisir; gré.

arbitrium, *ii*, n. Présence d'un témoin. || Décision de l'arbitre, arbitrage. || Sentence; jugement. || Fixation. || Taxation. || Droit de décider. || Pouvoir. || Bon plaisir; gré.

arbitro, *as*, *are*, comme le suivant.

arbitror, *aris*, *atus sum*, *ari*, dép. Etre témoin de; observer *ou* écouter. || (Fig.) Considérer; étudier. ¶ (Spéc.) Décider (en qualité d'arbitre). || Adjuger. ¶ Estimer, penser, croire.

arbor, *oris*, f. Arbre. || (Méton.) Bois (de construction). ¶ Ce qu'on fait avec du bois : mât, rame, bateau; lance, javeline; potence, croix, arbre de pressoir. ¶ Sorte de zoophyte.

arborarius, *a*, *um*, adj. Relatif aux arbres.

arborator, *oris*, m. Celui qui taille les arbres. ¶ (Spéc.) Celui qui s'occupe des arbres, qui les soigne.

arboresco, *is*, *ere*, intr. Devenir arbre.

arboretum, *i*, n. Comme ARBUSTUM.

arboreus, *a*, *um*, adj. D'arbre. || De la nature des arbres. || Semblable à un arbre.

arbos. Comme ARBOR.

arbuscula, *ae*, f. Arbrisseau. ¶ Aigrette; bouquet de plumes. ¶ (Au plur.) *Arbusculae*, chariots à roues basses pour transporter des machines de guerre.

arbusculosus, *a*, *um*, adj. Planté d'arbres.

arbusticola, *ae*, m. Celui qui cultive

arbusculum, *i*, n. Voy. ARBUSCULA.

arbustivus, *a*, *um*, adj. Planté d'arbres. ¶ Attaché à un arbre, soutenu par un arbre (en parl. d'un cep).

arbustum, *i*, n. Lieu planté d'arbres; verger. || Lieu planté d'arbres destinés à soutenir des vignes. ¶ Arbre.

arbustus, *a*, *um*, adj. Planté d'arbres. ¶ Soutenu par un arbre.¶ De la nature des arbres.

arbuteus, *a*, *um*, adj. D'arbousier.

arbutum, *i*, n. Arbouse. ¶ Arbousier.

arbutus, *i*, f. Arbousier (arbrisseau).

arca, *ae*, f. Caisse; coffre. || (Spéc.) Coffre-fort; caisse; cassette. || (Méton.) Argent du coffre-fort. || Comme FISCUS. ¶ Tout objet en forme de caisse; bière, cercueil. || Cachot. || Borne quadrangulaire. || Batardeau.

arcano, adv. En secret.

arcanum, *i*, n. Secret; mystère.

arcanus, *a*, *um*, adj. Secret; mystérieux. ¶ Qui garde le secret; discret.

1. arcarius, *ii*, m. Caissier.

2. arcarius, *a*, *um*, adj. Qui concerne la caisse. [de forme quadrangulaire.

arcatura, *ae*, f. Borne (d'un champ)

arcella, *ae*, f. Coffret; cassette. ¶ Petite borne (d'un champ). [ductive.

arcellaca, *ae*, f. Sorte de vigne très pro-

arcellula, *ae*, f. Petit coffret.

arceo, *es*, *cui*, *ere*, tr. Tenir enfermé; contenir. || (Fig.) Contenir; maintenir (dans l'obéissance). ¶ Tenir à distance. || Ecarter. || Interdire (à qqn. d'approcher). || Empêcher; défendre. || Préserver. [des infirmes.

arcera, *ae*, f. Chariot couvert à l'usage

accessio, *onis*, f. Comme le suivant.

accessitio, *onis*, f. Appel. || Rappel.

arcessitor, *oris*, m. Celui qui appelle *ou* qui va chercher. ¶ (Jur.) Accusateur. || Plaignant. [tion.

arcessitus, abl. *u*, m. Appel. || Invita-

arcesso, *is*, *ivi*, *itum*, *ere*, tr. Faire venir; mander; envoyer (*ou* aller) chercher; évoquer. || (Jur.) Citer (en justice); accuser.

arceuthinus, *a*, *um*, adj. De genévrier.

archaeus, *a*, *um*, adj. Ancien.

archangelicus, *a*, *um*, adj. D'archange.

archangelus, *i*, m. Archange.

archarius. Voy. 2. ARCARIUS.

archebion, *i*, n. Comme ANCHUSA.

archeclavius, *ii*, m. Portier du ciel.

archeotes, *ae*, m. Archiviste.

archetypum, *i*, n. Archétype; modèle; original.

archetypus, *a*, *um*, adj. Original.

archezostis, *tidis*, f. Couleuvrée *ou* vigne blanche.

archiater. Voy. ARCHIATROS.

archiatra, *ae*, f. Dignité de premier médecin.

archiatros, *i*, m. Médecin en chef.

archibuculus, *i*, m. Chef des prêtres de Bacchus.

archiclinicus, *i*, m. Ordonnateur en chef des funérailles. [DIACONUS.

archidiacon, *onis*, m. Comme ARCHI-

archidioconatus, *us*, m. Dignité d'archidiacre; archidiaconat.

archidiaconus, *i*, m. Archidiacre.

archiepiscopus, *i*, m. Archevêque.

archiereus, *ei*, et *eos*, m. Grand prêtre.

archierosyna, *ae*, f. Dignité de grand prêtre. [Cybèle.

archigallus, *i*, m. Grand prêtre de

archigeron, *ontis*, m. Chef des vieillards.

archigubernus, *i*, m. Pilote en chef; chef des pilotes.

archimagirus, *i*, m. Cuisinier en chef.

archimandrita, *ae*, m. Archimandrite; supérieur d'un couvent. [couvent.

archimandritissa, *ae*, f. Supérieure d'un

archimartyr, *is*, m. Prince des martyrs.

archimima, *ae*, f. Actrice principale (dans les mimes). [(dans les mimes).

archimimus, *i*, m. Acteur principal

archinauta, *ae*, m. Chef des matelots.

archiotes. Voy. ARCHEOTES.

archipirata, *ae*, m. Chef de pirates.

archiposia, *ae*, f. Présidence d'un festin.

archipresbyter, *i*, m. Archiprêtre.

archisacerdos, *otis*, m. Grand prêtre.

archisellium. Voy. ARCISELLIUM.

archisynagogus, *i*, m. Chef d'une synagogue. [tural.

architecticus, *a*, *um*, adj. Architec-

architectio, *onis*, f. Architecture.

architecton, *onis* (acc. pl. *onas*, abl. pl. *onis*), m. Architecte. || (Par plais.) Intrigant; maître filou.

architectonica, *ae*, f. Architecture.

architectonice, *es*, f. Comme ARCHITEC-TONICA.

architectonia, *ae*, f. Comme le précédent.

architectonicus, *a*, *um*, adj. Architectural.

architectonor. Comme ARCHITECTOR.

1. architector, *aris*, *atus sum*, *ari*, dép. tr. Édifier, disposer selon les règles de l'art. || (Fig.) Imaginer avec art; raffiner dans l'invention. [TECTUS.

2. architector, *oris*, m. Comme ARCHI-

architectura, *ae*, f. Architecture.

architectus, *i*, m. Architecte. || (Fig.) Fondateur; auteur. || Artisan, instigateur (en mauv. part.).

architriclinium, *ii*, n. Grande salle à manger (pour réception).

architriclinus, *i*, m. Maître d'hôtel.

archium, *i*, n. Lieu où l'on conserve les archives. || (Méton.) Archives.

archivum, *i*, n. Comme ARCHIUM.

archon, *ontis*, m. Archonte. || (En gén.) Magistrat.

arcifer, *feri*, m. Archer.

arcifinalis, *e*, et arcifinius, *a*, *um*, adj. Dont les limites ne sont pas fixées par une loi.

arcion, *ii*, n. Bardane.

arcipirata. Voy. ARCHIPIRATA.

arcipotens, *entis*, adj. (Puissant par l'arc); archer divin (Apollon).

arcirma, *ae*, f. Voy. ARCERA.

arcisellium, *ii*, n. Fauteuil.

arcitenens, *entis*, adj. Qui tient un arc. ¶ (Subst.) Le dieu à l'arc (Apollon). || Le Sagittaire (signe du zodiaque).

arcivus, *a*, *um*, adj. Prohibitif. ¶ De mauvais augure.

arcoleon, *ontis*, m. Espèce de lion.

arctatio, *onis*, f. Contraction (t. de gramm.).

arcticus, *a*, *um*, adj. Arctique. [nue.

arction, *ii*, n. Nom d'une plante inconarcto. Voy. ARTO.

arctous. Comme ARCTICUS.

arctus. Voy. ARTUS. [les arcs.

1. arcuarius, *a*, *um*, adj. Qui concerne

2. arcuarius, *ii*, m. Fabricant d'arcs.

arcuatilis, *e*, adj. Voûté.

arcuatim, adv. En forme d'arc.

arcuatio, *onis*, f. Cintre; arche; arcade.

arcuatura, *ae*, f. Comme ARCUATIO.

arcuatus, *a*, *um*, adj. Arqué, cintré; voûté. ¶ Voy. ARQUATUS.

arcuballista, *ae*, f. Arbalète.

arcuballistarius, *ii*, m. Arbalétrier.

arcula, *ae*, f. Petit coffret; cassette. || Petit coffre-fort. || Boîte aux parfums. || Boîte au fard. || Boîte de couleurs. ¶ Sommier (d'un orgue).

arcularius, *ii*, m. Fabricant de boîtes à parfums.

arculata, *orum*, n. pl. Couronnes, gâteaux (en forme de croissants).

arculatus, *a*, *um*, p. adj. Courbé en forme d'arc.

arculum, *i*, n. Diadème spécial que portait dans certains cas la femme du *rex sacrificulus* ou la *flaminica dialis*.

arculus, *i*, m. Bourrelet; coussinet (qu'on se met sur la tête pour porter une charge). [d'arc; cintrer.

arcuo, *as*, *are*, tr. Courber en forme

arcus, *us*, m. Arc. ¶ (Par anal.) Arcen-ciel. || Arche; arcade; voûte. || Arc de triomphe. || (Géom.) Arc de cercle. || Tout objet en forme d'arc; courbure.

ardalio. Voy. ARDELIO.

ardea, *ae*, f. Héron. [coche)

ardelio, *onis*, m. Ardélion (mouche du

ardens, *entis*, p. adj. Brûlant. || Ardent; éclatant. ¶ (Mor.) Plein de feu; ardent; passionné. [passionnément.

ardenter, adv. Ardemment; avec feu.

ardeo, *es*, *arsi*, *arsum*, *ere*, intr. Être en feu; brûler. || Être éclatant; briller.

¶ (Fig.) Eprouver une douleur ardente; souffrir cruellement. || Brûler (de passion); désirer ardemment. || Etre rempli d'ardeur. ¶ (Rare.) *Tr.* Brûler; livrer aux flammes.

ardeola, *ae*, f. Même sens que ARDEA.

ardesco, *is*, *ere*, intr. Se mettre à brûler. || Flamboyer. || (Fig.) Se passionner. ¶ (Rare.) *Tr.* Allumer, mettre le feu à.

ardifetus, *a*, *um*, adj. Qui a conçu de la flamme, *c.-à-d* enflammé.

ardiola. Voy. ARDEOLA. [nue.

ardissa, *ae*, f. Nom d'une plante incon-

ardor, *oris*, m. Embrasement. || Chaleur extrême, ardeur. || (Par ext.) Flamboiement. || (Fig.) Douleur ardente, tourment. ¶ Feu (de la passion), désir ardent. || Amour passionné. || (Méton.) Objet aimé. || Ardeur, enthousiasme.

ardue, adv. D'une manière gênante.

arduitas, *atis*, f. Escarpement. ¶ Raideur (d'une pente).

arduum, *i*, n. Lieu escarpé. || Lieu élevé; hauteur. || (Fig.) Difficulté.

arduus, *a*, *um*, adj. Escarpé; à pic; difficile à gravir. ¶ Qui porte haut (la tête); fier. ¶ (Fig.) Très pénible à atteindre; ardu, gênant.

area, *ae*, f. Surface plate et unie. || Terrain non bâti, terrain vague. || Place. || Aire. || Cour intérieure. || Carrière; hippodrome. || Fonds de terre. || Planche, *c.-à-d.* plate bande. || Aire (d'oiseleur).|| Aire (d'un marais salant). || Cimetière. || Halo. || Place chauve (sur la tête), || (Méton.) Alopécie. ¶ (Géom.) Plan; aire.

arealis, *e*, adj. Qui concerne l'aire *ou* le battage du grain.

areator, *oris*, m. Batteur en grange.

arefacio, *is*, *feci*, *factum*, *ere*, tr. Faire sécher. || Dessécher; tarir.

arena (HARENA), *ae*, f. Sable. ¶ Matière analogue au sable; tuf, pouzzolane; mortier, ciment. ¶ (Méton.) Etendue de sable; grève, plage. || Désert sablonneux. || Arène (d'un amphithéâtre). || (Par ext.) Amphithéâtre; cirque. || (Méton.) Jeux du cirque. || (Fig.) Lice; théâtre (d'une guerre); champ de bataille.

arenaceus, *a*, *um*, adj. Arénacé; sableux.

arenacius. Comme ARENATIUS.

1. **arenaria** (s.-e. FODINA), *ae*, f. Carrière de sable. [Comme le précédent

2. **arenaria** (s.-e. LOCA), *orum*, n. pl.

1. **arenarius**, *a*, *um*, adj. De sable; qui concerne le sable. ¶ Relatif à l'arène (amphithéâtre, jeux du cirque).

2. **arenarius**, *ii*, m. Gladiateur.

3. **arenarius**, *ii*, m. Maître de calcul (parce qu'il traçait les chiffres sur le sable).

arenatio, *onis*, f. Application d'un crépi.

arenatius. Voy. ARENACEUS.

arenatum, *i*, n. Crépi (de sable et de chaux).

arenatus, *a*, *um*, adj. Mêlé de sable.

arenifodina, *ae*, f. Sablière.

arenivagus, *a*, *um*, adj. Errant dans les sables (du désert). [Aride.

arenosus, *a*, *um*, adj. Plein de sable ¶.

arens, *entis*, p. adj. Desséché; à sec; aride. ¶ Brûlant de soif.

arenula, *ae*, f. Sable fin.

areo, *es*, *ui*, *ere*, intr. Etre sec. ¶ Avoir le gosier sec; avoir une soif ardente.

areola, *ae*, f. Petite place; petite cour. || Petite plate-bande; petit parterre.

arepennis (mot gaulois), *is*, m. Arpent.

aresco, *is*, *arui*, *escere*, intr. Se dessécher, devenir sec, sécher. || Brûler de soif. ¶ Se durcir; devenir solide.

aretalogus, *i*, m. Parasite dont le rôle consistait à égayer un festin (en traitant de manière bouffonne des questions de morale).

argema, *atis*, n. Petite tumeur blanchâtre sur la cornée de l'œil.

arfari, arch. p. ADFARI.

arfines, arch. p. ADFINES.

arfui, arch. p. ADFUI.

argemon, *i*, n. Sorte de bardane.

argemone, *es*, f. Espèce d'anémone.

argemonia, *ae*, f. Agrémone (plante).

argennon, *i*, n. Sorte d'argent très blanc.

argentalis, *e*, adj. Comme ARGENTARIUS

argentaria (s.-e. FODINA), *ae*, f. Mine d'argent. ¶ S.-ent. MENSA. Comptoir de banquier; banque. || (Méton.) Profession de banquier, banque.

argentarium, *ii*, m. Armoire à l'argenterie.

1. **argentarius**, *a*, *um*, adj. Qui concerne l'argent (en lingots *ou* monnayé).

2. **argentarius**, *ii*, m. Ouvrier qui travaille l'argent. ¶ Changeur. || Banquier.

argentatus, *a*, *um*, adj. Garni d'argent (métal); argenté. || Pourvu d'argent (monnaie).

argenteolus, *a*, *um*, adj. D'argent (en parl. d'objets menus). Subst. *Argenteoli*, *orum*, m. pl. Petites pièces d'argent.

1. **argenteus**, *a*, *um*, adj. D'argent (métal). || De l'âge d'argent. || Blanc comme l'argent. || Garni d'argent, argenté. ¶ D'argent (monnaie); qui se vend pour de l'argent). [(d'argent).

2. **argenteus** (s.-e. NUMMUS), *i*, m. Denier

argentifex, *ficis*, m. Ouvrier qui travaille l'argent. [MEXT...

argentiexbronides. Voy. ARGENTU-

argentifodina, *ae*, f. Mine d'argent.

argentile, *is*, n. Objet en argent.

argentiolus. Voy. ARGENTEOLUS.

argentosus, *a*, *um*, adj. Qui renferme de l'argent.

argentum, *i*, n. Argent (métal). || Argent (travaillé); objet d'argent; argenterie. || Argent (monnaie); *en gén.* richesse. ¶ *Argentum vivum*, vif argent, mercure.

argentumexterebronides, *ae*, m. Escroc (mot plaisamment forgé par Plaute).

argilla, *ae*, f. Argile. || Terre à potier.

argillaceus, *a*, *um*, adj. De la nature de l'argile. || Argileux.

argillosus, *a*, *um*, adj. Riche en argile *ou* qui contient de l'argile.

argimonia. Pour ARGEMONIA.

argitis, *tidis*, f. Sorte de vigne donnant des raisins blancs.

argoleon, *ontis*, m. Voy. ARCOLEON.

arguitio. Voy. ARGUTIO. [mentation.

argumentalis, *e*, adj. Qui sert à l'argu-

argumentaliter, adv. Par raisonnement; au moyen d'arguments.

argumentatio, *onis*, f. Argumentation. ¶ Syllogisme.

argumentativus, *o*, *um*, adj. Où le sujet (d'une pièce) est exposé.

argumentator, *onis*, m. Celui qui a la manie d'argumenter; raisonneur; chicaneur.

argumentatrix, *icis*, f. Raisonneuse.

argumentor, *aris*, *atus sum*, *ari*, dép. intr. Argumenter; raisonner. ¶ *Tr.* Donner pour preuve; alléguer comme preuve.

argumentosus, *a*, *um*, adj. Dont le sujet est amplement développé; travaillé, particulièrement soigné. ¶ Qui est sujet à discussion.¶ (En parl. de pers.) Chicanier.

argumentum, *i*, n. Ce qui fait connaître, met en lumière. || Exposition; récit; indication. || Analyse du sujet; sommaire. || Sujet (d'un drame). || Action dramatique. ¶ Représentation (par le dessin); ressemblance; image. || Comédie, *c.-à-d.* histoire inventée; imposture. ¶ Argument, preuve.

argumentuose, adv. Avec une foule d'arguments.

arguo, *is*, *ui*, *utum*, *ere*, tr. Mettre en lumière; rendre clair *ou* évident. || Démontrer. || Affirmer avec force. || Dénoter; trahir. || Montrer la fausseté de; convaincre d'erreur. ¶ Réfuter. || Démontrer (la culpabilité de); convaincre de. || Accuser. || Dénoncer.

argutatio, *onis*, f. Craquement.

argutator, *oris*, m. Ergoteur.

argutatrix, *icis*, f. Bavarde.

argute, adv. Subtilement.¶ Avec esprit.

argutia, *ae*, f. Finesse,délicatesse. Ordin. pl. *Argutiae*, esprit; bons mots *ou* (*péjorativ.*) arg`uties, finasseries.

argutio et arguitio, *onis*, f. Démonstration.

argutiola, *ae*, f. Inutile subtilité.

arguto, *as*, *are*, tr. Comme le suivant.

argutor, *aris*, *atus sum*, *ari*, intr. Caqueter; bavarder. || S'agiter. ¶ (Tr.) Débiter. [peu subtil; trop abstrait.

argutulus, *a*, *um*, adj. Babillard. ¶ Un

1. argutus, *a*, *um*, adj. Expressif.|| Fin. ¶ Vif, énergique. || Sonore, bruyant. || Jaseur. ¶ Fort (en parl. d'une odeur); pénétrant (en parl. d'une saveur).

2. argutus, *a*, *um*, adj. Significatif. || Explicite. ¶ (En parl. de pers.) Ingénieux; spirituel; *péjorativ.* roué, retors.

argyranche, *es*, f. Argyrancie (mot plaisant forgé par Plaute : mal de gorge causé par l'argent).

argyraspides, *pidum*, acc. *pidas*, m. pl. Argyraspides, soldats d'élite (chez les Macédoniens) portant un bouclier d'argent. [d'argent.

argyritis, *tidis*, acc. *tim*, f. Litharge

argyroaspides, *pidum*, m. Comme ARGYRASPIDES.

argyrocorinthius, *a*, *um*, adj. Fait d'airain blanc de Corinthe.

argyrodamas, *mantis*, m. Pierre précieuse d'un blanc d'argent.

argyroprata, *ae*, m. Changeur.

argyrotoxus, *a*, *um*, adj. A l'arc d'argent

arhythmia. Voy. ARRHYTHMIA.

arhytmus. Voy. ARRHYTHMUS.

aria. Voy. AREA.

arianis, *idis*, f. Plante sauvage qu'on trouve dans l'Ariane.

arida, *ae*, f. La terre ferme.

ariditas, *atis*, f. Sécheresse; aridité. || (Méton.) Matière sèche, bois sec, raisin sec, etc.

aridulus, *a*, *um*, adj. Un peu sec.

aridum, *i*, n. Le sec.

aridus, *a*, *um*, adj. Où l'eau manque; desséché, sec; aride. || Altéré.|| (Méton.) Sec (en parl. du son). ¶ Qui manque de sève; flétri; maigre. ¶ Insuffisamment instruit; mal préparé. ¶ Maigre, *c.-à-d.* mesquin. || Sec (en parl. du style).

ariena, *ae*, f. Banane.

aries, *etis*, m. Bélier.||Signe du zodiaque. ¶ Machine de guerre (pour battre en brèche) ¶ Orque; épaulard (poisson).

arietarius, *a*, *um*, adj. Relatif au bélier (machine de guerre).

arietatio, *onis*, f. Choc.

arietinus, *a*, *um*, adj. De bélier; semblable à une tête de bélier. *Arietinum oraculum*, oracle (à deux cornes de bélier) en forme de dilemme.

arieto, *as*, *avi*, *atum*, *are*, tr. Frapper de la tête (bélier); cosser. ¶ Heurter avec le bélier (machine). || (Fig.) Heurter brutalement. ¶ (*Intr.*) Se heurter. || Trébucher. || (*Tr.*) Choquer; jeter brutalement contre terre.

arietulus, *i*, m. Petit bélier.

arificus, *a*, *um*, adj. Desséchant.

arillator, *oris*, m. Courtier; entremetteur.

arinca, *ae*, f. Petite épeautre.

aringus, *i*, m. Hareng.

1. ariola. Voy. AREOLA.

2. ariola. Voy. HARIOLA.

ariolatio. Voy. HARIOLATIO.

ariolor. Voy. HARIOLOR.

ariolus. Voy. HARIOLUS.

aris, *idis*, f. Petite variété d'arum.

arista, *ae*, f. Barbe d'épi. || Epi (de blé); épi. || Temps de la moisson; été; année. ¶ Poil hérissé. ¶ Arête de poisson. || (Au plur.) Herbes sauvages.

aristatus, *a*, *um*, adj. Barbu (en parl. de l'épi).

ariste, es, f. Comme ENCARDIA.

aristereon, onis, f. Variété de verveine.

aristifer, fera, ferum, adj. Qui produit des épis. || Riche en épis.

aristiger, gera, gerum, adj. Comme ARISTIFER.

aristolochia, ae, f. Aristoloche (plante).

aristophorum, i, n. Vase qui sert à porter le déjeuner.

aristosus, a, um, adj. Plein de barbes d'épi; riche en épis.

1. arithmetica, ae, f. Arithmétique.

2. arithmetica, orum, n. pl. L'arithmétique.   [TICA.

arithmetice, es, f. Comme 1. ARITHME-

1. arithmeticus, a, um, adj. Arithmétique; relatif aux nombres ou à l'arithmétique.

2. arithmeticus, i, m. Maître de calcul.

arithmi, orum, m. pl. Les Nombres.

arithrillis, idis, f. Mercuriale (plante).

aritudo, inis, f. Acidité; sécheresse.

arma, orum, n. pl. Equipement; harnachement. ¶ Attirail. ¶ Agrès. || Harnais. || (En gén.) Outillage. ¶ (En partic.) Matériel de guerre. || Armure. || Armes (défensives, opp. à tela). || Bouclier. ¶ Armes; moyens de défense; ressources. ¶ (Méton.) Puissance militaire. || Métier des armes. || Troupe armée; soldats.

armamaxa, ae, f. Sorte de chariot.

armamenta, orum, n. pl. Agrès. || Instruments; outils.

armamentarium, ii, n. Arsenal.

armariolum, i, n. Petite armoire. ¶ Bibliothèque.

armarium, ii, n. Armoire. || Buffet. || Garde-robe. ¶ Bibliothèque. ¶ Caisse; coffre.

armatio, onis, f. Action d'armer; armement.

armator, oris, m. Celui qui arme ou qui équipe.   [équipe.

armatrix, icis, f. Celle qui arme ou

armatura, ae, f. Armure. ¶ Gréement. ¶ Manière dont on est armé. || (Méton.) Espèce de troupes. || (Spéc.) Contingents étrangers armés à la légère et combattant à pied. ¶ Force armée. Armaturae, f. pl. Gardes du corps (sous l'Empire). ¶ Manœuvre militaire. || Tactique.

1. armatus, a, um, p. adj. Equipé; armé. ¶ En armes, sous les armes.

2. armatus, i, m. Homme d'armes; soldat.

3. armatus, abl., u, m. Equipement. || Armement. || (Méton.) Corps de troupes.   [tier.

armeniaca (s.-e. ARBOR) ae, f. Abrico-

armeniacum (s.-e. MALUM), i, n., Abricot.

armenium, ii, v. Comme ARMENIACUM. || Pierre d'azur (substance colorante).

armenta, ae, f. Voy. ARMENTUM.

armentalis, e, adj. De gros bétail; de troupeau. || Champêtre. || Pastoral.

1. armentarius, ii, m. Qui concerne le gros bétail.

2. armentarius, ii, m. Bouvier.

armenticius, a, um, adj. Comme ARMENTALIS.   [TALIS.

armentivus, a, um, adj. Comme ARMEN-

armentosus, a, um, adj. Riche en gros bétail.

armentum, i, n. Troupeau de gros bétail. || Troupeau d'animaux; troupeau de bêtes sauvages. || Gros bétail. || Une tête de gros bétail: un bœuf ou un cheval.

armicustos, odis, m. Gardien des armes.

armidoctor, oris, m. Maître d'armes; instructeur.

armifactor, oris, m. Fabricant d'armes. || Armurier.   [d'armes.

armifactorium, ii, n. Manufacture

armifactura, ae, f. Fabrique d'armes.

armifer, fera, ferum, adj. Armé.

1. armiger, gera, gerum, adj. Qui porte des armes. Subst. Armigeri, orum, m. pl. Gardes du corps; hommes d'armes. ¶ Qui produit des hommes armés.

2. armiger, geri, m. Ecuyer.

armigera, ae, f. Celle qui porte les armes.

armigerus, i, m. Voy. ARMIGER.

armilausa ou armilausia, ae, f. Soubreveste.

armilla, ae, f. Bracelet; anneau de fer.

armillarius, ii, m. Fabricant de bracelets.

armillatus, a, um, adj. Paré d'un bracelet. Armillatus canis, chien qui porte un collier.

armillum, i, n. Cruche, broc à vin.

armilustrium, i, n. Purification de l'armée.   [armes. || Belliqueux.

armipotens, entis, adj. Puissant par les

armipotentia, ae, f. Puissance militaire. || Bravoure.

armisonus, a, um, adj. Qui fait résonner ses armes. ¶ Qui résonne du bruit des armes ou d'un bruit comparable à celui-là : grondant, mugissant.

armo, as, avi, atum, are, tr. Equiper; munir; armer. ¶ Gréer. ¶ (Partic.) Armer; fortifier. || Disposer pour la guerre.

armon... Voy. HARMON...   [ria.

armoracea ou armoracia, ae, f. Cochléa-

armoracium, ii, n. Comme le précédent.

armus, i, m. Jointure du bras et de l'épaule. || Epaule (d'un animal). Armi, côtes, flancs (d'un cheval, etc.). ¶ (Chez l'homme.) Epaule; bras.

arnacis, idis (acc. pl. idas), f. Vêtement fait en peau d'agneau.

arnion. Voy. ARNOGLOSSOS.

arnoglossa, ae, f. Comme le suivant.

arnoglosson, i, n. Plantain.

arnoglossos, i, f. Comme le précédent.

arnotinus, a, um, adj. Qui concerne la brebis (qu'une loi de Numa obligeait les courtisanes à immoler à Junon).

aro, as, avi, atum, are, tr. Labourer.

¶ Cultiver; faire valoir. || (Absol.) Se livrer à l'agriculture. ¶ (En gén.) Tracer des sillons, sillonner; fendre. || Rider. || Tracer (des caractères); écrire. [ment. ¶ Parfum.

aroma. *atis*, n. Aromate; épice. || Condi-
aromatarius, *ii*, m. Marchand d'aromates.

aromatica, *orum*, n. pl. Epices.

aromaticus. *a, um*, adj. Aromatique.

aromatites, *ae*, m. Vin aromatisé.

aromatitis, *idis*. f. Sorte de pierre précieuse inconnue. || Sorte d'ambre.

aromatizo, *as, are*, intr. Exhaler une odeur aromatique.

aron, *i*, n. Gouet, serpentaire (plante).

arpagius, *ii*, m. Ravi par une mort prématurée. [TURA.

arquatura. Voy. ARCUATIO et ARCUA-

1. arquatus, *i*, m. Jaunisse. || Atteint de la jaunisse.

2. arquatus. Voy. ARCUATUS.

arquipotens. Voy. ARCIPOTENS.

arquitenens. Voy. ARCITENENS.

arquites, m. pl. Archers.

arqus. Voy. ARCUS.

arra, *ae*, f. Arrhes. || Gage. || Sûreté.

arrabo, *onis*, m. et f. Comme le précédent.

arralis, *e*, adj. Qui concerne les arrhes.

arrectarius, *orum*, n. pl. Supports verticaux. [tical.

arrectarius, *a, um*, adj. Droit. || Ver-
arrectus, *a, um*, p. adj. Dressé. ¶ Levé. || (Fig.) Attentif. ¶ Escarpé.

arremigo. Voy. ADREMIGO.

arrenicum. Voy. ARRHENICUM.

arrepo, *is, repsi, reptum, ere*, intr. S'avancer en rampant; se glisser vers. ¶ (Fig.) S'avancer insensiblement; s'insinuer.

arrepticius, *a, um*, adj. Possédé (du démon). ¶ (En gén.) Inspiré.

arreptivus, *a, um*, adj. Comme le précédent. [pant.

arrepto. *as, are*, tr. Approcher en ram-
arreptus, abl, *u*, m. Enlèvement.

arrha. Voy. ARRA.

arrhabo. Voy. ARRABO.

arrhalis. Voy. ARRALIS.

arrhenicum, *i*, n. Orpiment.

arrhenogonon, *i*, n. Variété de satyrion (plante). [défaut d'harmonie.

arrhythmia, *ae*, f. Absence de rythme;
arrhythmos. *on*, adj. Sans rythme, mal cadencé. ¶ Sans harmonie.

arrideo, *es, risi, risum, ere*, intr. et tr. S'associer au rire de qqn. ¶ Sourire à (pour approuver). || Sourire *ou* rire de, se moquer de. ¶ (Fig.) Sourire *c.-à-d.* se montrer propice; favoriser. || Plaire; agréer à.

arrigo, *is, rexi, rectum, ere*, tr. Lever en l'air. ¶ (Fig.) Faire dresser les oreilles. || Exciter la curiosité de. || Animer, enflammer.

arripio, *is, ripui, reptum, ere*, tr. Tirer vivement à soi, saisir; attraper; se

saisir de. ¶ Attaquer brusquement. || Attaquer *partic.* en justice. ¶ (Fig.) Saisir; comprendre vivement; apprendre.

arrisio, *onis*, f. Rire d'approbation.

arrisor, *oris*, m. Celui qui rit par approbation; flatteur *ou* complaisant.

arrodo, *is, rosi, rosum, ere*, tr. Entamer en rongeant; grignoter. ¶ Dévorer (pr. et fig.).

arrogans, *antis*, p. adj. Qui s'en fait accroire; présomptueux; suffisant. || Hautain, arrogant.

arroganter, adv. Avec arrogance. || D'une manière hautaine. [ment.

arrogantia, *ae*, f. Arrogance. ¶ Entête-
arrogatio, *onis*, f. Adoption (de qqn qui n'est plus sous la puissance paternelle).

arrogator, *oris*, m. Celui qui s'arroge. ¶ Celui qui adopte.

arrogo, *as, avi, atum, are*, tr. Demander pour; revendiquer. || S'attribuer, s'arroger; prétendre à. ¶ Donner; procurer; communiquer. ¶ (Jur.) Adopter. ¶ Adjoindre; associer. ¶ Faire prêter serment.

arroro, *as, are*, tr. Arroser.

arrosor, *oris*, m. Rongeur. ¶ Parasite.

arrotans. *antis*, p. adj. Incertain. || Troublé.

arrugia, *ae*, f. Galerie (d'une mine d'or).

ars, *tis*, f. Savoir faire. || Métier; industrie; profession art; science. || Habileté, talent. || (Méton.). Œuvre d'art. ¶ Ensemble de règles permettant de bien faire. || Théorie; méthode; système. || Etude méthodique (de la grammaire *ou* de la rhétorique). || Manuel (de grammaire *ou* de rhétorique). || Au plur. *Artes*, les muses. ¶ Manière de faire : conduite, procédé. || Qualité morale (bonne ou mauvaise). || Moyen. || Expédient; ruse; subterfuge.

arse verse, formule sign. « détourne le feu » inscrite sur les maisons.

arsen, *senis*, m. Mâle (en parl. d'une espèce de mandragore).

arsenicum. Voy. ARRHENICUM.

arsenogonon. Voy. ARRHENOGONON.

arsineum, *i*, n. Ornement de tête (parure pour les femmes). [cheveux.

arsinum, *i*, n. Aiguille pour séparer les
arsis, *is*, acc. *in*, f. Elévation du ton (en métrique).

arsura, *ae*, f. Chaleur; embrasement.

artaba, *ae*, f. Mesure égyptienne pour les matières sèches.

artaena. Voy. ARYTAENA.

arte, adv. D'une manière serrée. || Etroitement; de près. || Solidement. ¶ (Fig.) D'une manière serrée, *c.-à-d.* sévère; étroitement; en laissant peu de liberté. ¶ Pauvrement, chichement. || Brièvement. ¶ D'une manière extrême; profondément.

artemisia, *ae*, f. Armoise, plante.

artemo et artemon, *onis*, m. Voile de

perroquet. ¶ Poulie inférieure d'une moufle. [plur. (Bronches.¶ Artère.

arteria, *ae*, f. Trachée-artère. || (Au plur. (Bronches.¶ Artère.

arteriace, *es*, f. Remède contre les maladies de la trachée-artère.

arteriacus, *a*, *um*, adj. Qui concerne la trachée, les bronches, etc.; expectorant.

arteriasis, *is*, f. Enrouement. || Rhume.

arteriotomia, *ae*, f. Artériotomie.

arthrisis. Voy. ARTHRITIS. [goutteux.

arthriticus, *a*, *um*, adj. Arthritique;

arthritis, *idis*, f. Arthrite. || Goutte. || Rhumatisme. [jointure.

articulamentum, *i*, n. Articulation;

articularii (s.-e. MORBI], *orum*, n. pl. Rhumatismes.

articularis, *e*, adj. Relatif aux articulations, articulaire. ¶ (Gramm.) Qui a la valeur de l'article. ¶ Articulé (en part. de la voix). [ARTICULARIS.

articularius, *a*, *um*, adj. Comme

articulate, adv. En articulant. || Clairement; distinctement.

articulatim, adv. Membre à membre.¶ En décomposant bien, en détaillant, distinctement.

articulatio, *onis*, f. Développement de nouvelles pousses; pousse des arbres. ¶ Maladie affectant les nœuds de la vigne. ¶ Prononciation qui détache bien les mots. ¶ Article (gramm.).

articulator, *oris*, m. Celui qui dépèce *ou* qui dissèque.

articulatus, *a*, *um*, p. adj. Articulé, pourvu de membres. ¶ Articulé (en parl. du son). || Clair, distinct.

articulo, *as*, *avi*, *atum*, *are*, tr. Pourvoir de membres. ¶ Articuler, prononcer distinctement.

articulosus, *a*, *um*, adj. Plein d'articulations; noueux.¶ (Fig.)Tropsubdivisé.

articulum, *i*, n. Comme le suivant.

articulus, *i*, m. Articulation; jointure. || (Méton.) Petit membre; os d'un membre; phalange; doigt. || Nœud (dans les plantes). ¶ (Fig.) Membre de phrase; courte période; proposition; mot; particule; pronom démonstratif; article. ¶ (En parl. du temps.) Court espace de temps; moment décisif; instant précis. ¶(En gén.) Section; degré; étape; chapitre; article.

artifex, *ficis*, m. Artisan. || Artiste. || (Fig.) Artisan, c.-à-d. instigateur. || Maître (dans un art). ¶ *Adj.* Habile, exercé. || Exécuté avec art.

artificialis, *e*, adj. Comme ARTIFICIALIS.

artifice, adv. Avec art.

artificialiter, adv. Fait par l'art; exécuté selon les règles de l'art; artificiel, technique. Subst. *Artificialia*, n. pl. Les principes de l'art. [l'art.

artificialiter, adv. Selon les règles de

artificina, *ae*, f. Atelier.

artificiolum, *i*, n. Voy. ARTIFICIUM.

artificiose, adv. Avec art; artistement.

artificiosus, *a*, *um*, adj. Plein d'art. ||

Artiste; habile. || Fait avec art.¶ Artificiel

artificium, *ii*, n. Métier, profession, état. ¶ Théorie d'un art; système; méthode. ¶ Art, habileté d'exécution, adresse. ¶ Artifice, expédient, stratagème. || *Péjorat.* Tour; ruse.

artigraphia, *ae*, f. Traité de grammaire *ou* de rhétorique.

artigraphus, *i*, m. Auteur d'un traité de grammaire *ou* de rhétorique.

artio, *is*, *ivi*, *itum*, *ire*, tr. Faire entrer de force en appuyant.

artios, *on*, adj. Proportionné.

artisellium, *ii*, n. Voy. ARCISELLIUM.

artitus, *a*, *um*, adj. Dressé; instruit. || Habile. [Restreindre.

arto, *as*, *are*, tr. Serrer; resserrer. ||

artocopus, *i*, m. Boulanger.

artocreas, *atis*, n. Hachis de mie de pain et de viande. [au lait.

artolaganus, *i*, m. Pain de luxe; pain

artopta, *ae*, m. Tourtière. ¶ Boulanger.

artopticeus et **artopticius**, *a*, *um*, adj. (Pain) cuit dans la tourtière.

artro, *as*, *are*, tr. Voy. ARATRO.

artuatim, adv. Morceau par morceau, pièce à pièce.

artuo, *as*, *are*, tr. Couper en morceaux.

artum, *i*, n. Espace resserré. || Situation critique.

artus (ARCTUS), *a*, *um*, adj. Serré; étroit; restreint. ¶ (Fig.) Serré, étroit. ||Sévère, rigoureux.¶ Limité; modique, chiche. || Court. || Etroit, c.-à-d. profond, intime. ¶ Difficile, critique.

artus, *us*, m. Articulation; jointure des membres (entre eux). || (Méton.) Membre. || (Par anal.) Rameau (d'un arbre).

artutus, *a*, *um*, adj. Bien membré; robuste.

aruga. Voy. ARVIGA.

arula, *ae*, f. Petite élévation carrée. || Petit autel. || Petit tertre de gazon. || Bassin quadrangulaire où l'on met de la braise; brasier.

arum. Voy. ARON.

aruncus, *i*, m. Barbe-de-chèvre (plante)

arundifer, *fera*, *ferum*, adj. Qui porte des roseaux.

arundinaceus, *a*, *um*, adj. De la nature du roseau; semblable au roseau.

arundinarius, *a*, *um*, adj. Marchand d'objetsenroseau(lignesdepêche,etc.).

arundinatio, *onis*, f. Action de mettre un tuteur (un arbre).

arundinetum, *i*, n. Cannaie; lieu planté de roseaux.

arundineus, *a*, *um*, adj. De roseau; semblable au roseau; garni de roseaux.

arundinosus, *a*, *um*, adj. Plein de roseaux.

arundo (HARUNDO), *dinis*, f. Roseau. || (Méton.) Bâton. || Canne à pêche. || Gluau. || Roseau pour écrire. || Bois d'une flèche; flèche. || Flûte, chalumeau. || Echalas. || Perche d'arpenteur. || Balai. || (Chir.) Eclisse. || Navette (de tisserand).

arundulatio. Voy. ARUNDINATIO.

arura, ae, f. Champ ensemencé. || Récolte; moisson. ¶ Labour. ¶ Mesure agraire.

arusion, ii, n. Comme ISATIS.

arusp... Voy. HARUSP...

arutaena. Voy. ARYTAENA.

arva, ae, f. Comme ARVUM.

arvalis, e, adj. Relatif aux champs ensemencés, aux moissons. *Fratres arvales,* collège de douze prêtres qui étaient chargés d'attirer la faveur des dieux sur les moissons.

arveho, ere, arch. p. ADVEHO.

arvena, ae, m. Arch. p. ADVENA.

arvenio, ire, intr. Arch. p. ADVENIO.

arviga, ae, f. Bélier (nom de la victime sacrifiée). [en sacrifice.

arvignus, a, um, adj. De bélier (offert

arvina, ae, f. Graisse de porc; panne. ¶ (En gén.) Embonpoint; graisse.

arvinula, ae, f. Graisse d'un petit animal.

arvipendium, ii, n. Mesure à graine usitée en Egypte.

arvocito, as, are, tr. Arch. p. ADVOCITO.

arvoco, arch. p. ADVOCO.

arvolo, arch. p. ADVOLO.

arvum, i, n. Champ labouré et prêt à être ensemencé; guéret. || Terre de labour (opp. à forêt, prairie, etc.). || (Méton.) Moisson. ¶ (En gén.) Terrain; champ; campagne. || (Qqf.) Pâturage. ¶ Terre ferme, rivage. [au labour.

arvus, a, um, adj. Labouré ou destiné

arx, arcis, f. Hauteur. || Sommet, cime|| || Faîte. || Demeure élevée. || Ciel. Temple. ¶ Hauteur fortifiée, citadelle; acropole, ville haute. || Ville, place forte. ¶ Rempart; boulevard (par excellence); capitale. ¶ (Fig.) Point capital. || Rempart, refuge, asile.

arytaena, ae, f. Vase pour puiser de l'eau.

arytena, ae, f. Comme le précédent.

as, assis, m. Unité de monnaie. || Petite monnaie de cuivre; sou. ¶ (Par ext.) L'unité, l'entier. || Unité de poids; livre. || Unité de largeur, de surface. || (Math.) Le nombre six, nombre parfait.

assa, ae, f. Arch. pour ARA.

asari, eos, n. Voy. le suivant.

asaron et asarum, i, n. Asaret (plante).

asarota, orum, n. pl. Pavement en mosaïque. [Voy. ASAROTOS.

asaroticus, a, um, adj. De mosaïque.

asarotos, on, adj. Pavé en mosaïque.

asarum. Voy. ASARON.

asbeston, i, n. Tissu incombustible.

asbestos, i, f. Pierre incombustible.

ascalabotes, ae, m. Gecko, sorte de lézard.

ascalia, ae, f. Fond d'artichaut.

ascalonia, ae, f. Echalote.

ascalpo, is, ere, tr. Gratter.

ascarida, ae, f. Ascaride.

ascaules, ae, m. Joueur de cornemuse.

ascea. Voy. ASCIA.

ascella, ae, f. Comme AXILLA.

ascendentes, ium, m. Les ascendants.

ascendibilis, e, adj. Où l'on peut monter. || Qui sert à monter.

ascendo, is, scendi scensum, ere, intr. Monter, s'élever. || (Tr.) Escalader; gravir. || (Intr.) *Fig.* S'élever.

ascensibilis, e, adj. Par où l'on peut monter; qu'on peut gravir; accessible.

ascensio, onis, f. Action de monter, de gravir; ascension. || (Partic.) Embarquement. ¶ (Méton.) Degré, trône. ¶ (Fig.) Progrès; essor.

ascensor, oris, m. Celui qui monte, gravit, escalade. || Celui qui monte un animal : cavalier.

ascensus, us, m. Action de monter; montée; escalade. || Lever (des astres). ¶ (Méton.) Lieu par où l'on monte, montée; côte; pente; hauteur. ¶ Machine élévatoire. ¶ (Fig.) Action de s'élever, progrès. ¶ Gradation.

asceteria, orum, n. pl. Lieu où vivent les ascètes; couvent.

ascetriae, arum, f. pl. Femmes qui vivent en ascètes; religieuses.

ascia, ae, f. Hache; doloire; erminette. ¶ Binette. || Truelle. || Marteline.

ascilla. Voy. ASCELLA.

ascio, as, are, tr. Travailler à la doloire; doler, aplanir. ¶ Gâcher le plâtre. ¶ Aplanir (avec la truelle).

ascio (ADSCIO), is, ire, tr. Admettre. ¶ Adjoindre; associer.

asciola, ae, f. Petite doloire; hachette.

ascisco (ADSCISCO), is, ascivi, ascitum, ere, tr. S'adjoindre. || Recevoir, accueillir; adopter. ¶ (Fig.) Admettre, reconnaître, ratifier. ¶ Revendiquer. || S'approprier, prétendre à. || Se piquer de.

ascites, ae, n. Hydropisie.

ascius, a, um, adj. Qui ne porte pas ombre. || Qui est sans ombre.

asclepias, adis, f. Asclépiade (plante).

asclepion, ii, n. Plante médicinale, sorte de panacée. [valise.] — Outre.

ascopera, ae, f. Sac de cuir; havresac;

ascribo (ADSCRIBO), is, scripsi, scriptum, ere, tr. Ajouter en écrivant. || Ecrire en bas de; écrire en outre. || Inscrire (sur une liste); enrôler; comprendre parmi. || Désigner pour; nommer; instituer en qualité de; déterminer; prescrire. || Attribuer, prêter comme attribut. ¶ Ecrire sur; inscrire. || Munir d'une inscription ou d'une souscription.

ascripticius, a, um, adj. Enrôlé. || Nouvellement admis; de fraîche date. || Supplémentaire; de réserve. ¶ Au plur. *Ascripticii,* gens attachés à la glèbe.

ascriptio, onis, f. Action d'ajouter qqch. à un écrit. || (Méton.) Apostille. ¶ Enregistrement; admission au nombre de; enrôlement.

ascriptivus, *a*, *um*, adj. Supplémentaire.
‖ De réserve.

ascriptor, *oris*, m. Celui qui appose son nom, *c.-à-d.* qui souscrit *donc* approuve. [l'ascyron.

ascyroides, *is*, n. Plante semblable à

ascyron, *i*, n. Mille-pertuis.

asella, *ae*, f. Petite ânesse.

asellifer, *fera*, *ferum*, adj. Qui porte les ânons. Voy. ASELLUS.

asellulus, *i*, m. Petit ânon.

asellus, *i*, m. Ane ; baudet. ¶ Poisson de mer renommé. ¶ Baudet, tréteau. ¶ (Au plur.) *Aselli*, les Anons (dans le signe du Capricorne).

asemus, *a*, *um*, adj. Qui est sans insignes ; qui n'a pas de bande de pourpre.

asena, *ae*, f. Arch. pour ARENA.

asf... Voy. ASPH.

asia, *ae*, f. Seigle.

asilus, *i*, m. Taon. [f. Anesse.

asina, *ae* (dat. et abl. plur. *asinabus*),

asinalis, *e*, adj. D'âne. [NARIUS.

asinaricius, *a*, *um*, adj. Comme ASI-

asinaria (s.-e. *fabula*), *ae*, f. Le prix des ânes (nom d'une comédie attribuée à Plaute). [ânes ; à âne.

1. asinarius, *a*, *um*, adj. Relatif aux

2. asinarius, *ii*, m. Anier. ¶ Terme de mépris appliqué aux Chrétiens.

asinastra (FICUS), f. Espèce de figue.

asininus, *a*, *um*, adj. D'âne. *Asinina pruna*, prunes de qualité inférieure.

asinus, *i*, m. Ane. ‖ (Fig.) Ane, *c.-à-d.* niais, imbécile ; hargneux.

asinusca, *ae*, f. Sorte de raisin médiocre.

asio, *onis*, m. Voy. AXIO.

asma, *atis*, n. Ode. [convenable.

asoloecus, *a*, *um*, adj. Non incorrect ;

asomatos, *on*, adj. Incorporel. [dent.

asomatus, *a*, *um*, adj. Comme le précé-

asotia, *ae*, f. Vie déréglée.

asoticos, *on*, adj. Comme le suivant.

1. asotus, *a*, *um*, adj. Débauché, prodigue. ‖ Dissolu.

2. asotus, *i*, m. Viveur. ‖ Vaurien.

aspalathos, *i*, m. Bois de Rhodes ; bois de rose.

aspalathus, *i*, m. Comme le précédent.

asparagus, *i*, m. Asperge. ¶ (Par anal.) Toute jeune tige comestible.

1. aspargo, *is*, *ere*. Voy. 1. ASPERGO.

2. aspargo, *inis*, f. Voy. 2. ASPERGO.

aspectabilis, *e*, adj. Qui peut être regardé. ¶ Qui mérite d'être regardé.

aspectio, *onis*, f. Action de regarder. ‖ Observation ; contemplation.

aspecto, *as*, *avi*, *atum*, *are*, tr. Regarder avec insistance, avec attention, avec intérêt. ‖ (Fig.) Prêter attention à. ‖ Admirer. ‖ Regarder, être tourné vers, être situé en face de.

aspectus, *us*, m. Action de voir ; vue ; regard. ¶ Le fait d'être vu : aspect, apparition ; apparence, air ; extérieur.

aspello, *is*, *puli*, *pulsum*, *ere*, tr. Pousser loin de. ‖ Ecarter.

aspendios, *ii*, f. Sorte de vigne produisant un vin interdit dans les libations.

asper, *a*, *um*, adj. Rude (au toucher), raboteux ; rugueux ; hérissé ; qui gratte. ‖ Apre (au goût) ; rêche ; irritant. ‖ Rude (à l'oreille), désagréable. ‖ (Fig.) Raboteux, dur, inégal (en parl. du style)

asperatio, *onis*, f. Irritation. ‖ Aggravation (d'un mal).

aspere, *adv.* D'une façon rude *ou* raboteuse. ¶ D'une façon violente ; avec dureté. ‖ D'une façon outrageante.

aspergen. Comme 2. ASPERGO.

aspergillum, *i*, n. Aspersoir.

1. aspergo, *is*, *spersi*, *spersum*, *ere*, tr. Verser sur. ¶ Arroser, éclabousser. ‖ Saupoudrer. ‖ Parsemer.

2. aspergo, *inis*, f. Action d'asperger ; aspersion, arrosement. ‖ (Méton.) Pluie, rosée. ‖ Buée ; écume ; éclaboussure (pr. et fig.) ‖ Poudre qu'on répand sur le corps *ou* sur une plaie.

asperitas, *atis*, f. Aspérité. ‖ Relief. ¶ Apreté. ¶ Dureté, rudesse (d'un son), ¶ Contraste. ¶ (Fig.) Dureté, rigidité ; rudesse (en parl. de pers.) ‖ Dureté ; difficulté (en parl. de ch.).

asperiter, adv. Arch. p. ASPERE.

asperitudo, *inis*, f. Comme ASPERITAS.

aspernabilis, *e*, adj. Méprisable.

aspernamentum, *i*, n. Mépris. ‖ (Méton.) Objet de mépris.

aspernanter, adv. Avec mépris.

aspernatio, *onis*, f. Refus. ¶ Dédain ; répugnance.

aspernator, *oris*, m. Celui qui dédaigne.

aspernor, *aris*, *atus sum*, *ari*, dép. tr. Ne pas vouloir de, répugner à, rejeter, dédaigner. ‖ Négliger. ‖ Désavouer ; renier.

aspero, *as*, *avi*, *atum*, *are*, tr. Rendre inégal *ou* raboteux. ‖ Hérisser (les flots). ¶ Aiguiser. ‖ Durcir. ¶ Rendre âpre (au goût), désagréable (à l'ouïe). ¶ Aggraver, empirer. ‖ Exaspérer, irriter.

aspersio, *onis*, f. Action de verser sur ; aspersion. ¶ Application (d'une couleur sur).

aspersorium, *ii*, n. Aspersoir.

aspersus, abl. *u*, m. Comme ASPERSIO.

asperugo, *ginis*, f. Grateron.

asphaltion, *ii*, n. Psoralier.

asphaltus, *i*, f. Asphalte.

aspharagos, *i*, m. Comme ASPARAGUS.

asphodelus, *i*, m. Asphodèle.

aspicialis, *e*, adj. Visible.

aspicio, *is*, *spexi*, *spectum*, *ere*, tr. Regarder ; considérer. ¶ Regarder, *c.-à-d.* être orienté vers. ¶ (Fig.) Regarder avec admiration ; considérer ; faire cas de. ‖ Considérer, *c.-à-d.* faire attention à, tenir compte de. ‖ Regarder avec intérêt, venir en aide à. ‖ S'enquérir de. ¶ Apercevoir.

aspiramen, *inis*, n. Souffle (pr. et fig.).

aspiratio, *onis*, f. Action de souffler ;

souffle; exhalaison. ¶ (Gramm.). Aspiration; la lettre *h*. ¶ Inspiration divine. || Protection; faveur.

aspirativus, *a*, *um*, adj. Qui marque l'aspiration (gramm.).

aspiratus, abl. *u*, m. Comme ASPIRATIO.

aspiro, *as*, *avi*, *atum*, *are*, intr. Souffler vers. || Souffler. || (Gramm.) Aspirer. ¶ (Fig.) Souffler (dans les voiles de); seconder; favoriser.|| Faire effort pour approcher de; aspirer à. ¶ (Tr.) Faire souffler. || (Fig.) Inspirer; suggérer. ¶ Rafraîchir (par une brise); éventer.

aspis, *idis*, f. Aspic (serpent).¶ Bouclier.

aspisatis, *is* (acc. *im*), f. Sorte de pierre précieuse.

asplenos, *i*, f. Espèce de fougère.

asplenum, *i*, n. Comme ASPLENOS.

asportatio, *onis*, f. Action d'emporter. || Enlèvement; || Transport.

asporto, *as*, *avi*, *atum*, *are*, tr. Emporter; enlever (par voiture) transporter (par vaisseau).   [Brut; non taillé.

aspratilis, *e*, adj. Rude au toucher. ||

aspratura, *ae*, f. Petite monnaie. ¶ (Méton.) Métier de changeur.

aspredo, *dinis*, f. Comme ASPERITAS.

aspretum, *i*, n. Lieu d'un accès difficile, rocailleux *ou* hérissé de broussailles.

aspritudo, *dinis*, f. Comme ASPERITUDO.

aspuo, *is*, *ere*, tr. Cracher sur *ou* contre.

aspurgo, *as*, *are*, tr. Débarrasser en purgeant.

assa. Voy. ASSUS.

assacrificium, *ii*, n. Sacrifice accessoire.

assannae (ASSANAE). Voy. AFFANAE.

assar. Comme ASER.   [rôtir.

1. assarius, *a*, *um*, adj. Rôti *ou* bon à

2. assarius, *a*, *um*, adj. De la valeur d'un as.   [d'un as.

3. assarius (s.-ent. NUMMUS), *ii*, m.Pièce

assatura, *ae*, f. Rôti; viande rôtie.

assecla et assecula, *ae*, m. Celui qui fait partie de la suite d'un grand; suivant. ¶ (Péjor.) Valet.

assectatio, *onis*, f. Action d'accompagner, de faire cortège (à qqn). ¶ Observation; étude.

assectator, *oris*, m. Celui qui accompagne, qui escorte. || (Fig.) Partisan; sectateur; adepte. ¶ Celui qui poursuit, qui recherche : prétendant.

assector, *aris*, *ari*, dép. tr. Suivre, accompagner; escorter.

assecue, *adv*. En suivant de près.

assecula. Voy. ASSECLA.

assecutio, *onis*, f. Suite; succession. ¶ Acquisition; obtention.

assecutor, *oris*, m. Compagnon.

assedo, *onis*, m. Comme ASSESSOR.

assefolium, *ii*, n. Comme AGROSTIS.

assellatio, *onis*, f. Selles.   [excréments.

assellatus, *us*, m. Selles, déjections;

assello, *are*, intr. Aller à la selle. (Tr.) Rendre (en allant à la selle).   [SELLO.

assellor, *aris*, *ari*, dép. Comme AS-

assenesco, *is*, *ere*, intr. Devenir vieux; vieillir.

assensio, *onis*, f. Assentiment. || Marque d'approbation.

assensor, *oris*, m. Approbateur.

assensus, *us*, m. Comme ASSENSIO. ¶ (Poét.) Répercussion (du son); écho (qui semble approuver ce que l'on dit).

assentaneus, *a*, *um*, adj. Comme CONSENTANEUS.

assentatio, *onis*. Approbation constante; parti-pris d'approuver. || Basse flatterie. || Adulation. ¶ Comme ASSENSIO.

assentatiuncula, *ae*, f. Mesquine flatterie.

assentator, *oris*, m. Celui qui approuve tout; vil complaisant; adulateur. ¶ Comme ASSENSOR.   [en vil flatteur.

assentatorie, adv. Par complaisance;

assentatrix, *tricis*, f. Flatteuse; adulatrice.

assentiae, f. pl. Comme ASSENTATIONES.

assentio, *sensi*, *sensum*, *ire*, intr. Voir ASSENTIOR.

assentior, *iris*, *sensus sum*, *iri*, dép. intr. Donner son assentiment, *ou* son adhésion; se ranger à l'avis de; souscrire à; approuver.

assentor, *aris*, *atus sum*, *ari*, dép. tr. Approuver de parti-pris; flatter; aduler. ¶ Comme ASSENTIOR.

asseque, adv. Comme ASSECUE.

assequela, *ae*, f. Comme le suivant.

assequella, *ae*, f. Suite; dépendance.

assequor, *eris*, *secutus sum*, *sequi*, dép. tr. Atteindre; joindre; rejoindre. ¶ (Fig.) Atteindre, égaler. ¶ Atteindre, obtenir; parvenir à. ¶ Atteindre (par l'esprit), concevoir; se faire une idée de; comprendre.

asser, *eris*, m. Poutre ronde mais mince; perche, pieu. || Gros bâton. || Chevron. || Bras (d'une litière).

asserculum, *i*, n. Petite perche; latte.

asserculus, *i*, m. Comme le précédent.

1. assero, *is*, *sevi*, *situm*, *ere*, tr. Semer (*ou* planter) auprès de.

2. assero, *is*, *serui*, *sertum*, *ere*, tr. (Jur.) Prendre par la main et tirer à soi, *c-à-d.* réclamer, revendiquer pour soi (qqch.) ¶ (Fig.) Revendiquer (pour soi *ou* pour autrui), attribuer, adjuger. ¶ Protéger; soutenir; défendre. ¶ Soutenir, prétendre; affirmer.

assertio, *onis*, f. Action d'affirmer (que qqn est de condition libre); affranchissement. ¶ (Fig.) Affirmation; assertion. ¶ Admission dans; incorporation.

assertor, *oris*, m. Celui qui intervient dans un procès où il s'agit de la liberté de qqn. || Libérateur, défenseur, sauveur. || Qui déclare qqn esclave et le réclame comme tel.

assertorius, *a*, *um*, adj. Relatif à la revendication de la liberté.   [tratrice.

assertrix, *tricis*, f. Protectrice. || Libé-

assertum, *i*, n. Affirmation. || Preuve.

asservio, *is*, *ivi*, *itum*, *ire*, intr. Venir en aide.

asservo, *as, avi, atum, are,* tr. Garder.
|| Veiller sur. ¶ Observer; avoir l'œil
sur.

assessio, *onis,* f. Action de s'asseoir
auprès de qqn (pour le soigner, le consoler). ¶ Office d'assesseur.

assessor, *oris,* m. Celui qui est assis à
côté de; assistant; aide. ¶ Assesseur
d'un juge. || Coadjuteur *ou* adjoint.

assessorius, *a, um,* adj. Qui concerne
les assesseurs.

assessura, *ae,* f. Office d'assesseur.

assessus, *us,* abl. *u,* m. Action de s'asseoir auprès de; fréquentation.

assestrix, *icis,* f. Celle qui assiste, aide.

asseveranter, adv. Catégoriquement.

asseverantior, *ius,* adj. (au compar.).
Plus affirmatif.

asseverate, adv. Avec assurance.

asseveratio, *onis,* f. Sévérité affectée.
|| Energie ¶ Opiniâtreté. ¶ Chaleur
dans l'affirmation; conviction qui
s'affirme. ¶ Exclamation; interjection.

assevero, *as, avi, atum, are,* tr. *Proprem.
mais rar.* Rendre sévère *ou* sérieux.
Asseverare frontem, froncer le sourcil.
¶ Prendre un sérieux (ce qu'on fait);
agir *ou* parler sérieusement.|| Affirmer
avec conviction. || Donner l'assurance
de; protester que; témoigner de... ||
Faire profession de...

assibilo, *as, avi, atum, are,* intr. Siffler.
|| Murmurer contre *ou* auprès de.
¶ (Tr.) Exhaler en sifflant.

assiccesco, *is, ere,* intr. Devenir sec.

assicco, *as, avi, atum, are,* tr. Sécher;
assécher.

assiculus. Voy. AXICULUS.

assidarius, *ii,* m. Voy. ESSEDARIUS.

assideo,*es,sedi,sessum,ere,*intr.et tr. Etre
assis auprès de. || Etre voisin de, *c.-à-d.*
(fig.) ressembler à. ¶ (Partic.) Se tenir
aux côtés de qqn; assister; soigner;
aider. || Etre assesseur. ¶ Résider au-
près de. || (Mil.) Camper auprès de *ou*
devant. || (Tr.) Assiéger. ¶ (Fig.) S'ap-
pliquer à; *qqf.* surveiller.

assido, *is, sedi, sessum, ere,* intr. S'asseoir; se poser; se percher.

assidue, adv. Assidûment; continuelle-
ment. || Incessamment. ¶ Avec soin.

assiduitas, *atis,* f. Présence continuelle;
assiduité. ¶ (Fig.) Persévérance; cons-
tance. || Continuité; fréquence.

1. assiduo, adv. Arch. pour ASSIDUE.

2. assiduo, *as, atum, are,* tr. Employer
constamment.

assiduus, *a, um,* adj. Résidant conti-
nuellement (qq. part). || Propriétaire
foncier. || Etabli, *d'où* riche. || Contri-
buable (par opp. à PROLETARIUS). ||
(Fig.) Notable. ¶ Qui se tient cons-
tamment auprès de...; assidu. || (Fig.)
Empressé; tenace; persévérant. || (En
parl. de ch.) Continuel, persistant;
habituel.

assignatio, *onis,* f. Action d'assigner.

|| Attribution. || Concession (de terre).
|| (Méton.) Terrain concédé; concession.

assignator, *oris,* m. Celui qui assigne,
attribue.   [éclaircissement.

assignificatio, *onis,* f. Explication;

assignifico, *as, are,* tr. Donner à entendre. ¶ (Gramm.) Signifier; exprimer.

assigno, *as, avi, atum, are,* tr. Assigner;
concéder; conférer. || Confier; remettre
(à la garde de). || (Fig.) Assigner; fixer.
|| Mettre sur le compte de; imputer.
¶ Faire une empreinte sur; cacheter.
|| (Fig.) Graver dans; imprimer.

assilio, *is, silui, sultum, ire,* intr. Bondir
sur; s'élancer vers; assaillir.

assimilatio. Voy. ASSIMULATIO.

assimile, *is,* n. Comme PAROMOEON.

assimilis, *e,* adj. A peu près semblable;
analogue.   [logue.

assimiliter, adv. D'une manière ana-

assimilo. Voy. ASSIMULO.

assimulanter, adv. Par analogie.

assimulaticius, *a, um,* adj. Imité; contrefait. ¶ Faux.

assimulatio, *onis,* f. Ressemblance; simi-
litude. || Assimilation; comparaison. ||
Rapprochement. ¶ (Rhét.) Feinte.
¶ Fiction (poétique).

assimulator, *oris,* m. Hypocrite.

assimulo, *as, avi, atum, are,* tr. Rendre
semblable. ¶ Créer à la ressemblance
de; imiter. ¶ Assimiler, comparer,
rapprocher. ¶ Feindre. || Contrefaire;
simuler.

assipondium, *ii,* n. Poids d'un livre.

assir, arch. Sang.

1. assis. Voy. AXIS.

2. assis, *is,* m. Comme AS.

assisa, *ae,* f. Flux; marée montante.

assistentia, *ae,* f. Assistance.

assisto, *is, astiti, ere,* intr. Venir se
placer auprès de. ¶ Se tenir près de.
|| Assister, être présent. || Etre là
(comme serviteur, comme aide); aider.
|| Assister (en justice). || Se mettre *ou*
se tenir debout.

assistrix, *icis,* f. Voy. ASSESTRIX.

assitus, *a, um,* adj. Situé auprès de.

asso, *as, avi, atum, are,* tr. Rôtir; faire
rôtir.

associetas, *atis,* f. Association.

associo, *as, avi, atum, are,* tr. Donner
pour compagnon; associer. ¶ (Fig.)
Associer. *c.-à-d.* unir; joindre.

associus, *a, um,* adj. Associé; réuni à.

assoleo, *es,* intr. Avoir coutume.
¶ Etre d'usage. Impers. *Assolet,* c'est
l'usage de...

assolido, *as, are,* tr. Consolider.   [usage.

assolitus, *a, um,* p. adj. Habituel; en

assolo, *as, avi, are,* tr. Jeter bas; détruire.

assonatio. *onis,* f. Résonance. || Accord.

assono, *as, are,* intr. S'associer à un
son; répondre (à un son, en parl. de
l'écho). ¶ (Tr.) Faire entendre (un son).

assonus, *a, um,* adj. Qui répond à un
son.

assubrigo, *is*, *ere*, intr. Dresser.

assudesco, *is*, *ere*, intr. Commencer à suer.

assudo, *as*, *are*, intr. Se mettre en sueur.

assuefacio, *is*, *feci*, *factum*, *ere*, tr. Habituer, accoutumer. || Dresser à.

assuesco, *is*, *suevi*, *suetum*, *ere*, intr. Prendre l'habitude de. || Apprendre à. || Se familiariser avec. ¶ (Tr.) Faire prendre l'habitude; habituer.

assuetudo, *inis*, f. Accoutumance. || Habitude.

assuetus, *a*, *um*, p. adj. Accoutumé, habitué à... ¶ Accoutumé, habituel, ordinaire. [hérer à... en sucant.

assugo, *is*, *suctum*, *ere*, tr. Sucer. || Adassula et astula, *ae*, f. Eclat, fragment; copeau; lamette. || Planchette; tablette. || Plaque. || Filament; fibre.

assulatim, adv. En menus morceaux; par fragments. [ments.

assulose, adv. En beaucoup de frag-

assultim, adv. En sautant. || Par bonds.

assultatio, *onis*, f. Action de sauter, de bondir.

assultim, adv. Par sauts.

assulto, *as*, *avi*, *atum*, *are*, intr. Sauter, bondir plusieurs fois sur *ou* devant. ¶ Assaillir, attaquer.

assultus, abl. *u*, m. Saut, bond vers *ou* contre. ¶ Attaque, assaut.

1. assum. Voy. ADSUM.

2. assum, *i*, n. Rôti.

assumentum, *i*, n. Pièce cousue à...

assummo, *as*, *are*, intr. Faire la somme: additionner.

assumo, *is*, *sumpsi*, *sumptum*, *ere*, tr. Prendre (pour soi de la nourriture); manger. ¶ Prendre (avec soi). || S'adjoindre; choisir; adopter; admettre. ¶ Emprunter; employer. || (Rhét.) Employer un terme au figuré. || (Log.) Prendre pour mineure d'un syllogisme. ¶ S'arroger; prétendre à. ¶ Prendre en outre.

assumptio, *onis*, f. Action de prendre *ou* d'admettre. || Action d'emprunter. || (Log.) Mineure d'un syllogisme. || (Jur.) Qualité servant à établir l'identité de qqn.

assumptivus, *a*, *um*, adj. Défendu à l'aide d'arguments étrangers au fond.

assumptor, *oris*, m. Celui qui prend, qui choisit. ¶ Celui qui s'attribue.

assumptrix, *tricis*, f. Celle qui prend, qui s'attribue.

assumptus, *us*, m. Comme ASSUMPTIO.

assuo, *is*, *sui*, *sutum*, *ere*, tr. Coudre à.

assurgo, *is*, *surrexi*, *surrectum*, *ere*, tr. et intr. Se mettre sur ses pieds, se lever, se dresser. || Relever de maladie. ¶ Se lever (par politesse, par respect); le céder à. ¶ Se dresser (pour frapper). ¶ (En parl. de ch.) Se lever; monter; croître; naître. ¶ (Fig.) Se redresser; réussir à triompher de. || S'emporter. || S'élever (en parl. du style).

assus, *a*, *um*, p. adj. Desséché, sec. ||

Rôti. ¶ Qui se fait à sec, sans eau. ¶ Sec, tout sec (pur et simple). [de.

assuspiro, *as*, *are*, intr. Soupirer à propos

ast. Voy. AT.

asta. Voy. HASTA.

astacus, *i*, m. Homard.

astago, *ginis*, f. Comme ASTACUS.

astaphis, *idis* (acc. *ida*), f. Raisin sec.

astator, *oris*, m. Protecteur.

astatus. Voy. HASTATUS.

asteismus, *i*, m. Plaisanterie délicate; ironie fine.

aster, *eris*, m. Etoile. ¶ Voy. AMELLUS.

astercum, *i*, n. Comme ARCEOLARIS (*herba*).

asteria, *ae*, f. Sorte de pierre précieuse.

asterias, *ae*, m. Sorte de héron.

astericum, *i*, n. Pariétaire (plante).

asterion, *ii*, n. Sorte d'araignée.

asterisous, *i*, m. Petite étoile; astérisque. [ASTERIA.

asterites, *ae*, m. Sorte de basilic. ¶ Voy.

asterno, *is*, *ere*, tr. Etendre auprès de *ou* devant. [astres.

asteroscopia, *ae*, f. Observation des

asthma, *matis*, n. Difficulté de respirer. || Asthme.

asthmaticus, *a*, *um*, adj. Asthmatique.

asticus, *a*, *um*, adj. De la ville; citadin; urbain.

astipulatio, *onis*, f. Accord; entente. ¶ Accord (de sentiments *ou* de témoignages); affirmation conforme.

astipulator, *oris*, m. (Jur.) Celui qui assiste en tiers à un contrat (pour être en mesure d'en témoigner à l'occasion). || Témoin à décharge. || Partisan. [assentiment.

astipulatus, abl. *u*, m. Consentement;

astipulo, *as*, *are*, intr. Comme le suivant.

astipulor, *aris*, *atus sum*, *ari*, dép. intr. Stipuler en même temps que. ¶ Figurer en tiers à un contrat (voy. ASTIPULATOR). || (Fig.) Appuyer de son témoignage. ¶ Etre d'accord avec; confirmer (l'assertion de qqn).

astismos, *i*, m. Voy. ASTEISMUS.

astituo, *is*, *tui*, *tutum*, *ere*, tr. Placer auprès de; mettre à.

asto, *as*, *stiti*, *are*, intr. Se tenir auprès de. || Assister, appuyer qqn. || Se tenir à la disposition de; servir. ¶ Se tenir ferme sur ses jambes.

astolos, *i*, f. Voy. ASTROBOLOS.

astomachetus, *a*, *um*, adj. Qui ne se fâche pas.

astrabicon, *i*, n. (*Litt.* Poème du bât); églogue (poème bucolique).

astragalizontes, *ium*, pl. Les joueurs d'osselets (groupe de Polyclète).

astragalus, *i*, m. Astragale; chapelet. ¶ Astragale (légumineuse). [les astres

astralis, *e*, adj. Des astres; qui concerne

astrangulo, *as*, *atum*, *are*, tr. Etrangler.

astrapaea, *ae*, f. Pierre précieuse.

astrapias, *ae*, m. Pierre précieuse.

astrapoplectus, *a*, *um*, adj. Frappé par les éclairs.

astrepo, *is*, *strepui*, *strepitum*, *ere*, intr. Faire du bruit auprès de; joindre son murmure à. || Témoigner par des murmures (sa faveur *ou* son hostilité). ¶ (Tr.) Emplir de son murmure, de son ramage, etc. || Etourdir par ses cris; importuner. || Accueillir par des cris; approuver bruyamment.

astricte, adv. D'une manière serrée; en serrant bien. ¶ (Fig.) Strictement; rigoureusement. || Avec concision.

astrictio, *onis*, f. Vertu astringente.

astrictorius, *a*, *um*, adj. Astringent (méd.).

astrictus, *a*, *um*, p. adj. Serré. || Ajusté; étroit; juste. || Amaigri; contracté. || (Méd.) Resserré; constipé. || Astringent, âpre (au goût). ¶ (Fig.) Serré, ladre. || Soumis à des règles étroites. || Concentré, concis (en parl. du style)

astricus, *a*, *um*, adj. Sidéral.

astrido, *is*, *ere*, intr. Siffler auprès de. || Siffler contre. [astres. || Etoilé.

astrifer, *fera*, *ferum*, adj. Qui porte des

astrifico, *as*, *are*, intr. Créer des astres.

astrificus, *a*, *um*, adj. Qui fait naître des astres.

astriger, *gera*, *gerum*, adj. Comme AS-TRIFER. Subst. *Astrigeri*, m. pl. Les dieux habitants du ciel. [astres

astriloquus, *a*, *um*, adj. Qui parle des

astriluous, *a*, *um*, adj. Qui brille parmi les astres. || Habitant du ciel.

astringo, *is*, *strinxi*, *strictum*, *ere*, tr. Serrer étroitement contre, attacher fortement à, fermer solidement; boucher. || Froncer, contracter. || Etoilé; glacer. || Refroidir *ou* simpl. rafraîchir. || (Méd.) Resserrer, c.-à-d. constiper. || Etre astringent, c.-à-d. âpre au goût. ¶ (Fig.) Serrer; resserrer. || Restreindre, concentrer. || Condenser. || Assujettir; asservir. || (Moral.) Lier, obliger; engager.

astrion, *ii*, n. Pierre précieuse.

astriotes, *ae*, m. Pierre précieuse.

astrisonus, *a*, *um*, adj. Qui fait résonner les astres, le ciel.

astrites, *ae*, m. Comme ASTERIA.

astrobolos, *i*, f. Œil-de-chat (pierre précieuse).

astroites, *ae*, m. Pierre précieuse.

astrologia, *ae*, f. Science des astres; astronomie. || (Méton.) Traité d'astronomie. || L'astronomie *au sens de* les astronomes. ¶ Divination par les astres; astrologie. [¶ Astrologique.

astrologicus, *a*, *um*, adj. Astronomique.

1. **astrologus**, *i*, m. Astronome. ¶ Astrologue. [TROLOGICUS.

2. **astrologus**, *a*, *um*, adj. Comme AS-

astronomia, *ae*, f. Astronomie.

astronomicus, *a*, *um*, adj. Astronomique. Subst. *Astronomica*, n. pl. Astronomiques; traité d'astronomie.

astronomus, *i*, m. Astronome.

astroscopia, *ae*, f. Observation des astres; astronomie.

astrosus, *a*, *um*, adj. Né sous une mauvaise étoile. ¶ Maniaque.

astructio, *onis*, f. Médication reconstituante. ¶ (Mus.) Composition. ¶ Argumentation. || Démonstration.

astructor, *oris*, m. Argumentateur. || Dialecticien.

astrum, *i*, n. Constellation; astre. *Au* plur. *Astra*, n. Les astres; le ciel; *qqf.* les dieux *ou* les mortels divinisés.

astruo, *is*, *struxi*, *structum*, *ere*, tr. Bâtir à côté de; flanquer un bâtiment d'un autre. ¶ (Fig.) Ajouter, accumuler, entasser sur. || Mettre au nombre de; attribuer. || Disposer pour, apporter. ¶ Appuyer par des preuves, démontrer. || Affirmer.

astu et **asty** (seul. à l'acc. et à l'abl.), n. La Ville, c.-à-d. Athènes.

astula. Voy. ASSULA.

astulosus, *a*, *um*, adj. Plein d'éclats, de menus fragments.

astulus, *i*, m. Petite ruse.

astupeo, *es*, *ere*, intr. Etre ébahi de.

astur, *uris*, m. Autour (oiseau de proie).

asturco, *conis*, m. Cheval d'Asturie; genêt d'Espagne. [gème.

astus, *us*, m. Ruse; fourberie. || Stratagème.

astute, adv. Artificieusement. || Adroitement. [Habileté, adresse. || Finesse.

astutia, *ae*, f. Ruse, fourberie; astuce. ¶

astutulus, *a*, *um*, adj. Finaud.

asty. Voy. ASTU.

astycus. Comme ASTICUS.

astysmus, *i*, m. Comme ASTEISMOS.

asumbolus. Voy. ASYMBOLUS.

asyla, *ae*, f. Plante inconnue.

asylum, *i*, n. Lieu inviolable; asile.

asymbolus, *a*, *um*, adj. Qui ne paie pas son écot. [¶ Incommensurable.

asymmeter, *tra*, *trum*, adj. Asymétrique.

asyndeton, *i*, n. Asyndète (fig. de gram.).

asyndetos, adv. Sans liaisons; sans conjonctions.

asyndetus, *a*, *um*, adj. Non uni; qui est sans liaison. ¶ (Gramm.) Qui n'est pas relié par une conjonction.

asystatos, *on*, adj. Instable. || Variable.

at et (arch.) **ast**, conj. Mais; mais au contraire. || Mais; et d'autre part; quant à. || Or. || Mais, enfin. *At enim*, mais dira-t-on. ¶ Du moins, tout au moins (après une négation). ¶ Mais voyez (*surprise, indignation*).

atabulus, *i*, m. Vent desséchant; sirocco.

atagen. Comme ATTAGEN.

atamussim. Voy. AMUSSIS.

ata. Voy. ATTAT.

atavia, *ae* f. Quadrisaïeule.

atavus, *i*, m. Quadrisaïeul. Au plur. *Atavi*, les ancêtres.

ater, *atra*, *atrum*, adj. Noir mat; sombre. || Vêtu de noir. ¶ (Fig.) Noir; hideux. || Lugubre. || Funeste. || Fâcheux; redoutable. || Satirique, malveillant, méchant. ¶ Ténébreux; obscur; presque inintelligible.

ateramum, i, n. Nom d'une plante.

athenogeron, ontis (acc. onta), m. Qui étudie dans sa vieillesse.

atheos et atheus, i, m. Athée.

athera, ae, f. Bouillie. [(t. méd.).

atheroma, atos, n. Athérome; loupe

atheus. Voy. ATHEOS. [les sacrifices).

athisce, es, f. Vase pour libations (dans

athla, orum, n. pl. Voy. ATHLON.

athleta, ae, m. Athlète. ¶ (Fig.) Champlon, virtuose.

athletice, adv. A la manière des athlètes

athletica (s.-e. ars), ae, f. Art des athlètes; athlétique. [athlétique.

athleticus, a, um, adj. Des athlètes;

athlon, i, n. Lutte; exercice athlétique. Au plur. Athla, travaux d'Hercule; épreuves; tourments; partic. luttes judiciaires; débats.

atizoe, es, f. Pierre précieuse.

atlantion, ii, n. L'atlas (la plus basse des vertèbres cervicales) ainsi appelé parce qu'il supporte le poids de la tête.

atnepos. Voy. ADNEPOS.

atneptis. Voy. ADNEPTIS. [rile.

atocium, ii, n. Médicament qui rend sté-

atomum, i, n. Instant, très court espace de temps.

atomus, a, um, adj. Non divisé; entier.|| Insécable. Subst. Atomus, i, f. Atome; qqf. parcelle.

atque (ou ac), conj. Et, et même, et surtout. || (Dans cert. constr.) Que. Juxta atque, aussi bien que. ¶ Et alors; et aussitôt; tout à coup; voilà que. || Et cependant. || Mais. || Et; mais, mais oui.

atqui, conj. Pourtant; et cependant. || Certes. ¶ Or. || Et, bien !

atquin. Voy. ATQUI.

atractylis, lidis (acc. lida), f. Carthame laineux (plante).

atramentale, is, n. Encrier.

atramentariolum, i, n. Petite écritoire.

atramentarium. i, n. Encrier.

atramentum, i, n. Liquide ou enduit noir. Atramentum librarium ou scriptorium, encre à écrire. Atramentum sutorium, noir des cordonniers. Atramentum tectorium, peinture noire.

atratus, a, um, adj. Noirci. ¶ Vêtu de noir; en deuil. [toyer l'atrium.

atriarius, ii, m. Esclave chargé de net-

atricapilla, ae, f. Becfigue.

atricapillus, a, um, adj. Qui a les cheveux noirs.

atricolor, oris, adj. De couleur noire.

atriensis, is, m. Esclave chargé de l'atrium (et même de toute la maison); majordome.

atriolum, i, n. Petit atrium.

atriplex, plicis, m. Arroche (plante).

atriplexum, i, n. Comme ATRIPLEX.

atritas, atis, f. Noirceur.|| Couleur noire.

atritudo, dinis, f. Comme ATRITAS.

atrium, ii, n. Grande salle de réception (chez les riches Romains) sur laquelle

s'ouvraient les appartements. || Hall d'un monument public. ¶ (Au plur.) Demeure des grands; palais.

atriunculum, i, n. Comme ATRIOLUM.

atro, as, are, tr. Noircir.

atrocitas, atis, f. Horreur; atrocité; barbarie. ¶ Violence. || Acharnement.

atrociter, adv. Avec violence. ¶ Avec hâte.

atrophia, ae, f. Atrophie, dépérissement.

atrophus, a, um, adj. Qui ne se nourrit pas, qui dépérit; malade de langueur. Subst. Atropha, orum, n. pl. Membres atrophiés.

atropine, es, f. Extrait de la belladone.

atrotus, a, um, adj. Invulnérable.

atrox, trocis, adj. Funeste; affreux; horrible; cruel. ¶ Barbare, féroce. ||Acharné. || (En bonne part.) Indomptable.

atrusca, ae, f. Variété de raisin.

atta, papa.

attactus, us, m. Toucher.

attacus, i, m. Sorte de sauterelle.

attagen, genis, m. Gélinotte.

attagena, ae, f. Comme ATTAGEN.

attagus, i, m. Bouc.

attamen, conj. Mais cependant.

attaminatio, onis, f. Action de porter la main sur.

attamino, as, avi, atum, are, tr. Porter la main sur; toucher à. ¶ Prendre, dérober. || Usurper. ¶ Attenter à; violer.

attat, interj. Ah ! ah !

attatae et attatatae, interj. Comme ATTAT.

attegia, ae, f. Hutte. [(vocab. sacré).

attegro, as, are, intr. Verser le vin

attelebus, i, m. Espèce de petite sauterelle.

attemperate. adv. A propos.

attemperies, ei, f. Action de tempérer.

attempero, as, avi, atum, are, tr. Adapter. || Mettre à l'endroit voulu.

attemptatio. Voy. ATTENTATIO.

attempto. Voy. ATTENTO.

attendo, is ,tendi, tentum, ere, tr. Tendre vers; diriger vers. || Faire attention, observer, remarquer. || S'appliquer à. || Essayer de.

attentatio, onis, f. Tentative; essai.

attente, adv. Avec attention; avec soin.

attentio, onis, f. Application. || Attention. ¶ Indication.

attentive, adv. Comme ATTENTE.

attento, as, avi, atum, are, tr. Mettre la main à; manier.¶ (Fig.) Tâter, sonder. || Essayer de... || S'attaquer à

1. attentus, a, um, adj. Tendu vers; fig. appliqué, attentif; soigneux; péjor. trop intéressé.

2. attentus, us, m. Action de fixer.

attenuate, adv. Simplement. || Sans éclat.

attenuatio, onis, f. Affaiblissement; atténuation. ¶ (Rhét.) Simplicité.

attenuatus, a, um, p. adj. Affaibli. ¶ Fluet (en parl. de la voix). ¶ Sobre; maigre; terne (en parl. du style).

attenuo, as, avi, atum, are, tr. Amincir; diminuer; affaiblir.|| Détruire. || Rabaisser; atténuer.

attermino, as, are, tr. Limiter.

attero, is, trivi, tritum, ere, tr. Frotter contre. || Entamer par le frottement), user; écorcher. || (Fig.) Affaiblir; ruiner. ¶ Broyer; plier. || Piétiner. || (Fig.) Anéantir.   [terre.

atterraneus, a, um, adj. Qui vient de la

attertiatus, a, um, adj. Réduit au tiers (en bouillant).   [ficat.

attestatio, onis, f. Attestation. || Certi-

attestator, oris, m. Témoin.

attestor, aris, atus sum, ari, dép. tr. Attester; certifier. || (Passif.) Etre attesté. ¶ (Spéc.) Se manifeste (t. méd.).

attexo, is, texui, textum, ere, tr. Ajouter en tissant. || Tisser en outre. ¶ (Fig.) Ajouter; unir.

attice, adv. A la manière des Attiques.

atticismos, i, m. Goût attique; atticisme.

atticisso, as, are, intr. Imiter les Attiques; se conformer au goût attique. ¶ Parler comme les Attiques ou (simpl.) parler grec.   [attique.

atticurges, is, adj. Qui est dans le style

attigo, is, ere, tr. Toucher à.

attiguus, a, um, adj. Qui touche à; contigu; voisin.

attillo, as, are, tr. Chatouiller.

attilus, i, n. Gros poisson qu'on pêche dans le Pô

attinae, arum, f. pl. Amas de pierres (servant de limite à un champ).

attineo, es, tinui, tentum, ere, tr. Tenir, maintenir || Occuper, garder. || Retenir, arrêter; fig. séduire. ¶ Intr. Etre attenant, contigu. || Concerner, intéresser; avoir rapport à. Impers. Attinet, il est bon de; il est besoin de.

attingo, is, tigi, tactum, ere, tr. Toucher à. || Tâter. || Goûter à; manger de. ¶ Mettre la main sur; s'emparer de. || Toucher à, c.-à-d. maltraiter. || Cogner. ¶ Confiner à. ¶ Atteindre; aborder. || Rencontrer. ¶ (Fig.) Arriver jusqu'à. || Etre en contact avec; concerner, toucher. ¶ Etudier. || Aborder (une question); traiter (sommairement); mentionner.   [humecter.

attinguo, is, tinctum, ere, tr. Arroser;

attitulatio, onis, f. Intitulé; titre.

attitulo, as, avi, are, tr. Intituler.

attollentia, ae, f. Orgueil.

attolero, as, are, tr. Supporter; soutenir.

attollo, is, ere, tr. Lever en l'air; soulever; hausser. ¶ (Fig.) Relever; encourager. || Rehausser; grandir; amplifier.

attolo. Voy. ATTULO.

attondeo, es, tondi, tonsum, ere, tr. Tondre, raser; élaguer. || Brouter. ¶

(Fig.) Réduire, restreindre. || Escroquer.

1. attonitus, a, um, p. adj. Frappé de stupeur; abasourdi; ébahi; consterné. || Frappé d'apoplexie. || Egaré (par la peur ou la passion); en délire. || Inspiré; en extase.

2. attonitus, abl. u, m. Ebahissement.

attono, as, tonui, tonitum, are, tr. Frapper de la foudre. || (Fig.) Frapper de stupeur.

attonsio, onis, f. Action de tondre, de raser, etc.   [contre.

attorqueo, es, ere, tr. Brandir ou lancer

attorreo, es, ere, tr. Faire griller.

attractio, onis, f. Contraction. ¶ (T. de gramm.) Assimilation (d'une lettre à une autre).

attractivus, a, um, adj. Attractif.

attracto. Voy. ATTRECTO.

1. attractus, a, um, p. adj. Froncé. || (Fig.) Soucieux.

2. attractus, abl. u, m. Attraction.

attraho, is, traxi, tractum, ere, tr. Tirer à soi; attirer; entraîner (pr. et fig.). ¶ Tirer fortement; tendre; contracter.

attrectabilis, e, adj. Qu'on peut manier,

attrectatio, onis, f. Action de manier, de palper; attouchement. ¶ (Gramm.) Mot collectif.

attrectator, oris, m. Celui qui touche.

attrectatus, abl. u, m. Attouchement.

attrecto, as, avi, atum, are, tr. Toucher à; tâter; manier. ¶ Toucher à, c.-à-d. porter atteinte à; s'approprier; dérober. ¶ S'exercer à la pratique de. ¶ Toucher à, c.-à-d. mentionner.

attremo, is, ere, intr. Trembler à la vue de ou à cause de.   [mal assuré.

attrepido, as, are, intr. Accourir d'un pas

attribuo, is, bui, butum, ere, tr. Attribuer; assigner; octroyer; allouer. || Mettre à la disposition de. ¶ Mettre sous la dépendance de. || (Jur.) Donner (à qqn une assignation sur qqn); imposer, taxer. ¶ (Fig.) Prêter, imputer. (Au passif. T. de log.) Attribui, être un attribut de. ¶ Ajouter.

attributio, onis, f. (Jur.) Assignation; mandat (de paiment) sur qqn. ¶ (Log.) Circonstance accessoire; attribut.

attributor, oris, m. Celui qui attribue, qui assigne.

attributum, i, n. Allocation.

attritio, onis, f. Frottement. || Broiement.

1. attritus, a, um, p. adj. Usé; épuisé. ¶ (Fig.) Terne; languissant. ¶ Effronté.

2. attritus, us, m. Frottement contre qqch. ¶ (Méd.) Inflammation due au frottement.   [nière figurée.

attropo, as, are, intr. Parler d'une ma-

attubus. Voy. ATUBUS.

attueor, oris, dép. tr. Regarder.

attulo, is, ere, tr. Arch. comme AFFERO.

attumulo, as, atum, are, tr. Elever en forme de tertre. ¶ Recouvrir d'un tertre, d'un tombeau; enterrer.

attundo, *is, tusum, ere,* tr. Battre, piler, attuor. Voy. ATTUEOR.

atturatio, *onis,* f. Offrande de l'encens (dans un sacrifice). [PUS.

atubus, *a, um,* adj. Corruption de ATYatypus, *i,* m. Qui parle avec peine et articule mal.

au, interj. Oh ! || Hélas !

auca, *ae,* f. Oiseau. || Oie.

aucella, *ae,* f. Petit oiseau.

aucellus, *i,* m. Oiselet. || Moineau.

auceps, *cupis,* m. Oiseleur. ¶ (Fig.) Celui qui est habile à prendre *ou* qui cherche toujours à prendre. || Celui qui épie.

auceptor, *oris,* m. Comme AUCEPS.

aucilla. Comme AUCELLA.

auctarium, *ii,* n. Ce qui est par-dessus le marché.

auctifer *[era, ferum,* adj. Fécond.

auctifico, *as, are,* tr Augmenter. || Augmenter la gloire de ; honorer ; rendre hommage à

auctificus, *a, um,* adj. Qui fait croître.

auctio, *onis,* f. Augmentation ; accroissement ¶ Vente à l'enchère ; encan. || (Métan.) Objets vendus à l'encan.

auctionalis, *e,* adj. Relatif à l'encan. Subst. *Auctionalia,* n. pl. Liste des objets à vendre à l'encan.

1. auctionarius, *a, um,* adj. Qui concerne l'encan.

2. auctionarius, *ii,* m. Enchérisseur.

auctionator, *oris,* m. Commissaire-priseur

auctionor, *aris, atus sum, ari,* dép. intr. Faire une vente aux enchères. || Acheter à l'encan ; enchérir.

auctito, *as, are,* tr. Augmenter constamment. ¶ Comme AUCTIFICO.

auctiuncula, *ae,* f. Vente à l'encan peu importante. [plus grand.

auctiusculus, *a, um,* adj. Un tantinet

auctivus, *a, um,* adj. Augmentatif.

aucto, *as, are,* tr. Augmenter, accroître. ¶ Enrichir de plus belle.

auctor, *oris,* m. Auteur ; fondateur ; créateur. ! Père ; souche. || Inventeur. || Écrivain. ¶ Auteur responsable ; instigateur ; conseiller. || Fauteur ; adhérent. || Celui qui soutient un projet de loi. ¶ Celui qui fait courir un bruit, source ; autorité ; garant. ¶ Celui qui enseigne une doctrine : maître. ¶ (T. de dr.) Conseil ; tuteur ; || Garant, sûreté. || Représentant ; fondé de pouvoir.¶ (En gén.) Soutien ; défenseur. [autorise.

auctorabilis, *e,* adj. Qui garantit, qui autorise.

auctoramentum, *i, n.* Prix d'un engagement ; prime. ¶ Contrat de louage. || (Fig.) Salaire ; prime. || Obligation ; sujétion.

auctorate, adv. Avec autorité.

auctoraticius, *a, um,* adj. Authentique.

auctoratio, *onis,* f. Action de s'engager. || Engagement.

auctoritas, *atis,* f. Initiative ; précédent.

¶ Instigation ; conseil. || Approbation ; adhésion. || Ordre, commandement ; pouvoir, autorité.¶ Témoignage imposant ; garantie. || Influence, crédit, autorité. || (En parl. des ch.) Valeur ; vogue.¶ (En politique.) Décision (prise par une assemblée) ; vote. ¶ (Jurispr.) Validité (conférée à un acte par le consentement d'une pers. autorisée) ; autorisation. ¶ Droit de propriété. ¶ Pleins pouvoirs ; procuration. ¶ (Méton.) Autorité (personne qui fait autorité). || Acte, pièce authentique ; titre.

auctoro, *as, avi, atum, are,* tr. Engager pour de l'argent ; louer ; vendre.¶ (Fig.) Engager ; obliger. || Etre cause de.

auctoror, *aris, atus sum, ari,* dép. tr. Vendre.¶ Autoriser.

auctrix, *icis,* f. Celle qui est cause de ; auteur.¶ Celle qui garantit, qui vend. || Garante, vendeuse. ¶ (Gr.) Celle qui augmente.

auctumn... Voy. AUTUMN...

auctus, *us,* m. Augmentation. || Accroissement. || Croissance.

aucula. Voy. AUCELLA. [guette.

aucupabundus, *a, um,* adj. Qui épie ; qui

aucupalis, *e,* adj. D'oiseleur ; servant pour la chasse des oiseaux.

aucupatio, *onis,* f. Chasse aux oiseaux ; pipée.

aucupator, *oris,* m. Oiseleur. ¶ (Fig.) Celui qui cherche à capter.

aucupatorius, *a, um,* adj. Employé pour la chasse aux oiseaux.

aucupatus, *us,* m. Oisellerie.

aucupium, *ii, n.* Oisellerie, métier d'oiseleur. || (Méton.) Ce que l'on a pris à la chasse ; gibier. ¶ (Fig.) Action d'épier, de guetter. || Recherche constante ; chasse.

aucupo, *as, avi, atum, are,* tr. Chercher à saisir. || Chercher à entendre. || (Fig.) Guetter, épier.

aucupor, *aris, atus sum, ari,* dép. tr. Chasser aux oiseaux (au filet *ou* à la pipée) ; prendre des oiseaux.¶ (Fig.) Rechercher, capter. || Guetter, épier.

audacia, *ae,* f. Audace. ¶ Hardiesse, courage ; fermeté ; décision. ¶ Témérité ; impudence.

audaciter et audacter, adv. Audacieusement.¶ Courageusement, hardiment. ¶ Témérairement, effrontément.

audaculus, *a, um,* adj. Quelque peu hardi.

audax, *acis,* adj. Audacieux. ¶ Hardi ; décidé ; résolu.¶ Téméraire ; impudent.

audens, *entis,* p. adj. Hardi ; résolu ; décidé ; intrépide.

audenter, adv. Résolument ; hardiment.

audentia, *ae,* f. Décision ; résolution ; hardiesse.

audeo, *es, ausus sum, ere,* tr. Vouloir bien ; être disposé. *Sodes* (= *si audes*), s'il te plaît. ¶ Se risquer à ; oser.

audibilis, *e,* adj. Qui peut être entendu.

audiens, *entis*, m. Auditeur. ¶ (Eccl.) Catéchumène.

audientia, *ae*, f. Faculté d'entendre; ouïe. ¶ Attention, désir d'écouter; silence pour écouter. ¶ (Méton.) Leçon. || Auditoire. ¶ (Jur.) Compétence (d'un juge; droit de connaître d'une affaire.

audio, *is, ivi et ii, itum, ire*, tr. Entendre, || Entendre dire; apprendre. ¶ Prêter l'oreille; écouter. || Suivre les leçons de; être disciple de. || Donner audience à. ¶ Ecouter; examiner. || Ajouter foi à, approuver. || Obéir, se soumettre à. ¶ S'entendre nommer, recevoir le nom de. || Entendre parler de soi (en bien *ou* en mal); avoir telle ou telle réputation. || (Gr.) Entendre, *c.-à-d.* prendre dans le sens de. || Sous-entendre.

auditio, *onis*, f. Action d'entendre; audition; ouïe. ¶ Ce qu'on écoute; leçon, cours, conférence. ¶ Ouï-dire, rumeur; nouvelle.

auditiuncula, *ae*, f. Légère connaissance.

audito, *as, avi, are*, tr. Entendre fréquemment.

auditor, *oris*, m. Auditeur. ¶ Disciple. || (Eccl.) Catéchumène. ¶ Juge. ¶ (*Qq.f.*) Lecteur. [tribunal.

auditorialis, *e*, adj. D'audience; de auditorium, *ii*, n. Audition d'un procès. ¶ Lieu où l'on se rassemble pour écouter; salle de cours, école, salle d'audience, tribunal. ¶ (Méton.) Auditoire.

auditorius, *a, um*, adj. Qui concerne l'ouïe *ou* l'audition.

auditrix, *icis*, f. Auditrice.

auditum, *i*, n. Ouï-dire; nouvelle.

auditus, *us*, m. Sens de l'ouïe; audition. ¶ Ce que l'on entend. || Leçon. || Ouï-dire. ¶ (Eccl.) Parole du Seigneur; prophétie.

aufero, *aufers, abstuli, ablatum, auferre*, tr. Emporter. || Entraîner. || (Fig.) Détourner, égarer. || Enlever, ravir, retirer; ôter. *Aufer te*, retire-toi. *Auferre iter fugientibus*, couper la retraite aux fuyards. || Faire disparaître, détruire, anéantir. || Cesser, faire trêve de. *Aufer cavillam*, trêve de railleries. || Emporter, *c.-à-d.* recevoir, obtenir. || (Fig.) Se faire une idée de; comprendre.

aufugio, *is, fugi, ere*, intr. S'enfuir. ¶ (Tr.) Fuir; échapper à; éviter.

aufugo, *as, are*, tr. Eviter.

augeo, *es, auxi, auctum, ere*, tr. Faire croître, augmenter; agrandir; grossir; renforcer. ¶ (Fig.) Pourvoir richement; honorer; charger d'offrandes. || (Péjor.) Accabler de. ¶ (Rhét.) Rehausser (par l'expression). || Charger; forcer (les traits, le caractère); exagérer.

auger. Voy. AUGUR.

augeratus. Voy. AUGURATUS.

augerium. Voy. AUGURIUM.

augesco, *is, auxi, ere*, intr. S'accroître, grandir; grossir.

augifico, *as, are*, tr. Augmenter.

anginos, *i*, f. Jusquiame (plante).

angisco. Voy. AUGESCO.

augites, *ae*, m. Sorte de pierre précieuse.

augmen, *minis*, n. Comme AUGMENTUM.

augmentatio, *onis*, f. Augmentation.

augmentator, *oris*, m. Celui qui augmente.

augmento, *as, are*, tr. Augmenter.

augmentum, *i*, n. Augmentation; accroissement. ¶ (Relig.) Partie des entrailles de la victime offertes séparément.

augur, *is*, m. Augure; celui qui observait les oiseaux pour tirer des présages de leur vol, de leur appétit, de leurs cris. ¶ (En gén.) Devin, prophète. || Qui prédit.

auguraculum, *i*, n. Lieu (élevé) qui servait d'observatoire aux augures.

augurale, *is*, n. Emplacement situé à droite de la tente du général et d'où celui-ci prenait les auspices. || (Par ext.) Tente (même) du général. || Bâton augural.

auguratio, *onis*, f. Action d'exercer les fonctions d'augure; science de l'augure.

augurato, adv. Après avoir pris les augures.

augurator, *oris*, m. Devin.

auguratorium, *i*, n. Comme AUGURALE.

auguratrix, *icis*, f. Devineresse.

auguratus, *us*, m. Augurat, fonction d'augure. ¶ Prédiction. [augures.

augurialis, *e*, adj. Qui fournit des augurium, *ii*, n. Augure, science des augures. || Observation et interprétation des présages. || Divination; prédiction. ¶ (Fig.) Pressentiment. ¶ (Méton.) Présage; (*fig.*) pronostic.

augurius, *a, um*, adj. Des augures.

auguro, *as, avi, atum, are*, intr. Exercer les fonctions d'augure. || (Tr.) Consulter les augures (pour pronostiquer). Consacrer (par l'observation des augures). ¶ (En gén.) Pronostiquer, deviner. || (Fig.) Pressentir. ¶ Guetter (à la manière des augures); regarder partout.

auguror, *aris, atus sum, ari*, dép. intr. Prédire d'après les augures. || (En gén.) Prédire; annoncer. || Pressentir; augurer. [gieusement.

auguste, adv. Avec vénération. || Religaugusto, *as, are*, tr. Rendre auguste.

augustus, *a, um*, adj. Consacré; d'un caractère religieux. ¶ Vénérable auguste.

1. **aula**, *ae*, f. Enclos autour d'un bâtiment. || Cour d'une maison. || Enceinte fermée *ou* grillée; bergerie; cage; chenil. ¶ V. ATRIUM. || Habitation d'un grand : palais; château; cour d'un roi). || (Fig.) Tanière (du lion, etc.). ¶ (Méton.) La cour, *c.-à-d.* les courtisans. || Séjour à la cour; service à la cour. || Puissance, autorité souveraine.

2. **aula**, *ae*, f. Arch. p. OLLA, marmite; pot.

3. **aula**, *ae*, f. Flûte.

aulaeum, *i*, n. Draperie, rideau, tenture. ¶ Rideau (de théâtre).

aulnus, *a*, *um*, adj. De cour.

auletica, *ae*, f. Camomille (plante).

auleticos, *on*, adj. Qui sert à jouer de la flûte. ¶ Dont on fait des flûtes.

aulicoctus, *a*, *um*, adj. Cuit dans la marmite. ‖ Bouilli.

aulici, *orum*, m. pl. Ceux qui ont une charge à la cour. ‖ Courtisans.

1. **aulicus**, *a*, *um*, adj. De la cour; princier; royal.

2. **aulicus**, *a*, *um*, adj. De flûte.

aulio, *onis*, m. Joueur de flûte.

auliscus, *i*, m. Canule.

auloedus, *i*, m. Celui qui chante avec accompagnement de la flûte.

1. **aulula**, *ae*, f. Petite cour.

2. **aulula**, *ae*, f. Petite marmite.

aululariua, *a*, *um*, adj. Qui concerne une marmite. [pétoncle.

aulus, *i*, m. Le mâle du coquillage appelé

aumatium, *ii*, n. Latrines publiques dans un théâtre.

aura, *ae*, f. Brise. ‖ Souffle, haleine. ‖ Vent (favorable); faveur. ¶ Air vital ou respirable. ‖ Vie, âme. ‖ (Au plur.) *Aurae*, les airs, l'espace; le grand air, c.-à-d. le grand jour; le monde, la terre (séjour des vivants). ¶ Emanation, rayonnement; odeur; lueur; lumière; chaleur rayonnante; *qqf.* écho. ‖ (Fig.) Bouffée: léger indice.

auramentum, *i*, n. Objet en or.

auraria, *ae*, f. Bijoutière. ¶ Mine d'or. ¶ Impôt sur l'industrie et le commerce.

1. **aurarius**, *a*, *um*, adj. Qui concerne l'or. ‖ En or.

2. **aurarius**, *ii*, m. Orfèvre; bijoutier.

3. **aurarius**, *ii*, m. Fauteur; partisan.

aurata, *ae*, f. Dorade (poisson).

auratilis, *e*, adj. De couleur d'or.

auratura, *ae*, f. Dorure.

auratus, *a*, *um*, adj. Orné d'or. ‖ Doré.

aureae. Voy. OREAE.

aureatus, *a*, *um*, adj. Orné; décoré.

aureax. Comme AURIGA.

1. **aureolus**, *a*, *um*, adj. D'or (en parl. d'un objet délicat ou gracieux).

2. **aureolus**, *i*, m. Petite pièce d'or.

aureosus, *a*, *um*, adj. Tirant sur l'or.

auresco, *is*, *ere*, intr. Se teindre d'une couleur d'or.

1. **aureus**, *a*, *um*, adj. D'or; en or. ‖ Garni d'or; broché ou plaqué d'or; doré. ¶ Qui est de la couleur de l'or. ¶ Semblable à l'or; splendide, précieux, excellent.

2. **aureus**, *i*, m. Pièce d'or.

aurichalcum, *i*, n. Laiton, cuivre jaune. ¶ (En gén.) Métal (précieux).

aurichalcus, *a*, *um*, adj. De laiton.

aurichalcinus, *a*, *um*, adj. Comme le précédent.

auricilla, *ae*, f. Petite oreille.

auricoctor, *oris*, m. Affineur d'or.

auricolor, *oris*, adj. De couleur d'or.

auricomans, *antis*, adj. Comme AURICOMUS.

auricomus, *a*, *um*, adj. Qui a une chevelure d'or. ¶ Qui a un feuillage ou des rameaux d'or.

auricula, *ae*, f. Oreille extérieure; cartilage de l'oreille; lobe de l'oreille. ‖ Oreille. ¶ (Méton.) Faculté d'entendre; disposition à écouter; accueil favorable. [LARIUS.

auricularis, *e*, adj. Comme 1. AURICU-

1. **auricularius**, *a*, *um*, adj. Qui concerne les oreilles.

2. **auricularius**, *ii*, m. Celui qui a l'oreille de qqn. ‖ Conseiller intime. ¶ Mouchard.

aurifer, *fera*, *ferum*, adj. Qui produit ou charrie de l'or.

aurifex, *ficis*, m. Ouvrier en or; orfèvre.

aurificina, *ae*, f. Atelier d'orfèvre.

aurifluus, *a*, *um*, adj. Qui roule de l'or (dans ses eaux).

aurifodina, *ae*, f. Mine d'or.

auriga, *ae*, m. Celui qui tient la bride d'un cheval. ¶ Cocher; cocher du cirque; cavalier. ‖ *Qqf.* Palefrenier. ¶ Le Cocher (constellation). ¶ Celui qui tient les rênes de (fig.). ‖ Pilote. ‖ (Moral.) Guide.

aurigabundus, *a*, *um*, adj. Qui est passionné pour l'art du jockey.

aurigalis, *e*, adj. De cocher.

aurigans, *antis*, adj. Brillant d'or.

aurigarius, *ii*, m. Cocher du cirque.

aurigatio, *onis*, f. Action de conduire un char, une voiture. ‖ *Qqf.* Action de monter à cheval.

aurigator, *oris*, m. Cocher (du cirque). ‖ Le Cocher (constellation). [de l'or.

auriger, *gera*, *gerum*, adj. Qui porte

aurigineus, *a*, *um*, adj. Voy. AURUGINEUS. [NOSUS.

auriginosus, *a*, *um*, adj. Voy. AURUGI-

1. **aurigo**, *inis*, f. Voy. AURUGO.

2. **aurigo**, *as*, *avi*, *atum*, *are*, intr. Conduire des chevaux. ‖ Diriger un char. ¶ (Fig.) Diriger, guider. [guider.

aurigor, *aris*, *ari*, dép. intr. Diriger,

aurilegulus, *i*, m. Orpailleur.

auripigmentum, *i*, n. Orpiment, orpin.

auris, *is*, f. Oreille. ¶ (Méton.) *Aures*, auditeurs. ‖ Goût, critique (littéraire). ¶ (Par anal.) *Aures*, oreillons (de charrue). [Sonde de (chirurgien).

auriscalpium, *ii*, n. Cure-oreille. ¶

auritulus, *i*, m. Le joli personnage aux longues oreilles.

1. **auritus**, *a*, *um*, adj. Pourvu d'oreilles (longues); aux longues oreilles. ¶ Qui entend; qui écoute; attentif. ¶ Auriculaire (témoin). ‖ Qu'on a entendu seulement (et non lu). ¶ Qui a la forme d'une oreille. ¶ Muni d'orillons.

2. **auritus**, *i*, m. Lièvre.

aurivestrix, *tricis*, f. Brodeuse en or.

auro, *as*, *are*, tr. Dorer.   [suivant.

auroclavatus, *a*, *um*, adj. Comme le

auroclavus, *a*, *um*, adj. Garni d'une bande d'or.

aurolentus. Voy. AURULENTUS.

aurora, *ae*, f. Aurore. || (Méton.) L'orient. || Les peuples de l'est.

auroresco, *is*, *ere*, intr. Commencer à faire jour. Impers. *Aurorescit*, il commence à faire jour. ¶ (Fig.) Rayonner (comme l'aurore).   [l'aurore).

aururo, *as*, *are*, intr. Rayonner (comme

aurosus, *a*, *um*, adj. Qui contient de l'or. || Mêlé d'or. ¶ Qui a l'éclat de l'or.

aurugineus, *a*, *um*, adj. De jaunisse.

aurugino, *as*, *are*, intr. Avoir la jaunisse.

auruginosus, *a*, *um*, adj. Ictérique; qui a la jaunisse.   [des grains; carie.

aurugo, *inis*, f. Jaunisse. ¶ Maladie

aurula, *ae*, f. Léger souffle. ¶ (Fig.) Légère atteinte; légère teinture; faible quantité.

aurulentus, *a*, *um*, adj. De couleur d'or.

aurum, *i*, n. Or (métal). || (Méton.) Objet en or. ¶ Or (monnayé); richesse. || Couleur d'or; éclat (de l'or). || Age d'or. || Perfection, excellence.

ausculor. Voy. OSCULOR.

auscultatio, *onis*, f. Action d'écouter. || Espionnage, délation. || Obéissance.

auscultator, *oris*, m. Celui qui écoute. || Auditeur. || Celui qui obéit, qui exécute un ordre.

auscultatus, *us*, m. Audition.

ausculto, *as*, *avi*, *atum*, *are*, tr. Ecouter. || Faire attention à. ¶ (Partie.) Ecouter volontiers; prêter l'oreille à; ajouter foi à. || Obéir. ¶ Guetter; épier.

ausculum. Voy. OSCULUM.

1. auspex, *spicis*, m. et f. Devin (qui observe le vol des oiseaux). ¶ Oiseau (qui fournit ces présages). ¶ (Fig.) Chef, guide; patron. || Paranymphe.

2. auspex, *spicis*, adj. Qui inaugure. || De bon augure: favorable.

auspicabilis, *e*, *adj*. De bon augure.

auspicalis, *e*, adj. Qui fournit des présages.

auspicaliter, adv. Comme AUSPICATO.

auspicato, adv. Après avoir pris les auspices. ¶ Sous d'heureux auspices; à propos.

auspicatus, *a*, *um*, p. adj. Consacré par les auspices; inauguré solennellement. ¶ Entrepris sous d'heureux auspices; heureux, prospère.

auspicium, *ii*, n. Observation des présages fournis par les oiseaux. *Auspicia*, n. pl. Droit de prendre les auspices; commandement suprême, haute direction, autorité. ¶ (Méton.) Présage (fourni par les oiseaux); présage. || Inauguration; commencement; entreprise.

auspicio, *as*, *avi*, *atum*, *are*, intr. Prendre les auspices. ¶ (Tr.) Prendre comme présage. || Présager.

auspicor, *aris*, *atus sum*, *ari*, dép. intr. Prendre les auspices. || Fournir un présage (en parl. de l'oiseau). ¶ Prendre les auspices (avant d'entreprendre): inaugurer; commencer.

austellus, *i*, m. Vent léger du sud.

1. auster, *tri*, m. Vent du sud. || Sirocco. ¶ (Méton.) Le midi, *c.-à-d.* les contrées du midi.

2. auster, *eris*, adj. Voy. AUSTERUS.

australis, *is*, f. Comme SISYMBRIUM.

austere, adv. Sévèrement.

austeris, *e*, adj. Voy. AUSTERUS.

austeritas, *atis*, f. Saveur forte. || (Méton.) Substance d'une saveur forte. ¶ Manque d'éclat; obscurité. ¶ (Mor.) Sévérité; austérité. || Humeur morose.

austerulus, *a*, *um*, adj. Un peu âpre au goût.

austerus, *a*, *um*, adj. Apre au goût; d'une saveur forte, désagréable. || D'une odeur forte. || Sans éclat; terne. || Sourd, mat (en parl. du son). ¶ (Fig.) Sans éclat; sévère, sérieux. ¶ Grave, austère (en parl. des pers.) || Chagrin morose.

austor. Voy. HAUSTOR.

australis, *e*, adj. Austral; méridional.

austrifer, *fera*, *ferum*, adj. Qui amène le vent du sud ou la pluie.

austrinus, *a*, *um*, adj. Causé par le vent du sud. || Austral.

austroafricus, *i*, m. Vent du S.-S.-O.

austronotius, *i*, m. Le pôle sud.

austronotus, *i*, m. Comme le précédent.

austrum. Voy. HAUSTRUM.

ausum, *i*, n. Action hardie. || Exploit. ¶ Forfait.   [d'audace.

ausus, *us*, m. Audace. || (Méton.) Coup

aut, conj. Ou, ou bien. ¶ Ou du moins. || Ou plutôt. || Ou autrement, sinon. ¶ *Aut... aut...*, ou... ou.

autem, conj. Mais; d'autre part. || Or. || Quant à; et, et aussi. || Que dis-je? mais quoi!   [maître.

authenta, *ae*, m. Celui qui fait autorité;

authentici (s.-e. LIBRI). *orum*, m. pl. Livres canoniques (de la Bible).

authenticum, *i*, n. Original; pièce authentique.

authenticus, *a*, *um*, adj. Authentique.

authepsa, *ae*, f. Sorte de réchaud composé de deux parties, une pour le feu, l'autre pour les plats à faire chauffer.

author. Voy. AUCTOR.

authoritas. Voy. AUCTORITAS.

autographum, *i*, n. Autographe; original.

autographus, *a*, *um*, adj. Autographe.

automataria, *orum*, n. pl. Machines.

1. automatarius, *a*, *um*, adj. Relatif aux machines. || Qui concerne les automates.   [mates.] || Mécanicien.

2. automatarius, *ii*, n. Fabricant d'auto

automaton, *i*, n. Automate || Machine.

automatopoestus, *a*, *um*, adj. Automatique.

automatus, *a*, *um*, adj. Qui agit de son propre mouvement. || Spontané.

autopyros et autopyrus (s.-ent. *panis*),

i, m. Pain grossier (fait de farine mêlée de son).

autor. Voy. AUCTOR.

autoritas. Voy. AUCTORITAS.

autumator, *oris*, m. Celui qui nomme.

autumnal, *alis*, n. Equinoxe d'automne.

autumnalis, *e*, adj. D'automne.

autumnitas, *atis*, f. Temps de l'automne. ¶ (Méton.) Récolte, fruits de l'automne.

autumnum, *i*,n. Le temps de l'automne.

1. autumnus. *i*, m. Automne. ||(Méton.) Fruits de l'automne.||(Par ext.) Année.

2. autumnus, *a*, *um*, adj. Automnal, d'automne.

autumo, *as*, *avi*, *atum*, *are*, tr. Dire; prétendre. || Nommer. || Juger; être d'avis. [|| Prêt à porter secours.

auxiliabundus, *a*, *um*, adj. Secourable.

1. auxiliaris, *e*, adj. Qui aide; qui secourt. || Secourable. || Efficace. ¶ (T. milit.) Auxiliaire. || D'auxiliaire: relatif aux troupes auxiliaires.

2. auxiliaris, *is*, m. Soldat des troupes auxiliaires. *Auxiliares*, troupes auxiliaires. [LIARIS.

auxiliarius, *a*, *um*, adj. Comme AUXI-

auxiliatio, *onis*, f. Aide; secours.

auxiliator, *oris*, m. Celui qui secourt. || Défenseur; protecteur.

auxiliatorius, *a*, *um*, adj. Qui vient en aide; auxiliaire.

auxiliatrix, *icis*, f. Celle qui secourt.

auxiliatus, *us*, m. Secours.

auxilio, *as*, *avi*, *atum*, *are*, intr. Comme le suivant.

auxilior, *aris*, *atus sum*, *ari*, dép. intr. Prêter assistance; porter secours; aider. || (Méd.) Porter remède et guérir. || Guérir, être efficace par (en parl. de la médication).

auxilium, *ii*, n. Assistance, appui; coopération; secours; aide. || (Méton.) Aide, celui qui prête assistance. || (Méd.) Traitement (efficace); remède. ¶ (Spéc.) Au plur. *Auxilia*, troupes auxiliaires (d'infanterie); forces militaires.

avare, adv. Par cupidité. || Par avarice.

avariter, adv. Avec avidité. || Avec avarice. [cupidité, avarice.

avaritia, *ae*, f. Voracité. ¶ Avidité,

avarities, *ei*, f. Comme AVARITIA.

avarus, *a*, *um*, adj. Qui convoite; avide. ¶ Avide d'argent; cupide; avare.

aveho, *is*, *vexi*, *vectum*, *ere*, tr. Emporter; emmener (par eau, en voiture, à cheval); enlever. || (Fig.) Arracher. || (Passif.) S'éloigner; se retirer; partir.

avello, *is*, *velli* ou *vulsi*, *vulsum*, *ere*, tr. Arracher (pr. et fig.); enlever de force. || Arracher, c'-d-d. ravir, dérober.

avena, *ae*, f. Avoine. ¶ Folle avoine. ¶ (En gén.) Chaume; tige creuse. ¶ Pipeau, flûte champêtre; chalumeau. *Avenae structae*, flûte de Pan.

avenaceus, *a*, *um*, adj. D'avoine; fait d'avoine.

avenarius, *a*, *um*, adj. A avoine; qui concerne l'avoine.

aveno, *are*, tr. Nourrir d'avoine. ¶ Nourrir (des bêtes de somme).

avens, *entis*, adj. Avide. ¶ Qui agit de bon cœur. [cœur.

aventer, adv. Avec avidité. ¶ De bon

1. aveo, *es*, *ere*, tr. Désirer vivement.

2. aveo, *ere*, intr. Se bien porter. *Ave*, *avets*, salut ! bonjour ! *Avete*, portez-vous bien. [balayant; *fig.* enlever.

averro, *is*, *verri*, *ere*, tr. Enlever en

averrunco, *as*, *are*, tr. Détourner; éloigner (un malheur). || (Fig.) Empêcher, interdire. [malheurs.

averruncus, *i*, m. Dieu qui écarte les

aversabilis, *e*, adj. Digne d'aversion. || Abominable. [pour. || Réprobation.

aversatio, *onis*, f. Aversion, horreur

aversatrix, *tricis*, f. Celle qui déteste, qui a en horreur.

aversio, *onis*, f. Action de détourner. || (Rhét.) Figure qui consiste à détourner l'attention des auditeurs du sujet en question. ¶ Action de se détourner. || Eloignement, dégoût; nausée; aversion. || Défection; apostasie. ¶ (Formules.) *Ex aversione*, par derrière. Jurispr. *Aversione* ou *per aversionem*, en bloc, en gros; à forfait.

averso, *are*, intr. Se détourner de.

1. aversor, *aris*, *atus sum*, *ari*, dép. tr. Détourner (la tête pour ne pas voir). ¶ (Fig.) Repousser; refuser, décliner. || Ne pas vouloir reconnaître; ne pas vouloir accepter.

2. aversor, *oris*, m. Celui qui détourne (à son profit les deniers publics).

aversus, *a*, *um*, p. adj. Qui présente le dos. || Placé par derrière: postérieur. Subst. *Aversa* (s.-e. *pars*), *ae*. f. Le derrière (de qqch.) *Aversum*, *i*, n. La partie postérieure, la partie la plus reculée de qqch. ¶ (Fig.) Qui répugne à, prévenu contre; ennemi.

averta, *ae*, f. Grande valise; porte-manteau.

avertarius (s.-e. *equus*), *ii*, m. Cheval employé à porter les bagages.

averto, *is*, *verti*, *versum*, *ere*, tr. Détourner, éloigner; écarter, repousser. ¶ Détourner, s'approprier. ¶ Détourner (un malheur); préserver. ¶ Détourner, c.-d-d. dissuader. || Aliéner, faire perdre l'amitié. ¶ (Intr.) Se détourner; détourner la tête. ¶ (Au passif.) Se détourner. || (Fig.) Avoir du dégoût pour; dédaigner.

1. avia, *ae*, f. Grand'mère; aïeule. ¶ (Méton.) *Aviae*, *arum*, f. pl. Idées de vieille femme: préjugés.

2. avia, *ae*, f. Comme SENECIO.

3. avia, *orum*, n. pl. Voy. AVIUS.

avianus, *a*, *um*, adj. Qui est hors de la route.

aviarium, *ii*, n. Volière. ¶ Poulailler. || Basse-cour. ¶ Retraite des oiseaux. || Bocage.

1. **aviarius**, *a*, *um*, adj. A oiseaux; relatif aux oiseaux.

2. **aviarius**, *ii*, m. Oiselier. ¶ Celui qui élève des poules. [mère.

1. **aviaticus**, *a*, *um*, adj. De la grand-

2. **aviaticus**, *i*, m. Petit-fils.

avicella. Comme le suivant.

avicula, *ae*, f. Oiselet; oisillon.

avicularius, *ii*, m. Marchand d'oiseaux; oiselier.

avide, adv. Avidement (pr. et fig.).

aviditas, *atis*, f. Désir impatient; avidité. ¶ (Partic.) Amour de l'argent, cupidité. ¶ Appétit. ¶ Voracité.

avidus, *a*, *um*, adj. Avide de, passionné pour. ¶ Apre au gain, avare. ¶ Vorace. ¶ Impatient (de voir *ou* d'entendre), curieux. ¶ Passionné, ardent. || Irascible, vindicatif. ¶ Qui embrasse un vaste espace; étendu.

avis, *is*, f. Oiseau; volatile. || Poule. ¶ Oiseau / qui donne des présages. || (Méton.) Présage; auspice. ¶ Le Cygne (constellation).

avitus, *a*, *um*, adj. Qui vient du grand-père *ou* de la grand'mère *ou* des ancêtres; héréditaire. ¶ Antique.

avius, *a*, *um*, adj. Qui est situé loin de la route, écarté; solitaire, désert, peu fréquenté: peu frayé. Subst. *Avium*, *i*, n. et *Avia*, *orum*, n. pl. Solitude, désert. ¶ Qui s'écarte de la route; qui fait fausse route; qui s'égare.

avocamentum, *i*, n. Distraction; divertissement. ¶ Relâche.

avocatio, *onis*, f. Action de détourner *ou* de faire diversion. ¶ Relâche, distraction.

avoco, *as*, *avi*, *atum*, *are*, tr. Appeler qqn hors de. || Entraîner. ¶ (Fig.) Détourner. ¶ Tenir à l'écart de; éloigner de. ¶ Distraire. || Déranger, gêner.

|| Divertir, amuser. ¶ (Jur.) Réclamer, reprendre. || Revenir sur; annuler.

avolo, *as*, *avi*, *atum*, *are*, intr. S'envoler. || (Fig.) S'enfuir au plus vite.

avolsio. Voy. AVULSIO.

avolsor. Voy. AVULSOR.

avonculus. Voy. AVUNCULUS.

avulsio, *onis*, f. Action d'arracher || (Méton.) Bouture (arrachée d'une plante). ¶ (Fig.) Arrachement.

avulsor, *oris*, m. Arracheur.

avunculus, *i*, m. Oncle maternel; frère de la mère. ¶ Oncle par alliance, mari de la tante maternelle. ¶ Grand-oncle.

avus, *i*, m. Grand-père; aïeul; *qqf.* bisaïeul. Au pl. *Avi*, *orum*, m. Aïeux; ancêtres. ¶ Vieillard. ¶ Au plur. *Avi*. semences cotonneuses(du chardon,etc.)

1. **axiculus**, *i*, m. Petit essieu; petit axe. ¶ Rouleau. || Bobine.

2. **axiculus**, *i*, m. Petite planche; petite latte.

axilla, *ae*, f. Aisselle. [ciation.

axioma, *atis*, n. Proposition. || Enon-

1. **axis**, *is*, m. Essieu. || (Méton.) Véhicule. ¶ Pivot; arbre; cylindre. || (Fig.) Axe du monde. || (Méton.) (Pôle. || Ciel, firmament; zone; point cardinal. ¶ (Arch.) Orle.

2. **axis**, *is*, m. Ais. || Poutre. || Soupape (dans une machine hydraulique).

axon, *onis*, m. Style de cadran solaire. ¶ Cylindre, treuil. ¶ Au plur. *Axones*, tables tournantes en bois sur lesquelles étaient gravées les lois de Solon.

axungia, *ae*, f. Axonge. ¶ Cambouis.

azaniae (*nuces*). Pommes de pin desséchées sur l'arbre. [tous lieux.

azoni (*dii*), m. pl. Dieux adorés en

azymon, *i*, n. Pain azyme. Au plur. *Azyma*, *orum*, n. La fête des Azymes.

azymus, *a*, *um*, adj. Sans levain; azyme.

B

B, b, seconde lettre de l'alph. lat. || Abrév. B = bene (*ou* bonus). B M = bene merens. [heure !

babae, interj. Oh! Bien! A la bonne

babaeculus, *i*, m. Bon vivant, viveur.

babulus, *i*, m. Vantard; fat.

baburrus, *i*, m. Imbécile.

baca et **bacca**, *ae*, f. Baie. || (En gén.) Fruit. || Olive. || Petite boule. || Perle. || Anneau d'une chaîne.

bacalis, *e*, adj. Qui porte des baies.

bacalusiae, *arum*, f. pl. Menues friandises. ¶ Bagatelles de la porte.

bacatus, *a*, *um*, adj. Garni de perles. || Fait de perles. [CALIS, etc.

bacca, **baccalis**, etc. Voy. BACA, BA-

baccar, *aris*, n. Variété de sauge, plante employée contre les maléfices.

bacchabundus, *a*, *um*, adj. Qui s'abandonne au délire des bacchantes.

bacchanal, *alis*, n. Lieu consacré à Bacchus. || Lieu où se célébraient les

mystères de Bacchus. || *Bacchanalia* *um*, n. pl. Les Bacchanales. || (Fig.) Orgies. [BACCARIS.

bacchar et **baccharis**. Voy. BACCAR et

bacchatim, adv. A la manière des bacchantes. || Dans un accès de fureur bachique.

bacchatio, *onis*, f. Célébration des fêtes de Bacchus. (Fig.) Orgie.

bacchator, *oris*, m. Celui qui célèbre Bacchus. (Fig.) Tapageur; débauché.

bacchia, *ae*, f. Bacchante.

bacchiacus, *a*, *um*, adj. Nom d'un mètre; voy. 2. BACCHIUS. [bachique.

bacchicus, *a*, *um*, adj. De Bacchus;

1. **bacchius**, *a*, *um*, adj. Bachique.

2. **bacchius**, *a*, *um*, adj. Bachique, nom d'un pied (métr.), âmōrēs (brève suivie de deux longues).

bacchor, *aris*, *atus sum*, *ari*, intr. Célébrer Bacchus; ¶ Se démener comme une bacchante; s'agiter avec une joie délirante.‖ Agir en furieux. ‖ Se déchaîner (en parl. des ch.); faire rage. ¶ (Tr.) Crier comme une bacchante. ‖ Etre sous le coup de l'inspiration. ¶ Tr. Crier (comme une bacchante). ‖ Parcourir en célébrant les Bacchanales. ‖ Faire retentir du bruit des Bacchanales ‖ Passif. Etre parcouru par les Bacchantes); retentir de leurs cris. ¶ Composer dans le feu de l'inspiration.

bacchus, i, m. Aigrefin (poisson).

bacellus, i, m. Petit bâton.

bacifer, era, erum, adj. Qui porte des baies. ‖ Qui produit des olives.

1. bacillo. Voy. VACILLO. [un bâton.

2. bacillo, as, are, tr. Frapper avec bacillum, i, n. Petit bâton; baguette. ¶ Verge (des licteurs).¶ Hampe (d'un javelot).

bactrogerita, ae, m. Philosophe cynique (qui porte un bâton et une besace).

bacula, ae, f. Petite baie; petit fruit.

baculum, i, n. Bâton. ‖ Canne.

baculus, i, m. Comme le précédent.

badius, a, um, adj. Bai (en parl. d'un cheval.

bado, are, intr. Aller, marcher.

baeticatus, a, um, adj. Qui porte un vêtement fait en tissu de Bétique.

baeto, ere, intr. Marcher; aller.

bajulatio, onis, f. Action de porter (un fardeau.)

bajulator, oris, m. Portefaix.

bajulatorius, a, um, adj. A porteurs. ‖ Portatif.

bajulo, as, are,tr. Porter sur son dos; porter un fardeau, être portefaix.

bajulus, i, m. Porteur; portefaix. ¶ Porteur d'une lettre; messager. ¶ Croque-mort.

balaena, ae, f. Baleine.

balaenaceus, a, um, adj. De baleine. ‖ Fait d'un fanon de baleine.

balanatus, a, um, adj. Parfumé.

balaninus, a, um, adj. De balanus; extrait du balanus.

balanites, ae, m. Pierre précieuse.

balanitis, idis, f. Qui a la forme d'un gland.

balanus, i, f. et (rar.) m. Gland. ¶ Tout fruit semblable ou analogue au gland. ‖ Châtaigne; marron. ‖ Datte. ‖ Balanus (fruit d'un arbrisseau d'Orient). ‖ (Méd.) Huile extraite de ce fruit et entrant dans la composition de certains parfums. ‖ Cet arbrisseau même. ¶Tout objet ayant la forme d'un gland. ‖ Gland de mer; balane. ‖ (Méd.) Suppositoire.

balatio. Voy. BALLATIO.

balatro, onis, m. Pitre; bouffon. ‖ (Fig.) Farceur. ¶ Drôle. [la chèvre.

balatus, us, m. Bêlement. ‖ Cri de

balaustium, ii, n. Fleur du grenadier sauvage.

balbus, a, um, adj. Qui parle difficilement; bègue. ¶ Prononcé en bégayant; confus.

balbutio, is, ivi, itum, ire, intr. Bégayer; bredouiller.‖ Gazouiller. ¶ (Fig). Balbutier. ¶ (Tr.) Dire en balbutiant.

balena. Voy. BALAENA. [NEUM.

balineae, arum, f. pl. Pluriel de BALI- balineae, arum, f. Voy. le précédent.

balineum, i, n. Bains publics (seul. au plur. BALINEAE). ‖ Qqf. Bains privés. ¶ Bain (l'eau du bain). ¶ Bain, action de se baigner.

baliolus, a, um, adj. Basané; bronzé.

balista. Voy. BALLISTA.

balistarius. Voy. BALLISTARIUS.

ballaena. Voy. BALAENA.

ballatio, onis, f. Danse.

ballator, oris, m. Danseur.

ballatrix, tricis, f. Ballerine; danseuse.

ballena. Voy. BALAENA.

ballista (BALISTA), ae, f. Baliste (machine de guerre). ¶ (Méton.) Grosse pierre, projectile (lancé par la baliste).

ballistaria, ae, f. Fabrique de balistes.

ballistarium, ii, n. Baliste.

1. ballistarius, a, um, adj. Qui concerne la baliste.

2. ballistarius, ii, m. Constructeur de balistes. ‖ Qui manœuvre la baliste.

ballistia, orum, n. pl. Chants dont on s'accompagne en dansant.

balluca. Voy. BALUCA.

balneae. Voy. BALINEUM.

balneare, is, n. Prix du bain.

1. balnearia, ium, n. pl. Objets servant au bain. [de bains.

2. balnearia, orum, n. pl. Bains; salle

balnearis, e, adj. Qui concerne le bain. ‖ De bain; à bain. [NEARIS.

balnearius, a, um, adj. Comme BAL-

balneator, oris, m. Baigneur.

balneatorius, a, um, adj. Qui sert pour le bain. [vante de bain.

balneatrix, icis, f. Baigneuse. ‖ Ser-

balneatus, a, um, adj. Où il y a des bains. ¶ Pourvu de salles de bains.

balneo, as, are, intr. Se baigner

balneolae, arum, f. pl. Voy. BALNEO- LUM. [de bains.

balneolum, i, n. Petit établissement

balneum. Voy. BALINEUM.

balneus, i, m. Comme BALNEUM.

balnia, orum, n. pl. Comme BALNEAE.

balnitor, oris, m. Comme BALNEATOR.

1. balo, as, avi, atum, are, int. Bêler (en parl. de la brebis et de la chèvre). ¶ (Fig.) Dire des niaiseries ou des balivernes.

balsamaria, ae, f. Sorte de plante balsamique.

balsaminus, a, um, adj. De baume. ‖ Préparé avec du baume.

balsamum, i, n. Baumier de Judée. ‖ Suc de cet arbrisseau. ‖ Baume; parfum préparé avec du baume. [driers.

baltearius, ii, m. Fabricant de bau-

balteum, i, n. Voy. BALTEUS.

balteus, i, m. Baudrier. ‖ Ceinturon. ‖ Ceinture (de femme). ‖ Sangle (de cheval). Baltea, n. pl. Coups donnés

avec une ceinture *ou* une sangle. ||
Bande ornée dont on entourait le poi-
trail du cheval. || Sous-ventrière. ¶
Bord d'un gâteau rond. || Listel du
chapiteau ionique. ¶ Le zodiaque. ¶
Précinction.

baluca, *ae*, f. Comme le suivant.

balux, *ucis*. f. Sable où l'on trouve
des paillettes d'or. [le suivant.

bambalium et **bambilium**, *ii*, n. Voy.

bamborium, *ii*, n. Espèce de tambour
de basque.

baphium, *ii*, n. Atelier de teinturier.

baphius, *ii*, m. Teinturier.

baptisma *atis*, n. Immersion. || Ablu-
tion. ¶ (Eccl.) Baptême.

baptismum, *i*, n. Comme le suivant.

baptismus, *i*, m. Baptême.

baptista, *ae*, m. Celui qui baptise.

baptisterium, *ii*, n. Piscine. ¶ (Eccl.)
Baptistère.

baptizatio, *onis*, f. Action de baptiser.
|| Baptême.

baptizator, *oris*, m. Celui qui baptise.

baptizo, *as*, *avi*, *atum*, *are*, tr. Plonger
dans l'eau. || Submerger. ¶ Laver,
purifier. || (Eccl.) Baptiser.

barathrum, *i*, n. Abîme. || gouffre. ||.
Fondrière. || Les Enfers. || (Fig.)
Glouton.

barathrus, *i*, m. Coquin digne de l'enfer.

barba, *ae*, f. Barbe (de l'homme). ||
Barbe de certains animaux. || Barbe
des plantes. || Duvet. ¶ *Barba Jovis*,
barbe de Jupiter *ou* anthyllide.

barbare, adv. En langue étrangère;
qqf. en latin (du point de vue grec).
¶ D'une façon barbare. || Cruellement,
durement. ¶ De façon inconvenante;
grossièrement. || D'une manière incor-
recte (en parl. du style).

barbari, *orum*, m. pl. Les barbares.

barbaria, *ae*, f. L'étranger; les pays
étrangers. ¶ (Méton.) Absence de cul-
ture *ou* de civilisation. || Grossièreté.
|| Façon barbare de s'exprimer. || Bar-
barie, *c.-à-d.* cruauté, férocité.

barbarice, adv. A la manière des barbares. [des barbares.

barbaricum, *i*, n. L'étranger (le pays

barbaricus, *a*, *um*, adj. De l'étranger.
|| Usité à l'étranger. ¶ (Méton.) Digne
des barbares *ou* de barbares : grossier, sauvage.

barbaries. Voy. BARBARIA.

barbarismus, *i*, m. Manière de vivre
des barbares. ¶ Barbarisme, incorrection; faute grossière. [barbarismes.

barbarizo, *as*, *are*, intr. Faire des

barbarum, *i*, n. Manière des barbares.

barbarus, *a*, *um*, adj. Barbare; étranger.
|| (Méton.) Barbare. || Non civilisé;
grossier. || Sauvage, féroce.

barbatulus, *a*, *um*, adj. Qui a un peu
de barbe; qui porte une barbe naissante.

1. **barbatus**, *a*, *um*, adj. Qui porte
toute sa barbe; barbu. || Qui n'est

plus jeune; barbon. ¶ Romain de
vieille roche. ¶ Duveteux *ou* cotonneux.

2. **barbatus**, *i*, m. Philosophe. ¶ Bouc.

barbiger, *gera*, *gerum*, adj. Qui porte
sa barbe; barbu.

barbitos, *i*, m. et f. Luth *ou* lyre. ||
(Méton.) Chant avec accompagne-
ment de luth.

barbula, *ae*, f. Jeune barbe. || Léger
duvet. || Barbe d'une plante.

barbulus, *i*, m. Pagre (poisson).

barbus, *i*, m. Barbeau (poisson).

barca, *ae*, f. Barque.

barcala, *ae*, m. Sot, imbécile.

barcella, *ae*, f. Petite barque.

barcula, *ae* ,f. Petite barque.

barditus. Voy. BARRITUS.

bardocucullus, *i*, m. Sorte de caban.

1. **bardus**, *a*, *um*, adj. Balourd; stupide.

2. **bardus**, *i*, m. Barde.

baris, *idos*. f. Sorte de grande toue en
usage sur le Nil.

baritus. Voy. BARRITUS.

baro, *onis*, m. Niais. [de l'éléphant).

barrio, *ire*, intr. Rugir (en parl. de

barritus, *us*, m. Cri de l'éléphant.¶ Cri
de guerre.

barrus, *i*, m. Éléphant.

barytonos, *on*, adj. Baryton, mot qui
n'a pas l'accent tonique sur la dernière.

basaltes, *is*,m. Basalte.

basanites, *ae*, m. Basalte. [les vases.

bascauda, *ae*, f. Bassine servant à laver

basculum. Voy. VASCULUM.

basella, *ae*, f. Cale; chantier. [baiser.

basiatio, *onis*, f. Action de baiser;

basiator, *oris*, m. Celui qui donne des
baisers.

basicula, *ae*, f. Petite base.

basilica, *ae*, f. Basilique (servant de
bourse et de tribunal). ¶ (En gén.)
Galerie. ¶ (Eccl.) Basilique; chapelle.

basilice, *es*, f. Comme BASILICA. ¶
Comme BASILICON.

basilicon, *i*, n. Basilicon (sorte d'emplâtre de poix et de résine). ¶ Espèce
de noix de qualité supérieure.

basilicum, *i*, n. Vêtement somptueux.

basilicus, *a*, *um*, adj. Royal; princier.
|| Magnifique. [la morsure du basilic.

basilisca, *ae*, f. Plante employée contre

basiliscus, *i*, m. Basilic. [tendrement.

basio, *as*, *avi*, *atum*, *are*, tr. Baiser

basiolum, *i*, n. Tendre baiser.

basis, *is* et *eos*, (acc. *im* et *in*, abl. *i*), f.
Plante du pied. ¶ (Ordin.) Base, pié-
destal, etc. || Soubassement. || (Géom.)
Base (d'un triangle). || Corde (d'un
arc). ¶ (Gramm.) Mot primitif. ||
(Métr.) Dipodie.

basium, *ii*, n. Baiser.

bassaris, *idis*, f. Bacchante.

basterna, *ae*, f. Litière fermée (à l'usage
des femmes).

bat, interj. Bah !

batillum et **batillus**. Voy. VATILLUM.

batioca, *ae*, f. Sorte de hanap.

batis et **battis**, *is* (acc. *im*), f. Bacile, fenouil marin (plante).

battis. Voy. BATIS.

battuo et **batuo**, *is, ere*, tr. Battre. || Taper. || Plier. ¶ Faire de l'escrime.

1. batus et **batos**, *i*, f. Ronce des bois. *Batus Idaea*, framboisier.

2. batus, *i*, m. Mesure de capacité (en usage chez les Juifs).

baubo, *as, are*, intr. Voy. BAUBOR.

baubor, *aris, atus sum, ari*, dép. intr. Japper.

baxea, *ae*, f. Sorte de sandale.

bdellium, *ii*, n. Sorte de palmier. ¶ Gomme (tirée de ce palmier).

beate, adv. Heureusement. ¶ A merveille.

beatitas, *atis*, f. Comme le suivant.

beatitudo, *inis*, f. Parfait bonheur; béatitude. || (Méton.) Titre honorifique. ¶ Prospérité.

beatulus, *a, um*, adj. Assez heureux.

beatus, *a, um*, adj. Parfaitement heureux; bienheureux. || (Eccl.) Bienheureux, *c.-à-d.* défunt, qui mérite le ciel. || Riche, opulent. || (En parl. de ch.) Précieux; abondant; où règne l'abondance.

beber, *bri*, m. Bièvre, castor.

bebrinus, *a, um*, adj. De bièvre, de castor.

beccus, *i*, m. Bec.

1. bellaria, *orum*, n. pl. Friandises.

2. bellaria, *orum*, n. pl. Voy. BELLA-RIUM.

bellarium, *ii*, n. Attirail guerrier.

bellator, *oris*, m. Guerrier, combattant. ¶ (Adj.) De bataille.

bellatorius, *a, um*, adj. De guerre; de bataille.

bellatulus, *a, um*, adj. Mignon. [leur.

bellax, *acis*, adj. Belliqueux. || Batail-

belle, adv. Joliment; avec grâce. || (Interj.) Bravo ! A merveille ! ¶ Bien; pas mal (en parl. de la santé).

bellicosus, *a, um*, adj. Belliqueux, valeureux. ¶ Où il y a beaucoup de guerres.

bellicum, *i*, n. Signal du combat (donné par la trompette). || Charge.

bellicus, *a, um*, adj. De guerre; guerrier. || De bataille. || Militaire.

bellifer, *era, erum*, adj. Comme BELLIGER. [guerrier.

belliger, *era, erum*, adj. Belliqueux;

belligero, *as, avi, atum, are*, intr. Faire la guerre; être en état de guerre. ¶ (Tr.) Faire la guerre à; combattre.

bellis, *idis*, f. Marguerite; pâquerette.

bello, *as, avi, atum, are*, intr. Faire la guerre. || (Fig.) Lutter, combattre.

bellor, *aris, ari*, dép. intr. Comme le précédent.

bellua, *ae*, f. Voy. BELUA.

bellule, adv. Assez joliment.

bellulus, *a, um*, adj. Assez joli.

bellum, *i*, n. Guerre. || Combat. ¶ Querelle.

belluosus. Voy. BELUOSUS.

bellus, *a, um*, adj. Joli; gracieux: délicat. ¶ Bon, excellent. ¶ Dispos, en bonne santé.

belua, *ae*, f. Gros animal; bête énorme. || *Qqf.* Hyène. ¶ (Fig.) Bête brute; butor; monstre. || (En parl. de ch.) Monstruosité. [à une bête.

belualis, *e*, adj. De bête; qui convient

beluatus, *a, um*, adj. Qui représente des figures d'animaux.

beluilis, *e*, adj. De la nature des bêtes.

beluinus, *a, um*, adj. De bête; bestial.

beluosus, *a, um*, adj. Plein de monstres (marins).

beluus, *a, um*, adj. Comme BELUINUS. Subst. *Beluus*, *i*, m. et *belua, ae*, f. Hyène.

belva. Voy. BELUA.

bema, *atis*, n. Tribune (à Athènes).

bene, adv. Bien (dans tous les sens du français). || Convenablement, heureusement. || (Dev. un adj. ou un adv.) Très. ¶ (Interj.) Bien ! bravo !

benedice, adv. Avec de bonnes paroles.

benedico, *is, dixi, dictum, ere*, tr. Dire du bien (de qqn); vanter. ¶ Dire des paroles de bon augure. ¶ (Eccl.) Bénir, *c.-à-d.* exalter. || Bénir, *c.-à-d.* consacrer. [(Méton.) Objet bénit.

benedictio, *onis*, f. Bénédiction. ||

benedictum, *i*, n. Bonne parole. || Sage discours. ¶ (Eccl.) Bénédiction.

benefacio, *is, feci, factum, ere*. Voy. BENE et FACIO. [(Méton.) Bienfait.

benefactio, *onis*, f. Bienfaisance. ||

benefactor, *oris*, m. Bienfaiteur.

benefactrix, *icis*, f. Bienfaisante.

benefactum, *i*, n. Bonne action; belle action; bienfait.

benefice, adv. Avec bienfaisance.

beneficentia, *ae*, f. Bienfaisance.

beneficiarii, *orum*, m pl. Soldats exemptés de corvées par faveur spéciale. || Attachés à la personne du chef.

beneficiarius, *a, um*, adj. Qui répand les bienfaits. ¶ Qui profite d'un bienfait.

beneficium, *ii*, n. Bienfait. || Grâce; faveur. ¶ Distinction politique; faveur; pension; gratification. || Nomination (à un emploi). || Promotion. || (Méton.) Droit de nomination. || Privilège.

beneficus (BENIFICUS), *a, um*, adj. Serviable. || Obligeant; bienfaisant.

beneflo, *fis, fieri*, passif de BENEFACIO.

beneolentia, *ae*, f. Parfum.

benevole (BENIVOLE), adv. Avec bienveillance. [teur, protectrice.

1. benevolens, *entis*, m. et f. Protec-

2. benevolens, *entis*, adj. Bienveillant. || Affectueux.

benevolenter, adv. Avec bienveillance.

benevolentia, *ae*, f. Bienveillance. || Bon vouloir. || Condescendance. Indulgence. || (Méton.) *Benevolentiae, arum*, f. pl. Actions dictées par la bienveillance; marques de bon vouloir.

benevolentis, *ei*, f. Comme le précédent.

benevolus, *a*, *um*, adj. Bien disposé; favorable. || Bienveillant.

benif... Voy. BENEF...

benigne, adv. Avec bonté, d'une manière obligeante. || Avec indulgence. || Généreusement; largement. || Merci (*litt.* c'est trop de bonté).

benignitas, *atis*, f. Bonté; bienveillance. || Aménité. || Indulgence, clémence. || Générosité; bienfaisance.

benignus, *a*, *um*, adj. Plein de bonté. || Obligeant. || *En parl. de ch.* Propice. ¶ Indulgent. ¶ Généreux; *qqf.* prodigue. || *En parl. de ch.* Abondant, copieux.   [à deux roues.

benna, *ae*, f. Sorte de chariot en osier

beo, *as*, *avi*, *atum*, *are*, tr. Rendre heureux; faire plaisir à. || Réconforter. ¶ Doter, gratifier; enrichir.

berbecinus. Voy. VERVECINUS.

berullus. Voy. BERYLLOS.

beryllos, *i*, m. Béryl; aigue-marine.

bes, *bessis*, m. Deux tiers d'as *ou* huit onces. ¶ Huit douzièmes. || Deux tiers de livre. || Huit pouces. || Deux tiers d'argent. ¶ Nombre huit; huit. || (Math.) Quatre (2/3 de 6).

bessalis, *e*, adj De huit onces; de huit douzièmes.

bestia, *ae*, f. Bête; brute. || Brute (en parl. de l'homme). ¶ (Partie.) Bête féroce. Au plur. *Bestiae*, les bêtes (du Cirque).   [bêtes (du cirque).

1. bestiarius, *a*, *um*, adj. Relatif aux

2. bestiarius, *ii*, m. Bestiaire (celui qui combat contre les bêtes dans le cirque).

bestiola, *ae*, f. Bestiole; insecte.

1. beta, *ae*, f. Bette (plante).

2. beta, indécl. Bêta (2ᵉ lettre de l'alph.)

betaceus, *a*, *um*, adj. De bette. Subst. *Betaceus* ou *betacius*, m. Betterave.

beto, *is*, *ere*. Voy. BAETO.

betula, *ae*, f. Bouleau (arbre).

bibax, *acis*, m. Qui aime à boire.

bibliopola, *ae*, m. Libraire.

bibliotheca, *ae*. f. Bibliothèque; armoire à livres. ¶ Salle de bibliothèque. ¶ Collection de livres.

bibliothecalis, *e*, adj. De bibliothèque.

bibliothecarius, *ii*, m. Bibliothécaire.

bibliothece, *es*, f. Voy. BIBLIOTHECA.

bibliothecula, *ae*, f. Petite bibliothèque.

biblos, *i*, f. Papyrus (plante). || Papier (fabriqué avec cette plante).

1. bibo, *is*, *i*, *ere*, tr. Boire. || Aspirer; respirer. || Boire, pomper (en parl. de ch.). || Boire, *c.-à-d.* s'imprégner de. *Bibere colorem*, prendre une couleur, se teindre. *Bibere aure*, boire des paroles.

2. bibo, *onis*, m. Grand buveur, ivrogne. ¶ Sorte de moucheron qui naît dans le vin.

bibulus, *a*, *um*, adj. Qui boit volontiers; buveur. || (En parl. de ch.) Qui s'imprègne facilement de. ||

Avide de boire (les paroles). ¶ Que l'on boit volontiers.   [timents.

bicameratum, *i*, n. Loge à deux compar-

bicameratus, *a*, *um*, adj. A deux voûtes; à deux compartiments.

bicaput, *pitis*, adj. A deux têtes, à deux faces.

biceps, *cipitis*, adj. A deux têtes; à deux cimes. || Double. ¶ (Fig.) Partagé en deux fractions.   [deux personnes.

biclinium, *ii*, n. Lit de table pour deux personnes.

bicolor, *oris*, adj. De deux couleurs.

bicorniger, *eri*, m. Qui porte deux cornes (Bacchus).

bicornis, *e*, adj. A deux cornes. || A deux pointes. Subst. *Bicornes*. Bêtes à cornes (victimes).

bicorpor, *oris*, adj. A deux corps; à double nature.   [POR.

bicorporeus, *a*, *um*, adj. Comme BICOR-

bicors, *cordis*, adj. (Qui a deux cœurs); double, *c.-à-d.* artificieux.

bicubitalis, *e*, adj. De deux coudées.

bidellium. Voy. BDELLIUM.

1. bidens, *entis*, f. Brebis de deux ans; brebis adulte, propre au sacrifice. ¶ (En gén.) Brebis.   [dents

2. bidens, *entis*, adj. Qui a deux pointes.

3. bidens, *entis*, m. Hoyau à deux pointes.

bidental, *alis*, n. Lieu frappé de la foudre, puis purifié et consacré par le sacrifice d'une brebis de deux ans.

bidentalis, *is*, m. Prêtre d'un bidental.

biduanus, *a*, *um*, adj. De deux jours; qui dure deux jours.

biduum, *i*, n. Espace de deux jours. ¶ Le temps de deux jours de marche.

biennalis, *e*, adj. De deux ans; qui dure deux ans.

biennis, *e*, adj. De deux ans.

biennium, *ii*, n. Espace de deux ans.

bieris, *is*, f. Qui a deux rangées de rames.

bifariam, adv. En double. || En deux fois. ¶ De deux côtés. || De deux manières.

bifarie, adv. Comme BIFARIAM.

bifarius, *a*, *um*, adj. Double; d'une double nature. ¶ (Fig.) Double, *c.-à-d.* fourbe.

bifer, *era*, *um*, adj. Qui porte (des fleurs *ou* du fruit) deux fois par an. ¶ Comme BIFORMIS.

bifidatus, *a*, *um*, adj. Comme BIFIDUS.

bifidus, *a*, *um*, adj. Fendu *ou* séparé en deux.

biforis, *e*, adj. A deux portes. || A deux battants. ¶ A deux trous; à deux ouvertures.   [MIS.

biformatus, *a*, *um*, adj. Comme BIFOR-

biformis, *e*, adj. A double forme.

biforus, *a*, *um*, adj. A double battant.

bifrons, *frontis*, adj. A double front, *c.-à-d.* à double face.   [cation.

bifurcum, *i*, n. Embranchement, bifur-

bifurcius, *ǐ*, adj. Comme BIFURCUS.

bifurcus, *a*, *um*, adj. Fourchu.

bifurtium, *ii*, n. Voy. BIFURCUM.

biga, ae, f. Voy. le suivant.

bigae, arum, f. pl. Attelage à deux. || (Méton.) Bige, char attelé de deux chevaux.　　　　　　[noces.

bigamus, a, um, adj. Marié en secondes

bigati, orum, m. pl. Deniers (dont l'empreinte est un bige).

bigatus, a, um, adj. Qui porte l'image d'un bige; sur lequel on a représenté un bige.

bigemmis, e, adj. Orné de deux pierres précieuses. ¶ Qui a deux bourgeons, deux yeux.

bigener, era, erum, adj. Issu de deux espèces différentes, métis.

bigerrica (vestis), ae, f. Gros manteau fourré.

bijugi, orum, m. pl. Attelage à deux chevaux; char à deux chevaux; char de guerre.

bijugis, e, adj. Attelé de deux chevaux. || Faisant partie d'un attelage à deux. ¶ (Fig.) Double; qui fait la paire.

bijugus, a, um, adj. Faisant partie d'un attelage à deux. || Attelé de deux chevaux. ¶ Concernant les attelages à deux chevaux.

bilanx, ancis, adj. A deux plateaux (en parl. d'une balance).

bilibra, ae, f. Poids de deux livres.

bilibralis, e, adj. Du poids de deux livres.

1. bilibris, e, adj. Qui pèse deux livres.

¶ Qui contient deux livres (de qqch.).

2. bilibris, is, f. Dose de deux livres.

bilinguis, e, adj. A deux langues. || Qui parle deux langues. ¶ A deux sens. ¶ Qui a deux langues. c.-à-d. deux paroles; fourbe. ¶ A double sens.

bilior, aris, ari, dép. intr. Etre bilieux.

biliosa, orum, n. pl. Matières bilieuses.

biliosus, a, um, adj. Bilieux; qui contient de la bile. ¶ (En parl. de pers.) Bilieux; atrabilaire.

bilis, is (abl. i ou e), f. Bile. (Au plur.) Biles, ium, f. Les deux espèces de bile reconnues dans l'antiquité (la jaune et la noire). ¶ (Fig.) Dépit; colère. ¶ Atra bilis, bile noire, c.-à-d. mélancolie, humeur noire; frénésie.

bilix, icis, adj. Dont la trame est faite d'un double fil.

bilustris, e, adj. Qui dure deux lustres.

bilustrum, i, n. Double lustre, c.-à-d. espace de dix ans.

bilychnis, e, adj. A double lumière, à deux mèches (lampe).

bimaris, e, adj. Baigné par deux mers; que la mer baigne de deux côtés.

bimaritus, i, m. Doublement mari; bigame.

bimater, tris, adj. Qui a deux mères (Bacchus).

bimatus, us, m. Age de deux ans.

bimatus, a, um, adj. Voy. BIMUS.

bimembris, e, adj. A double nature. Subst. Bimembres, ium, m. pl. Les

Centaures (monstres moitié hommes et moitié chevaux).　　　　[TRIS.

bimenstruus, a, um, adj. Comme BIMES-

bimestris, e, adj. De deux mois. || Age de deux mois. || Qui dure deux mois. || Qui arrive au bout de deux mois.

bimeter, tra, trum, adj. Ecrit en deux mètres différents.　　　　　[ans.

bimulus, a, um, adj. Qui n'a que deux

bimus, a, um, adj. De deux ans. || Agé de deux ans. || Qui existe depuis deux ans. || Qui persiste pendant deux ans.

binarius, a, um, adj. Binaire; qui vaut deux. ¶ Qui croît de deux en deux.

bini, ae, a, adj. Deux chaque fois; deux par deux; deux à la fois. ¶ Deux. Subst. Bina, n. pl. Le nombre deux.

binio, onis, f. Le nombre deux. || Le deux (au jeu de dés).　　　　[nuits.

binoctium, ii, n. L'espace de deux

binus, a, um. Voy. BINI.

bipalium, ii, n. Bêche double. ¶ (Méton.) Bipalium altum, labour profond de deux fers de bêche.

bipalmis, e, adj. De deux palmes (de haut, de long ou de large).

bipalmus, a, um, adj. Comme le précédent.　　　　　　　[deux.

bipartio, is, ivi, itum, ire, tr. Diviser en

bipartite, adv. Comme BIPARTITO.

bipartitio, onis, f. Division en deux parts.　　　[deux corps ou groupes.

bipartito, adv. En deux parts. || En

bipatens, entis, adj. Qui s'ouvre à deux battants.　　　　　[de deux pieds.

bipedalis, e, adj. Haut, long ou large

bipedaneus, a, um, adj. Comme BIPE-DALIS.

bipennifer, fera, ferum, adj. Portant une hache à double tranchant.

1. bipennis, is, f. Hache à double tranchant.

2. bipennis, e, adj. A deux ailes . ou diptère. ¶ A double tranchant.

bipert... Voy. BIPART...

bipes, edis, adj. A deux pieds; bipède. Subst. Bipedes, les bipèdes; qqf. les hommes.　　　[deux rangs de rameurs.

1. biremis, e, adj. A deux rames. ¶ A

2. biremis, is, f. Petite barque à deux rames. ¶ Birème, galère à deux rangs de rameurs.

birota (s.-e. RAEDA), ae, f. Voiture à deux roues; cabriolet.

birotus, a, um, adj. A deux roues.

birrosus, a, um, adj. D'un tissu grossier.

birrum, i, n. Comme BIRRUS.

birrus, i, m. Casaque de couleur rousse.

bis, adv. Deux fois. || Qqf. Pour la seconde fois. ¶ Doublement; de deux manières.

bisaccia, ae, f. Comme le suivant.

bisaccium, ii, n. Bissac; besace.

bisellarius, ii, m. Qui a le droit de s'asseoir sur un siège d'honneur.

bisellium, ii, n. Siège à deux places, mais sur lequel une seule personne s'asseyait. ‖ Siège d'honneur (dans les municipes).

biseta (*porca*), *ae*, f. Truie de six mois dont les soies se séparent en deux directions. [deux setiers.

bisextalis, *e*, adj. De la contenance de

bisextilis, *e*, adj. Bissextile.

bisextium, *i*, n. Double setier.

bisextum, *i*, n. Jour intercalaire. Voy. 2. BISEXTUS.

1. **bisextus**, *a*, *um*, adj. Deux fois sixième. ¶ Deux fois sextuple; duodécuple.

2. **bisextus** (s.-e. *dies*), *i*, m. Jour intercalaire que l'on ajoute tous les quatre ans avant le 24 février. ¶ Comme BISEXTILIS.

bison, *ontis*, m. Bison (animal).

bisonus, *a*, *um*, adj. A deux sons différents.

bisp... Voy. VISP...

bissext. Voy. BISEXT...

bissyllabus. Voy. BISYLLABUS.

bistacia, *ae*, f. Besace.

bisulcis, *e*, adj. Qui se partage en deux; fourchu. ¶ (Fig.) Double; fourbe.

bisulcum, *i*, n. Fissipède (animal à sabots fendus).

bisulcus, *a*, *um*, adj. Qui se partage en deux branches; fourchu.

bisyllabus, *a*, *um*, adj. De deux syllabes; dissyllabe.

bito, *ere*. Voy. BAETO.

bitumen, *inis*, n. Bitume.

bituminatus, *a*, *um*, adj. Mêlé *ou* chargé de bitume.

bitumineus, *a*, *um*, adj. De bitume.

bitumino, *as*, *avi*, *atum*, *are*, tr. Enduire de bitume.

bituminosus, *a*, *um*, adj. Bitumineux.

biumbris, *is*, adj. Qui a de l'ombre des deux côtés. Subst. *Biumbres*, voy. AMPHISCII.

bivertex, *icis*, adj. A double sommet.

bivium, *i*, n. Fourche, chemin qui aboutit à deux autres; bifurcation.¶ Double procédé. ‖ Double occupation.

bivius, *a*, *um*, adj. Qui a deux chemins. *Bivii dii* ou simpl. *bivii*, dieux dont les images étaient adorées à la rencontre de deux routes. ¶ Qui a deux accès *ou* deux issues. [qui zézaye.

blaesus, *a*, *um*, adj. Qui bredouille *ou*

blande, adv. D'une manière caressante. ‖ D'une manière insinuante. ‖ Doucement, avec délicatesse.

blandicule, adv. D'une manière câline.

blandidicus, *a*, *um*, adj. Caressant en paroles. [DIDICUS.

blandiloquens, *entis*, adj. Comme BLAN-

blandiloquentia, *ae*, f. Discours flatteur; douces paroles. [reux.

blandiloquentulus, *a*, *um*, adj. Douce-

blandiloquium, *ii*, n. Comme BLANDI-LOQUENTIA. [DIDICUS.

blandiloquus, *a*, *um*, adj. Comme BLAN-

blandimentum, *i*, n. Caresse; cajolerie.

¶ (Fig.) Attrait, charme (dans les choses); appât; raffinement de gourmandise. ‖ Culture soignée.

blandio, *is*. Voy. BLANDIOR.

blandior, *iris*, *itus sum*, *iri*, dép. intr. Caresser; cajoler; câliner. ¶ Séduire; enjôler.

blanditer, adv. Comme BLANDE.

blanditia, *ae*, f. Flatterie. Au plur. *Blanditiae*, flatteries, caresses, douceurs; compliments, gentillesses.

blandities, *ei*, f. Comme BLANDITIA.

blanditim, adv. Voy. BLANDE.

blanditio, *onis*, f. Caresse.

blanditor, *oris*, m. Flatteur.

blandulus, *a*, *um*, adj. Câlin.

blandum, adv. D'une manière gracieuse.

blandus, *a*, *um*, adj. Caressant; câlin. [Apprivoisé, inoffensif (en parl. d'animaux sauvages). ¶ Insinuant, persuasif. ‖ (En parl. des ch.) Engageant; séduisant. [reproches.

blasphemabilis, *e*, adj. Digne de

blasphematio, *onis*, f. Reproche outrageant.

blasphemator, *oris*, m. Blasphémateur.

blasphematrix, *icis*, f. Blasphématrice.

blasphemia, *ae*, f. Outrage. ¶ (Eccl.) Blasphème.

blasphemiter, adv. En blasphémant.

blasphemium, *ii*, n. Comme BLASPHEMIA. [ger. ‖ (Eccl.) Blasphémer.

blasphemo, *as*, *avi*, *atum*, *are*, tr. Outra-

1. **blasphemus**, *a*, *um*, adj. Qui blasphème.

2. **blasphemus**, *i*, m. Blasphémateur.

1. **blatero**, *as*, *avi*, *atum*, *are*, tr. Bavarder; caqueter. ‖ Débiter des balivernes. ¶ Intr. Blatérer, crier (en parl. du bélier, du chameau, etc.).

2. **blatero**, *onis*, m. Bavard; babillard.

1. **blatta**, *ae*, f. Blatte. ¶ Teigne; mite.

2. **blatta**, *ae*, f. Pourpre de teinte foncé.

blattaria (s.-e. HERBA), *ae*, f. Herbe aux mites.

blattarius, *a*, *um*, adj. A blattes; où les blattes se mettent. ‖ Sombre; humide.

blattea. Voy. BLATTA.

blatteus, *a*, *um*, adj. De pourpre foncée.

blechnon, *i*, n. Sorte de fougère.

blechon, *onis*, f. Pouliot (sauvage).

blennus, *i*, m. (Morveux): lourdaud.

bliteus, *a*, *um*, adj. Insipide; sot.

blitum, *i*, n. Blette (plante).

boa, *ae*, f. Grand serpent d'eau (voy. BOVA). ‖ Grande bouteille de forme allongée. ¶ (Méd.) Rougeole. ‖ Tumeur de l'artère crurale (causée par la marche).

boarius, *a*, *um*, adj. Relatif aux bœufs; à bœufs. *Forum boarium*, marché aux bœufs (à Rome).

boatus, *us* (abl. *u*), m. Beuglement. ¶ (Fig.) Mugissement; grand cri.

boethus, *i*, m. Auxiliaire; commis.

boja, *ae* (ordin. au pl.), f. Carcan.

bolarium, *ii*, n. Petite boulette.

boletar, *aris* (abl. *ari*), n. Plat où l'on servait des champignons. || Plat en gén.).

boletarium, *ii*, n. Comme le précédent.

boletus, *i*, m. Bolet, champignon comestible. [Bolide (météore).

bolis, *idis*, f. (Trait, dard). || Sonde. ¶

bolus, *i*, m. Action de jeter. || Coup de dés. ¶ Coup de filet. || (Méton.) Ce qu'on prend d'un coup de filet, prise. || (Fig.) Bon coup.

bombax, interj. Oh ! Ah !

bombus, *i*, m. Bourdonnement. || Rumeur. ¶ Bruit sourd et continu.

bombycina, *orum*, n. pl. Etoffes, vêtements de soie.

bombycinum, *i*, n. Soierie.

bombycinus, *a*, *um*, adj. De soie.

bombylis, *is* ou *idis*, f. Ver à soie (au moment où il devient chrysalide).

bombyx, *ycis* (acc. pl. *ycas*), m. et f. Ver à soie. || (Méton.) Soie. ¶ (Par anal.) Duvet ; coton. [la fortune.

bona, *orum*, n. pl. Les biens, la richesse.

boni, *orum*, m. pl. Voy. BONUS.

bonitas, *atis*, f. Bonne qualité ; bonté (d'une chose). || (En parl. de pers.) Bon naturel ; bonté. || Honnêteté.

bonum, *i*, n. Le bien. || Bon état ; bonne condition. || Avantage, profit. || Intérêt. || Bonheur. ¶ Bien moral ; qualité, vertu, talent. || Au plur. Voy. BONA.

bonus, *a*, *um*, adj. Bon. || (En parl. de ch.) De bonne qualité ; bien fait. || Beau, précieux. || Apte, convenable. || Avantageux, utile. || Favorable. || (En parl. de pers.) Capable, habile. || Brave. || De bonnes mœurs, vertueux. || Bien disposé pour ; bienveillant. || De bonne naissance, noble ; bien né ; (en polit.) conservateur.

bonuscula, *orum*, n. pl. Petite fortune.

1. boo, *as*, *avi*, *are*, intr. Crier fort. || Mugir. ¶ (Fig.) Retentir (d'un grand bruit).

2. boo, *is*, *ere*, intr. Comme 1. BOO.

borestis, *idis* (acc. pl. *idas*), adj. f. Boréale ; septentrionale.

boreus, *a*, *um*, adj. Boréal.

boria, *ae*, f. Espèce de jaspe.

bos, *bovis*, m. et f. Bœuf ou vache. || *Qqf.* Taureau. ¶ Poisson de mer, espèce de plie. [mauvaises herbes.

botanismus, *i*, m. Action d'enlever les

botellus, *i*, m. Petite saucisse.

botryo. Comme BOTRYON, rafle.

botuiarius, *ii*, m. Fabricant ou marchand de boudins, de saucisses ; charcutier.

botulus, *i*, m. Boyau d'animal employé en charcuterie : boudin, saucisse.

bova, *ae*, f. Grand serpent d'eau qui aime à sucer le lait des vaches. Voy. BOA.

bovile, *is*, n. Etable à bœufs.

bovilla, *ae*, f. Comme BOVILE.

bovillus, *a*, *um*, adj. Comme BUBULUS. Subst. Voy. BOVILLA et BOVILE.

brabeum, *i*, n. Prix du combat (dans les

jeux publics). ¶ (Fig.) Récompense (des épreuves).

brabeuta, *ae*, m. Ordonnateur des jeux. ¶ Juge du combat. ¶ Président qui décerne le prix.

brabium. V. BRABEUM.

braca, *ae*, f. Sorte de pantalon. Ordin. au pl. *bracae*, *arum*, f. Braies, espèce de pantalon (tantôt large, comme chez les Orientaux, tantôt collant comme chez les gens du Nord).

bracae, *arum*, f. pl. Voy. le précédent.

bracarius, *ii*, m. Tailleur de braies.

bracatus, *a*, *um*, adj. Qui porte des braies. ¶ Etranger (surt. en parl. des habitants de la Gaule Narbonnaise).

bracch... Voy. BRACH...

1. braces, *is* ou brace, *es* (acc. *em*), f. Nom gaulois du blé nommé en latin SANDOLA.

2. braces, f. pl. Voy. BRACAE.

brachiale, *is*, n. Bracelet. [bras.

brachialis, *e*, adv. Relatif au bras ; du

brachiatus, *a*, *um*, adj. Qui a des branches semblables à des bras ; branchu.

brachiolaris, *e*, adj. Relatif au muscle de la jambe (chez le cheval). Voy. le suivant.

brachiolum, *i*, n. Joli bras. ¶ (Par anal.) Muscle de la jambe (chez le cheval). || Bras d'une machine de guerre. || Bras de fauteuil.

brachium, *ii*, n. L'avant-bras (entre le poignet et le coude). || Le bras. ¶ Ce qui ressemble au bras : pince (de homard, etc.) ; branche ; bras de mer ; contrefort d'une chaîne de montagne ; bras (d'une catapulte) ; vergue ; branche (de compas). || Ligne de communication entre des ouvrages de siège. || Jetée ; digue.

brachycatalectus, *a*, *um*, adj. Brachycatalectique (t. de métr.)

brachypota, *ae*, m. Petit buveur.

bractea, *ae*, f. Lame mince (de métal) ; feuille d'or plaquée. || (Par anal.) Mince plaque de bois ; placage ; *fig.* clinquant.

bracteamentum, *i*, n. Placage. ¶ (Fig.) Plaqué, clinquant. [queur (en or).

bracteator, *oris*, m. Batteur d'or, pla-

bracteatus, *a*, *um*, adj. Recouvert d'une mince feuille d'or ; plaqué ; doré. ¶ (Fig.) Doré ; magnifique. || Superficiel ; sans consistance. [rognure d'or.

bracteola, *ae*, f. Très petite feuille d'or ;

brado, *onis*, f. Jambon.

branca, *ae*, f. Patte.

branchiae, *arum*, f. pl. Branchies.

branchiola, *ae*, f. Petite branchie.

branchos, *i*, m. Enrouement.

brassica, *ae*, f. Chou. [BRACTEA, etc.

brattea, etc. -ealis -eator -eatus. V.

bratteola. V. BRACTEOLA.

bravium. V. BRABEUM.

brephotropheum, *i*, n. Hospice pour les nouveau-nés.

breve, brevi, brevia. V. BREVIS.

brevialis, *e*, adj. Comme BREVIARIUS.

breviarium, *ii*, n. Etat; note; relevé; inventaire; sommaire; aperçu; statistique.   [en un court espace.
breviarius, *a*, *um*, adj. Concentré; réuni
breviatim, adv. En abrégé.   [Abrégé.
breviatio, *onis*, f.Abréviation.||(Méton.).
breviator, *oris*, m. Abréviateur.¶ Celui qui est chargé d'établir des états, des inventaires, etc. Voy. BREVIARIUM.
breviculus, *a*, *um*, adj. Assez petit. || Assez court; assez bref.   [conique.
breviloquens, *entis*, adj. Concis; laconique.
breviloquentia, *ae*, f. Concision; laconisme.
brevio, *as*, *avi*, *atum*, *are*, tr. Raccourcir; amoindrir; abréger.   [Court.
brevis, *e*, adj. Peu étendu; petit.||Court. || Mince; étroit. || Bas; de petite taille. || Peu profond. *Breve*, *is*, n. et *brevia*, *um*, n. pl. Bas-fonds, banc de sable; écueil. ¶ Court (en parl. du temps): de courte durée, éphémère. || (Gramm.) Bref. Subst. *Brevis* (s.-e. *syllaba*), *is*, f. Une brève. ¶ Concis; succinct; laconique. Subst. *Breve*, *is*, n. et *brevis*, *is*, m. Rôle; liste. Adv. *Brevi*, en peu de temps, en peu de mots; brièvement. ¶ (Fig.) Mesquin.
brevitas, *atis*, f. Faible étendue. || Peu de longueur; étroitesse; petite taille; peu de profondeur. ¶ Brièveté; courte durée. || Brièveté (d'une syll.). || Laconisme. ¶ (Fig.) Mesquinerie.

breviter, adv. Sur un petit espace. ¶ Pendant peu de temps. || Avoir une prononciation brève. || Brièvement.
bria, *ae*, f. Sorte de vase à boire.
brisa, *ae*, f. Marc de raisin.   [dents.
brocchitas, *atis*, f. Proéminence des
brocchus, *a*, *um*, adj. Proéminent.¶ Qui a les dents saillantes (et la lèvre relevée).
brochon, *i*, n. Gomme résineuse produite par le palmier appelé BDELLIUM.
brochus. V. BROCCHUS.
bruchus, *i*, m. Espèce de sauterelle.
bruma, *ae*, f. Solstice d'hiver. ¶ Temps de l'hiver. || (Méton.) Année.
brumalis, *e*, adj. Du solstice d'hiver; de l'hiver.   [CLEONTOPODIUM.
brumaria, *ae*, f. Gueule-de-loup. Voy.
brumosus, *a*, *um*, adj. D'hiver.
brutesco, *is*, *ere*, intr. Devenir inerte, insensible. ¶ S'abrutir.
brutisco. V. BRUTESCO.
brutum, *i*, n. Un être grossier; une brute.
brutus, *a*, *um*, adj. Lourd. || Matériel. || Grossier; sans intelligence. ¶ Dépourvu de sens.
bryon, *i*, n. Mousse. || (Partic.) Mousse de chêne. || Mousse marine. || Inflorescence du peuplier blanc.
bryonia, *ae*, f. Bryone *ou* couleuvrée.
bubalion, *ii*, n. Concombre sauvage.
1. **bubalus** et **bufalus**, *i*, m. Bubale espèce d'antilope. ¶ Buffle.
2. **bubalus**, *a*, *um*, adj. De bubale.

bubile, *is*, n. Etable à bœufs.
bubo, *onis*, m. f. Hibou; grand-duc.
1. **bubula**, *ae*, f. Viande de bœuf.
2. **bubula**, *orum*, n. pl. Saucisson de viande de bœuf.
bubulcitor, *ari*, intr. Faire le métier de bouvier. || Crier comme un bouvier.
bubulcus, *i*, m. Bouvier *ou* vacher. ¶ Toucheur de bœufs.|| Valet de charrue.
bubulinus, *a*, *um*, adj. Comme BUBALUS.
bubulo, *are*, intr. Crier (en parl. du hibou), ululer.   [vache.
bubulus, *a*, *um*, adj. De bœuf *ou* de
buca, *ae*, f. Voy. BUCCA.
bucca, *ae*, f. Cavité buccale. Au plur. *Buccae*, les joues (gonflées pour manger, souffler, etc.). || (Par ext.) Cavité. ¶ Ce qui emplit la bouche; bouchée. ¶ (Méton.) Celui qui enfle la bouche pour sonner de la trompette, etc || Trompette; héraut *ou* crieur public. || Braillard. || Ecornifleur.
buccea, *ae*, f. Bouchée.
buccella, *ae*, f. Petite bouchée. ¶ (Au plur.) Couronnes (de pain) distribuées aux pauvres.
buccellaris, *e*, adj. Qui concerne une bouchée. ¶ Fait de biscuit broyé.
buccellarius, *i*, m. Celui qui est nourri aux frais d'autrui. || Parasite. || Soldat de la garde de qqn.
buccellatum, *i*, m. Biscuit de soldat.
buccina, **buccinator**, tr. Voy. BUCINA, BUCINATOR, etc.
bucco, *onis*, m . Goulu, bavard et sot (personnage grotesque des Atellanes). ¶ Jocrisse.
buccula, *ae*, f.Petite bouche.||(Au plur.) Petites joues. ¶ Partie du casque protégeant la joue.||Bosse(du bouclier).||Au plur. Tringles de la catapulte servant à assujettir le trait dans le canal.
bucculare, *i*, n. Marmite.
bucculentus, *a*, *um*, adj. Qui a une grande bouche. ¶ Qui a de grosses joues; joufflu.
bucerius, *a*, *um*, adj. Voy. BUCEROS.
buceros, *on*, adj. Qui a des cornes de bœuf. ¶ De bœufs,de la race bovine.
bucina,*ae*, f. Trompe de bouvier; cornet à bouquin. ¶ Trompette militaire *ou simpl.* trompette. || (Mét.) Signal donné par la trompette.
bucinator, *oris*, m. Celui qui sonne de la trompette. || Trompette. ¶ Celui qui se fait le trompette de qqch.; prôneur.
bucinium, *ii*, n. Comme BUCINUM.
bucino, *as*, *avi*, *atum*, *are*, intr. Sonner de la trompe ou de la trompette. || Donner un signal avec la trompette.
bucinum, *i*, n. Son de la trompette. || Signal donné avec la trompette.¶ Buccin (coquillage).
bucolica, *orum*, n. pl. Poésies pastorales.
bucolici, *orum*, m. pl. Soldats égyptiens cantonnés aux lieux dits *Bucolia*.
bucolicos, *e*, *on* , adj. Voy. le suivant.
bucolicus, *a*, *um*, adj. Bucolique, pas-

toral. || En usage dans la pastorale.

bucolista, *ae*, m. Poète bucolique.

bucranium, *ii*, n. Tête de bœuf (ornement sculpté sur le devant des autels).

¶ Bugrane *ou* arrête-bœuf (plante).

1. **bucula**, *ae*, f. Génisse.

2. **bucula**. Voy. BUCCULA.

1 **buculus**, *i*, m. Jeune taureau.

2. **buculus**, *a*, *um*, adj. De bœuf.

bufo, *onis*, m. Crapaud.

buglossa, *ae*, f. Comme BUGLOSSOS.

buglossos, *i*, f. Buglosse (plante).

bugonia, *ae*, f. Génération des abeilles (sortant du corps d'un bœuf en putréfaction).

bulbosus, *a*, *um*, adj. Bulbeux.

bulbulus,*i*, m. Petit bulbe; petit oignon.

bulbus, *i*, m. Bulbe, oignon; plante tubéreuse.

bule, *es*, f. Sénat; conseil.

buleuta, *ae*, m. Sénateur, conseiller.

buleuterion, *ii*, n. Lieu de réunion d'un sénat, d'un conseil. [Bourse.

bulga, *ae*, f. Sac de cuir. ¶ (Partic.)

bulima, *ae*, f. Comme BULIMUS.

bulimiacus, *a*, *um* ,adj. Boulimique.

bulimo, *as*, *avi*, *are*, intr. Etre atteint de boulimie. [limie.

bulimosus, *a*, *um*, adj. Atteint de boulimus, *i*, m. Boulimie; fringale. ¶ Inanition (provoquant la défaillance). || Evanouissement.

bulla,*ae*, f. Bulle (produite par l'ébullition). || (Fig.) Ampoule, enflure (du style). ¶ (Par anal.) Boule; tête de clou (bombée); bouton. || Petit globe d'or (renfermant une amulette, adopté par les triomphateurs, les dames romaines et les jeunes patriciens). ¶ Bulle de cuir (portée par les enfants des affranchis).¶ Bouton de la goupille des clepsydres.

bullatus, *a*, *um*, p. adj. Gonflé et vide (comme des bulles d'eau). ¶ Orné de têtes de clou, de boutons. || Qui porte une bulle (au cou).

bullesco, *is*, *ere*, intr. Former des bulles. ¶ S'en aller en bulles.

bullio, *is*, *ivi* ou *ii*, *itum*, *ire*, intr. Bouillir; s'élever à la surface de l'eau bouillante. || Etre bouillant. ¶ (Tr.) Faire bouillir.

bullitio, *onis*, f. Ebullition.

bullitus, *us*, m. Bouillonnement. || Ebullition. [lir.

bullo,*are*, intr. Former des bulles; bouillula, *ae*, f. Petite bulle (d'eau).||Petit ornement en forme de bulle.

bumastus, *i*, f. Espèce de raisin à très gros grains. ¶ Vigne qui produit ce raisin.

bura, *ae*, f. Manche de charrue.

burdo, *onis*, m. Mulet (né d'un cheval et d'une ânesse).

burdobasta, *ae*, m. Mulet éreinté (fig.).

burdonarius, *ii*, m. Muletier.

burdunculus, *i*, m. Petit mulet.¶Plante qu'on croit être la bourrache.

burdus, *i*, m. Comme BURDO.

burgus, m. Château-fort; village fortifié à la frontière).

buris, *is*, f. Comme BURA.

burius. V. BUCRI·S.

burra, *ae*, f. Bure, étoffe grossière. ¶ (Fig.) Au plur. *Burrae*, sottises.

burrus, *a*, *um*, adj. Roux (en parl. des cheveux et du poil).

bursa, *ae*, et **byrsa**, *ae*, f. Bourse.

bustirapus, *i*, n. Pilleur de tombeaux; sacrilège. [beau.

bustualis, *e*, adj. De bûcher *ou* de tombustuarium, *ii*, n. Crémation des corps; incinération.

1. **bustuarius**, *a*, *um*, adj. Relatif aux bûchers, aux tombeaux *ou* aux funérailles. ¶ Qui exerce son état auprès des tombeaux.

2. **bustuarius**, *ii*, m. Celui qui brûle les cadavres. ¶ Pilleur de tombeaux; franc voleur.

bustum, *i*, n. Lieu où un cadavre a été brûlé. || (Fig.) Ruines d'une ville morte. || (Méton.) Cendres (d'un cadavre). ¶ Lieu de sépulture; sépulcre, tombeau. || (Fig.) Cause, auteur de la perte, de la ruine de. [proie.

1. **buteo**, *onis*, m. Buse, oiseau de

2. **buteo**, *onis*, f. Comme 1. BUTIO.

buthysia,*ae*, f. Sacrifice de bœufs; sacrifice solennel.

1. **butio**, *onis*, m. Héron. ¶ Butor, olseau. [butor).

2. **butio**, *is*, *ire*, intr. Crier (en parl. du buturum. Voy. BUTYRUM.

butyr. V. BUTYRUM.

butyrum, *i*, n. Beurre.

buxa, *ae*, f. Boîte en buis.

buxans, *antis*,adj. De la couleur du buis.

buxetum, *i*, n. Lieu planté de buis.

buxeus, *a*, *um*, adj. De buis. ¶ De la couleur du buis.

buxifer, *era*, *erum*, adj. Qui produit du buis; où pousse le buis.

buxosus, *a*, *um*, adj. Analogue au buis.

buxum, *i*, n. Comme le suivant.

buxus, *i*, f. Buis (arbrisseau). || Buis, c.-à-d. bois de buis. ¶ (Méton.) Objet en buis : flûte; sabot, toupie; peigne. || Tablettes à écrire.

bybliopola. V. BIBLIOPOLA.

byrrus, *a*, *um*, adj. Voy. BURRUS.

byssicus, *a*, *um*, adj. Comme BYSSINUS.

byssinum, *i*, n. Etoffe *ou* vêtement de lin très fin, de batiste. [très fin.

byssinus, *a*, *um*, adj. De batiste; de lin

byssum, *i*, n. Comme BYSSUS.

byssus, *i*, f. Lin très fin.¶ Tissu de lin très fin; batiste.

C

C, c, troisième lettre de l'alph. latin, remplace G et K dans l'anc. orth. ‖ Abrév. C = Gaius, CN = Gneus. ‖ C = condemno. ‖ C = centuria, centurio, civis, etc. ‖ C comme chiffre signifie cent.

caballina, ae, f. Viande de cheval.

caballinus, a, um, adj. De cheval. *Caballinus fons*, Hippocrène.

caballus, i, m. Cheval médiocre; bidet.

cabo, onis, m. Cheval hongre.

cacaturio, is, ire, intr. Avoir envie d'aller à la selle.

caccabus, i, m. Chaudron; marmite.

cacemphaton, i, n. Mot malsonnant; obscénité. [cachexie.

cachectes, ae, m. Celui qui est atteint de

cachecticus, a, um, adj. Cachectique.

cachexia, ae, f. Cachexie.

cachinnatio, onis, f. Action de rire à gorge déployée.

1. cachinno, as, avi, atum, are, intr. Rire à gorge déployée. ‖ (Fig.) Faire entendre un bruit éclatant. ¶ (Tr.) Se moquer de.

2. cachinno, onis, m. Rieur; railleur.

cachinnor, dép. Voy. 1. CACHINNO.

cachinnus, i, m. Eclat de rire. ‖ Rire fou. ¶ (Fig.) Bruit des flots (qui battent le rivage).

caco, as, avi, atum, are, intr. Aller à la selle. [ligne; pernicieux.

1. cacoethes, es, adj. D'une nature ma-

2. cacoethes, is, n. Ulcère pernicieux. ¶ (Fig.) Maladie incurable. ‖ Passion. ‖ Manie.

cacophaton, i, n. Concours de sons discordants. ¶ Voy. CACEMPHATON.

cacophemia, ae, f. Mauvaise réputation.

cacosyntheton, i, n. Mauvais arrangement de mots. ‖ Construction vicieuse.

cacozelia, ae, f. Affectation; mauvais goût (dans le style).

cacozelon, i, n. Comme le précédent.

cacozelus, a, um, adj. Affecté. ¶ De mauvais goût.

cactos et cactus, i, m. Artichaut épineux; cardon. ‖ (Fig.) Épine.

cacula, ae, m. Valet d'armée.

cacumen, inis, n. Sommet, pointe; cime. ‖ Extrémité. ¶ (Gramm.) Signe de l'accent. ¶ (Fig.) Sommet, faîte; comble perfection.

cacumino, as, avi, atum, are, tr. Tailler en pointe. ‖ Aiguiser.

cadaver, eris, n. Corps mort (non encore enseveli); charogne. ¶ (Fig.) Ruines, débris (de villes détruites).

cadaverosus, a, um, adj. Semblable à un cadavre. ¶ Cadavéreux.

cadivus, a, um, adj. Qui tombe de soi-même. ‖ Qui tombe du haut mal.

cadmea, ae, f. Voy. CADMIA.

cadmia, f. Cadmie, calamine. ¶ Cadmie artificielle; tutie.

cadmitis, is, f. Sorte de pierre précieuse.

cado, is, cecidi, casum, ere, intr. Tomber. ‖ Tomber du haut mal. ‖ Tomber en se détachant (comme les feuilles, les dents, etc).‖Disparaître (de l'horizon); se coucher (en parl. d'un astre). ‖ Se jeter (en parl. d'un cours d'eau). ¶ Tomber mort, périr: être tué; être immolé. ‖ (Fig.) *En parl. de ch.* Périr, cesser, finir.¶ Tomber c.-à-d. baisser; s'affaiblir: *fig.* déchoir. ‖ Echouer, ne pas réussir (*moral.*): se décourager, défaillir. ¶ Parvenir; arriver se passer (de telle *ou* telle manière): tourner, aboutir ‖Arriver à échéance. ‖Echoir, tomber en partage. ‖ S'appliquer à, s'accorder avec; convenir.

caduca (*virga*), f. Voy. CADUCEUS.

caduceator, oris, m. Parlementaire (envoyé aux ennemis). ¶ (Relig.) Celui qui porte les objets nécessaires aux libations. [ducée.

caduceatus, a, um, adj. Qui porte un ca-

caduceum, i, n. Comme CADUCEUS.

caduceus, i, m. Caducée (baguette portée par le parlementaire). ¶ (Partic.) Caducée (de Mercure).

caducifer, feri, m. Porteur du caducée (Mercure).

caducum, i, n. Fleur tombée.

caducus, a, um, adj. Qui tombe *ou* est tombé. ‖ (Jur.) Caduc, non réclamé: tombé en déshérence; sans maître. ¶ Disposé à tomber. ‖ Caduc: d'une santé chancelante. ‖ Epileptique. ‖ (Fig.) Périssable. ‖ Fragile; sans consistance. ¶ Qui fait tomber. *Caducus morbus*, mal caduc; épilepsie. ¶ Qui concerne la chute; indiqué par une chute.

cadurcum, i, n. Couverture fabriquée dans le pays des Cadurques. ‖ (Méton.) Lit: lit conjugal.

cadus, i, m. Grand vase de terre cuite servant à conserver le vin; cruche. ¶ Mesure pour les liquides (valant une amphore et demie). [aveuglement.

caecatio, onis, f. Action d'aveugler;

caecator, oris, m. Celui qui aveugle, c.-à-d. qui obstrue, qui bouche.

caecias, ae (acc. an), n. Vent de l'est-nord-est. [sance.

caecigenus, a, um, adj. Aveugle de nais-

caecilia, ae, f. Orvet (serpent qu'on croyait aveugle). ¶ Sorte de laitue.

caecitas, atis, f. Cécité. ‖ Aveuglement (au mor.).¶ Etat de ce qui est caché: obscurité.

caecito, are, tr. Aveugler.

caecitudo, inis, f. Privation (momentanée) de la vue.

caeco, as, avi, atum, are, tr. Aveugler; faire perdre la vue. ‖ (Par anal.) Enlever un œil (un bourgeon) à la vigne. ‖ (Fig.) Aveugler, c.-à-d. enlever le discernement; éblouir. || Obscurcir.

caeculto, *as*, *are*, Comme CAECUTIO.

caecum, *i*, n. Le cœcum (partie de l'intestin).

caecus, *a*, *um*, adj. Qui est privé de lumière. || Aveugle, privé de la vue. Subst. *Caecus*, *i*, m. Un aveugle. || (Par anal.) Qui n'a pas d'yeux, *c.-à-d.* de bourgeons. || Qui n'a pas de débouché, d'issue. || (Mor.) Aveugle, égaré; ignorant. || (Méton.) Aveugle, *c.-à-d.* qui aveugle (en parl. des passions). ¶ Que l'on ne voit pas; où l'on ne voit pas; obscur, ténébreux; invisible. || (Fig.) Caché, mystérieux. || Incertain; vague; sans but.

caecutio, *is*, *ire*, intr. Etre presque aveugle; voir trouble; avoir la berlue.

caeda, *æ*, f. Voy. le suivant.

caedes, *is*, f. Action de tailler, d'abattre; coupe, taille. || (Rar.) Action de frapper; sévices. ¶ (En part.) Action de tuer; meurtre. || Carnage. || Sacrifice (d'animaux). ¶ (Méton.) Résultat du meurtre. || Pertes subies par une armée. || Cadavres des tués. || Sang répandu.

caedo, *is*, *cecidi*, *caesum*, *ere*, tr. Battre. || Rouer de coups. ¶ Couper, tailler. || Entailler. || Enlever (en coupant); élaguer, ébrancher. || Extraire. || Ouvrir (en coupant); dépecer; mettre en morceaux. ¶ Tuer, massacrer; tailler en pièces. || Abattre, immoler.

caeduus, *a*, *um*, adj. Qui peut être cueilli sans inconvénient. *Caedua silva*, bois taillis.

cael. Voy. 2. CAELUM.

caelamen, *inis*, n. Ouvrage ciselé *ou* gravé. || Travail du ciseleur, du graveur.

caelator, *oris*, m. Graveur; ciseleur.

caelatura, *ae*, f. Ciselure, art du ciseleur du graveur. || (Méton.) Ciselure, ouvrage ciselé.

caelebs, *bis*, adj. Célibataire. || De célibataire.

1. caeles, *itis*, adj. Du ciel; céleste.

2. caeles, *itis*, m. Un habitant du ciel. || Dieu.

caelestinus, *a*, *um*, adj. Céleste.

1. caelestis, *e*, adj. Du ciel; céleste. ¶ Des dieux, divin. Subst. *Caelestia*, *ium*, n. pl. Les phénomènes célestes; les choses divines. ¶ Divin, merveilleux.

2. caelestis, *is*, m. et f. Un dieu *ou* une déesse. Au plur. *Caelestes*, *ium*, m. Les dieux.

caelibatus, *us*, m. Célibat.

caelicola, *ae*, m. Habitant du ciel; dieu. ¶ Au plur. *Caelicolae*, m. Adorateurs du firmament (hérétiques).

caelipotens, *entis*, adj. Puissant au ciel.

caelitus, adv. En venant du ciel. ¶ De la part de l'empereur.

caelo, *as*, *avi*, *atum*, *are*, tr. Buriner; ciseler; graver. || (Fig.) Ciseler, *c.-à-d.* soigner, orner. ¶ *Qqf.* Broder.

1. caelum, *i*, n. Ciseau du sculpteur *ou* du graveur; burin.

2. caelum, *i*, n. Ciel; voûte du ciel; espace céleste. ¶ Ciel, *c.-à-d.* air, atmosphère. || Température, climat; zone. ¶ Ciel, séjour des dieux. || (Méton.) Les dieux. || L'immortalité. || Les honneurs divins. || (Fig.) Comble de la gloire, du bonheur. ¶ Séjour des vivants (*opp.* aux enfers). ¶ Ciel, *c.-à-d.* voûte; plafond.

caelus, *i*, m. Voy. 2. CAELUM.

caementa, *ae*, f. Voy. CAEMENTUM.

caementaria, *ae*, f. Travail du tailleur de pierres.

caementarius, *ii*, m. Tailleur de pierres; maçon.   [TUM.

caementicium, *ii*, n. Comme CAEMEN-

caementicius, *a*, *um*, adj. Fait de moellons.

caementum, *i*, n. Moellon; pierre à bâtir. ¶ Fragment de pierre; éclat.

caena, *ae*, f. Voy. CENA.

caenito. Voy. CENITO.

caeno. Voy. OENO.

caenositas, *atis*, f. Etat de ce qui est fangeux. || (Méton.) Bourbier.

caenosus, *a*, *um*, adj. Fangeux, bourbeux.

caennlentus, *a*, *um*, adj. Couvert de boue; crotté.

caenum, *i*, n. Fange; boue; crotte ordure.

caep... Voy. CEP...

caerefolium, *ii*, n. Cerfeuil.

caeremonia, *ae*, f. Voy. CERIMONIA.

caeremonialiter, adv. Respectueusement.

caerimonia, *ae*, f. Respect religieux. || Respect (porté à qqn *ou* à qqch.); vénération, terreur sacrée. ¶ Respect (dont on est l'objet); sainteté, caractère sacré. ¶ Culte. || Rit; cérémonie.

caerimonialis, *e*, adj. Relatif au culte; religieux.

caerimonior, *aris*, *atus sum*, *ari*, dép. intr. Accomplir les cérémonies du culte.   [culte; férié.

caerimoniosus, *a*, *um*, adj. Consacré au

caerimonium, *ii*, n. Voy. CAERIMONIA.

caerula, *orum*, n. pl. Azur du ciel.

caerulans, *antis*, adj. Azuré.

caeruleatus, *a*, *um*, adj. Teint en bleu.

caeruleum, *i*, n. Azur; couleur bleue.

caeruleus, *a*, *um*, adj. Bleu; azuré. || Qui est couleur du ciel. || (Par ext.) Céleste. ¶ Qui a la couleur de la mer. || (Par ext.) Marin. ¶ Aux yeux bleus. ¶ Vert foncé. ¶ De couleur foncée; sombre.

caesariatus, *a*, *um*, adj. Qui porte une longue chevelure. || Qui porte (à son casque) une crinière (de cheval). ¶ (Fig.) Feuillu.

caesaries, *ei*, f. Longue chevelure (répandue sur les épaules de l'homme ou de la femme). ¶ Crinière.

caesim, adv. En taillant. || (T. mil.) De taille (*opp. à* d'estoc). ¶ (Fig.) *Rhét.*

Par incises, par membres de phrase courts et détachés.

caesio, *onis,* f. Taille; coupe (d'un arbre). ¶ Action de battre, de blesser.

caesitas, *atis,* f. Couleur bleue verdâtre.

caesitius. Voy. CAESICIUS.

caesius, *a, um,* adj. D'un bleu tirant sur le vert. ¶ Qui a les yeux d'un bleu verdâtre.

caesor, *oris,* m. Celui qui taille ou coupe.

caespes (CESPES), *itis,* m. Motte de gazon. ¶ Motte, touffe. ‖ Boule. ¶ (Méton.) Tout objet fait avec des mottes de gazon : tertre, autel, hutte, etc. ¶ Terre couverte de gazon. ‖ Le gazon, le sol.

caespitator, *oris,* m. (Cheval) qui, bronche et désarçonne son cavalier.

caespiticius, *a, um,* adj. Fait de mottes de gazon.

caespito, *as, are,* intr. Broncher s'abattre (en parl. d'un cheval).

caesposus, *a, um,* adj. Gazonné.

1. **caestus,** *us,* m. Ceste (gantelet pour le pugillat).

2. **caestus,** *i.,* m. Voy. CESTUS.

caesum, *i,* n. Incise (t. de rhét.).

caesura, *ae,* f. Taille, coupe. ‖ (Méton.) Ce qu'on détache en coupant. ¶ (T. de métr.) Coupe, césure.

caesus, *us,* m. Taille, coupe; abattis.

caeterus. Voy. CETERUS.

caetra. Voy. CETRA.

caetratus, *a, um.* Voy. CETRATUS.

caja, *ae,* f. Gourdin.

cajatio, *onis,* f. Correction ; fouet donné aux enfants.

cajo, *as, are,* tr. Corriger; rosser. [bois

cala, *ae,* f. Bâton ; bûche ; morceau de

calabrica, *ae,* f. Bandage (pour blessures).   [sure).

calabrico, *as, are,* tr. Bander (une blessure).

calabrion (*metrum*), n. Mètre calabrais composé de cinq voyelles brèves et de quatre brèves et une longue. [riers.

calabrix, *icis,* f. Nerprun des teintu-

calamarius, *a, um,* adj. Relatif au roseau (pour écrire). ¶ Contenant les roseaux pour écrire.

calamellus, *i,* m. Petit roseau.

calamentum, *i,* n. Sarment sec.

calaminthe, *es,* f. Calament (plante).

calamiseus, *i,* m. Branche d'un candélabre.

calamister, *tri.* m. Fer à friser. ‖ (Fig.) Au plur. *Calamistri, orum,* m. Ornements affectés (du style) ; fioritures ; afféterie.   [fer. ¶ (Fig.) Efféminé.

calamistratus, *a, um,* adj. Frisé au calamistrum, i.‖ Comme CALAMISTER.

calamitas, *itis,* f. Fléau qui perd les récoltes. ‖ (Par ext.) Grave dommage; désastre; calamité. ‖ Echec, défaite.

calamites, *ae,* m. Rainette; grenouille verte.   [treuse; dans l'infortune.

calamitose, adv. D'une manière désas-

calamitosus, *a, um,* adj. Qui cause la perte des récoltes. ‖ (Par ext.) Pernicieux, désastreux. ¶ Exposé à des

catastrophes Accablé par le malheur, infortuné.

calamus, *i,* m. Roseau. ‖ Tige de roseau. ¶ (Méton.) Chalumeau ; pipeau. ‖ Bois d'une flèche); flèche. ‖ Roseau à écrire. ‖ Gluau (d'oiseleur). ‖ Canne à pêche. ‖ Echalas. ‖ Perche d'arpenteur. ‖ Poteau indicateur. ‖ Branche d'un candélabre. ‖ (Médec.) Trachée-artère ¶ (Par ext.) Chaume (des plantes) : tige. ‖ Surgeon ; greffe. ¶ *Calamus aromaticus,* acore odorant.

calantica. Voy. CALAUTICA.

calathiscus, *i,* m. Petite corbeille.

calathus, *i,* m. Corbeille en osier (en forme de grand gobelet étroit du fond et évasé du haut). ¶ (Méton.) Gobelet, ‖ Boisseau. ‖ Calice de fleur.

calatio, *onis,* f. Action d'appeler, de convoquer (le peuple).

calator, *oris,* m. Crieur (au service des pontifes); appariteur. ¶ Esclave de confiance (qui porte les messages de son maître).   [teurs des pontifes.

calatorius, *a, um,* adj. Relatif aux appari-

calautica, *ae,* f. Sorte de mitre à l'usage des femmes de distinction.

calbeum, calbeus. Voy. GALBEUM, etc.

calcaneum, *i,* n. Talon.

calcaneus, *i,* m. Comme le précédent.

calcar, *aris,* n. Eperon (du cavalier). ‖ (Fig.) Aiguillon (pr. et fig.); attrait; impulsion. ¶ Ergot (du coq).

calcarius, *a, um,* adj. Qui concerne la chaux ; de la chaux.

calcator, *oris,* m. Celui qui foule (le raisin dans la cuve).

calcatorium, *ii,* n. Pressoir.

calcatrix, *icis,* f. Celle qui foule aux pieds. ‖ Celle qui méprise.   [pieds.

calcatura, *ae,* f. Action de fouler aux

calcatus, *us,* m. Action de fouler avec les pieds.

calceamen (CALCIAMEN), *inis,* n. Comme CALCEAMENTUM.

calceamentarius (CALCIAMENTARIUS), *ii,* m. Fabricant de chaussures.

calceamentum (CALCIAMENTUM), *i.,* n. Chaussure.

calcearia, *ae.* f. Echoppe de cordonnier

calcearium, (CALCIARIUM), *ii,* n. Indemnité aux soldats pour leurs chaussures.

calceator (CALCIATOR), *oris,* m. Esclave chargé de chausser et de déchausser son maître.

calceatus (CALCIATUS), *us,* m. Chaussure.

calcendix. Voy. CLACENDIX.

calceo (CALCIO), *as, avi, atum, are,* tr. Chausser. ¶ (Par anal.) Garnir le pied des animaux (de qqch.).   [donnier.

calceolarius (CALCIOLARIUS), *ii,* m. Cordonnier.

calceolus, *i,* m. Petit soulier. ¶ Soulier.

calceus, *i,* m. Soulier. ¶ Bottine, brodequin.

calcia... Voy. CALCEA...

calcitratus, *us,* m. Ruade.

1. **calcitro,** *as, avi, atum, are,* intr.

Frapper des pieds de derrière; ruer. ¶ (Fig.) Regimber.

2. **calcitro**, *onis*, m. (Animal) qui regimbe, qui rue. ¶ Celui qui donne des coups de pied dans une porte.

calcitrosus, *a, um*, adj. Porté à regimber, à ruer.

calcius. Voy. CALCEUS.

calco, *as, avi, atum, are*, tr. et intr. Mettre le pied sur; marcher sur *ou* dans; suivre (une route); parcourir (un lieu). ‖ Fouler aux pieds, pressurer (avec les pieds). ‖ Piler, broyer, écraser. ‖ Pousser en foulant, bourrer, enfoncer. ¶ (Fig.) Fouler aux pieds; abattre, écraser.‖ Vilipender, outrager.

1. **calculatio**, *onis*, f. Calcul; supputation. [pierre.

2. **calculatio**, *onis*, f. Maladie de la [pierre.

calculator, *oris*, m. Calculateur. ‖ Maître élémentaire de calcul. ‖ Comptable. [compter.

calculatorius, *a, um*, adj. Qui sert à

calculor, *ari*, dép. tr. Calculer, compter. ¶ *Fig.* Compter, *c.-à-d.* considérer.

calculosus, *a, um*, adj. Plein de cailloux; pierreux.¶ Malade de la pierre.

calculus, *i*, m. Petite pierre, caillou. ¶ Calcul de la vessie.¶ Pièce du jeu de trictrac; pion. ¶ Pierre servant à compter. ‖ (Méton.) Compte; calcul. ¶ Caillou servant à voter (blanc, pour absoudre; noir, pour condamner). ¶ (Méton.) Suffrage.¶ Mesure de poids (la plus petite de toutes).

calcus, m. Voy. CHALCUS. [chaude.

calda, *ae*, f. Eau chaude. ‖ Boisson

caldamentum, *i*, n. Fomentation.

1. **caldaria**, *ae*, f. Etuve; salle de bains de vapeur.

2. **caldaria**, *ae*, f. Chaudron.

caldarium (CALIDARIUM), *ii*, n. Comme 1. CALDARIA.

caldarius (CALIDARIUS), *a, um*, adj. Qui concerne la chaleur. ‖ Propre à chauffer *ou* à être chauffé.

caldus. Voy. CALIDUS.

calefacio (sync. CALFACIO), *is, feci, factum, ere*, tr. Faire chauffer, chauffer. ‖ Echauffer. ¶ (Fig.) Echauffer; exciter. ‖ Inquiéter, tourmenter. ‖ Attaquer violemment.

calefactio, *onis*, f. Action d'échauffer. ‖ Chauffage. ‖ (Méd.) Fomentation.

calefacto (CALFACTO), *as, are*, tr. Chauffer fortement. ‖ Chauffer habituellement.

calefactorium, *ii*, n. Poêle à frire.

calefactorius, *a, um*, adj. Qui sert à chauffer.

calefactus (CALFACTUS), *us*, m. Comme CALEFACTIO.

calefico, *are*, tr. Comme CALEFACIO.

calefio, passif de CALEFACIO. Voyez ce mot.

calendae (KALENDAE), *arum*, f. pl. Les calendes, le premier jour de chaque mois. ¶ (Méton.) Mois.

calendalis, *e*, adj. Relatif aux calendes. ‖ Qui a lieu le jour des calendes.

calendaris, *e*, adj. Comme CALENDALIS.

calendarium, *ii*, n. Livre de comptes des banquiers (les échéances étaient fixées aux calendes); agenda. ¶ (Méton.) Avoir; fortune.

calendarius (KALENDARIUS), *a, um*, adj. Comme CALENDALIS.

caleo, *es, ui, ere*, intr. Etre chaud. ‖ Avoir chaud. ‖ Avoir la fièvre. ¶ (Fig.) Etre enflammé, être bouillant; être excité; éprouver un sentiment ardent; désirer vivement; être plein d'ardeur. ‖ Etre embarrassé; être tourmenté. ¶ (Fig.) Chauffer; être mené vivement; être dans son fort. ‖ Etre tout chaud, *c.-à-d.* récent.

calesco, *is, calui, ere*, intr. Devenir chaud; s'échauffer. ¶ (Fig.) S'échauffer, *c.-à-d.* s'émouvoir; s'enthousiasmer.

calfacio. Voy. CALEFACIO. [fer.

calfactibilis, *e*, adj. Qu'on peut chauf-

calfacto. Voy. CALEFACTO.

calfio. Voy. CALEFIO.

caliandrium, *i*, n. Voy. le suivant.

caliandrum (CALIENDRUM), *i*, n. Chignon très élevé (fait avec de faux cheveux qqf.). [la chaux.

calicata, n. pl. Murs, édifices crépis à

calicellus, *i*, m. Petite coupe.

1. **caliculus**, *i*, m. Petit calice. ¶ Gobelet. ¶ Encrier. ¶ (Par anal.) Ventouse, suçoir.

2. **caliculus.** Voy. CALYCULUS.

calidamen, *inis*, n. Chauffage. [tion.

calidamentun, *i*, n. Cataplasme; fomenta-

calidarius. Voy. CALDARIUS.

calidatio, *onis*, f. Chauffage.

calide, adv. Chaudement. ¶ (Fig.) Sans laisser l'affaire refroidir; vivement.

calido, *as, are*, tr. Chauffer.

calidus, *a, um*, adj. Chaud. ¶ (Fig.) Ardent, bouillant; passionné. ‖ Inconsidéré; irréfléchi. ‖ Tout chaud; instantané, immédiat. ‖ Prompt, rapide.

caliendrum. Voy. CALIANDRUM.

caliga, *ae*, f. Forte chaussure cloutée. ‖ (Partic.) Chaussure des soldats romains. ‖ (Méton.) Condition de simple soldat. [quin appelé CALIGA.

caeligaris, *e*, adj. Concernant le brode-

1. **caligarius**, *a, um*, adj. Comme CALIGARIS. [chaussures; bottier.

2. **caligarius**, *ii*, m. Fabricant de

caligatio, *onis*, f. Obscurcissement de la vue.

1. **caligatus**, *a, um*, adj. Chaussé du brodequin appelé CALIGA. *Caligatus miles*, simple soldat.

2. **caligatus**, *i*, m. Simple soldat.

caliginosus, *a, um*, adj. Voilé de brouillard; sombre; nébuleux (pr. et fig.).

1. **caligo**, *inis*, f. Brouillard épais qui

obscurcit. ‖ (Méton.) Obscurité produite par le brouillard; ténèbres, obscurité. ¶ Obscurcissement de la vue. ‖ Eblouissement, vertige; brouillard (devant les yeux). ‖ (*Qqf.*) Amblyopie. ¶ (Fig.) Ombre, obscurité; aveuglement (de l'esprit). ‖ Confusion, trouble, malheur des temps.

2. **caligo**, *as, avi, atum, are,* intr. Former un brouillard. ‖ (Méton.) Etre dans l'obscurité; être sombre, obscur. ¶ Avoir la vue obscurcie; avoir un éblouissement, un vertige. ‖ (Méton.) Donner le vertige. ‖ Avoir la vue affaiblie, voir trouble. ¶ Tâtonner (dans l'obscurité); ne savoir que faire, quel parti prendre. ¶ (Tr.) Obscurcir.

caligula, *ae*, f. Petite chaussure de soldat.

calim, adv. Voy. CLAM.

caliptra, *ae*, f. Voile de femme. ‖ Coiffe.

calix, *icis*, f. Coupe profonde; calice. ‖ (*Dans les aqueducs.*) Appareil auquel se rattachent les tuyaux de distribution. ¶ Vase creux, soupière.

callaica, *ae*, f. Pierre précieuse de couleur jaune.   [d'or.

callaicum, *i*, n. Sauce d'un beau jaune

callaina, *ae*, f. Pierre précieuse d'un vert tendre.

callainum, *i*, n. Couleur vert tendre.

callainus, *a, um,* adj. D'un vert tendre.

callais, *idis* (acc. *in*), f. Pierre précieuse analogue au saphir, mais plus pâle.

callens, *entis*, p. adj. Versé, habile dans; expérimenté; prudent. Subst. *Callentes*, les habiles.   [ment.

callenter, adv. Adroitement; habile-

calleo, *es, ui, ēre,* intr. Avoir la peau dure, avoir des durillons; être calleux. ¶ (Fig.) *Tr. et intr.* Avoir la pratique de; être rompu à; savoir à fond.

callesco. Voy. CALLISCO.

calliandrum. Voy. CALIANDRUM.

calliculus, *i* m. Petit sentier raboteux.

callicum. Voy. CALLAICUM.

callide, adv. Adroitement, habilement; finement. ¶ Artificieusement. ¶ (Famil.) A merveille; parfaitement.

calliditas, *atis*, f. Adresse, habileté; finesse. ¶ Subtilité excessive, astuce, ruse, fourberie.   [cieux.

callidulus, *a, um,* adj. Un peu artifi-

callidus, *a, um,* adj. Expérimenté; sachant bien son affaire, versé dans; fin connaisseur. ‖ Adroit, habile. ¶ Fourbe, rusé, retors. ¶ (Méton.) *En parl. de ch.* Adroitement imaginé; subtil.

caligo. Voy. CALIGO.

callionymus, *i*, m. Poisson de mer inconnu.   [tefeuille (plante).

callipetalon, *i*, n. Autre nom de la quin-

callis, *is*, m. et f. Sentier de montagnes, sente tracée par les animaux. ¶ (Méton.) Pâturage dans les montagnes.

callisco, *ere,* intr. S'endurcir(fig.);devenir inaccessible.

callositas, *atis*, f. Callosité. ¶ (Fig.) Endurcissement. ‖ Routine.   [dur.

callosus, *a, um,* adj. Calleux. ¶ Durci, calus; durillon. ‖ Peau dure (des animaux).

callum, *i*, n. Peau dure et épaisse; cal, calus; durillon. ‖ Peau dure (des animaux). ‖ Péricarpe charnu (de qqs fruits). ¶ (En gén.) Croûte. ¶ (Fig.) Encroûtement, routine. ‖ Insensibilité, indolence.

callus, *i*, m. Comme CALLUM.

calo, *as, avi, atum, are,* tr. Appeler; convoquer. ¶ Invoquer. ¶ Faire savoir; annoncer.

2. **calo**, *onis*, m. Valet d'armée; goujat. ¶ (En gén.) Esclave employé aux travaux les plus grossiers.

3. **calo**, *as, are.* Voy. CHALO.   [loche.

4. **calo**, *onis*, m. Chausson en bois; ga-

calor, *oris*, m. Chaleur. ‖ Chaleur du soleil; été. ¶ Chaleur vitale. ‖ Chaleur de la fièvre. ¶ (Fig.) Chaleur, ardeur; feu; emportement. Spéc. *Calores*, les feux de l'amour.

calpar, *aris*, n. Vase, broc. ‖ (Méton.) Vin en cruche. ‖ Vin nouveau. ‖ Prémices de ce vin qu'on offrait à Jupiter.

caltha, *ae*, f. Souci des jardins (?)

calthula, *ae*, f. Vêtement de femme de couleur jaune.

calthum, *i*, n. Comme CALTHA.

calum. Voy. CALA.

calumma. Voy. CALYMMA.

calumnia, *ae*, f. Chicane, cabale, manœuvre dolosive. ‖ Interprétation fausse *ou* malveillante. ‖ (Partic.) Subtilité captieuse dans une discussion; objection vaine. ¶ Accusation faite de mauvaise foi; calomnie. ¶ (Méton.) *Calumniam effugere*, échapper à une condamnation pour calomnie.

calumniator, *oris*, m. Imposteur. ¶ Chicaneur. ‖ Plaideur de mauvaise foi. ¶ Critique trop sévère *ou* trop minutieux.   [mauvaise foi.

calumniatrix, *icis*, f. Accusatrice de

calumnio, *as, are.* Comme le suivant.

calumnior, *aris, atus sum, ari,* dép. intr. Tramer des cabales en justice; interpréter faussement; accuser à tort; calomnier. ¶ Epiloguer. ‖ Chercher la petite bête.   [leusement.

calumniose, adv. Par chicane. ¶ Fraudu-

calumniosus, *a, um,* adj. De mauvaise foi; frauduleux.

1. **calva**, *ae*, f. Crâne.   [lisse.

2. **calva**, *ae*, f. Sorte de noisette à peau

calvaria, *ae*, f. Crâne. ¶ Gibet.

calvariola, *ae*, f. Petite coupe en forme de crâne; écuelle.   [forme ronde).

calvarium, *ii*, n. Poisson de mer (de

calvaster, *tri*, m. Chauve sur le front.

calvatus, *a, um,* adj. Rendu chauve. ¶ Dégarni; peu garni.

calveo, *es, ēre.* intr. Etre chauve. ¶ N'avoir pas de plumes *ou* de poils.

calvesco, *is,* intr. Devenir chauve. ‖

Perdre ses cheveux, ses poils *ou* ses plumes. ¶ Devenir clairsemé.

calvio. Voy. CALVOR.

calvities, *ei*, f. Calvitie. ¶ Absence de cheveux *ou* de poils.

calvitium, *ii*, n. Perte des cheveux.|| Absence de cheveux *ou* de poils. || (Par anal.) Nudité d'un lieu dégarni de végétation. || (Méton.) Tête (*ou* place sur la tête) dégarnie de cheveux.

calvo, intr. Voy. CALVOR.

calvor, *eris*, i, dép. intr. et tr. || *Intr.* Chercher des échappatoires. ¶ *Tr.* Abuser, tromper.

calvus, *a*, *um*, adj. Chauve; glabre. ¶ Sans poils. || Sans végétat on. || (En gén.) Dégarni.

1. **calx,** *cis*, f. Talon. || (Par ext.) Pied de l'homme *ou* des animaux.¶ (Par anal.) Base, support; pied.

2. **calx,** *cis*, f. (*rar.* m.). Chaux; pierre à chaux.||(Méton.) Ligne blanche tracée à la chaux; fin de la carrière (pr. et fig.); but, terme. || (En gén.) Pierre, voy. CALCULUS. || Pion (pièce d'un échiquier). [*ou* de petits bourgeons.

calycularis, *e*, adj. Qui a de petits calices

calycularius, *a*, *un*, adj. De jusquiame.

calyculus, *i*, m. Petit calice de fleur; petit bourgeon. [couverture.

calymma(CALUMMA), *atis*, n. Enveloppe,

calyx, *ycis*, m. Tégument. || Partie de la fleur qui enveloppe la semence. || Enveloppe de la fleur : calice, bouton; bourgeon. || Enveloppe (molle) d'un fruit. || Coquille, écaille (de mollusque). || Coquille d'œuf. ¶ Enduit de cire pour conserver les fruits. || Croûte de terre placée sur le bois dont on veut faire du charbon.

cama, *ae*, f. Sorte de lit de camp.

camaeleon. Voy. CHAMAELEON.

camara. Voy. CAMERA.

camarus. Voy. CAMMARUS. [quer.

1. **cambio,** *as*, *are*, tr. Echanger; tro-

2. **cambio,** *is*, *bsi* ou *psi*, *ire*, tr. Comme le précédent. [chamelle.

camela, *ae*, f. Femelle du chameau;

camelarius, *ii*, m. Chamelier.

camelasia, *ae*, f. Entretien des chameaux, appartenant à l'Etat.

camelinus, *a*, *um*. adj. De chameau.

camella, *ae*, f. Sébile. ¶ Bol.

camellus. Voy. CAMELUS.

camelopardalis, *is* (acc. *im*). f. Girafe.

camelopardalus, *i*, m. Voy. CAMELOPAR-DALIS. [DALIS.

camelopardus, *i*, m. Voy. CAMELOPAR-

camelopodium, *ii*, n. Marrube (plante).

camelus, *i*, m. f. Chameau *et* chamelle.

camera. *ae*, f. Voûte, plafond voûté. ¶ Pont de vaisseau. || Sorte de barque qu'on pouvait, en cas de gros temps, couvrir d'un pont voûté.

1. **camerarius** (CAMARARIUS), *a*, *um*, adj. (Plante) qui monte en formant une voûte de feuillage.

2. **camerarius,** *ii*, m. Chambellan.

cameratio, *onis*, f. Construction en forme de voûte.

camero. *as*, *atum*, *are*, intr. Construire en forme de voûte. || Cintrer. || (Fig.) Composer avec art.

camilla, *ae*, f. Jeune fille de condition noble qui assistait la femme du grand-prêtre dans les sacrifices.

camillus, *i*, m. Jeune homme de condition noble qui assistait le prêtre dans les cérémonies sacrées.

camino, *as*, *avi*, *atum*, *are*, tr. Bâtir en forme de fourneau.

caminum, *i*, n. Voy. CAMINUS.

caminus, *i*, m. Fourneau de forge. || Fournaise. ¶ Foyer, cheminée. || (Méton.) Le feu de la cheminée. || (En gén.) Feu.

camisia, *ae*, f. Chemise (de lin).

camisium, *ii*, n. Comme CAMISIA.

cammaron, *i*, n. Comme ACONITUM.

cammarus (GAMMARUS), *i*, m. Homard.

camomilla, *ae*, f. Voy. CHAMAEMELON.

camomillinus, adj. Voy. CHAMAEMIL-LINUS.

campa. Voy. CAMPE.

campagneus, m. pl. Corps de troupe chaussé de bottines.

campagus, *i*, m. Chaussure militaire; sorte de brodequin. [maine; peson.

1. **campana,** *ae*, f. Espèce de balance ro-

2. **campana,** *ae*, f. Cloche.

campanella, *ae*, f. Clochette.

campaneus(CAMPANIUS), adj. De plaine; qui est en plaine.

camparius, *ii*, m. Garde champêtre.

campe, *es*, f. Chenille.

campensis, *e*, adj. Qui est en plaine. ¶ Qui est dans le Champ de Mars.

campester, *tris*, *tre*, adj. De plaine; qui est *ou* se fait en plaine. ¶ (En part.) Qui concerne le Champ de Mars; qui a lieu dans le Champ de Mars || Relatif aux exercices du Champ de Mars.

campestre, *is*, n. Sorte de caleçon *ou* de jupon porté par les jeunes gens qui s'exerçaient nus au Champ de Mars.

campter (CAMTER), *eris*, m. Inflexion. ¶ Coude, tournant (dans l'hippodrome).

1. **campus,** *i*, m. Plaine; rase campagne. || (Par ext.) Plaine liquide; plaines de l'air. ¶ (En part.) Campagne cultivée, champ; prairie. || (Méton.) Récolte. ||Champ de bataille. || Territoire d'une ville. ¶ (*Dans une ville*.) Place où se font les exercices, où se réunissent les électeurs; (à Rome) Champ de Mars. || (Méton.) Ce qui se fait au Champ de Mars : exercices; comices; élections. ¶ Champ, carrière; théâtre. || Matière; sujet.

2. **campus,** *i*, m. Hippocampe.

camter. Voy. CAMPTER.

camum, *i*, n. Bière (boisson).

camur, *ura*, *urum*, adj. Courbé, recourbé; voûté. ¶ Qui a les cornes recourbées en dedans.

camus, i, m. Muselière (pour les chevaux). ¶ Sorte de collier de force destiné aux esclaves récalcitrants.

canaba, ae, f. Baraque. || Cellier, hangar, entrepôt. ¶ Cabaret; cantine.

canabenses, ium, m. pl. Cantiniers.

canabensis, e, adj. Concernant les cantines.

canabetum, i, n. Voy. CANNABETUM.

canabula, ae, f. Tuyau de drainage.

canachenus, i, n. Rôdeur.

canalicius. Voy. CANALIENSIS. [tières.

canaliclarius, ii, m. Fabricant de gout-

canalicius. Voy. CANALIENSIS.

canilicolae, arum, m. pl. Gueux, habitués du Forum près du fossé.

canalicula, ae, f. Petit conduit d'eau.

canaliculatim, adv. En formant des cannelures.

canaliculatus, a, um, adj. Cannelé. ¶ Strié. || Où il y a des nervures.

canaliculus, i, m. Petit canal, petit fossé. || Tube, tuyau. ¶ Cannelure. ¶ Canon (de la catapulte). ¶ Appareil pour réduire les fractures; gouttière.

canaliensis. e, adj. Qui fait partie d'un filon. ¶ Extrait d'un puits de mine.

1. canalis, is (abl. ordin. i). m. et fém. Conduit, tuyau; fossé, rigole; canal; chenal. || (Spéc.) Fossé destiné à l'écoulement des eaux sur le Forum. || (Fig.) Ligne droite; droit chemin (comme celui d'un canal). ¶ (Par anal.) Filet; cannelure. || Canon (de la catapulte). || Appareil (pour réduire les fractures; gouttière. ¶ (Anat.) Trachée artère. || (Botan.) Nervure (d'une feuille). ¶ Rigole (d'un pressoir à huile). || Filon (d'une mine).

2. canalis, e, adj. De chien. || Fait pour les chiens.

canaria (s.-e. *herba*), **ae,** f. Chiendent (?).

canarius, a, um, adj. Relatif aux chiens. || A chien. || De chien.

1. cancellarius, ii, m. Huissier. ¶ Greffier. || Secrétaire. ¶ Chef du secrétariat; chancelier.

2. cancellarius, a, um, adj. Mis en cage.

cancellate, adv. Comme le suivant.

cancellatim, adv. En forme de grillage ou de treillis. [dastre.

cancellatio, onis, f. Plan cadastral, ca-

cancellatus, a, um, adj. Rayé, biffé, raturé.

cancelli, orum, m. pl. Barreaux; barrière; balustrade; grillage; clôture, enceinte. ¶ (Par anal.) Rides (de la peau d'un éléphant) semblables à un treillis. ¶ (Fig.) Barrière, limites; espace limité.

cancello, as, avi, atum ,are, tr. Couvrir d'un grillage ou comme d'un grillage. || Treillisser. ¶ Biffer; raturer (un écrit). ¶ Arpenter, cadastrer.

cancellosus, a, um, adj. Muni de barreaux. || Grillé.

cancellus, i, m. Voy. CANCELLI.

1. cancer, cri, m. Voy. 2. CANCER. ¶ (Ordin.) Animal pourvu de pinces : écrevisse (de ruisseau ou de mer). ¶ Cancer ou Ecrevisse (signe du zodiaque). || (Par ext.) Le tropique du Cancer. || Zone tropicale; chaleur tropicale. ¶ Cancer (maladie); affection cancéreuse; chancre.

2. cancer, cri, m. Barreau, grille.

cancero, as, avi, atum, are, intr. Se gangrener. || Etre atteint d'un cancer ou d'un chancre. ¶ *Tr.* Gangrener (fig.).

candefacio, is, feci, factum, ere, tr. Blanchir; rendre d'un blanc éblouissant. ¶ Chauffer à blanc. || Elever à une haute température.

candefio, passif de CANDEFACIO.

candela, ae, f. Flambeau, chandelle; cierge. ¶ Cordon enduit de suif ou de cire.

candelaber, i, m. Voy. CANDELABRUM.

cadelabrarius, m. Fabricant de candélabres. [labre.

candelabrum, i, n. Chandelier. ¶ Candé-

candelabrus, i, m. Voy. CANDELABRUM.

candeo, es, ui, ere, intr. Etre d'un blanc éclatant. ¶ Avoir l'éclat du feu, être en feu. || Etre porté à une très haute température. || Etre tout brûlant. || (Fig.) Etre enflammé (de colère, de passion, etc.).

candesco, is, dui, ere, intr. Devenir d'un blanc éclatant. ¶ S'embraser. || Etre chauffé à blanc, atteindre une très haute température. || (Fig.) S'enflammer.

candetum, i, n. Mesure gauloise (de cent pieds carrés dans les villes et de cent cinquante à la campagne).

candico, as, are, intr. Avoir des reflets blancs; être blanchâtre; tirer sur le blanc.

candida (s.-e. *toga*), **ae,** f. Toge blanche (des candidats). ¶ Jeux offerts au peuple par un candidat.

candidatorius, a, um, adj. De candidat.

1. candidatus, a, um, adj. Habillé de blanc.

2. candidatus, i, m. Candidat aux fonctions publiques. || (Partic.) Questeur; aspirant à la préture chargé de lire au sénat les messages de l'empereur. || Soldat d'élite. ¶ (Fig.) Prétendant, aspirant, candidat.

3. candidatus, us, m. Candidature.

candide, adv. En blanc. ¶ (Fig.) De bonne foi, sincèrement, franchement. || Naïvement.

candido, as, avi, atum, are, tr. Rendre blanc. || Blanchir. || Habiller de blanc. ¶ *Intr.* Voy. CANDICO. [chise.

candidule, adv. Avec une aimable fran-

candidulus, a, um, adj. Bien blanc (en parl. d'un objet petit et gracieux).

candidum, i, n. Le blanc; la couleur blanche. || Le blanc (d'un œuf, etc.).

candidus, a, um, adj. D'un blanc éclatant. || Blanc. || Habillé de blanc. ¶ Eclatant; d'une beauté éclatante.

¶ Serein; clair. ¶ Sans nuages, c.-à-d. sans inquiétude, joyeux, heureux; propice. || Sans arrière-pensée; franc. || Naïf, candide.

candor, *oris*, m. Blancheur éclatante. ||Blancheur. || (Méton.) Chose blanche. ¶ Eclat; beauté éclatante. ¶ Incandescence; extrême chaleur.¶ Sérénité. || Pureté, limpidité. || (Fig.) Sincérité, bonne foi. || Naïveté, candeur.

caneo, *es, ui, ere*, intr. Etre blanc (de cheveux) *ou* presque blanc; avoir les cheveux gris. || Etre d'un blanc gris.

canephoros, *i*, f. Canéphore.

canes, *is*, m. Voy. CANIS.

canesco, *is, canui, ere*, intr. Commencer à devenir blanc, c.-à-d. grisonner. || Vieillir. ¶ (En gén.) Devenir blanc.

canicula, *ae*, f. Petite chienne *ou* petit chien (appellation plaisante de qqn qui mord ou médit). ¶ Constellation du Chien, Sirius; la canicule, c.-à-d. le fort de l'été. ¶ Chien de mer; requin. ¶ Le coup de chien, le plus mauvais coup (rien que des as) au jeu de dés.

canicularis, *e*, adj. De la canicule; caniculaire. Subst. *Caniculares*, m. pl. Jours caniculaires.

canina (s.-e. *caro*), f. Chair de chien.

caninus, *a, um*, adj. De chien; relatif aux chiens. ¶ Semblable à ce que font les chiens. || Aboyant, mordant, c.-à-d. diffamatoire. || Cynique.

canipa, *ae*, f. Comme CANISTRUM.

canis, *is*, m. et f. Chien; chienne. ¶ Homme sans vergogne; cynique. || Accusateur acharné. || Limier; âme damnée. ¶ Le Grand Chien *et* le Petit Chien (constellations).¶ Chien de mer. ¶ Coup de chien (au jeu de dés). ¶ Espèce de carcan. [fruits, etc.].

canistrum, *i*, n. Corbeille (à pain, à
canitia, *ae*, f. Voy. CANITIES.

canities, *ei*, f. Blancheur (des cheveux et de la barbe). || (Méton.) Cheveux blancs; vieillesse. ¶ (En gén.) Blancheur grisâtre.

canitudo, *inis*, f. Comme CANITIES.

canna, *ae*, f. Roseau. || Jonc. ¶ (Méton.) Objet fabriqué avec des roseaux. || Chalumeau, flûte champêtre. || Roseau à écrire. || Natte. || Petite embarcation. ¶ (Par anal.) Trachée-artère.

cannabinus, *a, um*, adj. De chanvre; fait de chanvre.

cannabis, *is* (acc. *im*, abl. *i*), f. Chanvre.

cannabum, *i*, n. et **cannabus**, *i*, m. Voy. CANNABIS. [roseaux.

cannetum, *i*, n. Cannaie, lieu planté de **canneus**, *a, um*, adj. De roseaux; fait de roseaux.

cannula, *ae*, f. Petit roseau. ¶ Petit tube, petit tuyau. ¶ Trachée-artère.

cano, *is, cecini, cantum, ere*, intr. Chanter (en gén.). || (Partic.) Prononcer des formules magiques. || Jouer, sonner (d'un instrument). || Donner un signal (avec la trompette). || Sonner (en parl. de la trompette). || Résonner, retentir (en parl. des lieux). ¶ *Tr.* Chanter (un air); faire entendre (des sons mélodieux); faire résonner (un instrument). || Sonner (la charge). || Chanter, c.-à-d. prendre pour sujet d'un poème. || Célébrer. || Glorifier. || Proclamer, publier. || Prophétiser.

canon, *onis* (acc. *ona*), m. Règle. ¶ Tuyau droit (d'un orgue hydraulique). ¶ (Fig.) Règle; modèle, principe. || Impôt régulier; redevance annuelle. || (Eccl.) Catalogue des livres canoniques; canon.

canonica, *orum*, n. pl. Principes théoriques. || Théorie (d'un art ou d'une science).

canonice, adv. Régulièrement; normalement. || (Eccl.) Conformément aux lois de l'Eglise.

canonici, *orum*, m. pl. Théoriciens.

1. **canonicus**, *a, um*, adj. Régulier; normal. || Relatif aux règles, aux principes. ¶ Relatif à l'impôt régulier. ¶ Conforme aux lois de l'Eglise.|| Compris dans le canon (voy. CANON), canonique.

2. **canonicus**, *i*, m. Chanoine.

canor, *oris*, m. Mélodie. ¶ Chant *ou* son des instruments. || Poésie *ou* poème.

canore, adv. Mélodieusement.

canorus, *a, um*, adj. Mélodieux, harmonieux. || Musical. || Sonore. ¶ Qui sait la musique.

cantabricus, *a, um*, adj. De son.

cantabries, *ei*, f. Pityriasis. [d'orge).

1. **cantabrum**, *i*, n. Son (de froment *ou*

2. **cantabrum**, *i*, n. Riche bannière portée dans les processions.

cantabundus, *a, um*, adj. Chantant.

cantamen, *inis*, n. Enchantement, formule magique. [formule magique.

cantatio, *onis*, f. Chant. ¶ Incantation;

cantator, *oris*, m. Chanteur, musicien. || Acteur tragique. ¶ Enchanteur; magicien. [trice.¶ Magicienne.

1. **cantatrix**, *icis*, f. Chanteuse; canta-

2. **cantatrix**, *icis*, adj. fém. Qui chante. ¶ Mêlée de chant.

cantatus, *us*, m. Chant.

canter... Voy. CANTHER... [inconnue.

cantharias, *a, um*, adj. m. Pierre précieuse

cantharida, *ae*, f. Cantharide (insecte).

cantharis, *idis* (acc. pl. *idas*), f. Cantharide. ¶ Petit scarabée nuisible au blé. || Insecte nuisible à la vigne.

cantharites, *ae*, m. Vin de choix donné par la vigne appelée CANTHAREOS.

cantharus, *i*, m. Coupe évasée à anses. || Tasse. ¶ (Par anal.) Sorte de bateau. ¶ Extrémité du tube d'un jet d'eau. ¶ (Eccl.) Bénitier. ¶ Poisson de mer inconnu. ¶ Tache noire sous la langue du bœuf Apis.

cantherius (CANTERIUS), *ii*, m. Cheval hongre. || Mauvais cheval, rosse. ¶ Chevron (d'un toit). || Etai pour la vigne (perche mise en travers sur deux autres). || Appareil pour empêcher un cheval estropié de poser le pied à terre.   [roue. || Roue.

canthus, i, m. Cercle de fer autour d'une

canticum, i, n. (Dans la tragédie.) Monologue; tirade débitée sur une sorte de mélopée et accompagnée d'une mimique expressive. || Mimique accompagnant le débit d'un autre acteur. ¶ (Eccl.) Hymne; cantique. ¶ Chanson satirique ou obscène. ¶ Chant ou formule magique.

cantilena, ae, f. Chanson; air. || Refrain, litanie; rabâchage. ¶ Jeu d'un instrument. ¶ Accord (en musique).

cantio, onis, f. Chant; action de chanter. || Chant, chanson, refrain. ¶ Enchantement, formule magique.

cantito, as, avi, atum, are, intr. Chanter volontiers ou souvent. ¶ *Tr.* Avoir l'habitude de chanter. || Avoir l'habitude de célébrer.

cantiuncula, ae, f. Petite chanson.

canto, as, avi, atum, are, tr. et intr. (*Intr.*) Chanter (en parl. de l'homme et des oiseaux). || Avoir un débit chantant. ¶ Prononcer des formules magiques. ¶ Jouer, sonner (d'un instrument). || Sonner, rendre des sons (en parl. de l'instrum.). ¶ (*Tr.*) Chanter (un air). || Composer (un poème); chanter, célébrer. || Vanter, prôner. || Déclamer, débiter; réciter. || Annoncer; prophétiser. || Chanter, c.-à-d. rabâcher. || Enchanter. || Evoquer (par des sortilèges); ensorceler.

cantor, oris, n. Chanteur; musicien. ¶ Celui qui déclame un rôle; acteur. ¶ Prôneur. || Rabâcheur.

cantrix, icis, f. Chanteuse. || Musicienne.

canturio, is, ire, intr. et tr. Chantonner.

1. cantus, us, m. Chant, action de chanter. || (Fig.) Action de célébrer¶ Ce qu'on chante; chant; vers, poésie; jeu, son (d'un instrument). || (En parl.) Chant prophétique; prédiction. || Oracle. || Formule magique; incantation.

2. cantus, i, m. Voy. **CANTHUS.**

canua, ae, f. Voy. **QUALUM.**

canus, a, um, adj. D'un blanc gris. ||Blanchâtre. || Blanc. || Blanc (en parl. des cheveux). || Chenu, qui a les cheveux blancs. || Vieux. || Des anciens âges; vénérable.

canusina, ae, f. Sorte de vêtement de laine (porté à Canusium).

canusinatus, a, um, adj. Qui porte des vêtements de laine fabriqués à Canusium.   [¶ Capable de.

capabilis, e, adj. Saisissable; concevable.

capacitas, atis, f. Aptitude à contenir, capacité, contenance, étendue. || (Méton.) Réceptacle. ¶ (Fig.) Aptitude à recevoir, à acquérir. || (Jur.) Habileté à succéder. ¶ (Mor.) Faculté de compréhension.

capax, acis, adj. Qui peut contenir. || Qui contient. || Qui contient beaucoup. || Vaste, étendu. || (Fig.) Qui peut recevoir, susceptible de. || (Jur.) Habile à succéder. ¶ (Mor.) Qui peut comprendre. ¶ (En gén.) Qui peut faire, capable de; apte à, convenable.

capedo, inis, f. Vase à anse, cruche (en usage jadis dans les sacrifices).

capeduncula, ae, f. Diminutif de **CAPEDO.**

capella, ae, f. Chevrette. || (En gén.) Chèvre. ¶ La Chèvre, nom d'une étoile.

capellus, i, m. Chevreau.

caper, pri, m. Bouc. || (Méton.) Odeur de bouc. || Capricorne (signe du zodiaque).

capero, as, avi, atum, are, tr. Froncer; rider. ¶ *Intr.* Se froncer, se rider. || Se renfrogner.

capesso, is, ivi ou ii, itum, ere, tr. Chercher à prendre; saisir, empoigner. ¶ Chercher à atteindre, gagner, se rendre à. *Capessere se,* se transporter; se rendre. ¶ Prendre, c.-à-d. commencer à faire, entreprendre, se charger de. || Exécuter, pratiquer. || Se vouer à. || (Mor.) Comprendre, concevoir.

capetum. Voy. **CAPITUM.**

capillaceus (**CAPILLACIUS**), **a, um, adj.** Fait avec des cheveux. || Semblable à des cheveux. || Fin comme un cheveu.

capillamentum, i, n. Chevelure. ¶ Faux cheveux; perruque. ¶ Chevelu (des plantes). *Capillamenta,* n. pl. Filaments.

capillare, is, n. Pommade.   [veux.

capillaris, e, adj. Qui concerne les che-

capillatura, ae, f. Chevelure. ¶ Système pileux.   [tent les cheveux longs.

capillati, orum, m. pl. Hommes qui por-

capillatus, a, um, p. adj. Chevelu, qui a des cheveux. ¶ Chevelu, filamenteux.

capillor, aris, ari, dép. intr. Avoir des cheveux. ¶ Pousser comme des cheveux.

capillosus, a, um, adj. Qui a beaucoup de cheveux. ¶ Qui a des filaments semblables à des cheveux.

capillus, i, m. Cheveu. || Chevelure. || (Collect.) Chevelure. ¶ (Par ext.) Poil (de l'homme ou des animaux). || Filament (des plantes). || *Capillus Veneris,* voy. **ADIANTUM.**

1. capio, is, cepi, captum, ere, tr. Prendre. || Saisir. || S'emparer de; faire prisonnier. || Prendre à la chasse; s'approprier. ¶ Occuper, c.-à-d. gagner, atteindre. || Prendre, désigner, déterminer, choisir. || Commencer, se mettre à. ¶ Paralyser. || Captiver, séduire. || Abuser, duper. ¶ Prendre sur le fait; convaincre. ¶ Recevoir. || Accepter. || Acquérir (légalement). || Gagner, recueillir. ¶ Percevoir, toucher. || (Fig.) Eprouver, ressentir; essuyer, subir. ¶ Comprendre, entraîner; contenir, renfermer. || Comporter, admettre; être susceptible de. || (Mor.) Concevoir, se faire une idée de.

2. **capio**, *onis*, f. Action de prendre *ou* de recevoir. || Acquisition. || (Absol.) Voy. USUCAPIO.   [PEDO.

capis, *idis* (acc. pl. *idas*), f. Comme OA-

capisso. Voy. OAPESSO.   [TRUM.

capistellum, *i*, n. Diminutif de OAPIS-

capister, *tri*, m. Comme CAPISTRUM.

capisterium. Voy. SCAPHISTERIUM.

capistro, *as*, *atum*, *are*, tr. Brider, museler.||Atteler.||Lier, attacher (la vigne)

capistrum, *i*, n. Muselière, licou. || Chevêtre. ¶ Attache, lien (pour la vigne).

capital, *alis*, n. Voile dont les prêtresses se couvraient la tête pendant les sacrifices. ¶ Crime capital.

capitalis, *e*, adj. Capital, relatif à la tête, c.-à-d. à la vie. || Qui met la vie en péril; qui entraîne la mort (et *partic*, la mort civile); qui concerne la peine de mort. ¶ Qui en veut à la vie; acharné. || Pernicieux. ¶ Eminent en son genre; supérieur (par le talent).

capitaliter, adv. D'une manière capitale, c.-à-d. qui met la vie en péril. ¶ Mortellement; avec acharnement.

capitatio, *onis*, f. Capitation; taxe par tête. || Impôt par tête de bétail.

capitatus, *a*, *um*, adj. Qui a une tête. || (Par anal.) Qui croît par en haut.

capitellum, *i*, n. Petite tête. ¶ Chapiteau (d'une colonne).

capitium, *ii*, n. Vêtement de femme qui couvre la poitrine et les bras; casaquin. ¶ Ouverture supérieure de la tunique par où l'on passe la tête.

capito, *onis*, m. Celui qui a une grosse tête. ¶ Chabot, espèce de poisson. || Poisson blanc (de rivière).

capitularii, *orum*, m. pl. Collecteurs d'impôt. ¶ Fonctionnaires préposés au recrutement.   [recrutement.

capitularius, *a*, *um*, adj. Relatif au

capitulatim, adv. Sommairement.

capitulatus, *a*, *um*, adj. Légèrement renflé en forme de tête.

capitulum, *i*, n. Petite tête. || Petite personne. ¶ Ornement de tête, coiffure de femme. ¶ Chapiteau d'une colonne. || Poutre transversale de catapulte. ¶ Division (d'un ouvrage); chapitre. || Titre (d'une loi). || Sommaire. ¶ Service du recrutement.

capitum, *i*, n. Ration de fourrage.

capnias, *ae*, m. Espèce de jaspe. || Espèce de chrysolithe; topaze enfumée.

capnios, *i*, f. Espèce de vigne qui produit des raisins comme enfumés.

capnos, *i*, f. Fumeterre.

capo, *onis*, m. Chapon.

1. **cappa**, n. Nom d'une lettre grecque.

2. **cappa**, *ae*, f. Ornement de tête, coiffure de femme.

cappari, indécl. n. Câpre.

capparis, *is* (acc. *im*, abl. *i*), f. Câprier. || Câpre (fruit du câprier).

capra, *ae*, f. Chèvre. || (Méton.) Mauvaise odeur des aisselles. || La Chèvre (étoile).

1. **caprarius**, *a*, *um*, adj. Qui concerne les chèvres.

2. **caprarius**, *ii*, m. Chevrier.

caprea, *ae*, f. Chèvre sauvage. ¶ Chevreuil; chevrette.

capreolatim, adv. En s'enroulant comme les vrilles de la vigne.

capreolus, *i*, m. Chèvre sauvage. || Chevreuil. || Chamois. ¶ (Par anal.) Sarcloir à deux dents. ¶ Etai, étançon. ¶ Vrille (de la vigne).   [du zodiaque].

capricornus, *i*, m. Le Capricorne (signe

caprificatio, *onis*, f. Caprification.

caprifico, *as*, *are*, tr. Hâter la maturation des figues en en faisant piquer par des insectes qui se développent sur le figuier sauvage.

caprificus, *i*, f. Figuier sauvage. || Figue sauvage. ¶ (Fig.) Ferment de génie impatient de se produire, comme le figuier sauvage qui, pour se faire jour, brise, dit-on, les rochers.   [chèvres.

caprigenus, *a*, *um*, adj. De la race des

caprile, *is*, n. Etable à chèvres.

caprimulgus, *i*, m. Celui qui trait les chèvres (chevrier). ¶ Oiseau qui passait pour sucer le lait des chèvres.

caprina (s.-e. *caro*), *ae*, f. Viande de chèvre.   [chèvre.

capripes, *pedis*, adj. Aux pieds de

caproneae (CAPRONEAE), *arum*, f. pl. Boucles de cheveux qui pendent des tempes sur les joues.   [NAE.

caproneae, *arum*, f. pl. Comme CAPRO-

capsa, *ae*, f. Etui. || Boîte.

capsaria (CAMPSARIA), *ae*, f. Esclave chargée du vestiaire des femmes (dans les bains publics). ¶ Boutique où l'on trouve les accessoires de bain.

capsaricius, *a*, *um*, adj. Déposé au vestiaire (des bains publics).

capsarius, *ii*, m. Esclave qui accompagne un enfant à l'école et porte dans un étui les objets nécessaires. ¶ Esclave qui garde les vêtements des baigneurs (dans les bains publics). ¶ Commis d'administration (militaire).

capsula, *ae*, f. Petit étui. || Cassette.

capsus, *i*, m. Caisse, coffre (d'une voiture). ¶ Enclos, parc à bestiaux. ¶ Vessie farcie.

captatio, *onis*, f. Effort pour saisir, pour attraper, pour prendre en défaut. || (En part.) Captation (de testament). || (Escrime.) Feinte. ¶ Chicane (de mots).

captator, *oris*, m. Celui qui cherche à s'emparer de, à attraper, à prendre en défaut. || (En partic.) Captateur (de testament). ¶ Accapareur; agioteur. ¶ Tentateur, séducteur.

captio, *onis*, f. Action de prendre, de saisir; capture; prise. ¶ Action de recevoir, de percevoir. ¶ Piège; fraude, tromperie, duperie. ‖ (Méton.) Dommage résultant d'une fraude. ‖ Paroles captieuses; sophisme.

captiose, adv. D'une manière captieuse.

captiosus, *a*, *um*, adj. Qui est une cause de dommage; préjudiciable. ¶ Captieux; sophistique. Subst. *Captiosa*, n. pl. Sophismes.

captiuncula, *ae*, f. Sophisme, subtilité.

captiva, *ae*, f. Prisonnière.

captivitas, *atis*, f. Captivité. ‖ Prise; conquête. ¶ Arrestation. ¶ Perte de l'usage (d'un organe, d'un sens).

captivo, *as*, *avi*, *atum*, *are*, tr. Faire prisonnier; emmener en esclavage (pr. et fig.). ‖ Se rendre maître de...

1. **captivus**, *a*, *um*, adj. De captif, de prisonnier. ‖ (Par anal.) Pris à la chasse. ‖ Pris, conquis. ‖ (En gén.) Prisonnier, captif. ‖ (Qqf.) Estropié, en mauvais état; paralysé.

2. **captivus**, *i* m, Prisonnier de guerre.

capto, *as*, *avi*, *atum*, *are*, tr. Chercher à prendre, à attraper, faire la chasse à, poursuivre. ¶ (Fig,) Chercher à obtenir, poursuivre, capter. ‖ Chercher à connaître, épier. ¶ Chercher à prendre en faute, chercher à convaincre d'une faute. ¶ Chercher à duper, user d'artifices. ‖ Chercher à séduire; flatter, enjôler. ¶ Interpréter en sophiste.

captura, *ae*, f. Prise.‖Action de prendre. ‖ (Méton.) Ce qui est pris; butin. ¶ Salaire; gain. ‖ Profit mal acquis.

captus, *us*, m. Action de prendre. ‖ (Méton.) Ce que l'on prend; prise. ‖(Fig.) Acquisition. ¶ Etendue, dimension. ‖ (Fig.) Portée (de l'esprit), niveau (moral ou intellectuel); capacité. [Petite coupe à anses.

capula, *ae*, f. Petite cruche à vin. ‖

capularis, *e*, adj. De cercueil. ‖ (Fig.) Qui a un pied dans la tombe.

capulator (CAPLATOR), *oris*, m. Celui qui transvase ou soutire de l'huile ou du vin).

capulum, *i*, n. Voy. CAPULUS.

capulus, *i*, m. Cercueil. ¶ Manche, poignée. ‖ (Partic.) Garde d'une épée. ¶ Longe.

capus, *i*, m. Chapon.

caput, *itis*, n. Tête (de l'homme ou des animaux). ‖ (Méton.) Tête, c.-à-d. esprit, raison. ‖ Individu, homme. ‖ Tête de bétail. ‖ Vie, existence. ¶ Vie physique, existence civile, ensemble des droits d'un citoyen. ¶ Tête, c.-à-d. extrémité; sommet. ‖ Source, embouchure (d'un fleuve). ‖ (Fig.) Source, point de départ, principe. ¶ Ce qu'il y a de principal. ‖ Chef, instigateur, agent principal. ‖ Fond (des choses). ‖ Division essentielle (d'un ouvrage), chapitre, paragraphe. ‖ Ville princi-

pale, chef-lieu; capitale. ‖ Principal (d'une dette).‖ Capital (opp. à revenu, rente). ‖ Totalité (d'une dette) opp. aux acomptes.

carabus, *i*, m. Langouste (?)

caracalla, *ae*, f. Capuchon couvrant la tête et les épaules. ¶ Grand manteau garni d'un capuchon.

caraxo, Voy. CHARAXO.

carbasa, *orum*, n. pl. Fin tissu de coton; mousseline. ¶ Tissu de lin; robe; voile de navire. ¶ Toile tendue au-dessus du théâtre. ‖ Oharpie. ‖ Papier de lin.

carbaseus, *a*, *um*, adj. De coton (ou de lin) très fin.

carbasi, *orum*, m. pl. Livres sibyllins (écrits sur de la toile). [seline.

carbasina, *orum*, n. pl. Etoffes de mous-

carbasineus, *a*, *um* adj. Comme CAR-BASEUS. [BASEUS.

carbasinus, *a*, *um*, adj. Comme CAR-

carbasum, *i*, n. Mousseline. ¶ Tissu de lin. Voy. CARBASA.

carbasus, *i*, m. Voy. CARBASA. [sier.

carbatinus, *a*, *um*, adj. De cuir gros-

carbo, *onis*, m. Charbon. ¶ Charbon (maladie).

1. **carbonaria**, *ae*, f. Charbonnière, femme de charbonnier ou marchande de charbon.

2. **carbonaria**, *ae*, f. Four à charbon.

carbonarius, *a*, *um*, adj. Relatif au charbon; de charbon.

carbunculatio, *onis*, f. Brûlure causée aux bourgeons par la gelée.

carbunculo, *as*, *are*, intr. Etre atteint du charbon (maladie). ¶ Etre broui par la gelée (en parl. des plantes).

carbunculosus, *a*, *um*, adj. Couvert de pierrailles rougeâtres.

carbunculus, *i*, m. Petit charbon. ¶ Sorte de caillou rougeâtre. ¶ Escarboucle (pierre précieuse). ¶ Maladie (des hommes), charbon, ulcère; maladie (des arbres) brouissure.

carcer, *eris*, m. Prison, geôle (pr. et fig.). ‖ (Méton.) Les prisonniers. ‖ Homme malhonnête, coquin. ¶ (Au plur. ordin.) Enceinte, barrières (d'où partent les chevaux dans l'hippodrome). [la prison.

1. **carcerarius**, *a*, *um*, adj. Qui concerne

2. **carcerarius**, *i*, m. Geôlier.

carcharus, *i*, m. Espèce de requin.

carchesium, *ii*, n. Vase à boire à deux anses et de forme évasée. ¶ La partie supérieure du mât où sont attachées les voiles; la tête du mât, la hune. ¶ Cabestan.

carcinoma, *atis*, n. Cancer (maladie). ¶ T. injurieux : fléau, peste (en parl. de pers.).

carcinos et **carcinus**, *i*, m. Ecrevisse. ¶ Le Cancer ou l'Ecrevisse, signe du zodiaque.

cardaces, *um* (acc. *as*), m. pl. Les

Braves, corps d'infanterie chez les Perses.

cardamina, *ae*, f. Cardamine (plante appartenant à la famille du cresson).

cardamomum, *i*, n. Cardamome (plante).

cardamum, *i*, n. Cresson alénois.

cardelis. Voy. CARDUELIS. [tomac.

cardiace, *es*, f. Cardialgie, douleur d'es-

1. **cardiacus**, *a*, *um*, adj. Relatif à l'estomac; qui souffre de l'estomac.

2. **cardiacus**, *i*, m. Celui qui a l'estomac faible *ou* souffrant.

cardinalis, *e*, adj. Concernant les gonds. ¶ (Fig.) Cardinal; principal; capital. ‖ (Gramm.) Cardinal. [taisé.

cardinatus *a*, *um*, adj. Emboîté; emmor-

cardo, *inis*, m. Gond (de porte), pivot. ‖ (Au plur.) *Cardines*, *um*, m. Poutres qui s'emboîtent l'une dans l'autre, par le tenon et la mortaise. ‖ Extrémités qui s'emboîtent. ¶ (Astron.) Pôle. ¶ Point cardinal; région. ‖ Point solsticial. ‖ Point remarquable, sommet. ¶ (Arpent.) Ligne tirée du nord au sud. ¶ (Fig.) Point essentiel (sur lequel tout roule); circonstance sérieuse

carduelis, *is*, f. Chardonneret.

1. **carduus**, *i*, m. Chardon. ¶ Artichaut.

2. **carduus**, *us*, m. Comme le précédent.

care, adv. Chèrement; à haut prix; cher.

carectum, *i*, n. Endroit plein de laîches.

carentia, *ae*, f. Privation; indigence.

carenum. Voy. CAROENUM.

careo, *es*, *ui*, *iturus*, *ere*, intr. Manquer de; ne pas *ou* ne plus avoir; être privé (d'une bonne chose) *ou* exempt (d'un mal). ‖ (En parl.) S'abstenir volontairement, se passer de; ne pas participer à.

careor, dép. intr. Voy. CAREO.

carex, *icis*, f. Laîche (ou carex), plante.

carica, *ae*, f. Figue sèche.

caricula, *ae*, f. Petite figue.

caries, acc. *em*, abl. *e*, f. Pourriture, carie. ‖ Altération. ‖ (En gén.) Dégradation; état de délabrement *ou* d'abandon. ‖ (Méton.) Saveur de ce qui est altéré *ou* vieilli. ‖ (Injur.) Vieux, décrépit.

carina, *ae*, f. Quille (d'un navire). ‖ (Méton.) Navire. ‖ Coquille de noix.

carinae, *arum*, f. pl. Les Carènes (quartier de Rome). [d'une carène.

carinatus, *a*, *um*, adj. Qui a la forme

1. **carino**, *as*, *avi*, *atum*, *are*, tr. Munir d'une carène *ou* (par anal.) d'une carène.

2. **carino**, *as*, *are*, et **carinor**, *aris*, *ari*, dép. tr. et intr. Injurier. ‖ Tourner en ridicule. [(pr. et fig.).

cariosus, *a*, *um*, adj. Vermoulu, pourri

caritas, *atis*, f. Prix élevé; cherté (d'une chose). ¶ (Fig.) Haute estime. ‖ Amour; affection; tendresse. Au plur. (méton.), êtres aimés, objets de tendresse.

1. **carmen**, *inis*, n. Chant (en gén.). ‖ Poésie, poème. ‖ Ode, poème lyrique.

¶ Division d'un poème en chants : chant. ¶ Vers. ‖ Ce qui est écrit *ou* exprimé en vers : oracle, sentence; formule religieuse; formule judiciaire; formule magique. [carde.

2. **carmen**, *inis*, n. Peigne de cardeur;

carminabundus, *a*, *um*, adj. Chantant; poétique.

carminale, *is*, n. Chant.

carminatio, *onis*, f. Action de carder.

carminator, *oris*, m. Cardeur.

1. **carmino**, *as*, *are*, intr. Faire des vers.

2. **carmino**, *as*, *atum*, *are*, tr. Carder.

carnalis, *e*, adj. Charnel; corporel.

carnalitas, *atis*, f. Chair. ‖ Sensualité.

carnaliter, adv. Charnellement.

carnaria, *ae*, f. Etal de boucher.

carnarium, *ii*, n. Garde-manger. ¶ Charnier. ‖ Croc pour suspendre la viande. ‖ Boucherie, c.-à-d. tuerie, massacre. [chair.

1. **carnarius**, *a*, *um*, adj. Relatif à la

2. **carnarius**, *ii*, m. Qui aime la viande. ¶ Boucher.

carnatio, *onis*, f. Embonpoint. ‖ Obésité.

carneus, *a*, *um*, adj. De chair; qui concerne la chair. ‖ Qui est selon la chair. ‖ Charnel, sensuel.

carnifex (CARNUFEX), *icis*, m. f. Bourreau (pr. et fig.). ‖ Vaurien, pendard. ‖ Adj. Qui tue *ou* fait souffrir.

carnificator, *oris*, m. et **carnificatrix**, *icis*, f. Celui ou celle qui fait office de bourreau.

carnificina (CARNUFICINA), *ae*, f. Fonction de bourreau. ‖ Exercice de cette fonction : torture. ¶ (Fig.) Supplice, torture. ‖ Salle de torture.

carnifico, *as*, *are*, tr. Faire le bourreau. ‖ Supplicier, exécuter; torturer. ‖ Mettre en pièces. [précédent.

carnificor, *aris*, *ari*, dép. intr. Comme le

carnivorus, *a*, *um*, adj. Carnivore.

carnositas, *atis*, f. Epaisseur de chair.

carnosus, *a*, *um*, adj. Charnu; musculeux. ‖ Charnu (en parl. des fruits). ¶ Semblable à la chair; qui est couleur de chair.

1. **caro**, *is*, *ere*, tr. Carder.

2. **caro**, *carnis*, f. Chair; viande. ¶ (Fig.) La chair, la sensualité. ¶ (Par anal.) Chair, pulpe (des fruits). ‖ La partie tendre du bois.

3. **caro**, adv. Cher; à haut prix.

caroenaria, *ae*, f. Vase où se fait le CAROENUM.

caroenum, *i*, n. Vin doux qu'on a réduit aux deux tiers par la cuisson.

carota, *ae*, f. Carotte.

caroticus, *a*, *um*, adj. Qui cause l'apoplexie. ¶ *Carotica vena*, l'artère carotide.

carpa, *ae*, f. Carpe. [rettes.

carpentaria, *ae*, f. Fabrication des char-

1. **carpentarius**, *a*, *um*, adj. Qui concerne les charrettes ou de charrette.

2. **carpentarius**, *ii*, m. Charron.

carpentum, *i*, n. Voiture couverte et

suspendue, à deux roues, à l'usage des dames romaines. ¶ Char funèbre. ¶ Chariot *ou* charrette (pour les travaux des champs). || (Méton.) Attelage.

carphologia, *ae*, f. Action de cueillir des brins de paille; carphologie (geste des agonisants).

carphos, n. Fenugrec (plante).

carpineus, *a*, *um*, adj. De charme; de bois de charme.

carpinus, *i*, f. Charme (arbre).

carpo, *is*, *carpsi*, *carptum*, *ere*, tr. Détacher en arrachant; cueillir. || Brouter. || Diviser en arrachant; effiler, filer (de la laine). || Déchirer, mettre en pièces. ¶ (Au fig.) Déchirer, *c.-à-d.* critiquer. || Harceler par des escarmouches. || *Fig.* Affaiblir, épuiser peu à peu. ¶ Morceler. || Éparpiller. || Cueillir, *c.-à-d.* prendre partie par partie; jouir de; s'emparer de. || Parcourir (de place en place). || Passer (le temps). || Jouir de, se livrer à.

carptim, adv. En cueillant. ¶ Par parcelles. ¶ A part; de divers côtés.

carptor, *oris*, m. Ecuyer tranchant. ¶ (Fig.) Censeur hargneux.

carptura, *ae*, f. Action de cueillir.

carruca (CARUCA, CARRUCHA, CARUCHA), *ae*, f. Sorte de voiture de luxe à quatre roues.

carrulus, *i*, m. Petit chariot.

carrus, *i*, m. Char; chariot de transport (chez les Gaulois).

carta, *ae*, f. Voy. CHARTA.

cartallus, *i*, n. Corbeille.   [BUM.

cartibulum, *i*, n. Diminutif de CARTI-

cartibum, *i*, n. Table de pierre montée sur un seul pied.

cartilaginea, (s.-e. *animalia*), *orum*, n. pl. Poissons cartilagineux.   [tilages.

cartilagineus, *a*, *um*, adj. Plein de cartilaginosus**, *a*, *um*, adj. Plein de cartilages.   [Pulpe (des fruits).

cartilago, *inis*, f. Cartilage. || (Par ext.)

caruca. Voy. CARRUCA.

1. **carum**, *i*, n. Carvi (plante).

2. **carum**, *i*, n. Voy. GARON.

caruncula, *ae*, f. Petit morceau de chair.

carus, *a*, *um*, adj. Précieux; cher. ¶ (Fig.) Cher, chéri, aimé. Subst. *Cari*, *orum*, m. pl. Etres aimés.

caryites, *ae*, m. Variété de tithymale.

caryon, *i*, n. Noix d'Italie.   [matique).

caryophyllon, *i*, n. Giroflier (plante aro- **caryota** (CARIOTA), *ae*, f. Sorte de grosse datte en forme de noix.   [précédent.

caryotis, *idis* (acc. pl. *idas*), f. Comme le **casa**, *ae*, f. Cabane, chaumière, hutte. Au plur. *Casae*, *arum*, f. Baraquements (couverts de chaume). ¶ *Qqf.* Petit fonds de terre.

casaria, *ae*, f. Celle qui garde la cabane.

1. **casarius**, *a*, *um*, adj. Qui appartient à la cabane.   [ferme.

2. **casarius**, *ii*, m. Fermier. || Valet de **casca**, *ae*, f. Femme très âgée.

casce, adv. A l'ancienne mode.

1. **cascus**, *a*, *um*, adj. Très vieux.

2. **cascus**, *i*, m. Homme très vieux.

casearius, *a*, *um*, adj. Relatif au fromage; à fromage.   [fromage.

caseatus, *a*, *um*, adj. Où il entre du **caseolus**, *i*, m. Petit fromage.

caseum, *i*, n. Comme CASEUS.

caseus, *i*, m. Fromage.

casia, *ae*, f. Cannelle sauvage (arbre). ¶ Garon (arbrisseau odorant).

casmena. Voy. CAMENA.   [toscan).

casnar, m. Vieux sot (mot osque *ou* **casse**, adv. Inutilement.

cassida, *ae*, f. Casque de métal.

cassidarius, *ii*, m. Fabricant de casques. ¶ Gardien des casques (dans un arsenal).   [(porté par les cavaliers).

1. **cassis**, *idis*, m. Casque en bronze

2. **cassis**, *is* (ordin. au plur.), **casses**, *ium*, m. Filets pour la chasse: rets. || (Fig.) Pièges.   Toile d'araignée.

cassiterinus, *a*, *um*, adj. D'étain.

cassiterum, *i*, n. Sorte d'alliage où il entrait de l'argent, du plomb et d'autres métaux: *plus tard* étain.

cassito, *are*, intr. Tomber goutte à goutte.

1. **casso**, *as*, *avi*, *atum*, *are*, tr. Casser, infirmer.

2. **casso**, *as*, *are*, intr. Chanceler.

3. **casso**, pour QUASSO.

1. **cassum**, *i*, n. Le vide (opp. au solide).
¶ Au plur, *Cassa*, *orum*, n. Des riens.

2. **cassum**, adv. Sans motif. || En vain.

cassus, *a* *um*. adj. Vide. ¶ Vain. inutile.

castanea, *ae*, f. Châtaignier. ¶ Châtaigne.

castanetum, *i*, n. Châtaigneraie.

caste, adv. D'une manière pure, innocemment. ¶ (En partic.) Avec désintéressement. ¶ Purement, chastement. ¶ Avec piété; religieusement.

castellamenta, *orum*, n. pl. Espèce de pâtisserie ayant la forme d'un château fort.

castellanus, *a*, *um*, adj. Relatif à un château fort. Subst. *Castellani*, *orum*, m. pl. Garnison d'un château fort, d'une place forte *ou* habitants d'une place forte.   [voir d'eau.

castellarius, *ii*, m. Gardien d'un réser- **castellatim**, adv. Par postes (militaires) séparés. ¶ (Fig.) Par groupes.

castellum, *i*, n. Ouvrage de fortification; citadelle. || Redoute: bastion. ¶ (Fig.) Retraite sûre: prison. ¶ Métairie; bourgade (sur une montagne). ¶ Réservoir d'un aqueduc; château d'eau.

castellus, *i*, m. Comme CASTELLUM.

casteria, *ae*, f. (Dans la cale d'un vaisseau) réduit où se reposaient les rameurs.   [vit chastement, chaste.

castificus, *a*, *um*, adj. Qui purifie. ¶ Qui **castigabilis**, *e*, adj. Qui mérite d'être châtié.

castigatio, *onis*, f. Réprimande. || Châtiment. || Mortification. ¶ (Par anal.) Taille (des arbres). ¶ Rigueur dans le choix des expressions.

castigator *oris* m. Celui qui châtie *ou* reprend. || Censeur.

castigatorius. *a, um,* adj. Qui concerne celui qui châtie. ¶ Qui contient une réprimande.

castigatus, *a, um,* p. adj. Restreint, contenu, retenu. || Ramassé, compact, nerveux. || (Fig.) Restreint; très limité.

castigo, *as, avi, atum, are,* tr. Refréner. || Réprimander, censurer. || Punir. ¶ (Par ext.) Corriger. || Amender. || Mettre un obstacle *ou* une limite à. || Enceindre, entourer.

castimonia, *ae,* f. Pureté exigée par la religion : continence *ou* abstinence. || (Mor.) Pureté de mœurs; moralité.

castitas, *atis,* f. Pureté. || Honnêteté. Chasteté. ¶ Désintéressement.

castitudo, *inis,* f. Comme CASTITAS.

castor, *oris* (acc. sing. *ora,* acc. pl. *oras*), m. Castor. [tiré du castor.

castoreum, *i,* n. Castoréum, narcotique

castorinus, *a, um,* adj. De castor.

1. castra, *ae,* f. Voy. 2. CASTRUM.

2. castra, n. pl. Voy. 2. CASTRUM.

castratio, *onis,* f. Castration. ¶ Ebranchement (des arbres).

castrator, *oris,* m. Châtreur.

castratorius, *a, um,* adj. Qui sert à la castration. [cerne le camp.

1. castrensis, *e,* adj. De camp; qui con-

2. castrensis, *is,* m. Officier du palais. ¶ Habitant d'un château fort.

castro, *as, avi, atum, are,* tr. Châtrer. || Emonder un arbre. || Nettoyer les céréales. || Amputer. ¶ (Fig.) Affaiblir *ou* atténuer.

1. castrum, *i,* n. Sorte de couteau.

2. castrum, *i,* n. Espace entouré d'une enceinte fortifiée. || (Au sing.) Forteresse, fort; château fort. || (Au plur.) *Castra, orum,* n. Camp. *Castra facere (ponere, metari, munire, communire),* établir, construire un camp (chaque nuit). *Quintis castris,* en cinq jours de marche. *Castra movere,* lever le camp. || Caserne (des prétoriens, à Rome). || Cour impériale. ¶ (Par anal.) Cantonnement. || Ruche (d'abeilles). ¶ (Méton.) Vie des camps; service militaire. || Camp, c.-à-d. parti, secte.

castum, *i,* n. Comme 2. CASTUS.

1. castus, *a, um,* adj. Sans tache, pur. ¶ Vertueux, honnête. || Désintéressé. || Chaste. ¶ Pieux; religieux. || Pur (en parl. du style).

2. castus, *us,* m. Abstinence des plaisirs sensuels. ¶ Mortification.

casualis, *e,* adj. Accidentel; fortuit. ¶ (Gramm.) Casuel, qui concerne les cas.

casula, *ae,* f. Petite cabane; ¶ Chambre mortuaire; caveau; tombeau. ¶ Manteau avec capuchon; chasuble.

casura, *ae,* f. Chute.

casus, *us,* m. Chute (pr. et fig.) || Ruine, perte, trépas. || Disgrâce. || Déclin, fin. || (Gramm.) Désinence casuelle. || Cas.

¶ Hasard, événement fortuit. || Cas; chance. || Evénement fâcheux, accident *ou* péril.

catadromus, *i,* m. Corde tendue, corde raide (pour les funambules).

cataegis, *idis.* Coup de vent (de haut en bas), ouragan particulier à la Pamphylie.

cataflact... Voy. CATAPHR...

catagelasimus, *i.* m. Très ridicule.

catagrapha, *orum,* n. pl. Figures (peintes en raccourci).

catalecta, *orum,* n. pl. Titre d'une recueil de pièces faussement attribuées à Virgile. [parl. d'un vers].

catalecticus, *a, um,* adj. Catalectique (en

catalecton, *i,* n. Voy. CATALECTA.

catalectos, *on,* adj. Comme CATALECTICUS.

catalepsis, *is* (acc. *in*), f. Catalepsie.

cataleptici, *orum,* m. pl. Ceux qui sont atteints de catalepsie. [talepsie.

catalepticus, *a, um,* adj. Relatif à la ca-

catalexis, *is* (acc. *in*), f. (Raccourcissement); catalexe (manque d'une ou de plusieurs syllabes à la fin d'un vers).

catalogus, *i,* m. Enumération. || Liste de noms; catalogue. [lités.

catalysis (acc. *in*), f. Cessation des hosti-

catamitus, *i,* m. Un Ganymède, un mignon.

cataphracta. Voy. CATAPHRACTES.

cataphractarius, *a, um,* adj. Comme CATAPHRACTUS.

cataphractes, *ae,* m. Armure. || Cotte de mailles. || Caparaçon (pour les chevaux). [Caparaçonné.

cataphractus, *a, um,* adj. Bardé de fer. ||

1. cataplasma, *matis* (abl. pl. *matis* ou *matibus*), n. Cataplasme.

cataplus, *i,* m. Retour d'un vaisseau. || (Méton.) Vaisseau rentrant au port. ¶ Convoi de navires marchands.

catapulta, *ae,* f. Catapulte. ¶ (Méton.) Projectile.

catapultarius, *a, um,* adj. Qui appartient à la catapulte. || Lancé par la catapulte.

cataracta (CATARRACTA), *ae,* f. Cataracte; chute d'eau. || Porte d'écluse. || Herse; pont-levis. ¶ Sorte d'oiseau aquatique.

cataractes, *ae,* m. Comme CATARACTA.

catascopus, *i,* m. Eclaireur.

catasta, *ae,* f. Estrade où étaient exposés les esclaves mis en vente. ¶ Lit de fer sur lequel on brûlait les martyrs. ¶ Tribune. [gence.

cate, adv. Adroitement. || Avec intelli-

cateja, *ae,* f. Sorte de massue en usage chez les Gaulois et chez les Germains.

1. catella, *ae,* f. Jeune chienne.

2. catella, *ae,* f. Chaînette. || Collier.

catellus, *i,* m. Petit chien (*qqf.* terme affectueux). ¶ Sorte d'entrave.

catena, *ae,* f. Chaîne; lien. || Chaîne (de cou), parure. ¶ (Fig.) Chaîne, ce qui assujettit *ou* oblige. || Enchaîne-

ment, série. ¶ (Rhét.) Gradation.
catenarius, *a*, *um*, adj. Qui est à la chaîne.
catenatio, *onis*, f. (Fig.) Ligature. ‖ Articulation (en parl. d'un automate).
catenatus, *a*, *um*, adj. Enchaîné (pr. et fig.)
caterva, *ae*, f. Troupe, multitude. ‖ Horde.¶ Troupe de théâtre; le chœur (du drame). ¶ Troupe (d'animaux). ‖ Multitude (d'objets).
catervarius, *a*, *um*, adj. Qui appartient à une troupe. ‖ Qui va en troupe.
catervatim, adv. Par troupes; en troupe.
cathedra, *ae*, f. Chaise, fauteuil avec marchepieds à l'usage des dames romaines. ‖ Litière. ¶ Chaire (de professeur). ‖ (Méton.) Fonction de professeur. ¶ Siège épiscopal.
cathedralicius, *a*, *um*, adj. Propre au fauteuil appelé CATHEDRA. ‖ Efféminé.
cathedrarius, *a*, *um*, adj. Qui est relatif à la chaire, au fauteuil. ¶ Qui porte une litière. ¶ Qui concerne la chaire (de professeur).‖ Qui enseigne dans une chaire. [trument de chirurgie].
catheter, *eris* (acc. *era*), m. Sonde (ins-
catheterismus, *i*, m. Traitement par la sonde; emploi de la sonde; cathétérisme.
cathetus, *i*, f. Ligne perpendiculaire.
catholica, *orum*, n. pl. Ensemble.‖ Tout.
catholice, adv. Universellement.‖ D'une manière orthodoxe.
catholicus, *a*, *um*, adj. Universel; général. ¶ Catholique, orthodoxe.
1. **catillo**, *as*, *atum*, *are*, tr. Lécher les plats; vivre en parasite. [site.
2. **catillo**, *onis*, m. Gourmand. ‖ Para-
catillum, *i*, n. Comme CATILLUS.
catillus et **catilus**, *i*, m. Petit plat; petite assiette plate.¶ (Par anal.) Partie supérieure de la meule de dessus, dans laquelle on introduit le grain
catinulus, *i*, m. Petite écuelle.
catinum, *i*, n. Ecuelle. ¶ Creuset.
catinus, *i*, m. Ecuelle de terre; plat; assiette. ¶ (En part.) Creuset (pour métaux). ¶ (Par anal.) Réservoir d'air (dans une pompe foulante). ‖ Cavité naturelle (dans un rocher).
catoblepas, *ae*, m. Espèce de taureau d'Ethiopie) qui regarde vers le sol.
catocha, *ae*, f. Catalepsie.
catta, *ae*, f. Chatte.
cattinus, *a*, *um*, adj. De chat; semblable aux chats.
cattus, *i*, m. Chat.
catula, *ae*, f. Petite chienne.
catuligenus, *a*, *um*, adj. Qui met au monde ses petits tous vivants : vivi-parc. [chien.
catulina (s.-e. *caro*), *ae*, f. Viande de
catulinus, *a*, *um*, adj. De chien.
catulus, *i*, m. Petit d'un animal (surtout d'une chienne *ou* d'une chatte). ¶ Espèce d'entrave.
1. **catus**, *a*, *um*, adj. Aigu (en parl. du

son).¶ Avisé, rusé, madré. ‖ A l'esprit délié.
2. **catus**. Voy. CATTUS.
cauda, *ae*, f. Queue.
caudex (CODEX), *icis*, m. Tronc d'arbre. ‖ Souche d'arbre. ‖ (Fig.) Bûche (t. injur.) ¶ (Méton.) Tablettes pour écrire. Voy. CODEX.
caudicalis, *e*, adj. Qui concerne les bûches *ou* le bois. [RIUS.
caudicarius, *a*, *um*, adj. Voy. CODICA-
caudiceus, *a*, *um*, adj. Fait d'un tronc d'arbre.
caulae ou **caullae**, *arum*, f. pl. Cavités, ouvertures. ¶ (Ordin.) Parc de moutons bergerie. ‖ (En gén.) Enceinte, grille.
cauliculus (COLICULUS), m. Petite tige; pousse, rejeton. ‖ Chou. ¶ (Architect.) Caulicule (d'un chapiteau corinthien).
caulis (COLIS ou COLES), *is*, m. Tige d'une plante. ‖ (Partic.) Chou. ¶ (Par anal.) Tuyau de plume.
caullae. Voy. CAULAE.
cauma, *matis*, n. Forte chaleur.
caumaliter, adv. Pendant la forte chaleur.
caupillus. Voy. CAUPULUS.
caupo (COPO), *onis*, m. Aubergiste. ‖ Cabaretier. ¶ (Fig.) Trafiquant, marchand.
caupona (COPONA), *ae*, f. Cabaretière. ¶ (Ordin.) Auberge; cabaret.
cauponaria (s.-e. *ars*), *ae*, f. Métier d'aubergiste.
1. **cauponarius**, *a*, *um*, adj. Relatif au métier d'aubergiste. [giste.
2. **cauponarius**, *ii*, m. Cabaretier, auber-
cauponium, *ii*, n. Mobilier d'auberge. ¶ Cabaret, gargote.
1. **cauponius**, *a*, *um*, adj. D'auberge.
2. **cauponius**, *ii*, m. Comme CAUPO.
cauponor, *aris*, *atus sum*, *ari*, dép. tr. Trafiquer, brocanter. ‖ Faire le commerce de. [chante gargote.
cauponula, *ae*, f. Petit cabaret. ‖ Mé-
caurus (CORUS), *i*, m. Vent du nord-ouest.
causa (CAUSSA), *ae*, f. Cause, motif, occasion, sujet. ‖ Prétexte; excuse; défaite. ¶ Raison qui empêche, motif de dispense. ‖ (Méd.) Cause de maladie; cas (pathologique); maladie. ¶ Etat de choses, cas. ‖ Relations, liens (d'amitié, etc.) ‖ (Jur.) Condition (de qqch.) au point de vue de la loi. ¶ Affaire présente, intérêt du moment. ‖ Mandat, mission (de défendre un intérêt). ‖ Cause (de qqn), parti (politique). ¶ Objet d'une controverse; cas; point. ‖ Procès, cause.
causarius, *a*, *um*, adj. Valétudinaire. ¶ Qui se fait pour des raisons de santé. ¶ Mis en congé pour raison de santé. ‖ Invalide.
causatio, *onis*, f. Excuse, prétexte. ‖ (En partic.) Raison de santé; maladie. ¶ Accusation, grief.

causatius, adv. (au compar.) Avec plus de raison.

causativus, *a, um,* adj. Causal. ¶ Qui cause un débat.¶ (Gramm.) Accusatif.

causia (CAUSEA), *ae,* f. Chapeau contre le soleil. ¶ (Par anal.) Espèce de mantelet pour protéger les assaillants.

causidicor, *aris, ari,* dép. intr. Plaider.

causidicus, *i,* m. Avocat (*parf. avec un sens péjor.*).

causor, *aris, atus sum, ari,* dép. tr. Donner un motif; donner pour motif; prétexter. ¶ Refuser (en alléguant des raisons). ¶ Se plaindre que...

caustice, *es,* f. Plante caustique appelée SCELERATA.

causticum, *i,* n. Remède qui cautérise.

causticus, *a, um,* adj. Qui brûle; caustique.   [texte. ¶ Petit procès.

causula, *ae,* f. Petit motif, mince précaute, adv. Avec précaution, avec prudence.

cautela, *ae,* f. Précaution; prudence. ¶ Moyen de défense. ¶ (Jur.) Caution. || (Méton.) Brûlure.

cauter, *eris,* m. Fer chaud, cautère.

cauterio, *as, atum, are,* tr. Cautériser. ¶ (Fig.) Stigmatiser.

cauterium, *ii,* n. Fer à cautériser. ¶ Réchaud pour encaustique. ¶ Remède caustique.

cautes (COTES), *is,* f. Récif.

cautim, adv. Avec précaution.

cautio, *onis,* f. Circonspection. ¶ (Jur.) Caution. ¶ Stipulation.

cautionalis, *e,* adj. Qui sert de garantie.

cautis, *is,* f. Voy. CAUTES.

cauto, adv. Voy. CAUTE.

cautor, *oris,* m. Celui qui se tient sur ses gardes. ¶ Celui qui se porte garant d'un autre. ¶ Celui qui veille à la sûreté des autres; agent de la sûreté.

cautus, *a, um,* adj. Prudent; circonspect. || Astucieux.¶ A l'abri de, assuré contre; garanti.

cava, *ae,* f. Fossé.   [maisons romaines.

cavaedium, *ii,* n. Cour intérieure des

cavannus, *i,* m. Hibou.   [trous.

cavaticus, *a, um,* adj. Qui vit dans des

cavatio, *onis,* f. Concavité.   [Graveur.

cavator, *oris,* m. Celui qui creuse.

cavatus, *a, um,* p. adj. Creusé; creux; cave.

cavea, *ae,* f. Cavité. ¶ (En part.) Enceinte grillée : cage. || (Par anal.) Haie autour d'un jeune arbre. ¶ Partie du théâtre où étaient assis les spectateurs. || (Méton.) Spectateurs; galerie. || Le théâtre (entier).

caveatus, *a, um,* adj. Enfermé dans une cage. ¶ En forme d'amphithéâtre.

cavefacio, *is, feci, ere,* fr. Comme CAVEO.

caveo, *es, cavi, cautum, ere,* intr. Faire attention; se garer. || (Tr.) Eviter. ¶ (Jur.) Prendre des sûretés; exiger des garanties. ¶ Donner des consultations de droit. || Donner caution à... ¶

Prendre des dispositions; pourvoir à... || Régler par une loi, un décret, etc. || Disposer (par contrat, par testament) en faveur de...

caverna, *ae,* f. Cavité. ¶ Trou. || Orifice.

cavernatim, adv. A travers des cavités.

caverno, *as, are,* tr. Creuser.

cavernosus, *a, um,* adj. Plein de trous, de cavités.

cavernula, *ae,* f. Petite cavité.

caviae, f. pl. Partie d'une victime jusqu'à la queue.

caviares (*hostiae*), f. pl. Voy. CAVIAE.

cavilla, *ae,* f. Discours creux. ¶ Sophisme. ¶ Plaisanterie.

cavillatio, *onis,* f. Raillerie; persiflage. ¶ Sophisme.

cavillator, *oris,* m. Railleur.¶ Sophiste.

cavillatorius, *a, um,* adj. Ironique, mordant.   [subtilités. ¶ La sophistique.

cavillatrix, *icis,* f. Celle qui use de

cavillatus, *us,* m. Plaisanterie; raillerie.

cavillor, *aris, atus sum, ari,* dep. tr. et intr. Railler; persifler. ¶ User de sophismes, de faux-fuyants. || Inter prêter insidieusement.   [santerie.

cavillosus, *a, um,* adj. Enclin à la plaisantie.

cavillula, *ae,* f. Raillerie légère.

cavillum, *i,* n. Voy. CAVILLA.

cavillus, *i,* m. Voy. CAVILLA.

cavitas, *atis,* f. Cavité.

cavitio. Voy. CAUTIO.

cavo, *as, avi, atum, are,* tr. Creuser; fabriquer en creusant.

cavositas, *atis,* f. Cavité.

cavum, *i,* n. Cavité, trou. || *Cavum aedium.* Voy. CAVAEDIUM.

1. cavus, *a, um,* adj. Creux. || Concave. ¶ Vain; sans consistance.

2. cavus, *i,* m. Cavité, trou.

ce, particule enclitique démonstrative.

cecaumenus, *a, um,* adj. Brûlé. Subst. *Cecaumena, orum,* n. pl. La zone torride.

cectoria, *ae,* f. Fossé, tranchée servant de limite.   [d'enceinte.

cectorialis, *e,* adj. Qui concerne le fossé

cectorium, *ii,* n. Comme CECTORIA.

cecut. Voy. CICUT...

cedenter, adv. En reculant; en cédant.

1 cedo, *is, cessi, cessum, ere,* intr. Marcher; s'avancer; aller. || (Fig.) Marcher (en parl. des événements); avoir tel ou tel résultat; aboutir. || Echoir, passer, arriver à. || Se changer en. || Passer pour; compter pour; tenir lieu de. ¶ Se retirer; disparaître. || Se retirer devant, céder la place. || (*Fig.*) Céder; s'avouer battu ou vaincu; le céder à; être inférieur à. || Renoncer à, se désister de. || Concéder, accorder.

cedo et (au pl.) cette, impér. Donne, apporte; donnez, apportez. || (Pour exciter.) Eh bien ! allons. || Voyons, parle *ou* parlez.

cerelate, *es,* f. Cèdre de grande taille.

cedreum. Voy. CEDRIUM.

cedria, *ae*, f. Résine de cèdre.

cedrinus, *a*, *um*, adj. De cèdre; en bois de cèdre.

cedris, *idis*, f. Fruit du cèdre.

cedrium, *ii*, n. Huile de cèdre.

cedrostis (acc. *im*), f. Bryone (plante).

cedrus, *i*, f. Cèdre (arbre). ¶ (Méton.) Bois de cèdre. || Huile de cèdre.

cedrys. Voy. CEDRIS.

celate, adv. En cachette.

celatim, adv. Voy. le précédent.

celatio, *onis*, f. Action de cacher. || Dissimulation. [simule.

celator, *oris*, m. Celui qui cache, qui dissimule. [vent.

celatum, *i*, n. Dessein caché. ¶ Secret.

celeber, *bris*, *bre*, adj. Où il y a foule. || Fréquenté. || Peuplé; populeux. ¶ Fêté par un grand concours de peuple; solennel. ¶ Dont on parle beaucoup, renommé, célèbre. ¶ Comme CREBER : fréquent; en grande quantité; souvent employé. [vent.

celeberiter, adv. Fréquemment; souvent.

celebrabilis, *e*, adj. Glorieux.

celebratio, *onis*, f. Réunion nombreuse. ¶ Célébration d'une fête. ¶ Vogue.

celebrator, *oris*, m. Celui qui célèbre.

celebratus, *a*, *um*, p. adj. Fréquenté; rempli de monde. ¶ Répandu partout, célébré; vanté, illustre. ¶ Souvent employé.

celebresco, *is*, *ere*, intr. Devenir célèbre.

celebris, *e*, adj. Comme CELEBER.

celebritas, *atis*, f. Animation (d'une ville, etc.). || Solennité (d'une fête). ¶ Affluence, foule, multitude. ¶ Célébrité, renommée; réputation.

celebriter, adv. Fréquemment.

celebro, *as*, *avi*, *atum*, *are*, tr. Animer (par un grand concours de peuple); visiter en foule; hanter; fréquenter. ¶ Célébrer (une fête). ¶ Faire connaître au monde; vanter, célébrer. ¶ Employer souvent; mettre en vogue; exercer, pratiquer.

celer, *eris*, *ere*, adj. Vite, rapide, prompt. ¶ Précipité; emporté.

celeranter, adv. En faisant diligence.

celeratim, adv. Comme le précédent.

celere, adv. Voy. CELERITER.

celeripes, *pedis*, adj. Aux pieds rapides.

celeritas, *atis*, f. Rapidité, promptitude (pr. et fig.). [ment.

celeriter, adv. Rapidement, promptement.

celeritudo, *inis*, f. Rapidité.

celeriuscule, adv. Assez promptement.

celeriusculus, *a*, *um*, adj. Un peu (trop) prompt. [rapide.

celerivolus, *a*, *um*, adj. Dont le vol est prompt.

celero, *as*, *avi*, *atum*, *are*, tr. Hâter; exécuter promptement. ¶ (Intr.) Se hâter.

celerrimo, adv. Très vite.

celes, *etis*, m. Cheval de selle. ¶ Embarcation légère, sorte de yacht.

celetizontes, *tum* (acc. *tas*), m. pl. Ceux qui montent des chevaux de selle.

celeuma, *atis*, n. Cri de commandement par lequel le chef des rameurs réglait les mouvements des autres. ¶ Chanson des vendangeurs.

celeumaticus, *a*, *um*, adj. Qui est rhythmé par le CELEUMA.

celia, *ae*, f. Bière (fabriquée en Espagne avec du maïs fermenté).

cella, *ae*, f. Petite pièce, petite chambre, cabinet. || (Partic.) Pièce aux provisions; cellier; garde-manger, fruitier, grenier. ¶ Cellule (de prison). || Cabine (de bains). ¶ Niche (dans un temple) où se plaçait la statue de la divinité. || Compartiment. || Alvéole (d'une ruche).

cellaria, *ae*, f. Cellerière.

cellariensis, *e*, adj. Relatif au cellier. ¶ Serré dans le garde-manger.

cellariolum, *i*, n. Petit cabinet.

cellaris, *e*, adj. Elevé dans un colombier.

cellarites, *ae*, m. Sommelier.

cellarium, *ii*, n. Garde-manger. ¶ (Méton.) Provisions (contenues dans le garde-manger).

1. cellarius, *a*, *um*, adj. Du garde-manger. [melier.

2. cellarius, *ii*, m. Dépensier. ¶ Sommelier.

cellatio, *onis*, f. Suite de petites chambres *ou* de cabinets destinés aux esclaves intimes. [lier.

cellerarius, *ii*, m. Cellérier; sommelier.

cellio, *onis*, m. Sommelier.

1. cello, *is*, intr. Monter.

2. cello, *is*, *ere*, tr. Frapper. Voy. PERCELLO.

cellula, *ae*, f. Petit cabinet. ¶ Cellule.

cellulanus, *i*, m. Reclus (qui vit dans une cellule).

celo, *as*, *avi*, *atum*, *are*, tr. Cacher, céler, dissimuler. ¶ Tenir secret, dérober à la connaissance de qqn. || Laisser dans l'erreur.

celocula, *ae*, f. Petite embarcation légère.

celox, *ocis*, m. et f. Bateau léger; fin voilier; espèce de yacht *ou* d'aviso.

celse, adv. En haut. ¶ Dans une situation élevée. [hauteurs.

celsipetens, *entis*, adj. Qui tend vers les

celsithronus, *a*, *um*, adj. Au trône élevé.

celsitonans, *antis*, adj. Qui tonne dans les hauteurs.

celsitudo, *inis*, f. Hauteur, élévation. || (Méton.) Hauteur, c.-à-d. montagne, lieu élevé. ¶ (Protoc.) Altesse, Hautesse.

celsum, *i*, n. Nom vulgaire de la mûre.

celsus, *a*, *um*, adj. Haut; élevé. ¶ Elevé en dignité. ¶ (Mor.) Aux sentiments élevés. || Fier, hautain.

celthis (acc. *im*), f. Lotus. (d'Afrique).

celtice, adv. En celtique, en langue celtique.

1. celtis. Voy. CELTHIS.

2. celtis, *is*, f. Burin de graveur.

celtium, *ii*, n. Ecaille de tortue.

cena, *ae*, f. Dîner (principal repas, au

milieu du jour). ¶ (Méton.) Service (d'un repas); mets, plat. || Salle à manger. || Réunion de convives.

cenacularia, *ae*, f. Etat de principal locataire. [cerne les étages.

1. **cenacularius**, *a*, *um*, adj. Qui con-
2. **cenacularius**, *ii*, m. Principal locataire (d'une maison de rapport).

cenaculatus, *a*, *um*, adj. Qui a un étage supérieur.

cenaculum, *i*, n. Salle à manger (située à l'étage supérieur). ¶ Chambre à l'étage supérieur; galetas. ¶ Etage supérieur. || Etage.

cenaticum, *i*, n. Argent donné à la place d'un repas. [dîner.

cenaticus, *a*, *um*, adj. Qui concerne le

cenatio, *onis*, f. Salle à manger.

cenatiuncula, *ae*, f. Petite salle à manger.

cenator, *oris*, m. Convive.

cenatoria, *orum*, n. pl. Toilette de dîner

cenatorium, *ii*, n. Salle à manger.

cenatorius, *a*, *um*, adj. Qui concerne le dîner. || Relatif à la table. [dîner.

cenaturio, *is*, *ire*, intr. Avoir envie de

cenchris, *idis* (acc. *im*), f. Sorte de serpent moucheté. ¶ (*Masc.*) Sorte de faucon. [cieuse.

cenchritis, *idis*, f. Sorte de pierre pré-

cenchros, *i*, m. Diamant d'Arabie (gros comme un grain de mil).

cenito, *as*, *avi*, *are*, intr. Dîner souvnt ou ordinairement. || Avoir l'habitude de dîner.

ceno, *as*, *avi*, *atum*, *are*, intr. Dîner; être à table. *Cenatus*, qui a dîné. ¶ (*Tr.*) Manger au dîner. || Employer à dîner; se régaler de.

cenodoxia, *ae*, f. Désir d'une vaine gloire.

cenor, *ari*, dép. intr. Voy. CENO.

cenositas. Voy. CAENOSITAS.

cenosus. Voy. CAENOSUS.

cenotaphium, *ii*, n. Cénotaphe.

1. **censeo**, *es*, *ui*, *censum*, *ere*, tr. Evaluer, taxer. ¶ Recenser, faire le dénombrement de. ¶ Déclarer (sa fortune) au censeur. ¶ Estimer, c.-à-d. penser. || Voter (sur une proposition). || Décider (en parl. du Sénat).
2. **censeo**. Comme SUCCENSEO.

censio, *onis*, f. Evaluation faite par le censeur; recensement. ¶ Punition infligée par le censeur; censure. || (Fig.) Jugement sévère. ¶ Opinion; manière de voir. [imposition.

censitio, *onis*, f. Contribution, c.-à-d.

censitor, *oris*, m. Répartiteur d'impôts; censeur.

censor, *oris*, m. Censeur (magistrat romain chargé du recensement). ¶ (Fig.) Censeur, critique sévère.

censorie, adv. A la façon d'un censeur.

censorinus, *a*, *um*, adj. Qui a été deux fois censeur.

censorius, *a*, *um*, adj. Relatif aux censeurs; de censeur. ¶ D'ancien censeur. ¶ (Fig.) De censeur; de critique sévère. || D'une moralité rigoureuse.

1. **censualis**, *e*, adj. Concernant le recensement, le cens. Subst. *Censuales* (s.-e. *libri*), *ium*, m. pl. Registres du cens.
2. **censualis**, *is*, m. Scribe, greffier chargé de la tenue des registres du cens.

censura, *ae*, f. Fonctions de censeur; censure. ¶ (Fig.) Examen sévère; critique; censure. || Sévérité de mœurs.

census, *us*, m. Cens, recensement. ¶ (Méton.) Registre du cens. || Fortune, biens immobiliers (déclarés au censeur). || Etat de fortune. || Impôt proportionnel au cens.

centaurea, *ae*, f. Comme CENTAURIUM.

centaureum, *i*, n. Comme CENTAURIUM.

centauris, *idis*, f. Sorte de centaurée.

centaurium, *i*, n. Centaurée (plante).

centena, *ae*, f. Charge des CENTENARII.

centenarii, *orum*, m. pl. Fonctionnaires impériaux au traitement de cent mille sesterces. ¶ Centurions.

centenarium, *ii*, n. Poids de cent livres.

centenarius, *a*, *um*, adj. Qui contient cent. || Composé de cent unités.

centeni, *ae*, *a*, adj. numér. distr. Cent chaque fois, cent par cent; cent.

centenionalis, *e*, adj. Qui vaut un centième.

centenodius, adj. Qui a cent nœuds.

centenum, *i*, n. Espèce de seigle qui rend cent pour cent.

centenus, *a*, *um*, adj. Qui fait partie d'un groupe de cent. ¶ Qui est au nombre de cent. ¶ Centuple. ¶ Au plur. Voy. CENTENI.

centesima (s.-e. *pars*), *ae*, f. Le centième. ¶ Intérêt d'un pour cent (par mois).

centesimo, *as*, *avi*, *are*, tr. Prendre le centième (homme), punir un homme sur cent.

centesimus, *a*, *um*, adj. Centième.

centiceps, *cipitis*, adv. A cent têtes.

centies (CENTIENS), adv. Cent fois.

centifidus, *a*, *um*, adj. Partagé en cent parties. ¶ (Fig.) Divisé en un grand nombre de parties.

centifolius, *a*, *um*, adj. A cent feuilles.

centigranius, *a*, *um*, adj. A cent grains.

centimalis (*fistula*), f. Trocart (instrument de chirurgie).

centimanus, *a*, *um*, adj. A cent mains.

centimeter, *tri*, m. Qui emploie cent mètres différents, c.-à-d. un grand nombre de mètres.

centipeda, *ae*, f. Insecte appelé aussi MILIPEDA ou MULTIPEDA.

centipellio, *onis*, m. Bonnet, second estomac des ruminants.

centipes, *edis*, adj. A cent pieds.

centiplex. Voy. CENTUPLEX.

cento. *onis*, m. Assemblage de morceaux d'étoffes cousus ensemble : manteau, couverture, matelas, draperie (ainsi composée). *Centones*, coussins (destinés à protéger les machines de guerre contre l'incendie. ¶ Centon, pièce composée de vers ou de fragments de vers pris çà et là.

centoculus, *a, um*, adj. Qui a cent yeux.

centrosus, *a, um*, adj. Granuleux. || Dur.

centrum, *i*, n. Pointe du compas qui reste en place pendant que l'autre branche se déplace autour d'elle. ¶ (Méton.) Centre d'une circonférence *ou* d'un cercle. || Cœur du bois. || Nœud (dans les métaux et les pierres précieuses).

centum, adj. pl. indécl. Cent. ¶ (Fig.) Cent (très grand nombre indéterminé).

centumgeminus, *a, um*, adj. Centuple.

centumpondium, *ii*, n. Poids de cent livres.

centumvir, *iri*, m. Au plur. centumviri, *orum*, m. pl. Centumvirs, collège de 105 ou de 180 juges, tribunal chargé spécialement des affaires privées, notamment des questions de tutelle et d'héritage.

centumviralis, *e*, adj. Concernant les centumvirs; des centumvirs.

centunclum, *i*, n. Voy. CENTUNCULUS.

centunculus, *i*, m. Petite couverture, petit vêtement fait de pièces et de morceaux.¶ Sarrasin sauvage (plante).

centuplex (CENTIPLEX), *icis*, adj. Cent fois répété. Subst. *Centuplicia, um*, n. pl. Le centuple.

centuplicato, adv. Au centuple.

centupliciter, adv. Au centuple.

centuplico, *as, avi, atum, are*, tr. Centupler.

centuplum, *i*, n. Le centuple.

centuplus, *a, um*, adj. Centuple.

centuria, *ae*, f. Groupe de cent unités. ¶ (Partic.) Centurie, corps de troupe, la soixantième partie de la légion). ¶ Centurie, une des divisions établies par Servius Tullius dans le peuple romain. ¶ Ancienne mesure territoriale valant 200 jugères (50 hect. 640).

centuriatim, adv. Par centuries.¶ Par centaines; en masse.

centuriatio, *onis*, f. Division du territoire en centuries.

1. centuriatus, *us*, m. Division de la légion en centuries. [rion.

2. centuriatus, *us*, m. Grade de centu-

1. centurio, *as, avi, atum, are*, tr. Grouper *ou* diviser par centuries.

2. centurio,*onis*, m. Centurion, commandant d'une centurie.

centurionatus, *us*, m. Grade de centurion. ¶ Nomination des centurions. || Inspection des centurions.

centurionus, *i*, m. Comme 2. CENTURIO.

centussis, *is*, m. Somme de cent as.

cenum. Voy. CAENUM.

cepa (CAEPA),*ae*, f. Oignon. [pourpier.

cepaea, *ae*, f. Plante qui ressemble au

ceparius, *ii*, m. Marchand d'oignons.

cepe, *is*, n. Comme CEPA.

---

cephalaea,*ae* (acc. *an*), f. Céphalée, mal de tête chronique.

cephalaeota, *ae*, m. Collecteur de la taxe par tête *ou* capitation.

cephalargia, *ae*, f. Céphalalgie.

cephalicum, *i*, n. Emplâtre pour la tête.

cephalicus, *a, um*, adj. Bon pour les maux de tête.

cephalo, *onis*, m. Palmier.

cephalote, *es*, f. Nom d'une espèce de thymbrée. [bourdons.

cephenes, *um*, m. pl. Frelons; faux-

cepicium, *ii*, n. Oignon. [d'oignons.

cepina (CAEPINA), *ae*, f. Plantation

cepula (CEPULLA), f. Petit oignon.

cera, *ae*, f. Cire. ¶ (Méton.) Au plur. *Cerae*, alvéoles pleines de cire. || Tablettes enduites de cire (pour écrire). *Cera*, une page de ces tablettes. || Effigie en cire. ¶ (Par anal.) Substance grasse pour enduit : fard, cérat, etc.

cerarium, *ii*, n. Redevance pour les frais de sceau; droit de sceau.

1. cerarius, *a, um*, adj. Relatif à la cire.

2. cerarius, *ii*, m. Marchand de cire; cirier. ¶ Celui qui écrit sur les tablettes de cire.

cerasinus, *a, um*, adj. De couleur cerise.

cerasium, *ii*, n. Cerise.

cerastes, *ae*, m. Céraste, vipère cornue. ¶ Ver qui ronge les arbres.

cerasum, *i*, n. Cerise.

cerasus, *i*, f. Cerisier. || (Méton.) Bois de cerisier. ¶ Cerise.

ceratinas, *ae*, m. Argument cornu.

ceratinus, *a, um*, adj. Cornu.

ceration, *ii*, n. Poids qui est égal à une demi-obole.

ceratum, *i*, n. Cérat.

ceratura, *ae*, f. Enduit de cire.

ceraula, *ae*, m. Trompette, m.

ceraunia, *ae*, f. Caroube (fruit).

ceraunobolia, *ae* (acc. *an*), f. Chute de la foudre (tableau d'Apelle).

cerbinus. Voy. CERVINUS.

cercera. Voy. QUERQUERA.

cercitis, *idis*, f. Plante oléagineuse.

cercius. Voy. CIRCIUS.

cercolopis, *is*, f. Espèce de singe à queue huppée

cercopithecos et ceropithecus, *i*, m. Cercopithèque, singe à queue.

cercops, *opis*, m. Singe à queue.

cercurus, *i*, m. Sorte de navire léger. ¶ Espèce de poisson de mer.

cercyrus. Voy. CERCURUS.

cerdo, *onis*, m. Artisan, manœuvre de bas étage. (chez les Espagnols).

cerea, *ae*, f. Boisson faite de grains

cerebellare, *is*, n. Armure de tête.

cerebellum, *i*, n. Cervelet. || Cervelle.

cerebrosus, *a, um*, adj. Fou, écervelé.

cerebrum, *i*, n. Cerveau. || (Méton.) Intelligence, esprit. || Disposition à la colère. ¶ (Par anal.) Moelle (dans le haut des arbres). || (Fig.) Sens caché (de qqch.) ¶ Crâne.

cerefolium. Voy. CAEREFOLIUM.
ceremonia. Voy. CAERIMONIA. [cire.
1. cereolus, *a*, *um*, m. Jaune comme
2. cereolus, *i*, m. Petit singe.
1. cereus, *a*, *um*, adj. De cire. ¶ Sem-
blable à la cire. || Jaune comme la
cire. || Gras comme la cire. || Malléable
comme la cire. || (Fig.) Souple; docile.
2. cereus, *i*, m. Flambeau de cire. ||
Clerge.
cerifico, *as*, *avi*, *are*, intr. Faire de la
cire. || Dégorger un liquide visqueux.
ceriforus, *i*, m. Allumeur de cierges.
cerimon... Voy. CAERIMON... [fère).
cerintha, *ae*, f. Cérinthe (plante melli-
cerinthe, *es*, f. Voy. CERINTHA.
cerinthus, *i*, m. Miel brut.
cerinum, *i*, n. Vêtement couleur de cire.
cerinus, *a*, *um*, adj. De couleur de cire.
ceriolare, *is*, n. Candélabre pour cierges.
cerno, *is*, *crevi*, *cretum*, *ere*, tr. Passer
au crible, tamiser, trier. || Bluter.
¶ Discerner : apercevoir, voir. || S'aper-
cevoir, reconnaître ; se convaincre de.
¶ Décider, résoudre ; trancher. || Juger,
décider. || Décider par les armes :
combattre, lutter. ¶ (Jur.) Se décider
à accepter un héritage (après inventaire). [première.
cernuo, *are*, tr. Précipiter la tête la
cernuo, *are*, intr. et tr. ¶ *Intr.* Faire
la culbute. ¶ *Tr.* Faire faire la culbute.
|| Pencher en avant. [CERNUO.
cernuor, *aris*, *atus sum*, *ari*, dép. Comme
1. cernuus, *a*, *um*, adj. Qui tombe la
tête en avant, qui fait la culbute.
¶ Qui se penche en avant : qui s'incline.
2. cernuus, *i*, m. Saltimbanque.
3. cernuus, *i*. m. Guêtre.
cero, *as*, *are*, tr. Enduire de cire ; cirer.
ceroma, *ae*, f. et ceroma, *matis*, n.
Onguent employé en friction par les
lutteurs. || (Méton.) Lieu où se fai-
saient ces frictions; palestre. || Lutte.
¶ Sorte d'ulcère. [guent.
ceromaticus, *a*, *um*, adj. Frotté d'on-
cerosus, *a*, *um*, adj. Rempli de cire.
cerotum, *i*, n. Voy. CERATUM.
cerreus, *a*, *um*, adj. De cerre, sorte de
chêne. [dent.
cerrinus, *a*, *um*, adj. Comme le précé-
cerritulus, *a*, *um*, adj. Un peu fou;
toqué. [de folie.
cerritus, *a*, *um*, adj. Qui a un grain
cerro, *onis*, m. Voy. GERRO.
cerrus, *i*, f. Cerre, sorte de chêne.
certabundus, *a*, *um*, adj. Discutant
beaucoup.
certamen, *inis*, n. Lutte où se mesurent
deux rivaux ; joute ; assaut ; concours.
|| (En part.) Combat; bataille. || Guerre.
¶ (Fig.) *En gén.* Controverse, débat.
|| Démêlé. || Rivalité; émulation.
certatim, adv. A l'envi; à qui mieux
mieux.
certatio, *onis*, f. Lutte, combat. || (Fig.).
Controverse; polémique. || (En partic.).
Débat judiciaire.

certator, *oris*, m. Champion. ¶ (Fig.).
Contradicteur.
certatus, *us*, m. Lutte.
certe, adv. Certes; assurément; oui.
¶ Du moins; tout au moins; en tous
cas. [ment.
1. certo, adv. Assurément; certaine-
2. certo, *as*, *avi*, *atum*, *are*, intr. Se
mesurer avec; lutter; combattre. ¶
Discuter, débattre; contester, plaider.
|| Rivaliser; faire assaut. || S'efforcer,
tâcher de. [Comme 2. ORTO.
certor, *aris*, *atus sum*, *ari*, dép. intr.
certus, *a*, *um*, adj. Séparé, distinct.
¶ (Ordin.) Décidé; résolu (act. et pass.)
||' Fixé, arrêté || Certain, quelque.
¶ Certain, sûr. || Positif, vrai. ¶ Qui ne
doute pas; informé, instruit.
ceruchus, *i*, m. Cordage qui maintient
les vergues. [Chandelier.
cerula, *ae*, f. Petit bâton de cire. ¶
cerussa, *ae*, f. Céruse.
cerussator, *oris*, m. Celui qui emploie
la céruse pour blanchir.
cerussatus, *a um*, p. adj. Blanchi avec
de la céruse; fardé.
cerva, *ae*, f. Biche. [du cerf; cervier.
cervarius, *a*, *um*, adj. Qui se rapproche
cervical, *is*, n. Oreiller.
cervicale, *is*, n. Comme le précédent.
cervicatus, *a*, *um*, adj. Entêté.
cervicula, *ae*, f. Nuque courte. ¶ Cou
ramassé. || (Fig.) Arrogance. ¶ Col
d'une machine hydraulique.
cervina (s.-e. caro), *ae*, f. Viande de cerf.
cervinus, *a*, *um*, adj. De cerf.
cervisia, *ae*, f. Cervoise; bière.
cervix, *icis*, f. Nuque. || (Fig.) Force de
résistance, fermeté. || Opiniâtreté. ||
Jactance. ¶ Cou, gorge. ¶ (Par anal.)
Col, goulot (d'une amphore). || Isthme.
|| Support, pilier.
cervula, *ae*, f. Petite biche.
cervulus, *i*, m. Faon. ¶ Cheval de frise.
cervus, *i*, m. Cerf. ¶ Echalas fourchu
(pour soutenir la vigne). || Au pl. *Cervi*,
chevaux de frise. [ducée.
cerycium, *ii*, n. Bâton de héraut; ca-
ceryx, *ycis*, m. Héraut. [PITATOR.
cespes, cespitator. Voy. CAESPES, CAES-
cessabundus, *a*, *um*, adj. Qui hésite *ou*
s'attarde; lambin.
cessatio, *onis*, f. Indécision, lenteur,
hésitation. ¶ Cessation, relâche; loisir.
|| Négligence; chômage. || Repos, trêve.
|| Mise en jachère (d'un terrain).
cessator, *oris*, m. Lambin; oisif, fainéant.
cessatrix, *icis*, f. Oisive; paresseuse.
cessim, adv. En cédant; en reculant.
cessio, *onis*, f. Abandon, cession. ¶ Jour
de l'échéance; terme.
cesso, *as*, *avi*, *atum*, *are*, intr. Tarder;
être en retard; rester en arrière. ||
(Jur.) Faire défaut. ¶ Agir mollement,
être indifférent; lambiner. || Etre en
faute. || S'interrompre (dans une tâche),
s'arrêter. || Cesser. || Ne rien faire,

paresser. ¶ (Fig.) *En parl, des ch.* Etre en jachère ; ne pas servir ; être inutile. || Etre hors d'usage.

cestos. Voy. 1. OESTUS.

cestron, *i,* n. Bétoine (plante).

cestrosphendone, *es,* f. Sorte de fronde.

cestrotus, *a, um,* adj. Peint sur émail.

cestrum, *i,* n. Touret.

1. **cestus,** *i,* m. Ceinture ; courroie. ¶ (En partic.) Ceinture de Vénus.

2. **cestus,** *us,* m. Voy. 1. OAESTUS.

cetaria, *ae,* f. Vivier (pour les thons).

cetarium, *ii,* n. Comme CETARIA.

1. **cetarius,** *a, um,* adj. Relatif aux gros poissons, *par ex.* aux thons.

2. **cetarius,** *ii,* m. Pêcheur *ou* marchand de gros poissons, *par ex,* de thons.

cete. Voy. OETOS. [reste.

cetera, acc. plur. n. Au reste ; pour le

cetero, adv. Au reste ; du reste.

ceteroqui et **ceteroquin,** adv. Du reste ; d'ailleurs ; au surplus.

ceterum, adv. Du reste, d'ailleurs, au surplus. || Autrement ; aussi bien ; par contre. ¶ Mais.

ceterus, *a, um,* adj. Restant, en surplus. || (Ordin.) Au plur. *Ceteri, ae, a,* les autres, le reste.

cetinus, *a, um,* adj. De thon.

cetos, n. Voy. OETUS.

cetosus, *a, um,* adj. De monstre marin, de baleine.

cetra (CAETRA), *ae,* f. Petit bouclier de cuir chez les Africains, les Espagnols et les Bretons.

cetratus (OAETRATUS), *a, um,* adj. Armé du bouclier appelé *cetra.*

cetus, *i,* m. Gros poisson de mer (baleine, dauphin, etc.). || (En part.) Thon. ¶ La Baleine (constellation).

ceu, conj. Comme, ainsi que, de même que. ¶ Comme si ; de même que si.

ceva, *ae,* f. Espèce de vache de petite taille. [comme les chiens pour flatter.

ceveo, *es, ere,* intr. Remuer la queue

chaerephyllon, *i,* n. Cerfeuil.

chalceus, *a, um,* adj. D'airain; de cuivre.

chalcidice, *es,* f. Sorte de lézard.

chalcidicum, *ii,* n. Portique. || Galerie. ¶ Vaste salle *ou* terrasse (à l'étage supérieur des maisons grecques).

chalcis, *idis* (acc. pl. *idas*), f. Sorte de hareng. ¶ Sorte de lézard à peau cuivrée.

chalcitis, *idis* (acc. im), f. Calamine, minerai de cuivre. ¶ Pierre précieuse couleur de cuivre. [les Grecs].

chalcus, *i,* m. Monnaie de cuivre (chez

chalo, *as, atum, are,* tr. Laisser descendre; suspendre. [pant; hièble.

chamaeacte, *es,* f. Sorte de sureau ram-

chamaecerasus, *i,* f. Cerisier nain.

chamaecissos, *i,* f. Lierre terrestre. ¶ Sorte de cyclamen.

chamaeleon, *onis* et *ontis* (acc. *onem, ontem, ona*), m. Caméléon. ¶ Carline (plante). [mille.

chamaemelinus, *a, um,* adj. De camo-

chamaemelon et **chamaemelum,** *i,* n. Camomille (plante).

chamelaea, *ae,* f. Olivier nain ; camélée. || (Méton.) Décoction de camélée.

chameunia, *ae,* f. Action de se coucher *ou* de dormir sur la dure.

chamomilla (CAMOMILLA), *ae,* f. Voy. OHAMAEMELON.

chamomillinus (CAMOMELLINUS), *a, um,* adj. Voy. CHAMAEMELINUS.

chamuleus, *i,* m. Traineau pour les gros fardeaux.

chaos (acc. *chaos,* abl. *chao,* gén. *chai*), n. Vide infini ; empire des ténèbres. || Obscurité profonde. ¶ Chaos.

chara, *ae,* f. Sorte de chou marin.

characatus, *a, um,* adj. Echalassé.

characias, *ae* (acc. *an*), m. Roseau pour échalas. ¶ Surnom de l'euphorbe.

character, *eris,* m. Fer pour marquer les animaux. || (Méton.) Marque ; stigmate. || (En gén.) Empreinte. ¶ (Fig.) Caractère (d'une œuvre) ; manière (d'un auteur).

characterismos et **characterismus,** *i,* m. Ethopée (figure de rhét.), description d'un caractère.

charaxo (CARAXO), *as, avi, atum, are,* tr. Egratigner ; érailler. ¶ Graver, écrire ; empreindre.

charientismos, *i,* m. Figure qui consiste à donner de la grâce à des choses désagréables à exprimer. ¶ Diction plaisante. || Saillie spirituelle.

charisma, *atis,* n. Grâce, don de Dieu.

charta, *ae,* f. Feuille de papyrus préparée pour l'écriture. || (Méton.) Papyrus. || Ecrit ; livre ; poème ; etc. ¶ (Par anal.) Feuille, lame mince (de métal).

chartaceus, *a, um,* adj. De papier

chartarium, *ii,* n. Archives.

1. **chartarius,** *a, um,* adj. Relatif au papier ; à papier. [viste.

2. **chartarius,** *ii,* m. Papetier. ¶ Archi-

charteus, *a, um,* adj. De papier.

chartula, *ae,* f. Petite feuille de papier. || Petit écrit; opuscule.

chartularius, *ii,* m. Archiviste.

chasma, *atis,* n. Ouverture. || Gouffre produit par un tremblement de terre. ¶ Sorte de météore.

chasmatias, *ae,* m. Tremblement de terre accompagné d'éboulements.

chelae, *arum,* f. pl. Voy. le suivant.

chele, *es,* f. Pince (de l'écrevisse, du homard, etc.). Au plur. *Chelae, arum,* f. Pinces du Scorpion, c.-à-d. La Balance (signe du zodiaque). ¶ (Par anal.) Détente (d'une baliste).

chelidon, *onis,* f. Hirondelle.

chelidonia, *ae,* f. Chélidoine (plante).

chelidoniacus, *a, um,* adj. Qui a la forme d'une queue d'aronde (hirondelle). [l'hirondelle. || D'hirondelle.

chelidonius, *a, um,* adj. Concernant

chelonia, *ae,* f. Pierre précieuse.

chelonium, *i,* n. Crampon de machine.

¶ Coussinet *ou* oreiller (une des pièces de la catapulte). ¶ Cyclamen (plante).

chelydrus, i, m. Serpent amphibie et venimeux.

chelyon, i, n. Ecaille de tortue.

chelys (acc. *ym* et *yn*), f. Carapace de tortue. || (Méton.) Lyre. || La lyre (constellation).

chenalopeces, um, f. pl. (Oies-renards). Sorte d'oies qui se creusent un terrier comme les renards.

cheniscus, i, m. Ornement en forme de cou d'oie, placé à la poupe des vaisseaux.

cheragra *ae* f. Voy. CHIRAGRA.

chersinus, *a, um,* adj. Vivant sur la terre ferme.

chersydrus, i, f. Serpent amphibie.

chi, n. indécl. Lettre grecque.

chiasmus, i, m. Marque en forme de chi.

chiliarches, *ae,* m. Chiliarque, commandant de mille hommes. ¶ Le plus haut dignitaire de la Perse après le Grand Roi.

chiliarchus, i, m. Comme CHILIARCHES.

chiliastæ, *arum,* m. pl. Chiliastes, millénaires (hérétiques). (plante).

chiliophyllon, i, n. Mille-feuilles

chimaera, ae, f. Chimère, monstre fabuleux. [d'hiver.

chimaerinus, *a, um,* adj. Hivernal

chiragra, ae, f. Chiragre, goutte aux mains. [aux mains; goutteux.

chiragricus, *a, um,* adj. Qui a la goutte

chiramaxium, ii, n. Voiture à bras.

chiridata, ae, f. Tunique à longues manches. [manches.

chiridotus, *a, um,* adj. A longues

chirographarius, *a, um,* adj. Chirographaire. [PHUM.

chirographon, i, m. Voy. CHIROGRA-

chirographum (CHIROGRAFUM), **i,** n, Autographe. ¶ (En part.) Billet, obligation. || Sous-seing privé.

chirographus. i, m. Voy. le précédent.

chironomia, *ae,* f. Art du geste; mimique.

chironomon, *untis,* m. Un pantomime.

chironomos, i, m. Voy. CHIRONOMON.

chirurgia, ae, f. Médecine opératoire; chirurgie. [de chirurgie.

chirurgicus, *a, um,* adj. Chirurgical;

chirurgumena, *orum,* n. pl. Traité de chirurgie.

chirurgus, i, m. Chirurgien.

chlaena, æ, f. Manteau grec.

chlamus. Voy. CHLAMYS.

chlamyda, ae, f. Voy. CHLAMYS.

chlamydatus, *a, um,* adj. Revêtu de la chlamyde.

chlamys, *mydis* (acc. pl. *mydes ou mydas*), f. Chlamyde, manteau fixé au cou par une agrafe. || Manteau militaire grec. || Manteau de voyage *ou* de cérémonie.

chloritis, *idis,* f. Emeraude appelée chlorite (vert d'herbe).

choa. Voy. COA.

choaspites, ae. m. Voy. le suivant.

choaspitis, *idis,* f. Emeraude à reflets dorés (qu'on trouvait dans le Choaspe, auj. Karun).

choenica, ae, f. Voy. le suivant.

choenix, icis, f. Chénice, mesure attique.

cholera, ae, f. Bile. ¶ Epanchement de bile. || Vomissement de bile. || Choléra. ¶ Colère.

cholericus, *a, um,* adj. Cholérique.

choliambus, i, m. Choliambe *ou* scazon, vers iambique terminé par un spondée, à la place d'un iambe.

choragium, ii, n. Dépenses engagées par le chorège. || (Méton.) Accessoires et costumes de théâtre. || Equipement du chœur. || (Fig.) Apparat; pompe. ¶ Ressort d'une machine hydraulique.

choragus, i, m, Chorège, celui qui monte une pièce de théâtre *ou* en fait les frais. ¶ (Fig.) Chef du chœur.

choraula. Voy. CHORAULES.

choraule, es, f. Joueuse de flûte accompagnant le chœur.

choraules, ae, (acc. *en*), m. Joueur de flûte accompagnant le chœur.

choraulicus, *a, um,* adj. Concernant les joueurs de flûte qui accompagnent le chœur.

chorda (CORDA), **ae,** f. Boyau. ¶ Corde (d'instrument ou d'arc).

chordapsus, i, m. Douleur d'entrailles.

chordus (CORDUS), *a, um,* adj. Né après terme. ¶ Tardif, qui mûrit tardivement.

chorea, ae, f. Ronde; danse en chœur. ¶ (*Fig.*) Révolution des astres.

chorepiscopus, i, m. Chorévêque, vicaire épiscopal.

choreus, i, m. Chorée, pied appelé plus tard trochée. ¶ Pied autrefois nommé tribraque.

choricus, *a, um,* adj. Concernant le chœur. *Choricum metrum,* vers composé d'un monomètre anapestique hypercatalectique.

chorocitharistes, ae, m. Joueur de cithare qui accompagne le chœur.

chorographia, *ae,* f. Chorographie, topographie.

chors. Voy. COHORS.

chortinos, on, adj. Voy. le suivant.

chortinus, *a, um,* adj. D'herbe. || Fait avec de l'herbe.

chorus, i, m. Ronde; danse en chœur. || (Méton.) Troupe qui danse *ou* qui chante en chœur.|| Danseurs *ou* musiciens. || Chœur (au théâtre). || Vers chantés par le chœur. ¶ (Fig.) Troupe (en gén.) : cercle, assemblée, réunion. ¶ Mouvements réguliers et harmonieux (des astres). ¶ (Arch.) Assises de pierres *ou* de tuiles.

chresis (acc. *in*), f. Action d'utiliser; usage, emploi.

chrestianus. Voy. CHRISTIANUS.

chrestologus. Voy. CHRISTOLOGUS.

chreston, i, n. Chicorée (plante).

chria, *ae*, f. Chrie, développement oratoire d'une maxime *ou* d'un lieu commun.

chrisma, *atis*, n. Onction. || (Eccl.) Sacrement de la confirmation. ¶ (Méton.) Saint chrême.

chrismalis, *e*, adj. Du saint chrême.

christiane, adv. Chrétiennement.

christianismus, *i*, m. Christianisme.

christianitas, *atis*, f. Christianisme. ¶ Chrétienté. || Clergé chrétien.

christianizo, *as*, *are*, intr. Professer le christianisme.

1. christianus, *a*, *um*, adj. Chrétien.

2. christianus, *i*, m. Un chrétien.

christicola, *ae*, m. Partisan du Christ; chrétien. [le Christ.

christicolus, *a*, *um*, adj. Qui honore

christologus (CHRESTOLOGUS), *i*, m. Honnête en paroles seulement.

christus, *a*, *um*, adj. Oint; sacré.

chroma, *atis*, n. Couleur (de la peau); teint. ¶ Gamme chromatique.

chromatice, *es*, f. La chromatique, science des demi-tons.

chromaticus, *a*, *um*, adj. Chromatique.

chronica, *orum*, n. pl. Chroniques (histoire d'après l'ordre des temps).

chronicus, *a*, *um*, adj. Relatif au temps; chronologique. ¶ Comme CHRONIUS.

chronius, *a*, *um*, adj. Chronique; invétéré.

chronographia, *ae*, f. Chronique, histoire qui suit l'ordre chronologique.

chronographus, *i*, m. Chroniqueur.

chrysailion, *i*, n. Persicaire (plante).

chrysallis, *idis*, f. Chrysalide.

chrysanthemon, *i*, n. Chrysanthème (plante).

chrysanthes, *is*, n. Comme le précédent.

chrysatticum vinum ou (simpl.) chrysatticum, *i*, n. Vin d'or, vin miellé préparé en Attique.

chryselectros, *i*, f. Hyacinthe ambrée (pierre précieuse). [ambre jaune.

chryselectrum, *i*, n. Agate dorée *ou*

chrysendeta, *orum*, n. pl. Vases incrustés d'or.

chrysendetos, *a*, *um*, adj. Incrusté d'or.

chrysea, *orum*, n. pl. Objets en or.

chryseus, *a*, *um*, adj. D'or. || Doré.

chrysophrys (acc. *yn*), f. Dorade (poisson de mer).

chrysopis, *idis*, f. Espèce de topaze.

chrysoprasus, *i*, m. Chrysoprase (pierre précieuse verte à reflets dorés).

chylos et chylus, *i*, m. Sève. ¶ Suc tiré d'une plante. [|| Juteux.

chymiatus, *a*, *um*, adj. Plein de sève.

chymus, *i*, m. Suc de l'estomac. ¶ Chyme, état des aliments imprégnés du suc gastrique.

cibalis, *e*, adj. Concernant la nourriture.

cibaria, *orum*, n. pl. Aliments, vivres. || Ration. || Fourrage.

cibarium, *ii*, n. Farine inférieure.

cibarius, *a*, *um*, adj. Relatif à la nourriture. ¶ De qualité inférieure. || Ordi-

naire, grossier. ¶ Qui travaille pour sa nourriture.

cibatus, *us*, m. Nourriture. || Pâture.

cibo, *as*, *avi*, *atum*, *are*, tr. Nourrir.

cibor, *aris*, *ari*, dép. Se nourrir; manger.

ciboria, *ae*, f. Comme CIBORIUM.

ciborium, *ii*, n. Gousse d'une fève d'Egypte servant de coupe. ¶ Coupe de métal dont la forme rappelait celle de la fève d'Egypte. || Vase dans lequel les navigateurs conservaient leurs provisions.

cibus, *i*, m. Nourriture; aliments. || Mets. ¶ Pâture (des animaux). ¶ Appât; amorce. ¶ (Fig.) Nourriture (morale); aliment.

cicada, *ae*, f. Cigale. [terme caressant].

cicaro, *onis*, m. Polisson; gamin (*qq/.*)

cicatrico, *are*, tr. Cicatriser.

cicatricor, *aris*, *atus sum*, *ari*, dép. intr. Se cicatriser.

cicatricosa (s.-e. *opera*), *orum*, n. pl. Ecrits faits d'emprunts; compilations.

cicatricosus, *a*, *um*, adj. Couvert de cicatrices.

cicatricula, *ae*, f. Petite cicatrice.

cicatrix, *icis*, f. Cicatrice. || (Méton.) Blessure. ¶ Trace d'une déchirure, d'une entaille, etc.

ciccum, *i*, n. Loge des pépins de la grenade. ¶ Un tant soit peu. || Un rien.

cicer, *eris*, n. Pois chiche.

cicerculum, *i*, n. Petit pois chiche. ¶ Terre rouge d'Afrique, servant de couleur rouge.

cichoreum, *i*, n. Comme le suivant.

cichorium, *i*, n. Chicorée.

cici, indécl. n. Ricin.

cicindela, *ae*, f. Ver luisant. ¶ Sorte de lampe. || Veilleuse. [le précédent.

cicindele (CICINDILE), *is*, n. Voy.

cicindileus, *i*, m. Comme CICINDELA.

cicinus, *a*, *um*, adj. De cici, de ricin, de croton.

ciconia, *ae*, f. Cigogne. ¶ (Par anal.) Geste de moquerie fait derrière qqn, en imitant avec le bras les mouvements du cou de la cigogne. || Sorte d'équerre servant à mesurer la profondeur et la largeur d'une tranchée, d'un sillon, etc. || Perche, bascule en forme de crochet pour puiser l'eau. Voy. TOLLENO.

cicur, *uris* (abl. *ure*), adj. Apprivoisé; domestique. || (Fig.) Doux; timide.

cicuta (CAECUTA), *ae*, f. Ciguë (plante vénéneuse). || (Méton.) Ciguë, *c.-à-d.* jus de la ciguë, breuvage toxique. || Tuyau; chalumeau; flûte.

cicuticen (CAECUTICEN), *inis*, m. Joueur de chalumeau, de flûte.

cidar. Voy. CIDARIS.

cidaris, *is* (acc. *im*), f. Tiare basse, turban (coiffure des rois de Perse et du grand prêtre juif).

cieo, *es*, *civi*, *citum*, *ere*, tr. Mettre en mouvement. || Agiter, remuer; pousser; ébranler. || (Jur.) Diviser un héritage, c.-à-d. le partager (*propr.* le mobiliser, chaque lot trouvant sa place). || Agiter, bouleverser; *simpl.* troubler. || Faire venir, appeler, convoquer. || Attirer, solliciter, exciter. ¶ Faire naître. || Susciter, provoquer; causer. || Faire entendre, émettre (un son); prononcer; nommer. ¶ Pousser au dehors, faire évacuer; purger.

cignus, *i*, m. Mesure de capacité (un peu plus de neuf centimètres cubes).

ciliciarius, *ii*, m. Marchand de tapis de crin.

cilicinus, *a*, *um*, adj. D'étoffe de crin.

ciliciolum, *i*, n. Petite couverture de crin.

cilicium, *ii*, n. Couverture de crin. || Tissu de poil de chèvre. || (*Eccl.*) Cilice.

1. **cilium**, *i*, n. Paupière, cil. || Bord de la paupière qui porte les cils. || (En gén.) Paupière. ¶ *Qqf.* Sourcil.

2. **cilium**, *ii*, n. Jaune d'œuf.

cilliba, *ae*, f. Table de forme ronde (pour salle à manger).

1. **cillo**, *is*, *ere*, tr. Remuer.

2. **cillo.** Voy. CILO.

cillus, *i*, m. Âne.

cilo, *onis*, adj. Celui qui a la tête déprimée sur un côté *ou* sur les deux avec la tête en pointe et le front proéminent. ¶ Synonyme de CINAEDUS.

cimbrice, adv. À la manière des Cimbres; dans la langue des Cimbres.

cimeliarcha, *æ*, m. Trésorier (dans une église), gardien du trésor (sacristain).

cimeliarchium, *ii*, n. Trésor, lieu où l'on garde les objets précieux.

cimex, *icis*, m. Punaise.

cinaedias, *ae*, m. Pierre précieuse qu'on trouve dans la tête du poisson appelé CINAEDUS.

1. **cinaedicus**, *a*, *um*, adj. Obscène.

2. **cinaedicus**, *a*, um. Comme CINAEDUS.

cinaedulus, *i*, m. Jeune dépravé.

1. **cinaedus**, *i*, m. Débauché infâme. ¶ Nom d'un poisson.

2. **cinaedus**, *a*, *um*, adj. Obscène; éhonté.

cinara (CYNARA), *ae*, f. Artichaut.

cincinnatulus, *a*, *um*, adj. Gracieusement frisé. [frisés *ou* bouclés.

cincinnatus, *a*, *um*, adj. Aux cheveux

cincinnus, *i*, m. Boucle de cheveux. || Frisure (artificielle). ¶ (Fig.) Affèterie du style; fioriture.

cincticulus, *i*, m. Petit tablier.

cinctio, *onis*, f. Action de ceindre.

cinctorium, *ii*, n. Sangle; ceinture. ¶ Baudrier; ceinturon.

cinctura, *æ*, f. Action de se ceindre. || Manière de ceindre la toge.

cinctus, *us*, m. Action de ceindre *ou* de se ceindre. || Manière de porter la toge. ¶ (Concr.) Ceinture; ceinturon. ¶ Sorte de tablier (noué au milieu du

corps et entourant les jambes). ¶ La ceinture, le milieu du corps.

cinctutus, *a*, *um*, adj. Portant le tablier appelé CINCTUS. ¶ (Fig.) Du bon vieux temps (où l'on portait ce tablier).

cinefactus, *a*, *um*, adj. Réduit en cendres. [cendre; cendré.

cineraceus, *a*, *um*, adj. Semblable à la

cinerarium, *i*, n. Caveau mortuaire.

1. **cinerarius**, *a*, *um*, adj. Relatif à la cendre. ¶ Concernant la cendre des morts; relatif aux tombeaux.

2. **cinerarius**, *ii*, m. Esclave qui fait chauffer dans la cendre les fers à friser.

cinereum, *i*. n. Collyre dont la couleur rappelle celle de la cendre.

cinereus, *a*, *um*, adj. Semblable à la cendre. ¶ Couleur de cendre. ¶ Cendré.

cinericius (CINERITIUS), *a*, *um*, adj. Semblable à la cendre. ¶ Cuit sous la cendre. ¶ Couleur de cendre. ¶ Cendré.

cinerosus, *a*, *um*, adj. Plein de cendre; couvert de cendre. ¶ Complètement réduit en cendre.

cinerulentus, *a*, *um*, adj. Couvert de cendre. || Tout gris. [femme.

cingillum, *i*, n. Élégante ceinture (de

cingillus, *i*, n. Comme le précédent.

cingo, *is*, *cinxi*, *cinctum*, *ere*, tr. Ceindre; entourer d'une ceinture; serrer (son vêtement à la taille); au passif *cingi*, se ceindre (pour se préparer à l'action). || Ceindre (qqn d'une arme); armer; au passif *cingi*, s'armer (*fig.*); se prémunir; se préparer. || (Par anal.) Ceindre d'une couronne, d'un bracelet, etc. ¶ (Par ext.) Entourer, enserrer, envelopper. || Entourer (pour protéger). || Entourer (en attaquant); bloquer, cerner. || Faire cercle autour de, faire cortège à. || Habiter autour de. || *Qqf.* Écorcer un arbre tout autour.

cingula, *æ*, f. Sangle; ceinture.

cingulum, *i*, n. Ceinture; ceinturon baudrier; || Service militaire. ¶ Office, emploi. ¶ Sangle (pour les animaux).

cingulus, *i*, m. Ceinture. ¶ Zone (de la terre).

cinifes, *ciniphes*. Voy. SCINIFES.

ciniflo, *onis*, m. Comme 2. CINERARIUS.

cinis, *eris*, m. Cendre. ¶ Cendre des morts; restes mortels. ¶ (Méton.) Le mort, le défunt. || (Par anal.) Ruines des villes détruites. || (Méton.) Mort, destruction, anéantissement.

cinisculus, *i*, m. Un peu de cendre.

cinnabari, *is*, n. et **cinnabaris**, *is* (acc. *im*), f. Cinabre, minerai de couleur rouge. ¶ Minium.

cinnameus, *a*, *um*, adj. De cannelle.

cinnamoma, *æ*, f. Cannelle.

cinnamomius, *a*, *um*, adj. De cannelle; à la cannelle.

cinnamomum, *i*, n. Cannelle.

cinnamon, *i*, n. Voy. le suivant.

cinnamum, *i*, n. Cannellier (arbrisseau). || Cannelle.

1. **cinnus**, *i*, m. Breuvage fait avec de l'épeautre, du fromage de chèvre et du vin. [de l'œil.]

2. **cinnus**, *i*, m. Signe fait en clignant

cinyra, *æ*, f. Sorte de harpe à dix cordes en usage en Asie.

cio. Voy. CIEO.

cippus, *i*, m. Colonne *ou* pyramide (de pierres ou de bois). || (Partic.) Cippe funéraire. || Borne (d'un champ *ou* d'un territoire). || Tronc d'arbre enfoui dans la terre (élément d'une palissade).

1. **circa**, adv. Alentour, dans les environs. || Dans le voisinage, dans le pays.

2. **circa**, prép. avec l'acc. Autour de; auprès de, dans les environs de. || Chez, vers; dans (de place en place). || (En parl. du temps.) Dans le temps de, vers. || (Pour signifier approximation.) A peu près; environ. || Au sujet de; en ce qui concerne. [(d'un astre).

circen, *inis*, m. Cercle. || Révolution

circensis, *e*, adj. Qui concerne le cirque; du cirque. Subst. *Circenses* (s.-e. *ludi*), *ium*, m. pl. Jeux du cirque.

circes, *itis*, m. Cercle. ¶ Tour du cirque. || Course en rond.

circias, *æ*, m. Voy. CIRCIUS.

circiensis, *e*, adj. Voy. CIRCENSIS.

circinatio, *onis*, f. Circonférence. ¶ Révolution (des planètes).

circino, *as*, *avi*, *atum*, *are*, tr. Rendre circulaire; arrondir. ¶ Parcourir en décrivant un cercle.

circinus, *i*, m. Compas. || (Méton.) Cercle.

1. **circiter**, adv. Tout autour, de tous les côtés. || Dans les environs. ¶ (Fig.) Environ. [pr. et fig.).

2. **circiter**, prép. Dans les environs de

circitor et circumitor, *oris*, m. Celui qui fait la ronde. || Veilleur; soldat patrouilleur. ¶ Colporteur.

circitorius, *a*, *um*, adj. Relatif à la patrouille; concernant les rondes (militaires).

circius (CERCIUS), *ii*, m. Mistral, vent du nord-ouest en Provence.

circlus, m. Voy. CIRCULUS.

circo, *as*, *avi*, *are*, tr. Marcher autour de... || Parcourir en tous sens.

circos, *i*, m. Autour (oiseau). ¶ Nom d'une pierre précieuse.

circueo, Voy. CIRCUMEO.

circuitio (CIRCUMITIO), *onis*, f. Action de se mouvoir en rond. || Mouvement de rotation *ou* de révolution. || Patrouille; ronde (militaire). ¶ (Méton.) Dégagements; corridor. || Circuit, détour. || (Fig.) Circonlocution; ambages. ¶ Sphéricité; rotondité; surface circulaire *ou* cylindrique.

circuitor, m. Voy. CIRCITOR.

circuitus (CIRCUMITUS) *us*, m. Tour (marche *ou* course circulaire). || Tour (du monde), périple. || Révolution (d'un astre), rotation. || Période (lunaire). || Evolution (d'une maladie),

marche (régulière). ¶ Course, circuit. || Détour, inflexion. || Circonlocution, périphrase. || Période (oratoire). ¶ Pourtour; clôture, enceinte. || (Méton.) Lieu clos.

circularis, *e*, adj. Circulaire.

circulatim, adv. En forme de cercle. ¶ A la ronde; à tour de rôle.

circulator, *oris*, m. Charlatan. || Bateleur. ¶ Colporteur. || Brocanteur.

circulatorium, *ii*, n. Métier de charlatan.

circulatorius, *a*, *um*, adj. De charlatan.

circulo, *as*, *avi*, *are*, tr. Arrondir. || Disposer en rond. ¶ Entourer.

circulor, *aris*, *ari*, dép. tr. et intr. Se former en groupes, se rassembler. || Former un cercle autour de soi. ¶ Faire le charlatan.

circulus (CIRCLUS), *i*, m. Circonférence; courbe. ¶ Cercle; rond. || Orbite (d'un astre). || Parallèle (terrestre). ¶ Corps rond; anneau, collier; bague. || Plat rond; disque. ¶ Enceinte, clôture; mur d'enceinte. ¶ Cercle, groupe, réunion.

1. **circum**, adv. Alentour, tout autour. ¶ De tous côtés; çà et là; en tous sens.

2. **circum**, prép. (av. l'acc.). Autour de. Dans le voisinage de, du côté de; aux côtés de; près de, auprès de; sur, à. || En allant de l'un à l'autre. [astres].

circumactio, *onis*, f. Révolution (des circumactus, *us*, m. Mouvement de rotation. || Mouvement du corps pour se retourner. || Action de rebrousser chemin. [fermer les issues.

circumaedifico, *are*, tr. Bâtir tout autour.

circumaggero, *as*, *are*, tr. Entasser autour.

circumago, *is*, *egi*, *actum*, *ere*, tr. Conduire en rond, faire décrire un cercle; *partic.* faire tourner (un esclave) sur lui-même (*geste symbolique*); affranchir. Au passif. *Circumagi*, opérer la révolution; s'accomplir (en parl. d'une période). ¶ Conduire çà et là, faire aller de côté et d'autre. || Obliger à faire un détour *ou* à faire volte-face. || Tourner, changer. || (Méd.) Déranger, troubler. *Circumagere alvum*, déranger le ventre. ¶ Enfermer dans un cercle; entourer. [de.

circumambulo, *as*, *are*, tr. Faire le tour

circumamicio, *is*, *ire*, tr. Envelopper (d'un vêtement).

circumamplector, *plecti*, dép. tr. Embrasser étroitement.

circumaro, *as*, *avi*, *are*, tr. Tracer un sillon tout autour de.

circumcaesura, *æ*, f. Contour.

circumcalco (CIRCUMCULCO), *as*, *are*, tr. Piétiner autour.

circumcidaneus, *a*, *um*, adj. Du deuxième pressurage.

circumcido, *is*, *cidi*, *cisum*, *ere*, tr. Couper tout autour, tailler, rogner. || (Partic.) Circoncire. ¶ (Fig.) Rogner, *c.-à-d.* réduire, diminuer. || Retrancher; supprimer; interdire.

circumcingo, *is*, *cinxi*, *cinctum*, *ere*, tr. Entourer complètement; enceindre.

circumcirca, adv. Tout à l'entour.

circumcise, adv. Brièvement; avec concision.

circumcisio, *onis*, f. Circoncision. ¶ (Fig.) Suppression; retranchement.

circumcisor, *oris*, m. Celui qui circoncit.

circumcisorium, *ii*, n. Lancette, flamme (t. de vétérinaire).

circumcisura, *ae*, f. Taille des arbres.

circumcisus, *a*, *um*, p. adj. Coupé autour. ¶ Abrupt, escarpé. ¶ Limité, restreint. || D'un contour bien net. || Concis.

circumclaudo (CIRCUMCLUDO), *is*, *ere*, tr. Enfermer de toutes parts.

circumcludo, *is*, *clusi*, *clusum*, *ere*, tr. Enfermer de tous côtés. || Cerner. || Bloquer. [|| Enveloppe.

circumclusio, *onis*, f. Enveloppement.

circumcolo, *ere*, tr. Habiter autour de, être riverain de.

circumculco. Voy. CIRCUMCALCO.

circumcurro, *is*, *ere*, tr. Courir autour; entourer. ¶ Courir çà et là; errer, vagabonder.

circumcurso, *as*, *avi*, *are*, tr. et intr. Courir en cercle. || Faire le tour de... en courant. ¶ Courir çà et là, rôder; parcourir en vagabondant.

circumdatio, *onis*, f. Action d'entourer.

circumdo, *as*, *dedi*, *datum*, *are*, tr. Mettre autour; bâtir autour. ¶ Entourer; flanquer de.

circumduco, *is*, *duxi*, *ductum*, *ere*, tr. Mener en rond; tracer en rond. || Entourer d'un cercle; raturer, biffer. ¶ Rapporter, abroger. ¶ Tracer en forme d'arc; courber, infléchir. ¶ Conduire çà et là; mener de place en place; faire circuler. ¶ Conduire en faisant des détours *ou* par un chemin détourné. ¶ Conduire de travers; tromper, berner, duper. ¶ Prononcer une syllabe avec l'accent circonflexe; marquer de l'accent circonflexe. ¶ Délayer (en parl. du style).

circumductio, *onis*, f. Action de conduire autour. ¶ Périmètre; circonférence. ¶ Mystification; duperie. || Escroquerie. ¶ Période (oratoire).

circumductum, *i*, n. Période oratoire.

circumductus, *us*, n. Contour. ¶ Mouvement circulaire; révolution (des astres).

circumeo et circueo, *is*, *ivi* et *ii*, *circuitum* et *circuitum*, *ire*, tr. Aller, marcher en cercle. || Tourner autour de, accomplir un mouvement de rotation, tourner. || Faire un détour, se détourner. || (Fig.) Rendre par une périphrase; user d'ambages, de circonlocutions. ¶ Circonvenir, berner, duper. ¶ Entourer, enfermer. || Embrasser. || Cerner; investir; bloquer. ¶ Faire le tour de, aller de l'un à l'autre. || Parcourir (en quémandeur);

solliciter, briguer. || Faire une tournée; visiter; parcourir (en touriste).

circumequito, *as*, *are*, tr. Faire le tour de... à cheval.

circumerro, *as*, *are*, intr. Errer autour de; errer au hasard çà et là.

circumfero, *fers*, *tuli*, *latum*, *ferre*, tr. Porter autour, faire décrire une circonférence. Au passif. *Circumferri* et (intr.) *circumferre*, se porter autour; décrire une circonférence. ¶ Porter de place en place, faire circuler, promener. || (Fig.) Divulguer, publier. ¶ (Relig.) Purifier qqn en portant autour de lui des objets sacrés.

circumfigo, *is*, *fixum*, *ere*, tr. Enfoncer autour de; fixer autour de. ¶ Crucifier à côté de. [miter.

circumfinio, *ire*, tr. Etroitement délicircumfirmo, *as*, *are*, tr. Fortifier autour.

circumflecto, *is*, *flexi*, *flexum*, *ere*, tr. Fléchir en courbant; courber; replier, rabattre. ¶ Suivre, parcourir en faisant des détours. ¶ Prononcer une syllabe avec l'accent circonflexe. || Allonger. [flexe.

circumflexe, adv. Avec l'accent circoncircumflexio, *onis*, f. Inflexion; courbure.

circumflexus, *us*, m. Courbure. || Voûte.

circumflo, *as*, *are*, tr. Souffler autour *ou* de toutes parts.

circumfluo, *is*, *fluxi*, *fluxum*, *ere*, tr. Couler autour de; entourer de son cours. || (Fig.) Affluer autour de; entourer. ¶ Déborder. || (Fig.) Etre exubérant; être en excès. ¶ Déborder (en parl. d'un récipient). || (Fig.) Regorger de; nager dans. || (Abs. pl.) Etre dans l'abondance.

circumfluus, *a*, *um*, adj. Qui coule autour, qui enveloppe de ses eaux. ¶ Entouré d'eau. || (Fig.) Entouré, couvert de; débordant de.

circumfodio, *is*, *fodi*, *fossum*, *ere*, tr. Creuser autour. || Entourer d'un fossé.

circumforaneus, *a*, *um*, adj. Que l'on trouve au marché. ¶ Qui circule sur le marché. || Qui va de place en place. || Ambulant. [tour.

circumforatus, *a*, *um*, p. adj. Percé aucircumfossor, *oris*, m. Celui qui creuse autour. [|| Terre creusée autour.

circumfossura, *ae*, f. Fossé circulaire.

circumfractus, *a*, *um*, p. adj. Brisé tout autour. || Escarpé.

circumfremo, *is*, *fremui*, *ere*, tr. Murmurer *ou* bourdonner autour.

circumfrico, *as*, *are*, tr. Frotter tout autour. [Rayonner.

circumfulgeo, *es*, *fulsi*, *fulsum*, *ere*, intr.

circumfundo, *is*, *fudi*, *fusum*, *ere*, tr. Verser autour de, faire couler *ou* répandre autour de. Au passif. *Circumfundi*, se répandre *ou* couler autour de. || (Fig.) *Circumfundi* ou *cir-*

cumfundere se, affluer *ou* se répandre autour de; s'enrouler autour de; serrer qqn dans ses bras, s'attacher à lui. ¶ Entourer d'un liquide. || (Fig.) Entourer, environner, envelopper.

circumgelo, *as*, *are*, tr. Durcir *ou* épaissir tout autour. || Congeler. [de.

circumgemo, *is*, *ere*, tr. Gronder autour

circumgesto, *as*, *are*, tr. Colporter.

circumglobatus, *a*, *um*, p. adj. Groupé, pelotonné autour.

circumgredior, *eris*, *gressus sum*, *gredi*, dép. tr. Marcher autour. || Faire le tour de. ¶ Entourer, investir; cerner.

circumgressus, *us*, m. Course, tournée. ¶ Circuit.

circumicio, tr. Voy. CIRCUMJICIO.

circumitor. Voy. CIRCITOR.

circumitus. Voy. CIRCUITUS.

circumjaceo, *es*, *ere*, intr. Etre placé autour de, s'étendre autour de.

circumjecta (s.-e. *loca*), *orum*, n. pl. Les alentours, les environs.

circumjectio, *onis*, f. Action de jeter autour. || Action de jeter de côté et d'autre. ¶ Enveloppe. || Vêtement.

circumjectus, *us*, m. Action d'envelopper. || Embrassement; étreinte. ¶ (Méton.) Enceinte. || Enveloppe. || Vêtement.

circumjicio, *is*, *jeci*, *jectum*, *ere*, tr. Placer *ou* mettre autour. ¶ Flanquer de. [autour.

circumlambo, *is*, *ere*, tr. Lécher tout

circumlatio, *onis*, f. Action de promener autour. ¶ Action de se porter autour; mouvement circulaire. || Révolution.

circumlator, *oris*, m. Colporteur (fig.).

circumlatrator, *oris*, m. Qui aboie *ou* gronde autour. [grondement autour.

circumlatratus, *us*, m. Aboiement *ou*

circumlatro, *as*, *avi*, *are*, tr. Aboyer *ou* gronder autour de. || (Fig.) Clabauder contre, diffamer, injurier.

1. **circumlavo**, *as*, *are*, tr. Laver tout autour; baigner. [cédent.

2. **circumlavo**, *is*, *ere*, tr. Comme le pré-

circumlego, *is*, *ere*, Côtoyer.

circumlevo, *as*, *are*, tr. Soulever autour. || Lever autour.

circumligo, *as*, *avi*, *atum*, *are*, tr. Attacher autour de. ¶ Entourer (d'un lien); enlacer. [suivant.

circumlinio, *is*, *linii*, *ire*, tr. Comme le

circumlino, *is*, *litum*, *ere*, tr. Etendre (une couleur, etc.) autour de; appliquer sur. ¶ Enduire de, frotter de. || (Fig.) Donner du vernis à; mettre en relief.

circumlitio, *onis*, f. Application (d'un onguent, d'une couleur, d'un vernis).

circumlocutio, *onis*, f. Circonlocution.

circumloquor, *eris*, *loqui*, dép. intr. User de circonlocutions.

circumlucens, *entis*, p. adj. Rayonnant, radieux, éclatant.

circumluo, *is*, *ere*, tr. Baigner, arroser (en parl. d'un cours d'eau).

circumlustro, *as*, *atum*, *are*, intr. Rayonner. ¶ (Tr.) Parcourir en tous sens.

circumluvio, *onis*, f. Alluvion. ¶ Ile formée par atterrissement.

circummetior, *iris*, *iri*, tr. Mesurer le tour de. ¶ (Avec le sens passif.) Etre mesuré autour.

circummitto, *is*, *misi*, *missum*, *ire*, tr. Envoyer autour. || Faire tourner (une position). ¶ Envoyer de tous côtés.

circummoenio, *is*, *itum*, *ire*, tr. Entourer de murs; emprisonner.

circummulcens, *entis*, p. adj. Qui caresse *ou* lèche de tous côtés.

circummundo, *as*, *are*, tr. Purifier complètement.

circummunio, *is*, *ivi*, *itum*, *ire*, tr. Entourer de murs; enceindre. || Enfermer, emprisonner. ¶ Investir d'une ligne de circonvallation; bloquer.

circummunitio, *onis*, f. Investissement, blocus; circonvallation.

circumnavigo, *as*, *avi*, *atum*, *are*, tr. Naviguer autour de. || Parcourir en naviguant.

circumnecto, *is*, *ere*, tr. Envelopper.

circumobruo, *is*, *ere*, tr. Couvrir (de terre) tout autour. [Pô.

circumpadanus, *a*, *um*, adj. Riverain du

circumpendeo, *es*, *ere*, intr. Etre suspendu autour.

1. **circumpes**, *pedis*, adj. Qui entoure les pieds. ¶ Au plur.) *Circumpedes*, n. pl. Ceux qui entourent, qui accompagnent qqn.

2. **circumpes**, *pedis*, m. Sorte de botte portée par les prêtres juifs.

circumpetitus, *a*, *um*, p. adj. Attaqué de toutes parts. [à la ronde.

circumplaudo, *is*, *ere*, intr. Applaudir

circumplecto, *ere*, tr. Pour CIRCUMPLECTOR.

circumplector, *eris*, *plexus sum*, *plecti*, dép. tr. Entourer, embrasser. || Enlacer. ¶ Investir. [CIRCUMPLECTOR.

circumplexor, *aris*, *ari*, dép. tr. Comme

circumplexus, *us* (Abl. *u*), m. Etreinte.

circumplico, *as*, *avi*, *atum*, *are*, tr. Enrouler autour de. || Entourer de ses replis. [de plomb. || Souder autour.

circumplumbo, *as*, *are*, tr. Entourer

circumpono, *is*, *posui*, *positum*, *ere*, tr. Poser autour de. ¶ Placer çà et là.

circumposita (s.-e. *loca*), *orum*, n. pl. Environs; pays environnants.

circumpotatio, *onis*, f. Action de boire à la ronde. [autour.

circumpurgo, *as*, *are*, tr. Nettoyer tout

circumputo, *as*, *are*, tr. Evaluer les dimensions de (en les mesurant tout autour). [autour.

circumrado, *is*, *ere*, tr. Racler, ratisser

circumrasio, *onis*, f. Action de ratisser autour.

circumretio, *is*, *ire*, tr. Envelopper de rets *ou* de pièges (pr. et fig.).

circumrodo, *is, ere*, tr. Ronger autour; grignoter peu à peu. ¶ (Fig.) Décliner; outrager; critiquer.

circumsaepio, *is, saepsi, saeptum, ire*, tr. Entourer (d'une haie, d'une barrière, etc.). ¶ (*Fig.*) Entourer; cerner.

circumscalptus, *a, um*, p. adj. Gratté, raclé autour.

circumscarificatus, *a, um*, p. adj. Incisé tout autour; déchaussé (en parl. d'une dent). [autour.

circumscindo, *is, ere*, tr. Déchirer tout

circumscribo, *is, scripsi, scriptum, ere*, tr. Tracer un cercle autour de; enfermer dans un cercle. ¶ (Au fig.) Circonscrire, délimiter; tracer les contours de; définir; signifier par une périphrase. ¶ Enfermer dans d'étroites limites; restreindre; ramener qqn dans les limites de la raison et du droit; réprimer les écarts de. ¶ Entourer d'artifices *ou* de pièges; circonvenir, duper. || Frauder, faire tort à. ¶ Interpréter captieusement, déguiser (la vérité) sous des paroles trompeuses. || Eluder.¶Écarter.||Faire abstraction de.

circumscripte, adv. Nettement, avec précision. || Sommairement. ¶ (Rhét.) En un style périodique.

circumscriptio, *onis*, f. Action de tracer un cercle autour de. || (Méton.) Cercle tracé autour. || Contour, circuit; étendue limitée. ¶ (Fig.) Définition. || (Rhét.) Période. ¶ Dol, fraude. || Ruse, tromperie.

circumscriptus, *a, um*, p. adj. Concentré. || Laconique. || Précis.

circumseco, *as, sectum, are*, tr. Couper autour. || Circoncire.

circumsedeo, *es, sessum, ere*, intr. Etre assis *ou* placé autour de. ¶ (Tr.) Assiéger, bloquer. [tour.

circumseparo, *as, are*, tr. Détacher au-

circumsepio. Voy. CIRCUMSAEPIO.

circumsero, *is, ere*, tr. Serrer autour.

circumsessio, *onis*, f. Siège; blocus, investissement. [investir.

circumsido, *is, sedi, ere*, tr. Assiéger;

circumsigno, *as, are*, tr. Marquer tout autour.

circumsilio, *is, ire*, intr. Sauter autour. ¶ (Fig.) Assaillir de tous côtés (en parl. des maladies).

circumsisto, *is, stiti, ere*, intr. et tr. Se tenir autour de. ¶ Entourer (pour attaquer), cerner, envelopper.

circumsitus, *a, um*, adj. Situé dans les environs; voisin.

circumsono, *as, sonui, sonitum, are*, intr. Faire retentir autour de. ¶ Retentir de tous côtés.

circumsonus, *a, um*, adj. Qui retentit autour. || Qui résonne de. [espion.

circumspectator, *oris*, m. Qui espionne.

circumspectatrix, *icis*, f. Celle qui espionne; espionne. [|| Avec précaution.

circumspecte, adv. A ver circonspection.

circumspectio, *onis*, f. Action de re-

garder autour. ¶ (Fig.) Considération. || Précaution; circonspection.

circumspecto, *as, avi, atum, are*, intr. Regarder autour de soi; être aux aguets. ¶ (Tr.) Promener le regard sur; examiner, passer en revue. || Chercher des yeux; essayer d'apercevoir.|| (Fig.) Chercher, désirer. [tout autour.

circumspector, *oris*, m. Celui qui observe

1. **circumspectus**, *a, um*, p. adj. Réfléchi, circonspect. ¶ Considéré, digne de considération; distingué.

2. **circumspectus**, *us*, m. Action de regarder autour de soi. ¶ (Fig.) Contemplation; examen consciencieux.

circumspergo, *is, ere*, tr. Verser autour de. ¶ Asperger *ou* arroser tout autour.

circumspicientia, *ae*, f. Réflexion attentive; examen.

circumspicio, *is, spexi, spectum, ere*, intr. Promener les regards autour de soi. || (Fig.) Etre circonspect; être sur ses gardes. ¶ (Tr.) Regarder de tous côtés, promener un regard circulaire sur. || (Fig.) Examiner, considérer, avoir égard à, réfléchir à. || Chercher à découvrir *ou* à obtenir; se mettre en quête de.

circumstantia, *ae*, f. Action d'entourer. || (Méton.) Ce qui entoure; entourage. ¶ Circonstance. || (Partic.) Circonstance critique; danger. [foule.

circumstipo, *as, are*, tr. Entourer en foule.

circumsto, *as, steti, statum, are*, tr. Se tenir autour de, environner. ¶ Assiéger. || Assaillir. || Envahir (p. et fig.).

circumstrepo, *is, strepui, strepitum, ere*, tr. Faire du bruit autour de. || Entourer de rumeurs. || Assaillir de toutes parts avec des cris.

circumstridens, *entis*, adj. Qui bruit, qui gronde autour de.

circumstringo, *is, strinxi, strictum, ere*, tr. Serrer autour.

circumstruo, *is, struxi, structum, ere*, tr. Construire autour.

circumsudans, *antis*, adj. Qui s'évapore tout autour *ou* de tous côtés. [tour.

circumsurgo, *is, ere*, intr. S'élever au-

circumsutus, *a, um*, p. adj. Cousu tout autour.

circumtego, *is, texi, tectum, ere*, tr. Couvrir autour. || (Fig.) Protéger.

circumteneo, *es, ere*, tr. Envelopper, tenir enfermé.

circumtergeo, *ere*, tr. Essuyer autour.

circumtero, *is, ere*, tr. Presser autour, entourer d'une foule pressée.

circumtextum, *i*, n. Bordure de pourpre sur une étoffe. [tour.

circumtextus, *a, um*, p. adj. Brodé au-

circumtinnio, *is, ire*, tr. Tinter autour.

circumtono, *as, tonui, are*, tr. Tonner autour de (qqn), le frapper de vertige.

circumtonsus, *a, um*, p. adj. Tondu tout autour. ¶ (Fig.) Trop limé; maniéré (style). [tout autour.

circumungo, *is, ere*, tr. Oindre, frotter

circumustus, a, um, p. adj. Brûlé autour.
circumvado, is, ere, tr. Marcher de tous côtés (pour attaquer). || (Fig.) Envahir.
circumvagor, aris, ari, dép. intr. Errer ou se répandre tout autour, de tous côtés. [autour de.
circumvagus, a, um, adj. Qui se répand
circumvallo, as, avi, atum, are, tr. Entourer de retranchements; bloquer. || (Fig.) Entourer; assiéger.
circumvectio, onis, f. Transport. ¶ Révolution (mouvement en cercle).
circumvecto, as, are, tr. Porter de place en place. Au pass. Circumvector, aris, ari, aller de place en place, parcourir; fig. passer minutieusement en revue, s'attarder à des détails.
circumvehor, eris, vectus sum, vehi, passif. Faire (à cheval, en voiture, en bateau) le tour de. || Côtoyer; doubler (un cap). || Aller (à cheval, etc.) de place en place. || Fig. S'étendre sur, s'attarder à (des détails). [voile.
circumvelo, as, are, tr. Envelopper d'un
circumvenio, is, veni, ventum, ire, tr. Venir autour de; entourer, environner; embrasser, englober. ¶ (En partic.) Assaillir de partout, cerner, assiéger, investir; accabler. || (Fig.) Circonvenir, abuser, tromper. || Employer la ruse pour triompher (de qqn). ¶ Compromettre, mettre en danger. ¶ Eluder; violer. [tourner de tous côtés.
circumversor, aris, ari, dép. intr. Se circumversus, a, um, p. adj. Balayé tout autour.
circumverto (CIRCUMVORTO), is, vertisum, ere, tr. Faire tourner. || (Partic.) Affranchir (un esclave en le faisant tourner sur lui-même). Voy. CIRCUMAGO. || Le passif a le sens intrans. Circumverti, tourner. ¶ (Fig.) Tromper, duper. || Voler, escroquer.
circumvestio, is, ire, tr. Couvrir complètement. || Envelopper (pr. et fig.).
circumvincio, is, vinctum, ire, tr. Entourer de liens; garrotter.
circumviso, is, ere, tr. Regarder de tous côtés; examiner à l'entour.
circumvolito, as, are, tr. et intr. Voltiger tout autour ou à l'entour. || Simpl. Voltiger. ¶ (Fig.) Voleter de tous côtés, papillonner autour de.
circumvolo, as, avi, atum, are, tr. Voler çà et là; voler autour de. || (Fig.) Courir çà et là. || Envelopper, environner.
circumvoluto, as, are, tr. Faire rouler ou faire tourner autour de... Au passif : circumvolutari, rouler ou tourner autour de.
circumvolvo, is, volvi, volutum, ere, tr. Rouler ou enrouler autour de. Au passif : circumvolvi, s'enrouler autour de; opérer sa révolution.
circumvorto. Voy. CIRCUMVERTO.
circus, i, m. Cercle. ¶ Cirque. || (Méton.) Les spectateurs du cirque.
ciris, is, f. Aigrette (?), sorte d'oiseau.

cirratus, a, um, adj. Qui a les cheveux bouclés. Subst, cirrati, orum, m. pl. Gandins. ¶ Frangé, bordé d'une frange
cirritus, a, um, adj. Nom d'une espèce de poire.
cirrus, i, m. Boucle de cheveux (frisant naturellement). || Touffe de cheveux ou de poils; houppe; toupet. ¶ (Par anal.) Huppe. ¶ Tentacule. || Filament frisé (des plantes). || Frange (d'un vêtement), etc.
cis, prép. En deçà de. ¶ (En parl. du temps.) En, dans l'espace de. || Fig. Sans dépasser.
cisalpinus, a, um, adj. Cisalpin.
cisiarium, ii, n. Remise pour cabriolets.
cisiarius, ii, m. Fabricant ou conducteur de carrioles à deux roues (cabriolets).
cisium, ii, n. Carriole à deux roues.
cismontanus, a, um, adj. Qui habite en deçà des montagnes.
cisorium, ii, n. Tranchant.
cisrhenanus, a, um, adj. Cisrhénan.
cissanthemos, i, f. Cissanthème, plante.
cissaron, i, n. ou cissaros, i, f. Chrysanthème, plante.
cissus, i, f. Lierre. [cassette.
cista, ae, f. Corbeille. || (En gén.) Coffre, cistella, ae, f. Petite corbeille. || Petit coffret.
cistellaria, ae, f. Pièce où il s'agit d'une corbeille (comédie de Plaute).
cistellatrix, icis, f. Esclave chargée de la garde des coffrets renfermant les objets de toilette. [ou cassette.
cistellula, ae, f. Toute petite corbeille
cisterna, ae, f. Citerne. || Réservoir souterrain.
cisterninus, a, um, adj. De citerne.
cisthos, i, m. Ciste, arbrisseau.
cistifer, feri, m. Porteur de corbeilles.
cistophoros, i, m. Qui porte une corbeille; cistophore, monnaie d'argent portant au revers l'empreinte de la ciste mystique (ou corbeille de Bacchus).
cistula, ae, f. Petite corbeille.
citatim, adv. Vite; précipitamment.
citatio, onis, f. (Jur.) Citation. ¶ Commandement (militaire). [en justice.
citatorium, ii, n. Citation; assignation
citatus, a, um, p. adj. Accéléré, précipité. ¶ Animé, pressant.
citer, tra, trum, adj. Qui est en deçà.
citerior, us, adj. au compar. Citérieur; situé plus en deçà. || Plus rapproché (dans l'espace ou dans le temps). || Antérieur. || Inférieur, moindre.
citerius, adv. Plus en deçà. Voy. CITRA.
cithara, ae, f. Cithare, lyre, luth. || (Méton.) Art de jouer de la cithare.
citharicen, inis, m. Comme CITHARISTA.
citharista, ae, m. Joueur de cithare.
citharistria, ae, f. Joueuse de cithare.
citharizo, as, are, intr. Jouer de la cithare.

citharoeda, *ae*, f. Celle qui chante en s'accompagnant de la cithare.

citharoedicus, *a*, *um*, adj. Qui concerne les joueurs de cithare.

citharoedus, *i*, m. Chanteur qui s'accompagne de la cithare. [sole.

citharus, *i*, m. Poisson plat du genre

citimus, *a*, *um*, adj. (superl. de CITER). Très rapproché; le plus rapproché.

1. **cito**, *adv.* Vite, promptement, rapidement. ¶ Facilement. *Non cito*, difficilement. ¶ (Au compar.) *Citius*, plutôt; plus volontiers.

2. **cito**, *as*, *avi*, *atum*, *are*, tr. Mettre en mouvement. ¶ Faire remuer; agiter. || (Méd.) Mettre (la bile, les humeurs, etc.) en mouvement; faire évacuer. || Faire naître; provoquer. || Faire naître, faire pousser; hâter. || (Fig.) Exciter. ¶ Appeler, convoquer ¶ Citer (en justice). || Appeler (en garantie); invoquer. || Appeler (par son nom), proclamer; citer (comme autorité), mentionner. ¶ Faire entendre, réciter. || Chanter.

citocacium, *ii*, n. Carline.

1. **citra**, *adv.* En deçà.

2. **citra**, prép. En deçà de, *d'où* sans dépasser les limites *ou même* sans aller jusqu'à (pr. et fig.). || (En parl. du temps.) Antérieurement à. ¶ (Fig.) Sans, indépendamment de; abstraction faite de. || Contrairement à. *Citra spem omnium*, contre l'attente générale. [feuilles de citronnier.

1. **citratus**, *a*, *um*, adj. Entouré de

2. **citratus**, *a*, *um*, adj. Qui est situé en deçà.

citrea, *ae*, f. Citronnier.

citreum, *i*, n. Citron.

citreus, *a*, *um*. adj. De citronnier. ¶ De bois de cédrat.

citro, *adv.* (en corrél. avec ULTRO). Çà (et là); de ci (de là); de part (et d'autre).

citrum, *i*, n. Bois de citronnier *ou* de thuya. || (Méton.) Meuble en bois de thuya.

citrus, *i*, m. Citronnier, cédratier. ¶ Thuya, dont le bois servait en ébénisterie. [|| Empressé.

citus, *a*, *um*, p. adj. Prompt, pressé.

civica (s.-ent. *corona*), *ae*, f. Couronne civique (guirlande de feuilles de chênes avec ses glands).

civicus, *a*, *um*, adj. Relatif aux citoyens; civique. || Civil.

civilis, *e*, adj. De citoyen *ou* de concitoyen; qui se passe entre concitoyens. *Civilia bella*, guerres civiles (entre concitoyens). || Civil (opp. à naturel). *Civile jus*, droit civil (opp. à droit naturel), *qqf.* droit privé (opp. à droit des gens *ou* à droit public). || Civil (opp. à militaire). ¶ De la cité; de l'état : public, national; politique. ¶ Populaire. ¶ Qui sied à un citoyen; qui a les sentiments d'un citoyen, qui se met au niveau des simples

citoyens; simple (dans ses manières), sans morgue, affable.

civilitas, *atis*, f. Condition de citoyen; bourgeoisie. ¶ Science de la politique. ¶ Manières civiles, simplicité, affabilité.

civiliter, adv. En citoyen; comme il sied à un citoyen. ¶ Avec simplicité; avec affabilité.

civis, *is*, m. et f. Citoyen, citoyenne. ¶ Concitoyen. ¶ Sujet (d'un roi).

civitas, *atis*, f. Qualité de citoyen (romain). || Droit de cité. ¶ Réunion de citoyens; cité, nation, état. || (Méton.) Ville. [petit état. ¶ Petite ville.

civitatula, *ae*, f. Droit de cité dans un

clabulare, *is*, n. Chariot à claire-voie servant au transport des troupes.

clabularis, *e*, adj. Relatif au chariot appelé CLABULARE.

clades (CLADIS), *-s*, f. Dommage causé aux arbres par la grêle. || (Par anal.) Fracture (d'un membre). ¶ (Ordin.) Perte, dommage; infortune; fléau. || Désastre (militaire); défaite; échec.

clam, adv. Secrètement. ¶ (Prép.) A l'insu de.

clamatio, *onis*, f. Action de crier; cri.

clamator, *oris*, m. Criard. || (En partic.) Déclamateur. [funeste augure.

clamatorius, *a*, *um*, adj. Qui crie. || De clamis. Voy. CHLAMYS.

clamitatio, *onis*, f. Criaillerie.

clamito, *as*, *avi*, *atum*, *are*, intr. et tr. *Intr.* Criailler. || Crier fort, vociférer. ¶ *Tr.* Demander à grands cris. || Appeler en criant.

clamo, *as*, *avi*, *atum*, *are*, intr. et tr. || *Intr.* Crier; pousser un cri. || Faire grand bruit. || Retentir, mugir. ¶ *Tr.* Appeler à haute voix, inviter, convoquer (en criant). || Désigner, nommer à grands cris; proclamer. || Annoncer par des cris.

clamor, *oris*, m. Cri, clameur. || Acclamation. || Cri (de guerre). || Cri (des animaux). || Huée, imprécation. ¶ (En parl. de ch.) Grand bruit, grondement, mugissement. [ment.

clamose, adv. A grands cris; bruyam-

clamosus, *a*, *um*, adj. Criard; qui a l'habitude de crier. ¶ Qui retentit de cris. || Qu'on fait en criant; accompagné de cris. || Bruyant

clamys. Voy. CHLAMYS. [destin.

clancularius, *a*, *um*, adj. Secret; clan-

clancule, adv. En cachette; secrètement.

1. **clanculo**, *adv.* Comme le précédent.

2. **clanculo**, *as*, *are*, tr. Cacher.

clanculum, adv. Comme 1. CLANCULO.

clandestino, adv. Clandestinement.

clandestinus, *a*, *um*, adj. Qu'on fait en secret; clandestin.

clango, *is*, *ere*, intr. Faire entendre un son éclatant. || Sonner (en parl. de la trompette *ou* du joueur de trompette). || Crier (en parl. du cygne, du paon, etc.), trompetter (en parl. de l'aigle). ¶ (Fig.)

Eclater, tonner (en parl. d'un orateur). || Résonner, retentir, mugir (en parl. de ch.).

clangor, *oris*, m. Son éclatant.|| Son de la trompette. || Cri (de certains oiseaux), caquet, gloussement. ¶ Bruit d'ailes.

clare, adv. Clairement; distinctement. || Nettement; d'une voix claire; à haute et intelligible voix. ¶ (Fig.) Clairement, *c.-à-d.* avec évidence. || Avec éclat; brillamment.

clareo,*es*,*ere*,intr. Briller, luire. ¶ (Fig.) Etre clair ou évident. || Etre illustre.

claresco, *is*, *clarui*, *ere*, intr. Devenir clair ou brillant (pour le regard). || Devenir clair (pour l'ouïe). ¶ (Fig.) Devenir clair, évident. || Devenir célèbre; s'illustrer.

clarifico, *as*, *are*, tr. Glorifier.

clarificus, *a*, *um*, adj. Eclatant. ¶ Glorieux.

clarigatio, *onis*, f. Réclamation solennelle adressée à l'ennemi par le fécial. ¶ Droit de s'emparer de la personne *ou* des biens d'un ennemi surpris dans un lieu interdit.

clarigo, *as*, *atum*, *are*, tr. Demander officiellement satisfaction à l'ennemi.

clarisonus, *a*, *um*, adj. Retentissant.

claritas, *atis*, f. Clarté (pour l'œil); éclat, lumière. ¶ Clarté, netteté (pour l'oreille); sonorité. ¶ (Fig.) Netteté (du style). || Illustration; éclat, célébrité.

claritudo, *inis*, f. Comme CLARITAS.

claritus, adv. Voy. CLARE.

claro, *as*, *avi*, *atum*, *are*, tr. Rendre clair *ou* brillant. ¶ (Fig.) Rendre clair, rendre évident. || Célébrer, glorifier.

claror, *oris*, m. Eclat.

clarus, *a*, *um*, adj. Clair. || Brillant, éclatant *ou* *simpl*. lumineux. ¶ Qui fait briller, qui rend clair *ou* éclaircit. || Clair, distinct; sonore. ¶ (Fig.) Clair, évident. || Fameux, illustre.

classiarii, *orum*, m. pl. Soldats de marine.|| Matelots. ¶ Ouvriers de la flotte; calfats.

classiarius, *a*, *um*, adj. De la flotte.

classici, *orum*, m. pl. Soldats de la flotte. ¶ Marins.

classicula, *ae*, f. Flottille.

classicum (s.-ent. *signum*), *i*, n. Signal donné par la trompette, sonnerie de trompette. || (Méton.) Trompette.

1. **classicus**, *a*, *um*, adj. Relatif aux classes de citoyens. ¶ Relatif à l'armée. || Concernant l'armée de terre *ou* l'armée de mer. || (En partic.) De l'armée de mer, de la flotte; naval.

2. **classicus**, *i*, m. Héraut chargé de convoquer les citoyens aux comices par classes. ¶ Citoyen de la première classe. ¶ (Fig.) Citoyen de premier ordre, *c.-à-d.* de premier mérite.

classis, *is*, f. Convocation. || (Méton.) Foule convoquée. ¶ Classe (de citoyens, à Rome), une des divisions du peuple dans la constitution de Servius Tullius. || (Par ext.) Division; section; classe (d'écoliers). || (Fig.) Rang, classe. ¶ Armée, troupe. || (Ordin.) Flotte. || (Méton.) Un (seul) vaisseau.

clatra, *orum*, n. pl. Voy. CLATRI.

clatratus, *a*, *um*, p. adj. Fermé par des barreaux.   [lage.

clatri, *orum*, m. pl. Barreaux; grillage, des barreaux.

clatro, *as*, *are*, tr. Fermer avec une grille, des barreaux.

claudicatio, *onis*, f. Claudication.

claudico, *as*, *avi*, *atum*, *are*, intr. Boiter. ¶ (Fig.) Mal marcher; clocher. || Etre boiteux (en parl. d'un vers).

claudigo, *inis*, f. Comme CLAUDICATIO.

clauditas, *atis*, f. Claudication.

1. **claudo**, *is*, *clausi*, *clausum*, *ere*, tr. Fermer, clore. || Boucher. || Barrer. || Rendre inaccessible. ¶ Arrêter, intercepter; fermer le passage à. || Cerner, enfermer, bloquer. ¶ (En gén.) Ceindre, entourer. || Clore, *c.-à-d.* terminer.

2. **claudo**, *is*, *ere*, intr. Comme CLAUDICO.

claudor, *eris*, *i*, passif. Voy. 2. CLAUDO.

1. **claudus**, *a*, *um*, adj. Boiteux. ¶ (Fig.) Qui se traîne, qui marche mal, chancelant; || Incomplet, défectueux. || Inégal, boiteux (en parl. d'un rythme).

2. **claudus**, *i*, m. Un boiteux.

claustrum, *i*, n. (plus souv. au pl. **claustra**). Ce qui sert à fermer : clôture. || Traverse, barre; verrou. ¶ Ce qui fait obstacle : barrière *ou* digue. || (Fig.) Barrière. || Défilé, passage étroit et difficile. || (T. milit.) Clef (d'une position); remparts, retranchements, boulevard, place forte. ¶ Ce qui enferme *ou* entoure. || Prison. || Cage. || (En gén.) Limites; enceinte. || (T. mil.) Ligne de circonvallation.

clausula, *ae*, f. Conclusion; extrémité; fin. ¶ (Rhét.) Chute d'une période. || (Méton.) Clausule, vers (plus court que les autres) terminant un système. ¶ (Jur.) Article de loi. || Clause.

clausum (CLUSUM), *i*, n. Enclos. || Tout endroit fermé. || Armoire fermée.

clausura (CLUSURA), *ae*, f. Fermeture d'une porte. ¶ Château fort.

clava, *ae*, f. Gourdin. ¶ Massue. ¶ *Clava Herculea* (ou *Herculis*), nénuphar. ¶ Scion. || Ente, griffe.

clavarium, *ii*, n. Indemnité allouée aux soldats pour les clous de leurs souliers.

clavarius, *ii*, m. Cloutier.

clavata (s.-e. *calceamenta*), *orum*, n. pl. Souliers ferrés.

clavator, *oris*, m. Celui qui porte une massue.

clavatus, *a*, *um*, adj. Garni de clous. ¶ Qui a la forme d'un clou. ¶ Garni de pointes, de piquants. ¶ Garni de bandes de pourpre.

clavicarius, *ii*, m. Serrurier.

clavicula, *ae*, f. Petite clef. ¶ Cheville.

¶ Vrille (de la vigne). ¶ Sorte de demi-lune en avant d'une porte de ville.

claviculus, *i*, m. (Méd.) Clou, tumeur.

1. **claviger**, *era*, *erum*, adj. Qui porte une massue.

2. **claviger**, *eri*, m. Qui porte les clefs (épithète de Janus).

clavis, *is*, f. Clef (pr. et fig.) ¶ Barre; verrou. ¶ Barre recourbée (dont se servaient les enfants pour pousser leurs cerceaux).

clavola ou **clavula**, *ae*, f. Scion. ¶ Greffe.

clavularis. Voy. CLABULARIS.

clavulus, *i*, m. Petit clou. ¶ (Méd.) Furoncle.

clavus, *i*, m. Clou; cheville. ¶ Barre, c.-à-d. timon du gouvernail. ¶ (Méd.) Tumeur dont la tête ressemble à une tête de clou : verrue, durillon, cor; clou. || (Par anal.) Callosité (des arbres). ¶ Bande de pourpre sur la tunique des sénateurs et des chevaliers (large chez les premiers, étroite chez les seconds). || (Méton.) Tunique portant cette bande, d'où dignité de celui qui la porte.

clematis, *idis* (acc. sing. *ida*, pl. *idas*), f. Plante grimpante. || Pervenche. || Clématite.

clematitis, *idis*, f. Clématite (plante).

clemens, *entis*, adj. Qui est en pente douce. || Qui coule lentement ; d'un cours tranquille. || (Par anal.) Qui souffle doucement (en parl. du vent). || (En gén.) Doux, calme, paisible. || (Fig.) Modéré, calme, doux. ¶ Clément, indulgent; propice. || (En parl. des bêtes) Docile, apprivoisé.

clementer, adv. En suivant une pente douce. ¶ D'un mouvement modéré. ¶ Avec clémence, avec indulgence, avec douceur et bonté.

clementia, *ae*, f. Mouvement doux. ¶ Douceur (de l'air, de la température). ¶ Calme (de l'atmosphère). ¶ (Mor.) Modération; douceur. || Indulgence; clémence.

clepo, *is*, *clepsi*, *cleptum*, *ere*, tr. Dérober. ¶ Escamoter; voler. ¶ Epier. ¶ Dissimuler; cacher.

clepsydra, *ae*, f. Horloge d'eau; clepsydre. || (Méton.) Temps mesuré à l'orateur par l'écoulement de l'eau de cette horloge. || Endroit (école de rhéteur) où l'on utilise cette horloge.

clepsydrarius, *ii*, m. Fabricant de clepsydres.

clepta, *ae*, m. Voleur.

clepto, *as*, *are*, tr. Dérober; voler.

clericalis, *e*, adj. De clerc; ecclésiastique.

clericatus, *us*, m. Cléricature.

clericus, *i*, m. Clerc.

clerus, *i*, m. Clergé.   [de cuirasses.

clibanaria (s.-e. *officina*), *ae*, f. Fabrique

1. **clibanarii**, *orum*, m. pl. Boulangers.

2. **clibanarii**, *orum*, m. pl. Cuirassiers, cavaliers perses.

1. **clibanarius**, *a*, *um*, adj. De four portatif.

2. **clibanarius**, *a*, *um*, adj. Concernant la cuirasse.

clibanicius, *a*, *um*, adj. Cuit dans un four portatif, dans une tourtière.

clibanites, adj. masc. Comme CLIBANICIUS.   [de cuirasse.

1. **clibanus**, *i*, m. Sorte d'armure, espèce

2. **clibanus**, *i*, m. Vase à couvercle (ordin. en terre cuite) servant à cuire le pain. || Four portatif. || Tourtière. ¶ Poêle (dans une chambre).

cliens, *entis*, m. Client. ¶ Vassal. ¶ Adorateur; dévôt (d'une divinité).

clienta, *ae*, f. Cliente.

clientela, *ae*, f. Condition de client; clientèle. || (Par anal.) Condition d'un petit état à l'égard d'un plus grand qui le protège. ¶ (Méton.) Clientèle, c.-à-d. l'ensemble des clients. Au plur. *Clientelae*, *orum*, f. Les clients; la suite; la cour.

clientulus, *i*, m. Client pauvre.

clima, *atis*, n. Latitude. || Climat. || Zone, région. || (Fig.) Région. ¶ Mesure agraire (314 mq 8).

climacter, *eris* (acc. *era*), m. Epoque dangereuse dans la vie humaine (selon les anciens). || Année climatérique (ou critique), de sept en sept.

climactericus, *a*, *um*, adj. Climatérique, critique.

climatiae, *arum*, f. pl. Tremblements de terre qui se propagent obliquement.

climax, *acis*, f. (Echelle). *Rhét.* Gradation.   [men (t. de philos. épicur.).

clinamen, *inis*, n. Inclinaison. ¶ Clina-

clinatus, *us*, m. Flexion (t. de gramm.).

clinice, *es*, f. Médecine rationnelle (opp. à empirisme).

clinicus, *i*, m. Médecin qui visite les malades alités. ¶ Malade alité. ¶ Celui qui ensevelit les morts; croque-mort.

clino, *as*, *are*, tr. Incliner; faire pencher.

clipeati (CLUPEATI), *orum*, m. pl. Soldats armés de boucliers.

clipeo, *as*, *avi*, *atum*, *are*, tr. Armer d'un bouclier. ¶ Sculpter dans un médaillon.

clipeolum, *i*, n. Petit bouclier.

clipeum, *i*, n. Voy. CLIPEUS.

clipeus, *i*, m. Bouclier (en gén.). || Grand bouclier rond en métal. ¶ (Par anal.) Ce qui a la forme d'un bouclier. || Voûte du ciel. || Disque du soleil. || Météore de forme ronde. || Médaillon dans lequel est figuré un buste. ¶ (Fig.) Protection; défense.

clitellae, *arum*, f. pl. Bât (des ânes). ¶ (Par anal.) Espèce d'instrument de torture.

cliva, *orum*, n. pl. Pentes, montée.

clivia (*loca*), n. pl. Lieux en pente; déclivités.

clivius, *a*, *um*, adj. De mauvais augure; qui détourne de faire une chose.

clivosus, *a*, *um*, adj. En pente; montant; escarpé. ¶ Elevé. [ticule.
clivulus, *i*, m. Petite montée. ¶ Monclivus, *i*, m. Pente, montée. || Rampe; côte. || Plan incliné. || (Méton.) Rue, chemin (en pente).

cloaca, *ae*, f. Egout, cloaque. *Cloaca maxima*, égout collecteur (de Rome). ¶ (Fig.) Intestins.

cloacalis, *e*, adj. D'égout.

cloacarium, *ii*, n. Impôt destiné à l'entretien des égouts. [cerf.]

clocito, *are*, intr. Bramer (en parl. du clodico. Voy. CLAUDICO.

clodo, *is*, *ere*. Voy. CLAUDO.

clodus, *a*, *um*, adj. Voy. CLAUDUS.

cludo. Voy. CLAUDO.

cludus. Voy. CLAUDUS.

cluens. Voy. CLIENS.

cluenta. Voy. CLIENTA.

clueo, *es*, *ere*, intr. Avoir la réputation de, passer pour. ¶ (Absol.) Avoir de la réputation; être illustre.

clueor, dép. intr. Comme le précédent.

clunaculum (CLUNACLUM), *i*, n. Poignard; dague.

clunalis, *a*, adj. Du derrière *ou* de derrière; de la partie postérieure.

clunicula, *ae*, f. Croupion.

clunis, *is*, m. *ou* f. (Ordin. au plur.) Fesse, croupe. || Croupion.

1. cluo, *is*, *ere*, intr. Voy. CLUEO.
2. cluo, *is*, *ere*, tr. Nettoyer.

clupea, *ae*, f. Alose (poisson).

clurinus, *a*, *um*, adj. De singe.

clusilis, *e*, adj. Qui se ferme aisément.

clusio, *onis*, f. Sertisseur (des perles).

clusum. Voy. CLAUSUM.

clusura, *ae*, f. Voy. CLAUSURA.

clusus. Voy. CLAUSUS.

clymenus, *i*, m. Souci (plante). ¶ Surnom de Pluton.

clypeo, clypeus. Voy. CLIPEO, CLIPEUS.

clysmus, *i*, m. Clystère.

clyster (CLUSTER), *eris*, m. Clystère; lavement. || (Méton.) Seringue.

clysterio, *as*, *are*, tr. Donner un clystère.

clysterium, *ii*, n. Clystère.

cnecos (CNICOS), *i*, m. Carthame (plante).

cnemis, *idis*, f. Cnémide, jambart. ¶ Les deux derniers pieds d'un hexamètre.

cnide, *es*, f. Ortie de mer (zoophyte).

cnidinus, *a*, *um*, adj. D'ortie de mer.

cnodax, *acis*, m. Pivot. || Bouton.

co... En composition p. COM...

coacervatim, adv. En masse.

coacervatio, *onis*, f. Action d'entasser. || Accumulation.

coacervo, *as*, *avi*, *atum*, *are*, tr. Mettre en tas; entasser, amonceler, accumuler (pr. et fig.).

coacesco, *is*, *acui*, *ere*, intr. Devenir aigre; s'aigrir (pr. et fig.).

coacta, *orum*, n. pl. Etoffes non tissées, *mais* foulées, feutrées.

coacte, adv. Dans un temps restreint. ¶ Littéralement. ¶ Par force, par violence.

coacticius, *a*, *um*, adj. Forcé.

coactile, *is*, n. et (surtout) coactilia, *ium*, n. pl. Feutre. [le feutre.

1. coactiliarius, *a*, *um*, adj. Concernant
2. coactiliarius, *ii*, m. Fabricant de feutre.

coactilis, *e*, adj. Fait en feutre.

coactim, adv. D'une façon concise; brièvement.

coactio, *onis*, f. Perception. ¶ Action de réduire. || Résumé. ¶ Courbature.

coacto, *as*, *are*, tr. Forcer, contraindre.

coactor, *oris*, m. Celui qui rassemble, qui réunit. || (En partic.) Soldat d'arrière-garde, qui ramasse les traînards. || Collecteur d'impôts, percepteur. || Commis de recette. ¶ Celui qui foule la laine pour en faire du feutre; foulon. ¶ Celui qui contraint.

coactrix, *icis*, f. Celle qui force, qui contraint. [Voy. COACTA.

coactum, *i*, n. Couverture en feutre. ¶

coactura, *ae*, f. Cueillette. [instigation.

coactus, *us*, m. Contrainte. ¶ Impulsion;

coaddo, *is*, *ere*, tr. Joindre à.

coadjutor, *oris*, m. Aide; coadjuteur.

coadjuvo, *as*, *are*, tr. Aider.

coadolesco, *is*, *ere*, intr. Grandir avec.

coadoro, *as*, *are*, tr. Adorer avec.

coadsum, *es*, *esse*, intr. Etre présent ensemble.

coadunatim, adv. En réunissant leurs efforts.

coadunatio, *onis*, f. Réunion, assemblage. [bler.

coaduno, *as*, *are*, tr. Réunir; rassemcoaedificatio, *onis*, f. Construction.

coaedifico, *as*, *avi*, *atum*, *are*, tr. Couvrir de constructions; bâtir en foule.

coaequales, *ium*, m. pl. Camarades, compagnons d'âge. [Contemporain.;

coaequalis, *e*, adj. Egal, identique. ¶

coaequalitas, *atis*, f. Egalité; part égale.

coaequaliter, adv. Egalement.

coaequatio, *onis*, f. Action d'égaler (*ou* de s'égaler) à.

coaequo, *as*, *avi*, *atum*, *are*, tr. Egaliser; niveler. ¶ Egaler, mettre au même niveau que. [autre.

coaequus, *a*, *um*, adj. Egal, pareil à un

coaestimo, *as*, *are*, tr. Evaluer avec.

coaetaneus, *a*, *um*, adj. Du même âge; contemporain. [NUS.

coaeternalis, *e*, adj. Comme COAETERcoaeternitas, *atis*, f. Coéternité.

coaeternus, *a*, *um*, adj. Coéternel.

coaggero, *as*, *are*, tr. Amonceler; entasser. ¶ Couvrir d'un monceau.

coagmentatio, *onis*, f. Assemblage. ¶ Ensemble de choses reliées entre elles.

coagmento, *as*, *avi*, *atum*, *are*, tr. Rassembler. || Amalgamer. || Souder; cimenter (pr. et fig.).

coagmentum, *i*, n. Assemblage. || Jonction. ¶ Jointure, joint. [intestin.

coagulare, *is*, n. Colon (partie du gros coagulatio, *onis*, f. Coagulation. || Solidification.

coagulo, *as*, *are*, tr. Coaguler. || Cailler.

|| Figer. ¶ (Fig.) Réunir; cimenter.

coagulum, *i*, n. Matière coagulante; présure. || (Méton.) Lait caillé. ¶ (Par ext.) Ce qui est coagulé; caillot. ¶ (Fig.) Ce qui unit : lien. || Ce qui détermine : cause.

coalesco, *is*, *alui*, *alitum*, *ere*, intr. S'unir à, se joindre, se fondre ensemble, se rapprocher; faire corps. || Se cicatriser. || Se combiner, s'allier. ¶ Prendre racine. || (Fig.) Prendre racine, *c.-à-d.* s'établir solidement, s'implanter. ¶ (Simpl.) Se former; prendre naissance. || Se développer.

coalitus, abl. *u*, m. Concours. ¶ Société. ¶ Commerce avec.

coalo, *is*, *ere*, tr. Nourrir avec.

coangustatio, *onis*, f. Action de restreindre *ou* de se restreindre; rétrécissement.

coangusto, *as*, *are*, tr. Resserrer, rétrécir. || (Fig.) Restreindre; limiter.

coangustus, *a*, *um*, adj. Comme COANGUSTATUS. Voy. COANGUSTO. [tolat.

coapostolus, *i*, m. Associé dans l'apostolat... Voy. COART.

coarguo, *is*, *gui*, *gutum* (part. fut. *guiturus*), *ere*, tr. Mettre en évidence; prouver; démontrer. ¶ (En part.) Rendre manifeste la fausseté de, *d'où* réfuter. || Convaincre d'erreur; confondre. || Démontrer la culpabilité de.

coartatio, *onis*, f. Action de resserrer *ou* de rapprocher.

coarticulo, *as*, *are*, tr. Rendre articulé. ¶ Faire prononcer (à qqn) des sons articulés.

coarto, *as*, *avi*, *atum*, *are*, tr. Rétrécir, resserrer. ¶ (Fig.) Restreindre, réduire. || Abréger. ¶ Contraindre.

coassatio. Voy. COAXATIO.

coasso. Voy. COAXO.

coauctio, *onis*, f. Augmentation.

coaxatio, *onis*, f. Assemblage de planches. || Plancher; parquet.

1. **coaxo**, *as*, *are*, tr. Planchéier; parqueter.

2. **coaxo**, *as*, *are*, intr. Coasser.

coccinatus, *a*, *um*, adj. Vêtu d'écarlate.

coccineus, *a*, *um*, adj. D'écarlate; de couleur écarlate.

coccinum, *i*, n. Etoffe teinte en écarlate. Au plur. *Coccina*, *orum*, n. Vêtements d'écarlate.

coccinus, *a*, *um*, adj. D'écarlate.

coccum, *i*, n. Kermès, espèce de cochenille donnant l'écarlate. || (Méton.) Ecarlate. || Etoffe teinte en écarlate. ¶ *Coccum Conidium*, comme CHAMELAEA.

coccygia, *ae*, f. Espèce de sumac (arbre).

coccymelum, *i*, n. Prune.

coccyx, *ygis*, m. Coucou (oiseau).

cochlea (COCLEA), *ae*, f. Limaçon; escargot. || (Méton.) Coquille d'escargot. || (En gén.) Coquille, carapace. ¶ (Par anal.) Vis de pressoir; vis d'Archimède. || Escalier en colimaçon. ||

Trappe. || Au plur. *Cochleae*, *arum*, f. Galets. [Cuillerée (mesure médicale).

cochlear (COCLEAR), *aris*, n. Cuiller. ||

cochleare (COCLEARE), *u*, n. Comme COCHLEAR. [cuiller.

1. **cochlearis** (COCLEARIS), *e*, adj. D'une

2. **cochlearis**, *is*, m. Cuiller.

1. **cochlearium** (COCLEARIUM), *ii*, n. Endroit où l'on élève des escargots.

2. **cochlearium**, *ii*, n. Cuillerée.

cochleatim, adv. En colimaçon, en spirale. [rale.

cochleatus, *a*, *um*, adj. Qui est en spi-

cochleola, *ae*, f. Escargot.

cochlis, *idis*, f. Pierre précieuse en forme de limaçon. ¶ Colonne autour de laquelle s'enroule un escalier en spirale. [lage en spirale.

cochlos, *i* (plur. *cochloe*, *on*), m. Coquil-

cocibilis, *e*, adj. Facile à cuire.

cocin... Voy. COQUIN...

cocio (COCTIO, COTIO), *onis*, m. Courtier (en marchandises). [courtage.

cocionor, *aris*, *ari*, dép. intr. Faire le

coclea, **coclear**, etc. Voy. COCHLEA, COCHLEAR, etc.

cocles, *clitis*, m. Borgne.

cocolobis (COCOLUBIS). Sorte de vigne.

cocta (s.-e. *aqua*), *ae*, f. Décoction.

coctana. Voy. COTTANA.

coctilia (s.-e. *ligna*), *ium*, n. pl. Bois sec.

coctilis, *e*, adj. Cuit, séché au feu. ¶ (Par ext.) De briques cuites.

1. **coctio**, *onis*, f. Action de faire cuire; cuisson. || Calcination. || (Méton.) Ce qui est cuit; mets. ¶ Digestion.

2. **coctio**, *onis*, m. Voy. COCIO.

coctito, *as*, *are*, tr. Cuire à petit feu.

coctivus, *a*, *um*, adj. Facile à cuire. || Bon à cuire. ¶ Qu'on doit manger cuit.

coctona. Voy. COTTANA. [sinier.

coctor, *oris*, m. Celui qui fait cuire : cui-

coctura, *ae*, f. Cuisson. || (Par anal.) Maturation. || (Méton.) Résultat de la cuisson · plat cuit. [cuisine.

cocula, *orum*, n. pl. Menu bois pour la

coculea, *ae*, f. Voy. COCHLEA. [métal.

coculum, *i*, n. Espèce de casserole (en

cocus. Voy. COQUUS.

coda, *ae*, f. Voy. CAUDA.

codex, *icis*, n. Buche. || (T. d'injure.) Bûche, homme stupide. ¶ Feuilles reliées ensemble comme les nôtres; livre, registre. || Livre de comptes. || Livre de comptabilité. || Recueil de lois; code. || (Eccl.) La Sainte Ecriture.

codia, *ae*, f. Tête de pavot.

codicarii, *orum*, m. pl. Bateliers.

1. **codicarius** (CAUDICARIUS), *a*, *um*, adj. Fait de pièces de bois reliées ensemble.

2. **codicarius**, *ii*. m. Radeau *ou* chaland

codicillaris, *e*, adj. Nommé par une ordonnance impériale.

1. **codicillarius**, *um*, adj. Conféré par une ordonnance impériale. || Honoraire (*opp.* à titulaire).

2. **codicillarius**, *ii*, m. Secrétaire.

codicillus, i, m. Petit tronc; petite souche. ¶ (Au plur.) *Codicilli*, tablettes (pour écrire). || (Méton.) Ce qui est écrit sur des tablettes : lettre, billet. || Requête, supplique. || Codicille. || Diplôme impérial; ordonnance; lettre de cachet.

coebus, i, m. Voy. CUBUS.

coelebs. Voy. CAELEBS. [même temps.

coelectus, a, um, p. adj. Choisi en

coelementatus, a, um, adj. Composé des mêmes éléments.

coeles, itis, m. Voy. CAELES.

coelestis, e, adj. Voy. CAELESTIS.

coelibatus. Voy. CAELIBATUS.

coelic... Voy. CAELIC...

coelif... Voy. CAELIF...

coelig... Voy. CAELIG...

coelioticus, a, um, adj. Purgatif.

coelipotens. Voy. CAELIPOTENS.

coelitus, adv. Voy. CAELITUS.

coelum. Voy. CAELUM.

coelus. Voy. CAELUS.

coemeterium (CIMITERIUM), ii, n. Cimetière (champ du repos).

coemo, is, emi, emptum, ere, tr. Acheter ensemble ou à la fois.

coemptio, onis, f. Achat (en commun). ¶ (En part.) Coemption (une des formes du mariage romain). || Mariage fictif (d'un héritier ou d'une héritière avec une personne ordin. âgée et sans enfants, qui prenait à son compte toutes les charges de la succession).

coemptionalis, e, adj. Qui se vend en bloc. ¶ (Par ext.) Qu'on donne pardessus le marché; de peu de valeur.

coemptionator, oris, m. Celui qui se prête au mariage fictif.

coemptor, oris, m. Acheteur.

coena, ae, f. Voy. CENA. [tique.

coenobialis, e, adj. Claustral; cénobi-

coenobiolum, i, n. Petit cloitre.

coenobita, ae, m. Cénobite.

coenobium, ii, n. Cloitre. [ou triviale.

coenolexia, ae, f. Expression commune

coenomyia, ae, f. Mouche commune.

coenon, i, n. Sorte de collyre.

coenonesis, is, f. Communication (fig. de rhét. par laquelle on semble tenir conseil avec ses auditeurs).

coenositas. Voy. CAENOSITAS.

coenosus. Voy. CAENOSUS.

coeneta, ae, f. Analogie.

coenula, f. Voy. CENULA.

coenulentia, ae, f. Comme FOETOR.

coenulentus, a, um, adj. Voy. CAENULENTUS.

coenum, i, n. Voy. CAENUM.

coeo, is, ii, itum, ire, intr. Aller dans le même lieu, se rassembler, se réunir. || (Partic.) S'associer, s'allier; se liguer. || Tr. Former une association, une alliance. ¶ S'unir (par le mariage). || S'accoupler (en parl. d'animaux). ¶ En venir aux mains, être aux prises, lutter, combattre. ¶ S'appliquer l'un sur l'autre; se rapprocher; se joindre;

se fermer, se cicatriser. ¶ Se mêler; se combiner; se confondre. ¶ Se condenser; se figer; se coaguler.

coepi. Voy. le suivant.

coepio, is, coepi (coeptus sum), coeptum, ere, tr. et intr. Commencer à, entreprendre, se mettre à. ¶ Intr. Commencer; débuter. [évêque.

coepiscopatus, us, n. Dignité de co-

coepiscopus, i, m. Coadjuteur d'un évêque.

coeptio, onis, f. Commencement; début.

coepto, as, avi, atum, are, tr. et intr. Commencer avec ardeur. || Tenter de... ¶ Intr. Commencer; débuter.

coeptum, i, n. Entreprise; dessein.

coeptus, us, m. Action de commencer; entreprise.

coepulo, onis, m. Compagnon de table.

coepulor, aris, ari, dép. intr. Dîner de compagnie.

coerator, oris, m. Voy. CURATOR.

coerceo, es, cui, citum, ere, tr. Serrer, contenir. || Empêcher de se disjoindre ou de se séparer. || Arrêter, empêcher de s'enfuir. ¶ Refréner (ce qui est excessif); dompter, domestiquer. ¶ Arrêter la croissance de; élaguer. || (Fig.) Epurer, châtier. ¶ Retenir dans le devoir, forcer à l'obéissance; réprimer, corriger; châtier, punir.

coercitio, onis, f. Action de mettre à l'étroit. || (Fig.) Action de contenir ou de refréner : répression, châtiment. || Réprimande. ¶ Droit de punir, droit de coercition.

coercitor, oris, m. Celui qui contient, qui réprime, qui refrène.

coero. Voy. CURO.

coerraticus, i, m. Celui qui partage une erreur avec d'autres.

coerro, as, are, intr. Faire route avec d'autres. ¶ Errer de compagnie.

coeruleus. Voy. CAERULEUS.

coetus, us, m. Rencontre, jonction. || (Astron.) Conjonction (des astres). ¶ (En part.) Union. || Accouplement. ¶ (Méton.) Personnes assemblées; réunion; rassemblement. || Attroupement; cabale.

coeuntia, ae, f. Combinaison.

coexcito, as, are, tr. Ressusciter (rappeler à la vie) avec.

coexercito, as, avi, atum, are, tr. Pratiquer en même temps.

coexsisto, is, ere, intr. Coexister.

coexstinguo, is, ere, tr. Eteindre, faire périr avec. [ou en même temps.

coexsulo, as, are, intr. S'exiler avec

coexsulto, as, are, intr. Etre transporté de joie avec. [aussi loin que.

coextendo, is, ere, tr. (Etendre avec.)

cogitabilis, e, adj. Concevable; imaginable.

cogitate, adv. Avec réflexion.

cogitatio, onis, f. Action de penser. || Pensée, méditation, réflexion. ¶ Faculté de penser, intelligence, raison, bon sens. ¶ Pensée, c.-à-d. ce que l'on pense *ou* ce à quoi l'on pense; projet, détermination; résolution.

cogitatum, *i*, n. Pensée. || Projet.

cogitatus, *us*, m. Pensée.

1. cogito, *as, avi, atum, are*, intr. Rouler dans sa pensée : penser. || Méditer, réfléchir. || Songer à. ¶ Concevoir, former une idée de. || Imaginer, inventer. ¶ Penser à, projeter. ¶ Avoir telle ou telle opinion; éprouver tel ou tel sentiment.

2. cogito, *as, are*, tr. Réunir; convoquer. ¶ Forcer, contraindre. Voy. COGO.

cognata, *ae*, f. Parente (par les femmes).

cognatio, *onis*, f. Parenté (*seul.* par les femmes). || (Méton.) La parenté, c.-à-d. la famille, les parents. || (Par anal.) Parité de race *ou* d'espèce, parenté (*en parl. d'animaux, de plantes*). || (Fig.) Parenté, c.-à-d. ressemblance, analogie.

cognatus, *a, um*, adj. Parent (*surt.* par les femmes); de la même famille *ou* du même sang. || De la même espèce. ¶ Qui a du rapport avec; conforme; analogue.

cognitio, *onis*, f. Action d'apprendre à connaître; action de faire connaissance avec. ¶ Connaissance (de qqn); relation. || Connaissance, science; recherche, étude. ¶ Conception, idée; notion. || Instruction (d'une affaire, d'un procès); enquête. ¶ Action de reconnaître; reconnaissance.

cognitionalis, *e*, adj. Relatif à l'instruction (du procès).

cognitionaliter, adv. En vertu d'une instruction judiciaire.

cognitor, *oris*, m. Celui qui connaît. || Celui qui affirme l'identité de qqn. ¶ Représentant en justice : procureur, avocat. ¶ Protecteur *ou* patron. || (Partic.) Avocat du fisc. ¶ Juge d'instruction. [l'office d'avocat.

cognitorius, *a, um*, adj. Qui concerne

cognitura, *ae*, f. Office d'avocat du fisc.

1. cognitus, *a, um*, p. adj. Appris; connu. ¶ Connu, apprécié, célèbre. ¶ Examiné (judiciairement). [Etude.

2. cognitus, *us*, m. Connaissance. ¶

cognomen, *inis*, n. Surnom. ¶ Nom propre (d'une localité). ¶ (Gramm.) Adjectif.

cognomentum, *i*, n. Surnom. ¶ Nom.

1. cognominatus, *a, um*, adj. Synonyme.

2. cognominatus, *a, um*, p. adj. Surnommé *ou* nommé.

cognominis, *e*, adj. Qui porte le même nom, homonyme. ¶ Synonyme.

1. cognomino, *as, are*, tr. Désigner qqn par un nom particulier (nom patronymique, nom de guerre, surnom).

2. cognomino, *as, are*, intr. Porter le même nom. ¶ Désigner la même chose; être synonyme. [connaissance de.

cognoscens, *entis*, p. adj. Qui a la

cognosco, *is, gnovi, gnitum, ere*, tr. Faire connaissance avec; prendre connaissance de. || Apprendre. || Recevoir la nouvelle de. ¶ S'apercevoir, reconnaître (par expérience). ¶ Aller voir; visiter. || Passer en revue. ¶ Rechercher; étudier, vérifier. || (Jur.) Etudier (une affaire); instruire (un procès), connaître de *et* (absol.) être juge. ¶ (*Qqf.*) Connaître. || (Jur.) Attester que l'on connaît; certifier l'identité de. ¶ Reconnaître (qqch. de déjà connu). ¶ (T. mil.) Reconnaître (une position), faire une reconnaissance. ¶ Avoir commerce (illégitime) avec.

cogo, *is, coegi, coactum, ere*, tr. Pousser, amener dans le même lieu, rassembler. || (Partic.) Réunir, assembler, convoquer. ¶ Amasser, entasser; accumuler. ¶ Faire rentrer, percevoir. ¶ Recueillir, récolter. ¶ Mélanger; amalgamer. || Combiner. ¶ Figer, coaguler. || Tasser, fouler. || (T. mil.) Fermer la marche (pour ramasser les traînards); être à l'arrière-garde; venir en dernier. ¶ Rassembler les éléments d'un raisonnement : conclure. ¶ Resserrer (pour limiter *ou* contraindre) : réduire, restreindre. ¶ Faire entrer de force; forcer, contraindre. [cohérent.

cohaerens, *entis*, p. adj. Qui se tient.

cohaerenter, adv. D'une façon cohérente, avec suite, sans interruption.

cohaerentia, *ae*, f. Cohérence; cohésion. || Union étroite.

cohaereo, *es, haesi, haesum, ere*, intr. Etre étroitement uni à. || Faire corps avec. || (Fig.) Etre bien d'accord avec; concorder avec. ¶ Avoir de la cohésion; former un tout cohérent. || (Fig.) Cadrer; s'adapter à.

cohaeres. Voy. COHERES.

cohaeresco, *is, haesi, haesum, ere*, intr. S'attacher, s'unir (pr. et fig.)

coherceo. Voy. COERCEO.

coheriditas, *atis*, f. Cohérédité.

coheridito, *are*, intr. Hériter avec.

coheres, *edis*, m. f. Cohéritier cohéritière.

cohibeo, *es, ui, itum, ere*, tr. Maintenir ensemble. ¶ Renfermer, contenir. || Limiter, circonscrire. ¶ Retenir, arrêter, emprisonner. ¶ Comprimer. || (*Fig.*) Retenir, empêcher. || (*Qqf.*) Modérer, régir, gouverner.

cohibitus, *a, um*, p. adj. Sobre, châtié. ¶ Précis.

cohonesto, *as, avi, atum, are*, tr. Rendre plus beau; embellir, rehausser, relever. || Orner, décorer.

cohorreo, *es, ui, ere*, intr. Frissonner.

cohorresco, *is, ere*, intr. Avoir le frisson.

cohors, *ortis*, f. Enclos. || Parc à bestiaux. || Basse-cour. ¶ Division (d'un camp). || Troupe (enfermée dans un certain espace). || Cohorte, division de la légion. || (Par ext.) Armée. || (Au pl.)

Cohortes, troupes alliées. ¶ Troupe; cortège; suite.

cohortalinus, *a, um*, adj. Concernant la garde particulière de l'empereur.

cohortalis, *e*, adj. Qui concerne la basse-cour. ¶ De la garde prétorienne (impériale).

cohortatio, *onis*, f. Exhortation; harangue (adressée aux soldats avant la bataille).

cohortatiuncula, *ae*, f. Courte harangue.

cohorticula, *ae*, f. Petite cohorte. ‖ Petite troupe.

cohorto, *as, are*, tr. Voy. le suivant.

cohortor, *aris, atus sum, ari*, dép. tr. Exhorter vivement, encourager; animer (par sa parole); haranguer.

coibeo. Voy. COHIBEO.

coicio. Voy. CONICIO, CONJICIO.

coinquinabilis, *e*, adj. Qui peut souiller. ¶ Qui peut être souillé. [‖ Souillure.

coinquinatio, *onis*, f. Action de souiller.

coinquinatus, *a, um*, p. adj. Souillé; sali.

coinquino, *as, are*, tr. Souiller; salir. ‖ Infecter (par contagion). ¶ (*Moral.*) Souiller. [tailler (les arbres).

coinquio et coinquo, *is, ere*, tr. Emonder,

coitio, *onis*, f. Action de se réunir, de s'assembler. ‖ (En part.) Alliance. ‖ Coalition, ligue. ¶ Union, commerce (charnel), accouplement. ¶ Choc, engagement; combat.

coitus, *us*, m. Le fait d'aller ensemble, de s'unir. ‖ (Astron.) Conjonction (de deux astres). ‖ (Méd.) Dépôt, amas (d'humeurs). ¶ Commerce (charnel). ‖ Fécondation (des plantes). ¶ Greffe. ‖ Cicatrisation. ¶ (Gramm.) Contraction.

colaphizo, *as, avi, atum, are*, tr. Souffleter.

colaphus, *i*, m. Soufflet. ‖ Coup de poing.

colatus, *a, um*, p. adj. Tamisé, filtré, limpide; *qqf.* transparent.

colens, *entis*, p. adj. Qui habite. ¶ Qui cultive. ‖ Qui pratique.

colesco. Voy. COALESCO.

coleus, *i*, m. Testicule.

colias, *ae*, m. Sorte de thon.

colice, *es*, f. Recette contre la colique.

coliculus, *i*, m. Voy. CAULICULUS.

coliphium, *ii*, n. Régime des athlètes.

colis, m. Voy. CAULIS.

colitor, *oris*, m. Voy. CULTOR.

collabasco, *is, ere*, intr. Se mettre à chanceler. [celer.

collabefacto, *as, are*, tr. Faire chan-

collabefio, *is, factus sum, fieri*, pass. S'affaisser; tomber en ruines; être renversé (pr. et fig.).

collabor, *eris, lapsus sum, labi*, dép. intr. Tomber avec ou en même temps: s'affaisser, s'écrouler. ¶ S'évanouir. ‖ (Fig.) Tomber en; se laisser aller à.

collaboro, *as, are*, intr. Etre collaborateur de. [tout.

collaceratus, *a, um*, p. adj. Déchiré par-

collacrimatio, *onis*, f. Action de fondre en larmes.

collacrimo, *as, avi, are*, intr. Fondre en larmes. ¶ (*Tr.*) Déplorer.

collacrimor, *aris, atus sum, ari*, dép. intr. Comme le précédent

collactanea, *ae*, f. Sœur de lait.

collactaneus, *i*, m. Frère de lait.

collaetor, *aris, ari*, dép. intr. Se réjouir ensemble.

collaevo. Voy. COLLEVO.

collapsio, *onis*, f. Chute simultanée.

collare, *is* (abl. *i*), n. Collier; carcan.

collaris, *e*, adj. Du cou; destiné au cou.

collarium, *ii*, n. Comme COLLARE.

collateralis, *e*, adj. Collatéral.

collatero, *as, are*, tr. Prendre de chaque côté. ¶ Se faire entourer de.

collaticius (COLLATITIUS), *a, um*, adj. Formé d'un mélange. ¶ Fourni par plusieurs. ‖ A frais communs. ‖ Par souscription.

collatio, *onis*, f. Action d'apporter en commun. ‖ Action de rapprocher. ‖ Mêlée, engagement, combat. ¶ Contribution; cotisation; écot. ¶ Comparaison. ‖ (Gramm.) Degré de comparaison. ¶ (Rhét.) Allégorie.

collativum, *i*, n. Contribution.

collativus, *a, um*, adj. Qui reçoit de tous côtés. ¶ Payé par souscription. ‖ (Fig.) Mis en commun.

collator, *oris*, m. Celui qui paye son écot; souscripteur. ‖ Contribuable. ¶ Celui qui confère. ¶ Celui qui discute

collatrix, *iris*, f. Celle qui souscrit. Voy. COLLATOR.

collatro, *as, are*, tr. Poursuivre de ses aboiements.

1. **collatus**, *a, us*, partic. de CONFERO.

2. **collatus**, *us* (abl. *u*), m. Collision. ¶ Echange (d'idées), communication.

collaudatio, *onis*, f. Action de célébrer. ¶ Panégyrique, éloge.

collaudo, *as, avi, atum, are*, tr. Faire grand éloge de; célébrer.

collaxo, *as, are*, tr. Dilater. ¶ Relâcher en même temps.

collecta, *ae*, f. Contribution. ¶ Cotisation. ‖ Ecot. ¶ Réunion; assemblée.

collectaculum, *i*, n. Réceptacle.

collectanea, *orum*, n. pl. Mélanges (recueil).

collectaneus, *a, um*, adj. Réuni de tous côtés, de toutes mains. ¶ Recueilli par souscription. [recueille l'argent.

collectarius, *ii*, m. Collecteur, celui qui

collecticius, *a, um*, adj. Ramassé de tous côtés. ‖ Levé à la hâte.

collectio, *onis*, f. Action de recueillir, de rassembler. ‖ Réunion, assemblée. ‖ Collection. ¶ Récapitulation; résumé. ¶ Argumentation (en forme). ¶ Totalisation; addition. ¶ Ce qui s'amasse. ‖ (Méd.) Dépôt; abcès.

collectivus, *a, um*, adj. Recueilli, rassemblé. ‖ Qui forme un dépôt.

(Gramm.) Collectif.¶ Qui procède par syllogismes. || Employé dans l'argumentation.

1. **collectus**, *a*, *um*, p. adj. Serré, ramassé, concentré. || Limité. || Bref; concis.

2. **collectus**, *us*, m. Amas, dépôt.

collega (qqf. CONLEGA), *ae*, m. Collègue. ¶ Confrère. ¶ Compagnon; camarade.

collegatarius, *ii*, m. Colégataire.

collegiatus, *i*, m. Membre d'une corporation, d'un corps de métier.

1. **collegium** (CONLEGIUM), *ii*, n. Qualité de collègue. ¶ Communauté de fonctions. ¶ (Fig.) Analogie, affinité, rapport. ¶ Collège, confrérie, association, corporation, cercle. || (Péjor.) Bande, troupe.

2. **collegium**, *ii*, n. Produit d'une souscription, d'une quête.

collevo, *as*, *are*, tr. Lisser complètement, polir avec soin. [maître.

colliberta, *ae*, f. Affranchie d'un même [maître.

collibertus, *i*, m. Affranchi d'un même maître.

collibescit, *libuit*, impers. Il plaît.

collibet (COLLUBET), *libuit* et *libitum est*, impers. Il prend fantaisie, il plaît.

colliciae (COLLIQUIAE), *arum*, f. pl. Rigoles pour l'écoulement des eaux. ¶ Gouttières.

colliciaris, *e*, adj. De rigole; de conduit.

colliculus, *i*, m. Tertre; monticule.

collido, *is*, *lisi*, *lisum*, *ere*, tr. Choquer; entre-choquer. || (Fig.) Mettre aux prises; brouiller. ¶ Froisser. || Contusionner. || Meurtrir. ¶ Ecraser.

colligatio, *onis*, f. Enchaînement. || Lien, attache.

1. **colligo**, *as*, *avi*, *atum*, *are*, tr. Attacher ensemble; nouer. || Réunir. ¶ Enchaîner, retenir. || Arrêter. ¶ (Fig.) Associer, unir. || Joindre, relier. ¶ Comprendre, c.-à-d. embrasser. || Résumer.

2. **colligo**, *is*, *legi*, *lectum*, *ere*, tr. Recueillir, rassembler. || Recueillir, récolter; cueillir. || Réunir, rassembler, concentrer. || Condenser, épaissir. || Ramener à soi *ou* en arrière; retenir. ¶ Embrasser, c.-à-d. occuper, comprendre. ¶ (Fig.) Rassembler, remettre en ordre. || Recueillir, c.-à-d. s'attirer, contracter. ¶ Récapituler; résumer. || Compter, énumérer; faire le total de. ¶ Passer en revue (dans son esprit), réfléchir à. || Tirer une conclusion; inférer. || Juger.

collimito, *as*, *are*, tr. Confiner à; être limitrophe.

collineate (COLLINIATE), adv. Exactement. ¶ Habilement.

collineo, *as*, *avi*, *atum*, *are*, tr. Diriger en droite ligne; lancer en visant. || (Absol.) Atteindre le but.

colliniate. Voy. COLLINEATE.

collino, *is*, *levi*, *litum*, *ere*, tr. Enduire

(d'un corps gras), frotter. ¶ Souiller, tacher. [coteau.

collinus, *a*, *um*, adj. De colline; de

colliphium. Voy. COLIPHIUM.

colliquefio, *is*, *factus sum*, *fieri*, pass. Se liquéfier; fondre entièrement.

colliquesco, *is*, *liqui*, *ere*, intr. Se liquéfier, se dissoudre. ¶ Fondre (pr. et fig.).

colliquiae. Voy. COLLICIAE.

collis, *is*, m. Colline, coteau. || Eminence; sommet. ¶ (Impr.) Mont.

collisa, *orum*, n. pl. Meurtrissures.

collisio, *onis*, f. Choc, heurt; collision. || Ecrasement. ¶ (Gramm.) Rencontre de deux voyelles : hiatus, crase, élision.

collisus, *us*, m. Collision; choc.

collocatio, *onis*, f. Etablissement. || Aménagement. || Construction. ¶ Disposition; situation; position. || Etablissement, c.-à-d. mariage (d'une fille).

colloco, *as*, *avi*, *atum*, *are*, tr. Placer, établir. || (Partic.) Mettre en place; placer, poser, mettre. || Faire asseoir *ou* coucher. ¶ Poster; établir; installer. || Construire; dresser. ¶ Disposer, arranger, régler. || Etablir, c.-à-d. marier (une fille). ¶ Placer (de l'argent); faire valoir. || Employer (de l'argent à); dépenser. || Employer, consacrer. ¶ Qqf. Rapporter, mentionner.

collocupleto, *as*, *avi*, *are*, tr. Enrichir. ¶ (Fig.) Embellir, orner.

collocutio, *ii*, n. Entretien, conversation. ¶ Pourparler.

collocutor, *oris*, m. Interlocuteur.

colloquium, *ii*, n. Conversation, entretien. ¶ Dialogue. ¶ Colloque; entrevue. ¶ Conférence.

colloquor, *eris*, *cutus sum*, *loqui*, dép. intr. Parler avec; s'entretenir avec. || Converser, conférer. || Avoir une entrevue avec.

collubus. Voy. COLLYBUS.

colluceo, *es*, *ere*, intr. Briller, étinceler de tous côtés, resplendir, jeter un vif éclat (pr. et fig.).

collucesco, *is*, *luxi*, *ere*, intr. Briller, luire, étinceler. ¶ (Fig.) Etre clair, être évident. || Tailler, émonder.

colluco, *as*, *are*, tr. Eclaircir (un bois).

colluctatio, *onis*, f. Lutte, combat. ¶ Qqf. Jonction.

colluctator, *oris*, m. Antagoniste.

colluctor, *aris*, *atus sum*, *ari*, dép. intr. Lutter avec *ou* contre (pr. et fig.).

colludo, *is*, *lusi*, *lusum*, *ere*, intr. Jouer ensemble *ou* avec. ¶ (Fig.) S'entendre avec (qqn), avoir des intelligences secrètes.

collugeo, *es*, *ere*, intr. Pleurer ensemble.

collum, *i*, n. Cou (de l'homme *et* de l'animal). ¶ Col (d'une bouteille); goulot. ¶ Tige, tête (d'une plante).

colluo, *is*, *lui*, *lutum*, *ere*, tr. Laver, rincer, nettoyer. ¶ Gargariser. ¶

Arroser, baigner (en parl. d'un cours d'eau). [f. Débauché; orgie.

collurcinatio (COLLURCHINATIO), onis,

collus, i, m. Voy. COLLUM. [lusion.

collusio, onis, f. Entente secrète; collusion.

collusor, oris, m. Compagnon de jeu, de chant, de danse. ¶ Coupable de collusion.

collusorie, adv. Par collusion.

collustrium, ii, n. Collège de prêtres qui présidait aux lustrations des champs.

collustro, as, avi, atum, are, tr. Eclairer; inonder de lumière. ¶ Parcourir des yeux, observer; regarder de tous côtés.

collutio, onis, f. Lavage. [(fig.).

colluto, as, are, tr. Traîner dans la boue

collutulento, as, avi, are, tr. Couvrir de boue; traîner dans la boue (fig.).

colluviarium, ii, n. Egout.¶ Soupirail, prise de jour.

colluvies, ei, f. Saleté, ordures. ¶ (Fig.) Ramas, ramassis. ¶ Fange (fig.).

colluvio, onis, f. Comme COLLUVIES.

colluvium, ii, n. Voy. COLLUVIES.

collybista, ae, m. Agioteur.

collybus (COLLUBUS), i, m. Change (de la monnaie). ¶ Prix, taux (du change).

collyra, ae, f. Sorte de galette, dont on trempe les tranches dans du bouillon.

collyricus, a, um, adj. Dans lequel on trempe la galette nommée COLLYRA.

collyrida, ae, f. Voy. le suivant.

collyris, idis, f. Galette. ¶ Ornement de tête (pour les femmes). ¶ Sorte de mauve (fleur). ¶ Espèce de poisson (cabillaud).

collyrium, ii, n. Onguent; suppositoire. ¶ Collyre (pour les yeux). [son].

collyrus, i, m. Espèce de cabillaud (pols-

1. colo, as, avi, atum, are, tr. Tamiser, filtrer. ¶ Clarifier.

2. colo, is, colui, cultum, ere, tr. Cultiver. || (Absol.) Etre cultivateur ou laboureur. ¶ Habiter. || (Absol.) Etre habitant. ¶ (Fig.) S'occuper de; soigner. || Orner, parer. || Civiliser, policer. ¶ Pratiquer; cultiver (fig.). Colere artes, cultiver les arts. Colenda est virtus, on doit pratiquer la vertu. ¶ Accomplir. || Passer sa vie. ¶ Rendre un culte à; adorer, révérer. || (Simpl.) Honorer, respecter, avoir des égards pour. || Faire sa cour à.

colobathrarius, ii, m. Celui qui marche sur des échasses.

colobathron, i, n. Echasses.

colobicus, a, um, adj. Mutilé; estropié.

colobium, ii, n. Tunique à manches courtes. [Catalectique, incomplet.

colobos, on, adj. Mutilé. ¶ (T. de métr.)

colobum, i, n. Voy. COLOBIUM.

colocasia, ae, f. Colocasie (plante).

colocasium, ii, n. Comme le précédent.

colocynthis, idis (acc. ida, acc. pl. idas), f. Coloquinte.

coloephia. Voy. COLYPHIA.

colon (COLUM), i, n. Membre; section. || Colon (partie du gros intestin). || (Méton.) Colique. ¶ (Fig.) Bout de vers. || Partie d'un poème. || Membre (d'une période).

colona, ae, f. Femme de cultivateur.

colonarius, a, um, adj. De cultivateur, de fermier, de paysan.

colonatus, us, m. Condition de cultivateur, de fermier, de colon attaché à la terre.

colonia, ae, f. Ferme ou métairie. ¶ Colonie, ville fondée à l'étranger. || (Méton.) Colonie, ensemble des colons; population envoyée à l'étranger pour y fonder une colonie.

coloniaria, ae, f. Femme d'un colon (métayer). ¶ Habitante d'une colonie.

1. coloniarius, a, um, adj. D'une colonie. || Originaire d'une colonie.

2. coloniarius, ii, m. Colon; habitant d'une colonie.

colonica, ae, f. Métairie.

colonicus, a, um, adj. De ferme; de métairie. ¶ D'une colonie. || Recruté dans les colonies.

colonus, i, m. Cultivateur, laboureur. || Fermier. ¶ (Fig.) Celui qui cultive qui pratique. ¶ Colon, celui qui va s'établir dans un pays. || (Poét.) Habitant. [(Fig.) Achèvement; comble.

colophon, onis, m. Faîte, sommet. ¶

color, oris, m. Couleur. || (Partic.) Coloris, éclat. || Teint du visage; fraîcheur du teint; beauté. ¶ (Fig.) Couleur, c.-à-d. apparence, aspect, dehors. || Etat, situation, caractère (propre). || Extérieur, vernis. ¶ Prétexte, apparence (sans réalité). [cus.

colorabilis, e, adj. Comme CHROMATI-

colorarius, ii, m. Comme CHROMATIA-RIUS.

colorate, adv. D'une manière spécieuse.

coloratio, onis, f. Coloration. ¶ Couleur foncée (du teint). [en bâtiments.

colorator, oris, m. Teinturier. ¶ Peintre

coloratus, a, um, p. adj. Coloré. ¶ Fort en couleur; basané. ¶ (Fig.) Fardé (en parl. du style).

coloreus. Voy. COLORIUS.

colorius (COLOREUS), a, um, adj. De couleur naturelle; qui n'est pas teint. ¶ Qqf. Coloré, brun.

coloro, as, avi, atum, are, tr. Colorer, donner une couleur à. || (Partic.) Brunir, hâler. ¶ (Fig.) Donner une teinture à. || Donner de l'éclat ou du coloris à. || Couvrir d'une raison spécieuse ou d'un prétexte. ¶ Intr. Prendre de la couleur; brunir, devenir brun.

colos, oris, m. Arch. p. COLOR.

colossaeus. Voy. COLOSSEUS.

colosseros, otis, m. (L'Amour géant), surnom d'un homme très grand et très beau.

colosseus (COLOSSAEUS, COLOSSIAEUS), a, um, adj. Colossal, gigantesque.

colossaeus, adj. Voy. COLOSSEUS.

colossicos, on et colossicus, a, um, adj. Voy. COLOSSAEUS.

1. colossos et colossus, i, m. Colosse, statue colossale. [gigantesque.

2. colossus, a, um, adj. Colossal,

1. colostra (COLUSTRA), ae, f. ou colostrae, arum, f. pl. Premier lait des femmes (et femelles) après la délivrance. [dent.

2. colostra, orum, n. pl. Voy. le précolostrati, orum, m. pl. Nouveau-nés qui souffrent de la colostration.

colostratio, onis, f. Maladie des nouveau-nés due à l'action du colostrum; colostration.

colostrum. Voy. 1. COLOSTRA.

colotes, ae, m. Lézard tacheté.

coluber, bri, m. Serpent. ¶ Couleuvre.

colubra, ae, f. Couleuvre femelle.

colubrifer, fera, ferum, adj. Qui porte des serpents.

colubrina, ae, f. Couleuvrée (plante).

colubrinus, a, um, adj. De serpent; de couleuvre. [¶ (Poét.) Nasse.

1. colum, i, n. Passoire. || Tamis, filtre.

2. colum, i, n. Voy. COLON.

columba, ae, f. Femelle du pigeon; colombe. ¶ Terme d'amitié.

columbar, aris. Espèce d'entrave, de carcan (pour les esclaves).

columbaria, n. pl. Voy. COLUMBARIUM.

columbarium, i, n. Colombier; pigeonnier. ¶ Trou pratiqué dans un pigeonnier pour servir de nid aux pigeons, boulin. || (Par anal.) Boulin, trou laissé dans un mur par les pièces d'échafaudage. || Ouverture par où passe la rame dans une galère. || Orifice d'une pompe pour laisser sortir l'eau. || Niche pour recevoir des urnes funéraires.

1. columbarius, a, um, adj. De pigeons, à pigeon; qui sert aux pigeons.

2. columbarius, ii, m. Celui qui élève ou soigne les pigeons.

columbas, adis, f. Voy. COLYMBAS.

columbatim, adv. A la façon des colombes.

columbini, orum, m. pl. Pigeonneaux.

columbinus, a, um, adj. De pigeon; de colombe. ¶ De couleur de pigeon.

columbulus, i, m. Pigeonneau.

columbus, i, m. Pigeon mâle. ¶ (Terme d'amitié.) Tourtereau. [piller.

columella, ae, f. Petite colonne. ¶ Petit

columellaris, e, adj. Qui a la forme d'une colonnette.

columen, inis, n. Sommet. || Eminence; montagne. ¶ Chaperon d'un mur. ¶ Comble, faîte (d'un bâtiment). || Apogée (d'un astre). ¶ (Fig.) Le sommet, le comble, le fort. || Principal personnage. ¶ Colonne. || Poinçon, pièce de bois qui soutient le comble. ¶ (Fig.) Colonne, c.-à-d. ferme appui, soutien.

columna, ae, f. Colonne, pilier. ¶ (Par

anal.) Typhon, trombe. || Au plur. Columnae, arum, f. Montagne bordant un détroit. || Limites, confins. ¶ (Fig.) Appui, soutien.

columnar, is, n. Carrière de marbre.

columnarii, orum, m. pl. Piliers de tribunal correctionnel, vauriens (habitués de la colonne Moenia où siégeait le tribunal correctionnel).

columnaris, e, adj. De colonne. || Qui est en forme de colonne.

columnarium, ii, n. Impôt sur les colonnes. ¶ Comme COLUMNAR.

columnarius, a, um, adj. Orné de colonnes; à colonnes.

columnatus, a, um, adj. Soutenu par des colonnes. ¶ (Plaisamm.) Appuyé sur son bras.

coluo. Voy. COLLUO.

coluri, orum, m. pl. Colures (deux cercles de la sphère céleste qui passent par les deux pôles et coupent l'écliptique aux deux points solsticiaux et aux deux points équinoxiaux).

colurnus (CORULUS), a, um, adj. De coudrier. [A qui il manque un pied.

colurus, a, um, adj. Tronqué. ¶ (Métr.)

1. colus, us, f. Quenouille. || (Méton.) Quenouillée (fil sur la quenouille). || (Fig.) Fil de la quenouille des Parques, d'où destinée; années restant à vivre.

2. colus, i (abl. o, acc. pl. os), f. Voy. 1. COLUS.

3. colus, i, m. Voy. COLON.

4. colus, i, m. Voy. COLLUM.

colyphia, orum, n. pl. Nourriture particulière des athlètes.

com, arch. p. CUM (a conservé cette orthographe comme préverbe).

coma, ae, f. Chevelure. Au plur. Comae, arum, f. Cheveux. || (Par anal.) Crinière. || Aigrette de crin (à un casque). || Toison (de la brebis). || Duvet (restant sur le parchemin). || Partie feuillue des plantes; feuillage, tête, épi. || Aigrette de feu; rayon; pinceau de lumière. || Chevelure (des comètes).

comans, antis, p. adj. Qui a une épaisse chevelure ou une épaisse crinière ou un épais feuillage. || Chevelu, feuillu.

comarchus, i, m. Comarque, maire de village.

comaron, i, n. Arbouse.

comaros, i, f. Sorte de fraise.

comatarius, a, um, adj. Pour la chevelure. ¶ A cheveux. [vant.

comatulus, a, um, adj. Diminutif du sui-

comatus, a, um, adj. Chevelu; aux longs cheveux. ¶ Feuillu, touffu.

combajulo, as, are, tr. Porter des fardeaux.

1. combibo, is, bibi, ere, intr. Boire en compagnie. ¶ Tr. Boire, s'imbiber de. || (Fig.) Absorber, boire par tous les pores, se pénétrer de. [bouteille.

2. combibo, onis, m. Compagnon de

combinatio, onis, f. Accouplement; assemblage d'objets par deux.

combino, *as, avi, atum, are,* tr. Réunir deux à deux. || Composer (qqch.) de deux parties.

comburo, *is, bussi, bustum, ere,* tr. Brûler complètement, consumer. ¶ (Fig.) Consumer (d'amour). ¶ (Part.) Brûler (les morts). ¶ (Fig.) En finir avec, ruiner. || Tuer (le temps).

1. comedo, *is, edi, esum* ou *estum, ere,* tr. Manger; dévorer. ¶ (Fig.) Dévorer (des yeux). ¶ Manger, dilapider, dissiper. || Gruger. || Ruiner.   [teur.

2. comedo, *onis,* m. Mangeur. || Dissipa-comedus, *i,* m. Comme le précédent.

comes, *itis,* m. f. Compagnon, compagne. || *Partic.* Associé *ou* complice.|| Partisan. || Camarade, ami. || Pédagogue, gouverneur (d'un jeune garçon). ¶ Celui qui fait partie de la suite d'un grand, de l'empereur, etc. : comte, fonctionnaire de la cour (du Bas Empire).

comesatio, comesator. voy. COMISS...
comesor et comestor, *oris,* m. Celui qui dévore; grand mangeur.   [TIO, etc.
comessatio, comessator. Voy. COMISSA-comessor, *oris,* m. Voy. COMESOR.
comestibilis, *e,* adj. Qui peut se manger; bon à manger; comestible.
comestio, *onis,* f. Action de manger.
comestor. Voy. COMESOR.
comestura, *ae,* f. Action de manger.
comesus, *us,* m. Action de manger.
cometa, *ae,* m. Comète.
cometes, *ae,* m. Comme le précédent.
comice, adv. D'une façon comique; comiquement.

1. comicus, *a, um,* adj. Relatif à la comédie, comique. ¶ Digne de la comédie; de comédie.

2. comicus, *i,* m. Acteur comique, comédien. ¶ Poète comique; auteur de comédies.

cominum. Voy. CUMINUM.
cominus, adv. Voy. COMMINUS.
comis, *e,* adj. D'humeur enjouée, aimable. ¶ Affable, poli. || Complaisant.
comisabundus. Voy. le suivant.
comissabundus, *a, um,* adj. Qui mène joyeuse vie.
comissatio, *onis,* f. Ripaille; orgie.
comissator, *oris,* m. Bon vivant, joyeux viveur. ¶ Débauché; licencieux.
comissor, *aris, atus sum, ari,* dép. intr. Faire ripaille, festoyer, faire une orgie. || (Partic.) Après une orgie promener dans les rues son ivresse.
comitabilis, *e,* adj. Qui accompagne.
comitas, f. Enjouement; amabilité, gracieuseté. ¶ Affabilité, courtoisie. || Bienveillance, complaisance.
comitatus, *us,* m. Action d'accompagner; accompagnement. ¶ Cortège, escorte, suite. || Train; équipage. || Cour (d'un souverain). || Suite (d'un voyageur). || Troupe (de voyageurs *ou* de gens allant de compagnie).

comiter, adv. Avec enjouement. || Avec bienveillance; complaisamment. ¶ Avec affabilité, de bonne grâce. || Avec bonté; généreusement.
comitia. Voy. COMITIUM.
comitiacus, *a, um,* adj. Revêtu de la dignité de comte.
comitiae, *arum,* f. pl. Comme COMITIA.
comitiales, *ium,* m. pl. Epileptiques.
comitialis, *e,* adj. Qui concerne les comices; de comices. ¶ Qui interrompt les comices. *Comitialis morbus,* épilepsie.   [lepsie.
comitialiter, adv. Par le fait de l'épi-comitianus, *a, um,* adj. Relatif au *comes orientis* (dignitaire de la cour d'Orient).   [comices.
comitiatus, *us,* m. Réunion du peuple en comices.
comitio, *as, avi, atum, are,* tr. Convoquer le peuple dans ses comices. ¶ Elire dans les comices.   [comices.
comitior, *aris, ari,* dép. intr. Tenir les comitium, *ii,* n. Partie du forum romain où l'on votait. || Lieu où le peuple se réunit (ailleurs qu'à Rome). || (Au plur.) *Comitia, orum,* n. Comices, assemblée du peuple romain réuni pour élire les magistrats, voter les lois, etc.
comito, *are,* tr. Comme le suivant.
comitor, *aris, atus sum, ari,* dép. tr. Accompagner, escorter; suivre. ¶ (Partic.) Suivre le convoi de, rendre les derniers devoirs à. ¶ Faire cortège à, c.-à-d. ne pas se séparer de.
comma, *atis,* n. (Coupure.) ¶ Partie d'une période. || Signe de ponctuation, virgule. ¶ (Métr.) Partie d'un vers; coupe; césure. || (Mus.) Comma.
commaculo, *as, avi, atum, are,* tr. Souiller, tacher, flétrir (pr. et fig.).
commadeo, *es, ere,* intr. Etre tout trempé.   [tristesses de qqn.
commaereo, *es, ere,* intr. Partager les commando, *is, mansum, ere,* tr. Mâcher.
commanducatio, *onis,* f. Action de mâcher.
commanduco, *as, avi, atum, are,* tr. Mâcher. ¶ *Intr.* Prendre ses repas avec (qqn).   [précédent.
commanducor, *aris,* dép. tr. Comme le commanipularis, *is,* m. Soldat du même manipule; camarade.   [dent.
commanipularius, *ii,* m. Comme le précé-commanipulatio, *onis,* f. Camaraderie (entre soldats du même manipule); fraternité d'armes.   [NIPULARIS.
commanipulo, *onis,* m. Comme COMMA-commanipulus, *i,* et commaniplus, *i,* m. Voy. COMMANIPULARIS.
commaritus, *i,* m. Rival du mari.
commartyr, *yris,* m. Compagnon de martyre.   [aguerrir.
commasculo, *as, are,* tr. Fortifier; commater, *tris,* f. Commère.
commatice, adv. En phrases coupées, en incises.
commaticus, *a, um,* adj. Rempli de

pauses; coupé. ¶ Qui s'exprime par incises.

commaturesco, *is*, *maturui*, *ere*, intr. Devenir complètement mûr.

commeabilis, *e*, adj. Facile à traverser. ¶ Qui traverse facilement.

1. **commeatalis**, *e*, adj. Relatif aux permissions, aux congés.

2. **commeatalis**, *is*, m. Soldat en congé.

commeatio, *onis*, f. Passage; voyage.

commeator, *oris*, m. Messager (surnom d'Hermès Psychopompe).

commeatus, *us*, m. Action d'aller d'un lieu à un autre; va et vient; passage. || (T. milit.) Permission d'aller et de venir; permission, congé, *d'où* permission, liberté. ¶ Transport. || (Méton.) Ce qu'on transporte; approvisionnements (en général). *Commeatum comportare* ou *supportare*, transporter les approvisionnements. *Commeatum petere*, aller aux approvisionnements. ¶ Convoi, caravane. ¶ (En gén.) Bagages, équipages d'une armée en marche.

commedior, *aris*, *ari*, dép. tr. Méditer profondément. || Etudier. ¶ Reproduire; imiter.

commejo, *is*, *ere*, tr. Uriner sur ou dans. || Compisser. || Salir d'urine.

commemini, *isse*, tr. Se rappeler; se remémorer. ¶ Mentionner.

commemorabilis, *e*, adj. Mémorable.

commemoratio, *onis*, f. Souvenir. ¶ Mention.

commemorator, *oris*, m. Celui qui rappelle ou qui fait mention.

commemoro, *as*, *avi*, *atum*, *are*, tr. Rappeler; faire mention de; alléguer. ¶ Se rappeler (à soi-même), évoquer (le souvenir de).

commendabilis, *e*, adj. Recommandable.

commendaticiae (s.-e. *epistulae*), *arum*, f. pl. Lettres de recommandation.

commendaticius, *a*, *um*, adj. De recommandation.

commendatio, *onis*, f. Action de recommander; recommandation. ¶ Ce qui recommande : valeur, qualité.

commendativus, *a*, *um*, adj. Qui sert à recommander. *Commendativus casus*, le datif. [mande; protecteur.

commendator, *oris*, m. Celui qui recommandatorius, *a*, *um*, adj. De recommandation.

commendatrix, *icis*, f. Celle qui recommande ou qui fait valoir.

commendatus, *a*, *um*, p. adj. Recommandé, confié. ¶ Recommandable, qui a du mérite; honoré.

commendo, *as*, *avi*, *atum*, *are*, tr. Mettre en dépôt, confier (pr. et fig.). || Recommander. || Faire valoir, donner du prestige à. || Vanter; rendre estimable ou aimable. [symétrie.

commensus, *us*, m. Proportion exacte;

commentariensis, *is*, m. Contrôleur; rédacteur d'un registre officiel. || Se-

crétaire. || Greffier (qui tient l'écrou dans une prison). || Fourrier.

commentariolum, *i*, n. et **commentariolus**, *i*, m. Petit écrit, petit registre, petit mémoire.

commentarium, *ii*, n. et **commentarius**, *ii*, m. Recueil de notes, journal; memento. || Au plur. *Commentarii*, m. Commentaires, mémorial. || Registre de comptabilité. || Recueil de procès-verbaux. || Cahier de notes (prises par un élève). || Commentaire explicatif (d'un texte).

commentatio, *onis*, f. Méditation. || Etude préparatoire. ¶ Action de traiter un sujet. || (Méton.) Ecrit, traité. || Trait d'esprit, boutade, etc.

commentator, *oris*, m. Inventeur, auteur. ¶ Commentateur.

commentatrix, *icis*, f. Celle qui invente. || Celle qui explique. [dité, préparé.

commentatus, *a*, *um*, p. adj. Etudié, mé-

commenticius, *a*, *um*, adj. Inventé, imaginé. || Nouveau, inusité. ¶ Fictif, imaginaire. || Mensonger, controuvé.

commentior, *iris*, *itus sum*, dép. tr. Inventer (des mensonges), prétendre faussement.

commento, *as*, *are*, tr. Comme 1. COMMENTOR.

1. **commentor**, *aris*, *ari*, dép. Penser à, méditer. ¶ Faire une étude préliminaire (d'un sujet), préparer. ¶ Composer, écrire. ¶ Commenter, expliquer.

2. **commentor**, *oris*, m. Inventeur; auteur.

commentum, *i*, n. Invention, fiction. ¶ Dessein, projet, idée. ¶ Fable, *c.-à-d.* mensonge. ¶ (Rhét.) Boutade, trait (spirituel).

commeo, *as*, *avi*, *atum*, *are*, intr. Aller et venir, passer; se rendre d'un endroit à un autre (pr. et fig.).

commercator, *oris*, m. Associé de commerce. [commercial. ¶ Réciproque.

commercialis, *e*, adj. De commerce;

commercior, *aris*, *ari*, dép. intr. Faire le commerce.

commercium, *ii*, n. Echange de marchandises, trafic, négoce, commerce. || (Méton.) Droit de trafiquer, de faire des échanges. || Objet de commerce, denrée; marchandises. || (Part.) Vivres, subsistances. ¶ Lieu ou place de commerce; comptoir, marché. ¶ (Fig.) Commerce; relations de société, d'affection, etc. ¶ Echange, réciprocité. ¶ Entente secrète, connivence.

commercor, *aris*, *ari*, dép. tr. Trafiquer de. ¶ Acheter, *qqf.* accaparer.

commereo, *es*, *merui*, *meritum*, *ere*, tr. Mériter; encourir. ¶ (En part.) Commettre, se rendre coupable de.

commereor, *eris*, *meritus sum*, *eri*, dép. tr. Comme le précédent.

commers, abrév. de COMMERCIUM.

commetior, *iris*, *mensus sum*, *iri*, dép. tr. Mesurer ensemble. || Comparer.

1. **commeto**, *as*, *are*, tr. Aller souvent; passer et repasser volontiers.

2. **commeto**, *as*, *avi*, *are*, tr. Mesurer d'un bout à l'autre.

commi. Voy. CUMMIS.

commigratio. *onis*, f. Passage d'un lieu dans un autre.

commigro, *as*, *avi*, *atum*, *are*, intr. Aller d'un lieu dans un autre; changer. de pays; aller s'établir dans.

commiles, *itis*, m. Compagnon *ou* frère d'armes.

commilitium, *ii*, n. Action de servir sous les mêmes drapeaux, fraternité d'armes. ‖ (En gén.) Camaraderie, communauté.

1. **commilito**, *as*, *are*, intr. Etre compagnon *ou* frère d'armes.

2. **commilito**, *onis*, m. Compagnon d'armes. [naçante; menace.

comminatio, *onis*, f. Démonstration me-**comminativus**, *a*, *um*, adj. Menaçant; comminatoire.

comminator, *oris*. Celui qui menace. **comminax**, *acis*, adj. Menaçant.

commingo, *is*, *minxi*, *mictum*, *ere*, tr. Compisser sur *ou* dans. [vant.

comminisco, *is*, *ere*, tr. Comme le sui-**comminiscor**, *eris*, *mentus sum*, *minisci*, dép. tr. Se rappeler. ‖ Inventer, imaginer. ‖ Forger, imaginer mensongèrement. [confrère.

comminister, *tri*, m. Serviteur avec; **commino**, *as*. Voy. COMMINOR.

comminor, *aris*, *atus sum*, *ari*, dép. intr. Menacer; être menaçant. ‖ Faire une démonstration (militaire).

comminuo, *is*, *minui*, *minutum*, *ere*, tr. Mettre en pièces; briser. ‖ Faire voler en éclats. ‖ (Fig.) Briser; ruiner, saper; perdre.

comminus, adv. Corps à corps; de près; l'épée à la main. ‖ (Fig.) En personne, d'homme à homme. ‖ Sur-le-champ.

comminutim, adv. En petits morceaux. **comminutio**, *onis*. f. Choc qui brise.

commis, Voy. CUMMIS.

commisceo, *es*, *miscui*, *mixtum* et *mistam*, *ere*, tr. Mélanger. ‖ (Fig.) Mêler, confondre.

commiseratio, *onis*, f. Action d'exciter la pitié. ‖ Pathétique (chez l'orateur).

commiseror, *eris*, *ritus sum*, *eri*, dép. intr. Avoir pitié de. ‖ Déplorer.

commisereo, *is*, *ere*, intr. Eprouver de la compassion pour. Impers. *Me commiserescit*, j'ai compassion de.

1. **commisero**, *onis*, m. Compagnon de misère. [vant.

2. **commisero**, *as*, *are*, tr. Comme le sui-**commiseror**, *aris*, *atus sum*, *ari*, dép. tr. Déplorer, gémir sur. ‖ (En partic.) Exciter la compassion; être pathétique. [souscription.

commissalia, *ium*, n. pl. Banquets de **commissio**. *onis*. f. Jonction; union. ‖ Mise aux prises; engagement; con-

cours. ‖ (Méton.) Discours d'apparat. ‖ Action de commettre (une faute). ‖ (Méton.) Faute commise.

commissor, *oris*, m. Celui qui met aux prises. ‖ Celui qui engage la lutte. ‖ Celui qui commet une faute.

commissoria (s.-e. *lex*), *ae*, f. Pacte commissoire.

commissorius, *a*, *um*, adj. (Jur.) Commissoire, *c.-à-d.* qui entraîne la résiliation d'un contrat, si les stipulations n'ont pas été remplies.

commissum, *i*, n. Entreprise. ‖ (Partic.) Manquement, faute, délit, crime. ‖ Ce que l'on a confié; confidence. ‖ Confiscation. ‖ (Méton.) Chose confisquée.

commissura, *ae*, f. Jonction. ‖ (Méton.) Point de jonction; jointure, joint; commissure. ‖ Interstice. ‖ (Fig.) Union, liaison.

commist... Voy. COMMIXT...

commitigo, *as*, *are*, tr. (Amollir) écraser (qqch. de dur).

committo, *is*, *misi*, *missum*, *ere*, tr. Assembler, joindre; relier. ‖ Mettre aux prises; faire lutter *ou* concourir; faire entrer en comparaison. ‖ Engager, commencer. ‖ (Absol.) Engager la lutte; livrer bataille. ‖ Entreprendre (qqch.). ‖ Commettre (une faute); s'exposer (par sa faute) à ce que... ‖ Risquer. ‖ (Absol.) Avoir confiance en. ‖ (Jur.) Stipuler; contracter. ‖ Encourir (une peine). ‖ (Au passif.) *Committi*, être dévolu au fisc, être confisqué.

commixticius, *a*. *um*. adj. Mêlé, mélangé.

commixtim, adv. En bloc; pêle-mêle. **commixtio**, *onis*, f. Mélange; mixture. **commodator**, *oris*. m. Prêteur.

commodatum, *i*, n. Chose prêtée; prêt. ‖ Contrat de commodat, de prêt.

commode, adv. Convenablement; bien. ‖ Comme il faut; habilement. ‖ A propos *ou* à point. ‖ Commodément, sans peine. ‖ Complaisamment, obligeamment; avec bonté.

commoditas, *onis*, f. Convenance; juste mesure. ‖ Adresse, habileté; art. ‖ Opportunité. ‖ Commodité, facilité. ‖ Avantage. ‖ Obligeance, complaisance; bonté, indulgence; affabilité.

1. **commodo**, adv. A point; à propos.

2. **commodo**, *as*, *avi*, *atum*, *are*, tr. et intr. Arranger. ‖ Adapter; mettre à. ‖ Mettre d'accord avec; conformer. ‖ *Tr.* Mettre à la disposition de. ‖ Prêter. ‖ Procurer, donner. ‖ (Jur.) Prêter (par contrat). ‖ (Intr.) Obliger, *c.-à-d.* rendre service à, faire plaisir (en parl. de pers.). ‖ Etre avantageux (en parl. de chos.).

commodule, adv. A souhait, à merveille.

1. **commodulum**, *i*, n. Petit profit; petit intérêt.

2. **commodulum**, adv. Voy. COMMODULE.

1. **commodum**, *i*, Convenance; commo-

dité; aise. ¶ Avantage, intérêt, profit.
¶ Privilège; prérogative, immunité.
¶ Chose prêtée, prêt.   [tant.
2. **commodum**, adv. A propos. ¶ A l'ins-
commodus, a, um, adj. (En parl. de ch.)
Convenable, approprié à. || Bien fait,
en bon état, valide. ¶ Opportun, pro-
pice. || Commode, avantageux; utile,
agréable. ¶ (*En parl. de pers.*) Ser-
viable, obligeant. || De bonne compo-
sition, indulgent.   [COMMUNIO.
commoenio, is, ivi, itum, ire, tr. Voy.
commolior, iris, itus sum, iri, dép. tr.
Mettre en œuvre. ¶ (Fig.) Bâtir,
c.-à-d. inventer.
commollio, is, ire, tr. Amollir.
commolo, is, ui, itum, ere, tr. Broyer
avec la meule. || Piler.
commonefacio, is, feci, factum, ere, tr.
Faire penser, faire souvenir. || Attirer
l'attention (de qqn sur qqch.).
commonefio, is, factus sum, fieri, passif
du précédent.
commoneo, es, ui, itum, ere, tr. Faire
penser. || Remettre dans l'esprit; rap-
peler, avertir, conseiller; aviser.
commonitio, onis, f. Rappel; avertissement.
commonitor, oris, m. Celui qui avertit.
commonitoriolum, i, m. Petite instruc-
tion.   [|| instruction.
commonitorium, i, n. Règle de conduite.
commonitorius, a, um, adj. Servant à
avertir.
commonstro, as, avi, atum, are, tr.
Indiquer, montrer d'une manière précise.
commoratio, onis, f. Action de s'arrêter ou de s'attarder; séjour prolongé.
|| (Fig.) Rhét. Action d'insister sur un
détail. ¶ (Méton.) Séjour, domicile,
demeure.
commordeo, es, ere, tr. Mordre avec
rage. ¶ (Fig.) Déchirer à belles dents.
commorior, eris, mortuus sum, mori,
dép. intr. Mourir en même temps que...
¶ Fig. S'annuler mutuellement.
commoror, aris, atus sum, ari, dép.
intr. Demeurer, s'arrêter assez longtemps qq. part. ¶ (Fig.) S'arrêter sur,
insister sur un détail (en parlant).
commortalis, e, adj. Mortel comme les
autres.
commosis (acc. in), f. Fondement gommeux sur lequel reposent les rayons
d'une ruche.
commotio, onis, f. Agitation, commotion, ébranlement. ¶ (Mor.) Emotion.
commotiuncula, ae, f. Petit accès de
fièvre. ¶ Indisposition.
commotius, adv. (au compar.) Avec
plus de feu, plus d'émotion.
commoto, as, are, tr. Secouer violemment ou à plusieurs reprises.
commotor, oris, m. Celui qui met en
mouvement.
1. **commotus**, a, um, p. adj. Mis en
mouvement. || Chancelant, hasardé.
¶ Emporté, passionné; irrité, furieux.

2. **commotus**, us, m. Ebranlement.
|| Secousse.   [pression; qui secoue.
commovens, entis, p. adj. Qui fait im.
commoveo, es, movi, motum, ere, tr.
Mettre en mouvement. || Mouvoir-
remuer; secouer, ébranler; déranger,
¶ Mettre en fuite. || Lancer (un cerf, etc.),
faire partir vivement. ¶ (Fig.) Secouer;
exciter. ¶ Déranger, indisposer, rendre
malade; troubler (pr. et fig.). || Emou-
voir, faire impression sur. || Inquiéter.
|| Toucher, apitoyer. || Irriter, exas-
pérer. ¶ Décider, pousser à. ¶ Produire,
faire naître. || Débattre, agiter (une
question).   [toyer entièrement.
commundo, as, avi, atum, are, tr. Net-
commune, is, n. Domaine public; bien
commun. || Communauté. || Commune.
|| Etat.
communicatio, onis, f. Communication,
mise en commun, partage avec d'autres. ¶ (Rhét.) Communication (figure
qu'on emploie, quand on semble tenir
conseil avec ses auditeurs).
communicatus, us, m. Lien, rapport.
communiceps, cipis, m. Qui est du
même municipe.
communico, as, avi, atum, are, tr. Mettre
en commun; avoir en commun avec;
communiquer. ¶ Donner (à qqn) une
part de; partager avec. ¶ Prendre sa
part de; participer à. ¶ Mettre en
rapport. ¶ Rendre commun, c.-à-d.
rabaisser. ¶ Intr. Etre en relations
avec; fréquenter. || Se concerter avec.
|| Prendre part à...
1. **communio** (COMMOENIO), is, ivi, itum,
ire, tr. Fortifier (t. milit.) ¶ (Fig.)
Fortifier, c.-à-d. affermir.
2. **communio**, onis, f. Communauté. ||
Lien. ¶ (Eccl.) Communion.
communis, e, adj. Commun; général,
public, appartenant à tous. Subst.
Commune, voy. ce mot. ¶ Populaire
ou démocratique. ¶ Accessible à tous,
avenant, affable. ¶ Commun, c.-à-d.
ordinaire, vulgaire, banal.
communitas, atis, f. Communauté; partage. ¶ Esprit de corps; sociabilité.
¶ Affabilité.   [général.
communiter, adv. En commun. ¶ En
communitio, onis, f. Action d'ouvrir
une route, un chemin. ¶ Action de
fortifier.   [semble.
communitus, adv. En commun; en-
commurmuro, as, are, intr. Murmurer
ensemble. ¶ Murmurer à part soi,
c.-à-d. sourdement.
commurmuror, aris, ari, dép. intr.
Comme le précédent.
commutabilis, e, adj. Sujet au changement. ¶ Qui peut être échangé. ¶ Qui
peut être utilisé par autrui. || Banal.
commutate, adv. Avec des changements. ¶ En changeant.
commutatio, onis, f. Changement, mu-
tation. || Vicissitude. || Révolution. ||
(Rhét.) Réversion, c.-à-d. retour des

mêmes mots dans l'ordre inverse. ¶ Echange. ¶ Conférence; entretien.

commutatus, *us,* m. Changement.

commuto, *as, avi, atum, are,* tr. Changer, modifier. || Métamorphoser, transformer. ¶ Corriger, *mais aussi* gâter. ¶ Troquer.

1. como, *as, avi, atum, are,* intr. Avoir une chevelure, une toison, un feuillage, etc. ¶ (*Tr.*) Garnir d'une chevelure, d'une toison, etc.

2. como, *is, compsi, comptum, ere,* tr. Réunir, rassembler. || Réunir les cheveux épars, coiffer *ou* friser. || (Par ext.) Parer, orner, charger d'atours. || (*Fig.*) Parer, soigner (le style).

comoedia, *ae,* f. Comédie; genre comique. ¶ Comédie, pièce comique.

comoedice, adv. Comme dans la comédie.

comoedicus, *a, um,* adj. Propre à la comédie; comique. [de comédien.

1. comoedus, *a, um,* adj. De comédie *ou*

2. comoedus, *i,* m. Comédien, acteur comique.

comosus, *a, um,* adj. Chevelu. || Feuillu.

compactilis, *e,* adj. Composé de pièces jointes. ¶ Ramassé, trapu.

compactio, *onis,* f. Assemblage. || (Méton.) Pièces assemblées. [trat, pacte.

compactum (COMPECTUM), *i,* n. Con-

compactus, *a, um,* p. adj. Ramassé, trapu. ¶ Epais.

compages, *is,* f. Assemblage de pièces diverses; construction. ¶ (Méton.) Ce qui est joint ensemble : ensemble; organisme.

compago, *inis,* f. Comme COMPAGES.

1. compar, *aris,* adj. Egal, pareil.

2. compar, *aris,* m. et f. Compagnon *ou* compagne; camarade; époux.

3. compar, *aris,* n. Egalité, balancement égal entre les membres d'une période.

comparabilis, *e,* adj. Comparable.

comparate, adv. Par comparaison.

1. comparaticius, *c, um,* adj. Obtenu par souscription. [rable.

2. comparaticius, *a, um,* adj. Compa-

1. comparatio, *onis,* f. Action de préparer; préparatifs, apprêts. ¶ Action de se procurer; acquisition.

2. comparatio, *onis,* f. Rapport; corrélation; situation respective. ¶ Action d'accoupler, d'apparier; accouplement ¶ Egale répartition. || Parallèle; comparaison; confrontation. || (Gramm.) Degré de comparaison *et* (*partic.*) le comparatif.

comparative, adv. Par comparaison. ¶ (Gramm.) Au comparatif.

comparativus, *a, um,* adj. Qui sert à comparer; relatif à une comparaison; comparatif. [acquéreur.

1. comparator, *oris,* m. Acheteur.

2. comparator, *oris,* m. Celui qui compare.

comparatus, *us,* m. Proportion.

comparco (COMPERCO), *is, parsi, par-*

sum, ere, tr. Amasser par l'épargne; économiser. ¶ S'épargner de, *c.-à-d.* cesser de.

compareo, *es, ui, ere,* intr. Se montrer, apparaître. ¶ Etre, avoir lieu. ¶ Se trouver *ou* se retrouver.

1. comparo, *as, avi, atum, are,* tr. Procurer (à qqn) *ou* se procurer : acquérir, acheter. || Préparer, apprêter; ménager, faciliter. || Causer, *c.-à-d.* produire. ¶ (*Mor.*) Disposer, instituer.

2. comparo, *as, avi, atum, are,* tr. Apparier; associer; assembler. || Mettre aux prises, faire combattre. ¶ (Fig.) Mettre sur un pied d'égalité; mettre en balance avec; faire (de qqch.) autant de cas que de... ¶ Comparer; montrer par comparaison. ¶ Egaliser les chances *ou* les avantages de part et d'autre, *d'ou* régler (à l'amiable), s'arranger (entre collègues, entre époux, etc.).

compasco, *is, pastum, ere,* tr. et intr. ¶ *Tr.* Faire paître (en commun). || Donner en pâture. || Rassasier; assouvir. ¶ *Intr.* User de la vaine pâture.

1. compascua, *orum,* n. pl. Vaine pâture.

2. compascua, *ae,* f. Comme le précédent.

compascuum, *i,* n. Voy. 1. COMPASCUA.

compascuus, *a, um,* adj. Où l'on fait paître les troupeaux en commun. ¶ Qui concerne la vaine pâture.

compatior, *eris, passus sum, pati,* dép. intr. Souffrir en même temps qu'un autre. ¶ Prendre part aux souffrances d'un autre; compatir.

compatronus, *i,* m. Celui qui est patron avec un autre.

compatruelis, *is,* m. Issu de l'oncle paternel; cousin germain.

compedio, *is, ivi, itum, ire,* tr. Mettre les entraves aux pieds. ¶ (Fig.) Entraver, embarrasser; arrêter.

compedus, *a, um,* adj. Qui sert d'entrave.

compellatio, *onis,* f. Action d'apostropher. || Interpellation; apostrophe. ¶ (Rhét.) Apostrophe (mouvement oratoire).

1. compello, *is, puli, pulsum, ere,* tr. Rassembler en poussant; concentrer. ¶ Amener en poussant : chasser, poursuivre, faire entrer de force. ¶ (Fig.) Forcer, contraindre, séduire. || Déterminer à.

2. compello, *as, avi, atum, are,* tr. Apostropher, interpeller. ¶ Prier, solliciter; faire des avances à. ¶ Injurier, insulter; prendre à partie. || (Jur.) Attaquer (devant les tribunaux); citer (en justice).

compendiaria (s.-e. VIA), *ae,* f. Raccourci; le plus court chemin. ¶ Le droit chemin. [le précédent.

compendiarium (s.-e. ITER), *ii,* n. Voy.

compendiarius, *a, um,* adj. Qui va au but par le plus court; abrégé.

compendio, *as*, *are*, tr. Abréger. ¶ Abréger (la vie de qqn), en finir avec qqn.

compendiose, adv. En abrégé; sommairement.

compendiosus, *a*, *um*, adj. Qui procure une économie d'argent; lucratif, avantageux. ¶ Qui fait gagner du temps : raccourci.

compendium,*ii*,n. Economie. || Epargne. ¶ Economie de temps *ou* de travail, abréviation. || Raccourci, chemin de traverse (pr. et fig.).

compensatio, *onis*, f. Equilibre entre deux choses qui se balancent. ¶ Action de balancer, de compenser. || Echange, troc. || Rémunération. ¶ (Fig.) Compensation.

compenso, *as*, *avi*, *atum*, *are*, tr. Peser en même temps. || Mettre dans l'autre plateau de la balance. || (Fig.) Mettre en balance. || Compenser. ¶ Economiser : abréger. raccourcir.

comperco. Voy. COMPARCO.

comperendinatio, *onis*, f. Renvoi à trois jours (du prononcé du jugement). ¶ (Fig.) Délai. || Retard. [cédent.

comperendinatus, *us*, m. Comme le précomperendino, *as*, *avi*, *atum*, *are*, tr. Renvoyer (une affaire) à trois jours pour le prononcé du jugement. ¶ Mettre en réserve pour plus tard.

comperendinus, *a*, *um*, adj. (Jour) auquel on a remis le prononcé d'un jugement.

comperio, *is*, *peri*, *pertum*, *ire*, tr. Connaître (une chose) à fond, apprendre *ou* savoir de source sûre; reconnaître d'une manière évidente. || Au partic. passif, *compertus*, convaincu (d'un crime). [Rare p. COMPERIO.

comperior, *iris*, *pertus sum*, *iri*, dép. tr.

comperte, adv. Positivement.

compes, *edis*, f. Chaîne *ou* entrave de bois pour les pieds. ¶ Menottes. ¶ Chaîne d'argent, ornement de cou pour les femmes. ¶ (Fig.) Entraves; chaîne; lien.

compesco, *is*, *pescui*, *ere*, tr. Refréner; réprimer; contenir, maintenir; arrêter. || Apaiser (pr. et fig.). ¶ S'abstenir de.

1. competens, *entis*, p. adj. Valable; convenable, approprié, suffisant. ¶ (Jur.) Compétent. [tion.

2.competens, *entis*, n. Analogie; proporcompetenter, adv. Convenablement; à propos.

competentes, *ium*, m. pl. Enfants et catéchumènes, qui demandent ensemble le baptême.

competentia,*ae*, f. Symétrie; proportion.

competitio, *onis*, f. Accord. ¶ Concurrence, compétition. ¶ Plainte (en justice). [pétiteur.

competitor, *oris*, m. Concurrent; comcompetitrix, *icis*, f. Concurrente.

competo, *is*, *ivi* ou *ii*, *itum*, *ere*, intr. Tendre vers le même point: se rencontrer, se couper. || (*Fig.*) Coïncider

avec, répondre à, être d'accord avec. || Convenir à; comporter. ¶ Etre assez fort pour; être capable de. ¶ (Jur.) Revenir à; être dû. ¶ *Tr.* Prétendre à (en même temps qu'un autre); viser (le même but). [divers.

compilatio, *onis*, f. Recueil de faits compilator, *oris*, m. Plagiaire; compilateur. [¶ (Ordin.) Piller; dévaliser.

1. compilo, *as*, *avi*, *atum*, *are*, tr. Epiler.

2. compilo, *as*, *avi*, *atum*, *are*, tr. Rosser.

1. compingo, *is*, *pegi*, *pactum*, *ere*, tr. Assembler plusieurs pièces; joindre; construire, fabriquer. || (Fig.) Imaginer, inventer. ¶ Pousser, jeter dans; fourrer. [Peindre: barbouiller.

2. compingo, *is*, *pinxi*, *pictum*, *ere*, tr.

compitales, *ium*, m. pl. Prêtres qui célèbrent les Compitales.

compitalia, *ium* ou *iorum*, n. pl. Compitales (fêtes en l'honneur des lares des carrefours). [les Compitales.

compitalicius, *a*, *um*, adj. Concernant compitalis, *e*, adj. Qui préside aux.carrefours.

compitensis, *e*, adj. De carrefour.

compitum, *i*, n. Lieu où plusieurs routes se rejoignent; carrefour (à la campagne). ¶ Autel élevé dans un carrefour.

compitus, *i*, m. Voy. COMPITUM.

complacentia, *ae*, f. Complaisance.

complaceo, *es*, *cui* et *citus sum*, *ere*, intr. Plaire aussi; plaire à plusieurs en même temps. ¶ Plaire beaucoup.

complacitus, *a*, *um*, p. adj. Qui plaît; agréable.

complaco, *as*, *are*, tr. Adoucir, calmer.

complanatio, *onis*, f. Action d'aplanir. || (Méton.) Surface aplanie.

complanator, *oris*, n. Celui qui aplanit.

complano, *as*, *avi*, *atum*, *are*, tr. Aplanir. ¶ Raser (une construction). ¶ (Fig.) Adoucir, calmer.

complaudo. Voy. COMPLODO.

complecto, *is*, *ere*, tr. Voy. le suivant.

complector, *eris*, *plexus sum*, *plecti*. dép. tr. Embrasser; étreindre. ¶ Entourer, enceindre; enfermer, enclore. ¶ Se rendre maître *ou* possesseur de, acquérir; obtenir. ¶ (Fig.) Embrasser, c.-à-d. s'attacher à, choisir. || Choyer, favoriser; avoir des préférences pour. ¶ Embrasser (dans son esprit), se faire une idée de; concevoir. ¶ Renfermer (dans un discours *ou* une phrase), exprimer, exposer; définir. ¶ Réunir en soi; contenir à la fois; résumer, comprendre, contenir.

complementum, *i*, n. Ce qui complète, complément.

compleo, *es*, *evi*, *etum*, *ere*, tr. Emplir; remplir; combler (pr. et fig.) ¶ Compléter, achever. ¶ Accomplir, effectuer. [plet.

completus, *a*, *um*, p. adj. Achevé, complexio, *onis*, f. Embrassement. ¶ Enchaînement, union. || (Fig.) Enchaînement de pensées, d'idées, de mots. ‖ Phrase, période. ‖ Récit. ‖ Résumé récapitulatif; sommaire. ‖ Conclusion (d'un raisonnement). ‖ Dilemme. ¶ (*Rhét.*) Complexion. ‖ (Gramm.) Synérèse. ¶ Complexion; tempérament. [étroitement.

complexor, *aris*, *ari*, dép. tr. Embrasser

complexus, *us*, m. Embrassement, étreinte. ¶ Action d'enfermer, d'entourer. ¶ Lutte corps à corps, engagement, mêlée. ¶ Enchaînement, liaison. ¶ Tendresse. *Homines de complexu tuo*, les gens de ton intimité.

complicabilis, *e*, adj. Que l'on peut plier; qui se replie.

complicatio, *onis*, f. Action de replier *ou* de rouler. ¶ Multiplication.

complicitas, *atis*, f. Complicité.

complico, *as*, *avi* et *ui*, *itum*, *are*, tr. Plier, replier; rouler. ¶ (Fig.) Plier, fléchir. ¶ Embrouiller. ¶ (Arithm.) Multiplier. [per l'un contre l'autre.

complodo, *is*, *plosi*, *plosum*, *ere*, tr. Frap-

comploratio, *onis*, f. Lamentations de plusieurs personnes *ou* gémissements répétés.

comploratus, *us*, m. Voy. COMPLORATIO.

comploro, *as*, *avi*, *atum*, *are*, intr. Pleurer, gémir ensemble. ¶ Tr. Pleurer sur, gémir sur, déplorer.

compluo, *is*, *ui*, *utum*, *ere*, intr. Se réunir (en parl. des eaux de pluie). ¶ (Tr.) Inonder de pluie.

complures, *ium*, adj. pl. Plusieurs, un (assez) grand nombre de.

compluriens (COMPLURIES), adv. Plusieurs fois; souvent.

complurimi, *ae*, *a*, adj. pl. Très nombreux; un très grand nombre de.

complurimus, *a*, *um*, adj. Qui est en très grand nombre.

compluscule, adv. Assez souvent.

complusculi, *ae*, *a*, adj. Assez nombreux.

complutor, *oris*, m. Celui qui envoie la pluie.

compluviatus, *a*, *um*, adj. Qui a la forme d'un COMPLUVIUM. ¶ A quatre pans; carré.

compluvium, *ii*, n. Ouverture carrée pratiquée dans le toit pour laisser passer les eaux de pluie. ‖ Cour intérieure où tombent les pluies. ¶ (Par anal.) Treille à quatre pans pour supporter la vigne.

compono, *is*, *posui*, *positum*, *ere*, tr. Placer ensemble. ¶ Rapprocher. ‖ Joindre, assembler, réunir. ‖ Apparier; opposer. ‖ Mettre en regard; comparer; confronter. ¶ Former un ensemble avec diverses parties : construire, bâtir; confectionner; composer. ‖ Composer, c.-à-d. écrire. ‖ Comploter, tramer. ¶ Arranger, mettre en ordre; disposer. ‖ Adapter, conformer. ¶ Ranger, serrer, mettre en réserve *ou* remettre en place. ‖ Mettre au lit, coucher. ‖ Ensevelir. ¶ (*Fig.*) Concilier.

‖ (Absol.) Transiger, s'arranger (avec qqn). ‖ Calmer; apaiser. [de transport.

comportatio, *onis*, f. Transport. ‖ Moyen

comporto, *as*, *avi*, *atum*, *are*, tr. Transporter, amener en un même endroit; réunir, entasser; amasser.

compos, *potis*, adj. Qui est complètement maître de. ‖ Qui a obtenu; qui possède. ¶ *Qqf.* Accompli, réalisé.

composite, adv. Avec ordre; régulièrement. ‖ (Fig.) Avec soin, avec art. ¶ Paisiblement, avec calme.

compositio, *onis*, f. Action de mettre ensemble, de réunir. ‖ Rapprochement, réunion; assemblage. ¶ Action d'apparier, de mettre aux prises. ‖ Comparaison. ¶ Composition, création, invention. ¶ Arrangement, disposition. ¶ Mise en réserve (de choses nécessaires *ou simpl.* utiles); provisions. ¶ (Fig.) Arrangement, conciliation, accord. ‖ Apaisement.

compositor, *oris*, m. Arrangeur. ¶ Rédacteur; auteur.

compositura, *ae*, f. Organisation. ¶ Assemblage; liaison (de parties).

compositus, *a*, *um*, p. adj. Ordonné; bien réglé. ¶ Calme, tranquille; apaisé. ¶ Propre à; enclin à. ¶ Convenu, concerté. *Ex composito*, voy. COMPOSITE. ¶ Inventé; faux.

compotatio, *onis*, f. Réunion de buveurs; banquet.

compotio, *is*, *ivi*, *itum*, *ire*, tr. Faire participer. Au passif : *compotiri*, prendre part à *ou* s'emparer de. *Compotiri visu alienjus*, jouir du plaisir de voir qqn. [teille.

compotor, *oris*, m. Compagnon de bou-

compotrix, *icis*, f. Compagne de bouteille.

compotus. Voy. COMPUTUS.

compransor, *oris*, m. Compagnon de table. [ou publique.

comprecatio, *onis*, f. Prière commune

comprecor, *aris*, *atus sum*, *ari*, dép. tr. Prier *ou* supplier de concert. ¶ Souhaiter. ¶ (*Intr.*) Invoquer.

comprehendo (COMPRENDO), *is*, *prehendi*, *prehensum*, *ere*, tr. Prendre ensemble. ‖ Unir, joindre. ¶ Lier, attacher. ¶ Enfermer, entraver, comprendre. ¶ Prendre (en saisissant), empoigner, s'emparer de. ‖ Appréhender au corps, arrêter; faire prisonnier. ¶ Prendre sur le fait; surprendre. ¶ (Absol.) Concevoir, devenir enceinte. ‖ Prendre racine *ou simpl.* prendre (*en parl. d'un plant*). ¶ (Fig.) Exprimer. ‖ Décrire. ‖ Définir, formuler. ¶ Percevoir, concevoir, comprendre, saisir (une idée, un raisonnement, etc.). ¶ S'attacher qqn, se le concilier.

comprehensibilis, *e*, adj. Qui peut être saisi. ¶ (Fig.) Compréhensible.

comprehensio, *onis*, f. Action de réunir, de relier. ¶ Action de saisir : arrestation. ¶ (Fig.) Ensemble. ‖ Période (oratoire). || Syllabe. ¶ Idée, conception.

comprehenso, *as, are*, tr. Empoigner.

compresse, adv. D'une manière serrée; brièvement. ¶ D'une manière pressante.

compressio, *onis*, f. Compression. ¶ Embrassement. ¶ (Fig.) Répression. || Concision (du style). || Précision.

compressor, *oris*, m. Amant. ¶ Celui qui réprime.

1. compressus, *a, um*, p. adj. Resserré; étroit. ¶ Constipé. || Qui constipe.

2. compressus (abl. *us*), m. Comme COMPRESSIO.

comprimo, *is, pressi, pressum, ere*, tr. Presser l'un contre l'autre, serrer comprimer. || Fermer. ¶ Ecraser; broyer. ¶ Retenir, arrêter. || (Méd.) Resserrer *ou* constiper. ¶ (Fig.) Réprimer, retenir. || Accaparer. *Comprimere annonam*, accaparer les blés. ¶ Tenir caché, taire, dissimuler. || Retenir, arrêter. || Empêcher (de circuler); étouffer (un bruit, une nouvelle). [Preuve.

comprobatio, *onis*, f. Approbation. ¶

comprobator, *oris*, m. Approbateur.

comprobo, *as, avi, atum, are*, tr. Approuver complètement, agréer. || Convenir de. ¶ Démontrer; prouver. || Confirmer. [vertu d'un compromis.

compromissarius, *a, um*, adj. Choisi en

compromissio, *onis*, f. Vocation future (des Gentils).

compromissum, *i*, n. Compromis, engagement réciproque (d'accepter la décision d'un arbitre).

compromitto, *is, misi, missum, ere*, tr. S'engager mutuellement (à passer la décision d'une affaire à un arbitre choisi). || Se faire mutuellement une promesse. ¶ Passer un compromis.

compte, adv. Correctement. ¶ D'une manière soignée. ¶ D'une manière ornée. [comme une femme.

comptulus, *a, um*, adj. Attifé, paré

1. comptus, *a, um*, adj. Paré, attifé, d'une gentillesse affectée.

2. comptus, *us*, m. Arrangement. ¶ Coiffure. ¶ Assemblage.

compugno, *as, are*, intr. Se battre; lutter (pr. et fig.). ¶ (Tr.) Combattre.

compulsio, *onis*, f. Contrainte. ¶ Mise en demeure. || Sommation.

compulso, *as, avi, atum, are*, tr. Pousser violemment; presser. ¶ (Intr.) *Fig.* Lutter ensemble.

compulsor, *oris*, m. Celui qui pousse. ¶ Collecteur des impôts. ¶ (Jur.) Demandeur. [choc, mêlée.

compulsus, abl. *u*, m. Engagement

compungo, *is, punxi, punctum, ere*, tr. Piquer de tous côtés, aiguillonner. ¶ Faire impression (sur les sens), frapper, affecter. || Endolorir. ¶ *Fig.* Remplir de componction; toucher de repentir. ¶ Marquer de points, tatouer.

compurgo, *as, are*, tr. Purifier complètement. [calculable.

computabilis, *e*, adj. Qu'on peut évaluer;

1. computatio, *onis*, f. Calcul, évaluation; supputation. ¶ Calcul sordide; lésinerie.

2. computatio, *onis*, f. Taille des arbres.

computator, *oris*, m. Calculateur.

computo, *as, avi, atum, are*, tr. Compter, évaluer. ¶ Ajouter au compte; porter en compte. || (Absol.) Calculer, *c.-à-d.* être intéressé. [rement.

computreo, *es, ere*, intr. Pourrir entiè-

computresco, *is, putrui, ere*, intr. Se gangrener; pourrir complètement.

computus, *i*, m. Calcul; compte.

con... Voy. COM...

conamen, *inis*, n. Effort; élan. ¶ (Méton.) Point d'appui; appui, soutien.

conamentum, *i*, n. Aide, appui, soutien.

conatio, *onis*, f. Effort; élan.

conatum, *i*, n. Effort; tentative.

conatus, *us*, m. Effort; élan. ¶ Essai, entreprise.

conca. Voy. CONCHA. [ner.

concaco, *as, avi, atum, are*, tr. Embre-

concaedo, *is, ere*, intr. Tomber ensemble. ¶ S'affaisser d'un seul coup.

concaedes, *is*, f. Abatis (d'arbres).

concalefacio (CONCALFACIO), *is, feci, factum, ere*, tr. Echauffer complètement. [fement.

concalefactio, *onis*, f. Complet échauf-

concalefio, *is, factus sum, fieri*, passif S'échauffer complètement. [chaud.

concaleo, *es, ere*, intr. Etre tout à fait

concalesco, *is, ere*, intr. S'échauffer entièrement.

concallesco, *is, callui, ere*, intr. Avoir la peau calleuse; s'endurcir. ¶ (Fig.) S'endurcir, *c.-à-d.* devenir insensible. ¶ Devenir adroit, habile.

concameratio, *onis*, f. Construction en voûte; voûte.

concamero, *as, avi, atum, are*, tr. Construire en voûte; voûter.

concandeo, *es, ui, ere*, intr. S'embraser entièrement. [ensemble.

concanto, *as, are*, intr. Chanter avec

concapio, *is, ere*, tr. Prendre en plus *ou* avec. [sérieusement.

concastigo, *as, are*, tr. Réprimander

concatenatio, *onis*, f. Action d'enchaîner ensemble. ¶ (Fig.) Enchaînement, liaison, union.

concateno, *as, are*, tr. Enchaîner ensemble. || Accrocher. ¶ (Fig.) Attacher, lier; joindre.

concavo, *as, avi, atum, are*, tr. Rendre concave. || Creuser. ¶ Courber; arrondir. [Profondeur (de la mer).

concavum, *i*, n. Concavité; trou. ||

concavus, *a, um*, adj. Concave, creux, creusé.

concedo, *is, cessi, cessum, ere*, intr. Se retirer; partir. || Disparaître; décéder, mourir. ¶ Aller, se rendre; se transporter. || (Fig.) Passer, échoir à. ¶ Se ranger (à un avis), se résoudre à. || Choisir (un parti). ¶ Céder. || Céder le pas à. || Etre inférieur à. || Ne pas disputer le prix à. || Faire des concessions, condescendre. ¶ Consentir à. || Se montrer indulgent; pardonner. (à Tr.) Céder; laisser, abandonner. || Faire le sacrifice de. || Permettre, souffrir. || Concéder. || Accorder, c.-à-d. ne pas contester, avouer.

concelebro, as, avi, atum, are, tr. Remplir, peupler. || Fréquenter. ¶ Travailler à, s'adonner à. ¶ Fêter, célébrer solennellement; glorifier. || Répondre; divulguer.

concelo, as, avi, are, tr. Cacher soigneusement, dissimuler.

concenatio, onis, f. Repas en commun.

conceno, as, avi, atum, are, intr. Dîner avec...   [harmonie.

concentio, onis, f. Chœur; concert;

concentor, oris, m. Celui qui fait sa partie dans un chœur; choriste.

concenturio, as, are, tr. Disposer par centaines. || (Fig.) Ourdir, tramer. ¶ Centupler.

concentus, us, m. Concert. ¶ Consonnance. ¶ Acclamations unanimes. ¶ (Fig.) Accord, harmonie, union.

conceptaculum, i, n. Réceptacle; magasin.   [nière serrée.

concepte, adv. Brièvement; d'une ma-

conceptio, onis, f. Action de réunir en soi ou de contenir : contenance, ensemble. || (Méd.). Conception. ¶ (Fig.) Idée, conception. || Expression. ¶ (Jur.) Rédaction, formule. ¶ (Gr.) Syllabe. ¶ (Rhét.) Syllepse.

conceptivus, a, um, adj. Reçu du dehors ¶ Annoncé, indiqué. Conceptivae feriae, fêtes mobiles.

concepto, as, are, intr. Concevoir; devenir grosse. ¶ Se mettre dans l'esprit. || Projeter.

conceptum, i, n. Le fruit des entrailles.

conceptus, us, m. Action de contenir. || (Méton.) Réceptacle; réservoir; prise d'eau. ¶ Action de prendre. || Embrasement, incendie. ¶ Conception; germination. || (Méton.) Fruit; progéniture. ¶ (Fig.). Pensée, conception.

concerpo, is, cerpsi, cerptum, ere, tr. Mettre en pièces.

concertatio, onis, f. Lutte; combat. || Guerre. ¶ Discussion; contestation; débat.

concertativus, a, um, adj. Concernant une contestation, une dispute. ¶ (Jur.) (Accusation) reconventionnelle.

concertator, oris, m. Compétiteur, concurrent.   [sion, de polémique.

concertatorius, a, um, adj. De discus-

concerto, as, avi, atum, are, intr. Combattre. || Faire la guerre. ¶ (Fig.) Se disputer, discuter avec.

concertor, aris, ari, dép. intr. Comme le précédent.

concessatio, onis, f. Pause, relâche.

concessio, onis, f. Action de se retirer. ¶ (Fig.) Désistement. ¶ Cession, concession; don. ¶ (Rhét.) Concession, aveu. ¶ Remise (d'une peine).

concessivus, a, um, adj. Qui exprime une concession.   [tout à fait.

concesso, as, avi, are, intr. Cesser

concessus (abl. u), m. Concession, aveu. ¶ Permission, consentement.

concha, ae, f. Coquillage; mollusque testacé. || Coquille (seule sans le mollusque). ¶ Coquillage (dont on tire la pourpre). || (Méton.) Pourpre. || Huître perlière. || (Méton.) Perle. ¶ Conque marine. ¶ Ce qui a la forme d'une coquille : flacon, coupe, salière, boîte, etc. || Voûte.   [coquille.

conchatus, a, um, adj. En forme de

concheus, a, um, adj. Formé ou tiré d'un coquillage   [avec sa gousse.

conchis (arch. CUNCHIS), is, f. Fève

conchita, ae, m. Pêcheur de coquillages.

conchula, ae, f. Petit coquillage.

conchyliatus, a, um, adj. Teint en pourpre. || Couleur de pourpre. || Vêtu de pourpre.

conchyliiegulus et conchyliolegulus, i, m. Pêcheur de coquillages.

conchylium, ii, n. Mollusque. ¶ Huître. || Coquillage de la pourpre. || (Méton.) Pourpre. || Teinture de pourpre. || Vêtement de pourpre.

1. concido, is, cidi, cisum, ere, tr. Abattre en taillant. || Tailler en pièces, massacrer. || Détruire. ¶ Casser, c.-à-d. annuler. ¶ Tailler; couper; hacher. ¶ Déchiqueter, morceler. || Déchirer; blesser.

2. concido, is, cidi, ere, intr. Tomber ensemble, s'effondrer, s'affaisser, s'écrouler. || Mourir. ¶ (Fig.) Etre ruiné, détruit. || Déchoir, faiblir. || Perdre courage. || Succomber, subir une défaite.

conciens, entis, adj. Qui va accoucher.

concieo, es, civi, citum, ere, tr. Réunir; convoquer. ¶ Mettre en mouvement. || Ebranler. || Soulever, ameuter. ¶ Produire, faire naître. || Fomenter.

conciliabulum, i, n. Lieu d'assemblée; place publique; place du marché. || (Méton.) Assemblée.

conciliatio, onis, f. Action d'assembler: union, association. || Convention, contrat. ¶ Action de gagner la faveur la bienveillance, etc., de qqn. || Penchant naturel, inclination. || Instinct. ¶ Action de faire obtenir.

conciliator, oris, m. Celui qui fait obtenir; pourvoyeur. ¶ Qgf. Entremetteur.

conciliatricula, ae, f. Entremetteuse.

conciliatrix, icis, f. Pourvoyeuse; entremetteuse.   [teur.

conciliatura, ae, f. Métier d'entremet-

1. conciliatus, a, um, p. adj. Dont on

a gagné la faveur : ami. ¶ Porté à, attiré vers. [union. || Assemblage.
2. conciliatus (abl. *u*), m. Liaison.
concilio, *as*, *avi*, *atum*, *are*, tr. Assembler, réunir. || Mélanger. || Rendre compact, *c.-à-d.* fouler. ¶ (Ordin.) Lier (d'amitié), rendre ami. || Concilier, gagner. || Attacher. || Rendre agréable; faire agréer. || Inspirer un penchant pour. ¶ (En gén.) Faire obtenir, procurer. || Ménager. || S'entremettre pour faire réussir un mariage. ¶ Acheter (pour le compte d'autrui) en qualité de courtier.
concilium, *ii*, n. Assemblage; liaison. || (Méton.) Liseron, plante. ¶ Réunion: entrevue, rendez-vous. || Assemblée, cercle, *qqf.* foule. || Conseil, assemblée délibérante; *qqf.* comices. || *Eccl.* Concile. [¶ Symétrie.
concinentia, *ae*, f. Harmonie; accord.
concinnatio, *onis*, f. Arrangement. ¶ Combinaison.
concinnator, *oris*, m. Celui qui arrange avec art. ¶ Celui qui combine : machinateur.
concinne, adv. Avec goût, élégamment, artistement. || Ingénieusement *ou* spirituellement. ¶ Habilement, à la perfection. [joli.
concinnis, *e*, adj. Artistement arrangé.
concinnitas, *atis*, f. Heureuse combinaison; belle ordonnance. ¶ Harmonie, symétrie. [artistement.
concinniter, adv. Harmonieusement.
concinnitudo, *inis*, f. Voy. CONCINNITAS.
concinno, *as*, *avi*, *atum*, *are*, tr. Combiner, arranger. || Embellir. ¶ Causer, produire. || Tramer. ¶ Rendre *ou* mettre dans tel *ou* tel état.
concinnus, *a*, *um*, adj. Harmonieux. || Joli, élégant. || Fin, ingénieux. ¶ Convenable, approprié. ¶ (En parl. de pers.) Complaisant, disposé à faire plaisir.
concino, *is*, *cinui*, *centum*, *ere*, intr. Chanter ensemble. || Chanter *ou* jouer à l'unisson. || Chanter en chœur: former un concert. || (Fig.) S'accorder, être d'accord. ¶ (*Tr.*) Chanter *ou* jouer ensemble (un air, etc.). || Célébrer, chanter. || Faire entendre, annoncer. [CIEO.
1. concio, *is*, *ivi*, *itum*, *ire*. Voy. CON-
2. concio, *onis*, f. Voy. CONTIO.
concion... Voy. CONTION...
concipilo, *as*, *are*, tr. Saisir vivement; s'emparer de.
concipio, *is*, *cepi*, *ceptum*, *ere*, tr. Prendre *ou* recevoir à la fois. || Réunir, recueillir. ¶ Faire tenir (dans un vase), enfermer. || (Fig.) Formuler. *Concepta verba*, formules. || Déclarer (dans les formes prescrites). ¶ Recevoir en soi. || Contracter (un mal, un vice); prendre (feu). || Concevoir, *c.-à-d.* devenir grosse. || (En parl. des plantes.) Germer, bourgeonner, pousser. ¶

Recevoir (dans son esprit); percevoir; ressentir, éprouver. || Concevoir; avoir l'idée de. *Concipere aliquid mente*, projeter qqch. || Comprendre, saisir.
concise, adv. D'une manière saccadée. ¶ Avec concision.
concisio, *onis*, f. Action de tailler, de couper.|| *Qqf.* Circoncision.|| Massacre, tuerie. ¶ Division de la période (en courts membres).|| (Gramm.) Apocope.
concisura, *ae*, f. Coupure; entaille. ¶ Cavité, rainure. || Division. — *aquarum*, distribution des eaux.
concisus, *a*, *um*, p. adj. Coupé, saccadé. || (En parl. du style.) Coupé; serré; bref, concis. [lant.
concitamentum, *i*, n. Excitant, stimulant.
concitate, adv. Vivement. ¶ Violemment.
concitatio, *onis*, f. Action de mettre en mouvement. ¶ Action de se mettre en mouvement. ¶ Mouvement rapide. || Mouvement politique; agitation, trouble. || Emportement, passion.
concitator, *oris*, m. Celui qui excite *ou* qui soulève. [qui soulève.
concitatrix, *icis*, f. Celle qui excite *ou*
1. concitatus, *a*, *um*, p. adj. Mis en mouvement. || Agité, emporté. || Elevé, fort (en parl. du son de la voix). ¶ (Mor.) Ardent, passionné, violent.
2. concitatus, *us*, m. Impulsion.
concite, adv. En hâte.
concito, *as*, *avi*, *atum*, *are*, tr. Mettre en mouvement : pousser; lancer. || (Fig.) Encourager, exciter. ¶ Soulever; troubler, ameuter. ¶ Exciter, faire naître, causer, produire.
concitor, *oris*, m. Celui qui excite *ou* soulève; instigateur.

concitatio, *onis*, f. Cri, clameur (de la foule). ¶ Acclamations *ou* lamentations.
conclamatus, *a*, *um*, p. adj. Dont le nom est publié : connu, célèbre; décrié. ¶ Pleuré comme mort; désespéré, perdu.
conclamito, *as*, *are*, intr. Crier fort.
conclamo, *as*, *avi*, *atum*, *are*, intr. Crier, pousser des clameurs (en parl. d'une foule). || Dire à haute voix. ¶ (*Tr.*) Appeler en criant. || Convoquer. || Invoquer. || Appeler trois fois un mort avant de l'ensevelir; lui adresser l'adieu suprême. || Pleurer qqn comme mort, *c.-à-d.* le juger perdu, en désespérer. ¶ Faire retentir de cris.
conclave, *is* (gén. pl. *ium* et *iorum*), n. Pièce fermant à clef. || Chambre, salle. || Loge. || Prison. || Etable, écurie. || Volière; cage.
concludo, *is*, *clusi*, *clusum*, *ere*, tr. Enfermer, enclore; resserrer. || Etouffer. || Limiter, définir. ¶ Clore, *c.-à-d.* achever, terminer, parfaire. || Conclure, résumer. || Tirer une conséquence :

argumenter, raisonner. || Mettre (un raisonnement) en forme.

concluse, adv. D'une manière périodique. ¶ Harmonieusement.

conclusio, onis, f. Action de fermer. || Clôture, fermeture. || Blocus (d'une ville). || Terminaison, achèvement, fin. || Conclusion, résumé. || Péroraison. || Argumentation; raisonnement.

conclusiuncula, ae, f. Méchant petit raisonnement.

conclusura, ae, f. Jointure. ¶ Clé de voûte.

1. **conclusus** (abl. u), m. Action de fermer ou de serrer.

2. **conclusus,** a, um, p. adj. Resserré, concis (en parl. du style). ¶ Fermé, sombre (en parl. d'un lieu).

concoctio, onis, f. Digestion. || Bonne digestion.

concoenatio. Voy. CONCENATIO.

concolor, oris (abl. ori), adj. De même couleur. ¶ (Fig.) Assorti; pareil.

concomitatus, aris, ari, dép. tr. Accompagner.

concoquo, is, coxi, coctum, ere, tr. Faire cuire (plusieurs choses ensemble). || (Fig.) Consumer (de chagrin). ¶ Amener à maturité, mûrir. ¶ Digérer. ¶ (Absol.) Faire la digestion. || (Fig.) Digérer : endurer, subir, supporter. || Digérer : s'assimiler (qqch.); se pénétrer de. || Elaborer (dans sa pensée), délibérer mûrement.

concordabilis, e, adj. Facile à unir ou à accorder.

concordanter, adv. D'un seul cœur; à l'unanimité

concordatio, onis, f. Conciliation.

concorde, adv. En bonne intelligence; d'accord.

concordia, ae, f. Concorde, bonne intelligence. || Amitié, alliance. ¶ (Fig.) Accord, harmonie. || Affinité (de certains éléments entre eux).

concorditer, adj. En bonne intelligence. || D'accord.

concordo, as, avi, atum, are, intr. S'accorder, être en harmonie. ¶ (Tr.) Mettre d'accord, concilier.

concorporales, ium, m. pl. Camarades, frères d'armes.

concorporalis, e, adj. Qui fait partie du même corps ou de la même corporation.

concorporo, as, avi, atum, are, tr. Réunir dans un même corps. ¶ Rendre pareil au reste du corps.

concors, ordis (abl. sing. i, n. plur. ia), adj. Uni de cœur; qui est d'accord ou en bonne intelligence avec.

concrebresco, is, brui, ere, intr. Redoubler d'intensité.

concredo, is, didi, ditum, ere, tr. Confier. || Attribuer. ¶ Se confier; faire des confidences.

concrematio, onis, f. Conflagration; incendie.

concremo, as, atum, are, tr. Brûler entièrement; force, résonner.

concrepito, as, are, intr. Retentir avec

concrepo, as, pui, are, intr. Bruire; faire du bruit. || (Part.) Craquer ou claquer, ¶ (Tr.) Faire retentir, faire résonner; faire claquer. || Déclamer (avec emphase); annoncer (avec fracas).

concrescentia, ae, f. Condensation. ¶ Concrétion.

concresco, is, crevi, cretum, ere, intr. Se former de parties qui s'agrègent entre elles. ¶ S'épaissir. || Se durcir; se congeler. ¶ Devenir opaque; s'obscurcir. ¶ Qqf. S'augmenter (de parties nouvelles).

concretio, onis, f. Assemblage, agrégation. || (Méton.) Agrégat; matière, substance. || Condensation, concrétion, congélation; crétion.

concretus (abl. u), m. Condensation; concrétion.

concriminor, aris, ari, dép. tr. Accuser vivement. ¶ Formuler de sérieux griefs. [¶ Agiter; brandir.

concrispo, as, are, tr. Rider, || Onduler.

concrucio, as, are, tr. Torturer par tout le corps.

concubatio, onis, f. Couchage.

concubina, ae, f. Concubine.

concubinatus, us, m. Concubinage; concubinat.

concubinus, i, m. Compagnon de lit.

concubitio, onis, f. Voy. CONCUBITUS.

concubitus, us, m. Place sur un lit à côté d'autres.|| (Fig.) Etat de plusieurs objets serrés l'un contre l'autre. ¶ Accouplement, commerce charnel.

concubium, ii, n. Comme CONCUBITUS. ¶ Temps (de la nuit) où tout dort profondément; milieu de la nuit.

concubius, a, um, adj. Propice au sommeil. ¶ Du milieu de la nuit. *Concubia nocte,* au milieu de la nuit.

concubo, as, are, intr. Voy. CONCUMBO.

conculcatio, onis, f. Action de fouler aux pieds. || (Fig.) Victoire remportée sur qqn.

conculcatus, us, m. Action de fouler aux pieds. || (Fig.) Mépris.

conculco, as, avi, atum, are, tr. Fouler aux pieds. ¶ (Fig.) Traiter avec mépris.

concumbo, is, cubui, cubitum, ere, intr. Se coucher auprès de; coucher avec.

concupio, is, ere, tr. Souhaiter ardemment. [qui désire ardemment.

concupiscens, entis, p. adj. Qui convoite

concupiscentia, ae, f. Convoitise. || Concupiscence.

concupisco, is, ivi ou ii, itum, ere, tr. Convoiter. ¶ Intr. Etre porté à la concupiscence.

concupitor, oris, m. Celui qui convoite

concurator, oris, m. Celui qui est curateur avec un autre. [choyer.

concuro, as, are, tr. Soigner avec zèle;

concurro, is, curri, cursum, ere, intr. Courir en foule sur le même point; se rassembler en hâte. || Affluer de divers côtés. ¶ Se réfugier; recourir à. ¶ Se rencontrer, être en contact. || Se rencontrer, c.-à-d. coïncider, avoir lieu en même temps. || Etre conforme à. ¶ Se heurter; venir aux mains; charger, fondre sur. || (Fig.) Etre en conflit; être concurrent ou ennemi.

concursatio, onis, f. Action d'accourir ensemble. || Affluence. ¶ Choc; escarmouche. ¶ Course de tous côtés. || Course inquiète, agitation. ¶ Allées et venues. [d'infanterie légère.

concursator, oris, m, Voltigeur, soldat **concursatorius**, a, um, adj. D'infanterie légère.

concursio, onis, f. Concours (de monde); affluence. ¶ Choc; rencontre. || (Rhét.) Rencontre de mots. [ment.

concursito, as, are, intr. Courir rapidement. **concurso**, as, avi, atum, are, intr. Courir çà et là. ¶ Courir de côté et d'autre, s'agiter. || Engager des escarmouches. || Voyager en divers pays. ¶ (Tr.) Parcourir en tous sens.

concursus, us, m. Action d'accourir en foule; concours (de peuple), affluence. ¶ Rencontre. || Coopération, aide, concours. ¶ Choc, attaque, charge, assaut. || (Fig.) Conflit, concurrence.

concurvo, as, are, tr. Courber.

concussio, onis, f. Ebranlement, secousse. || Tremblement (de terre). ¶ Extorsion (de fonds). || Concussion.

concussor, oris, m. Celui qui secoue. ¶ Concussionnaire.

concussura, ae, f. Concussion.

1. **concussus**, a, um p. adj. Ebranlé; agité. || Inquiet. [ébranlement.

2. **concussus**, us (abl. u), m. Secousse;

concutio, is, cussi, cussum, ere, tr. Secouer vivement, agiter. || Ebranler, affaiblir, miner. || Troubler, inquiéter. || Terrifier (pour extorquer de l'argent). ¶ Secouer, c.-à-d. stimuler. ¶ Frapper l'un contre l'autre; heurter.

condalium, ii, n. Bague (d'esclave).

condecens, entis, p. adj. Convenable.

condecet, imp. Il convient.

condecoro, as, avi, atum, are, tr. Parer soigneusement, attifer.

condecurialis et **condecurio**, onis, m. Qui a été décurion avec un autre.

condeliquesco, is, ere, intr. Se fondre tout à fait.

condemnabilis, e, adj. Condamnable.

condemnatio, onis, f. Condamnation. ¶ Peine (infligée), amende.

condemnator, oris, m. Celui qui condamne. ¶ Celui qui fait condamner, accusateur.

condemno, as, avi, atum, are, tr. Condamner. || (Fig.) Condamner, c.-à-d. désapprouver, blâmer. ¶ Faire condamner. [DENSO.

condenseo, es, ere, intr. Comme CON-**condenso**, as, avi, atum, are, tr. Condenser, épaissir. ¶ Serrer.

condensus, a, um, adj. Fort épais, compact; serré.

condepso, is, depsui, ere, tr. Pétrir ensemble; mêler en pétrissant.

condescendo, is, ere, intr. Descendre avec. ¶ Se mettre au niveau de qqn (pour lui venir en aide). || Condescendre.

condescensio, onis, f. Condescendance.

condicio (CONDITIO), onis, f. Condition, clause. || Convention, accord. ¶ Choix. Voy. 3. CONDITIO.

condico, is, dixi, dictum, ere, intr. et tr. S'accorder à dire. ¶ S'entendre sur; convenir de, concerter. ¶ S'obliger à, s'imposer (qqch.). ¶ Annoncer; indiquer, fixer. ¶ Réclamer, prétendre à.

condicticius, a, um, adj. Relatif à une condiction.

condictio, onis, f. Indication; fixation. ¶ Réclamation. || (Jur.) Condiction; revendication.

condictum, i, n. Convention, pacte. ¶ Conversation avec les anges.

condigne, adv. D'une manière digne de. ¶ Comme il faut. [convenable.

condignus, a, um, adj. Tout à fait digne.

condimentaria, orum, n. pl. Herbes aromatiques; assaisonnements.

1. **condimentarius**, a, um, adj. Relatif à l'assaisonnement ou aux assaisonnements.

2. **condimentarius**, ii, m. Epicier.

condimentum, i, n. Ce qui sert à confire. ¶ Ce qui sert à assaisonner; condiment.

condio, is, ivi, ou ii, itum, ire, tr. Confire. ¶ Faire mariner. ¶ Embaumer (un cadavre). ¶ Aromatiser, épicer. || Assaisonner. ¶ (Fig.) Assaisonner, c.-à-d. faire valoir, relever le goût de. ¶ Adoucir, tempérer. Comitate condita gravitas, gravité tempérée par la douceur.

condiscipula, ae, f. Compagne d'étude.

condiscipulatus, us, m. Camaraderie entre écoliers. [pagnon d'étude.

condiscipulus, i, m. Condisciple, com-**condisco**, is, didici, ere, intr. et tr. Apprendre avec; être condisciple. ¶ Apprendre ou s'accoutumer à...

conditaneus, a, um, adj. Confit. ¶ Mariné.

conditarius, a, um, adj. Où l'on accommode les mets; où l'on fait la cuisine; où l'on assaisonne les aliments.

conditicius (CONDITITIUS), a, um, adj. Confit.

1. **conditio**, onis, f. Action de confire, de faire des conserves. || (Méton.) Conserve; confiture. ¶ Action d'assaisonner, d'épicer; assaisonnement.

2. **conditio**, onis, f. Action de créer, création. || (Méton.) L'ensemble des choses créées, la création, le monde.

3. **conditio** (CONDICIO), onis, f. Condition, état, sort; nature ou manière d'être. ¶ Parti, établissement (mariage). Voy. CONDICIO.

condition... Voy. CONDICION...

conditius, *adv.* (au compar.). Avec plus d'assaisonnements.

conditivum, *i*, n. Armoire. ¶ Sépulcre.

conditivus, *a*, *um*, adj. Que l'on conserve; conservé. ¶ Qui sert à conserver, à renfermer.

1. **conditor**, *oris*, n. Fondateur. || Créateur. || Écrivain, auteur. ¶ *Qqf.* Conservateur, gardien.

2. **conditor**, *oris*, m. Celui qui assaisonne, qui relève le goût de...

conditorium, *ii*, n. Lieu où l'on conserve; dépôt. || (En partic.) Cercueil. || Sépulcre.   [des conserves.

conditorius, *a*, *um*, adj. Dont on fait

conditrix, *icis*, f. Fondatrice; créatrice.

1. **conditum**, *i*, n. Vin aromatisé.

2. **conditum**, *i*; n. Provision. Au plur. *Condita*, provisions en magasin.

1. **conditura**, *ae*, f. Action de confire, de faire des conserves. ¶ Assaisonnement. || (Méton.) Sauce.   [cation.

2. **conditura**, *ae*, f. Confection; fabri-

1. **conditus**, *a*, *um*, p. adj. Assaisonné, aromatisé; relevé. || (Fig.) Piquant, intéressant.

2. **conditus**, *us*, m. Confection. ¶ Fondation. ¶ Action de mettre en réserve, c.-à-d. de serrer.

3. **conditus**, *us* (abl. *u*), m. Action de confire, de faire des conserves.

condo, *is*, *didi*, *ditum*, *ere*, tr. Assembler (les parties d'un tout); fonder, bâtir. || Instituer; créer. || Composer. ¶ Raconter; décrire; chanter; célébrer (par ses écrits). ¶ Renfermer. ¶ Enfoncer, planter. ¶ Remettre (une entorse). || Réduire (une hernie). ¶ Mettre en réserve, en sûreté; serrer. || Ensevelir; mettre en terre. *Conditi.* part. m. pl. Les morts. ¶ Cacher, dissimuler. || Perdre de vue. ¶ Passer. — *soles cantando*, passer ses journées à chanter. ¶ Clore (une période).

condocefacio, *is*, *faci*, *factum*, *ere*, tr. Dresser; façonner (pr. et fig.).

condoceo, *es*, *docui*, *doctum*, *ere*, tr. Instruire (ensemble). ¶ Exercer; dresser.   [dressé.

condoctior, *us*, adj. (au compar.). Mieux

condoctor, *oris*, m. Celui qui enseigne en même temps qu'un autre.

condoleo, *es*, *ere*, intr. Partager la souffrance de, s'associer à la douleur de...

condolesco, *is*, *dolui*, *ere*, intr. Souffrir avec. ¶ Souffrir beaucoup.

condonatio, *onis*, f. Donation. ¶ Présent, cadeau.

condono, *as*, *avi*, *atum*, *are*, tr. Donner (en toute propriété). || Faire présent de. ¶ Abandonner, livrer. || Faire le sacrifice de. || Faire remise de, faire grâce, pardonner.   [fondément.

condormio, *is*, *ire*, intr. Dormir profondément.

condormisco, *is*, *ere*, intr. S'endormir profondément.

condrilla, *ae*. f. Voy. CHONDRILLA.

condrille, *es*, f. Voy. CHONDRILLA.

condrion, *ii*, n. Voy. CHONDRILLA.

conducibile, *is*, n. Avantage; utilité.

conducibilis, *e*, adj. Qui concentre *ou* qui peut être concentré. ¶ Utile, avantageux.

conduco, *is*, *duxi*, *ductum*, *ere*, tr. Amener en un même lieu. || Rassembler, concentrer. || (Fig.) Concilier. ¶ Rapprocher (les lèvres d'une plaie); cicatriser. || Faire cailler (le lait). ¶ Prendre à bail, louer. || Engager (à son service). ¶ Tenter (en faisant espérer qq. profit). ¶ Louer, c.-à-d. prendre à bail (la ferme des impôts, une entreprise, etc.). || Se charger d'un travail (à forfait, etc.). ¶ (Intr.) Etre utile, avantageux; convenir. || Impers. *Conducit*, il est bon, il convient.

conducticius (CONDUCTITIUS), *a*, *um*, adj. Loué, pris à gages; mercenaire.

conductio, *onis*, f. Rapprochement, contraction. || Spasme. ¶ Récapitulation. ¶ Fermage; location. || Bail.

conductor, *oris*, m. Celui qui prend à gage, à bail. || Locataire *ou* fermier. ¶ Entrepreneur, adjudicataire.

conductrix, *icis*, f. Celle qui prend à bail; locataire.   [louée.

conductum, *i*, n. Location. || Maison

conductus, *us*, m. Contraction (des sourcils).

conduplicatio, *onis*, f. Action de doubler. || (Rhét.) Figure qui consiste à répéter un mot, au début de la phrase suivante. ¶ Embrassade.   [bler.

conduplico, *as*, *are*, tr. Doubler; redou-

conduro, *as*, *avi*, *are*, tr. Durcir.

condus, *i*, m. Esclave chargé de l'office; dépensier.   [même temps.

condux, *ducis*, m. Celui qui guide en

condylus, *i*, m. Articulation du milieu du doigt. ¶ Nœud de roseau. || (Méton.) Roseau, flûte. ¶ Anneau. Voy. CONDALIUM.   [CONNEXIO.

conecto, **conexio**. Voy. CONNECTO.

conesto. Voy. COHONESTO.

confabricor, *aris*, *ari*, dép. tr. Fabriquer; inventer.   [tretien; dialogue.

confabulatio, *onis*, f. Conversation, en-

confabulator, *oris*, m. Qui converse avec; interlocuteur. [CONFABULATIO.

confabulatus, *us*, (abl. *u*), m. Comme

confabulor, *aris*, *atus*, *sum*, *ari*, dép. intr. Converser avec, causer. ¶ (Tr.) Parler de.   [beaucoup de lie.

confoecatus, *a*, *um*. p. adj. Qui contient

confamulans, *antis*, p. adj. Servant en même temps.

confarreatio, *onis*, f. Confarréation, la forme la plus ancienne et la plus sacrée du mariage chez les Romains.

confarreo, *as*, *atum*, *are*, intr. Unir par mariage; marier par confarréation.

confatio, *onis*, f. Action de parler avec.

confectio, *onis*, f. Achèvement. ¶ Confection, exécution; composition; préparation. || (Méton.) Chose confectionnée, ouvrage; mets préparé; médicament. ¶ Perception, recouvrement. ¶ Détérioration. || Destruction. || Trituration; mastication.

confector, *oris*, m. Celui qui mène à bonne fin; celui qui exécute. ¶ Celui qui achève, qui met à mort. || Destructeur. [position, préparation.

confectura, *ae*, f. Confection. ¶ Comconfectus, *us*, m. Comme CONFECTIO.

confercio, *is*, *fersi*, *fertum*, *ire*, tr. Accumuler; serrer. ¶ Bonder; fourrer.

confero, *fers*, *tuli*, *latum*, *ferre*, tr. Porter en un même lieu. || Rassembler. réunir. ¶ Resserrer, concentrer. ¶ Apporter à la masse : contribuer, fournir sa cotisation. ¶ Etre utile pour, servir à. Impers. *Confert*, il est avantageux. ¶ Associer, unir. || Mettre en contact, rapprocher.¶(Absol.) Lutter. ¶Echanger (des propos). || (Absol.) Conférer; s'entretenir.¶Mettre aux prises. —*gradum*, combattre corps à corps. *Signis collatis*, en bataille rangée. ¶Mettre en parallèle, comparer. ¶ Porter (d'un point à un autre), porter, apporter, transporter. ¶ Mener, diriger.— *se*, se rendre, se transporter. ¶ (Fig.) Faire passer (d'un état à un autre), métamorphoser. ¶ Différer, remettre; réserver. ¶ Conférer, *c.-à-d.* donner, accorder. || Offrir, consacrer. || Employer. || Donner, attribuer. ¶ Imputer, faire retomber sur. [tr. Souder ensemble.

conferrumino (CONFERUMINO), *as*, *are*, confertim, adv. En rangs serrés.

confertus, *a*, *um*, p. adj. Accumulé; serré; en rangs pressés. ¶ Plein de, rempli de, bondé.

conferva, *ae*, f. Conferve (plante aquatique). ¶ *Qqf.* Consoude (plante).

confervefacio, *is*, *ere*, tr. Echauffer, fondre.

conferveo, *es*, *bui*, *ere*, intr. Bouillir ensemble. || Cuire ensemble. ¶ Se souder, se solidifier.

confervesco, *is*, *ere*, intr. S'échauffer. || Entrer en fermentation (pr. et fig.). ¶ Se ressouder (en part. des os brisés).

confessio, *onis*, f. Aveu, confession; reconnaissance. || Témoignage, attestation. || Déclaration. ¶ (Rhét.) Sorte de prolepse, figure par laquelle on feint d'accepter les objections.

confessorius, *a*, *um*, adj. Relatif à l'aveu ou à la confession.

confessum, *i*, n. Chose avouée; aveu.

confestim, adv. Sur-le-champ; à l'instant même. [devait manquer.

confeta, *ae*, f. Laie avec ses petits (qu'on confibula**, *ae*, f. Cercle en bois pour maintenir les bois qui se fendent.

conficiens, *entis*, p. adj. Qui effectue, qui opère; efficient.

conficio, *is*, *feci*, *fectum*, *ere*, tr. Effectuer. || Faire, fabriquer; confectionner. ¶ Apprêter. ¶ Achever s'acquitter de. || Conclure; passer (le temps). ¶ Ras-

sembler, *c.-à-d.* se procurer; enrôler (des soldats). ¶ Amener, causer; rendre, faire devenir. ¶ Démontrer (par raisonnement). ¶ Consommer. ¶ Broyer. || Déchirer. || Triturer, mâcher. || Dévorer. || Digérer. || Abattre, tuer, achever. ¶ Vaincre, réduire. || Ruiner; détruire. || User, consumer, accabler, épuiser.

confictio, *onis*, f. Invention, fiction.

conficto, *as*, *are*, tr. Aimer à inventer.

confidejussor, *oris*, m. Garant solidaire.

confidens, *entis*, p. adj. Qui a confiance en soi. || Entreprenant, résolu. ¶ Téméraire; effronté.

confidenter, adv. Avec assurance. || Résolument, hardiment. ¶ Témérairement; effrontément.

confidentia, *ae*, f. Confiance. || Ferme espérance. || Assurance. Hardiesse, résolution. ¶ Témérité; effronterie.

confidentiloquus, *a*, *um*, adj. Qui parle avec effronterie.

confido, *is*, *fisus sum*, *ere*, intr. Se confier à, avoir confiance en; compter sur. || Avoir le ferme espoir. ¶ (Absol.) Etre sûr de soi.

configo, *is*, *fixi*, *fixum*, *ere*, tr. Clouer, fixer ensemble. ¶ Percer (d'une pointe); transpercer.

configuro, *as*, *avi*, *atum*, *are*, tr. Donner même forme à. ¶ Former à la ressemblance de. [phes.

confinales, *ium*, m. pl. Voisins, limitroconfinalis**, *e*, adj. Qui forme la limite. || Limitrophe.

confindo, *is*, *ere*, tr. Fendre.

confine, *is*, n. Voisinage. ¶ Frontière. ¶ (Rhét.) Homœoteleuton.

confingo, *is*, *finxi*, *fictum*, *ere*, tr. Former, fabriquer. ¶ Inventer, imaginer. || Simuler, feindre.

1. **confinis**, *e*, adj. Qui confine, *c.-à-d.* qui a les mêmes limites; contigu, limitrophe. ¶ Qui a du rapport avec; ressemblant à. ¶ (Gramm.) Qui a la même terminaison. ¶ (Rhét.) Voy. CONFINE.

2. **confinis**, *is*, m. Voisin.

confinium, *ii*, n. Limite, frontière. || Confins. ¶ (Fig.) Milieu (entre deux contraires).

conflo, *is*, *fteri*, passif de CONFICIO. Etre réuni, rassemblé. ¶ Etre exécuté, accompli. || Etre préparé, confectionné, fabriqué. ¶ Etre consommé, dépensé. ¶ Etre détruit; disparaître, passer; mourir. [|| Vigoureusement.

confirmate, adv. D'une manière assurée.

confirmatio, *onis*, f. Consolidation. || Affermissement. ¶ (Fig.) Action de rassurer. ¶ Consolation. || Confirmation. || Affirmation.

confirmativum, *i*, n. Affirmation.

confirmativus, *a*, *um*, adj. Affirmatif.

confirmator, *oris*, m. Garant, répondant. ¶ Celui qui soutient un avis.

confirmatrix, *icis*, f. Celle qui raffermit (consolide). ¶ Celle qui sert de caution.

confirmatus, *a, um,* p. adj. Assuré; certain. ¶ Rassuré, raffermi. || Courageux.

confirmo, *as, avi, atum, are,* tr. Affermir. || Fortifier; étayer. ¶ (Fig.) Déclarer valable. ¶ Rassurer, consoler. ¶ Excuser.¶ Encourager. || Confirmer; démontrer, prouver. || (Simpl.) Affirmer, proclamer. || Prétendre.

confiscatio, *onis,* f. Confiscation.

confisco, *as, avi, atum, are,* tr. Garder, serrer en caisse. || Avoir en réserve, à sa disposition. ¶ Confisquer, percevoir au profit du fisc. [rance.

confisio, *onis,* f. Ferme confiance, assu-

confiteor, *eris, fessus sum, eri,* dép. tr. Avouer, reconnaître, confesser. *Confessus,* qui a avoué *ou* qui a été avoué, reconnu, d'où évident, certain. || Eccl. Confesser, proclamer. ¶ Manifester, révéler, trahir.

confixio, *onis,* f. Action de ficher, d'enfoncer, de percer. ¶ Solidité de l'assemblage; cohésion. || (Fig.) Action d'atteindre le but. [s'apaiser.

conflaccesco, *is, ere,* intr. S'amollir;

conflagratio, *onis,* f. Conflagration; incendie.

conflagro, *as, avi, atum, are,* intr. Brûler; être en flammes. ¶ Etre ardent (pr. et fig.) .|| (Fig.) Etre victime de, souffrir de. ¶ (Tr.) Brûler; incendier.

conflatile, *is,* n. Idole (coulée en métal).

conflatilis, adj. Fondu; fait de fonte.

conflatim, adv. En masse.

conflatio, *onis,* f. Action d'attiser en soufflant. ¶ Fonte des métaux. || (Méton.) Objet en métal fondu. ¶ Enflure.

conflator, *oris,* m. Fondeur de métaux.

conflatorium, *ii,* n. Fonderie. ¶ Forge. || Creuset. [du fondeur.

conflatura, *ae,* f. Fonte des métaux.¶Art

confleo, *es. ere,* intr Pleurer avec.

1. conflexus, *a, um,* p. adj. Arqué, courbé, plié.

2. conflexus, *us,* m. Infléchissement.

conflictatio, *onis,* f. Choc, heurt. ¶ Poussée; presse; bousculade. ¶ Combat. || Querelle. ¶ Persécution. || Tourment.

conflictatrix, *icis,* f. Persécutrice.

conflictio, *onis,* f. Choc, heurt. ¶ Conflit; combat.

conflicto. *as, avi, atum, are,* tr. Heurter violemment. *Conflictari,* se heurter, d'où entrer en conflit; combattre. ¶ Maltraiter, mettre en mauvais état. || Tourmenter.

conflictus, abl. *u,* m. Choc, heurt. ¶ Rencontre, conflit; combat.

configo, *is, flixi, flictum, ere,* tr. Entrechoquer; heurter. || (Fig.) Opposer (de façon à mettre en contraste). ¶ (Intr.) S'attaquer à; lutter.

conflo, *as, avi, atum, are,* tr. Souffler, embraser. || (Fig.) Attiser, exciter. ¶ Fondre ensemble, réunir par la fusion; couler (des métaux). || Fondre-

forger. || (Fig.) Combiner, forger, inventer; préparer. ¶ Enfler, gonfler; confluens, *entis,* m. et confluentes, *ium,* m. pl. Confluent.

confluo, *is, fluxi, ere,* intr. Confluer, réunir ses eaux. ¶ (Fig.) Affluer, se rassembler. ¶ Couler, se liquéfier.

confodio, *is, fodi, fossum, ere,* tr. Bêcher; défoncer (un terrain), labourer. || Fouiller. ¶ Percer, trouer, transpercer. ¶ (Fig.) Souligner, noter (ce qui est choquant). [d'excréments.

conforio, *is, ivi ou ii, ire,* tr. Souiller

conformatio, *onis,* f. Conformation; disposition. ¶ Idée, conception. ¶ (Rhét.) Prosopopée.

conformo, *as, avi, atum, are,* tr. Conformer, rendre semblable. ¶ Donner une forme harmonieuse, façonner. || Composer, arranger; orner. || (Fig.) Former, c.-à-d. instruire.

confornico, *as, are,* tr. Couvrir d'une voûte; voûter.

confortatio, *onis,* f. Réconfort.

confractio, *onis,* f. Action de briser; rupture. || (Fig.) Destruction. ¶ Etat d'un chemin raboteux (voy. CONFRAGOSUS).

confractum, *i,* n. Chapelure.

confractus, abl. *u,* m. Comme CONFRACTIO.

confraga, *orum,* n. pl. Fourrés.

confrages, f. pl. Lieux exposés aux vents.

confragose, adv. Inégalement.

confragosa, n. pl. Pays de nature rocailleuse.

confragosus, *a, um,* adj. Rocailleux, raboteux, âpre. ¶ (Fig.) Epineux, c.-à-d. difficile, dangereux.

confragus, *a, um,* adj. Difficilement praticable (à cause des arbres trop drus). [ensemble.

confremo, *is, fremui, ere,* intr. Frémir

confrequento, *as, avi, atum, are,* tr. Visiter souvent; fréquenter. ¶ Célébrer, honorer. [||Frictionner.

confrico, *as, cui, catum, are,* tr. Frotter.

confringo, *is, fregi, fractum, ere,* tr. Briser entièrement; rompre. || (Fig.) Briser, c.-à-d. ruiner, détruire. || Dissiper (son bien).

confugio, *is, fugi, ere,* intr. S'enfuir. ¶ Se réfugier. || Avoir recours.

confugium, *ii,* n. Refuge; asile.

confulgeo, *es, ere,* intr. Briller de tous côtés.

confundo, *is, fudi, fusum, ere,* tr. Verser ensemble, mêler, mélanger, amalgamer; confondre. || (Fig.) Fondre ensemble, unir, réunir. ¶ Brouiller, jeter la confusion dans; troubler, déconcerter; tromper, égarer. ¶ Verser, lancer, répandre à la fois.

confuse, adv. En bloc. ¶ Confusément.

confusio, *onis,* f. Action de verser ensemble; mélange, amalgame; fusion.

|| (Fig.) Réunion, union. ¶ Trouble, confusion. ¶ (Moral.) Confusion, honte. || Trouble d'esprit. || Abattement, tristesse.

confusus, *a*, *um*, p. adj. Mélangé, mêlé; amalgamé. ¶ Brouillé, embrouillé; confus. ¶ Confondu. ¶ Troublé, déconcerté. || Abattu.

confutatio, *onis*, f. Réfutation.

1. **confuto**, *as*, *avi*, *atum*, *are*, tr. Arrêter l'ébullition d'un liquide (en le remuant). ¶ (Ordin.) Contenir (fig.), c.-à-d. réprimer *ou* réfuter. || Convaincre (d'une faute), confondre (qqn). ¶ Brouiller, bouleverser; confondre.

2. **confuto**, *as*, *are*, intr. Avoir lieu souvent; être souvent. [ver.

confuturus, *a*, *um*, p. adj. Qui doit arriver.

congelasco, *is*, *ere*, intr. Se geler entièrement.

congelatio, *onis*, f. Congélation. || Gelée.

congelesco, *is*, *ere*, intr. Comme **CONGELASCO**.

congelo, *as*, *avi*, *atum*, *are*, tr. Geler complètement. || Epaissir; coaguler. ¶ (Intr.) Se congeler. || (Fig.) S'engourdir. [(Plaisam.) Embrasumer.

congeminatio, *onis*, f. Redoublement. ||

congemino, *as*, *avi*, *atum*, *are*, tr. Redoubler. ¶ (Intr.) Se répéter, devenir double.

congeminus, *i*, m. Jumeau.

congemisco, *is*, *ere*, intr. Pousser de forts gémissements.

congemo, *is*, *gemui*, *ere*, intr. Gémir fortement. ¶ (Tr.) Déplorer en gémissant. [congénère.

1. **congener**, *eris*, adj. De même espèce.

2. **congener**, *eri*, m. Gendre du même beau-père. [race; de même origine.

congeneratus, *a*, *um*, p. adj. De même

congenero, *as*, *avi*, *atum*, *are*, tr. Enfanter, produire en même temps. *Congenerari*, être inné. ¶ Unir, joindre; associer. [en même temps.

congenitus, *a*, *um*, p. adj. Né, poussé

congentiles, *ium*, m. pl. Peuples de même race. [guille de mer).

conger (GONGER), *gri*, m. Congre (angeria, *ae*, f. Voy. CONGERIES.

congeries, *ei*, f. Amas, masse. || Tas, monceau. ||(En part.) Bûcher. || Chaos. ¶ (Fig.) T. de rhét. Accumulation.

congero, *is*, *gessi*, *gestum*, *ere*, tr. Porter en un même point. || Entasser, accumuler. || Amonceler. || Rassembler (pr. et fig.). ¶ Construire, bâtir. || (Absol.) Faire son nid. ¶ (Méd.) Digérer.

congerra (CONCERRA et CONCERA), *ae*, m. Comme CONGERRO.

congerro, *onis*, m. Compagnon de festin.

congeste, adv. Sommairement.

congesticius, *a*, *um*, adj. Amassé, amoncelé. ¶ Rapporté, de rapport (en parl. de la terre).

congestim, adv. En tas, en masse.

congestio, *onis*, f. Accumulation (pr. et fig.).

congesto, *as*, *are*, tr. Accumuler, entasser.

1. **congestus**, *a*, *um*, p. adj. Amoncelé. ¶ Gros, épais.

2. **congestus**, *us*, m. Action d'entasser. ¶ (Méton.) Tas, amas; masse.

congialis, *e*, adj. Qui contient un conge.

congiarium, *ii*, n. Vase de la contenance d'un conge. ¶ Distribution (au peuple, aux soldats) de conges remplis de vin, d'huile, etc. ¶ (En gén.) Largesse, libéralité.

congiarius, *a*, *um*, adj. Contenant un conge. ¶ Mesuré au conge.

congius, *ii*, m. Conge, mesure romaine pour les liquides.

conglacio, *as*, *avi*, *atum*, *are*, intr. Se geler; être gelé. ¶ (Fig.) Etre comme un bloc de glace. ¶ (Tr.) Congeler.

conglisco, *is*, *ere*, intr. S'étendre; s'accroître.

conglobatio, *onis*, f. Action de mettre en boule, c.-à-d. d'entasser. ¶ Rassemblement.

conglobo, *as*, *avi*, *atum*, *are*, tr. Mettre en boule. ¶ (Fig.) Réunir en corps, rassembler; concentrer.

conglomeratio, *onis*, f. Rassemblement, attroupement.

conglomero, *as*, *avi*, *atum*, *are*, tr. Réunir en peloton. || Agglomérer. ¶ (Fig.) Accumuler.

conglutinatio, *onis*, f. Action de coller ensemble. ¶ (Fig.) Union étroite.

conglutino, *as*, *avi*, *atum*, *are*, tr. Coller ensemble. ¶ Cimenter. ¶ (Fig.) Réunir étroitement.|| Comparer; imaginer

conglutinosus, *a*, *um*, adj. Gluant; visqueux.

congluviales (*dies*), m. pl. Jours où l'on achevait un ouvrage précédemment interrompu.

congraeco, *as*, *are*, tr. Dissiper à la manière des Grecs (en débauches).

congratulatio, *onis*, f. Félicitation; congratulation.

congratulor, *aris*, *atus* *sum*, *ari*, dép. intr. Se réjouir avec qqn de qqch. ¶ Tr. Féliciter, complimenter.

congredior, *eris*, *gressus* *sum*, *gredi*, dép. intr. Marcher (ensemble) vers un même point. ¶ Se rapprocher, se rencontrer; s'aboucher. ¶ (En part.) En venir aux mains, être aux prises; combattre (pr. et fig.).

congregabilis, *e*, adj. Qui peut se réunir. ¶ Sociable. ¶ Qui peut s'ajouter, se multiplier.

congregalis, *e*, adj. Qui unit.

congregatim, adv. En troupe; ensemble.

congregatio, *onis*, f. Réunion en troupes *ou* en troupeaux; association, société. || Vie en commun. || Sociabilité. ¶ Réunion (d'objets). || (Rhét.) Récapitulation. [pement.

congregatus, abl. *u*, m. Réunion; attrou-

congrego, *as*, *avi*, *atum*, *are*, tr. Rassembler (en troupes *ou* en troupeaux).

¶ Rapprocher; réunir. ¶ Accumuler (des choses).

congressio, *onis*, f. Action de se rencontrer. ‖ Entrevue. ¶ Commerce; société. ‖ Réunion *ou* assemblage. ¶ Attaque; lutte, combat.

congressus, *us*, m. Rencontre. ‖ Entrevue, colloque. ¶ Commerce; société. ‖ Réunion *ou* assemblage. ¶ Attaque, lutte, combat.

congrex, *gregis*, adj. Qui va en troupeau *ou* en troupe. ¶ Qui appartient à la même troupe, à la même société; participant à. ‖ (Poét.) Qui réunit.

congrue, adv. Conformément. ¶ Convenablement.

congruens, *entis*, p. adj. Qui est d'accord. ¶ Conforme, correspondant. ‖ Concordant. ¶ Convenable, juste.

congruenter, adv. D'accord; conformément. ¶ Convenablement, congrûment. [rité, harmonie.

congruentia, *ae*, f. Conformité. ¶ Régula-

congruo, *is*, *grui*, *ere*, intr. Concourir au même point. ¶ Se rassembler, se réunir. ¶ Se rencontrer; coïncider, arriver en même temps. ¶ Etre d'accord, correspondre, être en harmonie; se rapporter; se ressembler. ‖ S'accorder (en parl. de pers.); être en sympathie. ‖ Convenir. ‖ Impers. *Congruit*, il est convenable.

congrus, *i*, m. Voy. CONGER.

congruus, *a*, *um*, adj. Qui est d'accord *ou* en harmonie; conforme; convenable. ¶ Unanime.

conicio. Voy. CONJICIO.

conifer, *fera*, *ferum*, adj. Conifère.

coniger, *gera*, *gerum*, adj. Comme le précédent.

conila, *ae*, f. Voy. CUNILA.

conisterium, *ii*, n. Endroit (dans la palestre) où les lutteurs se frottaient de poussière.

conitor. Voy. CONNITOR.

coniv... Voy. CONNIV...

conjaceo, *es*, *ere*, intr. Etre couché, étendu ensemble.

conjectanea, *orum*, n. pl. Mélanges, recueil.

conjectarius, *a*, *um*, adj. Hypothétique; conjectural.

conjectatio, *onis*, f. Conjecture, hypothèse. ¶ Pronostic; prévision.

conjectator, *oris*, m. Interprète des présages; devin.

conjectio, *onis*, f. Action de jeter de divers côtés à la fois. ¶ Conjecture. ‖ Résumé, explication résumée d'un point de droit.

conjecto, *as*, *avi*, *atum*, *are*, tr. Jeter en un même point; apporter ensemble. ¶ Lancer violemment; pousser. ¶ Conjecturer, supposer; présumer; deviner. ¶ Pronostiquer; interpréter.

1. **conjector**, *aris*, *atus sum*, *ari*, dép. tr. Comme CONJECTO. ¶ Expliquer; conjecturer.

2. **conjector**, *oris*, m. Celui qui explique, interprète (des songes, etc.); devin.

conjectrix, *icis*, f. Devineresse.

conjectura, *ae*, f. Conjecture; jugement *ou* opinion par conjecture. ‖ Pronostic; prévision. ¶ Divination.

conjecturalis, *e*, adj. Conjectural.

conjectus, *us*, m. Action de jeter en un même point *ou* ensemble; amas. ¶ Action de jeter, de lancer. ‖ Action de viser; portée (d'une arme). ¶ Conjecture; combinaison.

conjicio, *is*, *jeci*, *jectum*, *ere*, tr. Jeter en un même point. ¶ Rassembler. ‖ Jeter, lancer; précipiter. ¶ Pousser. ‖ Mettre. — *hostem in fugam*, mettre l'ennemi en fuite. ‖ (Fig.) Amener, *c.-à-d.* faire passer. — *aliquem in metum*,· plonger qqn dans la crainte. ¶ Proférer (des paroles); exposer oralement; traiter (une question); plaider (une affaire). ¶ Conjecturer, deviner, prévoir, prédire. ¶ Interpréter (un songe).

conjugalis, *e*, adj. Conjugal; d'hymen.

conjugatio, *onis*, f. Liaison; union. ‖ Embrassement. ¶ (Fig.) Parenté (des mots); rapport étymologique. ¶ (Log.) Enchaînement (des deux premiers termes d'un syllogisme). ¶ (Gramm.) Conjugaison. [lie.

conjugator, *oris*, m. Celui qui unit, qui

conjugatus, *i*, m. Conjoint, époux.

conjugialis, *e*, adj. Conjugal; d'hymen.

conjugium, *ii*, n. Liaison, union. ‖ Union conjugale, mariage, hymen. ‖ (En parl. des anim.) Accouplement. ‖ (Méton.) Epoux, épouse. *Conjugia*, n. pl. Couple (d'animaux).

conjugo, *as*, *avi*, *atum*, *are*, tr. Mettre ensemble sous le joug; accoupler, unir. ‖ (En part.) Marier. ¶ Ranger dans la ·même conjugaison.

conjugus, *a*, *um*, adj. Qui peut s'unir à.

conjuncte, adv. Ensemble, à la fois. ¶ D'une manière complexe. ¶ Amicalement.

conjunctim, adv. Ensemble; en commun.

conjunctio, *onis*, f. Assemblage, réunion; jonction. ‖ (Fig.) Liaison, lien; relation. ‖ Société. ‖ Union, *c.-à-d.* mariage, alliance; parenté. ‖ Accord, entente, amitié. ¶ (Techn.) Zeugma (rhét.); liaison des idées (log.). ‖ Conjonction (gramm.).

conjunctum, *i*, n. (Gramm.) Présent. ¶ (Phys.) Qualité essentielle.

1. **conjunctus**, *a*, *um*, p. adj. Joint; adjacent; voisin. ¶ (Fig.) Uni, attaché; dépendant; en rapport avec; semblable. ¶ Accouplé, marié; conjoint; parent. ¶ Lié (d'affection), ami.

2. **conjunctus**, abl. *u*, m. Liaison. ¶ Jonction.

conjungo, *is*, *junxi*, *junctum*, *ere*, tr. Attacher ensemble, lier; joindre, réunir. ‖ (Fig.) Associer. ‖ Unir (par le mariage), marier. ¶ Continuer (sans interrompre). ¶ Gramm.) Contracter; faire une synérèse.

conjuratio, *onis*, f. Action de jurer (de prêter serment) ensemble. || Levée en masse (*propr.* serment en masse des soldats levés à la hâte). || Conjuration; conspiration; ligue; complot. || (Méton.) La conjuration, *c.-à-d.* les conjurés.   [teur.

conjurator, *oris*, m. Conjuré; conspira-

conjuratus, *a*, *um*, adj. Qui s'entend avec. Au pl. *Conjurati testes*, témoins qui s'entendent entre eux.

conjuro, *as*, *avi*, *atum*, *are*, intr. Jurer ensemble. || Prêter en masse le serment militaire. ¶ Se lier par serment; conspirer, comploter; entrer dans une conjuration. ¶ (Fig.) Se liguer; être d'accord.

conjux (CONJUNX), *jugis*, m. et f. Epoux, épouse. *Conjuges*, les deux époux. || (Par ent.) *Fém.* Fiancée *ou* bien-aimée, maîtresse; femelle (des animaux). ¶ Compagnon, compagne, camarade. ¶ (Adj.) Qui va par couple; associé. *Conjuges copulas*, chaînes jumelles.

conl... Voy. COLL...

conm... Voy. COMM...

connascor, *eris*, *natus sum*, *nasci*, dép. intr. Naître avec, ensemble *ou* en même temps que...

connecto (CONECTO), *is*, *nexui*, *nexum*, *ere*, tr. Nouer ensemble; lier; enchaîner (pr. et fig.). || Former une chaîne continue. || (Fig.) Enchaîner (des pensées); argumenter; raisonner.

connexe, adv. D'une manière suivie. ¶ Conjointement.

connexio, *onis*, f. Jonction, connexion, continuité. || Lien. ¶ (Techn.) *T. de log.* Conclusion. ¶ Gramm. Syllabe.

connexivus, *a*, *um*, adj. Qui sert de lien.

connexum, *i*, n. Raisonnement. || Argument.

connexus, *us*, n. Liaison étroite; union.

connitor (CONITOR), *eris*, *nisus* ou *nixus sum*, *niti*, dép. intr. Se raidir, faire tous ses efforts. ¶ *Qqf.* Mettre bas. Voy. ENITOR.   ¶ Connivence.

conniveo (CONIVEO), *es*, *nivi* ou *nixi*, *ere*, intr. Se fermer (en parl. des yeux). || Cligner de l'œil ou des yeux. || (Poét.) S'éclipser (*en parl. du soleil et de la lune*). || (Fig.) Fermer les yeux, dormir ou faire semblant de ne pas voir. || Se montrer indulgent. || Etre de connivence.

connubialis, *e*, adj. Conjugal.

connubium, *ii*, n. Union (légitime), mariage. || Droit de mariage. ¶ Union illégitime. ¶ (Fig.) Greffe.

connumero, *as*, *avi*, *atum*, *are*, tr. Mettre au nombre de. ¶ Compter; calculer.

conopeum (CONOPIUM), *i*, n. Moustiquaire. ¶ Lit avec moustiquaire.

conor, *aris*, *atus sum*, *ari*, dép. intr. Faire effort. ¶ (Mor.) S'efforcer; essayer.

conp... Voy. COMP...

conquadro, *as*, *avi*, *atum*, *are*, tr. Equarrir. ¶ Cadrer avec; convenir.

conquassatio, *onis*, f. Action de secouer, ébranlement.

conquasso, *as*, *avi*, *atum*, *are*, tr. Secouer fortement. || Ebranler. ¶ (Fig.) Agiter, troubler. ¶ Casser.

conqueror, *eris*, *questus sum*, *queri*, dép. intr. Se plaindre (beaucoup) de; déplorer.

conquestio, *onis*, f. Doléance; plainte amère. ¶ (Rhét.) Partie du discours où l'on excite la compassion (des auditeurs). ¶ Cri plaintif (de certains oiseaux).   [amèrement.

conquestor, *oris*, m. Celui qui se plaint

conquestus, abl. *u*, m. Plainte amère.

conquiesco, *is*, *quievi*, *quietum*, *ere*, intr. Se reposer, prendre du repos. || Dormir. ¶ Se reposer, faire une pause. || Cesser (en parl. de ch.). || S'apaiser. ¶ Etre en repos, en paix.   [baisser.

conquinisco, *is*, *quexi*, *ere*, intr. Se

conquiro, *is*, *quisivi*, *quisitum*, *ere*, tr. Se mettre à la recherche de; aller chercher de divers côtés. ¶ Faire la chasse à, rechercher, rassembler, recueillir. || Réquisitionner.   [soin.

conquisite, adv. Avec recherche. ¶ Avec

conquisitio, *onis*, f. Recherche. ¶ Action de rassembler. || Levée (de troupes). || Réquisition.

conquisitor, *oris*, m. Celui qui recherche ou qui scrute. ¶ Recruteur, enrôleur. || Espion, mouchard.

conquisitus, *a*, *um*, p. adj. Choisi avec soin; trié. ¶ De choix.

conr... Voy. CORR.

consacr... Voy. CONSECR...   [Enclore.

consaepio, *is*, *saepsi*, *saeptum*, *ire*, tr.

consaepto, *as*, *are*, tr. Enclore de tous côtés.

consaeptum, *i*, n. Enclos: garenne.

consalutatio, *onis*, f. Salut collectif. || Salutation réciproque.

consaluto, *as*, *avi*, *atum*, *are*, tr. Saluer ensemble. || Saluer du nom de (en parl. d'une foule). ¶ Echanger un salut. ¶ Saluer.   [à la santé.

consanesco, *is*, *sanui*, *ere*, intr. Revenir

consanguinea, *ae*, f. Sœur.

1. **consanguineus**, *a*, *um*, adj. Consanguin; fraternel; de frères.

2. **consanguineus**, *i*, m. Parent. || Frère.

consanguinitas, *atis*, f. Lien du sang. || Parenté.   [sain; guérir.

consano, *as*, *are*, tr. Rendre tout à fait

consarcino, *as*, *are*, tr. Coudre ensemble. ¶ (Fig.) Assembler, réunir.

consarcio, *is*, *ire*, tr. Coudre ensemble; ravauder.

consarrio, *is*, *ire*, tr. Sarcler.

consatus, part. rare de 1. CONSERO.

consaucio, *as*, *avi*, *atum*, *are*, tr. Blesser grièvement. ¶ (Fig.) Infecter, empester.

consavio. Voy. CONSUAVIO.

consceleratus, *a*, *um*, p. adj. Couvert de crimes, scélérat.

conscelero, *as*, *avi*, *atum*, *are*, tr. Souiller par un crime; déshonorer.

conscendo, *is*, *scendi*, *scensum*, *ere*, tr. et intr. Monter sur, gravir, s'élever jusqu'à. ¶ Monter sur (un vaisseau). || (Absol.) S'embarquer. [quer.

conscensio, *onis*, f. Action de s'embar-

conscensus, *us*, m. Action de monter.

conscientia, *ae*, f. Conscience. ¶ Complicité, intelligence; confidence. ¶ Connaissance intime; sentiment qu'on a d'une chose, conscience; conviction. ¶ Conscience (du bien et du mal); bonne *ou* mauvaise conscience; remords. [Mettre en pièces.

conscindo, *is*, *scidi*, *scissum*, *ere*, tr.

conscio, *is*, *ire*, tr. Avoir conscience (d'une faute). ¶ Savoir bien.

conscisco, *is*, *scivi ou scii*, *scitum*, *ere*, tr. Décréter (officiellement). ¶ Se résoudre à, se décider pour, choisir (de plein gré). — *sibi mortem*, se donner la mort. [pièces. || Morcellement.

conscissio, *onis*, f. Action de mettre en

conscissura, *ae*, f. Déchirure. ¶ Séparation.

conscius, *a*, *um*, adj. Qui sait avec d'autres; confident *ou* témoin, complice. ¶ Qui a conscience de. || (Partic.) Coupable. [pour cracher.

conscreor, *aris*, *ari*, dép. intr. Tousser

conscribo, *is*, *scripsi*, *scriptum*, *ere*, tr. Ecrire ensemble; inscrire sur une liste; enrôler, *d'où* lever (une armée), former (un corps, une classe, etc.). ¶ Mettre par écrit : rédiger, composer; enregistrer, noter; *simpl.* écrire. ¶ Couvrir d'écriture, de dessins, etc.

conscriptio, *onis*, f. Action de mettre par écrit; rédaction. || (Méton.) Ecrit, texte, document.

conscriptor, *oris*, m. Recruteur. ¶ (Ordin.) Rédacteur, c-à-d. écrivain, auteur. || (Partic.) Prosateur.

conscriptum, *i*, n. Ecrit.

1. conscriptus, *a*, *um*, p. adj. Enrôlé, inscrit. *Patres conscripti*, pères conscrits, sénateurs (par opp. aux membres du Sénat primitif de Rome).

2. conscriptus, *i*, n. Un sénateur (à Rome).

conseco, *as*, *secui*, *sectum*, *are*, tr. Couper (tout autour); détacher en coupant. ¶ Couper en morceaux; morceler; hacher.

consecratio, *onis*, f. Action de consacrer. || Consécration, dédicace. || (Méton.) Objet consacré. ¶ Action de sacrer aux dieux infernaux. || Anathème. || (Par ext.) Incantation. || (Méton.) Préservatif contre les charmes : amulette. ¶ Apothéose.

consecrator, *oris*, m. Celui qui consacre.

consecratrix, *icis*, f. Celle qui consacre. ¶ Celle qui divinise.

consecro (CONSACRO), *as*, *avi*, *atum*, *are*, tr. Rendre sacré : dédier. || (Fig.) Consacrer. || (Partic.) Dévouer aux dieux infernaux, sacrifier. ¶ Déifier, faire l'apothéose de. || Sanctifier. || (*Fig.*) Rendre inviolable; immortaliser.

consecror, *aris*, *ari*, dép. tr. Comme le précédent. [logique.

1. consectaneus, *a*, *um*, adj. Conséquent.

2. consectaneus, *i*, m. Partisan. ¶ Secrétaire.

consectaria, *orum*, n. pl. Conséquences.

consectarius, *a*, *um*, adj. Qui s'ensuit. || Conséquent. [cherche.

consectatio, *onis*, f. Poursuite. ¶ Recherche.

consectator, *oris*, m. Partisan déterminé.

consectatrix, *icis*, f. Celle qui s'attache (à qqn). [TATIO.

consectatus, *us*, m. Comme CONSECTATIO, *onis*, f. Action de couper, de tailler.

consector, *aris*, *atus sum*, *ari*, dép. tr. Poursuivre ardemment. || Pourchasser; chasser. ¶ (Fig.) Essayer d'atteindre : chercher à imiter, rechercher; affecter (un défaut).

consecutio (CONSEQUUTIO), *onis*, f. Action de suivre; suite. ¶ Conséquence. || Conclusion, raisonnement. || (Rhét.) Ordre des mots. ¶ Recherche; acquisition; obtention.

consecutor, *oris*, m. Celui qui obtient.

consedeo, *es*, *sedi*, *ere*, intr. Etre assis ensemble *ou* aux côtés de.

1. consedo, *as*, *avi*, *are*, tr. Apaiser entièrement.

2. consedo, *onis*, m. Assesseur.

conseminalis, *e*, adj. Planté d'espèces différentes.

consenesco, *is*, *senui*, *ere*, intr. Devenir vieux; atteindre un âge avancé. || || (Fig.) S'affaiblir; dépérir. || Dégénérer, languir, déchoir. || Tomber en désuétude. ¶ Se consumer (de chagrin, etc.) *ou* à faire qqch.

consensio, *onis*, f. Conformité de sentiments. ¶ Accord. || Harmonie; sympathie. ¶ Conjuration, ligue.

consensus, *us*, m. Conformité de sentiments. || Accord; aveu unanime. || Harmonie, sympathie. ¶ Entente secrète, complot; conjuration.

consentanee, adv. D'accord avec; conformément à.

consentaneus, *a*, *um*, adj. Qui est d'accord avec *ou* conforme à. ¶ Convenable; logique; raisonnable.

consentes (*dii*), m. pl. Les douze grands dieux qui forment le conseil de l'Olympe.

consentiens, *entis*, p. adj. Qui est du même sentiment. ¶ Du même avis; d'accord. ¶ Unanime.

consentio, *is*, *sensi*, *sensum*, *ire*, intr.

Etre du même avis sur, s'entendre pour; être d'accord *ou* en sympathie. || Consentir à. ¶ Conspirer; comploter. ¶ (Fig.) Correspondre, être en harmonie; se rapporter, s'accorder avec.

consepelio, *is*, *sepultum*, *ire*, tr. Ensevelir ensemble.

consepio. Voy. CONSAEPIO.

1. **consequens**, *entis*, p. adj. Qui suit; suivant. ¶ Qui s'enchaîne avec. || (Gramm.) Régulièrement construit.¶ (Philos.) Conséquent, logique.

2. **consequens**, *entis*, n. Conséquence.

consequenter, adv. Conformément. ¶ Comme il faut. ¶ Conséquemment.

1. **consequentia**, *ae*, f. Conséquence; suite.

2. **consequentia**, *um*, n. pl. Conséquence.

consequor, *eris*, *sequutus ou secutus sum*, *sequi*, dép. tr. Suivre. ¶ Poursuivre. ¶ Suivre, *c.-à-d.* succéder à. || Suivre, *c.-à-d.* prendre comme modèle, imiter. || Suivre, *c.-à-d.* résulter de, être la conséquence de. ¶ Atteindre, rejoindre, égaler. || Egaler par l'expression, réussir à exprimer. ¶ Atteindre, *c.-à-d.* obtenir, acquérir. ¶ (En parl. de ch.) Etre le lot de, échoir. ¶ (Moral.). Atteindre (par la pensée), se faire une idée de, concevoir.

1. **consero**, *is*, *sevi*, *situm ou* (rar.) *satum*, *ere*, tr. Semer, planter dans. ¶ Ensemencer, planter de.

2. **consero**, *is*, *serui*, *sertum*, *ere*, tr. Enlacer ensemble.|| Attacher, joindre; coudre. || (Fig.) Lier (conversation). || (Partic.) Engager (l'action), en venir aux mains, combattre. || (Jur.) Saisir (en même temps que la partie adverse) la chose réclamée; débattre en justice.

conserte, adv. En enchaînant, *c.-à-d.* avec suite. [vage.

1. **conserva**, *ae*, f. Compagne d'esclavage.

2. **conserva**, *ae*, f. Grande consoude (plante).

conservatio, *onis*, f. Action de sauver. ¶ Mise en réserve, conservation. ¶ Observation; respect.

conservator, *oris*, m. Sauveur. ¶ Observateur (d'une loi). ¶ Adorateur (de Dieu).

conservitium, *ii*, n. Communauté d'esclavage. || (Méton.) Compagnon de servitude.

conservo, *as*, *avi*, *atum*, *are*, tr. Sauver la vie à, sauver. ¶ (En gén.) Conserver, garder.|| Epargner. ¶ Observer, respecter.

conservulus, *i*, m. Jeune compagnon de servitude.

conservus, *i*, n. Compagnon d'esclavage.

consessio, *onis*, f. Comme CONSESSUS.

consessor, *oris*, m. Celui qui est assis avec. || Compagnon de table. || Assesseur.

consessus, *us*, m. Action de s'asseoir avec. || Droit de s'asseoir parmi... ¶ (Méton.) Assemblée, conseil, tribunal.

consideranter, adv. Avec attention; avec précaution. [circonspection.

considerate, adv. Avec réflexion; avec circonspection.

consideratio, *onis*, f. Action de considérer, d'examiner. ¶ Attention, réflexion, circonspection. ¶ Considération; égards.

consideratus, *a*, *um*, p. adj. Considéré; mûrement examiné. ¶ Réfléchi, circonspect (en parl. de pers.).

considero, *as*, *avi*, *atum*, *are*, tr. Regarder avec attention; observer, examiner. ¶ (Fig.) Examiner, peser, réfléchir.

consido, *is*, *sedi*, *sessum*, *ere*, intr. S'asseoir. ¶ Se percher *ou* se poser. ¶ Siéger (au tribunal). ¶ Se poster, s'établir, prendre position, camper (en parl. d'une armée). || S'arrêter, demeurer, rester. ¶ S'affaisser; tomber. || (Fig.) Se rasseoir, *c.-à-d.* se calmer. || Se terminer. [scellée; document.

consignatio, *onis*, f. Preuve écrite et

consigno, *as*, *avi*, *atum*, *are*, tr. Mettre son sceau à; signer (pour authentifier un écrit); légaliser. ¶ Rédiger un acte officiel. ¶ Consigner (par écrit), enregistrer; noter. [faire silence.

consilesco, *is*, *silui*, *ere*, intr. Se taire.

consiliaris, *is*, m. Assesseur (au tribunal).

1. **consiliarius**, *a*, *um*, adj. Qui conseille.

2. **consiliarius**, *ii*, m. Conseiller, assesseur. [conseil.

consiliatio, *onis*, f. Action de conseiller;

consiliator, *oris*, m. Conseiller. ¶ Donneur d'avis.

consilior, *aris*, *atus sum*, *ari*, dép. intr. Tenir conseil; se consulter. ¶ (Qqf.) Donner des conseils.

consilium, *ii*, n. Consultation, délibération, conseil. || (Méton.) Assemblée délibérante; conseil. || Commission. || (Méton.) Conseiller. ¶ Sagesse, intelligence. *Vir maximi consilii*, homme très éclairé, qui a de grandes lumières. ¶ Parti (auquel on s'arrête); décision. || Intention, résolution, projet; parti, plan. || *Qqf.* Stratagème *ou* expédient. ¶ Décision suggérée à autrui; conseil, avis. [blable.

consimilis, *e*, adj. De tous points semblable.

consimiliter, adv. Identiquement.

consipio, *is*, *ere*, intr. Etre, rester de sang-froid.

consiptum, *i*, n. Arch. p. CONSAEPTUM.

consisto, *is*, *stiti*, *ere*, intr. Se tenir avec. || (Fig.) Etre du même parti *ou* du même avis. ¶ (Ordin.) Se tenir. || Prendre position. || Comparaître; ester en justice; plaider. || (Fig.) Débattre. ¶ Exister, être, avoir lieu. ¶ Consister en, porter, reposer sur. ¶ S'arrêter, faire halte, jeter l'ancre. || S'établir, se fixer. || Rester immobile; rester au même point. || Prendre fin, cesser. ¶ Rester (*ou* être) ferme; tenir bon. || (*Moral.*) Etre de sang-froid. ¶ (En

parl. de ch.) Etre valable, être solide
c.-à-d. avoir des chances de succès.

consistoriani, *orum*, m. pl. Membres
du conseil impérial.

consistorianus, *a, um,* adj. Relatif au
consistoire (*ou* conseil de l'empereur).

consistorium, *ii,* n. Lieu de séjour. ‖
(Partic.) La terre, séjour de l'homme.
‖ Antichambre. ‖ Salle du conseil
(impérial). ‖ (Méton.) Consistoire
(conseil de l'empereur).

consita, *orum,* n. pl. Terrains ensemencés *ou* plantés.

consitio, *onis,* f. Plantation. *Consitiones,*
les diverses façons de planter.

consitor, *oris,* m. Planteur; semeur.

consitura, *ae,* f. Plantation *ou* ensemencement.   [sine.

consobrina, *ae,* f. Cousine germaine; cou-

consobrinus, *i,* m. Cousin germain (en
parl. des enfants de deux sœurs).

consocer, *eri,* m. Le père d'un des deux
époux (du gendre *ou* de la bru).

consocia, *ae,* f. Conjointe; compagne.

consociatio, *onis,* f. Association. ‖ Société.   [lié.

consociatus, *a, um,* p. adj. Intimement

consocio, *as, avi, atum, are,* tr. Associer, unir. ¶ Mettre en commun.

1. **consocius,** *a, um,* adj. Associé.

2. **consocius,** *ii,* m. Associé. ¶ Intéressé.

consolabilis, *e,* adj. Dont on peut se
consoler. ¶ Consolant.

consolatio, *onis,* f. Action de consoler;
consolation. ‖ Encouragement.

consolator, *oris,* m. Consolateur.

consolatorie, adv. D'une manière con-
solante.   [soler; consolant.

consolatorius, *a, um,* adj. Destiné à con-

consolatrix, *icis,* f. Consolatrice.

consolida, *ae,* f. Consoude (plante).

consolidatio, *onis,* f. Action de consolider *ou* d'assurer. ¶ (Jur.) Acquisition de la nue propriété par l'usufruitier.   [lide *ou* raffermit.

consolidator, *oris,* m. Celui qui conso-

consolido, *as, avi, atum, are,* tr. Consolider. ¶ Affermir, assurer. ¶ (Jur.)
Réunir la nue propriété à l'usufruit.

consolo, *as, are,* tr. Voy. CONSOLOR.
Au passif, *consolor,* je suis consolé *ou*
je me console.

consolor, *aris, atus sum, ari,* dép. tr.
Consoler, rassurer. ‖ Montrer sa sympathie à... ¶ Rendre supportable,
adoucir (qqch.). ‖ Compenser.

consolvo, *is, ere,* tr. Au part. passé
consolutus, a, um, dissous *ou* délayé
ensemble.   [en songe.

consomnio, *as, avi, atum, are,* tr. Voir

consona, *ae,* f. Consonne.

1. **consonans,** *antis,* p. adj. Qui sonne
avec. ¶ Concordant.

2. **consonans,** *antis,* f. Consonne.

consonantia, *ae,* f. Consonance; harmonie. ‖ Unisson. ¶ (Fig.) Concor-
dance.

consone, adv. Unanimement.

consono, *as, sonui, are,* intr. Résonner
ensemble. ‖ Former une harmonie. ¶
(Gramm.) Avoir la même désinence. ¶
Renvoyer le son; faire écho. ¶
(Fig.) Etre d'accord; concorder.

consonus, *a, um,* adj. Qui résonne en
même temps. ¶ Qui forme un accord.
¶ En harmonie avec, conforme; convenable.

consopio, *is, ivi, itum, ire,* tr. Endormir
complètement. ¶ Endormir, assoupir.
¶ (Fig.) Engourdir, rendre faible,
sans énergie.

1. **consors,** *sortis* (abl. *sorti*), adj. Co-
propriétaire. ¶ Fraternel. ¶ Qui participe à, associé; compagnon; complice. ¶ Qui est possédé par plusieurs
ensemble; commun.   [Frère, sœur.

2. **consors,** *sortis* (abl. *sorte*), m. et f.

consortio, *onis,* f. Participation, partage. ¶ Communauté, association. ¶
(Fig.) Rapport, lien.

consortium, *ii,* n. Propriété indivise.
¶ Participation, association. ‖ Communauté.   [mener de compagnie.

conspatior, *aris, ari,* dép. intr. Se pro-

conspectabilis, *e,* adj. Remarquable,
frappant.   [SPECTUS.

conspectio, *onis,* f. Comme 2. CON-

conspecto, *as, are,* tr. Apercevoir.

conspector, *oris,* m. Celui qui aperçoit.

1. **conspectus,** *a, um,* p. adj. Qui tombe
sous les yeux. ¶ Visible. ¶ Frappant,
remarquable.

2. **conspectus,** *us,* m. Vue (qu'on a des
choses). ‖ Regard. ‖ (Par ext.) Possibilité de voir, champ de la vision. ‖
Présence. ¶ (Fig.) Considération;
examen. ‖ Vue d'ensemble; aperçu. ¶
Vue (qu'on a de qqn). ‖ Apparition;
aspect.

conspergo, *is, spersi, spersum, ere,* tr.
Verser sur, répandre. ¶ Arroser; saupoudrer; couvrir de.

conspersio (CONSPARSIO), *onis,* f. Action
de répandre sur. ¶ (Concr.) Pâte.

conspersus, *us,* m. Comme CONSPERSIO.

conspicabilis, *e,* adj. Visible, manifeste.
¶ Qui mérite d'être vu; remarquable.

conspiciendus, *a, um,* p. adj. Digne
d'être vu, remarquable.

conspicilium et **conspicillum,** *i,* n.
Endroit d'où l'on voit; observatoire.

1. **conspicio,** *is, spexi, spectum, ere,* tr.
et intr. Embrasser du regard : voir,
apercevoir. ‖ Etre à portée de voir. ¶
(*Intr.*) Avoir les yeux tournés vers.
¶ Regarder (avec curiosité). Au passif
conspici, se faire voir. ‖ (En parl. de
ch.) Regarder, être orienté vers. ¶
(Fig.) Considérer, examiner.

2. **conspicio,** *onis,* f. Coup d'œil. ¶ Regard de l'augure voulant délimiter la
portion de l'espace qu'il a choisie pour
ses observations.

conspicor, *aris, atus sum, ari,* dép. intr.
et tr. (*Intr.*) Etre en contemplation.
¶ (*Tr.*) Voir, apercevoir; regarder.
Qqf. passif. Etre considéré.

conspicuus, a, um, adj. A portée du du regard, exposé à la vue; visible. ¶ Remarquable, frappant. || Illustre.

conspiratio, onis, f. Communauté d'aspiration. ¶ Accord, harmonie. || Unanimité. ¶ Conspiration, complot. || (Méton.) La conspiration, c.-à-d. les conspirateurs.

conspiratius, adv. (au compar.) Avec plus d'accord.

1. conspiratus, a, um, p. adj. Qui s'est mis d'accord.

2. conspiratus, i, m. Conspirateur.

3. conspiratus, us, m. Union étroite; harmonie.

1. conspiro, as, avi, atum, are, intr. Souffler ou sonner ensemble (en parl. de trompettes). ¶ (Ordin.) Fig. Avoir les mêmes aspirations. || Etre d'accord, s'accorder, tendre au même but. || Conspirer, comploter.

2. conspiro, as, are, tr. Rouler en spirale; enrouler.

conspissatio, onis, f. Monceau épais.

conspisso, as, atum, are, tr. Epaissir; condenser.   [de toutes parts.

consplendesco, is, ere, intr. Resplendir

conspolio, as, are, tr. Dépouiller complètement.   [sacré.

conspolium, ii, n. Sorte de gâteau

conspondeo, es, spondi, sponsum, ere, intr. S'engager solennellement l'un envers l'autre.

consponsa, ae, f. Fiancée; accordée.

consponsor, oris, m. Celui qui est engagé solennellement avec d'autres. ¶ Celui qui est garant avec d'autres.

consposi, orum, m. pl. Arch. p. CON-SPONSORES.

conspuo, is, spui, sputum, ere, tr. Cracher sur, couvrir de crachats. ¶ Fig. Conspuer, couvrir de mépris. ¶ Intr. Cracher.

conspurco, as, are, tr. Souiller; salir.

consputo, as, atum, are, tr. Conspuer.

consputum, i, n. Crachat.

constabilio, is, ivi, itum, ire, tr. Etablir solidement.

constabilis, e, adj. Affermi; stable.

constans, antis, p. adj. Qui a de la consistance; consistant, résistant. || Ferme, immuable. ¶ Uniforme, continu; régulier. || (Mor.) Constant, ferme, persévérant; opiniâtre. ¶ Qui a de la suite dans les idées ou dans les actions, conséquent, fidèle. ¶ Qui s'accorde avec d'autres. || Unanime.

constanter, adv. Constamment; régulièrement. ¶ (Mor.) Avec fermeté, avec courage. || Avec suite; avec persévérance; fidèlement. ¶ D'accord. || Unanimement.

constantia, ae, f. Constance, uniformité, invariabilité. ¶ Résolution; persistance, opiniâtreté. ¶ Force d'âme, fermeté, persévérance; fidélité. ¶ Accord, harmonie, unanimité.

constellatio, onis, f. (Astrol.) Situation

respective des astres, c.-à-d. état du ciel au moment de la naissance de celui dont on tire l'horoscope.

constellatus, a, um, adj. Qui est sous une même constellation. ¶ Parsemé d'étoiles; constellé.

consternatio, onis, f. Consternation; épouvante. ¶ Trouble, soulèvement, émeute.

1. consterno, is, stravi, stratum, ere, tr. Etendre; étaler à terre (ou sur une surface quelconque). ¶ Abattre, jeter bas, renverser. ¶ Aplanir et (fig.) apaiser. ¶ Couvrir, joncher. || Paver. || Ponter (un navire).

2. consterno, as, avi, atum, are, tr. Consterner, épouvanter. || Déconcerter. ¶ Soulever, ameuter.

constipatio, onis, tr. Action de serrer, de condenser. ¶ Etat de ce qui est serré. || Concentration, condensation. || (Méton.) Foule dense; attroupement.

constipo, as, avi, atum, are, tr. Serrer, presser. || Condenser, || Entasser. ¶ (Par ext.) Remplir d'une foule dense.

constituo, is, stitui, stitutum, ere, tr. Placer ensemble; arranger. || Placer, mettre, dresser. || Etablir, installer. ¶ (T. mil.) Poster, ranger; faire former les rangs. || Faire faire halte. ¶ Construire, bâtir; fonder. || Instituer, créer (des magistrats). || Constituer, organiser. ¶ Etablir, c.-à-d. prouver. || Désigner; déterminer; arrêter. || Décider; se décider à, résoudre de, convenir (avec qqn) de.

constitutio, onis, f. Nature, état, constitution (physique). ¶ Constitution, institution, organisation. || Règlement, loi. || Détermination, fixation. ¶ (Rhét.) Position de la question. ¶ Démonstration.   [établit un statut.

constitutionarius, ii, m. Celui qui

constitutor, oris, m. Celui qui établit, qui organise; organisateur, fondateur.

constitutorius, a, um, adj. De constituer; concernant une promesse (non remplie) de paiement.

constitutum, i, n. Convention, accord, pacte. || (Jur.) Promesse de paiement à jour fixe. ¶ Règlement, constitution; loi.

consto, as, stiti, statum, are, intr. S'arrêter, faire halte; être arrêté, séjourner. ¶ Exister, être, avoir lieu. ¶ Se composer de, consister en; reposer sur. ¶ Coûter. ¶ Persister, subsister. ¶ Suivre une marche régulière; être en règle. ¶ Tenir bon. || Ne pas perdre contenance; être ferme. ¶ (Mor.) Etre constant, persévérant, fidèle. ¶ Etre logique ou conséquent; agir avec suite. ¶ (En parl. de ch.) Etre bien arrêté (dans l'esprit de qqn). || Etre admis, constaté, reconnu. Impers. Constat, il ne fait pas question, il est bien certain. ¶ Etre d'accord avec.

constratum, i, n. Plancher. ¶ Pont de navire.

constricte, adv. Etroitement.

constrictio, onis, f. Action de serrer; resserrement. ¶ Compression; répression.

constrictus, a, um, p. adj. Etroitement serré. || Compact. ¶ Arrêté dans son développement.

constringo, is, strinxi, strictum, ere, tr. Serrer fortement. || Lier serré, attacher solidement. || Resserrer, froncer, contracter. ¶ Epaissir, condenser. || || (Méd.) Constiper. ¶.(Fig.) Fonder solidement, assurer, fixer. ¶ Comprimer, contenir, arrêter. || Serrer, préciser.

constructio, onis, f. Construction; structure. ¶ (Fig.) Arrangement (des mots), construction (de la période). || (Gramm.) Construction; syntaxe.

construo, is, struxi, structum, ere, tr. Disposer par couches. ¶ Entasser, ranger (par assises). ¶ Bâtir, élever. ¶ (Techn.) Construire, c.-à-d. ranger (les mots) conformément à la syntaxe.

constupeo, es, ui, ere, intr. Etre très étonné.

constupratio, onis f. Action de souiller, de déshonorer.

constuprator, oris, m. Corrupteur.

constupro, as, atum, are, tr. Violer, déshonorer.

consuadeo, es, suasi, suasum, ere, tr. et intr. Conseiller fortement. ¶ Etre favorable (en parl. d'un augure).

consuasor, oris, m. Conseiller.

consuavio (CONSAVIO), as, are, tr. et consuavior (CONSAVIOR), aris, ari, dép. tr. Baiser.

consudo, as, are, intr. Suer abondamment, ressuer.

consuefacio, is, feci, factum, ere, tr. Accoutumer, habituer à.

consuefio, is, fieri, passif de CONSUEFACIO. S'accoutumer à.

consueo, es, ere, intr. Etre habitué; avoir coutume.

consuesco, is, suevi, suetum, ere, intr. S'accoutumer; se familiariser avec. ¶ (Tr.) Accoutumer, habituer à.

consuete, adv. Selon la coutume.

consuetio, onis, f. Commerce habituel; liaison.

consuetudo, inis, f. Habitude, coutume. ¶ Usage, pratique. || Genre de vie habituel. || (Gramm.) Coutume, c.-à-d. usage, langage habituel. ¶ Commerce habituel; liaison. || Familiarité, amitié, intimité.

consuetus, a, um, p. adj. Habituel, accoutumé. ¶ Conforme à l'usage. ||

consul, ulis, m. Consul (à Rome). || (Méton.) Année. ¶ (Par ext.) Proconsul. || Premier magistrat (d'un municipe). ¶ Conseiller (surnom de Jupiter).

1. consularis, e, adj. Concernant le consul; qui appartient à un consul;

digne d'un consul. ¶ Qui a été consul; consulaire.

2. consularis, is, m. Ancien consul; consulaire. ¶ Légat de l'empereur choisi parmi les consulaires.

consularitas, atis, f. Dignité de consulaire légat de l'empereur.

consulariter, adv. D'une manière digne d'un consul.

consulatus, us, m. Consulat. ¶ (Par ext.) Proconsulat. ¶ Première dignité d'un municipe.

consulo, is, sului, sultum, ere, intr. Tenir conseil. ¶ Se consulter, délibérer, examiner. ¶ Se résoudre, prendre des mesures; agir, se comporter (avec qqn de telle ou telle manière). ¶ Veiller à, s'intéresser à, songer à. ¶ (Tr.) Prendre conseil de; consulter; interroger.

consultatio, onis, f. Délibération, réflexion; examen. ¶ (Rhét.) Thèse, proposition à discuter, sujet de discussion. ¶ Consultation, avis demandé à qqn. [qui demande conseil.

consultator, oris, m. Consultant; celui

consulte, adv. Avec réflexion. ¶ Prudemment.

1. consulto, adv. Après délibération; avec réflexion, à dessein.

2. consulto, as, avi, atum, are, tr. Considérer attentivement. || Examiner, se consulter. || Se préoccuper de; veiller au bien de. ¶ Consulter; interroger, questionner.

1. consultor, aris, atus sum, ari, dép. tr. Consulter.

2. consultor, oris, m. Celui qui délibère (pour lui). ¶ Celui qui donne des avis aux autres; conseiller. ¶ Celui qui demande conseil; consultant.

consultrix, icis, f. Celle qui se préoccupe de, qui pourvoit à.

consultum, i, n. Résolution prise après examen. || Décret, arrêté. ¶ (En génér.) Décision; projet, dessein. ¶ Réponse d'un oracle. || Oracle.

1. consultus, a, um, p. adj. Sur quoi on a mûrement réfléchi. ¶ Qui a mûrement réfléchi, d'où expérimenté, sensé, prudent, habile (dans une science, un art, etc.).

2. consultus, i, m. Jurisconsulte.

3. consultus, us, m. Comme CONSULTUM : décret, arrêté.

consum, fui, fore, intr. Arriver; être.

consummabilis, e, adj. Qui peut s'achever. || Perfectible.

consummate, adv. D'une manière achevée; complètement.

consummatio, onis, f. Somme, total. || (Fig.) Vue d'ensemble. ¶ Action de porter une chose à son plus haut degré. ¶ Très grande quantité. ¶ (Ordin.) Accomplissement, achèvement, perfection. [qui accomplit.

consummator, oris, m. Celui qui achève,

consummatus, a, um, p. adj. Porté au

plus haut point, achevé, accompli, parfait. ¶ Consommé, parvenu par une longue expérience au plus haut degré d'un art, d'une qualité, etc.

consummo, *as, avi, atum, are,* tr. Additionner, faire la somme de. || (Fig.) Réunir en un seul tout. ¶ Porter au plus haut degré, au plus haut point : achever, finir; consommer, accomplir; parfaire, perfectionner.

consumo, *is, sumpsi, sumptum, ere,* tr. Employer, dépenser. || Passer (le temps). ¶ Employer jusqu'à consommation; épuiser. || (Particul.) Consommer, manger. || User, réduire à rien, faire périr. Au passif : *consumi,* mourir, périr. ¶ *Qqf.* Recevoir de toutes mains; prendre à la fois.

consumptio, *onis,* f. Emploi, usage. ¶ Destruction. [Destructeur.

consumptor, *oris,* m. Dissipateur. ¶

consuo, *is, sui, sutum, ere,* tr. Coudre ensemble (deux objets). ¶ Coudre les parties d'un tout. ¶ Former de pièces cousues.

consurgo, *is, surrexi, surrectum, ere,* intr. Se lever ensemble; se lever, s'élever (pr. et fig.).

consurrectio, *onis,* f. Action de se lever (en parl. de toute une assemblée).

consusurro, *as, are,* intr. Chuchoter ensemble. [cousues.

consutilis, *e,* adj. Formé de pièces

consutio, *onis,* f. Action de coudre ensemble, couture.

consutum, *i,* n. Vêtement à coutures.

contabefacio, *is, ere,* tr. Miner (fig.).

contabesco, *is, ere,* intr. Se dessécher, se miner.

contabulatio, *onis,* f. Plancher. || Etage. ¶ Plis (d'un vêtement).

contabulo, *as, avi, atum, are,* tr. Construire en planches. || Planchéier *ou* parqueter. ¶ Jeter un pont (de bois) sur.

contactus, *us,* m. Attachement; contact. ¶ Contagion, influence pernicieuse.

contages, *is,* f. Contact.

contagio, *onis,* f. Contact. ¶ Influence. || Rapport, relation. ¶ Contagion, souillure; influence pernicieuse.

contagium, *ii,* n. Contact. ¶ Influence. ¶ Influence pernicieuse; contagion.

contaminate, adv. D'une manière déshonorante.

contaminatio, *onis,* f. Souillure, tache. ¶ Corruption. ¶ Mal, maladie.

contaminator, *oris,* m. Celui qui souille, qui déshonore.

contamino, *as, are,* tr. Toucher. ¶ Mettre en contact; unir (des disparates), mêler. ¶ Souiller, corrompre.¶ Infecter, empoisonner.

contarii, *orum,* m. pl. Soldats armés de piques.

contatio. Voy. CUNCTATIO. [pique.

1. **contatus,** *i,* m. Soldat armé d'une

2. **contatus,** *a, um.* Voy. CUNCTATUS.

contechnor, *aris, atus sum, ari,* dép. tr. Inventer, machiner.

contego, *is, texi, tectum, ere,* tr. Couvrir; revêtir. || Cacher, voiler. ¶ Protéger.

contemero, *as, avi, atum, are,* tr. Souiller.

contemno, *is, tempsi, temptum, ere,* tr. Mépriser. || Ne tenir aucun compte de. || Braver. ¶ Se moquer de, railler.

contempero, *as, atum, are,* tr. Mélanger en proportions convenables. ¶ Tempérer, adoucir. ¶ Rendre parfaitement égal. Au passif *contemperari,* devenir égal. ¶ Ajuster, accommoder.

contemplabilis, *e,* adj. Visible. ¶ Qui vise bien, qui frappe juste.

contemplatio, *onis,* f. Action de regarder attentivement. || Action de viser. ¶ Contemplation. || (Méton.) Objet de la contemplation, image. ¶ (*Mor.*) Considération, examen. || Considération, égards. [platif.

contemplativus, *a, um,* adj. Contem-

contemplator, *oris,* m. Celui qui vise. ¶ Contemplateur *ou* observateur.

contemplatrix, *icis.* f. Celle qui contemple.

contemplatus, abl. u, m. Contemplation. ¶ Considération; égards.

contemplo, *as, avi, atum, are,* tr. Voy. le suivant.

contemplor, *aris, atus sum, ari,* dép. tr. Embrasser dans son rayon visuel. || Diriger ses regards sur, s'absorber dans la vue de; contempler. || Observer. ¶ (Fig.) Examiner; avoir égard à.

contempno. Voy. CONTEMNO.

1. **contemporalis,** *e,* adj. Qui a lieu en même temps.

2. **contemporalis,** *is,* m. Contemporain.

contemporaneus, *a, um,* adj. Contemporain. [porain.

contemporo, *as, are,* intr. Etre contem-

contemptim, adv. Avec mépris; avec indifférence. [rence.

contemptio, *onis,* f. Mépris. ¶ Indiffé-

contemptius, adv. Compar. de CON TEMPTIM.

contemptor, *oris,* m. Contempteur.

contemptrix, *icis,* f. Celle qui méprise.

1. **contemptus,** *a, um,* p. adj. Méprisé; méprisable, vil. ¶ Qui ne vaut pas la peine d'être regardé, insignifiant.

2. **contemptus,** *us,*m. Mépris. ¶ Indifférence pour.

contendo, *is, tendi, tentum, ere,* intr. et tr. Tendre fortement. || Bander (un arc). || Lancer (avec l'arc bandé). ¶ (Fig.) Raidir en tendant fortement; faire effort, s'appliquer à; mettre (tout) en œuvre. || Insister (pour obtenir), demander avec insistance. || Prétendre, soutenir. ¶ Tendre vers, se diriger vers; parcourir (un chemin). || (Absol.) Marcher avec hâte, se rendre vivement à. || S'étendre (en parl. d'une contrée). ¶ (*Tr.*) Opposer; mettre aux prises; mettre en parallèle. || (*Intr.*) Se mesurer avec, lutter, rivaliser;

combattre; se débattre avec, lutter pour se dégager. [¶ Avec soin.

1. **contente**, adv. De toutes ses forces.

2. **contente**, adv. Chichement.

contentio, *onis*, f. Action de tendre fortement; tension. ¶ (Fig.) Effort (pour arriver au but); application, zèle. ¶ Comparaison, opposition; *gramm*, antithèse. ¶ Action de se mesurer : lutte, combat; polémique.

contentiose, adv. D'une manière litigieuse. ¶ Opiniâtrement.

contentiosus, *a, um*, adj. Contentieux, litigieux. ¶ Plein d'obstination, d'entêtement, d'opiniâtreté.

1. **contentus**, *a, um*, p. adj. Tendu (avec effort). ¶ (Fig.) Qui fait effort pour; ardent, zélé.

2. **contentus**, *a, um*, p. adj. Qui se maintient dans les limites de, qui se borne à; satisfait, content.

conterebro, *as, are*, tr. Percer de part en part; perforer.

conterebromius, *a, um*, adj. Qui pressure beaucoup de raisin (mot plaisant).

contermino, *as, are*, intr. Etre voisin, limitrophe. [Voisinage.

conterminum, *i*, n. Contrée voisine. ||

1. **conterminus**, *a, um*, adj. Qui a des limites communes; voisin, contigu, limitrophe.

2. **conterminus**, *i*, m. Voisin.

conternatio, *onis*, f. Action de prendre trois par trois.

conterno, *as, are*, tr. Prendre trois par trois. ¶ (*Intr.*) Avoir trois ans.

contero, *is, ivi, tritum, ere*, tr. Broyer, piler. ¶ Fouler aux pieds, traiter avec mépris. ¶ User (en frottant); dépenser, consumer. ¶ (En gén.) Détériorer, maltraiter. ¶ Epuiser, ruiner.

conterreo, *es, terrui, territum, ere*, tr. Frapper de terreur, épouvanter.

contesseratio, *onis*, f. (Echange de tessères), lien d'hospitalité.

contessero, *as, are*, intr. (Echanger des tessères), c.-à-d. nouer des liens d'hospitalité.

contestate, adv. Incontestablement.

contestatio, *onis*, f. Action d'appeler en témoignage. ¶ (Jur.) Ouverture d'un procès par l'appel des témoins. || Affirmation appuyée de témoignages, attestation, témoignage. ¶ Prière instante; instances. [témoins.

contestato, adv. En produisant des

contestor, *aris, atus sum, ari*, dép. tr. Prendre à témoin. ¶ Ouvrir un procès en produisant les témoins des deux parties. ¶ Attester, assurer. Au passif. *Virtus contestata*, vertu attestée, éprouvée.

contexo, *is, texui, textum, ere*, tr. Entrelacer; tresser; tisser; ourdir. || Fabriquer. ¶ (Fig.) Relier, unir, rattacher. || Continuer sans s'interrompre. ¶ Imaginer, tramer, ourdir.

contexte, adv. En série; en enchaînant.

contextim, adv. En s'enchaînant.

contextio, *onis*, f. Enchaînement. ¶ (Fig.) Tissu; composition.

contextor, *oris*, m. Celui qui compose. || Rédacteur, auteur.

1. **contextus**, *a, um*, p. adj. Continu. || Serré, compact.

2. **contextus**, *us*, m. Action de tisser, d'assembler : fabrication. ¶ Arrangement; contexture.

conticesco (CONTICISCO), *is, ticui, ere*. intr. Se taire, cesser de parler, devenir muet. ¶ (Fig.) Se calmer, cesser.

conticisco. Voy. CONTICESCO.

contignatio, *onis*, f. Assemblage de poutres. ¶ Charpente (du toit).|| Etage.

contigno, *as, avi, atum, are*, tr. Former avec des poutres. ¶ (Ordin.) Couvrir d'une charpente. [immédiatement.

contigue, adv. Tout à côté, tout près,

contiguus, *a, um*, adj. Qui est en contact avec. ¶ Qui touche, avoisinant, voisin, tout proche, contigu. ¶ Qu'on peut toucher ou atteindre, tangible.

1. **continens**, *entis*, p. adj. Qui tient à. ¶ Attenant. || Continu, ininterrompu. || Immédiat. ¶ Qui se content : continent, tempérant; maître de soi.

2. **continens**, *entis*, f. Terre ferme; continent.

3. **continens**, *entis*, n. (Rhét.) Point essentiel (d'une défense); point capital.

continenter, adv. En se touchant, à la suite, continuellement; immédiatement. ¶ Avec continence, sobrement.

continentia, *ae*, f. Contiguité, voisinage. ¶ (Ordin.) Continence; abstinence, sobriété; modération. ¶ Contenu, substance, essence. ¶ Arrangement, structure.

contineo, *es, tinui, tentum, ere*, tr. Tenir ensemble. || Contenir; maintenir (assemblé, compact). || Relier, rattacher; faire communiquer. ¶ Entourer, enfermer; emprisonner. || Cerner; bloquer. ¶ Contenir, c.-à-d. avoir en soi, embrasser; comprendre. ¶ (Fig.) Faire le fond de; résumer. ¶ Tenir, retenir, garder; forcer à rester. ¶ Réprimer, maintenir dans l'ordre ou dans l'obéissance. || Ecarter, priver. Au passif : *contineri*, s'abstenir.

1. **contingo**, *is, tigi, tactum, ere*, tr. et intr. || (*Tr.*) Toucher à, prendre dans sa main. || Goûter, manger. || Saupoudrer, frotter. ¶ Toucher à, c.-à-d. atteindre. || (Fig.) Obtenir. ¶ Toucher, souiller en touchant, infecter. ¶ (Fig.) Profaner, attenter à. ¶ Etre contigu ou limitrophe; border. || Concerner, intéresser. || Etre en contact avec, avoir un lien avec, être apparenté à. ¶ (*Intr.*) Avoir lieu, arriver, échoir. Impers. *Contingit*, il arrive, il est donné.

2. **contingo** (CONTINGUO), *is, ere*, tr. Teindre; colorer.

continuatio, *onis*, f. Action de faire

suivre sans interruption; exercice continu de. ¶ Continuation, continuité.
|| (Rhét.) Période. [|| Continuel.
continuatus, *a*, *um*, p. adj. Continu.
continue, adv. D'une manière continue.
continuitas, *atis*, f. Continuité; durée.
1. continuo, adv. D'une manière continue. ¶ Incontinent, immédiatement,
sur-le-champ. ¶ Conséquemment; par
suite.
2. continuo, *as*, *avi*, *atum*, *are*, tr.
Rendre continu, ranger à la suite l'un
de l'autre, rattacher immédiatement.
|| Faire succéder sans interruption.
¶ Continuer, perpétuer. || Faire durer.
¶ (*Intr.*) Durer, continuer sans interruption; persister.
continuor, *aris*, *atus sum*, *ari*, dép. tr.
Suivre immédiatement; rejoindre.
continuus, *a*, *um*, adj. Qui vient immé-
diatement après.|| Contigu, limitrophe.
Subst. *Continua*, n. pl. Localités qui
se touchent. ¶ Consécutif, immédiat.
¶ Ininterrompu. || Composé d'une
seule pièce, sans divisions. || (Poét.)
Appartenant au continent.||Continuel,
incessant, sans répit.
contio, *onis*, f. Assemblée du peuple.
|| Assemblée des soldats. || (Méton.)
Harangue (tenue devant le peuple *ou*
les soldats seulement); discours public.
contionabilis, *e*, adj. Qui se présente
dans une assemblée.
contionabulum, *i*, n. Lieu d'assemblée.
contionabundus, *a*, *um*, adj. Qui prononce un discours (public). ¶ Qui
déclare dans un discours.
contionalis, *e*, adj. Relatif aux assem-
blées. ¶ Concernant les harangues.
contionarius, *a*, *um*, adj. Comme le
précédent.
contionator, *oris*, m. Celui qui harangue,
orateur. || (Eccl.) Prédicateur. ¶ Ha-
rangueur, meneur, démagogue.
contionor, *aris*, *atus sum*, *ari*, dép. intr.
Prendre part à une assemblée; former
une assemblée; s'assembler. ¶ Prononcer une harangue. ¶ (*Tr.*) Dire
dans une harangue.
contiuncula, *ae*, f. Méchante petite
assemblée. ¶ Harangue insignifiante.
contolo, tr. Voy. CONFERO.
contonat, impers. intr. Il tonne fort.
contor. Voy. CUNCTOR.
contorqueo, *es*, *torsi*, *tortum* (qqf. *torsum*), *ere*, tr. Faire tourner, faire tour-
noyer. || Brandir. || Lancer, décocher.
|| (Fig.) Donner l'essor à. ¶ Rouler,
entortiller. || Tordre.
contorreo, *es*, *torrui*, *ere*, tr. Brûler
entièrement; dessécher complètement.
contorte, adv. D'une manière serrée,
concise. ¶ D'une manière contournée,
entortillée.
contortio, *onis*, f. Action de brandir.
¶ Entortillement; obscurité.
contortor, *oris*, m. Celui qui tord, c.-à-d.
qui donne un tour forcé.

contortulus, *a*, *um*, adj. Un peu entortillé.
contortus, *a*, *um*, p. adj. Lancé avec
force. || (Fig.) Véhément (en parl.
du style), impétueux. ¶ Embrouillé,
entortillé.
1. contra, adv. Vis-à-vis; en face. ||
(Fig.) D'autre part. ¶ Contrairement,
au rebours.|| Au contraire. ¶ En oppo-
sition; en adversaire; contre.
2. contra, prép. En face de. || Du côté
opposé à. || (Fig.) Au rebours de; en
contradiction avec. || Contre. || Envers,
à l'égard de. [à l'étroit.
contracte, adv. Dans un espace étroit;
contractio, *onis*, f. Contraction. || Para-
lysie. ¶ (Par ext.) Abréviation. ||
(Gramm.) Contraction. ¶ Serrement
de cœur.
contractiuncula, *ae*, f. Léger serrement
de cœur. ¶ Petite contrariété.
contracto. Voy. CONTRECTO.
contractor, *oris*, m. Contractant.
contractura, *ae*, f. Réduction. || Dimi-
nution. ¶ Raccourci.
1. contractus, *a*, *um*, p. adj. Resserré;
contracté. Subst. *Contractus*, *i*, m.
Paralytique. ¶ (Par ext.) Etroit, ré-
tréci.|| Limité. || (Fig.) Sobre, contenu.
|| Econome; mesquin. || Replié sur lui-
même; recueilli.
2. contractus, *us*, m. Contraction; resserrement. ¶ Contrat, convention;
traité.
contradico, *is*, *dixi*, *dictum*, *ere*, intr.
Contredire; faire des objections.
contradictio, *onis*, f. Contradiction. ||
Objection.
contradictor, *oris*, m. Contradicteur.
¶ Adversaire (dans un procès).
contraeo, *is*, *ire*, intr. S'opposer à.
|| Aller à l'encontre.
contraho, *is*, *traxi*, *tractum*, *ere*, tr.
Rassembler en tirant. || Rassembler,
réunir, concentrer.|| Convoquer.||(Fig.
Contracter (amitié). || Conclure (un
mariage, une affaire, etc.). || Contrac-
ter, c.-à-d. gagner, s'attirer. *Contra-
hitur mihi negotium*, on me crée des
embarras. *Contrazerant sibi bellum
Athenienses cum Philippo*, les Athéniens s'étaient mis sur les bras une
guerre avec Philippe. ¶ Commettre
(une faute), perpétrer (un crime, une
mauvaise action). ¶ Attirer, entrainer,
causer. ¶ Resserrer; rapprocher. ||
Contracter, froncer, plisser. || Raccour-
cir, plier, replier. *Contrahere vela*, car-
guer les voiles. || Resserrer, constiper.
|| Fermer (une blessure), cicatriser.
|| Coaguler, geler. || Raidir, engourdir,
paralyser. ¶ Abréger, résumer. ¶ Ré-
primer, restreindre. || Limiter, modé-
rer. ¶ Serrer le cœur. *Contrahi formi-
dine*, avoir le cœur serré par la crainte.
contrapono, *is*, *posui*, *positum*, *ere*, tr.
Opposer.
contrapositum, *i*, n. Antithèse.

contrarie, adv. En opposition.

contrarietas, *atis,* f. Opposition; contradiction.

contrarii, *orum,* m. pl. Adversaires.

contrarior, *aris, ari,* dép. intr. Etre opposé à, être préjudiciable. ¶ Contrarier.

contrarius, *a, um,* adj. Situé en face. ¶ Qui est en sens contraire; situé du côté opposé. ¶ (Fig.) Contraire, opposé; qui contraste avec. Subst. *Contrarium, ii,* n. et *contraria, orum,* n. pl. Contraire, contraste. [pable.

contrectabilis, *e,* adj. Tangible; palpable.

contrectabiliter, adv D'une manière douce au toucher.

contrectatio, *onis,* f. Toucher, attouchement. || Contact. ¶ Détournement, larcin. [main sur...; voleur.

contrectator, *oris,* tr. Celui qui met la

contrecto, *as, avi, atum, are,* tr. Toucher, manier; palper; tâter. || Frotter, frictionner; panser. ¶ Mettre la main sur, dérober, voler. ¶ Attenter à. ¶ Examiner, considérer, étudier.

contremisco, *is, tremui, ere,* intr. Trembler. || Vaciller. ¶ (*Tr.*) Trembler devant (qqn), redouter.

contremo, *is, ere,* intr. Trembler.

contribuo, *is, tribui, tributum, ere,* tr. Fournir à la communauté, donner sa quote-part, contribuer. ¶ Adjoindre; annexer. || Agglomérer. [part.

contributio, *onis,* f. Contribution, quote-

contristatio, *onis,* f. Affliction.

contristo, *as, avi, atum, are,* tr. Assombrir. ¶ (Fig.) Affliger, attrister; contrister.

contritio, *onis,* f. Action d'user par le frottement. ¶ Destruction. || Misère, ruine. || Abattement. || (*Eccl.*) Contrition.

contritus, *a, um,* adj. Usé; banal.

controversia, *ae,* f. Direction opposée *ou* (rar.) mouvement contraire. ¶ (Fig.) Controverse; litige; discussion. ¶ Procès. || Controverse (exercice de rhétorique).

controversiosus, *a, um,* adj. Qui prête à la controverse, contestable, litigieux. ¶ Qui est contesté.

controversor, *aris, ari,* dép. intr. Engager une controverse.

controversum, adv. Au contraire.

controversus, *a, um,* adj. Dirigé en sens contraire. || Situé en face de, opposé. ¶ (Fig.) Opposé, contraire. ¶ Mis en discussion, débattu, douteux, litigieux. Subst. *Controversa,* n. pl. Points contestés.

contrucido, *as, avi, atum, are,* tr. Egorger ensemble, massacrer. ¶ Percer de coups.

contrudo, *is, trusi, trusum, ere,* tr. Pousser l'un contre l'autre. ¶ (Simpl.) Pousser, faire entrer de force; fourrer.

contrunco, *as, are,* tr. Echarper, mettre en pièces.

contubernalis, *is,* m. et f. Celui qui partage la même tente. || Camarade, compagnon de guerre. || Partic. (au plur.) *Contubernales,* aides de camp, aspirants officiers (jeunes nobles attachés à la personne du général). || (En gén.) Camarade, compagnon; collègue. ¶ Celui qui habite la même maison, le même appartement : commensal, ami. || Qui vit maritalement avec (en parl. d'esclaves).

contubernium, *ii,* n. Communauté de tente; camaraderie. || Vie commune (d'un jeune noble avec son général). || Communauté de logement : amitié. ¶ Union (entre esclaves). ¶ Tente commune. ¶ Habitation commune.

contueor, *eris, tuitus sum, eri,* dép. tr. Voir, apercevoir. ¶ Regarder, considérer, examiner (pr. et fig.). || Prêter attention, veiller à.

contuibilis, *e,* adj. Visible.

contuitus, *us,* m. Action de regarder; regard. ¶ Considération, examen. ¶ Action de tenir compte de, égard.

contulus, *i,* m. Petite gaffe; petit épieu.

contumacia, *ae,* f. Résistance, révolte. ¶ Orgueil, fierté. ¶ Entêtement, caprice. ¶ (Jur.) Contumace, refus de comparaître (en justice).

contumaciter, adv. Obstinément; d'une manière inflexible; opiniâtrément.

contumax, *acis,* adj. Qui fait fi de toute influence étrangère. ¶ Rebelle, récalcitrant; opiniâtre, inflexible. || Arrogant. ¶ (Fig.) Rebelle (en parl. de ch.) ¶ (Jur.) Contumax.

contumelia, *ae,* f. Outrage. ¶ Affront; injure. ¶ Reproche. ¶ Humiliation. ¶ Mauvais traitement; dommage.

contumelio, *as, are,* tr. Outrager. ¶ Insulter. ¶ Déshonorer.

contumelior, *aris, ari,* dép. tr. Comme le précédent.

contumeliose, adv. D'une manière outrageante.

contumeliosus, *a, um,* adj. Qui dit des choses outrageantes (en parl. de pers.). ¶ Outrageux, injurieux (en parl. de ch.).

contumulo, *as, avi, atum, are,* tr. Entasser en forme de tertre. ¶ Couvrir d'un tertre; enterrer.

contundo, *is, tudi, tusum, ere,* tr. Piler; écraser. ¶ Meurtrir; rouer de coups, assommer. ¶ (Fig.) Abattre; écraser; soumettre. [TUEOR

contuo, *is,* et **contuor,** *eris.* Voy. CON-

conturbatio, *onis,* f. Trouble (phys. *ou* mor.). [(Partic.) Coûteux, ruineux.

conturbator, *oris,* m. Perturbateur. ¶

conturbatus, *a, um,* p. adj. Troublé (phys. et mor.). || Déconcerté.

conturbo, *as, avi, atum, are,* tr. Troubler, bouleverser, embrouiller; confondre. ¶ (En partic.) Embrouiller les comptes (de qqn), l'entraîner à la faillite. || (Absol. et intr.) Faire faillite *ou* banqueroute. ¶ (*Mor.*) Troubler (l'esprit), déconcerter; inquiéter.

contus, *i*, m. Gaffe, sorte de perche. ¶ Pique, épieu (arme de combat).

contusio, *onis*, f. Action d'écraser, de briser.|| Action de heurter. ¶ (T. méd.) Contusion.

contusum. *i*, n. Contusion.

1. contutor, *oris*, m. Cotuteur.

2. contutor, *aris, atus sum, ari*, dép. tr. Mettre en sûreté, sauver (qqn en le cachant).   [CONTUITUS.

contutus, *us*, abl. *u*, m. Regard. Voy.

conubium, *ii*, n. Voy. CONNUBIUM.

conubs, m. f. Conjoint; conjointe.

conus, *i*, m. Cône. ¶ (Méton.) Ornement (au sommet d'un casque). || Fruit en forme de cône, pomme de pin, etc. ¶ Sorte de cadran solaire.

convador, *aris, ari*, dép. tr. Assigner en justice.

convalesco, *is, valui, ere*, intr. Se fortifier. ¶ Prendre des forces; pousser, grandir. || (Fig.) Croître, prospérer. || (Jur.) Devenir valable. ¶ Reprendre des forces, se rétablir; entrer en convalescence. || Revenir à soi, se remettre, se rassurer. || Sortir d'embarras.

convallia, *um*, n. pl. Vallons encaissés.

convallis, *is*, f. Vallée encaissée *ou* plaine entourée de hauteurs.

convectio, *onis*, f. Transport; charroi.

convecto, *as, atum, are*, tr. Transporter (en grande quantité), charrier, convoyer.   [¶ Compagnon de voyage.

convector, *oris*, m. Celui qui transporte.

conveho, *is, vexi, vectum, ere*, tr. Charrier, transporter (par terre *ou* par mer), voiturer.

convello, *is, velli* (rar. *vulsi*), *vulsum, ere*, tr. Arracher; enlever de force. || (Mét.) Démettre, fouler, luxer (un membre). ¶ Mettre en pièces; déchirer. ¶ (Fig.) Ebranler, ruiner.

convelo, *as, atum, are*, tr. Couvrir d'un voile: voiler. || Obscurcir.

1. convena, *ae*, adj. m. et f. Arrivant avec d'autres.

2. convena, *ae*, m. Celui qui arrive *ou* se rencontre avec d'autres. Au plur. *Convenae*, étrangers *ou* aventuriers.

conveniens, *entis*, p. adj. Qui va bien avec; conforme. ¶ Qui va bien, juste (en parl. d'un habit), qui prend bien la taille. ¶ (Fig.) Conséquent avec, assorti avec; séant, convenable.

convenienter, adv. D'accord; en conformité avec.   [monie.

convenientia, *ae*, f. Conformité. ¶ Harconvenio, *is, veni, ventum, ire*, intr. Venir ensemble en un même lieu. || Se rassembler; se rencontrer. || S'aboucher, avoir une entrevue. ¶ Accourir en foule, affluer. ¶ (Jur.) Venir en présence du mari. || Ressortir à, être de la juridiction de. *Carthaginem conveniunt*, ils sont du ressort de Carthage. ¶ (Tr.) Rencontrer, aborder. || Venir

trouver; avoir une entrevue *ou* un entretien avec.||(Jur.) Citer en justice.

¶ *Intr.* Convenir, s'accorder; s'adapter, aller bien. || (Fig.) Concorder, s'appliquer à, se rapporter à, cadrer. || Etre séant, convenir. Impers. *Convenit*, il est à propos, il convient. ¶ Etre admis d'un commun accord. Impers. *Convenit*, il y a accord; il est admis; il est certain. || (En parl. de pers.) S'entendre, convenir.

conventicium (s.-e. *aes*), *ii*, n. Droit de présence (argent donné à ceux qui assistent, chez les Grecs, à l'assemblée du peuple).

conventicius, *a, um*, adj. De rencontre.

conventiculum, *i*, n. Réunion sans importance. ¶ (Méton.) Lieu de réunion.

conventio, *onis*, f. Réunion. || Assemblée du peuple. Comme CONTIO. || Citation en justice. ¶ Convention, traité, contrat.   [tion, traité.

conventum, *i*, n. Accord, pacte, conventus, *us*, m. Action de se réunir. || Rencontre. || (Méton.) Réunion, assemblée; congrès. || (En partic.) Assises (tenues au chef-lieu d'une province par le magistrat romain). ¶ Ressort; circonscription. ¶ Territoire ressortissant à un chef-lieu. ¶ Corporation de citoyens romains établis à l'étranger; colonie. ¶ Convention, pacte, accord.   [liver.

convenusto, *as, are*, tr. Parer; enjoconverbero, *as, are*, tr. Rouer de coups.

convergo, *is, ere*, intr. Converger.

converritor, *oris*, m. Balayeur.

converro (CONVORRO), *is, verri, versum, ere*, tr. Balayer; nettoyer en balayant.

1. conversatio, *onis*, f. Retour de fortune; vicissitude.

2. conversatio, *onis*, f. Séjour, demeure. ¶ Relation, commerce. || Fréquentation.

converse, adv. Comme CONVERSIM.

conversim, adv. Inversement. || Réciproquement.

conversio, *onis*, f. Mouvement de ce qui tourne. || Mouvement circulaire, révolution, tour. || Renversement. ¶ (Fig.) *Rhét.* Arrondissement de la phrase; période. || Répétition du même mot à la fin de la phrase. || Chiasme. ¶ Changement; métamorphose. || Traduction. || (Eccl.) Conversion. || (Méd.) Changement d'une tumeur en foyer purulent, tumeur purulente.

1. conversor, *aris, atus sum, ari*, dép. intr. Se tenir, demeurer. ¶ Vivre avec, fréquenter. ¶ Se comporter, se conduire.

2. conversor, *oris*. Celui qui convertit.

conversus, *us*, m. Mouvement circulaire.

converto, *is, verti, versum, ere*, tr. Tourner. || Retourner en sens inverse, faire revenir sur ses pas. || Détourner.

|| Faire tourner en rond. *Convertere signa*, faire une conversion. || Friser. || (Absol.) Se tourner. ¶ Diriger. || Tourner. || (*Fig.*) Appliquer, faire servir. ¶ Changer. || Transformer, métamorphoser. || (Fig.) Traduire. || (Intr.) Changer, c.-à-d. se transformer.

convertor, *eris*, *i*, passif moyen. Se tourner. || Se retourner. ¶ S'en retourner.

convestio, *is*, *ivi*, *itum*, *ire*, tr. Habiller, vêtir. || Revêtir, couvrir.

conveteranus, *i*, m. Camarade (en parl. de vétérans).

convexio, *onis*, f. Voûte. [¶Concavité.

convexitas, *atis*, f. Voûte, convexité.

convexo, *as*, *are*, tr. Tourmenter.

convexum, *i*, n. Voûte. ¶ Ordin. au pl. *Convexa*, *orum*, n. Même sens. *Qqf.* concavité, profondeur.

convexus, *a*, *um*, p. adj. Arrondi; de forme sphérique.

convibro, *as*, *avi*, *are*, tr. Secouer, agiter. ¶ (*Intr.*) Vibrer, s'agiter rapidement.

convicanus, *i*, m. Originaire *ou* habitant du même bourg.

conviciator, *oris*, m. Insulteur.

conviciolum, *ii*, n. Injure insignifiante.

convicior, *aris*, *atus sum*, *ari*, dép. intr. Insulter; injurier; invectiver. ¶ Faire des reproches à... ¶ Railler.

conviciosus, *a*, *um*, adj. Insolent.

convicium, *ii*, n. Grand bruit de voix, clameurs, tapage, vacarme. ¶ (En part.) Concert d'imprécations; reproche fait à haute voix. || (Méton.) Opprobre, honte. ¶ Injure, invective. || Brocard, raillerie.   [cante.

1. **convictio**, *onis*, f. Preuve convain-

2. **convictio**, *onis*, f. Vie en commun. || (Méton.) Commensal. [|| Commensal.

convictor, *oris*, m. Compagnon de table.

convictus, *us*, m. Vie en commun. || Société. || (Partic.) Repas en commun.

convinco, *is*, *vici*, *victum*, *ere*, tr. Convaincre (d'erreur, d'une faute, etc.), confondre. || Réfuter. ¶ Démontrer, prouver, établir d'une façon convaincante.   [gramm.]

convinctio, *onis*, f. Conjonction (t. de

conviso, *is*, *ere*, tr. Regarder avec attention; parcourir du regard. ¶ Visiter en même temps.

convitiator. Voy. CONVICIATOR.

convitio, *as*, *are*, tr. Assaillir (en parl. d'un mal).

convitiolum. Voy. CONVICIOLUM.

convitior. Voy. CONVICIOR.

convitium. Voy. CONVICIUM.

conviva, *ae*, m. Convive; commensal.

convivalis, *e*, adj. De festin; de table.

convivatio, *onis*, f. Festin; banquet.

convivator, *oris*, m. Celui qui donne un festin.

convivialis, *e*, adj. Comme CONVIVALIS.

convivifico, *as*, *are*, tr. Vivifier ensemble.

conviviolum, *i*, n. Petit festin.

convivium, *ii*, n. Grand repas, festin, banquet. '|| (Méton.) Ceux qui prennent part au banquet, convives.

1. **convivo**, *is*, *vixi*, *victum*, *ere*, intr. Vivre en même temps; être contemporain. ¶ Manger ensemble *ou* avec.

2. **convivo**, *as*, *are*, intr. Voy. le suivant.

convivor, *aris*, *atus sum*, *ari*, dép. intr. Donner un repas. ¶ Prendre un repas ensemble; manger en commun. ¶ (*Tr.*) Manger, dévorer.

convocatio, *onis*, f. Convocation.

convocator, *oris*, m. Celui qui prie à dîner.   [ensemble; convoquer.

convoco, *as*, *avi*, *atum*, *are*, tr. Appeler

convolnero. Voy. CONVULNERO.

convolo, *as*, *avi*, *atum*, *are*, intr. Voler vers le même point. || Accourir en foule au même point, se rassembler. ¶ Voler vers. || (Par ext.) Courir vers, se porter vers. || (Fig.) Convoler (à de nouvelles noces).

convolsio. Voy. CONVULSIO.   [VELLO.

convolsus, p. CONVULSUS. Voy. CON-

convolutus, *us*, m. Repli.

convolutor, *aris*, *ari*, dép. intr. Rouler avec, c.-à-d. vagabonder avec. ¶ Fréquenter (de mauvaises compagnies).

convolvo, *is*, *volvi*, *volutum*, *ere*, tr. Rouler ensemble; replier sur soi-même, enrouler. ¶ Rouler, c.-à-d. faire avancer en roulant. ¶ Enrouler dans, entortiller de.

convolvulus, *i*, m. Pyrale de la vigne. ¶ Liseron (plante).   [Souiller, salir.

convomo, *is*, *ere*, tr. Vomir sur. ¶ (Fig.)

convulnero, *as*, *avi*, *atum*, *are*, tr. Blesser. || Endommager; entamer. ¶ Porter atteinte à l'honneur, à la réputation de...

convulsio, *onis*, f. Convulsion; spasme.

conyza, *ae*, f. Herbe aux puces (plante). ¶ Espèce d'aunée.   [ration.

cooperatio, *onis*, f. Collaboration; coopé-

cooperculum, *i*, n. Couvercle. || Enveloppe.

cooperimentum (COOPERIMENTUM), *i*, n. Couvercle. || Couverture. || Voile.

cooperio (COPERIO), *is perui*, *pertum*, *ire*, tr. Couvrir entièrement (*ou* presque); recouvrir. ¶ Charger, accabler (pr. et fig.). [Collaborer; coopérer.

cooperor, *aris*, *atus sum*, *ari*, dép. intr. coopérer.

cooperte, adv. D'une manière cachée.

coopertio, *onis*, f. Action de couvrir. || Ce qui recouvre.

cooptatio (COPTATIO), *onis*, f. Cooptation. || (En gén.) Choix, admission. ¶ Adoption.

coopto (COPTO), *as*, *avi*, *atum*, *are*, tr. Admettre (dans une corporation); choisir, nommer. ¶ Adopter (dans une famille).

coorior, *eris*, *ortus sum*, *oriri*, dép. intr. Naître, s'élever, se produire. ¶ Se soulever; se lever (pour combattre). ¶ (Fig.) S'élever contre.

coortus, us, m. Naissance, action de se produire. || Action d'éclater.

copa, ae, f. Cabaretière ou danseuse de cabaret.

coper... Voy. COOPER..

cophinus, i, m. Corbeille, panier, manne.

copia, ae, f. Abondance (de biens) : aisance, richesse. Au plur. Copiae, provisions, ressources; provisions de bouche, vivres. ¶ Multitude, foule. || Au plur. Copiae, troupes, forces militaires. ¶ (Fig.) Abondance oratoire, richesse d'expression, ampleur (de style). ¶ (Par ext.) Moyen, possibilité, faculté. || Pouvoir ou permission (de faire qqch.).

copiolae, arum, f. pl. Petite armée. ¶ Forces militaires dérisoires.

copior, aris, ari, dép. intr. Se pourvoir de. || Faire un ample butin.

copiose, adv. Abondamment, copieusement; en grande quantité; en foule. ¶ (Fig.) Avec abondance, avec des développements étendus, avec ampleur (en parl. du style).

copiosus, a, um, adj. Bien pourvu de, riche. ¶ Abondant, copieux, en grande quantité. ¶ (Fig.) Richement doué, à l'imagination féconde, au style abondant. || Riche, ample, abondant (en parl. du style).

1. copis, e, adj. Qui a ce qu'il désire. || (En génér.) Riche en...

2. copis, idis (acc. pl. idas), f. Cimeterre, yatagan. ¶ Coutelas (de chasse).

copla, ae, f. Pour COPULA.

coplatus, a, um, Pour COPULATUS.

copo, onis, m. Voy. CAUPO.

copon... Voy. CAUPON...

coprea (COPRIA), ae, m. Vil bouffon.

cops. Voy. 1. COPIS.

copta, ae, f. Sorte de pâtisserie compacte.

coptatio. Voy. COOPTATIO.

copto. Voy. COOPTO.

coptoplacenta, ae, f. Sorte de biscuit.

1. copula, ae, f. Ce qui attache ensemble. || Corde, lien, attache. || Menottes. || Couple (pour chiens), laisse. ¶ Liaison, lien d'amitié; lien conjugal. || (Méton.) Trait d'union entre deux personnes. ¶ (Gramm.) Liaison des mots; composition.

2. copula, ae, f. Femelle d'un animal.

copulate, adv. Par réunion; par composition.

copulatio, onis, f. Réunion. || Assemblage. || Agglomération. ¶ (Gramm.) Liaison (des mots), composition.

copulatum, i, n. Proposition copulative.

1. copulatus, a, um, p. adj. Relié, étroitement uni; qui est en rapport étroit avec. ¶ (Mor.) Etroitement lié. ¶ Qui rapproche, qui lie. ¶ (Gramm.) Composé.

2. copulatus, us, m. Liaison; réunion.

copulo, as, avi, atum, are, tr. Attacher ou enchaîner ensemble. ¶ Lier, unir.

¶ Réunir, joindre, assembler. ¶ Associer (pr. et fig.). [cédent

copulor, aris, ari, dép. tr. Voy. le précopulum, i, n. Comme 1. COPULA.

coqua, ae, f. Cuisinière.

coquibilis, e, adj. De facile digestion.

coquina, ae, f. Cuisine. ¶ Art culinaire.

1. coquinarius, a, um, adj. Culinaire.

2. coquinarius, ii, m. Cuisinier.

coquino, as, atum, are, tr. et intr. Faire la cuisine.

coquinus (COCINUS), a, um, adj. Qui concerne la cuisine. ¶ Relatif aux approvisionnements.

coquitatio, onis, f. Cuisson prolongée.

coquito, are, intr. Faire la cuisine.

coquo, is, coxi, coctum, ere, tr. Cuire ou faire cuire. || (En gén.) Préparer à l'aide du feu : faire sécher, durcir; fondre. || Forger. ¶ Faire mûrir. || Digérer. ¶ (Fig.) Mûrir (dans son esprit), couver, ruminer; méditer, tramer. ¶ Faire sécher (d'ennui); ronger; inquiéter, tourmenter. || Epuiser, affaiblir.) [(Arch.) Boulanger.

coquus (COCUS), i, m. Cuisinier. ¶

cor, cordis, n. Cœur. || Estomac. ¶ (Fig.) Cœur, âme, caractère; courage. ¶ Esprit, intelligence, raison, bon sens. || Pénétration. ¶ (Méton.) Individu, homme. || (Terme de caresse.) Ame, cœur.

cora, f. Vierge (surnom de Proserpine). ¶ Prunelle de l'œil, pupille.

coracicus, a, um, adj. Concernant le corbeau; de corbeau.

coracino, as, are, intr. Croasser.

coracinum, i, n. Noir de corbeau.

1. coracinus, a, um, adj. De corbeau; relatif au corbeau.

2. coracinus, i, m. Espèce de poisson qu'on trouve surtout dans le Nil.

coralium, ii, n. Voy. CORALLIUM.

corallinus, a, um, adj. De corail, c.-à-d. semblable au corail ou rouge comme le corail. [identifiée.

corallis, idis, f. Pierre précieuse non

corallium et curallium, ii, n. Corail rouge.

corallius, i, f. Comme le précédent.

corallum, i, n. Voy. CORALLIUM.

coram, adv. En face; vis-à-vis. ¶ Devant tous, publiquement. ¶ Prép. (av.l'abl.) En face de, en présence de; devant.

coramble, es, f. Espèce de chou.

corax, acis, m. Corbeau (oiseau). ¶ Machine de guerre munie d'un crochet.

corbicula, ae, f. Petite corbeille; petit panier. [panier, manne.

corbis, is (abl. e rar. i), m. f. Corbeille,

corbita, ae, f. Vaisseau de transport à marche lente.

corbona, ae, f. (Mot hébreu.) Trésor, caisse publique.

corbula, ae, f. Petite corbeille.

corchorum, i, n. et corchorus, i, m. Mouron (plante).

corcillum, i, n. Bon cœur; humanité.

corcodilus, i, m. Voy. CROCODILUS.

corculum, i, n. Petit cœur (terme de caresse). [(employé en surnom).

corculus, i, m. Sage, prudent, avisé

corcus, i, m. Maladie affectant la poitrine ou l'estomac.

corda. Voy. CHORDA.

cordate, adv. Sagement, sensément, prudemment. ¶ Intelligemment.

cordatio, onis, f. Intelligence.

cordatus, a, um. adj. Sage, sensé, prudent. ¶ Intelligent. [les Grecs.

cordax, acis, m. Danse licencieuse chez

cordolium, ii, n. Crève-cœur, chagrin.

cordula, ae, f. Voy. CORDYLA.

cordus, a, um, adj. Voy. CHORDUS.

cordyla, ae, f. Jeune thon.

corgo, adv. Vcy. GORGO.

coriaceus, a, um, adj. De cuir: en cuir.

coriandratus, a, um, adj. Assaisonné de coriandre; préparé avec le coriandre.

coriandrum, i, n. Coriandre, plante.

coriandrus, i, f. Comme le précédent.

1. coriarius, a, um, adj. Relatif au cuir.

2. coriarius, ii, m. Corroyeur; tanneur.

coriceum. Voy. CORYCEUM.

corigia. Voy. CORRIGIA.

corinthea, orum, n. pl. Statues, vases, objets d'art en bronze de Corinthe.

corinthiarius, i, m. Artiste qui travaille l'airain de Corinthe. ¶ Amateur d'objets en airain de Corinthe (surnom donné plaisamment à l'empereur Auguste). ¶ Gardien, conservateur des objets en airain de Corinthe.

corinthius, a, um, adj. De Corinthe, corinthien. Subst. Corinthia, orum, n. pl. Vases en airain de Corinthe. Corinthia, ae, f. Plante inconnue.

corion, ii, n. Mille-pertuis (plante).

corium, ii, n. Peau (des animaux); peau épaisse. || Peau tannée, cuir. || (Méton.) Fouet, lanières de cuir ¶. (Par ext.) Cuir pour désigner plaisamm, la peau de l'homme. || Écorce. || Peau, écale (des fruits). || Crépi, enduit, couche. || (En gén.) Croûte, surface durcie.

corius, ii, m. Pour CORIUM.

corneolus, a, um, adj. Qui ressemble à de la corne; dur comme la corne.

cornesco, is, ere, intr. Se changer en corne; devenir dur comme la corne.

cornetum, i, n. Bosquet de cornouillers.

1. corneus, a, um, adj. De corne; en corne. ¶ (Par ext.) Semblable à de la corne. ¶ Racorni (pr. et fig.). ¶ Couleur de corne.

2. corneus, a, um, adj. De cornouiller; de bois de cornouiller.

cornicen, inis, m. Celui qui sonne du cor ou de la corne à bouquin.

cornicor, aris, ari, dép. intr. Jacasser ou crier comme une corneille.

cornicula, ae, f. Petite corneille. ¶ (Fig.) Etourdi ou niais.

corniculans, antis, adj. Qui paraît sous la forme d'un croissant.

cornicularius, ii, m. Corniculaire, soldat d'élite ou sous-officier attaché à la personne d'un officier supérieur. ¶ Secrétaire d'un magistrat.

corniculatus, a, um, adj. Qui a la forme d'un croissant.

corniculum, i, n. Petite corne. || Antenne (des insectes). ¶ Corne, c.-à-d. entonnoir. ¶ Ornement militaire, décoration en forme de corne (qu'un soldat portait à son casque en récompense d'un exploit). ¶ Extrémité d'un piquet d'arpentage.

corniculus, i, m. Office de corniculaire.

cornifer, fera, ferum, adj. Cornu, qui porte des cornes.

cornifrons, frontis, adj. Qui a des cornes au front. [des cornes, cornu.

corniger, gera, gerum, adj. Qui porte

1. cornigera, ae, f. Biche.

2. cornigera, orum, n. pl. Bêtes à cornes.

cornipedus, a, um, adj. Comme CORNIPES.

1. cornipes, pedis, m. f. Qui a un sabot.

2. cornipes, pedis, m. Cheval ou centaure.

cornix, icis, f. Corneille (oiseau).

cornu, us, n. Corne (des animaux). ¶ (Par anal.) Antenne (des insectes). || Défense (de l'éléphant). || Excroissance en forme de corne, grosse verrue .|| Houppe, touffe de cheveux sur le sommet de la tête. ¶ Corne ou matière cornée. || Sabot (du cheval, etc.). || Bec (d'oiseau). ¶ Corne (instrument). || Cor; cornet à bouquin. || Bec de flûte. || (Méton.) Flûte à bec. || Arc (formé en partie de corne). || Corne en forme d'entonnoir; entonnoir. || Huilier. || Lanterne (en corne). || Vitre (d'une lanterne). || Boîte d'harmonie d'une lyre. ¶ Extrémité ressemblant à une corne : pointe. || Cimier (d'un casque). || Extrémité des vergues : méton. vergue, antenne. || Pointe du bâton autour duquel on enroulait un volume. || Corne du croissant de la lune. || Bras (d'un fleuve). || Cime (d'une montagne). || Pointe de terre, cap. || Aile (d'une armée). ¶ (Fig.) Audace, force, courage.

cornuarius, ii, m. Fabricant de cors.

cornucopia, ae, f. Corne d'abondance.

1. cornum, i, n. Comme CORNU.

2. cornum, i, n. Cornouille. ¶ Bois de cornouiller. || (Méton.) Lance (en bois de cornouiller).

cornupeta, ae, m. Qui frappe de la corne.

1. cornus, us, n. Comme CORNU.

2. cornus, i, f. Cornouiller. ¶ Bois de cornouiller. || (Méton.) Lance (en bois de cornouiller).

1. cornuta, orum, n. pl. Bêtes à cornes.

2. cornuta, ae, f. Serpent à cornes. ¶ Nom d'un poisson de mer.

cornuti, orum, m. pl. Taureaux.

cornutus, a, um, adj. A cornes; cornu. ¶ (Fig.) Cornu (en parl. d'un sophisme). Voy. CERATINAS. [CORNU.

cornuum, i, n. et cornuus, i, f. Voy.

corocottas, *ae*, m. Animal sauvage d'Ethiopie, peut-être la hyène.

corolla, *ae*, f. Petite couronne; petite guirlande. [ronnes.

corollaria, *ae*, f. Marchande de coucorollarium, *ii*, n. Couronne (en métal doré qu'on décernait aux acteurs dont on était satisfait). || (Par ext.) Récompense accessoire, gratification, pourboire. ¶ (Fig.) Corollaire, conséquence résultant d'un théorème démontré.

1. corona, *ae*, f. Couronne (de fleurs *ou* de feuilles). ¶ (Par ext.) Bordure. || (Archit.) Larmier, corniche, couronnement. || Chaîne de montagnes circulaire. || Halo (solaire). ¶ Cercle, réunion (de personnes), galerie. || (T. milit.) Ligne d'investissement *ou* (qqf.) de défense.

2. corona, *ae*, f. Nom de deux constellations, la Couronne d'Ariane *ou* Couronne boréale et la Couronne australe.

coronalis, *e*, adj. De couronne; produit par une couronne.

coronamen, *inis*, n. Ce qui forme couronne; couronne.

coronamentum, *i*, n. Ce qui sert à faire des couronnes. || Fleur dont on fait des couronnes. || Couronne.

coronaria, *ae*, f. Celle qui fait *ou* vend des couronnes.

1. coronarius, *a*, *um*, adj. A couronnes, qui sert à faire des couronnes. ¶ Donné en guise de couronne. *Coronarium aurum*, présent en or donné en guise de couronne. [vend des couronnes.

2. coronarius, *ii*, m. Celui qui fait *ou* coronatio, *onis*, f. Action de couronner.

coronis, *idis*, f. Signe mis par les copistes à la fin d'un chapitre *ou* d'un livre; *d'où* couronnement, conclusion, fin, d'où faire périr, tuer.

corono, *as*, *avi*, *atum*, *are*, tr. Couronner, décerner une couronne. ¶ Mettre en vente des prisonniers de guerre (avec une couronne sur la tête). || Emplir jusqu'au bord. ¶ (En gén.) Entourer, ceindre.

corporalis, *e*, adj. Corporel. || Qui a un corps. || (Gramm.) Concret. ¶ Corporel, charnel, sensuel. [riellement

corporaliter, adv. Corporellement, maté-corporasco, *is*, *ere*, intr. Prendre un corps; devenir matérel.

corporatio, *onis*, f. Nature corporelle. ¶ Incarnation. [un corps.

corporatus, *a*, *um*, p. adj. Qui a pris

corporeus, *a*, *um*, adj. Corporel, qui a un corps. ¶ De chair. ¶ Concernant le corps. || Attaché au corps.

corporo, *as*, *avi*, *atum*, *are*, tr. Donner un corps à, revêtir d'un corps. Au passif. *Corporari*, prendre un corps. ¶ Réduire au corps, priver de l'âme, d'où faire périr, tuer.

corpulentia, *ae*, f. Corpulence. ¶ Nature corporelle. || Constitution du corps; complexion.

corpulentus, *a*, *um*, adj. Qui a de l'em-

bonpoint, corpulent; gros, grand, fort. ¶ Corporel.

corpus, *oris*, n. Corps (de l'homme et des animaux). || Corps, *c.-à-d.* tronc (opp. à tête). || Cadavre. || (Méton.) Individu, être. ¶ Chair, corpulence. || (Fig.) Vigueur (du style). ¶ (Par anal.) Bois (des arbres, sous l'écorce). || (En gén.) Corps, *c.-à-d.* matière *ou* substance. ¶ (Par ext.) Ensemble, tout. || Carcasse (de navire); charpente (pr. et fig.) || Ouvrage d'ensemble; collection, recueil. ¶ Réunion de personnes corps, corporation; classe.

corpusculum, *i*, n. Petit corps. ¶ Léger embonpoint. ¶ Corpuscule, atome. ¶ (Fig.) Petite compilation; anthologie.

corrado, *is*, *rasi*, *rasum*, *ere*, tr. Gratter, racler; réunir en raclant; rassembler, ramasser. ¶ (Fig.) Gratter, *c.-à-d.* rafler.

correctio, *onis*, f. Redressement; réforme. || Amélioration. ¶ Censure; réprimande; punition; correction. ¶ (Fig. de rhét.) Correction.

corrector, *oris*, m. Celui qui corrige, redresse, réforme. ¶ Censeur (en bonne et en mauv. part). ¶ Correcteur, agent impérial; administrateur.

correctura, *ae*, f. Office de correcteur, *c.-à-d.* d'administrateur.

correctus, *a*, *um*, p. adj. Corrigé, redressé, amendé.

correpo, *is*, *repsi*, *reptum*, *ere*, intr. Se blottir. ¶ Se glisser en rampant. || (Fig.) Pénétrer furtivement dans.

correpte, adv. D'une façon brève; en prononçant la voyelle brève.

correptio, *onis*, f. Action de saisir, d'empoigner. || (En part.) Attaque (d'un mal). || (Fig.) Blâme, reproche, réprimande. ¶ Raccourcissement (des jours). || (Gramm.) Action de traiter une syllabe comme brève.

correptor, *oris*, m. Celui qui blâme, qui réprimande; censeur. [avec.

correquiesco, *is*, *ere*, intr. Reposer.

corrideo, *es*, *ere*, intr. S'associer au rire de (qqn.) ¶ Être riant (en parl. d'un aspect).

corrigia (CORIGIA), *ae*, f. Lanière de cuir, courroie. || Cordon (de chaussure), lacet. ¶ Comme CORIUM.

corrigium, *ii*, n. Comme CORRIGIA.

corrigo, *is*, *rexi*, *rectum*, *ere*, tr. Rendre droit; redresser. ¶ (Fig.) Redresser, *c.-à-d.* réformer, corriger, améliorer. || Ramener au bien. || Réparer (une faute).

corripio, *is*, *ripui*, *reptum*, *ere*, tr. Saisir vivement, empoigner. || Mouvoir précipitamment. — *se*, se précipiter, s'élancer. — *gradum*, hâter le pas. ¶ Se saisir de, s'emparer de. || Saisir, s'attaquer à (en parl. d'un mal); s'emparer de (en parl. d'une passion). ¶ Traîner en justice; poursuivre (devant les tribunaux). ¶ Apostropher; réprimander. || Censurer, blâmer. ¶ Resserrer, écourter. ||Abréger. ¶ Hâter, accélérer. || (Gramm.) Traiter (une syllabe) comme brève.

corrivalis, *is*, m. Rival; concurrent.

corrivatio, *onis*, f. Action d'amener dans un même bassin des eaux venant de divers côtés.

corrivo, *as*, *are*, tr. Amener dans un même lit des eaux diverses.

corroboro, *as*, *avi*, *atum*, *are*, tr. Fortifier; donner de la force à. Au passif, *Corroborari*, prendre des forces (pr. et fig.).

corrodo, *is*, *rosi*, *rosum*, *ere*, tr. Ronger; grignoter.

corrogati, *orum*, m. pl. Invités, auditeurs (d'une lecture publique).

corrogatio, *onis*, f. Réunion d'invités.

corrogatus, *us*, m. Comme le précédent.

corrogo, *as*, *avi*, *atum*, *are*, tr. Aller demander de divers côtés; amasser (à force de prières), mendier (pr. et fig.). ¶ Convier (des personnes invitées).

corrosivus, *a*, *um*, adj. Corrosif.

corrotundo, *as*, *avi*, *atum*, *are*, tr. Arrondir. ¶ (Fig.) Réunir la somme ronde de... [vage.

corruda (CORUDA), *ae*, f. Asperge sauvage.

corrugis, *e*, adj. A plis; froncé. [rider.

1. **corrugo** *as*, *are*, tr. Froncer, plisser;

2. **corrugo**, *onis*, f. Plante inconnue.

corrumpo, *is*, *rupi*, *ruptum*, *ere*, tr. Corrompre. ¶ Détruire, anéantir. || (Fig.) Gâter, *c.-à-d.* rendre inutile, faire perdre. ¶ Détériorer, altérer, vicier, endommager, gâter. || Dénaturer, défigurer. || Falsifier. || Estropier (un mot, etc.). ¶ Faire tomber en décadence; avilir; dégrader; ruiner. ¶ (Mor.) Corrompre, pervertir, dépraver, débaucher; mettre à mal.

corrumpt... Voy.CORRUPT...

corruo, *is*, *ere*, intr. s'abattre; s'effondrer. || (*En parl. de pers.*) Tomber de son haut.|| Tomber mort.¶(Fig.)Tomber, s'écrouler. || Tomber, *c.-à-d.* échouer; perdre un procès; tomber en faillite. ¶ (*Tr.*) Faire tomber, renverser. || Amasser, entasser à la hâte.

corrupta, *orum*, n. pl. Parties (du corps). gangrenées *ou* altérées par la maladie. ¶ Pensées fausses *ou* déraisonnables.

corrupte,·adv. Mal; de travers.

corruptela, *ae*, f. Corruption. || Débauche. ¶ (Méton.) Corrupteur. || Lieu de débauche. [goût.

corrupti, *orum*, m. pl. (Ecrivains) sans

corruptibilis, *e*, adj. Corruptible.

corruptio, *onis*, f. Action de corrompre, de débaucher. ¶ Corruption, altération; perversion.

corruptor, *oris*, m. Celui qui altère, qui porte atteinte à. ¶ Corrupteur, séducteur.

corruptrix, *icis*, f. Corruptrice.

corruptus, *a*, *um*, p. adj. Gâté, altéré. ¶ (Fig.) Corrompu, perverti. || Vi-

cieux. ¶ Déraisonnable. ¶ Débauché.¶ Qui a vendu sa conscience.

cors, Voy. COHORS.

corsa, *ae*, f. Bandeau (t. d'archit.).

cortex, *icis*, m. Ecorce (des arbres). || (En part.) Liège. || (En gén.) Enveloppe (dure); écale, coque; tégument. ¶ (Fig.) Enveloppe; surface.

corticeus (CORTICIUS), *a*, *um*, adj. D'écorce; en écorce.

corticosus, *a*, *um*, adj. Qui a beaucoup d'écorce. ¶ Mêlé d'écorce.

corticulus, *i*, m. Mince écorce; pelure; peau (d'un fruit).

cortina, *ae*, f. Vase profond et circulaire, chaudière (pour faire bouillir des viandes, fondre de la poix, clarifier de l'huile, etc.), chaudron, bassine; cuvier. ¶ (Par anal.) Trépied de Delphes. || (Méton.) Oracle. || (En gén.) Voûte, dôme, coupole. || Enceinte circulaire. ¶ Rideau, tenture, courtine.

cortinale, *is*, n. Pièce (de la maison) où se trouve le cuvier.

cortumio, *onis*, f. Contemplation ardente.

corus, Voy. CAURUS.

coruscabilis, *e*, adj. Chatoyant.

coruscalis, *e*, adj. Flamboyant.

coruscamen, *inis*, n. Miroitement.

coruscatio, *onis*, f. Miroitement. || Scintillement. ¶ Apparition d'éclairs.

corusco, *as*, *avi*, *atum*, *are*, tr. Menacer de la corne; frapper de la corne; cosser. ¶ (Ordin.) Brandir. ¶ (*Intr.*) Vibrer; vaciller. || Briller d'un éclat vacillant, miroiter, chatoyer, scintiller. ¶ Flamboyer. || Lancer des éclairs. || Briller comme un éclair.

1. **coruscus**, *a*, *um*, m. Qui vibre, qui oscille: frissonnant. ¶ (Par ext.) Miroitant, étincelant. ¶ Fulgurant.

2. **coruscus**, *i*, m. Eclair.

corvinus, *a*, *um*, adj. De corbeau.

corvus, *i*, m. Corbeau. ¶ (Par ext.) Corbeau (machine de guerre). || Scalpel recourbé. ¶ Sorte de poisson de mer. ¶ Le Corbeau (constellation).

coryceum, *i*, n. Partie du gymnase où l'on s'exerce avec le corycus.

corycomachia, *ae*, f. Jeu de corycus. Voy. CORYCUS.

corycos et **corycus**, *i*, m. Sac de cuir rempli de farine, de sable ou de graines de figuier. (On le suspendait au plafond d'une des salles de la palestre et les athlètes s'exerçaient à le lancer en avant avec le poing ou à l'arrêter avec les mains, le dos ou la poitrine.)¶ (Fig.) Celui sur qui on exerce ses forces (tête de Turc).

corydalus, *i*, m. Alouette huppée.

coryletum, *i*, n. Coudraie.

corylus (CORULUS), *i*, f. Coudrier.

corymbia, *ae*, f. Sorte de férule (plante). ¶ Tige de férule confite.

corymbiatus, *a*, *um*, adj. Orné de grappes de lierre (sculptées, ciselées).

corymbifer, *fera, ferum*, adj. Couronné de lierre. [tiches.

corymbion, *i*, n. Tour de cheveux postiches.

corymbus, *i*, m. *Propr.* Extrémité. ¶ (Ordin.) Corymbe, grappe (de lierre). ||Extrémité de la proue *ou* de la poupe d'un vaisseau. || Bout du sein, mamelon.

coryphaeus, *i*, m. Coryphée.

coryphia, *orum*, n. pl. Sorte de coquillages à pourpre.

corytos ou corytus, *i*, n, Étui de l'arc. ¶ (Par ext.) Carquois.

coryza, *ae*, f. Rhume de cerveau.

cos, *cotis*, f. Pierre dure. ¶ Pierre à repasser *ou* à aiguiser, queue.

cosmetes, *ae*, m. Esclave chargé de la garde-robe.

cosmetorium, *ii*, n. Cosmétique.

cosmianum (s.-e. *unguentum*), *i*, n. Onguent de Cosmus, parfumeur fameux à Rome du temps de Martial.

cosmica, *orum*, n. pl. Les choses du monde. [concerne le monde.

1. cosmioos, *on*, adj. Du monde; qui

2. cosmicos, *i*, m. Citoyen du monde; cosmopolite. [COMMITTO.

cosmittere, arch. p. *committere*. Voy.

cosmoe, *orum*, m. pl. Magistrats de l'île de Crète.

cosol. Voy. CONSUL.

coss. Abrév. p. *consules* ou *consulibus.*

cossim (COXIM), adv. (En s'appuyant sur la hanche), dans une position accroupie.

cossis. Voy. COSSUS.

cossus, *i*, m. Ver qui ronge le bois.

costa, *ae*, f. Côte (de l'homme et des animaux). ¶ (Par ext.) Flanc; paroi latérale.

costulatus, *a, um*, adj. Garni de perles.

costula, *ae*, f. Petite côte. ¶ (Par ext.) Petite garniture de perles.

costum, *i*, n. Nom d'une plante aromatique.

costus, *i*, m. Voy. COSTUM.

cotaria (COTORIA), *ae*, f. Carrière de pierres à aiguiser. [d'homme.

cothon, *onis*, m. Port creusé de main

cothurnate, adv. Sur un ton tragique; d'une manière tragique.

cothurnatus, *a, um*, adj. Chaussé de cothurnes. Subst. *Cothurnati, orum,* m. pl. Acteurs tragiques. ¶ (Fig.) Tragique; grandiose.

cothurnus (COTURNUS), *i*, m. Cothurne, brodequin. ¶ Brodequin des acteurs tragiques. || (Fig.) La tragédie. || Sujet tragique. || Style de la tragédie. || (Er gén.) Style élevé. || Rang élevé, majesté.

1. coticula, *ae*, f. Petite pierre dure. || Pierre de touche (sur laquelle on frotte l'or). || (Méton.) Petit morceau de pierre.

2. coticula, *ae*, f. Côtelette.

cotid... Voy. QUOTID...

cotila, *ae*, f. Voy. COTULA.

cotilla. Voy. COTULA.

cotinus, *i*, m. Fustet, arbrisseau.

cotio. Voy. COCIO.

cotonea, *ae*, f. Grande consoude (plante).

cotoneum, *i*, n. Coing.

cotoria, *ae*. Voy. COTORIA.

cottabius, *a, um*, adj. Préparé dans un poêlon.

cottabus, *i*, m. Bruit des coups, coup (allusion au jeu athénien du cottabe, où l'on interprétait le son des gouttes de vin jetées dans le fond d'un vase en métal.).

cottana, *orum*, n. pl. Sorte de petites figues de Syrie.

cotula, *ae*, f. et cotyla, *ae*, f. Cotyle (mesure grecque d'une contenance de 26 centilitres).

coturnatus. Voy. COTHURNATUS.

coturnix, *icis*, f. Caille (oiseau).

coturnus. Voy. COTHURNUS.

cotyla, *ae* et cotyle, *es*, f. Voy. COTULA.

cotyledon, *onis*, m. Cotylet *ou* nombril de Vénus (plante).

counatus, *a, um*, p. adj. Uni.

counio, *is, ire*, tr. Unifier.

contor, *eris, i*, dép. intr. Être en relations avec; fréquenter.

covenio. Voy. CONVENIO.

covinnarius (COVINARIUS), *ii*, m. Soldat qui combat sur un char de guerre.

covinnus (COVINUS), *i*, m. Chariot armé de faux, utilisé par les Belges et par les Bretons. ¶ (Par ext.) Voiture de voyage (chez les Romains) fermée de trois côtés, ouverte sur le devant et sans siège pour le conducteur. ¶ Char (dans les courses du cirque).

coxa, *ae*, f. Hanche *ou* articulation de la hanche. ¶ (Par anal.) Angle rentrant. [de jupon.

coxale, *is*, n. Sorte de caleçon *ou*

coxendicus, *a, um*, adj. Boiteux.

coxendix, *icis*, f. Hanche. ¶ Os de la hanche. ¶ Articulation coxo-fémorale.

coxim. Voy. COSSIM.

coxo, *onis*, m. Boiteux.

crabro, *onis*, m. Frelon.

cracoa, *ae*, f. Espèce de vesce.

cracens, *entis*, adj. Élancé; mince, svelte.

crambe, *es*, f. Chou à petites feuilles.

crapula, *ae*, f. Ivresse lourde; mal de tête causé par l'ivresse. ¶ (Méton.) Sorte de résine, mêlée au vin, pour le rendre plus capiteux. [l'ivresse.

crapulanus, *a, um*, adj. Qui dissipe

crapularius, *a, um*, adj. Employé contre l'ivresse.

crapulosus, *a, um*, adj. Crapuleux.

cras, adv. Demain. ¶ *Qqf.* Subst. Le lendemain. ¶ (Par ext.) Dans l'avenir; plus tard.

crassamen, *inis*, n. Dépôt; sédiment.

crassamentum, *i*, n. Dépôt; sédiment. ¶ Épaisseur.

crassatio, *onis*, f. Épaississement.

crasse, adv. En une couche épaisse. ¶

(Fig.) Grossièrement, sans finesse. ¶ Obscurément. [‖] Engraisser.

crassesco, *is, ere,* intr. Devenir épais.

crassitudo, *inis,* f. Epaisseur, grosseur. ‖ Consistance. ‖ (Méton.) Matière épaisse ; substance grasse.

crasso, *as, atum, are,* tr. Epaissir ; condenser.

crassus, *a, um,* adj. Epais, gros, gras. ¶ (Fig.) Epais, *c.-à-d.* grossier, lourd, obtus. ‖ Stupide, disgracieux.

crastino, adv. Le lendemain matin.

crastinum, *i,* n. Le lendemain.

crastinus, *a, um,* adj. De demain ; du lendemain. ¶ (Par ext.) A venir ; futur. [aphrodisiaque.

crataegis, *idis* (acc. *in*), f. Plante.

crataegon, *onis* (acc. *ona*), f. Houx.

crataegonos, *i,* f. Variété de persicaire.

crataegos, *i,* f. Voy. CRATAEGUS.

crataegum, *i,* n. Graine de buis.

crataegus, *i,* f. Houx commun.

crataeogonon, *i,* n. Persicaire (plante).

cratella, *ae,* f. Bât en bois.

crater, *eris* (acc. *era,* acc. pl. *eras*), m. Cratère, grand vase profond où l'on mêlait l'eau et le vin. ¶ (Par ext.) Vase à huile. ‖ Seau. ‖ Bassin (d'une fontaine). ¶ (Par anal.) Gouffre, crevasse volcanique, cratère (d'un volcan). ¶ Le Verseau, signe du zodiaque. ‖ Nom d'un golfe voisin de Baïes.

cratera, *ae,* f. Comme le précédent.

crateritis, *idis,* f. Sorte de pierre précieuse.

crates, *is,* f. Voy. CRATIS.

craticius, *a, um,* adj. Fait comme une claie *ou* fait en claie.

craticula, *ae,* f. Petite claie. ¶ Gril.

cratio, *is, ire,* intr. Herser.

cratis, *is,* f. Claie. ¶ Treillis. ‖ Au plur *Crates,* fascines. ¶ (Par anal.) Ce qui ressemble à une claie : herse, panier, mannequin. ‖ Charpente, ossature ; contexture.

creatio, *onis,* f. Création ; génération. ¶ Nomination (à une charge), élection.

creator, *oris,* m. Créateur. ¶ Celui qui nomme à une charge.

creatrix, *icis,* f. Créatrice, productrice. ¶ (En partic.) Mère (pr. et fig.).

creatura, *ae,* f. Création. ¶ (Ordin.) Créature, *c.-à-d.* être créé.

creber, *bra, brum,* adj. Pressé, dru, serré. ¶ Riche en, tout plein de. ¶ Qui se succède rapidement, répété, fréquent. ‖ Qui répète souvent le même acte.

crebra, n. pl. adv. A coups répétés.

crebratus, *a, um,* p. adj. Dense, serré ; répété.

crebre, adv. D'une façon serrée.

crebresco (CREBESCO), *is, brui, ere,* intr. Se répéter à de courts intervalles ; se multiplier ; devenir fréquent. ‖ Prendre de l'extension ; faire des progrès. ‖ Impers. *Crebrescit,* le bruit se répand…

crebritas, *atis,* f. Densité, accumulation, abondance. ¶ Fréquence, répétition.

crebritudo, *inis,* f. Comme CREBRITAS.

crebro, adv. Fréquemment ; à intervalles rapprochés. ¶ Coup sur coup.

credibilis, *e,* adj. Croyable, présumable, vraisemblable.

credibiliter, adv. Avec vraisemblance

creditor, *oris,* m. Créancier.

creditrix, *icis,* f. Créancière.

creditum, *i,* n. Créance ; prêt.

credo, *is, didi, ditum, ere,* tr. Donner sa confiance. ‖ Avoir confiance en, se fier à (qqn). ‖ Ajouter foi, s'en rapporter à. ¶ Croire (qqch.), se fier (aux paroles de qqn). ‖ Être persuadé de. ‖ (Simpl.) Croire, penser. ‖ Regarder comme, tenir pour. ¶ (En gén.) Remettre entre les mains de. ‖ Prêter, faire crédit de. ¶ (Fig.) Confier qqch. à qqn, *c.-à-d.* lui dire en confiance.

credule, adv. Avec crédulité.

credulitas, *atis,* f. Crédulité. ¶ Créance. ¶ Foi (chrétienne).

credulus, *a, um,* adj. Crédule. ¶ Confiant, ingénu. ¶ Que l'on croit aisément ; à qui l'on se fie.

crematio, *onis,* f. Action de brûler.

cremator, *oris,* m. Celui qui brûle.

crementum, *i,* n. Accroissement.

cremia, *orum,* n. pl. Petits morceaux de bois sec. ¶ Broutilles.

cremialis (GREMIALIS), *e,* adj. Qu'on brûle ; à brûler.

cremium, *ii,* n. Voy. CREMIA.

cremo, *as, avi, atum, are,* tr. Consumer (en parl. du feu). ¶ (En parl. de pers.) Faire brûler, brûler ; réduire en cendres ; brûler un cadavre ; brûler vif (qqn).

cremor, *oris,* m. Jus épais (extrait de matières végétales), suc ; crème.

creo, *as, avi, atum, are,* tr. Créer, donner l'être à ; procréer, engendrer. ¶ (Fig.) Produire, faire naître. ‖ Créer, *c.-à-d.* instituer, établir. ‖ Créer, *c.-à-d.* élire.

crepax, *acis,* adj. Qui crépite.

creper, *pera, perum,* adj. Peu éclairé ; obscur. ¶ Peu clair ; douteux, incertain.

creperum, *i,* n. Demi-jour. ¶ Obscurité.

crepida, *ae,* f. Sandale (semelle épaisse entourée d'une étroite bande de cuir et attachée au pied par une ou plusieurs courroies). [à sandales.

1. **crepidarius,** *a, um,* adj. De sandales ;
2. **crepidarius,** *ii,* m. Fabricant de sandales. ¶ Cordonnier. [dales.

crepidatus, *a, um,* adj. Chaussé de sandales.

crepido, *inis,* f. Soubassement. ‖ Socle, piédestal. ¶ Bordure, margelle. ‖ Trottoir. ‖ Jetée ; quai. ¶ (Archit.) Saillie (en avance horizontale), projecture. ¶ Promontoire ; saillie d'un rocher.

crepidula, *ae,* f. Petite sandale.

crepis, *idis*, f. Comme OREPIDA. ¶
Nom d'une plante inconnue.

crepitacillum, *i*, n. Petit sistre.

crepitaculum, *i*, n. Sistre. ¶ Hochet.

crepito, *as, avi, atum, are,* intr. Faire
entendre un bruit sec et saccadé;
bruire, cliqueter; craquer, craqueter.
¶ Eclater, pétiller, crépiter. ¶ Tinter.

crepitus, *us,* m. Bruit sec. || Claque-
ment, craquement. || Pétillement, cré-
pitement. || (Partic.) Pet.

1. crepo, *as, ui, itum, are,* intr. Crever,
éclater; casser, se fendre. ¶ Craquer
(en se brisant); faire entendre un
bruit sec. || (Partic.) Péter. ¶ (*Tr.*)
Faire retentir. || (En part.) Faire
sonner haut, parler sans cesse de.

2. crepo, *is, ere,* intr. Comme le précédent.

crepundia, *orum,* n. pl. Hochets (de la
première enfance), *d'ou* (Méton.) première enfance. ¶ Amulettes (suspendues au cou comme les hochets.
¶ Cliquettes; castagnettes. || Sistre.

crepusculum, *i*, n. Clarté incertaine,
demi-jour. ¶ Crépuscule (du soir).

cresco, *is, crevi, cretum, ere,* intr. Se
développer. || Pousser. ¶ Croître,
grandir, grossir, prendre de la force.
¶ (Fig.) Grossir, prendre de l'exten-
sion. || (Partic.) Monter (en dignité).
|| (Moral.) Prendre courage, devenir
(justement) fier.

creta, *ae,* f. Craie, argile blanche. ¶
(En gén.) Argile, terre à potier. ||
Terre à foulon. || Fard. ¶ Corde
blanchie à la craie (marquant le commencement et le terme d'une piste,
au cirque). ¶ Limon blanchâtre.

cretaceus, *a, um,* adj. De la nature de
la craie. ¶ Semblable à la craie; cré-
tacé.

cretatus, *a, um,* adj. Frotté de craie,
blanchi à la craie. ¶ (Fig.) De candidat.

creteus, *a, um,* adj. D'argile.

crethmos, *i,* f. Fenouil de mer (plante).

cretica, *ae,* f. Clématite. ¶ Guimauve.

cretice, *es,* f. Comme le précédent.

cretifodina, *ae,* f. Carrière de craie *ou*
d'argile à potier.

cretio, *onis,* f. Acceptation d'un héri-
tage. || (Méton.) Héritage. || Délai
accordé à l'héritier pour se décider.

cretosus, *a, um,* adj. Riche en craie *ou*
en argile. [cacheter.

cretula, *ae,* f. Terre bolaire, argile à

cretura, *œ,* f. Criblure. || Balle.

cretus, *a, um,* p. adj. Issu de.

cribello, *as, atum, are,* tr. Passer au
crible. || Tamiser.

cribellum, *i,* n. Petit tamis.

1. cribrarius, *a, um,* adj. Passé au
tamis. ¶ Fin.

2. cribrarius, *ii,* m. Fabricant de tamis.

cribro, *as, avi, atum, are,* tr. Passer au
crible. || Tamiser. ¶ (Fig.) Mettre à
l'épreuve. [Passoire.

cribrum, *i,* n. Crible, tamis. || Sas. ||

crimen, *inis,* n. Inculpation, imputa-
tion. || Grief, chef d'accusation. ||
Reproche. || *Qqf.* Calomnie. ¶ (Par
ext.) Faute, méfait; crime. || (Partic.)
Adultère. ¶ (Méton.) Sujet de reproches, personne accusée *ou* coupable,
auteur d'un mal. Au plur. *Crimina,*
prétextes, faux-fuyants.

criminalis, *e,* adj. (Jur.) Criminel
(*opp. à* civil). [tière criminelle.

criminaliter, adv. Au criminel; en ma-

criminatio, *onis,* f. Imputation, insinuation; calomnie. [lomniateur.

criminator, *oris,* m. Accusateur. ¶ Ca-

crimino, *as, avi, atum, are,* tr. Comme
le suivant.

criminor, *aris, atus sum, ari,* dép. tr.
Accuser, incriminer. || Dénigrer. ||
Calomnier, diffamer. ¶ Incriminer
qqch., faire un reproche de; blâmer.

criminose, adv. En accusateur. ¶ Avec
passion, avec haine. ¶ En dénigrant.
¶ D'une manière criminelle.

1. criminosus, *a, um,* adj. Accusatoire,
diffamatoire. || Passionné, haineux. ¶
Criminel, coupable.

2. criminosus, *i,* m. Un coupable.

crinale, *is,* n. Peigne qui maintient
les cheveux.

crinalis, *e,* adj. De cheveux, à cheveux.
¶ Qui sert à maintenir les cheveux.

crinesco, *is, ere,* intr. Se couvrir de
cheveux *ou* de poils.

criniculus, *i,* m. Petit cheveu. ¶ Crin.

criniger, *gera, gerum,* adj. Chevelu.

crinio, *is, ire,* tr. (Couvrir de cheveux).
|| Couvrir *ou* garnir de feuillage.

crinis, *is,* m. Cheveu. || (Collect.) Che-
velure. || Tresse (de cheveux). ¶ (Par
anal.) Tentacule (des polypes). || Che-
velure (des comètes). || Trait de feu.
¶ Copeau. || Vrille (de la vigne).

crinitus, *a, um,* adj. Chevelu. ¶ Garni
de cheveux *ou* de crins. || Fait en crin.

crinon, *i,* n. Lis rouge.

cripta. Voy. CRYPTA.

crisis, *is,* f. (Méd.) Crise, moment décisif dans le cours d'une maladie.

criso (CRISSO), *as, avi, are,* intr. Se
tortiller.

crispans, *antis,* p. adj. Frisé, plissé.
Ridé. ¶ Qui tremble, qui vibre.

crispicans, *antis,* adj. Qui ride.

crispicapillus, *a, um,* adj. Qui a les
cheveux bouclés. [sillon sinueux.

crispisulcans, *antis,* adj. Qui trace un

crispo, *as, avi, atum, are,* tr. Friser. ||
Plisser, froncer. || Rider. || Faire ondu-
ler *ou* moutonner. ¶ Agiter vivement;
brandir.

1. crispulus, *a, um,* adj. Elégamment
frisé. ¶ (Fig.) Apprêté (en parl. du
style). [garçon.

2. crispulus, *i,* m. Joli cœur, joli

crispus, *a, um,* adj. Frisé, crépu. ¶
Ondé, veiné; tacheté. ¶ (Fig.)
Apprêté. ¶ Ondoyant, souple; prompt,
agile.

crissaticum. Voy. CHRYSATTICUM.

crista, ae, f. Crête, aigrette; huppe. ¶ (Par anal.) Aigrette (d'un casque). || Dentelure (des feuilles). || Crête (d'une montagne).

cristall... Voy. CRYSTALL...

cristatus, a, um, adj. Qui a une crête ou une huppe. ¶ Garni d'une aigrette, d'un panache.

1. criticus, a, um, adj. (Méd.) Voy. ORISIMOS. ¶ Qui porte un jugement sur les œuvres d'art.

2. criticus, i, m. Un critique.

crobylos, i, m. Coiffure consistant à relever les cheveux par derrière et à les nouer au sommet de la tête.

crocallis, idis, f. Sorte de pierre précieuse.

crocatio, onis, f. Croassement.

crocatum, i, n. Teinture de safran.

crocatus, a, um, adj. Safrané. [safran.

croceus, a, um, adj. De safran. ¶ Jaune

crocinum, i, n. Huile de safran.

crocinus, a, um, adj. De safran. ¶ D'un jaune safran.

crocio, is, ire, intr. Croasser. [connue.

crocis, idis (acc. ida), f. Plante in-

crocodilea, ae, f. Fiente de crocodile.

crocodilinus, a, um, adj. De crocodile.

crocodilus, i, m. Crocodile.

crocota (s.-e. vestis), ae, f. Tunique fine jaune safran. [de safran.

crocotula, ae, f. Petite tunique couleur

crocum, i, n. Safran (plante). || Eau ou essence de safran dont on parfumait la scène. || (Méton.) La scène c.-à-d. le théâtre. ¶ Couleur de safran.

1. crocus, i, m. Voy. CROCUM. || (Au plur.) Croci, étamines jaunes de certaines fleurs.

2. crocus, us, f. Voy. CROCUM.

crotalia, orum, n. pl. Pendants d'oreilles.

crotalistria, ae, f. Joueuse de castagnettes.

crotalum, i, n. Crotale; castagnette.

cruciabilis, e, adj. Qui peut être tourmenté. ¶ Qui tourmente; cruel, douloureux. [en torturant.

cruciabiliter, adv. Dans les tourments;

cruciamentum, i, n. Torture; supplice.

cruciarium, ii, n. Supplice de la croix.

1. cruciarius, a, um, adj. De croix, de crucifiement.

2. cruciarius, ii, m. Attaché au gibet; crucifié, supplicié. ¶ (T. injur.) Pendard. [et fig.).

cruciatus, us, m. Tourment, torture (pr.

crucifigo, is, fixi, fixum, ere, tr. Mettre en croix, crucifier. [Mortification.

crucifixio, onis, f. Crucifiement. ¶ (Fig.)

crucio, as, avi, atum, are, tr. Mettre en croix; crucifier. ¶ (En gén.) Faire souffrir, tourmenter, torturer.

crudelis, e, adj. Cruel, inhumain; féroce. ¶ (En parl. de ch.) Cruel, abominable.

crudelitas, atis, f. Cruauté.

crudeliter, adv. Cruellement.

crudesco, is, ere, intr. Devenir plus violent, s'aggraver, empirer.

cruditas, atis, f. Crudité, qualité de ce qui est indigeste. Au pl. Cruditates, aliments indigestes, crudités. ¶ Indigestion.

crudus, a, um, adj. Cru. ¶ Vert (en parl. des fruits). ¶ Mal digéré. || || Indigeste. ¶ Qui a un mauvais estomac, qui ne peut pas digérer. ¶ (En génér.) Non travaillé, brut. ¶ (Méd.) Non cicatrisé, encore saignant. ¶ (Fig.) Non encore digéré. || Trop jeune. || (En parl. de ch.) Prématuré. || Encore vert; qui n'est pas affaibli par l'âge. || (Mor.) Rude, grossier. ¶ Dur, cruel.

cruente, adv. Avec effusion de sang. ¶ Cruellement, avec barbarie.

cruento, as, avi, atum, are, tr. Ensanglanter; faire saigner. ¶ Egorger, massacrer. ¶ Souiller de sang. || Teindre en rouge. || (En gén.) Souiller.

cruentus, a, um, adj. Sanglant, ensanglanté. || Souillé de sang. ¶ Sanglant, qui coûte beaucoup de sang, où il y a beaucoup de sang répandu. ¶ Sanguinaire, altéré de sang. ¶ Rouge sang, pourpre.

crumena (CRUMINA), ae, f. Bourse (que l'on portait suspendue au cou), sacoche. || (Méton.) Bourse, c.-à-d. argent, fortune.

cruor, oris, m. Sang (répandu). || Sang, comme SANGUIS. ¶ (Méton.) Meurtre, carnage. [de fer (chez les Eduens).

crupellarius, ii, m. Gladiateur bardé

cruralis, e, adj. De la jambe; crural.

cruricrepida, ae, m. Esclave dont les jambes résonnent (du bruit des chaînes). [les jambes.

crurifragius, ii, m. A qui l'on a brisé

crus, ris, n. Jambe (du genou au pied). || (Par anal.) Partie inférieure du tronc (d'un arbre). || Pile (d'un pont).

crusculum, i, n. Petite jambe ou petite patte. [des cymbales.

crusma, atis, n. Son du tambourin ou

crusmaticus, a, um, adj. Relatif aux instruments de percussion.

crusta, ae, f. Croûte, écorce, coque, écaille. || Lame de marqueterie ou de métal). ¶ (Particul.) Croûte (du pain). || Carapace (des crustacés). || (Méd.) Escarre. ¶ Incrustation, revêtement; bas-relief (par opp. à emblema).

1. crustarius, a, um, adj. Relatif au travail d'incrustation ou d'application de métal sur métal.

2. crustarius, ii, m. Artisan chargé d'appliquer sur des vases des figures en bas-relief.

crustata, orum, n. pl. Crustacés.

crusto, as, avi, atum, are, tr. Recouvrir d'une croûte, d'une lame, d'un enduit, etc. Voy. CRUSTA.

crustatus, a, um, adj. Qui a une croûte *ou* une enveloppe épaisse.

crustula, ae, f. Petite croûte; petit enduit; petite couche. ¶ Petit glaçon. || Flocon (de neige). ¶ Gâteau.

crustularius, ii, m. Pâtissier. [dise.

crustulum, i, n. Petit gâteau. || Frian-

crustum, i, n. Gâteau.

crux, crucis, f. Croix, gibet. ¶ (Fig.) Torture, tourment. || Fléau. || (T. d'inj.) Pendard. ¶ (Par anal.) Longue pièce de bois, timon. ¶ (Eccl.) La Croix; signe de la croix.

crypta, ae, f. Galerie fermée éclairée par des fenêtres très haut placées. ¶ Caveau, resserre (pour provisions) ¶ Passage souterrain, souterrain. ¶ Grotte. [Dissimulé.

crypticus, a, um, adj. Souterrain. ¶ (Fig.)

cryptoporticus, us, f. Galerie fermée qui met les promeneurs à l'abri du soleil.

crystallinum (s.-e. vas), i, n. Vase de cristal. [De cristal.

crystallinus (CRISTALLINUS), a, um, adj.

crystallum, i, n. Voy. le suivant.

crystallus, i, f. et (rar.) m. Glace. ¶ Cristal. || (Méton.) Vase de cristal.

cubicularis, e, adj. De chambre à coucher. [la chambre à coucher.

1. cubicularius, a, um, adj. Concernant

2. cubicularius, ii, m. Valet de chambre.

cubiculatae (s.-e. naves), f. pl. Gondoles.

cubiculatus, a, um, adj. Qui a des chambres.

cubiculum, i, n. Chambre à coucher. ¶ Loge impériale (au cirque). ¶ Caveau, tombeau. ¶ (Archit.) Lit, assise (de pierres).

cubicus, a, um, adj. Cubique.

cubile, is, n. Couche. || Lit. || (Par ext.) Chambre à coucher. || Gîte, nid, terrier, tanière, fort, etc. ¶ (Fig.) Gîte, c.-à-d. siège. || (Archit.) Lit, assise.

cubital, alis, n. Coussin (pour le coude).

cubitalis, e, adj. D'une coudée.

cubitatio, onis, f. Action de se coucher. ¶ Commerce charnel.

cubitissim, adv. En s'appuyant sur le coude.

cubito, as, avi, atum, are, intr. Se coucher habituellement *ou* volontiers. || Avoir commerce charnel avec. ¶ (Par ext.) Demeurer; camper.

cubitor, oris, m. Celui qui se couche.

cubitorius, a, um, adj. Qui sert pour se mettre au lit *ou* à table. ¶ De table *ou* pour la table, pour le festin.

cubitum, i, n. et cubitus, i, m. Un des os de l'avant-bras. || Avant-bras. || Articulation de l'avant-bras, coude. ¶ (Fig.) Courbe, c.-à-d. courbure, angle. ¶ (Méton.) Coudée (0 m. 443).

1. cubitus, i, m. Voy. CUBITUM.

2. cubitus, us, m. Action de se coucher; coucher. || (Méton.) Lit.

cubo, as, ui, itum, are, tr. Etre couché, être étendu; être au lit. || Dormir. || Etre alité. || Etre à table, d'où manger.

¶ Avoir son gîte. || Reposer dans la mort. ¶ (En parl. de ch.) S'étendre, être étendu; être situé sur le penchant d'une colline; être à plat; être calme.

cubus, i, m. Cube, solide régulier à six pans carrés. ¶ Cube, mesure. ¶ Cube, produit d'un nombre par son carré.

cuculio. Voy. CUCULLIO.

cuculla, ae, f. Comme CUCULLUS.

cucullus, i, m. Capuchon. ¶ Cornet de papier. [du coucou.

cuculo, as, are, intr. Chanter (en parl.

cuculus (CUCULLUS), i, m. Coucou, oiseau. ¶ (Fig.) Galant. || Niais. || Paysan paresseux qui attend le chant du coucou pour tailler sa vigne.

cucuma, ae, f. Chaudron, marmite. ¶ Baignoire *ou* bain privé.

cucumella, ae, f. Petit chaudron.

cucumer. Voy. CUCUMIS.

cucumeracius, a, um, adj. De grains de concombre. [de concombres.

cucumerarium, ii, n. Plantation *ou* champ

cucumis, eris, m. Concombre. ¶ Plante marine analogue au concombre.

cucurbita, ae, f. Courge. || (Méd.) Ventouse. [ventouses.

cucurbitatio, onis, f. Application de

cucurbitinus, a, um, adj. Qui a l'apparence, la forme d'une courge.

1. cudo, is, ere, tr. Battre || (En part.) Battre monnaie, frapper. || (Fig.) Forger, inventer, imaginer.

2. cudo, onis, m. Casque en peau.

cuicuimodi (arch. QUOIQUOIMODI), adv. De quelque façon que. [quelle façon?

cuimodi, arch. pour CUJUSMODI, de quelle façon? || De n'importe quelle manière.

cujas et cujatis (arch. QUJOATIS), adj. m. et f. De quel pays?

cujus (arch. QUOJUS), a, um, adj. (Relatif.) A qui appartient. ¶ (Interrog.) A qui appartient?

cujucemodi, adj. De quelque manière que. || De n'importe quelle manière.

cujuscunque modi, adj. De quelque manière que.

cujusdammodi et mieux cujusdam modi, adv. D'une certaine manière.

cujusmodi, adv. De quelle façon?

cujusmodicunque, adv. De quelque manière que...

cujusnam, adj. Comme CUJUS.

cujusque modi, adv. De toute façon.

cujusvis, avis, umvis, adj. Appartenant à qui que ce soit.

culcita, ae, f. Matelas.

culcitarius, ii, m. Fabricant de matelas.

culcitella, ae, f. Petit matelas.

culeus, Voy. COLEUS et CULLEUS.

culex, icis, m. Cousin (insecte). || Moucheron. ¶ Plante appelée aussi PSYLLION.

culigna, ae, f. Petit calice, petite coupe.

culina, ae, f. Cuisine. || Foyer portatif. || (Méton.) Mets recherché et coûteux. ¶ Lieu où l'on cuisait les viandes des sacrifices. || Lieu où l'on brûlait les mets funéraires. ¶ Latrines.

1. **culinarius**, *a*, *um*, adj. Culinaire.

2. **culinarius**, *ii*, m. Aide de cuisine.

culleus, *i*, m. Sac de cuir (dans lequel on cousait les parricides). ¶ Mesure pour les liquides, muid (525 l. 25). ¶ Grande outre pour le transport de l'huile. [vertes.

culliola, *orum*, n. pl. Ecales de noix

culmen, *inis*, n. Sommet, cime, point culminant. || Faîte (d'un édifice). || (Méton.) Toit, maison, chaumière. ¶ (Fig.) Faîte, apogée.

culmeus, *a*, *um*, adj. De chaume.

culmum, *i*, n. Voy. le suivant.

culmus, *i*, m. Tige (des graminées), chaume. ¶ (Méton.) Toit de chaume.

culna. Voy. CULINA.

culo. Voy. 3. CULTUS.

culpa, *ae*, f. Faute. || (Partic.) Négligence. || Défaut (dans une chose). ¶ (Méton.) Coupable, auteur d'un mal, créature dangereuse. [pable.

culpabilis, *e*, adj. Répréhensible ; cou-

culpatio, *onis*, f. Reproche ; accusation.

culpatus, *a*, *um*, p. adj. Blâmé *ou* blâmable. ¶ Défectueux.

culpito, *as*, *are*, tr. Blâmer sévèrement.

culpo, *as*, *avi*, *atum*, *are*, tr. Blâmer, reprendre, critiquer. ¶ Inculper, s'en prendre à ; incriminer.

culta, *orum*, n. pl. Cultures.

culte, adv. Avec soin. ¶ Avec élégance.

cultello, *as*, *atum*, *are*, tr. Donner (à un objet) la forme d'un couteau. ¶ Aplanir (avec le soc), niveler. || Mesurer (un terrain) en ne tenant pas compte des inégalités du sol. [canif.

cultellulus, *i*, m. Très petit couteau.

cultellus, *i*, m. Petit couteau. ¶ Cure ongles. ¶ Coin de bois, piquet, cheville.

culter, *tri*, m. Couteau. ¶ (Partic.) Rasoir. || Coutre (de charrue).

cultio, *onis*, f. Action de cultiver, culture. ¶ Adoration, culte.

cultor, *oris*, m. Celui qui cultive *ou* qui soigne. || Cultivateur, agriculteur. || Habitant. ¶ Celui qui forme *ou* dresse : éducateur, maître. ¶ Celui qui rend un culte à... ; adorateur. || Partisan, fauteur. [sacrificateur.

cultrarius, *i*, m. Victimaire, aide du

cultratus, *a*, *um*, adj. En forme de couteau. ¶ Coupant, tranchant.

cultrix, *icis*, f. Celle qui cultive *ou* qui soigne. || Cultivatrice. || Habitante. ¶ (Fig.) Celle qui rend un culte à, adoratrice.

cultura, *ae*, f. Culture, soin, entretien. || Agriculture. || (Méton.) Culture, *c.-à-d.* champ cultivé. ¶ (Fig.) Culture (de l'âme, de l'esprit). ¶ Culte, adoration. || Hommage, cour (faite à un grand).

1. **cultus**, *a*, *um*, p. adj. Cultivé. ¶ (Fig.) Cultivé, *c.-à-d.* instruit, distingué. ¶ Habillé. || Paré, élégant. ¶ Adoré, vénéré, respecté.

2. **cultus**, *us*, m. Soin, culture. || Agri-

culture. || (Méton.) *Au plur.* Champs cultivés ; moissons. ¶ Soins donnés au corps, entretien, toilette. || (Méton.) Ce qui sert à la toilette : costume, atours. ¶ Train de vie, mœurs. || Grand train, luxe ; raffinement. ¶ Culture (de l'âme, de l'esprit), éducation. ¶ Civilisation. ¶ Culture, *c.-à-d.* exercice assidu, pratique. ¶ Culte, adoration. || Respect, vénération. [Occulte.

3. **cultus**, *a*, *um*, part. (de l'innus. CULO.

cululla, *ae*, f. Voy. le suivant.

culullus, *i*, m. Grande coupe à anses.

culus, *i*, m. Derrière ; anus.

1. **cum**, conj. temporelle. Lorsque, quand. || Que, où. || *Cum... tum...*, aussi bien... que, non seulement... mais... ; et... et... ¶ *Conj. causale.* Comme, puisque, vu que. ¶ *Conj. concessive.* Quoique, bien que.

2. **cum**, prép. (av. l'Abl.). Avec. || En compagnie de, en participation avec, en collaboration avec. ¶ Contre. *Pugnare cum aliquo*, lutter avec (*c.-à-d.* contre) qqn. ¶ A l'égard de. ¶ En, avec (un certain attirail). *Civis cum mitella*, citoyen en bonnet pointu. *Cum pallio purpureo*, en manteau de pourpre. *Esse cum catenis*, être aux fers. *Esse cum libro*, tenir un livre. || Avec (le secours de), au moyen de. || En même temps que, lors de. *Abire cum diluculo*, partir au point du jour. || En ayant pour conséquence. *Cum exitio urbis foede pugnatum*, une honteuse défaite entraîna la ruine de Rome. [de mer.

cumatilis, *is*, n. Vêtement couleur vert

cumatilis, *e*, adj. Couleur vert de mer.

cumba. Voy. CYMBA. [simple.

cumbo, intr. Inusité comme verbe

cumbula. Voy. CYMBULA. [le grain.

cumera, *ae*, f. Corbeille *ou* vase à mettre

cumerus, *i*, m. Espèce de panier *ou* de corbeille où l'on portait, le jour du mariage, le trousseau de la mariée, du moins en partie. [cumin.

cuminatum (CIMINATUM), *i*, n. Sauce au

cuminatus, *a*, *um*, adj. Apprêté avec du cumin.

cumininus, *a*, *um*, adj. De cumin.

cuminum, *i*, n. Cumin (plante).

cumma, n. Comme CUMMI.

cummatus, *a*, *um*, adj. Qui contient de la gomme. [meux.

cummeus, *a*, *um*, adj. De gomme, gom-

cummi, n. indécl. et **cummis**, *is* (acc. *im*), f. Gomme.

cummino (GUMMINO), *as*, *are*, intr. Laisser couler sa gomme (en parl. d'arbres).

cummis, *is*, f. Voy. CUMMI.

cummitio (GUMMITIO), *onis*, f. Gommage.

cumprime, adv. Comme le suivant.

cumprimis, adv. Au premier rang, d'abord ; surtout.

cumquam. Voy. UMQUAM.

1. **cunque** (CUNQUE, QUOMQUE), adv. Toutes les fois que. || En n'importe

quelle circonstance. ‖ En général.

2. **cumque,** p. ET CUM.

cumulate, adv. Pleinement, copieusement, largement.

cumulatus, a, um, p. adj. Augmenté. ¶ Qui est au comble; complet, parfait. ¶ Chargé de.

cumulo, as, avi, atum, are, tr. Amonceler, entasser. ¶ Charger. ‖ (Fig.) Combler. ¶ Augmenter. ¶ Emplir jusqu'au haut, mettre le comble à; porter au comble.

cumulus, i, m. Amoncellement. ¶ Surplus, surcroît, comble. ‖ Couronnement, sommet; le plus haut degré. ¶ (Rhét.) Conclusion, péroraison.

cunabula, orum, n. pl. Berceau. ‖ (Par anal.) Gîte, nid. ‖ (Méton.) Berceau, lieu d'origine. ¶ Premières années. ‖ (Fig.) Origine, début.

cunabulum, i, n. Appareil où l'on place les jeunes enfants pour leur apprendre à marcher.

cunae, arum, f. pl. Berceau (des petits enfants). ¶ (Par anal.) Nid. ¶ (Méton.) Sein de la terre. ¶ (Méton.) Enfance, premier âge.

cunchis. Voy. CONCHIS.

cunctabundus, a, um, adj. Qui hésite, qui a du mal à se résoudre.

cunctans, antis, p. adj. Qui tarde, lent. ‖ (En parl. de ch.) Tenace, résistant, visqueux. ¶ (Mor.) Hésitant, lent, irrésolu. ‖ Circonspect.

cunctanter, adv. En hésitant, lentement.

cunctatio, onis, f. Temporisation. ‖ Irrésolution. ‖ Circonspection.

cunctator, oris, m. Temporiseur. ¶ Lent, irrésolu. ¶ Circonspect.

cunctatus, a, um, p. adj. Lent, hésitant. ‖ Circonspect.

cuncto, as, are, intr. Comme le suivant.

cunctor (CONTOR), aris, atus sum, ari, dép. intr. Etre lent, tarder; rester en arrière. ‖ (En parl. de ch.) Etre visqueux. ¶ (Mor.) Temporiser; être irrésolu ou perplexe.

cunctus, a, um, adj. Pris dans son ensemble, réuni; tout entier. Au plur. Cuncti, tous ensemble ou (simpl.) tous.

cuneatim, adv. En forme de coin.

cuneatus, a, um, p. adj. Qui a la forme d'un coin, dont l'extrémité est en pointe. ¶ Disposé en amphithéâtre, en gradin.

cuneo, as, avi, atum, are, tr. Enfoncer un coin dans...; fendre avec un coin. ‖ Séparer (pr. et fig.). ¶ Caler (avec un coin), faire tenir en équilibre; assujettir. ‖ Insérer, enclaver (en parl. du style). ¶ Donner la forme d'un coin. (Au pass.) Cuneari, avoir la forme d'un coin, être terminé ou finir en pointe.

cuneolus, i, m. Petit coin.

cuneus, i, m. Coin (pour fendre le bois). ¶ (Par anal.) Tout objet en forme de coin : angle, secteur. ‖ (En part.) Ordre de bataille en forme de coin

ou de triangle; corps de troupes rangé en forme de coin. ‖ Section triangulaire de gradins (au théâtre); secteur compris entre deux passages pratiqués du centre aux extrémités; (en génér.), gradin ou (simpl.) place au théâtre, au cirque. Au plur. Cunei, les spectateurs, le public.

cuniculosus, a, um, adj. Où les lapins foisonnent.

cuniculus, i, m. Lapin. ¶ Galerie souterraine, galerie de mine; conduit, tuyau. ‖ (Spéc.) Mine (de guerre). ‖ (Fig.) Mine, sourde menée.

cunila, et conila, ae, f. Sarriette (plante).

1. **cupa,** ae, f. Cuve. ‖ Tonneau. ¶ (Par anal.) Fosse voûtée, caveau (mortuaire).

2. **cupa,** ae, f. Manivelle d'un moulin à huile (semblable à un manche de rame).

3. **cupa,** ae, f. Voy. COPA.

cupedi... Voy. CUPPED...

cupes. Voy. CUPPES.

cupide, adv. Avidement. ¶ Avec passion, avec ardeur, avec joie. ¶ Par ambition. ¶ Avec partialité.

cupiditas, atis, f. Désir, convoitise, passion. ‖ Envie, penchant. ¶ (Partic.) Besoin, appétit. ‖ Passion amoureuse. ‖ Goût du plaisir. ‖ Ambition. ‖ Cupidité; intérêt, désir du profit. ‖ Partialité.

cupido, inis, f. et (rar.) m. Désir, envie, passion. ‖ Appétit. ¶ Passion amoureuse. ‖ Convoitise, intérêt.

cupidus, a, um, adj. Désireux, avide, passionné pour. ‖ Epris de, amoureux. ¶ Cupide; intéressé. ‖ Attaché à (qqn). ‖ Partial.

cupiens, entis, p. adj. Désireux.

cupienter, adv. Avec convoitise, avidement.

cupio, is, ivi ou ii, itum, ere, tr. et (qqf.) intr. Désirer, convoiter, avoir envie de. ‖ Souhaiter. ‖ (Particul.) Etre épris de. ¶ (Intr.) Vouloir du bien, s'intéresser (à qqn). [convoite.

cupitor, oris, m. Celui qui désire, qui

cupo. Voy. COPO, CAUPO.

cuppa. Voy. CUPA.

1. **cuppedia,** ae, f. Gourmandise, sensualité. Au plur. (Méton.) Cuppediae, friandises. ¶ Sensualité.

2. **cuppedia,** n. pl. Voy. CUPPEDIUM.

1. **cuppedinarius,** a, um, adj. Relatif aux friandises ou mets délicats.

2. **cuppedinarius,** ii, m. Confiseur.

cuppedium, ii, n. Friandise, morceau friand ou délicat.

1. **cuppedo,** inis, f. Comme CUPIDO.

2. **cuppedo,** inis, f. Comme CUPPEDIA.

cuppes, edis, m. Friand; gourmet.

cuppula. Voy. CUPULA.

cupressetum, i, n. Lieu planté de cyprès.

cupresseus, a, um, adj. De cyprès. [Fait de cyprès. [duit des cyprès.

cupressifer, fera, ferum, adj. Qui pro-

cupressinus, *a, um,* adj. De cyprès.

1. cupressus, *i,* f. Cyprès (arbre). ‖ (Méton.) Étui en bois de cyprès.

2. cupressus, *us,* f. Comme le précédent.

cupreus. Voy. CYPREUS.

cuprinus, *a, um,* adj. Voy. CYPRINUS.

cuprum, *i,* n. Voy. CYPRUM.

cur, adv. interr. Pourquoi? ¶ *Adv. relat.* Pour que.

cura, *ae,* f. Soin, attention, empressement, sollicitude, intérêt. ¶ Curiosité. ‖ Étude, recherche. ‖ (Méton.) Fruit de l'étude *ou* de l'attention, ouvrage, livre. ¶ Soin donné, culture, élevage, entretien. ‖ Soins donnés (à un malade), traitement; cure. ¶ Garde, surveillance. ‖ (Méton.) Celui qui surveille, garde, gardien. ‖ Celui que l'on garde; protégé. ¶ Direction, intendance, surveillance administration. ‖ (*Jur.*) Curatelle. ‖ (Méton.) Devoir, soin, affaire. ‖ Culte, service (divin). ¶ Préoccupation, souci, inquiétude; peine d'amour; amour. ‖ (Méton.) Objet aimé. [lequel il est un remède.

curabilis, *e,* adj. Guérissable. ¶ Pour.

curagendarius, *ii,* m. Fonctionnaire.

curalium (CURALLIUM). Voy. CORAL-LIUM. [ment.

curate, adv. Avec soin; avec empresse-

curatio, *onis,* f. Action de se préoccuper *ou* de s'inquiéter. ¶ Action de soigner. ‖ Entretien. ‖ Traitement (d'un malade), cure, opération (chirurgicale). ¶ Accomplissement. ¶ Intendance, surveillance, administration. ‖ Charge, fonction, office. ‖ (En part.) Curatelle.

curator, *oris,* m. Qui a soin de. ¶ Chargé de, préposé à. ‖ Administrateur, intendant. ‖ (Jur.) Curateur (d'un mineur émancipé, d'un majeur interdit, etc.).

curatoria, *ae,* f. Curatelle.

1. curatoricius, *a, um,* adj. D'administrateur, de fonctionnaire. [naire.

2. curatoricius, *ii,* m. Ancien fonction-

curatorius, *a, um,* adj. D'administrateur, de commissaire. ¶ De curateur.

curatrix, *icis,* f. Celle qui a soin de. ¶ Curatrice.

curatura, *ae,* f. Soin, sollicitude. ¶ Office d'intendant, d'administrateur.

curatus, *a, um,* p. adj. Soigné. ¶ Soigneux. [rançon (insecte).

curculio (GURGULIO), *onis,* m. Cha-curculiunculus, *i,* m. Petit charançon. ¶ (Fig.) Un rien, une chose insignifiante, une bagatelle.

curhalium. Voy. CORALLIUM.

curia, *ae,* f. Curie (une des trente divisions du peuple romain instituées par Romulus). ¶ (Méton.) Endroit où se réunit la curie. ‖ Édifice où a lieu la réunion; salle réservée aux Sabines; salle des séances du Sénat. ¶ (Par anal.) Salle du conseil (municipal), maison commune, hôtel de ville.

curialis, *is,* m. De la curie; qui appar-

tient à la même curie; qui est du même dème (à Athènes). ¶ Qui appartient à la cour; du palais impérial. Subst. *Curiales, ium,* m. pl. Les courtisans. ¶ De municipe. Subst. *Curiales, ium,* m. pl. Curiales, magistrats municipaux (sous le Bas-Empire).

curiatim, adv. Par curies.

curiatus, *a, um,* adj. De curies. ¶ Qui a lieu par curies. *Curiata comitia,* comices où le peuple vote par curies. ‖ Relatif aux comices par curies. *Curiata lex,* loi curiate, votée par les curies.

1. curio, *onis,* m. Curion (chef religieux d'une curie). ¶ Héraut, crieur public.

2. curio, *onis,* m. Dévoré de soucis; miné par le chagrin; maigre.

curionatus, *us,* n. Dignité de curion.

curiose, adv. Avec grand soin, avec intérêt. ‖ Avec curiosité. ‖ Avec recherche, *ou* raffinement.

curiositas, *atis,* f. Désir de savoir, goût de la recherche, curiosité.

1. curiosus, *a, um,* adj. Soigneux, attentif. ¶ Qui s'intéresse à. ¶ Avide de savoir. ¶ Recherché, précieux (en parl. du style). ¶ Miné, amaigri par l'inquiétude.

2. curiosus, *i,* m. Espion, mouchard.

curo, *as, avi, atum, are,* tr. Soigner. ¶ S'occuper, se préoccuper de. ‖ Prendre à cœur; veiller à. *Cura ut valeas,* veille à ta santé. ‖ Faire en sorte, faire. ‖ Se soucier de, *c.-à-d.* chercher à. ‖ Donner ses soins à. ‖ Nettoyer, curer. ‖ Orner, parer. ‖ Traiter, recevoir (chez soi, etc.). ‖ Soigner (un malade *ou* un mal), faire suivre un traitement à, faire subir une opération à. ‖ Guérir. ¶ Veiller à l'exécution de, exécuter, faire exécuter. ¶ Effectuer un achat *ou* un paiement. ¶ Administrer, gérer; être à la tête de. ‖ *Absol.* Exercer une fonction. ¶ Rendre un culte à, vénérer, adorer. ‖ Rendre des honneurs à, courtiser.

curriculo, adv. En courant, en hâte.

curriculum, *i,* n. Action de courir; course. ¶ Course (dans les jeux), lutte de vitesse (à pied, à cheval, en char). ‖ Course *ou* révolution des astres. ¶ (Méton.) Carrière, hippodrome. ‖ (Fig.) Carrière, champ, lice. ¶ (*Méton.*) Char; char de course *ou* (qqf.) char de guerre. [attelé à un char.

currilis, *e,* adj. De chars. ¶ Qu'on

currilitas. Voy. CURSILITAS.

curro, *is, cucurri, cursum, ere,* intr. Courir. ‖ (Par ext.) Aller rapidement (en voiture, en bateau, etc.); voguer, voler, etc. ‖ (En parl. de ch.) Se répandre, s'étendre. ‖ S'écouler (en parl. du temps).

curruca, *ae,* f. Pouillot, petit oiseau qui couve les œufs du coucou.

currulis, *e,* adj. De char, de course.

currus, us, m. Char. || Char de guerre, char de course, char de triomphe. || (Méton.) Attelage, chevaux du char. || Cérémonie du triomphe; triomphe. ¶ Charrue à deux roues; train de charrue. ¶ (Par anal.) Navire.

cursim, adv. En courant, à la hâte; précipitamment. ¶ (Fig.) En courant, d'où sommairement.

cursito, as, avi, are, intr. Courir constamment; courir de tous côtés.

curso, as, are, intr. Courir avec empressement ou en tous sens. ¶ (Tr.) Parcourir en tous sens.

cursor, oris, m. Qui court ou qui parcourt. ¶ Coureur (à pied ou en char). || Courrier, estafette, exprès. ¶ Coureur, esclave qui précédait à pied la voiture de son maître.

cursualis, e, adj. De course.

cursura, ae, f. Course.

cursus, us, m. Course; marche rapide. || Trajet (à cheval, en voiture, en bateau); vol; cours (d'un fleuve), écoulement; cours ou révolution (des astres).||(Fig.) Cours (des événements). ¶ Course (dans l'hippodrome), lutte de vitesse. ¶ (Méton.) Carrière (pr. et fig.). || Chemin parcouru, route, voyage, parcours. ¶ (En partic.) Service de la poste.

curto, as, avi, atum, are, tr. Ecourter, raccourcir. ¶ (Fig.) Tronquer, c.-à-d. diminuer.

curtus, a, um, adj. Mutilé; estropié. ¶ (Fig.) Incomplet, mince, insuffisant.

1. curulis, e, adj. De char. ¶ Curule. Sella curulis, chaise curule, siège d'ivoire sur lequel certains magistrats avaient seuls droit de s'asseoir.

2. curulis (s.-e. sella), is, f. Chaise curule. ¶ (Méton.) Masc. Magistrat curule. || Edile curule.

curvamen, inis, n. Courbure. [voûte.

curvatura, ae, f. Courbure. ¶ Cintre,

curvo, as, avi, atum, are, tr. Courber, voûter, bomber. ¶ Infléchir, plier.

curvus, a, um, adj. Courbe, recourbé. || Bombé. || Concave, creux. || Sinueux. ¶Gonflé (en parl. d'un cours d'eau). ¶Courbé (par l'âge ou par le travail). Qui s'incline (par respect). ¶ Tortu, pervers.

cusio, onis, f. Frappe de la monnaie.

cuso, as, are, tr. Fréquentatif inus. de CUDO. [monnaie; monnayeur.

cusor, oris, m. Celui qui frappe la

cuspidatim, adv. En pointe.

cuspido, as, atum, are, tr. Tailler en pointe. ¶ Garnir d'une pointe.

cuspis, idis, f. Pointe, extrémité pointue. || Aiguillon (de certains animaux), dard. ¶ (Méton.) Objet pointu ou appointé. || Epine, javelot, lance. || Trident (de Neptune).|| Broche.|| Tube ou tuyau aminci à son extrémité inférieure.

custodia, ae, f. Action de garder, garde, surveillance; protection; défense. || (Méton.) Garde, ceux qui gardent, escorte, poste, patrouille. Au plur. Custodiae, gardes, factionnaires, sentinelles, vedettes isolées.||Patrouilleurs. ¶ (En parl.) Détention. || (Méton.) Lieu de détention, prison. || Détenu, prisonnier. ¶ Action d'observer.

custodio, is, ivi ou ii, itum, ire, tr. Garder. || Avoir sous sa garde, sous sa protection; veiller sur. || Surveiller, contrôler, épier. ¶ Détenir, tenir en prison. || Tenir en réserve, conserver. ¶Se conformer à, observer (un règlement). [réserve.

custodite, adv. En se gardant; avec

custoditio, onis, f. Action de garder, d'observer.

custoditor, oris, n. Gardien (fig.).

custos, odis, m. f. Gardien ou gardienne. || Geôlier. || Surveillant; espion. || Gouverneur ou gouvernante (d'un enfant). || Garde (du corps), factionnaire, sentinelle. ¶ Spéc.) Arctophylax (constellation). || (Agr.) Voy. RESEX, coursson.

cuticula, ae, f. Peau délicate.|| Peau.

cutis, is, f. Peau (de l'homme ou des animaux). ¶ Peau, pellicule (des fruits). ¶ (Fig.) Enveloppe.

cuturnium. Voy. GUTTURNIUM.

cyamias, ae, m. Sorte de pierre précieuse

cyamos (CUAMOS), i, m. Fève d'Egypte.

cyaneus, a, um, adj. Bleu foncé.

cyanos. Voy. le suivant.

cyanus (CYANOS), i, m. Bluet. ¶ Sorte de lapis-lazuli.

cyathisso, as, are, intr. Remplir les coupes avec le cyathus. ¶ Servir à boire; être échanson.

cyathus (CYATUS, CIATUS), i, m. Gobelet. || (Partic.) Cyathus, gobelet avec lequel on puisait le vin du cratère pour le verser dans les coupes. ¶Mesure pour les liquides et les matières sèches (0 l. 0456).

cybaea (navis) ou simpl. cybaea, ae, f. Vaisseau de transport. [nocturne.

cybindis, idis, m. Oiseau de proie

cybiosactes, ae, m. Marchand de poisson salé. [(Par ext.) Thon.

cybium, ii, n. Tranche de thon salé. ||

1. cybus. Voy. CIBUS.

2. cybus. Voy. CUBUS. [cyclas.

cycladatus, a, um, adj. Vêtu de la

cyclas, adis, f. Robe arrondie du bas et à traîne, en tissu délicat et garnie d'une bande brodée (pourpre ou or), robe de cérémonie. [clopédique.

cyclicus, a, um, adj. Cyclique. ¶ Ency-

cyclus, i, m. Cercle. ¶ (Astron.) Cycle. ¶ (Méd.) Cycle, traitement qui procède par périodes.

cycneus, a, um, adj. De cygne.

cycnus, i, m. Cygne, oiseau. || (Fig.) Poète à la voix harmonieuse; grand poète. ¶ Le Cygne (constell.).

cydarum, *i*, n. Sorte de vaisseau de transport. [des coings.

cydoneum, *i*, n. Breuvage préparé avec
1. cydonia, *ae*, f. Cognassier, arbre.
2. cydonia, *orum*, n. pl. Coings.
cydonites, *ae*, m. Liqueur de coings.
1. cydonius, *i*, f. Voy. 1. CYDONIA.
2. cydonius, *a*, *um*, adj. De coings.
cygn... Voy. CYCN...
cylindratus, *a*, *um*, adj. Cylindrique.
cylindrus, *i*, m. Cylindre, solide géométrique. ¶ Cylindre, rouleau pour aplanir. ¶ Sorte de pierre précieuse.
cyma (CUMA), *ae*, f. Jeune pousse de chou.
cyma, *matis*, n. Voy. le précédent.
cymba (CUMBA), *ae*, f. Barque; nacelle.
cymbalaria (*herba*), *ae*, f. Nombril de Vénus, plante. [cymbalier.
cymbalista, *ae*, m. Joueur de cymbales.
cymbalistria, *ae*, f. Joueuse de cymbales.
cymbalum, *i*, n. Cymbale, instrument. ¶ Cloche, timbre d'une machine hydraulique.
cymbium, *ii*, n. Vase à boire en forme de barque. ¶ Lampe ayant la même apparence.
cymbula (CUMBULA), *ae*, f. Petit canot.
cyna, *ae*, f. Sorte de cotonnier.
cynacantha, *ae* f. Eglantier (?).
cynanche, *es*, f. (Croup de chien). Angine (qui oblige les malades à tirer la langue). [chasse.
cynegetica, *on*, n. pl. Traité sur la
cyneus, *a*, *um*, adj. Du Chien (constellation).

cynice (CUNICE), adv. A la façon des cyniques.
cynici, *orum*, m. pl. Les cyniques, les philosophes de l'école cynique.
cynicus, *a*, *um*, adj. De chien .¶ Cynique; de philosophe cynique.
cynismus, *i*, m. Philosophie cynique.
1. cynocephalus, *i*, m. Qui a une tête de chien.
2. cynocephalus, *i*, m. Espèce de singe. ¶ Le dieu à la tête de chien, Anubis.
cynoglossos, *i*, f. Cynoglosse *ou* langue de chien (plante).
cynomorion, *ii*, n. Comme OROBANCHE.
cynosura (*ova*), ae, f. Œufs sans germe.
cynozolon, *i*, n. Carline, plante.
cyparissias, *ae*, (acc. *an*), m. Espèce de tithymale (plante). ¶ Météore igné en forme de cyprès.
cyparissus, *i*, f. Comme CUPRESSUS.
cyprinum, *i*, n. Huile parfumée, préparée avec la fleur du cyprès. [cuivre.
1. cyprinus, *a*, *um*, adj. De cuivre; en
2. cyprinus, *i*, m. Espèce de carpe.
cyprios, *i*, m. Pied de cinq syllabes, une brève, une longue, deux brèves, une longue (fǔěntǐsǒnǒs).
cyprium (s.-e. *aes*), *ii*, n. Voy. CYPRUM.
cyprius, *i*, f. Henné (plante aromatique de l'île de Chypre).
cyprum (CUPRUM), *i*, n. Cuivre.
cypselus, *i*, m. Martinet (sorte d'hirondelle). [nadier.
cytinus, *i*, m. Calice de la fleur du grecytisum, *i*, n. Voy. le suivant.
cytisus, *i*, m. et f. Cytise.

D

D, d, quatrième lettre de l'alph. lat. ¶ Abrév. D = Decimus *et aussi* deus, divus, decurio, dominus; D. D = dono (*ou* donum) dat. D. D. D. = dat, donat, dedicat, D. M = Dis manibus. D. O. M. Deo Optimo Maximo. D. P. S = de pecunia sua; D. S = de suo. || Comme chiffre romain D = 500.
dacrima (DACRUMA). Voy. LACRIMA.
dactilus (DACTULUS), *i*, m. Voy. DACTYLUS.
dactulus, *i*, m. Voy. DACTYLUS.
dactylicus, *a*, *um*, adj. Dactylique.
dactyliotheca, *ae*, f. Ecrin pour bagues. || (Méton.) Collection de bagues *ou* de gemmes.
dactylis, *idis*, f. Epaisse comme le doigt, nom d'une sorte de vigne à grosses grappes.
dactylos, *i*, m. Voy. le suivant.
dactylus, *i*, m. Doigt. ¶ Datte; *qqf.* dattier. ¶ Sorte de raisin, voy. DACTYLIS. ¶ Couteau (de mer), coquillage. || Sorte de graminée. || Sorte de gemme. ¶ (Métr.) Dactyle, une longue et deux brèves, flûminā.
daduchus, *i*, m. Porte-flambeau, prêtre

de Déméter, qui, durant les mystères d'Eleusis, figurait celui qui recherche Proserpine, un flambeau à la main.
daedale, adv. Avec art.
daedalus, *a*, *um*, adj. Artiste (comme Dédale) habile dans son art. ¶ Fait avec art, artistement travaillé.
daemon, *onis* (acc. sing, *onem* et *ona*, acc. pl. *ones* et *onas*), m. Génie, esprit (intermédiaire entre l'homme et la divinité). ¶ (En part.) Mauvais génie. || (Eccl.) Démon, diable.
1. daemoniacus, *a*, *um*, adj. Diabolique.
2. daemoniacus, *i*, m. Démoniaque, possédé.
daemonium, *ii*, n. Démon, génie. ¶ Mauvais génie. || (Fig.) Méchant, pervers. ¶ (Eccl.) Démon, faux dieu, idole.
daimon, *onis*, adj. Habile.
dalivus, *a*, *um*, m. Fou (mot osque).
dama, *ae*, f. Voy. DAMMA.
damma, *ae*, f. et (qqf.) m. Daim. ¶ (Par ext.) Cerf, biche, faon, chamois, isard, antilope, gazelle, etc.
dammula, *ae*, f. Faon.
damnabilis, *e*, adj. Condamnable; coupable.

damnas, indécl. Condamné à. ¶ Tenu de.... obligé à...

damnatio, *onis*, f. Condamnation. || (Eccl.) Damnation. ¶ (Fig.) Action de réprouver, réprobation. ¶ (Jur.) Obligation de payer.

damnator, *oris*, m. Celui qui condamne. ¶(Fig.) Celui qui réprouve.

damnatorius, *a*, *um*, adj. De condamnation.

damnatus, *a*, *um*, adj. Condamné. Subst. *Damnatus*, *i*, m. Un condamné. ¶ Criminel, coupable. Subst. *Damnatus*, *i*, m. Un scélérat. ¶ (Jur.) Obligé à; tenu de. ¶ (*En parl. de ch.*) Condamnable, illicite; maudit.

damnificus, *a*, *um*, adj. Préjudiciable.

damnigerulus, *a*, *um*, adj. Qui apporte du dommage.

damno, *as*, *avi*, *atum*, *are*, tr. Condamner (judiciairement). || Déclarer (la cause injuste *ou* l'accusé coupable). || (Eccl.) Damner. ¶ Faire condamner. ¶ Condamner, accuser, réprouver, reprendre, blâmer, rejeter. || Interdire. ¶ Obliger, lier par une clause. ¶ Causer du dommage.

damnose, adv. De façon à faire tort.

damnosus, *a*, *um*, adj. Qui cause du dommage; préjudiciable, nuisible. ¶ Coûteux, ruineux. ¶ Ruiné. ¶ Dépensier, prodigue. Subst. *Damnosus*, *i*, m. Un dissipateur.   [préjudice.

damnum, *i*, n. Dommage, détriment.

damula. f. Voy. DAMMULA.

danista, *ae*, m. Prêteur; usurier.

danistarius, *a*, *um*, adj. Qui concerne les prêts *ou* l'usure.

danisticus, *a*, *um*, adj. D'usurier.

dapalis, *e*, adj. De repas religieux *et par cons.* copieux *ou* somptueux ¶ Qu'on honore par des festins.

daphne, *es*, f. Laurier.

daphnea, *ae* (acc. *an*), f. Pierre précieuse inconnue.

daphnoides, *is* (acc. *en*), f. Sorte de cannelier. ¶ Bois-gentil (arbrisseau). ¶ Clématite d'Egypte (plante).

daphnon, *onis* (acc. *ona*, acc. pl. *onas*), m. Bosquet de lauriers.

dapino, *as*, *are*, tr. Servir sur la table.

dapis, *is*, f. Voy. le suivant.

daps, *dapis*, f. Festin offert aux dieux *ou* donné en l'honneur des dieux. || (En gén.) Repas somptueux, banquet, festin. || (Simpl.) Nourriture; mets.

dapsile, adv. En grand gala; magnifiquement.

dapsilis, *e*, adj. Magnifique, riche.

dapsilitas, *atis*, f. Somptuosité, magnificence.

dapsiliter, adv. Comme DAPSILE.

dasypus, *podis*, m. f. Dasypode, espèce de lièvre *ou* de hase.

dasys, *sya*, *sy*, adj. (Esprit) rude (t. de gramm.).   [disponible.

datarius, *a*, *um*, adj. Qu'on peut donner;

datatim, adv. Réciproquement; tour à tour.

datio, *onis*, f. Action de donner : don, donation. ¶ Droit d'aliéner (ses biens).

1. dativus, *a*, *um*, adj. (Jur.) Datif (donné *ou* imposé par testament). ¶ (Gramm.) Datif.   [déclinaison).

2. dativus, *i*, m. Le datif (cas de la déclinaison).

dato, *as*, *avi*, *are*, tr. Donner souvent; avoir coutume de donner.

dator, *oris*, m. Celui qui donne.

datrix, *icis*, f. Celle qui donne.

datum, *i*, n. Don, cadeau. ¶ Pion joué:

datus, *us*, m. Don.   [DAUCUM.

daucion, *ii*, n. et **daucites**, *ae*, m. Voy.

daucos, *i*, m. Voy. le suivant.

daucum, *i*, n. Carotte.

de, prép. avec l'Abl. || En se séparant de; de, hors de; issu de, provenant de, fait de. ¶ Du haut de. *De caelo tactus*, foudroyé. ¶ D'entre. *Unus de multis*, un homme du commun. || Aux frais de. *De suo*, à ses frais. *De publico*, aux frais de l'État. ¶ Au moyen de. || Par suite de; à cause de, pour. *Gravi de causa*, pour un motif grave. ¶ D'après; en vertu de. || Au lieu de. *De templo carcer factus*, ce temple devenu lieu de détention. ¶ Pendant, au cours de; avant la fin de. *De mense decembri navigare*, prendre la mer avant la fin de décembre. || Au sortir de, immédiatement après. *Statim de auctione*, aussitôt après l'enchère. ¶ De, c.-à-d. au sujet de; relativement à. *De cetero*, quant au reste.

dea, *ae*, (dat. et abl. pl. *deabus*), f. Déesse.

deacinatus, *a*, *um*, adj. D'où l'on a tiré les grains de raisin.

dealbatio, *onis*, f. Blanchissage (à la chaux). || (Fig.) Purification. ¶ Eclat éblouissant.   [(à la chaux).

dealbator, *oris*, m. Celui qui blanchit

dealbatus, *a*, *um*, p. adj. Blanchi (à la chaux). || (Fig.) Tout blanc, c.-à-d. éclatant.

dealbo, *as*, *avi*, *atum*, *are*, tr. Blanchir (à la chaux). || Badigeonner. ¶ (Fig.) Blanchir, c.-à-d. nettoyer, purifier.

dealitas, *atis*, f. Divinité.

deambulacrum, *i*, n. Lieu de promenade. || Promenoir.

deambulatio, *onis*, f. Action de se promener. || Promenade. || (Méton.) Promenoir.   [lerie, préau.

deambulatorium, *ii*, n. Promenoir, galerie, préau.

deambulo, *as*, *avi*, *atum*, *are*, intr. Se promener (longtemps).

deamo, *as*, *avi*, *atum*, *are*, tr. Aimer avec passion. ¶ Faire grand cas de (qqch.). ¶ Etre fort obligé (à qqn.).

dearmo, *as*, *avi*, *atum*, *are*, tr. Désarmer. ¶ Dérober une arme.

deartuo, *as*, *avi*, *atum*, *are*, tr. Démembrer; désarticuler. ¶ (Fig.) Dépecer, ruiner.

deascio, *as*, *avi*, *atum*, *are*, tr. Travailler avec la hache, dégrossir, équarrir. ¶ Effacer. ¶ (Fig.) Escroquer, duper; fermer.

deaurator, *oris*, m. Doreur.

deauro, *as*, *avi*, *atum*, *are*, tr. Recouvrir d'or; dorer.

debacchatio, *onis*, f. Transport bachique, délire, frénésie.

debacchor, *aris*, *atus sum*, *ari*, dép. intr. Se livrer aux transports bachiques. ¶ (Fig.) Se déchaîner; faire rage.

debellator, *oris*, m. Vainqueur, dompteur.

debello, *as*, *avi*, *atum*, *are*, intr. Terminer la guerre (par une victoire), livrer une bataille décisive. ¶ (*Tr.*) Vaincre complètement, dompter, soumettre. || Livrer un combat acharné à.

debeo, *es*, *ui*, *itum*, *ere*, tr. Devoir, c.-à-d. être débiteur de. Subst. *Debentes*, *ium*, m. pl. Les débiteurs. *Debitum*, *i*, n. Dette (pr. et fig.) ¶ Etre tenu (moralement) à *ou* de, être obligé à, être destiné à. Au passif : *deberi*, être réservé à, être le lot de. || Avoir le devoir de. || Etre redevable de. ¶ Absol.) Etre obligé de.

debilis, *e*, adj. Faible, infirme, débile, paralysé, estropié. ¶ (Fig.) Faible, incomplet, mutilé, défectueux; ncapable.

debilitas, *atis*, f. Faiblesse, débilité, mpuissance. ¶ (Fig.) Faiblesse, mollesse. ¶ Infirmité, paralysie.

debilitatio, *onis*, f. Affaiblissement. || (Fig.) Découragement, abattement. ¶ Mutilation.

debiliter, adv. Sans force, en impuissant.

debilito, *as*, *avi*, *atum*, *are*, tr. Affaiblir, rendre infirme, énerver, paralyser. || Mutiler, estropier. ¶ (Fig.) Abattre, décourager, déconcerter.

debitio, *onis*, f. Action de devoir, le fait d'être débiteur. ¶ (Méton.) Ce que l'on doit, c.-à-d. dette.

debitor, *oris*, m. Débiteur. ¶ Celui qui est tenu (d'accomplir *ou* d'effectuer). ¶ Celui qui est redevable de; obligé.

debitrix, *icis*, f. Débitrice. ¶ (Fig.) Celle qui est responsable de.

debitum, *i*, n. Dette.

debitus, *a*, *um*, adj. Dû. || Juste, mérité.

deblatero, *as*, *avi*, *atum*, *are*, tr. Débiter vite et mal; criailler. ¶ Bavarder sottement, raconter à tort et à travers.

debrachiolo, *as*, *are*, tr. Saigner (un cheval) à la cuisse antérieure.

decachinno, *as*, *are*, tr. Railler, se moquer (de). [(mage des arbres).

decacuminatio, *onis*, tr. Etêtement, écidecagonus, *i*, m. Décagone.

decamyrum, *i*, n. Parfum composé de dix aromates.

decantatio, *onis*, f. Action de chanter, de psalmodier. ¶ Bavardage.

decanto, *as*, *avi*, *atum*, *are*, tr. Chanter, débiter en chantant. || Déclamer. ||. Répéter, rabâcher. ¶ Faire l'appel (des tribus). || Célébrer, prôner. ¶ Enchanter; ensorceler. ¶ (*Intr.*) Cesser de chanter.

decanus, *i*, m. Celui qui a dix hommes sous ses ordres. || Dizenier. || Supérieur de dix moines. || Chef de dix croquemorts.¶ (Astrol.) Génie qui préside à dix degrés du zodiaque.

decaproti, *orum*, m. pl. Les dix premiers décurions d'un municipe.

decaprotia, *ae*, f. Fonction de décaprote.

decastylos, *on*, adj. De dix colonnes; qui a dix colonnes.

decasyllabus. *a*. *um*, adj. De dix syllabes.

decaulesco, *is*, *ere*, intr. Monter en tige.

decedo, *is*, *cessi*, *cessum*, *ere*, intr. Se retirer, s'en aller. || Se retirer devant, céder le pas à (pr. et fig.).¶Se retirer (pour éviter); se garer de. ¶ Se retirer sortir (de charge) *ou* prendre sa retraite.¶Se retirer (de la vie), décéder. || Se retirer pour disparaître bientôt, décroître, décliner. ¶ (Fig.) Disparaître, c.-à-d. cesser *ou* se calmer. ¶ Se retirer de. c.-à-d. se désister de, renoncer à.¶Se relâcher de, se départir de. || Déchoir de. ¶ Faire défaut, manquer. || Finir, se terminer.¶Tourner bien *ou* mal.

decem, adj. pl. indéc. Dix.

1. **december**, *bris*, m. Décembre (mois).
2. **december**, *bris,bre*, adj. De décembre.

1. **decemjugis**, *e*, adj. Attelé de dix chevaux.   [dix chevaux.
2. **decemjugis**, *is*, m. Char traîné par

decemmestris, *e*, adj. De dix mois.

decemmodiae, *arum*, f. pl. Corbeilles qui contiennent dix boisseaux.

decemmodius, *a*, *um*, adj. De dix boisseaux, qui contient dix boisseaux.

decemnovennalis. Voy. DECENNOVALIS.

decempeda, *ae*, f. Perche d'arpentage de dix pieds de long.   [(long).

decempedalis, *e*, adj. De dix pieds (de

decempedator, *oris*, n. Arpenteur (qui se sert de la *decempeda*).

decemplex, *plicis*, adj. Décuple.

decemplicatus, *a*, *um*, adj. Multiplié par dix, décuplé.

decemprimatus, *us*, m. Dignité des magistrats appelés *decemprimi*.

decemprimi ou **decem primi**, *orum*, m. pl. Les dix premiers décurions d'un municipe.   [rames.

decemremis, *e*, adj. A dix rangées de

decemscalmus, *a*, *um*, adj. A dix rames.

decemvir, *viri*, m. et ordin. (au plur.) **decemviri**, *orum*, m. Dix membres d'une commission *ou* d'un collège. || (Partic.) Décemvirs, magistrats chargés de rédiger un code de lois (les Douze Tables).

decemviralis, *e*, adj. Des décemvirs.

decemviratus, *us*, m. Décemvirat, titre de décemvir.

decemviri, *orum*, m p. Voy. DECEMVIR.

deceni, *ae*, *a*. Voy. DENI.

decennalia, *ium* et *orum*, n. pl. Décennales, fêtes instituées pour le dixième anniversaire du règne d'un empereur.

decennalis, *e*, adj. De dix ans, qui a une durée de dix ans.

decennia, *um*, n. pl. Voy. DECENNALIA.

decennis, *e*, adj. De dix ans.

decennium, *ii*, n. Espace de dix ans.

decennovennalis, *e*, adj. De dix-neuf ans.

decennovium, *ii*, n. Etendue de dix-neuf milles. ¶ Les Marais Pontins, qui ont 19.000 pieds de longueur.

decens, *entis*, adj. Qui va bien, séant. || (Fig.) Décent. ¶ Gracieux, charmant.

decenter, adv. Convenablement, décemment. ¶ Avec grâce.   [|| Beauté.

decentia, *ae*, f. Convenance. ¶ Harmonie.

deceo, *es*, *ui*, *ere*, intr. Etre séant; aller bien. || (*Mor*.) Convenir; être de mise. Voy. DECET.

deceptio, *onis*, f. Tromperie, duperie.

deceptor, *oris*, m. Trompeur; fourbe.

deceptus, *us*, m. Tromperie; erreur.

decermina, *um*, n. pl. Rameaux coupés à l'élagage. || Rebuts.

decerno, *is*, *crevi*, *cretum*, *ere*, tr. et intr. Décider, juger. || Décider (par les armes), combattre. || Lutter (par la parole). ¶ Décider, voter. || Arrêter (après délibération), décréter. || Etre d'avis; se prononcer; se décider pour; voter. || Instituer. ¶ Allouer, conférer, décerner. ¶ Infliger. ¶ Se décider à, prendre la résolution (*ou* résoudre) de. || Former le projet de.

decerpo, *is*, *psi*, *ptum*, *ere*, tr. Détacher en cueillant; cueillir (avec la main). || Cueillir (avec les lèvres), brouter; butiner sur. ¶ (Fig.) Cueillir, jouir de. ¶ Extraire, choisir. ¶ Diminuer; ruiner. ¶ Anéantir.

decertatio, *onis*, f. Lutte, débat.

decertator, *oris*, m. Lutteur; combattant; champion.

decerto, *as*, *avi*, *atum*, *are*, intr. Engager une lutte décisive, terminer la guerre (par un combat décisif). || Combattre, être aux prises, se battre avec. || (Fig.) Débattre, *c.-à-d*. discuter. ¶ (*Tr*.) Faire assaut de. ¶ Disputer (les armes à la main) *ou simpl.* se disputer (qqch.). || Accomplir en combattant.

decessio, *onis*, f. Départ. || (Spéc.) Sortie de charge. ¶ *Qqf.* Décès. ¶ Retranchement; décroissance; diminution. ¶ (Gramm.) Passage des mots du sens propre au sens figuré *ou* dérivé.

decessor, *oris*, m. Prédécesseur (en parl. du magistrat qui sort de charge pour faire place à celui qui va lui succéder).

decessus, *us*, m. Départ, retraite. || (Spéc.) Sortie de charge. || Décès. ¶ Décroissement.   [est à propos de.

decet, *uit*, impers. Il convient de, il

1. **decido**, *is*, *cidi*, *ere*, intr. Tomber à terre. ¶ Choir. || Tomber mort, périr. ¶ Tomber, *c.-à-d.* se détacher. || S'écrouler. ¶ Se jeter, couler dans. ¶ (Fig.) Tomber, *c.-à-d.* se trouver tout à coup dans qq. situation fâcheuse. || Etre

en décadence; déchoir. ¶ Manquer, échouer.

2. **decido**, *is*, *cidi*, *cisum*, *ere*, tr. Couper (pour détacher), trancher, retrancher. || (Fig.) Trancher, *c.-à-d.* décider, arrêter, régler; terminer. || (Absol.) Régler à l'amiable, transiger, arranger. ¶ Rouer de coups.

1. **deciduus**, *a*, *um*, adj. Qui tombe. || Sujet à tomber.   [cueilli.

2. **deciduus**, *a*, *um*, adj. Qui est coupé,

deciens (DECIES), adv. Dix fois. ¶ Dix fois, *c.-à-d.* souvent.

decima ou (plus ordin.) **decuma**, *ae*, f. La dixième heure (quatre heures après midi *ou* seize heures). ¶ La dîme.

decimana (DECUMANA), *ae*, f. Femme (*ou* maîtresse) d'un fermier des dîmes.

1. **decimanus** ou (plus ordin.) **decumanus**, *a*, *um*, adj. Relatif au dixième. || Relatif à la dîme. || Dont on paye la dîme. || Qu'on donne pour payement de la dîme. ¶ (T. milit.) De la dixième légion *ou* de la dixième cohorte — *porta*, la porte décumane (située près du cantonnement de la 10e cohorte, dans le camp). ¶ Grand, gros. ¶ Dirigé d'est en ouest.

2. **decimanus** et (ordin.) **decumanus**, *i*, m. Fermier de la dîme. ¶ Ligne d'est en ouest perpendiculaire au *cardo*, ligne nord-sud.

decimaria (s.-e. *lex*), *ae*, f. Prélèvement du dixième fixé par la loi.

decimarius, *a*, *um*, adj. Soumis au prélèvement de la dîme.

decimatio, *onis*, f. Décimation (châtiment militaire). ¶ Dîme.   [d'élite

decimatus, *a*, *um*, p. adj. De choix,

1. **decimo** ou **decumo**, *as*, *avi*, *atum*, *are*, tr. Prendre le dixième. || (Spéc.) Décimer (les soldats révoltés), mettre à mort un soldat sur dix. ¶ Offrir la dîme de. || Prélever la dîme de.

2. **decimo**, adv. En dixième lieu; dixièmement.

decimum, adv. Pour la dixième fois.

1. **decimus** ou **decumus**, *a*, *um*, adj. Dixième. ¶ Gros, énorme.

2. **decimus**, *i*, m. Le dixième jour. || Le dixième livre (d'un ouvrage).

decineratus, *a*, *um*, p. adj. Entièrement réduit en cendres.

decipio, *is*, *cepi*, *ceptum*, *ere*, tr. Tromper, décevoir. Passif. *Decipi via*, se tromper de route. ¶ Abuser, séduire. Passif. *Decipi*, se laisser prendre à *ou* par. ¶ Echapper à (l'attention de). || Tromper (la surveillance de). || Echapper (à l'ennui de); faire sans s'en apercevoir.

decipula, *ae*, f. Voy. DECIPULUM.

decipulum, *i*, n. Piège (pr. et fig.).

decircino, *as*, *are*, tr. Décrire une ligne circulaire.

decisio, *onis*, f. Retranchement; amoindrissement. ¶ Arrangement, accommodement; transaction. ¶ (T. mus.) Demi-ton.

decitans, *antis*, p. adj. Rendant la marche rapide; faisant glisser.

declamatio, *onis*, f. Action d'élever la voix. || (Partic.) Exercice d'école, déclamation. || Thème *ou* sujet d'une déclamation. ¶ Style déclamatoire, fausse rhétorique.   [tion.

declamatiuncula, *ae*, f. Petite déclamation.

declamator, *oris*, m. Déclamateur; rhéteur.

declamatorie, adv. En déclamateur.

declamatorius, *a*, *um*, adj. Déclamatoire.   [Qui bavarde.

declamatrix, *icis*, f. Qui déclame. ||

declamito, *as*, *avi*, *atum*, *are*, intr. et tr. || *Intr.* Déclamer souvent; ne cesser de s'exercer à la parole. ¶ *Tr.* Prendre (qqch.) pour matière d'exercice oratoire.

declamo, *as*, *avi*, *atum*, *are*, intr. et tr. Elever la voix, crier, s'emporter, déblatérer. ¶ Déclamer, s'exercer à la parole, se livrer à des exercices oratoires. ¶ *Tr.* Débiter (en déclamant); prendre (qqch.) pour sujet d'exercice oratoire. ¶ Appeler à haute voix.

declaratio, *onis*, f. Déclaration, manifestation, exposition, expression.

declarator, *oris*, m. Celui qui annonce, qui proclame.

declaro, *as*, *avi*, *atum*, *are*, tr. Manifester (par le geste *ou* la parole), faire voir clairement, signifier. ¶ Proclamer (élu) un magistrat, un fonctionnaire, etc; nommer. ¶ Rendre célèbre. ¶ Fixer (les limites d'un champ).

declinatio, *onis*, f. Action de pencher, d'incliner, de baisser. || Inclinaison (du pôle); latitude, région; climat. ¶ Décroissance (d'un mal), rémission. ¶ Action d'écarter; déviation. ¶ Désir de se détourner de, d'éviter; répugnance, antipathie. ¶ (Rhét.) Digression. || (Gramm.) Flexion (du verbe); dérivation; déclinaison.

declinatus, *us*, m. Action d'éviter, de fuir; aversion, répugnance. ¶ Flexion des mots. || Dérivation.   [une pente.

declinis, *e*, adj. Qui recule en descendant

declino, *as*, *avi*, *atum*, *are*, tr. et intr. Pencher, incliner. ¶ Faire dévier, détourner; esquiver; éviter. || (Gramm.) Fléchir (un mot); décliner (un nom).

¶ (*Intr.*) Baisser, décliner. || (Fig.) Décroître. ¶ S'écarter, dévier. || (Fig.) Faire une digression. || (Gramm.) Subir une flexion; se décliner.

declivis, *e*, adj. Qui s'abaisse en pente; situé sur un plan incliné, qui descend. || (Par ext.) Qui est sur son déclin (pr. et fig.). ¶ (Fig.) Enclin, porté à.

declivitas, *atis*, f. Caractère d'un lieu qui présente un plan incliné; déclivité.

declivius, adv. (au compar.) Avec plus de pente.

declivum, *i*, n. Pente, descente.

declivus, *a*, *um*, adj. Comme DECLIVIS.

decoco. Voy. DECOQUO.

decocta (s.-e. *aqua*), *ae*, f. Eau bouillie (puis refroidie).

decoctio, *onis*, f. Action de faire bouillir; décoction. || (Méton.) Produit obtenu de cette façon, décoction. ¶ (Par anal.) Digestion. ¶ (Fig.) Amoindrissement; ruine.

decoctor, *oris*, m. Dissipateur; prodigue.

decoctum, *i*, n. Décoction.

1. **decoctus**, *a*, *um*, p. adj. Bouilli. ¶ Réduit par la cuisson). || *Fig.* Substantiel.

2. **decoctus**, abl. *u*, m. Décoction.

decollatio, *onis*, f. Décollation; décapitation

decolligo, *as*, *are*, tr. Délier; dételer.

decollo, *as*, *avi*, *atum*, *are*, tr. Décapiter. ¶ Oter du cou; dépouiller *ou* priver (qqn) de.

decolo, *as*, *avi*, *are*, intr. Echouer, avorter; venir à manquer.

decolor, *oris*, adj. Décoloré. ¶ (Fig.) Dégénéré.

decolorate, adv. D'une façon terne.

decoloratio, *onis*, f. Décoloration.

decoloratus, *a*, *um*, p. adj. Décoloré. ¶ (Fig.) Dégradé; corrompu. ¶ Difficile à distinguer, de nuance incertaine.

decoloro, *as*, *avi*, *atum*, *are*, tr. Décolorer. || Faire changer de couleur, altérer la couleur, ternir *ou* (*au contr.*) brunir, rougir. ¶ (Fig.) Dégrader. || Tacher; corrompre.

deconcilio, *as*, *are*, tr. Enlever, ôter.

decondo, *is*, *ere*, tr. Cacher avec soin, enfouir.

deconsuetudo. *inis*, f. Désuétude.

decontor, *aris*, *ari*, dép. intr. Hésiter.

decoquo, *is*, *coxi*, *coctum*, *ere*, tr. Faire bien bouillir; bien cuire. ¶ (Fig.) Mûrir (un projet). ¶ (Par ext.) Réduire (en faisant cuire *ou* bouillir). || (Fig.) *Tr.* Réduire; diminuer, ruiner (qqn). ¶ *Intr.* Se réduire (à rien), fondre. || (Fig.) Se ruiner.

1. **decor**, *oris*, m. Convenance, appropriation. || (*Mor.*) Bienséance; bon goût. ¶ Parure, beauté. || Charme.

2. **decor**, *oris*, adj. Gracieux, élégant, joli.

decoramen, *inis*, n. Ornement; parure.

decore, adv. Convenablement; décemment. || Dignement, honorablement. ¶ Gracieusement, joliment.

decoro, *as*, *avi*, *atum*, *are*, tr. Parer, embellir. || Décorer. ¶ (Fig.) Faire valoir, rehausser. || Glorifier.

decorticatio, *onis*, f. Décortication.

decortico, *as*, *are*, tr. Ecorcer.

decorum, *i*, n. Convenance, bienséance. ¶ Bon ton.

decorus, *a*, *um*, adj. Convenable, décent. || Honorable. ¶ Gracieux, élégant. ¶ Magnifique.

decotes, f. pl. Toges usées.

decrementum, *i*, n. Amoindrissement.

decrepitus, *a*, *um*, adj. Décrépit; caduc.

decrescentia, *ae*, f. Décroissement, déclin. ¶ Décours (de la lune).

decresco, *is*, *crevi*, *cretum*, *ere*, intr. Décroître, diminuer, s'affaiblir, aller en déclinant (pr. et fig.).

decretalia, *um*, p. pl. Décrétales.

decretalis, *e*, adj. Qui contient un décret. ¶ Ordonné par décret.

decretio, *onis*, f. Décision; décret.

decretorius, *a*, *um*, adj. Décisif. || Définitif.

decretum, n. Décision, décret, arrêté. ¶ Doctrine, système (philosophique).

decrusto, *as*, *are*, tr. Détacher en écailles.

decubo, *as*, *are*, intr. Découcher.

deculco, *as*, *are*, tr. Fouler aux pieds. ¶ (En gén.) Abattre. [mable.

deculpatus, *a*, *um*, adj. Condamné; blâ-

decuma, **decumanus**. Voy. DECIMA, DECIMANUS.

decumates, *ium*, m. pl. (Champs) décumates, c.-à-d. soumis à la redevance de la dîme.

decumbo, *is*, *cubui*, *ere*, intr. S'étendre, se coucher. ¶ Se mettre à table. || S'aliter. || Tomber mort.

decumo. Voy. DECIMO.

decumus. Voy. DECIMUS.

decunctor. Voy. DECONTOR. [onces.

decunx,*uncis*,m. Mesure *ou* poids de dix.

decuplo, *as*, *avi*, *atum*, *are*, tr. Décupler.

decuplum, *i*, n. Le décuple.

decuplus, *a*, *um*, adj. Décuple.

decuria, *ae*, f. Dizaine; groupe de dix (individus). || (Partic.) Décurie, escouade de dix cavaliers. ¶ (Par ext.) Groupe, classe, corporation, réunion (même de plus de dix personnes).

1. **decurialis**, *e*, adj. De dix; relatif au nombre dix. ¶ Relatif à une décurie.

2. **decurialis**, *is*, m. Membre d'une décurie, d'une corporation. [décuries.

decuriatim, adv. Par dizaines *ou* par

decuriatio, *onis*, f. Division par dizaines, par décuries. [TIO.

1. **decuriatus**, *us*, m. Comme DECURIA-

2. **decuriatus**, *i*, m. (Qui compte dix lustres), qui a dépassé la cinquantaine.

1. **decurio**, *as*, *avi*, *atum*, *are*, tr. Répartir en décuries, en escouades de dix cavaliers. ¶ (Fig.) Embaucher, entraîner dans des cabales (électorales), embrigader. ¶ (Absol.) Cabaler.

2. **decurio**, *onis*, m. Celui qui commande à dix hommes. || Décurion, sous-officier à la tête d'une escouade. ¶ Sénateur d'une colonie *ou* d'un municipe; conseiller municipal. ¶ Chef de service au palais impérial.

decurionalis, *e*, adj. De décurion.

decurionatus, *us*, m. Dignité de décurion.

decurro, *is*, *curri* ou (qqf.) *cucurri*

cursum, *ere*, intr. Descendre en courant. || Descendre le cours (d'un fleuve); naviguer vers la terre (venant de la haute mer). || Descendre (en coulant). || S'abaisser, s'étendre en pente. ¶ Courir dans le cirque. || (T. milit.) Evoluer, manœuvrer. || Défiler, parader. ¶ (Fig.) En arriver à, *ou* recourir à. || Se dérouler (dans le temps), s'avancer. ¶ (Tr.) Parcourir (une route). || (Fig.) Parcourir (en racontant). || Exposer, décrire.

decursio, *onis*, f. Action de descendre (en courant), cours (d'un fleuve, etc.). || (Partic.) Action de descendre pour une attaque : surprise, coup de main. ¶ (T. mil.) Evolution, manœuvre; revue, défilé, parade. [tuellement].

decursito, *as*, *are*, tr. Parcourir (habi-

decursus, *us*, m. Action de descendre en courant. || Action de voguer vers la terre; entrée au port. || Cours (de l'eau). || Déclivité, pente. ¶ (T. milit.) Evolution, manœuvre, défilé. || Action de se dérouler, marche rythmique des vers. ¶ Action de parcourir jusqu'au but; course achevée, carrière fournie (pr. et fig.). [mutilation.

decurtatio, *onis*, f. Action d'écourter.

decurto, *as*, *are*, *atum*, *are*, tr. Ecourter, mutiler, tronquer (pr. et fig.).

decus, *oris*, n. Ornement, lustre. || Beauté. || (Mor.) Honneur, parure, gloire (pr. et fig.). ¶ Beauté morale, vertu, devoir, honneur.

decussatim, -*satio*, -*satis*, -*so*. Voy. DECUSSATIM, etc [toir, en croix.

decussatim, adv. En forme d'X, en sau-

decussatio, *onis*, f. Action de croiser en forme d'X, intersection de deux lignes qui se croisent ainsi.

decussio, *onis*, f. Action de secouer (pour abattre), de se débarrasser de, de rejeter (fig.).

decussis, *is*, m. Le nombre dix, dizaine. ¶ Le chiffre X. || Croisement de deux lignes en forme d'X. ¶ Valeur de dix as (monnaie); pièce de dix as.

decusso, *as*, *avi*, *atum*, *are*, tr. Disposer en forme d'X; croiser en sautoir.

decussus (abl. *u*), m. Secousse.

1. **decutio**, *is*, *cussi*, *cussum*, *ere*, tr. Secouer *ou* remuer de manière à faire tomber; abattre.

2. **decutio**, *is*, *ire*, tr. Oter la peau de..., écorcher. [accusé].

dedamno, *as*, *are*, tr. Acquitter (un

dedeceo, *es*, *evi*, *ere*, intr. Ne pas convenir, être messéant. ¶ (Moral.) Etre malséant, être indigne de. ¶ *Tr.* Ne pas faire honneur à. ¶ *Impers.* Il ne convient pas, il ne sied pas de...

dedecor, *oris*, adj. m. Qui dépare. ¶ Qui déshonore; déshonorant. ¶ Déshonoré, méprisable, indigne.

dedecoro, *as*, *avi*, *atum*, *are*, tr. Enlaidir. ¶ Déshonorer, flétrir. [rante.

dedecorose, adv. De façon déshono-

dedecorosus, *a, um*, adj. Déshonorant.

dedecorus, *a, um*, adj. Déshonorant, infamant.

dedecus, *oris*, n. Laideur. ¶ Déshonneur, honte, ignominie. || (Méton.) Action déshonorante. || Celui qui déshonore; opprobre.

dedicatio, *onis*, f. Dédicace, consécration; inauguration.

dedicative, adv. Affirmativement.

dedicativus, *a, um*, adj. Affirmatif.

dedicator, *oris*, n. Celui qui dédie, consacre, inaugure. || Fondateur; auteur.

dedico, *as, avi, atum, are*, tr. Faire connaître (officiellement); démontrer. ¶ (Simpl.) Affirmer. || Déclarer (aux censeurs, au fisc). ¶ (Par ext.) Déclarer sacré, dédier, consacrer, vouer. || (Fig.) Vouer, consacrer, destiner. || Déclarer (un dieu) possesseur de, *d'où* honorer par une dédicace. ¶ (En gén.) Inaugurer, instituer.||(Fig.) Employer pour la première fois. [gneux.

dedignatio, *onis*, f. Dédain, refus dédaigneux.

dedignor, *as, are*, tr. Voy. le suivant.

dedignor, *aris, atus sum, ari*, dép. tr. Dédaigner, repousser avec dédain.

dedisco, *is, didici, ere*, tr. Désapprendre, oublier.

dediticius, *a, um*, adj. Qui a fait sa soumission, qui s'est rendu, qui a capitulé. ¶ Subst. *Dediticii, orum*, m. pl. Déditices, sujets de Rome ne jouissant pas des privilèges octroyés aux alliés. || Affranchis qui ne jouissent pas du droit commun.

deditio, *onis*, f. Action de livrer. ¶ Action de se rendre; soumission, reddition, capitulation.

deditius, Voy. DEDITICIUS.

deditus, *a, um*, adj. Dévoué (à qqn). ¶ Adonné (à qqch.).

dedo, *is, didi, ditum, ere*, tr. Donner (entièrement, en toute propriété), livrer, remettre. — *se*, se rendre à discrétion, à merci. ¶ (Fig.) Livrer; appliquer, vouer, consacrer.

dedoceo, *es, ere*, tr. Faire désapprendre, faire oublier; déshabituer.

dedolatio, *onis*, f. Action d'équarrir, de raboter. [s'affliger.

dedoleo, *es, ui, ere*, intr. Cesser de

dedolo, *as, avi, atum, are*, tr. Abattre avec la doloire. ¶ Façonner avec la doloire, dégrossir, équarrir. || Raboter; tailler, polir. ¶ (En gén.) Façonner. || (Fig.) Rosser.

deduco, *is, duxi, ductum, ere*, tr. Tirer en bas. || Faire descendre, faire pencher, faire tomber. || Abaisser les voiles (pour les déployer), déployer (les voiles). || Faire sortir, *d'où* (fig.) tirer, emprunter. ¶ Tirer hors de, amener, mettre à flot, lancer (à la mer). ||Faire sortir (qqn de son bien), évincer, déposséder, dépouiller. ¶ Etirer (un fil), filer, tisser. || (Fig.) Composer (un poème), traiter (un sujet). || Filer,

rendre ténu, amincir. ¶ Retirer de, soustraire, déduire. || Diminuer, affaiblir. ¶ Conduire en bas, faire descendre *et fig.* réduire à. ¶ Emmener hors de, emmener au loin. || Emmener. — *praesidia de oppidis*, évacuer les places fortes (*litt.* emmener les garnisons hors des places fortes). — *vigilias*, relever les sentinelles. ¶ Traîner (à sa suite). Au passif : *deduci*, être traîné (à la suite du triomphateur). ¶ Emmener, conduire (sous escorte). ¶ Accompagner, faire cortège à, escorter, reconduire (pour faire honneur). *Deducam*, je veux le reconduire. ¶ Emmener au loin (une colonie). Absol. *Deducere*, fonder une colonie. ¶ (Fig.) Détourner, séduire, amener (faire passer) d'un parti à un autre.

deducta, *ae*, f. Prélèvement, défalcation.

deductim, adv. En déduisant.

deductio, *onis*, f. Action d'ôter, d'enlever. || Eviction. || Retranchement, soustraction; prélèvement, déduction. ¶ Action d'emmener. || Action de faire cortège *ou* conduite. || Etablissement, fondation (d'une colonie).

deductivus, *a, um*, adj. Dérivé (t. de gramm.).

deductor, *oris*, m. Celui qui accompagne *ou* fait escorte. ¶ Conducteur *ou* fondateur d'une colonie. ¶ Guide, maître. [|| Rigole.

deductorium, *ii*, n. Canal de dérivation.

deductorius, *a, um*, adj. Qui sert à l'écoulement. ¶ (Méd.) Dépuratif, laxatif; purgatif.

1. **deductus**, *a, um*, adj. Tiré en bas; abaissé. — *nasus*, nez recourbé. ¶ Effilé, mince. *Deducta voce*, d'une voix faible, avec un mince filet de voix. *Deductum carmen*, poème sans apprêt.

2. **deductus**, *us*, m. Action de tirer en bas. || Dérivation. ¶ Chute.

dedux, *cis*, m. Fondateur (d'une colonie). ¶ Issu de, originaire de.

deerro, *as, avi, atum, are*, intr. S'égarer. || (Fig.) Faire fausse route.

defaecabilis, *e*, adj. Facile à nettoyer.

defaecatio, *onis*, f. Nettoyage. ¶ (Fig.) Purification. [net.

defaecatus, *a, um*, p. adj. Purifié, pur,

defaeco, *as, avi, atum, are*, tr. Enlever la lie, clarifier. ¶ Nettoyer. || (Fig.) Décrasser; purifier; rasséréner.

defaen... Voy. DEFEN...

defamatus, *a, um*, adj. Mal famé, décrié, flétri.

defatigatio, *onis*, f. Fatigue extrême, lassitude, épuisement; abattement (pr. et fig.).

defatigo, *as, avi, atum, are*, tr. Epuiser de fatigue, harasser. ¶ (Fig.) Causer de graves embarras à. [TISCOR.

defatisco, *is, ere*, intr. Comme DEFETISCOR.

defatiscor, *eris*, i. Voy. DEFETISCOR.

defectio, *onis*, f. Défaut, manque, cessation. || (En partic.) Dépérissement. || Affaiblissement; faiblesse, *c.-à-d.*

évanouissement. || Eclipse. ¶ Action d'abandonner; défection, désertion; rébellion. ¶ (Gramm.) Ellipse.

defectivus, *a, um*, adj. Incomplet, imparfait. || Défectif (Gramm.) || (Méd.) Intermittent. ¶ (Astron.) Relatif aux éclipses *ou* à l'écliptique; situé sur l'écliptique.   [rebelle, traître.

defector, *oris*, m. Déserteur, transfuge;

1. **defectus**, *a, um*, p. adj. Privé de. ¶ Epuisé, affaibli.

2. **defectus**, *us*, m. Manque, défaut. ¶ Défaillance, dépérissement. ¶ Eclipse. ¶ (Mor.) Manquement, faute. || Défection, rébellion.

defendo, *is*, *fendi*, *fensum*, *ere*, tr. Ecarter, détourner, repousser. ¶ Défendre, préserver, protéger. || Défendre (en justice), prendre la défense de. || Défendre (une idée), soutenir, essayer de prouver.||Soutenir *ou* jouer (un rôle); remplir, s'acquitter de. || Soutenir, alléguer, dire (pour sa défense). ¶ (Jur.) Poursuivre (devant les tribunaux). || Réclamer, revendiquer. || Demander réparation (*ou* vengeance) de.

defensibilis, *e*, adj. Facile à défendre.

defensio, *onis*, f. Action de défendre, défense. || Justification, apologie. || (Méton.) Ce qui est dit *ou* écrit pour se défendre; défense, apologie. || (Jur.) Revendication; poursuite judiciaire. || Vengeance (demandée aux tribunaux).

defensito, *.as, avi, are*, tr. Défendre ordinairement *ou* volontiers.

defenso, *as, are*, tr. Repousser énergiquement. ¶ Défendre, protéger énergiquement.

defensor, *oris*, m. Celui qui repousse, qui écarte. || Celui qui défend. || Défenseur *ou* protecteur. || Défenseur (en justice), avocat. || (En gén.) Protecteur, appui; patron.   [fendre.

defensorius, *a, um*, adj. Propre à dé-

defenstrix, *icis*, f. Celle qui défend; protectrice.

defero, *fers, tuli, latum, ferre*, tr. Porter de haut en bas. ¶ Enfoncer. ¶ Faire tomber, renverser, précipiter. ¶ Entraîner (dans son cours, en parl. d'un fleuve). ¶ Porter d'un endroit à un autre, transporter; emporter. ¶ Entraîner (plus loin), détourner (un vaisseau) de sa route. ¶ Porter au marché, mettre en vente. || Apporter, présenter, offrir. ¶ Conférer, déférer. || Soumettre à l'examen de. || Faire savoir, venir redire, communiquer (qqch.); rapporter, c.-à-d. rendre compte (dans un rapport). || Déclarer (aux censeurs, au fisc). — *censum*, déclarer sa fortune. || Donner le nom de, c.-à-d. dénoncer. || Faire porter (sur une liste) le nom de, c.-à-d. proposer.

defervefacio, *is, feci, factum, ere*, tr. Faire bien chauffer, bouillir *ou* cuire.

deferveo, *es, ere*, intr. Cesser de bouillir *ou* de fermenter; se refroidir *et* (*fig.*) se calmer.

defervesco, *is, fervi et ferbui, ere*, intr. Cesser de bouillonner, de fermenter. || Se refroidir. ¶ Se refroidir, c.-à-d. se calmer. ¶ Devenir plus clair (comme le vin dont la fermentation a cessé).

defessus, *a, um*, p. adj. A bout de forces, fatigué, affaibli. Voy. DEFETISCOR.

defetig... Voy. DEFATIG...

defetiscentia, *ae*, f. Affaiblissement extrême, épuisement.

defetiscor, *eris, fessus sum, fetisci*, dép. intr. Se fatiguer à l'extrême, être à bout de forces. ¶ (Mor.) Se laisser abattre.   [gramm.]

deficienter, adv. Elliptiquement (t. de

deficientia, *ae*, f. Affaiblissement, épuisement.

deficio, *is, feci, fectum, ere*, intr. et tr. ¶ *Intr.* Faire défaut, venir à manquer. || Faire défection, quitter (un parti). || (Fig.) S'écarter de. ¶ Décliner, faiblir. || Disparaître, s'éclipser. || Manquer, être insuffisant. || Faire faillite. || Se trouver mal, avoir une.défaillance, s'évanouir. || Expirer. || (Moral.) Se décourager, faiblir. || Dégénérer. ¶ (*Tr.*) Abandonner, trahir.

defigo, *is, fixi, fixum, ere*, tr. Enfoncer solidement, planter, fixer, ficher. ¶ Percer, transpercer (pr. et fig.) ¶ (Au fig.) Attacher, tenir attaché, fixer. ¶ Rendre immobile, glacer de frayeur, clouer sur place, paralyser. ¶ Enchaîner par des sortilèges, maudire; ensorceler, envoûter. ¶ Déclarer irrévocablement (en parl. d'un augure).

defindo, *is, ere*, tr. Fendre.

defingo, *is, finxi, fictum, ere*, tr. Former, façonner. ¶ (Fig.) Dépeindre, décrire.

definienter, adv. En définitive.

definio, *is, ivi ou ii, itum, ire*, tr. Tracer les limites de, circonscrire, borner, limiter (pr. et fig.) ¶ Fixer avec précision, désigner. || (Log.) Définir. || Déterminer, fixer, assigner. ¶ Mettre fin à la vie de, tuer.

definite, adv. D'une manière bien arrêtée, expressément.

definitio, *onis*, f. Délimitation. || Explication. || Définition. || Prescription.

definitive, adv. Expressément.

definitivus, *a, um*, adj. Qui veut définir, expliquer. || (Gramm.) Indicatif. ¶ (Jur.) Définitif, décisif. ¶ Circonscrit, limité, borné.   [¶ Celui qui prescrit.

definitor, *oris*, m. Celui qui circonscrit.

definitus, *a, um*. p.adj. Circonscrit. ¶ Défini, précis.

defio, *is, fieri*, passif de DEFICIO. Décroître; cesser. ¶ Faire faute; ne pas suffire.

defioculus. Voy. DESIOCULUS.

defiteor, *eris, fessus sum, eri*, dép. intr. Disconvenir.

defixio, *onis*, f. Sortilège, envoûtement.

deflagratio, *onis*, f. Destruction totale par le feu.

deflagro, *as*, *avi*, *atum*, *are*, intr. Brûler complètement, être détruit par l'incendie, périr par le feu. || *Fig.* Etre détruit, ruiné. || S'en aller en fumée, se dissiper, d'où se calmer. ¶ (*Tr.*) Brûler, mettre en feu.

deflecto, *is*, *flexi*, *flexum*, *ere*, tr. Abaisser en courbant; ployer. ¶ Tourner de côté, faire dévier. || (Fig.) Faire changer, faire tourner, *d'où* convertir, changer. ¶ (*Intr.*) Se détourner, dévier (pr. et fig.).

defleo, *es*, *flevi*, *fletum*, *ere*, tr. Pleurer sur, déplorer. ¶ Dire, raconter en pleurant. ¶ (*Intr.*) Pleurer à chaudes larmes. [tations.

defletio, *onis*, f. Flot de larmes; lamen-

deflexio, *onis*, f. Détour, écart. ¶ (Fig.) Egarement.

1. **deflexus**, *a*, *um*, p. adj. Courbé, penché. ¶ Qui s'écarte de.

2. **deflexus**, *us*, m. Action de courber. ¶ Action de détourner *ou* de s'écarter. || Changement, passage à...

deflo, *as*, *avi*, *atum*, *are*, tr. Enlever en soufflant. ¶ Nettoyer (qqch.) en soufflant dessus. ¶ Débiter (un discours).

deflocco, *as*, *atum*, *are*, tr. Dégarnir de flocons de laine, de poils, de cheveux. ¶ (Fig.) User jusqu'à la corde.

defloratio, *onis*, f. Action de cueillir des fleurs çà et là. ¶ (Fig.) Action de butiner, de cueillir la fleur des choses. ¶ Action de déflorer.

defloreo, *ere*, intr. Voy. DEFLORESCO.

defloresco, *is*, *florui*, *ere*, intr. Défleurir; se faner. ¶ (Fig.) Perdre son éclat.

defloro, *as*, *avi*, *atum*, *are*, tr. Cueillir la fleur de (pr. et fig.). ¶ Enlever l'éclat de, flétrir, déflorer.

defluo, *is*, *fluxi*, *fluxum*, *ere*, intr. Descendre en coulant, découler. || Descendre en suivant le fil de l'eau, aller en dérive *ou* à la dérive. ¶ Descendre tomber doucement, glisser. ¶ Dériver de, procéder; être issu de. || Déchoir. ¶ S'écouler entièrement, cesser de couler, s'évanouir, disparaître. || (Partic.) Sortir de l'esprit *ou* de la mémoire.

defluus, *a*, *um*, adj. Qui s'écoule. || Qui découle. ¶ Qui laisse couler. ¶ Qui tombe, qui se répand.

defluvium, *ii*, n. Ecoulement. ¶ Chute.

defluxus, *us*, m. Ecoulement. ¶ Chute.

defodio, *is*, *fodi*, *fossum*, *ere*, tr. Enfoncer en terre, enfouir. || Enterrer (vive une vestale). ¶ Creuser profondément, fouir. || Ouvrir *ou* fendre en creusant. || Tracer, produire en creusant.

defoen... Voy. DEFEN... [le blé].

defolio, *as*, *are*, tr. Effeuiller. ¶ Battre

deforas, adv. Dehors.

deforis, adv. De dehors. ¶ Dehors.

1. **deformatio**, *onis*, f. Action de façonner. || Dessin, représentation. ¶ (Rhét.) Prosopopée. || Hypotypose,

2. **deformatio**, *onis*, f. Action de déformer, de défigurer. ¶ (Fig.) Dégradation; profanation. [flétri.

deformatus, *a*, *um*, p. adj. Dégradé,

deformis, *e*, adj. Laid, difforme. ¶ (Fig.) Vil, honteux. || Dégradant, déshonorant. || Avili, déshonoré; grossier. ¶ *Qqf.* Qui n'a pas de forme, qui est sans consistance.

deformitas, *atis*, f. Laideur; difformité. ¶ (Fig.) Indignité. || Dégradation, déshonneur.

deformiter, adv. Affreusement, ignoblement. ¶ D'une façon honteuse.

1. **deformo**, *as*, *avi*, *atum*, *are*, tr. Figurer, façonner; dessiner. ¶ Décrire, dépeindre.

2. **deformo**, *as*, *avi*, *atum*, *are*, tr. Défigurer, enlaidir. ¶ (Fig.) Déshonorer, flétrir, dégrader. ¶ Donner un tour fâcheux à, présenter sous un vilain jour.

defossus, *us*, m. Action de fouir.

defraudatio, *onis*, f. Action de faire tort. ¶ Privation, manque.

defraudator, *oris*, m. Celui qui trompe, qui fait tort. [qui fait tort.

defraudatrix, *icis*, f. Celle qui trompe,

defraudo (DEFRUDO), *as*, *avi*, *atum*, *are*, tr. Enlever frauduleusement, faire tort, frustrer. ¶ Priver. || Refuser à qqn le nécessaire.

defremo, *is*, *fremui*, *ere*, intr. Cesser de frémir. ¶ Se calmer.

defrenatus, *a*, *um*, adj. Effréné.

defricate, adv. Avec une raillerie piquante, *ou* mordante.

defrico, *as*, *fricui*, *fricatum* et *frictum*, *are*, tr. Frotter énergiquement, frictionner, étriller. ¶ (Fig.) Railler d'une façon piquante *ou* mordante.

defrictum. Voy. DEFRUTUM.

defrigesco, *is*, *ere*, intr. Se refroidir.

defringo, *is*, *fregi*, *fractum*, *ere*, tr. Détacher (en brisant); casser. ¶ (Fig.) Faire tort à.

defritum. Voy. DEFRUTUM.

defrudo. Voy. DEFRAUDO.

defrugo, *as*, *are*, tr. Appauvrir la récolte.

defruor, *eris*, *frui*, dép. intr. Jouir entièrement; recueillir tous les fruits de.

defrusto, *as*, *are*, tr. Mettre en pièces, dépecer, démembrer (pr. et fig.).

defrutarium, *ii*, n. Vase où l'on fait cuire le vin. [vin cuit.

defrutarius, *a*, *um*, adj. Concernant le

defruto, *as*, *are*, tr. Réduire le vin nouveau par la cuisson, faire du vin cuit.

defrutum, *i*, n. Vin cuit (vin nouveau qu'on fait réduire de moitié par la cuisson). [Apostat.

defuga, *as*, m. Déserteur. ¶ (*Eccl.*)

defugio, *is*, *fugi*, *ere*, intr. S'enfuir précipitamment. ¶ (*Tr.*) Fuir, c.-à-d. évi-

ter; esquiver. — *proelium*, se dérober
au combat.

defugo, *as, are,* tr. Mettre en fuite. ¶
(Fig.) Faire tomber (les cheveux).

defulguro, *as, are,* tr. Lancer (comme
un éclair). [Trépas, mort

defunctio, *onis,* f. Accomplissement, ¶

defunctorie, adv. Par manière d'acquit,
négligemment.

defunctorius, *a, um,* adj. Fait légèrement *ou* par manière d'acquit; superficiel.

defunctus, *us,* m. Décès, mort.

defundo, *is, fudi, fusum, ere,* tr. Verser
d'en haut; déverser. ¶ Verser (une
libation, etc.). || Tirer (du tonneau).

defungor, *eris, functus sum, fungi,* dép.
intr. S'acquitter de, exécuter, accomplir, achever (une tâche pénible);
acquitter (une dette); être quitte de.
¶ Terminer (sa vie), décéder. Part.
Defunctus, défunt, mort.

degener, *eris,* adj. Dégénéré, abâtardi.
¶ (Fig.) Dégénéré, qui dément sa race.
|| Indigne, méprisable, vil, lâche.

degeneratum, *i,* n. Dépravation; indignité.

degenero, *as, avi, atum, are,* intr. Dégénérer, s'abâtardir. ¶ (Fig.) Dégénérer,
se montrer indigne de. ¶ (*Tr.*) Faire
dégénérer; abâtardir. || (Fig.) Faire
déchoir. || Déshonorer.

degenio, *as, are,* tr. Altérer (le caractère
primitif); dégrader.

degero, *is, gessi, gestum, ere,* tr. Emporter, transporter. [¶ Epiler.

deglabro, *as, avi, atum, are,* tr. Ecorcer.

deglubo, *is, glupsi, gluptum, ere,* tr.
Peler, écorcer; écorcher.

deglutino, *as, are,* tr. Décoller, détacher.

deglutio (DEGLUTTIO), *is, ivi, ire,* tr.
Avaler; engloutir. ¶ (Fig.) Dévorer
(un affront).

dego, *is, degi, ere,* tr. Passer, employer
(le temps). ¶ (Absol.) Passer sa vie,
vivre.

degrado, *as, avi, are,* tr. Dégrader.

degrandinat, impers. Il cesse de grêler.

degrassor, *aris, atus sum, ari,* dép. intr.
Se précipiter d'en haut. ¶ (*Tr.*) S'attaquer à.

degravo, *as, avi, atum, are,* tr. Peser
de tout son poids sur; surcharger.
¶ (Fig.) Incommoder gravement. ¶
Charger lourdement.

degredior, *eris, gressus sum, gredi,* dép.
intr. Descendre en marchant *ou* simpl.
descendre. ¶ S'éloigner, s'en aller.

degressio. Voy. DIGRESSIO.

degrumo, *as, are.* Voy. DEGRUMOR.

degrumor, *aris, ari,* dép. tr. Aplanir,
aligner. [un grognement.

degrunnio, *is, ire,* intr. Faire entendre

degulator, *oris,* m. Celui qui dévore son
patrimoine. ¶ Dissipateur. [bien.

degulo, *as, avi, are,* tr. Dévorer (son

degustatio, *onis,* f. Action de goûter;
dégustation.

degusto, *as, avi, atum, are,* tr. Goûter
de *ou* à; déguster. ¶ (Fig.) Goûter de,
faire l'épreuve *ou* l'essai de, tâter de.
|| Sonder (qqn). ¶ Atteindre légère-
ment, effleurer. ¶ Passer légèrement
sur. [manquer de.

dehabeo, *es, ere,* tr. Avoir en moins,

dehaurio, *is, hausi, haustum, ire,* tr.
Oter de dessus, enlever. ¶ Absorber,
avaler.

dehibeo, *es, ere,* tr. Pour DEBEO.

dehinc, adv. A partir de là, ensuite.
¶ A partir d'aujourd'hui, désormais,
à l'avenir. ¶ Depuis ce temps. || Puis,
ensuite. ¶ (Rar.) Par suite, par conséquent.

dehisco, *is, hivi ou hii, ere,* intr. S'entr'ouvrir, se fendre. ¶ Se déchirer.

dehonestamentum, *i,* n. Difformité. ¶
Ce qui déshonore; flétrissure, opprobre.

dehonestatio, *onis.* f. Outrage, affront.

dehonesto, *as, avi, atum, are,* tr. Enlaidir. ¶ Déshonorer.

dehonestus, *a, um,* adj. Déshonnête;
inconvenant, indécent.

dehortatio, *onis.* f. Action de dissuader.

dehortativus, *a, um,* adj. Qui sert à
dissuader.

dehortator, *oris,* m. Celui qui dissuade.

dehortatorius, *a, um,* adj. Qui dissuade,
qui détourne.

dehortor, *aris, atus sum, ari,* dép. tr.
Déconseiller, dissuader, détourner.

deicida, *ae,* m. Déicide.

deicio. Voy. DEJICIO.

deificatio, *onis,* f. Déification.

deifico, *as, are,* tr. Déifier.

deificus, *a, um,* adj. Qui déifie. ¶ Envoyé par Dieu *ou* par un dieu; inspiré
par la divinité.

deim, **dein**. Voy. DEINDE.

1. **deinceps**, *cipitis,* adj. Qui vient
immédiatement après.

2. **deinceps**, adv. A la suite, à la file;
et ainsi de suite. || De suite, succes-
sivement. ¶ Immédiatement après.
¶ *Qqf.* Comme le suivant.

deinde (DEIN), adv. A partir de là, après
cela ; ensuite ; puis. [Déconsidérer.

deintegro, *as, are,* tr. Diminuer. ¶ (Fig.)

deintus, adv. Du dedans, de l'intérieur.
¶ Dedans, au dedans.

deipara, *ae,* f. Mère de Dieu.

deitas, *atis,* f. Divinité; nature divine.

dejectio, *onis,* f. Action de jeter par
terre, de renverser, d'abattre. ¶ Abais-
sement. || (Jur.) Eviction; expropria-
tion. ¶ (Méd.) Evacuation; dévoie-
ment; déjection. ¶ (Fig.) Abaissement, dégradation.

dejectiuncula, *ae,* f. Déjection peu abondante.

dejecto, *as, are,* tr. Jeter brutalement
à bas.

dejector, *oris,* m. Celui qui jette à bas.

1. **dejectus**, *a, um,* p. adj. Bas. ¶ (Fig.)
Vil, abject. ¶ Découragé, abattu.

2. **dejectus**, *us,* m. Chute, abatis. ¶

Abaissement. ‖ Pente. ¶ Abaissement (de la voix).

dejeratio, *onis*, f. Serment solennel.

dejero (DEJURO), *as*, *avi*, *atum*, *are*. intr. Prêter serment. ¶ (Tr.) Attester sous la foi du serment.

dejeror, *aris*, *ari*, dép. Voy. DEJERO

dejicio, *is*, *jeci*, *jectum*, *ere*, tr. Jeter à bas; faire tomber. ‖ Abattre, renverser. ‖ Faire tomber mort. ¶ Chasser repousser. ‖ Déloger (l'ennemi), débusquer, culbuter. ‖ Jeter à la côte (un navire, une flotte). ¶ (Méd.) Evacuer *ou* faire évacuer; purger. ¶ (Jur. Evincer, exproprier. ¶ Abaisser, pencher. — *vultum*, baisser les yeux ¶ (Fig.) Abattre, renverser; précipiter. ‖ Décourager. ¶ Dépouiller de, priver de. ¶ Eloigner, écarter, faire échouer (une candidature).

dejugis, *e*, adj. Qui descend, qui va en pente.

dejugo. *as*, *are*, tr. Disjoindre, séparer.

dejungo, *is*, *ere*, tr. Dételer. ¶ (Fig.) Désunir.

dejur... Voy. DEJER...

dejuvo, *as*, *are*, intr. Priver (qqn) de son appui.

delabor. *eris*, *lapsus sum*, *labi*, dép. intr. Glisser du haut de, descendre en glissant; descendre doucement et insensiblement (en parl. d'un oiseau *ou* d'un cours d'eau). ¶ Tomber inopinément (au milieu de). ¶ (Fig.) Dériver, provenir. ¶ S'abaisser à, en venir à, se laisser aller à.   [sans répit.

delaboro, *as*, *avi*, *are*, intr. Travailler

delacero. *as*, *are*. tr. Déchirer, mettre en pièces (au fig.).

delacrimatio, *onis*, f. Larmoiement (ophtalmie). ¶ Cessation du larmoiement.

delaevo. Voy. DELEVO.

delambo, *is*, *ere*, tr. Lécher.

delamentor, *aris*, *ari*, dép. tr. Déplorer vivement.

delapido. *as*, *are*, tr Oter les pierres de, épierrer. ¶ Empierrer; paver.

delapsus, *us*, m. Pente; écoulement.

delargior, *iris* *iri*, dép. Dépenser sans compter. ¶ (Absol.) Vivre dans la dissipation.

delasso, *as*, *are*, tr. Epuiser de lassitude.

delatio, *onis*, f. Déclaration. ¶ Dénonciation; délation.   [ciateur; délateur.

delator, *oris*, m. Accusateur. ¶ Dénon-

delatorius, *a*, *um*, adj. D'accusateur; de délateur.

delatura, *ae*, f. Délation. ¶ Calomnie.

delebilis, *e*, adj. Qui peut être effacé. ¶ Qui est périssable.   [table.

delectabilis, *e*, adj. Agréable; délec-

delectabiliter, adv. Agréablement; d'une façon délectable.

delectamentum, *i*, n. Amusement; divertissement; récréation.

delectatio, *onis*, f. Plaisir; charme, agrément.

delectio, *onis*, f. Choix.

deleco, *as*, *avi*, *atum*, *are*, tr. Attirer. ¶ Charmer, récréer, divertir, amuser. ‖ Faire plaisir à. Au passif. *Delectari* se plaire à, Impers. *Delectat*, on aime à, il est agréable de.   [le précédent.

1. **delector**, *aris*, *ari*, dép. tr. Comme

2. **delector**, *oris*, m. Recruteur.

delectus, *us*, m. Choix. ‖ Discernement. ¶ Levée (de troupes); recrutement.

delegatio, *onis*, f. Délégation; procuration. ¶ (Spéc.) Délégation, c.-à-d. palement par la cession d'une créance.

delegator. *oris*, m. Celui qui donne une délégation.

delegatorius, *a*, *um*, adj. De délégation. — *epistula*, mandat pour la perception des impôts.

delegatum, *i*, n. Délégation; mandat.

delego, *as*, *avi*, *atum*, *are*, tr. Déléguer qqn, lui donner mandat. ¶ Transmettre à qqn son autorité pour un objet déterminé; déléguer. ‖ Se remettre de (qqch.) sur (qqn). ‖ Confier, renvoyer à. ‖ Subroger qqn à ses droits ou à ses engagements. ¶ (Fig.) Attribuer à, imputer à.

delenificus, *a*, *um*, adj. Caressant, câlin. ‖ Flatteur, séduisant.

delenimentum, *i*, n. Adoucissement; soulagement. ¶ Charme, séduction. ¶ Appât.

delenio, *is*, *ivi* ou *ii*, *itum*, *ire*, tr. Adoucir. ¶ Charmer, attirer, captiver. ¶ Séduire; corrompre.

delenitor, *oris*, m. Celui qui charme, qui séduit.

deleo, *es*, *evi*, *etum*, *ere*, tr. Effacer; raturer. ¶ Détruire; anéantir.

deler... Voy. DELIR...

deleticius, *a*, *um*, adj. Raturé. ¶ Où l'on a biffé tout ce qui était écrit.

deletio, *onis*. f. Destruction.

delevo, *as*, *are*, tr. Lisser, polir.

delibamentum, *i*, n. Libation.

delibatio, *onis*, f. Action d'entamer. ¶ Prélèvement (sur une succession). ¶ Prémices.

deliberabundus, *a*, *um*, adv. Qui se propose de délibérer mûrement.

deliberatio, *onis*, f. Délibération; consultation. ¶ (T. de rhét.) Discours du genre délibératif.

deliberativa (s.-ent. *oratio*), *ae*, f. Discours du genre délibératif.

deliberativus, *a*, *um*, adj. Délibératif.

deliberator, *oris*, m. Celui qui délibère *ou* qui réfléchit.

deliberatus, *a*, *um*, p. adj. Délibéré. ¶ Décidé, assuré, certain.

1. **delibero**, *as*, *avi*, *atum*, *are*, tr. et intr. Peser mûrement, examiner avec soin, réfléchir, délibérer. ‖ Décider (après délibération), résoudre. ¶ Appeler (qqn) à donner son avis; consulter (*partic.* un oracle).

2. **delibero**, *as*, *are*, tr. Délivrer.

delibo, *as*, *avi*, *atum*, *are*, tr. Prélever

(une petite partie de). || Entamer, goûter de; jouir de. || Effleurer (pr. et fig.). ¶ Porter atteinte à, toucher à; profaner.

delibro, *as*, *avi*, *atum*, *are*, tr. Ecorcer. || Peler. ¶ Enlever (en écorçant).

delibuo, *is*, *bui*, *butum*, *ere*, tr. Frotter (avec un corps gras), oindre.

delicate, adv. Avec recherche. ¶ Elégamment. ¶ Avec mollesse.

delicatus, *a*, *um*, adj. Elégant, luxueux, fin. ¶ Délicat, mignon. Subst. *Delicatus*, *i*, m. Esclave favori. *Delicata*, *ae*, f. Esclave favorite. ¶ Voluptueux, licencieux. ¶ Efféminé, gâté. ¶ Délicat, c.-à-d. dédaigneux, difficile.

1. **delicia**, *ae*, f. Voy. DELICIAE.

2. **delicia** (DELIQUIA), *ae*, f. Poutre formant l'arête d'un toit. ¶ Chéneau.

deliciae, *arum*, f. pl. Délices; voluptés. || Recherche, luxe. || Mollesse. || Galanterie; libertinage. ¶ Caprices, fantaisies. || Boutades, gentillesses, plaisanteries. ¶ (Méton.) Ce qui fait les délices : bijoux, parures. || Mignon, bien-aimée.

deliciolae, *arum*, f. Chères délices.

deliciolum, *i*, n. Comme DELICIOLAE.

delicior, *aris*, *ari*, dép. intr. et tr. || *Intr.* Se livrer à la mollesse *ou* à la bonne chère. ¶ *Tr.* Savourer, jouir lentement de.

deliciose, adv. Délicieusement.

deliciosus, *a*, *um*, adj. Délicieux. ¶ Voluptueux; efféminé.

delicium, *ii*, n. Comme DELICIAE.

delictum, *i*, n. Faute, méfait, délit. ¶ Péché. [d'un animal].

delicus, *a*, *um*, adj. Sevré (en parl.

1. **deligo**, *as*, *avi*, *atum*, *are*, tr. Attacher solidement, amarrer; assujettir. ¶ (Spéc.) Maintenir (par une ligature, un bandage, etc.).

2. **deligo**, *is*, *legi*, *lectum*, *ere*, tr. Détacher en cueillant. ¶ Choisir, élire. ¶ Eliminer (en faisant son choix); renvoyer.

delimitatio, *onis*, f. Bornage.

delimito, *as*, *avi*, *atum*, *are*, tr. Délimiter, borner.

delineatio, *onis*, f. Dessin; esquisse.

delineo, *as*, *avi*, *atum*, *are*, tr. Esquisser, tracer, dessiner.

delingo, *is*, *linxi*, *linctum*, *ere*, tr. Lécher.

delinif... Voy. DELENIF...

delinim... Voy. DELENIM...

1. **delinio**, *is*, *ire*. Voy. DELENIO.

2. **delinio**, *as*, *are*. Voy. DELINEO.

delinitio, *onis*, f. Adoucissement.

delino, *is*, *litum*, *ere*, tr. Frotter, enduire de haut en bas. ¶ Enlever l'enduit de; effacer, raturer.

delinquentia, *ae*, f. Faute; péché.

delinquo, *is*, *liqui*, *lictum*, *ere*, tr. Laisser en arrière. ¶ *Intr.* Faire faute, manquer. ¶ Faillir, faire une faute, se rendre coupable. || (Spéc.) Faire une faute, c.-à-d. commettre une

incorrection, laisser échapper un solécisme.

deliquesco, *is*, *licui*, *ere*, intr. Se liquéfier, se fondre. || Se dissoudre. ¶ (Fig.) S'évanouir, c.-à-d. disparaître.

1. **deliquium**, *ii*, n. Disparition; manque. ¶ *Spéc.* Eclipse; occultation.

2. **deliquium**, *ii*, n. Ecoulement.

deliquo et **delico**, *as*, *are*, tr. Décanter, clarifier. ¶ (Fig.) Tirer au clair, expliquer.

deliquus, *a*, *um*, adj. Voy. DELICUUS.

deliramentum, *i*, n. Folie; extravagance.

deliratio, *onis*, f. Action de sortir du sillon. ¶ Aliénation mentale; délire. ¶ (Fig.) Extravagance, déraison.

delirium, *ii*, n. Délire.

deliro, *as*, *avi*, *are*, intr. Sortir du sillon *ou* de la ligne droite. ¶ Battre la campagne, extravaguer, délirer. ¶ (Fig.)

delirus, *a*, *um*, adj. Extravagant, délirant, déraisonnable.

deliteo, *es*, *ere*, intr. Etre caché.

delitesco, *is*, *tui*, *ere*, intr. Se cacher; se mettre à l'abri (pr. et fig.).

delitigo, *as*, *are*, intr. Quereller, gronder.

delocatio, *onis*, f. Luxation.

delphin, *inis*, m. Comme DELPHINUS.

delphinulus, *i*, m. Petit dauphin.

delphinus, *i*, m. Dauphin, cétacé. || Le Dauphin, constellation. ¶ Levier (en forme de dauphin) de l'orgue hydraulique. || Tête de dauphin (ornement sculpté sur divers objets).

delphis, *inis*, m. Voy. DELPHINUS.

delta, *ae*, f. *ou* delta, n. indécl. Delta, quatrième lettre de l'alph. grec. ¶ Le Delta du Nil.

deltoton, *i*, n. Le triangle, constellation.

delubrum, *i*, n. Lieu de purification. ¶ Sanctuaire, temple.

delucto, *as*, *are*, intr. et **deluctor**, *aris*, *ari*, dép. intr. Lutter; combattre.

deludifico, *as*, *avi*, *are*, tr. Duper, berner; tromper. [le précédent.

deludificor, *aris*, *ari*, dép. tr. Comme

deludo, *is*, *lusi*, *lusum*, *ere*, tr. Se jouer de; mystifier. || Faire illusion à. ¶ Cesser de prendre part aux jeux (publics).

delumbis, *e*, adj. Qui a les reins faibles *ou* éreinté. ¶ (Fig.) Sans vigueur, sans nerf.

delumbo, *as*, *avi*, *atum*, *are*, tr. Ereinter, échiner. ¶ (Fig.) Enerver.

deluo, *is*, *ere*, tr. Laver, nettoyer. Se justifier de. [tromperie.

delusio, *onis*, f. Action de se jouer;

delustro, *as*, *are*, tr. Asperger (qqn pour le préserver de tout sortilège).

deluto, *as*, *are*, tr. Boucher avec de la terre grasse. ¶ (Fig.) Purifier.

demadesco, *is*, *madui*, *ere*, intr. Devenir tout humide. ¶ Fier, recommander.

demando, *as*, *avi*, *atum*, *are*, tr. Condemens, *entis*, adj. Qui a perdu l'esprit, fou, insensé.

demensio, *onis*, f. Mesure.

demensum, *i*, n. Quantité de grain mesurée aux esclaves pour leur alimentation d'un mois.

dementer, adv. Follement.

dementia, *ae*, f. Egarement (d'esprit), folie, démence.   [son bon sens.

dementio, *is*, *ire*, intr. N'être pas dans

demento, *as*, *are*, tr. et intr. || *Tr.* Troubler l'esprit, égarer. ¶ *Intr.* Comme DEMENTIO.

demereo, *es*, *ui*, *itum*, *ere*, tr. Gagner (de l'argent). ¶ Se rendre digne de. mériter. ¶ Mériter l'affection de, conquérir les bonnes grâces de...

demereor, *eris*, *itus sum*, *eri*, dép. tr. Conquérir les bonnes grâces de...

demergo, *is*, *mersi*, *mersum*, tr. Plonger, enfoncer (dans l'eau); couler. || Enfouir. ¶ Engloutir. ¶ (Fig.) Ensevelir. || Abattre, ruiner.

demeritum, *i*, n. Service rendu.

demersio, *onis*, f. Action d'enfoncer, de plonger; engloutissement, submersion.   [paraître (sous l'eau).

demerso, *as are*, tr. Plonger, faire dis-

1. demersus, *a*, *um*, adj. Enfoncé. ¶ Obscur.

2. demersus, *us*, m. Submersion.

demetior, *iris*, *mensus sum*, *iri*, dép. tr. Mesurer. ¶ Distribuer. ¶ Partager en deux. *Demetiens linea* ou (absol.) *demetiens*, *entis*, f. Diamètre.

1. demeto, *is*, *messui*, *messum*, *ere*, tr. Faucher, moissonner. || Récolter, recueillir. ¶ (Fig.) Moissonner, faire périr.

2. demeto. Voy. DIMETO.

demigratio, *onis*, f. Emigration. ¶ (Spéc.) Déportation.

demigro, *as*, *avi*, *atum*, *are*, intr. Changer de demeure ou de patrie, émigrer, partir. || (Spéc.) Quitter la terre, mourir. ¶ (Fig.) S'éloigner.

deminuo, *is*, *minui*, *minutum*, *ere*, tr. Retrancher de. || Diminuer, amoindrir. || (Fig.) Atténuer (par la parole) ou rabaisser ¶ (Jur.) Aliéner (en partic.) *Capite diminui*, perdre ses droits de citoyen. ¶ (Gramm.) Former un diminutif.

diminutio, *onis*, f. Amoindrissement, diminution. || Déchéance. ¶ (T. de rhét.) Litote (atténuation par la parole). ¶ (Jur.) Droit d'aliéner (partiellement ses biens). — *capitis*, perte des droits civils (*maxima*, quand, prisonnier de guerre, on était à la fois privé de sa liberté et de ses droits civils, *minor* ou *media*, quand, exilé, on n'était privé que de ses droits civils, et enfin *minima*, quand on passait d'une famille dans une autre). ¶ (T. de gramm.) Formation d'un diminutif; forme de diminutif.   [nutif.

deminutivum (s.-e. *nomen*), *i*, n. Un diminutif.   [Diminutif.

deminutivus, *a*, *um*, adj. (T. de gramm.)

deminutus, *a*, *um*, p. adj. Amoindri. ¶ Petit.

demiror, *aris*, *atus sum ari*, dép. tr S'étonner beaucoup, voir avec surprise. ¶ Etre désireux ou curieux de savoir.   [Bassement, lâchement.

demisse, adv. Bas. ¶ Humblement. ¶

demissicius, *a*, *um*, adj. Tombant; traînant, à traîne (en parl. d'un vêtement).

demissio, *onis*, f. Action de laisser tomber, de laisser pendre. ¶ Diminution; répit. ¶ Abattement.

demissus, *a*, *um*, p. adj. Pendant; tombant. ¶ Baissé, enfoncé; bas, profond. ¶ (Fig.) Bas, *c.-d-d.* sans sonorité. || Humble, simple. || Abattu, découragé. || Pusillanime, lâche. || Dans une situation précaire; nécessiteux.

demitigo, *as*, *are*, tr. Adoucir. Passif *demitigari*, s'humaniser.

demitto, *is*, *misi*, *missum*, *ere*, tr. Envoyer d'en haut, faire descendre, laisser tomber, laisser pendre ou traîner. ¶ Baisser, pencher. ¶ Abattre, abaisser. ¶ Jeter d'en haut, précipiter. ¶ Enfoncer, creuser profondément, enterrer. ¶ (Fig.) Faire entrer profondément. — *aliquid in pectus*, se bien mettre qqch. dans l'esprit. ¶ Abattre, laisser abattre. — *animum*, se laisser abattre, se décourager. ¶ Abaisser, rabaisser. *Demitti in adulationem*, s'abaisser jusqu'à l'adulation. ¶ (*Au passif*). Etre issu, originaire de.

demiurgus, *i*, m. Démiurge (magistrat suprême dans certaines cités grecques). ¶ Le Démiurge, le créateur du monde.

demo, *is*, *dempsi*, *demptum*, *ere*, tr. Retirer, ôter. ¶ Enlever, retrancher.

democratia, *ae*, f. Démocratie.

demolior, *iris*, *itus sum*, *iri*, dép. tr. Démolir, renverser, abattre, détruire. ¶ (Fig.) Abattre, réduire à néant. ¶ Eloigner, détourner.   [truction.

demolitio, *onis*, f. Démolition; des-

demolitor, *oris*, m. Démolisseur.

demollio, *is*, *itum*, *ire*, tr. Rendre plus délicat, plus mou.

demonstratio, *onis*, f. Action de montrer. ¶ Action de faire bien comprendre, représentation, description détaillée et précise, démonstration. ¶ (Rhét.) Hypotypose. || Le genre démonstratif.   [montrant.

demonstrativa (s.-e. *oratio*), *are*, f. Discours du genre démonstratif.

demonstrativus, *a*, *um*, adj. Qui sert à montrer, à indiquer. ¶ (Gramm.) Démonstratif. ¶ (Rhét.) Démonstratif qui a pour objet la louange ou le blâme.

demonstrator, *oris*, m. Celui qui montre. ¶ Celui qui enseigne. ¶ Celui qui décrit ou expose.

demonstro, *as*, *avi*, *atum*, *are*, tr. Indiquer. || Montrer, désigner. || (Spéc.) Guider, *c.-d.-d.* montrer la route. ¶

Faire connaître (par la parole), exposer, décrire, expliquer; démontrer. ¶ Déterminer avec précision, préciser. || Nommer *ou* dénommer. ¶ (Gramm.) Signifier.

demoratio, *onis*, f. Action de séjourner, séjour. || Lieu où l'on séjourne.

demordeo, *es, mordi, morsum, ere,* tr. Enlever en mordant. ¶ (Fig.) Entamer.

demorior, *eris, mortuus sum, mori,* dép. intr. Périr, se perdre, disparaître. ¶ (Fig.) Se mourir d'amour pour.

demoror, *aris, atus sum, ari,* dép. intr. et tr. || *Intr.* S'attarder. || Séjourner. ¶ (Tr.) Retenir, arrêter. || Retarder, faire attendre.

demorsito, *as, atum, are,* tr. Mordiller.

demorsus, *us,* m. Morsure; entaille.

demos, *i,* m. Peuple. ¶ Dème (division politique en Attique).

demoveo, *es, movi, motum, ere,* tr. Déplacer pour écarter.|| Eloigner, écarter, détourner. ¶ Enlever, ôter. || Chasser. ¶ (Fig.) Détourner. || Déposséder, supplanter. || Dégrader. || Congédier, licencier.

demptio, *onis,* f. Action d'enlever. || Prélèvement. || Enlèvement, retranchement. [mugissements.

demugitus, *a, um,* p. adj. Plein de

demulceo, *es, mulsi, mulsum et mulctum, ere,* tr. Caresser. ¶ (Fig.) Flatter, c.-à-d. charmer.

demum, adv. Précisément. ¶ Particulièrement, seulement; ne... que... ¶ Seulement alors. ¶ Encore. *Expositio demum longior,* exposé plus long encore.

demurmuro, *as, are,* tr. Marmotter.

demus, adv. Arch. p. **DEMUM.**

demutatio, *onis,* f. Changement (en mal); perversion.

demutator, *oris,* m. Celui qui change.

demutilo, *as, are,* tr. Retrancher, couper (en élaguant).

demuto, *as, avi, atum, are,* tr. Changer; transformer. || Altérer, corrompre. ¶ (Intr.) Etre changé, être tout autre.

demuttio, *is, ire,* intr. Parler tout bas.

1. **denarius**, *a, um,* adj. Relatif au nombre dix; qui contient dix; qui vaut dix.

2. **denarius**, *ii,* m. Denier, monnaie d'argent. ¶ Denier d'or valant 25 deniers d'argent. ¶ Denier de cuivre du Bas-Empire. ¶ (Médec.) Poids d'une drachme. [dans le détail, détailler.

denarro, *as, avi, atum, are,* tr. Raconter

denaso, *as, are,* tr. Enlever le nez à...

denato, *as, are,* intr. Descendre à la nage. ¶ Descendre en coulant (en parl. d'un cours d'eau).

dendritis, *idis,* f. Pierre précieuse inconnue.

denegatio, *onis,* f. Refus.

denegativus, *a, um,* adj. Négatif.

denegator, *oris,* m. Celui qui nie.

denego, *as, avi, atum, are,* tr. Nier formellement; soutenir que non. ¶ Répondre par un refus; refuser. ¶ Se refuser à.

deni, *ae, a,* adj. numér. distrib. Qui sont dix par dix, dix à la fois; dix pour chacun. ¶ Dix.

denicalis, *e,* adj. Relatif à un décès. Où l'on purifie la maison. — *feriae,* fêtes en l'honneur d'un mort, suivies de la purification des survivants.

denigro, *as, are,* tr. Noircir complètement. ¶ (Fig.) Dénigrer, ternir la réputation de.

denique, adv. Puis; dès lors. ¶ Enfin, en dernier lieu. ¶ En somme, en résumé. ¶ D'une manière générale; et qui plus est. ¶ Ainsi donc. ¶ Seulement. ¶ Précisément. Voy. **DEMUM.**

denominatio, *onis,* f. Dénomination. ¶ (Rhét.) Métonymie, figure par laquelle on désigne un objet par le nom d'un autre. [vation.

denominative, adv. (Gramm.) Par déri-

denominativus, *a, um,* adj. (Gramm.) Formé par dérivation. Subst. *Denominativa,* n. pl. Mots dérivés.

denomino, *as, avi, atum, are,* tr. Dénommer; nommer.

denormis, *e,* adj. Irrégulier.

denormo, *as, are,* tr. Rendre irrégulier. ¶ Tracer à l'équerre. [rouge).

denotabilis, *e,* adj. Marqué (d'un fer

denotatio, *onis,* f. Désignation. ¶ Outrage, affront. [dent.

1. **denotatus**, *us,* m. Comme le précé-

2. **denotatus**, *a, um,* p. adj. Flétri.

denoto, *as, avi, atum, are,* tr. Marquer d'un signe; désigner, signaler, faire reconnaître. ¶ Noter d'infamie, flétrir.

dens, *entis,* m. Dent (de l'homme *et* de la bête). ¶ (Par anal.) Ce qui a la forme d'une dent : dent, croc, pointe. ¶ (Fig.) Dent, morsure. [densation.

densatio, *onis,* f. Epaississement; condense, adv. D'une manière serrée, épaisse. ¶ Fréquemment.

denseo, *es, etum, ere,* tr. Voy. **DENSO.**

densitas, *atis,* f. Epaisseur, densité. ¶ (Méton.) Masse serrée. ¶ Abondance, fréquence.

denso, *as, avi, atum, are,* tr. Epaissir, condenser. ¶ Serrer, presser. ¶ Accumuler; multiplier.

densus, *a, um,* adj. Epais, touffu, dense, compact, serré. ¶ Epais en, plein de. || (Par ext.) Violent, fort. ¶ Pressé, en rangs serrés; nombreux. ¶ Redoublé, multiplié; fréquent. || (Rhét.) Pressé, serré, concis.

dentale, *is,* n. Voy. le suivant.

dentalia, *um,* n. pl. Pièce de la charrue à laquelle est fixé le soc.

dentatus, *a, um,* adj. Qui a des dents; qui a de longues dents. ¶ Qui mord. ¶ (Par anal.) Muni de pointes acérées. ¶ Poli (avec une défense de sanglier), en parl. du papier.

denticulatus, *a, um,* adj. Qui a des dents. ¶ Dentelé.

denticulus, i, m. Petite dent. ¶ Dentelure. ¶ Faucille.

dentifrangibulum, i, n. (Poing) instrument pour casser les dents.

dentrifrangibulus, i, adj. Celui qui brise les dents.

dentilegus, i, m. Celui qui ramasse ses dents (qu'on lui a cassées).

1. dentio, is, ire, intr. Faire ses dents. ¶ S'allonger (en parl. des dents), à cause de la faim. ¶ Claquer des dents.

2. dentio, onis, f. Comme DENTITIO.

dentiscalpium, ii, n. Cure-dents.

dentitio, onis, f. Dentition.

denubo, is, nupsi, nuptum, ere, intr. Se marier, prendre un mari.

denudatio, onis, f. Action de mettre à nu, de découvrir. ¶ (Fig.) Action de dévoiler.

denudo, as, avi, atum, are, tr. Mettre à nu, découvrir; dégarnir. ¶ Dévoiler, révéler. ¶ Dépouiller.

denuntiatio, onis, f. Annonce, avis. ¶ Menace. ¶ Injonction. ¶ (Jur.) Déposition.

denuntio, as, avi, atum, are, tr. Annoncer, faire savoir, notifier. ¶ Prédire, présager. ¶ Enjoindre. ¶ (Jur.) Donner assignation à comparaître.

1. denuo, adv. Derechef. ¶ Une autre fois, pour la seconde fois. ¶ Encore une fois.

2. denuo, is, ere, intr. Refuser.

denus, a, um, adj. Voy. DENI.

deonero, as, avi, atum, are, tr. Décharger. ¶ Soulager.

deorsum, adv. En bas. || De haut en bas. ¶ En bas, au-dessous.

deorsus, adv. Comme DEORSUM.

deosculatio, onis, f. Baiser affectueux.

deosculor, aris, atus sum, ari, dép. tr. Baiser tendrement. ¶ (Fig.) Vanter beaucoup.

depaciscor. Voy. DEPECISCOR.

depactio. Voy. DEPECTIO.

depango, is, pegi, pactum, ere, tr. Enfoncer (en terre), ficher, planter, fixer.

depareus, a, um, adj. Très chiche.

depasco, is, pavi, pastum, ere, tr. Paître, brouter. || Consommer, dévorer. ¶ (Fig.) Elaguer. ¶ Mener paître, faire brouter.

depasco. eris, pastus sum, pasci, dép. tr. Se repaître de, brouter; consommer; dévorer. ¶ (Par ext.) Consumer, détruire.

depastio, onis, f. Action de paître; [pâture.

depavitus, a, um, p. adj. Battu; foulé.

depeciscor, eris, pectus sum, pecisci, dép. tr. Faire un pacte, conclure un accord; transiger. ¶ S'accorder avec.

depectio, onis, f. Pacte.

depecto, is, pexi, pexum, ere, tr. Peigner soigneusement. ¶ (Fig.) Malmener, houspiller. || Donner une peignée. ¶ Enlever en peignant. || Détacher, couper, élaguer.

depeculator, oris, m. Celui qui pille,

déprédateur. ¶ Voleur des deniers publics.

depeculor, aris, atus, sum, ari, dép. tr. Piller, dépouiller. ¶ Voler, détourner des deniers publics, commettre des malversations.

1. depello, is, puli, pulsum, ere, tr. Pousser (devant soi), conduire (un troupeau) plus bas. ¶ Précipiter en bas, renverser, culbuter. || (Milit.) Débusquer, déloger. ¶ Chasser, évincer. || Sevrer (un enfant). ¶ Ecarter (qqn) de sa route. || Chasser, dissiper. || Détourner, dissuader.

2. depello, as, are, tr. Peler; enlever la peau (ou l'écorce) de.

dependeo, es, ere, intr. Etre suspendu; pendre. ¶ (Fig.) Dépendre de; dériver de. || Incliner vers.

dependo, is, pendi, pensum, ere, tr. (Peser la somme qu'on doit payer); payer, donner en payement; payer, c.-à-d. rémunérer. ¶ (Fig.) Dépenser, employer. || Prodiguer. ¶ Sacrifier.

deperditus, a, um, p. adj. Perdu, démoralisé. ¶ Dépravé, moralement incurable.

deperdo, is, perdidi, perditum, ere, tr. Perdre, ruiner, anéantir. ¶ Subir une perte.

depereo, is, perivi ou perii, ire, intr. Se perdre; périr; dépérir. ¶ Mourir d'amour. ¶ (Tr.) Aimer éperdument.

depictura, ae, f. Peinture.

depilis, e, adj. Sans poils : chauve ou imberbe.

depilo, as, avi, atum, are, tr. Epiler, raser, tondre. ¶ (Fig.) Plumer, c.-à-d. voler.

depilor, aris, ari, dép. tr. Piller; voler.

depingo, is, pinxi, pictum, ere, tr. Peindre, représenter. ¶ (Fig.) Dépeindre, décrire. || S'imaginer. ¶ Orner de couleurs. || Peindre; farder. ¶ Broder. [Pleurer, déplorer.

deplango, is, planxi, planctum, ere, tr.

deplanto, as, avi, atum, are, tr. Déplanter. || Arracher. ¶ Planter avec les racines.

depleo, es, plevi, pletum, ere, tr. Désemplir, vider. || (Spéc.) Saigner (un animal).

depletura, ae, f. Saignée. [autour.

depicxus, a, um, adj. Qui s'enroule

deplorabundus, a, um, adj. Eploré.

deploratio, onis, f. Plainte, lamentation.

deplorator, oris, m. Celui qui déplore.

deploro, as, avi, atum, are, intr. Pleurer, se lamenter. ¶ (Tr.) Déplorer. || Regretter (la perte de). || Désespérer de, regarder comme perdu.

deplumatus, a, um, adj. Déplumé.

deplumis, e, adj. Sans plumes.

depolio, is, ivi, itum, ire, tr. Polir.

depono, is, posui, positum, ere, tr. Poser à terre, déposer. || Mettre bas; enfanter. || Débarquer. ¶ Planter, enfoncer en terre. ¶ Abattre, renverser. || Déposer (un magistrat). ¶ Déposer, c.-à-d. renoncer à, abandonner, quitter. || Se démettre de. — *provinciam*, résigner son gouvernement. ¶ Déposer, c.-à-d. mettre en dépôt, en lieu sûr; confier, remettre (pr. et fig.).

depontanus, *a*, *um*, adj. Citoyen romain sexagénaire qui ne pouvant plus voter ne devait pas traverser le pont conduisant au COMITIUM.

deponto, *as*, *are*, tr. Exclure du pont, priver du droit de suffrage.

depopulatio, *onis*, f. Dévastation, ravage.

depopulator, *oris*, m. Dévastateur.

depopulo, *as*, *avi*, *are*, tr. Comme DE-POPULOR.

depopulor, *aris*, *atus sum*, *ari*, dép. tr. Dévaster, ravager. || Piller, saccager.

deporto, *as*, *avi*, *atum*, *are*, tr. Emporter, transporter. || Charrier (en parl. d'un fleuve). ¶ Rapporter, remporter (chez soi). — *exercitum e Graecia*, ramener l'armée de Grèce. — *victoriam*, remporter la victoire. ¶ Déporter, exiler à perpétuité.

deposco, *is*, *poposci*, *ere*, tr. Demander avec exigence; réclamer, exiger. || Réclamer la punition, le supplice, etc., de qqn; demander l'extradition de. ¶ Défier, provoquer.

depositarius, *ii*, m. Dépositaire. ¶ Celui qui fait un dépôt.

depositio, *onis*, f. Action de déposer, d'abaisser. ¶ Démolition. ¶ (Fig.) Abaissement (de la voix). || Avilissement. ¶ Abdication. ¶ Déposition, révocation (d'un magistrat). ¶ Déposition (d'un témoin), témoignage. ¶ Dépôt, consignation.

depositor, *oris*, m. Celui qui met en dépôt. ¶ Celui qui dépose (un roi).

depositus, *i*, m. Mourant. || (Fig.) Désespéré, perdu.   [saccager.

depraedor, *aris*, *ari*, dép. tr. Piller,

depravatio, *onis*, f. Contorsion. ¶ Corruption, dépravation.

depravator, *oris*, m. Corrupteur.

depravo, *as*, *avi*, *atum*, *are*, tr. Rendre tortu. ¶ (Fig.) Fausser, altérer. || Corrompre, dépraver.

deprecabundus, *a*, *um*, adj. Suppliant.

deprecaneus, *a*, *um*, adj. Qu'on peut détourner (par des prières).

deprecatio, *onis*, f. Supplication, instante prière. ¶ (Spéc.) Action de détourner par des prières, de conjurer un danger; intercession. ¶ Prière pour être dispensé de qqch.; excuse. ¶ Imprécation.   [Défenseur.

deprecator, *oris*, m. Intercesseur.

deprecor, *aris*, *atus sum*, *ari*, dép. tr. Prier instamment, supplier. ¶ Implorer. || Intercéder auprès de. || Demander (qqch.) par des supplications. ¶ Chercher à détourner par ses prières; demander instamment à ne... pas...; s'excuser pour ne pas faire qqch;

repousser, écarter, décliner (une obligation). ¶ Souhaiter (du mal à), maudire, se répandre en imprécations contre.

deprehendo ou **deprendo**, *is*, *prehendi*, *prehensum*, *ere*, tr. Intercepter, arrêter au passage, surprendre, saisir, prendre. ¶ Prendre au dépourvu, embarrasser, interloquer. ¶ Prendre sur le fait. ¶ Saisir (par l'intelligence) remarquer, reconnaître.

deprehensa, *ae*, f. Peine infligée à qui est pris en flagrant délit.

deprehensio, *onis*, f. Action de prendre (qqn) sur le fait. ¶ Découverte. ¶ Flagrant délit.

deprendo. Voy. DEPREHENDO.

deprensa, *ae*, f. Voy. DEPREHENSA.

depresse, adv. Profondément.

depressio, *onis*, f. Action d'abaisser ou d'enfoncer. ¶ (Méton.) Enfoncement; profondeur.   [fondément

depressius, adv. (au compar.). Plus profondément.

depressus, *a*, *um*, p. adj. Enfoncé, déprimé. ¶ Bas, profond. ¶ (Fig.) Peu saillant. || Bas, sans valeur, méprisable (en parl. du langage ou du style). || Bas, étouffé (en parl. de la voix).

depretiator, *oris*, m. Celui qui déprécie.

depretio, *as*, *avi*, *atum*, *are*, tr. Diminuer la valeur de, déprécier, ravaler.

deprimo, *is*, *pressi*, *pressum*, *ere*, tr. Appuyer sur un objet de manière à l'abaisser; abaisser, enfoncer. || (Spéc.) Planter, enfouir. || Creuser profondément. || Submerger, engloutir, couler. ¶ (Fig.) Abaisser. || Baisser (la voix). *Depressa voce*, à voix basse. || Abattre. || Rabaisser; déprécier.

depromo, *is*, *prompsi*, *promptum*, *ere*, tr. Tirer de ou hors de. ¶ (Fig.) Emprunter.

depropero, *as*, *are*, intr. Se hâter. ¶ (Tr.) Faire en hâte, presser, hâter.

depso, *is*, *depsui*, *depstum*, *ere*, tr. Pétrir, amollir (en maniant).   [honte.

depudesco, *is*, *ere*, intr. Perdre toute

depudet, *puduit*, *ere*, impers. Avoir grande honte. ¶ Avoir perdu toute honte.

depugno, *as*, *avi*, *atum*, *are*, intr. Combattre avec acharnement, lutter jusqu'au bout. ¶ *Tr.* Combattre (l'ennemi, une bête sauvage, etc.) avec acharnement.

depulsio, *onis*, f. Action de chasser, d'éloigner, de repousser. ¶ (Rhét.) Réfutation.   [ment.

depulso, *as*, *are*, tr. Repousser violem-

depulsor, *oris*, m. Celui qui repousse ou qui chasse. ¶ (Spéc.) Protecteur (en parl. de Jupiter).

depulsoria, n. pl. Formules expiatoires.

depulsorius, *a*, *um*, adj. Qui sert à détourner; expiatoire.   [(un mal).

depulsum, *i*, n. Prière pour conjurer

depunctio, *onis*, f. Ponction (t. méd.).

depungo, *is*, *ere*, tr. Indiquer avec des points.

depurgo, *as, avi, atum, are*, tr. Nettoyer. ¶ (T. méd.) Purger. ¶ (Mor.) Purifier.

depuro, *as, are*, tr. Exprimer le pus de.

1. deputo, *as, avi, atum, are*, tr. Tailler; élaguer.

2. deputo, *as, avi, atum, are*, tr. Estimer, juger; regarder comme. ¶ Destiner à, désigner pour. ¶ Attribuer, imputer à.

deque. Voy. SUSQUE DEQUE.

dequestus, *a, um*, part. de l'inus. DEQUEROR. Qui s'est plaint vivement de, qui déplore vivement.

derado, *is, rasi, rasum, ere*, tr. Enlever en raclant, racler, gratter; ratisser, raser. ¶ (Fig.) Effacer.   [tement.

derasio, *onis*, f. Action de raser complè-

derectus, *a, um*. Voy. DIRECTUS.

derelictio, *onis*, f. Abandon, négligence.

derelictor, *oris*, m. Celui qui abandonne.

derelinquo, *is, liqui, lictum, ere*, tr. Laisser à l'abandon, délaisser, négliger. ¶ Laisser (par testament), léguer.

derepente, adv. Tout à coup.

derepentino, adv. Soudain.

derepo, *is, repsi, ere*, intr. Descendre en rampant.

derideo, *es, risi, risum, ere*, tr. Tourner en dérision; railler, se moquer de.

deridiculum, *i*, n. Moquerie, risée. ¶ (Méton.) Objet de risée.

deridiculus, *a, um*, adj. Très ridicule.

derigesco, *is, rigui, ere*, intr. Devenir complètement raide; se glacer; se pétrifier.

derigo. Voy. DIRIGO.

deripio, *is, ripui, reptum, ere*, tr. Arracher de manière à faire tomber. ¶ Arracher, enlever, ravir. ¶ Voy. DIRIPIO.

derisio, *onis*, f. Moquerie, dérision.

derisor, *oris*, m. Railleur, moqueur.

derisorius, *a, um*, adj. Dérisoire.

derisus, *us*, m. Moquerie, raillerie.

derivatio, *onis*, f. Action de détourner une eau de son cours. ¶ (Gramm.) Dérivation. ¶ (Rhét.) Détour, euphémisme.

derivo, *as, avi, atum, are*, tr. Détourner (les eaux) de leur cours, faire dériver ¶ (Fig.) Détourner, rejeter sur. ¶ (Gramm.) Dériver (un mot).

derogatio, *onis*, f. Abrogation partielle (d'une loi); dérogation.

derogator, *oris*, m. Détracteur.

derogatorius, *a, um*, adj. Qui entraîne une dérogation.

derogo, *as, avi, atum, are*, tr. Abroger une ou plusieurs dispositions d'une loi, déroger à une loi. ¶ (Fig.) Diminuer, retrancher, ôter.

derosus, *a, um*, p. adj. Rongé.

deruncino, *as, atum, are*, tr. Raboter. ¶ (Fig.) Escroquer, filouter.

deruo, *is, rui, rutum, ere*, tr. Jeter bas. ¶ Intr. Tomber; crouler.

deruptus, *a, um*, adj. Escarpé. Subst. *Derupta*, n. pl. Précipices, lieux escarpés.

desaevio, *is, ii, itum, ire*, intr. Sévir avec violence, exercer sa fureur, se déchaîner. ¶ Cesser ses violences, calmer ses fureurs, s'apaiser.

desalto *as, avi, atum, are*, tr. Représenter par la danse *ou* par une pantomime.   [*opp. à* ascendants).

descendens, m. pl. Descendants (*par*

descendo, *is, scendi, scensum, ere*, intr. Descendre. || (Spéc.) Déchoir, diminuer, baisser. || Descendre, tirer son origine de, être issu de; provenir. || Pénétrer (dans), s'enfoncer (dans). || (*Moral.*) Faire une profonde impression sur. || Descendre à, s'abaisser à, se laisser aller à. || Se risquer à, consentir à. ¶ S'abaisser (en parl. de la voix). || S'éloigner de, différer de *ou* (*au contr.*) se rapprocher de, être analogue à.

descensio, *onis*, f. Descente (action de descendre). ¶ (Méton.) Au plur. *Descensiones*, marches de la piscine. || (Astron.) Coucher des astres.

descensus, *us*, n. Action de descendre, descente. ¶ Chemin qui descend, descente.

descisco, *is, scivi ou scii, scitum, ere*, intr. Faire défection, se séparer de, se ranger d'un autre parti. ¶ Renoncer à, se départir de. || Déchoir, dégénérer.

describo, *is, scripsi, scriptum, ere*, tr. Copier, transcrire. ¶ Représenter (par l'écriture *ou* par le dessin), tracer, dessiner, décrire, dépeindre, exposer, raconter. ¶ Définir, fixer. ¶ Assigner, c.-à-d. imposer, attribuer. ¶ Répartir, classer. || Diviser.   [ment.

descripte, adv. Avec ordre, distincte-

descriptio, *onis*, f. Copie. ¶ Tracé. ¶ Description. ¶ Définition, limitation, fixation. ¶ Répartition; partage. || Classement.

descriptionalis, *e*, adj. Descriptif.

descriptiuncula, *ae*, f. Gracieuse, jolie description.

descriptivus, *a, um*, adj. Descriptif.

descriptor, *oris*, m. Celui qui décrit *ou* dépeint.   [lier.

descriptus, *a, um*, p. adj. Ordonné; régu-

deseco, *as, secui, sectum, are*, tr. Couper pour séparer; tailler, retrancher.

desectio, *onis*, f. Taille, coupe. || (Méton.) Coupure.   [se refroidir peu à peu.

desenesco, *is, senui, ere*, intr. Vieillir;

1. desero, *is, situm, ere*, tr. Semer.

2. desero, *is, serui, sertum, ere*, tr. Quitter (un endroit), laisser inhabité *ou* inculte. ¶ Séparer de soi, c.-à-d. laisser là, délaisser, abandonner. ¶ (Fig.) Quitter (qqn *ou* qqch.), abandonner, négliger, renoncer à, ne plus s'occuper de. ¶ Abandonner (son poste), déserter. || (Absol.) Faire défection. ¶ (Jur.) Faire défaut, ne pas comparaître (au jour dit). || Se désister.

deserpo, *is*, *ere*, intr. Descendre en rampant *ou* en glissant.

deserta, *orum*, n. pl. Déserts, solitudes.

desertio, *onis*, f. Abandon. ‖ (T. milit.) Désertion. ‖ (Méd.) Atrophie, étisie. ¶ (Jur.) Désistement.

desertor, *oris*, m. Celui qui abandonne, qui délaisse. ‖ Celui qui néglige. ‖ (T. milit.) Déserteur.

deservio, *is*, *ire*, intr. Servir avec zèle, avec fidélité, se dévouer à. ¶ Se consacrer à, se vouer entièrement à, cultiver qqch. avec amour. ¶ Servir à, être employé pour.

deservitio, *onis*, f. Action de servir.

deses, *sidis*, adj. Qui ne bouge pas, inactif, fainéant. ‖ Indolent, mou.

desicco. *as*, *avi*, *atum*, *are*, tr. Sécher, dessécher.

desideo, *es*, *sedi*, *sessum*, *ere*. intr. Rester assis. ¶ Rester inactif, être désœuvré.   [table.

desiderabilis, *e*, adj. Désirable. ¶ Regrettable.

desideratio, *onis*, f. Désir.   [gramm.).

desiderativus, adj. Désidératif (t.

desiderator, *oris*, m. Celui qui désire.

desideratus, *a*, *um*, p. adj. Désiré, attendu, bienvenu.

desiderium, *ii*, n. Regret. ¶ Désir. ‖ Attente passionnée. ‖ Besoin (naturel); appétit. ‖ (Au plur.) *Desideria*, vœux (exprimés par écrit), placets; requête, supplique. ¶ (Méton.) Objet du désir, objet de la tendresse, être cher. ‖ Objet de regrets.

desidero, *as*, *avi*, *atum*, *are*, tr. Regretter; se plaindre du manque de. ‖ Perdre. Au passif *desiderari*, être perdu, manquer. ¶ Désirer, convoiter; avoir besoin de. ¶ (*Qqf.*) Mettre en question, en discussion; examiner.

1. desidia, *ae*, f. Etat d'une personne depuis longtemps assise (*par ex.* à sa toilette). ¶ Oisiveté, paresse, indolence, nonchalance. ¶ (Spéc.) Repos de la terre, jachère.

2. desidia, *ae*, f. Action de s'abaisser, de se retirer; reflux (de la mer).

desidiose, adv. Dans une complète oisiveté.

desidiosus, *a*, *um*, adj. Oisif, inoccupé, indolent, nonchalant. ¶ (En parl. de ch.) Qui rend paresseux, qui n'exige aucune peine.

desido, *is*, *sedi*, *ere*, intr. S'affaisser, s'abaisser, s'enfoncer. ¶ (Fig.) S'abaisser, dégénérer. ¶ (Spéc.) Déposer, laisser un dépôt (en parl. de liquides).

designatio, *onis*, f. Dessin, figure. ¶ Indication, désignation. ¶ Disposition, distribution, arrangement. ¶ Désignation, *c.-à-d.* élection (*part.* au consulat).   [dent des jeux.

designator, *oris*, m. Ordonnateur; président

designo, *as*, *avi*, *atum*, *are*, tr. Tracer, dessiner. ‖ Indiquer, désigner. ¶ (Fig.) Disposer, régler. ‖ (*Qqf.*)· Produire (qqch. d'extraordinaire); machiner, comploter; commettre. ¶ (Spéc.) Dé-

signer (à une magistrature), nommer. ‖ Assigner (un emploi).

desilio, *is*, *silui* (ou *silivi*, *silii*), *sultum*, *ire*, intr. Sauter (en bas), se jeter du haut de. ¶ Tomber (en parl. de la foudre).

desino, *is*, *sii*, *situm*, *ere*, tr. et intr. ‖ *Tr.* Cesser, finir. ‖ (Avec l'inf.) Cesser de. ¶ *Intr.* Se terminer, s'arrêter, finir.

desipiens, *entis*, p. adj. Insensé.

desipientia, *ae*, f. Folie.

desipio, *is*, *pui*, *ere*, tr. et intr. ‖ *Tr.* Rendre insipide. ¶ *Intr.* Etre dépourvu de sens, extravaguer; faire des folies.

desisto, tr. *et* intr. ‖ *Tr.* Placer, déposer. ¶ *Intr.* Se désister, renoncer à. ‖ Cesser de. ‖ (Absol.) S'arrêter, finir.

desitus, *us*, m. Cessation; conclusion.

desivo, *as*, *are*, intr. Cesser.

desolatio, *onis*, f. Solitude, état de celui qui est *ou* vit seul; isolement. ¶ (Méton.) Désert.

desolator, *oris*, m. Qui désole,qui ravage.

desolo, *as*, *avi*, *atum*, *are*, tr. Laisser seul; délaisser. ¶ Désoler, *c.-à-d.* ravager, rendre désert.

despectio, *onis*, f. Action de regarder d'en haut. ¶ (Fig.) Dédain.

despecto, *as*, *avi*, *atum*, *are*, tr. Regarder de haut. ‖ Avoir vue sur; dominer. ¶ (Fig.) Regarder de haut, *c.-à-d.* dédaigner, mépriser.

1. despectus, *a*, *um*, p. adj. Méprisé.

2. despectus, *us*, m. Vue de haut en bas. ¶ (Méton.) Point de vue; belvédère. ¶ (Fig.) Mépris *ou* dédain.

desperabilis, *e*, adj. Dont il faut désespérer. ‖ Incurable.

desperanter, adv. En désespéré.

desperatio, *onis*, f. Désespoir. ¶ Etat désespéré. ¶ Acte de désespoir; audace née du désespoir.

desperatus, *a*, *um*, p. adj. Dont on désespère; désespéré. ¶ Dont on ne peut rien espérer; incorrigible.

despero, *as*, *avi*, *atum*, *are*, intr. et tr. ‖ *Intr.* Etre au désespoir; désespérer. ¶ *Tr.* Désespérer de, avoir perdu l'espoir de.

1. despicatus, *a*, *um*, p. adj. Méprisé.

2. despicatus, *us*, m. Mépris.

despicientia, *ae*, f. Mépris.

despicio, *is*, *spexi*, *spectum*, *ere*, intr. et tr. Regarder d'en haut, contempler d'un lieu élevé; plonger (en parl. de la vue); avoir vue sur. ¶ (Fig.) Regarder de haut, *c.-à-d.* dédaigner, mépriser. ¶ Regarder d'un autre côté, détourner les yeux.   [voleur.

despoliator, *oris*, m. Filou, escroc,

despolio, *as*, *avi*, *atum*, *are*, tr. Dépouiller, piller. ¶ Frustrer.

despondeo, *es*, *spondi* ou *spopondi*, *sponsum*, *ere*, tr. Promettre formellement, donner sa parole, s'engager à. ‖ (Spéc.) Promettre en mariage, fiancer. ¶ S'abandonner, désespérer;

perdre courage, se laisser abattre, n'avoir plus le cœur à rien. — *sapientiam*, désespérer d'atteindre à la sagesse.

desponsatio. *onis*, f. Accordailles.

desponsio, *onis*, f. Découragement, désespoir.

desponso, *as*, *avi*, *atum*, *are*, tr. Fiancer.

desponsor, *oris*, m. Celui qui fiance.

despumatio, *onis*, f. Action d'écumer, d'ôter l'écume; despumation.

despumo, *as*, *avi*, *atum*, *are*, tr. et intr. Enlever, ôter l'écume de, écumer, despumer. ¶ (Par ext.) Saigner (une bête). || Cuver (son vin). || Frotter de manière à polir; rendre lisse. || Jeter (comme une écume). ¶ *Intr.* Cesser d'écumer, de bouillonner; jeter son feu, se refroidir; *qqf.* jeter sa gourme.

despuo, *is*, *spui*, *sputum*, *ere*, intr. et tr. || *Intr.* Cracher (pour détourner un mal, un sortilège). ¶ *Tr.* Cracher sur (en signe de mépris); repousser avec mépris, faire fi de.

desquamata, *orum*, n. pl. Ecorchures.

desquamo (DESQUAMMO), *as*, *are*, tr. Oter les écailles, écailler. ¶ (Par anal.) Ecorcher. || Ecorcer; nettoyer.

destillatio, *onis*, f. Ecoulement; flux. ¶ (Médec.) Catarrhe.

destillo, *as*, *avi*, *atum*, *are*, intr. Tomber goutte à goutte. || Répandre une odeur de. ¶ *Tr.* Faire tomber goutte à goutte; distiller.

destinate, adv. Obstinément.

1. **destinatio**, *onis*, f. Fixation, assignation, désignation, stipulation. ¶ Détermination, résolution, intention; parti pris. || Persévérance; obstination, opiniâtreté.

2. **destinatio**, *onis*, f. Envoi.

destinato, adv. Délibérément.

destinatum, *i*, n. But, cible. ¶ (Fig.) Intention, résolution.

destinatus, *a*, *um*, p. adj. Résolu, arrêté. ¶ Résolu, obstiné, opiniâtre.

destino, *as*, *avi*, *atum*, *are*, tr. Attacher solidement, assujettir; fixer. ¶ (Fig.) Fixer, arrêter, désigner. || Choisir, destiner. || (Spéc.) Destiner (comme époux), fiancer. || Fixer comme but, prendre pour cible, viser. || Lancer vers une cible, vers un but. ¶ Avoir la volonté arrêtée de.

destituo, *is*, *stitui*, *stitutum*, *ere*, tr. Placer, établir. || Laisser, *c.-à-d.* abandonner; faire défaut à. || Laisser, *c.-à-d.* interrompre, cesser. ¶ Frustrer, priver de.

destitutio, *onis*, f. Abandon. || Trahison. ¶ Manque de parole, infidélité, tromperie. || Déception.

destricte (DISTRICTE), adv. Formellement. || Absolument. [sévérité.

destrictio (DISTRICTIO), *onis*, f. Rigueur.

destrictus, *a*, *um*, adj. Strict, sévère.

destringo, *is*, *strinxi*, *strictum*, *ere*, tr.

Enlever (en frottant). || Détacher, cueillir, arracher. || (Fig.) Dépouiller. ¶ Frotter (après le bain avec la strigile); frictionner. ¶ (Méd.) Déterger, purger. ¶ Tirer (du fourreau); dégainer. ¶ Effleurer, toucher légèrement, frôler. ¶ Railler, critiquer.

destructio, *onis*, f. Destruction, ruine. ¶ (Rhét.) Réfutation.

destructor, *oris*, m. Destructeur.

destruo, *is*, *struxi*, *structum*, *ere*, tr. Détruire, démolir, abattre, renverser (pr. et fig.).

desub, prép. De dessous.

desubito, adv. Tout à coup.

desudasco, *is*, *ere*, intr. Suer, *c.-à-d.* se donner beaucoup de mal.

desudatio, *onis*, f. Sueur. ¶ (Fig.) Travail pénible, rude labeur.

desudo, *as*, *avi*, *atum*, *are*, intr. et tr. Suer beaucoup. || (Fig.) Se donner beaucoup de peine. ¶ *Tr.* Faire péniblement, à la sueur de son front. ¶ Distiller, exhaler.

desuefacio, *is*, *feci*, *factum*, *ere*, tr. Déshabituer (qqn). ¶ Faire tomber (qqch.) en désuétude.

desuefio, *is*, *factus sum*, *fieri*, pass. (du précédent). Se désaccoutumer, se déshabituer.

desuesco, *is*, *suevi*, *suetum*, *ere*, tr. et intr. || *Tr.* Faire perdre l'habitude de. ¶ *Intr.* Perdre l'habitude, se déshabituer. [désuétude.

desuetudo, *inis*, f. Désaccoutumance.

desultor, *oris*, m. Sauteur (cavalier qui dans les courses sautait d'un cheval sur un autre). ¶ (Fig.) Celui qui passe d'un objet à un autre; volage.

desum, *dees*, *defui*, *deesse*, intr. Manquer, faire défaut. ¶ Manquer à, faillir à; ne pas assister (qqn).

desumo, *is*, *sumpsi*, *sumptum*, *ere*, tr. Choisir, prendre pour soi, se réserver.

desuper, adv. De dessus, d'en haut.

desurgo, *is*, *surrexi*, *surrectum*, *ere*, intr. Se lever (de table). ¶ Aller à la selle.

detector, *oris*, m. Celui qui découvre. ¶ Révélateur.

detego, *is*, *texi*, *tectum*, *ere*, tr. Découvrir; mettre à nu. ¶ (Fig.) Découvrir, *c.-à-d.* dévoiler, révéler.

detendo, *is*, *ere*, tr. Détendre

detergeo, *es*, *tersi*, *tersum*, *ere*, tr. Essuyer, enlever en essuyant. || (Fig.) Balayer, chasser, dissiper, faire disparaître. || Arracher (en frôlant). ¶ Essuyer, *c.-à-d.* nettoyer en essuyant, déterger, purger.

deterior, *us*, adj. (au compar.) Inférieur, moins bon; moindre.

deterioro, *as*, *are*, tr. Rendre moins bon, gâter.

deterius, adv. (au compar.) Moins bien ou plus mal.

determinatio, *onis*, f. Démarcation; borne; limite, extrémité. ¶ (Fig.) Conclusion.

determino, *as*, *avi*, *atum*, *are*, tr. Marquer les limites de, délimiter. ¶ (Fig.) Déterminer, fixer, régler.

detero, *is*, *tritum*, *ere*, tr. User (par le frottement). ¶ Ecraser, broyer, battre (le blé). ¶ (Fig.) User, diminuer, affaiblir, détériorer. Au passif *deteri*, diminuer, disparaître. *Detritus*, usé, rebattu, banal *ou* trivial.

deterreo, *es*, *ui*, *itum*, *ere*, tr. Détourner (qqn) par la peur. || Détourner, dissuader. || Détourner, écarter (un mal).

detestabilis, *e*, adj. Détestable.

1. detestatio, *onis*, f. Imprécation, malédiction. ¶ Exécration, répulsion, horreur. ¶ (Jur.) Sommation avec témoins. || Renonciation solennelle, abjuration. — *sacrorum*, abjuration d'un culte privé.

2. detestatio, *onis*, f. Castration.

detestor, *aris*, *atus sum*, *ari*, dép. tr. Prendre les dieux à témoin. ¶ Prononcer des imprécations contre. || Maudire, détester, exécrer, avoir en horreur. || Conjurer (un mal) par ses prières; détourner. ¶ (Jur.) Sommer devant témoins, intimer. || Renoncer solennellement à, abjurer. Voy. 1. DETESTATIO.

detexo, *is*, *texui*, *tentum*, *ere*, tr. Achever de tisser *ou* de tresser, tisser *ou* tresser (jusqu'au bout). ¶ (Fig.) Achever, exécuter complètement. || Exposer en entier, raconter, décrire.

detineo, *es*, *tinui*, *tentum*, *ere*, tr. Retenir, arrêter, empêcher d'aller (plus loin); retarder. ¶ (Fig.) Retenir, tenir occupé, occuper. || Retenir (par son charme), captiver; intéresser. || Retenir, *c.-à-d.* occuper ailleurs, empêcher de faire qqch. ¶ Occuper, détenir. ¶ Retenir, garder.

detondeo, *es*, *tondi* (ou *totondi*), *tonsum*, *ere*, tr. Tondre, brouter; raser. ¶ (Fig.) Ravager.

detono, *as*, *tonui*, *are*, intr. Tonner fortement. ¶ Eclater, tomber comme la foudre. ¶ Parler d'une voix tonnante. ¶ Cesser de tonner. || (Fig.) S'apaiser.

detorqueo, *es*, *torsi*, *tortum* (et qqf. *torsum*), *ere*, tr. et intr. Détourner. ¶ Rendre tortu, courber; faire dévier. ¶ (Fig.) Détourner (le sens d'un mot), dénaturer (des propos). ¶ *Intr.* Se détourner.

detractatio, *onis*, f. Action de discuter (un ordre). Voy. DETRECTATIO.

detractator, *oris*, m. Voy. DETRECTATOR.

detractatus, *us*, m. Traité, livre.

detractio, *onis*, f. Action de retrancher; suppression; diminution. || (Spéc.) Evacuation (des humeurs). ¶ (Gramm.) Elision. || Ellipse ¶ Médisance, dénigrement.

detracto. Voy. DETRECTO.

detractor, *oris*, m. Détracteur, médisant.

detractoria, *orum*, n. pl. Médisances, dénigrements.

detractus *us*, m. Retranchement, suppression.

detraho, *is*, *traxi*, *tractum*, *ere*, tr. Tirer en bas, abattre, renverser. ¶ Tirer d'un autre côté, détourner. || (Fig.) Dissuader. ¶ Oter, enlever, retirer, supprimer, retrancher; soustraire. || (Méd.) Faire évacuer. ¶ Soustraire, *c.-à-d.* dérober, voler. || Faire tort à. || Rabaisser (par la parole), déprécier, dénigrer, ravaler. || Médire de.

detrectatio, *onis*, f. Refus. ¶ Excuse. || Action de se récuser. ¶ Action de dénigrer.

detrectator, *oris*, m. Celui qui se récuse, celui qui refuse. ¶ Détracteur.

detrecto (DETRACTO), *as*, *avi*, *atum*, *are*, tr. Se refuser à, se-récuser pour, décliner. ¶ Déprécier, dénigrer, médire de.

detrimentosus, *a*, *um*, adj. Préjudiciable.

detrimentum, *i*, n. Action d'enlever en frottant, diminution. ¶ (Ordin.) Détriment, préjudice. || Dommage. || (Spéc.) Perte (d'une bataille), défaite, déroute.

detritus, *us*, m. Frottement qui use.

detrudo, *is*, *trusi*, *trusum*, *ere*, tr. Pousser violemment en bas, jeter en bas, renverser; précipiter. ¶ Repousser violemment, chasser. || (T. milit.) Débusquer, déloger. || (Fig.) Forcer, contraindre. ¶ (Jur.) Evincer, déposséder. || (Fig.) Supplanter. || Ajourner (illégalement) les comices, reculer (la date des élections).

detrunco, *as*, *avi*, *atum*, *are*, tr. Couper, tailler, élaguer. ¶ Retrancher; mutiler. || (Spéc.) Décapiter (pr. et fig.).

detrusio, *onis*, f. Action de jeter violemment *ou* de précipiter.

deturbo, *as*, *avi*, *atum*, *are*, tr. Jeter à bas, précipiter du haut de. || Abattre, démolir, renverser. || (T. milit.) Déloger, débusquer. ¶ (Jur.) Evincer, déposséder. || Priver, dépouiller de.

deturpo, *as*, *are*, tr. Rendre difforme, enlaidir.

deunx, *uncis*, f. Les onze douzièmes de l'as. || Les onze douzièmes de l'unité.

deuro, *is*, *ussi*, *ustum*, *ere*, tr. Brûler entièrement. || Dessécher. ¶ Griller (en parl. du froid).

deus, *i*, m. Un dieu; une divinité. ¶ Un dieu (*en parl. d'un* homme supérieur *ou* très heureux *ou* de l'empereur).

deutor, *eris*, *usus sum*, *uti*, dép. intr. Abuser. ¶ Maltraiter.

devastatio, *onis*, f. Dévastation.

devasto, *as*, *are*, tr. Dévaster.

devecto, *as*, *are*, tr. Transporter souvent *ou* avec plaisir.

deveho, *is*, *vexi*, *vectum*, *ere*, tr. Transporter (d'un lieu élevé) sur un char, à cheval, par eau; transporter, charrier, voiturer; emporter.

devello, *is*, *velli*, *vulsum*, *ere*, tr. Arracher. ¶ Epiler.

develo, *as*, *are*, tr. Dévoiler; découvrir.

deveneror, *aris, ari*, dép. tr. Honorer, vénérer. ¶ Détourner (par des prières).

devenio, *is, veni, ventum, ire*, intr. Venir (d'en haut). || Aller, se rendre. ¶ (Fig.) En arriver à ; recourir à.

deverro, *is, ere*, tr. Balayer, c.-à-d. enlever en balayant *ou* nettoyer en balayant.

deversor, *aris, atus sum, ari*, dép. intr. Aller loger chez qqn. prendre ses quartiers qq. part. ¶ Demeurer, résider.

2. **deversor**, *oris*, m. Celui qui loge à l'hôtellerie.

deversoriolum, *i*, n. Petite hôtellerie.

deversorium, *ii*, n. Lieu où l'on s'arrête pour loger· hôtellerie, auberge. ¶ (Fig.) Gîte. || Repaire. ¶ Magasin ; dépôt.

deversorius, *a, um*, adj. Où l'on peut s'arrêter pour loger.

deverticulum (DEVORTICULUM), *i*, n. Chemin écarté, voie détournée. ¶(Fig.) Détour ; digression ; diversion. ¶ Lieu où l'on s'arrête pour loger. || (Fig.) Asile, refuge, repaire.

deverto (DEVORTO), *is, verti, versum, ere*, tr. Détourner, faire dévier. Au passif : *deverti*, se détourner (de la grand'route) ; se détourner (qq. part pour loger) ; prendre gîte, loger. ¶ *Intr.* Se détourner (de son but). || (Fig.) S'écarter (de son sujet), faire une digression.

devexum, *i*, n. Pente.

devexus, *a, um*, adj. Qui va en pente, incliné. ¶ Qui est sur son déclin.

devia, *orum*, n. pl. Chemin détourné.

devincio, *is, vinxi, vinctum, ire*, tr. Attacher solidement, lier, attacher. ¶ (Fig.) Lier, enchaîner (par la force *ou* par des bienfaits) ; obliger, s'attacher. ¶ Attacher, captiver, charmer. ¶ (Rhét.) Resserrer, concentrer (le style).

devinco, *is, vici, victum, ere*, tr. Vaincre complètement, triompher de, soumettre. ¶ (Fig.) Avoir le dessus, l'emporter.

devinctio, *onis*, f. Lien, attachement. ¶ Charme, enchantement, sortilège.

devinctus, *a, um*, p. adj. Attaché, c.-à-d. adonné. [d'esquiver.

devitatio, *onis*, f. Action d'éviter *ou*

devito, *as, avi, atum, are*, tr. Eviter, échapper à, esquiver.

devius, *a, um*, adj. Qui est en dehors de la route, écarté ; isolé, désert. || Inaccessible, impraticable. ¶ Qui s'écarte de la route, qui dévie, qui s'égare. ¶ (Fig.) Qui s'écarte des voies droites ; inconstant, peu sûr, infidèle. — *vita*, vie déréglée. || Déraisonnable.

devoco, *as, avi, atum, are*, tr. Appeler d'en bas, faire descendre. ¶ Rappeler, faire venir. ¶ Appeler, inviter. ¶ (Fig.) Attirer, engager. || Réduire à.

devolo, *as, avi, atum, are*, intr. Voler vers le bas, s'abattre (en volant) ; ¶ (Fig.) Descendre comme en volant,

accourir précipitamment ; s'élancer. ¶ S'envoler (d'un endroit·à un autre). || (Fig.) Passer rapidement d'un objet à un autre.

devolutio, *onis*, f. Laisser-aller, abandon

devolvo, *is, volvi, volutum, ere*, tr. Faire rouler de haut en bas, précipiter. ¶ Dérouler, développer. ¶ (Fig.) Au passif *devolvi*, descendre en roulant, rouler ; se laisser aller à, en être réduit à, en arriver à.

devorator, *oris*, m. Celui qui dévore.

1. **devoro**, *as, avi, atum are*, tr. Dévorer. || Avaler, engloutir. ¶ (Fig.) Manger, c.-à-d. consommer, dépenser, dissiper. ||·Gruger (qqn).¶ Manger, c.-à-d. prononcer confusément. || Dévorer, c.-à-d. refouler, dissimuler *ou* endurer (patiemment). ¶ Se jeter avidement sur, désirer passionnément. — *dicta*, boire des paroles. — *libros*, dévorer des livres (les lire précipitamment). || Dévorer (sans digérer) ; ne pas comprendre, ne pas savourer, ne pas apprécier les finesses de. ¶ Ne pas retenir ; oublier. *Devoravi nomen*, j'ai avalé le nom (je l'ai oublié).

2. **devoro**. Sync. *p.* DEVOVERO.

devortium, *ii*, n. Bifurcation d'un sentier avec la grand'route.

devorto. Voy. DEVERTO.

devote, adv. Avec dévouement.¶ Dévotement, avec dévotion.

devotio, *onis*, f. Action de dévouer aux dieux infernaux ; sacrifice, dévouement (de qqn). ¶ Enchantement, sortilège ; charme magique. || Imprécation ; malédiction. ¶ Vœu, prière.¶ Dévouement, zèle, attachement (à qqn). ¶ Dévotion aux dieux ; culte, piété.

devoto, *as, avi, atum, are*, tr. Dévouer aux dieux infernaux ; sacrifier. ¶ Ensorceler. || Maudire. ¶ Invoquer (les dieux).

devotus, *a, um*, p. adj. Dévoué aux dieux infernaux. || Maudit. ¶ Dévoué, attaché, fidèle. Subst. *Devoti, orum*, m. pl. Partisans. ¶ Voué, c.-à-d. consacré, adonné. ¶ Pieux, dévot. ¶ Attaché (aux lois), obéissant, fidèle.

devoveo, *es, vovi, votum, ere*, tr. Vouer, consacrer. || Promettre (aux dieux). || (Spéc.) Sacrifier (comme victime expiatoire), livrer (à la mort). || Dévouer (aux dieux infernaux), maudire. || Envoûter, ensorceler. ¶ (Fig.) Consacrer, dévouer, sacrifier.

devus. Arch. p. DIVUS.

dextans, *antis*, m. Les dix douzièmes de l'as ; valeur de dix onces. ¶ Les dix douzièmes (*ou* cinq sixièmes) de l'unité.

dextella, *ae*, f. Petite main droite.

1. **dexter**, *era, erum*, adj. Droit, c.-à-d. qui est à droite *ou* du côté droit. ¶ (Par ext.) Adroit.|| Favorable propice.

2. **dexter**, *tri*, m. Nom vulgaire de l'aquilon.

dextera. Voy. DEXTRA.

dextere ou dextre, adv. Adroitement.

dexterior, us, adj. (comp. de DEXTER). Le plus à droite de deux.

dexteritas, atis, f. Dextérité, adresse. ¶ Heureux présage.

dextimus, a, um, adj. (superl. de DEXTER). Le·plus à droite (de plusieurs).

1. dextra (DEXTERA), ae, f. La main droite, la droite, le côté droit. || (Méton.) Promesse solennelle, engagement ¶ Aide, secours. ¶ Bravoure.

2. dextra, orum, n. pl. Le côté droit; la droite. [au bras droit).

dextrale, is, n. Bracelet (qu'on portait

dextraliolum, i, n. Petit bracelet.

dextrorsum et dextrorsus, adv. Comme le suivant.

dextroversum, adv. A droite du côté droit.

dextumus, a, um, adj. Voy. DEXTIMUS.

diabathrarius, ii, m. Cordonnier pour dames.

diabathrum, i, n. Chaussure légère, sorte de sandale portée par les femmes.

diabetes, ae, m. Siphon.

diabolicus, a, um, adj. Diabolique.

diabolus, i, m. Diable. [royal.

1. diadema, atis, n. Diadème, bandeau

2. diadema, ae, f. Comme le précédent.

diaeta, ae, f. Régime (prescrit par le médecin), diète. || (Fig.) Traitement bénin. ¶ Séjour, demeure. || (Spéc.) Corps de logis, pavillon. || Appartement; chambre, pièce, salon. || Cabine du capitaine (dans un vaisseau).

1. diagonalis, e, adj. Diagonal.

2. diagonalis (s.-e. linea), is, f. Diagonale, ligne qui va d'un angle à l'angle opposé.

1. dialectica (s.-e. ars), ae, f. Dialectique, art de déduire des raisonnements servant à démontrer ou à réfuter.

2. dialectica, orum, n. pl. Les procédés de la dialectique.

1. dialectice, es, f. Comme 1. DIALECTICA.

2. dialectice, adv. Selon les règles de la dialectique; logiquement.

1. dialecticus, a, um, adj. Qui regarde l'art de raisonner.

2. dialecticus, i, m. Dialecticien, celui qui emploie les procédés de la dialectique. ¶ Logicien.

dialectos, i, f. Voy. DIALECTUS.

dialis, e, adj. Éphémère. ¶ Aérien.

dialoes, indécl. Extrait d'alcès.

dialogus, i, m. Dialogue. ¶ (Spéc.) Entretien sur des sujets de philosophie.

dianome, es, f. Distribution d'argent.

diarium, ii, n. Ration de chaque jour. ¶ Journal; éphémérides.

diatreta, orum, n. pl. Vases faits au tour, avec des dessins à jour.

diatretus, a, um, adj. Percé à jour.

diatriba, ae, f. Ecole, académie, où ont lieu des discussions savantes ou philosophiques.

diatritaeus, a, um, adj. Qui revient tous les trois jours.

1. dibaphus, a, um, adj. Passé deux fois à la teinture.

2. dibaphus, i, f. Robe (des magistrats) garnie de pourpre.

dica, ae, f. Procès.

dicacitas, atis, f. Causticité; disposition à l'ironie mordante.

dicatio, onis, f. Déclaration officielle par laquelle on demande à être naturalisé dans une cité étrangère. ¶ Naturalisation.

dicatus, a, um, p. adj. Dévoué.

dicax, acis, adj. Railleur, satirique. ¶ Mordant, caustique.

dicio, onis, f. Domination, puissance; autorité (sur qqn).

dicis, génit. usité seul. dans l'express. dicis causa (ou gratia ou ergo), pour la forme.

1. dico, as, avi, atum, are, tr. Annoncer, publier. ¶ (Ordin.) Déduire, vouer, consacrer. || Inaugurer.

2. dico, is, dixi, dictum, ere, tr. Montrer (c.-à-d. exprimer) par des paroles, parler, dire. ¶ Affirmer, soutenir, prétendre. ¶ Parler (en public), prononcer un discours. || Plaider. ¶ Réciter, débiter. ¶ Composer, décrire, raconter. ¶ Prédire, prophétiser. ¶ Nommer, désigner, appeler. ¶ Déterminer, assigner. ¶ Nommer, c.-à-d. élire.

dictamnum, i, n. Dictame, plante.

dictata, orum, n. pl. Dictées, devoirs, leçons. ¶ Ordres, instructions.

dictatio, onis, f. Action de dicter; dictée.

1. dictator, oris, m. Dictateur, magistrat romain, qui fut dans de graves circonstances. || Magistrat suprême dans certaines villes d'Italie. || Généralissime (étranger). || Suffète à Carthage.

2. dictator, oris, m. Celui qui dicte.

dictatorius, a, um, adj. De dictateur. ¶ Ancien dictateur.

dictatrix, icis, f. Souveraine absolue.

dictatura, ae, f. Dictature.

dicterium, ii, n. Bon mot. || Sarcasme.

dictio, onis, f. Action de dire ou de prononcer. ¶ Manière de prononcer, diction. || Elocution, débit. ¶ Ce qu'on dit : discours; exercice de la parole; déclamation; entretien, conversation; expression, mot; réponse (d'un oracle); prédiction. ¶ Manière (d'un orateur). || Style.

dictito, as, avi, atum, are, tr. Dire souvent, avoir constamment à la bouche; répéter. ¶ Plaider souvent; exercer la profession d'avocat.

dictiuncula, ae, f. Petit mot; particule.

dicto, as, avi, atum, are, tr. Dire à plusieurs reprises ou en répétant, d'où dicter (à un secrétaire ou à des élèves). versus, dicter des vers (à mesure qu'on les compose), d'où composer des vers. || Composer, rédiger. ¶ Por-

ter plainte, intenter une action. ¶
Dicter (un ordre), commander, prescrire.

dictoaudientia, *ae*, f. Obéissance absolue.

dictor, *oris*, m. Celui qui dit.

dictum, *i*, n. Mot, parole. *Dictum breve*, apophthegme, maxime, sentence. ¶ Oracle, prédiction. ¶ Bon mot, trait d'esprit. ¶ Raillerie; injure. ¶ Ordre, commandement. ¶ Parole donnée, promesse. ¶ (Poét.) Au plur. *Dicta*, ouvrages, poèmes. ¶ *Qqf.* Eloquence.

1. dictus, *us*, m. Parole. ¶ Bon mot.

2. dictus, *i*, m. Pour DIGITUS.

didascalica, *orum*, n. pl. Didascalies, titre d'un ouvrage d'Attius.

dido, *is*, *dididi*, *diditum*, *ere*, tr. Distribuer, répandre; répartir. Au passif. *Didi*, se répandre.

1. didrachma, *matis*, n. Double drachme.

2. didrachma, *ae*, f. Comme le précédent.

didrachmum (DIDRAGMUM), *i*, n. Comme **1. DIDRACHMA**

diduco, *is*, *duxi*, *ductum*, *ere*, tr. Tirer de côté et d'autre. ǁ Séparer, désunir, disjoindre; écarter en divisant, partager. ǁ Espacer. ¶ Séparer violemment, rompre; détruire. ǁ Distraire. ¶ Ecarter, ouvrir, étendre. — *copias*, diviser ses forces. — *cornua*, étendre les ailes (de son armée). ¶ (T. méd.) Digérer.   [expansion.

diductio, *onis*, f. Séparation. ¶ Etendue,

diecula, *ae*, f. Court instant. ¶ Léger répit, court délai.   [Maudit, pendard.

dierectus, *a*, *um*, p. adj. Mis en croix. ¶

dies, *ei*, m. et f. (masc. au plur.) Jour. ǁ (Méton.) Journée, emploi qu'on fait du jour. ¶ Jour (*opp. à* nuit), lumière du jour; lumière; vie. ǁ Température. ǁ Jour (fixé), date. ǁ Anniversaire. ǁ Echéance. ǁ Prorogation (de l'échéance), délai. ¶ Temps, durée.

diesis, *eos*, f. Dièse.

dieteris, *idis*, f. Espace de deux ans.

diezeugmenos, n, adj. Séparé, distinct. Subst. *Diezeugmena*, *on*, n. pl. Gamme reposant sur une échelle de quatre tons.

diffamatio, *onis*, f. Action de divulguer.

diffamatus, *a*, *um*, p. adj. Discrédité, taré.

diffamo, *as*, *avi*, *atum*, *are*, tr. Répandre le bruit, la renommée de. ¶ Divulguer. ¶ Décrier; diffamer.

diffarreatio, *onis*, f. Dissolution solennelle d'un mariage conclu par confarréation.

1. differens, *entis*, p. adj. Différent.

2. differens, *entis*, n. Différence.

differentia, *ae*, f. Différence; disparité. ¶ Espèce (*opp. à* genre).

differo, *fers*, *distuli*, *dilatum*, *ferre*, tr. et intr. Porter de côté et d'autre, espacer; écarter. ¶ Séparer violemment, arracher; mettre en pièces, déchirer. ¶ (Fig.) Agiter violemment, inquiéter,

tourmenter, accabler, mettre aux abois. *Differri laetitia*, être transporté de joie. ¶ Répandre un bruit, colporter; divulguer. ǁ (Spéc.) Diffamer, décrier. ¶ Remettre à plus tard, différer, ajourner. ¶ (*Intr.* sans parf. ni sup.). Différer, être différent. Impers. *Differt*, il y a une différence.

differtus, *a*, *um*, adj. Plein de tous côtés, bourré, gorgé.

difficile, adv. Difficilement.

difficilis, *e*, adj. Difficile, malaisé, embarrassant. ¶ Difficile à vivre, mécontent, bourru; morose, chagrin. ǁ Intraitable.

difficiliter, adv. Voy. DIFFICULTER.

difficul, adj. Comme DIFFICILIS.

difficultas, *atis*, f. Difficulté, peine. ǁ Obstacle, embarras. ǁ Embarras (d'argent), gêne. ¶ Difficulté de faire qqch. *ou* de se tirer d'affaires, besoin, manque, pénurie. ¶ Fatigue; indisposition, maladie. ¶ Difficulté de caractère, humeur morose *ou* revêche. ǁ Pédanterie.

difficulter, adv. Difficilement.

diffidens, *entis*, p. adj. Défiant.

diffidenter, adv. Avec défiance.

diffidentia, *ae*, f. Défiance, défaut de confiance (en soi-même *ou* à l'égard d'autrui). ¶ (*Eccl.*) Manque de foi.

diffido, *is*, *fisus sum*, *ere*, intr. Se défier de, ne pas se fier à. ¶ Perdre toute confiance, douter *ou* désespérer de.

diffindo, *is*, *fidi*, *fissum*, *ere*, tr. Séparer en fendant, diviser, fendre. ¶ Forcer; enfoncer (une porte). ¶ Couper en deux, d'*où* interrompre. ǁ (*Jur.*) Suspendre (les débats), les renvoyer à une autre séance.

diffingo, *is*, *finxi*, *fictum*, *ere*, tr. Façonner à nouveau, refondre *ou* (simpl.) refaire. ¶ (Fig.) Refondre, c.-à-d. transformer.

diffinio, *is*, *ire*. Voy. DEFINIO.

diffissio, *onis*, f. Renvoi à une autre audience (jur.).

diffiteor, *eris*, *eri*, dép. tr. Ne pas avouer, disconvenir, nier.

difflatus, abl. *u*, m. Souffle contraire (qui éloigne).

difflo, *as*, *avi*, *atum*, *are*, tr. Dissiper en soufflant, balayer d'un souffle.

diffluo, *is*, *fluxi*, *fluxum*, *ere*, intr. Couler çà et là, se répandre de tous côtés. ¶ Ruisseler de, regorger de; nager dans. ¶ Se dissiper, décroître. ǁ Dépérir, disparaître.

diffluus, *a*, *um*, adj. Qui déborde.

diffringo, *is*, *fregi*, *fractum*, *ere*, tr. Diviser (en brisant); mettre en pièces, briser.

diffugio, *is*, *fugi*, *ere*, intr. S'enfuir çà et là; se disperser (en fuyant). ¶ (Fig.) Se dissiper, disparaître.

diffugium, *ii*, n. Fuite de côté et d'autre; dispersion.   [perser.

diffugo, *as*, *are*, tr. Mettre en fuite, dis-

diffugus, *a, um*, adj. Mis en fuite.

diffundo, *is, fudi, fusum, ere*, tr. Répandre en versant, verser, épancher. ¶ (En gén.) Répandre, étendre, disséminer. || (Fig.) Répandre, étendre. || Dilater, épanouir, dérider, égayer.

diffuse, adv. Sans cohésion. ¶ En détail.

diffusio, *onis*, f. Diffusion; débordement. || Extension. ¶ (Fig.) Expansion, effusion. || Epanouissement.

diffusus, *a, um*, p. adj. Qui se répand *ou* s'étale. || Large, étendu. ¶ Débordant (de joie).

digamia, *ae*, f. Bigamie.

1. digamma, n. indecl. Digamma, lettre de l'alph. grec (éolien). ¶ (Plaisamm.) Registre des revenus (*fenus* par abrév. F).

2. digamma, *ae*, f. Comme le précédent.

digammon, *i*, n. Comme 1. DIGAMMA.

digammos, *i*, f. Comme 1. DIGAMMA.

digero, *is, gessi, gestum, ere*, tr. Porter çà et là; écarter, séparer. || Qqf. (terme d'hortic.) Planter séparément, transplanter; repiquer. ¶ Distribuer, partager, répartir. || Mettre en ordre, ranger; classer. || Analyser. || Enumérer (dans l'ordre), exposer; décrire, traiter (de). || Calculer, compter. ¶ (T. méd.) Eliminer, écarter, résoudre, faire aboutir (les abcès); digérer (les aliments), faciliter la digestion. || Evacuer, relâcher, purger. || Affaiblir, épuiser (le malade).

digesta, *orum*, n. pl. Digestes, nom donné aux livres de droit (et partic. aux *Pandectes*) par les juristes (parce qu'ils sont divisés en livres, titres et paragraphes).

digestio, *onis*, f. Distribution, arrangement, ordre. ¶ (T. méd.) Digestion; distribution de la nourriture dans le corps. || Point de maturité (d'un mal). ¶ Supputation; calcul. ¶ Décomposition, énumération. || Exposé. [bien.

1. digestus, *a, um*, p. adj. Qui digère.

2. digestus, *us*, m. Distribution; organisation. ¶ Digestion.

digitale, *is*, n. Gant.

digitalis, *e*, adj. Qui concerne les doigts. ¶ De la grosseur d'un doigt; de l'épaisseur du pouce.

digitatus, *a, um*, adj. Qui a des doigts. ¶ Fissipède (en parl. des oiseaux).

digitulus, *i*, m. Petit doigt.

digitus, *i*, m. Doigt. ¶ Orteil. || Griffe. || Ongle. || Pince (de cert. animaux). || Menue branche. ¶ (Mesure.) Doigt, pouce (0 m. 01848).

digladior, *aris, atus sum, ari*, dép. intr. Combattre (opiniâtrément). ¶ (Fig.) Se disputer avec acharnement.

dignatio, *onis*, f. Considération, égard, cas, estime. ¶ Faveur, crédit. ¶ Distinction, rang. [ment.

digne, adv. Dignement, convenablement. || Valeur personnelle, mérite. || Vertu, talent. ¶ Considéra-

tion, estime (dont on jouit à cause de sa valeur personnelle). || (Spéc.) Condition, rang, dignité. || Charge, fonction (officielle). *Dignitates*, les hommes en place, les (grands) dignitaires, les autorités. ¶ Dignité morale, sentiment de l'honneur, honorabilité. ¶ (Fig.) *En parl. de ch.* Extérieur imposant, beauté, distinction, dignité, noblesse. || Importance, valeur, prix.

digno, *as, are*, tr. Juger digne.

dignor, *aris, atus sum, ari*, dép. tr. Juger (qqn) digne de. ¶ Juger bon, vouloir bien, daigner.

dignosc... Voy. DINOSC...

dignus, *a, um*, adj. Qui mérite; digne de. || (Absol.) Digne, estimable. ¶ Qui répond bien à, conforme, séant, convenable; juste, mérité.

digredior, *eris, gressus sum, gredi*, dép. intr. S'en aller chacun de son côté se séparer *ou* simpl. s'éloigner, s'écarter. ¶ (Fig.) S'écarter (du sujet); faire une digression.

digressio, *onis*, f. Action de se séparer, de s'éloigner; départ. ¶ (Fig.) Action de s'écarter du droit chemin. ¶ (Rhét.) Digression. || Episode.

digressus, *us*, m. Action de se retirer; éloignement, départ. ¶ (Rhét.) Digression. || Episode.

dijudicatio, *onis*, f. Discernement; faculté de juger.

dijudicatrix, *icis*, f. Celle qui discerne.

dijudicium, *ii*, n. Comme DIJUDICATIO.

dijudico, *as, avi, atum, are*, tr. Discerner (pour juger). || Trancher (une question), décider, juger. ¶ Distinguer, discerner.

dijungo. Voy. DISJUNGO.

dilabor, *eris, lapsus sum, labi*, dép. intr. Glisser çà et là. || Se délabrer, tomber en ruines, s'écrouler. ¶ S'écouler (en parl. de l'eau *ou* d'un liquide), se fondre, se dissiper. || Se disperser, se débander (en parl. de soldats). ¶ (Fig.) S'affaiblir, s'évanouir, se perdre, périr. ¶ Qqf. confondu avec DELABOR. Voy. ce mot.

dilaceratio, *onis*, f. Déchirement.

dilacero, *as, avi, atum, are*, tr. Déchirer, mettre en pièces.

dilanio, *as, avi, atum, are*, tr. Déchirer en morceaux; dépecer.

dilapidatio, *onis*, f. Dilapidation.

dilapido, *as, avi, atum, are*, tr. Garnir de pierres dans tous les sens; paver. ¶ Disperser comme à coups de pierres. ¶ (Ordin.) Jeter çà et là (comme des pierres), dissiper, gaspiller, dilapider.

dilapsio, *onis*, f. Dissolution, décomposition; anéantissement.

dilapsus, *us*, m. Comme le précédent.

dilargior, *iris, itus sum, iri*, tr. Répandre des largesses çà et là; donner de tous côtés; prodiguer. ¶ *Avec le sens passif.* Etre généreusement distribué; être prodigué.

dilatatio, *onis*, f. Extension; dilatation.

dilatio, *onis*, f. Délai, ajournement, remise. ¶ Sursis.

dilato, *as*, *avi*, *atum*, *are*, tr. Elargir, étendre, agrandir. ¶ (Fig.) Etendre, prolonger, développer.

dilator, *oris*, n. Temporiseur.

dilatus, *a*, *um*, p. adj. Ecarté; contraint de partir. Voy. DIFFERO.

dilaudo, *as*, *are*, tr. Louer à tous égards.

dilectio, *onis*, f. Affection, amour.

dilector, *oris*, m. Celui qui chérit.

1. **dilectus**, *a*, *um*, p. adj. Chéri, aimé; cher.

2. **dilectus**, *us*, m. Comme DILECTIO.

3. **dilectus**, *us*, m. Levée (de troupes). *Dilectum conficere* ou *habere*, faire une levée.

dilemma, *matis*, n. Dilemme (raisonnement).

diligens, *entis*, p. adj. Qui aime; attaché à. ¶ Soucieux de ce qu'il fait, soigneux, attentif, diligent, empressé. ¶ Exact, qui fait chaque chose de point en point ou à point nommé. ¶ (En parl. de ch.) Qui prouve de l'attention *ou* du soin; soigné. ¶ Ménager, économe; rangé.

diligenter, adv. Avec discernement. ¶ (Ordin.) Avec soin, avec zèle, attentivement, exactement.

diligentia, *ae*, f. Choix, discernement. ¶ Affection. ¶ (Ordin.) Soin, application, diligence, zèle. ¶ (Spéc.) Ordre, économie, épargne.

dilorico, *as*, *are*, tr. Délacer, dégrafer. ‖ Ouvrir (brusquement) un vêtement.   [(Fig.) Etre évident.

diluceo, *es*, *ere*, intr. Briller, luire. ¶

dilucesco, *is*, *luxi*, *ere*, intr. Luire (en parl. du jour). Impers. *Dilucescit*, le jour point, il fait jour. ¶ (Fig.) Il est clair comme le jour.   [‖ Evidemment.

dilucide, adv. Avec netteté, clairement.

dilucidus, *a*, *um*, adj. Clair, lumineux, brillant. ¶ (Fig.) Evident.   [poindre.

diluculat, impers. Le jour commence à

diluculum, *i*, n. Point du jour.

diludium, *ii*, n. Repos accordé aux gladiateurs entre les reprises. ¶ (Fig.) Répit.

diluo, *is*, *lui*, *lutum*, *ere*, tr. Détremper, laver, délayer; dissoudre. ‖ Couper d'eau, tremper (le vin). ¶ Laver à grande eau, rincer. ¶ (Fig.) Effacer, se justifier de. ‖ Eclaircir, débrouiller, exposer clairement. ‖ Effacer, affaiblir, atténuer, noyer (fig.).

dilute, adv. Voy. DILUTIUS.

dilutio, *onis*, f. Action de se laver (d'une accusation).

dilutius, adv. (au comp.) En délayant assez — *potare*, boire son vin plus trempé.

dilutus, *a*, *um*, p. adj. Détrempé. ¶ (Plaisamm.) Un peu ivre. ¶ Mêlé d'eau, trempé d'eau. ‖ Faible. ¶ Peu chargé en couleur, *d'où* transparent. ‖ Clair; évident.

diluvies, *ei*, f. Débordement; déluge.

1. **diluvio**. *onis*, f. Comme le précédent.

2. **diluvio**, *as*, *are*, intr. Déborder, inonder. [tation, destruction; ruine.

diluvium, *ii*, n. Déluge. ¶ (Fig.) Dévastation, destruction; ruine.

dimachae, *arum*, m. pl. Soldats macédoniens habitués à se battre aussi bien à cheval qu'à pied. [s'étendre.

dimano, *as*, *avi*, *are*, intr. Se répandre,

dimensio, *onis*, f. Action de mesurer; mesure, mesurage. ¶ Etendue, dimension. ‖ Axe de la terre. ¶ Mesure métrique. ¶ Ration de blé donnée aux soldats.

dimensor, *oris*, m. Arpenteur.

dimensum, *i*, n. Ration.   [tage.

dimensuratio, *onis*, f. Mesurage; arpen-

dimeter, *tra*, *trum*, adj. De deux mesures. ‖ Dimètre (t. de métrique).

dimetiens, *entis*, f. Diamètre.

dimetior, *iris*, *mensus sum*, *iri*, dép. tr. Mesurer dans tous les sens; prendre toutes les dimensions de. ‖ Mesurer, compter. ¶ Disposer en mesurant, jalonner, tracer (un camp).

dimeto, *as*, *are*, tr. et **dimetor**, *aris*, *ari*, dép. tr. Mesurer en tous sens pour abornement; tracer les limites de, borner.   ¶ (Fig.) Lutte; débat.

dimicatio, *onis*, f. Engagement, combat.

dimico, *as*, *avi*, *atum*, *are*, intr. Combattre. ¶ (Fig.) Lutter. — *de fama*, risquer sa réputation dans un débat.

dimidia (s.-e. *pars*), *ae*, f. Demie; moitié.

dimidiatus, *a*, *um*, p. adj. Réduit à la moitié; demi.

dimidietas, *atis*, f. Moitié.

dimidio, *as*, *are*, tr. Partager en deux.

dimidium, *ii*, n. Moitié.

dimidius, *a*, *um*, adj. Demi.

diminuo (arch. DIMMINUO), *is*, *ui*, *utum*, *ere*, tr. Mettre en morceaux, fracasser *Qqf. confondu avec* DEMINUO. Voir ce mot.

diminutio. Voy. DEMINUTIO.

diminut... Voy. DEMINUT..

dimissio, *onis*, f. Envoi, expédition. ¶ Renvoi, licenciement. ¶ (*Eccl.*) Rémission (des péchés). ¶ (Méd.) Action de se détendre (en parl. d'un mal), rémission, rémittence.

dimissor, *oris*, m. Celui qui remet (les péchés).

dimissus, *us*, m. Envoi, expédition.

dimitto, *is*, *misi*, *missum*, *ere*, tr. Envoyer de tous côtés, dépêcher; expédier. ¶ Envoyer loin de soi; renvoyer, congédier, licencier; dissoudre. — *senatum*, lever la séance du Sénat. ¶ Répudier (sa femme), divorcer. ¶ (Jur.) Renvoyer (qqn payé), satisfaire un créancier (en lui payant son dû). ‖ Renvoyer sans dommage, faire grâce, gracier, épargner. ¶ Renvoyer, ne pas retenir, laisser échapper, abandonner, renoncer à, faire le sacrifice de. — *multum de cupiditate*, rabattre beaucoup de sa convoitise. ¶ Laisser

échapper, *c.-à-d.* oublier. ¶ (Spéc.) Remettre, *c.-à-d.* pardonner, faire remise de, tenir quitte. ¶ Laisser (après soi), léguer.

dimminuo. Voy. DIMINUO.

dimoveo, *es, movi, motum, ere*, tr. Mouvoir de côté et d'autre : séparer, écarter. || Fendre (les flots, la presse, etc.), ouvrir, se frayer un passage à travers. ¶ Ecarter, détourner. ¶ Mettre en mouvement, promener çà et là.

dinoscentia, *ae*, f. Discernement.

dinosco. Voy. DINOSCIBILIS.

dinoscibilis, *e*, adj. Reconnaissable.

dinosco, *is, novi, ere*, tr. Distinguer; démêler. ¶ Reconnaître, apercevoir *ou* percevoir.   [compter.

dinumerabilis, *e*, adj. Qu'on peut

dinumeratio, *onis*, f. Calcul, compte. ¶ Dénombrement. ¶ (Rhét.) Enumération.

dinumerator, *oris*, m. Celui qui compte.

dinumero, *as, avi, atum, are*, tr. Compter; faire le dénombrement; calculer, supputer. ¶ Compter (de l'argent); payer.   [deux oboles.

diobolaria, *ae*, f. (Celle) qu'on a pour

diobolaris, *e*, adj. Qui coûte *ou* vaut deux oboles.

dioecesanus, *a, um*, adj. Diocésain.

dioecesis, *is et cos* (acc. *in*), f. Circonscription judiciaire; étendue de cette circonscription; district. ¶ (*Eccl.*) Diocèse; paroisse.

dioecetes, *ae*, m. Intendant du trésor.

diota, *ae*, f. Vase à deux anses.

diphthongos, *i*, f. Diphthongue.

diploma, *matis*, n. Document écrit sur deux feuilles pliées. ¶ Sauf-conduit, passeport. || Permis de circulation par la poste impériale. ¶ Diplôme; brevet.

diptychum, *i*, n. Ecaille double (des huîtres). ¶ Tablettes doubles se repliant l'une sur l'autre. ¶ Rôle, liste.

dipylon, *i*, n. Porte dipyle (à Athènes).

dipyros, *on*, adj. Deux fois brûlé.

dira, *orum*, n. pl. Mauvais présages. ¶ Imprécations.

diradio, *as, are*, tr. Disposer en rayons.

dirado, *is, ere*, tr. Racler en tous sens.

dirae, *arum*, f. pl. Mauvais présages. ¶ Imprécations.

directe, adv. Directement, en ligne droite. || Perpendiculairement. || Horizontalement. ¶ (Fig.) Tout naturellement, tout simplement.

directio, *onis*, f. Action de mettre en ligne droite; alignement. || Nivellement, ravalement. ¶ (Fig.) Droiture; rectitude. ¶ Action de diriger. || Direction. || Envoi.

directo, adv. En ligne droite, directement. || Sans intermédiaire. || Sans conditions; absolument.

directus, *a, um*, p. adj. Dirigé en ligne droite; direct, droit : horizontal; vertical *ou* perpendiculaire. ¶ (Fig.) Direct, droit, sans détour; sans intermédiaire.

diremptio, *onis*, f. Séparation.

diremptus, *us*, m. Séparation; rupture.

direptio, *onis*, f. Rapt, pillage.

direptor, *oris*, m. Pillard.

direptus, *us*, m. Comme DIREPTIO.

diribeo, *es, ui, ere*, tr. Compter en triant (les bulletins de vote), dénombrer; dépouiller (le scrutin). ¶ Distribuer.   [bulletins, relevé des votes.

diribitio, *onis*, f. Compte, triage des

diribitor, *oris*, m. Celui qui tire et compte les bulletins de vote; scrutateur. ¶ Esclave découpeur, écuyer tranchant. ¶ (En gén.) Distributeur.

diribitorium, *ii*, n. Local où se dépouillait le scrutin. ¶ Local où l'on distribuait de l'argent *ou* des provisions au peuple, et la paye aux soldats.

dirigeo. Voy. DERIGEO.

dirigo, *is, rexi, rectum, ere*, tr. Faire aller droit, mettre en ligne droite, aligner. || Redresser, niveler. || Tendre (une corde). ¶ Donner une direction déterminée; diriger, pousser. — *vela*, cingler (vers). — *tela*, diriger ses traits. Absol. *Dirigere*, tirer en visant. ¶ Envoyer, adresser. — *se*, se rendre (dans telle ou telle direction), prendre (telle ou telle direction). ¶ (T. milit.) Ranger, disposer. — *aciem*, ranger son armée en bataille. ¶ Tracer, construire. || Tracer (dans le ciel des régions déterminées avec le bâton augural); délimiter. ¶ (Fig.) Diriger, guider. ¶ Régler, conformer. ¶ (*Intr.*) Etre tourné (vers), regarder.

dirimo, *is, emi, emptum, ere*, tr. Mettre à part, trier. ¶ Diviser, trancher; séparer, partager. ¶ (Par ext.) Dissoudre, interrompre; rompre (le combat), arrêter. || Empêcher, contrarier, faire échouer. ¶ Supprimer, casser, annuler.

diripio, *is, ripui, reptum, ere*, tr. Tirer brutalement de côté et d'autre. ¶ Déchirer, mettre en pièces. || (Fig.) S'arracher, se disputer. ¶ (Ordin.) Piller, mettre à sac, saccager. ¶ Tirer brutalement loin de, arracher, dérober, ravir.

diritas, *atis*, f. Caractère funeste, aspect effroyable. || Cruauté (du sort), dureté (des choses). ¶ Accident, malheur; danger affreux. ¶ Cruauté, barbarie, humeur farouche.

dirumpo (DISRUMPO), *is, rupi, ruptum, ere*, tr. Rompre en morceaux, briser, fracasser. ¶ Rompre. ¶ Au passif. *Dirumpi*, éclater, crever (de dépit, de jalousie, etc.).

diruo, *is, rui, rutum, ere*, tr. Démolir entièrement, jeter bas, renverser, détruire. ¶ (Fig.) Priver. *Aere dirui*, être privé de sa paie, être cassé aux gages.   [brisement; fracture.

diruptio, *onis*, f. Action de rompre;

diruptus, *a, um*, p. adj. Rompu, déchiré. ¶ (Spéc.). Hernieux.

dirus, *a, um*, adj. Sinistre, de mauvais

augure, funeste. ¶ Effroyable, affreux. || (En parl. de pers.) Redoutable, cruel.

dirutio, *onis*, f. Destruction.

1. **dis** ou **di** (devant *d, g, l, m, n, r, v*), particule insép. marquant dispersion, division *ou* négation.

2. **dis, ditis**, adj. Riche, opulent. Voy. DITIS.

discalceatus (DISCALCIATUS), *a, um*, p. adj. Déchaussé, nu pieds.

discalceo, *as, are*, tr. Déchausser.

discedo, *is, cessi, cessum, ere*, intr. Aller dans des directions opposées, se séparer, s'écarter, s'ouvrir. ¶ Aller dans un endroit différent, s'éloigner, partir; s'en aller, se retirer. || (Absol.) Se mettre en retraite. ¶ (Fig.) Rompre (avec un ami), se séparer de, quitter; divorcer. || Se départir de, renoncer à, manquer à. — *ab officio*, manquer à son devoir. — *a se*, se démentir, cesser d'être soi. ¶ Sortir (d'un combat), sortir d'embarras, se tirer d'affaire. || S'en aller, passer; se ranger à (un avis). ¶ Faire abstraction de, excepter. ¶ Décéder, mourir.

disceptatio, *onis*, f. Débat, controverse. || (Méton.) Point à débattre. ¶ Jugement, décision.

disceptator, *oris*, m. Arbitre, juge.

disceptatrix, *icis*, f. Celle qui décide.

discepto, *as, are*, intr. et tr. || *Intr.* Débattre, contester, discuter. || Etre en question, en cause. ¶ *Tr.* Juger, décider.

discerno, *is, crevi, cretum, ere*, tr. Séparer (en triant). || Séparer, éloigner. ¶ (Fig.) Discerner, distinguer; démêler. || Trancher (un différend), décider, juger.

discerpo, *is, cerpsi, cerptum, ere*, tr. Déchirer, mettre en pièces, écharper. || Diviser en menus morceaux. || (Par ext.) Dissiper, disperser. ¶ (Fig.) Morceler (un sujet). ¶ Déchirer (en paroles), mettre en pièces (la réputation de qqn).

discessio, *onis*, f. Séparation. || (Spéc.) Divorce. ¶ Eloignement, retraite. Départ. ¶ (Polit.) Action de passer (au Sénat) du côté de celui dont on adopte l'avis; action de se ranger à l'avis de. || Sanction. ¶ Désaccord; discussion.

discessus, *us*, m. Action de s'écarter *ou* de se séparer; action de s'ouvrir. ¶ (Spéc.) Retraite (t. milit.) ¶ (Euphém.) Départ, *c.-à-d.* exil *ou* mort.

discidium, *ii*, n. Déchirement. ¶ Séparation. || Divorce. ¶ Désunion, discorde.   [pant.

discido, *is, ere*, tr. Séparer en coupant.

discifer, *fera, ferum*, adj. Qui porte un plateau.

discinctus, *a, um*, p. adj. Qui n'a pas de ceinture. ¶ Qui manque de tenue, débraillé. ¶ Nonchalant. ¶ Dissolu.

discindo, *is, scidi, scissum, ere*, tr. Dé-

chirer en morceaux, fendre, briser, couper. ¶ Rompre (pr. et fig.).

discingo, *is, cinxi, cinctum, ere*, tr. Oter la ceinture. ¶ (T. milit.) Désarmer (un soldat), priver de son baudrier, dégrader (un centurion). ¶ (Fig.) Relâcher, amollir, réduire à l'impuissance.

discipleina. Voy. DISCIPLINA.

disciplina, *ae*, f. Enseignement, instruction (donnée *ou* reçue), éducation. || (Méton.) Objet d'enseignement, science, art, connaissances. ¶ Procédé d'enseignement, méthode; système (de philosophie). || Doctrine, école. ¶ Règle de conduite, règlement, discipline, principes; mœurs. || Organisation, constitution.

discipula, *ae*, f. Ecolière, élève.

discipulus, *i*, m. Disciple. || Elève, écolier. || Apprenti.

discissio, *onis*, f. Diérèse (t. de gramm.).

discissio, *onis*, f. Déchirement. ¶ (Fig.) Séparation, division, schisme.

discito, *as, are*, tr. Se familiariser avec qqch.).

discludo, *is, clusi, clusum, ere*, tr. Enfermer à part, tenir écarté l'un de l'autre, séparer, isoler. ¶ Rompre, fendre, ouvrir. ¶ Barrer (pour faire obstacle), empêcher, arrêter.

disclusio, *onis*, f. Séparation.

disco, *is, didici, ere*, tr. Apprendre, recevoir les leçons de; étudier, s'instruire à l'école de. || S'exercer à; apprendre à connaître. ¶ Apprendre, recevoir une nouvelle.

discolor, *oris*, adj. De diverses couleurs; bigarré. ¶ D'une couleur différente; différent, dissemblable.   [couleurs.

discolorius, *a, um*, adj. De diverses

disconvenio, *is, ire*, intr. Ne pas s'accorder, être en désaccord avec. *Impers.* Il y a désaccord, on ne s'entend pas.

discoquo, *is, coxi, coctum, ere* tr. Faire bien cuire. || Faire une décoction de.

discordabilis, *e*, adj. Discordant.

discordia, *ae*, f. Désaccord, désunion, mésintelligence, discorde.   [discorde.

discordiose, adj. Avec un esprit de

discordiosus, *a, um*, adj. Qui aime la discorde. ¶ Où règne la discorde.

discordis, *e*, adj. Voy. DISCORS.

discordo, *as, avi, are*, intr. Etre en mésintelligence, ne pas s'accorder. || (Spéc.) Se mutiner, faire une émeute. ¶ (Fig.) Etre opposé à, ne pas être assorti, être différent, faire contraste.

discors, *cordis*, adj. Qui est en désaccord, en mésintelligence, en lutte avec. ¶ (Fig.) Discordant, sans harmonie, dissonant. || Différent, contrastant, contraire.   [rence.

discrepantia, *ae*, f. Désaccord. ¶ Diffé-

discrepatio, *onis*, f. Désaccord, dissentiment.

discrepito, *as, are*, intr. Etre en complet désaccord; être entièrement différent.

discrepo, *as, avi* et *ui, are,* intr. Rendre un son différent, n'être pas d'accord, n'être pas à l'unisson. ¶ Etre en désaccord, ne pas s'entendre. Impers. *Discrepat,* on n'est pas d'accord, on ne s'entend pas. ¶ Différer; contraster.

discresco, *is, crevi, ere,* intr. Croître en largeur. ¶ Se déformer en croissant.

discribo, *is, scripsi, scriptum, ere,* tr. Attribuer à chacun une part, répartir. Confondu qqf. avec DESCRIBO.

discrimen, *inis,* n. Ce qui sépare. || Ligne de séparation. || Intervalle. ¶ Distinction, différence. ¶ Crise, instant critique, moment décisif *ou* critique. || Péril, danger. ¶ Risque.

discriminale, *is,* n. Aiguille de tête (pour partager les cheveux).

discrimino, *as, are,* tr. Séparer, partager, diviser. ¶ (Fig.) Distinguer, discerner; différencier.

discriptio, *onis.* f. Répartition, partage. Voy. DESCRIPTIO avec lequel il est parfois confondu.

discrucio, *us,* m. Tourment; torture.

discrucio, *as, are,* tr. Torturer, martyriser (pr. et fig.). [de repos.

discubitio, *onis,* f. Lit de table. ¶ Lit

discubitus, *us,* m. Action de se placer sur un lit de table.

disculcio, *as, are,* tr. Déchausser.

discumbo, *is, cubui, cubitum, ere,* intr. Prendre place (se coucher) sur un lit de table, se mettre à table (en parl. de plus pers.) .¶ Se mettre au lit, se coucher.

discurro, *is, curri* et *cucurri, cursum, ere,* intr. Courir de divers côtés, se disperser en courant. ¶ Courir çà et là, aller de côté et d'autre. ¶ Parcourir; aller et venir. || (Mar.) Croiser. ¶ S'étendre. ¶ (*Tr.*) Parcourir, passer rapidement par. || (Fig.) Discourir.

discursatio, *onis,* f. Allées et venues.

discurso, *as, are,* intr. Courir çà et là, aller et venir. ¶ *Tr.* Parcourir en tous sens.

discursus, *us,* m. Action de se disperser en courant, de courir dans toutes les directions. ¶ Action de courir çà et là, de s'agiter en tous sens, d'aller et de venir avec empressement. || (T. de mar.) Croisière. || (T. milit.) Charge, || (Astron.) Cours (des astres). || Démarches; intrigues; brigue. || Frétillement (d'un poisson). || Mouvement nerveux. ¶ Discours. || Entretien, conférence.

discus, *i,* m. Disque; palet (de pierre *ou* de métal qu'on lance). ¶ Plat; plateau. ¶ Cymbale. ¶ Cadran (solaire).

discussio, *onis,* f. Secousse, ébranlement. ¶ (Fig.) Examen, discussion. ¶ Inspection, vérification, contrôle (de l'Etat). ¶ (Méd.) Crise. [tement.

discussius, adv. (au compar.). Plus exac-

discussor, *oris,* m. Celui qui scrute, examine *ou* discute. ¶ Contrôleur, inspecteur du fisc.

discutio, *is, cussi, cussum, ere,* tr. Séparer en ébranlant, en frappant; briser, rompre, fracasser. ¶ Chasser, dissiper, écarter. ¶ Ecarter, rendre inutile, faire échouer; déjouer. ¶ (Méd.) Guérir. — *febrem,* couper la fièvre. ¶ Discuter, examiner, débattre; éclaircir (une question). [ment.

diserte, adv. Clairement. ¶ Eloquem-

disertim, adv. Clairement; expressément.

disertus, *a, um,* p. adj. *En parl. de ch.* Disposé clairement; bien composé; bien dit; bien écrit. ¶ *En parl. de pers.* Habile à parler, disert, qui parle avec clarté et agrément; éloquent.

1. **disjectus,** *a, um,* part. Voy. DISJICIO.

2. **disjectus,** *us,* m. Dispersion.

disjicio (DISICIO et DISSICIO) *is, jeci, jectum, ere,* tr. Jeter çà et là, disperser. ¶ Détruire, renverser. ¶ Désunir, démembrer, rompre. ¶ Fendre, trancher, percer; ouvrir. ¶ Disséminer. ¶ (Fig.) Dissiper, gaspiller (sa fortune). ¶ Répandre, *¶ à-d.* divulguer. ¶ Faire échouer; déconcerter.

disjug... Voy. DIJUG...

disjuncte (DIJUNCTE), adv. Séparément.

disjunctio (DIJUNCTIO), *onis,* f. Séparation, rupture. || (Fig.) Différence; diversité (d'opinions, de sentiments). ¶ (Techn.) Proposition disjonctive. || Disjonction, asyndète.|| Synonymie. || Voy. DIASTOLE. [Disjonctif.

disjunctivus (DIJUNCTIVUS), *a, um,* adj.

disjunctus (DIJUNCTUS), *a, um,* adj. Séparé; éloigné. || (Fig.) Eloigné de; dissemblable, différent. ¶ (Techn.) Disjonctif. || (Rhét.) Décousu; saccadé.

disjungo (DIJUNGO), *is, junxi, junctum, ere,* tr. Détacher. ¶ Dételer. ¶ Eloigner; séparer. ¶ (Fig.) Désunir, disjoindre, séparer. [répandre partout.

dispalesco, *is, ere,* intr. S'ébruiter.

dispalo, *as, atum, are,* tr. Divulguer partout.

dispalor, *aris, atus, sum, ari,* dép. intr. Errer çà et là; se répandre de tous côtés.

dispando, *is, pandi, pansum, ere,* tr. Etendre, élargir. ¶ Ouvrir.

dispar, *paris,* adj. Inégal; dissemblable, différent. — *proelium,* combat disproportionné (entre fantassins et cavaliers).

disparatio, *onis,* f. Séparation.

disparilis, *e,* adj. Inégal. || Dissemblable. ¶ (Gramm.) Irrégulier.

disparilitas, *atis,*f. Différence. ¶ (Gramm.) Irrégularité.

disparilter, adv. Inégalement. || Diversement. ¶ (Gramm.) Irrégulièrement.

disparo, *as, avi, atum, are,* tr. Séparer, diviser. ¶ Différencier, diversifier.

dispectio, onis, f. Examen attentif.

dispector, onis, m. Celui qui examine, qui scrute. [attentive, examen.

1. dispectus, us, m. Considération

2. dispectus, a, um, p. adj. Fiché de place en place ou isolément.

3. dispectus, a, um, p. adj. Comme 1. DISPECTUS.

dispello, is, puli, pulsum, ere, tr. Pousser çà et là, disperser. ¶ Ecarter, chasser. ¶ (Fig.) Dissiper, faire disparaître.

dispendiosus, a, um, adj. Préjudiciable; dispendieux.

dispendium, ii, n. Perte (d'argent). ¶ Dépense, frais. || Perte, dommage, préjudice. || Perte (de temps). || Chemin qui fait perdre du temps, qui allonge (le trajet, le voyage).

1. dispendo, is, tr. Voy. DISPANDO.

2. dispendo, is, pensum, ere, tr. Peser; vendre au poids. ¶ Partager.

dispensatio, onis, f. Action de peser exactement : partage exact, distribution égale. ¶ Administration. || Sage gestion, économie.||Dispensation. ¶ (Méton.) Office de gérant, d'administrateur.

dispensator, oris, m. Distributeur. ¶ Administrateur, intendant; économe; trésorier. [économiquement.

dispensatorie,.adv. Comme un économe.

dispensatorius, a, um, adj. Qui concerne la gestion, l'administration, d'où économique.

dispensatrix, icis, f. Femme de charge. ¶ Intendante, trésorière.

dispenso, as, avi, atum, are, tr. Peser exactement (les parts). || Partager, distribuer, répartir. ¶ Administrer, gérer. || Disposer avec soin, arranger, régler.

dispercutio, is, ere, tr. Fracasser.

disperdo, is, ere, tr. Perdre entièrement, détruire de fond en comble; consommer la ruine de.

dispereo, is, perii, ire, intr. Etre complètement perdu; être détruit.

dispergo, is, spersi, spersum, ere, tr. Répandre çà et là, jeter de côté et d'autre, disperser, disséminer. || Répandre, étendre. || Propager. ¶ Parsemer, joncher de. ¶ Eclabousser.

disperse, adv. Çà et là; de côté et d'autre.

dispersus, us, m. Dispersion.

dispertio (DISPARTIO), is, ivi et ii, itum, ire, tr. Distribuer, partager, répartir.

dispertior (DISPARTIOR), iris, iri, dép. tr. Comme DISPERTIO.

dispertitio (DISPARTITIO), onis, f. Partage, distribution, répartition.

dispesco, is, cui, ere, tr. (Faire paître de divers côtés). Mettre à part, séparer (pr. et fig.). || Diviser.

dispicio, is, spexi, spectum, ere, intr. et tr. Intr. Ouvrir les yeux, commencer à voir. || Regarder autour de soi avec attention. || (Fig.) Appliquer son atten-

tion. ¶ Tr. Commencer à distinguer un objet, apercevoir, découvrir. || (Fig.) Entrevoir, reconnaître. || (Fig.) Considérer, observer, examiner.

displicentia, ae, f. Déplaisir, dégoût.

displiceo, es, plicui, plicitum, ere, intr. Déplaire, mécontenter. — sibi, être souffrant ou mécontent; être de mauvaise humeur.

displodo, is, plosi, plosum, ere, tr. Ouvrir avec bruit; faire éclater. ¶ Simpl. Ouvrir largement, tourner en dehors.

dispono, is, posui, positum, ere, tr. Placer çà et là, disposer sur des points différents; poster (des troupes). || Mettre en ordre, ranger. || Arranger. ¶ (Fig.) Distribuer selon un plan déterminé. || Disposer, ordonner, régler. || Administrer. ¶ Prendre des mesures, des dispositions. || Décider, statuer.

disposite, adv. En ordre; régulièrement.

dispositio, onis, f. Disposition, arrangement; ordre. || (T. milit.) Stratégie ou tactique. ¶ Ordonnance parfaite ou régularité. ¶ Organisation; administration. ¶ Disposition, mesure.

dispositor, oris, m. Ordonnateur.

dispositura, ae, f. Disposition, ordre.

1. dispositus, a, um, p. adj. Bien disposé, bien arrangé. ¶ Bien réglé, régulier. || Méthodique.

2. dispositus, abl. u, m. Arrangement.

dispunctio, onis, f. Règlement de comptes; apurement. ¶ Balance (d'un compte), compensation, récompense. ¶ (Fig.) Epreuve, examen. ¶ Terme, fin.

dispungo, is, punxi, punctum, ere, tr. (Séparer par des points). || Régler, apurer (un compte), mettre en balance; équilibrer. ¶ (Fig.) Balancer (une chose par une autre), faire un emploi judicieux de. ¶ Clore, finir. ¶ Séparer.

disputabilis, e, adj. Discutable.

disputatio, onis, f. Supputation, compte, calcul. ¶ Discussion, controverse. || (Méton.) Dissertation.

disputatiuncula, ae, f. Petite discussion. ¶ Débat oiseux.

disputator, oris, m. Dialecticien, raisonneur. ¶ Disputeur.

disputatrix, icis, f. Celle qui dispute, qui argumente. ¶ Dialectique.

disputo, as, avi, atum, are, tr. Apurer, établir (un compte). ¶ (Ordin.) Peser le pour et le contre, penser mûrement à, examiner dans le détail ou minutieusement. ¶ Discuter avec autrui, débattre (une question); argumenter. ¶ Disserter, discourir. || Exposer (un sujet).

disquiro, is, ere, tr. Rechercher soigneusement; examiner sous tous les aspects.

disquisitio, onis, f. Examen minutieux.

disrapio. Voy. DIRAPIO.

disraro (DIRARO), as, are, tr. (Rendre moins dense.) Eclaircir (un arbre, en le taillant). ¶ (Méd.) Délayer, étendre (d'eau). ‖ Faire transpirer (*propr.* dilater par la transpiration).

disrumpo. Voy. DIRUMPO.

disseco (DISSICO), *as, secui, sectum, are,* tr. Couper en morceaux, dépecer. ¶ Couper, tailler.

disseminatio, *onis,* f. Action de disséminer, de propager. ¶ (Méton.) Au pl. *Disseminationes,* bruits malveillants, médisances, calomnies.

disseminator, *oris,* m. Celui qui répand *ou* propage.

dissemino, *as, avi, atum, are,* tr. Semer çà et là. ¶ (Fig.) Propager, répandre.

dissensio, *onis,* f. Dissentiment, différence dans la manière de voir *ou* de juger. ¶ Dissension, discorde. ¶ (Fig.) Désaccord, contradiction, antinomie.

dissensus, *us,* m. Comme le précédent.

dissentio, *is, sensi, sensum, ire,* intr. Etre de sentiment opposé, contraire; ne pas avoir le même avis, ne pas s'entendre. ‖ Etre en mauvaise intelligence. ¶ (*En parl. de ch.*) Etre en contradiction avec, jurer avec.

dissepi... Voy. DISSAEPI...

dissept... Voy. DISSAEPT...

disserenascit, *avit,* impers. Le temps s'éclaircit, *c.-à-d.* s₃ met au beau.

disserenat, impers. Il fait beau.

dissereno, *as, are,* tr. Rendre serein.

1. dissero, *is, sevi, situm, ere,* tr. Semer çà et là. ¶ Planter, enfoncer de place en place.

2. dissero, *is, serui, sertum, ere,* tr. Ranger séparément les parties d'un tout; analyser. ¶ Exposer, expliquer, traiter. ¶ Discuter (les points d'un sujet l'un après l'autre); débattre.

disserpo, *is, ere,* intr. Se glisser de place en place. ¶ (Fig.) Se répandre, s'étendre (en serpentant). [sion.

dissertatio, *onis,* f. Dissertation; discus-

dissertator, *oris,* m. Celui qui disserte, qui discute.

dissertio, *onis,* f. Décomposition, analyse. ¶ Dissolution. ¶ Discussion.

dissertitudo, *inis,* f. Exposé, exposition.

disserto, *as, avi, atum, are,* tr. Discuter sur, raisonner de; discuter, exposer, traiter.

dissertor, *oris,* m. Celui qui discute.

dissicio. Voy. DISJICIO.

dissico. Voy. DISSECO.

dissidentia, *ae,* f. Opposition (entre les choses).

dissideo, *es, sedi, sessum, ere,* intr. Se trouver sur des points éloignés l'un de l'autre; être éloigné, séparé. ‖ Se séparer, s'écarter de. ¶ (Fig.) *En parl. de pers.* Etre en dissidence, ne pas s'entendre, être en désaccord. ‖ Etre en mésintelligence, en lutte, en guerre. ‖ *En parl. de ch.* Contraster.

dissidiosus, *a, um,* adj. Qui sépare.

dissidium, *ii,* n. Désaccord. *Confondu souv. av.* DISCIDIUM. V. ce mot.

dissilio, *is, silui, sultum, ere,* intr. Sauter de côté et d'autre (en se brisant), voler en éclats. ‖ Crever. ¶ (Fig.) Se rompre. ¶ S'éloigner en sautant; sauter. [rent.

dissimilis, *e,* adj. Dissemblable, différent.

dissimiliter, adv. Différemment.

dissimilitudo, *inis,* f. Dissemblance; différence. [secrètement.

dissimulanter, adv. En dissimulant;

dissimulantia. *ae,* f. Dissimulation. ¶ Ironie.

dissimulatio (DISSIMILATIO), *onis,* f. Action de (se) rendre méconnaissable, déguisement, travestissement. ¶ (Fig.) Action de déguiser ses sentiments ; feinte, dissimulation. ‖ (Spéc.) Ignorance simulée, ironie (socratique). ¶ Inattention voulue. ‖ Négligence, incurie. [qui dissimule.

dissimulator, *oris,* m. Celui qui feint,

dissimulo (DISSIMILO), *as, avi, atum, are,* tr. Rendre méconnaissable, travestir, déguiser. ¶ (Fig.) Dissimuler, cacher, feindre. ‖ (Absol.) Cacher son jeu, feindre l'ignorance. ‖ Garder l'incognito. ¶ Ne pas tenir compte de, négliger à dessein.

dissipabilis, *e,* adj. Qui se dissipe facilement. ¶ Volatil.

dissipatio, *onis,* f. Dispersion, état de ce qui se disperse. ‖ Dissolution. ¶ Dissipation, gaspillage. ‖ Décomposition, analyse.

dissipatus, *a, um,* p. adj. Dispersé, éparpillé. ¶ Sans cohésion, diffus.

dissipo (DISSUPO), *as, avi, atum, are,* tr. Jeter çà et là, répandre, disperser (ce qui était en tas). ¶ *Partic.* Tailler en pièces, mettre en déroute. ‖ Mettre en morceaux, détruire. ‖ Anéantir en dépensant, dissiper, gaspiller. ‖ Divulguer. ¶ (Méd.) Dissiper, résoudre. ¶ Faire disparaître. [sépare.

dissociabilis, *e,* adj. Incompatible. ¶ Qui sépare.

dissocialis, *e,* adj. Incompatible; qu'on ne peut pas associer à.

dissociatio, *onis,* f. Séparation. ¶ (Fig.) Incompatibilité. ‖ Antipathie.

dissocio, *as, avi, atum, are,* tr. Ecarter les uns des autres, disjoindre, séparer. ¶ (Fig.) Désunir, mettre la désunion entre, diviser, désunir.

dissolubilis, *e,* adj. Séparable. ¶ Qui peut se dissoudre.

dissolute, adv. Sans liaison. ¶ Mollement, négligemment. ¶ D'une façon extravagante.

dissolutio, *onis,* f. Action de dissoudre, dissolution. ‖ Destruction, abolition. ‖ Réfutation. ‖ (Rhét.) Suppression des particules conjonctives. ¶ (Fig. Relâchement des mœurs, licence effrénée, débauche. ¶ Mollesse, faiblesse de caractère, manque d'énergie, lâcheté.

dissolutor, *oris,* m. Celui qui dissout, qui détruit, qui réduit à rien.

dissolutus, *a*, *um*, p. adj. Disjoint, relâché, lâche. || Négligé (en parl. du style). ¶ Négligent, insouciant. ¶ Faible, qui manque de fermeté, trop indulgent. ¶ Mou, efféminé. || Dissolu, dépravé.

dissolvo (DISSOLUO), *is*, *solvi*, *solutum*, *ere*, tr. Détacher les parties d'un tout, dissoudre. ¶ Séparer, désunir. ¶ Rompre, fracasser, détruire. Au passif *dissolvi*, se disloquer. ¶ Dissoudre, c.-à-d. fondre, liquéfier. || (Méd.) Relâcher (le ventre). — *ventrem*, donner la diarrhée. || Résoudre (les humeurs), guérir. ¶ (Fig.) Dissoudre, rompre, casser, annuler. || Abolir, anéantir. ¶ Réfuter, confondre. ¶ Résoudre (un problème), trouver *ou* donner la solution de. ¶ (Techn.) *Rhét.* Supprimer les particules de liaison, ne pas serrer (le style), avoir un style lâche. || Au passif : *dissolvi*, faiblir, mollir. ¶ Détacher, délier. || (Fig.) Dégager, tirer d'embarras, délivrer. ¶ S'acquitter de, payer, solder. — *damna*, indemniser.

dissono, *as*, *sonui*, *sonitum*, *are*, intr. Détonner, être discordant. ¶ (Fig.) N'être pas d'accord, différer.

dissonus, *a*, *um*, adj. Dissonant, discordant. ¶ (Fig.) Qui ne s'accorde pas, différent.

dissors, *sortis*, adj. Qui a un lot distinct, qui n'a pas à partager avec d'autres. ¶ Hybride.   [suader, déconseiller.

dissuadeo, *es*, *suasi*, *suasum*, *ere*, tr. Dissuasio, *onis*, f. Action de dissuader.

dissuasor, *oris*, m. Celui qui dissuade, qui déconseille.   [DISSAVIOR.

dissuavio, **dissuavior**. Voy. DISSAVIO,

dissuesco, *is*, *ere*, intr. Se déshabituer entièrement.

dissulto, *as*, *are*, intr. Sauter de côté et d'autre, se disperser en bondissant. ¶ Voler en éclats, éclater, crever.

dissuo, *is*, *sui*, *sutum*, *ere*, tr. Découdre, défaire (une couture), séparer (ce qui était cousu). ¶ (Fig.) Désunir.

dissupo. Voy. DISSIPO.

distabesco, *is*, *tabui*, *ere*, intr. Se décomposer, se délayer. ¶ (Fig.) Se corrompre.

distaedet, *ere*, impers. Mourir d'ennui.

distantia, *ae*, f. Eloignement, distance. || Intervalle. ¶ (Fig.) Différence.

distendo, *is*, *tendi*, *tentum* et *tensum*, *ere*, tr. Tendre dans tous les sens, tendre fortement. || Ecarteler. ¶ Etendre, déployer. ¶ Tendre, gonfler; bourrer. ¶ Tourmenter, torturer. Occuper de différents côtés. || (Spéc.) Forcer (l'ennemi) à étendre ses lignes; assaillir sur plusieurs points. || (Fig.) Forcer à penser à plusieurs choses.

1. **distentus**, *a*, *um*, p. adj. Elargi, gonflé. || Bourré, gorgé.

2. **distentus**, *a*, *um*, p. adj. Affairé.

3. **distentus**, abl. *u*, m. Gonflement.

distermino, *as*, *avi*, *atum*, *are*, tr. Séparer par des bornes; borner, limiter.

distichon, *i*, n. Distique.

distichum, *i*, n. Edifice à deux rangées de chambres.

distichus, *a*, *um*, adj. Qui a deux rangées.

distill... Voy. DESTILL...

distillo, *as*, *are*, intr. Tomber goutte à goutte. Voy. DESTILLO.   [menter.

distimulo, *as*, *are*, tr. Gaspiller. ¶ Tour-

distincte, adv. En distinguant. || Séparément. ¶ Distinctement, nettement, clairement. ¶ Avec ordre.

distinctio, *onis*, f. Séparation. ¶ (Ordin.) Action de distinguer, d'établir une différence; distinction. || Caractère distinctif. || (Rhét.) Antithèse. || Répétition d'un même mot à un autre cas *ou* avec un sens différent. ||(Gramm.) Pause. || Signe de ponctuation : point. ¶ Ornement, parure.

1. **distinctus**, *a*, *um*, p. adj. Séparé, coupé. ¶ Clair, méthodique. ¶ Orné, nuancé.   [couleurs; de nuances.

2. **distinctus**, abl. *u*, m. Diversité de

distineo, *es*, *tinui*, *tentum*, *ere*, tr. Tenir séparé, éloigné, *d'où* séparer. ¶ Occuper de divers côtés à la fois, empêcher de se concentrer (pr. et fig.). ¶ Partager l'attention, distraire. || Tenir en suspens, empêcher *ou* retarder.

distinguo, *is*, *stinxi*, *stinctum*, *ere*, tr. (Séparer par des points), isoler, diviser. || Séparer, entrecouper. ¶ (Ordin.) Séparer, diviser. ¶ (Fig.) Distinguer, discerner, marquer une différence entre. ¶ Résoudre, juger, trancher (une question). ¶ Ponctuer (en lisant), séparer (par des pauses). ¶ Entremêler judicieusement, nuancer. || Tacheter, bigarrer. || (Fig.) Entrecouper, entremêler de : faire diversion à.

disto, *as*, *are*, intr. Etre distant *ou* éloigné. ¶ Etre différent. Impers. *Distat*, il y a loin, il y a une différence.

distorqueo, *es*, *torsi*, *tortum*, *ere*, tr. Tourner de côté et d'autre; tordre, disloquer. — *labra*, faire la grimace. ¶ Tourmenter, torturer (pr. et fig.).

distorsio, *onis*, f. Voy. le suivant.

distortio, *onis*, f. Action de tordre : contorsion. ¶ Dislocation, produite par une torsion.   [entorse (aux lois).

distortor, *oris*, m. Celui qui donne une

distortus, *a*, *um*, p. adj. Contrefait, tors, difforme. ¶ (Fig.) Tourmenté, entortillé.

distractio, *onis*, f. Déchirement. ¶ Dispersion (par la vente), aliénation. || (Spéc.) Vente au détail. ¶ Division, désunion.

distractor, *oris*, m. Vendeur au détail.

1. **distractus**, *a*, *um*, p. adj. Divisé. ¶ (Fig.) Détourné de ce à quoi il était occupé; distrait.

2. **distractus**, *us*, m. Résiliation, rupture d'un contrat.

distraho, *is*, *traxi*, *tractum*, *ere*, tr. Tirer

de tous côtés. ¶ Déchirer, rompre.
|| Ecarteler. || (Fig.) Dissiper, gaspiller,
dilapider. ¶ Disperser en vendant.
|| Vendre en détail. ¶ Détourner l'esprit de ce à quoi il était occupé, distraire. Au passif : *distrahi*, être tiraillé,
n'être pas d'accord avec soi-même.
¶ Dissoudre ; rompre ; désunir, brouiller. || Diffamer. *Fama distrahi*, être
en butte à de fâcheuses imputations.
¶Régler;arranger, terminer.||(Gramm.)
Ne pas faire la contraction. ¶ Tirer
violemment loin de ; détacher, éloigner, arracher (pr. et fig.).

distribuo, *is, bui, butum, ere*, tr. Distribuer, partager, répartir.   [quement.

distribute, adv. Avec ordre ; méthodi-

distributio, *onis*, f. Distribution, partage. ¶ Division.

distributus, *a, um*, p. adj. Distribué
logiquement ; méthodique.

districte. Voy. DESTRICTE.

districtio, *onis*, f. Voy. DESTRICTIO.

1. **districtus**, *a, um*, p. adj. Occupé de
divers côtés ; distrait. — *officium*,
office compliqué. ¶ Affairé. ¶ Strict,
rigoureux. Voy. DESTRICTUS.

2. **districtus**, *us*, m. Circonscription
territoriale ; district.

distringo, *is, strinxi, strictum, ere*, tr.
Tirer de côté et d'autre (pour étendre),
tirailler. ¶ Occuper sur plusieurs
points à la fois. || (T. milit.) — *Romanos*, obliger les Romains à une diversion. || (Fig.) Occuper de plusieurs
affaires à la fois, tirailler (moralement),
distraire. *Qqf.* est *confondu* avec DE-
STRINGO.

distrunco, *as, are*, tr. Couper en deux.

disturbatio, *onis*, f. Démolition ; destruction.

disturbo, *as, avi, atum, are*, tr. Disperser
violemment, bouleverser. ¶ Culbuter,
renverser. ¶ Faire échouer.

disyllabus, *a, um*, adj. Disyllabique.

ditator, *oris*, m. Celui qui enrichit.

ditesco, *is, ere*, intr. S'enrichir.

dithyrambicus, *a, um*, adj. Dithyrambique.   [de Bacchus.

dithyrambus, *i*, m. Hymne en l'honneur

ditifico, *as, are*, tr. Enrichir.

ditio. Voy. DICIO.

ditis, *e*, adj. Voy. 2. DIS.

ditior, *us* (compar.) et **ditissimus**, *a, um,*
superl. de 2. DIS.

ditius, adv. (au compar.) Plus richement.

dito, *as, avi, atum, are*, tr. Enrichir.
¶ (Fig.) Enrichir, c.-à-d. orner, embellir.

diu, adv. De jour, pendant le jour.
¶ Longtemps, pendant longtemps.
¶ Depuis longtemps. ¶ (Par anal.)
Loin, au loin.   [la belle étoile.

dium, *ii*, n. Le grand air, le plein air ;

diurnum, *i*, n. Ration de chaque jour,
¶ Journal. ¶ *Qqf. vulg.* Jour.

diurnus, *a, um*, adj. Diurne, qui a lieu
pendant le jour. ¶ De chaque jour,
quotidien.

1. **dius**, adv. Arch p. DIU.

2. **dius**, *a, um*, adj. Comme DIVUS.

diuscule, adv. Un peu de temps ; assez
longtemps.

diutine, adv. Longtemps.   [long.

diutinus, *a, um*, adj. De longue durée.

diuturne, adv. Longtemps, pendant
longtemps.

diuturnitas, *atis*, f. Longue durée.

diuturnus, *a, um*, adj. Long, de longue
durée. ¶ Qui vit longtemps.

diva, *ae*, f. Déesse.   [et là.

divagor, *aris, ari*, dép. intr. Errer çà

divarico, *as, avi, atum, are*, tr. et intr.
Ecarter (les jambes). ¶ (*Intr.*) S'ouvrir, s'écarter, se fendre.

divello, *is, velli, vulsum, ere*, tr. Séparer
violemment les parties d'un tout,
mettre en pièces, déchirer. || (Fig.).
Rompre. ¶ Séparer violemment de,
éloigner de, arracher (pr. et fig.).

divendo, *is, vendidi, venditum, ere*, tr.
Vendre au détail ; débiter.

diventilo, *as, are*, tr. (Souffler pour disperser). ¶ (Fig.) Disséminer, répandre.

diverbero, *as, are*, tr. Séparer en fouettant. ¶ Fendre. ¶ Rouer de coups,
rosser.   [drame.

diverbium, *ii*, n. Dialogue (dans un
drame).

divergium, *ii*, n. Bifurcation. || Au plur.
Divergia, points de séparation. *Divergia aquarum*, ligne de partage des
eaux.

diverse (DIVORSE), adv. Diversement.
¶ Çà et là ; de divers côtés.

diversio, *onis*, f. Diversion, digression.

diversitas, *atis*, f. Diversité, variété.
¶ Différence. ¶ Contradiction.

diversus (DIVORSUS), *a, um*, p. adj.
Tourné l'un d'un côté et l'autre de
l'autre ; divergent. ¶ Opposé, placé
dans une direction différente. ¶ Séparé (du reste), isolé. ¶ (Fig.) Tiré en
sens contraires ; flottant, incertain,
irrésolu. || Brouillé ; en mésintelligence.
|| Adverse. || Différent, contraire.

diverto (DIVORTO), *is, verti, versum, ere*,
intr. Aller dans des directions différentes ; se séparer. || Divorcer. || (Fig.)
Etre différent. ¶ (*Qqf. tr.*) Détourner.
Voy. DEVERTO.

dives, *itis*, adv. Riche, opulent. ¶ Précieux, riche, d'une grande valeur.
¶ Abondant en.

divescor, *eris, versi*, dép. intr. Dévorer.

divexo, *as, avi, are*, tr. Saccager, ravager. ¶ Vexer, maltraiter.

divido, *is, visi, visum, ere*, tr. Diviser,
faire plusieurs parties d'un tout, partager une quantité en quantités plus
petites. || *Spéc.* Distribuer, répartir.
¶ Décomposer, analyser. ¶ Partager
pour vendre, vendre au détail. ¶ Mettre
en pièces, détruire. — *muros*, faire
brèche aux remparts. ¶ Mettre fin à,
ruiner.¶Séparer (une chose de l'autre).
|| *Spéc.* Entremêler (de façon à rompre

la monotonie), faire une tache brillante dans.

dividuus, a, um, adj. Qu'on peut partager, divisible. ¶ Séparé, partagé.

divina, ae, f. Devineresse.

divinatio, onis, f. Art de prédire, prédiction, divination. ¶ (Jur.) Débat pour faire décider qui de plusieurs ayants cause sera l'accusateur.

divine, adv. Divinement, comme un dieu. || (Par ext.) Parfaitement. ¶ En devin, par divination.

divinitas, atis, f. Divinité; nature divine; puissance divine. || (Méton.) La Divinité; Dieu. || Honneurs divins attribués à qqn.: apothéose. || Sagesse divine. || Excellence, perfection.

divinitus, adv. Par l'effet de la puissance divine. || Par l'inspiration des dieux. || Divinement, c.-à-d. parfaitement.

divino, as, are, tr. Deviner, prophétiser.

divinum, i, n. Divination.

1. **divinus**, a, um, adj. Divin, des dieux, qui concerne les dieux. || Divin, c.-à-d. semblable à la divinité. || (Par ext.) Divin, c.-à-d. extraordinaire, merveilleux, parfait, excellent. ¶ Inspiré des dieux, doué du don de prophétie. ¶ De l'empereur, impérial. ¶ Divinus morbus, haut mal, épilepsie.

2. **divinus**, i, m. Devin.

divisio, onis, f. Division. || Distribution, partage. ¶ Décomposition, analyse.

divisor, oris, m. Celui qui divise, qui partage. ¶ Celui qui distribue (des présents). ¶ (Spéc.) Celui qui achète les suffrages. ¶ (Arithm.) Diviseur.

divisura, ae, f. Découpure. ¶ Incision.

1. **divisus**, a, um, p. adj. Distinct.

2. **divisus**, us, m. Division. ¶ Distribution; partage.

divitiae, arum, f. pl. Biens, richesses.

divortium, i, n. Point de bifurcation, embranchement, carrefour, ligne de partage des eaux. ¶ Ligne de démarcation; frontière. ¶ Séparation. || Divorce. || Rupture, brouille.

divorto. Voy. DIVERTO.

divulgatio, onis, f. Divulgation.

divulgator, oris, m. Celui qui divulgue.

divulgatus (DIVOLGATUS), a, um, p. adj. Divulgué, porté à la connaissance d'un grand nombre. ¶ Qui est à tout le monde, banal.

divulgo (DIVOLGO), as, avi, atum, are, tr. Divulguer, publier; vulgariser ou populariser.   [arrachement.

divulsio, onis, f. Séparation violente;

1. **divus**, a, um, adj. Divin.

2. **divus**, i, m. Dieu (titre ajouté au nom des empereurs après l'apothéose).

1. **do** pour domum, acc. de DOMUS.

2. **do**, das, dedi, datum, are, tr. Donner. || Tendre, présenter. ¶ Faire don de, donner comme cadeau. Subst. Dans, dantis, m. Donateur. Datum, i, n. Don, présent, cadeau. ¶ Offrir (en sacrifice), d'où immoler. ¶ Donner en

payement, payer. Subst. Data, orum, n. pl. Dépenses. Dare poenas, être puni. ¶ Confier, remettre. — alicui litteras, remettre une lettre en mains propres. || Adresser, expédier. ¶ Servir sur la table). ¶ Octroyer. — alicui civitatem, octroyer à qqn le droit de cité. — alicui vitam, faire grâce de la vie à qqn. ¶ Accorder, concéder. ¶ Faire le sacrifice de (qqch. en faveur de qqn). ¶ Appliquer, consacrer; vouer; employer à. ¶ Imputer, attribuer. || Assigner, désigner. ¶ Procurer, causer. ¶ Pousser (un pion sur l'échiquier). ¶ Mettre. || Placer. ¶ Jeter, précipiter, plonger. || Forcer, réduire à. || Rendre, faire devenir. ¶ Emettre : répandre, exhaler ; verser. || Faire entendre, proférer, pousser (des cris). || Faire connaître, indiquer, dire; divulguer. || Enseigner. ¶ Rendre (c.-à-d. prononcer) un jugement. || Absol. Juger. || Produire (comme fruit), mettre au monde. || Produire, c.-à-d. former ou (simpl.) faire.

doceo, es, docui, doctum, ere, tr. Instruire, enseigner, apprendre à. || (Absol.) Enseigner, c.-à-d. tenir école. ¶ (En parl. de ch.) Apprendre, c.-à-d. montrer, prouver. || Monter (une pièce) l'apprendre aux acteurs, en surveiller l'étude, la faire représenter.

dochmius, ii, m. Sorte de pied composé d'un ïambe et d'un crétique (dŏlătŏrĭăs).

docilis, e, adj. Docile, qu'on instruit aisément. || Instruit, habile. ¶ (Fig.) Souple. ¶ Qqf. Facile à apprendre.

docilitas, atis, f. Docilité, aptitude à apprendre. ¶ (Fig.) Souplesse de caractère; bonté, mansuétude.

dociliter, adv. Docilement.

docte, adv. Doctement, savamment. ¶ Sagement, adroitement.

doctor, oris, m. Celui qui enseigne, maître, docteur.

doctrina, ae, f. Enseignement, instruction. ¶ Savoir, érudition. ¶ Objet d'enseignement : science, art, doctrine. || Théorie.

doctrinalis, e, adj. Théorique; abstrait.

doctus, a, um, p. adj. Instruit, cultivé, habile, adroit; fin. ¶ Rusé. ¶ (En parl. de ch.) Habilement fait.

documen, minis, n. Comme DOCUMENTUM.

documentatio, onis, f. Avertissement.

documento, as, are, tr. Avertir.

documentum, i, n. Enseignement, leçon, précepte. || Avis. ¶ Modèle, exemple. ¶ Preuve, document. ¶ Texte.

dodrans, antis, m. Les neuf douzièmes de l'as, c.-à-d. neuf onces. ¶ Les neuf douzièmes ou les trois quarts de l'unité.

dodrantalis, e, adj. Qui a neuf pouces.

dodrantarius, a, um, adj. Où il s'agit des trois quarts.   [losophique).

dogma, atis, n. Dogme. ¶ Principe (phi-

dolabella, *ae*, f. Petite dolabre.

dolabra, *ae*, f. Dolabre, sorte de hache servant aussi de pioche.

dolatus, *us*, m. Comme DOLATIO.

dolenter, adv. Douloureusement, avec peine.

doleo, *es*, *dolui*, *ere*, intr. Etre douloureux, faire mal. Impers. *Dolet*, cela fait mal. ¶ Avoir mal, souffrir (en parl. de pers.). ¶ (Mor.) Etre affligé. ¶ *Tr* Faire souffrir. ¶ Plaindre, déplorer. [comme un tonneau.

doliaris, *e*, adj. De tonneau. ¶ Gros

dioliarium, *ii*, n. Cellier, cave à vin.

1. doliarius, *a*, *um*, adj. Qui concerne les tonneaux.

2. doliarius, *ii*, m. Tonnelier.

doliolum, *i*, n. Baril. ¶ Calice des fleurs.

1. dolium, *ii*, n. Vase en terre cuite pour faire cuver le vin. || Jarre.

2. dolium, *ii*, n. Affliction.

1. dolo, *as*, *are*, tr. Dégrossir (avec la dolabre); polir. ¶ Ciseler. ¶ (Fig.) Ourdir, machiner.

2. dolo ou dolon, *onis*, m. Bâton ferré. || Sorte de canne à épée. || Sorte de pique. ¶. (Par anal.) Aiguillon (d'un insecte). ¶ Trinquette, voile de misaine.

dolor, *oris*, m. Douleur (physique), souffrance, mal. ¶ Douleur (morale), chagrin, peine. || Tourment, ennui, déplaisir. ¶ Dépit, colère, ressentiment. || (Méton.) Sujet de douleur. ¶ (Rhét.) Expression pathétique; le pathétique.

dolose, adv. Avec fourberie.

dolosus, *a*, *um*, adj. Fourbe, rusé, artificieux.

1. dolus, *i*, m. Ruse, fourberie. ¶ (Jur.) Dol, mauvaise foi. || Fraude. ¶ (Méton.) Ce qui trompe, piège.

2. dolus, *i*, m. Forme vulg. de DOLOR.

doma, *matis*, n. Toit plat.

domabilis, *e*, adj. Qu'on peut dompter.

domefactus, *a*, *um*, adj. Dompté.

domesticatim, adv. Dans son domestique, chez soi.

domesticatus, *us*, m. Charge de majordome.

domestice, adv. A domicile.

domestici, *orum*, m. pl. Les gens de la maison, les membres de la famille, les amis intimes. ¶ Serviteurs, esclaves; domesticité. ¶ Suite d'un haut magistrat. ¶ Gardes du corps (des empereurs).

domesticus, *a*, *um*, adj. De la maison; domestique. ¶ De la famille; privé, personnel. ¶ (Animal) domestique, *c.-à-d.* privé, apprivoisé. ¶ (Par ext.) Qui est du pays, national, indigène. Subst. *Domestica*, *orum*, n. pl. Productions du pays ou indigènes. || Qui se passe entre concitoyens.

domicilium, *ii*, n. Habitation, demeure, résidence, domicile.

dominans, *antis*, p. adj. *En parl. des ch.*

Dominant, essentiel. ¶ *En parl. de pers.* Maître, despote.

dominanter, adv. En maître.

dominatio, *onis*, f. Domination, souveraineté, pouvoir. ¶ (En polit.) Pouvoir absolu, monarchie, tyrannie, despotisme. || (Méton.) Le pouvoir, *c.-d-d.* ceux qui l'exercent. [verain.

dominator, *oris*, m. Dominateur, sou-

dominatrix, *icis*, f. Maitresse, souveraine.

dominatus, *us*, m. Domination, pouvoir.

dominicum, *i*, n. Eglise. ¶ Office divin.

dominicus, *a*, *um*, adj. Qui appartient au maître; du maître. ¶ Du Seigneur, de Dieu. *Dominica dies*, le jour du Seigneur, le dimanche.

dominium, *ii*, n. Pouvoir du maître; souveraineté. ¶ Pouvoir du propriétaire; droit de propriété. ¶ Festin qu'on donne à domicile. [mettre.

1. domino, *as*, *are*, tr. Dompter, sou-

2. domino, *as*, *are*, tr. Comme le suivant.

dominor, *aris*, *atus sum*, *ari*, dép. intr. Etre maître, dominer, régner, commander.

dominus, *i*, m. Maître (de maison). ¶ Propriétaire; possesseur. ¶ Souverain. || Titre des empereurs après Tibère. ¶. Le Seigneur, Dieu. ¶ Organisateur, directeur; président (d'un banquet).

domito, *as*, *are*, tr. Dompter, soumettre.

domitor, *oris*, m. Dompteur. ¶ Vainqueur, triomphateur de.

domitrix, *icis*, f. Celle qui dompte. ¶ Celle qui triomphe de.

domitura, *ae*, f. Action *ou* manière de dompter, de dresser les animaux.

domitus, *us*, m. Dressage, éducation des animaux.

domn... Voy. DOMIN...

domo, *as*, *ui*, *domitum*, *are*, tr. Dompter, dresser. || Apprivoiser. ¶ Vaincre, dompter (les hommes), subjuguer, soumettre. ¶ (En gén.) Assouplir. || Réprimer.

domuncula, *ae*, f. Maisonnette.

domus *us*, f. Maison (habitation, résidence de la famille), logis. || (Mét.) Ménage, train de maison. ¶ Maison, *c.-d-d.* famille. ¶ (Par ext.) Patrie. || Ecole (phisosophique).

domuscula, *ae*, f. Maisonnette.

donarium, *ii*, n. Lieu du temple où l'on déposait les offrandes, trésor. Au plur. *Donaria*, offrandes, ex-voto. ¶ Temple. || Autel. ¶ Cadeaux donnés aux soldats.

donarius, *a*, *um*, adj. Destiné comme offrande aux dieux, comme ex-voto.

donaticus, *a*, *um*, adj. Donné en prix, en récompense, en cadeau.

donatio, *onis*, f. Donation. ¶ Présent, cadeau; récompense.

donatiuncula, *ae*, f. Petit présent.

donativum, *i*, n. Don en argent, distribué à chaque soldat sous l'Empire, à l'occasion de circonstances excep-tionnelles.

donator, *oris*, m. Donateur.

donatrix, *icis*, f. Donatrice.

donax, *acis*, m. Roseau de Chypre. ¶ Sorte de poisson inconnu.

donec, conj. Aussi longtemps que, tant que. ¶ Jusqu'à ce que.

doneque. Voy. DONIQUE.

donicum, conj. Comme DONEC.

donique, arch. p. DONEC.

dono, *as*, *avi*, *atum*, *are*, tr. Faire cadeau de. || Offrir (aux dieux), sacri-fier. || Faire le sacrifice de (qqch.) à (qqn) ; sacrifier. ¶ Abandonner, accor-der, consacrer. ¶ Remettre, faire grâce de ; pardonner. || Epargner (qqn) par égard pour (un autre). ¶ Grati-fier, récompenser, pourvoir de.

donum, *i*, n. Don, cadeau, présent. ¶ (Spéc.) Offrande aux dieux ; sacrifice.

dorcas, *adis*, f. Gazelle. [dorien.

dorice, adv. A la dorienne ; en dialecte

doriscos, *i*, m. Le vers dorisque (une longue, un dactyle et un trochée).

dormio, *is*, *ivi*, *itum*, *ire*, intr. Dormir, fermer l'œil. || *Tr.* Passer (le temps) en dormant. *Tota mihi dormitur hiems*, tout l'hiver je le passe à dormir. ¶ (Fig.) Etre endormi, c-à-d. être lent *ou* oisif, être négligent. ¶ (Eu-phém.) Dormir, c-à-d. être mort.

dormisco, *is*, *ere*, intr. S'endormir.

dormitatio, *onis*, f. Sommeil. [teur.

dormitator, *oris*, m. Rêveur. ¶ Rado-

dormitio, *onis*, f. Action de dormir, sommeil. ¶ (Euphém.) Sommeil de la mort ; mort.

dormito, *as*, *are*, intr. Avoir envie de dormir, avoir des somnolences, som-meiller. ¶ Dormir tout debout ; rêvasser, radoter. ¶ Sommeiller, c-à-d. être inactif *ou* négligent.

dormitor, *oris*, m. Dormeur.

dormitorium, *ii*, n. Chambre à coucher. ¶ Dortoir. ¶ Lieu de repos ; tombe.

dormitorius, *a*, *um*, adj. Où l'on dort.

dorsum, *i*, n. Dos, croupe. ¶ Ce qui a la forme du dos : croupe (d'une mon-tagne), dos d'âne (chaussée) ; émi-nence, etc. [tage, qualité.

dos, *otis*, f. Dot. ¶ Don naturel, avan-

dotalis, *e*, adj. De dot ; dotal.

dotatus, *a*, *um*, p. adj. Doté, bien doté. ¶ Doué de.

doto, *as*, *avi*, *atum*, *are*, tr. Doter, faire une dot à. ¶ (Fig.) Pourvoir de.

dracaena, *ae*, f. Dragon femelle.

drachma, *ae*, f. Drachme, poids grec valant 3 gr. 411. ¶ Drachme, monnaie athénienne valant un denier romain.

draco, *onis*, m. Dragon (serpent fabu-leux). || Dragon, espèce de gros ser-pent. || Poisson de mer. || Le Dragon, constellation. ¶ Appareil à chauffer l'eau (garni de tuyaux tortueux comme les replis d'un serpent). ¶ Dra-gon, étendard de la cohorte, emprunté

aux Parthes et introduit dans l'armée romaine sous Trajan.

draconigena, *ae*, adj. Dragon par la race, né d'un dragon.

drapeta, *ae*, m. Esclave fugitif.

drapus, *i*, m. Drap ; chiffon.

dromas, *adis*, m. Chameau (de course), dromadaire. [carrière.

dromos, *i*, m. Endroit pour la course,

druias, *adis*, f. Voy. 2. DRYAS.

druidae, *arum* et **druides**, *um*, m. pl. Druides.

druis, *idis*, f. Druidesse. [lon.

drungus, *i*, m. Corps de troupe, batail-

druppa, *ae*, f. Olive brune (bien mûre).

1. **dryas**, *adis* (acc. pl. *adas*), f. Dryade.

2. **dryas**, *adis*, f. Druidesse.

dryidae. Voy. DRUIDAE.

dualis, *e*, adj. De deux. ¶ Qui contient deux. Subst. *Dualis* (s.-e. *numerus*), *is*, m. Le nombre deux, le duel (gramm.).

dubie, adv. D'une manière douteuse, indécise, incertaine.

dubitabilis, *e*, adj. Douteux. ¶ Qui doute.

dubitanter, adv. Avec doute. ¶ Avec hésitation.

dubitatio, *onis*, f. Doute, incertitude. ¶ (Rhét.) Dubitation (figure par laquelle l'auteur semble hésiter sur la manière de juger qqch.). ¶ Irréso-lution. || Temporisation, lenteur.

dubito, *as*, *avi*, *atum*, *are*, intr. et tr. (Balancer entre deux choses). Douter, mettre en doute, être incertain ; se demander si... ou si... ¶ (En parl. de ch.) Chanceler, être mal assuré.

dubium, *ii*, n. Doute. *Sine dubio*, sans doute, assurément. *In dubio ponere*, mettre en question. ¶ Situation cri-tique. *In dubium devocare*, mettre en danger.

dubius, *a*, *um*, adj. (Qui balance entre deux.) || Qui flotte d'un côté et d'autre. ¶ Qui hésite entre deux partis, qui doute. || Irrésolu, indécis. ¶ Douteux, incertain, indéterminé ; mal connu. || Embarrassant, qui rend indécis. || (Méton.) Critique, délicate, dangereux, malheureux. || Qui est en danger (en parl. de pers.).

ducalis, *e*, adj. De chef, de général.

ducatus, *us*, m. Fonction de général.

ducena, *ae*, f. Grade de DUCENARIUS. Voy. ce mot. [Voy. ce mot.

ducenaria, *ae*, f. Grade de DUCENARIUS.

1. **ducenarius**, *a*, *um*, adj. De deux cents ; qui contient deux cents.

2. **ducenarius**, *ii*, m. Officier comman-dant deux cents hommes *ou* deux centaines.

duceni, *ae*, *a*, adj. numér. distrib. Deux cents chaque fois, deux cents à la fois, deux cents par deux cents. ¶ *Qqf.* Deux cents. [CENARIUS.

ducentenarius, *a*, *um*, adj. Comme DU-

ducentesima (s.-e. *pars*), *ae*, f. Impôt du deux-centième. [tième.

ducentesimus, *a*, *um*, adj. Deux-cen-

ducenti, *ae*, *a*. adj. Deux cents. ¶ Un grand nombre indéterminé.

ducenties, adv. Deux cents fois. ¶ Un nombre considérable de fois.

1. duco, *as*, *are*, intr. Etre chef; avoir le commandement.

2. duco, *is*, *duxi*, *ductum*, *ere*, tr. Tirer. ‖ Traîner derrière soi; remorquer. ‖ Tirer à soi, attirer. ‖ Contracter. ‖ Aspirer, humer, boire à longs traits. ‖ *Fig.* Attirer, séduire. ‖ Egarer, entraîner, déterminer. ¶ Retirer, tirer hors de; tirer (l'épée), tirer (au sort). ¶ Tirer (une ligne), tracer, exprimer, façonner; construire (en étendue). ¶ Porter (un coup). ¶ Tirer (le fil); tisser; ourdir. ‖ Composer (des vers), écrire (une épopée). ‖ Carder (la laine). ¶ Etendre, allonger. ‖ Passer, consacrer (son temps, sa vie) à. ‖ Tirer en longueur, prolonger. ‖ (Fig.) Tirer (son origine), emprunter (son nom) à. ‖ Faire dériver de, commencer par. ¶ Etablir le compte de; calculer, supputer, évaluer. ‖ Estimer, juger; tenir pour, regarder comme. ¶ Conduire; guider, marcher en tête. ‖ Etre chef de, commander à. ¶ Amener (une épouse) chez soi; épouser (en parl. du mari). ¶ Amener (avec soi). ‖ *Fig.* Amener, c.-à-d. produire, causer. ¶ Emmener, prendre avec soi. ‖ Mener (un cortège, un chœur). ¶ (Méd.) Faire évacuer. — *alvum*, purger. — *sanguinem*, tirer du sang, faire une saignée.

ductilis, *e*, adj. Qu'on peut tirer *ou* étirer, ductile. ¶ Qu'on peut conduire; mobile. [trait.

ductim, adv. En tirant à soi; tout d'un

ductio, *onis*, f. Action de tirer. ¶ Action de conduire. ‖ (Spéc.) Dérivation. *Ductiones aquarum*, conduites d'eau. ‖ (Méd.) Evacuation; lavement *ou* purgation.

ductito, *as*, *avi*, *atum*, *are*, tr. Conduire, mener avec soi. ‖ (Spéc.) Epouser. ¶ Mener (qqn) à son gré, duper.

ducto, *as*, *avi*, *atum*, *are*, tr. Conduire ordinairement, traîner habituellement derrière soi, mener. ‖ (Spéc.) Commander, diriger. ¶ (Fig.) Attirer, amorcer, duper. ¶ Regarder comme.

ductor, *oris*, m. Celui qui tire, qui étend. ¶ Celui qui façonne; artisan. ¶ Conducteur, guide. ‖ (Spéc.) Commandant (d'armée), général.

ductus, *us*, m. Action de tirer, de mettre en mouvement. ‖ Direction donnée à. ¶ Action de tracer : tracé, trait. ¶ Action de construire (en étendue). ¶ Action de conduire. ‖ Conduite (d'eau) : aqueduc. ¶ Liaison, enchaînement, économie (d'un drame). ¶ (Rhét.) Liaison.

dudum, adv. Il y a quelque temps, naguère. ‖ Dans quelque temps, bientôt. ¶ Depuis longtemps.

duella, *ae*, f. Le tiers d'une once.

duellator, *oris*, m. Comme BELLATOR.

duellicus, *a*, *um*, adj. Voy. BELLICUS.

duellis, *is*, m. L'ennemi (à la guerre).

duellum, *i*, n. Comme BELLUM.

duidens. Voy. BIDENS.

duitas, *atis*, f. Dualité. [ment.

1. dulce, adv. Doucement, agréable-

2. dulce, *is*, n. Vin doux.

dulcedo, *inis*, f. Douceur, saveur douce. ¶ (Fig.) Douceur, attrait, charme, plaisir.

dulcesco, *is*, *ere*, intr. S'adoucir, perdre de son âcreté. ¶ Tr. Adoucir, rendre doux.

dulcia, *orum*, n. pl. Friandises. [bons.

dulciaria, *orum*, n. pl. Friandises, bon-

dulciarius, *a*, *um*, adj. Relatif aux friandises.

dulcis, *e*, adj. Doux (au goût). ‖ D'eau douce. ¶ (Fig.) Doux, suave, charmant. ‖ Aimable, aimé, chéri.

dulciter, adv. Doucement; agréable-ment.

dulcitudo, *inis*, f. Saveur douce. ¶ Douceur, modération. ‖ Tendresse.

dum, adv. et conj. ‖ *Adv.* Pour aujour-d'hui. ‖ *Avec une négation.* Encore. ‖ *Avec l'impér.* Maintenant, eh bien, donc. ‖ *Après un mot interrogatif.* Donc (pour ajouter de la vivacité). ‖ *Conj.* Pendant que, dans le temps que. ‖ Tant que, aussi longtemps que. ‖ En attendant le moment où, jusqu'à ce que. ¶ Pourvu que.

dumetum, *i*, n. Endroit plein de buis-sons; hallier. ¶ (Fig.) *Au plur.* Questions épineuses.

dummodo. conj. Pourvu que.

dumosus, *a*, *um*, adj. Buissonneux.

dumtaxat (DUNTAXAT), adv. A propre-ment parler. ‖ Seulement, sans plus, ni plus ni moins. ‖ Au moins, du moins. ‖ Jusque-là, en tant que; bien entendu.

dumus, *i*, m. Buisson; broussaille.

duo, *ae*, *o*, adj. num. card. Deux.

duocenteni, *ae*, *a*, adj. Voy. DUCENI.

duodecennium, *ii*, n. Espace de douze ans. [fois.

duodecies (DUODECIENS), adv. Douze

duodecim. adj. num. Douze.

duodecimanus (s.-e. *cardo*), *i*, m. Qui partage en deux.

duodecimo, adv. Pour la douzième fois.

duodecimus, *a*, *um*, adj. Douzième.

duodecimvir, *iri*, m. Membre d'une commission de douze.

duodeni, *ae*, *a*, adj. Par douze, douze chaque fois.

duodenonaginta, adj. numér. indécl. Quatre-vingt-huit.

duodeoctoginta, adj. numér. indécl. Soixante-dix-huit.

duodequadrageni, *ae*, *a*, adj. distr. Par trente-huit; trente-huit chaque fois.

duodequadragesimus, *a*, *um*, adj. Trente huitième. [Trente-huit.

duodequadraginta, adj. num. indécl.

duodequinquageni, *ae*, *a*, adj. Par qua-rante-huit; quarante-huit chaque fois.

duodequinquagesimus, *a, um,* adj. Quarante-huitième.

duodequinquaginta, adj. num. indécl. Quarante-huit. [quante-huitième.

duodesexagesimus, *a, um,* adj. Cin-**duodesexaginta,** adj. num. indécl. Cin-quante-huit. [huitième.

duodetricesimus, *a, um,* adj. Vingt-**duodetriciens** (DUODETRICIES), adv. Vingt-huit fois. [huit.

duodetriginta, adj. num. indécl. Vingt-**duodeviceni,** *ae, a,* adj. Par dix-huit; dix-huit chaque fois. [tième.

duodevicesimus, *a, um,* adj. Dix-hui-**duodevigesimus,** *a, um,* adj. Comme le précédent. [huit.

duodeviginti, adj. num. indécl. Dix-**duoetvicesimani,** *orum,* m. pl. Soldats de la vingt-deuxième légion.

duoetvicesimus, *a, um,* adj. Vingt-deuxième. [précédent.

duoetvigesimus, *a, um,* adj. Comme le **duplatio,** *onis,* f. Action de doubler.

duplex, *icis,* adj. Plié en deux, doublé. ¶ Séparé *ou* partagé en deux. ¶ Double, c.-à-d. épais, grossier. ¶ *En parl. de ch.* A double sens, équivoque. || *En parl. de pers.* Double, faux, artificieux, fourbe.

duplicaris, *e,* adj. Voy. DUPLICARIUS.

duplicarius, *a, um,* adj. Relatif au double. — *miles,* soldat qui reçoit double solde.

duplicatio, *onis,* f. Action de doubler. ¶ Réfraction (de la lumière). || Multi-plication par deux. ¶ (Jur.) Réplique (à une objection par une autre objection). || (Rhét.) Réduplication. Voy. ANADIPLOSIS.

duplicato, adv. Encore une fois autant; en doublant, au double.

duplicitas, *atis,* f. Nombre de deux; état de ce qui est double, le fait d'être double. ¶ (Fig.) Double sens, ambi-guïté; amphibologie. || Duplicité, fourbe.

dupliciter, adv. Doublement, de deux façons. ¶ D'une manière équivoque, ambiguë.

duplico, *as, avi, atum, are,* tr. Partager en deux, plier en deux. || Ployer *ou* courber. ¶ Doubler, c.-à-d. rendre double, *d'où* (simpl.) augmenter. || Répéter, renouveler. || Multiplier. || (Gramm.) Former un composé.

duplio, *onis,* f. Le double d'un tout. || (Spéc.) Le double du nombre parfait (six), c.-à-d. douze.

duplo, *as, are,* tr. Doubler.

duploma. Voy. DIPLOMA.

duplum, *i,* n. Le double. [aussi grand.

duplus, *a, um,* adj. Double; deux fois

1. **dupondiarius** (DIPONDIARIUS), *a, um,* adj. De deux as. ¶ (Fig.) De peu de valeur, misérable.

2. **dupondiarius,** *ii,* m. Pièce de deux as.

dupondium, *ii,* n. Valeur de deux as. ¶ Pièce de monnaie de deux as. ¶ Longueur de deux pieds.

dupondius (DUPUNDIUS, DIPUNDIUS), *ii,* m. Comme DUPONDIUM.

durabilis, *e,* adj. Qui peut se durcir. ¶ Qui peut durer *ou* se garder; durable.

duracinus, *a, um,* adj. (Fruit) à la chair ferme *ou* à la peau dure.

duramen, *minis,* n. Congélation. ¶ Bois dur (de la vigne).

duramentum, *i,* n. Durcissement. ¶ Solidité. ¶ Bois dur (de la vigne).

dure et **duriter,** adv. Durement. ¶ Désagréablement. ¶ Sévèrement. ¶ Lourdement, sans grâce. [s'endurcir.

duresco, *is, durui, ere,* intr. Durcir *ou* **dureta,** *ae,* f. Escabeau de bois.

duritas, *atis,* f. Dureté. ¶ (Fig.) Rudesse.

duritia, *ae,* f. Dureté, rigidité. || Endur-cissement (du corps). || Apreté (au goût). ¶ (Fig.) Vie dure. || Dureté d'âme, sévérité, insensibilité. — *oris,* front d'airain. || Rigueur. ¶ (En parl. de ch.) Rigueur (du climat); incommo-dité. || Effronterie. ¶ (Méd.) Resser-rement, obstruction (intestinale).

durities, *ei,* f. Comme le précédent. ¶ (Méd.) Durcissement, induration; tu-meur. [Effronterie.

duritudo, *inis,* f. Insensibilité. ¶

durius ou dureus, *a, um,* adj. De bois (en parl. du cheval de Troie).

duriusculus, *a, um,* adj. Un peu dur. ¶ Un peu rude. || Un peu rigoureux.

duro, *as, avi, atum, are,* tr. et intr. || *Tr.* Rendre dur, durcir. || Dessécher. || Congeler *ou* coaguler. || Epaissir. ¶ Endurcir, c.-à-d. aguerrir, fortifier. || Endurer, supporter. ¶ *Intr.* Devenir dur. || Durcir. || Se dessécher. ¶ (Fig.) S'endurcir, devenir dur, insensible. || Etre impitoyable. ¶ Tenir bon, tenir, résister. || Durer, continuer, subsister. || Se conserver; être de garde (en parl. de denrées).

durus, *a, um,* adj. Dur (au toucher), ferme, résistant. || Apre (au goût), rude (à l'oreille). || Raide, sans grâce (en parl. d'une œuvre d'art). ¶ (Fig.) Dur à la fatigue. || Rustique, lourd. ¶ Dur d'entendement, sans esprit, sans goût. || Au cœur dur; insensible, rigou-reux, sévère. || (En parl. de ch.) Dur, pénible, cruel.

duumvir, *iri,* m. Qui fait partie d'une commission, d'un tribunal composé de deux membres. ¶ (Dans les muni-cipes.) Un des deux magistrats su-prêmes.

duumvira, *ae,* f. Femme d'un duumvir.

duumviratus, *us,* m. Duumvirat, charge *ou* dignité de duumvir.

dux, *ducis,* m. f. Celui *ou* celle qui conduit, qui guide, qui dirige; chef. ¶ Chef d'armée, général. ¶ Prince, sou-verain.

dyas, *adis,* f. Le nombre deux.

dynamice, *es,* f. La dynamique, science des forces

dynamis, *is* (acc. *im*), f. Quantité;

abondance. ¶ (Math.) Carré (d'un nombre).

dynasta, *ae*, m. Comme le suivant.

dynastes, *ae*, m. Prince, seigneur; roi.

E

e, e, cinquième lettre de l'alph. lat. Abrév. E = evocatus *ou* emeritus· E. M. V. = egregiae memoriae vir. E. P. = equo publico.

e, prép. Voy. EX.

ea, adv. Par là, par cet endroit.

eadem, adv. Par la même voie. ¶ En même temps.

eapropter, adv. Comme PROPTEREA.

eatenus, adv. Jusque-là; aussi loin. ¶ Aussi longtemps; tant. [EBENUS.

ebenum (HEBENUM), *i*, n. Comme ebenus (HEBENUS), *i*, f. Ebénier, arbre. ¶ Ebène, bois de l'ébénier.

ebibo (EXBIBO, ECBIBO), *is, bibi, bibitum, ere*, tr. Boire en aspirant, sucer. || Boire jusqu'au bout. ¶ Vider en buvant; tarir. ¶ S'imprégner de.

ebiscum, *i*, n. Voy. HIBISCUM.

eblandior, *iris, itus sum, iri*, dép. tr. et intr. Obtenir à force de caresses. ¶ Séduire, charmer, flatter (le regard).

eboreus, *a, um*, adj. D'ivoire.

ebrietas, *atis*, f. Ivresse, ébriété. || (Méton.) Breuvage enivrant.

ebriosus, *a, um*, adj. Qui a l'habitude de boire avec excès; ivrogne.

ebrius, *a, um*, adj. Ivre, enivré. ¶ (Fig.) Ivre de; qui s'abreuve de. ¶ (Par ext.) *Fig.* Ivre, grisé. || *En parl. de ch.* Pénétré de.

ebullio, *is, ivi* et *ii, ere*, intr. Bouillonner, jaillir en bouillonnant. || Se produire avec éclat; éclater. ¶ *Tr.* Rejeter en bouillonnant, exhaler. || Emettre, produire.|| Étaler pompeusement. [(sorte de sureau nain).

ebulum, *i*, n. et ebulus, *i*, f. Hièble

ebur, *oris*, n. Ivoire. ¶ (Méton.) Objet en ivoire. statue d'ivoire, chaise curule, etc. || Éléphant.

eburatus, *a, um*, adj. Orné d'ivoire.

eburneolus, *a, um*, adj. D'ivoire.

eburneus, *a, um*, adj. D'ivoire. ¶ Blanc comme l'ivoire. [dent.

eburnus, *a, um*, adj. Comme le précé-

ecastor, interj. Par Castor (formule de serment particulière aux femmes).

ecce, adv. Voici; voilà. || Tiens, vois. ¶ Voici *ou* voilà que. [jet, flot.

eccheuma, *matis*, n. Action de verser;

ecclesia, *ae*, f. Assemblée du peuple. || (En gén.) Assemblée, réunion. ¶ Assemblée des premiers chrétiens; l'Eglise. || (Méton.) Lieu de réunion des fidèles; église. [règles de l'église.

ecclesiastice, adv. Conformément aux

1. ecclesiasticus, *a, um*, adj. De l'église; ecclésiastique.

2. ecclesiasticus, *i*, m. L'Ecclésiastique un des livres de la Bible.

ecf... Voy. EFF...

echea et echeia, *orum*, n. pl. Vases de bronze, placés dans les théâtres pour renforcer la voix des acteurs.

echeneis, *idis*, f. Rémora, poisson de mer.

echeon, *i*, n. Voy. ECHION. [Lerne].

echidna, *ae*, f. Vipère. ¶ Hydre (de

echinus, *i*, m. Hérisson. ¶ Hérisson de mer, oursin. || Enveloppe des châtaignes. || Partie du chapiteau d'une colonne, ove, quart de rond. || Vase de terre *ou* de bronze servant à rincer les coupes. [avec une vipère.

echion, *ii*, n. Collyre, médicament fait

echo, *us*, f. Echo.

eclipsis, *is*, f. Eclipse.

eclipticus, *a, um*, adj. Relatif aux éclipses. — *linea*, l'écliptique. ¶ Sujet aux éclipses.

ecloga, *ae*, f. Extrait, morceau choisi. ¶ Petite pièce de vers; églogue.

eclogarii, *orum*, m. pl. Extraits; morceaux choisis.

eclogarium, *ii*, n. Recueil de poésies déecquando, adv. Est-ce que jamais?

1. ecqui, *ecquae* ou *ecqua, ecquod*, adj. Y a-t-il quelque...?

2. ecqui, adv. Est-ce que par hasard...?

ecquid, adj. n. pris adv. Est-ce que...? Est-ce que... ne... pas...?

ecquis, *ecquid*, pron. interr. Y a-t-il quelqu'un? Y a-t-il quelque chose?

ecquo, adv. Est-il un endroit où ne... pas?

ecscreo. Voy. EXSCREO. [en camée.

ectypus, *a, um*, adj. Qui est en relief,

edacitas, *atis*, f. Voracité.

edax, *acis*, adj. Vorace; glouton. ¶ (Fig.) *En parl. de ch.* Rongeur; qui dévore; qui consume. [Briser les dents.

edento, *as, avi, atum, are*, tr. Edenter.

edentulus, *a, um*, adj. Edenté, qui n'a plus ses dents. ¶ Vieux.

edepol, interj. Par Pollux! Serment particulier aux hommes.

edera, ederaceus. Voy. HEDERA, etc.

edibilis, *e*, adj. Mangeable.

edico, *is, dixi, dictum, ere*, tr. Dire hautement, déclarer, faire savoir.|| Proclamer, rendre officiel, faire publier (à son de trompe). ¶ Ordonner, assigner, fixer. [nance.

edictio, *onis*, f. Proclamation. || Ordonedicto, *as, avi, atum, are*, tr. Déclarer. || Proclamer

edictum, *i*, n. Déclaration, proclamation. || (Spéc.) Manifeste *ou* édit du préteur (dans lequel il indique les principes qu'il appliquera en rendant la justice). || Affiche (de théâtre). || (Logique.) Enonciation. ¶ Ordonnance, règlement.

edisco, *is, didici, ere,* tr. Apprendre par cœur. ¶ (En gén.) Apprendre à. *Edidici,* je sais.

edissero, *is, serui, sertum, ere,* tr. Raconter en suivant, exposer dans le détail. ¶ Dire le fin mot de, donner l'explication de ; expliquer.

editio, *onis,* f. Mise au jour. ‖ Enfantement. ‖ Publication (d'ouvrages), édition. ‖ Action de faire jouer (un drame) *ou* de donner des jeux.‖ Désignation des juges (entre lesquels l'accusé pourra choisir par voie de récusation). ‖ Action de fournir ; prestation. ‖ Action de présenter (des comptes).

editor, *oris,* m. Auteur, celui qui produit. ¶ Celui qui donne des jeux.

1. editus, *a, um,* p. adj. Elevé, haut. Subst. *Edita, orum,* n. pl. Lieux hauts, hauteurs. ¶ (Fig.) Elevé, supérieur.

2. editus, *us,* m. Déjection.

1. edo, *edis* (et *es*), *edi, esum* (*essum*), *edere* et *esse,* tr. Manger, dévorer. ¶ (Par ext.) Dévorer, consumer. ‖ Manger, *c.-à-d.* gaspiller, dépenser, dilapider.

2. edo, *is, edidi, editum, ere,* tr. Mettre dehors, faire (*ou* laisser) sortir. ‖ Mettre au monde, enfanter. ‖ Produire. ¶ Emettre, faire entendre.‖Proférer, articuler. ¶ Faire connaître, publier, éditer. ‖ Rendre public, répandre. ‖ Faire représenter, mettre en scène. ¶ Déclarer, révéler. ‖ Rendre (un oracle). ¶ Désigner, choisir, nommer. ¶ Produire (au jour), présenter. ‖ Ordonner, commander. ¶ Fournir, prêter. ¶ Exécuter, accomplir, faire. ‖ Venir à bout de, finir, terminer. ¶ Elever, hausser.

3. edo, *onis,* m. Glouton.

edocenter, adv. D'une manière instructive ; de façon à instruire.

edoceo, *es, docui, doctum, ere,* tr. Instruire complètement. ¶ Faire connaître en détail, apprendre à fond. ¶ Bien montrer, démontrer.

edolo, *as, avi, atum, are,* tr. Dégrossir avec la dolabre. ¶ (Fig.) Façonner ; achever, parfaire.

edomito, *as, are,* tr. Chercher à dompter, à subjuguer, à soumettre.

edomo, *as, domui, domitum, are,* tr. Dompter, réduire complètement.

edormio, *is, ivi, itum, ire,* intr. Dormir tout son saoul ; bien dormir. ¶ *Tr.* Passer (le temps) à dormir ; cuver en dormant. *Dimidium edormitur,* la moitié (de ce temps) se passe à dormir. — *vinum,* cuver son vin en dormant.

edormisco, *is, ere,* intr. Se mettre à (bien) dormir. — *unum somnum,* ne faire qu'un somme.

1. educatio, *onis,* f. Education (d'un enfant). ¶ (Par anal.) Elevage, élève (des bestiaux, etc.) .‖ Culture (des arbres).

2. educatio, *onis,* f. Action de faire sortir.

educator, *oris,* m. Celui qui élève ; nourricier. ¶ Précepteur.

educatrix, *icis,* f. Celle qui élève *ou* nourrit. ¶ Celle qui fait l'éducation de.

educatus, *us,* m. Comme EDUCATIO.

1. educo, *is, duxi, ductum, ere,* tr. Tirer hors de ; faire sortir. ‖ Conduire hors de ; emmener. ‖ Mettre au jour ; pondre ; faire éclore. ‖ (Milit.) Mettre en campagne. ¶ Conduire devant le tribunal, citer en justice. ¶ Vider, boire jusqu'à la lie. ¶ Tirer au clair, apurer. ¶ Elever en l'air. ‖ Lever. ‖ Bâtir, ériger. ‖ Elever (un enfant), faire l'éducation de. ¶ Passer, employer (le temps).

2. educo, *as, avi, atum, are,* tr. Elever, nourrir. ¶ (Fig.) Eduquer, dresser, instruire, former.

eductio, *onis,* f. Sortie ; émigration. ¶ Action de former, de se disposer en forme de.

edulia, *um,* n. pl. Comestibles.

edulis, *e,* adj. Bon à manger.

edulium, *ii,* n. Aliment. [dur.

eduresco, *is, ere,* intr. Se durcir, devenir

eduro, *as, are,* tr. Endurcir, aguerrir. ¶ (Intr.) Durer, se prolonger.

edurus, *a, um,* adj. Très dur.

effaecatus, *a, um,* adj. Purifié.

effarcio (EFFERCIO, ECFERCIO), *is, rsi, ctum, irs,* tr. Farcir, bourrer, bonder.

effatum (ECFATUM), *i,* n. Prédiction, oracle. ‖ Formule solennelle. ¶ (Logique.) Proposition ; énonciation.

effatus, *us,* m. Paroles ; langage. ¶ Réponse d'un oracle.

effectio *onis,* f. Exécution, action de faire (de pratiquer). ¶ Ce qui produit : la cause efficiente.

effector, *oris,* m. Auteur, créateur ; celui qui est cause de. [créateur.

effectorius, *a, um,* adj. Qui produit ;

effectrix, *icis,* f. Celle qui exécute, qui produit, qui est cause de. [achevé.

1. effectus, *a, um,* p. adj. Parfait,

2. effectus, *us,* m. Action de faire entièrement ; exécution, accomplissement. ¶ Effet, résultat, succès. ¶ Efficacité ; vertu. [Lâchement.

effeminate, adv. En femme. ¶ (Par ext.)

effeminatio, *onis,* f. Mollesse, faiblesse (de femme). [femme ¶ Efféminé.

effeminatus, *a, um,* p. adj. Déguisé en

effemino, *as, avi, atum, are,* tr. Rendre femme, féminiser. ¶ (Fig.) Rendre semblable à une femme ; efféminer, amollir. [ou farouche.

efferasco, *is, ere,* intr. Devenir sauvage

efferate, adv. Furieusement. ‖ D'une manière farouche.

efferatus (ECFERATUS), *a, um,* p. adj. Sauvage, barbare, rendu furieux. ¶ Farouche, féroce.

effercio. Voy. EFFARCIO.

efferitas (ECFERITAS), *atis,* f. Etat sauvage. ‖ Brutalité.

1. **effero**, *as, avi, atum, are*, tr. Rendre semblable à une bête sauvage. || Donner un air sauvage à. || Rendre furieux; exaspérer. ¶ Façonner en forme d'animal; frapper à l'effigie d'une bête.

2. **effero**, (ECFERO), *fers, extuli, elatum, ferre*, tr. Tirer dehors, porter dehors, emporter, transporter, reporter. || *Spéc.* Porter (en terre), enterrer, faire les funérailles de. ¶ Porter (comme fruit), produire; faire naître. ¶ Proférer, prononcer, exprimer. ¶ Publier, faire connaître, divulguer, répandre. ¶ (Au passif.) *Efferri*, être emporté, être transporté (de joie, de colère, etc.) *et* (absol.) être transporté. ¶ Porter en l'air, lever, élever, soulever. || (Spéc.) Hausser, élever, exalter, louer, grandir; porter (aux nues). — *se*, se prévaloir, se vanter. || Rendre fier, enorgueillir. [bondé.

effertus (ECFERTUS), *a, um*, p. adj. Plein.

efferus, *a, um*, adj. Sauvage, farouche.

effervens, *entis*, p. adj. Enflammé. || Bouillant.

efferveo, *es, ere*, intr. Se répandre en bouillonnant. ¶ Déborder, sortir à flots; tourbillonner ¶ (Fig.) Bouillir (de colère).

effervesco, *is, ferbui* et *fervi, ere*, intr. Entrer en ébullition *ou* en fermentation, bouillonner. ¶ (Fig.) Se répandre (comme un flot), se précipiter (à gros bouillons); s'agiter, fourmiller. ¶ (Fig.) Devenir bouillant; brûler de...

effervo, *is, ere*. Comme EFFERVEO.

effetus, *a, um*, adj. Qui a mis bas; qui vient d'accoucher. ¶ Epuisé par l'enfantement. ¶ (Fig.) Epuisé, exténué, brisé.

efficacia, *ae*, f. Vertu; efficacité.

efficacitas, *atis*, f. Comme EFFICACIA.

efficaciter, adv. Efficacement. || Avec succès. [¶ Efficace.

efficax, *acis*, adj. Actif *ou* agissant.

efficiens, *entis*, p. adj. Efficient.

efficienter, adv. D'une manière efficace.

efficientia, *ae*, f. Action; efficacité.

efficio (ECFICIO), *is, feci, fectum, ere*, tr. Mener à bien ce qu'on a entrepris; effectuer, réaliser, exécuter, accomplir. ¶ (Spéc.) Créer, faire, fabriquer, bâtir. || (*En parl. de ch.*) Etre la cause efficiente de. ¶ Rendre, faire devenir (tel *ou* tel). || Produire, rapporter. || Se procurer (de l'or, de l'argent), rassembler, réunir (pour son usage). ¶ Parcourir(une distance). ¶ (Absol.) Faire des progrès, réussir. ¶ Etablir (par le raisonnement), prouver, conclure. ¶ (En parl. de la terre.) Produire, rapporter. || *En parl. d'argent.* Se monter à, faire.

effigies (ECFIGIES), *ei*, f. Image, représentation, copie, portrait; figure. || Représentation plastique, statue. || Figure (à la poupe d'un vaisseau). || Ombre, fantôme. ¶ *Abstr.* Forme, ressemblance. *Ad* ou *in effigiem*, à l'image (de). || Image idéale, type, idéal.

effingo, *is, finxi, fictum, ere*, tr. Représenter, figurer. || Imiter, copier. ¶ Faire le portrait de. ¶ (Fig.) Dépeindre (en paroles), décrire. || Figurer, rendre. || Chercher à imiter qqn, à ressembler à qqn; copier. || Imaginer, se représenter (par la pensée). ¶ *Qqf.* Enlever (en frottant), essuyer, effacer.

efflagitatio, *onis*, f. Prière instante; demande pressante.

efflagitatus, *us*, m. Comme le précédent.

efflagito, *as, avi, atum, are*, tr. Demander instamment, prier, presser, solliciter vivement, réclamer.

efflatus, *us*, m. Action de s'échapper, sortie (du vent). [force de pleurer.

effleo, *es, flevi, ere*, tr. Epuiser, perdre à

efflicte, adv. Violemment, éperdument.

efflictim, adv. Comme EFFLICTE.

effligo, *is, flixi, flictum, ere*, tr. Abattre, assommer. ¶ (Fig.) Détraquer.

efflo, *as, avi, atum, are*, tr. Rejeter par le souffle, exhaler. || (Absol.) Rendre le dernier souffle, expirer, mourir. ¶ *Intr.* S'exhaler.

effloreo, *es, ere*, intr. Etre en fleur, fleurir.

effloresco, *is, ere*, intr. Etre en fleur, fleurir. ¶ (Fig.) Etre florissant, brillant, jeune, heureux. || Naître (comme une fleur) de; résulter.

effluo (ECFLUO), *is, fluxi, ere*, intr. Couler hors de, s'écouler; découler. || (Fig.) S'en aller (comme un liquide), s'échapper, tomber, s'effacer, se perdre. ¶ Echapper à l'esprit, à l'attention, à la mémoire. ¶ Se répandre (comme un flot), s'étaler; s'ébruiter. ¶ (*Qqf. tr.*) Laisser couler, laisser échapper; verser.

effluvium, *ii*, n. Ecoulement.

effoco, *as, are*, tr. Etouffer.

effodio (ECFODIO), *is, fodi, fossum, ere*, tr. Retirer en creusant, déterrer. || Fouir, creuser, fouiller. — *oculos*, crever les yeux. — *arbores*, déchausser des arbres. ¶ Tracer en creusant.

effoe... Voy. EFFE.

effor (ECFOR), *aris, atus sum, ari*, dép. tr. Exprimer (par la parole), parler; dire, énoncer, formuler. || Rendre (un oracle). ¶ Consacrer (par des formules religieuses). Au passif. *Effata templa*, temples consacrés.

effragro, *as, are*, intr. Exhaler (une odeur, un parfum).

effrenate, adv. Sans retenue.

effrenatio, *onis*, f. Déchaînement, dérèglement.

effrenatus, *a, um*, p. adj. A qui on a lâché la bride, on a ôté le frein. || Débridé. ¶ (Fig.) Effréné, déchaîné, déréglé; sans retenue, sans mesure.

effrenis, *e*, adj. Débridé. ¶ Sans frein, déchaîné; déréglé. [chaîner.

effreno, *as, are*, tr. Débrider. ¶ Dé-

effrenus, *a*, *um*, adj. Débridé. ¶ (Fig.) Déchaîné, déréglé.

effringo, *is*, *fregi*, *fractum*, *ere*, tr. Rompre, briser, fracasser. ¶ *Intr.* Se briser. ¶ S'ouvrir un passage.

effugio, *is*, *fugi*, *ere*, intr. S'échapper en fuyant; s'enfuir, se sauver. ¶ *Tr.* Fuir, éviter, échapper *ou* se soustraire à. ‖ Échapper à la connaissance de. ¶ Dédaigner, ne pas vouloir de.

effugium, *ii*, n. Fuite, évasion. ¶ (Méton.) Moyen de fuir *ou* de sortir; moyen d'évasion. ‖ Issue.

effulgeo, *es*, *fulsi*, *ere*, intr. Surgir, passer en brillant. ¶ Briller, luire, rayonner, éclater (pr. et fig.). [dent.

effulgo, *is*, *ere*, intr. Comme le précé-

effultus, *a*, *um*, p. adj. Appuyé *ou* couché sur.

effundo, *is*, *fudi*, *fusum*, *ere*, tr. Epancher, verser largement, répandre. ¶ Vider en versant. Passif *ou* réfléchi. *Effundi* et *effundere se*, se déverser (dans), se jeter (dans la mer) *et fig.* se répandre (en parl. d'une foule), se précipiter, courir; se jeter (en foule). ¶ Verser, renverser, jeter à bas *ou* à terre, culbuter. ‖ Chasser, disperser. ¶ Donner libre cours à; lâcher *ou* relâcher. — *habenas*, lâcher les rênes. — *vires*, déployer toutes ses forces. *Effundi* ou *se effundere*, se donner carrière. ¶ Laisser échapper, faire entendre; dire avec effusion; révéler; parler à cœur ouvert. ‖ Exhaler, rendre. ¶ Produire en abondance, prodiguer. ¶ Dépenser, dissiper, gaspiller. ‖ Gâcher (en étourdi). ¶ Rejeter, se défaire de.

effuse, adv. En se répandant. ¶ A la débandade; sans ordre; çà et là. ¶ Abondamment, largement. ¶ Avec effusion, à cœur ouvert, de tout cœur.

effusio, *onis*, f. Action de verser *ou* de répandre; écoulement, épanchement; effusion (de sang). ¶ Action de se répandre, débordement, flot. ‖ (Fig.) Flot. *Effusiones hominum*, flots de gens. ¶ (Fig.) Action de dépenser (avec profusion): prodigalité, largesses, profusion. ¶ Epanchement, effusion. ‖ Passion, transport.

effusus, *a*, *um*, p. adj. Versé répandu, débordé.— *super ripas Tiberis*, le Tibre débordé, sorti de son lit. — *in lacrimas*, fondant en larmes. ¶ Relâché, lâche. *Effusis habenis*, à bride abattue. ¶ Qui se répand, *d'ou* étendu, large. — *mare*, vaste étendue de la mer. ‖ Qui se répand au hasard; à la débandade. — *agmen*, troupe à la débandade. ‖ (Fig.) Généreux, prodigue. ¶ Sans retenue, excessif. ‖ Plein d'effusion.

effutio, *is*, *ivi* et *ii*, *itum*, *ire*, tr. Dire sans réflexion, parler inconsidérément, débiter des riens; babiller.

egelido, *as*, *are*, tr. Faire dégeler.

egelidus, *a*, *um*, adj. Dégourdi, tiède. ¶ Glacé, froid. ‖ Frais.

egelo, *as*, *are*, tr. Dégourdir.

egens, *entis*, p. adj. Qui manque de, privé de. ¶ Pauvre, nécessiteux, qui est dans le besoin.

egenus, *a*, *um*, adj. Qui manque de, privé de. ‖ Pauvre. Subst. *Egenus*, *i*, m. Le pauvre. ¶ (*En parl. de ch.*) Maigre, dans la détresse.

egeo, *es*, *ui*, *ere*, intr. Etre dans le besoin, être nécessiteux. ‖ Manquer de, être privé de. ‖ Avoir besoin de, c.-à-d. demander, réclamer. ‖ Se passer de. [mer, commencer à pousser.

egermino, *as*, *avi*, *atum*, *are*, intr. Ger-

egero, *is*, *gessi*, *gestum*, *ere*, tr. Emporter dehors, porter hors de, retirer, enlever. ‖ (Spéc.) Enlever, c.-à-d. dérober. ¶ Rejeter au dehors, évacuer, vomir. ¶ *Fig.* Répandre, exhaler. ‖ Faire connaître, dire. ¶ Vider (avec une pompe), pomper, épuiser. ¶ Dépenser. ‖ Employer, passer (le temps). ¶ (*Qqf.*) Elever.

egestas, *atis*, f. Besoin, indigence, misère. ‖ Pauvreté. ¶ Privation, manque; disette.

egestio, *onis*, f. Action d'emporter (au dehors), de retirer. ¶ Action de se déverser. ¶ Action d'épuiser, de dépenser. ¶ (Méd.) Evacuation; déjection.

egestus, *us*, m. Action d'emporter, d'enlever. ¶ Evacuation; déjection.

egigno, *is*, *ere*, tr. Engendrer, produire.

ego, pron. Je, moi. *Alter ego* ou *ego alter*, un autre moi-même. *Egomet*, moi-même, moi précisément.

egomet. Voy. EGO.

egredior, *eris*, *gressus sum*, *gredi*, dép. intr. Sortir. ‖ (Spéc.) Descendre à terre, débarquer. ‖ Sortir (d'un creux); monter. ‖ (Fig.) Sortir de (son sujet), faire une digression. ¶ *Tr.* Sortir des limites de, dépasser, franchir.

egregia, *orum*, n. pl. Mérites, vertus.

egregie, adv. Excellemment, extraordinairement. ¶ D'une façon peu commune; beaucoup, fort, très. ‖ Bravo ! A merveille !

1. **egregius**, *a*, *um*, adj. Qui sort de l'ordinaire; distingué, qui excelle; supérieur. [sous le Bas-Empire.
2. **egregius**, *ii*, m. Titre d'honneur

egressio, *onis*, f. Action de sortir; sortie. ¶ (Fig.) Digression.

egressus, *us*, m. Action de sortir; sortie *ou* départ. ‖ (Spéc.) Débarquement. ¶ Digression, écart. ¶ (Méton.) Sortie, issue. ¶ Embouchure (d'un fleuve).

egurgito, *as*, *are*, tr. Verser, jeter dehors.

ehem, interj. Hé ! tiens !

eheu, interj. Oh ! Ah ! Hélas !

eho, interj. Holà ! Ho !

ehodum, interj. Hé là !

ei (HEI), interj. Aïe ! [Allons ! Holà !

eia (HEIA), interj. Oh ! oh ! ¶ Or çà !

eicio. Voy. EJICIO. [vant.

ejaculo, *as*, *avi*, *are*, tr. Comme le sui-

ejaculor, *aris*, *atus*, *sum ari*, dép. tr.

Lancer avec force, projeter. — *se*, s'élancer (comme un trait).

ejectamentum, *i*, n. Ce qui est rejeté.

ejectio, *onis*, f. Action de jeter au dehors *ou* de rejeter. ¶ Action de cracher, de vomir, d'évacuer. ¶ Bannissement, expulsion. ¶ (T. méd.) Luxation, déboîtement (d'un os).

ejectuncula, *ae*, f. Entorse, luxation sans gravité.

ejecto, *as*, *are*, tr. Rejeter. ‖ (Spéc.) Evacuer, rendre; cracher, vomir.

ejectus, *us*, m. Action de rejeter.

ejer... Voy. EJUR...

ejicio (EICIO), *is*, *jeci*, *jectum*, *ere*, tr. Jeter dehors, rejeter, chasser. ¶ Emettre, proférer, pousser (un cri). ¶ Rejeter, cracher, vomir, évacuer. ‖ Avorter. ¶ Expulser, chasser, bannir, exiler. ‖ Exclure. ¶ Chasser (de la scène), huer, siffler (un acteur). ¶ Repousser, rejeter, désapprouver. ¶ Jeter à la côte, faire échouer. Passif : *ejici*, faire naufrage *ou* s'échouer. Subst. *Ejectus*, un naufragé. ¶ Arracher, extirper. ¶ Démettre, déboîter, luxer. ¶ (Fig.) Rejeter, bannir de l'esprit. ‖ Déposséder.

ejulatio, *onis*, f. Lamentation bruyante.

ejulatus, *us*, m. Comme le précédent.

ejulito, *as*, *are*, intr. Se lamenter souvent et bruyamment.

ejulo (HEJULO), *as*, *avi*, *atum*, *are*, intr. Gémir, se lamenter bruyamment. ¶ Déplorer. ‖ Plaindre.

ejuro (EJERO), *as*, *avi*, *atum*, *are*, tr. Déclarer sous la foi du serment qu'on repousse, qu'on refuse. — *bonam copiam*, déposer son bilan, se déclarer en faillite. ‖ Renoncer à, se démettre de, abdiquer. ¶ (Fig.) Renier, abjurer. ‖ Récuser (un juge), en parl. du défendeur.

ejuscemodi, gén. adv. De ce genre (remplace TALIS à tous les cas).

ejusdemmodi (EJUSDEM MODI), gén. adv. De la même manière, semblable.

ejusmodi (EJUS MODI), gén. adv. De cette manière. ‖ De telle nature, tel.

elabor, *eris*, *lapsus sum*, *labi*, dép. intr. Se glisser hors de, s'échapper en glissant. ¶ Tomber *ou* (*qqf.*) monter (en se glissant). ¶ Se retirer inaperçu, s'échapper, s'esquiver. ¶ (Spéc.) Se déboîter. ¶ (Fig.) Echapper à, se tirer (d'affaire). ‖ Glisser, *c.-à-d.* sortir de l'esprit, de la mémoire.

elaboratio, *onis*, f. Effort assidu, travail acharné.

elaboratus, abl. *u*, m. Comme ELABORATIO.

elaboro, *as*, *avi*, *atum*, *are*, intr. Se donner du mal, s'appliquer, s'efforcer. ¶ *Tr.* Elaborer, travailler à; exécuter soigneusement.

elamentabilis, *e*, adj. Plaintif.

elangueo, *es*, *gui*, *ere*, intr. S'alanguir.

elanguesco, *is*, *gui*, *ere*, intr. S'alanguir,

s'affaiblir. *Elanguescens arbor*, arbre rabougri. [ser.

elassesco, *is*, *ere*, intr. Se lasser, s'épuiser.

1. **elate**, *es*, f. Jeune pousse de palmier. ¶ Elate, sorte d'arbre résineux.

2. **elate**, adv. Avec hauteur. ¶ Avec élévation, avec noblesse. ¶ Avec orgueil, avec arrogance.

elatio, *onis*, f. Action d'emporter. ‖ Enterrement, funérailles. ¶ Action d'élever *ou* de soulever. ‖ Elévation (de la voix). ¶ Rang élevé.‖ Elévation, fierté. ‖ Hauteur, arrogance.

elatus, *a*, *um*, p. adj. Elevé, haut. ‖ Aigu (en parl. du ton). ¶ (Fig.) Relevé, sublime. ‖ Fier, orgueilleux.

elavo, *as*, *avi*, *lautum* et *lotum*, *are*, tr. Nettoyer en lavant, laver. ¶ (Famil.) Ruiner (par un naufrage). *Elotae sumus*, nous sommes rincées, *c.-à-d.* ruinées. ¶ (*Intr.*) Etre ruiné (par un naufrage). [choix.

electe, adv. Avec choix, en faisant un

electio, *onis*, f. Action de choisir; choix. ¶ Election. ‖ Recrutement.

1. **electo**, *as*, *are*, tr. Tirer les vers du nez, s'informer habilement, en séduisant.

2. **electo**, *as*, *are*, tr. Choisir.

elector, *oris*, m. Celui qui choisit.

electrum, *i*, n. Ambre jaune. Au plur. *Electra*, larmes d'ambre, petites boules d'ambre. ¶ Alliage (d'or et d'un cinquième d'argent) qui a la couleur de l'ambre.

1. **electus**, *a*, *um*,p. adj. Choisi; d'élite. ‖ Distingué, exquis, excellent.

2. **electus**, *us*, n. Choix.

eleemosyna, *ae*, f. Aumône. [aumône.

eleemosynarius, *a*, *um*, adj. Donné en

elegans, *antis*, adj. *En parl. de pers.* Fastueux, délicat. ‖ (*Ordin.*) Qui a du goût, de bonnes manières; distingué. ‖ (Spéc.) Qui s'exprime avec pureté. ¶ *En parl. de ch.* Plein de goût, élégant, choisi; de bon ton, de bonne compagnie.

eleganter, adv. Avec choix, avec goût, avec finesse. ¶ D'une manière distinguée.

elegantia, *ae*, f. Choix délicat. ‖ Bon goût, délicatesse, élégance. ¶ Goût, finesse, délicatesse, pureté (de l'expression).

1. **elegea** et **elegeia**, *ae*, f. Voy. ELEGIA.

2. **elegia**, *orum*, n. pl. Elégie. ‖ Distiques élégiaques.

elegeion, *i*, n. Morceau élégiaque.

elegeus ou **elegius**, *a*, *um*, adj. D'élégie; élégiaque. [élégies.

elegi, *orum*, m. pl. Vers élégiaques *ou*

elegia, *ae*, f. Elégie.

elegiacus, *a*, *um*, adj. Elégiaque.

elegiarii, *orum*, m. pl. Poètes élégiaques.

elementarius, *a*, *um*, adj. Elémentaire. Voy. ELEMENTUM.

elementum, *i*, n. Elément, partie constitutive d'une chose. ¶ (Par ext.) Au plur. *Elementa*, éléments, premiers principes, rudiments; commencements. || Lettres (sons) de l'alphabet.

elephantiarius, ii, m. Celui qui soigne *ou* dresse les éléphants.

elephantiasis, is, f. Eléphantiasis, sorte de lèpre. [d'éléphantiasis.

elephanticus, i, m. Malade atteint

1. elephantinus, a, um, adj. D'éléphant.

2. elephantinus, a, um, adj. D'ivoire.

elephantus, i, m. et f. Eléphant (mâle *et* femelle). || (Méton.) Ivoire. ¶ Animal marin.

elephas, antis, m. Eléphant. ¶ Comme ELEPHANTIASIS.

eleutheria, ae, f. Liberté.

elevatio, onis, f. Action d'élever *ou* de lever. ¶ (Fig.) *Gramm.* Elévation (de la voix), arsis. ¶ (*Rhét.*) Figure qui consiste à louer ironiquement; sarcasme.

elevator, oris, m. Celui qui élève. ¶ Celui qui soutient, protecteur, appui.

elevo, as, avi, atum, are, tr. Lever, élever. ¶ Emporter, enlever. ¶ Rendre plus léger. || Affaiblir. || Atténuer, adoucir.

elicio, is, licui et lexi, licitum, ere, tr. Attirer au dehors, faire sortir, faire venir (par persuasion), engager. Evoquer (les morts). ¶ Faire sortir, faire jaillir, arracher. || (Spéc.) Faire tomber (la pluie); attirer (la foudre) par des formules magiques. ¶ (Fig.) Amener, engager, déterminer. || Provoquer, faire naître. || Arracher (un secret).

elicitor, oris, m. Celui qui extrait.

elido, is, lisi, lisum, ere, tr. Faire sortir en frappant, faire sauter dehors, faire jaillir. || *Spéc.* Emettre, proférer. ¶ Renvoyer, réfléchir (une image). ¶ Venir à bout de, guérir. || (Gramm.) Elider; syncoper. ¶ Ecraser, broyer, fracasser. || (Fig.) Briser, abattre.

eligo, is, legi, lectum, ere, tr. Enlever en cueillant. ¶ Prendre en choisissant; choisir. || Elire (par voie de suffrages), trier, faire choix de.

elimatio, onis, f. Action d'enlever avec la lime; action de raboter. ¶ (Fig.) Action de débrouiller, d'éclaircir. ¶ Diminution.

elimatius, adv. (au compar.) En limant mieux. ¶ (Fig.) Avec plus d'exactitude.

elimator, oris, m. Celui qui nettoie.

elimatus, a, um, p. adj. Limé. ¶ (Fig.) Poli, fin. || Cultivé, instruit.

elimino, as, avi, atum, are, tr. Pousser hors du seuil, mettre à la porte, renvoyer. ¶ (Fig.) Divulguer, publier.

1. elimo, as, avi, atum, are, tr. Enlever avec la lime, limer. ¶ (Fig.) Limer, polir, affiner. || Affaiblir, épuiser.

2. elimo, as, are, tr. Nettoyer.

elinguis, e, adj. Qui n'a pas de langue. ¶ (Fig.) Muet. || Qui manque d'éloquence.

eliquatus, a, um, p. adj. Tiré au clair.

eliquesco, is, ere, intr. Devenir liquide. ¶ Couler goutte à goutte.

eliquo, as, avi, atum, are, tr. Filtrer, clarifier, épurer. || *Fig.* Eclaircir, tirer au clair, élucider. || Purifier (au moral). ¶ (Par ext.) Laisser couler de ses lèvres, distiller, prononcer lentement; *part.* fredonner. || Faire glisser entre les doigts. || Chercher minutieusement.

elixus. a, um, adj. Bouilli. ¶ (Par ext.) Mouillé, trempé (d'eau *ou* de sueur).

elleborum, i, n. Comme le suivant.

elleborus (HELLEBORUS), **i**, m. Ellébore, plante servant de remède contre la folie et l'épilepsie; l'ellébore blanc servait de vomitif et le noir de purgatif. [mot.

ellipsis, is, f. Ellipse, suppression d'un

eloco, as, avi, atum, are, tr. Affermer, louer.

elocutio, onis, f. Manière de s'exprimer; langue, langage. ¶ (Rhét.) Elocution, style.

elocutoria (s.-e. *ars*), **ae**, f. Art oratoire.

elocutorius, a, um, adj. Relatif à l'élocution. [rique.

elocutrix, icis, f. Art oratoire; rhéto-

elogium, ii, n. Enonciation. ¶ Sentence, pensée, apophthegme. ¶ Inscription (sur un temple, une statue, un tombeau), dédicace, épitaphe. ¶ Clause, codicille. ¶ Compte rendu, rapport, procès-verbal, déclaration judiciaire.

eloquens, entis, p. adj. Doué de la parole; qui parle. ¶ Qui a le talent de la parole, éloquent.

eloquenter, adv. Eloquemment.

eloquentia, ae, f. Eloquence.

eloquium, ii, n. Faculté de s'exprimer. || Parole, langage. ¶ Entretien, discours. || Prononcé d'un oracle. ¶ Eloquence.

eloquor, eris, locutus sum, loqui, dép. intr. S'exprimer, parler. ¶ *Tr.* Exprimer, énoncer.

elotus, a, um, part. d'ELAVO.

elucens, entis, p. adj. Brillant, resplendissant.

eluceo, es, luxi, ere, intr. Briller au dehors, rayonner. ¶ (Fig.) Resplendir, se manifester d'une façon éclatante.

elucesco, is, luxi, ere, intr. Commencer à briller, devenir resplendissant (pr. et fig.). Impers. *Elucescit*, il commence à faire jour.

eluctabilis, e, adj. Dont on peut venir à bout.

eluctor, aris, atus sum, ri, dép. intr. Se tirer d'affaire avec peine; parvenir à se dégager. ¶ (*Tr.*) Surmonter.

elucubratio, onis, f. Action d'élucubrer, résultat de cette action.

elucubratus, a, um, p. adj. Composé avec soin, par un travail prolongé.

elucubro, as, avi, atum, are, tr. Travailler (sous la lampe) à. ¶ (Fig.) Elucubrer, faire avec soin, composer par un travail prolongé.

elucubror, *aris*, *atus sum*, *ari*, dép. tr. Comme le précédent.

eludo, *is*, *lusi*, *lusum*, *ere*, intr. Se jouer sur la grève (en parl. des flots). ¶ (Tr.) Gagner au jeu. ¶ Parer (un coup), esquiver. || (*Fig.*) Éviter, éluder. ¶ Railler, tourner en dérision ; insulter. ¶ Se jouer de, décevoir ; tromper.

elugeo, *es*, *luxi*, *ere*, tr. et intr. Porter le deuil (de rigueur). ¶ *Tr.* Etre en deuil de, pleurer.

elumbis, *e*, adj. Ereinté. || (Fig.) Sans vigueur. ¶ Enervant, paralysant.

elumbus, *a*, *um*, adj. Voy. le précédent.

eluo, *is*, *lui*, *lutum*, *ere*, tr. Laver pour nettoyer. || *Fig.* Purifier. ¶ Vider ; dépeupler. || Ruiner. ¶ Enlever (en lavant). || (*Fig.*) Effacer ; extirper, faire disparaitre. ¶ Gaspiller.

elutrio, *as*, *are*, tr. Rincer, nettoyer. ¶ (Fig.) Clarifier, éclaircir.

elutus, *a*, *um*, p. adj. Noyé d'eau, délayé. ¶ (Fig.) Faible, fade.

eluvies, *ei*, f. Débordement. ¶ Ecoulement. || (Méton.) Résultat d'une inondation : mare, bourbier, ravine.

eluvio, *onis*, f. Inondation.

1. **em**, arch. p. EUM, acc. m. de **is**.
2. **em**, interj. Hé ! holà !
3. **em**, interj. Plaît-il ? [nuer.

emacero, *as*, *are*, tr. Amaigrir. ¶ Exté-
emacesco, *is*, *ere*, intr. Maigrir ; devenir maigre. [¶ Epuiser.

emacio, *as*, *atum*, *are*, tr. Rendre maigre.

1. **emacitas**, *atis*, f. Manie d'acheter.
2. **emacitas**, *atis*, f. Maigreur.

emacresco, *is*, *crui*, *ere*, intr. Maigrir, devenir maigre.

emaculo, *as*, *are*, tr. Faire disparaitre les taches de, nettoyer.

emanatio, *onis*, f. Emanation.

emancipatio, *onis*, f. Emancipation, acte par lequel un père affranchit son fils de la puissance paternelle. ¶ Aliénation, cession (de la propriété).

emancipator, *oris*, m. Emancipateur (en parlant de celui qui soustrait à l'emprise du diable).

emancipo (EMANCUPO) *as*, *avi*, *atum*, *are*, tr. Emanciper, affranchir de l'autorité paternelle. || Céder (à autrui) l'autorité qu'on a sur son enfant. ¶ (En gén.) Aliéner (au profit de), céder. ¶ (Fig.) — *se*, se soumettre entièrement à, se mettre à l'entière disposition de.

emanco, *as*, *avi*, *atum*, *are*, tr. Mutiler.

emaneo, *es*, *mansi*, *mansum*, *ere*, intr. Rester dehors. || Découcher. ¶ Rester absent au delà du terme prescrit.

emano, *as*, *avi*, *atum*, *are*, intr. Couler au dehors, sortir en coulant, découler. ¶ Provenir, résulter. ¶ Emaner. ¶ Se répandre, devenir connu, se divulguer.

emarcesco, *is*, *marcui*, *ere*, intr. Se flétrir. [de.

emargino, *as*, *are*, tr. Enlever le bord

ematuresco, *is*, *turui*, *ere*, intr. Devenir entièrement mûr. ¶ (Fig.) S'adoucir.

ematuro, *as*, *are*, intr. Comme EMATU-
RESCO. [d'acheter.

1. **emax**, *acis*, adj. Qui a la manie
2. **emax**, *acis*, adj. Amaigri ; desséché.

emblema, *matis*, n. Ce qui s'applique sur *ou* s'insère dans : pièce de rapport, application. || *Spéc.* Mosaïque, marqueterie. || Ornement en relief appliqué sur les vases précieux. || *Fig.* Pièce rapportée, morceau inséré (dans un discours).

embola, *ae*, f. Cargaison.

embolia, *f*. *ae*, Comme EMBOLIUM.

emboliaria, *ae*, f. Actrice chargée d'un intermède. [intermède.

emboliarius, *ii*, m. Acteur chargé d'un

embolium, *ii*, n. Toute chose intercalée. || Intermède. || Episode.

emedullo, *as*, *are*, tr. Sucer jusqu'à la moelle, épuiser. [ger ; perfectible.

emendabilis, *e*, adj. Qu'on peut corri-

emendate, adv. Avec correction ; correctement.

emendatio, *onis*, f. Correction, amélioration. ¶ Perfectionnement.

emendator, *oris*, m. Celui qui corrige, améliore, perfectionne. [meilleur.

emendatorius, *a*, *um*, adj. Qui rend

emendatrix, *icis*, f. Celle qui corrige, améliore, perfectionne.

emendatus, *a*, *um*, p. adj. Correct. ¶ Exempt de défauts, accompli ; irréprochable.

emendico, *as*, *are*, tr. Obtenir en mendiant ; mendier (pr. et fig.).

emendo, *as*, *avi*, *atum*, *are*, tr. Enlever les fautes de. ¶ Corriger, amender, améliorer (en corrigeant ce qui est défectueux). || *Spéc.* Corriger, c.-à-d. châtier, punir. || Corriger, c.-à-d. ramener à la mesure qqch. d'excessif *ou* racheter, compenser. ¶ Remédier à, guérir. [parcours.

emensio, *onis*, f. Action de parcourir ;

ementior, *iris*, *itus sum*, *iri*, dép. tr. Absol. Mentir. ¶ *Tr.* Supposer, inventer mensongèrement, controuver, simuler. Subst. *Ementita*, n. pl. Mensonges, affirmations mensongères. ¶ (Absol.) Rendre un faux témoignage.

ementiticius, *a*, *um*, adj. Mensonger, controuvé.

emereor, *aris*, *atus sum*, *ari*, dép. tr. Acheter. Part. pass. *Emercatus*, acheté.

1. **emereo**, *es*, *ui*, *itum*, *ere*, tr. et
emereor, *eris*, *itus sum*, *eri*, dép. tr. Gagner. || Acquérir des titres à ; mériter, être digne. || Acquérir des titres à la reconnaissance de, rendre service, obliger. *Emeritus*, un homme obligeant. ¶ Achever son temps (de service).

2. **emereo**, *ere*, tr. Se faire bien voir. Au passif *emereri*, être bien vu de...

emergo, *is*, *mersi*, *mersum*, *ere*, tr. *et* intr. || *Tr.* Faire sortir de l'eau. || *En gén.* Faire sortir du milieu où l'on est, élever (au-dessus). || (Fig.) Dégager (des entraves), tirer d'affaire. ¶ *Intr.* Sortir de l'eau, s'élever à la surface. || Se dépêtrer. || Sortir (de l'ombre), paraître (au jour), éclater. || S'élever, monter (fig.).

emeritum, *i*, n. Pension de retraite.

1. emeritus, *a*, *um*, p. adj. Qui a fini son temps (de service), *d'où* hors de service, vieilli. Fig. *Emeritum aratrum*, charrue hors de service.

2. emeritus, *i*, m. Soldat retraité.

emersus, *us*, m. Action d'émerger; sortie, apparition.

emetior, *iris, mensus sum, iri*, dép. tr. Mesurer. || Arpenter, *c.-à-d.* parcourir, franchir (une distance). || Passer (un certain temps). || (Fig.) Passer par. — *labores*, passer par des épreuves. || -(Par ext.) Fig. Distribuer, fournir, accorder. *Voluntatem alicui emetiri*, donner à qqn une preuve de bonne volonté.

emeto, *is, messum, ere*, tr. Recueillir en moissonnant, *d'où* moissonner, récolter.

emico, *as, micui, micatum, are*, intr. Sortir impétueusement, s'élancer, jaillir. ¶ Se faire jour, éclater. || Sortir brillant, briller. ¶ Sauter, s'élancer, bondir. ¶ S'élever (pr. et fig.).

emigratio, *onis*, f. Action de sortir (d'un pays); émigration.

emigro, *as, avi, atum, are*, intr. S'en aller, partir.|| Déménager. || Emigrer. ¶ *Tr.* Faire sortir, éloigner, écarter. || Transgresser.

emina. Voy. HEMINA.

eminens, *entis*, p. adj. Saillant, qui fait saillie. ¶ Qui s'élève au-dessus, qui dépasse. ¶ Qui dépasse le relief de ce qui l'entoure; proéminent. || Qui a du relief. *Alia eminentiora facere*, donner plus de relief à d'autres parties (du tableau). ¶ (Fig.) Qui saute aux yeux, remarquable. || Eminent, supérieur, distingué.

eminenter, adv. D'une façon remarquable.

eminentia, *ae*, f. Saillie. || Elévation, éminence. || Proéminence. || Relief, ce qui fait saillie sur une surface. || Lumière (dans un tableau) *opp. à* ombres. ¶ (*Fig.*) Supériorité, prééminence. || Excellence.

emineo, *es, ui, ere*, intr. Faire saillie, dépasser le niveau de. ¶ Etre proéminent, || Avoir du relief, être au premier plan, en pleine lumière. ¶ (*Fig.*) Eclater, se manifester, se faire remarquer. || Se distinguer, avoir un mérite éminent.

eminiscor, *eris, mentus sum, minisci*, dép. tr. Imaginer, se figurer.

eminus, adv. De loin (en combattant); à une portée de trait. || (En gén.) De loin. ¶ *Qqf.* Loin de.

emiror, *aris, atum sum, ari*, dép. tr. S'étonner de, voir avec surprise.

emissarium, *ii*, n. Canal pour l'écoulement, décharge.|| (Méd.) Ouverture pour l'écoulement du pus.

1. emissarius, *a*, *um*, adj. Que l'on lâche. || Qui sert à l'écoulement de.

2. emissarius, *ii*, m. Emissaire, agent secret, espion. ¶ Pousse qu'on laisse à la vigne en la taillant.

emissio, *onis*, f. Action d'envoyer dehors; émission. ¶ Action de laisser échapper *ou* tomber.

emissor, *oris*, m. Celui qui lance *ou* envoie au dehors. [de lancer.

emissus, *us*, m. Action de renvoyer,

emitto, *is, misi, missum, ere*, tr. Faire sortir, envoyer hors de. ¶ Lâcher, déchaîner. ¶ Chasser. || Jeter, lancer. ¶ Laisser tomber, laisser échapper. ¶ Exhaler, rendre (l'âme). ¶ Lancer, jeter. || Pousser, produire. || Proférer. || Publier. ¶ Laisser sortir; relâcher, remettre en liberté. || *Fig.* Affranchir.

emmeles, *is*, adj. Mélodieux.

emo, *is, emi, Emptum, ere*, tr. Prendre. ¶ (*Ordin.*) Se procurer avec de l'argent; acheter. Subst. *Emptum*, *i*, n. Achat.

emolimentum, *i*, n. Construction massive. ¶ (*Fig.*) Chose qui exige de grands efforts.

emolior, *iris, itus sum*, dép. tr. Faire sortir. || Soulever. ¶ Venir à bout de.

emollio, *is, ivi, itum, ire*, tr. Amollir. ¶ (Fig.) Adoucir. || Amollir, affaiblir, énerver, corrompre.

emolo, *is, ui, itum, ere*, tr. Moudre entièrement *ou* (simpl.) moudre.

emolumentum, *i*, n. Gain, profit; avantage.

emoneo, *es, ere*, tr. Avertir.

emorior, *eris. mortuus sum, mori*, dép. intr. Expirer, mourir. ¶ (Fig.) S'éteindre, disparaître; sortir d'usage.

emoveo, *es, movi, motum, ere*, tr. Oter d'un lieu, déplacer, remuer, ébranler. ¶ Déboîter, luxer. ¶ Eloigner, chasser.

emphasis, *eos*, f. Expression pleine de sens; force de l'expression.

emphyteusis, *is*, f. Emphytéose, location à bail d'un immeuble; bail à très longue durée *ou* à perpétuité.

emphyteuta, *ae*, m. Emphytéote, fermier *ou* locataire à perpétuité.

emphyteuticalis, *e*, adj. Comme EMPHYTEUTICUS. [EMPHYTEUTICUS.

1. emphyteuticarius, *a, um*, adj. Comme

2. emphyteuticarius, *ii*, m. Emphytéote.

emphyteuticus, *a, um*, adj. Qui concerne l'emphytéose, emphytéotique.

empirica, *orum*, n. pl. Traité de médecine empirique. [|| Empirisme

empirice, *es*, f. Médecine empirique.

empirici, *orum*, m. pl. Médecins empiriques.

empiricus, *a, um*, adj. Empirique (fondé sur l'observation *ou* qui se fonde sur l'expérience). [Place de commerce.

emporium, *ii*, n. Place du marché. ¶

emptio, *onis*, f. Action d'acheter; acquisition, achat. || (Méton.) Ce qu'on achète, achat. ¶ Marché, contrat.

emptito, *as*, *are*, tr. Acheter souvent; acheter.

emptor, *oris*, m. Acheteur.

emptrix, *icis*, f. Acheteuse. [ter.

empturio, *is*, *ire*, tr. Avoir envie d'acheter.

emptus, *us*, m. Achat.

emugio, *is*, *ire*, intr. et tr. Mugir. ¶ Prononcer en mugissant. [tement.

emulceo, *es*, *ere*, tr. Adoucir complètement.

emulgeo, *es*, *mulsum*, *ere*, tr. Traire complètement. ¶ Epuiser (fig.).

emunctio, *onis*, f. Action de se moucher.

emunctus, *a*, *um*, p. adj. Mouché. ¶ (Fig.) Fin, sagace, subtil. || Qui a du goût. [toyer à fond; purifier.

emundo, *as*, *avi*, *atum*, *are*, tr. Nettoyer.

emungo, *is*, *munxi*, *munctum*, *ere*, tr. Moucher. ¶ (Fig.) Dépouiller, escroquer.

emunio, *is*, *ivi* et *ii*, *itum*, *ire*, tr. Elever, bâtir. || Fortifier (pr. et fig.). ¶ Rendre praticable, percer (une route), frayer (une voie à travers...).

emutatio, *onis*, f. Changement.

emuto, *as*, *avi*, *atum*, *are*, tr. Changer complètement.

1. en, interj. Vois, voyez; voici, voilà. ¶ *Interrog.* Hein? Quoi? ¶ *Exhort.* Allons!

2. en. Voy. IN. [ter, expliquer.

enarrabilis, *e*, adj. Qu'on peut raconter.

enarrate, adv. En détail.

enarratio, *onis*, f. Récit détaillé. ¶ Explication (d'un auteur) avec commentaire.

enarro, *as*, *avi*, *atum*, *are*, tr. Raconter ou décrire en détail. ¶ Expliquer, commenter (un auteur).

enascor, *eris*, *natus sum*, *nasci*, dép. intr. Naître de. || Pousser sur...

enato, *as*, *avi*, *atum*, *are*, intr. Sortir en nageant, s'échapper à la nage. || (Fig.) Sortir d'embarras, se tirer de... ¶ *Tr.* Traverser, franchir en nageant.

enavigo, *as*, *avi*, *atum*, *are*, intr. Naviguer hors de, sortir par eau de, achever sa traversée. ¶ *Tr.* Traverser ou parcourir en bateau.

encenium, *ii*, n. Présent, cadeau.

endromis, *idis*, f. Endromide, vêtement épais (sorte de peignoir dont on se revêtait étant en sueur).

eneco, *as*, *ui*, *atum*, *are*, tr. Tuer, faire périr (lentement). || (*Spéc.*) Mettre à mort; étouffer, asphyxier. ¶ (*Fig.*) Faire mourir à petit feu, torturer. ¶ Epuiser. || Assommer, accabler d'ennui, importuner.

enervatus, *a*, *um*, p. adj. Enervé, épuisé. ¶ Affaibli, amolli.

enervis, *e*, adj. Sans nerf, sans force. ¶ Sans ressort. ¶ Affaibli. ¶ Affaiblissant, énervant.

enervo, *as*, *avi*, *atum*, *are*, tr. Enerver, couper, enlever les nerfs à. ¶ (*Fig.*)

Priver de nerfs, *c.-à-d.* d'énergie; énerver, affaiblir.

enim, conj. Car, en effet. ¶ *Partic. affirm.* Oui, vraiment; en vérité.

enimvero, conj. En vérité; eh oui!

enis... Voy. ENIX...

eniteo, *es*, *ui*, *ere*, intr. Se montrer avec éclat. ¶ *Fig.* Avoir un air riant. ¶ Se manifester avec éclat, briller, éclater.

enitesco, *is*, *ere*, intr. Commencer à paraître ou à se manifester avec éclat.

enitor, *eris*, *nisus* ou *nixus sum*, *niti*, dép. intr. Faire effort pour sortir, se dégager avec peine, peiner pour avancer ou pour monter. ¶ (Fig.) Se donner beaucoup de mal, déployer tous ses efforts. ¶ *Tr.* Faire sortir avec effort; mettre au monde. ¶ Gravir péniblement. || Parcourir à grand'peine. [tout le possible.

enixe, adv. Avec effort. ¶ En faisant

enixim, adv. Comme le précédent.

enixio, *onis*, f. Enfantement.

1. enixus (ENISUS), *a*, *um*, p. adj. Qui fait tous ses efforts, appliqué, acharné.

2. enixus, *us*, m. Comme ENIXIO.

eno, *as*, *avi*, *atum*, *are*, intr. Se dégager en nageant ou en naviguant. || Se sauver à la nage. || (Par ext.) *En gén.* S'échapper. ¶ *Tr.* Parcourir (à la nage ou en barque). || Parcourir, franchir, traverser.

enodabilis, *e*, adj. Qu'on peut dénouer ou débrouiller; explicable. [ment.

enodate, adv. Clairement, explicitement.

enodatio, *onis*, f. Explication, interprétation. [qui explique.

enodator, *oris*, m. Celui qui débrouille,

enodis, *e*, adj. Sans nœuds, uni, lisse. ¶ (Fig.) Souple, flexible.. || Coulant, facile, où rien n'arrête, *d'où* clair.

enodo, *as*, *avi*, *atum*, *are*, tr. Oter les nœuds de. ¶ Dénouer. ¶ (*Fig.*) Débrouiller. || Eclaircir, expliquer.

enormis, *e*, adj. Irrégulier. ¶ Démesuré.

enormitas, *atis*, f. Irrégularité. ¶ Grandeur démesurée. [mesurément.

enormiter, adv. Irrégulièrement. ¶ Démesurément.

enotesco, *is*, *notui*, *ere*, intr. Se faire connaître au dehors, devenir public, être divulgué.

ens, *entis*, n. Etre. || Objet.

ensiculus, *i*, m. Petite épée.

ensifer, *fera*, *ferum*, adj. Qui porte une épée. [une épée.

ensiger, *gera*, *gerum*, adj. Qui brandit

ensis, *is*, m. Epée. || (Méton.) Pouvoir royal. || Guerre. || Constellation (Orion).

enthymema, *matis*, n. Réflexion. || Pensée. || Trait d'esprit. || Maxime profonde. ¶ (Logique) Enthymème, syllogisme où l'une des prémisses est sous-entendue.

enubo, *is*, *nupsi*, *nuptum*, *ere*, intr. Sortir par mariage de sa classe ou de sa patrie (en parl. d'une femme).

enucleate, adv. Clairement, simplement.

enucleatim, adv. Comme le précédent.

enucleo, *as*, *avi*, *atum*, *are*, tr. Enlever le noyau de. ¶ (Fig.) Dégager (le sens de), expliquer, éclaircir.

enumeratio, *onis*, f. Enumération, dénombrement. ¶ (Rhét.) Récapitulation.

enumero, *as*, *are*, tr. Evaluer (une quantité) en nombre, faire le compte de, compter. || Supputer. ¶ (Fig.) Enumérer, récapituler.

enunc... Voy. ENUNT...

enundino, *as*, *are*, tr. Trafiquer de...

enuntiatio, *onis*, f. Révélation; dénonciation. ¶ Prononciation. || Enonciation.

enuntiativus, *a*, *um*, adj. Enonciatif.

enuntiatrix, *icis*, f. Révélatrice. ¶ Celle qui énonce. [proposition.

enuntiatum, *i*, n. Pensée exprimée, enuntiatus, *us*, m. Prononciation.

enuntio, *as*, *avi*, *atum*, *are*, tr. Faire connaître, révéler, divulguer. || Dénoncer. ¶ Exprimer. || Prononcer, *c.-à-d.* articuler. ¶ (T. de log.) Enoncer. || Déclarer, avancer, mettre en avant (une opinion, un jugement, etc.).

enuptio, *onis*, f. Mariage (d'une femme) qui la fait sortir de sa classe, de sa patrie.

enutrio, *is*, *ivi*, *itum*, *ire*, tr. Nourrir, élever. ¶ (Fig.) Former, instruire.

enutritio, *onis*, f. Instruction.

1. eo, *is*, *ivi* ou *ii*, *itum*, *ire*, intr. Aller, marcher, se mouvoir. || *Qqf.* Venir. ¶ (*En parl. de ch.*) Aller, couler, se répandre, s'étendre; souffler, voler, etc. ¶ (*Fig.*) Aller, marcher (en parl. d'une affaire). ¶ En venir à, tomber dans. ¶ Passer, couler (en parl. du temps). ¶ Durer, se prolonger. || Marcher, suivre tel ou tel cours (en parl. des événements). || Se changer en. ¶ Etre vendu, se vendre.

2. eo, adv. Là, y, vers cet endroit, jusqu'à ce point. ¶ (Fig.) A cela, à ce point. ¶ A cause de cela, pour cette raison. || D'autant (plus).

eodem, adv. Vers le même endroit, vers le même but, jusqu'au même point. ¶ Au même lieu, au même point. || (Fig.) De la même façon.

eon, *onis*, f. Arbre inconnu.

eopse, pour IPSO.

epactae, *arum*, f. pl. Jours intercalaires, épacte (jours à ajouter à l'année lunaire pour qu'elle égale l'année solaire).

epanalepsis, *is*, f. Epanalepse (fig. de rhét. appelée aussi répétition).

epar. Voy. HEPAR.

epastus, *a*, *um*, part. adj. Complètement mangé.

epaticus, *a*, *um*, adj. Voy. HEPATICUS.

ephemeris, *idis*, f. Journal, livre de compte *ou* de dépenses.

ephippium, *ii*, n. Housse (tenant lieu de selle, que ne connaissaient pas les anciens).

ephorus, *i*, m. Ephore, un des cinq magistrats suprêmes à Lacédémone.

epibata, *ae*, m. Soldat de marine.

epichirema, *matis*, n. Epichérème, syllogisme développé, dont on accompagne de preuves les deux prémisses ou l'une d'elles.

epichysis, *is*, f. Vase à vin, vase pour verser le vin. [rames.

epicopus, *a*, *um*, adj. A rames, garni de epicrocum, *i*, n. Robe (de femme) de laine fine et transparente.

epicus, *a*, *um*, adj. Epique. Subst. *Epici*, *orum*, m. pl. Poètes épiques.

epidixis, *is*, f. Répétition théâtrale.

epidromus, *i*, m. Corde pour serrer un filet, un hamac.

epigramma, *matis*, n. Inscription. ¶ Epitaphe. ¶ Petite pièce de vers, épigramme. [grammes.

epigrammatarius, *ii*, m. Auteur d'épigrammaticus, *a*, *um*, adj. Epigrammatique. [grammes.

epigrammista, *ae*, m. Auteur d'épigroma, *matis*, n. Cadastre, registre public contenant le relevé général des biens fonds.

epigrus, *i*, m. Cheville de bois.

epilepsia, *ae*, f. Epilepsie, haut mal.

epilepticus, *a*, *um*, adj. Epileptique.

epileus, *i*, m. Sorte d'oiseau de proie.

epilogicus, *a*, *um*, adj. Qui a rapport à l'épilogue. [cours], péroraison.

epilogus, *i*, m. Conclusion (d'un discours). [victoire.

epinicium, *ii*, n. Chant de victoire. ¶ Au plur. *Epinicia*, fêtes pour une victoire.

epiphania, *ae*, f. Epiphanie.

epiphonema, *matis*, n. Epiphonème, exclamation.

epiraedium (EPIRAEDIUM), *ii*, n. Courroie, trait (de voiture). [Evêque.

episcopus, *i*, m. Surveillant. ¶ (*Eccl.*)

epistola, *ae*, et (mieux) epistula, *ae*, f. Envoi d'une lettre; lettre missive; lettre. || Au plur. Comme LITTERAE. ¶ (Spéc.) Rescrit impérial.

1. epistolaris, *e*, adj. Qui est relatif aux lettres missives; épistolaire.

2. epistolaris, m. et f. Messager, messagère. ¶ (Au plur.) *Epistolares*, secrétaires de l'empereur.

epistolarius, *a*, *um*, adj. Comme EPISTOLARIS. Subst. *Epistolarii*, m. pl. Messagers, courriers.

epistolium, *ii*, n. Petite lettre.

epitheca, *ae*, f. Surcroît.

epithema, *matis*, n. Epithème, topique.

epitheton, *i*, n. (Gramm.) Epithète.

epitogium, *ii*, n. Vêtement porté par-dessus la toge; épitoge.

epitoma, *ae*, f. Voy. le suivant.

epitome, *es*, f. Abrégé, extrait.

epitomo, *as*, *avi*, *atum*, *are*, tr. Faire un abrégé de.

1. epitritus, *a*, *um*, adj. Qui contient un tiers en sus; qui vaut une unité plus un tiers.

2. **epitritus**, *i*, m. Le rapport 4/3.
¶ (Métr.) Epitrite, nom d'un pied composé de trois longues et d'une brève (ex. Pyrēnaeā).

epityrum, *i*, n. Plat fait d'olives confites.

epodos, *i*, m. Epode, second vers (dimètre d'un distique iambique).
¶ Seconde et dernière division de l'ode.

epops, *popis*, m. Huppe (oiseau).

epos, n. Poème épique, épopée.

epoto, *as*, *avi*, *potatum*, *are*, tr. Boire entièrement; vider en buvant. ¶ S'imprégner de. ¶ Dépenser à boire.

epotus, *a*, *um*, part. passé D'EPOTO.

epta... Voy. HEPTA.

epula, *ae*, f. Voy. le suivant.

epulae, *arum*, f. pl. Mets, aliments; nourriture. ¶ Repas, festin, banquet.

epularis, *e*, adj. De repas, de festin. ¶ Suivi d'un banquet.

epulatio, *onis*, f. Action de manger. ‖ Action de prendre part à un banquet.

epulator, *oris*, m. Celui qui fait ripaille.

1. **epulo**, *onis*, m. Epulon, membre d'un collège de trois, puis de sept prêtres chargés de veiller aux repas publics dans les fêtes religieuses. ¶ Convive.
¶ Celui qui aime la bonne chère; gourmand.   [vant.

2. **epulo**, *as*, *are*, intr. Comme le sui-

epulor, *aris*, *atus sum*, *ari*, dép. intr. Manger; assister à un festin. ¶ Manger (telle *ou* telle chose) à son repas.

epulum, *i*, n. Repas public; repas sacré et solennel.

equa, *ae*, f. Jument, cavale.

equaria, *ae*, f. Haras.   [les chevaux.

1. **equarius**, *a*, *um*, adj. Qui concerne

2. **equarius**, *ii*, m. Palefrenier. ¶ Celui qui fait paître les chevaux.

eques, *quitis* m. Cavalier. ‖ Soldat de la cavalerie. ‖ Collect. Les cavaliers, la cavalerie. ‖ Chevalier romain; membre de l'ordre équestre. ‖ Collect. L'ordre équestre.

1. **equester**, *stris*, *stre*, adj. De cavalier; de cavalerie. ¶ Des chevaliers, équestre.

2. **equester**, *tris*, m. Chevalier.

equestria, *um*, n. pl. Places réservées aux chevaliers dans les jeux publics.

equestris, *e*, adj. Comme 1. EQUESTER.

equidem (E, QUIDEM), adv. Certes, à coup sûr. ‖ En tout cas. ¶ Concessif : il est vrai; à la vérité. ‖ *Avec un verbe à la 1re pers.* Pour moi, quant à moi.

equile, *is*, n. Ecurie.

equinus, *a*, *um*, adj. De cheval.

equio, *ire*, intr. Etre en chaleur (en parl. des juments).

equiria, *um ou orum*, n. pl. Courses de chevaux instituées par Romulus en l'honneur de Mars.

equirine, interj. Par Quirinus !

equiseta, *ae*, f. Comme EQUISETUM.

equisetis, *is*, f. Comme le suivant.

equisetum et equisaetum, *i*, n. Queue-de-cheval *ou* prêle (plante).

equiso, *onis*, m. Ecuyer.

equitabilis, *e*, adj. Propre à l'équitation *ou* aux manœuvres de cavalerie.

equitatio, *onis*, f. Equitation.

equitatus, *us*, m. Equitation. ¶ La cavalerie, les cavaliers. ¶ L'ordre équestre.

equito, *as*, *avi*, *atum*, *are*, intr. Monter à cheval. ‖ Aller à cheval. ‖ (Fig.) Se déchaîner. ¶ *Tr.* Parcourir, franchir à cheval. ‖ Fouler aux pieds de son cheval.

equula (EQUILA), *ae*, f. Pouliche.

equuleus (ECULEUS), *i*, m. Poulain. ¶ Chevalet de fer, instrument de torture.

equulus, *i*, m. Poulain.

equus, *i*, m. Cheval. ¶ (Méton.) *Equi*, attelage, char. ‖ Cavalerie. ¶ (Par anal.) Cheval marin. ‖ Hippopotame. ‖ Pégase (constellation). ¶ Machine de guerre, sorte de bélier.

er, *eris*, m. Hérisson.

era, *ae*. Voy. HERA.

eradicatio, *onis*, f. Eradication. ¶ (Fig.) Extermination.

eradicitus. Voy. EXRADICITUS.

eradico, *as*, *avi*, *atum*, *are*, tr. Déraciner. ‖ Arracher. ¶ Extirper, *d'où* anéantir.

erado, *is*, *rasi*, *rasum*, *ere*, tr. Enlever en grattant *ou* en rasant. ‖ Racler, gratter, effacer. ¶ (Fig.) *En gén.* Enlever complètement, faire disparaître, détruire.   [TUM.

ercisco, *erctum*. Voy. HERCISCO, HERC-

erecte. adv. *Fig.* Avec assurance, franchement; fièrement.

erectio, *onis*, f. Action de dresser, d'élever; action d'ériger.

erector, *oris*, m. Celui qui érige. ¶ Celui qui redresse.

erectus, *a*, *um*, p. adj. Dressé, droit; relevé, haut. ¶ *Fig.* Noble, fier. ‖ *En mauv. part.* Hautain, orgueilleux. ¶ Dont l'attention est excitée; curieux. ‖ Eveillé, dispos.

erepo, *is*, *repsi*, *reptum*, *ere*, intr. Sortir en rampant *ou* en se glissant. ¶ Monter en rampant, s'élever avec effort, se hisser. ¶ *Tr.* Parcourir en rampant; gravir péniblement.

ereptio, *onis*, f. Action de dérober; vol.

erepto, *as*, *are*, intr. Se dégager de. ¶ *Tr.* Gravir.   [seur, voleur.

ereptor, *oris*, m. Celui qui enlève, ravis-

eres, *edis*, m. Voy. HERES.

erga, prép. Autour de, aux environs de, en face de. ¶ (Fig.) Relativement à. ‖ A l'égard de, envers.

ergastulum, *i*, n. Maison de correction pour esclaves coupables *ou* pour débiteurs insolvables. ‖ (Méton.) Détenus d'une maison de correction.

ergo, adv. (av. le gén.) A cause de, pour l'amour de. *Honoris ergo*, pour l'honneur.¶(Absol.) Donc, par conséquent, ainsi. || *Avec un impér.* Donc; eh bien ! || *Exclam.* Quoi donc !

ericaeus, *a, um*, adj. De bruyère; fait de fleurs de bruyère.

erice, *es*, f. Grande bruyère, bruyère arborescente. [hérisson.

ericinus (HERICINUS), *a, um*, adj. De

ericius, *ii*, m. Hérisson (animal). ¶ *(Par anal.)* Machine de guerre; cheval de frise.

erigo, *is, rexi, rectum, ere*, tr. Diriger en l'air, lever, dresser. || *(Spéc.)* Elever (un monument), bâtir. ¶ Faire monter, faire gravir une pente à (une troupe). ¶ *(Fig.)* Relever (le courage), exciter, animer.

erilis. Voy. HERILIS.

erinaceus ou **erinacius**, *ii*, m. Hérisson.

erineoset ezineus, *i*, f. Raiponce (plante).

erinus, *i*, m. De figuier sauvage.

eriophoros, *i*, m. Plante bulbeuse, qui produit une sorte de coton.

erioxylon, *i*, n. Coton.

eriphia, *ae*, f. Sorte de renoncule (plante).

eripio, *is, ripui, reptum, ere*, tr. Oter avec violence, arracher, ravir. ¶ Soustraire, dérober.

ero (HERO, AERO), *onis*, m. Panier de roseau tressé pour porter du sable.

erodo, *is, rosi, rosum, ere*, tr. Enlever en rongeant, ronger. ¶ *(Par ext.)* Ronger, corroder, détruire peu à peu.

erogatio, *onis*, f. Dépense publique. || Dépense, distribution. ¶ *(En gén.).* Destruction. || Perte. ¶ Abrogation (d'une loi).

erogator, *oris*, m. Celui qui dépense, dépensier. ¶ Celui qui distribue, distributeur. ¶ Celui qui livre *ou* qui se dessaisit de. [distribution.

erogatorius, *a, um*, adj. De dépense, de

erogito, *as, are*, tr. Demander avec insistance; s'informer.

erogo, *as, avi, atum, are*, tr. Dépenser l'argent du trésor, faire des dépenses publiques. || Dépenser, distribuer (l'eau des réservoirs). ¶ Faire don de, fournir. || Léguer (par testament). ¶ *(Fig.)* Détruire (qqch.) faire périr (qqn). ¶ Fléchir par ses prières.

erosio, *onis*, f. Erosion, action de ronger. || *(Méton.)* Cancer.

errabundus, *a, um*, adj. Errant, vagabond. ¶ *(En parl. de ch.)* Qui se répand, disséminé.

errantia, *ae*, f. Egarement (fig.).

1. erraticus, *a, um*, adj. Errant, vagabond, qui marche à l'aventure. ¶ Qui égare

2. erraticus, *a, um*, adj. Hérétique.

erratilis, *e*, adj. Errant.

erratio, *onis*, f. Action de s'égarer *ou* d'errer; course errante. ¶ *(Fig.)* Erreur.

erratum, *i*, n. Erreur. ¶ Faute.

erratus, *us*, m. Action d'errer.

1. erro, *as, avi, atum, are*, intr. Errer, aller à l'aventure. Tr. *Terras erratae*, terres parcourues à l'aventure. ¶ *(Fig.)*

Etre irrésolu. ¶ S'égarer, quitter la bonne voie. ¶ *(Fig.)* S'égarer, *c.-à-d.* se tromper, commettre une erreur *ou* une faute.

2. erro, *onis*, m. Vagabond. ¶ Planète.

erroneus, *a, um*, adj. Errant, vagabond.

error, *oris*, m. Course errante. || *(Fig.)* Incertitude. ¶ Action de s'écarter de la bonne voie. || Egarement, méprise, erreur. || Faute.

erubescentia, *ae*, f. Rougeur, honte.

erubesco, *is, rubui, ere*, intr. Rougir, devenir rouge. ¶ Rougir de honte; avoir honte. Adj. verbal. *Erubescendus, a, um*, dont on doit rougir. Subst. *Erubescenda*, n. pl. Turpitudes.

eruca, *ae*, f. Chenille. ¶ Roquette sauvage (plante).

eructatio, *onis*, f. Action de vomir. || Action d'exhaler, de proférer.

eructo, *as, avi, atum, are*, tr. Roter. || Vomir en rotant. || Rejeter. || Exhaler. ¶ *Intr.* Sortir, jaillir avec impétuosité.

erudibilis, *e*, adj. Qu'on peut instruire.

erudio, *is, ivi* ou *ii, itum, ire*, tr. *(Dégrossir).* Dresser, former, instruire.

erudite, adv. Savamment, en homme instruit.

eruditio, *onis*, f. Enseignement. || *(Méton.)* Science, érudition. Au plur. *Eruditiones*, les différents ordres de sciences. [maître.

eruditor, *oris*, m. Celui qui enseigne;

eruditrix, *tricis*, f. Celle qui instruit.

1. eriditus, *a, um*, p. adj. Instruit, cultivé, formé, dressé. Subst. *Eruditi*, les savants, les érudits. ¶ *(En parl. de ch.)* Eclairé, exercé, adroit, poli, raffiné. [truction.

2. eruditus, *us*, m. Enseignement; ins-

erugatio, *onis*, f. Action d'effacer les rides.

1. erugo, *as, are*, tr. Effacer les rides. ¶ *(Par anal.)* Lisser, aplanir, polir.

2. erugo, *is, ctum, ere*, tr. Roter, vomir en rotant. ¶ *(Fig.)* Faire jaillir au dehors.

erumpo, *is, rupi, ruptum, ere*, tr. Faire jaillir, faire sortir (en brisant l'obstacle). || Faire aboutir (un abcès). ¶ *(Fig.)* Faire éclater (sa joie, sa colère); donner libre cours à. ¶ Percer, briser, déchirer, passer à travers. ¶ *Intr.* S'ouvrir de force un passage, jaillir *ou* sortir impétueusement; percer, éclater: || *(Fig.)* Eclater (en menaces, en reproches, etc.), se laisser aller à. || En arriver à.

erunco, *as, are*, tr. Sarcler.

eruo, *is, rui, rutum, ere*, tr. Faire sortir en fouillant, déterrer. || Arracher (un œil). ¶ Fouiller, retourner, labourer. ¶ *(Fig.)* Déterrer, dénicher, trouver à force de chercher. || Déterrer, *c.-à-d.* mettre en lumière. ¶ Renverser, détruire (pr. et fig.).

eruptio, onis, f. Sortie impétueuse; éruption. ‖ (T. milit.) Sortie; action de se jeter sur l'ennemi, charge. ‖ (T. méd.) Eruption (cutanée, etc.) ¶ (Fig.) Explosion, invasion.

erus, i, m. Voy. HERUS.

ervum, i, n. Ers, orobe (légumineuse).

erynge, es, f. et eryngion, ii, n. Panicaut (plante).

erysimum, i, n. Cresson d'hiver, plante.

erysipelas, atis, n. Erésipèle.

esca, ae, f. Nourriture, aliment. ‖ Pâture. ¶ Appât; amorce.

escaria, iorum, n. pl. Mets qui se mangent crus.

escarius, a, um, adj. Qui concerne la nourriture. ¶ Qui concerne l'appât, l'amorce.

escendo, is, scendi, scensum, ere, intr. S'élever au sortir de, monter. ‖ Marcher en s'éloignant des côtes, s'enfoncer à l'intérieur des terres. ¶ Tr. Monter sur, gravir.

escensio, onis, f. Débarquement.

escensus, us, m. Assaut.

esco, as, are, tr. Manger.

esculentus, a, um, adj. Qui sert à manger. ¶ Mangeable. Subst. Esculenta, n. pl. Aliments. ¶ Rempli de nourriture.

escul... Voy. AESCUL...

esilio. Voy. EXSILIO.

esito ou essito, as, avi, are, tr. Manger ordinairement, avoir l'habitude de manger.

esor, oris, m. Celui qui mange.

esox, ocis, m. Brochet.

esseda. Voy. ESSEDUM.

essedarius, ii, m. Soldat combattant sur un char.

essedum, i, n. Char de guerre à deux roues des Celtes. ¶ Voiture à deux roues (munie d'une capote fixe et traînée par deux chevaux); cabriolet à deux chevaux. [chose.

essentia, ae, f. Essence, nature d'une

essurio. Voy. ESURIO.

estrix, tricis, f. Celle qui mange; grande mangeuse.

estus, a, um, p. passé. Mangé.

1. esurio (ESSURIO), is, ivi et ii (part. fut. iturus), ire, intr. Avoir besoin de manger, être affamé. ‖ Avoir faim.

2. esurio (ESSURIO), onis, m. Celui qui a faim.

esuritio, onis, f. Etat de celui qui a faim; souffrance de la faim.

esus, us, m. Action de manger; alimentation.

et, conj. Et. Et... et, et... et..., non seulement... mais même. ¶ Aussi, même. Comme ETIAM. ¶ Qqf. marque oppos. Mais; et. ¶ Idem et, le même que. ¶ Et... quidem, et pourtant, et cependant.

etenim, conj. Et en effet. ‖ Car, en effet.

etesiae, arum, m. pl. Vents étésiens

(qui, à l'époque de la canicule, souflent dans la même direction pendant quarante jours). [précédent.

etesias, ae, m. Vent étésien. Voy. le

ethica, ae, f. Comme le suivant.

ethice, es, f. L'éthique, la morale, partie de la philosophie.

ethicus, a, um, adj. Relatif à la morale; moral.

ethnicalis, e, adj. Païen; gentil.

ethnice, adv. A la façon des Gentils.

ethnici, orum, m. pl. Les païens, les Gentils.

ethnicus, a, um, adj. Païen, gentil.

ethologia, ae, f. Ethologie, science des mœurs; peinture des caractères.

ethologus, i, m. Ethologue, mime, comédien. [mœurs, les caractères.

ethopoeiacus, a, um, adj. Qui peint les

ethos, eos, n. Mœurs. ‖ (Méton.) La morale. Au plur. Ethe (dat. pl. ethesin), n. Caractères; peinture du caractère.

etiam, adv. Encore, encore maintenant. ‖ Encore une fois, de nouveau. ‖ Encore, même, aussi, de plus. ¶ (Pour affirmer.) Oui. ‖ (Concessif.) Soit; sans doute. ‖ Pour signifier l'impatience. Ah çà! Voyons, allons.

etiamdum ou etiam dum, adv. Encore maintenant.

etiamnum et etiamnunc, adv. Encore, jusqu'à ce jour-ci .‖ Encore, c.-à-d. de plus.

etiamsi, conj. Même si. ‖ Quand même.

etiamtum et etiamtunc, adv. Même à ce moment-là; alors encore.

etsi, conj. Même si; quand même. ¶ Quoique.

etymologia, ae, f. Etymologie.

etymologice, es, f. Science de l'étymologie.

etymologicus, a, um, adj. Etymologique.

etymologos, i, m. Celui qui s'occupe d'étymologie.

etymon, i, n. Sens primitif.

eu, interj. Bien !

euan. Voy. EUHAN.

euangelicus, a, um, adj. Evangélique.

euangelista, ae, m. Evangéliste.

euangelium, ii, n. Evangile.

euangelizator, oris, m. Prédicateur de l'évangile.

euangelizo, as, avi, atum, are, tr. et intr. Prêcher l'évangile à. ‖ Evangéliser.

euans. Voy. EUHANS.

euax, interj. Oh ! bravo !

eugeneus et eugenius, a, um, adj. Généreux, bien né; de bonne qualité.

euge et eugepae, interj. Bien ! Bravo !

euhans (EUANS), antis, adj. Qui crie evohé, qui célèbre les Bacchanales.

euhoe, interj. Evoé, cri des Bacchantes.

eunuchus, i, m. Eunuque.

euoe. Voy. EUHOE.

euripos, i, m. Voy. le suivant.

euripus, i, m. Détroit ou bras de mer. ¶ (Par anal.) Fossé, rigole. ‖ Conduit.

eurus, i, m. Eurus, vent d'est. || (Méton.) Le Levant, l'Orient.

evacuo, as, avi, atum, are, tr. Vider. ¶ (Fig.) Affaiblir. || Rejeter, mettre de côté.

evado, is, vasi, vasum, ere, intr. et tr. S'en aller de, sortir. || S'échapper. | Se hisser. || Fig. En arriver à, aboutir à; vouloir arriver à, parvenir à être, devenir. Evasit orator, il est arrivé à être orateur, il est devenu orateur. — Tr. Quitter. || Se dérober à, esquiver. — casum, se dérober à un malheur, y échapper. ¶ Parcourir, traverser. | Escalader, gravir. || Fig. Surmonter.

evagatio, onis, f. Action d'errer ou de s'écarter.

evagino, as, avi, atum, are, tr. Dégaîner.

evagor, aris, atus, sum, ari, dép. intr. S'écarter (en errant), courir çà et là; déborder, se répandre, s'étendre; se propager. ¶ (Fig.) S'écarter du sujet, faire des digressions. || S'écarter du droit chemin, commettre des abus. ¶ Tr. Franchir (les bornes de), sortir de.

evalesco, is, valui, ere, intr. Prendre de la force ou des forces, se fortifier, grandir. ¶ (Fig.) Acquérir une plus grande valeur, prendre de l'extension; prévaloir. || Au parfait. Avoir la force de, être capable de.

evanesco, is, vanui, ere, intr. S'évanouir, s'effacer, se perdre, disparaître. ¶ Fig. Perdre de sa force, de sa valeur, sortir de l'usage. ¶ S'éventer.

evanidus, a, um, adj. Qui s'évanouit, qui se perd, qui n'est plus employé (pr. et fig.).

evans. Voy. EUANS.

evaporatio, onis, f. Evaporation.

evaporo, as, avi, are, tr. Evaporer, détruire. ¶ Absol. S'évaporer.

evasio, onis, f. Action de s'échapper; évasion. [ravager complètement.

evasto, as, avi, atum, are, tr. Dévaster, évax. Voy. EUAX.

evectio, onis, f. Action de charrier au dehors. ¶ Permission d'user de la poste impériale. ¶ Action de s'élever (en volant). [en voiture.

evecto, as, are, intr. Sortir à cheval.

evectus, us, m. Charroi, transport.

eveho, is, vexi, vectum, ere, tr. Charrier, transporter au dehors; exporter. || Au passif. Evehi (à cheval, en voiture, en bateau). || T. milit. Faire une charge (à cheval), se précipiter. ¶ Se jeter (en parl. d'un cours d'eau). ¶ Se laisser entraîner (hors de). ¶ Tr. Dépasser. Evectus os amnis, ayant dépassé l'embouchure du fleuve. ¶ Elever, faire monter (pr. et fig.). Au passif. Evehi, s'élever, monter (pr. et fig.).

evello, is, velli et vulsi, vulsum, ere, tr. Arracher; déraciner. || Dégager violemment, délivrer. ¶ Fig. Extirper, anéantir.

evenio, is, veni, ventum, ire, intr. Venir hors de, sortir de. || Pousser, c.-à-d.

croître. ¶ (Par ext.) Aboutir, avoir telle ou telle issue. || Arriver, avoir lieu, se réaliser. Impers. Evenit ut (et le subj.), il arrive que...

eventilo, as, avi, atum, are, tr. Produire un courant d'air. || Vanner (le grain), purifier par la ventilation. ¶ Fig. Eplucher, faire une critique minutieuse de. ¶ Disperser aux quatre vents du ciel; dissiper.

eventum, i, n. Chose arrivée, événement. ¶ Issue, résultat, effet. ¶ (Techn.) Caractère extérieur et accidentel d'un phénomène.

eventus, us, m. Issue, résultat, dénouement. || Spéc. Dénouement (d'un drame), catastrophe. || Succès, bon résultat. ¶ Evénement (heureux ou malheureux), aventure. || Sort.

everbero, as, avi, atum, are, tr. Frapper à coups redoublés. ¶ (Fig.) Frapper, exciter, stimuler. [répandre.

evergo, is, ere, tr. Faire jaillir, émettre,

everriae, arum, f. pl. Balayage, purification (de la maison).

everriculum, i, n. Balai. ¶ (Fig.) Balai, c.-à-d. coup de balai; celui qui le donne; celui qui rafle, spoliateur (jeu de mots sur le nom de Verrès). ¶ Drague, traineau, c.-à-d. filet (pour prendre le poisson).

everro, is, verri, versum, ere, tr. Balayer, nettoyer avec le balai. ¶ Prendre avec la drague, pêcher. ¶ (Fig.) Nettoyer, c.-à-d. faire main basse sur, spolier.

eversio, onis, f. Renversement; destruction. || Fig. Ruine, bouleversement. ¶ (T. méd.) Procidence ou chute d'une partie (iris, matrice, etc.). || (Jur.) Eviction.

everso, as, are, tr. Renverser.

eversor, oris, m. Celui qui renverse ou détruit. ¶ Destructeur (pr. et fig.). || Dissipateur. [Réfutation.

eversus, us, m. Destruction. ¶ (Fig.;

everto, is, verti, versum, ere, tr. Retourner, mettre sens dessus dessous; renverser; bouleverser. — navem, faire chavirer un vaisseau. Eversus, jeté à bas (de cheval). ¶ Abattre, détruire. ¶ Fig. Perdre, ruiner.|| Expulser, déposséder, évincer.

evestigatus, a, um, p. adj. Découvert (à force de recherches), dépisté.

evexus, a, um, p. adj. Arrondi par en haut.

evibro, as are, tr. Lancer en faisant tournoyer. ¶ (Fig.) Exciter (pr. et fig.). [légale.

evictio, onis, f. Eviction, dépossession

evidens, entis, adj. Qui est en évidence, apparent, bien visible. ¶ Fig. Clair, évident, manifeste. || Digne de foi. || En vue, illustre.

evidenter, adv. D'une manière évidente.

evidentia, ae, f. Facilité de voir; clarté; évidence. || Transparence. ¶ (Rhét.) Hypotypose.

evigilo, *as*, *avi*, *atum*, *are*, intr. Se réveiller. || (Fig.) Veiller à, s'appliquer à. ¶ *Tr.* Passer en veillant, passer (la nuit), à veiller. || Faire, composer (à force de veilles); élaborer avec soin.

evilesco, *is*, *vilui*, *ere*, intr. S'avilir, perdre sa valeur.

evincio, *is*, *vinxi*, *vinctum*, *ire*, tr. Attacher solidement. ¶ Ceindre.

evinco, *is*, *vici*, *victum*, *ere*, tr. Vaincre complètement, triompher de. || Surmonter, venir à bout de. || Vaincre la résistance de, fléchir. Passif. *Evinci*, se laisser fléchir.¶ Obtenir (à force de...). — *instando*, obtenir à force d'instances. ¶ Démontrer; convaincre. ¶ *Jur.* Recouvrer (son bien) légalement, évincer (le possesseur illégitime).

eviratio, *onis*, f. Castration. ¶ (En gén.) Arrachement.

eviratus, *a*, *um*, p. adj. Privé de la virilité. || Efféminé.

eviresco, *is*, *ere*, intr. Perdre sa force, sa virilité.

eviro, *as*, *avi*, *atum*, *are*, tr. Dépouiller de la virilité. ¶ (Fig.) Enerver, épuiser.

evisceratio, *onis*, f. Action d'éventrer.

eviscero, *as*, *atum*, *are*, tr. Eventrer, enlever les entrailles. ¶ Déchirer. ¶ (Fig.) Dissiper

evitabilis, *e*, adj. Qu'on peut éviter.

evitatio, *onis*, f. Action d'éviter.

1. evito, *as*, *avi*, *atum*, *are*, tr. Eviter; échapper à.

2. evito, *as*, *avi*, *are*, tr. Priver de la vie.

evocatio, *onis*, f. Action d'appeler, de faire sortir, de faire venir en appelant. || Evocation (magique). ¶ Cérémonie pour obtenir d'une divinité qu'elle quitte pour une autre une ville assiégée. ¶ Citation (à comparaître).¶ Appel aux armes; levée (de troupes).

evocator, *oris*, m. Celui qui appelle (aux armes). [convocation; citation.

evocatoria (s.-e. *epistula*), *ae*, f. Lettre de convocation.

evocatorius, *a*, *um*, adj. De convocation. || D'invitation. ¶ (Méd.) Sudorifique.

evocatus, *i*, m. Soldat rengagé. *Evocati Augusti*, vétérans sortis des milices urbaines et presque assimilés à des centurions.

evoco, *as*, *avi*, *atum*, *are*, tr. Appeler au dehors, appeler à soi; faire sortir en appelant. ¶ Evoquer (les morts). ¶ Prier une divinité de quitter et d'abandonner pour une autre une ville assiégée. ¶ Appeler (aux armes), lever (des troupes). ¶ Provoquer, défier (au combat). ¶ Citer. ¶ (Méd.) Provoquer, *c.-à-d.* faire sortir. — *abortum*, provoquer l'avortement.|| *Fig.* Provoquer; susciter, exciter, faire naître.

evoe. Comme EUOE.

evolatio, *onis*, f. Envolée.

evolito, *as*, *are*, intr. Sortir habituellement en volant.

evolo, *as*, *avi*, *atum*, *are*, intr. Sortir en volant. || S'élancer hors de, s'échapper. ¶ S'envoler, *c.-à-d.* disparaître. ¶ Marcher en volant, s'élever dans les airs. [mot.

evolsus, *a*, *um*, part. d'EVELLO. Voy. ce

evolute, adv. En détail.

evolutio, *onis*, f. Action de dérouler (un volume manuscrit), lecture.

evolvo, *is*, *volvi*, *volutum*, *ere*, tr. Faire sortir en roulant, faire avancer (ou descendre *ou* monter) en roulant. || (En gén.) Faire sortir, déposséder, déloger. ¶ Proférer. ¶ Dérouler. || (Spéc.) Dépouiller d'une enveloppe, tirer de, dégager de. ¶ Développer un rouleau, dérouler (un volume manuscrit) pour lire (*nous disons* feuilleter). || Dévider (un fuseau). || *Fig.* Parcourir. — *antiquitatem*, voir l'antiquité se dérouler devant soi. ¶ Démêler, exposer avec clarté. ¶ Se rappeler, repasser dans sa mémoire.

evomo, *is*, *mui*, *mitum*, *ere*, tr. Vomir, rejeter (en vomissant). ¶ (Fig.) Rejeter, exhaler. [EVERTO.

evorto, *is*, *vorti*, *vorsum*, *ere*, tr. Comme

evulgo, *as*, *avi*, *atum*, *are*, tr. Livrer au public, divulguer, publier.

evulsio, *onis*, f. Arrachement.

evulsus, *a*, *um*, p. adj. Arraché. — *opiniones*, opinions déracinées.

ex ou e, prép. avec l'Abl. (En parl. de l'espace.) De, hors de. || Du fond de. || Du haut de. || Du milieu de. || *Qqf.* En s'éloignant de, du côté de. (En parl. du temps.) A dater de, depuis. || Au sortir de, immédiatement après. || *Ex. c.-à-d.* ancien, qui a été. *Fig.* De (sorti de, originaire de); d'entre, de (indiquant la matière). *E nigro rufus*, roux tirant sur le noir. || A cause de, par suite de, au moyen de. || En vertu de. || D'après. || Eu égard à.

exacerbo, *as*, *avi*, *atum*, *are*, tr. Aigrir, irriter, chagriner. || Envenimer. ¶ Aggraver (une peine).

exacesco, *is*, *acui*, *ere*, intr. Tourner à l'aigre. [ment.

exacte, adv. Exactement; soigneusement.

exactio, *onis*, f. Expulsion; bannissement. ¶ Action d'exiger. ¶ Action de faire rentrer les impôts: perception. || Action d'encaisser: recette. ¶ Réquisition, réclamation; *qqf*, contrôle. ¶ Action d'achever, soin apporté à l'exécution de (qqch.); action de mener à bonne fin, de mettre la dernière main à.

exactor, *oris*, m. Celui qui expulse, qui chasse. ¶ Celui qui exige; qui fait rentrer (les impôts), percepteur, collecteur. ¶ Celui qui poursuit l'exécution de; directeur, conducteur, contrôleur.

1. exactus, *a*, *um*, p. adj. Exact, minutieux.

2. exactus, *us*, m. Cession; vente.

3. exactus, *i*, m. (Gramm.) Le parfait; *qqf.* le plus-que-parfait.

exacuo, *is*, *ui*, *utum*, *ere*, tr. Aiguiser,

affiler. ¶ (Fig.) Aiguiser, c.-à-d. affiner. || Stimuler, exciter.

exacutio, *onis*, f. Action d'affiler, de tailler en pointe.

exadversum et **exadversus**, adv. Vis-à-vis. || En face. ¶ *Prép.* Vis-à-vis de.

exaedificatio, *onis*, f. Action d'édifier (pr. et fig.). || Action de construire.

exaedifico, *as, avi, atum, are*, tr. Achever de bâtir. || Construire. ¶ *Fig.* Achever. ¶ Mettre à la porte, éconduire.

exaequatio, *onis*, f. Action d'égaliser, de niveler. || (Méton.) Surface plane. ¶ Action de rendre égal. || (Méton.) Egalité.

exaequo, *as, avi, atum, are*, tr. Egaliser, niveler (pr. et fig.). ¶ Mettre de niveau *ou* rendre égal, c.-à-d. placer sur le même rang. || Comparer, mettre en balance. ¶ Se rendre égal à, atteindre (au niveau de).

exaestuo, *as, avi, are*, intr. Sortir à gros bouillons. || Etre violemment agité; avoir de violents remous, bouillonner. ¶ Etre très échauffé. ¶ *Tr.* Rejeter, laisser échapper en bouillonnant.

exaggeratio, *onis*, f. Entassement, accumulation. || (Fig.) — *animi*, élévation de l'âme. ¶ (Rhét.) Amplification; exagération. [trop d'exaggération.

exaggeratius, adv. (au Compar.). Avec

exaggerator, *onis*, m. Celui qui exagère.

exaggero, *as, avi, atum, are*, tr. Entasser, accumuler. || Elever en forme de remblai *ou* de rempart. ¶ (Fig.) Elever, hausser, grandir. || Augmenter, grossir. || Amplifier, relever, exalter. || Exagérer. [suivre; poursuite.

exagitatio, *onis*, f. Action de pour-

exagitator, *oris*, m. Celui qui poursuit sans cesse de ses critiques, celui qui blâme *ou* qui critique.

exagito, *as, avi, atum, are*, tr. Faire sortir de sa quiétude. || Donner la chasse à; poursuivre. || Agiter, remuer en tous sens, secouer. ¶ (Fig.) Persécuter, s'acharner après, tourmenter. || Troubler. || Soulever, exciter. ¶ Poursuivre de ses reproches *ou* de ses railleries : blâmer, censurer, railler.

exagium, *ii*, n. Pesage.

exagoga, *ae*, f. Exportation (de denrées).

exagoge, *es*, f. Comme le précédent.

exalbesco, *is, bui, ere*, intr. Blanchir, devenir pâle.

exalbidus, *a, um*, adj. Blanchâtre; tirant sur le blanc.

exalto, *as, avi, atum, are*, tr. Elever, exhausser. || *Fig.* Glorifier. ¶ Creuser.

examen, *inis*, n. Essaim (d'abeilles). || Foule, troupe, multitude. ¶ Aiguille de la balance. || (Méton.) Pesage. ¶ Contrôle, vérification, épreuve, examen. [soin.

examinate, adv. Après examen; avec

examinatus, *a, um*, p. adj. Qu'on a mis à l'épreuve; vérifié; exact

examino, *as, avi, atum, are*, intr.

Essaimer. ¶ *Tr.* Peser. || *Fig.* Examiner, éprouver, vérifier; estimer; juger. [grand soin.

examussim, adv. Exactement; avec

exanclo et **exantlo**, *as, avi, atum, are*, tr. Epuiser, vider; tarir (un liquide). ¶ (*Fig.*) Endurer jusqu'au bout, supporter.

exanguis. Voy. **EXSANGUIS**.

exanimis, *e*, adj. Comme **EXANIMUS**.

exanimo, *as, avi, atum, are*, tr. Vider d'air, chasser l'air de. ¶ Faire perdre la respiration; essouffler. || Tuer. ¶ *Fig.* Glacer d'effroi; faire mourir de peur *ou* de douleur. ¶ Exhaler, émettre (des sons).

exanimus, *a, um*, adj. Qui est sans souffle, sans vie : inanimé, mort. ¶ (Fig.) Glacé d'effroi, mort de peur.

exantlo. Voy. **EXANCLO**.

exardeo, *es, ere*, intr. Etre tout en feu.

exardesco, *is, arsi, arsum, ere*, intr. S'enflammer; prendre feu. || S'échauffer. || Briller vivement. ¶ (Fig.). S'enflammer d'amour, de colère, etc. || Eclater ¶ Monter de façon exagérée (on parle des prix). [entièrement.

exarefio, *fis, fieri*, passif. Se dessécher

exareno et **exhareno**, *as, are*, tr. Enlever le sable de, débarrasser du sable.

exaresco, *is, arui, ere*, intr. Se dessécher, se tarir. ¶ *Fig.* S'épuiser, se perdre.

exaridus, *a, um*, adj. Tout sec.

exarmatio, *onis*, f. Désarmement. ¶ *Fig.* Affaiblissement.

exarmo, *as, avi, atum, are*, tr. Désarmer. || (*Fig.*) Rendre inoffensif *ou* impuissant. || Fléchir. ¶ Enlever le gréement d'un bateau. ¶ *Intr.* Perdre ses agrès (en parl. d'un navire).

exaro, *as, avi, atum, are*, tr. Mettre au jour en labourant. ¶ Obtenir par le labour, faire produire (à la terre). — *frumentum labore*, faire pousser le blé à force de travail. ¶ Labourer comme il faut. ¶ Sillonner (le front de rides); tracer sur (des tablettes); écrire.

exascio, *as, atum, are*, tr. Dégrossir avec une hache. ¶ (*Fig.*) Ebaucher.

exasperatio, *onis*, f. Action de rendre rugueux. ¶ Action d'irriter; exaspération.

exasperatrix, *icis*, f. Celle qui aigrit.

exaspero, *as, avi, atum, are*, tr. Rendre rugueux *ou* inégal. || Orner de reliefs; ciseler. || Rendre houleux, hérisser (la mer). || Irriter (la peau). || Rendre rude (à l'oreille), âpre (au goût). ¶ *Fig.* Irriter, exaspérer. ¶ Empirer, aggraver. [par éclats.

exassulo, *are*, tr. Fendre *ou* séparer

exauctoritas, *atis*, f. Acte par lequel on délie un soldat de son serment; licenciement *ou* dégradation.

exauctoro, *as, avi, atum, are*, tr. Dégager du serment (de fidélité). || Licencier *ou* dégrader (un soldat).

exaudio, *is, ivi, itum, ire,* tr. Entendre nettement, distinctement. ¶ (Par ext.) Comprendre. ¶ Ecouter, obéir. ‖ Exaucer.

exauditio, *onis,* m. Action d'exaucer.

exauguratio, *onis,* f. Action d'enlever (à qqch. *ou* à qqn) son caractère sacré.

exauguro, *as, are,* tr. Enlever le caractère sacré de.

excaecatio, *onis,* f. Action d'aveugler. ‖ (Méton.) Aveuglement.

excaeco, *as, avi, atum, are,* tr. Aveugler; crever les yeux. ¶ (Par ext.) Enlever les œilletons, les bourgeons naissants (d'une plante). ¶ (En gén.) Boucher, obstruer, aveugler. ‖ Faire perdre la beauté de. ¶ (Fig.) Aveugler, faire perdre le discernement.

excalceo et excalcio, *as, avi, atum, are,* tr. Déchausser. ¶ (Fig.) Quitter le cothurne, cesser de jouer *ou* de faire jouer des tragédies.

excalefacio et excalfacio, *is, feci, factum, ere,* tr. Echauffer. ¶ Faire chauffer.

excalesco, *is, ere,* intr. S'échauffer.

excalfactio, *onis,* f. Action de chauffer *ou* de s'échauffer. [*ou* chauffe.]

excalfactorius, *a um,* adj. Qui chauffe

excalfio, *is, factus sum, fieri,* passif. S'échauffer; devenir chaud.

excandescentia, *ae,* f. Action de s'échauffer (fig.); irritabilité.

excandesco, *is, dui, ere,* intr. Devenir brûlant. ‖ Devenir brillant, s'allumer. ¶ S'enflammer de colère, s'emporter.

excanto, *as, avi, atum, are,* tr. Employer des enchantements pour attirer à soi.

excarnifico, *as, avi, atum, are,* tr. Arracher la chair à (qqn), déchirer, torturer. ¶ (Fig.) Torturer, c.-à-d. tourmenter.

excavatio, *onis,* f. Excavation.

excavatus, *a, um,* p. adj. Vide, creux; sans valeur.

excaveo, *es, ere,* tr. Comme PRAECAVEO.

excavo, *as, avi, atum, are,* tr. Creuser.

excedo, *is, cessi, cessum, ere,* intr. Sortir, se retirer, s'en aller. ¶ Faire saillie, dépasser. ¶ (Fig.) Sortir (de la vie), s'en aller, mourir. ‖ Sortir (de l'esprit). ¶ En venir à, se porter jusqu'à. ‖ Gagner sur, empiéter. ¶ *Tr.* Franchir (en sortant), quitter, abandonner. ¶ Dépasser, surpasser (pr. et fig.).

excellens, *entis,* p. adj. Qui domine, élevé. ¶ Excellent, éminent.

excellenter, adv. Parfaitement.

excellentia, *ae,* f. Excellence, supériorité.

excelleo, *es, ere,* intr. Voy. le suivant.

excello, *is, ui, ere,* intr. *Fig.* S'énorgueillir. ‖ S'élever au-dessus des autres, se distinguer.

excelse, adv. Haut. ¶ (Fig.) D'une façon élevée, avec élévation.

excelsitas, *atis,* f. Hauteur. ¶ (Fig.) Elévation morale.

excelsum, *i,* n. Lieu élevé, hauteur.

excelsus, *a um,* p. adj. Elevé, qui domine. ¶ (Fig.) Elevé (en dignité). ‖ Elevé (par les sentiments, le caractère, etc.); relevé, noble, grand.

excerno, *is, crevi, cretum, ere,* tr. Mettre à part, séparer, trier. ¶ Cribler, vanner. ¶ Excréter.

excerpo, *is, psi, ptum, ere,* tr. Extraire, enlever en épluchant. ¶ (Fig.) Faire des extraits de. ‖ Séparer; retirer, soustraire.

excerptio, *onis,* f. Extrait.

excessus, *us,* m. Sortie, départ. ‖ (Spéc.) Décès, mort, trépas. ¶ Action de s'écarter. ‖ Saillie, proéminence. ¶ Excès, écart (de conduite). ‖ Digression. ‖ Extase, transport.

excetra, *ae.* ¶ Serpent. ¶ (Fig.) Vipère, être malfaisant.

excidio, *onis,* f. Destruction; ruine.

1. excidium, *ii,* n. Destruction, perte; ruine, anéantissement.

2. excidium, *ii,* n. Chute. ¶ (T. méd.) Providence. ¶ Coucher du soleil.

1. excido, *is, cidi, ere,* intr. Tomber de *ou* hors de. ‖ (Par ext.) Tomber, se perdre, périr; disparaître. ‖ Aboutir à, finir, se terminer par; dégénérer. ¶ *Fig.* Echapper, sortir de l'esprit, de la mémoire; s'oublier, être oublié. ‖ Etre privé de, déchu de, dépossédé de. ‖ Echouer, ne pas réussir (dans).

2. excido, *is, cidi, cisum, ere,* tr. Enlever, retrancher (en coupant). ‖ Extirper, abattre, détruire. ‖ *Fig.* Supprimer. ‖ Enlever une partie de. ‖ Creuser.

excieo, *es, civi ou cii, citum, ere,* tr. Faire sortir, chasser dehors. — *lacrimas alicui,* tirer des larmes à qqn. ¶ Appeler, mander; évoquer; citer en justice. ‖ Appeler à l'aide. ¶ Réveiller. ¶ Ebranler, secouer. ‖ *Fig.* Emouvoir, frapper de frayeur. ¶ Exciter, soulever. ¶ Provoquer. ¶ Causer, produire.

excindo. Voy. EXSCINDO.

exio. Voy. EXCIEO.

excipio, *is, cepi, ceptum, ere,* tr. Retirer, ôter, enlever. ¶ *Fig.* Excepter. ¶ Stipuler expressément. ‖ Tirer (de qqch.) une exception, c.-à-d. un moyen préjudiciel d'écarter l'instance; exciper de... ¶ Recevoir; accueillir, héberger. ¶ Recevoir (dans ses bras), empêcher de tomber, soutenir. ¶ Saisir brusquement au passage. ‖ Capturer, faire prisonnier. ‖ Surprendre, intercepter. ¶ Ecrire sous la dictée. ¶ Prendre la suite de, succéder, venir après. ¶ Attendre, être réservé à, échoir à. ¶ Etre tourné vers. ¶ (T. méd.) Incorporer une substance (dans une autre); employer comme excipient.

excisio, *onis,* f. Action d'enlever en coupant. ¶ Destruction.

excisor, *oris,* m. Celui qui enlève en coupant. ¶ Destructeur.

excitate, adv. Avec animation. ¶ Vivement. [d'encourager, de provoquer.
excitatio, *onis*, f. Action d'exciter,
excitator, *oris*, m. Celui qui excite, anime *ou* encourage.
excitatus, *a, um*, p. adj. Excité. ¶ Fort, vif, intense.
excito, *as, avi, atum, are*, tr. Faire sortir; appeler au dehors, appeler à soi, mander. || Evoquer. || *Fig.* Faire pousser, produire. ¶ Faire lever. || Eveiller *ou* réveiller. ¶ Diriger en l'air, lever. || Edifier, élever (un bâtiment). || Ranimer (le feu), rallumer; allumer. ¶ (*Fig.*) Mettre en éveil (qqn), animer, stimuler. || Provoquer, susciter. *Salsum excitat orationem*, un grain de sel rend le style plus vif.
excitus (abl. *u*), m. Action de faire sortir.
¶ Filtrer.
exclamatio, *onis*, f. Exclamation, cri.
exclamative, adv. En criant.
exclamito, *as, are*, intr. S'exclamer souvent.
exclamo, *as, avi, atum, are*, intr. S'écrier. ¶ *Tr.* Crier, dire (en criant *ou* à haute voix). || Appeler en criant.
excludo, *is, clusi, clusum, ere*, tr. Tenir la porte fermée à, fermer la porte à, laisser à la porte. ¶ (Par ext.) Séparer (par une barrière, etc.). || Tenir loin de. || Couper les communications (de qqn) avec. || (*Fig.*) Exclure, éconduire, repousser. || Faire sortir, faire éclore. ¶ *Qqf.* Fermer. *— volumen*, fermer un livre (après l'avoir lu).
exclusio, *onis*, f. Exclusion. ¶ Action d'écarter ou d'empêcher.
exclusus, *a, um*, p. adj. Exclu. ¶ Eclos.
execotio, *onis*, f. Cuisson complète.
excodico (EXCAUDICO), *as, are*, tr. Déraciner. ¶ Essoucher, déchausser un pied de vigne. [Invention.
excogitatio, *onis*, f. Action d'imaginer.
excogitator, *oris*, m. Celui qui imagine. || Inventeur. ¶ Penseur.
excogitatus, *a, um*, p. adj. Trouvé après réflexion. || Choisi soigneusement. || Bien imaginé. || Rare, excellent.
excogito, *as, avi, atum, are*, tr. Découvrir à force de réfléchir; imaginer, inventer.
1. **excolo**, *is, colui, cultum, ere*, tr. Cultiver avec soin; bien travailler (la terre). ¶ Récolter, gagner, obtenir (en cultivant). ¶ (Fig.) Orner, embellir. || Enrichir. || Polir, policer; civiliser. ¶ Rendre un culte à, adorer. || Avoir des égards pour, honorer, révérer.
2. **excolo**, *as, are*, tr. Enlever en filtrant. ¶ Filtrer.
excoquo, *is, coxi, coctum, ere*, tr. Purifier par le feu. ¶ Faire bien cuire. | Réduire (par la cuisson). || Durcir, dessécher, brûler. || Fondre. ¶ *Fig.* Comploter, tramer. || Tourmenter.
excors, *cordis*, adj. Qui est sans esprit, sans bon sens.

1. **excrementum**, *i*, n. Criblure. ¶ Excrétion. Au plur. Déjections, excréments. [saillie.
2. **excrementum**, *i*, n. Excroissance; saillie.
excresco, *is, crevi, cretum, ere*, intr. Former une saillie, une excroissance. ¶ Croître en hauteur *et simpl.* croître.
excreta, *orum*, n. pl. Balle (de céréales).
excretio, *onis*, f. Croissance. ¶ Excroissance.
excruciatio, *onis*, f. Torture. ¶ Martyre.
excruciator, *oris*, m. Celui qui torture.
excruciatus, *us*, m. Torture. || Martyre.
excrucio, *as, avi, atum, are*, tr. Mettre à la torture. ¶ (Fig.) Torturer, tourmenter. || Affliger. ¶ Arracher par la torture. [sentinelle.
excubatio, *onis*, f. Garde, faction (d'une
excubiae, *arum*, f. pl. Action de coucher dehors. ¶ Action de monter la garde, d'être en faction. ¶ (Méton.) Sentinelles, garde, poste, piquet.
excubitor, *oris*, m. Soldat de garde, sentinelle, factionnaire.
excubitus, *us*, m. Faction, garde.
excubo, *as, ui, itum, are*, intr. Coucher dehors; découcher. ¶ Monter la garde (en dehors du camp); être de faction. ¶ Veiller.
excudo, *is, cudi, cusum, ere*, tr. Faire sortir en frappant. || Faire éclore (*pr.* faire sortir de l'œuf). ¶ Façonner au marteau, forger, frapper (monnaie). || Composer (un livre).
exculcator, *oris*, m. Soldat armé à la légère; tirailleur.
exculcatus, *a, um*, p. adj. Sorti de l'usage; démodé.
exculco, *as, avi, atum, are*, tr. Faire sortir (à coups de talon). ¶ Enfoncer avec les pieds. ¶ Consolider en piétinant. [qui travaille à, qui soigne.
excultor, *aris*, m. Celui qui cultive,
excuratus, *a, um*, adj. Bien soigné.
excurro, *is, cucurri* (et *curri*), *cursum, ere*, intr. Sortir en courant; se précipiter dehors. || *Fig.* Se donner carrière, se manifester. || *T. milit.* Faire une sortie, faire irruption, envahir. ¶ *Fig.* Pousser, suivre sa pointe. ¶ Sortir du sujet, faire une digression. ¶ Se terminer. ¶ S'avancer en pointe, faire saillie. || *Fig.* Dépasser. ¶ *Tr.* Parcourir. [(Fig.) Digression.
excursatio, *onis*, f. Expédition. ¶
excursio, *onis*, f. Action de s'éloigner en courant. || Action de s'agiter vivement à la tribune. || (T. milit.) Sortie; invasion. || Escarmouche. ¶ (Fig.) Digression. [courant.
excurso, *as, are*, intr. Sortir souvent en
excursor, *oris*, m. Eclaireur, tirailleur, voltigeur.
excursus, *us*, m. Course au dehors, sortie. || Excursion. ¶ Attaque, expédition. ¶ Ecart, digression. ¶ Saillie, proéminence.

excusabilis, e, adj. Excusable.

excusabundus, a, um, adj. Qui cherche à s'excuser.

excusate, adv. D'une manière excusable; [avec raison.

excusatio, onis, f. Justification, excuse. ¶ Action d'alléguer, de prétexter qqch. pour sa justification. ¶ Action de récuser, de se dérober à.

excusatiuncula, ae, f. Légère excuse.

excusator, oris, m. Celui qui excuse.

excusatorius, a, um, adj. Qui sert d'excuse; justificatif.

excusatus, a, um, p. adj. Excusé.

excuso, as, avi, atum, are, tr. Justifier, disculper. ¶ Faire excuser. || Donner, alléguer pour excuse, pour prétexte, s'excuser sur. ¶ Se défendre d'accepter, décliner, refuser. || Dispenser, exempter de. || (Par ext.) Protéger, préserver.

excusor, oris, m. Chaudronnier.

excusse, adv. Avec force.

excussio, onis, f. Action de faire tomber en secouant. ¶ Action de vanner, de passer au crible.

excussor, oris, m. Celui qui secoue.

excussorius, a, um, adj. Qui sert à vanner, à passer au crible.

1. excussus, a, um, p. adj. Tendu avec force, raide. || Passé au crible, d'où bien examiné.

2. excussus (abl. u), m. Action de faire tomber en secouant.

excutio, is, cussi, cussum, ere, tr. Faire sortir en secouant ou en frappant, en ébranlant. || Arracher. || Jeter bas. ¶ Fig. Rejeter, se débarrasser de. || Projeter, lancer. || Chasser. ¶ Priver de, dépouiller. ¶ Faire sortir, c.-à-d. provoquer. — risum, provoquer le rire, faire rire. ¶ Emettre, d'où répandre. ¶ Etirer. ¶ Secouer, faire sauter (un clou). ¶ Secouer (les vêtements), fouiller. ¶ Passer en revue, fureter dans. || Fig. Examiner avec soin.

exec... Voy. EXSEC...

exedo, is, edi, esum et (arch. essum), ere, tr. Dévorer. || Ronger. || Corroder, détruire. ¶ (Fig.) Ronger (de soucis).

exedra, ae, f. Exèdre, salle garnie de sièges, salle de réunion, salon de conversation. ¶ Eccl. Chœur (d'une église).

exedriola, ae, f. Petite exèdre.

exedrium, ii, n. Petite salle de réunion.

exemplar, aris, n. Copie; exemplaire. ¶ Original, modèle.

exemplaris, e, adj. Qui sert de copie. Subst. Exemplares, ium, m. pl. Copies.

exemplum, i, n. Echantillon. ¶ Exemplaire, copie. || Sorte. ¶ Teneur; formule. ¶ Modèle (à imiter). || Original. || Exemple. ¶ Leçon (punition qui doit servir d'exemple).

exemptus, us, m. Action d'enlever.

exentero, as, avi, atum, are, tr. Eventrer. ¶ Vider (un poulet, un poisson). ¶ (Fig.) Vider, épuiser. || Torturer.

exeo, is, ivi ou ii, itum, ire, intr. Sortir.

|| Décamper. || Débarquer. || S'élever (de terre), sortir (du bourgeon). || (T. milit.) Partir, se mettre en marche. — in aciem, s'ébranler pour se mettre en ligne, pour livrer bataille. ¶ Se jeter dans, avoir son embouchure. ¶ Se répandre, avoir du retentissement, devenir notoire. ¶ Echapper. || S'étendre au delà de, excéder. ¶ S'écouler, se passer, se terminer, finir. || Qqf. Devenir. ¶ Tr. Sortir de, dépasser, franchir. ¶ Détailler, analyser. ¶ Echapper à, esquiver.

exeq... Voy. EXSEQ...

exerceo, es, ui, itum, ere, tr. Ne pas laisser de repos à, tenir en haleine. ¶ Mettre aux abois, surmener. ¶ Fig. Tracasser, tourmenter. ¶ Développer les forces de. ¶ Pratiquer, mettre en œuvre; travailler; exploiter, cultiver. ¶ Exercer (un métier, une fonction), administrer, gérer. ¶ Jur. Appliquer (la loi); intenter (un procès). ¶ (Fig.) Donner cours à, faire preuve de. || Déployer, manifester.

exercitator, oris, m. Celui qui exerce, qui instruit.

exercitatus, a, um, p. adj. Affairé. ¶ Tourmenté, soucieux. ¶ Exercé, habile.

exercite, adv. Avec effort.

exercitio, onis, f. Occupation, exercice. ¶ Pratique, maniement.

exercitium, ii, n. Occupation, activité. ¶ Exercice (militaire), manœuvre. ¶ Maniement, pratique.

exercito, as, avi, atum, are, tr. Exercer souvent et avec soin. ¶ Pratiquer habituellement.

exercitor, oris, m. Celui qui exerce; instructeur. ¶ Celui qui exerce (un métier), celui qui pratique, qui exploite, exploitant.

1. exercitus, a, um, p. adj. Exercé; habile. ¶ Agité, tourmenté. || En parl. de ch. Plein de difficultés ou d'ennuis. ¶ Actif, énergique; efficace. || (Méd.) Drastique.

2. exercitus, us, m. Exercice. ¶ Inquiétude, tourment. ¶ (Méton.) Troupe qu'on exerce, armée. || Infanterie (opp. à cavalerie). || (Spéc.) Assemblée du peuple réuni dans ses comices. ¶ (En gén.) Troupe, foule.

exero. Voy. EXSERO.

exerro, as, are, intr. S'écarter (de la bonne voie), s'égarer.

exert... Voy. EXSERT...

exesor, oris, m. Celui qui ronge; celui qui mine.

exhalatio, onis, f. Action d'exhaler. ¶ (Méton.) Ce qui s'exhale : exhalaison, évaporation.

exhalo (EXALO), as, avi, atum, are, tr. Exhaler. ¶ Intr. Fumer, c.-à-d. exhaler des vapeurs. || (En parl. de pers.) Rendre l'âme.

exhareno. Voy. EXARENO.

exhaurio, *is, hausi, haustum, ire,* tr. Tirer en puisant, puiser. || Retirer, enlever. ¶ Epuiser, vider entièrement. || *Fig.* Epuiser, ruiner. ¶ Terminer, exécuter jusqu'au bout. ¶ Endurer jusqu'au bout, supporter jusqu'à la fin.

exheredatio, *onis,* f. Exhérédation.

exheredator, *oris,* m. Celui qui déshérite.

exheredo, *as, avi, atum, are,* tr. Déshériter.

exheres, *edis,* m. Déshérité.

exhibeo, *es, ui, itum, ere,* tr. Faire paraître (au dehors). || Présenter (qqn), montrer. || Faire comparaître. || Exhiber, mettre sous les yeux. ¶ Livrer; se dessaisir de. ¶ *Fig.* Faire connaître, révéler. || Montrer, faire preuve de. ¶ Exercer, pratiquer. || Faire office de. || Causer, susciter. ¶ Rendre, *c.-à-d.* faire devenir. || Donner, fournir. ¶ Soutenir les forces de, alimenter. ¶ Subvenir aux besoins de.

exhibitio, *onis,* f. Action de produire (au dehors), de présenter. || Action de remettre, de livrer. ¶ Action de fournir (des aliments), de subvenir aux frais d'entretien de.

exhibitor, *oris,* m. Celui qui présente, qui donne (en public).

exhilaro, *as, avi, atum, are,* tr. Egayer. ¶ (Par ext.) Donner un air riant à...

exhonoro, *as, avi, atum, are,* tr. Déshonorer. ¶ Redouter.

exhorreo, *es, ere,* tr. Avoir en horreur.

exhorresco, *is, horrui, ere,* intr. Frissonner. ¶ Avoir le frisson à la vue de. || Redouter. [vant.

exhortamen, *minis,* n. Comme le suivant.

exhortamentum, *i,* n. Exhortation; encouragement. ¶ Cadence imprimée aux rameurs par le maître de nage.

exhortatio, *onis,* f. Exhortation; encouragement. [exhorter.

exhortativus, *a, um,* adj. Propre à

exhortator, *oris,* m. Celui qui exhorte.

exhortatorius, *a, um,* adj. D'exhortation. [rager.

exhortor, *ari,* dép. tr. Exhorter, encou-

exigo, *is, egi, actum, ere,* tr. Faire sortir; chasser; renvoyer. ¶ Exporter, vendre. ¶ Pousser; enfoncer. ¶ Faire payer. ¶ Réclamer. || (Fig.) Exiger. ¶ Passer; franchir; traverser. ¶ Exécuter; parfaire. ¶ Juger; apprécier. ¶ Traiter (en paroles); discourir.

exigue, adv. Petitement; faiblement. ¶ Avec parcimonie. ¶ En peu de mots.

exiguitas, *atis,* f. Exiguïté; petitesse. ¶ Petit nombre; petite quantité. ¶ Faible durée; brièveté. ¶ Etroitesse.

exiguus, *a, um,* adj. Petit; exigu; étroit; court; modique; faible.

exilio. Voy. EXSILIO.

exilis, *e,* adj. Délié, menu, mince, grêle. ¶ Privé de.

exilitas, *atis,* f. Ténuité; minceur. ¶ Maigreur; stérilité. || Gracilité.

exiliter, adv. Chétivement; pauvrement. ¶ Avec sécheresse; brièvement.

exilium. Voy. EXSILIUM.

exim. Voy. EXINDE.

eximie, adv. Excellemment.

eximius, *a, um,* adj. Excepté, réservé, privilégié. ¶ Hors de pair, excellent, éminent.

eximo, *is, emi, emptum, ere,* tr. Tirer de, retirer, retrancher. ¶ Délivrer de, affranchir. ¶ Laisser écouler (le temps).

exin. Voy. EXINDE. [vaster.

exinanio, *ire,* tr. Vider; épuiser; dévaster.

exinanitio, *onis,* f. Action de vider, de réduire à rien.

exinde, adv. De là. || Immédiatement après. ¶ La-dessus, ensuite. ¶ Depuis, dès lors. ¶ De cela; en.

existimatio, *onis,* f. Opinion. ¶ Estime, considération.

existimator, *oris,* m. Connaisseur.

existimo, *as, avi, atum, are,* tr. Juger; penser. ¶ Examiner, considérer.

existo. Voy. EXSISTO.

exitabilis, *e,* adj. Funeste, pernicieux.

exitiose, adv. D'une manière pernicieuse.

exitiosus, *a, um,* adj. Funeste, fatal.

exitium, *ii,* n. Sortie; issue, fin. || (Spéc.) Triste fin, trépas, mort. || Perte, ruine. ¶ (Méton.) Fléau, calamité.

exitus, *us,* m. Sortie. || Issue, passage par où l'on sort. || Issue, dénouement, fin. || Résultat, succès (bon *ou* mauvais). || Mort. ¶ Evénement décisif qui dénoue une action, dénouement, catastrophe (d'un drame).

exlex, *legis,* adj. Qui est en dehors de la loi, qui ne connaît pas de loi, qui est sans retenue.

exobsecro, *as, are,* tr. Supplier vivement.

exoccupo, *as, are,* tr. Débarrasser.

exoculo, *as, avi, atum, are,* tr. Arracher les yeux; rendre aveugle.

exodium, *ii,* n. Dénouement; terme. ¶ Petite pièce comique jouée à la fin d'une représentation.

exolesco, *is, olevi, oletum, olescere,* intr. Cesser de croître, arriver à la fin de son développement. ¶ Dépérir. || Passer, disparaître. || Passer de mode, être oublié.

exoletus, *a, um,* p. adj. Arrivé au terme de la croissance; adulte. ¶ Débauché, impudique. Subst. *Exoletus, i,* m. Mignon. ¶ Passé de mode, démodé, suranné.

exolo, pour EXULO. Voy. EXSULO.

exolvo. Voy. EXSOLVO.

exomis, *midis,* f. Exomide, vêtement d'homme laissant une épaule à nu.

exoneratio, *onis,* f. Le fait d'être débarrassé *ou* de se décharger de; décharge, affranchissement.

exonerator, *oris,* m. Celui qui décharge (au pr.); déchargeur.

exonero, *as, avi, atum, are*, tr. Décharger. || *Fig.* Décharger, c.-d.-d. débarrasser, délivrer. ¶ Décharger *ou* se décharger, se défaire. [sirable.

exoptabilis, *e*, adj. Souhaitable, désirable.

exoptatio, *onis*, f. Souhait; désir.

exoptatus, *a, um*, p. adj. Désiré, souhaité. ¶ Présumé, attendu.

exopto, *as, avi, atum, are*, tr. Choisir, jeter son dévolu sur. ¶ Souhaiter, désirer.

exorabilis, *e*, adj. Qui se laisse attendrir *ou* fléchir. ¶ Qui obtient (qqch.) par des prières.

exorbito, *as, avi, atum, are*, intr. Sortir de l'ornière, ne plus agir par routine. || Dévier, s'écarter. ¶ *Tr.* Entraîner hors de la voie tracée, faire dévier de.

exorcismus, *i*, m. Exorcisme.

exordior, *iris, orsus sum, ordiri*, dép. tr. et intr. Commencer à tisser, monter la chaîne, ourdir. ¶ Commencer, entreprendre. ¶ *Intr.* Commencer à parler, débuter.

exordium, *ii*, n. Commencement d'un tissu; chaîne. ¶ (En gén.) Commencement, début. || (Spéc.) Début d'un discours, exorde; introduction. ¶ (Méton.) Livre, traité.

exoriens, *entis*, m. Soleil levant, matin. ¶ (Méton.) Orient.

exorior, *eris, ortus sum, oriri*, dép. intr. Se montrer, sortir en montant. ¶ S'élever, se lever. ¶ Naître, se produire, se montrer. ¶ Sortir de, tirer son origine de, provenir.

exornatio, *onis*, f. Ordonnance, disposition. ¶ Embellissement, ornement, parure. || *Spéc.* Ornement du discours. || Discours d'apparat; discours du genre démonstratif.

exornator, *oris*, m. Celui qui dispose, qui arrange. ¶ Celui qui orne, qui pare, embellit, etc.

exornatus, *a, um*, p. adj. Chargé d'ornements; magnifique, somptueux.

exorno, *as, avi, atum, are*, tr. Pourvoir de tout ce qui est nécessaire, mettre en état, équiper. ¶ Disposer, mettre en ordre. ¶ Orner, embellir. || (Fig.) Honorer, illustrer. ¶ *Qqf.* Dépouiller de sa parure.

exoro, *as, avi, atum, are*, tr. Obtenir à force de prières, supplier. ¶ Toucher (qqn) par de vives supplications.

exors, Voy. EXSORS.

exorsa, *orum*, n. pl. Commencement, prélude; exorde. || Entreprise. || Sujet, thème. [Exorde.

exorsus, *us*, m. Commencement. || (Spéc.)

exortiva, *orum*, n. pl. Les régions du Levant, l'est.

exortivus, *a, um*, adj. Relatif au lever (des astres). ¶ Situé au levant.

exortus, *us*, m. Action de monter (dans le ciel). ¶ Lever (des astres). ¶ Avènement (au trône). ¶ Naissance, origine.

exos, *ossis*, adj. Qui n'a pas d'os.

exosculatio, *onis*, f. Action de se becqueter; tendre baiser.

exosculor, *aris, atus sum, ari*, dép. tr. Baiser tendrement. ¶ (Fig.) Accueillir avec des démonstrations d'amitié, louer très vivement, combler d'éloges.

exossis, *e* et exossus, *a, um*, adj. Sans os. || (Par ext.) Souple, flexible. ¶ Mou, lâche.

exosso, *as, avi, atum, are*, tr. Désosser. || Oter les arêtes. ¶ Oter les pierres. ¶ Manger jusqu'à l'os.

exostra, *ae*, f. Pont-levis qu'on abattait des tours de bois des assiégeants sur les murs d'une ville assiégée. ¶ Machine de théâtre pour changements à vue.

exosus, *a, um*, p. adj. Qui hait vivement. ¶ Qu'on hait vivement; fortement haï.

exotericus, *a, um*, p. adj. Qui se fait en public, destiné au public: exotérique.

exoticus, *a, um*, adj. Qui n'est pas une production naturelle de nos climats: exotique.

expallesco, *is, ui, ere*, intr. Devenir d'une extrême pâleur. || Pâlir de crainte. ¶ *Tr.* Redouter.

expalliatus, *a, um*, adj. A qui l'on a enlevé son pallium. [pâleur.

expallidus, *a, um*, adj. D'une extrême

expalpo, *as, are*, tr. Obtenir à force de caresses. [le précédent.

expalpor, *aris, ari*, dép. tr. Comme

expando, *is, pandi, pansum* ou *passum, ere*, tr. Déployer, étaler, étendre. ¶ (Fig.) Exposer, développer (un sujet).

expansio, *onis*, f. Action d'étendre.

expapillatus, *a, um*, adj. Décolleté.

expars, adj. Qui ne prend pas part à...

expartus, *a, um*, adj. Qui a dépassé l'âge de mettre bas.

expassus, part. d'EXPANDO.

expatior, Voy. EXSPATIOR.

expatricius, *ii*, m. Ancien patrice.

expatro, *as, avi, are*, tr. Venir à bout (d'une fortune), épuiser, dissiper.

expavefacio, *is, factum, ere*, tr. Epouvanter. [¶ Avoir grand peur de.

expaveo, *es, ere*, intr. et tr. S'effrayer.

expectatio, expecto. Voy. EXSPECTO.

expectoro, *as, are*, tr. Rejeter hors de la poitrine; chasser du cœur.

expedio, *is, ivi* ou *ii, itum, ire*, tr. Oter les entraves *ou* les liens de; délier, dégager. || (Fig.) Dégager, dépêtrer, tirer d'embarras. ¶ Déballer, faire étalage de. ¶ Mettre en état, en ordre: débrouiller, démêler. ¶ Préparer, arranger. ¶ Expédier, c.-d.-d. venir à bout de, terminer (une besogne exécutée). || Dégager (qqch. des obscurités), expliquer. ¶ Démontrer. ¶ Déployer, développer, exposer (une question). ¶ Découvrir, trouver. || Procurer. — *pecuniam*, procurer de l'argent. || *Intr.* Se développer, marcher, abou-

tir. || Impers. *Expedit*, il est avanta-
geux *ou* expédient.

expedite, adv. Sans obstacle, aisément.
|| Sans embarras, librement. || Couram-
ment. — *loqui Graece*, parler grec
couramment.

expeditio, *onis*, f. Action d'ôter les
entraves *ou* les liens. ¶ Action de
déployer *ou* de développer. ¶ Envoi
de troupes, expédition (militaire),
campagne. ¶ Construction. || Distri-
bution (d'une maison). ¶ (Rhét.)
Développement (oratoire), exposé.

expeditus, *a*, *um*, p. adj. Libre d'en-
traves; qui a ses aises. || Légèrement
armé *ou* équipé. || Sans gros bagage. ¶
Qui n'est point embarrassé d'affaires,
qui est libre de soucis; en bonne dis-
position, en bon état (pour agir). ||
(*En parl. de ch.*) Aisé, commode.

expello, *is*, *puli*, *pulsum*, *pellere*, tr.
Pousser pour faire sortir, chasser de
(en poussant). || (T. milit.) Déloger
ou débusquer. ¶ Expulser, bannir,
exiler. || Déposséder de, faire perdre.
|| (Fig.) Chasser, dissiper, bannir (les
soucis, la joie, etc.). ¶ Faire partir,
lancer, décocher.

expendo, *is*, *pendi*, *pensum*, *ere*, tr.
Peser (pr. et fig.) ¶ Payer (avec de
la monnaie pesée); verser (une somme
de...) || Débourser, dépenser. || (Fig.)
Payer, acquitter. || Expier (une faute).

expensa, *ae*, f. Débours, dépense.

expenso, *as*, *avi*, *are*, tr. Peser avec
soin (pr. et fig.). || Balancer, compen-
ser. ¶ Payer, verser, débourser.

expensum, *i*, n. Somme (pesée, c.-à-d.
comptée, payée). || Dépense, débours.
Ferre alicui expensum, porter en
dépense pour le compte de qqn.,
débiter qqn d'une somme.

expergefacio, *is*, *feci*, *factum*, *ere*, tr.
Eveiller *ou* réveiller qqn. ¶ *Fig.*
Eveiller, animer, exciter.

expergefactio, *onis*, f. Réveil.

expergefio, *is*, *factus sum*, *fieri*, passif
d'EXPERGEFACIO. Etre réveillé *ou* se
réveiller.

expergiscor, *eris*, *perrutus sum*, *per-
gisci*, dép. intr. Se réveiller (pr. et fig.).

expergo, *is*, *ere*, tr. Eveiller (pr. et fig.).

experiens, *entis*, p. adj. Entreprenant.
|| Actif. ¶ Qui a l'expérience, la pra-
tique de. [¶ Expérience, pratique.

experientia, *ae*, f. Essai, tentative. ¶
experimentum, *i*, n. Essai, épreuve,
expérience. ¶ Exemple fourni par
l'expérience, preuve. || Connaissance.

experio. Comme le suivant.

experior, *iris*, *pertus sum*, *iri*, dép. tr.
Essayer, faire l'essai *ou* l'expérience
de; mettre à l'épreuve. ¶ Tenter,
risquer. ¶ Eprouver, apprendre par
l'expérience. || Eprouver (qqch. de
désagréable), subir. [(pr. et fig.).

experrectus, *a*, *um*, p. adj. Eveillé

expers, *pertis*, adj. Qui n'a pas part à.
|| Privé de, dépourvu de. || Exempt,
libre de.

expertus, *a*, *um*, p. adj. Qui a essayé,
qui sait par expérience. ¶ Essayé,
éprouvé, qui a fait ses preuves.

expetendus, *a*, *um*, p. adj. Qui mérite
d'être recherché, désiré; souhaitable,
précieux.

expetens, *entis*, p. adj. Désireux.

expetenter, adv. Avec passion.

expetesso, *is*, *ere*, tr. Désirer vivement.
|| Rechercher

expeto, *is*, *ivi* ou *ii*, *itum*, *ere*, tr. Désirer vivement, rechercher. ¶ Solliciter,
prier d'une manière pressante. ¶
Tendre vers. || En vouloir à. ¶ *Qqf.*
S'informer auprès de, demander. ¶
Intr. Atteindre, tomber sur; arriver,
survenir. || Durer.

expiatio, *onis*, f. Explation.

expiatus, *us*, m. Expiation.

expilatio, *onis*, f. Pillage.

expilator, *oris*, m. Pillard.

expilo, *as*, *avi*, *atum*, *are*, tr. Mettre au
pillage.

expingo, *is*, *pinxi*, *pictum*, *ere*, tr.
Peindre, représenter par des couleurs.
|| Farder. ¶ Dépeindre.

expinso, *is*, *ere*, tr. Broyer, moudre.

expio, *as*, *avi*, *atum*, *are*, tr. Apaiser,
calmer, satisfaire (par des cérémonies
expiatoires) l'effet (d'un présage funeste);
conjurer. ¶ Purifier (de la souillure
d'un crime) par un sacrifice (*ou* une
cérémonie). || Expier, c.-à-d. réparer
(une faute). || *Fig.* Racheter.

expiro. Voy. EXSPIRO.

expiscor, *aris*, *atus sum*, *ari*, dép. tr.
(Retirer en pêchant), s'enquérir adroitement, tirer les vers du nez de.

explanabilis, *e*, adj. Clair, distinct, intelligible. [tement.

explanate, adv. Clairement, distinc-

explanatio, *onis*, f. Eclaircissement,
explication, interprétation. ¶ Prononciation nette. ¶ (Rhét.) Hypotypose. [commentateur.

explanator, *oris*, m. Interprète, c.-à-d.

explanatorius, *a*, *um*, adj. Explicatif.

explanatus, *a*, *um*, p. adj. Net, distinct.

explano, *as*, *avi*, *atum*, *are*, tr. Aplanir,
étendre. ¶ (*Fig.*) Eclaircir, expliquer,
interpréter. || Prononcer avec netteté.

explaudo. Voy. EXPLODO.

explementum, *i*, n. Ce qui sert à
emplir, c.-à-d. à rassasier. ¶ (Fig.)
Remplissage.

expleo, *es*, *evi*, *etum*, *ere*, tr. Emplir
complètement; combler. || *Spéc.* Ras-
sasier. || *Fig.* Assouvir, satisfaire,
apaiser. ¶ Remplir, c.-à-d. s'acquitter
de. ¶ Compléter, arriver à un total de.
¶ Suppléer, combler les vides de. ¶
Accomplir, c.-à-d. parcourir entièrement (une période de temps).

expletio, *onis*, f. Plénitude excessive,

réplétion. ¶ Action de remplir, de satisfaire à. || Satisfaction, contentement. ¶ Action de compléter, complément. ¶ Achèvement, accomplissement.

expletus, *a*, *um*, p. adj. Complet. ¶ Parfait. [brouiller. ¶ Explicable.

explicabilis, *e*, adj. Qu'on peut dé-

explicate, adv. Nettement, clairement.

explicatio, *onis*, f. Action de déplier, de dérouler. ¶ (Fig.) Développement. || Explication, éclaircissement, interprétation.

explicator, *oris*, m. Celui qui expose. ¶ Celui qui explique. || Celui qui résout.

explicatrix, *tricis*, f. Celle qui développe (fig.).

1. **explicatus**, *a*, *um*, p. adj. Mis en bon ordre, ordonné. ¶ Détaillé, facile à comprendre, clair.

2. **explicatus**, *us*, m. Action de déplier. ¶ (Fig.) Explication.

explicit (*liber*), (le livre) finit ici; fin.

explicitus, *a*, *um*, adj. Qui ne présente pas de difficultés, aisé, praticable.

explico, *as*, *avi* (et *ui*), *atum* et *itum*, *are*, tr. Déplier, développer, dérouler. || Démêler, ébrouiller. ¶ Développer, étendre (ce qui était enroulé), étaler. || Etendre (ses lignes, son front de bataille). ¶ (Fig.) Débrouiller, tirer d'affaire *ou* d'embarras, sauver. ¶ Venir à bout de, réaliser. || Terminer, régler, arranger, liquider. ¶ Déployer, *c.-à-d.* mettre en œuvre, employer. || Déchiffrer, parvenir à lire (un texte mal écrit *ou* une écriture informe, inconnue). || Expliquer, éclaircir. || Exposer, raconter.

explodo (EXPLAUDO), *is*, *plosi*, *plosum*, *ere*, tr. Battre *ou* claquer pour chasser, pour pousser. || *Spéc.* Huer, siffler (un acteur). ¶ (*Fig.*) Rejeter, désapprouver, condamner.

explorate, adv. Tout bien examiné, en connaissance de cause, de science certaine.

exploratio, *onis*, f. Exploration, investigation, examen. ¶ (Spéc. Reconnaissance (militaire); espionnage.

explorator, *oris*, m. ¶ Celui qui va à la découverte. || *Spéc.* Patrouilleur, éclaireur. || Espion.

exploratorius, *a*, *um*, adj. Relatif aux explorations *ou* aux reconnaissances. ¶ Qui sert à faire des reconnaissances.

exploratrix, *tricis*, f. Celle qui va à la découverte *ou* celle qui espionne.

exploratus, *a*, *um*, p. adj. Reconnu, examiné. || D'une valeur éprouvée. ¶ Assuré, certain.

exploro, *as*, *avi*, *atum*, *are*, tr. Explorer, observer. || Guetter, épier, espionner. || Guetter le moment *ou* l'occasion de. ¶ (*Fig.*) Examiner, étudier à fond. || Mettre à l'épreuve, éprouver. || (Fig.) Tâter, sonder.

explosio, *onis*, f. Huée.

1. **expolio**, *is*, *ivi*, *itum*, *ire*, tr. Polir

soigneusement, lisser, lustrer. ¶ (Fig.) Polir, perfectionner. || Rendre traitable, adoucir. ¶ Cultiver, affiner.

2. **expolio**. Voy. EXSPOLIO.

expolitio, *onis*, f. Action de polir entièrement, de donner le dernier lustre à (pr. et fig.). [entièrement.

expolitor, *oris*, m. Celui qui polit

expolitus, *a*, *um*, p. adj. Entièrement poli, lustré, lisse; brillant. ¶ (*Fig.*) Orné, paré, luxueux. || De belles manières.

expono, *is*, *posui*, *positum*, *ere*, tr. Placer dehors, mettre en vue, exposer.| *Spéc.* Débarquer, mettre à terre. || Déballer, étaler, mettre en vente. || Exposer (un enfant), l'abandonner. ¶ (Fig.) Exposer, *c.-à-d.* mettre sous les yeux, montrer. || Mettre à la disposition de. || Exposer, *c.-à-d.* retracer, raconter. || Exposer, *c.-à-d.* livrer. *Rar.* Déposer, quitter, se défaire de. Voy. DEPONO.

exporgo, p. EXPORRIGO.

exporrigo, *is*, *rexi*, *rectum*, *ere*, tr. Avancer, allonger. || Déployer. ¶ Tendre, offrir, donner.

exportatio, *onis*, f. Exportation. ¶ Déportation, bannissement.

exporto, *as*, *avi*, *atum*, *are*, tr. Porter dehors. || Emporter. ¶ Déporter, bannir.

exposco, *is*, *poposci*, *ere*, tr. Demander instamment; solliciter. || Réclamer, exiger. || *Spéc.* Demander l'extradition de. Voy. DEPOSCO.

expositus, *a*, *um*, p. adj. Exposé, *c.-à-d.* ouvert, accessible. || (*En parl. de pers.*) Abordable, qui se laisse approcher. || (*En parl. de ch.*) A la disposition de (tout le monde), commun, banal, trivial. || A la portée de (tout le monde) intelligible, aisé à comprendre.

expostulatio, *onis*, f. Demande instante. ¶ Réclamation; plainte; grief.

expostulatus, *us*, m. Plainte, grief.

expostulo, *as*, *avi*, *atum*, *are*, tr. Réclamer avec insistance. ¶ Faire des réclamations; se plaindre. — *cum aliquo*, présenter des réclamations à qqn, se plaindre. || *Absol.* Demander satisfaction.

expotus, *a*, *um*, adj. Comme EPOTUS.

expresse, adv. En appuyant bien; avec force. ¶ D'une manière expressive. || Expressément, nettement, clairement.

expressio, *onis*, f. Action de faire sortir en pressant. ¶ Action de faire monter l'eau dans les tuyaux. || (Méton.) Machine élévatoire. ¶ (Archit.) Listel. ¶ (Fig.) Expression. || Description saisissante.

1. **expressus**, *a*, *um*, p. adj. Saillant. *Corpora lacertis expressa*, corps bien découplés (dont les muscles en saillie dégagent les mouvements). ¶ Qui fait une impression marquée; frappant. ¶ Bien articulé, net, clair, distinct.

2. **expressus**, *us*, m. Ascension de l'eau dans une pompe aspirante.

exprimo, *is*, *pressi*, *pressum*, *ere*, tr. Presser pour faire sortir *ou* pour vider; exprimer (le suc). ¶ Mettre en relief, faire saillir. — *lacertos*, faire saillir les muscles. ‖ Détacher (les sons), articuler, prononcer nettement, distinctement. ¶ User de contrainte pour avoir, pour obtenir, *d'où* extorquer. — *confessionem*, arracher un aveu. ‖ Exprimer, c.-à-d. rendre, reproduire, représenter. — *patrem*, être le portrait de son père. ‖ Retracer (par la parole), décrire. ‖ Reproduire, c.-à-d. imiter. ¶ Faire monter (par la pression), élever.

exprobrabilis, *e*, adj. Blâmable, digne de reproche. ¶ Médisant.

exprobranter, adv. D'un ton de reproche.

exprobratio, *onis*, f. Reproche.

exprobrator, *oris*, m. Celui qui blâme.

exprobratrix, *icis*, f. Celle qui blâme.

exprobro, *as*, *avi*, *atum*, *are*, tr. Adresser des reproches. ¶ Reprocher.

expromo, *is*, *prompsi*, *promptum*, *ere*, tr. Tirer au dehors (une chose qu'on avait serrée). ¶ Pousser, proférer, exhaler. ¶ Faire paraître, manifester, faire preuve de. ¶ Faire connaître, exposer.

experatus, *a*, *um*, adj. Atteint très vite.

expugnabilis, *e*, adj. Qu'on peut vaincre, dont on peut venir à bout. ¶ *Fig.* Réfutable.   [de. ‖ Efficace

expugnans, *antis*, p. adj. Qui triomphe

expugnatio, *onis*, f. Action de prendre d'assaut, d'emporter de vive force.

expugnator, *oris*, m. Celui qui prend d'assaut, qui emporte de vive force, qui s'empare de.

expugno, *as*, *avi*, *atum*, *are*, tr. Prendre d'assaut, emporter de vive force, forcer. ‖ Réduire, vaincre. ¶ *Fig.* Avoir raison de, triompher de. ‖ Arracher, extorquer. ‖ Venir à bout de, mener à bonne fin, exécuter, achever. ¶ Attaquer *ou* s'attaquer à.

expulsio, *onis*, f. Expulsion.

expulso, *as*, *are*, tr. Chasser, pousser hors de, lancer.

expulsor, *oris*, m. Celui qui chasse.

expultrix, *icis*, f. Celle qui chasse.

expungo, *is*, *punxi*, *punctum*, tr. Faire des points (sur les tablettes de cire) pour effacer. ‖ Effacer, biffer, rayer. ‖ Congédier, éliminer, licencier. ‖ Anéantir *ou* (simpl.) détruire. ¶ Pointer, c.-à-d. marquer d'un point (au fur et à mesure d'un appel), vérifier, contrôler; reviser, effectuer.

expuo. Voy. EXSPUO.

expurgatio, *onis*, f Justification.

expurgo, *as*, *avi*, *atum*, *are*, tr. Enlever pour nettoyer; nettoyer, émonder. ¶ (Fig.) Expurger. ‖ Justifier.

exputesco, *is*, *ere*, intr. Se pourrir.

1. **exputo**, *as*, *avi*, *atum*, *are*, tr. Emonder; tailler.

2. **exputo**, *as*, *avi*, *atum*, *are*, tr. Examiner à fond, pénétrer, venir à bout de connaitre.

exquaero. Voy. le suivant.

exquiro, *is*, *quisivi*, *quisitum*, *ere*, tr. Rechercher, essayer de découvrir. ‖ Fouiller, fureter. ¶ S'enquérir, s'informer, demander. ‖ *Spéc.* Mettre à la torture pour apprendre. ¶ Demander, implorer, solliciter. ¶ Chercher, imaginer.

exquisite, adv. En cherchant avec soin. ¶ Avec soin, d'une manière approfondie.

exquisitus, *a*, *um*, p. adj. Recherché. ‖ De choix, distingué, exquis, rare. ‖ Raffiné, affecté.

exradicatus. Voy. ERADICATUS.

exradicitus, adv. Avec la racine même.

exsacrifico, *as*, *are*, tr. Offrir un sacrifice.

exsaevio, *is*, *ire*, intr. Oublier sa fureur, s'apaiser.

exsanguis, *e*, adj. Qui n'a pas de sang, exsangue. ‖ (Par ext.) Pâle, d'une lividité de cadavre. ‖ Sans forces, épuisé. ‖ *Fig.* Sans vigueur. ¶ Qui rend pâle.   [ger de, compenser.

exsarcio, *is*, *sartum*, *ire*, tr. Dédomma-

exsatio, *as*, *avi*, *atum*, *are*, tr. Rassasier, assouvir. ‖ *Fig.* Satisfaire.

exsaturo, *as*, *avi*, *atum*, *are*, tr. Rassasier entièrement (pr. et fig.).

exscalpo. Voy. EXSCULPO.

exscendo. Voy. ESCENDO.

exscensio, *onis*, f. Voy. ESCENSIO.

exscensus. Voy. ESCENSUS.

exscidium, *ii*, n. Ruine, destruction. ¶ Sac d'une ville.

exscindo (EXCINDO), *is*, *scidi*, *scissum*, *ere*, tr. Enlever en déchirant, arracher violemment. ¶ (Par ext.) Déraciner, détruire, ruiner. ‖ (Fig.) Détruire, perdre.   [¶ *Tr.* Rejeter en crachant.

exscreo, *as*, *avi*, *atum*, *are*, intr. Cracher.

exscribo, *is*, *scripsi*, *scriptum*, *ere*, tr. Copier, transcrire. ‖ Reproduire les traits de, faire le portrait de. ¶ (Fig.) — *aliquem*, être tout le portrait de qqn. ¶ Inscrire, noter.

exsculpo (EXCULPO), *is*, *sculpsi*, *sculptum*, *ere*, tr. Gratter (pour enlever), effacer. ¶ Arracher, extorquer, obtenir par force *ou* avec peine. ‖ Forcer à dire, à avouer. ¶ Façonner avec le ciseau, ciseler, graver, sculpter.

exseco (EXSICO, EXECO, EXCICO), *as*, *secui*, *sectum*, *are*, tr. Détacher, enlever (en coupant); retrancher, amputer. ‖ Châtrer. ¶ Inciser, ouvrir, fendre.   [maudit.

exsecrabilis, *e*, adj. Exécrable. ¶ Qui

exsecrandus, *a*, *um*, p. adj. Exécrable.

exsecratio, *onis*, f. Malédiction, imprécation. ¶ Serment accompagné d'imprécation.

exsecrator, *oris*, m. Celui qui maudit, celui qui prononce des imprécations contre.

1. **exsecratus**, *a, um*, p. adj. Exécré, maudit.

2. **exsecratus**, *us*, m. Exécration.

exsecror (EXECROR), *aris, atus sum, ari*, dép. tr. et intr. Prononcer des malédictions contre, maudire. ¶ Prêter un serment avec imprécations (contre celui qui le violera).

exsectio, *onis*, f. Amputation, dissection.

exsecutio, *onis*, f. Exécution, accomplissement. || Gestion. ¶ Développement (en parl. du discours). ¶ *Jur.* Poursuite judiciaire.

exsecutor, *oris*, m. Celui qui exécute. || *Spéc.* Officier chargé d'exécuter les arrêts d'un tribunal. || Percepteur (des contributions). ¶ Celui qui poursuit (pour punir); vengeur.

exsequens, *entis*, p. adj. Qui recherche soigneusement.

exsequiae, *arum*, f. pl. Convoi funèbre; funérailles, obsèques. || (Méton.) Dépouille mortelle. [faire.

exsequialis, *e*, adj. D'obsèques; funé-

exsequor, *eris, secutus sum, sequi*, dép. tr. Suivre le convoi de. ¶ Suivre, poursuivre (pr. et fig.). — *consilia*, poursuivre des desseins. || Suivre (jusqu'au bout), s'attacher à (une cause, à un parti). || Aspirer à (l'éternité, etc.). ¶ Poursuivre l'accomplissement de, effectuer, exécuter, consommer, accomplir. ¶ Poursuivre (avec persévérance), - continuer. ¶ Poursuivre (le châtiment de), punir *ou* venger. ¶ Se soumettre à, subir, endurer. ¶ Arriver à connaître, découvrir. — *aliquid cogitando*, découvrir qqch. à force de réflexion. ¶ Exposer, développer, traiter (un sujet). || Passer en revue, détailler, examiner.

exsero (EXERO), *is, serui, sertum, ere*, tr. Tirer dehors, dégager. || Découvrir, mettre à nu. ¶ *Fig.* Dégager, c.-à-d. tirer d'affaire *ou* d'embarras. || Dévoiler, manifester.

exserte, adv. Avec force; énergiquement.

exserto (EXERTO), *as, are*, tr. Faire sortir, mettre à nu.

exsertus, *a, um*, p. adj. Mis à découvert. || Saillant, proéminent. ¶ Manifeste, déclaré. ¶ Énergique, violent.

exsibilo, *as, avi, atum, are*, intr. Siffler, faire entendre un sifflement. ¶ *Tr.* Siffler (un acteur).

exsicco, *as, avi, atum, are*, tr. Dessécher. ¶ Vider entièrement (un flacon).

exsilio (EXILIO, ESILIO), *is, silui, sultum, ire*, intr. S'élancer (d'un bond) au dehors. || S'élever (d'un bond) dans l'air. ¶ (*En parl. de ch.*) Jaillir, sortir brusquement, paraître tout à coup.

exsilium (EXILIUM), *ii*, n. Exil, bannissement. || Séjour (volontaire *ou* forcé) à l'étranger. || (Méton.) Lieu d'exil. Au plur. *Exsilia*, bannis, exilés.

exsistentia (EXISTENTIA), *ae*, f. Existence.

exsisto (EXISTO), *is, stiti, ere*, intr. S'élever au-dessus, paraître, se montrer. || Naître, avoir lieu. ¶ Exister, être. || Résulter. ¶ *Tr.* (rar.) Produire, faire paraître.

exsolesco, *is, ere*, intr. Se déshabituer.

exsoletus. Voy. EXOLETUS.

exsolo. Voy. EXSULO.

exsolutio, *onis*, f. Action de délier *ou* de dégager. ¶ Payement intégral.

exsolvo, *is, solvi, solutum, ere*, tr. Ôter les liens, délier, dénouer. || Détacher, défaire. || *Fig.* Faire cesser. || Résoudre (un problème), expliquer. ¶ (*Fig.*) Dégager, délivrer (pr. et fig.). || Satisfaire (à une obligation), acquitter, payer (intégralement). — *aes alienum*, payer ses dettes. || Tenir (sa parole, une promesse). || S'acquitter de. — *gratiam*, acquitter une dette de reconnaissance. [éveillé.

exsomnis, *e*, adj. Sans sommeil, toujours

exsorbeo, *es, ui ou* (rar.) *sorpsi, ere*, tr. Absorber, engloutir, avaler *ou* dévorer. ¶ (*Fig.*) Absorber, c.-à-d. faire disparaître, épuiser.

exsors, *sortis*, adj. Qui n'est pas tiré au sort, qui est en dehors d'un lotissement. ¶ Peu commun, choisi, distingué. ¶ Qui ne tire pas au sort, qui n'a pas de part à; exclu de, privé de; qui n'a pas.

exspatior, *aris, atus sum, ari*, dép. intr. Sortir de la carrière. || (*Fig.*) S'écarter de son sujet. ¶ Se répandre hors de, déborder.

exspectatio, *onis*, f. Action d'attendre; attente. || (Par ext.) Désir de voir *ou* d'apprendre, curiosité. ¶ Attente impatiente; impatience. ¶ Inquiétude; crainte. ¶ Espérance.

exspectatus, *a, um*, p. adj. Attendu, désiré. || Bienvenu.

exspecto, *as, avi, atum, are*, tr. (Regarder de loin pour voir venir); attendre. || Montrer de la patience jusqu'au bout. ¶ Attendre, c.-à-d. être réservé à. || Attendre, c.-à-d. réclamer, exiger (av. un suj. de ch.). || Attendre (dans telle *ou* telle disposition), espérer, appeler de ses vœux *ou* s'attendre à, c.-à-d. appréhender. ¶ *Absol.* Etre *ou* demeurer dans l'attente. [ser.

exspergo, *is, ere*, tr. Répandre; disper-

exspes, adj. (seul. au nomin.). Sans espoir; qui a perdu tout espoir.

exspiratio, *onis*, f. Exhalaison.

exspiro (EXPIRO), *as, avi, atum, are*, tr. et intr. || *Tr.* Souffler pour faire sortir; exhaler. ¶ *Intr.* Rendre l'âme, expirer. || *Fig.* Expirer, c.-à-d. prendre fin. ¶ Sortir en soufflant. || S'évaporer, s'exhaler.

exsplendesco, *is, ui, ere*, intr. Pr. et *fig.* Répandre un vif éclat (au dehors).

exspoliatio, *onis*, f. Action de dépouiller; spoliation.

exspolio (EXPOLIO), *as, avi, atum, are*,

tr. Dépouiller de, priver de, spolier. ¶ Mettre au pillage.   [précédent.

exspolior, *aris*, *ari*, dép. tr. Comme le

exspuo (EXPUO), *is*, *ui*, *utum*, *ere*, intr. et tr. || *Intr.* Cracher. ¶ *Tr.* Rejeter en crachant, expectorer. || (Fig.) Vomir, rejeter.

exstans, *antis*, p. adj. Qui fait saillie.

externo, *as*, *avi*, *atum*, *are*, tr. Consterner, mettre hors de soi, déconcerter. || Troubler, effrayer.   [vant.

extillesco, *is*, *ere*, intr. Comme le sui-

exstillo, *as*, *avi*, *atum*, *are*, intr. Dégoutter, couler goutte à goutte. ¶ Répandre des larmes. [¶ Instigateur.

exstimulator, *oris*, m. Celui qui stimule.

exstimulo, *as*, *avi*, *atum*, *are*, tr. Stimuler, exciter.   [tissement.

exstinctio, *onis*, f. Extinction. ¶ Anéan-

exstinctor, *oris*, m. Celui qui éteint. ¶ Destructeur.

exstinctus, *us*, m. Extinction.

extinguo (EXTINGUO), *is*, *stinxi*, *stinctum*, *ere*, tr. Eteindre. || Etancher (la soif). ¶ Mettre à sec, dessécher. ¶ (Fig.) Faire périr. || Détruire. ¶ Faire oublier. || *Jur.* Périmer.   [avec les racines.

exstirpatio, *onis*, f. Action d'arracher

exstirpator, *oris*, m. Celui qui déracine, qui extirpe.

exstirpo, *as*, *avi*, *atum*, *are*, tr. Arracher, déraciner, extirper.

exsto (EXTO), *stare*, intr. Se tenir hors de *ou* au-dessus de; dépasser, être saillant. ¶ (*Fig.*) Etre visible, se manifester, apparaître. Impers. *Exstat*, il est visible que... ¶ Exister encore, c.-à-d. subsister.

extructe, adv. D'une manière élevée.

extructio, *onis*, f. Construction. ¶ Parure.

extructor, *oris*, m. Celui qui bâtit.

extruo (EXTRUO), *is*, *struxi*, *structum*, *ere*, tr. Elever par assises, édifier, construire. || Empiler, entasser; élever en tas. || Dresser, accumuler. || Couvrir de choses empilées. ¶ (Fig.) Elever, hausser. || Disposer, ordonner, composer. || Grossir (par l'expression), exagérer.

exsucc... Voy. EXSUC...

exsudo (EXUDO), *as*, *avi*, *atum*, *are*, intr. Suinter au dehors, s'évaporer. ¶ *Tr.* Laisser sortir en suintant, distiller. ¶ Exécuter à la sueur de son front, se donner beaucoup de peine pour...

exsufflo, *as*, *are*, tr. Exhaler. ¶ Souffler sur qqn (pour l'exorciser).

exsugeo. Voy. le suivant.

exsugo (EXUGO), *is*, *suxi*, *suctum*, *ere*, tr. Faire sortir en suçant, sucer. || Dessécher en suçant, tarir, épuiser.

exsul (EXUL), *ulis*, m. et f. Exilé, banni, chassé; vivant loin de sa patrie. ¶ *Qqf.* Qui est privé de...

exsularis (EXULARIS), *e*, adj. Concernant l'exil. || De l'exil; d'exilé.

exsulatio, *onis*, f. (Action d'exiler.) Bannissement, exil.

exsulo (EXULO), *as*, *avi*, *atum*, *are*, intr. Etre exilé, vivre en exil; être loin de sa patrie. ¶ *Tr.* Exiler, bannir.

exsulor, *aris*, *atus sum*, *ari*, dép. intr. Comme le précédent.

exsultabundus (EXULTABUNDUS), *a*, *um*, adj. Qui saute *ou* jaillit. ¶ Transporté de joie.

exsultans (EXULTANS), *ontis*, p. adj. Bondissant. || Saccadé. ¶ Pétulant, vif, impétueux.

exsultanter (EXULTANTER), adv. En sautant, en bondissant. ¶ Avec des transports de joie. || Librement.

exsultantia (EXULTANTIA), *ae*, f. Action de sauter *ou* de bondir sur; assaut, attaque.

exsultatio (EXULTATIO), *onis*, f. Action de sauter *ou* de sautiller. ¶ Joie folle.

exsultim (EXULTIM), adv. En bondissant.

exsulto (EXULTO), *as*, *avi*, *atum*, *are*, intr. Bondir, sautiller. || Caracoler (en parl. d'un cheval). ¶ (En parl. de ch.) Bouillonner, jaillir. ¶ (Par ext.) Etre transporté (de joie *ou* d'orgueil). || Se donner libre carrière, prendre l'essor (fig.); s'abandonner à la fougue.

exsuperabilis (EXUPERABILIS), *e*, adj. Qu'on peut surmonter. ¶ Qui peut triompher de.

exsuperans (EXUPERANS), *antis*, p. adj. Qui dépasse. ¶ Supérieur, distingué.

exsuperantia (EXUPERANTIA), *ae*, f. Action de surpasser *ou* de dépasser. || Supériorité.   [rhét.).

exsuperatio, *onis*, f. Hyperbole (fig. de

exsupero (EXUPERO), *as*, *avi*, *atum*, *are*, intr. Sortir en s'élevant, s'élever audessus. || (Fig.) Avoir le dessus, être vainqueur. ¶ *Tr.* Franchir, gravir. || S'élever au-dessus, dépasser. || Durer au delà de; survivre à. || L'emporter sur. || Surmonter.

exsuppuro, *as*, *are*, tr. Faire sortir le pus. ¶ (*Fig.*) Purifier.

exsurdo (EXURDO), *as*, *avi*, *atum*, *are*, tr. Rendre sourd, assourdir. || Etourdir. ¶ (Par ext.) Engourdir, émousser (les sens).

exsurgo (EXURGO), *is*, *surrexi*, *surrectum*, *ere*, intr. Se dresser hors de, se lever pour sortir. || Se dresser (pour frapper). || Se soulever, s'insurger. ¶ Se relever, se rétablir. || Reprendre force et courage.

exsuscitatio, *onis*, f. Action de réveiller, d'exciter (l'attention).

exsuscito, *as*, *avi*, *atum*, *are*, tr. Soulever, lever. ¶ (Par ext.) Eveiller, faire lever. || Exciter. || Susciter, provoquer.

exta, *orum*, n. pl. Entrailles, viscères. || *Spéc.* Parties nobles de la victime (cœur, poumons, foie, rate, d'après l'état desquelles on cherchait à deviner l'avenir). ¶ (Méton.) Festin qui suit un sacrifice.

extabesco, *is*, *tabui*, *ere*, intr. Se consumer, dépérir. ¶ (Fig.) Disparaître.

extalis, is. m. Rectum.

extantia, ae, f. Voy. **EXSTANTIA.**

extemplo (EXTEMPULO), adv. Sur-le-champ.

extemporalis, e, adj. Improvisé.

extempulo. Voy. **EXTEMPLO.**

extendo, is, tendi, tensum, ere, tr. Etendre, étaler. || Déployer en longueur. || Tirer (une ligne). ¶ Elargir, développer. ¶ Allonger, prolonger. || Faire traîner en longueur. ¶ Fig. Divulguer, répandre. ¶ Surmener, forcer (sa marche). ¶ Dépenser (au delà de ses moyens). ¶ Faire monter (les prix).

extensio, onis, f. Action d'étendre, extension. ¶ Etendue, longueur.

extensus, a, um, adj. Qui a subi un allongement (en parl. d'une syllabe).

extente, adv. D'une manière étendue.

extentero. Voy. **EXENTERO.**

extentio, onis, f. Comme **EXTENSIO.**

1. extento, as, atum, are, tr. Etendre.

2. extento, as, are, tr. Essayer.

1. extentus, a, um, p. adj. Etendu, vaste, long.

2. extentus, us, m. Etendue; extension.

extenuatio, onis, f. Action de rendre plus ténu, d'amincir. || Spéc. Taille (de la vigne). || Raréfaction (de l'air). ¶ (Fig.) Rhét. Atténuation.

extenuatus, a, um, p. adj. Amoindri, réduit. || Faible. || Mince, petit.

extenuo, as, avi, atum, are, tr. Amincir, raréfier; éclaircir (c.-à-d. rendre moins dense). || (Méd.) Amaigrir; affaiblir. ¶ Diminuer, amoindrir. || Affaiblir, épuiser. ¶ Atténuer (par l'expression).

exter et exterus, a, um, adj. Du dehors, extérieur. ¶ Etranger.

exterebro, as, avi, atum, are, tr. Enlever en perçant. ¶ (Fig.) Obtenir par force.

extergeo, es, tersi, tersum, ere, tr. Essuyer, nettoyer. ¶ (Fig.) Rafler, piller.

exterior, us, adj. (Compar.) Extérieur, du dehors, externe.

exterius, adv. Extérieurement, en dehors.

exterminatio, onis, f. Bannissement. ¶ Fig. Ruine de l'intelligence; égarement de l'esprit. ¶ Extermination.

exterminator, oris, m. Celui qui bannit, qui chasse. ¶ Exterminateur.

exterminium, ii, n. Bannissement. ¶ Extermination.

extermino, as, avi, atum, are, tr. Chasser hors des limites; expulser, bannir. ¶ Fig. Rejeter. ¶ Déranger (l'ésprit), égarer. || Dénaturer.

1. externus, a, um, adj. Extérieur, du dehors, externe. ¶ Etranger, de l'étranger.

2. externus, i, m. Un étranger.

extero, is, trivi, tritum, ere, tr. Faire sortir en frottant ou en foulant aux pieds. || User en frottant. ¶ Fig. Supprimer (une lettre), t. de gramm. ¶ Ecraser, broyer. || Froisser. || Fouler.

exterreo, es, ui, itum, ere, tr. Epouvanter, rendre fou (hors de soi) de terreur.

extersus, dat. ui, m. Action d'essuyer.

exterus, a, um. Voy. **EXTER.**

exexo, is, ere, tr. Défaire un tissu. ¶ Fig. Dévaliser.

extillo. Voy. **EXSTILLO.**

1. extimatio, onis, f. Opinion.

2. extimatio, onis, f. La fin (des temps).

extimesco, is, intr. S'effrayer. ¶ Tr. S'effrayer de; redouter.

extimo, as, are, tr. Penser, croire.

extimulo. Voy. **EXSTIMULO.**

extimus (arch. EXTUMUS), a, um, adj. Qui est le plus en dehors ou tout à fait en dehors. ¶ Qui est à l'extrémité. ¶ Complètement étranger.

extinguo. Voy. **EXSTINGUO.**

extirpo. Voy. **EXSTIRPO.**

extispex, icis, m: Devin qui prédit l'avenir d'après l'état des viscères de la victime.

extispicium, ii, n. Examen des entrailles des victimes.

extispicus, i, m. Comme **EXTISPEX.**

exto. Voy. **EXSTO.**

extollo, is, extuli (et qqf. exsustuli), ere, tr. Faire sortir en levant, en soulevant. || Lever, élever, soulever. ¶ (Fig.) Elever (l'esprit) relever (le cœur, le courage). || Exalter, glorifier. || Grossir (par la parole), exagérer. || Elever, relever (l'éclat de). || Honorer ou embellir. ¶ Reporter, remettre à plus tard.

extorqueo, es, torsi, tortum, ere, tr. Enlever ou arracher en tordant. ¶ (Fig.) Extorquer, obtenir de force. ¶ Faire sortir en tordant. || Déboîter, luxer, donner une entorse à. || Spéc. Disloquer (par la torture).

extorreo, es, ere, tr. Brûler entièrement. || Dessécher.

extorris, e, adj. Chassé de son pays, exilé, fugitif. ¶ Dépouillé, privé de. || Qui n'a pas de...

extortor, oris, m. Celui qui extorque.

1. extra, adv. Dehors, au dehors. || En outre.

2. extra, prép. Hors de. ¶ Fig. Hormis, à l'exception de, indépendamment de. || Sans.

extraho, is, traxi, tractum, ere, tr. Tirer hors de, extraire, retirer. ¶ Tirer, enlever. ¶ Fig. Tirer de, délivrer. ¶ Arracher à ou de, soustraire, dérober. ¶ Produire au grand jour. ¶ Traîner (le temps) en longueur, prolonger. — diem de die, remettre de jour en jour. ¶ Amuser, occuper à choses qui font perdre le temps.

1. extraneus, a, um, adj. De dehors, extérieur. ¶ Etranger à la patrie, à la famille, etc.

2. extraneus, i, m. Un étranger.

extraordinarie, adv. D'une manière extraordinaire.

extraordinarii, *orum*, m. pl. Soldats d'élite placés hors cadres.

extraordinarius, *a*, *um*, adj. Extraordinaire. ¶ Inaccoutumé. || Inusité. ¶ Relatif aux extraordinaires (hors cadres); voisin de l'endroit où campent ces soldats d'élite.

extremitas, *atis*, f. Extrémité, fin. || Bord. ¶ (*Techn.*) Surface (géom.) || Désinence (gramm.).

extremo, adv. A la fin, en dernier lieu.

1. **extremum**, *i*, n. Extrémité, fin. Dernier recours. || Péril extrême.

2. **extremum**, adv. Pour la dernière fois. ¶ A la fin.

extremus, *a*, *um*, adj. Qui est à l'extrémité, à la fin *ou* tout au bord. ¶ Le dernier *ou* le plus bas. ¶ (Fig.) Extrême, désespéré; dans un danger extrême.

extrico, *as*, *avi*, *atum*, *are*, tr. Démêler, débrouiller. ¶ Débarrasser; défricher. ¶ Effectuer (à grand'peine). || Arriver à se procurer. ¶ *Qqf.* Mettre en fuite, chasser.

extrinsecus, adv. Du dehors; de l'extérieur. ¶ Dehors, au dehors. ¶ (Fig.) En dehors (du sujet). || En outre.

extrorsum ou **extrorsus**, adv. Vers le dehors, vers l'extérieur (av. mouvement).

extrudo, *is*, *trusi*, *trusum*, *ere*, tr. Pousser dehors avec violence, jeter dehors, expulser. ¶ (Fig.) Se débarrasser, se défaire de.

extruo. Voy. EXSTRUO. [meur.

extuberatio, *onis*, f. Excroissance, tumeur.

extubero, *as*, *avi*, *atum*, *are*, intr. Former une bosse, s'enfler. ¶ *Tr.* Bomber, rendre saillant.

extumeo, *es*, *ere*, intr. Etre enflé, gonflé.

extumesco, *is*, *ere*, intr. S'enfler, se gonfler.

extundo, *is*, *tudi*, *tundere*, tr. Frapper pour faire sortir, faire sortir en frappant. ¶ Fabriquer au marteau, forger. || Fabriquer des objets en métal repoussé. || Ciseler, sculpter. ¶ *Fig.* Façonner, composer. ¶ S'efforcer de faire sortir. || Chasser. — *fastidia*, dissiper les répugnances. ¶ Se procurer à grand'peine; arracher. ¶ Fracasser.

exturbo, *as*, *avi*, *atum*, *are*, tr. Faire sortir de force, chasser; expulser (en poussant brusquement). || Abattre ou démolir. ¶ (Fig.) Déposséder brutalement. || Répudier (une épouse). ¶ Dissiper. || Bouleverser.

exturpo, *as*, *avi*, *are*, tr. Déshonorer. ||Souiller.

exuberans, *antis*, p. adj. Surabondant. ¶ Prodigieux.

exuberantia, *ae*, f. Surabondance, excès.

exuberatio, *onis*, f. Comme le précédent.

exubero, *as*, *avi*, *atum*, *are*, intr. Couler avec excès. || Surabonder. || Regorger de. ¶ *Tr.* Produire surabondamment. || *Fig.* Noyer par le nombre.

exul. Voy. EXSUL. [¶ Ulcération.

exulceratio, *onis*, f. Action d'ulcérer.

exulcero, *as*, *avi*, *atum*, *are*, tr. Former des ulcères, ulcérer, exulcérer. ¶ (Fig.) Ulcérer, c.-à-d. affecter profondément. || Envenimer.

exulo. Voy. EXSULO.

exult... Voy. EXSULT...

exululo, *as*, *avi*, *atum*, *are*, intr. Hurler. ¶ *Tr.* Appeler en hurlant.

exundatio, *onis*, f. Débordement.

exundo, *as*, *avi*, *atum*, *are*, intr. Déborder. ¶ (Fig.) Se produire surabondamment. ¶ *Tr.* Laisser échapper abondamment, répandre avec excès.

exungo, *is*, *unctum*, *ere*, tr. Dépenser en pommades, en parfums. Au passif *exungi*, se ruiner en pommades.

exuo, *is*, *ui*, *utum*, *ere*, tr. Oter. ¶ Débarrasser (d'un vêtement), déshabiller, mettre à nu, à découvert. || Dépouiller, priver. || Quitter (un vêtement), se défaire de. ¶ *Fig.* Dépouiller (un sentiment), secouer (le joug), etc.; renoncer à.

exurgeo, *es*, *ere*, tr. Presser (une éponge).

exurgo. Voy. EXSURGO.

exuro, *is*, *ussi*, *ustum*, *ere*, tr. Brûler complètement, consumer. ¶ (Par ext.) Brûler, dessécher, tarir. || Dévorer, brûler (en parl. de la soif). || Détruire (comme ferait le feu). ¶ *Fig.* Embraser (en parl. de la passion), enflammer. || Ronger, dévorer (en parl. des soucis).

exustio, *onis*, f. Action de brûler; embrasement. ¶ Chaleur brûlante.

exutio, *onis*, f. Action de dépouiller exclusion.

exuviae, *arum*, f. pl. Vêtements que l'on a ôtés. || Parties du corps dont on se dépouille; ancienne peau (des serpents, etc.). ¶ Dépouilles enlevées à l'ennemi.

F

f, f, dixième lettre de l'alph. latin. ¶ Abrév. de *filius* ou de *fecit* || FF. = fecerunt || F. I. = fieri jussit || Fl. = Flavius *ou* Flavia tribu. || FL = flamen perpetuus.||F R.= frumentum *ou* frumentarius. [verre.

faba, *ae*, f. Fève. || *Vitrea faba*, perle de

fabaceus, *a*, *um*, adj. De fèves.

fabalis, *e*, adj. De fèves.

fabarius, *a*, *um*, adj. De fèves.

fabatus, *a*, *um*, adj. De fèves. || *Fabata*, *ae*, f. Bouillie de fèves.

fabella, *ae*, f. Petit récit. ¶ Petite pièce de théâtre. ¶ Fable.

1. **faber**, *bri*, m. Ouvrier (en métaux).

2. **faber**, *bri*, m. Dorée, poisson de mer.

8. **faber**, *bra*, *brum*, adj. Fait avec art; adroit.

fabre, adv. Artistement.

fabrefacio, *feci*, *factum*, *ere*, tr. Travailler avec art.

fabrefio, *fieri*, passif de *fabrefacio*. Etre fabriqué avec art.

fabrica, *ae*, f. Travail, métier. ¶ Fabrication, construction. || Façon, main-d'œuvre. [truction.

fabricatio, *onis*, f. Fabrication, construction.

fabricator, *oris*, m. Constructeur, ouvrier.

fabricatus, *us*, m. Travail.

fabrico, *as*, *are*, tr. Comme le suivant.

fabricor, *aris*, *ari*, dép. tr. Travailler; façonner. ¶ Forger. ¶ Inventer, créer. || Ourdir.

fabrilis, *e*, adj. D'artisan. || De forgeron. ¶ Séché dans la fumée d'une forge.

1. **fabula**, *ae*, f. Propos. || Nouvelle. ¶ Récit mensonger. || Récit mythologique; fable; conte. || Apologue, fable. ¶ Composition dramatique; pièce.

2. **fabula**, *ae*, f. Petite fève.

fabularis, *e*, adj. Fabuleux.

fabulator, *oris*, m. Conteur. ¶ Bavard.

1. **fabulo**, *onis*, m. Fabricant de contes; menteur, bavard.

2. **fabulo**, *as*, *are*, tr. Comme le suivant.

fabulor, *aris*, *atus sum*, adj. Causer. || Bavarder. ¶ Inventer, mentir.

fabulose, adv. Fabuleusement; mensongèrement.

fabulosus, *a*, *um*, adj. Riche en fictions. ¶ Porté aux contes. ¶ Appartenant à la fable.

fabulus, *i*, m. Petite fève.

fabus, *i*, m. Comme **FABA**.

facesso, *is*, *ere*, tr. Faire; accomplir. || Produire, susciter. ¶ *Intr.* S'en aller; partir. || *Tr.* Eloigner.

facete, adv. Coquettement. ¶ Finement, spirituellement.

facetia, *ae*, f. Gentillesse. ¶ Plaisanterie; enjouement. Au pl. Facéties.

facetus, *a*, *um*, adj. Bien fait. ¶ Coquet, gracieux; élégant. ¶ Plaisant, spirituel.

facies, *ei*, f. Extérieur, aspect, mine. || Face. ¶ Apparence, forme. || Figure, visage, face. ¶ Beauté.

facile, adv. Facilement; sans peine. ¶ Sans hésiter; sûrement. ¶ Heureusement.

facilis, *e*, adj. Qui peut se faire; facile. || Commode, bien disposé. || Qu'on se procure aisément; abondant, sans valeur; banal. ¶ Adroit, simple. || Porté à; enclin. ¶ Qui se lie facilement; traitable; complaisant. || Affable.

facilitas, *atos*, f. Facilité. ¶ Promptitude; volubilité. || Disposition; penchant. ¶ Humeur facile; complaisance, douceur.

faciliter, adv. Comme **FACILE**.

facinorose, adv. Criminellement.

facinorosus, *a*, *um*, adj. Criminel, impie; pervers.

facinus, *oris*, n. Acte (bon *ou* mauvais); trait. ¶ Forfait.

facio, *is*, *feci*, *factum*, *ere*, tr. Faire. ¶ Poser; supposer; feindre. ¶ Juger; estimer; apprécier. ¶ Représenter. ¶ Donner, appliquer. ¶ Instituer. || Nommer; élire. ¶ Faire cas, priser. ¶ Faire naître; causer, provoquer. ¶ Faire que, faire en sorte que. ¶ *Absol.* Agir; se conduire. ¶ Offrir un sacrifice, présider à une cérémonie religieuse. ¶ Etre du parti (de qqn). ¶ Etre propre à. || Réussir; avoir tel ou tel effet. || Convenir, être utile, faire bien. ¶ *Facere se*, se rendre, se transporter.

facteon, mot forgé. Il faut faire ça de.

facticius, *a*, *um*, adj. Artificiel, factice.

factio, *onis*, f. Action. ¶ Droit de faire; pouvoir de faire *ou* d'agir. ¶ Parti, secte; association, corps de métier. ¶ Faction, parti politique. || *Absol.* Oligarchie. ¶ Conspiration, soulèvement; esprit de révolte *ou* d'intrigue. || Cabale, faction (du cirque).

factiose, adv. Puissamment.

factiosus, *a*, *um*, adj. Actif. || Entreprenant. ¶ Influent, qui a de nombreux partisans. || Qui est chef de parti; factieux, intrigant.

factito, *as*, *avi*, *atum*, *are*, tr. Faire souvent. ¶ *Spéc.* Faire métier de, pratiquer. [faire.

facto, *as*, *are*, tr. Faire ordinairement.

factor, *oris*, m. Fabricant. || *Spéc.* Fabricant d'huile. ¶ Créateur. ¶ Auteur. ¶ *Techn.* Celui qui renvoie la balle.

factum, *i*, n. Ce qui a été fabriqué *et spéc.* quantité d'huile donnée par chaque tour de pressoir. ¶ Ouvrage. Fait, action, acte. || Décret.

factura, *ae*, f. Fabrication, façon. ¶ (Méton.) Ouvrage, œuvre. || Structure.

1. **factus**, *a*, *um*, p. adj. Travaillé.

2. **factus**, *us*, m. Action de faire. || (Méton.) Construction. ¶ Quantité d'huile exprimée chaque fois. Voy. **FACTUM**. ¶ Fin; mort.

facul, adv. Facilement.

facula, *ae*, f. Petite torche. ¶ *Fig.* Petite lueur (d'espoir).

facultas, *atis*, f. Facilité, possibilité; faculté, occasion. ¶ Force nécessaire pour l'action. || Capacité, talent. || *Spéc.* Talent (de parole), éloquence. ¶ Fortune, moyens.

facunde, adv. Avec une grande facilité de parole, éloquemment.

facundia, *ae*, f. Don de la parole, élocution facile et abondante. || Eloquence. ¶ Elocution, talent d'exposition, style. [quence.

facundiosus, *a*, *um*, adj. plein d'éloquence.

facundus, *a*, *um*, adj. Qui parle d'abondance; éloquent. ¶ (En parl. du style.) Coulant, facile. [beaucoup de lie.

faecinius, *a, um,* adj. Qui dépose

faecula, *ae,* f. Lie de vin. || Tartre. ¶ Sorte de condiment.

faeculentus, *a, um,* adj. Rempli de lie; trouble. ¶ *Fig.* Impur.

faen... Voy. FEN.

faet... Voy. FOET...

faex, *aecis,* f. Marc. ¶ Lie de vin. || Résidu, dépôt. ¶ Sorte de condiment. ¶ *Fig.* Lie c.-à-d. rebut, impureté.

fageus, *a, um,* adj. De hêtre.

fagineus, *a, um,* adj. De hêtre.

faginus, *a, um,* adj. De hêtre. || Fait en hêtre.

fago. Voy. PHAGO.

fagum, *i,* n. Faine.

fagus, *i,* f. Hêtre. || (Méton.) Faine, fruit du hêtre.

fagutalis, *e,* adj. Qui appartient au hêtre. — *lucus,* bois sacré (sur l'Esquilin) où se trouvait un hêtre consacré à Jupiter.

fala, *ae,* f. Echafaudage élevé. || Tour de bois (servant dans les sièges à lancer des projectiles dans la place). ¶ Au plur. *Falae,* colonnes en bois placées sur le mur séparant le cirque en deux (*spina*) et portant les boules en bois (*ova*) qui marquaient les tours de piste.

falang... Voy. PHALANG...

falarica, *ae,* f. Trait énorme qu'on lançait de la tour appelée FALA. ¶ Trait garni d'étoupe et de poix qu'on lançait à l'aide de la baliste.

falcarius, *ii,* m. Fabricant de faux, taillandier.

falcatus, *a, um,* adj. Pourvu de faux. — *currus,* char armé de faux. ¶ Recourbé en forme de faux. — *ensis,* cimeterre.

falcifer, *fera, ferum,* adj. Qui porte une faux. ¶ Armé de faux.

falciger, *gera, gerum,* adj. Qui porte une faux.

falcula, *ae,* f. Petite faucille, serpe. ¶ (Par anal.) Griffe (d'un félin).

falerae. Voy. PHALERAE.

falisca, *ae,* f. Râtelier (d'une étable).

fallacia, *ae,* f. Ruse, artifice, déguisement; fourberie, supercherie, intrigue. || Erreur. ¶ Charme, enchantement.

fallacies, *ei,* f. Comme le précédent.

fallaciloquus, *a, um,* adj. Dont la langue est trompeuse.

fallaciosus, *a, um,* adj. Fallacieux.

fallaciter, adv. D'une manière trompeuse.

fallax, *acis,* adj. (*En parl. de pers.*) Trompeur; perfide. ¶ (*En parl. de ch.*) Mensonger; qui trompe *ou* induit en erreur.

fallo, *is, fefelli, falsum, ere,* tr. Faire glisser. ¶ (Ordin.) *Fig.* Induire en erreur, tromper, décevoir, abuser. ¶

Manquer à (sa promesse), être infidèle à, trahir. ¶ Echapper à, ne pas être remarqué de. || Ne pas parvenir à la connaissance de. ¶ Dissimuler, déguiser; tromper. || Empêcher d'apercevoir *ou* de sentir. [teur.

falsator, *oris,* m. Faussaire, falsifica-

false, adv. Faussement. [songer.

falsidicus, *a, um,* adj. Menteur. ¶ Men-

falsificatus, *a, um,* adj. Falsifié.

falsiloquium, *ii,* n. Mensonge.

falsiloquus et falsilocus, *a, um,* adj. Dont le langage est mensonger; menteur.

falsimonia, *ae,* f. Mensonge.

falsiparens, *entis,* adj. Qui a un père supposé.

1. **falso,** *as, avi, atum, are,* tr. Falsifier.

2. **falso,** adv. Faussement, à tort.

1. **falsum,** *i,* n. Fausseté, mensonge. ¶ Acte falsifié; faux.

2. **falsum,** adv. Faussement.

falsus, *a, um,* adj. Supposé, controuvé, simulé, apocryphe. || Falsifié. ¶ Mensonger. ¶ (*En parl. de pers.*) Menteur, trompeur; hypocrite.

falx, *cis,* f. Faux. ¶ Faucille, serpe, serpette. ¶ Instrument ressemblant à une faux; faux armant les chars de guerre; faux pour démolir les murs (dans un siège).

fama, *ae,* f. Voix publique, bruit, rumeur. ¶ Tradition, opinion courante. ¶ Ce qui se dit de qqn : réputation *ou* renommée. || Bon renom, célébrité, gloire. || Mauvais renom, décri.

famatus, *a, um,* adj. Décrié.

1. **famelicus,** *a, um,* adj. Affamé, famélique. ¶ D'où l'on sort avec la faim.

2. **famelicus,** *i,* m. Un affamé.

fames, *is,* f. Faim; appétit. ¶ (Fig.) Soif, convoitise. ¶ (Par ext.) Famine. ||*Spéc.* Diète (t. méd.). ¶ Indigence. || (Fig.) Maigreur (du style), indigence (de l'expression). [public.

famigeratio, *onis,* f. Rumeur, bruit

famigerator, *oris,* m. Nouvelliste. ¶ Bavard.

famigero, *as, atum, are,* tr. Publier, rendre célèbre (à force d'en parler).

famigerulus, *i,* m. Colporteur de nouvelles, nouvelliste.

familia, *ae,* f. Ensemble des serviteurs, domesticité, gens, maison. || Troupe de gladiateurs (appartenant à un même maître). || Troupe d'acteurs (instruite par un même metteur en scène). || Ensemble des clients d'un même patron. ¶ Maison, ménage. || Patrimoine. ¶ Maison, c.-à-d. famille (ensemble des pers. unies par le sang). || Secte philosophique (se rattachant à un unique fondateur).

1. **familiaris,** *e,* adj. De la domesticité. ¶ Du ménage, de l'intérieur. ¶ Du patrimoine. *Res* —, le patrimoine. ¶ De la famille, appartenant à la famille *ou* reçu dans la famille, familier,

intime. ¶ (En parl. de ch.) Confidentiel, connu, amical, familier. || De la patrie, des concitoyens (*opp. à* de l'ennemi).

2. familiaris, *is*, m. Esclave; domestique. ¶ Ami intime, un intime.

familiaritas, *atis*, f. Familiarité, intimité, rapports étroits. ¶ (Méton.) L'intimité, *c.-à-d.* les amis intimes (de qqn).

familiariter, adv. Par familles. ¶ Familièrement.|| Affectueusement.||En ami.

famosus, *a*, *um*, adj. Dont on parle beaucoup. || Fameux, glorieux. || Décrié, infâme. ¶ Diffamatoire *ou* calomnieux.

famul, *uli*, m. Voy. FAMULUS.

famula, *ae*, f. Servante, femme esclave.

famularis, *e*, adj. De serviteur.

famulatio, *onis*, f. Servitude. ¶ (Méton.) Serviteurs.   [teur.

famulatus, *us*, m. Condition de servi-

famulitium, *ii*, n. Servitude. ¶ (Méton.) Serviteurs.

famulo, *as*, *avi*, *atum*, *are*, tr. Rendre esclave, asservir. ¶ Comme le suivant.

famulor, *aris*, *atus sum*, *ari*, dép. intr. Servir comme esclave; être le serviteur de. ¶ (En gén.) Servir.

famulosus, *a*, *um* adj. Qui a beaucoup de serviteurs.

1. famulus, *a*, *um*, adj. Qui sert; esclave.

2. famulus, *i*, m. Serviteur, esclave.

fanatice, adv. En inspiré, en personne exaltée.

fanaticus, *a*, *um*, adj. Du temple *ou* consacré au temple. ¶ (*Ordin.*) Inspiré par un dieu; saisi d'un transport divin; fanatique.

fandus, *a*, *um*, p. adj. Dont on peut parler. ¶ Honnête, vertueux.

fanum, *i*, n. Lieu saint, sanctuaire, temple. ¶ (*Eccl.*) Temple païen.

far, *farris*, n. Epeautre. || Blé. ¶ (Mét.) Blé égrugé; farine; pain.

farcimen, *inis*, n. Farce (pour saucisse); saucisse.

farcio, *is*, *farsi*, *farctum* ou *fartum*, *ire*, tr. Bourrer. ¶ Emplir de farce, de hachis (en bourrant). || Bourrer de nourriture, gaver. ¶ (Fig.) Bourrer, bonder.

farfarus, *i*, m. Tussilage (plante).

farina, *ae*, f. (Farine d'épeautre), farine. ¶ (Par anal.) Poudre *ou* poussière. ¶ (*Fig.*) Farine, *c.-à-d.* origine *ou* condition.   [Farineux.

farinaceus, *a*, *um*, adj. De farine. ¶

farinarius, *a*, *um*, adj. A farine; concernant la farine.

farinatus, *a*, *um*, adj. Enfariné.

farrago, *ginis*, f. Dragée, mélange de divers grains (pour le bétail). ¶ (Fig.) Mélange. || Fatras. || Bagatelle.

farratus, *a*, *um*, adj. De blé. ¶ Plein de blé, de farine. ¶ Fait de blé, de farine.

farreatio, *onis*, f. Usage de pain

d'épeautre dans la cérémonie du mariage par confarréation.

farreatus, *a*, *um*, adj. Célébré en mangeant du pain d'épeautre. Voy. CONFARREATIO.   [d'épeautre.

1. farreum, *i*, n. Gateau *ou* pain

2. farreum, *i*, n. Grange.

farreus, *a*, *um*, adj. D'épeautre, de blé. ¶ Qui sert pour l'épeautre, pour le blé. || A grains.

fartum, *i*, n. Comme FARTUS.

fartura, *ae*, f. *Abstr.* Engraissement (des volailles). || *Concret.* Ce qui sert à remplir. || Blocage (t. d'architect.).

fas, n. indécl. Parole divine. || (Méton.) Puissance divine, divinité. ¶ (Par ext.) Droit sacré, droit divin. || Lois divines. || Destinée. ¶ Ce qui est conforme aux prescriptions des dieux *ou* de la nature : droit, devoir, justice. || *Adj.* Permis, faste.

fascea, **fasceatim**. Voy. FASCIA, FASCIATIM.

fascia, *ae*, f. Bande. || Bandage : appareil de pansement. ¶ Ceinture. *Fascia pectoralis*, soutien-gorge, corset. || Maillot (des nouveaux nés). ¶ Bandeau, diadème. ¶ Fasce *ou* face, bande de l'architrave (ordin. au plur.). || Zone (terrestre). || Bande (de nuages). || Aubier (d'un arbre).

fasciatim, adv. En forme de faisceau.

fascicularia, *orum*, n. pl. Objets qui se portent en faisceaux.

fasciculus, *i*, m. Petit paquet, petite botte. ¶ Fascicule, liasse.

fasciger, *gera*, *gerum*, adj. Qui porte des faisceaux.   [farine.

fascina, *ae*, f. Paquet de verges, fagot,

fascinatio, *onis*, f. Fascination, charme émanant du regard.

fascinator, *oris*, m. Fascinateur; celui qui jette un sort.

fascino, *as*, *avi*, *atum*, *are*, tr. Fasciner, jeter un sort sur.

fascinum, *i*, n. Enchantement; mauvais œil, maléfice.

fascio, *as*, *avi*, *atum*, *are*, tr. Entourer de bandes *ou* d'un bandage.

fasciola, *ae*, f. Bandelette. Au plur. *Fasciolas*, bandes tenant lieu de bas; langes *ou* maillot.   [bande.

fasciolum, *i*, n. Petit bandeau; petite

fascis, *is*, m. Paquet, botte, fagot. Faisceau, faix. || (Au plur.) *Fasces*, *ium*, m. Faisceaux (*ou* fagots de baguettes *ou* de verges), au milieu desquels était une hache, portés par les licteurs devant les dictateurs, les consuls, etc., comme symbole de l'autorité. ¶ (Méton.) Le consulat, les honneurs, la puissance, etc.

fasel... Voy. PHASEL...

faseolus. Voy. PHASEOLUS.

fasianus. Voy. PHASIANUS.

fasti (s.-c. *dies*), *orum*, m. pl. Jours fastes. || (Méton.) Tableau indiquant les jours de fêtes, d'assemblées, d'au-

dience, etc.; **fastes**, *c.-à-d.* calendrier.
|| Fastes, *c.-à-d.* tableau des magis-
trats annuels. || **Fastes**, *c.-à-d.* indi-
cation des événements de l'année;
annales.

fastidio, *is, ivi, itum, ire,* tr. Avoir de
la répugnance pour. ¶ Dédaigner,
mépriser. || *Absol.* Faire le dégoûté;
prendre de grands airs. || Etre blasé.

fastidiose, adv. Avec répugnance, avec
dégoût. ¶ Avec hauteur. ¶ Au prix
d'efforts fastidieux.

fastidiosus, *a, um,* adj. Dégoûté, diffi-
cile. || (Fig.) Difficile à satisfaire, dé-
daigneux. || Plein de morgue, hautain.
¶ Qui soulève le cœur, dégoûtant. ||
Qui rebute, fastidieux.

fastidium, *ii,* p. Dégoût. ¶ Goût délicat *ou* difficile. ¶ Répugnance, aver-
sion. || Dédain. || Esprit critique (porté
à mettre les défauts en relief).|| Arro-
gance, morgue, hauteur.

fastigate, adv. En pente. ¶ Obliquement.

fastigatio, *onis,* f. Disposition en talus
ou en pointe. || Pointe.

fastigio, *as, are,* tr. Comme FASTIGO.

fastigium, *ii,* n. Plan incliné, pente.
¶ Extrémité (supérieure *ou* inférieure)
d'une surface en pente. || Faîte, crête,
sommet. || Faîte (crête supérieure
d'un comble), pignon (faîte d'un mur
terminé en pointe). || Extrémité infé-
rieure, profondeur relative; fond. ||
(Par ext.) Sommet, faîte, le plus haut
point, le plus haut degré de. || Dignité,
rang. || (Gramm.) Signe de l'accent.

fastigatus, *a, um,* p. adj. Incliné, en
pente.

fastigo, *as, avi, atum, are,* tr. Disposer
en plan incliné. || Elever en pointe.
¶ Elever en dignité. || Rehausser. ¶
(Gramm.) Marquer du signe de l'accent.

1. **fastus**, *a, um,* adj. Faste (où il y a
audience; où il est permis de faire certains actes publics et privés).

2. **fastus**, *uum,* m. pl. Comme FASTI.

3. **fastus**, *us,* m. Morgue, air méprisant, arrogance.

fatale, *is,* n. Comme FATUM.

fatales, *ium,* m. pl. Les mortels, les
hommes (êtres soumis au destin).

fatalis, *e,* adj. Fatal, marqué par le
destin *ou* amené par le destin. ¶ A quoi
est attaché le destin de qqch. ¶ Qui
entraîne inévitablement la ruine;
funeste, pernicieux.

fatalitas, *atis,* f. Fatalité.

fataliter, adv. Fatalement.

fateor, *eris, fassus sum, eri,* dép. tr.
Avouer, confesser. ¶ Déclarer. || Révé-
ler, dénoter, trahir, laisser apparaître.

faticanus et **faticinus**, *a, um,* adj.
Prophétique.

fatidicus, *a, um,* adj. Prophétique.

fatifer, *fera, ferum,* adj. Qui apporte
la mort, meurtrier, mortel.

fatigatio, *onis,* f. Fatigue, lassitude.
¶ Sarcasme.

fatigator, *oris,* m. Celui qui fatigue.

fatigo, *as, avi, atum, are,* tr. Fatiguer,
harasser. || Abattre, épuiser (pr. et
fig.). ¶ Ne pas laisser de relâche à. ¶
(Fig.) Harceler. || Presser, stimuler. ||
Importuner, taquiner, harceler de
sarcasmes.

1. **fatiloquus**, *a, um,* adj. Prophétique.

2. **fatiloquus**, *i,* m. Prophète.

fatim, adv. Suffisamment. || A satiété.

fatisco, *is, ere,* intr. S'entr'ouvrir, se
fendre, être crevassé. ¶ Succomber
(à la fatigue).   [le précédent

fatiscor, *eris, fatisci,* dép. intr. Comme

fatuitas, *atis,* f. Sottise.

fatum, *i,* n. (Parole) oracle. *Fata
implere,* accomplir les oracles. ¶ Arrêt
du destin; destinée, sort. *Fato,* fatalement. ¶ Fin fixée par le destin, tré-
pas, mort (naturelle). || Perte, ruine,
calamité. || (Méton.) Restes (mortels).
|| Fatalité, fléau (ce dont dépend le
sort de qqn).   [comme un sot.

1. **fatuor**, *aris, ari,* dép. intr. Parler

2. **fatuor**, *aris, ari,* dép. intr. Prophétiser.   [Destin.

fatus, *us,* m. Parole. || Prophétie. ¶

1. **fatuus**, *a, um,* adj. Sans sel, insipide,
fade. ¶ (Ordin.) (Fig.) Imbécile, idiot.

2. **fatuus**, *i,* m. Fou *ou* bouffon (dont
l'emploi était de faire rire).

fauces, *ium,* f. pl. Voy. FAUX. [ment.

fauste, adv. Favorablement; heureuse-

faustus, *a, um,* Qui porte bonheur, favorable; propice.   [(au théâtre).

fautor, *oris,* m. Partisan. ¶ Claqueur

fautrix, *icis,* f. Celle qui favorise.

faux, *faucis,* f. ordin. au pl. **fauces,**
ium, f. pl. Gosier, gorge. ¶ *Seul. au
plur.* Gouffre. || Entrée (d'un port),
entrée (en entonnoir), goulot, passe.
|| Bouches (d'un fleuve). || (Par anal.)
Défilés, passage étroit. || Etroite bande
de terre, isthme. || Etroit bras de mer,
détroit. || Corridor.

faveo, *es, favi, fautum, ere,* intr. Etre
favorable à, favoriser, seconder. ¶
(Spéc.) Applaudir. ¶ *Dans les cérémonies sacrées.*) Garder le silence,
être recueilli. || Se taire.

favilla, *ae,* f. Cendre légère (encore
chaude, sous laquelle le feu couve). ||
Flammèche, étincelle. || Cendres (d'un
mort recueillies au bûcher). ¶ (Fig.)
Etincelle, premier symptôme.

favisae, *arum,* f. pl. Cryptes des temples, servant à emmagasiner les objets sacrés hors d'usage.

1. **favonius**, *ii,* m. Vent d'ouest, annon-
ciateur du printemps.

2. **favonius**, *a, um,* adj. Inconsistant
(comme le favonius).

favor, *oris,* m. Faveur, bienveillance. ||
Partialité. ¶ Manière de témoigner sa
faveur : applaudissement, acclama-
tion. ¶ Recueillement religieux.

favorabilis, *e*, adj. Qui est bienvenu, qui est en faveur. ¶ Qui concilie la faveur, qui gagne la sympathie; sympathique.

favorabiliter, adv. Favorablement.

favus, *i*, m. Rayon d'une ruche. ¶ Au plur. *Favi*, dalles à six pans *ou* hexagonales.

fax, *facis*, pl. f. Torche. ‖ (Par ext.) Flambeau, lumière. ‖ Au plur. *Faces*, beaux yeux; *Faces caelestes* ou (simpl.) *faces*, météores. ¶ (Fig.) Brandon, boutefeu, instigateur. ‖ Flamme, ardeur. ‖ Fléau. [la fièvre.

febricito, *as*, *avi*, *atum*, *are*, intr. Avoir

febricosus, *a*, *um*, adj. Fiévreux.

febricula, *ae*, f. Fièvre légère. ¶ Accès de fièvre.

febriculosus, *a*, *um*, adj. Qui a la fièvre. ¶ Qui donne la fièvre.

febrio, *is*, *ire*, intr. Avoir la fièvre.

febris, *is*, f. Fièvre.

februa, *orum*, n. pl. Fêtes de la purification annuelle, au mois de février.

1. **februarius**, *a*, *um*, adj. Qui concerne la purification *ou* l'expiation.

2. **februarius** (s.c. *mensis*), *ii*, m. Février, mois dans la seconde moitié duquel avaient lieu les fêtes appelées FEBRUA. [février, de février.

3. **februarius**, *a*, *um*, adj. Du mois de

februatio, *onis*, f. Purification.

februo, *as*, *avi*, *atum*, *are*, tr. Purifier (par des cérémonies spéciales).

februum, *i*, n. Moyen de purification.

februus, *a*, *um*, adj. Qui purifie.

fecialis. Voy. FETIALIS.

fecinus et **fecinius**, *a*, *um*, adj. Comme FAECINIUS.

fecunde, adv. Avec fécondité.

fecunditas, *atis*, f. Fécondité. ¶ Abondance.

fecundo, *as*, *avi*, *atum*, *are*, tr. Féconder

fecundus, *a*, *um*, adj. Fécond, productif. ¶ Abondant, riche. ¶ Qui féconde, fécondant.

fel, *fellis*, n. Vésicule biliaire. ‖ Fiel, amer; bile. ¶ (Fig.) Fiel, amertume, animosité. ‖ Fiel (de serpent), *d'où* poison. ¶ Fumeterre, plante.

feles et **felis**, *is*, f. Chat. ¶ Fouine, martre, putois. ¶ *Fig.* Voleur, ravisseur.

felicitas, *atis*, f. Fécondité *ou* fertilité. ¶ Prospérité, jouissance du bonheur. ‖ Réussite.

feliciter, adv. Avec fertilité; abondamment. ¶ Avec bonheur, avec succès. ¶ *Comme mot exclamatif* : Vivat !

felis (FAELIS), *is*, Voy. FELES.

1. **felix**, *licis*, adj. Fécond, fertile. ¶ Qui produit de bons résultats; heureux. ¶ (*En parl. de pers.*) A qui tout réussit, heureux, ‖ Fortuné. ‖ Riche. ¶ Qui fertilise. ‖ Salutaire. ‖ Qui donne le succès, qui porte bonheur, propice, favorable.

2. **felix**. Voy. FILIX.

felleus, *a*, *um*, adj. De fiel, qui contient de la bile.

fello, *as*, *avi*, *are*, tr. Téter, sucer.

femella, *ae*, f. Petite femme.

femen, *inis*, n. Comme FEMUR.

femina, *ae*, f. Femme. ‖ Femelle. *Adj.* Femelle.

feminalia, *ium*, n. pl. Sorte de caleçon servant à préserver les cuisses du froid *ou* porté par ceux qui s'exerçaient nus.

femineus, *a*, *um*, adj. De femme; féminin. ¶ Efféminé. [LIA.

feminile, *is*, n. Caleçon. Voy. FEMINA-

feminilis, *e*, adj. Relatif à la cuisse *ou* aux cuisses.

feminine, adv. (Gramm.) Au féminin.

femininus, *a*, *um*, adj. De femme, féminin. ¶ (Gramm.) Du genre féminin.

femoralia, *ium*, n. pl. Comme FEMI-NALIA. [cuisse, fémoral.

femoralis, *e*, adj. Qui appartient à la

femur, *oris* et *feminis*, n. Le haut de la cuisse *et spéc.* la cuisse. ¶ (T. d'arch.) Cuisse d'un triglyphe.

fendo, *is*, *ere*, tr. (Verbe inusité comme simple.) Heurter.

fenebris, *e*, adj. Qui concerne l'intérêt de l'argent; usuraire. ¶ Prêté à intérêt.

fenerarius, *ii*, m. Comme FENERATOR.

feneraticius, *a*, *um*, adj. Qui concerne les intérêts; relatif à l'usure.

feneratio, *onis*, f. Prêt à intérêts; usure.

fenerato, adv. A intérêts, avec usure.

fenerator, *oris*, m. Prêteur, capitaliste. ¶ Usurier.

feneratrix, *icis*, f. Usurière.

feneratus, *a*, *um*, p. adj. Placé à intérêts. *Fig.* Rendu avec usure.

fenestella, *ae*, f. Petite fenêtre. ¶ (Par ext.) Sur le mont Palatin, nom d'une petite porte de Rome.

fenestra, *ae*, f. Fenêtre. ¶ Meurtrière, embrasure. ‖ Trou percé dans le lobe de l'oreille. ¶ Etroit passage; accès.

feneus, *a*, *um*, adj. De foin. ‖ Fait en foin. ¶ *Fig.* Dont on ne fait aucun cas.

fenicularius, *a*, *um*, adj. De fenouil.

feniculum, *i*, n. Fenouil.

fenile, *is*, n. Fenil. ¶ Champ de foin.

feniseca, *ae*, m. Faucheur de foin. ¶ (Par ext.) Paysan.

fenisecia, *ium*, n. pl. Voy. FENISICIA.

fenisecta, *orum*, n. pl. Foin coupé; meule de foin.

fenisector, *oris*, m. Faucheur de foin.

fenisex, *secis*, m. Comme FENISECTOR.

fenisicia, *ae*, f. Fenaison. [de foin.

fenisicium, *ii*, n. Fenaison. ¶ Récolte

fenuculum, *i*, n. Comme FENICULUM.

fenugraecum, *i*, n. Fenugrec (plante).

fenum, *i*, n. Foin. *Fenum graecum*, voy. FENUGRAECUM.

fenus, *oris*, n. Intérêts de l'argent prêté. ‖ Rapport, produit, gain. ¶ (Méton.) Capital placé à intérêts, argent placé. ‖ Usure ,métier d'usurier. ‖ Dette.

fenusculum, i, n. Joli petit intérêt. ¶

fera, æ, f. Bête sauvage, bête féroce. ¶ (Simpl.) Bête.

feracitas, atis, f. Fertilité. [damment.

feraciter, adv. Avec fertilité; abon-

feralia, ium, n. pl. Jour des morts, célébré en février. ¶ Funérailles.

1. **feralis, e,** adj. Funéraire, funèbre. ¶ Qui cause la mort, mortel. [vage.

2. **feralis, e,** adj. Sauvage; de bête sau-

feraliter, adv. D'une manière funeste, fatale.

ferax, acis, adj. Fertile, productif. ¶ Qui fertilise.

ferbeo. Voy. FERVEO.

ferbesco, is, ire. Voy. FERVESCO.

ferculum, i, n. Ce qui sert à porter. ¶ Brancard pour porter les dépouilles opimes, les trophées et le butin (dans les triomphes). || Brancard pour promener les images des dieux dans les processions, etc. || Brancard pour porter au tombeau les cendres des morts. ¶ Plateau pour apporter les plats, *d'où* mets (servis sur ce plateau); service (dans un repas).

fere, adv. Presque, à peu près, environ ¶ Presque toujours, généralement.

1. **ferentarius, ii,** m. Soldat armé à la légère.

2. **ferentarius, a, um,** adj. Qui concerne les armes légères. ¶ *Fig.* Prompt à porter secours. [Bière, cercueil.

feretrum, i, n. Comme FERCULUM. ¶

feria, æ, f. Comme le suivant.

feriæ, arum, f. pl. Féries, jours fériés, jours de chômage ou de vacances, congé ¶. Trêve, relâche, repos.

feriatus, a, um, p. adj. Qui chôme, inactif. ¶ De fête, férié, chômé.

ferina (s.-c. *caro*), **æ,** f. Venaison.

ferinus, a, um, adj. De bête sauvage. ¶ Digne d'une bête sauvage; bestial, brutal.

ferio, is, ire, tr. Frapper, tuer, immoler. || Conclure (un traité en immolant une victime). ¶ Frapper (de la monnaie), battre (monnaie). ¶ Donner un coup, heurter, frapper. || Battre (la mesure). ¶ Frapper, *c.-à-d.* punir, châtier. ¶ Frapper, *c.-à-d.* toucher, atteindre, parvenir (aux astres, au ciel). ¶ *Fig.* Frapper, faire impression sur...

ferior, aris, atus sum, ari, dép. intr. Etre en fête, chômer.

feritas, atis, f. Naturel sauvage. || Barbarie, sauvagerie. ¶ Aspect *ou* caractère sauvage.

ferme, adv. Presque, à peu de chose près. ¶ Presque toujours, généralement. [fermentation; se gonfler.

fermentesco, is, ere, intr. Entrer en

fermento, as, avi, atum, are, intr. Faire fermenter, faire lever. Au passif. *Fermentari,* être en fermentation. ¶ Faire lever, amollir, rendre friable. ¶ *Fig.* Aigrir, gâter, corrompre.

fermentum, i, n. Ferment, levain. || Fumier. ¶ Fermentation, bouillonnement. || *Fig.* Colère. ¶ Masse en fermentation. || Terre ameublie. || Grain fermenté, malt.

fero, fers, tuli, latum, ferre, tr. Porter. || Avoir sur soi. ¶ Supporter, endurer. ¶ Comporter, avoir de la convenance avec.||Avoir en soi, admettre, entraîner (en parl. de ch.). ¶ Avoir dans l'esprit, penser, juger. ¶ Porter, *c.-à-d.* produire. ¶ Apporter, *c.-à-d.* amener, transporter. Passif : *ferri,* se rendre, aller. || Conduire (en parl. d'une route). || Porter vers, pousser, entraîner. *Ferre pedem,* porter ses pas. *Venti ferentes,* vents favorables. *Se ferre,* se pavaner. *Ferre aliquem laudibus,* combler qqn d'éloges. ¶ Apporter, *c.-à-d.* présenter, proposer, offrir. — *suffragium,* donner son suffrage. — *legem,* proposer une loi. || *Fig.* Causer. — *luctum,* mettre en deuil. ¶ Colporter, répandre (une nouvelle). || Rapporter, raconter. ¶ Emporter, piller, détruire. ¶ Remporter, obtenir, gagner.

ferocia, æ, f. Fierté indomptable, passion belliqueuse; intrépidité. ¶ Férocité, audace. || Orgueil excessif. ¶ (En parl. de ch.) Apreté (du vin).

ferocio, is, ire, intr. Etre farouche. ¶ Se montrer emporté, violent.

ferocitas, atis, f. Noble fierté; intrépidité. ¶ Orgueil farouche; outrecuidance. ¶ Férocité.

ferociter, adv. Vaillamment. ¶ Avec une rudesse sauvage.

ferox, ocis, adj. Fougueux. ¶ Fier, vaillant, hardi, belliqueux. ¶ Brutal, intraitable, violent, arrogant.

ferramentarius, ii, m. Forgeron, taillandier, armurier. [ment en fer.

ferramentum, i, n. Outil *ou* instru-

ferraria, æ, f. Mine de fer. ¶ Atelier où l'on travaille le fer.

ferrarius, a, um, adj. Ouvrier qui exploite une mine de fer. [le fer.

1. **ferrarius, a, um,** adj. Qui concerne

2. **ferrarius, ii,** m. Comme FERRARIARIUS. ¶ Forgeron.

ferratrina, æ, f. Forge.

ferratilis, e, adj. Garni de fer. ¶ (Par plais.) Mis aux fers.

1. **ferratus, a, um,** adj. Garni de fer, ferré. || *Spéc.* Chargé de fers, mis aux fers. ¶ Bardé de fer. ¶ Qui contient du fer, ferrugineux.

2. **ferratus, i,** m. Soldat bardé de fer.

ferreus, a, um, adj. De fer, en fer. ¶ *Fig.* De fer, *c.-à-d.* dur, résistant, d'une solidité à toute épreuve. || De fer, *c.-à-d.* sans cœur, insensible, impitoyable. || De fer, *c.-à-d.* rigoureux, accablant. ¶ Semblable au fer, qui a la couleur du fer. ¶ Comme 1. FERRATUS. || Comme 1. FERRARIUS.

ferricrepinus, a, um, adj. Qui retentit d'un bruit de fer.

ferrifodina, *as*, f. Mine de fer.

ferriterium, *ii*, n. (Lieu où l'on use les fers), atelier où les esclaves font un travail forcé.

ferriterus, *i*, m. (Esclave) qui use les fers (à force de les porter). [dent.

ferritribax, *acis*, m. Comme le précédent.

ferruginans, *antis*, adj. Qui a un goût de fer.

ferrugineus, *a*, *um*, adj. Qui a la couleur de la rouille; sombre, gris foncé. ¶ Qui a un goût de fer. || Ferrugineux.

ferruginus, *a*, *um*, adj. Comme FERRUGINEUS.

ferrugo, *inis*, f. Rouille. ¶ Couleur de la rouille, gris foncé. ¶ *Fig.* Jalousie, envie.

ferrum, *i*, n. Fer. || (Méton.) Instrument en fer. || *Spéc.* Fer, *c.-à-d.* épée, arme. ¶ *Fig.* Dureté (de cœur), insensibilité.

ferrumen, *inis*, n. Soudure, composition métallique avec laquelle on soude. ¶ (*Par anal.*) Lut, ciment. ¶ *Fig.* Remplissage.

ferrumino, *as*, *avi*, *atum*, *are*, tr. Souder. ¶ (*Par anal.*) Cimenter, coller.

fertilis, *e*, adj. Fertile, productif. ¶ *Fig.* Fécond. ¶ Abondant, riche. ¶ Fertilisant. [¶ Abondance.

fertilitas, *atis*, f. Fertilité; fécondité.

fertiliter, adv. Abondamment.

1. **fertor**, *oris*, m. Porteur.

2. **fertor**, *oris*, m. Celui qui fait l'offrande du FERTUM.

fertorium, *ii*, n. Chaise à porteurs.

fertorius, *a*, *um*, adj. Qui sert à tromper.

fertum, *i*, n. Gâteau sacré (fait de farine d'orge assaisonné d'huile et de miel).

ferula, *ae*, f. Férule, plante. ¶ Objet en férule. || Attelle, éclisse. || Férule. verge. || Cravache. || Canne (pour la promenade). ¶ (*Par ext.*) Pousse, branche menue et longue. || Perche, jeune bois du cerf.

ferulaceus, *a*, *um*, adj. Semblable à la férule. ¶ De férule, fait en férule.

1. **ferus**, *a*, *um*, adj. Sauvage, non dmesti qué. ¶ Brut, non travaillé. ¶ Barbare, féroce.

2. **ferus**, *i*, n. Bête (même apprivoisée).

fervefacio, *is*, *feci*, *factum*, *ere*, tr. Faire bouillir *ou* chauffer fortement.

fervens, *entis*, p. adj. Bouillant, très chaud. ¶ *Fig.* Bouillant, ardent, emporté. || Vif, impétueux.

ferventer, adv. Chaudement, avec audace. || Impétueusement.

ferveo, *es*, *ferbui*, *ere*, intr. Bouillir, être bouillant *ou* très chaud. || (Fig.) Brûler, être enflammé (de passion). ¶ Bouillonner, fourmiller, être plein d'êtres qui s'agitent vivement, être en pleine activité. ¶ Briller d'un éclat resplendissant. ¶ (Rar.) *Tr.* Echauffer, enflammer.

fervesco, *is*, *ere*, intr. Commencer à bouillir; entrer en ébullition. ¶ *Fig.* S'enflammer (de colère). || Bouillonner, fourmiller.

fervidus, *a*, *um*, adj. Qui bout, bouillant. || Brûlant, très chaud. ¶ (Fig.) Bouillant, ardent, passionné; vif, emporté. ¶ Eclatant, resplendissant.

fervo, *is*, *ere*, intr. Comme FERVEO.

fervor, *oris*, m. Ebullition. ¶ Chaleur extrême. || (Fig.) Ardeur, feu (de la passion). ¶ Agitation.

fessulus, *a*, *um*, adj. Quelque peu las.

fessus, *a*, *um*, adj. Fatigué, las, harassé, fourbu, abattu. || (Par ext.) Malade. ¶ *En parl. de ch.* En mauvais état, hors de service. || *Res fessae*, situation désespérée.

festinabundus, *a*, *um*, adj. Qui se hâte, qui s'empresse.

festinanter, adv. Avec hâte *ou* précipitation.

festinantia, *ae*, f. Hâte, empressement.

festinate, adv. Avec hâte, en hâte.

festinatio, *onis*, f. Hâte, précipitation. ¶ Empressement.

festinato, adv. A la hâte, brusquement.

festine, adv. A la hâte; promptement.

1. **festino**, *as*, *avi*, *atum*, *are*, intr. Se hâter, se presser. || S'empresser. ¶ *Tr.* Hâter, presser.

2. **festino**, adv. A la hâte, promptement.

festinus, *a*, *um*, adj. Qui se hâte. ¶ *Par ext.* Précoce.

festive, adv. Avec grâce, ingénieusement. ¶ Avec gaieté, avec enjouement.

festivitas, *atis*, f. Plaisir; allégresse. || Fête, solennité. ¶ Gentillesse, amabilité. || Enjouement, esprit. Au plur. *Festivitates*, agréments du style.

festivus, *a*, *um*, adj. Qui rend joyeux, gai, riant. ¶ *En parl. de pers.* Charmant. || Aimable. || Enjoué, spirituel. *Festiva puella*, fille espiègle.

1. **festuca**, *ae*, f. Tige des céréales, paille. || Fétu (de paille). ¶ Plante parasite de l'orge. ¶ Baguette avec laquelle le préteur touchait l'esclave pour le déclarer affranchi.

2. **festuca**. Voy. FISTUCA.

festucarius, *a*, *um*, adj. De la baguette d'affranchissement (voy. 1. FESTUCA). ¶ Qui n'a lieu que pour la forme (comme le coup de cette baguette); symbolique, fictif.

festucatio, *festuco*. Voy. FISTUC...

festucula, *ae*, f. Petit brin de paille.

festum, *i*, n. Jour de fête, solennité.

festus, *a*, *um*, adj. De fête, férié. ¶ Solennel. ¶ Gai, plein d'allégresse.

feta, *ae*, f. Mère (brebis).

fetalia, *um*, n. pl. Fêtes de la naissance.

feteo, **fetesco**. Voy. FOETEO, FOETESCO.

1. **fetialis**, *is*, m. Fécial (membre d'un collège de vingt prêtres qu'on consultait sur la légitimité d'une guerre éventuelle et qui présidaient à la conclusion de la paix comme à la déclaration de guerre).

2. **fetialis, e**, adj. Des féciaux. — *jus*, le droit fécial.

fetidus, a, um, adj. Voy. FOETIDUS.

fetifer, fera, ferum, adj. Fécond.

fetura, ae, f. Reproduction (des animaux) par génération. ¶ Gestation; durée de la gestation. ¶ (Méton.) Portée, petits (des animaux). || Pousses (de la vigne). [la fécondation.

feturatus, a, um, adj. Qui a pris vie par

1. **fetus, us**, m. Génération, reproduction. || Action de mettre bas; ponte. || (En gén.) Production. ¶ (Méton.) Progéniture; portée. || Produit, rapport, fruit. ¶ *Fig.* Production (de l'esprit).

2. **fetus, a, um**, p. adj. Qui a conçu, enceinte (en parl. d'une femme); pleine (en parl. d'une femelle). || Ensemencé (en parl. d'un champ). ¶ *Fig.* Gros, plein de. ¶ Qui a enfanté, qui a mis bas. ¶ Fécond, productif.

fex. Voy. FAEX.

fiber, bri, m. Castor (animal).

fibl... Voy. FIBUL...

fibra, ae, f. Fibre, filament. ¶ Lobe (du foie). || (Méton.) Viscères, entrailles (des victimes). || *En gén.* Entrailles.

fibrinum, i, n. Poil de castor.

fibrinus, a, um, adj. De castor.

fibula, ae, f. Ce qui sert à agrafer. || Crochet, agrafe, boucle. || Anneau de suture (pour réunir les lèvres d'une plaie). ¶ (Fig.) Frein. ¶ (Rhét. et gramm.) Conjonction.

fibulo, as, avi, atum, are, tr. Attacher par un crochet *ou* une agrafe. ¶ Munir d'une agrafe.

ficaria, ae, f. Plantation de figuiers.

1. **ficarius, a, um**, adj. Relatif aux figues; de figues; à figues.

2. **ficarius, ii**, m. Marchand de figues.

ficatum, i, m. Foie d'oie (engraissée avec des figues). ¶ (En gén.) Foie.

ficedula, ae, f. Becfigue (oiseau).

ficetum, i, n. Lieu planté de figuiers. ¶ *Mot comique.* Collection de fics.

ficta, ae, f. Douleur aiguë et soudaine (*ital.* fitta).

ficte, adv. D'une manière feinte.

ficticie, adv. Artificiellement.

ficticius, a, um, adj. Faux, postiche, artificiel. ¶ Falsifié.

fictiliarius, ii, m. Potier.

fictile, is, n. Vase d'argile.

fictilis, e, adj. De terre, d'argile. ¶ Comme FICTICIUS.

fictio, onis, f. Action de façonner, formation. ¶ *Fig.* Fiction. || Feinte, déguisement.

fictitius, a, um, adj. Voy. FICTICIUS.

fictor, oris, m. Celui qui façonne. || Modeleur, statuaire. ¶ Pâtissier qui donne à des gâteaux sacrés la forme d'animaux qu'on n'est pas en mesure d'immoler. ¶ (Par ext.) Créateur. || *Fig.* Inventeur, auteur. || *Spéc.* Artisan de mensonges.

fictrix, icis, f. Celle qui façonne, qui modèle.

fictum, i, n. Fiction, invention.

fictura, ae, f. Formation (des mots). || Confection, façon. ¶ Imagination. ¶ Invention, fiction.

ficula, ae, f. Petite figue.

ficulnea, ae, f. Figuier. [figuiers.

ficulnetum, i, n. Endroit planté de

ficulneus, a, um, adj. De figuier; de bois de figuier.

ficulnus, a, um, adj. De figuier.

ficum, i, n. Voy. FICUS.

ficus, i et us, f et qqf. m. Figuier. ¶ Figue. || (Par anal.) Fic, excroissance charnue.

fide, adv. Fidèlement.

1. **fideicommissarius, a, um**, adj. Relatif à un fidéicommis.

2. **fideicommissarius, ii**, m. Celui qui reçoit un fidéicommis; fidéicommissaire.

fideicommissum, i, n. Fidéicommis, don *ou* legs fait à qqn et confié à sa bonne foi pour être remis à un autre.

fideicommitto, is, misi, missum, ere, tr. Remettre à qqn qqch. par fidéicommis.

fideipromissor, oris, n. Voy. FIDEPROMISSOR. [porter garant (pour qqn).

fidejubeo, es, jussi, jussum, ere, intr. Se

fidejussio, onis, f. Fidéjussion, cautionnement. [répondant.

fidejussor, oris, n. Fidéjusseur, garant,

fidejussorius, um, adj. Fidéjussoire.

fidele, adv. Fidèlement.

fidelia, ae, f. Vase (*ou* jatte) en terre. ¶ *Spéc.* Pot à couleur.

1. **fidelis, e**, adj. A qui l'on doit se fier; sûr. || *En parl. de pers.* Fidèle, dévoué. ¶ *En parl. de ch.* Eprouvé, solide, durable. [*Fideles*, les fidèles.

2. **fidelis, is**, m. Ami. ¶ *Eccl.* Au plur.

fidelitas, atis, f. Fidélité, dévouement.

fideliter, adv. Fidèlement, loyalement. ¶ Franchement, de tout cœur. ¶ Comme il convient, parfaitement.

fidens, entis, p. adj. Confiant. ¶ Hardi, entreprenant. [assurance, hardiment.

fidenter, adv. Avec confiance. ¶ Avec

fidentia, ae, f. Confiance. ¶ Assurance, hardiesse. [dant.

fidepromissor, oris, m. Garant, répon-

fidepromitto, is, ere, intr. Se porter garant.

1. **fides, ei**, f. Confiance (qu'on éprouve *ou* qu'on inspire); croyance, créance. *Per fidem fallere*, commettre un abus de confiance. *Bona fide emere*, acheter de bonne foi. *Mala fide possidere*, être possesseur de mauvaise foi (*c.-à-d.* en vertu d'un contrat dont on connaît les vices). || Confiance, crédit (commercial). ¶ Ce qui inspire la confiance. || Droiture, loyauté, honneur, honnêteté, conscience, foi, bonne foi, fidélité; sincérité. *Fidem suam obligare*, engager sa parole. *Fidem solvere*,

tenir parole. Per fidem ! Parole d'honneur ! ¶ Garantie, sauf-conduit. ‖ Protection, appui, assistance. ¶ Ce qui dans les choses inspire confiance. ‖ Vraisemblance, probabilité; authenticité; autorité, certitude. ‖ Preuve. ‖ Accomplissement certain, réalisation. ¶ La Foi, une des vertus théologales. ‖ Foi (religieuse).

2. fides, *is*, f. Corde à boyau. ¶ (Méton.) *Au plur.* Instrument à cordes; *spéc.* lyre. ¶ La Lyre, constellation.

fidicen, *cinis*, m. Joueur de lyre. ¶ Poète lyrique.

fidicina, *ae*, f. Joueuse de lyre.

fidicinus, *a, um*, adj. Où l'on apprend à jouer de la lyre.

fidicula, *ae*, f. Voy. le suivant.

fidiculae, *arum*, f. pl. Instrument à cordes; lyre. ‖ La Lyre, constellation. ¶ Cordes, instrument de torture.

fido, *is*, *fisus sum*, *ere*, intr. Se fier, se confier. ‖ Avoir confiance, avoir foi. ¶ Se flatter de, *d'où* oser.

fiducia, *ae*, f. Confiance (en autrui). ¶ Confiance (en soi). ‖ Assurance. ¶ Présomption; forfanterie. ¶ Fidélité. *Jur.* Fidéicommis, cession de biens sur pacte moral, contrat de confiance, vente simulée. ‖ Bien hypothéqué, gage, nantissement, dépôt.

fiduciarius, *a, um*, adj. Fiduciaire, qui s'appuie sur la confiance. ¶ Confié en dépôt, *d'où* provisoire, transitoire.

1. fidus, *a, um*, adj. A qui l'on peut se fier, sûr. ‖ Fidèle, loyal. ‖ Assuré, ferme, solide.

2. fidus. Pour FOEDUS.

figlina (s.-e. FODINA), *ae*, f. Glaisière. ¶ (S.-ent. ARS). Art du potier. ¶ (S.-e. OFFICINA). Atelier de potier.

figlinum (s.-e. VAS), *i*, n. Vase de terre.

figlinus (FIGULINUS), *a, um*, adj. De potier. ¶ A potier.

figmentum, *i*, n. Formation, création.

figo, *is*, *fixi*, *fixum*, *ere*, tr. Fixer, assujettir, attacher. ¶ Fixer le long de *ou* sur, appliquer; accrocher, c.-à-d. afficher, publier. ‖ Accrocher, suspendre (en trophée), consacrer. ¶ Fixer, c.-à-d. établir, bâtir. ‖ Appliquer, poser, donner (pr. et fig.). ‖ Arrêter (pr. et fig.) ¶ Fixer dans, enfoncer, imprimer; planter, piquer. ‖ Comme PANGO. ¶ Percer, blesser. ¶ Fixer, darder vers, diriger; tourner. ‖ Fixer (du regard), regarder.

figularis, *e*, adj. De potier; à potier.

figulinus, *a, um*, adj. Voy. FIGLINUS.

figulus, *i*, m. Ouvrier, artiste qui façonne l'argile. ¶ Potier. ‖ Briquetier. ¶ Modeleur.

figura, *ae*, f. Configuration extérieure; aspect, figure; extérieur. ‖ (Par ext.) Bel aspect, beauté. ¶ Tournure, caractère; nature, manière (d'être); espèce, genre, sorte. ¶ Ce qui a une forme. ‖ Figure, image; statue. ‖

Ombre (d'un mort), fantôme. ‖ Atome. ‖ (Au plur.) Caractères, lettres. ¶ (Techn.) Figure géométrique. ‖ Plan (d'un édifice), dessin. ‖ (Phil.) Idée, archétype, type. ‖ (Rhét.) Figure (de pensée *ou* de mots); ironie; allégorie, parabole. ‖ (Gramm.) Forme des mots; désinence.

figuratio, *onis*, f. Configuration, extérieur. ¶ Formation, forme (des mots). ¶ Figure (de rhétorique). ¶ Idée, imagination; ce qu'on se figure.

1. figuratus, *a, um*, adj. Figuré, métaphorique.

2. figuratus, *us*, m. Formation.

figuro, *as*, *avi*, *atum*, *are*, tr. Donner une figure, une forme à; façonner. ¶ Représenter. ‖ Transformer. ¶ (Se) représenter, imaginer, (se) figurer, concevoir. ¶ (Rhét.) Exprimer par des figures, orner de figures *ou* d'images.

filacterium. Voy. PHYLACTERIUM.

filia, *ae* (dat. pl. *is* et *abus*), f. Fille.

filialis, *e*, adj. Filial.

filicatus (FELICATUS), *a, um*, adj. (Objet sur lequel) on a ciselé des fougères.

filictum, *i*, n. Fougeraie.

filicula (FELICULA), *ae*, f. Polypode, petite fougère. [(t. de caresse).

filiola, *ae*, f. Chère petite fille, fillette

filiolus, *i*, m. Fils en bas âge. ¶ (T. de caresse.) Fils chéri. [fants (en gén.).

filius, *ii*, m. Fils. ¶ (Au plur.) Filii, en-

filix, *icis*, f. Fougère. ¶ (Par anal.) Poil.

filum, *i*, n. Fil. ‖ Le fil des Parques : sort, destinée, vie. ¶ (Par ext.) Objet filé, tissu, *d'où* contexture. ¶ *Fig.* Trame (d'un ouvrage littéraire). ‖ Arrangement, forme, aspect. ‖ Manière, caractère.

fimbria, *ae*, f. (Usité surt. au plur.) Franges d'une étoffe, fil, houppe, bordure. ¶ (Par anal.) Bout des cheveux frisés. [d'une frange.

fimbriatus, *a, um*, adj. A frange, bordé

fimetum, *i*, n. Fosse à fumier; dépôt de fumier.

fimum, *i*, n. Fumier, engrais. ¶ Ordure.

fimus, *i*, m. Comme le précédent.

1. finalis, *e*, adj. De limite, qui limite. ¶ Qui termine, final. [zon.

2. finalis (s.-e. CIRCULUS), *is*, m. Hori-

finalitas, *atis*, f. Terminaison (t. de gr.).

finaliter, adv. Jusqu'à la fin. ¶ A la fin, en dernier résultat.

finctor. Voy. FICTOR.

findo, *is*, *fidi*, *fissum*, *ere*, tr. Fendre, ouvrir, diviser. Au passif *findi*, se fendre, crever, éclater.

fingo, *is*, *finxi*, *fictum*, *ere*, tr. Manier, toucher, caresser (en pressant). ‖ Toucher (pour arranger), arranger, disposer (avec art); ajuster, parer. ‖ Composer (son visage). ‖ Coiffer, friser. ¶ Pétrir, modeler, façonner, *d'où* créer. ¶ Se figurer, imaginer. ‖ Inventer, tramer. ‖ Feindre. ¶ Former, dresser.

finiens (s.-e. *orbis*), *entis*, m. Horizon.

finio, *is*, *ivi*, *itum*, *ire*, tr. Enfermer entre des bornes, borner, limiter. ‖ *Fig.* Imposer, mettre des bornes à, mettre un terme à, réprimer. ‖ Délimiter, arrêter, définir; expliquer. ¶ Finir, terminer, achever. ‖ (Rhét.) Conclure (une période). ¶ *Intr.* Finir *ou* prendre fin. ‖ Mourir. ‖ Cesser de parler.

finis, *is*, m. et (*qqf.*) f. Limite, borne, frontière. ‖ (Méton.) Région comprise entre les frontières, pays, contrée. ‖ *Fig.* Limite, borne, extrémité. ‖ Limite, comble, perfection. ‖ Délimitation, définition. ¶ Fin, terme; mort. ¶ Fin, *c.-à-d.* intention, but, dessein.

finite, adv. Dans une certaine limite, modérément, sans excès. ¶ D'une façon précise.

finitimus, *a*, *um*, adj. Limitrophe, voisin, contigu. Subst. Finitimi, *orum*, m. pl. Les peuples voisins. ¶ *Fig.* Qui touche à, qui a du rapport avec, analogue.

finitio, *onis*, f. Limitation. ‖ Division, partage; attribution. ‖ Définition. ‖ Explication. ‖ Méthode, règle. ¶ Achèvement. ‖ Fin, terme. ‖ *Spéc.* Mort. ‖ Final, perfection.

finitivus, *a*, *um*, adj. Qui tend à délimiter, à déterminer, à préciser. ‖ (Gramm.) Indicatif. ¶ Qui est à la fin, final.

finitor, *oris*, m. Celui qui délimite. ¶ Arpenteur, répartiteur, agent du cadastre. ¶ Ligne circulaire qui limite la vue, horizon.

finitumus. Comme FINITIMUS.

finitus, *a*, *um*, p. adj. (Gramm.) Défini.

fio, *is*, *factus sum*, *fieri*, sert de passif. à FACIO. Se produire, naître. ¶ Avoir lieu, arriver. ‖ Devenir. ¶ Etre fait, être créé. ‖ *Spéc.* Etre élu *ou* nommé. ‖ Etre offert (en parl. d'un sacrifice). ‖ Etre prisé, estimé. Plurimi flebat, on l'estimait beaucoup.

fircus, *i*, m. Comme HIRCUS.

firmamen, *inis*, n. Comme le suivant.

firmamentum, *i*, n. Support, soutien (pr. et fig.). ‖ Solidité. ‖ (Rhét.) Confirmation, preuve confirmative. ¶ *Eccl.* La voûte céleste.

firmatio, *onis*, f. Action d'affermir.

firmator, *oris*, m. Celui qui consolide *ou* affermit.   [affermit.

firmatrix, *icis*, f. Celle qui consolide *ou*

firme, adv. Fermement, solidement. ¶ (Fig.) Avec fermeté. ‖ Avec précision.   [meté.

firmitas, *atis*, f. Solidité. ¶ (Fig.) Fer-

firmiter, adv. Comme FIRME.

firmitudo, *inis*, f. Solidité, résistance. ¶ Fermeté; énergie.

firmo, *as*, *avi*, *atum*, *are*, tr. Consolider, affermir. ‖ Fortifier. ¶ Restaurer, refaire, redonner des forces à. ¶ *Fig.* Affermir, encourager. ¶ Confirmer,

garantir. ‖ Affirmer, assurer. ‖ Démontrer, prouver.

firmus, *a*, *um*, adj. Solide, ferme, résistant. ‖ Vigoureux (en parl. du corps). ‖ Fortifiant, nourrissant (en parl. d'un aliment). ‖ (En gén.) Fort. ‖ (En parl. du temps.) Durable. ¶ (Au moral.) Ferme, constant, persévérant, inébranlable. ‖ Fidèle, sûr.

fiscalia, *um*, n. pl. Droits du fisc.

fiscalis, adj. Du fisc, fiscal. ¶ Entretenu sur les fonds de la cassette impériale.

fiscarius, *ii*, m. Débiteur du fisc.

fiscella, *ae*, f. Petite corbeille. ‖ *Spéc.* Faisselle, petite corbeille où l'on fait égoutter le fromage. ‖ Muselière en osier.   [(en jonc).

fiscina, *ae*, f. Corbeille, cabas, panier

fiscus, *i*, m. Corbeille (en jonc *ou* en osier). ‖ *Spéc.* Corbeille où l'on met l'argent; cassette. ‖ *Spéc.* Fisc, trésor public, finances de l'Etat. ‖ Cassette privée de l'empereur, liste civile.

fissilis, *e*, adj. Facile à fendre. ¶ Fendu.

fissio, *onis*, f. Action de fendre.

fissipes, *pedis*, adj. Fissipède, qui a les pieds fendus en doigts.

fissum, *i*, n. Fente, division, séparation.

fissura, *ae*, f. Fente, fissure, crevasse.

fistuca (FESTUCA), *ae*, f. Mouton, lourde masse de fer *ou* de bois pour enfoncer les pieux. ‖ Hie, lourde masse de bois pour enfoncer les pavés.

fistucatio (FESTUCATIO), *onis*, f. Action d'enfoncer avec le mouton *ou* d'aplanir avec la hie. ‖ Hiement.

fistuco (FESTUCO), *as*, *avi*, *atum*, *are*, tr. Hier, c.-à-d. enfoncer *ou* aplanir avec la hie.

fistula, *ae*, f. Tuyau, tube. ¶ Conduit (dans le corps), tube (digestif). œsophage, artère, uretère, etc. ‖ Pore (de la peau). ‖ Tige creuse (du roseau *ou* du chalumeau), d'où, flûte, pipeau, sifflet. ‖ Roseau à écrire. ¶ (Par ext.) Fistule, canal accidenté formé par une ulcération, etc. ‖ Event (des cétacés). ‖ (Chir.) Sonde, cathéter. ‖ Tranchet, alène. ‖ Roulette de pâtissier, spatule. ‖ Sorte de moulin à bras. ‖ Pilon.

fistularis, *e*, adj. Semblable à une flûte pastorale. ¶ Efficace contre les fistules.

fistulator, *oris*, m. Joueur de chalumeau

fistulatus, *a*, *um*, adj. En forme de tuyau; creux. ¶ Muni de tubes *ou* de tuyaux.

fistulosus, *a*, *um*, adj. Rempli de trous, poreux. ¶ Troué au dedans, en forme de conduit, de tube. ¶ (Méd.) Fistuleux.

fixe, adv. Avec fixité; solidement.

fixio, *onis*, f. Action d'enfoncer de *ou* clouer.

fixura, *ae*, f. Action de clouer. ¶ Action de trouer, de percer. ‖ (Méton.) Trou (fait par un clou).

1. fixus, *a*, *um*, p. adj. Fixé, d'où fixe.

stable. ¶ Fermement décidé, résolu.

2. **fixus**, *us*, m. Comme FIXIO.

flabellifera, *ae*, f. Esclave femme, suivante qui porte l'éventail (pour éventer sa maîtresse).

flabello, *as*, *are*, tr. Eventer. ¶ Souffler sur la flamme, pour l'exciter.

flabellulum, *i*, n. Petit éventail.

flabellum, *i*, n. Eventail. ¶ (Fig.) Ce qui attise.

flabilis, *e*, adj. Qui souffle; d'air; aérien. ¶ (*Eccl.*) De l'esprit, spirituel, non matériel; non temporel. [de l'air.

flabrum, *i*, n. Souffle du vent; agitation

flacceo, *es*, *ere*, intr. Etre flasque, mou. ¶ *Fig.* Manquer de vigueur, d'énergie.

flaccesco, *is*, *ere*, intr. Devenir flasque. ¶ (Fig.) Perdre toute énergie.

flaccidus, *a*, *um*, adj. Flasque, mou; sans fermeté. ¶ *Fig.* Flasque, sans énergie.

flaccisco. Voy. FLACCESCO.

flagellatio, *onis*, f. Flagellation.

flagello, *as*, *avi*, *atum*, *are*, tr. Flageller, fouetter. ‖ (En gén.) Battre. ¶ Accaparer (le blé). ‖ Serrer, mettre à l'abri, tenir enfermé.

flagellum, *i*, n. Fouet. ¶ (Par anal.) Fléau (instr. à battre le blé). ‖ Courroie attachée à un javelot. ‖ Tentacule. ‖ Boucle de cheveux. ‖ Jeune branche flexible.

flagitatio, *onis*, f. Demande pressante.

flagitator, *oris*, m. Celui qui demande avec instance, qui réclame, qui met en demeure. ‖ Créancier exigeant, importun.

flagitatrix, *icis*, f. Celle qui demande avec instance, qui réclame.

flagitiose, adv. D'une manière indécente; honteusement.

flagitiosus, *a*, *um*. Débauché, dissolu. ¶ *En parl. de ch.* Déshonorant, honteux.

flagitium, *ii*, n. Vacarme, tapage, esclandre; réclamation bruyante et violente. ¶ Scandale, infamie, acte déshonorant; débordement, débauche. ‖ Ignominie. ‖ (Méton.) Etre déshonoré, individu méprisable.

flagito, *as*, *avi*, *atum*, *are*, tr. Demander avec instance; réclamer (son dû), exiger. ‖ (En parl. de ch.) Réclamer, exiger. *Tempus flagitat*, les circonstances exigent. ¶ S'informer curieusement de. ¶ Citer en justice. ¶ Chercher à séduire, attenter à la pudeur de.

flagrans, *antis*, p. adj. Enflammé, brûlant. ¶ (Par ext.) Flamboyant. ¶ (Fig.) Ardent, passionné. ‖ (*Jur.*) Flagrant, qui éclate sous les yeux.

flagranter, adv. *Fig.* Ardemment.

flagrantia, *ae*, f. Embrasement. ‖ (Par ent.) Chaleur brûlante ou extrême. ‖ Eclat (de la flamme), vif éclat. ¶ *Fig.* Feu, ardeur, passion.

flagro, *as*, *avi*, *atum*, *are*, intr. Etre en flammes, flamber. ‖ (Par ext.) Flam-

boyer, étinceler. ¶ (Fig.) Etre dévoré par, être en proie à. ‖ Brûler (d'une passion). ¶ (Rare.) *Tr.* Enflammer (d'amour).

flagrum, *i*, n. Fouet, étrivières.

flagurrio, *is*, *ire*, intr. Brûler.

1. **flamen**, *inis*, n. Souffle, vent. ¶ Son d'un instrument à vent. [d'un dieu.

2. **flamen**, *inis*, m. Flamine, prêtre

flaminea, *ae*, f. Voy. le suivant.

flaminia (s.-e. DOMUS), *ae*, f. Demeure du flamine de Jupiter. ‖ (S.-e. UXOR.) Femme du flamine de Jupiter. ‖ (S.-e. CAMILLA.) Assistante de la femme du flamine.

flaminica, *ae*, f. Femme d'un flamine *et part.* du flamine de Jupiter.

flaminicus, *a*, *um*, adj. De la femme d'un flamine.

flaminium, *ii*, n. Dignité de flamine.

flaminius, *a*, *um*, adj. De flamine *et spéc.* de flamine de Jupiter.

flamma, *ae*, f. Flamme. ¶ (Par ext.) Couleur de feu, flamboiement. ¶ (Fig.) Feu, trouble. ¶ Flamme, ardeur (des passions).

flammo, *as*, *avi*, *atum*, *are*, intr. Flamber. ¶ Etinceler, flamboyer. ¶ *Tr.* Embraser. ‖ (Par ext.) Donner la couleur du feu à. ¶ *Fig.* Enflammer, exciter.

flammula, *ae*, f. Petite flamme. ¶ Banderole, flamme (étendard de la cavalerie).

flatus, *us*, m. Souffle, brise. ¶ Haleine. ‖ Respiration, âme. ¶ Ebrouement (des chevaux). ‖ Flatuosité. ‖ Son d'un instrument à vent. ¶ *Fig.* (Au plur.) Insolence; orgueil. [jaune.

flaveo, *es*, *ere*, intr. Etre blond; être

flavesco, *is*, *ere*, intr. Devenir blond; jaunir. ¶ Mûrir (en parl. des blés). ‖ Se décolorer, se flétrir (en parl. du feuillage).

1. **flavus**, *a*, *um*, adj. Blond (entre le jaune d'or et le châtain clair). ¶ Jaune tirant sur le rouge; rouge.

2. **flavus**, *i*, m. Pièce d'or. Au plur. *Flavi*, *orum*, m. pl. Jaunets, pièces d'or.

flebile, adv. Lugubrement.

flebilis, *e*, adj. Déplorable. ¶ Qui fait pleurer. ¶ En pleurs, éploré. ‖ Plaintif. ¶ Lugubre, triste.

flebiliter, adv. En pleurant. ¶ D'une façon plaintive.

flecto, *is*, *flexi*, *flectum*, *ere*, tr. Courber, plier. ¶ Recourber, fléchir. ‖ (Au fig.) Infléchir, moduler (un son). ¶ Former des mots au moyen de terminaisons; fléchir. ¶ Modifier la direction de, tourner autrement, changer. ‖ Fléchir, faire plier; amollir. ¶ Imprimer une direction, conduire, diriger. ¶ Eloigner de, écarter, détourner, détacher. ¶ Contourner, doubler (un cap). ¶ *Intr.* Se diriger vers (pr. et fig.).

fleo, *es*, *flevi*, *fletum*, *ere*, intr. Pleurer.

¶ Suinter. ¶ *Tr.* Déplorer, pleurer. ‖ Déclamer en pleurant. ‖ Demander avec larmes. ¶ Laisser couler.

fletus, *us*, m. Larmes, pleurs, lamentations.

fiexanimus, *a, um*, adj. Qui touche le cœur, émouvant. ¶ Qui a le cœur touché, ému.

flexibilis, *e*, adj. Flexible, souple. ¶ Que l'on peut fléchir. ¶ Changeant, inconstant. [Recourbé.

flexilis, *e*, adj. Flexible, souple. ¶

flexiloquus, *a, um*, adj. Qui parle d'une façon ambiguë.

flexio, *onis*, f. Action de courber. ¶ (Méton.) Courbure, détour. ¶ (*Spéc.*) Inflexion (de la voix). [tournant.

flexipes, *pedis*, adj. Qui grimpe en

flexuose, adv. En faisant des détours.

flexuosus, *a, um*, adj. Sinueux, tortueux. ¶ *Fig.* Insidieux.

flexura, *ae*, f. Courbure. ¶ (Gramm.) Flexion (des mots).

flexus, *us*, m. Flexion, courbure, sinuosité. ‖ Détour, circuit. ‖ Courbe décrite par les chars (dans le cirque) autour de la borne. ¶ Effort moral. ¶ Changement. ¶ *Spéc.* Point extrême de la course; déclin. ¶ Inflexion (de la voix), modulation, passage d'un ton dans un autre. ¶ (Rhét.) Artifice de style. ¶ (Gramm.) Flexion; forme grammaticale.

flictus, *us*, m. Choc. [Jeter à terre.

fligo, *is, ere*, tr. Choquer, heurter. ¶

flo, *as, avi, atum, are*, intr. Souffler. ¶ Rendre un son (en parl. d'un instrument à vent). ¶ *Tr.* Exhaler en soufflant; souffler sur (pour chasser). ‖ *Fig.* Dédaigner. ¶ Jouer de. ¶ *Poét.* Chanter, célébrer. ¶ Mettre à la fonte, fondre (des métaux). ‖ Fabriquer.

floccos, *um*, f. pl. Lie de vin.

floccifacio. Voy. FLOCCUS.

floccosus, *a, um*, adj. Floconneux.

flocculus, *i*, m. Petit flocon.

floccus, *i*, m. Flocon, brin de laine. ‖ Duvet cotonneux (des fruits). Prov. *Non flocci facio*, je n'en fais nul cas; c'est, à mes yeux, une quantité négligeable.

florens, *entis*, p. adj. Qui est en fleurs *ou* dans sa fleur. ¶ Florissant, prospère. ‖ Fleuri, *c.-à-d.* joli *ou* brillant.

florenter, adv. D'une manière brillante; avec un vif éclat.

florentia, *ae*, f. Espèce de vigne.

floreo, *es, ui, ere*, intr. Etre en fleurs. ‖ Avoir des fleurs (en parl. du vin). ¶ *Fig.* Etre dans sa fleur, dans tout son éclat. ‖ Etre florissant, prospère, s'épanouir. ¶ Etre couvert de, être abondamment pourvu de. ¶ Resplendir. ¶ Etre émaillé de.

floresco, *is, ere*, intr. Commencer à fleurir. ¶ *Fig.* Devenir florissant, commencer à être en honneur.

floreus, *a, um*, adj. De fleurs, fait en fleurs. ¶ Fleuri, plein de fleurs.

floridus, *a, um*, adj. Fleuri. ¶ Qui est en fleurs; plein de fleurs; fait de fleurs. ¶ *Fig.* Qui a de vives couleurs, brillant: fleuri (en parl. du style). ‖ Qui est dans sa fleur.

flos, *floris*, m. Fleur. ‖ (Méton.) Suc des fleurs. ¶ *Fig.* Fleur. ‖ Eclat, perfection. ‖ Fleur de l'âge. ‖ Ce qu'il y a de meilleur (dans qqch.). ¶ (Par anal.) Fleurs (du vin). ‖ Premier duvet, barbe naissante. ¶ (Techn.) *Archit.* Fleurs du chapiteau corinthien. ‖ Lanterne du dôme. ‖ Fleurs (de rhét.), ornements du style.

floscule, adv. A la façon d'une fleur. ¶ D'une manière florissante.

flosculus, *i*, m. Petite fleur. ‖ *Par ext.* Tête du fruit (à la place où se trouvait la fleur). ¶ *Fig.* Fleur, élite, la partie la plus belle *ou* la plus délicate d'une chose. ‖ Au plur. *Flosculi*, les fleurs (du style). ‖ Pensée détachée.

flovius. Voy. FLUVIUS. [flots.

flucticola, *ae*, m. Qui habite dans les

fluctisonus, *a, um*, adj. Qui retentit du bruit des flots. [les flots.

fluctivagus, *a, um*, adj. Qui erre sur

fluctuabundus, *a, um*, adj. Flottant (pr. et fig.).

fluctuatio, *onis*, f. Balancement; agitation. ¶ Agitation, trouble.

fluctuo, *as, avi, atum, are*, intr. Etre agité (en parl. de la mer), rouler des vagues. ‖ Etre porté par les flots, flotter, voguer. ¶ (Par anal.) *Fig.* S'élever et s'abaisser alternativement, ondoyer. ‖ (Mor.) Flotter, *c.-à-d.* être porté de côté et d'autre, être irrésolu, hésitant. ‖ *En parl. du style.* Etre lâche, diffus.

fluctuor, *aris, atus sum, ari*, dép. intr. Flotter. ¶ *Fig.* Aller au gré du hasard. ‖ Flotter, *c.-à-d.* être incertain, irrésolu.

1. **fluctus**, *us*, m. Agitation de l'eau, de la mer. ‖ Flot, vague, lame. Au plur. Les flots, *c.-à-d.* la mer. ¶ (Par ext.) Emanation, effluve. ‖ Afflux. ‖ Agitation, orage; épreuve.

2. **fluctus**. Voy. FLUXUS.

fluens, *entis*, p. adj. Qui coule. ¶ *Fig.* (En parl. du style.) Coulant, uni. ‖ Abondant. ‖ Flasque. ‖ (Mor.) Mou, sans force. [d'un mouvement rapide.

fluenter, adv. En coulant, en flottant;

fluentisonus, *a, um*, adj. Qui retentit du bruit des vagues.

fluentum, *i*, n. Courant. ¶ Fleuve, rivière, torrent (pr. et fig.).

fluidus, *a, um*, adj. Qui coule, fluide. ¶ *Fig.* Flottant, lâche. ‖ Mou, sans vigueur. ¶ *Rar.* Qui dissout.

fluito, *as, avi, atum, are*, intr. Couler, ruisseler; dégoutter, devenir liquide. ¶ Flotter, surnager. ¶ *Fig.* Vaciller, ondoyer, flotter. ‖ Hésiter.

flumen, *inis*, n. Courant, eau courante, cours d'eau, etc. ¶ (Par ext.) Flot (de sang), torrent (de larmes). || *Fig.* Abondance, facilité (du style).

fluo, *is, fluxi, fluxum, ere*, intr. Couler. || Suinter, ruisseler. || *Fig.* Regorger de. || Découler, *fig.* émaner. || Se répandre, déborder (pr. et fig.). || Circuler (comme l'air). ¶ Glisser (sur l'eau), voguer. ¶ S'écouler, fuir (en parl. du temps). || Disparaître. ¶ Etre flottant *ou* lâche (vêtement). || Etre coulant (style) *ou* (*en mauv. part*) être diffus. ¶ (Rare.) *Tr.* Répandre, distiller.　　[Diarrhée. ¶ Liquide.

fluor, *oris*, m. Ecoulement, flux. || (Méd.)

flustra, *orum*, n. pl. Calme de la mer.

fluvia, *ae*, f. Arch. p. FLUVIUS.

fluvialis, *e*, adj. De fleuve, de rivière; fluvial.　　[VIATILIS.

fluviaticus, *a, um*, adj. Comme FLU-

fluviatilis, *e*, adj. Qui se trouve dans les rivières *ou* sur les rivières. || D'eau douce.

fluvidus, *a, um*, adj. Voy. FLUIDUS.

fluvius, *ii*, m. Eau courante, fleuve.

fluxe, adv. Nonchalamment.

fluxio, *onis*, f. Ecoulement.

1. **fluxus**, *a, um*, adj. Fluide, liquide. ¶ (Par ext.) Qui s'écoule, transitoire, éphémère. || Flottant, lâche. ¶ Peu solide. || (Mor.) Mou, languissant. || Infidèle, chancelant.

2. **fluxus**, *us*, m. Ecoulement, cours, flux. ¶ Traine (d'une robe), vêtement trainant, manteau flottant.　[cendre.

focacius, *a, um*, adj. Cuit dans la focale, *is*, n. Espèce de cache-col en laine.　　[fer, ranimer, réconforter.

focilo, *as, avi, atum, are*, tr. Réchauffoculare, *is*, n. Casserole.

foculo, *as, are*, tr. Chauffer.

foculum, *i*, n. Tout ce qui sert à réchauffer. ¶ Casserole.

foculus, *i*, m. Petit foyer, petit âtre. || *Spéc.* Petit réchaud; petit brasier (allumé pour un sacrifice). || (Méton.) Petit feu.

focus, *i*, m. Foyer, âtre. || Brasier. || Réchaud.¶ Emplacement d'un bûcher. || *Spéc.* Brasier allumé pour un sacrifice. ¶ (Par ext.) Foyer (domestique), intérieur, famille. || (Méton.) Feu.

fodico, *as, are*, tr. Piquer, percer. ¶ Heurter (du coude), pousser. ¶ *Fig.* Tourmenter, inquiéter.

fodina, *ae*, f. Mine (d'où l'on extrait les métaux, etc.).

fodio, *is, fodi, fossum, ere*, tr. Creuser, fouir. ¶ Creuser, c.-à-d. faire en creusant; bêcher, labourer (la terre), creuser (une mine), faire un trou, fouiller. Absol. *Fodientes*, les mineurs. ¶ Déterrer, extraire *ou* (rar.) enterrer, enfouir. ¶ Piquer, percer, crever; donner de l'éperon à un cheval; donner un coup de coude. || *Fig.* Piquer, aiguillonner; déchirer.

fodo, *as, are*, tr. Comme FODIO.

foecund... Voy. FECUND...

foede, adv. D'une manière affreuse, horrible, indigne; ignominieusement.

foederaticus, *a, um*, adj. Qui concerne les traités.

foederatio, *onis*, f. Alliance, union, lien.

foederatus, *a, um*, p. adj. Allié, confédéré. Subst. · *Foederati, orum*, m. pl. Les alliés. ¶ Contracté, conclu.

foederifragus. Voy. FOEDIFRAGUS.

foedero, *as, avi, atum, are*, tr. Conclure par un traité. ¶ Unir par une alliance.

foedifragus, *a, um*, adj. Qui viole les traités.

foeditas, *atis*, f. Laideur, difformité; aspect *ou* état horrible et repoussant; hideux.

foedo, *as, avi, atum, are*, tr. Rendre affreux, défigurer, enlaidir. ¶ Salir, souiller. || Obscurcir, assombrir. ¶ (Fig.) Souiller, déshonorer, flétrir. || Avilir.

foedosus, *a, um*. adj. Comme le suivant.

1. **foedus**, *a, um*, adj. Hideux, repoussant, horrible, affreux. || Sale. ¶ Laid, difforme. ¶ *Fig.* Honteux, infâme, abominable.

2. **foedus**, *eris*, n. Traité, alliance. || Pacte, accord, convention. ¶ Union, liens d'amitié; association. ¶ Loi, règle. || Harmonie (de la nature).

3. **foedus**, *i*, m. Comme HAEDUS.

foemina. Voy. FEMINA.

foen... Voy. FEN...

foenic... Voy. FENIC...

foeteo, *es, ere*, intr. Sentir mauvais, puer. ¶ *Fig.* Répugner.　　[teur.

foeterosus, *a, um*, adj. Plein de puanfoetesco, *is, ere*, intr. Contracter une mauvaise odeur.

foetido, *as, are*, tr. Faire sentir mauvais, rendre fétide.

foetidus, *a, um*, adj. Qui pue, fétide, infect. ¶ *Fig.* Répugnant.

foeto. Voy. FETO.

foetor, *oris*, m. Puanteur, infection.

1. **foetosus**, *a, um*, adj. Comme FOETI-DUS.

2. **foetosus**, *a, um*, adj. Voy. FETOSUS.

foetulentia, *ae*, f. Puanteur.

foetulentus, *a, um*, adj. Puant, infect.

foetus. Voy. FETUS.

foetutinae (FETUTINAE), *arum*, f. pl. Lieux infects. ¶ Saletés, ordures.

foliatum, *i*, n. Parfum à base de nard et d'autres substances odorantes, extrait des feuilles de ces plantes.

foliatus, *a, um*, adj. Garni de feuilles, feuillu. ¶ Fait de feuilles.

foliolum, *i*, n. Petite feuille.

foliosus, *a, um*, adj. Qui a beaucoup de feuilles.

folium, *ii*, n. Feuille. ¶ Chose légère, vétille, bagatelle. ¶ *Spéc.* Feuille de nard. || Feuille d'acanthe (dans le chapiteau corinthien). || (Méd.) Feuille de malobathron.

folliculus, *i,* m. Petit sac de cuir. ¶ Petit ballon. ¶ Petit soufflet. ¶ Poche, vessie. ¶ Gousse, follicule. ¶ Le corps, enveloppe de l'âme.

follis, *is,* m. Sac de cuir. ¶ Ballon, grosse balle à jouer. ¶ Soufflet. || (Par anal.) Poumon. ¶ Bourse. || (Méton.) Ce que contient une bourse, pièces de monnaie. ¶ Poche (de l'estomac). ¶ Coussin rempli d'air.

fomentum, *i,* n. Fomentation, compresse. || *Fig.* Calmant. ¶ Ce qui alimente le feu; combustible.

fomes, *itis,* m. Ce qui sert à entretenir le feu, bois sec, copeaux. ¶ (Fig.) Stimulant.

fons, *fontis,* m. Source, fontaine. || (Méton.) Eau de source. ¶ *Fig.* Source, origine.

fontalis, *e,* adj. De source.

fontana, *ae,* f. Fontaine.

fontanus, *a, um,* adj. De source.

fonticulus, *i,* m. Petite source.

for, *aris, fatus sum, fari,* dép. intr. Parler, dire. ¶ Révéler, prophétiser (en parl. des dieux, des oracles, des devins). ¶ Chanter (en parl. des poètes).

foramen, *inis,* f. Trou, ouverture.

1. foras, adv. A la porte, dehors. ¶ *Qqf.* Pour FORIS.

2. foras, prép. Hors de.

foratus, abl. *u,* m. Action de percer.

forceps, *cipis,* m. et f. Tenailles, pinces (du forgeron). || Instrument de torture. ¶ Forceps, ferrement double pour les accouchements difficiles. || Davier. ¶ (Par anal.) Ordre de bataille où les ailes étaient divergentes.

forda (s.-e. BOS), *ae,* f. Vache pleine.

forensia, *ium,* n. pl. Costume de ville.

1. forensis, *e,* adj. Du forum. || Du dehors (*par opp. à* la maison). || Que l'on met pour sortir. ¶ Du forum (où se rend la justice), *c.-à-d.* des tribunaux, du barreau. || Judiciaire.

2. forensis, *is,* m. Avocat. [ger.

3. forensis, *e,* adj. Extérieur; étranger.

forfex, *ficis,* m. et f. Ciseaux. ¶ (Par anal.) Pince pour soulever des fardeaux. || Pinces des animaux. || Ordre de bataille. Voy. FORCEPS.

forficula, *ae,* f. Petits ciseaux.

fori, *orum,* m. pl. Voy. FORUS.

forinsecus, adv. De dehors; au dehors. ¶ Dehors (avec mouvement).

1. foris, *is,* f. Porte. ¶ (Ordin.) *Au plur.* Les deux battants d'une porte; porte à deux battants. ¶ (En gén.) Ouverture, orifice, entrée.

2. foris, adv. A la porte, dehors. || *Spéc.* Dehors, à l'extérieur (*opp. à* dans la patrie, à Rome). ¶ Hors de chez soi, chez autrui. ¶ De dehors, du dehors; de l'étranger.

3. foris, prép. Hors de.

forma, *ae,* f. Forme, figure, extérieur. ||

Spéc. Belle forme, beauté. ¶ *Fig.* Manière d'être (des ch.), conformation, nature, sorte. || (Log.) Espèce (*opp. à* genre). || *Gramm.* Forme grammaticale. ¶ Figure, *c.-à-d.* objet figuré, dessin, statue, image, représentation. || Plan. || Façon dont on conçoit, conception, notion, idée. *Officii forma,* notion du devoir. ¶ Forme, *c.-à-d.* ce qui sert à former, à donner une forme. || Moule; forme (de cordonnier). || Coin, poinçon (pour la frappe des monnaies, des médailles). || (Méton.) Monnaie. ¶ Ce qui contient. || Cadre, caisse. || Tube, tuyau, conduite (d'eau), *d'où* (par ext.) aqueduc. ¶ Formule, teneur; ordre, édit, rescrit (de l'empereur).

formalis, *e,* adj. Qui concerne les moules ou les modèles. || Formel. ¶ Officiel.

formamentum, *i,* n. Forme, figure.

formatio, *onis,* f. Action de former, de disposer. ¶ Configuration, forme.

formator, *oris,* m. Celui qui forme, qui façonne (pr. et fig.).

formatura, *ae,* f. Conformation.

formica, *ae,* f. Fourmi. [picotement.

formicatio, *onis,* f. Fourmillement,

formico, *as, are,* intr. Fourmiller, chatouiller. ¶ (Méd.) Etre formicant (en parl. du pouls).

formicosus, *a, um,* adj. Rempli de fourmis.

formicula, *ae,* f. Petite fourmi.

formidabilis, *e,* adj. Redoutable.

formidator, *oris* m. Celui qui redoute.

1. formido, *inis,* f. Effroi, épouvante. || *Spéc.* Terreur religieuse. ¶ (Méton.) Ce qui effraie, épouvantail. || *Spéc.* Mannequin grossier employé par les chasseurs.

2. formido, *as, avi, atum, are,* intr. Avoir peur, s'effrayer. ¶ *Tr.* Redouter.

formidolose et **forfnidulose,** adv. Avec crainte. ¶ D'une manière effrayante.

formidolosus, *a, um,* adj. Qui a peur, peureux. ¶ Qui fait peur, effrayant, terrible.

formo, *as, avi, atum, are,* tr. Donner une forme à, façonner. ¶ *Fig.* Disposer, organiser, régler. ¶ Former, *c.-à-d.* dresser, instruire, exercer. || Façonner, pétrir (les esprits). ¶ Faire, créer, composer. || (En gén.) Produire.

formons... Voy. FORMOS...

formose, adv. Avec beauté, avec grâce, avec élégance.

formositas, *atis,* f. Beauté (des formes), harmonie, proportion.

formosulus, *a, um,* adj. Joli.

formosus, *a, um,* adj. Beau, bien fait. ¶ *Fig.* Beau (moralement).

formula, *ae,* f. Forme délicate, grâce (de la forme), gentillesse. ¶ Petite forme, petit moule. ¶ Rigole, conduit. ¶ Arrangement, règle, mesure, modèle. || Loi, système. || Etat, organisation (politique). || Formule, formalité, procédure. ‖ Action judiciaire. ‖ Cadre, rôle, liste.

fornacalia, *ium*, n. pl. Fêtes en l'honneur de la déesse des fours (Fornax).

fornacalis, *e*, adj. Relatif aux fours.

fornacula, *ae*, f. Fourneau, brasier. ¶ *Fig.* Foyer, *c.-à-d.* boute-feu, instigateur.

fornax, *acis*, f. Four *ou* fournaise.

1. fornicatio, *onis*, f. Construction en voûte. [péché de la chair.

2. fornicatio, *onis*, f. Fornication.

fornicatus, *a*, *um*, p. adj. Construit en voûte, cintré, voûté. — *via*, rue des arcades (allant au Champ de Mars).

fornico, *as*, *are*, intr. Commettre le péché de la chair, forniquer.

fornicor, *aris*, *ari*, dép. intr. Comme le précédent.

fornix, *icis*, m. Voûte, cintre. ‖ Arcade, galerie. ¶ Arc de triomphe. ‖ Arche (d'aqueduc). ‖ (Méton.) Chambre voûtée, caveau souterrain. ‖ Réduit de prostituée. ‖ (Par ext.) Personne qui fréquente les mauvais lieux.

foro, *as*, *avi*, *atum*, *are*, tr. Percer, trouer, forer.

1. fors (abl. *forte*). f. Hasard, chance. ¶ *Spéc.* Heureux hasard, bonne chance.

2. fors, adv. Peut-être.

forsan, adv. Peut-être.

forsit, adv. Peut-être.

forsitan, adv. Peut-être.

fortasse, adv. Peut-être. ¶ Probablement. ¶ A peu près.

fortassean, adv. Peut-être.

fortassis, adv. Peut-être. [Peut-être.

forte, adv. Par hasard, d'aventure. ¶

forticulus, *a*, *um*, adj. Assez brave.

fortis, *e*, adj. *En parl. de ch.* Fort, résistant, solide. ¶ *En parl. de pers.* Dur à la fatigue, robuste, vigoureux. ‖ En bonne santé. ¶ *En parl. d'aliments.* Fortifiant, nourrissant. ¶ *Au moral.* Vaillant, brave, énergique; courageux, hardi, entreprenant. ¶ Puissant, de condition élevée.

fortiter, adv. Avec force, solidement. ¶ *Fig.* Avec énergie, courage, bravoure.

fortitudo, *inis*, f. Solidité. ¶ Force d'âme, courage, énergie.

fortuito, adv. Par hasard.

fortuitus, *a*, *um*, adj. Accidentel, fortuit. Subst. *Fortuita*, n. pl. Chances, hasards; avantages accidentels.

fortuna, *ae*, f. Hasard, fortune, sort. ‖ Bonheur, succès. ‖ Echec, malheur. ¶ Condition, état, sort. ¶ (Au plur.) *Fortunae*, *arum*, f. pl. Les biens de fortune, la fortune.‖ a richesse.

fortunate, adv. Heureusement, d'une manière heureuse.

fortunatus, *a*, *um*, p. adj. Heureux, fortuné. ¶ Riche, opulent.

fortuno, *as*, *avi*, *atum*, *are*, tr. Rendre heureux, faire prospérer.

foruli, *orum*, m. pl. Rayons *ou* cases

(pour les livres). ¶ Gradins (inférieurs) au théâtre.

forum, *i*, m. Espace libre en forme de carré long, pour servir soit d'avant-cour à un monument funéraire, soit d'appendice au pressoir où l'on dispose les olives à broyer, les grappes à presser. ¶ Place quadrangulaire pour servir de marché *ou* pour traiter des affaires publiques ou civiles. ‖ Marché. — *boarium*, marché aux bœufs. — *olitorium*, marché aux herbes. — *piscarium*, marché au poisson. ‖ Place publique. ‖ *Fig.* Vie politique. *De foro decedere*, renoncer à la vie politique. ‖ Place où se règlent les affaires judiciaires, les procès. *Forum attingere*, faire ses débuts au barreau. ‖ Place où se traitent les affaires de banque. *Cedere foro*, faire banqueroute. ¶ Ville où se tient un marché. ¶ Ville de province où le gouverneur tient ses assises.

forus, *i*, m. (Ordin. au pl.) Toute superficie divisée en compartiments (entre lesquels s'ouvrent des passages *ou* couloirs).‖Pont, tillac (d'un navire).‖ Sièges *ou* bancs d'un théâtre, file de gradins. ‖ Plate-bande, parterre. ‖ Alvéole (dans une ruche). ‖ Damier *ou* échiquier. ¶ *Arch.* p. FORUM.

fossa, *ae*, f. Fosse, fossé. ‖ *T. mil.* Tranchée. ‖ Canal, chenal. ¶ Fossé creusé pour limiter un champ : limite. ¶ Fosse, *c.-à-d.* tombe.

fossicius, *a*, *um*, adj. Qu'on tire de la terre. ¶ Minéral.

fossio, *onis*, f. Action de creuser. ¶ (Méton.) Fossé, trou.

fossor, *oris*, m. Celui qui creuse. ‖ *Spéc.* Terrassier, mineur. ‖ Celui qui bêche, paysan, d'où rustre, rustaud. ‖ Fossoyeur.

fossula, *ae*, f. Petit fossé.

fossura, *ae*, f. Action de creuser. ¶ (Méton.) Fossé.

fotus, *us*, m. Action de chauffer *ou* de réchauffer. ‖ Incubation. ¶ Fomentation (t. méd.) ¶ *Fig.* Excitation, encouragement.

fovea, *ae*, f. Fosse (en gén.). ‖ Piège, traquenard. ¶ *Fig.* Piège, embûche.

foveo, *es*, *fovi*, *fotum*, *ere*, tr. Tenir chaud, réchauffer. ‖ Chauffer doucement, bassiner, fomenter. ¶ Soigner; guérir. ¶ Couver. ‖ Choyer, presser sur son cœur. ¶ Ne pas bouger d'un endroit, l'occuper habituellement. ¶ (*Fig.*) Couver (un projet). ‖ Faire la cour à, courtiser.‖ Encourager, favoriser.

fractura, *ae*, f. Fracture. ¶ (Méton.) Fragment.

1. fractus, *a*, *um*, p. adj. Brisé. ¶ *Fig.* Sans force. ¶ Nonchalant, efféminé.

2. fractus, *us*, m. Bris, fracture.

fraen... Voy. FREN...

fraga, *orum*, n. pl. Fraises.

fragilis, e, adj. Fragile, cassant. ¶ Qui craque. ¶ *Fig.* Instable. || Faible; frêle.

fragilitas, atis, f. Facilité à se briser, fragilité. ¶ *Fig.* Faiblesse. || Instabilité.   [Fragment, éclat, débris.

fragmen, inis, n. Fracture, rupture. ¶

fragmentum, i, n. Fragment, morceau, éclat, débris.

fragor, oris, m. Fracture, rupture. ¶ (Méton.) Bruit sec d'une chose qui se brise, craquement. || (En gén.) Bruit violent, fracas. || *Spéc.* Bruit des applaudissements.|| Rumeur, bruit.

fragosus, a, um, adj. Plein de débris. ¶ Raboteux, rocailleux, accidenté, inégal. ¶ (Fig.) Rocailleux (en parl. du style). ¶ Plein de fracas, bruyant.

fragrans, antis, p. adj. Odorant, parfumé.

fragrantia, ae, f. Bonne odeur, parfum.

fragro, as, are, intr. Exhaler une (bonne) odeur, un parfum. ¶ *Tr.* Avoir l'odeur de, sentir (telle *ou* telle odeur).

fragum, i, n. (Au plur.) *Fraga,* fraises. ¶ Fraisier.

framea, ae, f. Framée, sorte de long javelot, arme des Francs. ¶ Comme ROMPHÆA, sabre à double tranchant.

frango, is, fregi, fractum, ere, tr. Briser, casser, fracasser. || Morceler. ¶ Broyer, moudre. ¶ Fracturer (un membre), rompre. ¶ *Fig.* Affaiblir. — *clivum,* adoucir une pente. || Efféminer, amollir. ¶ Abattre, dompter. || *Moral.* Décourager. || Fléchir. || Enfreindre, violer.   [un tapis].

fratellus, i, m. Flocon de laine (sur frater, tris, m. Frère. || Au pl. *Fratres,* frères et sœurs. ¶ (Par ext.) Beau-frère. || Cousin. || Ami *ou* allié. ¶ Au plur. *Fratres,* objets unis par les mêmes rapports de lieu, d'emploi, etc.; objets qui font la-paire.

fraterculo, as, are, intr. Vivre en frères, fraterniser; croître ensemble.

fraterculus, i, m. Jeune frère. ¶ Frérot (t. affectueux).   [frère.

fraterne, adv. Fraternellement, en **fraternitas, atis,** f. Parenté entre frères, fraternité. ¶ Lien d'alliance, d'union, etc.; confraternité. ¶ (Méton.) Frères.

1. **fraternus, a, um,** adj. De frère; fraternel. ¶ De cousin *ou* de parent. || Fraternel, confraternel, amical.

2. **fraternus, i,** m. Neveu (fils d'une sœur).   [d'un frère.

fratricida, ae, m. Fratricide, meurtrier **fratricidium, ii,** n. Meurtre d'un frère, fratricide.

fraudatio, onis, f. Tromperie, fourberie, mauvaise foi.

fraudator, oris, m. Trompeur, fripon.

fraudo, as, avi, atum, are, tr. Faire tort à qqn; frustrer. || Priver de. ¶ S'approprier (qqch.) par fraude, détourner (à son profit). ¶ Éluder, violer (la loi).

fraudulenter, adv. Frauduleusement.

fraudulentia, ae, f. Fourberie.

fraudulentus, a, um, adj. Où l'on emploie la fraude, frauduleux. ¶ Qui emploie la fraude, fourbe, trompeur.

fraus, fraudis, f. Fraude, fourberie, tromperie, supercherie. || Mauvaise foi, imposture. || *Par ext.* Forfait. ¶ Tort (fait à qqn), détriment, dommage. || Méprise, erreur. || Déception. ¶ *T. d'injure.* Fripon.

fransus, a, um, adj. Qui médite un mauvais coup.   [de frênes.

fraxinetum, i, n. Frênaie; lieu planté **fraxineus, a, um,** adj. De frêne.

1. **fraxinus, i,** f. Frêne. ¶ (Méton.) Javelot (en bois de frêne).

2. **fraxinus, a, um,** adj. Comme FRAXINEUS.

tremebundus, a, um, adj. Qu ifait entendre un grondement. ¶ Frémissant (de colère).

fremitus, us, m. Bruit sourd, bruissement, murmure. ¶ Cris de certains êtres (hennissement, rugissement, frémissement, murmure). || Acclamations.|| Explosions de mécontentement.

fremo, is, fremui, itum, ere, intr. Faire entendre un bruit sourd, bourdonner, gronder, mugir, rugir. || *En parl. de l'homme :* frémir, murmurer, s'agiter. ¶ *Tr.* Parler bas à l'oreille, chuchoter. || Dire en frémissant.||Murmurer contre, ne pas accepter sans murmurer. || Réclamer, exiger à grands cris.

fremor, oris, m. Bruit confus, frémissement, murmure. ¶ Grondement, rugissement.

frenator, oris, m. Celui qui guide, qui dirige (comme avec la bride), pr. et fig.

frendeo, es, ere. Voy. FRENDO.

frendesco, is, ere, intr. Se mettre à grincer des dents.

frendo, is, fresum et fressum, ere, intr. Grincer des dents. || *Fig.* Rager, être irrité *ou* indigné; gronder. ¶ *Tr.* Briser avec les dents, mâcher, triturer. || (*Par ext.*) Broyer, moudre. || S'indiguer, rager contre.

frendor, oris, m. Grincement.

freneticus, a, um, adj. Voy. PHRENETICUS.

freni, orum, m. pl. Voy. FRENUM.

freno, as, avi, atum, are, tr. Mettre un frein, un mors à; brider. ¶ *Fig.* Diriger, régir, gouverner || Refréner, réprimer; infirmer.

frenum, i, n. (Au pl. *frena, orum,* v. ou *freni, orum,* m.) Frein, mors. || Bride, rênes. || (En gén.) Lien ,attache. || *Fig.* Frein, obstacle. || (Méton.) *Au plur.* Chevaux, cavalerie.

frequens, entis, adj. Nombreux, en grand nombre. — *senatus,* le sénat en nombre. || Où il y a beaucoup de monde, peuplé, fréquenté. || Plein de, abondant en. ¶ Qui fréquente *ou* qui vient habituellement; assidu. ‖ Employé habituellement, fréquent, ordinaire.

frequentatio, *onis*, f. Usage fréquent, fréquence. ‖ (Rhét.) Accumulation; récapitulation.¶ Agglomération, amas.

frequentativus, *a*, *um*, adj. Qui signifie répétition; fréquentatif (gramm.).

frequentato, adv Fréquemment.

frequentator, *oris*, m. Celui qui fréquente. ¶ Celui qui reproduit, qui renouvelle.

1. **frequentatus**, *a*, *um*, adj. Riche, plein de, abondant en. ¶ Fréquent, habituel. [QUENTATIO.

2. **frequentatus**, *us*, m. Comme FREQUENTER, adv. En grand nombre, en foule. ¶ Souvent, fréquemment.

frequentia, *ae*, f. Grande affluence, concours. ¶ Abondance. ‖ Densité (de l'air).

frequento, *as*, *avi*, *atum*, *are*, tr. Rassembler en grand nombre. ¶ Attirer la foule à *ou* dans; peupler. ¶ Visiter en foule, affluer à, dans *ou* auprès de. ‖ Célébrer (une fête). ¶ Fréquenter, venir souvent *ou* en grand nombre dans *ou* chez. ¶ Répéter souvent (qqch.); user souvent de.

fretensis, *e*, adj. De détroit, qui est dans un détroit.

fretum, *i*, n. Flot qui se brise contre un rivage; agitation des flots. ‖ Fig. Effervescence, impétuosité, fougue; chaleur. ‖ (Méton.) La mer. ¶ Bras de mer, détroit. ‖ Fig. Passage (ménagé d'une chose à une autre).

1. **fretus**, *us*, m. Comme FRETUM. ¶ La mer. ‖ (Par anal.) Vaste étendue (de ciel).

2. **fretus**, *a*, *um*, adj. Appuyé sur, fort de. ¶ Qui se flatte de, sûr de.

3. **fretus**, *us*, m. Confiance.

friabilis, *e*, adj. Friable.

fricatio, *onis*, f. Frottement. ‖ Spéc. Friction. ¶ Polissage.

fricatus, *us*, m. Frottement.

frico, *as*, *fricui*, *fricatum* et *frictum*, *are*, tr. Frotter, frictionner. ‖ Etriller.

1. **frictus**, *a*, *um*, part. de FRICO.

2. **frictus**, *us*, m. Comme FRICATUS.

frigdar... Voy. FRIGIDAR...

frigeo, *es*, *ere*, intr. Etre froid, n'avoir pas de chaleur. ‖ Avoir froid (en parl. de l'homme et des animaux). ¶ Fig. Etre froid, engourdi, endormi, inactif, oisif, languissant. ‖ Laisser froid, être reçu froidement, rester sans effet.

frigesco, *is*, *frixi*, *ere*, intr. Se refroidir. ¶ Fig. Se refroidir, s'engourdir. ‖ Trouver un accueil glacial.

frigida, *ae*, f. Eau froide.

frigidarium, *ii*, n. Chambre froide (dans les bains). ¶ Glacière, caveau froid où l'on conserve les aliments.

frigidarius, *a*, *um*, adj. Qui a rapport au froid.

frigide, adv. Fig. Froidement; faiblement. ¶ Sans succès.

frigidum, *i*, n. Le froid.

frigidus, *a*, *um*, adj. Froid, frais. Subst. *Frigida*, *orum*, n. pl. Pays froids. ¶ Fig. Froid, qui n'est pas animé, qui manque d'ardeur, qui ne montre pas d'empressement. ‖ Mou, languissant. ¶ Plein de froideur, glacial. ¶ Insipide, sans esprit. ¶ Qui refroidit. ‖ Qui glace (d'effroi). [rôtir.

1. **frigo**, *is*, *ere*, tr. Frire; griller. ¶ Faire

2. **frigo**, *is*, *ere*, intr. Crier comme les nouveau-nés; vagir.

frigorificus, *a*, *um*, adj. Qui refroidit, frigorifique.

frigus, *oris*, n. Froid, froidure. ‖ (Méton.) Saison du froid, hiver. ‖ Pays froid. ¶ Fraîcheur. ¶ Sensation de froid, froid. ‖ Froid (de la mort), froid (de la crainte) frisson (de la fièvre). ¶ (Fig.) Froideur, indifférence; accueil froid; refroidissement. ¶ Echec. ¶ Insignifiance.

frigusculum, *i*, n. Fraîcheur.

friguttio, *ire*, intr. Gazouiller. ¶ Bredouiller. ¶ (Rar.) Tr. Balbutier (une phrase).

frio, *as*, *atum*, *are*, tr. Emietter, égruger.

trisio, *onis*, f. Gros-bec (oiseau).

frit, indecl. Pointe de l'épi.

fritilla. Voy. FITILLA.

fritillus, *i*, m. Cornet à dés.

frivole, adv. D'une manière frivole.

frivolum, *i*, n. Bagatelle; futilité; niaiserie.

frivolus, *a*, *um*, adj. Sans valeur, insignifiant, frivole, futile. ¶ Niais.

frondatio, *onis*, f. Action d'émonder.

frondator, *oris*, m. Emondeur.

frondeo, *es*, *ui*, *ere*, intr. Avoir des feuilles. [feuillage.

frondesco, *is*, *ere*, intr. Se couvrir de

frondeus, *a*, *um*, adj. De feuillage, fait de feuillage. ¶ Garni de feuilles, feuillu.

frondosus, *a*, *um*, adj. Couvert de feuilles.

1. **frons**, *frondis*, f. Feuillage. ¶ (Méton.) Branche couverte de feuilles. ‖ Couronne de feuillage.

2. **frons**, *frontis*, f. Front. ‖ Front (considéré comme siège de la pensée, des sentiments, etc. : physionomie, air, visage, expression, sentiment; sentiment de honte (qui fait rougir le front). ¶ Par ext. Partie antérieure de certaines choses : face, façade, devant. ‖ Front (d'une armée). ‖ Bord, lisière, parement (d'un mur), couverture (d'un livre). ‖ Fig. Extérieur, apparence.

frontale, *is*, n. Fronteau. Au pl. *Frontalia*, *ium*, n. Ornement de tête pour les chevaux et les éléphants. ¶ Partie antérieure de qqch.

frontati, *orum*, m. pl. Pierres de taille pour le revêtement des murs et qui font parement au dedans et au dehors.

frontispicium, *ii*, n. Frontispice. ¶ Cimaise.

fronto, *onis*, m. Qui a un large front.

frontosus, *a*, *um*, adj. Qui a plusieurs fronts. ¶ *Fig.* Qui ne rougit pas, impudent. [fruits, verger.

fructetum, *i*, n. Plantation d'arbres à fruits. || *Fig.*

fructifer, *fera*, *ferum*, adj. Qui porte des fruits, fertile.

fructivus, *a*, *um*, adj. Fécond.

fructuosus, *a*, *um*, adj. Abondant en fruits. || D'un bon revenu. || Fructueux.

fructus, *us*, m. Jouissance, usage. || *Fig.* Jouissance (intellectuelle *ou* morale), douceur. ¶ Ce dont on jouit; fruit, rapport, revenu, produit. || *Spéc.* Fruits de la terre, des arbres; petits des animaux. || Fruit, profit, avantage.

frugalis, *e*, adj. Des moissons. ¶ De rapport, qui rapporte. ¶ Econome, réglé, ordonné (dans ses affaires et dans sa conduite), frugal, sobre rangé, modéré, honnête.

frugalitas, *atis*, f. Récolte. ¶ Economie, frugalité, modération. ¶ *Fig.* Sobriété (du style).

frugaliter, adv. Avec économie, simplicité, tempérance.

fruges, *um*, f. pl. Voy. FRUX.

frugi, adj. indécl. Voy. FRUX.

frugifer, *fera*, *ferum*, adj. Qui porte des fruits ; fertile *ou* fécond. ¶ *Fig.* Fécond en résultats ; utile.

frumentaria, *ae*, f. Commerce de blés.

1. **frumentarius**, *a*, *um*, adj. De blé, relatif au blé. *Res frumentaria*, approvisionnement en blé.

2. **frumentarius**, *ii*, m. Marchand de blé. ¶ Fournisseur de vivres à une armée. ¶ Soldat, sorte de fourrier précédant l'armée pour lui assurer des vivres. ¶ Espion politique (sous les empereurs).

frumentatio, *onis*, f. Action d'approvisionner (l'armée) en blé, en vivres, en fourrage. ¶ Distribution de blé (sous les empereurs).

frumentator, *oris*, m. Marchand de blé. ¶ Soldat qui va couper les blés.

frumentor, *aris*, *atus sum*, *ari*, dép. intr. Aller chercher des blés, des vivres. ¶ *Tr.* Approvisionner de blé.

frumentum, *i*, n. Le blé en grain (considéré comme aliment). *Frumenta*, n. pl. Le blé (en herbe *ou* avec sa tige *ou* considéré comme plante). *Frumentum metiri*, distribuer (aux soldats) leur ration de blé. ¶ (Par ext.) *Frumenta*, petits grains dans les figues.

fruor, *eris*, *fruitus ou fructus sum*, *frui*, dép. intr. Faire usage de, avoir la jouissance de, avoir l'usufruit de. ¶ Jouir de, posséder une chose dont on tire profit, avantage. ¶ Prendre plaisir à. || *Qqf.* Se réjouir.

frustatim, adv. Par morceaux.

frustra, adv. D'une manière décevante, vainement, sans résultat, pour rien. ¶ Sans raison ; à tort. ¶ Sans but.

frustratio, *onis*, f. Action de décevoir, déception ; action de tromper, super-

cherie, duperie. ¶ Espérance déçue, désappointement.

frustratus, *us*, m. Tromperie.

frustro, *as*, *avi*, *atum*, *are*, tr. Tromper (qqn) dans son attente, désappointer ; frustrer, duper.

frustror, *aris*, *atus sum*, *ari*, dép. tr. Comme le précédent. ¶ Rendre vain *ou* inutile.

frustulentus, *a*, *um*, adj. Plein de petits morceaux.

frustum, *i*, n. Morceau, bouchée (de pain). ¶ *Fig.* Fragment, petit morceau.

frutectum, *i*, n. Endroit rempli de buissons, fourré, hallier. ¶ Arbrisseau touffu. [CESCO.

frutesco, *is*, *ere*, intr. Comme FRUTICESCO.

frutetum, *i*, n. Comme FRUTECTUM.

frutex, *icis*, m. Arbrisseau touffu. ¶ Buisson, broussailles; branchage *ou* ramée. ¶ Souche (d'où s'élèvent des rejetons). || Tige. ¶ *T. d'injure.* Souche, bûche, être stupide. [rejetons.

fruticesco, *is*, *ere*, intr. Pousser des rejetons.

fruticetum, *i*, n. Fourré, taillis.

frutico, *as*, *avi*, *atum are*, intr. Pousser des rejetons.

fruticor, *aris*, *atus sum*, *ari*, dép. intr. Comme le précédent.

fruticosus, *a*, *um*, adj. Qui a beaucoup de rejetons. ¶ Où il y a beaucoup de buissons, d'arbustes.

frutilla, *ae*, f. Torcol, oiseau.

frux, *frugis*, f. Ordin. au pl. Productions (de la terre), céréales, légumes ; *qqf.* fruits des arbres. ¶ (Par ext.) Fruit, rapport ; utilité, valeur. || *Spéc.* Valeur morale, honnêteté. ¶ FRUGI, adj. indécl. De rapport. *Servus frugi*, un esclave de rapport. || *Ordin.* Econome, frugal, sobre, rangé, honnête.

fucate, adv. Avec apprêt, avec artifice.

fucatus, *a*, *um*, adj. Fardé, paré, apprêté. ¶ (Fig.) Affecté ; faux, mensonger. [seille (en parl. des étoffes).

fucinus, *a*, *um*, adj. Coloré avec de l'or-

1. **fuco**, *as*, *avi*, *atum*, *are*, tr. Colorer, teindre; farder (pr. et fig.).

2. **fuco**, *onis*, m. Flagorneur.

fucosus, *a*, *um*, adj. Fardé. ¶ *Fig.* Fardé, faux, mensonger.

1. **fucus**, *i*, m. Fucus, lichen, orseille. ¶ (Par ext.) Teinture rouge, pourpre; propolis. ¶ *Fig.* Fard, faux ornement; apparence, éclat emprunté, dissimulation. *Fucum facere*, faire illusion.

2. **fucus**, *i*, m. Faux bourdon.

fufae, interj. Fi !

fuga, *ae*, f. Fuite. || Evasion. ¶ Déroute, débâcle. Méton. *Fugas*, *arum*, f. pl. Fuyards. ¶ *Spéc.* Exil. || Méton. Lieu d'exil. ¶ Action de fuir, d'échapper à : aversion. ¶ (Par ext.) Course, vol rapide. [de poltronnerie.

fugacius, adv. (au compar.). Avec assez

fugalia, *orum*, n. pl. Fugalies (fêtes en l'honneur de l'expulsion des rois).

fugator, *oris*, m. Celui qui fait fuir, qui met en fuite.

fugatrix, *icis*, f. Celle qui met en fuite.

fugax, *acis*, adj. Porté à fuir, fuyard. || Qui s'enfuit vite, entraîné rapidement. ¶ *Fig.* Qui passe; éphémère. || Qui évite, qui se dérobe à.

1. fugiens, *entis*, p. adj. Qui fuit, qui a de l'aversion pour. [venu.

2. fugiens, *entis*, m. L'accusé, le prévenu.

fugio, *is*, *fugi*, *fugiturus*, *ere*, intr. et tr. || *Intr.* Fuir, s'enfuir, s'évader. || Etre en fuite, en déroute. || Etre en exil. || *Par ext.* Courir, voler; couler rapidement. ¶ *Fig.* S'enfuir, passer, disparaître. ¶ *Tr.* Fuir, quitter précipitamment. || Chercher à éviter, se soustraire à. || Avoir de la répugnance, de l'aversion pour. || Echapper à l'attention de, rester ignoré de.

fugitans, *antis*, p. adj. Qui fuit, qui a de l'aversion pour.

fugitavarius, *ii*, m. Celui qui poursuit les esclaves fugitifs. ¶ Celui qui chasse un esclave fugitif.

1. fugitivus, *a*, *um*, adj. Qui s'enfuit, fugitif. ¶ *Fig.* Fugitif, éphémère.

2. fugitivus, *i*, m. Esclave fugitif. ¶ Déserteur (soldat).

fugito, *as*, *avi*, *atum*, *are*, intr. et tr. || *Intr.* Fuir de tous côtés *ou* précipitamment. ¶ *Tr.* Fuir, chercher à se dérober à.

fugo, *as*, *avi*, *atum*, *are*, tr. Mettre en fuite. || Mettre en déroute. || Exiler, bannir. ¶ Repousser. ¶ Lancer, décocher.

fulcimen, *inis*, n. Comme le suivant.

fulcimentum, *i*. *n*, Soutien, appui.

fulcio, *is*, *fulsi* ou *fulcivi*, *fultum* ou *fulcitum*, *ire*, tr. Etayer. soutenir. ¶ (*Fig.*) Etre le soutien *ou* l'appui (de). || Fortifier, consolider. || Soutenir (les forces de), sustenter. || *Mor.*) Soutenir le courage de.

fulcrum, *i*, n. Etai, support. || Pied (d'un meuble). || (Méton.) Lit de repos à dossier, sofa.

fulctura, *ae*, f. Voy. FULTURA.

fulgens, *entis*, p. adj. Brillant, étincelant. ¶ *Fig.* Brillant, illustre.

fulgeo, *es*, *fulsi*, *ere*, intr. Lancer des éclairs, éclairer. ¶ *Par ext.* Briller, rayonner, resplendir (pr. et fig.).

fulger... Voy. FULGUR...

fulgetra, *ae*, f. Eclair.

fulgidus, *a*, *um*, adj. Brillant; lumineux.

fulgor, *oris*, m. Lueur, éclat. || *Fig.* Eclat, splendeur. ¶ Comme FULGUR.

fulgur, *guris*, n. Eclat, lueur éclatante. ¶ Eclair. || (Par ext.) Tonnerre, foudre. ¶ (Méton.) Au plur. *Fulgura*, objets frappés de la foudre.

fulguralis, *e*, adj. Relatif à la foudre.

fulguratio, *onis*, f. Eclair.

fulgurator, *oris*, m. Celui qui lance la foudre. ¶ Devin chargé d'interpréter la foudre et les éclairs.

fulguro, *as*, *avi*, *atum*, *are*, intr. Lancer des éclairs (pr. et fig.). ¶ Briller, éclater, resplendir (pr. et fig.). ¶ *Tr.* Faire éclater.

fulica, *ae*, f. Foulque (oiseau aquatique).

fuliginatus, *a*, *um*, adj. Noirci, teint en noir. [couleur de la suie.

fuligineus, *a*, *um*, adj. De suie, de la

fuligo, *ginis*, f. Suie. || Fumée d'une lampe. || Fard (noir); crayon pour les sourcils. ¶ *Fig.* Ce qui obscurcit la vue, qui empêche la vue nette (des ch.).

fulix, *icis*, f. Voy. FULICA.

fullo, *onis*, m. Foulon. || Dégraisseur. ¶ Sorte de scarabée.

fullonia, *ae*, f. Métier de foulon.

1. fullonica (s.-e. ARS), *ae*, f. Métier de foulon. ¶ (S.-e. OFFICINA). Atelier de foulon.

2. fullonica, *orum*, n. pl. Comme 1. FULLONICA.

fullonicus, *a*, *um*, adj. De foulon.

fullonium, *ii*, n. Atelier de foulon.

fullonius, *a*, *um*, adj. De foulon, à foulon

1. fulmen, *inis*, n. Foudre, coup de tonnerre. ¶ (Par ext.) Eclair, lueur éclatante. ¶ (Fig.) Coup de foudre, catastrophe. || Toute force à laquelle on ne peut résister. || Eclat terrible des yeux. ¶ Foudre (de guerre).

2. fulmen, *inis*, n. Colonne, soutien. Comme FULCIMEN.

fulmenta, *ae*, f. Support, appui. ¶ *Spéc.* Talon (de soulier).

fulmentum, *i*, n. Appui, support, soutien. ¶ *Spéc.* Pied de lit.

fulminatio, *onis*, f. Action de lancer la foudre.

fulminatus, *a*, *um*, adj. Voy. FULMINO. ¶ Qui porte la foudre, armé de la foudre, surnom d'une légion.

fulmineus, *a*, *um*, adj. De la foudre, rapide (comme la foudre), foudroyant.

fulmino, *as*, *avi*, *atum*, *are*, intr. Lancer la foudre, tonner. Impers. *Fulminat*, la foudre éclate. ¶ *Tr.* Foudroyer.

fultor, *oris*, m. Celui qui soutient.

fultura, *ae*, f. Soutien, support. ¶ (Par ext.) Aliments nourrissants, analeptiques.

fulvidus, *a*, *um*, adj. Comme FULVUS.

fulvor, *oris*, m. Couleur fauve.

fulvum, *i*, n. Couleur fauve. [roux.

fulvus, *a*, *um*, adj. Fauve, d'un jaune

fumarium, *ii*, n. Lieu où l'on expose qqch. à la fumée. ¶ Cheminée.

fumatio, *onis*, f. Action d'enfumer, d'exposer à la fumée.

fumator, *oris*, m. Celui qui expose (le vin) à la fumée. ¶ Celui qui débite de la fumée, fanfaron, hâbleur.

fumesco, *is*, *ere*, intr. Fumer, répandre de la fumée.

fumeus, *a*, *um*, adj. Plein de fumée, fumeux. ¶ (Vin) qui a été exposé à la fumée. ¶ *Fig.* Ténébreux, obscur.

fumidus, *a*, *um*, adj. Qui donne de la fumée, fumeux, fumant. ¶ (Par ext.) Qui a la couleur *ou* l'odeur de la fumée.

fumifer, *fera, ferum*, adj. Qui répand de la fumée.

fumifico, *as, are*, intr. Faire de la fumée.

fumificus, *a, um*, adj. Qui fait de la fumée.

fumigabundus, *a, um*, adj. Rempli de fumée, d'où qui exhale beaucoup de fumée.

fumigatio, *onis*, f. Action d'enfumer.

fumigo, *as, avi, atum, are*, intr. Répandre de la fumée, produire de la fumée. ¶ *Tr.* Enfumer, noircir de fumée. ‖ Soumettre à des fumigations.

fumo, *as, avi, are*, intr. Fumer, répandre de la fumée.

fumosus, *a, um*, adj. Plein de fumée, fumeux. ¶ Enfumé, noirci par la fumée. ¶ Qui exhale l'odeur de la fumée.

fumus, *i*, m. Fumée (pr. et fig.).

funale, *is*, n. Corde. ¶ Torche (faite d'une corde entourée de cire); candélabre. ‖ *Fig.* Flambeau, lumière.

funalis, *e*, adj. De corde; (cheval)attaché en dehors du timon, cheval de volée.

funambulus, *i*, m. Funambule, danseur de corde.

functio, *onis*, f. Exécution. ¶ Exercice (d'une fonction). ‖ Payement (des impôts). ¶ Fin de la vie, mort, décès.

funda, *ae*, f. Fronde. ¶ (Méton.) Balle de fronde. ¶ Ce qui ressemble à une fronde; filet de pêcheur; valise; bourse. ‖ Chaton de bague.

fundamen, *inis*, n. Base, fondement.

fundamentum, *i*, n. Fondement, fondation, base (pr. et fig.).

fundatio, *onis*, f. Action de jeter les fondements *ou* les bases de...

1. **fundator**, *oris*, m. Celui qui fonde, qui jette les fondements de...

2. **fundator**, *oris*, m. Frondeur.

fundatus, *a, um*, p. adj. Établi sur un fondement solide, affermi, durable (pr. et fig.).

fundito, *as, are*, tr. Lancer fréquemment. ¶ (*Fig.*) Répandre abondamment, lancer une grêle de...

funditus, adv. De fond en comble (pr. et fig.); absolument. ¶ Au fond; profondément.

1. **fundo**, *as, avi, atum, are*, tr. Bâtir sur des fondations, asseoir solidement, construire, fonder. ¶ (*Fig.*) Fonder sur des données solides; affermir, consolider.

2. **fundo**, *is, fudi, fusum, ere*, tr. Faire couler, répandre, verser. ¶ Liquéfier, fondre. ‖ Couler (en bronze, etc.). ¶ (Méd.) Relâcher. ¶ (Méton.) Arroser (avec un liquide), humecter, mouiller. ¶ *Fig.* Etendre (à terre); abattre, renverser. ‖ Mettre en déroute, tailler en pièces. ¶ Répandre, étaler, déployer. ¶ Lâcher, laisser échapper; laisser flotter (ses cheveux). ¶ Lancer, jeter. ‖ Donner libre cours à. ¶ Proférer, énoncer, faire entendre. ‖ Gaspiller. ¶ Mettre au monde, enfanter, produire.

fundula, *ae*, f. Cul-de-sac, impasse.

fundus, *i*, m. Fond. ‖ *Fig.* Ce sur quoi s'appuie quelque chose, la partie essentielle. ‖ *Fundus cenae*, plat de résistance. ¶ (*Méton.*) Vase à boire, coupe. ¶ Fonds de terre, bien-fonds. ‖ Ferme. ¶ (Fig.) Garant.

funebris, *e*, adj. De funérailles, funèbre, de deuil. Subst. *Funebria*, funérailles. ¶ *Par ext.* Mortel, *c.-à-d.* qui donne la mort, funeste. [funérailles.

funeraticius, *a, um*, adj. Relatif aux

funeratio, *onis*, f. Enterrement.

funereus, *a, um*, adj. De deuil, funèbre. ¶ Qui donne la mort, funeste.

funero, *as, avi, atum, are*, tr. Rendre les honneurs funèbres à. ¶ *Par ext.* Tuer. [Comme le précédent.

funeror, *aris, atus sum, ari*, dép. tr.

funesto, *as, avi, atum, are*, tr. Profaner, souiller (par un crime).

funestus, *a, um*, adj. Profané, souillé (par une mort); où il y a un mort. ¶ Funeste, pernicieux, meurtrier, mortel. ‖ *En parl. de pers.* Scélérat. ¶ De mauvais augure.

fungor, *ris, functus sum, fungi*, dép. intr. S'acquitter de. ¶ Exécuter, accomplir, ‖ Remplir (une charge, un devoir). ‖ *Spéc.* S'acquitter de sa destinée, mourir. ‖ Payer, acquitter (une dette, un impôt). ¶ Souffrir, supporter.

fungosus, *a, um*, adj. Poreux, spongieux (comme un champignon).

fungus, *i*, m. Champignon.¶ (*Par ext.*) Excroissance de chair (sur le corps). ‖ Maladie des oliviers. ‖ Champignon d'une mèche en combustion. ¶ (Fig.) *T. injur.* Homme stupide.

funiculus, *i*, m. Cordelette, cordon, ficelle. ¶ Cordeau (d'arpenteur). ‖ *Méton.* Part, portion, lot (de terrain). ¶ *Fig.* Sentier, chemin. ‖ Côte de la mer, littoral. ‖ (Archit.) Ruban, liseré.

funis, *is*, m. Corde, câble; lien.

funus, *eris*, n. Pompe funèbre, enterrement, funérailles. ¶ (Méton.) Dépouille mortelle, cadavre. ‖ Ombre, mânes (du mort). ‖ Meurtre. ¶ *Fig.* Perte, fin. ‖ Fléau, ce qui cause la perte.

fur, *furis*, m. et f. Voleur; voleuse. ¶ Plagiaire. ¶ *T. injur.* Maraud. ¶ Comme 2. FUCUS.

furacitas, *atis*, f. Penchant au vol.

furaciter, adv. En voleur, avec rapacité.

furax, *acis*, adj. Porté au vol, voleur, rapace.

furca, *ae*, f. Fourche. ¶ Ce qui a la forme d'une fourche ou d'un V. ‖ Echalas, support de la vigne. ‖ Pieu fourchu. ‖ Crochet (pour porter les fardeaux). ‖ Fourchon, carcan. ‖ *Fig.* Esclavage. ¶ Sorte de potence. ¶ Joug (pour dompter les jeunes taureaux). *Au plur.* Pinces (des écrevisses). ‖ Partie infér. du corps humain (*opp.* au buste), les jambes. || Défilé étroit dans les montagnes.

furcifer, *feri*, m. Esclave qui porte la fourche, le carcan.¶*T. injur.* Pendard.

furcilla, *ae*, f. Petite fourche.

furcillatus, *a*, *um*, adj. Fourchu.

furcilles. Comme FURCILLA.

furcillo, *as*, *are*, tr. Appuyer, étayer (pr. et fig.).

furcosus, *a*, *um*, adj. Fourchu.

furcula, *ae*, f. Perche fourchue; échalas. ¶ Défilé (dans une montagne) en forme de V.

furens, *entis*, p. adj. Qui est hors de soi; égaré, furieux. ¶ Cédant à un transport prophétique; inspiré.

furfur, *furis*, m. Cosse, plume, balle. ¶ Son (de la farine).¶(Fig.) Au plur. *Furfures*, pellicules.

furfureus, *a*, *um*, adj. De son.

furia, *ae*, f. Fureur, passion furieuse, délire. || Rage (en gén.). ¶ *Fig.* Fléau, mauvais génie.

furiale, adv. Avec fureur.

furialis, *e*, adj. Furieux, forcené. ¶ Qui rend furieux. [rieux. ¶ Inspiré.

furibundus, *a*, *um*, adj. Furibond, furieux, *a*, *um*, adj. De voleur.

1. **furio**, *as*, *avi*, *atum*, *are*, tr. Mettre en fureur, égarer. [être égaré.

2. **furio**, *is*, *ire*, intr. Etre en fureur, furieux, *a*, *um*, adj. En délire, fou.

furiose, adv. En furieux.

furiosus, *a*, *um*, adj. En délire, fou. ¶ Furieux, forcené. ¶ Qui rend fou.

furnaceus, *a*, *um*, adj. De four, cuit au four. [ger.

furnaria, *ae*, f. Profession de boulan-

1. **furnarius**, *a*, *um*, adj. De four; qui concerne le four.

2. **furnarius**, *ii*, m. Fournier, boulanger.

furnatus, *a*, *um*, p. adj. Mis au four.

furnax, *acis*, f. Voy. FORNAX.

furnus, *i*, m. Four. ¶ Etuve, chambre où l'on est exposé à l'air chaud.

1. **furo**, *is*, *ere*, intr. Etre hors de soi, être fou. ¶ Etre furieux, être en rage. ¶ *Fig.* Etre transporté d'un délire prophétique, être inspiré. || Etre en proie au délire de la passion. ¶ (Par ext.) *En parl. de ch.* Faire rage.

2. **furo**, *onis*, m. Furet (animal).

1. **furor**, *atus sum*, *ari*, dép. tr. Voler, dérober. || *Spéc.* Détourner à son profit; piller (une œuvre littéraire). || S'approprier indûment.¶*Poét.* Cacher, couvrir. ¶ (Techn.) *T. milit.* Exécuter des coups de main.

2. **furor**, *oris*, m. Accès de folie, frénésie. ¶ Transport (bachique *ou* prophétique), enthousiasme. || Fureur guerrière. || Fureur, rage, violente colère. ¶ (Méton.) Cause de colère. || Passion violente. || *Spéc.* Amour; *méton.* objet d'amour. ¶ (*En parl. de choses.*) Violence (des éléments).

furtificus, *a*, *um*, adj. Qui commet des larcins; voleur.

furtim, adv. A la dérobée, furtivement.

furtive, adv. Furtivement; en cachette.

furtivus, *a*, *um*, adj. Dérobé, soustrait.

¶ *Fig.* Furtif, secret, clandestin.

furtum, *i*, n. Vol, larcin. || (Méton.) Larcin, objet dérobé. ¶ (Par ext.) Action secrète. || Ruse. || Stratagème. || Coup de main, surprise. || Amour clandestin; adultère. ¶ *Prétexte*, excuse sans valeur.

furtus, *us*, m. Vol.

1. **furunculus**, *i*, m. Larronneau. ¶ Gourmand (de la vigne), branche gourmande; rameau gourmand.

2. **furunculus**, *i*, m. Furoncle (t. méd.).

furvus, *a*, *um*, adj. Noir sombre. ¶ *Fig.* Noirci, souillé. ¶ *Par ext.* Relatif aux enfers, aux dieux infernaux.

fuscina, *ae*, f. Trident. ¶ Fourche, arme des rétiaires. ¶ Harpon. [chette.

fuscinula, *ae*, f. Petit trident. ¶ Four-

fusco, *as*, *avi*, *atum*, *are*, tr. Noircir, assombrir. || Brunir. ¶ *Fig.* Ternir (la réputation); troubler. ¶ *Intr.* S'obscurcir, se noircir.

fuscus, *a*, *um*, adj. D'une couleur sombre, noirâtre. || Brun, roussâtre. || Basané (en parl. du teint). ¶ (Fig.) *En parl. de la voix.* Sourd, voilé. || *Moral.* Indélicat.

fuse, adv. Sur une large étendue. ¶ *Fig.* Largement, amplement.

fusilis, *e*, adj. Fondu, en fusion, liquide. || Fluide. ¶ *Par ext.* Coulé, fait de métal fondu.

fusio, *onis*, f. Action de répandre, de verser; écoulement. ¶ (Par ext.) Expansion, diffusion. ¶ Fusion; fonte (des métaux). ¶ Versement (de l'impôt). [¶ Fléau à battre le blé.

fustis, *is* (abl. *i* ou *e*), m. Bâton, gourdin.

fustuarium, *ii*, n. Bastonnade.

fustuarius, *a*, *um*, adj. Relatif au bâton.

fusura, *ae*, f. Fusion, fonte. ¶ Ecoulement d'un liquide.

1. **fusus**, *a*, *um*, p. adj. Versé, répandu. ||Liquide. || *Méd.* Relâché. ¶ Répandu, étendu, vaste. || Lâche, flottant, pendant. || (En parl. du style.) Abondant; diffus, prolixe.

2. **fusus**, *us*, m. Ecoulement.

3. **fusus**, *i*, m. Fuseau (à filer). ¶ Traverse d'un rouleau.

1. **futile**, *is*, n. Sorte de vase (à fond trop étroit pour se tenir debout) en usage dans les cérémonies en l'honneur de Vesta et de Cérès.

2. **futile**, adv. Vainement.

futilis et **futtilis**, *e*, adj. Qui laisse échapper son contenu. ¶ *Fig.* Qui laisse échapper ce qu'il devrait garder secret; indiscret. || Frivole, futile, insignifiant. || Sans effet, vain, inutile.

futilitas, *atis*, f. Indiscrétion. ¶ Vanité, frivolité.

futiliter, adv. Inutilement, vainement.

futio, *is*, *ire*, intr. Comme FUNDO.

futis, *is*, f. Aiguière.

1. **futo**, *as*, *are*, tr. Répandre, renverser. ¶ *Fig.* Confondre, convaincre.

2. **futo**, as, avi, are, intr. Etre souvent. | **futurum**, i, n. L'avenir. Au plur. *Futura*
futtil... Voy. **FUTIL...** même sens. | **futurus**, a, um, adj. Qui sera, futur.

G

G, g, septième lettre de l'alph. latin. ¶
Abréviations : G = Galeria tribu.
G. I. = Germania inferior. G. S. = Germania superior. G. L. = Genio loci.
G. P. R. F. = Genio populi Romani
feliciter.

gabalus, i, m. Croix, gibet, potence. ¶
(Méton.) Pendard, vaurien.

gaesum, i, n. Gèse, javelot long et
lourd (emprunté par les Romains aux
Gaulois des Alpes). [voie lactée.

galaxias, ae, m. Pierre précieuse. ¶ La
1. **galba**, ae, m. Larve du chêne.

2. **galba**, ae, m. Homme très gras (mot
gaulois).

3. **galba**, ae, f. Noix à coquille lisse.

galbaneus, a, um, adj. De galbanum.

galbanum, i, n. Galbanum, sorte de
résine tirée d'une plante de Syrie.

galbanus, i, f. Comme le précédent.

galbeum (CALBEUM), i, n. Bande de
laine (enveloppant des amulettes ou
un remède) qu'on enroulait autour
du bras. ¶ (Par anal.) Décoration
militaire. ‖ Parure de femme.

galbeus, i, m. Comme le précédent.

galbiensis, is, m. Soldat décoré du GAL-
BEUM. [de cyprès.

galbulus, i, m. Loriot (oiseau). ¶ Baie

galea, ae, f. Casque (de cuir garni de
bronze) ; casque (en gén.). ¶ Par ext.
Coiffure de prêtre. ‖ Huppe (des poules
d'Afrique).

galeatus, i, m. Soldat coiffé (armé) du
casque. [ext.) Cadmie.

galena, ae, f. Galène, minerai. ¶ (Par

galericulum, i, n. Casquette de peau,
bonnet. ¶ Perruque.

galerita, ae, f. Alouette huppée.

1. **galeritus**, a, um, adj. Couvert d'un
bonnet ou d'une huppe.

2. **galeritus**, i, m. Comme GALERITA.

galerum, i, n. Voy. le suivant.

galerus, i, m. Bonnet de femme.
Perruque. ¶ Involucre d'une fleur.

galla, ae, f. Noix de galle. ¶ Petit vin
âpre.

galliambicus, a, um, adj. Galliambique,
nom d'un vers employé par les Galles
(ou prêtres de Cybèle) dans leur chant
et composé d'un iambique dimètre
catalectique, suivi d'un anapeste
d'un tribraque et d'un iambe.

1. **galliambos** et **galliambus**, i, m. Gal-
liambe, rythme employé dans leur
chant par les prêtres de Cybèle.

2. **galliambus**, a, um, adj. Voy. GAL-
LIAMBICUS. [gauloise, galoche.

gallica (s.-e. SOLEA), ae, f. Chaussure

gallicinium, ii, n. Chant du coq. ¶ (Méton.) Temps de la nuit, qui correspond au premier chant du coq.

gallicola. Voy. 2. GALLICULA.

gallicrus, cruris, n. (Patte de coq.)
Renoncule, plante.

1. **gallicula**, ae, f. Petite galoche.

2. **gallicula**, ae, f. Ecale de noix verte.

gallina, ae, f. Poule.

1. **gallinaceus**, a, um, adj. De poule.

2. **gallinaceus**, i, m. Coq.

gallinarium, ii, n. Poulailler.

1. **gallinarius**, a, um, adj. De poules, à
poules, relatif aux poules.

2. **gallinarius**, ii, m. Celui qui élève
des poules.

gallus, i, m. Coq.

ganea, ae, f. Cabaret, taverne de bas
étage, bouge, mauvais lieu. ¶ (Méton.)
Vie déréglée. [bouge.

ganearius, a, um, adj. De cabaret,
ganeo, onis, m. Habitué de mauvais
lieux, débauché, viveur.

ganeum, i, n. Comme GANEA.

gangraena, ae, f. Gangrène (pr. et fig.).

ganio, is, ire, intr. Mener une vie de
débauche.

gannio, is, ire, intr. Japper (en parl. du
chien). ¶ (Par ext.) Grogner. ‖ Jacasser, bavarder.

gannitio, onis, f. Jappement (des petits
chiens).

gannitus, us, m. Jappement (des petits
chiens). ¶ Gazouillement (des oiseaux).
‖ Par anal. Causerie charmante. ¶ Par
ext. Criaillerie. ‖ Qqf. Lamentation.

gargario, as, avi, atum, are, intr. Se
gargariser.

garon et **garum**, i, n. Garum, espèce
de sauce préparée avec une marinade
d'anchois et de petits maquereaux
assaisonnée de thym et de laurier.

garos, i, m. (Peut-être) picarel, poisson
qui entrait dans la composition du
garum.

garrio, is, ivi ou ii, itum, ire, intr.
Jaser, bavarder. ‖ Tr. Chuchoter. ¶
En parl. des animaux. Faire entendre
un cri ou un chant répété.

garrule, adv. En bavardant.

garrulitas, atis, f. Abondance de paroles
vaines, verbiage, bavardage. ¶ Cri
des oiseaux, jacassement, gazouillement.

garrulus, a, um, adj. Bavard. ¶ Qui
gazouille. ¶ Qui murmure (en parl.
d'obj. inanimés).

garum. Voy. GARON.

gaudeo, gavisus sum, ere, intr. Se
réjouir, être content, avoir du plaisir
(intérieurement). ¶ Aimer à, se
trouver bien de.

gaudium, ii, n. Joie (intérieure), contentement. Au plur. Gaudia, mani-
festations, transports de joie. ¶ (Mé-

ton.) Cause de joie. || Plaisir, jouissance. || Heureuse nouvelle. || Personne chère.

gausapa, ae, f. Etoffe de laine à longs poils pour vêtements d'hiver *ou* couvertures. ¶ (Par plais.) Barbe hérissée et touffue.

gausapatus, a, um, adj. Vêtu de l'étoffe appelée GAUSAPA. ¶ (Plaisamm.) Velu.

gausape, is, n. Comme GAUSAPA.

gausapes, is, m. Comme GAUSAPA.

gausapinus, a, um, adj. Confectionné avec l'étoffe appelée GAUSAPA.

gausapum, i, n. Comme GAUSAPA.

gavata, ae, f. Voy. GABATA.

gavia, ae, f. Mouette (oiseau de mer).

gaza, ae, m. Trésor des rois de Perse. || (En génér.) Trésor. || (Méton.) Richesses, objets précieux.

gazophylacium, ii, n. Trésor du temple de Jérusalem. || Trésor d'une église.

gazophylax, acis, m. Gardien du Trésor.

gelasco, is, ere, intr. Se congeler.

gelasianus, i, m. Bouffon, qui fait rire.

gelasinus, i, m. Fossette (dans la joue, quand on rit). [dissement.

gelatio, onis, f. Congélation. ¶ Engourgelicidium, ii, n. Gelée blanche, frimas. verglas.

gelida (s.-e. AQUA), ae, f. Eau fraîche.

gelide, adv. Froidement. ¶ *Fig.* Sans énergie.

gelidus, a, um, adj. Glacé, glacial, très froid. || Très frais. ¶ Qui glace, qui paralyse.

gelo, as, avi, atum, are, tr. Congeler, geler. || (Par ext.) Coaguler. ¶ *Intr.* Se congeler, geler. Impers. *Gelat,* il gèle.

gelu, us, n. Gelée. ¶ Glace. ¶ *Qqf.* Neige. ¶ *Fig.* Glace (de l'âge). || Froid (de la mort).

gelum, i, n. Comme GELU.

gelus, us, m. Comme GELU.

gemebundus, a, um, adj. Gémissant.

gemelli, orum, m. pl. Jumeaux.

gemelliparus, a, um, adj. Qui met au monde deux jumeaux.

gemellus, a, um, adj. Jumeau. ¶ Qui fait la paire, double. ¶ Semblable (comme le sont deux jumeaux), tout pareil. [tition.

geminatio, onis, f. Redoublement; répégemine, adv. Doublement.

gemini, orum, m. pl. Frères jumeaux. ¶ Les Gémeaux, signe du zodiaque.

gemino, as, avi, atum, are, tr. Doubler, redoubler. || Accoupler, apparier, unir deux à deux. ¶ *Intr.* Etre double.

geminus, a, um, adj. Jumeau. ¶ *Par ext.* Double, formé de deux. *Gemini,* m. pl. Deux à la fois. ¶ Qui a une double nature. ¶ Tout pareil. [mir.

gemisco, is, ere, intr. Commencer à gégemitus, us, pl. Gémissement. || (Mét.) Douleur (qui arrache des cris plaintifs). ¶ Bruit sourd (produit par les ch.).

gemma, ae, f. Bourgeon. ¶ (*Par anal.*) Pierre précieuse, pierre gemme. ||

Méton. Objet enrichi de pierres précieuses : joyau; bague; cachet. || Coupe (ornée de brillants). ¶ Perle. ¶ Au plur. *Gemmæ, arum,* f. Yeux de la queue du paon.

gemmatus, a, um, p. adj. Qui a des bourgeons. ¶ Orné de gemmes, de pierreries. [pierre précieuse.

gemmesco, is, ere, intr. Se changer en **gemmeus, a, um,** adj. De pierres précieuses; fait en pierres précieuses. ¶ *Par ext.* Enrichi de pierres précieuses. || Semblable à une pierre précieuse, éclatant comme une pierre précieuse.

gemmifer, fera, ferum, adj. Qui produit des pierres précieuses *ou* (Impr.) des perles. ¶ Qui porte des joyaux, des bijoux.

gemmo, as, avi, atum, are, intr. Bourgeonner; germer. ¶ Etre enrichi de pierres précieuses. ¶ Briller, jeter des feux (comme une pierre précieuse).

gemo, is, ui, itum, ere. ¶ Gémir, soupirer, se plaindre. || Roucouler, pousser des cris plaintifs (*en parl. des anim.*). ¶ Faire entendre un bruit sourd, gronder, crier, grincer, etc. (en parl. de ch.). ¶ *Tr.* Gémir sur, déplorer.

gena, ae, f. (Ordin. *genæ, arum,* f. pl.) Pommettes (des joues). || Joues. || Orbites des yeux; paupières; yeux.

genealogia, ae, f. Généalogie.

genealogus, i, m. Généalogiste.

1. **gener, eri,** m. Gendre, mari de la fille. || *Par ext.* Futur gendre. ¶ Mari de la petite-fille. ¶ Mari de la sœur, beau-frère.

2. **gener, eris,** m. Comme le précédent.

generalis, e, adj. Qui appartient à un genre; relatif au genre, à la race. ¶ Général, universel.

generaliter, adv. D'une manière générale. [rale.

generalitas, atis, f. Généralité. [rale.

generatim, adv. Par genre, par espèce, par classe. ¶ En général, au point de vue général.

generatio, onis, f. Génération, reproduction. ¶ Généalogie; descendance. ¶ (Méton.) Une génération (d'hommes), ceux qui vivent dans le même temps (évalué à la durée moyenne de la vie humaine). [qui crée.

generator, oris, m. Celui qui engendre,

generatrix, icis, f. Celle qui produit.

generatus, us, m. Génération

genero, as, avi, atum, are, tr. Engendrer. ¶ *Fig.* Produire, créer.

generose, adv. Noblement.

generositas, atis, f. Bonne race. || Bonne qualité. ¶ *Fig.* Noblesse (d'âme).

generosus, a, um, adj. Bien né, de bonne race. ¶ *En parl. de ch.* De bonne qualité; généreux. || Fécond. ¶ *Fig.* Noble, qui a de nobles sentiments, généreux, magnanime.

genista. Voy. ... NISTA.

genethliace, es, f. Art de tirer les horoscopes, astrologie.

genethliacon, i, n. Poème à l'occasion d'une naissance *ou* d'un anniversaire.

1. genethliacus, *a*, *um*, adj. Relatif à la naissance. [copes.

2. genethliacus, *i*, m. Tireur d'horos-

1. genetivus, *a*, *um*, adj. De naissance; qu'on apporte en naissant. ¶ De famille. ¶ Créateur (surnom d'Apollon). ¶ *Gramm.* Génitif.

2. genetivus, *i*, m. Le génitif.

genetrix, *icis*, f. Mère. ¶ Celle qui produit. ¶ Métropole. [génie.

genialia, *um*, n. pl. Fêtes en l'honneur du

1. genialis, *e*, adj. Relatif au génie (dieu particulier à chaque homme). || Conjugal, nuptial. || Fécond. ¶ Gai, joyeux, consacré aux fêtes; délicieux.

2. genialis (s.-e. TORUS), *is*, m. Lit nuptial. ¶ (Au plur.) *Geniales*, *ium*, m. Hommes de plaisir; voluptueux.

genialitas, *atis*, f. Gaieté, plaisir.

1. geniculatus, *a*, *um*, adj. Agenouillé. ¶ Qui forme des coudes, des nœuds.

2. geniculatus, *i*, m. L'Agenouillé *ou* Hercule, constellation.

geniculo, *as*, *are*, intr. Plier les genoux.

geniculor, *aris*, *ari*, dép. intr. Comme le précédent. [¶ Nœud (d'une plante).

geniculum, *i*, n. Petit genou. || Genou.

geniculus, *i*, m. Courbure, coude.

genista, *ae*, f. Genêt, arbrisseau.

genitalis, *e*, adj. Relatif à la génération, à la naissance. ¶ Génital. ¶ Fécond, fécondant. ¶ De naissance. — *solum*, sol natal. ¶ Surnom des douze grands dieux créateurs des autres. || Surnom de diane Lucine. [conde.

genitaliter, adv. D'une *manière* fé-

genitivus. Voy. GENETIVUS.

genitor, *oris*, m. Père, créateur. ¶ *Fig.* Celui qui produit, auteur, producteur.

genitrix. Voy. GENETRIX.

genitura, *ae*, f. Génération, création. || (Méton.) Créature. ¶ Horoscope.

genitus, *us*, m. Génération, procréation, enfantement.

genius, *ii*, m. Dieu particulier à chaque homme, sous la protection duquel sont placées la naissance et la vie de chaque homme (surtout la vie physique) et qui participe aux plaisirs que chacun se donne. — *indulgere genio*, faire bonne chère, mener joyeuse vie. || (Par anal.) Génie d'un lieu, d'une ville, etc. ¶ *Eccl.* Ange *ou* démon. ¶ *Plaisamm.* Celui qui traite, amphitryon. ¶ Talent. || Esprit, charme.

gens, *gentis*, f. Ensemble de personnes qui ont un commun ancêtre. ¶ *Spéc.* A Rome, ensemble de familles, patriciennes d'abord, puis plébéiennes, ayant une descendance commune, le même nom et le même culte. || (Méton.) Rejeton, descendant (d'une race). ¶ Race, espèce (d'animaux). ¶ Nation, peuple. || (Méton.) Contrée, pays. *Abesse longe gentium*, être au bout du monde. ¶ Ensemble des indi-

vidus appartenant à une même espèce. — *humana*, l'espèce humaine. ¶ Au plur. *Gentes*, *ium*, f. Les étrangers, les barbares. || *Eccl.* Les Gentils.

genticus, *a*, *um*, adj. Propre à une nation; national.

gentilicius, *a*, *um*, adj. Propre à une famille; qui concerne une famille. ¶ Qui concerne une nation; national. ¶ *Eccl.* Païen.

1. gentilis, *e*, adj. De la même race, de la même lignée. || Héréditaire. ¶ Propre à une nation; national. || De la même patrie; compatriote. || *Gramm.* Qui indique la nation. ¶ Qui appartient à une race étrangère; barbare, étranger. || *Eccl.* Gentil, *c.-à-d.* païen.

2. gentilis, *is*, m. Parent, apparenté. ¶ Un compatriote. ¶ Un barbare. ¶ Un païen.

gentilitas, *atis*, f. Communauté *ou* alliance de race, de nom. || *Méton.* Membres d'une même famille, parents. ¶ Nationalité. || *Méton.* Nation. ¶ *Eccl.* Paganisme. || (*Méton.*) Les païens, les Gentils. [LICIUS.

gentilitius, *a*, *um*, adj. Comme GENTIgenu, *us*, n. Genou. ¶ (*Par anal.*) Nœud (dans la tige d'une plante).

genuale, *is*, n. Genouillère.

genuine, adv. Franchement.

1. genuinus, *a*, *um*, adj. Inné, naturel. ¶ Véritable, authentique.

2. genuinus, *i*, m. Dent molaire.

1. genus, *eris*, n. Naissance, extraction, origine. || Haute naissance, noblesse. ¶ Race, lignée. || *Méton.* Descendant, rejeton. ¶ Sexe. || *Gramm.* Genre. ¶ Nation, peuple. ¶ (En gén.) Classe, genre, espèce. || *Spéc.* Façon, style, manière (d'un auteur). ¶ (Log.) Genre (*opp. à* espèce).

2. genus, *us*, m. Voy. GENU.

geographia, *ae*, f. Géographie.

geographicus, *a*, *um*, adj. Géographique.

geographus, *i*, m. Géographe.

geomantia, *ae*, f. Géomancie, art de deviner l'avenir d'après une poignée de terre jetée au hasard.

geomantis, *is*, m. Géomancien.

geometria, *ae*, f. Géométrie.

geometrica, *orum*, n. pl. Principes de géométrie.

geometricalis, *e*, adj. Géométrique.

geometrice, adv. Géométriquement.

geometrici, *orum*, m. pl. Géomètres.

geometricus, *a*, *um*, adj. Géométrique.

1. georgica (s.-e. ARS), *ae*, f. L'art de travailler la terre. [l'agriculture.

2. georgica, *orum*, n. pl. Poème sur georgicon, *i*, n. Voy. 2. GEORGICA.

georgicus, *a*, *um*, adj. Qui concerne l'agriculture.

germana, *ae*, f. Sœur.

germane, adv. Voy. GENUINE.

germanitas, *atis*, f. Fraternité. ¶ *Par ext.* Confraternité; alliance. || Exacte ressemblance.

germanitus, adv. Fraternellement.

1. germanus, a, um, adj. Qui est de la souche; né du même père et de la même mère, germain. ¶ De frère, fraternel. ‖ Semblable. ¶ Aimé comme un frère, chéri. ¶ (En gén.) Réel, authentique.

2. germanus, i, m. Frère.

germen, inis, n. Germe, bourgeon. ¶ Fig. Germe, c.-à-d. principe, origine, cause. ¶ Par ext. Pousse, rejeton. ¶ Fig. Progéniture, rejeton, descendant. ‖ Descendance, race. ¶ (En gén.) Produit. [ton.) Pousse, rejeton.

germinatio, onis, f. Germination. ¶ (Mégermino, as, avi, atum, are, intr. Germer, bourgeonner. ¶ Tr. Produire, pousser. ‖ Engendrer, produire.

1. gero, is, gessi, gestum, ere, tr. Porter. ¶ Porter sur soi, avoir avec soi, tenir (à la main), brandir. ¶ Porter, c.-à-d. produire. ¶ Fig. Soutenir (un personnage, jouer le rôle de, se conduire en. ‖ Porter (un poids d'une charge), remplir (un office, une fonction), gérer, administrer. ¶ Accomplir, exécuter, faire. ¶ Passer (le temps). ‖ Avoir tel ou tel âge. ¶ Montrer, manifester (un sentiment). Gerere se, se montrer (tel ou tel), se comporter, se conduire.

2. gero, onis, m. Porteur.

gerontea, ae, f. Séneçon (plante).

gerra, ae, f. Objet en jonc ou en osier tressé. ¶ (Fig.) Au plur. Gerras, sornettes. [valeur.)

gerres, is, m. Petit poisson de mer (sans

gerro, onis, m. Diseur de balivernes.

gerroneus, a, um, adj. Comme le précédent.

gerulificulus, i, m. Complice, compère.

1. gerulus, a, um, adj. Qui sert à porter. ¶ Qui exécute.

2. gerulus, i, m. Porteur.

gerundium, ii, n. Gérondif (t. de gramm.).

gerusia, ae, f. Gérousie, conseil des vieillards ou des Anciens (chez les Grecs). ¶ Maison de retraite (pour la vieillesse).

gestamen, minis, n. Objet qu'on porte (vêtement, bouclier, armure, etc.). ‖ Charge, fardeau. ¶ Ce qui sert à porter. ‖ Véhicule.

gestatio, onis, f. Action de porter, port, portage. ¶ Le fait d'être porté (en litière, en voiture, en bateau), promenade (en litière, en voiture, etc.). ¶ (Méton.) Promenade, lieu disposé pour se promener (en litière, etc.).

gestator, oris, m. Porteur. ¶ Celui qui se fait porter ou qui fait une promenade (en litière, en voiture, etc.).

1. gestatoria (s.-e. SELLA), ae, f. Chaise à porteurs.

2. gestatoria, orum, n. pl. Aideaux.

gestatorium, ii, n. Chaise à porteurs. ¶ Civière. [porter.

gestatorius, a, um, adj. Qui sert à

gesticularia, ae, f. Actrice de pantomime.

gesticularius, ii, m. Mime (acteur de pantomime). [¶ Pantomime.

gesticulatio, onis, f. Gesticulation. ¶

gesticulator, oris, m. Mime, acteur de pantomime.

gesticulor, aris, atus sum, ari, dép. intr. Gesticuler. ¶ Tr. Représenter par gestes, mimer. [Conduite.

1. gestio, onis, f. Gestion, gérance. ¶

2. gestio, is, ivi ou ii, itum, ire, intr. Manifester sa joie par des gestes, sauter de joie, s'ébattre. ¶ Par ext. Manifester un vif désir de; être impatient de. Gestiunt mihi pugni, les poings me démangent.

gestito, as, are, tr. Porter habituellement, avoir sur soi ou avec soi.

gesto, as, avi, atum, are, tr. Porter souvent, transporter. ‖ Fig. Colporter (des nouvelles, des médisances, etc.). ¶ Intr. Gestare et (passif) gestari, se faire porter (en litière, en voiture, etc.) faire une promenade (en litière, en voiture, etc.).

gestor, oris, m. Celui qui porte, celui qui colporte. ‖ Celui qui gère ou administre; gérant.

gestus, us, m. Port, attitude du corps. ‖ Mouvement; geste. ¶ Gestion, gérance.

gesum, i, n. Voy. GAESUM.

gibba, ae, f. Bosse.

1. gibber, a, um, adj. Bossu.

2. gibber, eris, n. Bosse. [Boursouflé.

gibberosus, a, um, adj. Bossu. ¶ (Fig.)

1. gibbus, a, um, adj. Courbé, bossu.

2. gibbus, i, m. Bosse, gibbosité. ‖ Tumeur. [gantesque.

giganteus, a, um, adj. Des géants. ¶ Gi-gas, gantis, m. Ordin. au plur. Les Géants qui voulurent détrôner Zeus.

gignentia, ium, n. pl. Végétaux, plantes. ¶ Corps organiques.

gigno, is, genui, genitum, ere, tr. Engendrer, mettre au monde, créer. ¶ Fig. Produire, faire naître.

gilvus (GILBUS), a, um, adj. D'un jaune gris; gris cendré.

gingiva, ae, f. Gencive.

1. glaber, bra, brum, adj. Glabre, dépourvu de poils, de duvet. [poil.

2. glaber, bri, m. Jeune homme sans glabracia, ae, f. (Jeu de mots.) Qui aime les esclaves épilés ou qui a été dépouillée de son avoir.

glacialis, e, adj. De glace, glacial.

glacies, ei, f. Glace. ¶ Fig. Rigidité, dureté.

glacio, as, avi, atum, are, tr. Congeler, glacer. ¶ Fig. Glacer (d'effroi). ¶ Par ext. Durcir, figer. ¶ Intr. Se glacer. ‖ Se figer.

gladiator, oris, m. Gladiateur. ‖ (Méton.) Au plur. Combat de gladiateurs. Gladiatores dare, donner un spectacle de gladiateurs. ¶ Par ext. Ferrailleur, assassin. ¶ Fabricant de sabres.

gladiatorium, ii, m. Combat de gladiateurs. ¶ Salaire des gladiateurs.

gladiatorius, a, um, adj. Relatif aux gladiateurs. ¶ *Par ext.* Batailleur, agressif. [de gladiateur.

gladiatrix, icis, f. Celle qui fait le métier

gladiatura, ae, f. Combat de gladiateurs.

gladiatus, a, um, adj. Armé d'un sabre.

gladiolus, i, m. Petit sabre. ¶ (Par anal.) Feuille en forme de sabre. ¶ Glaïeul (plante).

gladius, ii, m. Sabre, glaive. ¶ (Méton.) Agression injuste, violence, meurtre. || Profession de gladiateur. ¶ (Par anal.) Coutre (de la charrue); sorte de navette; espadon (poisson).

glaeba. Voy. GLEBA.

glaesarius, a, um, adj. A ambre.

glaesum, i, n. Ambre.

glandicula, ae, f. Comme GLANDULA.

glandionida, ae, f. Comme le suivant.

glandium, ii, n. Glande de porc (morceau délicat chez les Romains).

glandula, ae, f. Amygdale. ¶ Comme GLANDULM.

glans, glandis, f. Gland. ¶ *Par anal.* Tout ce qui ressemble à un gland. || Balle de fronde.

glarea, ae, f. Gravier.

glareosa, orum, n. pl. Terrain graveleux.

glareosus, a, um, adj. Plein de graviers, graveleux. [de l'œil.

glaucoma, matis, n. Glaucome, maladie

glaucuma, ae, f. Arch. p. GLAUCOMA.

1. glaucus, a, um, adj. Glauque, couleur intermédiaire entre le vert et le bleu, couleur vert de mer.

2. glaucus, i, m. Nom d'un poisson de mer de couleur bleue. ¶ Qui a les yeux glauques.

gleba, ae, f. Motte de terre, glèbe. ¶ (Méton.) Sol. || Pays, région. ¶ (Par ext.) *En gén.* Morceau, boule, bloc, lingot.

glebosus, a, um, adj. Plein de mottes de terre. || Qui forme des mottes.

glebula, ae, f. Petite motte de terre. ¶ (Méton.) Petit champ. ¶ (Par ext.) Petit morceau, petite boule, petit lingot.

gleucinus, a, um, adj. De vin doux, mêlé de vin doux.

1. glis, gliris, m. Loir (animal).

2. glis, glitis, f. Glaise, marne.

glisco, is, ere, intr. S'allumer insensiblement, couver (en parl. du feu). ¶ Gagner de proche en proche. ¶ *Fig.* S'étendre, se propager, se développer, grossir. || *Partic.* S'engraisser. ¶ Brûler (d'une passion, d'un désir). || Exulter.

globo, as, avi, atum, are, tr. Donner une forme arrondie à, arrondir. ¶ Former en groupe, en peloton.

globosus, a, um, adj. Globulaire.

globulus, i, m. Petite boule, boulette. ¶ Globule. ¶ Pilule (t. méd.).

globus, i, m. Corps rond, sphère, globe, boule. ¶ Pelote, peloton. ¶ (*En gén.*) Masse. ¶ Parti (factieux), bande, séquelle. [de la poule).

glocio, is, ire, intr. Glousser (en parl.

glomeramen, inis, n. Masse ronde, boule. ¶ Pilule. ¶ Au plur. *Glomeramina,* atomes ronds.

glomeratio, onis, f. (Action d'arrondir la jambe), trot élégant (d'un cheval), amble.

glomero, as, avi, atum, are, tr. Pelotonner, mettre en pelote *ou* en peloton. ¶ Mettre (la pâte) en boules, en boulettes. ¶ Réunir (des hommes) en peloton. || Rallier. ¶ Réunir, grouper, accumuler.

glomus, eris, n. Peloton, pelote (de fil, de laine, etc.) .¶ Gâteau sacré en forme de boule.

gloria, ae, f. Gloire, éclat de la célébrité, renom. ¶ Ce qui donne la gloire : action glorieuse, exploit. *Veteres glorias,* d'anciens exploits. || Ornement, parure (fig.). ¶ Passion de la gloire. || *Péjor.* Jactance. Au plur. *Glorias,* forfanteries.

gloriatio, onis, f. Action de se glorifier.

gloriator, oris (adj. au compar.), m. Un peu fanfaron.

gloriola, ae, f. Gloire modeste. ¶ Gloriole, vaine gloire.

glorior, aris, atus sum, ari, dép. intr. Se glorifier, se faire gloire de. ¶ Tirer vanité de.

gloriose, adv. Avec gloire, glorieusement. ¶ Orgueilleusement, avec forfanterie.

gloriosus, a, um, adj. Qui donne beaucoup de gloire, glorieux. ¶ Qui aime la gloire, ambitieux. ¶ *Péjor.* Glorieux, c.-à-d. vaniteux, fanfaron.

glos, gloris, f. Belle-sœur (sœur du mari). ¶ *Qqf.* Belle-sœur (femme du frère).

glosa. Voy. GLOSSA.

glosarium, ii, n. Voy. GLOSSARIUM.

glossa, ae, f. Mot obscur, qui a besoin d'être expliqué. ¶ Glose, explication (des mots vieillis *ou* obscurs).

glossarium, ii, n. Glossaire, dictionnaire des mots vieillis *ou* obscurs qui ont besoin de glose.

glossema, matis, n. Mot peu usité qui a besoin d'être expliqué. Au plur. *Glossemata,* recueil *ou* liste de mots peu usités.

glubo, is, glupsi, gluptum, ere, tr. Ecorcer. ¶ Ecorcher, enlever la peau de. || *Fig.* Piller, dépouiller. ¶ *Intr.* Se dépouiller de son écorce.

gluten, inis, n. Glu, colle. ¶ *Fig.* Lien.

glutinatio, onis, f. Action de souder, de coller. ¶ (Méd.) Cicatrisation.

glutinator, oris, m. Celui qui colle. || Relieur.

glutino, as, avi, atum, are, tr. Coller souder. ¶ (Méd.) Cicatriser. [queux.

glutinosus, a, um, adj. Gluant, visglutinum. i, n. Comme GLUTEN.

glutio. Voy. GLUTTIO.

gluto. Voy. GLUTTO.

gluttio, *is, ivi* ou *ii, itum, ire,* tr. Avaler, engloutir. ¶ *Fig.* Etrangler, étouffer (la voix).

gluttitio, *onis,* f. Déglutition.

glutto, *onis,* m. Glouton.

gnaritas, *atis,* f. Connaissance.

gnarus, *a, um,* adj. Qui sait, qui est au courant. || Compétent, expert. ¶ Connu, su.

gnotus, p. NOTUS.

gnav... Voy. NAV...

gnomon, *onis,* m. Tige verticale, aiguille d'un cadran solaire, gnomon.

gnomonica (s.-e. ARS), *ae,* f. Gnomonique, art de construire les cadrans solaires.

gnomonice, *es,* f. Comme le précédent.

gnomonicus, *a, um,* adj. De cadran solaire. Subst. *Gnomonici, orum,* m. pl. Ceux qui s'occupent de gnomonique.

gobio, *onis,* m. Comme le suivant.

gobius, *ii,* m. Goujon, petit poisson.

gomphus, *i,* m. Cheville (en bois). ¶ Parement. || Bordure d'un trottoir, formée de quartiers de pierre.

grabatarius, *ii,* m. Fabricant de lits.

grabatum, *i,* n. Comme GRABATUS.

grabatulus, *i,* m. Méchant grabat.

grabatus, *i,* m. Lit de repos. ¶ Lit bas. ¶ Mauvais lit, grabat.

gracilis, *e,* adj. Mince, grêle, fluet. || Maigre. ¶ (Par ext.) *Fig.* Maigre, pauvre; stérile. || Grêle (en parl. de la voix). || Sobre (en parl. du style).

gracilitas, *atis,* f. Forme élancée, sveltesse, finesse. ¶ Maigreur, état chétif. ¶ *Fig.* Simplicité, sobriété (du style).

graciliter, adv. D'une manière déliée, effilée. ¶ *Fig.* Simplement, sobrement

graculus, *i,* m. Geai ou choucas (oiseau).

gradarius, *a, um,* adj. Qui va posément, qui s'avance pas à pas, par échelons.

gradatim, adv. Pas à pas.

gradatio, *onis,* f. Construction en gradins. ¶ (Fig.) *Rhét.* Gradation.

1. **gradatus,** *a, um,* p. adj. Arrangé ou disposé par gradins. ¶ Etagé.

2. **gradatus,** *us,* m. Comme GRADATIO.

gradior, *eris, gressus sum, gradi,* dép. intr. Marcher, aller, s'avancer.

gradus, *us,* m. Pas, marche, approche. ¶ Position du combattant (s'appuyant solidement sur les jambes ouvertes). || *Fig.* Ferme attitude, pied ferme, assiette. ¶ (Méton.) Pas, marche, degré (d'un escalier). || Gradin. || Etage. ¶ *Fig.* Degré, rang, grade. || Degré de parenté. || *Astron.* Degré (d'un cercle). || *Gramm.* Degré de comparaison.

graecatim, adv. A la mode grecque.

graecatus, *a, um,* p. adj. Fait ou écrit à l'imitation des Grecs. [grecque.

graece, adv. En grec, *c.-à-d.* en langue

graecisso, *as, are,* intr. Imiter les Grecs. ¶ Parler grec.

graecitas, *atis,* f. Grécité, *c.-à-d.* langue ou littérature grecque.

graecizo, *as, are,* intr. Voy. GRAECISSO.

graecor, *aris, atus sum, ari,* dép. tr. Imiter les Grecs, vivre à la mode grecque.

graficum, *ii,* n. Voy. GRAPHICUM.

gramen, *inis,* n. Gazon, herbe. ¶ Tige (des graminées). ¶ *Spéc.* Chiendent, roseau, bambou, etc.

gramineus, *a, um,* adj. De gazon, d'herbe. ¶ De roseau, de jonc, de bambou. ¶ Couvert de gazon, d'herbages. [gazon, herbeux.

graminosus, *a, um,* adj. Couvert de

gramma, *matos,* n. Caractère (d'alphabet). ¶ Scrupule, poids de deux oboles.

grammateus, *eos,* m. Greffier. [lologie.

1. **grammatica,** *ae,* f. Grammaire, phi-

2. **grammatica,** *orum,* n. pl. Connaissances grammaticales, science de la grammaire. [MATICA.

1. **grammatice,** *es,* f. Voy. 1. GRAM-

2. **grammatice,** adv. Grammaticalement. [maire.

1. **grammaticus,** *a, um,* adj. De gram-

2. **grammaticus,** *i,* m. Grammairien; philologue.

grammatista, *ae,* m. Maître de grammaire élémentaire, maître d'école.

grammatophylacium, *ii,* n. Greffe: archives.

granarium, *ii,* n. Grenier.

granatum, *i,* n. Grenade (fruit).

1. **granatus,** *a, um,* adj. Qui a des grains.

2. **granatus,** *us,* m. Récolte des grains.

grandaevitas, *atis,* f. Grand âge.

grandaevus, *a, um,* adj. Avancé en âge.

grandesco, *is, ere,* intr. Grandir (pr. et fig.).

grandiculus, *a, um,* adj. Grandelet.

grandiloquium, *ii,* n. Grandiloquence; style sublime.

1. **grandiloquus,** *a, um,* adj. Emphatique, grandiloquent.

2. **grandiloquus,** *i,* m. Beau parleur.

grandinens, *a, um,* adj. Plein de grêle

grandino, *as, atum, are,* intr. (Impers. *Grandinat,* il grêle). ¶ *Tr.* Frapper de la grêle.

grandinosus, *a, um,* adj. Plein de grêle.

grandis, *e,* adj. De belle venue, de haute taille. ¶ Adulte, grand. || Avancé en âge. ¶ (En gén.) Grand, fort. || Etendu, considérable. || Gros, nombreux. ¶ (Fig.) Important, de grande conséquence. || Elevé, grandiose, sublime (en parl. du style). || Noble (en parl. du caractère). [tronc élevé.

grandiscapius, *a, um,* adj. Qui a le

granditas, *atis,* f. Grandeur. ¶ (Fig.) Elévation, noblesse (du style).

granditer, adv. Grandement, beaucoup ¶ Avec élévation, avec noblesse.

grandiusculus, *a, um,* adj. Grandelet.

grando, *dinis,* f. Grêle. || Averse de grêle. ¶ *Fig.* Grêle, *c.-à-d.* grande quantité.

granifer, *fera, ferum*, adj. Qui porte des grains. ¶ Qui produit des grains. ¶ Qui charrie des grains. [des grains.

graniger, *gera, gerum*, adj. Qui porte

granosus, *a, um*, adj. Grenu.

granum, *i*, n. Grain, graine. ¶ Pépin.

graphiarium, *ii*, n. Etui à styles.

graphiarius, *a, um*, adj. De style (à écrire).

1. graphice, *es*, f. Dessin.

2. graphice, adv. Artistement.

graphicus, *a, um*, adj. Relatif au dessin. ¶ *Fig.* Elégant. || Parfait en son genre.

graphis, *idis* et *idos*, f. Instrument de dessinateur. || Crayon *ou* pinceau. ¶ (Méton.) Dessin.

graphium, *ii*, n. Style, poinçon pour écrire (sur les tablettes de cire).

grassatio, *onis*, f. Guet-apens, brigandage. [¶ Rôdeur, brigand.

grassator, *oris*, m. Flâneur, badaud.

grassor, *aris, atus sum, ari*, dép. intr. Marcher, circuler. ¶ *Fig.* Procéder, se conduire. || Procéder avec violence. || Fondre sur, attaquer. || Voler (à main armée); rôder, faire des actes de brigandage. [naissance.

grate, adv. Volontiers. ¶ Avec reconnaissance.

grates (acc. *es*, abl. *ibus*), f. pl. Grâces, actions de grâces, remerciements.

gratia, *ae*, f. Grâce, agrément (qui réside dans une pers. ou dans une ch.), attrait, beauté. ¶ Faveur, disposition favorable, amabilité, complaisance. Abl. *gratia*, en faveur de. (*Hominum gratia*, par amour des hommes.) *puis* pour, à cause de (comme *causā*). ¶ Indulgence. || Grâce, pardon. ¶ Reconnaissance, gratitude, sentiment affectueux pour celui dont on est l'obligé. Au plur. *Gratias*, actions de grâces, remerciements. *Gratias agere*, rendre grâces. ¶ Faveur, avantage accordé (par qqn). || Crédit, influence. *In gratia esse*, être en faveur, en crédit. || Bonnes grâces, amitié. *Gratiam alicujus sequi*, rechercher les bonnes grâces de qqn.

gratificatio, *onis*, f. Faveur, bienfait.

gratifico, *as, are*, tr. Comme le suivant.

gratificor, *aris, atus sum, ari*, dép. intr. Complaire à, avoir des égards pour. ¶ *Tr.* Donner par complaisance, faire le sacrifice de, sacrifier.

gratiose, adv. Par complaisance, gracieusement.

1. gratiosus, *a, um*, adj. Aimable, agréable. ¶ Obligeant, prévenant, gracieux. ¶ Conféré à titre gracieux, fait par faveur. ¶ Qui est en faveur, d'où influent.

2. gratiosus, *i*, m. Un favori.

gratis, adv. Gratuitement.

grator, *aris, atus sum, ari*, intr. Témoigner sa sympathie (au bonheur de qqn), complimenter. ¶ Rendre grâces, remercier.

gratuitas, *atis*, f. Gratuité.

gratuite, adv. Comme le suivant.

gratuito, adv. Sans rétribution; gratuitement. ¶ Sans utilité. ¶ Sans motif.

gratuitus, *a, um*, adj. Gratuit, donné gratuitement, désintéressé. ¶ Gratuit, non motivé, inutile. — *odium*, haine gratuite, sans motif.

gratulabundus, *a, um*, p. adj. Qui félicite vivement, qui adresse force félicitations.

gratulatio, *onis*, f. Félicitation, compliment. ¶ Remerciement.

gratulor, *aris, atus sum, ari*, dép. intr. Témoigner sa joie (pour un événement public *ou* privé); féliciter, complimenter. ¶ Se féliciter, s'applaudir de. ¶ Témoigner sa reconnaissance, rendre grâces, remercier.

gratus, *a, um*, adj. Qui fait plaisir, agréable, charmant. ¶ En faveur, qui est dans les bonnes grâces de, bienvenu; aimé. ¶ Dont on sait gré. ¶ Reconnaissant. [gré.

gravate, adj. Avec peine; de mauvais gré.

gravatim, adv. Comme le précédent.

gravedinosus, *a, um*, adj. Qui est sujet aux lourdeurs de tête. ¶ Qui donne des lourdeurs de tête.

gravedo, *inis*, f. Lourdeur. || *Spéc.* Lourdeur de tête, rhume de cerveau. ¶ Grossesse. [forte. ¶ Puant.

graveolens, *entis*, adj. Qui a une odeur forte.

graveolentia, *ae*, f. Odeur forte. ¶ Puanteur.

gravesco, *is, ere*, intr. Devenir lourd, se charger de. ¶ Devenir grosse (en parl. d'une femelle). ¶ *Fig.* S'aggraver, empirer.

gravida, *ae*, f. Femme enceinte.

graviditas, *atis*, f. Grossesse.

1. gravido, *as, avi, atum, are*, tr. Charger. ¶ *Spéc.* Rendre grosse.

2. gravido, *inis*, f. Comme GRAVEDO.

gravidus, *a, um*, adj. Qui porte (dans son sein, *en parl.* d'une femme enceinte *ou* d'une femelle pleine). ¶ *Fig.* Gros, chargé, rempli de; fécond en.

gravis, *e*, adj. Lourd, pesant. || Qui se meut pesamment, peu agile. || Lourd (à l'estomac), c.-à-d. indigeste. ¶ Alourdi, chargé; pesamment armé. || Appesanti (par l'âge); débile. || Surchargé, accablé. || Incommodé, mal à l'aise. || Grosse (en parl. d'une femme), pleine (en parl. d'une femelle). ¶ Qui est à charge, pénible, désagréable. || Malsain. ¶ Fort, violent; funeste. ¶ Désagréable au goût *ou* à l'odorat : amer; qui sent fort; puant. ¶ Qui a *ou* qui prend du poids; important, considérable; qui a de l'autorité, influent. || Plein de dignité; grave, noble. || Posé, sérieux. || Sévère, rigide. ¶ Grave (en parl. du son), bas, profond. || *Gramm.* (Accent) grave.

gravitas, *atis*, f. Lourdeur, poids, pesanteur. ¶ Appesantissement, langueur, malaise; état maladif. || Grossesse. ¶ Force, violence. ¶ Insalubrité. Odeur forte, infection. ¶ *Fig.* Poids accablant, charge excessive. || Cherté (des denrées). ¶ Importance: autorité. || Gravité, noblesse. | Bon sens, esprit de suite. || Sérieux; sévérité. ¶ Gravité (d'un son).

graviter, adv. Lourdement: ¶ Languissamment. || A regret, à contre-cœur. ¶ Violemment; gravement. || Grièvement. ¶ Avec autorité, avec force. ¶ Gravement, dignement, noblement. ¶ Sur un ton bas; en rendant un son sourd.   (en parl. du son).

graviusculus, *a, um,* adj. Assez grave

gravo, *as, avi, atum, are,* tr. Rendre pesant, alourdir. ¶ Surcharger, accabler. || *Fig.* Aggraver. ¶ Au passif. *Gravari,* être importuné par, souffrir de.

gregales, *ium,* m. pl. Compagnons, camarades. ¶ Complices, suppôts. || Compères.

gregalis, *e,* adj. Du troupeau. ¶ Qui appartient au (même) troupeau. ¶ *Fig.* Du commun, de la foule, vulgaire.

1. **gregarius,** *a, um,* adj. Concernant les troupeaux. ¶ *Fig.* Du commun, de la foule. || Vulgaire.

2. **gregarius** (s.-e. PASTOR), *ii,* m. Berger.

3. **gregarius** (s.-e. MILES), *ii,* m. Simple soldat.

gregatim, adv. En troupeau. ¶ *Fig.* En foule, en masse. || Parmi les gens du commun.

gremium, *ii,* n. Giron, sein. || Genoux (d'une personne assise). *In gremio matris sedere,* être assis sur les genoux de sa mère. ¶ Ce que l'on peut porter entre les bras, brassée.

gressus, *us,* m. Marche, allure. ¶ Pas. || *En partic.* Pas, mesure de longueur.¶ (Méton.) Pied.

grex, *gregis,* m. Troupeau. ¶ (Par ext.) Troupe, corps; secte. || *Péjor.* Coterie. || *T. milit.* Troupe, corps. ¶ *Péjor.* La foule, le commun, le vulgaire. ¶ *En parl. de ch.* Faisceau, groupe, assemblage.

grias, *adis,* f. Plante inconnue.

gricenea, *ae,* f. Corde épaisse, cable.

grillo, *as, are,* intr. Crier (en parl. du grillon).

grillus. Voy. 1. GRYLLUS.

griphus, *i,* m. (Filet). ¶ *Fig.* Enigme, question embrouillée.   [d'arpenteur).

groma, *ae,* f. Quart de cercle (instr.

gromatica, *ae,* f. Arpentage.

gromatici, *orum,* m. pl. Arpenteurs; écrivains traitant de l'arpentage.

gromaticus, *a, um,* adj. D'arpentage, qui concerne l'arpentage.

gruis, *is,* f. Voy. GRUS.

gruma, *ae,* f. Voy. GROMA. [gouttière.

grunda, *ae,* f. Partie saillante du toit,

grundio (GRUNNIO), *is, ii, itum, ire,* intr. Grogner (en parl. du porc).

grunditus, *us,* n. Grognement.

grunnio, *is, ire,* intr. Comme GRUNDIO.

grunnitus, *us,* m. Comme GRUNDITUS.

grus, *gruis,* m. et f. Grue, oiseau. ¶ Comme CORVUS (machine de guerre).

1. **gryllus,** *i,* m. Grillon.

2. **gryllus,** *i,* m. Petit cochon. ¶ Au plur. *Grylli,* peintures burlesques.

gryps, *grypis,* m. Griffon (animal légendaire). ¶ Oiseau de proie (au bec crochu), aigle *ou* vautour.

grypus, *i,* m. Qui a le nez aquilin.

gubernaculum, *i,* n. Gouvernail (d'un navire). ¶ (Fig.) Administration (des affaires publiques), timon (fig.).

gubernatio, *onis,* f. Direction, conduite (d'un navire). ¶ Direction, conduite (des affaires), gouvernement.

gubernativus, *a, um,* adj. Propre au gouvernement.   [Dirigeant.

gubernator, *oris,* m. Pilote. ¶ (*Fig.*)

gubernatrix, *icis,* f. (Fig.) Celle qui dirige.

guberno, *as, avi, atum, are,* intr. Tenir le gouvernail (pr: et fig.). ¶ *Tr.* Diriger (un navire). || *Fig.* Conduire, diriger, administrer, gouverner.

gubernum, *i,* n. Voy. GUBERNACULUM.

gula, *ae,* f. Œsophage. || Gosier, gorge; cou. ¶ (*Méton.*) Gloutonnerie, gourmandise; appétit.

gulo, *onis,* m. Glouton.

gulose, adv. Avec gourmandise. ¶ De manière à flatter la gourmandise.

gulosus, *a, um,* adj. Gourmand. || Gourmet. ¶ (*En parl. de ch.*) Qui flatte la gourmandise. ¶ *Fig.* Gourmand, friand (de lectures).

guminasium. Voy. GYMNASIUM.

guminasticus, *a, um,* adj. Voy. GYMNASTICUS.

gumm... Voy. CUMM...   [queux.

gummosus, *a, um,* adj. Gommeux, visqueux.

gummus, *i,* m. Comme gummi (CUMMI).

gumnasium. Voy. GYMNASIUM.

gunaeceum. Voy. GYNAECEUM.

gurdonicus, *a, um,* adj. Comme GURDUS.

gurdus, *a, um,* adj. Lourdaud, gourd, grossier.

gurges, *gitis,* m. Gouffre (où l'eau tourbillonne), tourbillon. || *Poët.* Eau profonde (mer, lac, fleuve). || *Fig.* Abîme (des vices, etc.). || Dissipateur. || Glouton, goinfre.   [gosier.

1. **gurgulio,** *onis,* m. Arrière-gorge.

2. **gurgulio,** *onis,* m. Voy. CURCULIO.

gurgustiolum, *i,* n. Misérable cabane.

gurgustium, *ii,* n. Cabane, hutte. ¶ Gargote.   [appréciable au goût.

gustabilis, *e,* adj. Qu'on peut goûter,

gustatio, *onis,* f. Action de goûter (pr. et fig.). || Sens du goût. ¶ (Méton.) Premier plat, hors-d'œuvre.

gustator, *oris,* m. Celui qui goûte. || *Spéc.* L'index (dont on se sert pour goûter). ¶ Celui qui déguste, qui goûte (avant de servir).

gustatorium, *ii,* n. Plat à hors-d'œuvre,

plat où l'on sert une collation.

gustatus, *us,* m. Action de goûter. ¶ Goût. ‖ Sens du goût.

gusto, *as, avi, atum, are,* tr. Goûter, percevoir la saveur de qqch. (en vue d'en apprécier la qualité). ‖ Manger (boire) un peu de. ¶ *Absol.* Goûter, faire une collation, un léger repas. ¶ *Fig.* Goûter à, effleurer; prendre une légère teinture de.

gustulum, *i,* n. Avant-goût.

gustum, *i,* n. Hors-d'œuvre.

gustus, *us,* m. Action de goûter (pour apprécier la saveur ou la qualité). ¶ *Fig.* Epreuve, essai. ¶ Sens du goût; goût. ¶ (Méton.) Goût, *c.-à-d.* saveur. ‖ Ce que l'on goûte; plat (de hors-d'œuvre), gorgée (de boisson).

gutta, *ae,* f. Goutte. ¶ (Méton.) Suc, essence (qui coule goutte à goutte d'un végétal). ¶ (Par anal.) Parcelle. ‖ Moucheture, point, tache (ay. la forme d'une goutte). ‖ Goutte (ornement d'arch. dorique), une des cinq ou six petites pyramides sculptées au-dessus de chaque triglyphe.

guttatim, adv. Goutte à goutte.

guttatus, *a, um,* adj. Moucheté, tacheté.

guttula, *ae,* f. Gouttelette. ¶ (Par anal.) Parcelle.

guttur, *uris,* n. Gosier, gorge. ¶ (Méton.) Gourmandise; gloutonnerie.

guttus, *i,* m. Vase à col étroit (pour verser goutte à goutte). [vant.

gymnasiarches, *ae,* m. Comme le sui-

gymnasiarchus, *i,* m. Maître d'un gymnase.

gymnasium, *ii,* n. Gymnase, endroit public destiné aux exercices physiques. ¶ Ecole de philosophie (les gymnases servant souvent aux philosophes de lieux de réunion).

gymnasticus, *a, um,* adj. Du gymnase; gymnastique.

gymnici, *orum,* m. pl. Gymnastes, athlètes.

gymnosophistae, *arum,* m. pl. Gymnosophistes, philosophes d'une ancienne secte indienne contemplative.

gynaeceum, *i,* n. Gynécée, appartement des femmes (chez les Grecs). ¶ Atelier où travaillent les femmes. ¶ Harem, sérail (d'un empereur).

gynaecium, *ii,* n. Comme le précédent.

gynaeciarius, *ii,* m. Surveillant du harem. ¶ Chef d'un atelier de femmes

gynaecius, *a, um,* adj. Qui convient aux femmes.

gynaeconitis, *idis,* f Gynécée.

gypseus, *a, um,* adj. De plâtre. ‖ En plâtre. ¶ Couvert de plâtre.

gypso, *as, avi, atum, are,* tr. Enduire de plâtre, crépir.

gypsum, *i,* n. Plâtre. ¶ (Méton.) Plâtre, *c.-à-d.* figure en plâtre.

gyro, *as, avi, atum, are,* tr. Faire tourner en rond. ¶ Faire le tour de. ¶ *Intr.* Tourner en rond. [bond.

gyrovagus, *a, um,* adj. Ambulant, vaga-

gyrus, *i,* m. Cercle, rond. ¶ *Spéc.* Circuit, tour. ‖ Volte, mouvement circulaire au cheval. ¶ *Fig.* Cours (du temps). ¶ (Méton.) Lieu où l'on court, carrière, piste, manège. ‖ *Fig.* Sphère (d'action), champ (à parcourir).

H

h, h., huitième lettre de l'alph. latin. Abrév. HAR. = haruspex; HOR. = Horatia tribu. H. S. = hic situs est; HS = sestertium *ou* (surt.) sestertium.

ha, interj. Ah! Oh!

habena, *ae,* f. Ce que l'on tient (avec la main); courroie (d'un javelot, d'une fronde); *qqf.* fronde. ¶ (Ordin.) Au plur. *Habenae,* rênes, guides. ‖ *Fig.* Bride, frein. ‖ Direction, conduite. ¶ Cordon (de chaussure), lanière (d'un fouet), *d'où* (méton.) fouet. ‖ Bande de peau (longue et étroite).

habentia, *ae,* f. Avoir; fortune.

habeo, *es, ui, itum, ere,* tr. Tenir, avoir (à la main), porter (sur la tête, au cou, etc.). ¶ Tenir, contenir, comprendre. ¶ Détenir, occuper; posséder, être maître de. ‖ *En gén.* Avoir, *c.-à-d.* recevoir. *Malum habebis,* tu t'en trouveras mal. ¶ Avoir, *c.-à-d.* avoir à subir, éprouver. — *febrem,* avoir la fièvre. — *vulnus,* être blessé. *Hoc habet,* il en tient (le coup a porté). ¶ Avoir pour soi *ou* en soi, comporter; avoir pour effet, causer. ¶ Connaître (pour avoir appris). *Habes nostra consilia,* tu connais nos projets. ¶ Maintenir, faire rester, laisser. — *milites in castris,* tenir *ou* retenir les soldats dans le camp. — *aliquem in vinculis,* laisser qqn en prison. ¶ Obliger à être, rendre. ¶ En user (avec qqn de telle ou telle manière), traiter. — *aliquem liberaliter,* traiter qqn généreusement. ¶ Tenir pour, *c.-à-d.* regarder comme, considérer. — *aliquem beatum,* regarder qqn comme heureux. Au passif *haberi,* passer pour. ‖ Faire cas. *Cujus auctoritas magni habebatur,* dont l'autorité était hautement prisée. ¶ Procéder à. — *dilectum,* procéder à une levée (de troupes). ‖ Accomplir (une tâche). ¶ Débiter, procurer. — *orationem in senatu,* prononcer un discours au Sénat. ¶ Passer (le temps). ¶ Avoir à (faire), pouvoir, être capable de, devoir, *c.-à-d.* être sur le point de. ¶ *Intr.* Se tenir, demeurer, résider, habiter. ‖ Se trouver (dans tel *ou* tel état), se porter (bien *ou* mal). ‖ Avoir affaire (avec qqn).

habilis, *e*, adj. Qui est bien en mains, maniable. ¶ Facile à porter *ou* à mouvoir, souple, flexible, léger, etc. ¶ (Fig.) *En gén.*)Approprié (à sa destination), séant, commode, convenable. ‖ *En parl. de pers.* Dégourdi, habile, capable.

habilitas, *atis*, f. Aptitude.

habitabilis, *e*, adj. Habitable. ¶ Habité.

habitaculum, *i*, n. Habitation, demeure (pr. et fig.).

habitatio, *onis*, f. Action d'habiter, séjour. ¶ (Méton.) Habitation, demeure. ¶ Loyer.

habitator, *oris*, m. Habitant.

habitatrix, f. Habitante.

habito, *as*, *avi*, *atum*, *are*, tr. Avoir habituellement; porter d'ordinaire. ¶ Habiter. ¶ *Intr.* Séjourner, demeurer, résider, habiter. *Habitari Xenocrates ait in luna*, Xénocrate affirme qu'il y a des habitants dans la lune. ‖ *Fig.* Etre souvent dans, passer sa vie dans. — *in foro*, passer sa vie au forum. ‖ S'attacher à, insister sur.

habitudo, *inis*, f. Extérieur, manière d'être. ¶ Attitude.

1. habitus, *a*, *um*, adj. Qui est dans telle ou telle disposition (physique). ¶ *Spéc.* Bien portant; corpulent.

2. habitus, *us*, m. Extérieur, dehors. ‖ Tenue, aspect; mine. ‖ Maintien *ou* attitude. ¶ Manière dont on est vêtu, mise. ‖ Costume, vêtement. ¶ *Fig.* Etat, manière d'être. Etat moral, disposition d'esprit, caractère. ¶ (Philos.) Disposition acquise.

hac, adv. Par ici.

hactenus, adv. Jusqu'ici, jusqu'à cet endroit (où je suis). ¶ Jusqu'ici jusqu'à aujourd'hui. ¶ *Fig.* Jusqu'ici, voilà tout, jusqu'à ce point seulement. ‖ En voilà assez. [vreaux.

haedilia, *ium*, n. pl. Etable des chevreaux.

haedina (s.-c. CARO), *ae*, f. Viande de chevreau. [vreau.

haedinus (AEDINUS), *a*, *um*, adj. De chevreau.

haedulea, *ae*, f. Jeune chèvre.

haedulus, *i*, m. Petit chevreau.

haedus (AEDUS), *i*, m. Chevreau, jeune bouc. ¶ *Au plur. Haedi*, les Chevreaux (nom de deux étoiles).

haered... Voy. HERED...

haereo, *es*, *haesi*, *haesum*, *ere*, intr. Etre accroché, être attaché à, tenir à, adhérer à. ¶ *Fig.* Etre à demeure (dans un lieu), ne pas bouger de. ‖ S'attacher à, suivre les pas de. ¶ Se graver (dans l'esprit). ¶ S'adapter, aller à, convenir. ¶ Etre immobile, ne plus pouvoir bouger. ¶ Etre embourbé. ‖ Etre pris, être englué. ‖ S'arrêter (comme paralysé). ¶ Etre dans l'embarras.

haeres. Voy. HERES.

haeresco, *is*, *ire*, intr. S'arrêter court.

haeresiarcha, *ae*, m. Fondateur d'une secte. ¶ *Eccl.* Hérésiarque. [dent.

haeresiarches, *ae*, m. Comme le précé-

haeresis, *eos*, f. Secte *ou* école philosophique. ¶ *Eccl.* Hérésie. ¶ Profession, emploi.

1. haereticus, *a*, *um*, adj. Hérétique.

2. haereticus, *i*, m. Un hérétique.

haesitabundus, *a*, *um*, adj. Hésitant.

haesitantia, *ae*, f. Comme le suivant.

haesitatio, *onis*, f. Embarras de langue, bégayement. [Hésitation.

haesitator, *oris*, m. Celui qui hésite.

haesito, *as*, *avi*, *atum*, *are*, intr. Etre arrêté, être empêché, être embourbé, ¶ Balbutier, bégayer. ¶ *Fig.* Hésiter. se montrer embarrassé, être incertain.

hagiographa, *orum*, n. pl. Les livres hagiographes, livres de l'Ancien Testament autres que le Pentateuque et les Prophètes.

hahae et **hahahae** *ou* **hahaha**, interj. Ah ! ah ! ah ! ¶ *Excl. de satisfaction.* Ah ! enfin ! ¶ *Marque le rire.* Ah ! Ah !

halatio, *onis*, f. Exhalaison; odeur.

halatus, *us*, m. Comme HALATIO.

halc... Voy. ALC.

halec. Voy. ALLEC.

halex. Voy. ALLEC.

haliaetos, *i*, m. Aigle de mer.

haliaectos, *i*, m. Comme le précédent.

haliaectus, *i*, m. Voy. HALIAETOS.

halieutica, *on*, n. pl. Poème sur la pêche.

halieuticus (ALIEUTICUS), *a*, *um*, adj. Relatif à la pêche.

halitus, *us*, m. Haleine, souffle; respiration. ¶ Exhalaison, émanation. ¶ Vent.

halleluia (ALLELUIA), interj. Alléluia ! (*mot hébreu signifiant* louez Dieu ! gloire au Seigneur !)

halluc... Voy. ALUC...

halo, *as*, *avi*, *atum*, *are*, intr. Souffler. ¶ Exhaler (une odeur), sentir, embaumer. ¶ *Tr.* Exhaler, répandre (une odeur). [vaurien.

halophanta (HALOFANTA), *ae*, m. Maraud,

halos (gén. *o*, acc. *o*), m. Halo (solaire *ou* lunaire).

halteres, *erum* (acc. *eras*), m. pl. Haltères, servant à la gymnastique.

haluc... Voy. ALUC...

halus. Voy. ALUM.

halysis, *is*, f. Halo. [dics.)

hama (AMA), *ae*, f. Seau (pour les incendies).

hamatilis, *e*, adj. D'hameçon, à l'hameçon. ¶ Qui a la forme d'un hameçon.

hamatus, *a*, *um*, p. adj. Armé d'un hameçon. ¶ (Par ext.) Crochu, qui accroche. ¶ (Fig.) Trompeur.

hamaxa (AMAXA), *ae*, f. Chariot.

hamaxo, *as*, *are*, tr. Atteler à un char.

hamaxopodes, *um*, m. pl. Roues de chariot.

hamiota, *ae*, m. Pêcheur à la ligne.

hammitis, *idis*, f. Pierre précieuse.

hammochrysos (ou... **sus**), *i*, m. Pierre précieuse.

hammodytes, *ae*, m. Serpent.

hammonitrum, *i*, n. Ammonitre, mélange de sable et de nitre.

hamo, *as*, *are*, tr. Prendre à l'hameçon (pr. et fig.).

hamula, ae, f. Petit seau. [crochet.

hamulus, i, m. Petit hameçon. ¶ Petit

hamus, i, m. Croc, crochet. || *Spéc.* Hameçon. || *Fig.* Ruse, artifice. ¶ Crochet (de chirurgien), érigne. ¶ Sorte de peigne en fer (pour le lin *ou* le chanvre). ¶ Tout objet qui accroche : serres (d'un oiseau de proie), épines (d'un buisson), etc. ¶ Sorte de gâteau, croissant.

haphe, es, f. Poussière dont se frottaient les lutteurs; poussière.

hara, ae, f. Etable *ou* toit à porcs. || Abri pour les oies. ¶ *Fig.* Terme injurieux.

harena, Voy. ARENA.

hariola (ARIOLA), ae, f. Devineresse.

hariolatio (ARIOLATIO), onis, f. Divination.

hariolor (ARIOLOR), aris, atus sum, ari, dép. intr. Prédire l'avenir, prophétiser. ¶ (*Péjor.*) Radoter, divaguer.

hariolus (ARIOLUS), i, m. Devin.

harmonia, ae, f. (T. mus.) Harmonie, consonance, accord. || Chant. ¶ *Fig.* Harmonie, accord, symétrie.

harmonica, ae, f. Comme le suivant

harmonice, es, f. Science de l'harmonie.

harmonicus, a, um, adj. Harmonique. ¶ Harmonieux. [ler, dérober.

1. harpago, as, avi, atum, are, tr. Vo-

2. harpago, onis, m. Crochet, croc, grappin (d'abordage), crampon (pièce de fer recourbée pour joindre des pièces de maçonnerie); harpon. ¶ Voleur. [sol, qui agrippe.

harpax, pagis, m. et f. Qui attire à

harpe, es, f. Croissant d'émondeur). ¶ Epée recourbée en forme de croissant. ¶ Espèce de faucon.

haruspex (ARUSPEX), spicis, m. Aruspice, devin qui prédisait l'avenir d'après l'inspection des entrailles des victimes. ¶ (*Par ext.*) Devin.

haruspica (ARUSPICA), ae, f. Devineresse.

haruspicalis (ARUSPICALIS), e, adj. Des aruspices. [HARUSPICIUM.

haruspicia (ARUSPICIA), ae, f. Comme

haruspicina (s.-c. ARS), ae, f. Art des aruspices.

haruspicinus, a, um, adj. Des aruspices.

haruspicium, ii, n. Science, art des aruspices.

hasa, arch. p. ARA.

hasena, Voy. ASENA.

haspir... Voy. ASPIR...

hasta (ASTA), ae, f. Perche, bâton, hampe. ¶ Pique, lance. || Javelot. ¶ Lance (plantée en terre, symbole des ventes à l'encan), *d'où* (méton.) encan, vente à l'encan *ou* aux enchères. ¶ Lance plantée devant le tribunal des centumvirs, *d'où* (méton.) dignité, autorité des centumvirs. ¶ Aiguille, sorte de broche (pour la coiffure de la nouvelle mariée). ¶ Sceptre. ¶ Thyrse.

hastati, orum, m. pl. Hastats, composant la première ligne de la légion rangée en bataille.

hastatus, a, um, adj. Armé de la lance.

hastile, is, n. Branche coupée, piquet, hampe. ¶ Bois, hampe (d'une lance). || (Méton.) Lance, javelot.

1. hau, interj. Voy. AU.

2. hau. Voy. le suivant.

haud, adv. Non, ne pas.

hauddum (HAUTDUM), adv. Comme NONDUM.

haudquaquam (HAUTQUAQUAM), adv. Nullement, point du tout.

haurio, is, hausi, haustum, ire, tr. Puiser. ¶ (Fig.) Verser, répandre. — *sanguinem*, verser le sang. ¶ Déterrer, arracher. || Faire sortir (avec peine). Percer, transpercer; blesser. *Haurit corda pavor*, la peur pénètre les cœurs. ¶ (*Par ext.*) Absorber, avaler. || *Fig.* Regarder *ou* écouter avidement. — *oculis*, dévorer des yeux. || Boire à longs traits (fig.), se repaître (d'un spectacle). ¶ Vider (en absorbant), tarir, épuiser. || *Fig.* Affaiblir; dissiper, anéantir. || Endurer jusqu'au bout, subir, essuyer. — *calamitates*, éprouver de grands malheurs. || Venir à bout de, consumer.

haustus, us, m. Action de puiser. ¶, (Méton.) Ce que l'on puise, ce que l'on tire, etc. ¶ Poignée (de sable). Action de boire. || (Méton.) Gorgée. ¶ Action d'engloutir (pr. et fig.).

haut. Voy. HAUD.

hautdum. Voy. HAUDDUM.

hautquaquam. Voy. HAUDQUAQUAM.

haveo. Voy. AVEO.

hautontimorumenos, i, m. Le Bourreau de soi-même (comédie de Térence).

hebdomada, ae, f. Collection de sept objets. ¶ *Spéc.* Nombre de sept jours, semaine.

hebdomas, adis, f. Nombre sept. ¶ Espace de sept ans *ou* de sept jours. ¶ Le septième jour, jour critique dans les maladies.

hebeo, es, ere, intr. Etre émoussé. ¶ *Fig.* Etre engourdi, être sans force, stupide.

hebes, etis, ad. Emoussé (qui n'a plus de pointe *ou* qui n'a plus de tranchant). || (Géom.) Obtus (angle). *Fig.* Qui fait peu d'impression sur les sens Insensible, terne, sourd, fade, sans odeur. || *En parl. des sens.* Emoussé, peu sensible, blasé. || *En parl. du corps.* Mou, languissant, inerte. || (*Mor.*) Obtus, sans pénétration, épais, lourd.

hebesco, is, ere, intr. S'émousser. ¶ *Fig.* S'émousser, perdre de sa vigueur, languir, perdre de sa finesse *ou* de sa pénétration. [la vue).

hebetatio, onis, f. Affaiblissement (de

hebeto, as, avi, atum, are, tr. Emousser. ¶ *Fig.* Emousser, amortir, affaiblir.

hebetudo, inis, f. Etat de ce qui est

émoussé. ¶ *Fig.* Engourdissement, hébétude. [braïque.

hebraice, adv. En hébreu, en langue hé-

hecatombe, es, f. Hécatombe. ¶ Sacrifice solennel.

hedera (EDERA), ae, f. Lierre (dont se couronnaient les prêtres.

hederaceus (EDERACEUS) ou hederacius (EDERACIUS), a, um, adj. De lierre. ¶ Qui a la couleur du lierre.

hederiger, gera, gerum, adj. Qui porte du lierre.

hederosus, a, um, adj. Couvert de lierre.

hedychrum, i, n. Pommade pour adoucir la peau.

hei ! interj. Voy. EI.

heia. Voy. EIA.

hejul... Voy. EJUL...

hellebor... Voy. ELLEBOR...

helluatio, onis, f. Gloutonnerie.

hellucus. Voy. ELLUCUS. [ton.

helluo (HELUO, ELLUO), onis, m. Glou-

helluor (HELUOR, ELLUOR, ELUOR), aris, atus, sum, ari, dép. intr. Faire bonne chère. ¶ Manger gloutonnement. ¶ Dévorer (tr. et intr.).

hem, interj. Eh ! Hola ! ¶ Tiens . ¶ Hein !

hemerodromos, i, m. Hémérodrome, messager rapide, courrier.

hemicillus, i, m. Moitié d'âne (terme inj.).

hemicrania, ae, f. et hemicranium, ii, n. Migraine.

hemicranici (HEMIGRANICI), orum, m. pl. Migraineux, qui souffrent de la migraine.

hemicyclium, ii, ou i, n. Demi-cercle, hémicycle. ¶ Siège à dossier semi-circulaire ; banc où plusieurs personnes pouvaient prendre place. ¶ Sorte de cadran solaire.

hemicyclius (EMICYCLIUS), a, um, adj. En hémicycle, demi-circulaire.

hemicyclus, i, m. Hemicycle, demi-cercle.

hemina (EMINA), ae, f. Hémine, mesure de capacité (valant la moitié d'un setier, 0 l. 2736).

heminarium, ii, n. Présent valant une hémine ; petit cadeau.

1. hendecasyllabos, on ou um, adj. A onze syllabes ; hendécasyllabe.

2. hendecasyllabos, i, m. Vers hendécasyllabe (phaleucien), ex. : *Nunquam divitias deos rogavi*. ¶ Hendécasyllabe saphique ou alcaïque.

hepar (EPAR). patis, n. Foie. ¶ Sorte de poisson, hépate.

hepatia, orum, n. pl. Foies de volailles, mets recherché. [foie.

hepatias (EPATIAS) ae, adj. m. et f. Du

hepatici, orum, m. pl. Ceux qui souffrent du foie.

hepaticus (EPATICUS), a, um, adj. Du foie, relatif au foie ; hépatique. ¶ Semblable au foie ; de la couleur du foie.

hephthemimeres (acc. en), f. (Coupe) hephthemimère, après le septième demi-pied.

heptasyllabus, a, um, adj. Qui a sept syllabes.

heptateuchus, i, m. L'Heptateuque (sept livres de l'Ancien Testament, soit le Pentatenque [ou cinq livres de Moïse] suivi du livre de Josué et du livre des Rois). [rames.

hepteris, is, f. Navire à sept rangs de

hera (ERA), ae, f. Maîtresse de maison. ¶ Maîtresse, femme aimée.

herba, ae, f. Herbe, gazon. ¶ Tige herbacée des céréales. ¶ Toute plante verte alimentaire ou médicinales. ¶ (Méton.) Herbage, pâturage.

herbaceus, a, um, adj. Dont la couleur rappelle celle de l'herbe, vert.

herbaria, ae, f. La botanique.

herbariae (s.-e. BESTIAE), arum, f. pl. Herbivores. [nique.

herbarium, ii, n. Flore, traité de bota-

1. herbarius, a, um, adj. Qui concerne les herbes, les plantes.

2. herbarius, ii, m. Botaniste.

herbasco, is, ere, intr. Pousser en herbe.

herbaticus, a, um, adj. Herbivore.

herbeo. Voy. HERBO.

herbesco, is, ere, intr. Se couvrir d'herbes, de plantes vertes, verdoyer.

herbeus, a, um, adj. De couleur d'herbe vert.

herbidus, a, um, adj. Herbeux. ¶ Qui rappelle la nature de l'herbe. ¶ Qui a la couleur de l'herbe. || Verdoyant.

herbifer, fera, ferum, adj. Qui produit de l'herbe. ¶ Qui forme un herbage.

herbigradus, a, um, adj. Qui marche dans l'herbe.

herbo, as, are, intr. Se couvrir d'herbe. [couleur d'herbe, vert.

herbosus, a, um, adj. Herbeux. ¶ De

herbula, ae, f. Petite herbe, petite plante. ¶ Herbe courte et menue des champs.

herceus (HERCIUS), a, um, adj. Protecteur de la maison (surnom de Jupiter).

hercisco (ERCISCO), is, ere, tr. Partager l'héritage.

herctum, i, n. Succession, héritage.

here. Voy. HERI.

herediolum, i, n. Petit héritage ; petit heredes. Pour HERES.

herediolus, i, m. Pour HEREDIOLUM. patrimoine.

heredipeta, ae, m. Coureur d'héritage.

hereditarie, adv. Par héritage ; à titre d'héritage.

hereditarius, a, um, adj. Concernant les héritages. ¶ Qui se transmet par droit d'hérédité ; héréditaire.

hereditas, atis, f. Héritage.

heredito, as, avi, are, tr. Hériter de. ¶ Instituer comme héritier. [bien.

heredium, ii, n. Héritage, patrimoine.

heres (ERES, HAERES) edis, m. et f. Héritier, héritière ; légataire. ¶ Successeur. ¶ Possesseur. ¶ Rejeton, bourgeon.

heresis. Voy. HAERESIS.

heri (HERE), adv. Hier. ¶ (Par ext.) Récemment; naguère.

herifuga (ERIFUGA), ae, m. Celui qui fuit son maître; esclave fugitif.

herilis (ERILIS), e, adj. Du maître ou de la maîtresse (de la maison).

herinaceus. Voy. ERINACEUS.

hermafroditus. Voy. HERMAPHRODITUS.

1. hermaphroditus (HERMAPHRODITUS), i, m. Hermaphrodite, androgyne.

2. hermaphroditus, a, um, adj. Qui a les deux sexes, hermaphrodite.

hernia, ae et hirnia, ae, f. Hernie.

herniosus (HIRNIOSUS), a, um, adj. Qui a une hernie.

hero. Voy. ERO.

heroas, adis, f. Comme HEROIS.

herodio, onis, m. Héron.

herodius, ii, m. Comme le précédent.

heroice, adv. Dans le genre héroïque.

1. heroicus, a, um, adj. Des héros; héroïque. ¶ Epique.

2. heroicus, i, m. Poète épique.

heroida, ae, f. Comme HEROIS.

herois, idis, f. Héroïne, demi-déesse.

heros, ois, m. Héros, demi-dieu. ¶ Fig. Héros, homme distingué par sa vaillance.

heroum, i, n. Tombeau d'un héros.

1. herous, a, um, adj. De héros, héroïque, épique.

2. herous, i, m. Vers héroïque, épique.

herpes, etis, m. Dartre, ulcère rongeant. ¶ Nom d'un animal inconnu.

herulus (ERULUS), i, m. Maître.

herus (ERUS), i, m. Maître (de maison). ¶ Maître, c.-à-d. souverain.

1. hesperis, idis, adj. f. Du soir; du couchant. ¶ De l'occident.

2. hesperis, idis, f. Nom d'une plante dont le parfum s'accentue le soir.

hesterno, adv. La veille. [veille.

hesternus, a, um, adj. D'hier, de la

hetaeria, ae, f. Confrérie, collège (en Grèce).

heu, interj. de douleur. Hélas ! Ah !

heus, interj. Hé ! Holà ! Or çà !

hexachordos, on, adj. Qui a six cordes.

hexaemeron, i, n. Les Six Jours (de la création), titre d'un traité de saint Ambroise.

hexagonium, ii, n. Comme le suivant.

hexagonum (EXAGONUM), i, n. Hexagone.

hexagonus, a, um, adj. Qui a six angles.

hexahedrum, i, n. Solide à six faces, hexaèdre. [mesures.

1. hexameter, tra, trum, adj. Qui a six

2. hexameter, tri, m. Vers hexamètre.

hexametrus, i, m. Vers hexamètre.

hexaphoron. Comme HEXAPHORUM.

hexaphoros, on, adj. Porté par six hommes. ¶ Au plur. Hexaphoroe, qui sont six à porter.

hexaphorum, i, n. Litière à six porteurs.

hexapylon, i, n. Hexapyle, nom d'une porte de Syracuse (qui avait six entrées).

hexas, adis, f. Le nombre six.

hexastylos, on, adj. Qui a six colonnes (de face). [rames.

hexeris, is, f. Navire à six rangs de

hiatus, us, m. Ouverture béante, crevasse, fente. ¶ Gouffre. ¶ Absol. Large ouverture de la bouche ou de la gueule. ‖ (Méton.) Bouche ou gueule largement ouverte; ¶ Fig. Emphase (dans le ton ou dans le style). ‖ Désir passionné, convoitise. ¶ Gramm. Hiatus, rencontre de deux voyelles. [neux.

hiberis, idis (acc. ida), f. Cresson véné-

hiberna, arum, n. pl. Quartiers d'hiver. ¶ Étables d'hiver.

hibernaculum, i, n. Appartement d'hiver. ¶ (Au plur.) Quartiers d'hiver (t. milit.).

1. hiberno, as, avi, atum, are, intr. Hiverner, passer l'hiver. ¶ (Milit.) Prendre ses quartiers d'hiver. ¶ Fig. Être au repos.

2. hiberno, adv. En hiver.

1. hibernum (s.-e. TEMPUS), i, n. Hiver.

2. hibernum, adv. En tempête.

hibernus, a, um, adj. D'hiver. ¶ De tempête; orageux.

hibiscum, i, n. Guimauve (plante).

hibiscus, i, f. Comme le précédent.

hibrida (HYBRIDA, IBRIDA), ae, m. f. Né de deux races différentes (en parl. d'animaux), ¶ Né de parents appartenant à deux nations différentes.

1. hic, haec, hoc, adj. et pron. dém. Ce-cet, cette. ‖ Celui-ci, celle-ci, ceci. ¶ De cette sorte, tel. ‖ Celui-ci, celle-ci, ceci (qui va suivre). ‖ Moins correct : celui-là, celle-là, cela (qui précède). ‖ (En oppos.). Hic... hic, hic... ille, l'un... l'autre...; le premier...; le second...; celui-ci..., celui-là... ‖ (Par rapport à la 1re pers.). Celui-ci, celle-ci, ceci (qui est à moi). Hic homo, l'homme ici présent, moi.

2. hic (HEIC), adv. Ici, dans ce lieu-ci. ¶ En ce moment-ci, maintenant. ‖ Far ext. Alors. ¶ Fig. En cette circonstance, en cette occasion.

hice, haece, hoce. Voy. 1. HIC.

hicine, haecine, hocine, adj. ou pron. interr. Est-ce celui-ci, celle-ci, ceci?

hiemalia, um, n. pl. Quartiers d'hiver.

hiemalis, e, adj. D'hiver, froid. ¶ De tempête, orageux.

hiematio, onis, f. Hivernage.

hiemo, as, avi, atum, are, intr. Passer l'hiver. ¶ T. milit. Prendre ses quartiers d'hiver. ‖ Etre froid (comme en hiver), être pluvieux, orageux, mauvais (en parl. du temps). Impers. Hiemat, c'est l'hiver, il fait un temps d'hiver. ¶ Tr. Congeler; faire geler, glacer.

hiemps. Voy. HIEMS.

hiems (HIEMPS), hiemis, f. Hiver (mauvaise saison). ‖ (Méton.) Froid, glace. ‖ Année. ¶ Mauvais temps (l'hiver étant pour les Romains la saison des pluies et des orages); tempête, orage, mauvais temps, temps pluvieux.

hieraticus, *a, um*, adj. Hiératique, sacerdotal. [temple.

hierodulus, *i*, m. Esclave attaché à un

hieroglyphicus, *a, um*, adj. Hiéroglyphique. [les jeux sacrés.

hieronicae, *arum*, m.pl. Vainqueurs dans

hierophanta (HIEROPHANTES), *ae*, m. Prêtre présidant aux mystères d'Eleusis. [les fidèles aux mystères.

hierophantria, *ae*, f. Prêtresse qui initie

hieto, *as, are*, intr. Ouvrir largement la bouche, bâiller. ¶ *Tr.* Ouvrir complètement.

hilare, adv. Galement, joyeusement.

hilaresco, *is, ere*, intr. Devenir gai. ¶ *Tr.* Egayer.

1. **hilaria**, *ae*, f. Comme HILARITAS.

2. **hilaria**, *um* et *orum*, n. pl. Hilaries, fête célébrée à l'équinoxe de printemps en l'honneur de Cérès.

hilaris, *e*, et **hilarus**, *a, um*, adj. Gai, joyeux, de bonne humeur, jovial, content. ¶ (*En parl. de ch.*) Riant, qui porte à la galeté.

hilarisso, *as, are*, tr. Egayer.

hilaritas, *atis*, f. Galeté, bonne humeur, enjouement. ¶ (*En parl, de ch.*) Aspect riant; sérénité.

hilariter, adv. Galement.

hilaro, *as, avi, atum, are*, tr. Rendre joyeux, égayer (pr. et fig.).

hilarulus, *a, um*, adj. Assez gai.

hilarus, *a, um*. Voy. HILARIS.

hilla, *ae*, f. Petit brin, mince filet. ¶ Boyau mince. ¶ (Au plur.) *Hillae, arum*, f. Saucisse; cervelas (*pr.* intestins garnis).

hillum, *i*, n. Comme le précédent.

hilum, *i*, n. (Raie noire qu'on voit sur la fève). ¶ *Fig.* Un rien.

hin, n. indécl. Mesure de capacité en usage chez les Hébreux.

hinc, adv. D'ici (où je suis). *Hinc... hinc* ou *hinc... illinc...*, d'un côté... de l'autre... ¶ (Par ext.) A partir de ce moment-ci, dorénavant. ‖ Ensuite, dès lors. ¶ *Fig.* A cause de cela; par suite.

hinnio, *is, ivi* ou *ii, itum, ire*, intr. Hennir.

hinnitus, *us*, m. Hennissement.

hinnula, *ae*, f. Jeune biche.

hinnuleus (HINULEUS, INNULEUS), *i*, m. Faon. [et d'une ânesse.

hinnulus, *i*, m. Mulet (né d'un cheval

hinnus, *i*, m. Comme le précédent.

hio, *as, avi, atum, are*, intr. Etre largement ouvert, être béant. ¶ *Fig.* Avoir des trous, manquer de suite, de liaison (en parl. de la composition). ¶ (En parl. des anim.) Ouvrir la bouche, la gueule, le bec. ¶ *Fig.* Ouvrir la bouche de désir; être avide de; convoiter, aspirer à. ‖ Rester bouche béante. ‖ Bâiller. ¶ *Tr.* (Ou-

vrir la bouche pour) vomir. ¶ Déclamer. GOGOE.

hippagines, *um*, f. pl. Comme HIPPA-

hippagogoe, *on*, f. pl. Navires pour le transport des chevaux.

hippius, *a, um*, adj. Qui aime les chevaux (surnom de Neptune). ¶ *T. de métr.* Nom d'un pied appelé aussi molosse (hûmânôs).

hippocampos (HIPPOCAMPUS), *i*, m. Hippocampe, cheval marin.

hippocentaurus, *i*, m. Hippocentaure.

hippocomus, *i*, m. Palefrenier, celui qui prend soin des chevaux.

hippodamus, *i*, m. Dompteur de chevaux, cavalier.

hippodromos (HIPPODROMUS), *i*, m. Hippodrome, champ de course.

hipporerae, *arum*, f. pl. Porte-manteau, valise de voyage, partie de l'équipement d'un cavalier.

hippopotamios, *i*, m. Comme le suivant.

hippopotamus, *i*, m. Hippopotame.

hipposelinum, *i*, n. Maceron (plante).

hippotoxota, *ae*, m. Archer à cheval.

hippuris, *idis*, f. Plante d'eau, comme EQUISETUM.

hir, indécl. n. Le creux de la main.

hira, *ae*, f. Le jejunum, partie de l'intestin. Au plur. *Hirae, arum*, f. Les intestins.

hirciae, *arum*, f. pl. Sorte de hachis.

hircina (s.-e. CARO), *ae*, f. Viande de bouc.

hircinus (HIRQUINUS), *a, um*, adj. De bouc. ¶ Qui sent une odeur de bouc.

hircus (HIRQUUS et arch. IRCUS), *i*, m. Bouc. ¶ Odeur de bouc. ¶ Terme injurieux.

hirnea, *ae*, f. Sorte de cruche.

1. **hirnia**, *ae*, f. Voy. HIRNEA.

2. **hirnia**. Voy. HERNIA.

hirnula, *ae*, f. Petite cruche.

hirpex. Voy. IRPEX.

hirpus ou **irpus**, *i*, m. Loup (mot sabin).

hirquus, *i*, m. Voy. HIRCUS.

hirsutus, *a, um*, adj. Hérissé. ¶ Couvert de poils, velu, barbu. ¶ *Fig.* Inculte, grossier.

hirtus, *a, um*, adj. Hérissé, raboteux, rude. ¶ A poils rudes. *Hirta toga*, toge à poils rudes. ¶ *Fig.* Rude, inculte, grossier. [et fig.).

hirudo (IRUDO), *inis*, f. Sangsue (pr.

hirula, *ae*, f. Voy. HILLA.

hirundineus, *a, um*, adj. D'hirondelle.

hirundinina, *ae*, f. Chélidoine (plante).

hirundininus, *a, um*, adj. D'hirondelle.

hirundo, *inis*, f. Hirondelle (oiseau).

hisco, *is, ere*, intr. S'ouvrir, s'entr-ouvrir, se lézarder, se fendre. ¶ *Spéc.* Ouvrir la bouche (pour parler). ¶ *Tr.* Dire, chanter.

hispidus, *a, um*, adj. Hérissé, raboteux, plein d'aspérités; inculte. ‖ *En parl. d'êtres vivants*. Hérissé, velu. ‖ Bourru. ¶ *Fig.* Grossier.

historia, *ae*, f. Connaissance, c.-à-d. action de connaître. ‖ (Méton.) Chose connue, connaissance. ¶ Récit; histoire; conte, raconter. ‖ Sujet de conversation. ¶ Histoire, étude du passé. ‖ (Méton.) Récit historique.

1. **historice**, adv. Historiquement.

2. **historice**, *es*, f. Connaissance historique. ¶ Explication, commentaire (des auteurs). [historique.

1. **historicus**, *a*, *um*, adj. De l'histoire;

2. **historicus**, *i*, m. Historien.

historiographus (HISTORIOGRAPUS), *i*, m. Historiographe, historien.

histrio, *onis*, m. Mime, histrion. ‖ (En gén.) Acteur, comédien. ¶ *Péjorat.* Charlatan.

histrionalis, *e*, adj. De comédien.

histrionica, *ae*, f. Profession de comédien.

histrionicus, *a*, *um*, adj. De comédien.

histrionius, *a*, *um*, adj. Comme HISTRIONICUS.

histrix. Voy. HYSTRIX.

hiulca, *orum*, n. pl. Rencontre de voyelles, hiatus. [Hiatus.

hiulcatio, *onis*, f. (T. de gramm.)

hiulce, adv. Avec des hiatus, d'une manière heurtée. [vasser.

hiulco, *as*, *atum*, *are*, tr. Fendre, crehiulcus, *a*, *um*, adj. Fendu, crevassé, lézardé; ouvert, béant. ¶ Qui attend la bouche ouverte, qui désire vivement, qui convoite. ¶ Qui fend *ou* pourfend.

hoc, adv. Pour HUC.

hocedie, adv. Comme le suivant.

hodie, adv. Aujourd'hui. ¶ (*Par ext.*) De notre temps, aujourd'hui. ¶ Encore maintenant. [encore.

hodieque, adv. Encore maintenant.

hodiernus, *a*, *um*, adj. D'aujourd'hui, du jour même. ¶ De notre temps, actuel.

hoed... Voy. HAED... [causte.

holocaustus, *a*, *um*, adj. Offert en holoholus, *eris*, n. Voy. OLUS.

holusculum. Voy. OLUSCULUM.

homicida, *ae*, m. f. Homicide, meurtrier. ¶ Terrible dans les combats.

homicidium, *ii*, m. Homicide, meurtre.

homileticus, *a*, *um*, adj. D'homélies; concernant les homélies.

homilia, *ae*, f. Homélie, instruction familière faite au public; sermon.

homo, *inis*, m. Homme, créature humaine (homme *ou* femme). ¶ Homme (*opp.* à femme). ¶ Homme (envisagé comme personnalité *ou* caractère), homme de sens, homme de cœur. ¶ L'homme de, *c.-à-d.* l'esclave de. ¶ Au plur. *Homines*, soldats d'infanterie. ‖ Gens, *c.-à-d.* serviteurs, esclaves. ¶ L'homme dont nous parlons (employé au lieu de *is, hic, ille*). ¶ (Méton.) La vie terrestre, le monde.

homoeoteleuton, *i*, n. Homéotéleute, figure qui consiste à employer plusieurs mots de même terminaison; rime.

homoeusios et homoousios, *on*, adj. Consubstantiel.

homologi, *orum*, m. pl. Habitants d'une terre passant avec le fonds à chaque nouvel acquéreur; serfs attachés à la glèbe [nymes.

homonyma, *orum*, n. pl. Mots homo-homonyme, adv. Par homonymie.

homonymia, *ae*, f. Homonymie.

homonymus, *a*, *um*, adj. Homonyme.

homousios, *on*, adj. Voy. HOMOEUSIOS.

homullulus, *i*, m. Tout petit homme.

homullus, *i*. m. Petit homme, avorton.

humuncio, *onis*. m. Petit homme. ¶ Faible créature (*opp.* aux dieux).

homunculus, *i*, m. Comme le précédent.

honer... Voy. ONER... [beauté.

honestamentum, *i*, n. Ornement, parure;

honestas, *atis*, f. Considération (dont on est l'objet), honorabilité. ‖ (Méton.) Au plur. *Honestates*, les notabilités (d'une ville). ¶ Honneur; honnêteté, valeur morale, vertu. ‖ Probité. ¶ (*En parl. de ch.*) Beauté, charme.

honeste, adv. Avec dignité. ¶ Avec honneur, honnêtement, selon les convenances. ¶ Décemment. ‖ Selon les règles. ¶ Vertueusement, avec probité. ¶ Avec beauté, gracieusement.

honesti, *orum*, m. pl. Personnes de distinction, notabilités.

honesto, *as*, *avi*, *atum*, *are*, tr. Honorer, faire honneur à. ¶ Rehausser l'éclat de; orner, embellir. ¶ Enrichir; gratifier de. [vertu. ¶ Beauté.

honestum, *i*, n. L'honneur, le bien, la

honestus, *a*, *um*, adj. Honorable, distingué, en vue, considéré. ¶ Honnête, probe; vertueux. ¶ Honorable, qui donne de la considération, qui met en vue. ¶ Bien fait, de belle tournure, beau, gracieux. *Honesta oratio est*, le discours est de belle venue, de belle tournure. ¶ *Fig.* Honnête, *c.-à-d.* plausible, spécieux.

honor. Voy. HONOS.

honorabilis, *e*, adj. Qui mérite d'être honoré, honorable. ¶ Qui fait honneur, honorable.

honorarium, *ii*, n. Cadeau, honoraires (versés à qqn qui exerce une profession libérale). ¶ Somme versée au fisc par ceux qui obtenaient les honneurs municipaux dans les provinces).

honorarius, *a*, *um*, adj. D'honneur, honorifique; qu'on donne (à qqn) pour (lui) faire honneur. ¶ Gracieux, gratuit, non rétribué, officieux. ¶ Relatif aux honneurs publics. ¶ Qui émane de la dignité, de l'autorité d'un magistrat. — *jus*, droit fondé sur les édits des magistrats.

honorate, adv. Avec dignité. ¶ D'une façon honorable, honorablement.

honoratio, *onis*, f. Action d'honorer. ¶ Marque d'honneur.

1. **honoratus**, *a*, *um*, p. adj. Considéré, honoré. ¶ Qui a occupé *ou* qui occupe

de hautes fonctions. ¶ *En parl. de ch,*
Honorable, qui fait honneur. ¶ Orné.
2. honoratus, *i*, m. Magistrat.
honorifice, adv. Avec honneur. ¶ De
façon à faire honneur.
honorificus, *a*, *um*, adj. Qui honore,
honorable, honorifique. ¶ Flatteur.
honoro, *as*, *avi*, *atum*, *are*, tr. Honorer,
traiter avec honneur, faire honneur à.
¶ Embellir, parer. ¶ Distinguer, récompenser.
honorosus, *a*, *um*, adj. Chargé d'honneurs, de distinctions.
honorus, *a*, *um*, adj. Honorable, qui
honore. ¶ Noble, distingué.
honos et honor, *oris*, m. Charge. ||
Charge honorifique, poste d'honneur;
magistrature; dignité, titre, grade.
¶ Récompense d'honneur. ¶ Salaire
honorifique; honoraires. || *Poét.* Vic-
time, sacrifice. || Louange (en l'honneur
d'un dieu), hymne. ¶ Témoignage
honorifique, hommage, honneur, respect, considération. *Honorem praefari,*
protester d'abord de son respect (au
début d'un discours). *Honoris causa*
ou *gratia*, par considération pour... ||
Prix, estime (pour une chose). *Esse
in honore*, être estimé, prisé. ¶ *Poét.*
Ornement, parure, éclat, beauté.
honus, *eris*, n. Voy. ONUS.
hoplites, *ae*, m. Hoplite, soldat pesamment armé.
hoplomachus, *i*, m. Gladiateur.
hora, *ae*, f. Temps, époque (en gén.).
|| Temps limité, moment, saison. ||
Moment (déterminé) du jour, heure.
In horam, d'heure en heure. *In horas*,
à toute heure. || *Fig.* Heure, c.-à-d.
moment. || (Méton. au plur.). Cadran,
horloge.
horaeos, *on* ou horaeus, *a*, *um*, adj. Qui
est à point. ¶ Mûr. ¶ Mariné (frai-
chement). Subst. *Horaeon, i*, n. Miel
de saison.
hordeaceus (ORDEACEUS), et hordea-
cius, *a*, *um*, adj. D'orge.
hordearius (ORDEARIUS), *a*, *um*, adj.
Qui concerne l'orge. ¶ Qui mûrit en
même temps que l'orge. ¶ Nourri
d'orge. ¶ *Fig.* Qui ne vaut pas mieux
que le pain d'orge.
hordeatus, p. HORDIATUS, malade, gonflé pour avoir mangé de l'orge. Voy.
HORDIOR. [DEACEUS.
hordeius, *a*, *um*, adj. Comme HOR-
hordeolus (ORDEOLUS), *i*, m. Grain
d'orge *ou* orgelet, petite tumeur sur
la paupière.
hordeum (ORDEUM), *i*, n. Orge.
hordiatus. Voy. HORDEATUS.
hordiolum, *i*, n. Comme HORDEOLUS.
hordior, *oris*, *atus sum*, *ari*, dép. intr.
Etre malade *ou* gonflé pour avoir
ingéré trop d'orge; avoir une indigestion d'orge (en parl. des anim.).
hordus, *a*, *um*, adj. Voy. FORDUS.
horia (ORIA), *ae*, f. Barque de pêcheur.

horizon, *ontis*, m. Horizon. ¶ Ligne
tirée par le milieu d'un certain solaire
1. hornus, *a*, *um*, adj. De l'année.
2. hornus, *i*, m. Produit de l'année.
horologiaris, *e*, adj. Qui a une horloge.
horologium, *ii*, n. Horloge, c.-à-d.
clepsydre *ou* cadran solaire.
horoscopica (s.-e. ARS), *ae*, f. Art de
tirer les horoscopes.
horoscopicus, *a*, *um*, adj. Qui indique
les heures. ¶ D'horoscope.
horoscopium, *ii*, n. Cadran astrologique
pour prendre les horoscopes.
horrende, adv. D'une manière effrayante.
horrendus, *a*, *um*, p. adj. Qui fait frissonner. ¶ Redoutable, affreux. ¶ Qui
inspire une horreur sacrée; auguste.
¶ Etonnant, digne d'admiration.
horreo, *es*, *ere*, intr. Etre hérissé, rude,
rugueux; être houleux. || Avoir un
aspect affreux *ou* rébarbatif. ¶ Etre
rude, durci par le froid. ¶ Se dressere
se hérisser. ¶ Frissonner (de froid, de
crainte, etc.); trembler, frémir (d'horreur). ¶ *Tr.* Avoir horreur de, s'épou-
vanter de, redouter. || Tressaillir
d'admiration (en présence de).
horreolum, *i*, n. Petit grenier.
horresco, *is*, *horrui*, *ere*, intr. Se héris-
ser, se dresser. || *Par ext.* Avoir un
aspect affreux. ¶ Frissonner; frémir
(d'étonnement, d'effroi, etc.). ¶ *Tr.*
Avoir horreur de, frémir de, redouter.
|| Tressaillir (à la vue de).
horreum, *i*, n. Grenier, grange. || Ma-
gasin. || Cellier. ¶ Dépôt *ou* magasin.
¶ Ruche (d'abeilles).
horribilis, *e*, adj. Horrible, affreux. ¶
Etonnant, surprenant. ¶ Merveilleux,
sacré, inviolable.
horride, adv. *Fig.* Grossièrement; avec
rudesse. ¶ D'un ton bourru.
horridulus, *a*, *um*, adj. Un peu hérissé.
¶ Frissonnant (de froid); grelottant.
¶ *Fig.* Quelque peu grossier *ou* inculte.
horridus, *a*, *um*, adj. Hérissé; velu. ¶
Raboteux, dur, épineux; inculte. ¶
Apre (au goût). ¶ Grossier, sauvage;
inculte (fig.). ¶ *En bonne part.* Simple,
sans recherche d'art. ¶ Farouche,
intraitable. ¶ Frissonnant, grelottant (de froid). ¶ Qui fait frissonner.
|| Qui donne le frisson, effrayant, hor-
rible.
horrifer, *fera*, *ferum*, adj. Qui donne le
frisson. || Glacial. ¶ *Fig.* Effrayant.
horrificabilis, *e*, adj. Comme HORRI-
FICUS.
horrifice, adv. Avec une horreur sacrée.
horrifico, *as*, *avi*, *atum*, *are*, tr. Hérisser,
faire rider (la surface de l'eau), rendre
houleux. ¶ Donner un aspect effrayant,
rendre affreux. ¶ Effrayer, terroriser.
horrificus, *a*, *um*, adj. Hérissé. ¶ Qui
cause de l'horreur, horrifique, effrayant.
horrisonus, *a*, *um*, adj. Qui fait un
bruit horrible.
horror, *aris*, m. Hérissement. ¶ Soulè-

vement (de la mer); tressaillement, tremblement (du sol). ¶ Hérissement (des cheveux), horripilation, chair de poule. || *Fig.* Rudesse, âpreté (du style). ¶ Tressaillement, frisson (de froid, de fièvre, de crainte). || (Méton.) Ce qui donne le frisson : froid; bruit aigu; objet d'horreur. ¶ Horreur, effroi, épouvante. || Terreur religieuse, respect mêlé de crainte. || Tressaillement (de joie, de surprise, d'admiration). [ragement.

hortamen, *inis*, n. Exhortation, encouragement.

hortamentum, *i*, n. Exhortation, moyen d'encouragement. [ragement.

hortatio, *onis*, f. Exhortation, encouragement.

hortative, adv. D'une façon encourageante.

hortator, *oris*, m. Celui qui exhorte *ou* encourage; conseiller. ¶ Celui qui harangue les soldats (avant l'action). ¶ Chef des rameurs. [*ou* encourage.

hortatrix, *icis*, f. Celle qui exhorte *ou* encourage. Exhortation.

hortatus, abl. *u*, m. Exhortation.

hortellus, *i*, m. Jardinet. [jardin.

hortensia, *orum*, n. pl. Plantes de jardin.

hortensis, *e*, adj. De jardin.

hortensius, *a*, *um*, adj. De jardin.

horto, *as*, *avi*, *are*, tr. Comme HORTOR. ¶ Au passif. Etre exhorté.

hortor, *aris*, *atus sum*, *ari*, tr. Exhorter, encourager; pousser à. || Haranguer (les soldats avant l'action). || Commander la manœuvre de la nage, *c.-à-d.* des rameurs. ¶ Conseiller (qqch.).

1. **hortulanus**, *a*, *um*, adj. De jardin; concernant un jardin. [dinier.

2. **hortulanus** (ORTULANUS), *i*, m. Jardinier.

hortulus, *i*, m. Jardinet. ¶ Quartier de vigne. ¶ Au plur. *Hortuli*, maison de plaisance, parc.

hortus, *i*, m. Enclos. ¶ Bien de campagne; ferme. ¶ Jardin; potager. || Au plur. *Horti*, parc, maison d'agrément. ¶ (Méton.) Produit du jardin, légume.

hospes, *itis*, m. et f. Etranger. ¶ Hôte (celui qui accueille *et* celui qui est accueilli). ¶ *Adj.* Etranger, exotique. || Hospitalier.

hospita, *ae*, f. Etrangère. ¶ Hôtesse.

hospitalia, *um*, n. pl. Appartements réservés aux hôtes. [liers.

hospitales, *ium*, m. pl. Hôtes, hôteliers.

hospitalis, *e*, adj. Relatif à l'hôte *ou* à l'hospitalité. ¶ Hospitalier. ¶ Qu'on offre à un hôte. ¶ Qui fait bon accueil.

hospitalitas, *atis*, f. Séjour à l'étranger. ¶ Hospitalité. [talière.

hospitaliter, adv. D'une façon hospitalière.

hospitium, *ii*, n. Hospitalité; liens d'hospitalité. ¶ Hospitalité donnée *ou* reçue. ¶ (Méton.) Chambre d'hôte, quartier, logis. || Gîte, asile. || Gîte (du lièvre), tanière (des animaux); retraite.

hospito, *as*, *are*, intr. Comme le suivant.

hospitor, *aris*, *ari*, dép. intr. Etre hébergé (qq. part). ¶ Séjourner (pr. et fig.).

hospitus, *a*, *um*, adj. Etranger. ¶ Hospitalier, où l'on reçoit bon accueil.

hostia, *ae*, f. Victime (*ordin.* de menu bétail), offrande expiatoire. [mes.

hostiatus, *a*, *um*, adj. Pourvu de victimes.

hosticum, *i*, n. Territoire de l'ennemi.

hosticus, *a*, *um*, adj. Etranger. ¶ De l'ennemi.

hostilia, *um*, n. pl. Dispositions hostiles.

hostilis, *e*, adj. De l'ennemi, qui appartient à l'ennemi. ¶ Hostile, qui est inspiré par un ennemi; haineux.

hostilitas, *atis*, f. Hostilité.

hostiliter, adv. En ennemi.

hostimentum, *i*, n. Compensation; représailles; revanche.

1. **hostio**, *is*, *ire*, tr. Faire violence à. || Terrasser, renverser. || Détruire.

2. **hostio**, *is*, *ire*, tr. Rendre égal *ou* uni, mettre de niveau. ¶ *Fig.* Rendre la pareille. || Rendre favorable *ou* propice.

hostis, *is*, m. et f. Etranger. || Hôte. ¶ (Ordin.) Ennemi, celui qui fait la guerre à qqn. ¶ (Par ext.) Ennemi, adversaire. || Rival (en amour).

huc, adv. Ici, en ce lieu même, de mon côté, par ici (avec mouvement pour s'y rendre). *Nunc huc, nunc illuc*, tantôt ici, tantôt là. *Huc illuc*, çà et là. ¶ *Au fig.* A ce point, jusqu'à ce point. ¶ A cela, pour cela, dans cette intention. || En plus de cela, en outre.

hucine, adv. Jusqu'à ce point? Si loin?

hucusque, adv. Jusqu'ici (avec mouv.). ¶ Jusqu'à présent. ¶ *Fig.* Jusqu'à ce point. [Ah! Bah!

hui, interj. Ah! Quoi? Vraiment?

hujuscemodi. Comme le suivant.

hujusmodi, adv. De cette sorte. ¶ Tel. Comme TALIS. [humaine.

humana (s.-e. CARO), *ae*, f. Chair humaine.

humane, adv. En homme, comme il sied à l'homme. || Avec patience, avec résignation. ¶ Humainement, avec humanité, avec douceur, avec bienveillance, avec affabilité.

humanitas, *atis*, f. Humanité, *c.-à-d.* nature humaine. || (Méton.) Humanité, genre humain, société humaine. ¶ (Par ext.) Philanthropie, amour social. || Bonté, douceur. || Culture (intellectuelle), civilisation; instruction. || Goût délicat, urbanité, politesse, grâce, belles manières. || Finesse.

humaniter, adv. En homme, comme il sied à un homme. ¶ Avec courage, avec constance. ¶ Avec courtoisie, poliment.

humanitus, adv. Humainement, *c.-à-d.* à la manière des hommes, comme se comporte la nature humaine. ¶ Comme il sied à un homme, *c.-à-d.* avec patience, constance, résignation. || Avec bonté; d'une manière affable.

humanor, *aris*, *atus*, *ari*, passif. Se faire homme, s'incarner.

humanum, *i*, n. Nature humaine; condition humaine.

humanus, a, um, adj. D'homme, humain. ¶ Qui sied à un homme. || Bienveillant, complaisant; aimable. || Compatissant, doux, bon. || Cultivé, civilisé, poli, fin, spirituel.

humatio, onis, f. Inhumation.

humator, oris, m. Celui qui ensevelit, qui porte en terre.

humatus, us, m. Inhumation.

humecta, ae, f. Pour HUMECTATIO.

humectatio, onis, f. Action de rendre humide. ¶ (Méton.) Humidité.

humecto (UMECTO), as, avi, atum, are, tr. Humecter, mouiller, arroser (les fleurs). ¶ Intr. Etre humide, mouillé (de larmes). || Pleurer (en parl. des bourgeons). [mide, mouillé, arrosé.

humectus (UMECTUS), a, um, adj. Humefacio (UMEFACIO), is, ere, tr. Mouiller. [être humide.

humeo (UMEO), ere, intr. Etre mouillé.

humerale, is, n. Sorte de pèlerine.

humerulus, i, m. Petite épaule. ¶ (Par anal.) Petit support.

humerus (UMERUS), i, m. Os supérieur du bras; humérus. || Epaule. ¶ Partie moyenne (d'un arbre, d'un cep, entre le tronc et les branches). || Croupe (d'une montagne). [mouiller.

humesco (UMESCO), is, ere, intr. Se humida, orum, n. pl. Endroits humides. ¶ Poét. La mer. ¶ Humeurs, sérosités.

humide (UMIDE), adv. Par suite de l'humidité.

humiditas, atis, f. Humidité.

humido, as, are, tr. Rendre humide.

humidulus (UMIDULUS), a, um, adj. Un peu humide. [terrain détrempé.

humidum, i, n. Humidité. ¶ Sol humide, humidus (UMIDUS), a, um, adj. Humide, mouillé. ¶ Qui coule, qui est coulant, fluide. ¶ (Méd.) Lymphatique.

humifer (UMIFER), fera, ferum, adj. Humide. [ter.

humifico (UMIFICO), as, are, tr. Humechumificus (UMIFICUS), a, um, adj. Qui humecte, qui mouille.

humilis, e, adj. Qui est un peu au-dessus de la terre; peu élevé, bas. || De petite taille, bas. || Peu profond. ¶ Fig. Bas (de condition); humble. || Faible, sans importance. || De peu de valeur, commun. || Terre à terre (en parl. du style). ¶ Humble, soumis. || Résigné. ¶ Rampant. || Vil, servile.

humilitas, atis, f. Peu d'élévation. ¶ Petitesse. || Petite taille. ¶ (Fig.) Bassesse de condition, de rang. || (En gén.) Insignifiance, peu d'importance. || Bassesse, abjection. ¶ Découragement, abattement, démoralisation. ¶ Sentiment de (sa propre) faiblesse, soumission. || Eccl. Humilité.

humiliter, adv. Bas, à peu de distance du sol. ¶ Fig. Bassement, c.-à-d. avec bassesse. ¶ Eccl. Humblement.

humo, as, avi, atum, are, tr. Inhumer.¶ Ensevelir, rendre les derniers devoirs à.

humor (UMOR), oris, m. Liquide (de toute espèce). ¶ Humidité, eau. || Spéc. Liquide (d'un corps organisé); humeur; sève (des plantes).

humus, i, f. Terre, sol, terrain. ¶ (Méton.) Contrée, pays.

hyacinthaeus, a, um, adj. D'hyacinthe.

hyacinthinus, a, um, adj. D'hyacinthe. ¶ De couleur d'hyacinthe.

hyacinthus, i, m. Hyacinthe (des anciens), vaciet. ¶ Sorte d'améthyste. ¶ Soie violette.

hyaena (YAENA), ae, f. Hyène, bête féroce. ¶ Poisson, sorte de plie.

hyalus, i, m. Verre. ¶ Couleur de verre.

hybern... Voy. HIBERN...

hybrida. Voy. HIBRIDA.

hydra, ae, f. Hydre, serpent d'eau. ¶ Hyáre, monstre de la Fable. ¶ Hydre, constellation.

hydraula. Voy. 1. HYDRAULIA.

hydraules, ae, m. Joueur d'orgue hydraulique. [Orgue hydraulique.

1. hydraulia (HYDRAULA), orum, n. pl.

2. hydraulia, ae, f. Comme le précédent.

hydraulicus, a, um, adj. Hydraulique.

hydraulus, i, m. Orgue hydraulique.

hydria, ae, f. Aiguière. ¶ Urne.

hydromel, mellis, n. Hydromel.

hydromeli, litis, n. Comme le précédent.

hydrophobia, ae, f. Hydrophobie.

hydrophobicus, a, um, adj. Hydrophobique.

hydrophobus, a, um, adj. Hydrophobe.

hydrops, opis (acc. opem et opa), m. Hydropisie.

hydros. Voy. HYDRUS.

hydrus, i, m. Hydre, serpent d'eau. || Serpent (en gén.). || (Méton.) Venin (de serpent). ¶ L'hydre, constellation.

hyemalis. Voy. HIEMALIS.

hyems. Voy. HIEMS.

hymen, inis, m. Membrane hymen.

hymenaea, orum, n. pl. Noces.

hymenaeos et hymenaeus, i, m. Epithalame, chant d'hyménée. ¶ (Méton.) Noces. || Mariage, hymen.

hymnus, i, m. Hymne.

hypallage, es, f. (Rhét.) Hypallage, figure qui consiste à attribuer à un mot ce qui appartient à un autre.

hypate, es, f. La corde la plus grave d'un instrument de musique.

hyperbaton, i, n. Hyperbate, violation de l'ordre régulier des mots (fig. de rhét.).

hyperbolaeoe, m. pl. Les tons hyperboliques ou les tons extrêmes (d'une gamme). [ration (fig. de rhét.).

hyperbole, es, f. Hyperbole ou exagé-hyperbolice, adv. Hyperboliquement, avec exagération. [lique.

hyperbolicus, a, um, adj. Hyperbo-hyphen, n. indécl. Hyphen (fig. de gramm.), réunion de deux mots sous un seul accent.

hypocauston et **hypocaustum**, i, n.

Chambre chauffée par un calorifère. ¶ Etuve (dans les bains).

hypocaustus, *a*, *um*, adj. Chauffé par un appareil calorifique souterrain.

hypochondria, *orum*, n. pl. Hypocondres, parties latérales de la région épigastrique.

hypocrisis, *is* (acc. *in*), f. Imitation du parler et des gestes d'une personne.

hypocrita, *ae*, et **hypocrites**, *ae*, m. Mime (accompagnant de ses gestes le débit d'un acteur). ¶ *Eccl.* Hypocrite.

hypodiaconus, *i*, m. Sous-diacre.

hypodidascalus, *i*, m. Sous-maître.

hypogaeum (YPOGAEUM), *i*, n. Sépulture souterraine.

hypomnema, *atis*, n. Annotation, note.

hypotheca, *ae*, f. (Jur.) Hypothèque.

hypothecarius, *a*, *um*, adj. D'hypothèque, hypothécaire.

hypotheticus, *a*, *um*, adj. Hypothétique. Subst. *Hypothetici*, *orum*, m. pl. Faiseurs d'hypothèses.

hypotrachelium, *ii*, n. Le haut du fût d'une colonne.

hypotrimma, *atis*, n. Espèce de sauce.

hypozeugma, *atis*, n. Figure qui consiste à rattacher plusieurs sujets à un seul attribut placé en fin de phrase.

hypozeuxis, *is* (acc. *in*, abl. *i*), f. Comme SUBJUNCTIO.

hyssopum (HYSOPUM), *i*, n. Hysope (plante aromatique).

hysopus, *i*, f. Comme le précédent.

hystera, *ae*, f. Matrice.

hystericus, *a*, *um*, adj. Hystérique.

hysterologia, *ae*, f. Hystérologie (fig. de rhét.). [poils, velu.

hystriculus, *a*, *um*, adj. Couvert de

hystrix (HISTRIX), *icis*, f. Porc-épic.

I

I, **i**. Neuvième lettre de l'alph. latin. Abrév. I = in, infra, ipse.

iambeus, *a*, *um*, adj. Iambique.

1. **iambicus**, *a*, *um*, adj. Iambique.

2. **iambicus**, *i*, m. Poète qui compose des iambes; poète satirique.

iambographus, *i*, m. Auteur d'invectives dans le goût d'Archiloque.

iambus, *i*, m. Iambe, pied composé d'une brève et d'une longue. ¶ *Par ext.* Vers iambique. || Poème en vers iambiques. [leur violette.

ianthina, *orum*, n. pl. Vêtements de couleur violette, violet.

ianthinum, *i*, n. Couleur violette, violet.

ianthinus, *a*, *um*, adj. Qui a la couleur de la violette; violet. [cieuse.

iaspis, *pidis*, f. Jaspe, pierre précieuse. Voy. HIBERIS. [quetin.

ibex, *icis*, m. Sorte de chamois; bouibi, actor. Là, en ce lieu. ¶ Alors, en ce moment. ¶ *Fig.* Dans ce cas; dans cette circonstance.

ibidem, adv. Là même, dans le même endroit. ¶ Dans le même temps. ¶ *Fig.* Précisément en cela; dans la même occasion. [oiseau.

ibis, *ibis*, ou *ibidis* (acc. *ibim*), f. Ibis,

ibiscum. Voy. HIBISCUM.

ibix. Voy. IBEX.

iccirco. Voy. IDCIRCO.

ichneumon, *monis*, m. Sorte de rat, ichneumon, mangouste.

icio ou **ico**, *is*, *ici*, *ictum*, *ere*, tr. Frapper (pr. et fig.) ¶ Conclure un traité (parce que, pour lui donner un caractère sacré, on immolait des victimes).

icon, *conis*, f. Image, figure. ¶ (Rhét.). Portrait. [jaunisse.

ictericus, *a*, *um*, adj. Qui concerne la

icterus, *i*, m. Oiseau jaune dont la vue guérissait la jaunisse. ¶ (Par ext.) Ictère, jaunisse. [ou de fouine.

ictis, *idis* (acc. *im*), f. Sorte de belette

ictus, *us*, m. Coup, choc, heurt. ¶ Atta-que (d'apoplexie). ¶ Pulsation (d'une artère), pouls. || *Spéc.* Action de frapper (du pouce) les cordes de la lyre; action de jouer (de la lyre). ¶ *Mus.* Temps fort de la mesure. ¶ Conclusion (d'un traité, d'une convention). ¶ (Rhét.) Traits brillants (dans un ouvrage de l'esprit).

icuncula, *ae*, f. Poupée.

idcirco, adv. Pour cette raison.

idea, *ae*, f. Idée; idéal; prototype.

idem, *eadem*, *idem*, adj. et pron. dém. Le même, la même; la même chose. *Fortis idem et bonus*, à la fois brave et bon. *Idem et* (ou *atque*), le même que...

identidem, adv. A plusieurs reprises, fréquemment. ¶ (Par ext.) Sans cesse.

ideo, adv. Pour cela, pour cette raison. ¶ C'est pourquoi.

idiographus, *a*, *um*, adj. Autographe.

idioma, *matis*, n. Idiotisme.

idiota, *ae*, m. Simple particulier. ¶ *Par ext.* Qui n'est pas initié, profane. ¶ Ignorant, mazette.

idiotismos, *i*, m. Langage courant, expression prise de la langue courante.

idolatria, *ae*, f. Voy. IDOLOLATRIA.

idoleum, *ei*, n. Temple païen.

idolium, *ii*, n. Comme IDOLEUM.

idololatres, *ae*, m. Idolâtre.

idololatria, *ae*, f. Idolâtrie.

idololatris, *idis*, f. Celle qui adore les idoles.

idolum, *i*, n. Image produite par l'ombre d'un corps. ¶ Image, spectre fantôme. ¶ Image (détachée des corps, dans la philosophie épicurienne); représentation, idée. ¶ Idole, statue d'un faux dieu.

idoneus, *a*, *um*, adj. Propre à, apte à. ¶ En bon état, convenable. ¶ Capable. ¶ Capable, digne, méritant. Subst. *Idonei*, m. pl. Les hommes de mérite.

idos, n. Aspect: forme.

idulis, *e,* adj. Qui concerne les ides.

iduo. *as, are,* tr. Partager. diviser.

idus (EIDUS), *uum,* f. pl. Les ides (le milieu du mois).

idyllium, *ii,* n. Idylle.   [¶ Donc.

igitur. adv. D'après cela, cela étant. ¶

ignarus, *a, um,* adj. Qui ne sait pas, ignorant; étranger à; oublieux de. *Me ignaro,* à mon insu. ¶ Inconnu, ignoré.   [¶ Lâchement.

ignave, adv. Mollement, sans énergie.

ignavia, *ae,* f. Apathie, manque d'énergie, mollesse. ¶ Lâcheté; peur. ¶ Faiblesse (d'une odeur).

ignavus. *a, um,* adj. Sans énergie, mou, indolent. ¶ (Par ext.) *En parl. de ch.* Inefficace, peu utile. || Sans grande saveur, fade. || Lâche. ¶ Qui rend mou, indolent, apathique, inactif.

ignesco, *is, ere,* intr. Prendre feu, s'enflammer. ¶ Prendre la couleur du feu. ¶ S'enflammer, se livrer aux ardeurs de la passion.

igneus, *a, um,* adj. De feu, enflammé. ¶ *Fig.* Ardent, bouillant.

igniarium, *ii,* n. Matière inflammable.

igniarius, *a, um,* adj. A feu.

igniculus, *i,* m. Petit feu, petit flamme, étincelle. ¶ (Par ext.) Eclat (d'une pierre précieuse). ¶ (*Fig.*) Etincelle, lueur, tout ce qui brille d'un éclat plus ou moins passager.

ignifer, *fera, ferum,* adj. Qui porte le feu, enflammé. ¶ Qui enflamme (fig.).

ignipes, *pedis,* adj. Aux pieds de feu; rapide comme le feu.

ignipotens, *entis,* adj. Qui a la puissance du feu. ¶ Maître du feu, épithète de Vulcain.

ignis, *is* (abl. *i* et *e*), m. Feu. ¶ (Mét.) Bûcher. || Feux (de bivouac). || Eclairs. || Matières inflammables. ¶ Incendie. || Tison. || *Fig.* Torche, brandon, étincelle. ¶ Couleur de feu. || Lumière, éclat. ¶ *Fig.* Feu (des passions), flamme, ardeur; amour. || (Méton.) Objet aimé. ¶ *Ignis sacer,* nom d'une maladie pustuleuse.   [(pr. et fig.).

1. ignitus, *a, um,* adj. De feu, brûlant

2. ignitus, *a, um,* part. Embrasé.

3. ignitus, adv. A la manière du feu.

ignobilis, *e,* adj. Inconnu, obscur. ¶ *Spéc.* De basse naissance. || Bas, vil; abject.

ignobilitas, *atis,* f. Obscurité, manque de notoriété. ¶ Bassesse (de naissance).

ignominia, *ae,* f. Flétrissure, marque ignominieuse imprimée à un criminel. ¶ Déshonneur, ignominie.

ignominiose, adv. Honteusement, outrageusement.

ignominiosus, *a, um,* adj. Noté d'infamie. ¶ *En parl. de ch.* Flétrissant, ignominieux.

ignorabilis, *e,* adj. Ignoré, obscur.

ignorantia, *ae,* f. Ignorance.

ignoratio, *onis,* f. Défaut de connaissance, inconscience. ¶ Ignorance.

ignoro, *as, avi, atum, are,* tr. Ne pas connaître, ignorer. ¶ Méconnaître, ne pas vouloir reconnaître (la qualité, le mérite de...).

ignoscens, *entis,* p. adj. Qui pardonne aisément; indulgent.

ignoscentia, *ae,* f. Pardon.

ignoscibilis, *e,* adj. Pardonnable.

ignosco, *is, novi, notum, ere,* f. Ne pas connaître, ne pas vouloir connaître; oublier, pardonner. || Fermer les yeux sur, excuser.

1. ignotus, *a, um,* part. pass. d'IGNOSCO.

2. ignotus, *a, um,* p. adj. Inconnu, qu'on ne connaît pas. ¶ De naissance obscure, voy. IGNOBILIS. ¶ Qui ne connaît pas, qui ignore, qui n'est pas familiarisé avec.

ileus, *i,* m. Obstruction intestinale.

ilex, *icis,* f. Yeuse, chêne vert.

ilia, *ium,* n. pl. Partie de l'abdomen au-dessous des côtes; flancs. ¶ (Mét.) Intestins *ou* entrailles. ¶ Ventre (d'un vase).

iliaci, *orum,* m. pl. Malades atteints d'iléus.

iliacus, *a, um,* adj. Qui concerne la maladie appelée iléus.

ilicet, adv. Allons, partons ! ¶ C'en est fait ! Trop tard ! ¶ Aussitôt, sur-le-champ. ¶ Bref.

ilico (ILLICO), adv. A l'endroit même, sur place. ¶ Sur-le-champ, à l'instant même.

iligneus, *a, um,* adj. D'yeuse.

ilignus, *a, um,* adj. Comme le précédent.

ilium, *ii,* n. Voy. ILIA.

illa, adv. Par là, par ce chemin-là. ¶ Là; de ce côté-là.

illabefactus, *a, um,* adj. Qui n'est pas ébranlé; inébranlable.

illabor, *eris, lapsus sum, bi,* dép. intr. Se glisser dans, pénétrer dans, se perdre insensiblement dans. ¶ *Fig.* S'insinuer.

illaboratus, *a, um,* adj. Qui n'est pas travaillé, qui n'est pas cultivé. ¶ Qui n'a pas coûté de peine.

illaboro, *as, are,* intr. Travailler à.

illac, adv. Par là.

illacessitus, *a, um,* adj. Qu'on ne provoque pas, qu'on n'attaque pas.

illacrimabilis, *e,* adj. Qui n'est pas pleuré. ¶ Qui ne pleure pas; inexorable.

illacrimo, *as, avi, atum, are,* intr. Pleurer sur. ¶ (Absol.) Pleurer. ¶ Suinter. ¶ *Tr.* Distiller, laisser couler.

illacrimor, *aris, atus sum, ari,* dép. intr. Pleurer sur, donner des larmes à.

illaesus, *a, um,* adj. Qui n'a pas été blessé.   [se réjouir; douloureux.

illaetabilis, *e,* adj. Dont on ne peut

illapsus, *us,* m. Action de se glisser. ¶ Suintement.   [nir.

illaqueatio, *onis,* f. Action de circonve-

1. **illaqueatus**, *a, um*, gr. adj. Pris au lacet. [lié.

2. **illaqueatus**, *a, um*, adj. Qui n'est pas illatabilis, *e*, adj. Qui est sans largeur.

illatebro, *as, are*, tr. Cacher dans un coin.

illatenus, adv. Jusque-là.

illatio, *onis*, f. Action d'apporter dans, de mettre dans. ¶ *Fig.* Action de faire subir, de causer (du mal à qqn). ¶ Action de payer (le tribut, des contributions). || Sacrifice offert (aux dieux). ¶ Conclusion (d'un raisonnement). [est la cause de.

illator, *oris*, m. Celui qui apporte, qui illatro, *as, are*, intr. Aboyer contre.

illaudabilis, *e* adj. Indigne d'être loué.

illaudatus, *a, um*, adj. Sans gloire. ¶ Exécrable.

illautus, *a, um*, adj. Comme ILLOTUS.

ille, *:lla, illud*, pron. et adj. dém. Celui-là, celle-là; ce (bois)-là, cette (maison)-là (*désigne un objet se rapportant à la 3e pers.*). ¶ (Emphatiquement.) Ce fameux. ¶ Il, elle; cela.

illecebra, *ae*, f. (Ordin. au plur.) Appât, attrait, séduction. ¶ *Au plur.* Sortilèges, magies. ¶ (Méton.) Oiseau qui attire les autres dans le piège; appeleur *ou* appelant. ¶ Pain des oiseaux, plante. [(en glanant). ¶ Non lu.

1. **illectus**, *a, um*, adj. Non recueilli

2. **illectus**, *us*, m. Séduction, appât.

3. **illectus**, *a, um*, part. d'ILLICIO.

illepide, adv. Sans goût, sans finesse, sans grâce.

illepidus, *a, um*, adj. Qui est sans finesse, sans goût, sans grâce. ¶ Déplaisant, choquant. [attire, qui séduit.

1. **illex**, *icis*, adj. Qui charme, qui

2. **illex**, *icis*, adj. m. et f. Séducteur, séductrice. ¶ Subst. f. Oiseau qui sert d'appeau.

3. **illex**, *legis*, adj. Qui ne connaît pas de lois; qui n'est pas policé; qui n'est pas civilisé.

illi, adv. Comme ILLIC.

illibatus, *a, um*, adj. Qui n'a pas été effleuré, entamé; intact.

illiberalis, *e*, adj. Qui ne sied pas à un homme libre; peu noble; grossier, bas, vil. ¶ Qui n'a pas les sentiments d'un homme libre. || *Spéc.* Peu généreux, avare, ladre.

illiberalitas, *atis*, f. Bassesse de sentiments. ¶ Ladrerie, avarice.

illiberaliter, adv. Sans noblesse. — *facere*, ne pas agir en galant homme. ¶ *Spéc.* Avec mesquinerie; sordidement.

1. **illic**, *aec, uc*, adj. et pron. dém. Celui-là, celle-là, cela. ¶ Ce (bois)-là (cette maison)-là.

2. **illic**, adv. Là, dans cet endroit. ¶ Dans ce temps-là, alors. ¶ *Fig.* Chez cette personne-là, chez ces gens-là. ¶ En cela, en ce cas-là; relativement à cela.

illicet. Voy. ILICET.

illicio, *is, lexi, lectum, ere*, tr. Séduire, attirer. ¶ *Péjor.* Débaucher. ¶ Engager, encourager à.

illicitator, *oris*, m. Celui qui amorce. ¶ *Spéc.* Enchérisseur (fictif), qui enchérit (dans l'intérêt du vendeur).

illicite, adv. D'une manière illicite.

illico. Voy. ILICO.

illido, *is, lisi, lisum, ere*, tr. Choquer, briser contre. ¶ Faire entrer (à force de frapper).

illigo, *as, avi, atum, are*, tr. Lier, attacher. ¶ *Fig.* S'attacher (qqn). ¶ Enchaîner. || Embarrasser, gêner.

illimis, *e*, adj. Qui est sans limon. ¶ Limpide, dont rien ne trouble la transparence.

illinc, adv. De là-bas. ¶ De ce côté-là. ¶ De la part de cette personne.

illinio, *is, ere*, tr. Voy. le suivant.

illino, *is, levi, litum, ere*, tr. Etendre (un corps gras) sur, appliquer sur, enduire. ¶ Couvrir d'une application de. [fondu.

illiquefactus, *a, um*, adj. Liquéfié,

1. **illisus**, *a, um*, part. d'ILLIDO.

2. **illisus**, abl. u, m. Heurt, choc.

illitteratus, *a, um*, adj. Qui ne connaît pas ses lettres, illettré. ¶ Qui est sans culture, ignorant. || Sans prétention littéraire. ¶ Non écrit. ¶ Inarticulé (son).

illitio, *onis,* f. Action d'étaler (un corps gras) sur.

1. **illitus**, *a, um*, part. d'ILLINO.

2. **illitus**, abl. u, m. Comme ILLITIO.

illix. Voy. 1. ILLEX.

illo, adv. Là (avec mouvement). ¶ *Par ext.* Vers ce but, dans cette intention.

illoc, adv. Comme ILLUC.

illocabilis, *e*, adj. Dont le placement (l'établissement) est impossible. ¶ Qu'on ne peut marier.

illotus (ILLAUTUS, ILLUTUS), *a, um*, adj. Non lavé, sale, malpropre. || Négligé. || *Fig.* Malséant. ¶ Non trempé dans l'eau.

illuc, adv. Là, là-bas, vers cet endroit-là. ¶ *Fig.* Vers ce point, vers cette personne. || Dans ce but, en vue de cette chose *ou* de cette personne. ¶ Jusque-là (en parl. du temps).

illuceo, *es, ere*, intr. Briller sur *ou* dans. ¶ (Fig.) Resplendir de. ¶ Etre évident.

illucesco (ILLUCISCO), *is, luxi, ere*, intr. Commencer à briller, à paraître; poindre. Impers. *Illucescit*, le jour point; *fig.* il est manifeste.

illudo, *is, lusi, lusum, ere*, intr. et tr. *Intr.* Se jouer contre. || Jouer avec. ¶ *Tr.* Rendre plus gai, plus joli, enjoliver; brocher *ou* broder. ¶ (Intr. et tr.) Se jouer de, c.-à-d. abuser, décevoir; faire illusion à. ¶ Faire du tort à, endommager. || Gaspiller.

illuminate, adv. Avec éclat.

illuminatio, *onis*, f. Action d'éclairer; éclat (pr. et fig.).

illuminator, *oris*, m. Celui qui éclaire (fig.).

illuminatus, *a, um,* p. adj. Brillant, éclatant, magnifique.

illumino, *as, avi, atum, are,* tr. Emplir de lumière, éclairer, illuminer. ‖ Rendre *ou* donner la vue à; faire voir, clair. ¶ Rendre éclatant, rehausser, embellir. ‖ Mettre en lumière, illustrer.

illunis, *e,* adj. Où il n'y a pas de lune.

illusio, *onis,* f. Action de persifler; raillerie. ¶ (Rhét.) Ironie. ¶ (Par ext.) Erreur (des sens); illusion.

illustramentum, *i,* n. Ornement (fig.).

illustratio, *onis,* f. Action d'éclairer. ¶ (T. de rhét.) Hypotypose. ¶ Manifestation, apparition.   [*tris.*

illustratus, *us,* m. Dignité de *vir illustris, e,* adj. Qui est en lumière; clair, éclairé, lumineux. ¶ *Fig.* Manifeste, évident. ¶ Brillant, éclatant, distingué, illustre, noble, célèbre. *Equites illustres,* jeunes gens de l'ordre sénatorial qui faisaient leur service militaire dans le corps des chevaliers. *Vir illustris,* titre porté sous le Bas-Empire par les hauts dignitaires du palais, les sénateurs de la première classe et les comtes des Gaules.

illustrius, adv. (au compar.) Plus clairement.

illustro, *as, avi, atum, are,* tr. Eclairer. ¶ *Fig.* Mettre en lumière, rendre clair *ou* évident; éclaircir, expliquer. ¶ Rendre brillant, éclatant, rehausser, orner. ¶ Rendre célèbre *ou* illustre, illustrer.   [¶ Ineffaçable.

illutilis, *e,* adj. Que l'on ne peut laver.

1. **illutus**, *a, um,* adj. Voy. ILLOTUS.

2. **illutus**, *a, um,* adj. Non mouillé, non arrosé, non trempé.

illuvies, *ei,* f. Débordement, inondation. ¶ (Méton.) Eau débordée; mare; flaque. ¶ Saleté, malpropreté, ordure (pr. et fig.).

1. **imaginarius**, *a, um,* adj. Qui concerne les portraits. — *pictor,* peintre de portraits. ¶ Imaginaire, qui n'existe que dans l'imagination.   [NIFER.

2. **imaginarius**, *ii,* m. Comme IMAGI-

imaginatio, *onis,* f. Imagination; chimère. ¶ (Rhét.) Hypotypose.

imagineus, *a, um,* adj. Qui représente, qui est le portrait de. ¶ *Fig.* Imaginaire, fictif.

imaginifer, *eri,* m. Porteur de l'étendard où figure le portrait de l'empereur.

imaginor, *aris, atus sum, ari,* dép. tr. Se représenter (en idée), s'imaginer. ¶ Voir en songe, rêver.

imago, *inis,* f. Image, portrait. ‖ (Au plur.) *Imagines,* images, portraits (des ancêtres ayant exercé des magistures curules). ‖ Simulacre, apparence; reflet, copie. ¶ Image, ombre, fantôme, spectre. ¶ Ce qui donne l'illusion de. — *vocis,* écho. ¶ Allégorie,

comparaison. ‖ Fable. ¶ Représentation, image, idée.   [image.

imaguncula, *ae,* f. Petit portrait; petite image.

imbecillis, *e,* adj. Comme IMBECILLUS.

imbecillitas, *atis,* f. Faiblesse (de corps), débilité (physique); état maladif. ¶ *Fig.* Manque de ressources. ¶ Manque d'énergie (morale); pusillanimité.

imbeciliter, adv. Avec faiblesse; avec pusillanimité. — (ordin. au compar. *imbecillius*).

imbecillus, *a, um,* adj. Faible. ¶ *En parl. de ch.* Faible, impuissant, inefficace. — *suspicio,* soupçon insignifiant. ¶ *Spéc.* Frêle, débile, maladif. ‖ Faible, sans courage, lâche, pusillanime.

imbellia, *ae,* f. Incapacité pour le service militaire.

imbellis, *e,* adj. Impropre à la guerre. ¶ Lâche, pusillanime; poltron. ¶ Tranquille, paisible. ‖ Efféminé.

imber, *bris* (abl. *bri ou bre*), m. Pluie (violente), averse, orage, bourrasque. ¶ Eau de pluie, eau. ¶ Torrent (de larmes).

imberbis, *e,* adj. Imberbe.   [dent.

imberbus, *a, um,* adj. Comme le précé-

imbibo, *is, bibi, ere,* tr. Boire, s'imbiber *ou* s'imprégner de, absorber. ¶ *Fig.* Se pénétrer de. Se mettre dans l'idée de, être résolu à.

imbito, *is, ere,* intr. Entrer dans.

imbrex, *icis,* m. Tuile faîtière, tuile creuse. ¶ Rigole (pour abreuvoir). ¶ Manière d'applaudir en bombant les mains. ¶ Cloison bombée des narines. ¶ Entrecôte (de porc).

1. **imbrico**, *as, avi, atum, are,* tr. Couvrir de tuiles. ¶ Rendre bombé comme une tuile.

2. **imbrico**, *as, are,* ou **imbrico**, *is, ere,* tr. Mouiller de pluie.

imbriculus, *i,* m. Petite tuile.

imbricus, *a, um,* adj. De pluie. ¶ Qui amène la pluie.

imbrifer, *fera, ferum,* adj. Qui amène la pluie. ¶ Qui inonde.

imbuo, *is, ui, utum, ere,* tr. Tremper, mouiller, imprégner. ¶ Pénétrer de, emplir (l'esprit). ¶ *Fig.* Imprégner, *c.-à-d.* habituer à, former à. ¶ Inaugurer, étrenner, faire servir pour la première fois.

imitamen, *inis,* n. Imitation, copie.

imitamentum, *i,* n. Imitation, apparence qui imite la réalité.

imitatio, *onis,* f. Action d'imiter, imitation, copie. ¶ Instinct d'imitation. ¶ Onomatopée. ‖ Harmonie imitative. ¶ (Méton.) Copie, portrait, image.

imitator, *oris,* m. Imitateur. ¶ *Spéc.* Mime.

imitatrix, *icis,* f. Imitatrice.

imitatus, abl. *u,* m. Imitation.

imito, *as, are,* tr. Voy. le suivant.

imitor, *aris, atus sum, ari,* dép. tr. Imiter. ¶ Copier, reproduire en imitant. ‖ Contrefaire. ¶ Suivre l'exemple de. ¶ Manifester au dehors, représenter.

immadesco, *is*, *madui*, *ere*, intr. Devenir humide; s'humecter.　[blement.

immane, adv. Énormément. ¶ Effroya-

immanis, *e*, adj. Monstrueux. ¶ Énorme, gigantesque. ¶ (Moral.) Inhumain, cruel, féroce; effroyable.

immanitas, *atis*, f. Énormité, grandeur disproportionnée, grosseur extraordinaire. ¶ *Fig.* Cruauté, férocité.

immaniter, adj. Comme IMMANE.

immansuetus, *a*, *um*, adj. Qui n'est pas apprivoisé, sauvage; féroce.

immature, adv. Prématurément.

immaturitas, *atis*, f. Défaut de maturité. ¶ Activité intempestive, précipitation.

immaturus, *a*, *um*, Qui n'est pas mûr. ¶ *Fig.* Qui a lieu avant le temps, avant l'âge, avant le terme; prématuré, précipité.

immedicabilis, *e*, adj. Incurable.

immemor, *oris* (abl. *ore* et *ori*), adj. Qui ne se souvient pas de, oublieux. ¶ Qui rend oublieux; qui donne l'oubli.

immemorabilis, *e*, adj. Dont on ne peut pas se souvenir; digne d'oubli. ¶ Que l'on ne peut décrire, indicible. ¶ Qui ne veut pas se souvenir; qui ne veut pas parler.　[dites; nouveautés.

immemorata, *orum*, n. pl. Choses iné-

immemoratus, *a*, *um*, adj. Non mentionné, non cité.

immensitas, *atis*, f. Immensité.

1. **immensum**, *i*, *n.* Immensité. *Ad immensum*, jusqu'à l'infini, démesurément, extraordinairement.

2. **immensum**, adv. Immensément, énormément, extrêmement.

immensus, *a*, *um*, adj. Qui ne peut être mesuré; dont la grandeur échappe à toute mesure *ou* est difficilement mesurable; démesuré, énorme; infini, immense.

immeo, *as*, *are*, intr. Pénétrer dans.

immerens, *entis* adj. Qui ne mérite pas d'être puni; innocent.

immerenter, adv. Sans le mériter.

immergo, *is*, *mersi*, *mersum*, *ere*, tr. Plonger dans, immerger, baigner dans. ¶ (Par ext.) Enfoncer dans (pr. et fig.).

immerito, adv. Injustement, à tort.

immeritus, *a*, *um*, adj. Qui ne mérite pas; innocent. ¶ Qu'on ne mérite pas; immérité.　[submergé.

immersabilis, *e*, adj. Qui ne peut être

immersio, *onis*, f. Action de plonger, immersion.

immigro, *as*, *avi*, *atum*, *are*, intr. Aller habiter dans, entrer dans. ¶ *Fig.* S'introduire dans.

imminentia, *ae*, f. Imminence, menace d'un mal prochain.

immineo, *es*, *ere*, intr. S'élever audessus de, dominer, surplomber. ¶ Être proche. ¶ Être imminent. ¶ Menacer. ¶ Serrer de près, poursuivre.

¶ Chercher à atteindre, convoiter.

imminuo, *is*, *ui*, *utum*, *ere*, tr. Diminuer, amoindrir, affaiblir; abréger, réduire. ¶ Porter atteinte à (l'honneur); violer. ¶ Ruiner.

imminutio, *onis*, f. Diminution, amoindrissement, affaiblissement. ¶ *Spéc.* Atteinte à (la considération). ‖ Atténuation (d'un mal). ‖ (Rhét.) Litote, figure par laquelle on atténue l'expression de sa pensée.

1. **imminutus**, *a*, *um*, adj. Non diminué; intact.　[diminué, affaibli.

2. **imminutus**, *a*, *um*, p. adj. Amoindri,

immisceo, *es*, *cui*, *mixtum* ou *mistum*, *ere*, tr. Mêler à, amalgamer, unir. ¶ *Fig.* Confondre.

immiserabilis, *e*, adj. Dont on n'a pas pitié. ¶ Qui n'a aucune pitié.

immisericorditer, adv. Sans pitié.

immisericors, *cordis*, adj. Impitoyable.

immissio, *onis*, f. Action de faire entrer, de donner accès. ¶ Action d'exciter. ¶ Action de laisser pousser librement (des branches).

immissus, abl. *u*, m. Action d'envoyer.

immistus. Voy. IMMIXTUS.

immitis, *e*, adj. Qui n'est pas doux; qui n'est pas mûr, âpre, aigre, acerbe. ¶ *Fig.* Rude, dur, âpre, sauvage.

immitto, *is*, *misi*, *missum*, *ere*, tr. Envoyer dans, vers *ou* contre; faire entrer, faire pénétrer, lancer contre. ‖ *Jur.* Envoyer en possession. ¶ Déchaîner, lâcher. ¶ Envoyer (comme émissaire), poster, suborner. ¶ Laisser aller, laisser croître librement.

1. **immixtus** (IMMISTUS), *a*, *um*, adj. Non mélangé.　[Mélangé avec.

2. **immixtus** (IMMISTUS), *a*, *um*, p. adj.

immo (IMO), adv. Bien plus; bien plutôt; oui, sans doute; mais non, au contraire.

immobilis, *e*, adj. Immobile. ¶ *Fig.* Immuable. ‖ Impassible, impitoyable.

immobilitas, *atis*, f. Immobilité. ¶ *Fig.* Impassibilité.　[excès.

immoderate, adv. Sans mesure, avec

immoderatio, *onis*, f. Excès. ¶ Intempérance, déréglement.

immoderatus, *a*, *um*, adj. Qui est sans mesure *ou* sans limite, infini. ¶ Immodéré, excessif.　[excès.

immodeste, adv. Sans mesure, avec

immodestia, *ae*, f. Manque de mesure *ou* de retenue; excès. ¶ *Spéc.* Désobéissance; indiscipline.

immodestus, *a*, *um*, adj. Qui est sans mesure, déréglé, déraisonnable.

immodice, adv. Sans mesure, à tort et à travers, à l'excès. ¶ Insolemment, sans retenue.

immodicus, *a*, *um*, adj. Qui dépasse la mesure, exagéré, excessif. ¶ (Fig.) Qui n'a pas de retenue, de règle, de mesure; déréglé, effréné.

immodulatus, *a*, *um*, adj. Mal cadencé.

immolatio, onis, f. Action d'immoler; immolation, sacrifice. [sacrificateur.

immolator, oris, m. Celui qui immole.

immolitus, a, um, adj. Bâti sur (qq. emplacement).

immolo, as, avi, atum, are, tr. Saupoudrer (une victime) avec la MOLA (voy. ce mot), d'où offrir en sacrifice, sacrifier, immoler. ‖ Absol. Offrir un sacrifice. ¶ Immoler, c.-à-d. tuer. ¶ Offrir.

immorior, eris, mortuus sum, moriturus, mori, dép. intr. Mourir dans, sur ou auprès de. ¶ Fig. S'épuiser, se consumer, sécher (sur une chose). ¶ Expirer, prendre fin.

immoror, aris, atus sum, ari, dép. intr. Séjourner, s'attarder à. ¶ (Fig.) S'arrêter à, insister sur. [jours.

immortale, adv. Perpétuellement; tou-

1. immortalis, e, adj. Immortel. ¶ Impérissable. ¶ Bienheureux comme les immortels.

2. immortalis, is, n. Un immortel. Au plur. Immortales, les (dieux) immortels.

immortalitas, atis, f. Immortalité. ¶ (Par ext.) Mémoire éternelle. ¶ Souveraine félicité, béatitude.

immortaliter, adv. Eternellement. ¶ (Par ext.) Infiniment.

immotus, a, um, p. adj. Immobile; tranquille. ¶ Immuable. ¶ (Moral.) Fermé, constant, inébranlable.

immugio, is, ii, ire, tr. Mugir à l'approche de. ¶ Gronder (en pénétrant dans, en se heurtant contre). ¶ Retentir.

immulgeo, es, ere, tr. Traire dans.

immunditia, ae, f. Impureté. ¶ (Au plur.) Méton. Immondices, ordures entassées.

immundities, ei, f. Comme IMMUNDITIA.

1. immundus, a, um, adj. Impur, souillé. ¶ Immonde.

2. immundus, i, m. Défaut de parure.

immunis, e, adj. Exempt des charges publiques, libre d'impôts. ¶ Qui ne paye pas son écot; qui ne contribue pas; inactif. ¶ Peu serviable. ¶ (En gén.) Exempt de, libre de. ‖ Innocent de.

immunitas atis f. Exemption des charges publiques, franchise, ¶ (Fig.) Exemption, immunité. [¶ Désarmé.

immunitus, a, um, adj. Non fortifié.

immurmuro, as, atum, are, intr. Murmurer dans, contre ou sur.

1. immutabilis, e, adj. Immuable.

2. immutabilis, e, adj. Changé, différent.

immutabilitas, atis, f. Absence de changement, immutabilité.

immutatio, onis, f. Changement. ¶ (Rhét.) Métonymie, figure par laquelle on désigne une chose par le nom d'une autre.

immutator, oris, m. Celui qui modifie.

1. immutatus, a, um, adj. Qui n'a pas été changé; invariable.

2. immutatus, a, um, part. Changé.

immutesco, is, mutui, ere, intr. Devenir muet.

immuto, as, avi, atum, are, tr. Changer, modifier. ‖ Péjor. Gâter. ¶ (Rhét.) Employer par métonymie ou par allégorie.

imo, adv. Voy. IMMO.

impacatus, a, um, adj. Insoumis.

impactio, onis, f. Action de heurter, de pousser. [dent.

impactus, abl. u, m. Comme le précédent.

inpaenitentia, ae, f. Impénitence.

impar, paris, adj. Inégal (pour la grandeur, le nombre ou la durée), dissemblable. ¶ (Arithm.) Impair. ¶ Disproportionné. ¶ Qui est au-dessus de, impuissant à, insuffisant.

imparatus, a, um, adj. Qui n'est pas préparé, qui ne s'attend pas à.

imparilis, e, adj. Inégal, dissemblable.

imparilitas, atis, f. Inégalité, dissemblance. ¶ Irrégularité. ¶ (Gramm.) Solécisme.

impariter, adv. Inégalement. [pas.

imparticipabilis, e, adj. Qui ne participe

impastus, a, um, adj. Qui n'est pas repu; affamé.

impatibilis. Voy. 1. IMPETIBILIS.

impatiens, entis, adj. Qui ne peut supporter; impatient de. ¶ Insensible, impassible.

impatienter, adv. Impatiemment. ¶ D'une manière insupportable.

impatientia, ae, f. Impossibilité, extrême difficulté de supporter (qqch.), impatience, manque de patience. ¶ Impétuosité, violence (des sentiments). ¶ Apathie, impassibilité.

impavide, adv. Sans peur.

impavidus, a, um, adj. Inaccessible à la peur, intrépide.

impedimentum, i, n. Empêchement, embarras; obstacle, entrave. ¶ Au plur. Impedimenta, gros bagages (qui suivent l'armée et alourdissent sa marche), train (d'une armée en marche). ‖ Chariots (de transport); bêtes de somme.

impedio, is, ivi ou ii, itum, ire, tr. Enlacer, empêtrer, entraver, embarrasser. ‖ Fig. Empêtrer, troubler. ¶ (Par ext.) Entraver, c.-à-d. arrêter. ‖ Gêner, embarrasser. ¶ Fig. Faire obstacle, empêcher; s'opposer (à ce que...). ‖ Ceindre, entourer. [ment.

impeditio, onis, f. Obstacle, empêche-

impeditus, a, um, p. adj. Qui n'est pas libre de ses mouvements; gêné, embarrassé, encombré (de gros bagages), pesamment chargé, impuissant à agir ou à se battre. ¶ Impraticable, plein d'obstacles. ‖ Fig. Embrouillé. ¶ Plein de difficultés; critique. — tempora, circonstances critiques.

impello, is, puli, pulsum, ere, tr. Pousser. ‖ Frapper, heurter. ¶ Donner l'impulsion à, mettre en mouvement, faire avancer. || *Fig.* Pousser à, c.-à-d. décider à. ¶ Pousser (pour faire tomber), abattre, renverser, précipiter.

impendeo, *es, ere*, intr. Etre suspendu sur. ¶ *Fig.* Menacer, approcher, c.-à-d. être proche, imminent.

impendio, adv. Avec munificence. ¶ *Fig.* Grandement, beaucoup, extrêmement.

impendium, *ii*, n. Dépense, frais, débours. ¶ *Fig.* Perte, sacrifice. ¶ Produit du capital; intérêts (d'un prêt).

impendo, *is, pendi, pensum, ere*, tr. Dépenser. ¶ *Fig.* Employer, consacrer, sacrifier.

impenetrabilis, *e*, adj. Impénétrable *ou* imperméable à. ¶ *Fig.* Inaccessible à.

impensa, *ae*, f. Dépense, frais. ¶ Perte volontaire de, sacrifice. ¶ (Méton.) Ce qu'on doit se procurer : matériel, matières, fournitures; ustensiles.

impense, adv. A grands frais; somptueusement. ¶ *Fig.* En se dépensant beaucoup, en employant tout son temps, tous ses efforts. || Beaucoup.

impensio, *onis*, f. Dépense.

1. **impensus**, *a, um*, p. adj. Coûteux, cher. ¶ Vif, violent. || Formulé avec une précision qui ne permet pas d'éluder; formel. || Instant, pressant. || Extrême, considérable.

2. **impensus**, *us*, m. Comme IMPENSIO.

imperatio, *onis*, f. Ordre, commandement.

1. **imperativus**, *a, um*, adj. Qui commande, qu'on emploie pour commander. ¶ Commandé, imposé.

2. **imperativus** (s.-e. MODUS), *i*, m. (Gramm.) Impératif.

imperator, *oris*, m. Celui qui commande, chef. ¶ Commandant en chef, généralissime. ¶ Titre d'honneur décerné à leur général par des armées victorieuses. ¶ Empereur. ¶ Surnom donné à Jupiter.

imperatorie, adv. Comme il sied à un chef, à un général.

imperatorius, *a, um*, adj. De général en chef. ¶ De général victorieux. ¶ Impérial, d'empereur.

imperatrix, *icis*, f. Souveraine. ¶ *Plaisamm.* Général en jupons. ¶ Impératrice.

imperatum, *i*, n. Ordre, commandement. *Imperata facere*, exécuter les ordres (reçus).

imperatus, *us*, m. Commandement.

imperceptus, *a, um*, adj. Inaperçu. ¶ Difficile à apercevoir.

imperco, *is, ere*, intr. Epargner.

impercussus, *a, um*, adj. Non frappé. ¶ Qui ne fait pas de bruit.

imperditus, *a, um*, adj. Non détruit; non mis à mort.

imperfecte, adv. Imparfaitement.

imperfectus, *a, um*, adj. Inachevé, incomplet; qui n'est pas encore formé. ||(Gramm.) Imparfait. ¶ Non parfait.

imperfossus, *a, um*, adj. Non percé, non transpercé.

imperiose, adv. Impérieusement; en monarque absolu; d'une manière despotique.

imperiosus, *a, um*, adj. Qui commande en maître absolu; puissant. ¶ Impérieux, despotique, tyrannique.

imperite, adv. Maladroitement, sans habileté.

imperitia, *ae*, f. Défaut d'habileté. || Inexpérience. ¶ Incapacité, ignorance.

imperito, *as, avi, atum, are*, tr. Commander, ordonner. ¶ (Absol.) Avoir l'autorité.

imperitus, *a, um*, adj. Inexpérimenté. ¶ Inhabile, ignorant. Subst. *Imperiti*, les ignorants.

imperium, *ii*, n. Ordre, commandement. || *Spéc.* Ordonnance (du médecin). ¶ Droit de commandement, pouvoir, autorité. || *Spéc.* Puissance publique, gouvernement, souveraineté. || Empire. || Commandement des forces militaires (avec droit de vie et de mort sur les soldats). ¶ (Méton.) Au plur. *Imperia magistratusque*, les autorités militaires et les dignités civiles; *en gén.* agents du pouvoir revêtus de l'autorité. ¶ Territoire soumis à l'autorité souveraine; état, empire.

imperjuratus, *a, um*, adj. Par lequel on ne jure pas en vain.

impermeabilis, *e*, adj. Qui ne peut être traversé.

impermisceo, *es, ere*, tr. Mêler à.

impermissus, *a, um*, adj. Illicite.

impero, *as, avi, atum, are*, tr. et intr. *Tr.* Commander (qqch.), ordonner, prescrire, enjoindre. || Exiger, imposer. || Forcer à produire. ¶ Avoir autorité sur, commander à, gouverner. ¶ *Intr.* Exercer un commandement; régner, être empereur. ¶ *Fig.* Tenir en bride, maîtriser, réprimer.

imperpetratus, *a, um*, adj. Non perpétré.

imperpetuus, *a, um*, adj. Qui n'est pas perpétuel. [caché.

imperspicuus, *a, um*, adj. Impénétrable,

imperterritus, *a, um*, adj. Qui ne connaît pas la peur; intrépide.

impertio, *is, ivi, itum, ire*, tr. Faire part de, faire participer à. || Communiquer. ¶ Accorder, attribuer, impartir. || Consacrer. ¶ Gratifier de. [PERTIO.

impertior, *iris, iri*, dép. tr. Comme IM-

impervius, *a, um*, adj. Impénétrable, infranchissable, inaccessible (pr. et fig.). [PETUS.

impes, *etis* (abl. *etc.*), m. Comme IM-

impetiginosus, *a, um*, adj. Atteint d'impétigo.

impetigo, *inis*, f. Eruption cutanée, maladie de peau, qui présente des pustules discrètes ou agglomérées dont l'humeur ne se dessèche jamais forme des croûtes. Au plur. *Impetigines*, croûtes. ¶ Maladie des figuiers.

impetix. Comme IMPETIGO.

impeto, *is*, *ere*, tr. Attaquer, assaillir. ¶ (Fig.) Accuser.

impetrabilis, *e*, adj. Qu'on peut obtenir facilement. ¶ Qui obtient facilement.

impetratio, *onis*, f. Action d'obtenir; obtention.

impetratus, abl. *u*, m. Obtention.

impetrio, *is*, *ivi*, *itum*, *ire*, tr. Obtenir (par les augures une réponse favorable à ce qu'on désire).

impetritae, *arum*, f. pl. Prières pour obtenir (un signe favorable).

impetritum, *i*, n. Bon présage obtenu.

impetro, *as*, *avi*, *atum*, *are*, tr. Obtenir. ¶ *Jur.* Impétrer, obtenir (de l'autorité compétente qq. avantage, qq. privilège, etc.).

impetuose, adv. Avec impétuosité.

impetuosus, *a*, *um*, adj. Impétueux, violent.

impetus, *us*, m. Action de fondre brusquement sur; élan, mouvement violent. ¶ Attaque, assaut, charge. ¶ (Fig.) *Médec.* Attaque, accès; crise. ‖ *Moral.* Fougue, emportement, transports. ‖ Enthousiasme. ‖ Brusque décision.

impexus, *a*, *um*, adj. Non peigné. ¶ ¶ (Fig.) Rude, grossier.   [lement.

impie, adv. Avec impiété. ¶ Criminel-

impietas, *atis*, f. Impiété, manque de vénération (pour les dieux, la patrie, les parents, etc.). ¶ *Spéc.* Crime de lèse-majesté.

impiger, *gra*, *grum*, adj. Qui n'est pas paresseux. ¶ Actif, courageux, diligent, infatigable.   [courageusement.

impigre, adv. Avec entrain, activement,

1. **impingo**, *is*, *pegi*, *pactum*, *ere*, tr. Pousser, jeter, lancer (violemment) contre…; heurter. ¶ Mettre de force (sur le cou *ou* sur les épaules). ‖ *Fig.* Imposer, infliger, faire subir. ¶ Chasser. ‖ *Fig.* Réduire à, forcer à. [sur.

2. **impingo**, *is*, *pinxi*, *ere*, tr. Dessiner

impius, *a*, *um*, adj. Impie, qui manque de vénération (pour les dieux, pour sa patrie, pour ses parents). ¶ Criminel. ¶ (En parl. de ch.) Qui est propre à l'impie; abominable.

implacabilis, *e*, adj. Implacable, inflexible.   [manière plus implacable.

implacabilius, adv. (au compar.) D'une

implacatus, *a*, *um*, adj. Non apaisé. ¶ Cruel.

implacidus, *a*, *um*, adj. Qui n'est pas en repos; remuant, agité. ¶ Violent, cruel.

implecto, *is*, *plexi*, *plexum*, *ere*, tr. Enlacer, entrelacer. ¶ (Par ext.) Enchaîner, unir.

impleo, *es*, *evi*, *etum*, *ere*, tr. Emplir, remplir, combler. ‖ Couvrir entièrement. ¶ Rassasier. ‖ Engraisser. ‖ Enfler, gonfler. ¶ Compléter, achever. ‖ Se monter à, atteindre le chiffre de. ¶ Accomplir, exécuter, réaliser. ¶ Remplir (une charge), occuper (une

place). ‖ Tenir la place de, représenter.

impletio, *onis*, f. Action d'emplir.

impletor, *oris*, m. Celui qui réalise, qui accomplit. ¶ Celui qui remplit (de l'esprit divin), celui qui inspire.

implexus, abl. *u*, m. Enlacement, entrelacement, embrassement.

implicatio, *onis*, f. Entrelacement. ¶ Connexité. ¶ Complication, embarras.

implicatura, *ae*, f. Action d'envelopper. ¶ *Fig.* Intrigue.

implicatus, *a*, *um*, p. adj. Entortillé. ¶ *Fig.* Compliqué, embrouillé.

implicite, adv. D'une manière embrouillée.

implicito, *as*, *are*, tr. Entrelacer.

implicitus, *a*, *um*, p. adj. Entortillé, confus. ¶ Inquiet, agité.

implico, *as*, *plicui* et *plicavi*, *plicitum* et *plicatum*, *are*, tr. Mettre l'un dans l'autre, envelopper, enrouler, enlacer, entortiller; confondre. ¶ (Par ext.) Enfoncer profondément, mêler étroitement à, mélanger avec. ¶ Embrasser, étreindre. *Implicari morbo*, tomber malade. ¶ *Fig.* Embrouiller, embarrasser.

imploratio, *onis*, f. Action d'implorer.

implorator, *oris*, m. Solliciteur.

imploro, *as*, *avi*, *atum*, *are*, tr. Appeler, invoquer en pleurant. ¶ Implorer, demander qqch. (d'une manière touchante); invoquer (qqn).

implumis, *e*, adj. Sans plumes. ¶ (Par ext.) Chauve.

impluo, *is*, *plui*, *ere*, intr. Impers. *Impluit*, il pleut dans *ou* sur. ¶ Couler, tomber (en pluie *ou* comme une pluie). ¶ *Tr.* Mouiller, arroser.

impluviatus, *a*, *um*, adj. Qui affecte la forme d'un impluvium. ¶ Qui a la couleur des choses mouillées par la pluie.

impluvium, *ii*, n. Petite cour carrée et découverte, située au centre d'une maison romaine et ayant en son milieu un bassin où tombent les eaux pluviales. ¶ Qqf. pour COMPLUVIUM.

impolite, adv. Sans ornement.

impolitus, *a*, *um*, adj. Non poli; rugueux. ¶ *Par ext.* Négligé, sans art, inculte. ¶ Inachevé.

impollutus, *a*, *um*, adj. Non souillé, pur.

impono, *is*, *posui*, *positum*, *ere*, tr. Mettre *ou* placer dans. ‖ (Fig.) Engager dans. ¶ Mettre *ou* placer sur. ‖ *Spéc.* Embarquer. ‖ (Méd.) Appliquer (sur une blessure). ¶ *Fig.* Mettre à la tête de; préposer. ¶ Imposer, donner, causer, infliger. ¶ En imposer à, tromper. ¶ Mettre à, donner à. ‖ *Spéc.* Imposer (comme nom).

importo, *as*, *avi*, *atum*, *are*, tr. Apporter; importer. ¶ (Fig.) Introduire; causer. — *alicui detrimentum*, causer du dommage à qqn.

importune, adv. Mal à propos, à contretemps. ¶ Brusquement, rudement, avec une insistance déplaisante.

importunitas, *atis*, f. Désavantage (d'une position). ¶ Caractère difficile. ¶ Méchanceté.

importunus, *a*, *um*, adj. Dont la situation est désavantageuse; inaccessible, inabordable. ¶ Qui n'est pas opportun (en parl. du temps); inopportun, défavorable. ¶ *En parl. de ch.* Incommode; fâcheux, sinistre; odieux. ¶ ¶ *En parl. de pers.* De caractère difficile, importun, ennuyeux, tracassier, exigeant, gênant; d'humeur tyrannique; cruel.

importuosus, *a*, *um*, adj. Où il n'y a pas de port; inabordable.

impos, *potis*, adj. Qui n'est pas maître de. ‖ Qui ne (se) possède pas. ¶ Qui n'est pas en possession de. ¶ Impatient de.

impositio, *onis*, f. Action de placer sur; imposition. ¶ (Fig.) Imposition (de noms). [puissant.

impossibilis, *e*, adj. Impossible. ¶ Impostor, *oris*, m. Imposteur.

impotens, *entis*, adj. Impuissant, faible. ¶ Qui n'est pas maître de. ¶ Qui ne (se) possède pas; emporté, passionné, impérieux. ‖ *En parl. de ch.* Excessif.

impotenter, adv. D'une manière impuissante. ¶ Sans se maîtriser. ‖ Avec passion, avec emportement. ‖ Avec impudence; despotiquement.

impotentia, *ae*, f. Impuissance; faiblesse. ¶ Violence (de passions), emportement; transport; excès. ‖ Despotisme.

impraesentiarum, adv. Pour le moment; présentement.

impransus, *a*, *um*, adj. Qui est à jeun.

imprecatio, *onis*, f. Souhait, prière. ¶ Imprécation, souhait de malheur; malédiction.

imprecor, *aris*, *atus sum*, *ari*, dép. tr. Souhaiter (à qqn) du bien *ou* du mal. ¶ Prier, invoquer.

impresse, adv. De manière à laisser une trace profonde; de manière à faire impression.

impressio, *onis*, f. Action de presser, d'appuyer sur; impression, empreinte. ¶ Poussée, choc, presse; heurt. ‖ (T. milit.) Attaque (d'une armée), charge (d'un corps de troupe); irruption. ¶ (Fig.) Impression sur les sens; sensation. Au plur. *Impressiones*, les sensations. ¶ (Rhét.) Action d'appuyer sur certains mots (dans le débit); accent oratoire. ‖ Articulation nette.

1. **impressus**, *a*, *um*, p. adj. Enfoncé.

2. **impressus**, *us*, m. Pression.

imprimis, adv. Avant tout, en premier lieu. ‖ Surtout, principalement.

imprimo, *is*, *pressi*, *pressum*, *ere*, tr. Appuyer *ou* appliquer sur; presser. ¶ Faire pénétrer (en appuyant), enfoncer dans. ¶ Tracer en appuyant, creuser, graver, empreindre. ‖ Dessiner, représenter. ¶ *Fig.* Laisser la

marque d'une pression, imprimer (pr. et fig.). ¶ Marquer d'une empreinte, graver, ciseler, couvrir de signes *ou* de dessins. ¶ Effondrer, faire manquer par le fond (en surchargeant).

improbabilis, *e*, adj. Insoutenable.

improbatio, *onis*, f. Désapprobation.

improbator, *oris*, m. Improbateur, celui qui désapprouve.

improbatus, *a*, *um*, adj. Désapprouvé, rejeté. ¶ Décrié, discrédité.

improbe, adv. Incorrectement, mal. ¶ Malhonnêtement, méchamment. ‖ Avec effronterie. ¶ Démesurément.

improbitas, *atis*, f. Mauvaise qualité. ¶ (Mor.) Méchanceté. ¶ Impudence, effronterie. ¶ *Qqf.* Ténacité.

improbo, *as*, *avi*, *atum*, *are*, tr. Désapprouver, rejeter; condamner. ¶ *Qqf.* Casser, annuler.

improbus, *a*, *um*, adj. Mauvais, de mauvais aloi, de mauvaise qualité. ¶ *Moral.* Méchant, vicieux, malhonnête. ‖ *Spéc.* Effronté, polisson, impudent. ‖ Hardi. ¶ Démesuré, excessif, extravagant. ‖ Énorme; acharné. ‖ Insatiable. [taille.

improcerus, *a*, *um*, adj. De petite improfessus, *a*, *um*, adj. Qui n'a pas déclaré (sa condition *ou* sa religion). ¶ Non déclaré (à la douane).

impromptus, *a*, *um*, adj. Qui n'est pas dispos, qui manque d'ardeur. ¶ Qui n'a pas la parole en main.

improperatus, *a*, *um*, adj. Qui ne se presse pas, qui ne va pas vite, lent.

improprie, adv. Improprement.

improprietas, *atis*, f. Impropriété (d'expression). [gage).

improprium, *ii*, n. Impropriété (de langage).

improprius, *a*, *um*, adj. Impropre.

improsper, *a*, *um*, adj. Qui ne réussit pas, malheureux. ¶ Qui n'est pas favorable.

improspere, adv. Malheureusement.

improvide, adv. Sans prévoyance.

improvidus, *a*, *um*, adj. Pris au dépourvu. ¶ Imprévoyant.

improviso, adv. A l'improviste, soudainement. [dain.

improvisus, *a*, *um*, adj. Imprévu, soudimprudens, *entis*, adj. Qui ne s'attend pas à. ¶ Qui ne sait pas, ignorant de. ¶ (Par ext.) Imprudent, imprévoyant, inconsidéré. Subst. *Imprudentes*, *ium*, m. pl. Gens à courte vue.

imprudenter, adv. Sans le savoir, par mégarde. ¶ Imprudemment, inconsidérément.

imprudentia, *ae*, f. Inadvertance, erreur. ¶ Ignorance. ¶ Imprévoyance; imprudence.

impuberes, *um*, m. pl. Jeunes enfants.

impubes, *beris*, adj. Voy. IMPUBIS.

impubis, *is*, adj. Qui n'a pas encore de barbe, ni de poils, impubère. ¶ *Par ext.* Chaste.

impudens, *entis*, adj. Qui est sans pudeur; impudent.

impudenter, adv. Impudemment, effrontément.

impudentia, ae. f. Impudence, effronterie.

impudice, adv. Impudiquement.

impudicitia, ae, f. Impudicité.

impudicus, a, um, adj. Impudent. ¶
Impudique, qui outrage la pudeur.
¶ En parl. de ch. Infect.

impugnatio, onis, f. Attaque, assaut.

impugnator, oris, m. Agresseur. ¶ Fig.
Celui qui attaque (par actions ou par
paroles).

impugno, as, avi, atum, are, tr. Attaquer, assaillir; combattre. ¶ Attaquer,
lutter contre, combattre. Subst. Im-
pugnantes, m. pl. Les agresseurs, les
assaillants. || Fig. Inquiéter, attaquer
en paroles.

impulsio, onis, f. Poussée, heurt, choc;
coup. ¶ Impulsion, influence. ¶ Fig.
Incitation, excitation. || Penchant,
inclination (naturelle).

impulso, as, are, tr. Lancer contre.

impulsor, oris, m. Instigateur. ¶ Spéc.
Celui qui pousse au payement des
impôts.

impulsus, us, m. Impulsion; choc. ¶
Fig. Impulsion, instigation. || Pen-
chant naturel.   [Sans danger.

impune, adv. Impunément. ¶ (Par ext.)

impunitas, atis, f. Impunité. ¶ (Par
ext.) Liberté excessive, licence.

impunite, adv. Impunément.

impunitus, a, um, adj. Impuni. ¶ (Par
ext.) Effréné.

impure, adv. D'une façon infâme.

impuritas, atis, f. Fig. Impureté; infamie.

impuro as are, tr. Souiller.

impurus, a, um, adj. Qui n'est pas pur.
¶ Sale, malpropre. ¶ (Mor.) Impu-
dique. ¶ (En gén.) Scélérat. || Infâme.

imputatio, onis, f. Action de porter en
compte; compte.

imputator, oris, m. Celui qui porte en
compte, qui tire vanité d'un service
rendu.   [non élagué.

1. imputatus, a, um, adj. Non taillé

2. imputatus, a, um, part. d'IMPUTO.

imputo, as, avi, atum, are, tr. Porter
en compte, compter. ¶ Faire entrer
en ligne de compte. || Mettre au
compte (de qqn), imputer. || Faire un
mérite de. || Attribuer (à qqn) la res-
ponsabilité (de qqch.). || Faire un
crime de; reprocher. ¶ Qqf. Assigner,
attribuer.

imulus, a, um, adj. Qui forme le tout
petit bout (d'un objet délicat, gracieux, etc.).   [mité, le bout.

imum, i, n. Le bas, le fond. ¶ L'extré-

imus, a, um, adj. (Superl. de INFERUS).
Qui est à la partie la plus basse ou la
plus profonde. Ima arbor, le bas de
l'arbre. Ab imo pectore, du fond de la
poitrine. Ab imis unguibus ad verticem
summum, de la pointe des pieds au

sommet de la tête. ¶ Placé à l'extrémité, au dernier rang, d'où dernier.
Ad imum, jusqu'à la fin.

1. in, prép. avec l'Ablat. et l'Acc.
¶ Avec l'Ablat. Dans, en, sur (sans
mouv.). ¶ En, pendant. || Dans, au
bout de. ¶ Fig. S'agissant de, eu
égard à, en ce qui concerne.. ¶ Dans,
chez; entre, parmi. ¶ Avec l'Accus.
Dans, en, sur (av. mouvement); en
pénétrant dans, jusque dans ou sur.
|| Dans le sens de, vers ou contre.
|| En parl. du temps. Jusqu'à. || Pour.
Aliquem invitare in posterum diem,
inviter qqn pour le lendemain. In
diem vivere, vivre au jour le jour,
¶ Fig. En forme de, en. || En vue de,
à l'intention de, pour. || Envers, à
l'égard de. || Pour ou contre. ¶ Par
(dans un sens distributif).

2. in, partic. insépar. (exprimant négation ou privation).

inaccessus, a, um, adj. Inaccessible.
¶ (Fig.) Que l'on ne peut atteindre,
c.-à-d. acquérir ou obtenir.

inacesco (INACISCO), is, acui, ere, intr.
S'aigrir. ¶ Fig. Devenir odieux, désagréable.

inadibilis, e, adj. Inaccessible.

inadustus, a, um, adj. Non brûlé, non
atteint par la flamme.

inaedificatio, onis, f. Action de bâtir.

inaedifico, as, avi, atum, are, tr. Bâtir
dans ou sur. ¶ Couvrir de bâtiments,
de constructions. || Fortifier.

inaequabilis, e, adj. Qui n'est pas de
niveau, accidenté, inégal. ¶ (Fig.)
Disparate.

inaequabilitas, atis, f. Inégalité, dissemblance. ¶ (Gramm.) Anomalie.

inaequabiliter, adv. Inégalement.

inaequalis, e, adj. Inégal, accidenté.
¶ Inégal, dissemblable. ¶ Changeant,
variable. ¶ Qui rend inégal.

inaequalitas, atis, f. Inégalité, différence. ¶ (Gramm.) Anomalie.

inaequaliter, adv. Inégalement; différemment.

inaequatus, a, um, adj. Inégal.

inaequo, as, are, tr. Niveler, aplanir.

inaestimabilis, e, adj. Qui ne peut être
évalué, incalculable, inappréciable;
extrême. ¶ Sur lequel on ne peut
porter un jugement. ¶ Qui n'est pas
digne d'estime; méprisable.

inaestuo, as, are, intr. S'échauffer fortement (pr. et fig.).

inaffectatus, a, um, adj. Où il n'y a
pas d'affectation; naturel.

inagitabilis, e, adj. Immobile, qui ne
s'agite pas.   [repos; calme.

inagitatus, a, um, adj. Immobile, au

inamabilis, e, adj. (Qu'on ne peut pas
aimer); odieux.

inamaresco, is, ere, intr. Devenir amer.

inamarico, as, avi, are, tr. Aigrir; irriter,
exaspérer. ¶ Intr. S'aigrir, s'irriter.

inambitiosus, *a*, *um*, adj. Sans prétention; simple.

inambulatio, *onis*, f. Action de se promener, promenade. ¶ (Méton.) Lieu où l'on se promène, promenade.

inambulo, *as*, *avi*, *atum*, *are*, intr. Se promener dans l'intérieur de.

inamoenus, *a*, *um*, adj. Qui manque de charme; odieux, affreux.

inane, *is*, n. Le vide. ¶ Chimère. ¶ Vanité, fatuité. [réduire à rien.

inanesco, *is*, *ere*, intr. Se vider. ¶ Se

inaniae, *arum*, f. pl. Frivolités, riens, bagatelles.

inanimans, *antis*, adj. Inanimé.

inanimatus, *a*, *um*, adj. Inanimé.

inanimus, *a*, *um*, adj. Inanimé.

inanio, *is*, *ivi*, *itum*, *ire*, tr. Vider, évacuer. ¶ (Par ext.) Priver.

1. inanis, *e*, adj. Vide. — *domus*, maison sans habitants. ¶ *Spéc.* Qui a les mains vides. || Pauvre, appauvri, sans ressources. ¶ Dont l'estomac est vide. || Affamé. ¶ Sans corps, irréel, impalpable. ¶ *Fig.* Vide, creux, sans substance. || Chimérique. — *spes*, espoir non fondé, chimérique. || Vain, frivole. || Vaniteux, fat.

2. inanis, *is*, m. Un fat. Au plur. *Inanes*, *ium*, m. Niais présomptueux.

inanitas, *atis*, f. Vide (subst.), le vide. ¶ Cavité, creux. ¶ *Fig.* Vide, néant, inanité. || Frivolité, vanité. || Suffisance, fatuité.

inaniter, adv. Vainement; sans fondement. ¶ En vain, d'une manière vaine, sans effet.

inanitio, *onis*, f. Action de vider.

1. inaratus, *a*, *um*, adj. Non labouré; inculte.

2. inaratus, *a*, *um*, adj. Couvert en labourant; *simpl.* labouré (pr. et fig.).

inardesco, *is*, *arsi*, *ere*, intr. Brûler (sur). || S'embraser, devenir rouge comme le feu; s'empourprer. ¶ (Fig.) S'allumer, s'enflammer.

inaresco, *is*, *arui*, *ere*, intr. Se dessécher, se tarir (pr. et fig.).

inargute, adv. Sans finesse, sans esprit.

inargutus, *a*, *um*, adj. Dépourvu de finesse *ou* d'esprit, sot.

inaro, *as*, *avi*, *atum*, *are*, tr. Couvrir (de terre), enfouir en labourant. ¶ Labourer, cultiver.

inartificialis, *e*, adj. Où il n'y a pas d'artifice; non artificiel; naturel.

inascensus, *a*, *um*, adj. Que l'on n'a pas gravi. [¶ Non habituel.

inassuetus, *a*, *um*, adj. Non habitué.

inattenuatus, *a*, *um*, adj. Non amoindri, non affaibli. [reux.

inaudax, *acis*, adj. Non hardi; peuinaudio (arch. INDAUDIO), *is*, *ivi* et *ii*, *itum*, *ire*, tr. Entendre. ¶ Entendre dire, apprendre.

1. inauditus, *a*, *um*, p. adj. Non entendu. || Inouï, sans exemple, sans précédent, étrange, extraordinaire.

|| Dont on n'a pas entendu la défense. *Aliquem inauditum damnare*, condamner qqn sans l'entendre. ¶ Qui n'entend pas; sourd.

2. inauditus, *a*, *um*, adj. Qu'on a appris par ouï-dire. [cement.

inauguratio, *onis*, f. Début, commeninaugurato, adv. Après une consultation d'augures.

inauguro, *as*, *avi*, *atum*, *are*, intr. Prendre *ou* consulter les augures. ¶ (Par ext.) Tr. Consacrer (par la consultation des augures), inaugurer (un temple, etc.). || Sacrer (un prêtre), installer (un magistrat).

inaurator, *oris*, m. Doreur.

1. inauratus, *a*, *um*, adj. Non orné d'or.

2. inauratus, *a*, *um*, p. adj. Doré.

inaurio, *is*, *ire*, tr. Faire entendre, *c.-à-d.* rendre (*ou* donner) à qqn le sens de l'ouïe. ¶ Prêter l'oreille à, exaucer.

inaurior, *iri*, dép. tr. Exaucer.

inauris, *is*, f. Pendant d'oreille (ordin. au plur.). [sens de l'ouïe.

inauritus, *a*, *um*, adj. Qui n'a pas le

inauro, *as*, *avi*, *atum*, *are*, tr. Dorer. Couvrir d'or, *c.-à-d.* enrichir.

inauspicato, adv. Sans avoir pris les auspices.

inauspicatus, *a*, *um*, adj. Fait sans qu'on ait pris les auspices. || De mauvais présage, de fâcheux augure, funeste. ¶ Inespéré, inopiné, imprévu.

inausus, *a*, *um*, adj. Non osé, non hasardé, non tenté.

incaen... Voy. INCEN...

incalesco, *is*, *calui*, *ere*, intr. Devenir chaud, s'échauffer. ¶ *Fig.* S'échauffer, *c.-à-d.* s'enflammer, s'éprendre. ¶ *Qqf.* (Tr.) Echauffer.

incalfacio, *is*, *ere*, tr. Echauffer.

incallide, adv. Maladroitement.

incallidus, *a*, *um*, adj. Inhabile, maladroit. [vant.

incandeo, *es*, *ere*, intr. Comme le suiincandesco, *is*, *candui*, *ere*, intr. Devenir blanc, blanchir. ¶ (Par ext.) Devenir brûlant. ¶ (Fig.) S'enflammer.

incantamentum, *i*, n. Formule magique, enchantement. [gicien.

incantator, *oris*, m. Enchanteur, maincanto, *as*, *avi*, *atum*, *are*, intr. et tr. Chanter dans (un endroit). ¶ (Ordin.) Prononcer des formules magiques (contre qqn *ou* sur qqch.). || Soumettre à des enchantements, ensorceler.

incanus, *a*, *um*, adj. Complètement blanchi (par l'âge).

incassum ou in cassum, adj. En vain. Voy. CASSUS. [mandé, non châtié.

incastigatus, *a*, *um*, adj. Non réprincaute, adv. Sans précaution. ¶ Inconsidérément.

incautus, *a*, *um*, adj. Qui ne se tient pas sur ses gardes; imprudent. ¶ Qui n'est pas gardé; auquel on ne prend pas garde, inspiré, imprévu.

incedo, *is, cessi, cessum, ere*, intr. Marcher, s'avancer (avec gravité, avec majesté). || (T. milit.) Se mettre en marche, marcher *ou* se porter en avant, s'ébranler. ¶ (*En parl. de ch.*) Survenir, arriver. ¶ *Tr.* Mettre le pied sur, marcher sur, entrer dans. || (Fig.) Surprendre, attaquer, atteindre.

inceleber, *bris, bre* et **incelebris**, *e*, adj. Non célèbre; inconnu.

incelebratus, *a, um*, adj. Non publié.

incenatus, *a, um*, adj. A jeun.

1. **incendiarius**, *a, um*, adj. A incendie, qui incendie, incendiaire.

2. **incendiarius**, *ii*, m. Un incendiaire.

incendium, *ii*, n. Incendie, embrasement, feu. ¶ (Par ext.) Chaleur extrême. || (Méton.) Brandon, tison. ¶ (Fig.) Feux, ardeur, violence (des passions). || Danger extrême, ruine. ¶ Enchérissement (du blé, des denrées).

incendo, *is, cendi, censum, ere*, tr. Mettre le feu à. ¶ Allumer, brûler, incendier. || Allumer du feu sur *ou* dans. ¶ Embraser, rendre rouge comme le feu; donner (à qqch.) l'éclat du feu. ¶ *Fig.* Enflammer, livrer aux ardeurs (de la passion). ¶ Livrer aux flammes, réduire en cendres, détruire. ¶ Remplir (d'éclats de voix, de cris *ou* de plaintes); troubler (par des lamentations). ¶ Faire monter (le prix des denrées), provoquer le renchérissement de.

incensio, *onis*, f. Action de mettre le feu à, de brûler, d'incendier. ¶ *Spéc.* Action de brûler (de l'encens); sacrifice, offrande.

incensum, *i*, n. Ce qui est brûlé dans un sacrifice. || Encens. ¶ (Par ext.) Offrande, sacrifice.

1. **incensus**, *a, um*, adj. Enflammé. ¶ Echauffé. ¶ Qui parle avec feu; véhément.

2. **incensus**, *a, um*, adj. Qui n'est pas porté sur les listes du censeur.

3. **incensus**, *us*, m. Comme INCENSUM.

incentio, *onis*, f. Action de jouer d'un instrument (à vent). ¶ Son d'un instrument à vent.

incentiva (s.-e. TIBIA) *ae*,, f. De deux flûtes, celle qui joue la partie haute.

incentivum, *i*, n. Excitant. ¶ Attrait (du vice).

incentivus, *a, um*, adj. Qui donne le ton, qui joue la partie haute (en parl. d'une flûte). ¶ *Fig.* Qui donne le ton; qui a le pas (sur); qui vient en première ligne. ¶ Qui excite, qui stimule, qui anime.

incentor, *oris*, m. Celui qui exécute la partie de chant (*opp. à* accompagnateur). ¶ (Fig.) Instigateur.

incentrix, *icis*, f. Celle qui excite, celle qui est la cause de. || Instigatrice.

inceps, adv. Comme DEINCEPS.

inceptio, *onis*, f. Action de commencer, commencement. ¶ Entreprise.

incepto, *as, avi, are*, tr. Commencer; entreprendre. [qui entreprend.

inceptor, *oris*, m. Celui qui commence.

inceptum, *i*, n. Entreprise. ¶ Projet.

1. **inceptus**, *a, um*, adj. Qui n'a pas de commencement. [Entreprise.

2. **inceptus**, *us*, m. Commencement. ¶

incerniculum, *i*, n. Crible; blutoir.

incerno, *is, crevi, cretum, ere*, tr. Tamiser, passer au crible. ¶ (de cire.

incero, *as, avi, atum, are*, tr. Enduire

incerte, adv. Avec incertitude.

1. **incerto**, adv. Comme INCERTE.

2. **incerto**, *as, are*, tr. Rendre incertain, indistinct. ¶ Rendre incertain, hésitant.

incertus, *a, um*, adj. *En parl. de ch.* Incertain, douteux, équivoque. ¶ Mal assuré, chancelant. ¶ Indistinct, obscur. ¶ *En parl. de pers.* Qui ne sait pas avec certitude. ¶ Irrésolu.

incesso, *is, cessivi, ere*, tr. Attaquer, assaillir. || Poursuivre de. ¶ Attaquer en paroles, décrier.

incessus, *us*, m. Action de marcher, marche. ¶ (T. mil.) Incursion, attaque. ¶ Démarche. ¶ Entrée, accès.

inceste, adv. D'une manière criminelle.

incestificus, *a, um*, adj. Qui commet un inceste. [Déshonorer

incesto, *as, avi, are*, tr. Souiller. ¶

incestum, *i*, n. Impureté, souillure; inceste.

1. **incestus**, *a, um*, adj. Impur, impudique; incestueux.

2. **incestus**, *us*, m. Inceste.

inchoo (INCOHO), *as, avi, atum, are*, tr. *et* intr. || *Tr.* Commencer, entreprendre. ¶ *Intr.* Débuter.

1. **incido**, *is, cidi, ere*, intr. Tomber, se jeter dans *ou* sur, fondre sur. ¶ Tomber (par hasard) sur, rencontrer. ¶ Tomber dans (tel *ou* tel état). — *in morbum*, tomber malade. — *in febrem*, prendre la fièvre. — *in aes alienum*, contracter des dettes. ¶ Survenir, arriver, se produire (en parl. d'un événement).

2. **incido**, *is, cidi, cisum, ere*, tr. Faire une incision (une entaille) dans, inciser, entailler. || Graver. ¶ Trancher, couper; fendre. || Disséquer. ¶ *Fig.* Interrompre, retrancher. — *sermonem alicui*, couper la parole à qqn. || Supprimer. || Casser, annuler (un testament). [d'une femelle).

inciens, *entis*, adj. Pleine (en parl.

incile, *is*, n. Fossé de décharge; rigole. ¶ Bourbier.

incilis, *e*, adj. Fait en coupant, obtenu au moyen d'une saignée (pour évacuer l'eau).

incingo, *is, cinxi, cinctum, ere*, tr. Ceindre, entourer d'une ceinture. || Couronner. Au passif, *incingi*, se couronner. ¶ (Par ext.) Enceindre, entourer, environner.

incino, *is, ere*, tr. Jouer (un air sur un

instrument). ¶ *Intr.* Souffler dans un instrument. ‖ Retentir.

incipesso. Voy. INCIPISSO.

incipio, *is, cepi, ceptum, ere,* tr. (Mettre la main à,) commencer, entreprendre. ‖ Commencer à. ¶ *Intr.* Débuter. ‖ *Spéc.* Commencer à parler.

incipisso, *is, ere,* tr. Commencer.

incise, adv. En style coupé, par incises.

incisim, adv. Comme le précédent.

incisio, *onis,* f. Action de couper, incision. ¶ (Au plur.) Tranchées, coliques aiguës. ¶ (Rhét.) Incise, membre d'une période. ¶ (Gramm.) Césure.

incisor, *oris,* m. Celui qui coupe, découpeur.   [per.

incisorius, *a, um,* adj. Propre à couincisum, *i,* n. Incise (t. de rhét.).

incisura, *ae,* f. Action de couper. ¶ *Spéc.* Ligne (de la main). ‖ Section, division (des insectes). ‖ Nervure (des plantes). ¶ Ligne de démarcation entre l'ombre et la lumière.

incitamentum, *i,* n. Aiguillon; mobile; stimulant; excitation; encouragement.

incitate, adv. Avec animation, avec ardeur.

incitatio, *onis,* f. Action de mettre en mouvement. ¶ Excitation, provocation, entraînement. ¶ Mouvement précipité; rapidité. ‖ Passion, fougue, impétuosité.   [cateur; boute-feu.

incitator, *oris,* m. Instigateur, provoincitatrix, *icis,* f. Celle qui excite; instigatrice, provocatrice.

1. **incitatus,** *a, um,* adj. Mis en mouvement, lancé; vif, rapide. *Incitati equi,* chevaux lancés au galop. *Incitato equo,* à bride abattue, à toute bride. ¶ Véhément, impétueux.

2. **incitatus,** *us,* m. Comme INCITATIO.

incito, *as, avi, atum, are,* tr. Mettre en mouvement, faire avancer rapidement; accélérer, presser. ¶ *Fig.* Animer, entraîner, encourager, exhorter. ‖ Irriter contre. ¶ Augmenter, grossir, aggraver; aviver.

1. **incitus,** *a, um,* adj. Qui ne peut plus avancer. Subst. *Incitae, arum,* f. pl. Immobilité forcée d'une pièce (au jeu d'échec). *Ad incitas redigere,* faire qqn échec et mat.   [ment. ¶ Rapide.

2. **incitus,** *a, um,* adj. Mis en mouve-

3. **incitus,** abl. u, m. Mouvement rapide.

incivilis, *e,* adj. Contraire aux droits du citoyen, injuste, tyrannique. Subst. *Incivilia,* n. pl. Illégalité; mesures violentes, tyranniques. ¶ *Simpl.* Déplacé, brutal, violent

inciviliter, adv. Illégalement; d'une manière tyrannique.

inclamatio, *onis,* f. Cri, appel.

inclamo, *as, are,* tr. Héler, appeler en criant: crier contre qqn, gronder.

inclaresco, *is, clarui, ere,* tr. Briller, devenir clair (en parl. du jour). ¶ (Fig.) S'illustrer, devenir célèbre.

inclemens, *entis,* adj. Dur, cruel, impitoyable.

inclementer, adv. Cruellement, impitoyablement.

inclementia, *ae,* f. Dureté, sévérité impitoyable. ¶ (Fig.) Rigueur, inclémence (du ciel, de la saison, etc.).

1. **inclinabilis,** *e,* adj. Enclin.

2. **inclinabilis,** *e,* adj. Inébranlable.

inclinamentum, *i,* n. (Gramm.) Suffixe de dérivation.

inclinatio, *onis,* f. Action de se pencher ou de se baisser; inclinaison, courbure. ‖ *Spéc.* Latitude, climat. ‖ Région, zone. ¶ *Fig.* Modification; variation, changement. ¶ Inclination, disposition, penchant. ¶ *Sens spéciaux.* (T. de gramm.) Dérivation, flexion. ‖ Inflexion (de la voix).

1. **inclinatus,** *a, um,* p. adj. Incliné, qui penche. ¶ *Spéc.* Qui est sur son déclin; près de sa ruine; chancelant. ‖ Bas, grave (en parl. du son). ¶ Qui incline à, porté vers; bien disposé pour.

2. **inclinatus,** ab. u, m. (Gramm.) Dérivation; flexion.

1. **inclinis,** *e,* adj. Penché, incliné.

2. **inclinis,** *e,* adj. Qui ne fléchit pas qui ne change pas.

inclino, *as, avi, atum, are,* tr. Faire pencher. ¶ Incliner, pencher, courber, baisser. ¶ *Fig.* Faire pencher, déterminer ou décider (qqn à). ‖ Faire retomber sur, rejeter sur. ‖ Faire décliner, faire tomber en décadence, ruiner. ¶ (Gramm.) Fléchir; dériver. ¶ (*Sens réfléchi.*) *Inclinare se* ou (absol.) *inclinare* et passif *inclinari,* se pencher, pencher; plier; lâcher pied; décliner ou être sur son déclin; céder, baisser, faiblir. ¶ *Fig.* Incliner, pencher; être enclin à, être disposé à. ‖ Tomber en décadence.

inclitus. Voy. INCLUTUS.

includo, *is, si, clusum, ere,* tr. Enfermer, renfermer, serrer. ‖ Mettre en prison, emprisonner. ¶ (Par ext.) Enclaver, enchâsser, intercaler, insérer. ¶ Boucher, arrêter, comprimer. ¶ Empêcher de sortir. ¶ Limiter, borner. ¶ Clore, terminer.

inclusio, *onis,* f. Action d'enfermer; emprisonnement. ¶ Action de boucher, obstruction. ¶ (Rhét.) Répétition du même mot au début et à la fin d'une période.

inclutus (INCLYTUS, INCLITUS), *a, um,* adj. Illustre, glorieux. ‖ Renommé, fameux; célèbre.   [volontaire.

1. **incoactus,** *a, um,* adj. Non forcé;

2. **incoactus,** *a, um,* adj. Caillé.

1. **incoctus,** *a, um,* adj. Non cuit; cru.

2. **incoctus,** *a, um,* adj. Cuit, c.-à-d. mûr

incoen... Voy. INCEN...

incoeptus, *a, um,* adj. Qui n'a pas de commencement.

incogitabilis, *e,* adj. Qui ne réfléchit pas; inconsidéré; étourdi. ¶ Inconcevable, inimaginable.

incogitans, *antis,* adj. Inconsidéré.

incogitatus, *a*, *um*, adj. Fait sans réflexion, sans étude préalable; improvisé. ¶ Inimaginable. ¶ Qui improvise, qui réalise (qqch.) sans préparation. ¶ Etourdi. [ter contre.

incogito, *as*, *are*, tr. Penser à; méditer.

incognitus, *a*, *um*, adj. Inconnu; inouï. Subst. *Incognita*, n. pl. L'inconnu. ¶ Non étudié (en parl. d'un procès), non entendu, non instruit, non informé. ¶ Qu'on ne reconnaît pas (pour sien), qu'on ne réclame pas.

incoho. Voy. INCHOO.

incola, *ae*, m. *et* f. Habitant, habitante. || Indigène. ¶ *Spéc.* Métèque; étranger résident. [et intr. Habiter.

1. incolo, *is*, *colui*, *cultum*, *ere*, tr.

2. incolo, *as*, *are*, tr. Comme le précédent. [sauf; intact.

incolumis (INCOHOMIS), *e*, adj. Sain et sauve, salut, conservation. [pagné.

incolumitas (INCOLOMITAS), *atis*, f. Vie

incomitatus, *a*, *um*, adj. Non accompagné.

incommendatus, *a*, *um*, adj. Non recommandé. ¶ (Par ext.) Exposé (sans ménagements) à.

incommode, adv. Mal à propos, à contretemps, malencontreusement.

incommodesticus, *a*, *um*, adj. Mot forgé p. INCOMMODUS.

incommoditas, *atis*, f. Inopportunité. ¶ Désavantage, inconvénient. ¶ Dommage, préjudice.

incommodo, *as*, *avi*, *atum*, *are*, intr. Causer du désagrément *ou* du préjudice; nuire. ¶ Incommoder, gêner. ¶ *Tr.* Gêner, contrarier.

incommodum, *i*, n. Désagrément, inconvénient. ¶ Incommodité, désavantage, dommage, préjudice, malheur.

incommodus, *a*, *um*, adj. Incommode. défavorable, désavantageux. || Désagréable, pénible. ¶ *En parl. de pers.* Insupportable, revêche.

incommutabilis, *e*, adj. Immuable.

incomparabilis, *e*, adj. Incomparable; sans égal.

incompertus, *a*, *um*, adj. Non encore découvert; difficile à découvrir; obscur.

incompetens, *entis*, adj. Déplacé, inconvenant. [déplacée.

incompetenter, adv. D'une manière

incomposite, adv. Sans ordre. ¶ Sans art.

incompositus, *a*, *um*, adj. Non composé. ¶ (Arithm.) Simple *ou* premier (en parl. d'un nombre divisible seulement par l'unité). ¶ Sans ordre, non rangé. ¶ En désordre, à la débandade. ¶ Mal agencé, mal disposé (en vue de l'agrément *ou* de la commodité). ¶ Fait sans art, sans goût, sans harmonie. ¶ Indiscipliné, déréglé (dans ses mœurs).

incomprehensibilis, *e*, adj. Qui ne peut être saisi, insaisissable, qui échappe. ¶ *Fig.* Incompréhensible. ¶ Illimité, infini.

incomprehensus, *a*, *um*, adj. Non saisi; non compris; insaisissable *ou* incompréhensible.

incomptus, *a*, *um*, adj. Non peigné. ¶ Mal entretenu, mal soigné. ¶ *Fig.* Négligé, sans art; sans recherche.

inconcessus, *a*, *um*, adj. Non permis, illicite, défendu, illégitime.

1. inconcilio, *as*, *avi*, *are*, tr. Séduire par des intrigues, tromper; s'approprier frauduleusement. ¶ (Absol.) Intriguer.

2. inconcilio, *as*, *avi*, *are*, tr. Brouiller.

inconcinnitas, *atis*, f. Manque de proportion, défaut d'harmonie.

inconcinniter, adv. Comme INCONCINNE.

inconcinnus, *a*, *um*, adj. Maladroit; sans élégance, sans grâce.

inconcussus, *a*, *um*, adj. Solide, inébranlable (pr. et fig.).

incondite, adv. Sans ordre, confusément. ¶ Sans art.

inconditus, *a*, *um*, adj. Non fait, non créé. ¶ Qui n'est pas mis de côté, non mis en réserve. || Non enseveli. ¶ Désordonné, déréglé, confus. || Informe, grossier. || Sans règle, sans art.

inconex... Voy. INCONNEX.

inconfusus, *a*, *um*, adj. Non confondu. ¶ Qui ne se trouble pas.

incongrue, adv. Improprement. ¶ D'une manière inconvenante.

incongruens, *entis*, adj. Qui ne s'accorde pas avec. ¶ Inconvenant. ¶ Absurde.

incongruenter, adv. D'une manière déplacée. [défaut de convenance.

incongruentia, *ae*, f. Manque de justesse,

incongruitas, *atis*, f. Défaut de convenance, de justesse. ¶ (Gramm.) Construction où il n'entre que des cas obliques. [GRUENS.

incongruus, *a*, *um*, adj. Comme INCON-

inconiv... Voy. INCONNIV.

inconsequens, *entis*, adj. Inconséquent, illogique. [illogique.

inconsequenter, adv. D'une manière

inconsequentia, *ae*, f. Défaut de suite.

inconsiderans, *antis*, adj. Inconsidéré, irréfléchi.

inconsideranter, adv. Inconsidérément.

inconsiderantia, *ae*, f. Irréflexion, imprudence.

inconsiderate, adv. Inconsidérément, irréfléchi, imprudent.

inconsideratus, *a*, *um*, adj. Inconsidéré, irréfléchi, imprudent.

inconsolabilis, *e*, adj. Inconsolable. ¶ *Fig.* Incurable.

inconspectus, *a*, *um*, adj. Inconsidéré,

inconstans, *antis*, adj. Inconstant, changeant, variable; capricieux.

inconstanter, adv. D'une façon inconstante *ou* inconséquente.

inconstantia, *ae*, f. Inconséquence; défaut de suite.

inconsulte, adv. Inconsidérément.

inconsulto, adv. Comme le précédent.

inconsultum, *i*, n. Irréflexion; imprudence.

1. **inconsultus**, *a*, *um*, adj. Qui n'a pas été consulté. ¶ Qui n'a pas reçu de conseils. ¶ Qui n'a pas réfléchi, irréfléchi, inconsidéré, imprudent.

2. **inconsultus**, abl. *u*, m. Défaut de consultation.

inconsumptus, *a*, *um*, adj. Qui n'est pas consumé, qui n'est pas consommé; éternel. [souillé; pur.

incontaminatus, *a*, *um*, adj. Non

incontentus, *a*, *um*, adj. Non tendu; lâche.

incontinens, *entis*, adj. Qui ne retient pas. ¶ Qui ne peut se contenir; qui ne garde pas la continence.

incontinenter. adv. Avec incontinence, intempérance, excès.

incontinenti, adv. Incontinent, tout de suite, immédiatement, sur-le-champ.

incontinentia, *ae*, f. Difficulté de contenir; incontinence (d'urine). ¶ Difficulté à se maîtriser, intempérance, incontinence. || Convoitise; cupidité.

inconveniens, *entis*, adj. Qui ne s'accorde pas avec. || Dissemblable. ¶ Qui ne convient pas, malséant.

incoquo, *is*, *coxi*, *coctum*, *ere*, tr. Faire cuire dans *ou* avec. || Imprégner de, teindre. || Etamer, argenter. ¶ Echauffer. || Bien cuire, mûrir. || Brûler, brunir (le teint). ¶ Faire réduire (par la cuisson).

incorporalis, *e*, adj. Incorporel.

incorrupte, adv. Impartialement. ¶ Correctement.

incorruptus, *a*, *um*, adj. Non corrompu, non altéré. || Intact, sain. ¶ *Fig.* Incorruptible, pur, intègre, irréprochable. [suivant.

increbesco, *is*, *bui*, *cre*, intr. Voy. le

increbresco, *is*, *br.i*, *ere*, intr. Devenir plus fréquent. || Augmenter, s'accroître. ¶ Devenir consistant. *Fama belli increbrescebat*, les bruits de guerre prenaient de la consistance. ¶ Se propager. [recommencer.

increbro, *as*, *are*, tr. Faire souvent;

incredibilis, *e*, adj. Incroyable, inouï. || Qui ne mérite aucune créance. ¶ Incrédule.

incredibilitas, *atis*, f. Caractère de ce qui est incroyable; étrangeté. ¶ Incrédulité, manque de foi (religieuse).

incredibiliter, adv. Incroyablement; extraordinairement. [croît pas.

increditus, *a*, *um*, adj. A quoi l'on ne

incredulitas, *atis*, f. Incrédulité.

incredule, adv. Avec incrédulité.

incredulus, *a*, *um*, adj. Incrédule. ¶ Incroyable.

incrementum, *i*, n. Accroissement, augmentation, croissance. ¶ *Fig.* Avancement, action de monter en grade. || (Rhét.) Amplification. ¶ (Méton.) Ce qui accroît, ce qui grossit : supplément, recrues. || Rejeton, jeune pousse. || *Fig.* Rejeton, c.-à-d. descendant.

increpatio, *onis*, f. Réprimande; reproche.

increpative, adv. En réprimandant.

increpativus, *a*, *um*, adj. Qui gourmande, qui réprimande.

increpator, *oris*, m. Celui qui réprimande *ou* gourmande.

increpatorius, *a*, *um*, adj. De reproche.

increpito, *as*, *avi*, *atum*, *are*, intr. et tr. || *Intr.* Crier à qqn; crier contre. ¶ *Tr.* Apostropher, rudoyer, brusquer, malmener, rabrouer, réprimander. || Reprocher, faire reproche de. ¶ *Qqf.* frapper *ou* battre. ¶ Crier pour encourager, apostropher (pour exciter).

increpitus, *us*, m. Comme INCREPATIO.

increpo, *as*, *avi* et *ui*, *itum*, et *atum*, *are*, intr. Faire du bruit, craquer, claquer. || Résonner, retentir. || Craquer, c.-à-d. se fendre *ou* se rompre. || Faire entendre de violentes invectives. ¶ *Tr.* Faire craquer *ou* claquer; faire résonner (en choquant *ou* en froissant des objets les uns contre les autres). || Faire retentir. ¶ *Qqf.* Frapper *ou* battre. ¶ Apostropher violemment, faire entendre une semonce à, gronder, réprimander avec humeur. ¶ Reprocher (qqch. à qqn). || Encourager (en poussant, en apostrophant, etc.), stimuler.

incresco, *is*, *crevi*, *cretum*, *ere*, intr. Croître dans *ou* sur. ¶ Croître, grandir, se développer, faire des progrès. || Empirer.

1. **incretus**, *a*, *um*, adj. Non tamisé.

2. **incretus**, *a*, *um*, part. Tamisé.

incruentatus, *a*, *um*, adj. Non souillé de sang.

incruente, adv. Sans répandre le sang.

incruentus, *a*, *um*, adj. Non sanglant, qui ne coûte pas de sang. ¶ Qui ne répand pas son sang, non blessé.

incrusto, *as*, *avi*, *atum*, *are*, tr. Couvrir d'un enduit, d'un placage, d'un revêtement. ¶ Appliquer un revêtement.

incubatio, *onis*, f. Action de couver; incubation. ¶ (Jur.) Possession illégitime.

incubator, *oris*, m. Celui qui couche habituellement dans *ou* sur; gardien (d'un temple). || *Spéc.* Celui qui couche dans le temple pour y attendre l'inspiration. ¶ (*Jur.*) Possesseur illégitime.

incubito, *as*, *avi*, *atum*, *are*, tr. Couver.

incubitus, *us*, m. Action de couver.

1. **incubo**, *as*, *avi* ou *ui*, *atum* et *itum*, intr. Coucher dans *ou* sur. || *Spéc.* Coucher dans un temple pour y attendre l'inspiration divine *ou* des songes prophétiques. ¶ Couver (en parl. des oiseaux). ¶ *Fig.* Surveiller *ou* garder avec un soin jaloux. || Se livrer de tout cœur à. || *Jur.* Ne plus sortir de (ce qu'on détient sans droit); posséder illégalement. || (En gén.) Séjourner dans. || S'étendre sur; dominer.

2. **incubo**, *bonis*, m. (Génie), gardien d'un trésor. ¶ Cauchemar. [chemar.

incubus, *i*, m. Incube (démon). ¶ Cau-

incudis, *is*, f. Voy. INCUS.

incudo, *is*, *cusum*, *ere*, tr. Forger. ¶ Travailler (au marteau).

inculcate, adv. Voy. INCULCATIUS.

inculcatio, *onis*, f. Action d'inculquer.

inculcatius, adv. (au compar.) Avec plus d'insistance; plus expressément.

inculcator, *oris*, m. Celui qui foule aux pieds. ¶ Celui qui inculque.

inculco, *as*, *avi*, *atum*, *are*, tr. Fouler, tasser solidement, introduire de force. ¶ Boucher, obstruer (en tassant). ¶ *Fig.* Faire entrer de force, imposer. ‖ Faire entrer avant (dans l'esprit), inculquer, imprimer (une chose dans l'esprit de qqn).

inculpate, adv. Sans faute. [faute.

inculpatus, *a*, *um*, adj. Qui est sans

inculta, *orum*, n. pl. Déserts.

inculte, adv. Sans culture. ¶ (Fig.) Sans art, sans élégance.

1. incultus, *a*, *um*, adj. Non cultivé, inculte. ‖ Non habité, inhabité, désert. ‖ Non frayé *ou* impraticable. ¶ *Fig.* Non soigné, non paré; inculte, c.-à-d. négligé. ¶ (*Moral.*) Sans culture, sans élégance, rude, grossier.

2. incultus, *us*, m. Défaut de culture, négligence. ¶ *Fig.* Manque d'instruction, défaut d'éducation; grossièreté.

incumbo, *is*, *cubui*, *cubitum*, *ere*, intr. Se coucher sur, s'appuyer sur, se pencher sur. ¶ Etre placé *ou* situé au-dessus de, surplomber, dominer. ¶ Se jeter sur, s'abattre (en parl. d'un cheval). ‖ Peser, s'appesantir sur. ‖ Se jeter sur, assaillir; tomber sur. ¶ (Fig.) Se pencher sur (qqch.), c.-à-d. s'appliquer à, se dévouer à. ¶ Peser d'un poids décisif, presser, hâter. ¶ Etre imposé (à qqn), incomber.

incunabula, *orum*, n. pl. Langes, maillot (d'un enfant au berceau). ‖ (Méton.) Berceau, lieu de naissance, lieu d'origine. ‖ Première enfance. ¶ Berceau, c.-à-d. commencement, point de départ. [Qui n'hésite pas.

incunctatus (INCONTATUS), *a*, *um*, adj.

incuratus, *a*, *um*, *adj.* Non soigné; négligé. [négligence. ¶ Etourderie.

incuria, *ae*, f. Manque de soin, incurie,

incuriose, adv. Négligemment, sans soin.

incuriosus, *a*, *um*, adj. Qui manque de soin. ¶ Négligent *ou* indifférent. ¶ Négligé.

incurro, *is*, *curri* et *cucurri*, *cursum*, *ere*, intr. et tr. Courir sus, fondre sur, attaquer; charger. ¶ Envahir, faire une incursion dans. ‖ (Par ext.) S'emporter contre, invectiver. ¶ Rencontrer par hasard; tomber sur *ou* dans. ‖ Tomber sous le coup de, se mettre dans le cas de (subir), encourir. ¶ Avoir lieu, arriver (en parl. d'un événement), survenir. ‖ Coïncider avec (une partie de la durée). ‖ Tomber sur (qqn), échoir (à qqn). ¶ S'étendre

jusqu'à. — *in Cumanum*, confiner à (ma) terre de Cumes.

incursatio, *onis*, f. Attaque à main armée, invasion, incursion.

incurso, *as*, *avi*, *atum*, *are*, intr. et tr. Fondre sur, attaquer, assaillir. ¶ Donner contre, rencontrer, heurter. ‖ *Simpl.* Se présenter.

incursor, *oris*, *ari*, dép. tr. Comme le précédent.

incursorius, *a*, *um*, adj. Qui s'étend jusqu'à (un endroit).

incursus, *us*, m. Choc, rencontre, attaque, charge. ¶ Assaut (pr. et fig.).

incurvatio, *onis*, f. Action de courber. ¶ (Méton.) Courbure.

incurvo, *as*, *avi*, *atum*, *are*, tr. Courber, recourber, ployer. Pass.-moy. *Incurvari*, se courber, marcher le dos voûté; s'incliner (devant qqn). ¶ *Fig.* Abattre, terrasser. ‖ Toucher, émouvoir, *d'où* changer les résolutions de qqn.

incurvus, *a*, *um*, adj. Courbé, recourbé, arrondi, arqué. ¶ (En parl. de pers.) Voûté.

incus, *cudis*, f. Enclume. [proche.

incusatio, *onis*, f. Accusation. ¶ Reincuso, *as*, *avi*, *atum*, *are*, tr. Mettre en cause, accuser, blâmer, incriminer.

incussor, *oris*, m. Tortionnaire.

incussus, abl. *u*, m. Choc, heurt.

incustoditus, *a*, *um*, adj. Non gardé, négligé. ¶ A quoi l'on n'attache pas d'importance. ‖ Non dissimulé. ¶ Qui ne se tient pas sur ses gardes.

1. incusus, *a*, *um*, adj. Brut; grossier.

2. incusus, *a*, *um*, part. p. de INCUDO. Voy. ce mot.

incutio, *is*, *cussi*, *cussum*, *ere*, tr. Frapper contre *ou* sur; choquer, heurter, cogner. ¶ Jeter, lancer. ¶ Pousser contre; exciter; occasionner. ¶ Blesser. ¶ Emouvoir. [tieuse.

indagatio, *onis*, f. Recherche minu-

indagator, *oris*, m. Celui qui est à la piste de. ¶ Celui qui recherche, qui scrute.

indagatrix, *icis*, f. Celle qui est à la piste de, qui recherche, qui scrute.

indagatus, abl. *u*, m. Action de cerner.

1. indago, *inis*, f. Action de traquer (le gibier). ‖ (Méton.) Ligne de chasseurs (*ou* de filets) autour d'un bois: rabatteurs. ‖ Battue. ‖ (Par ext.) Enceinte fortifiée, ligne de retranchements. ¶ *Fig.* Réseau, filet. ¶ Investigation. *Jur.* Enquête.

2. indago, *as*, *avi*, *atum*, *are*, tr. Suivre à la piste: quêter (le gibier). ¶ *Fig.* Rechercher minutieusement, explorer.

indagor, *aris*, *ari*, dép. tr. Comme le précédent.

inde, adv. De là; en venant de là; à partir de cet endroit. ¶ A partir de ce moment-là, dès lors, ensuite. ¶ *Fig.* Par suite, par conséquent. ‖ De lui, d'elle, d'eux, d'elles; en; par son fait, par leur fait.

indebitum, *i*, n. Ce qui n'est pas dû.

indebitus, *a, um*, adj. Qui n'est pas dû; immérité.

indecens. *entis*, adj. Qui ne convient pas, qui messied; honteux. ¶ Laid.

indecenter, adv. D'une manière inconvenante. ¶ D'une manière disgracieuse. [deur.

indecentia, *æ*, f. Inconvenance. ¶ Laideur.

1. **indeceo**, *es, ere*, tr. Convenir (à qqn), aller bien (à qqn). [(fig.) malséant.

2. **indeceo**, *es, ere*, tr. Etre messéant *ou* indécent.

indeclinabilis, *e*, adj. Inflexible. ¶ (Gramm.) Indéclinable.

indecore, adv. D'une manière disgracieuse, avec laideur. ¶ D'une façon inconvenante. [honteux.

indecoris, *e*, adj. Sans gloire, indigne.

indecoro, *as, are*, tr. Déshonorer. ¶ Enlaidir. [CORUS.

indecorosus, *a, um*, adj. Comme INDE-

indecorus, *a, um*, adj. Inconvenant, messéant. ¶ Laid, difforme.

indefatigabilis, *e*, adj. Infatigable.

indefatigatus, *a, um*, adj. Infatigable.

indefectus, *a, um*, adj. Qui ne peut s'affaiblir, qui ne peut défaillir; indéfectible. ¶ Perpétuel.

indefense, adv. Sans défense.

indefensus, *a, um*, adj. Non protégé, non défendu. ¶ Privé de moyens de défense; qui n'a pas d'avocat.

indefesse, adv. Sans se lasser.

indefessus, *a, um*, adj. Qui ne se lasse pas.

indejectus, *a, um*, adj. Qui n'est pas abattu (fig.). [cable, impérissable.

indelebilis, *e*, adj. Indélébile, ineffa-

indemnatus, *a, um*, adj. Non condamné, innocent. [de dommage; indemne.

indemnis, *e*, adj. Qui n'a pas éprouvé

indenuntiatus, *a, um*, adj. Non déclaré, non dénoncé. [INDIPISCOR.

indepiscor, *eris, pisci*, dép. tr. Voy.

indeploratus, *a, um*, adj. Non pleuré.

indepravatus, *a, um*, adj. Non altéré, non détérioré. ¶ Non dépravé, non perverti.

indeprehensus et indeprensus, *a, um*. adj. Inaperçu. ¶ Imperceptible.

indepto, *as, are*, tr. Atteindre, obtenir.

indeptus, Voy. INDIPISCOR.

indesertus, *a, um*, adj. Jamais abandonné; qui ne passe pas, impérissable.

indestrictus, *a, um*, adj. Non effleuré. ¶ Non lésé.

indetonsus, *a, um*, adj. Qui n'est pas tondu. ¶ Qui a de longs cheveux.

indevitatus, *a, um*, adj. Non évité.

indevote, adv. D'une manière impie.

indevotio, *onis*, f. Désobéissance (à la loi). ¶ Irrévérence. ¶ Irréligion; indévotion.

indevotus, *a, um*, adj. Désobéissant (à l'autorité, aux lois). ¶ Irrévérencieux.

index, *icis*, m. et f. Celui *ou* celle qui indique; indicateur, indicatrice; révélateur, révélatrice. ¶ Spéc. (Masc.) Dénonciateur, délateur; espion. ¶ Messager. ¶ Doigt indicateur, index. ¶ En parl. de ch. Indice, marque, signe.

‖ Pierre de touche. ‖ Index, c.-à-d. liste, catalogue. ‖ Sommaire, table des matières. ‖ Titre (d'un livre).

indicatio, *onis*, f. Indication (du prix), évaluation, taxe. [indiquer.

1. **indicativus**, *a, um*, adj. Qui sert à

2. **indicativus**, *i*, m. (Gramm.) Indicatif.

indicatura, *æ*, f. Comme INDICATIO.

1. **indicens**, *entis*, p. adj. Qui ne dit pas, qui ne parle pas.

2. **indicens**, *entis*, part. prés. de INDICO.

indicium, *ii*, n. Dénonciation, révélation, rapport. „ Délation ‖ Droit de faire des révélations, de jouer le rôle d'accusateur (public). ¶ (Méton.) Prime offerte à la dénonciation, prix, salaire du dénonciateur. ¶ Indice, trace, marque, preuve. ¶ Pièce à conviction.

1. **indico**, *as, avi, atum, are*, tr. Indiquer, révéler, faire connaître. ‖ Marquer (une particularité), dénoter. ¶ Signaler (qqn) comme coupable, dénoncer. ¶ Déterminer le prix de, valeur de, évaluer.

2. **indico**, *is, dixi, dictum, ere*, tr. Notifier officiellement, porter à la connaissance (du public). ¶ Assigner, fixer. ¶ Imposer, prescrire. ¶ Infliger.

indictio, *onis*, f. Avis officiel, annonce. ‖ Publication du rôle des contributions. ‖ Imposition. ‖ (Méton.) Impôt, contribution (extraordinaire). ¶ Indiction (romaine), période de quinze ans, qui ne repose sur aucune considération astronomique et dont on ne connaît ni l'auteur ni le but.

1. **indictus**, *a, um*, adj. Qui n'a pas été dit. ¶ Qui n'a pas été plaidé. ¶ Inexprimable. [crit. Voy. 2. INDICO.

2. **indictus**, *a, um*, part. Notifié. ¶ Pres-

indiculum, *i*, n. Petite indication. Petit sommaire; petite table des matières.

indiculus, *i*, m. Comme le précédent.

indidem, adv. Du même endroit. ¶ De la même chose *ou* de la même personne.

indifferens, *entis*, adj. Qui ne diffère pas. ¶ Indifférent, c.-à-d. ni bon ni mauvais. ¶ Commun, bref *ou* long (indifféremment). ¶ En parl. de pers. Indifférent, c.-à-d. qui n'a pas de préférence.

indigena, *æ*, m. f. Originaire du pays, indigène. [qui a besoin; insuffisant.

1. **indigens**, *entis*, p. adj. Qui manque de,

2. **indigens**, *entis*, m. Un indigent, un pauvre.

indigentia, *æ*, f. Pénurie, besoin. ‖ Indigence. ¶ (Par ext.) Exigence, insatiabilité. [du pays; indigène.

indigenus, *a, um*, adj. Né dans le pays;

indigeo, *es, gui, ere*, intr. Manquer, être privé *ou* avoir besoin de. ¶ Ne pas savoir se passer de, demander, désirer.

1. **indiges**, *getis*, adj. Né à l'intérieur (du pays), national. Au plur. *Indigetes*, *um*, m. Indigètes, héros nationaux

divinisés; *plus tard* empereurs divinisés.

2. **indiges**, *is*, adj. Nécessiteux.

indigeste, adv. Sans ordre.

indigestio, *onis*, f. Indigestion.

1. **indigestus**, *a, um*, adj. Non digéré (pr.). ¶ Sans ordre, confus.

2. **indigestus**, *us*, m. Comme INDIGESTIO

indigetamenta (INDIGITAMENTA), *orum*, n. pl. Recueil de formules (rédigées, dit-on, par Numa); formulaire, rituel (contenant les noms de tous les dieux avec les formules de prières s'adressant à chacun d'eux).

indigeto (INDIGITO), *as, are*, tr. Invoquer une divinité (en l'appelant par son nom et dans les termes mêmes prescrits par le rituel).

indignabundus, *a, um*, p. adj. Plein d'indignation; qui exprime son indignation.

indignans, *antis*, p. adj. Qui s'indigne, soulevé, révolté. ¶ Mécontent, chagrin; impatient. || Malveillant.

indignanter, adv. Avec indignation.

indignatio, *onis*, f. Action de s'indigner; indignation, colère; mouvement d'indignation, mécontentement, mauvaise humeur. ¶ (Méton.) Ce qui excite l'indignation : action, conduite indigne; indignité, outrage. ¶ Irritation, inflammation (d'un organe).

indignatiuncula, *ae*, f. Léger mouvement d'humeur; dépit.

indigne, adv. D'une manière indigne; outrageusement; d'une façon révoltante. ¶ Avec indignation.

indignitas, *atis*, f. Caractère de ce qui est indigne. ¶ Indignité (d'une pers.). ¶ Iniquité (d'un procédé), indignité, infamie. || Traitement indigne, avanie, outrage. ¶ Indignation.

indignor, *aris, atus sum,ari*, tr. et intr. S'indigner, se sentir révolté (par une conduite indigne). ¶ *Tr.* Supporter (qqch.) avec indignation, s'indigner de. ¶ *Intr.* S'indigner contre. ¶ (Méd.) Etre irrité (en parl. d'un organe), s'enflammer.

1. **indignus**, *a, um*, adj. Indigne de, qui n'est pas digne de qqch. ¶ Qui ne sied pas à, qui n'est pas conforme à; qui dégénère de. ¶ Immérité, injuste. ¶ *Absol.* Inconvenant, déplacé. || Qui provoque l'indignation. || Indigne, révoltant, odieux. || Excessif.

2. **indignus**, *a, um*, adj. Qui s'indigne courroucé.

indigus, *a, um*, adj. Qui est privé de, indigent. ¶ (Par ext.) Avide de.

indiligens, *gentis*, adj. Qui ne s'occupe pas de, négligent. ¶ Négligé.

indiligenter, adv. Avec négligence.

indiligentia, *ae*, f. Manque de soin *ou* d'attention; négligence.

indipisco, *is, ere*, tr. Comme le suivant.

indipiscor, *eris, deptus sum, dipisci*, dép.

tr. Saisir, atteindre. ¶ Obtenir, acquérir; devenir maître de. ¶ (*Mor.*) Saisir, comprendre. ¶ Commencer.

indireptus, *a, um*, adj. Non pillé.

indiscrete, adv. Indistinctement, confusément.

indiscretus, *a, um*, adj. Non séparé. ¶ (Par ext.) Inséparable. ¶ Indiscernable, indistinct. ¶ Qui ne distingue pas, indifférent.

indiserte, adv. Sans éloquence.

indisertus, *a, um*, adj. Qui n'a pas d'éloquence. ¶ (Par ext.) Qui parle peu.

indisposite, adv. Sans plan, sans règle.

indispositus, *a, um*, adj. Qui n'est pas en ordre, mal réglé. ¶ Qui est mal préparé, qui n'est pas disposé.

indissolubilis, *e*, adj. Indissoluble (pr. et fig.).

indistincte, adv. Indistinctement.

indistinctus, *a, um*, adj. Qui ne se distingue pas; embrouillé, confus, indistinct, obscur.

individuum, *i*, n. Atome.

indivisus, *a, um*, adj. Non partagé, non fendu. ¶ Indivis.

indo, *is, didi, ditum, ere*, tr. Mettre dans; introduire. || Apporter, causer; inspirer. ¶ Mettre sur *ou* à. ¶ *Spéc.* Imposer, donner (un nom *ou* un surnom).

indocilis, *e*, adj. Qu'on ne peut instruire, qu'on ne peut apprivoiser *ou* dresser. ¶ Ignorant, inexpérimenté; maladroit, grossier. || Qui ne se résigne pas, qui ne veut pas. ¶ Qu'on ne peut apprendre. ¶ Non appris, non enseigné.

indocilitas, *atis*, f. Manque d'aptitude à apprendre. [grossièrement.

indocte, adv. En ignorant. ¶ Sans art,

indoctus, *a, um*, adj. Qui n'est pas instruit; ignorant; malhabile. ¶ Que l'on n'a pas appris; sans art, grossier.

indolentia, *ae*, f. Absence de douleur.

indoles, *is*, f. Nature intime; disposition naturelle. ¶ Naturel, caractère, inclination, penchant. ¶ Jeunesse, nouvelle génération; jeune postérité.

indolesco, *is, ere*, intr. Etre douloureux, faire mal (en parl. du corps *ou* des membres). ¶ *Tr.* Eprouver une sensation douloureuse à l'occasion de... ¶ Ressentir une douleur morale à l'occasion de...; déplorer que... ¶ *Absol.* Gémir.

1. **indoloria**, *ae*, f. Absence de douleur.

2. **indoloria**, *orum*, n. pl. Remèdes anodins. [douloureux.

indolorius, *a, um*, adj. Qui n'est pas

indomabilis, *e*, adj. Indomptable.

indomitus, *a, um*, adj. Indompté, non dressé, sauvage. ¶ Non travaillé, non façonné, brut. ¶ Indomptable. || (Par ext.) Insurmontable, invincible; effréné, excessif. [de don.

indonatus, *a, um*, adj. Qui n'a pas reçu

indormio, *is, ivi, itum, ire*, intr. Dormir dans *ou* sur. ¶ S'endormir sur, perdre

du temps à. ¶ S'engourdir, se paralyser.

indormisco, *is*, *ere*, intr. S'endormir.

indotatus, *a*, *um*, adj. Sans dot. ¶ Sans
ornement. ¶ Privé des honneurs
funèbres.

indu, arch. Pour IN.

indubie, adv. Sans doute.

indubitabilis, *e*, adj. Indubitable.

indubitate, adv. Sans doute.

indubitatus, *a*, *um*, adj. Qui est hors de
doute, incontestable.   [défier de.

indubito, *as*, *are*, intr. Douter de, se

indubius, *a*, *um*, adj. Non douteux,
c.-à-d. certain.

induciae. Voy. INDUTIAE.

induco, *is*, *duxi*, *ductum*, *ere*, tr. Mettre
sur, appliquer sur; revêtir, enduire de.
¶ Mettre (sur soi), passer (un vête-
ment). || Vêtir *ou* habiller de. ¶ Rem-
blayer, combler. ¶ Niveler. ¶ Passer
(le style, *c.-à-d.* la plume) sur, biffer,
raturer. || Abroger *ou* rapporter, casser.
¶ Porter en compte; adjuger (pour
une somme). ¶ Conduire dans, introduire. ¶ (T. milit.) Mettre en ligne,
faire avancer (sur le terrain). ¶ Mettre
en scène, faire représenter. || *Fig.* In-
troduire (un personnage dans un
récit), faire figurer dans. || Mettre
sous les yeux, représenter, dépeindre.
¶ Importer (un usage, une méthode, etc.), introduire (une innova-
tion). || *Fig.* Amener, entraîner à.
|| *Fig.* Induire en, engager dans. ||
Absol. Abuser, duper.

inductio, *onis*, f. Application. ¶ (Mé-
ton.) Enduit, crépi. || Cataplasme,
fomentation. ¶ Action d'étendre sur.
|| (Méton.) Rideau, voile. ¶ Action de
passer sur, de raturer. || (Méton.)
Rature. ¶ Action d'introduire; intro-
duction. || (Rhét.) Prosopopée. || (Log.)
Induction; hypothèse. ¶ Résolution,
détermination.   [¶ Instigation.

inductus, abl. *u.* m. Action d'engager à.

inducula, *ae*, f. Chemise (de femme).

indugredior, *eris*, *gredi*, dép. intr.
Comme INGREDIOR.

indulgens, *entis*, p. adj. Indulgent (qui
ferme les yeux sur). ¶ Adonné à.
¶ Traité avec indulgence. || Tendre-
ment chéri.

indulgenter, adv. Avec indulgence, avec
complaisance, avec bonté. ¶ Avec
trop de complaisance; à l'excès.

indulgentia, *ae*, f. Bonté, douceur, compla-
isance, indulgence. || *Spéc.* Douceur
(du climat). ¶ Remise d'une peine,
d'un impôt, etc. || *Eccl.* Indulgence
(rémission totale *ou* partielle des
peines dues au péché).

indulgeo, *es*, *dulsi*, *dultum*, *ere*, intr.
Etre indulgent, complaisant, bienveillant, gracieux, bon (pour qqn).
¶ Se laisser aller à, s'abandonner à,
céder à. || *Qqf.* S'occuper de, ménager,
soigner. ¶ *Tr.* Avoir de la complai-

sance pour. || Céder à. || Autoriser,
permettre. || Concéder, faire remise de.
|| Faire don de.

indumentum, *i*, n. Enveloppe, vêtement. ¶ (Par ext.) Revêtement. ¶ *Fig.*
Masque, voile.

induo, *is*, *dui*, *dutum*, *ere*, tr. Mettre (à
qqn) un vêtement, une armure, etc.;
habiller, revêtir. ¶ *Fig.* Faire endosser;
imposer, inculquer. ¶ Se mettre, endosser, passer (un vêtement), revêtir
ou se revêtir de. || *Fig.* Revêtir, se
couvrir de. || Prendre (un surnom);
adopter (un usage); entrer dans le rôle
de. ¶ Faire entrer dans, engager, enfoncer, introduire. — *se*, s'embarrasser.

induratus, *a*, *um*, p. adj. Endurci.

induresco, *is*, *durui*, *ere*, intr. Devenir
dur, s'endurcir. ¶ *Fig.* S'endurcir à,
s'habituer à. || Devenir insensible.
|| Tenir ferme, s'obstiner.

induro, *as*, *avi*, *atum*, *are*, tr. Rendre
dur, durcir. || *Fig.* Endurcir, tremper.
|| Rendre insensible. ¶ *Intr.* Devenir
dur, s'endurcir; se fortifier. || S'en-
durcir le cœur.

indusium, *ii*, n. Vêtement de dessous,
chemise (de femme).

industria, *ae*, f. Activité, application,
zèle, soin. || Au plur. *Industriae*, mar-
ques d'activité *ou* de zèle, travaux.
|| Force, énergie. ¶ Parti pris. *De* (ou
ex) *industria* ou simpl. *industria*, avec
intention, de parti pris, de propos
délibéré.

industrie, adv. Avec activité, avec zèle.

industriose, adv. Comme le précédent.

industriosus, *a*, *um*, adj. Industrieux.

industrius, *a*, *um*, adj. Actif, laborieux.

indutia, *ae*, f. Arch. p. le suivant.

indutiae (INDUCIAE), *arum*, f. Convention, armistice, trêve, suspension
d'armes. ¶ (Fig.) Terme, délai; répit,
repos (momentané), *c.-à-d.* relâche.
|| Tranquillité. ¶ Répit (accordé pour
le payement de l'impôt).

indutus, dat. *ui*, abl. pl. *ibus*, m. Action
de se revêtir de... ¶ (Méton.) Vête-
ment.

induviae, *arum*, f. pl. Vêtements, habits.

inebrio, *as*, *avi*, *atum*, *are*, tr. Enivrer.
¶ Abreuver *ou* saturer.

inedia, *ae*, f. Privation de nourriture,
diète, abstinence. || Inanition. ¶ Fa-
mine, disette.

ineditus, *a*, *um*, adj. Inédit.

ineffabilis, *e*, adj. Ineffable.

inefficax, *acis*, adj. Qui est sans effet,
inefficace, inutile, vain. ¶ Incapable
de.

inelaboratus, *a*, *um*, adj. Non travaillé.
¶ Obtenu sans peine.

inelegans, *antis*, adj. Qui est sans élégance; sans goût; grossier.

ineleganter, adv. Sans choix. ¶ Sans
élégance, sans goût.

ineluctabilis, *e*, adj. Dont on ne peut
se dégager, impraticable. ¶ *Fig.* Iné-
luctable.

inemendabilis, e, adj. Qui ne peut être corrigé; qui ne peut être amélioré.

inemendatus, a, um, adj. Non corrigé, non amélioré.

inemorior, eris, emori, dép. intr. Mourir dans, mourir à la vue de.

inemptus (INEMTUS), a, um, adj. Non acheté. ¶ Gratuit, qui ne coûte rien, qu'on produit soi-même.

inenarrabilis, e, adj. Inénarrable, inexprimable, indicible.   [primable.

inenarrabiliter, adv. D'une manière inex-

inenodabilis, e, adj. Qu'on ne peut dénouer, emmêlé, inextricable. ¶ Fig. Insoluble.

ineo, is, ii, itum, ire, intr. et tr. || Intr. Aller (dans), entrer (dans). || Absol. Faire son entrée. || (Par ext.) Etre à son début, commencer. ¶ Tr. Aller dans, entrer dans, s'engager dans. || Marcher contre, attaquer. || Fig. Se mettre à; entrer (en charge, en fonction). || Commencer, entreprendre. || S'engager dans, d'où contracter conclure, exécuter, faire.

inepte, adv. D'une manière déplacée, à contretemps. ¶ Maladroitement, gauchement.

ineptia, ae, f. Gaucherie, maladresse, sottise, ineptie. Au plur. Ineptiae, absurdités, sottises, inepties, sornettes, contes (de vieilles femmes).

ineptus, a, um, adj. Qui ne convient pas, impropre. || Déplacé, maladroit, absurde. || En parl. de pers. Sot, niais, inepte.

inequitabilis, e, adj. Où l'on ne peut aller à cheval, impraticable à la cavalerie.

inequito, as, are, intr. Chevaucher dans ou sur. ¶ Fig. Insulter, outrager.

inermis, e, adj. Qui n'a pas d'armes. ¶ Fig. Qui est sans défense, c.-à-d. inoffensif ou impuissant, faible.

inermus, a, um, adj. Comme le précédent.   [étoiles.

1. inerrans, antis, adj. Fixe (en parl. des

2. inerrans, antis, part. d'INERRO.

inerratum, i, n. Absence d'erreur.

inerro, as, are, intr. Errer dans ou sur. ¶ Tr. Décrire (en dansant).

iners, ertis, adj. Qui ne sait rien faire, maladroit, gauche. ¶ Inactif, endormi, paresseux, oisif, mou, lâche. || En parl. de ch. Sans force, sans action, sans énergie, inerte; sans effet, inutile, stérile, oiseux; sans goût, fade, insipide. ¶ Qui rend inerte, qui engourdit, qui glace. || Pendant lequel on n'agit pas.

inertia, ae, f. Incapacité absolue, ignorance complète. Au plur. Inertiae, maladresses. ¶ Indolence, inertie, paresse, négligence.

inerudite, adv. En ignorant.

ineruditus, a, um, adj. Ignorant, peu instruit, peu éclairé. ¶ Peu délicat, grossier.

inesco, as, avi, atum, are, tr. Attirer par un appât, amorcer. || Fig. Allécher, leurrer. ¶ Donner à manger, nourrir, gaver.

inevitabilis, e, adj. Inévitable.

inexcitabilis, e, adj. Dont on ne peut être réveillé. ¶ Qui ne peut être stimulé.   [qui est en repos.

inexcitus, a, um, adj. Qui n'est pas agité.

inexcogitatus, a, um, adj. Non encore imaginé; inédit.

inexcultus, a, um, adj. Négligé.

inexcusabilis, e, adj. Inexcusable. ¶ Dont on ne peut se dispenser.

inexercitatus, a, um, adj. Non occupé à...; ou qui ne prend pas d'exercice. ¶ Inexpérimenté, novice.

inexorabilis, e, adj. Inexorable. ¶ Qu'on ne peut obtenir par des prières.

inexpertus, a, um, adj. Qui n'a pas fait l'expérience, inexpérimenté. Subst. Inexperti, les novices. ¶ Qui n'a pas été essayé. || Dont on n'a pas encore fait l'expérience; dont on n'a pas fait l'épreuve; peu sûr. || Qu'on n'a pas encore rencontré; inédit.

inexpiabilis, e, adj. Qui ne peut être expié, inexpiable. ¶ Que rien ne peut apaiser; implacable.

inexplebilis, e, adj. Qui ne peut être rempli. || Fig. Insatiable. ¶ Qui ne rassasie pas.

inexpletus, a, um, adj. Qui n'est pas, qui ne peut être rempli. ¶ Fig. Insatiable.

inexplicabilis, e, adj. Inextricable. ¶ Fig. Dont on ne peut se tirer; inexcusable, impraticable, imprenable, incurable, etc.

inexplorate, adv. Sans examen.

inexplorato, adv. Sans avoir envoyé à la découverte, sans recherche (ou reconnaissance) préalable.

inexploratus, a, um, adj. Non exploré, pas reconnu. ¶ Fig. Incertain ou obscur.

inexpugnabilis, e, adj. Inexpugnable, imprenable. ¶ (Par ext.) Dont on ne peut venir à bout. || Inaccessible. || Fig. Insurmontable, invincible.

inexpugnatus, a, um, adj. Non vaincu.

inexscrutabilis, e, adj. Impénétrable.

inexspectatus, a, um, adj. Inattendu.

inexstinctus, a, um, adj. Qui n'est pas éteint. ¶ Fig. Impérissable. ¶ Dont l'ardeur n'est pas éteinte; inassouvi. || Insatiable.

inexsuperabilis, e, adj. Infranchissable. ¶ Fig. Insurmontable, invincible.

inextricabilis, e, adj. Inextricable. ¶ Fig. Irrémédiable; incurable. || Indescriptible. || Inexplicable.

infabre, adv. Sans art; grossièrement.

infabricatus, a, um, adj. Non travaillé, non façonné. ¶ Fig. Sans apprêt, sans prétention.   [sans goût.

infacete (INFICETE), adv. Sans finesse.

infacetiae (INFICETIAE), arum, f. pl. Stupidités, sottises.

infacetus (INFICETUS), a, um, adj. Qui est sans finesse, sans goût, sans esprit.

infamator, oris, m. Diffamateur.

infamia, ae, f. Mauvaise renommée, déshonneur, honte, infamie. ¶ (Mét.) Honte, opprobre de...

infamis, e, adj. Infâme. ¶ (En parl. de pers.) Décrié. ¶ (En parl. de ch.) Déshonorant, honteux.

infamo, as, avi, atum, are. tr. Décrier, diffamer, déshonorer. ¶ (Par ext.) Rendre suspect, noircir.

infandus, a, um, adj. Dont on ne doit pas parler, indicible. ¶ Horrible, monstrueux abominable. Subst. Infanda, actions abominables; abominations.

infans, antis, adj. Qui ne peut pas parler, muet. ¶ Qui ne parle pas encore, tout petit, tout jeune. Subst. Infans, antis, m. et f. Enfant en bas âge. ¶ D'enfant, enfantin. ¶ Qui ne sait pas parler, qui n'a pas le talent de la parole; peu éloquent. ¶ (Rare.) Voy. INFANDUS.

infantia, ae, f. Incapacité de parler. ¶ Epoque (de la vie) où l'on ne parle pas : (première) enfance, bas âge. ¶ (Par ext.) Etat de ce qui entre dans la vie, jeunesse, nouveauté. || (Méton.) L'enfance, c.-à-d. les enfants. ¶ Absence de talent oratoire, défaut d'éloquence.

infanticida, ae, m. Meurtrier d'un enfant.

infantula, ae, f. Petite enfant.

infantulus, i, m. Petit enfant.

infarcio (INFERCIO), is, farsi, farsum et fartum, ire, tr. Fourrer dans. ¶ Enfoncer dans. ¶ Bourrer, farcir de. || Emplir de.

infas, p. INFANS.

infatigabiliter, adv. Sans se lasser.

infatigatus, a, um, adj. Qui n'est pas fatigué; infatigable.

infatuatio, onis, f. Egarement.

infatuo, as, avi, atum, are, tr. Troubler, égarer (l'esprit de), rendre fou. ¶ Abuser.

infauste, adv. Malheureusement.

infaustum, i, n. Malheur, revers.

infaustus, a, um, adj. Malheureux, de mauvais présage, funeste. ¶ (En parl. de pers.) Qui éprouve des revers.

infeco, as, are, tr. Souiller.

infecto, as, are, tr. Empoisonner (fig.), c.-à-d. troubler, gâter, corrompre.

infector, oris, m. Teinturier. ¶ Qui sert à teindre.

infectorium, ii, n. Teinturerie.

infectorius, a, um, adj. Qui sert à la teinture.

1. infectus, a, um, adj. Non travaillé. ¶ Non terminé; inachevé ou imparfait. ¶ Qu'on ne peut exécuter, impossible.

2. infectus, a, um, part. d'INFICIO.

3. infectus, abl. u, m. Action de teindre, teinture.   [rilité.

infecunditas, atis, f. Infécondité, sté-

infecundus, a, um, adj. Infécond, stérile (pr. et fig.).

infelicitas, atis, f. Stérilité. ¶ Situation pénible, malheur, infortune.

infeliciter, adv. Malheureusement.

infelix, icis, adj. Infertile, stérile. ¶ (Par ext.) Malheureux, infortuné, qui ne connaît pas le succès. ¶ Qui porte malheur, de mauvais augure; funeste.

infense, adv. En ennemi. ¶ Avec acharnement.

infenso, as, are, tr. Agir en ennemi contre. ¶ Dévaster, ravager.

infensus, a, um, adj. En parl. de pers. Animé de sentiments hostiles à l'égard de; acharné ou irrité contre. ¶ En parl. de ch. Ennemi, hostile, funeste.

infer, a, um, adj. Comme INFERUS.

inferax, acis, adj. Stérile. ¶ Fig. Qui est sans effet, sans résultat.

infercio, is, ire, tr. Voy. INFARCIO.

inferi, orum, m. pl. Les habitants des enfers, les morts. ¶ Les enfers.

inferiae, arum, f. pl. Sacrifice ou libations aux Mânes.

inferialis, e, adj. Relatif aux funérailles. ¶ Concernant les libations aux Mânes.

inferior, us, adj. (au compar.) Situé plus bas, intérieur. ¶ Qui vient après (dans le temps), postérieur. ¶ (Fig.) Qui occupe un degré au-dessous, inférieur (en nombre, en mérite, etc.).

1. inferius, a, um, adj. Offert en sacrifice.

2. inferius, adv. Plus bas, au-dessous.

infernus, a, um, adj. Situé en bas, qui est en dessous. Subst. Inferna, orum, n. pl. Le bas-ventre. ¶ Qui est sous la terre. Subst. Infernus (s.-e. locus), m. L'enfer. Inferni, orum, m. pl. et inferna, orum, n. pl. Les enfers.

infero, fers, tuli, illatum, inferre, tr. Porter dans, apporter. || Mettre, jeter (dans, sur, contre). || Spéc. Mettre sur (la table), servir. ¶ Offrir (aux dieux), sacrifier. ¶ Produire (ses comptes). ¶ Verser (de l'argent), payer. || Porter (en compte), imputer. ¶ Mettre (en terre), inhumer. ¶ Faire avancer. — se, s'avancer. — se per medios, se jeter dans la mêlée. Au passif, inferri, se jeter, se précipiter; se porter en avant (pour attaquer). — bellum, prendre l'offensive. ¶ Fig. Apporter, c.-à-d. importer, introduire. || Mettre en pratique, employer. || Inspirer, causer. ¶ Inférer, conclure.

inferus, a, um, adj. Placé en bas. ¶ Qui est sous la terre, qui appartient aux enfers.   [Faire bouillir dans.

infervefacio, is, feci, factum, ere, tr.

inferveo, es, ferbui, ere, intr. Bouillir ou cuire dans.

infervesco, is, ferbui, ere, intr. S'échauffer, se mettre à bouillir dans ou sur.

infestatus, a, um, p. adj. Attaqué.

infeste, adv. En ennemi; d'une manière hostile.

infesto, *as, avi, atum, are*, tr. Traiter en ennemi. ¶ Dévaster, infester, ravager ((par des courses hostiles). ¶ *Fig.* Attaquer, gâter, corrompre.

infestus, *a, um*, adj. Hostile, agressif. ‖ *T. milit.* Prêt à l'attaque, prêt à frapper, prêt à livrer bataille. ¶ Exposé à des attaques, infesté.

inficete, adv. Voy. INFACETE.

inficetiae, *arum*, f. pl. Voy. INFACETIAE.

inficetus, *a, um*, adj. Voy. INFACETUS.

inficiae. Voy. INFITIAE.

1. **inficiens**, *entis*, adj. Qui ne fait rien, fainéant.

2. **inficiens**, *entis*, part. d'INFICIO.

inficio, *is, feci, fectum, ere*, tr. Pénétrer de, mêler à. ‖ *Fig.* Imprégner (au moral). ¶ *Spéc.* Imprégner de couleur, colorer, teindre. ¶ Empoisonner, empester. ‖ Corrompre.

inficior. Voy. INFITIOR.

infidelis, *e*, adj. Qui ne tient pas ses promesses; infidèle. ¶ (Fig.) *En parl. de ch.* A quoi on ne peut se fier.‖ *Eccl.* Infidèle, païen.

infidelitas, *atis*, f. Infidélité, perfidie. ¶ *Eccl.* Paganisme; défaut de foi chrétienne.

infideliter, adv. Avec déloyauté.

infidus, *a, um*, adj. A qui l'on ne peut se fier. ¶ *En parl. de ch.* Peu sûr.

infigo, *is, fixi, fixum, ere*, tr. Enfoncer, ficher dans; faire pénétrer. ‖ Appliquer (sur). ¶ *Fig.* Graver, inculquer (dans l'esprit).

infimas, *atis*, adj. Comme le suivant.

infimatis (INFUMATIS), *e*, adj. De la dernière classe, de la plus basse condition.

infime, adv. Tout en bas.

infimus (INFUMUS), *a, um*, adj. Placé très bas, qui occupe la partie la plus basse. ¶ *Fig.* De la plus basse condition. Subst. *Infimi, orum*, m. pl. Les gens de rien.

infindo, *is, fidi, fissum, ere*, tr. Tracer dans, imprimer (en fendant). ¶ Fendre, sillonner.

infinitas, *atis*, f. Absence de limitation, immensité, infinité.

infinite, adv. A l'infini. ¶ D'une manière indéterminée.

infinitio, *onis*, f. Etendue infinie.

infinitus, *a, um*, adj. Qui n'a pas de limites. ‖ Infini, sans bornes. ‖ Illimité, éternel. ‖ Innombrable, exorbitant, énorme. ¶ Indéfini *ou* indéterminé. ‖ Général, universel. ‖ *Gramm.* Indéfini. — *modus*, l'infinitif.

infirmatio, *onis*, f. Réfutation. ¶ Annulation.

infirme, adv. Faiblement. ¶ Timidement, avec pusillanimité. ¶ D'une manière peu sûre.

infirmitas, *atis*, f. Santé chancelante, état maladif. ‖ *En parl. de ch.* Défaut de solidité. ¶ Faiblesse (de volonté *ou* d'esprit); indécision.

1. **infirmo**, *as, avi, atum, are*, tr. Affaiblir, débiliter. ¶ Infirmer, invalider. ‖ Réfuter. ¶ Abroger (une loi), annuler, casser (un testament).

2. **infirmo**, *as, are*, tr. Comme CONFIRMO.

infirmor, *aris, ari*, dép. intr. Etre affaibli, maladif *ou* malade.

infirmus, *a, um*, adj. Faible, débile, maladif; indisposé. ¶ *Fig.* Faible (de caractère *ou* d'esprit); pusillanime. ¶ *En parl. de ch.* Peu résistant, pas solide. ‖ *Fig.* Sans effet, sans valeur; inefficace. ‖ Peu substantiel.

infit, défect. Il commence. ‖ *Spéc.* Il se met à parler.

infiteor, *eris, eri*, dép. Voy. INFITIOR.

infitiabilis, *e*, adj. Que l'on ne peut nier *ou* méconnaître.

infitiae, *arum*, f. pl. Usité seul. dans la loc. *infitias* ire, nier.

infitialis, *e*, adj. De négation; négatif.

infitiatio, *onis*, f. Action de nier. ¶ *Spéc.* Refus de reconnaître un dépôt, une dette.

infitiator, *aris*, m. Celui qui nie. ¶ *Spéc.* Celui qui nie une dette, un dépôt.

infitior, *aris, atus sum, ari*, dép. tr. Ne pas vouloir reconnaître, ne pas vouloir convenir de. ¶ *Spéc.* (Jur.). Nier un dépôt, une dette

inflammatio, *onis*, f. Action d'incendier; incendie. ‖ (Méd.) Inflammation. ¶ *Fig.* Enthousiasme.

inflammo, *as, avi, atum, are*, tr. Mettre en feu, enflammer, embraser. ‖ *Spéc.* (T. de méd.) Enflammer, irriter (les tissus). ¶ *Fig.* Enflammer, passionner.

inflate, adv. (ordin. au compar.). En gonflant la bouche davantage. ¶ *Fig.* En enflant le ton davantage, avec plus d'emphase. [souffle.)

inflatilis, *e*, adj. (Dans lequel on **inflatio**, *onis*, f. Souffle des vents déchaînés). ‖ *Spéc.* Enflure *ou* tumeur (t. méd.). ‖ Flatuosité, gaz dans le tube digestif. ¶ *Fig.* Orgueil, jactance. [FLATE.

inflatius, adv. (au compar.) Voy. IN-

1. **inflatus**, *a, um*, p. adj. Gonflé, enflé, tuméfié. ¶ Bouffi (d'orgueil), gonflé (de colère). ¶ Boursouflé, emphatique. [piration.

2. **inflatus**, *us*, m. Souffle. ¶ *Fig.* Ins-

inflecto, *is, flexi, flexum, ere*, tr. Courber (en dedans), infléchir, tourner. ¶ Faire dévier, changer, transformer. ‖ *Spéc.* Donner (à la voix) des inflexions variées. ‖ Frapper de l'accent circonflexe. ¶ *Fig.* Fléchir, faire changer de résolution, toucher, émouvoir.

infletus, *a, um*, adj. Non pleuré.

inflexibilis, *e*, adj. Qui ne peut se plier. ¶ *Fig.* Inflexible.

inflexio, *onis*, f. Action de plier. ‖ (Méton.) Courbure, sinuosité. ¶ *Gramm.* Inflexion.

1. **inflexus**, *us*, m. Action de plier. ‖

(Méton:) Courbure, détour. ¶ (Fig.) Inflexion (de la voix).

2. **inflexus**, *a*, *um*, adj. *Gramm.* Non décliné *ou* indéclinable. [FLECTO.

3. **inflexus**, *a*, *um*, adj. part. d'IN-**inflictus**, abl. *u*, m. Choc.

infligo, *is*, *flixi*, *flictum*, *ere*, tr. Heurter, jeter violemment contre. ¶ Asséner, porter un coup bien appliqué. ¶ *Fig.* Infliger, appliquer (une peine), faire subir, imposer.

inflo, *as*, *flavi*, *flatum*, *are*, tr. Souffler dans, insuffler. || *Par ext.* Injecter. ¶ Souffler dans (un instrument à vent), jouer de (la flûte). ¶ Enfler. || *Spéc.* (Méd.) Tuméfier; donner des gaz, des vents. ¶ *Fig.* Enfler, grossir, exagérer. || Amplifier, dire avec emphase. || Exalter, enorgueillir.

influo, *is*, *fluxi*, *fluxum*, *ere*, intr. Couler dans. || Se jeter dans (en parl. d'un cours d'eau). ¶ *Fig.* Se précipiter (à flots) sur; faire irruption. ¶ S'insinuer, s'infiltrer (fig.). ¶ Faire couler *ou* ruisseler. [*ou* qui s'insinue.

influus, *a*, *um*, adj. Qui pénètre (fig.).

infodio, *is*, *fodi*, *fossum*, *ere*, tr. Mettre dans un trou creusé, enfouir, enterrer. ¶ Creuser, tracer en creusant.

infoeo... Voy. INFEC... [allié.

infoederatus, *a*, *um*, adj. Qui n'est pas

informatio, *onis*, f. Action de façonner. ¶ *Fig.* Enseignement, instruction. ¶ Conception, formation d'une idée dans l'esprit, notion, idée. || Etymologie (d'un mot). || (Rhét.) Voy. CHARACTE-RISMOS. [qui instruit.

informator, *oris*, m. Celui qui forme, **informatus**, abl. *u*, m. Enseignement.

informis, *e*, adj. Non formé, informe. ¶ Difforme, laid, hideux (pr. et fig.).

informitas, *atis*, f. Absence de forme.

informiter, adv. D'une manière affreuse.

informo, *as*, *avi*, *atum*, *are*, tr. Donner une forme à, former, façonner. ¶ (Mor.) Elever, instruire. ¶ Représenter, faire le portrait de; décrire. ¶ Se figurer, s'imaginer, concevoir.

inforo, *as*, *are*, tr. Citer en justice.

infortunatus, *a*, *um*, adj. Infortuné.

infortunium, *ii*, n. Malheur. ¶ Châtiment, correction.

infossio, *onis*, f. Action d'enfouir.

1. **infra**, adv. Au-dessous; plus bas. ¶ Postérieurement. ¶ Au—dessous, moins (comme nombre *ou* valeur).

2. **infra**, prép. (avec l'acc.). Au-dessous de. || Au pied de. ¶ Après, postérieurement à. ¶ *Fig.* Au-dessous de, moins de. || Dans une situation inférieure à.

infractio, *onis*, f. Action de briser. ¶ Découragement, accablement.

1. **infractus**, *a*, *um*, adj. Non abattu, non accablé (fig.).

2. **infractus**, *a*, *um*, p. adj. Brisé, abattu; affaibli, faible.

3. **infractus**, *us*, m. Comme INFRACTIO.

infrangilis, *e*, adj. Qui ne se peut briser.

¶ *Fig.* Qui ne se laisse pas abattre, inébranlable.

infremo, *is*, *fremui*, *ere*, intr. Gronder, frémir, faire entendre des grondements menaçants. [frein (pr. et fig.).

1. **infrenatus**, *a*, *um*, adj. Qui est sans

2. **infrenatus**, *a*, *um*, adj. Pourvu d'un frein, bridé. [dents. ¶ Etre furieux.

infrendeo, *es*, *ere*, intr. Grincer des

infrendo, *is*, *ere*, intr. Voy. le précédent.

infrenis, *e*, adj. Qui n'a pas de frein. || Qui ne met pas de frein à (son cheval). ¶ *Fig.* Indompté *ou* indomptable.

infreno, *as*, *avi*, *atum*, *are*, tr. Mettre un frein à (un cheval), brider. || Emmuseler. || Attacher un navire à ses amarres. ¶ *Fig.* Tenir la bride (à ses passions), refréner, dompter.

infrenus, *a*, *um*, adj. Comme INFRENIS.

infrequens, *entis*, adj. Peu nombreux, en tout petit nombre. ¶ Peu assidu *ou* peu exact. ¶ Qui s'exerce peu, qui n'a pas l'expérience, l'habitude de. ¶ Peu peuplé, peu fréquenté désert. || Solitaire *ou* isolé. ¶ Peu employé, rare.

infrequentatus, *a*, *um*, adj. Peu usité.

infrequentia, *ae*, f. Petit nombre d'assistants. ¶ Manque d'habitants. ¶ Isolement.

infrico, *as*, *fricui*, *frictum* et *fricatum*, *are*, tr. Frotter sur *ou* contre. ¶ Frotter de, frotter avec.

infringo, *is*, *fregi*, *fractum*, *ere*, tr. Briser contre *ou* sur; asséner sur. || Briser *ou* casser. ¶ *Fig.* Briser, c.-à-d. abattre, ruiner, détruire; affaiblir, annuler, casser. || (*Rhét.*) Briser (le rhythme), couper (brusquement la période). ¶ *Fig.* Abattre, décourager. || *Qqf.* Fléchir.

infrio, *as*, *avi*, *atum*, *are*, tr. Emietter dans, faire tremper dans.

infrons, *frondis*, adj. Qui est sans feuillage; qui est sans arbres.

infructuosus, *a*, *um*, adj. Qui ne donne pas de fruit. ¶ *Fig.* Sans effet, sans résultat, infructueux.

infrunitus, *a*, *um*, adj. Qui n'a pas le sens commun, sot, niais.

1. **infucatus**, *a*, *um*, adj. Non fardé.

2. **infucatus**, *a*, *um*, adj. Recouvert d'un vernis brillant.

infudibulum, *i*, n. Voy. INFUNDIBULUM.

infula, *ae*, f. Ruban. ¶ Bandelette de laine (blanche et écarlate) qui ornait la tête des prêtres, des suppliants, des victimes). ¶ (Méton.) Magistrature *ou* pouvoir. || Celui qui est revêtu d'un pouvoir. [delette de laine.

infulatus, *a*, *um*, adj. Orné d'une ban-

infulcio, *is*, *fulsi*, *fultum*, *ire*, tr. Bourrer, fourrer dans. ¶ *Fig.* Introduire (de force), insérer dans. [fumé.

infumatus, *a*, *um*, adj. Séché à la fumée.

infundibulum, *i*, n. Entonnoir. ¶ Trémie.

infundo, *is*, *fudi*, *fusum*, *ere*, tr. Verser dans *ou* sur; faire entrer dans, infiltrer dans. || *T. méd.* Injecter dans;

administrer. ¶ *Fig.* Faire pénétrer, introduire; répandre sur; semer sur; étendre sur. ¶ Arroser, humecter, mouiller.

infusco, *as, avi, atum, are,* tr. Teindre en brun, brunir. || Noircir, assombrir. ¶ Assourdir (la voix). ¶ *Fig.* Altérer, dénaturer. || Souiller,. corrompre.

infusio, *onis,* f. Action de verser dans. || (Méton.) Injection. ¶ Action de se répandre; épanchement (t. médie.).¶ Action de mouiller, d'arroser ; arrosage. [c.-à-d. (au fig.) qui inspire.

infusor, *oris,* m. Celui qui verse dans

infusorium, *ii,* n. Burette.

ingemesco. Voy. INGEMISCO.

ingemino, *as, avi, atum, are,* tr. Redoubler, répéter, réitérer. ¶ *Intr.* Redoubler, augmenter d'intensité.

ingemisco (INGEMESCO), *is, gemui, ere,* intr. Gémir. ¶ *Tr.* Se lamenter sur, déplorer.   [en pierre précieuse.

ingemmesco, *is, ere,* intr. Se changer

ingemo, *is, ere,* intr. Gémir sur. || Absol. Gémir. ¶ *Tr.* Déplorer.

ingenero, *as, avi, atum, are,* tr. Faire naître dans, implanter, inculquer (dès la naissance). ¶ Faire naître, produire, créer.

ingeniatus, *a, um,* adj. Créé par la nature. ¶ *En parl. de pers.* Naturellement disposé ou enclin à.

ingeniose, adv. Ingénieusement, avec esprit, avec talent.

ingeniositas, *atis,* f. Riche talent.

ingeniosus, *a, um,* adj. Bien doué (par la nature). || Apte à, propre à. ¶ Qui a des dispositions naturelles pour; adroit. || Ingénieux, spirituel.

1. ingenitus, *a, um,* adj. Incréé.

2. ingenitus, *a, um,* adj. Inné. Voy. INGIGNO.

ingenium, *ii,* n. Nature, qualité, propriété naturelle. ¶ Naturel, caractère. ¶ Dispositions (apportées en naissant). || Esprit, intelligence, talent; génie. || (Méton.) Un homme de talent, de génie. ¶ (Méton.) Invention ingénieuse.

ingens, *gentis,* adj. Très grand, considérable, extraordinaire, immense. ¶ Grand, puissant (par quelque avantage), important, imposant. || *En parl. de pers.* De grand mérite.

ingenue, adv. En homme libre; d'une manière libérale. ¶ Franchement, sincèrement.

ingenuitas, *atis,* f. Condition d'homme né libre; noble origine, noblesse. ¶ *Fig.* Sentiments d'un homme libre, noblesse de sentiments, honnêteté, loyauté, sincérité.

ingenuus, *a, um,* adj. Indigène. ¶ Inné. ¶ (Ordin.) Né de parents libres, de condition libre; ingénu. || Digne d'un homme né libre; noble, libéral; délicat. || Honnête, franc, sincère. ¶ Frêle, délicat.

ingero, *is, gessi, gestum, ere,* tr. Porter dans, sur *ou* contre; jeter, lancer, mettre, etc. ¶ Présenter, offrir. ¶ Imposer, forcer à accepter. ¶ Infliger. ¶ Proférer (contre). — *probra,* vomir des outrages.

ingestio, *onis,* f. Action de verser dans. ¶ Action de porter (la parole). ¶ (Fig.) Action d'infliger (une peine).

ingigno, *is, genui, penitum, ere,* tr. Faire pousser dans. ¶ Faire naître dans, implanter, inculquer.

inglorius, *a, um,* adj. Sans gloire, sans éclat, obscur. ¶ Peu relevé, de peu d'apparence.

ingluvies, *ei,* f. Jabot *ou* gésier (des volatiles). ¶ Gorge, cou. ¶ *Fig.* Voracité, gloutonnerie. || Rapacité, avidité.

ingrate, adv. D'une façon désagréable. || A regret. ¶ Sans reconnaissance. ¶ En vain, sans profit.

ingratia, *ae,* f. Déplaisir. Voy. INGRATIIS. ¶ Ingratitude.

ingratificus, *a, um,* adj. Ingrat.

ingratiis et **ingratis,** adv. De mauvais gré, à contre-cœur. — *alicujus,* contre le gré de, malgré qqn.

ingratus, *a, um,* adj. Désagréable, déplaisant. ¶ Ingrat, dépourvu de reconnaissance. ¶ Dont on n'est pas reconnaissant, peu satisfait de. || *En parl. de ch.* Infructueux, stérile.

ingravesco, *is, ere,* intr. Devenir plus lourd, s'alourdir. || Devenir enceinte. ¶ (Fig.) S'aggraver, empirer. || *Spéc.* Devenir plus cher, renchérir. || *En parl. de pers.* Devenir plus dur, plus cruel, plus tyrannique. ¶ *Rare.* Prendre de l'importance, grandir (pr. et fig.). ¶ *Tr.* Aggraver, empirer.

ingravo, *as, avi, atum, are,* tr. Alourdir; surcharger. ¶ Aggraver, exagérer, envenimer. ¶ *Intr.* Devenir pesant, c.-à-d. gênant.

ingredior, *eris, gressus sum, gredi,* dép. intr. Aller dans, se rendre dans, entrer dans *ou* avec. || *Simpl.* Aller, marcher. ¶ Etre à son début. ¶ *Tr.* Se rendre dans. — *viam,* se mettre en route. — *pericula,* s'engager dans les périls. || Commencer, entreprendre. Absol. Commencer à parler. || Attaquer (en justice *ou* les armes à la main).   [Marche, allure.

ingressio, *onis,* f. Entrée. ¶ Début. ¶

ingressus, *i,* n. Commencement.

ingressus, *us,* m. Action d'aller, d'entrer dans. || (Méton.) Entrée. || Entrée, vestibule. ¶ Incursion, attaque. Mise en train; entreprise. || Début. ¶ Marche, démarche, allure.

ingruo, *is, grui, ere,* intr. Fondre sur, faire irruption. ¶ *Fig.* Menacer, c.-à-d. être imminent.

ingruus, *a, um,* adj. Qui menace.

inguen, *inis,* n. Aine. || Au plur. *Inguina,* parties voisines de l'aine, flanc, bas-ventre. ¶ Tumeur à l'aine. ¶ *Par* *anal.* (Dans un arbre) endroit où une branche s'attache au tronc.

ingurgito, *as, avi, atum, are,* tr. Plonger (comme dans un gouffre), engouffrer (pr. et fig.). ¶ *Spéc.* Engloutir. ‖ Bourrer (de nourriture). — *se,* faire bombance. [goûté.

ingustatus, *a, um,* adj. Dont on n'a pas

inhabilis, *e,* adj. Difficile à manier; incommode. ‖ Trop lourd. ¶ Impropre. ¶ Inhabile, incapable.

1. **inhabitabilis,** *e,* adj. Inhabitable. ¶ Sans habitation, sans demeure.

2. **inhabitabilis,** *e,* adj. Habitable.

3. **inhabitabilis,** adj. Comme INHABILIS. Voy. aussi INUTILIS.

inhabito, *as, avi, atum, are,* tr. Habiter dans, habiter. ‖ Porter (un vêtement). ¶ *Intr.* Habiter dans, résider (pr. et fig.). Partic. subst. *Inhabitantes, ium,* m. pl. Les habitants.

inhaereo, *es, haesi, haesum, ere,* intr. Rester attaché à, tenir à, adhérer. ¶ *Fig.* Talonner. ¶ Etre inhérent à, être gravé dans; s'appliquer à; être attaché à; être inséparable.

inhaeresco, *is, haesi, haesum, ere,* intr. S'attacher à; adhérer. ¶ *Fig.* Se fixer, se graver (dans l'esprit).

inhalo, *as, avi, atum, are,* intr. Souffler sur. ¶ Exhaler une odeur. ¶ *Tr.* Exhaler, sentir.

inhibeo, *es, bui, bitum, ere,* tr. Retenir, arrêter. ¶ Détourner, empêcher. ¶ *Absol.* (t. nautique). Ramer en arrière *ou* cesser de ramer. ¶ Appliquer, exercer, employer.

inhibitio, *onis,* f. Action de retenir. ¶ Action de ramer en sens contraire.

inhibitor, *oris,* m. Celui qui empêche.

inhio, *as, avi, atum, are,* tr. Etre béant. ¶ Avoir la bouche *ou* la gueule ouverte.

inhonestamentum, *i,* n. Déshonneur, honte.

inhonestas, *atis,* f. Déshonneur.

inhoneste, adv. Sans honneur, dans la honte. ¶ Malhonnêtement.

inhonesto, *as, are,* tr. Déshonorer.

inhonestus, *a, um,* adj. Qui est sans honneur. ¶ Qui est de basse extraction. ¶ Déshonorant, honteux. ¶ Malhonnête, immoral. ¶ Laid, hideux.

inhonoratus, *a, um,* adj. Non honoré, qui est sans considération. ¶ Qui ne reçoit pas de distinctions, de récompense.

inhonorus, *a, um,* adj. Qui est sans honneur, sans considération. ¶ Laid, affreux.

inhorreo, *es, ere,* intr. Etre hérissé.

inhorresco, *is, horrui, ere,* intr. Se hérisser, se dresser. ¶ (Par ext.) Devenir houleux. ¶ Devenir âpre, devenir glacé. ¶ Frissonner, trembler (de froid *ou* de peur), avoir la chair de poule. ¶ Tressaillir. ¶ *Tr.* Redouter.

inhortor, *aris, atus sum, ari,* tr. Exciter (des chiens) contre (qqn).

inhospita, *orum,* n. pl. Lieux inhospitaliers, déserts.

inhospitalis, *e,* adj. Inhospitalier.

inhospitalitas, *atis,* f. Inhospitalité.

inhumane, adv. Durement, inhumainement.

inhumanitas, *atis,* f. Inhumanité, barbarie. ‖ Cruauté. ¶ Manque d'éducation, défaut de politesse, grossièreté. ¶ Lésinerie, mesquinerie, crasse.

inhumaniter, adv. D'une manière incivile.

inhumanus, *a, um,* adj. Contraire à la nature humaine. ¶ Inhumain, barbare. ‖ Cruel. ¶ Qui manque d'éducation, incivil, impoli, grossier.

1. **inhumatus,** *a, um,* adj. Qui n'a pas reçu la sépulture.

2. **inhumatus,** part. d'INHUMO.

inhumo, *as, are,* tr. Inhumer, enterrer.

inibi, adv. En ce lieu-là, dans cet endroit même. ¶ (En parl. du temps.) A l'instant. ¶ Presque. ¶ *Fig.* En cela.

inigo, *is. egi, actum, ere,* tr. Conduire dans, pousser, faire entrer (des troupeaux) dans. ¶ *Simpl.* Pousser. ¶ Culbuter.

inimica, *ae,* f. Ennemie.

inimicalis, *e,* adj. D'ennemi.

inimice, adv. En ennemi. ¶ Hostilement

inimicitia, *ae,* f. Inimitié, haine. Au pl. *Inimicitiae,* actes d'inimitié.

inimico, *as, avi, atum, are,* tr. Rendre ennemi.

1. **inimicus,** *a, um,* adj. Ennemi. ¶ Qui a des sentiments hostiles, haineux. ¶ *En parl. de ch.* Préjudiciable, nuisible, défavorable. ¶ Détesté, haï, odieux.

2. **inimicus,** *i,* m. Ennemi particulier.

inimitabilis, *e,* adj. Inimitable.

inindigens, *entis,* adj. Qui ne manque pas de... [ment. ¶ A contre-cœur.

inique, adv. Inégalement. ¶ Injuste-

iniquitas, *atis,* f. Inégalité du sol; manque de niveau. ¶ Situation défavorable; désavantage; difficulté. ¶ (En gén.) Inégalité, manque de proportion; excès. ¶ Injustice iniquité. ¶ Dureté.

iniquus (INICUS), *a, um,* adj. Inégal (en parl. du terrain), accidenté. ¶ (Par ext.) Peu commode, désavantageux. ‖ Défavorable, difficile; pénible, dangereux. ¶ Inégal, c.-à-d. disproportionné, trop grand *ou* trop petit, qui n'est pas fait pour. ¶ (*Fig.*) Inique, injuste, partial. ¶ Défavorablement disposé, prévenu, ennemi, jaloux. ¶ Mécontent, contrarié, non résigné.

initiamenta, *orum,* n. pl. Premiers principes. ¶ Initiation. [tères.

initiatio, *onis,* f. Initiation (aux mystères).

initio, *as, avi, atum, are,* tr. Commencer. ¶ Introduire. ‖ Initier à des mystères. *Fig.* Initier à une science. ¶ *Eccl.* ‖ Baptiser.

initium, *ii,* n. Commencement, début.

Ab initio, dès le début. ¶ (Par ext.) Origine, naissance, extraction. ¶ (Au plur.) Principes, éléments (d'une science). || Eléments, *c.-à-d.* corps simples. || Auspices (que l'on prend au début de toute entreprise). ¶ Avènement. ¶ Mystères. || (Méton.) Objets du culte secret. ¶ Prémices.

initus, *us*, m. Entrée, arrivée. ¶ Début.

injectio. *onis*, f. Action de jeter dans. ¶ Injection, clystère. ¶ *Fig.* Inspiration. ¶ Action de jeter contre *ou* sur. — *manus*, contrainte par corps. ¶ Objection. ¶ (Rhét.) Figure qui consiste à commencer plusieurs phrases par le même mot *ou* par un synonyme.

injecto, *as*, *are*, tr. Jeter dans. ¶ Jeter sur; appliquer.

injectus, *us*, m. Action de jeter dans, de faire entrer. ¶ Action d'appliquer sur.

injicio, *is*, *jeci*, *jectum*, *ere*, tr. Jeter dans; précipiter dans *ou* au milieu de. || Mettre dans, embarquer. ¶ *Fig.* Jeter dans l'esprit, faire concevoir, inspirer. ¶ Jeter dans la conversation (un nom, une parole), mentionner. ¶ Jeter sur *ou* contre. || Mettre la main sur, arrêter. ¶ Appliquer sur.

injubilo, *as*, *are*, intr. Comme JUBILO.

injucunde, adv. Désagréablement.

injucunditas, *atis*, f. Défaut d'agrément.

injucundus, *a*, *um*, adj. Désagréable. ¶ *Spéc.* Rude (en paroles).

injudicatus, *a*, *um*, adj. Non jugé.

injungo, *is*, *junxi*, *junctum*, *ere*, tr. Attacher dans, fixer (en enfonçant). ¶ Joindre à, réunir; emboîter dans, relier à. || Unir, accoupler. ¶ Causer. || Faire subir, infliger. ¶ Imposer, enjoindre. [juré.

injuratus, *a*, *um*, adj. Qui n'a pas

injuria, *ae*, f. Injustice, action injuste, préjudice causé injustement; tort; attentat. ¶ Dommage, injure, outrage. ¶ (Par ext.) Dégât. ¶ Sévérité excessive, dureté. ¶ (Méton.) Conséquences d'une injustice : usurpation, bien mal acquis. || Vengeance tirée d'une injustice.

injurio, *as*, *avi*, *atum*, *are*, tr. Maltraiter, user de violence envers.

injurior, *aris*, *ari*, dép. intr. Comme le précédent.

injuriose, adv. Injustement.

injuriositas, *otis*, f. Comme INJURIA.

injuriosus, *a*, *um*, adj. Injuste, qui fait tort à. ¶ Nuisible, préjudiciable. || Qui blesse (pr.).

injurius, *a*, *um*, adj. Injuste.

1. **injussus**, *a*, *um*, adj. Qui n'a pas reçu d'ordre; qui agit de soi-même.

2. **injussus**, abl. *u*, m. Absence d'ordre. *Injussu*, sans ordre.

injuste, adv. Injustement, à tort.

injustitia, *ae*, f. Injustice. Au plur. Actes d'injustice.

injusto, adv. Injustement.

injustum, *i*, n. Injustice, iniquité.

injustus, *a*, *um*, adj. Injuste, inique. ¶ Trop sévère; méchant. ¶ Excessif, immodéré. ¶ Disproportionné.

inl... Voy. ILL...

inm... Voy. IMM...

innabilis, *e*, adj. Où l'on ne peut nager.

innascor, *eris*, *natus sum*, *nasci*, dép. intr. Naître dans *ou* parmi (pr. et fig.).

innato, *as*, *avi*, *atum*, *are*, intr. Entrer à la nage dans, pénétrer (dans) à la nage. ¶ Nager dans *ou* sur; surnager, flotter sur. ¶ Se répandre (en débordant) sur.

1. **innatus**, *a*, *um*, adj. Incréé.

2. **innatus**, *a*, *um*, p. adj. Inné.

innavigabilis, *e*, adj. Non navigable.

innavigo, *as*, *are*, tr. Naviguer dans *ou* sur...

innecto, *is*, *nexui*, *nexum*, *ere*, tr. Lier, attacher, enlacer à. ¶ Entourer (de liens). ¶ Ourdir (*fig.*), *c.-à-d.* tramer, imaginer, inventer. ¶ *Fig.* Unir.

innervis, *e*, adj. Enervé.

innitor, *eris*, *nixus sum*, *niti*, dép. intr. S'appuyer sur. ¶ *Fig.* Reposer sur, dépendre de.

inno, *as*, *avi*, *atum*, *are*, intr. Nager dans *ou* sur. || Flotter sur. || Naviguer sur.

innocens, *entis*, adj. Non nuisible, inoffensif. ¶ Innocent, sans reproche. || Désintéressé, honnête, probe.

innocenter, adv. Innocemment, honnêtement.

innocentia, *ae*, f. Innocuité. ¶ Innocence, intégrité, vertu. || (Méton.) L'innocence, *c.-à-d.* les innocents. ¶ Désintéressement, probité.

innocue, adv. D'une manière inoffensive. ¶ Vertueusement, dans l'innocence; à l'abri de tout reproche.

innocuus, *a*, *um*, adj. Inoffensif, innocent, honnête. ¶ Indemne, intact.

innotesco, *is*, *notui*, *ere*, intr. Devenir connu. ¶ (Par ext.) Devenir clair. ¶ *Tr.* Faire connaître.

innoxie, adv. D'une façon inoffensive, sans faire de mal. ¶ Honnêtement, vertueusement.

innoxius, *a*, *um*, adj. Inoffensif. ¶ Innocent, honnête. ¶ Indemne.

innubilus, *a*, *um*, adj. Où il n'y a pas de nuages.

innubo, *is*, *nupsi*, *nuptum*, *ere*, intr. Entrer par mariage dans (une famille), en parl. de la femme. ¶ (Par ext.) Passer dans.

innubus, *a*, *um*, adj. Célibataire.

innumerabilis, *e*, adj. Innombrable.

innumerabilitas, *atis*, f. Foule innombrable.

innumerabiliter, adv. A l'infini.

innumeralis, *e*, adj. Innombrable.

innumeratus, *a*, *um*, adj. Non compté. ¶ Innombrable.

innumerus, *a*, *um*, adj. Innombrable. ¶ Sans rythme.

innuo, *is*, *nui*, *ere*, intr. Faire un signe (de tête). ¶ *Tr.* Indiquer par un signe (de tête).

innupta, *ae*, f. Vierge.

innuptus, *a*, *um*, adj. Non marié.

innutrio, *is*, *ivi*, *itum*, *ire*, tr. Nourrir dans, élever dans. ¶ Nourrir de.

inoblitus, *a*, *um*, adj. Qui n'a pas oublié.

inoboedienter, adv. En désobéissant, au prix d'une désobéissance.

inoboedientia, *ae*, f. Désobéissance.

inoboedio, *is*, *ire*, intr. Voy. INOBAUDIO.

inobrutus, *a*, *um*, adj. Non englouti.

inobsequens, *entis*, adj. Désobéissant.

inobservabilis, *e*, adj. Qui ne peut être observé. [pas attention; inattentif.

inobservans, *antis*, adj. Qui ne prête

inobservanter, adv. Sans prendre garde.

inobservantia, *ae*, f. Inattention. ¶ Manque d'ordre, irrégularité.

inobservatus, *a*, *um*, adj. Non observé.

inobsessus, *a*, *um*, adj. Non assiégé.

inocco, *as*, *avi*, *atum*, *are*, tr. Herser (pour enfoncer le grain en terre).

inoculatio, *onis*, f. Greffe en écusson.

inoculator, *oris*, m. Celui qui greffe en écusson.

inoculo, *as*, *avi*, *atum*, *are*, tr. Greffer en écusson, écussonner. ¶ *Fig.* Inoculer, inculquer. ¶ Orner *ou* parer (de).

inoffensus, *a*, *um*, adj. Non heurté. ¶ Qui ne se heurte pas à des obstacles; non empêché, libre. ¶ *Fig.* Courant (en parl. du style).

inofficiosus, *a*, *um*, adj. Qui manque à ses devoirs; qui manque de politesse *ou* d'égards. || Peu serviable, peu complaisant. ¶ Qui manque d'affection pour les siens. || *Jur.* Inofficieux (en parl. d'un testament qui prive sans raison l'héritier légitime de sa part d'héritage).

inolesco, *is*, *olevi*, *olitum*, *ere*, intr. Croître dans, pousser sur. ¶ S'enraciner, s'invétérer. ¶ *Tr.* Implanter, inculquer (fig.).

inominatus, *a*, *um*, adj. Maudit; de sinistre présage. [¶ Révélé.

inopertus, *a*, *um*, adj. Mis à découvert.

inopia, *ae*, f. Manque de ressources, dénûment, indigence. ¶ (En gén.) Manque de, défaut de. ¶ Perplexité, embarras.

inopinabilis, *e*, adj. Inconcevable.

inopinans, *antis*, adj. Qui ne s'attend pas à, surpris.

inopinanter, adv. A l'improviste.

inopinato, adv. Comme le précédent.

inopinatus, *a*, *um*, adj. Inattendu, inopiné. ¶ Pris à l'improviste.

inopino, adv. A l'improviste. [TUB.

inopinus, *a*, *um*, adj. Comme INOPINA-

inopiosus, *a*, *um*, adj. Qui a besoin de.

inopportune, adv. Mal à propos.

inopportunitas, *atis*, f. Inopportunité; moment défavorable. [défavorable.

inopportunus, *a*, *um*, adj. Inopportun,

inops, *opis*, adj. Dénué de ressources, pauvre, misérable, indigent, malheureux. || (En parl. du style) Maigre, sec. ¶ Qui manque de, privé de.

inoptabilis, *e*, adj. Non désirable, non souhaitable.

inoptatus, *a*, *um*, adj. Non désiré. ¶ (Par ext.) Désagréable.

inoratus, *a*, *um*, adj. Non plaidé.

inornate, adv. Sans ornement.

inornatus, *a*, *um*, adj. Qui n'est pas orné. || Simple, sans parure *mais aussi* commun (en parl. du style). ¶ Non célébré.

inp... Voy. IMP... [dis-tu, dit-il.

inquam, *is*, *it*, verbe défect. Dis-je,

1. **inquies**, *etis*, f. Absence de repos, *c.-à-d.* agitation. [repos. ¶ Inquiet.

2. **inquies**, *etis*, adj. Qui est privé de repos. ¶ Agité. ||

1. **inquiesco**, *is*, *ere*, intr. Se reposer dans.

2. **inquiesco**, *is*, *ere*, tr. Voy. INQUIETO.

inquietatio, *onis*, f. Agitation.

inquietator, *oris*, m. Celui qui agite, qui tourmente.

inquieto, *as*, *avi*, *atum*, *are*, tr. Ne pas laisser tranquille, troubler; inquiéter. ¶ *Spéc.* Poursuivre en justice.

inquietus, *a*, *um*, adj. Qui n'a pas, qui ne connaît pas de repos. ¶ Agité. || Remuant. ¶ Affairé. ¶ *Moral.* Inquiet.

inquilina, *ae*, f. Locataire.

inquilinatus, *us*, m. Condition de locataire. ¶ Le fait d'habiter dans une maison dont on n'est pas le propriétaire.

inquilinus, *i*, m. Locataire. ¶ (Par anal.) Celui qui habite un pays qui n'est pas le sien. || Étranger. ¶ Celui qui habite dans la même maison qu'un autre. ¶ (En gén.) Habitant.

inquinamentum, *i*, n. Ordure.

inquinate, adv. Sans pureté (dans l'expression).

inquinatus, *a*, *um*, p. adj. Souillé, infâme. ¶ Impur (en parl. du style).

inquino, *as*, *avi*, *atum*, *are*, tr. Barbouiller. ¶ Frotter de. || Enduire. || Teindre. || *Fig.* Donner un vernis, une teinture de. ¶ Salir. || Tacher, souiller. || Corrompre. || *Fig.* Déshonorer.

inquio. Voy. INQUAM.

inquiro, *is*, *quisivi*, *quisitum*, *ere*, tr. Rechercher, chercher à découvrir. ¶ *Fig.* Rechercher, examiner. ¶ *Spéc.* (Jur.) Procéder à une enquête. ¶ Interroger, questionner.

inquisitio, *onis*, f. Recherche, investigation. || Poursuite. ¶ Enquête judiciaire, instruction. ¶ Recrutement.

inquisitor, *oris*, m. Celui qui recherche soigneusement. ¶ *Spéc.* Espion. || Chasseur. ¶ Juge d'instruction. ¶ Recruteur.

1. **inquisitus**, *a*, *um*, adj. Non recherché.

2. **inquisitus**, *a*, *um*, part. Recherché.

inquoquo. Voy. INCOQUO.

inr... Voy. IRR...

insaepio, *is*, *sœptus*, *ire*, tr. Enclore.

1. insaeptus, *a*, *um*, adj. Non clos.

2. insaeptus, *a*, *um*, adj. Enclos.

insaevio, *is*, *ire*, intr. Entrer en fureur; concevoir l'idée cruelle de.

insaluber, *bris*, *bre*, adj. Voy. le suivant.

insalubris, *e*, adj. Insalubre, malsain. ¶ Sans profit, peu avantageux.

insalubriter, adv. D'une manière nuisible. [Dont on n'a pas pris congé.

insalutatus, *a*, *um*, adj. Non salué. ¶

insanabilis, *e*, adj. Incurable. ¶ *Fig.* Irréparable. [l'excès.

insane, adv. Follement, à la folie, à

insania, *ae*, f. Folie, démence (maladie). ¶ Folie, c.-à-d. passion furieuse, rage. Au plur. *Insaniae*, actes de folie. ‖ Folle dépense, luxe insensé. ¶ Délire poétique.

1. insanio, *is*, *ivi* ou *ii*, *itum*, *ire*, intr. Etre fou; agir comme un fou. ‖ Etre en proie à une passion désordonnée. ‖ Faire de folles dépenses. ¶ *Tr.* Aimer éperdûment. [faire perdre la tête.

2. insanio, *as*, *are*, tr. Rendre fou,

insanitas, *atis*, f. Mauvaise santé.

insanus, *a*, *um*, adj. Qui n'est pas sain d'esprit; fou, insensé. ¶ Aveuglé par la passion; extravagant. ¶ *En parl. de ch.* Furieux, violent, orageux. ¶ Insensé, démesuré, excessif. ¶ Inspiré, plein d'un délire divin. ¶ Qui rend fou.

insatiabilis, *e*, adj. Insatiable (pr. et fig.). ¶ Qui ne rassasie pas.

insatiabilitas, *atis*, f. Insatiabilité.

insatiabiliter, adv. Sans être rassasié.

insatiatus, *a*, *um*, adj. Non rassasié. ¶ Insatiable.

insaetietas, *atis*, f. Appétit insatiable.

insaturabilis, *e*, adj. Insatiable.

insaturabiliter, adv. Sans pouvoir être rassasié.

insaturatus, *a*, *um*, adj. Non rassasié.

insauciatus, *a*, *um*, adj. Non blessé.

inscalpo, *is* (*scalpsi*), *scalptum*, *ere*, tr Gratter. ¶ Graver dans, entailler.

inscendo, *is*, *scendi*, *scensum*, *ere*, intr. et tr. Monter dans ou sur.

insciens, *entis*, adj. Qui ne sait pas, qui agit sans savoir. ¶ (Par ext.) Maladroit.

inscienter, adv. Par ignorance. ¶ Maladroitement.

inscientia, *ae*, f. Ignorance, inexpérience.

inscite, adv. Maladroitement, gauchement. [gaucherie. ¶ Sottise.

inscitia, *ae*, f. Ignorance. ¶ Maladresse,

inscitus, *a*, *um*, adj. Ignorant. ¶ Maladroit. ¶ Sot.

inscius, *a*, *um*, adj. Qui ne sait pas. ¶ Inhabile, inexpérimenté. ¶ Inconnu, ignoré.

inscribo, *is*, *scripsi*, *scriptum*, *ere*, tr. Ecrire dans ou sur. ¶ Graver sur, inscrire. ‖ (Math.) Inscrire (un carré

dans un cercle). ¶ Attribuer, imputer. ‖ Désigner. ¶ Couvrir d'inscriptions. ‖ Mettre une inscription sur, mettre un titre, intituler; mettre un écriteau de vente, *d'où* mettre en vente. ‖ Stigmatiser. ‖ Surcharger (un texte, une écriture).

inscripta, *orum*, n. pl. Titres.

inscriptio, *onis*, f. Action d'écrire sur, inscription. ¶ (Méton.) Inscription (d'une statue), titre (d'un ouvrage). ¶ Stigmate. Au pl. *Inscriptiones*, flétrissures.

1. inscriptus, *a*, *um*, adj. Non écrit. ¶ Non écrit dans les tarifs. ‖ Non déclaré; de contrebande. ¶ Non écrit dans la loi.

2. inscriptus, *a*, *um*, part. d'INSCRIBO.

inscrutabilis, *e*, adj. Insondable.

insculpo, *is*, *sculpsi*, *sculptum*, *ere*, tr. Graver dans ou sur. ¶ Marquer d'une empreinte, d'une inscription.

in se, loc. adv. Ensemble, à la fois.

insecabilis, *e*, adj. Insécable, indivisible.

1. inseco, *as*, *secui*, *sectum*, *are*, tr. Faire une entaille dans; ouvrir en coupant. ¶ Couper, découper. ¶ Faire entrer en coupant. ¶ *Fig.* Graver, inculquer. [conter.

2. inseco (INSEQUO), *ere*, tr. Dire, ra-

insecta, *orum*, n. pl. Insectes.

insectatio, *onis*, f. Action de poursuivre, poursuite. ¶ Acharnement contre (qqn). ¶ Attaque violente. Au plur. *Insectationes*, invectives.

insectator, *oris*, m. Celui qui attaque, qui poursuit.

insecto, *as*, *are*, tr. Voy. le suivant.

insector, *aris*, *atus sum*, *ari*, dép. tr. Poursuivre, persécuter. ‖ Donner la chasse à. ¶ S'acharner contre, poursuivre (qqn) d'invectives.

1. insectus, *a*, *um*, adj. Non coupé.

2. insectus, *a*, *um*, adj. Coupé, entaillé.

insecus, adv. Près.

insecutio, *onis*, f. Poursuite.

insecutor, *oris*, m. Celui qui poursuit.

insemino, *as*, *avi*, *atum*, *are*, tr. Semer dans, planter dans. ¶ (Par ext.) Féconder. ¶ Engendrer, procréer, produire.

insenesco, *is*, *senui*, *ere*, intr. Vieillir dans ou sur, se consumer sur.

insensibilis, *e*, adj. Qui n'est pas senti, insensible. ‖ (Par ext.) Incompréhensible. ¶ Qui ne sent pas, insensible.

insensilis, *e*, adj. Insensible; immatériel.

insepio. Voy. INSAEPIO.

inseptio. Voy. INSAEPTIO.

inseptio. Voy. INSAEPTUS.

insepultus, *a*, *um*, adj. Qui reste sans sépulture. [PROTINUS.

1. insequenter, adv. Aussitôt. Voy.

2. insequenter, adv. Sans suite.

insequo. Voy. 2. INSECO.

insequor, *eris*, *secutus* (ou *sequutus*) *sum*, *sequi*, dép. intr. et tr. Suivre, venir immédiatement après (pr. et fig.).

Part. subst. *Insequentia*, n. pl. Conséquences immédiates. ¶ Serrer de près,
poursuivre. ¶ Poursuivre de son inimitié, s'acharner contre. ‖ Attaquer
(en paroles), accabler (de reproches);
critiquer, blâmer. ¶ *Absol.* Poursuivre,
c.-d-d. continuer (ce qu'on a à dire).
Insequitur, il poursuit. ¶ Persister.
¶ Entreprendre.

1. **insero**, *is, sevi, situm, ere*, tr. Semer
dans, planter dans. ¶ *Fig.* Implanter
(dans l'esprit), inculquer. ¶ *Spéc.*
Greffer sur *ou* enter sur. ‖ *Fig.* Greffer
sur, c.-d-d. introduire par adoption.
Part. subst. *Insitus*, un intrus. ¶ *Qqf.*
Unir, joindre.

2. **insero**, *is, serui, sertum, ere*, tr.
Mettre dans, introduire, engager dans,
insérer. ‖ *Spéc.* Greffer par scions.
¶ *Fig.* Insérer, intercaler, enchâsser.
‖ Donner place au milieu de.

insertio, *onis*, f. Action d'introduire;
introduction. ¶ Action de greffer.
Insertiones, greffes.   [duire dans.

inserto, *as, avi, atum, are*, tr. Intro-
insertus, *a, um*, adj. Non fermé; ouvert.
Voy. 3. SERO.

inservio, *is, ivi, itum, ire*, intr. Etre
sujet, être dépendant. ¶ Servir, être
prêt à servir; montrer de la complaisance; chercher à plaire. ¶ Se plier à,
s'accommoder à. ‖ S'appliquer à, être
dévoué à, rechercher. ¶ S'occuper de.

insessor, *oris*, m. Celui qui assiège.
¶ Batteur d'estrade, brigand. ¶ Celui
qui prend place sur. ‖ Passager (à
bord d'un navire).

1. **insessus**, *a, um*, adj. Qui n'a pas
de résidence fixe.

2. **insessus**, *a, um*, part. d'INSIDEO ou
d'INSIDO.

insideo, *es, ere*, intr. Etre assis *ou* placé
sur. ¶ Avoir son siège dans. ‖ Habiter
dans. ¶ *Tr.* Occuper. ‖ Habiter.

insidiae, *arum*, f. pl. Embuscade. ¶ *Fig.*
Embûches, piège, surprise. ‖ Artifices,
tromperie.

insidiator, *oris*, m. Soldat en embuscade.
¶ Celui qui tend des pièges, traître,
bandit.

insidiatrix, *icis*, f. Celle qui se tient en
embuscade; celle qui tend des pièges.

insidio, *as, are*, intr. Voy. le suivant.

insidior, *aris, atus sum, ari*, dép. intr.
Dresser une embuscade. ¶ *Fig.* Tendre
des pièges; user de perfidie. ‖ Intriguer contre; attenter à. ¶ Guetter,
épier.

insidiose, adv. Perfidement, traîtreu-
sement.

insidiosus, *a, um*, adj. Insidieux, plein
de pièges, perfide.

insido, *is, sedi, sessum, ere*, intr. S'asseoir sur, se placer sur; se percher sur.
¶ S'établir, se poster. ‖ Se fixer (dans),
se graver (dans). ¶ *Tr.* Occuper.

insigne, *is*, n. Signe distinctif, caractère
particulier; signal. ¶ Insigne, décoration, ornement. ¶ Morceau d'apparat.

insignio, *is, ivi, itum, ire*, tr. Marquer
d'un signe, distinguer. ‖ *Spéc.* Contu-
sionner. ¶ (Par ext.) Noter, signaler;
rendre remarquable. ‖ Orner, parer,
mais aussi flétrir. ¶ Imprimer dans,
graver.

insignis, *e*, adj. Qui a un signe particulier, qui se fait remarquer par
quelque chose; distinctif, particulier,
frappant. ¶ Qui se distingue; remarquable, extraordinaire, insigne; illustre; éclatant.

insignita, *orum*, n. pl. Bleus, contusions.

insignite, adv. Comme le suivant.

insigniter, adv. D'une manière remarquable, d'une manière insigne.

1. **insignitus**, *a, um*, p. adj. Reconnaissable (à qq. signe). ‖ Contusionné,
qui a des bleus. ¶ (En gén.) Remarquable, distingué, saillant. ‖ Extraordinaire, inouï, sans exemple.

2. **insignitus** (INSIGNEITUS), *a, um*, adj.
Qui a une enseigne, un étendard.

insile, *is*, n. Ensouple.

insilio (INSULIO), *is, silui, sultum, ire*,
intr. et tr. Sauter sur *ou* dans; bondir
sur. ‖ Attaquer (pr. et fig.). ¶ Apos-
tropher vivement, gourmander.

insimilo. Voy. INSIMULO.

insimul, adv. En même temps, à la
fois. ¶ Ensemble.

insimulatio, *onis*, f. Accusation, plainte.

insimulator, *oris*, m. Accusateur.

insimulo, *as, avi, atum, are*, tr. (Rendre
vraisemblable, *d'où*) rendre qqn suspect par des imputations vraisemblables; accuser (à tort). ¶ Incriminer,
blâmer (un acte).

insinuatio, *onis*, f. Action de se glisser
(par un passage étroit). (Rhét.)
Exorde insinuant *ou* par insinuation.
¶ Communication, notification.

insinuo, *as, avi, atum, are*, tr. Glisser
dans le sein de. ¶ Faire entrer dans,
introduire, insinuer, faufiler. *Insinuare
se* (*ou* *insinuare*) *alicui*, se pousser
auprès de qqn. ¶ Notifier, faire connaître.   [veur, insipide, fade.

insipidus, *a, um*, adj. Qui est sans sa-

insipiens, *entis*, adj. Non sage, déraisonnable.   [sée, sottement.

insipienter, adv. D'une manière insen-

insipientia, *as*, f. Sottise, déraison.

insipio, *is, ere*, intr. Déraisonner.

insisto, *is, stiti, ere*, intr. et tr. Se
placer sur, se tenir sur, marcher sur,
mettre le pied sur. ¶ S'engager dans
(pr. et fig.), suivre (une route). ‖
Serrer de près, poursuivre. ¶ *Fig.*
Presser (qqn de faire qqch.), insister.
¶ S'attacher à, s'appliquer à (un
objet, une entreprise). ¶ S'arrêter sur.
‖ Rester sans bouger. ¶ *Fig.* Insister
sur. ¶ Persister, persévérer (dans).
S'arrêter au moment d'agir, *d'où*
hésiter.

insiticius, *a, um*, adj. Intercalé. —
somnus, sieste. ¶ Obtenu par croise-

ment. ‖ Enté. ¶ Importé, emprunté (de l'étranger).

insitio, *onis*, f. Ente, greffe. ‖ (Méton.) Ce qui est enté, greffé. ¶ Époque de la greffe.

insitivus, *a*, *um*, adj. Greffé. ¶ (Par ext.) Importé, emprunté (de l'étranger). ¶ Bâtard, illégitime. ‖ Faux, supposé. ‖ Adopté *ou* adoptif.

insitor, *oris*, m. Celui qui greffe. ¶ Dieu qui préside à la greffe.

insitum, *i*, n. Greffe; ente.

insitus, abl. *u*, m. Greffe.

insociabilis, *e*, adj. Qu'on ne peut associer; insociable. ¶ Incompatible.

insolabilis, *e*, adj. Inconsolable.

insolabiliter, adv. Sans pouvoir être consolé.

insolens, *entis*, adj. Qui n'a pas l'habitude de; novice, sans expérience. ¶ Auquel on n'est pas habitué, inaccoutumé, insolite. ¶ Non fréquenté. ¶ Immodéré, excessif; déplacé. ¶ Prodigue, fastueux. ¶ Insolent, arrogant.

insolenter, adv. Contre l'ordinaire; contre l'usage. ¶ D'une manière excessive; immodérément. ¶ Fièrement, insolemment.

insolentia, *ae*, f. Défaut d'habitude, inexpérience (d'une chose); incapacité. ¶ Singularité, rareté; bizarrerie. ¶ Prodigalité, excès, exagération; faste. ¶ Insolence, arrogance.

insolesco, *is*, *ere*, intr. Prendre une apparence inaccoutumée; changer, muer, grossir. ¶ Dépasser la mesure. ¶ Devenir arrogant, hautain, insolent.

insolite, adv. Par extraordinaire.

insolitus, *a*, *um*, adj. Non accoutumé à; qui agit contrairement à ses habitudes *ou* à sa nature. ¶ Non habituel; inaccoutumé; inusité; insolite.

insomnia, *ae*, f. Insomnie.

insomnis, *e*, adj. Qui est sans sommeil, qui est privé de sommeil. ¶ Qui prive de sommeil, qui tient éveillé.

1. **insomnium**, *ii*, n. Vision nocturne, songe, rêve. ¶ Cauchemar.

2. **insomnium**, *ii*, n. Insomnie.

insono, *as*, *sonui*, *sonitum*, *are*, intr. Résonner, retentir; faire du bruit. ¶ Tousser pour s'éclaircir la voix. ¶ *Tr.* Faire résonner. [Inoffensif.

insons, *sontis*, adj. Innocent. ¶ *Poét.*

insopitus, *a*, *um*, adj. Qui ne peut s'endormir *ou* qui ne se laisse pas endormir; vigilant. [der, de considérer.

inspectatio, *onis*, f. Action de regar-

inspectio, *onis*, f. Action de regarder dans. ‖ Coup d'œil sur. ¶ Inspection, examen. ‖ (T. milit.) Revue. ¶ *Fig.* Recherche, examen.

inspecto, *as*, *avi*, *atum*, *are*, tr. Jeter (fréquemment) les yeux sur, inspecter; examiner. ¶ *Simpl.* Voir. Comme SPECTO.

inspector, *oris*, m. Observateur. ¶ Ins-

pecteur, contrôleur, vérificateur. ‖ Expert. ¶ Celui qui sonde (les cœurs).

inspectus, *us*, m. Examen, contemplation (pr. et fig.). ¶ Inspection.

insperans, *antis*, adj. Qui n'espère pas *ou* qui ne s'attend pas (à).

insperata, *orum*, n. pl. Bonheur inespéré.

insperate, adv. D'une manière inespérée. [tendue.

insperato, adv. D'une manière inat-

insperatus, *a*, *um*, adj. Inespéré, inopiné, inattendu. *Ex insperato*, contre toute attente.

inspergo, *is*, *spersi*, *spersum*, *ere*, tr. Répandre sur *ou* dans; verser sur, semer sur. ¶ Saupoudrer de.

aspersio, *onis*, f. Action de répandre sur. [dent.

inspersus, abl. *u*, m. Comme le précé-

inspex, *icis*, m. Celui qui observe (le vol des oiseaux).

inspicio, *is*, *spexi*, *spectum*, *ere*, tr. Regarder dans. ‖ Lire, compulser (un registre, un livre). ‖ *Spéc.* Consulter (les livres sibyllins). ¶ Inspecter, passer en revue. ‖ Contrôler. ¶ (En gén.). Examiner, observer. ‖ Visiter (une maison à vendre); soumettre (à un examen médical). ‖ *Absol.* Remplir les fonctions d'haruspice.

inspico, *as*, *are*, tr. Donner (à qqch.) la forme d'un épi; rendre pointu.

inspiratio, *onis*, f. Action de souffler sur *ou* dans. ‖ Insufflation. ‖ (Méton.) Souffle vital. ¶ Inspiration.

inspiro, *as*, *avi*, *atum*, *are*, intr. Souffler dans *ou* sur. ‖ *Simpl.* Souffler. ‖ *Gramm.* Aspirer. ¶ *Tr.* Insuffler. ‖ *Fig.* Donner le ton avec un instrument à vent. ‖ Inspirer (tel *ou* tel sentiment). ‖ Suggérer. ¶ Inspirer (qqn), remplir (qqn) d'enthousiasme. ‖ Animer, enflammer, exciter.

inspoliatus, *a*, *um*, adj. Non dépouillé. ¶ Non pillé, non enlevé.

inspuo, *is*, *spui*, *sputum*, *ere*, intr. *et* tr. Cracher dans, sur *ou* contre. ¶ *Tr.* Lancer en crachant. ‖ Couvrir de crachats.

instabilis, *e*, adj. Qui ne tient pas debout, qui manque de stabilité, mal assuré, chancelant, vacillant, instable. ¶ Qui ne se tient pas en place, mobile, remuant, changeant. ¶ Où l'on ne peut se tenir debout; qui manque de consistance, mouvant, glissant.

instabilitas, *atis*, f. Instabilité, mobilité, inconstance.

1. **instans**, *antis*, p. adj. Présent (en parl. du temps). ¶ Pressant, menaçant. ¶ Empressé. ‖ Ardent.

2. **instans**, *antis*, n. Le présent, le moment présent. Au pl. *instantia*, même sens. [instamment.

instanter, adv. D'une manière pressante;

instantia, *ae*, f. (Le fait d'être imminent.) ‖ Imminence (d'un fait, d'un danger). ¶ Assiduité, application;

zèle, empressement. ¶ Véhémence (du discours). ¶ Insistance, demande pressante.

instar (us. seul au nomin. et à l'acc.). Poids, nombre, mesure. ¶ Dimension, volume, grandeur. ¶ Equivalent, ressemblance parfaite. ¶ Type, patron, modèle, spécimen. ¶ (En appos. à un subst.) Equivalent de, aussi grand, aussi fort, aussi bon que. ¶ *Adverbialt.* Jusqu'à concurrence de, pour la somme de. ¶ Autant que. ¶ Comme. *Ad instar,* sur le modèle de, à la ressemblance de, comme.

instauratio, *onis,* f. Renouvellement, répétition. ¶ Rétablissement, restauration.

instauro, *as, avi, atum, are,* tr. Mettre en place, établir. ¶ Etablir de nouveau, rétablir, refaire, répéter, reprendre, recommencer, renouveler. ¶ Reconstruire.

insterno, *is, stravi, stratum, ere,* tr. Etendre sur, disposer sur. ¶ Couvrir *ou* recouvrir de. || Joncher de.

instigatio, *onis,* f. Action d'exciter; instigation. [instigateur.

instigator, *oris,* m. Celui qui excite,

instigatus, abl. *u,* m. Excitation, instigation. [pousser.

instigo, *as, avi, atum, are,* tr. Stimuler,

instillatio, *onis,* f. Action de verser goutte à goutte.

instillo, *as, avi, atum, are,* tr. Verser goutte à goutte. ¶ Introduire doucement. || Suggérer (sans en avoir l'air). ¶ Dégoutter sur.

instimulator, *oris,* m. Celui qui excite.

instimulo, *as, are,* tr. Stimuler, exciter.

instinctor, *oris,* m. Celui qui excite, instigateur. [tion.

instinctus, *us,* m. Impulsion, instiga-

instinguo, *is, stinxi, stinctum, ere,* tr. Pousser, exciter; inspirer. [Stipuler.

instipulor, *aris, atus sum, ari,* dép. tr

instita, *ae,* f. Garniture, volant (au bord d'une robe de femme). || (Méton.) Robe de matrone. || Matrone, dame (de condition). ¶ (Par ext.) Bande *ou* bandage. || Sangle (de lit).

institio, *onis,* f. Temps d'arrêt, immobilité, fixité.

institium, *ii,* m. Arrêt.

institor, *oris,* m. Colporteur, commis-voyageur, trafiquant. ¶ *Fig.* Celui qui fait étalage de.

institorius, *a, um,* adj. Qui concerne les vendeurs, le négoce. Subst. *Institorium, ii,* n. Négoce, trafic; métier de colporteur.

instituo, *is, tui, tutum, ere,* tr. Poser dans, mettre dans. ¶ Etablir, dresser. || Construire, créer. || *Fig.* Fonder, instituer. ¶ Disposer, mettre en ordre, ranger. || *Fig.* Régulariser, régler. || Former, *c.-à-d.* dresser, instruire. ¶ Commencer, entreprendre. || Se proposer de.

institutio, *onis,* f. Disposition, arrangement, organisation. || *Fig.* Méthode, règle (de conduite), plan. ¶ Enseignement, instruction; éducation.

institutum, *i,* n. Dessein, plan, entreprise. ¶ Règle de conduite, principe. ¶ Coutume, usage. ¶ Enseignement. (Au plur.) Principes, leçons.

insto, *as, stiti, are,* intr. et tr. Se tenir dans *ou* sur. || Rester dans *ou* sur. ¶ Etre presque sur, être tout proche, *d'où* serrer de près, talonner, menacer. || Etre imminent. ¶ Pourchasser. ¶ Presser (une affaire). ¶ Insister auprès de. || Demander *ou* affirmer énergiquement.

instrenue, adv. Sans courage.

instrenuus, *a, um,* adj. Nonchalant. ¶ Sans courage, lâche. [sur.

instrepito, *as, are,* intr. Bourdonner

instrepo, *is, pui, pitum, ere,* intr. Faire du bruit, résonner, craquer. ¶ *Tr.* Faire entendre.

instrido, *is, ere,* intr. Siffler dans; siffler *ou* grincer sur.

instringo, *is, strinxi, strictum, ere,* tr. Serrer fortement. ¶ Garrotter.

instructe, adv. A grand frais.

instructio, *onis,* f. Adaptation, aménagement. ¶ (Par ext.) Construction. ¶ Ordre, disposition. ¶ Instruction, enseignement, leçon.

instructor, *oris,* m. Celui qui bâtit *ou* établit; fondateur, créateur.

instructura, *ae,* f. Construction. || Au plur. Bâtiments. ¶ Arrangement. || Ordre de bataille. || Arrangement (des mots). [pourvu. ¶ Instruit, dressé.

1. **instructus,** *a, um,* p. adj. Muni,

2. **instructus,** abl. *u,* m. Arrangement. || Appareil; attirail. ¶ Instruction, enseignement.

instrumentum, *i,* n. Attirail, appareil, matériel. ¶ Ameublement, mobilier. || (Au plur.) Instruments, ustensiles. || Accoutrements. ¶ *Fig.* Ressource, moyen, instrument. ¶ Documents, pièces; dossier. ¶ *Eccl.* L'ensemble des livres de l'Ancien et du Nouveau Testament.

instruo, *is, struxi, structum, ere,* tr. Disposer dans, engager, emboîter, encastrer. || Dresser, élever, bâtir. ¶ Disposer, faire les apprêts de, préparer. || Ranger (en bataille), mettre (les vaisseaux) en ligne. ¶ Procurer, fournir. ¶ Pourvoir, garnir; monter (sa maison); doter (sa fille). ¶ Equiper (une armée), armer (une flotte). ¶ Donner ses instructions à qqn; faire la leçon à; instruire, armer. ¶ Etablir (*opp. à* DESTRUO).

insuavis, *e,* adj. Désagréable. ¶ *En parl. de pers.* Dur, sévère, déplaisant.

insubide, adv. Maladroitement, niaisement.

insubidus, *a, um,* adj. Sot, niais.

insudo, *as, are,* intr. Suer sur. ¶ *Simpl.*
Suer.

insuefactus, *a, um,* adj. Accoutumé à.

insuesco, *is, suevi, suetum, ere,* intr.
S'habituer à. ¶ *Tr.* Habituer à.

insuete, adv. Contrairement à l'habitude.

insueto, *as, are,* tr. Traiter contrairement à l'habitude; traiter sans ménagement.

1. **insuetus,** *a, um,* part. p. d'INSUESCO.

2. **insuetus,** *a, um,* adj. Qui n'a pas
l'habitude de. ¶ Auquel on n'est pas
habitué; inusité.

insula, *ae,* f. Ile. ¶ Ile (quartier de
Syracuse, séparé par un bras de mer
du reste de la ville). ¶ Pâté de maisons;
cité. ¶ Grand immeuble habité par
des locataires. ¶ Edifice isolé; temple.

1. **insulanus,** *a, um,* adj. D'île; insulaire.

2. **insulanus,** *i,* m. Celui qui habite
dans une île; insulaire.

insularis, *e,* adj. D'île; qui concerne
une île. ¶ Concernant un immeuble
habité par des locataires. Subst.
Insulares, ium, m. pl. Locataires (d'un
immeuble).

insularius, *ii,* m. Locataire d'un
immeuble. ¶ Esclave chargé de surveiller un immeuble, d'en percevoir
les loyers; concierge. [sans esprit.

insulse, adv. Sans goût, sans finesse.

insulsitas, *atis,* f. Manque de goût *ou*
de finesse, balourdise, sottise.

insulsus, *a, um,* adj. Non salé, fade. ¶
Fig. Insipide, sans goût, sans esprit,
sot.

insultatio, *onis,* f. Saut, bond. ¶ Attaque. ¶ Insultes, outrages. || Impertinence.

insulto, *as, avi, atum, are,* intr. Sauter
dans, sur *ou* contre. ¶ Danser. ¶
Attaquer, insulter. ¶ Outrager. ¶ Etre
insolent.

insum, *ines, in/ui, inesse,* intr. Etre
dans *ou* sur. ¶ Etre, *c.-à-d.* se trouver
dans; exister. || Résider dans (pr. et
fig.).

insumo, *is, sumpsi, sumptum, ere,* tr.
Dépenser *ou* employer, consacrer à.
¶ Prendre (pour soi); envahir (pr. et
fig.). ¶ Affaiblir.

insumptum, *i,* n. Dépense.

insuo, *is, sui, sutum, ere,* tr. Coudre
dans; enfermer en cousant. ¶ Coudre
sur; broder sur.

1. **insuper,** adv. Par-dessus. ¶ D'en
haut. ¶ *Fig.* Outre cela, en plus.

2. **insuper,** prép. Au-dessus de.

insuperabilis, *e,* adj. Qu'on ne peut
gravir *ou* franchir. ¶ *Fig.* Insurmontable; inévitable; invincible.

insurgo, *is, surrexi, surrectum, ere,* intr.
Se lever *ou* se dresser sur. || Se lever,
s'élever. ¶ *Fig.* Grandir, faire des progrès. ¶ (Spéc.). Se lever pour s'élancer
ou pour prendre de la force. || Se lever
pour attaquer, s'insurger, se soulever

contre. || Faire effort pour, se donner
de la peine pour; prendre soin de. ¶
(Rarem.) *Tr.* Gravir.

insusurratio, *onis,* f. Chuchotement.

insusurro, *as, avi, atum, are,* intr. Chuchoter (à l'oreille de). ¶ *Tr.* Fredonner.

insutus, abl. *u,* m. Action de coudre
dans.

intabesco, *is, tabui, ere,* intr. Se liquéfier, se dissoudre. || Se corrompre. ¶
Fig. Se consumer, dépérir. [gible.

intactilis, *e,* adj. Impalpable, intan-

1. **intactus,** *a, um,* adj. Auquel on n'a
pas touché; qu'on n'a pas endommagé,
intact. ¶ Non souillé; chaste, pur. ¶
Qui n'a pas été atteint par, préservé de.

2. **intactus,** *us,* m. Intangibilité.

intaminabilis, *e,* adj. Qui ne peut être
souillé.

intaminate, adv. Sans souillure. [pur.

intaminatus, *a, um,* adj. Non souillé,

1. **intectus,** *a, um,* adj. Non couvert. ¶
Dépourvu de toit. ¶ Non vêtu; découvert (en parl. de la tête). ¶ *Fig.*
Ouvert, franc.

2. **intectus,** *a, um,* p. pass. de INTEGO.

integer, *gra, grum,* adj. Non endommagé,
non entamé, intact, entier. ¶ *Spéc.*
Complet, en bon état. || Où rien n'a
été modifié. || Dispos; en bonne santé,
bien portant. ¶ Non blessé, sauf. ¶
Non altéré, non corrompu: frais. ¶
Sans souillure, pur. ¶ Non diminué,
complet. ¶ Exempt de, à l'abri de. ¶
(*Au moral.*) Qui reste entier, non
tranché, non décidé. || Tout neuf,
novice. || Qui n'a pas d'opinion préconçue; sans préjugé, sans prévention,
sans passion. || Honnête, vertueux,
probe, intègre. ¶ Inaltérable, immuable, invariable. [vrir *ou* recouvrir.

intego, *is, texi, tectum, ere,* tr. Cou-

integre, adv. Entièrement. ¶ *Mor.*
Equitablement. ¶ Avec probité. ¶
Purement, correctement (en parl. du
style).

integritas, *atis,* f. Totalité, intégrité. ¶
Bon état; santé. || Chasteté, virginité.
¶ Honnêteté, probité; intégrité. ¶
Pureté *ou* correction (du style).

integro, *as, avi, atum, are,* tr. Remettre
en état, réparer. ¶ Rétablir. ¶ Renouveler, recommencer. ¶ Refaire, récréer; rafraîchir (l'esprit).

integumentum, *i,* n. Ce qui recouvre.
¶ Vêtement. || Manteau. ¶ *Fig.*
Masque, voile. ¶ Abri, protection;
garde.

intellectio, *onis,* f. Action de comprendre, compréhension. ¶ Interprétation. || Sens, signification. ¶ (Rhét.)
Synecdoche.

intellectus, *us,* m. Action de comprendre; connaissance acquise, perception. ¶ Conception, compréhension. || Intelligence. ¶ Faculté de
comprendre; entendement. ¶ Sens *ou*
signification; interprétation (donnée à
un mot).

intellectus, *a. um*, p. p. de INTELLEGO.

intellego, Voy. INTELLIGO.

intelligens, *entis*, p. adj. Qui comprend. || Intelligent. || Qui a du goût, connaisseur. Subst. *Intelligentes*, les connaisseurs.

intelligenter, adv. Intelligemment.

intelligentia, *ae*, f. Action de percevoir *ou* de comprendre; perception, notion. ¶ Faculté de comprendre, intelligence. ¶ *Spéc.* Sens, signification; interprétation. ¶ (Par ext.) Science, habileté.

intelligibilis, *e*, adj. Qui tombe sous les sens; sensible, perceptible. ¶ Purement intelligible; théorique, abstrait. [intelligible.

intelligibiliter, adv. D'une manière

intelligo (INTELLEGO), *is*, *lexi*, *lectum*, *ere*, tr. Démêler, débrouiller, discerner, distinguer; comprendre. ¶ Se faire une idée de, concevoir. || *Absol.* Penser, faire acte de raison. ¶ S'entendre à, être versé dans. || Savoir apprécier; être intelligent, être connaisseur.

intemerabilis, *e*, adj. Inviolable.

intemerandus, *a*, *um*, adj. Inviolable.

intemerate, adv. Sans être altéré.

intemeratus, *a*, *um*, adj. Sans tache, pur. ¶ Incorruptible. [norer.

intemero, *as*, *are*, tr. Souiller, désho-

intemperans, *antis*, adj. Qui n'a pas de modération, de retenue. || Immodéré, excessif. ¶ *En parl. de pers.* Intempérant, débauché.

intemperanter, adv. Sans modération, sans mesure; excessivement.

intemperantia, *ae*, f. Intempérie. ¶ (*Mor.*) Défaut de modération; excès. || Intempérance, incontinence. || Déréglement. ¶ Licence, indiscipline.

intemperate, adv. Sans mesure, à l'excès.

intemperatus, *a*, *um*, adj. Non mélangé. || Non trempé (en parl. du vin), pur. ¶ Qui a des intempéries. ¶ Immodéré, excessif.

intemperiae, *arum*, f. pl. Intempéries (de l'air). ¶ *Fig.* Orages (des passions), fureurs, emportements.

intemperies, *ei*, f. Intempérie (de l'air). ¶ *Fig.* Orage, bourrasque, c.-à-d. calamité, désastre, grand malheur. ¶ Manque de mesure. de retenue. || *Spéc.* Déréglement, intempérance. || Insubordination.

intempestive, adv. A contre-temps.

intempestivus, *a*, *um*, adj. Qui est *ou* se fait hors de saison, déplacé, inopportun, intempestif. ¶ Importun. ¶ Qui n'est pas mûr; qui vient avant terme.

intempestus, *a*, *um*, adj. Malsain (à cause des intempéries). || Orageux. ¶ Défavorable à l'action. — *nox*, nuit profonde.

intendo, *is*, *tendi*, *tentum*, *ere*, tr. Tendre contre *ou* vers. ¶ Diriger contre. || Lever (le bras) pour frapper; mena-

cer; intenter (un procès). ¶ Diriger (sa marche). || *Absol.* Se diriger, tendre vers. ¶ Tourner (son activité) vers faire effort; appliquer (son esprit), s'appliquer à; avoir l'intention, se proposer de. || Faire attention à, d'où épier. ¶ Diriger (un coup), asséner. ¶ Tendre *ou* étendre. || Tendre de, tapisser, garnir. ¶ Donner de l'intensité à (pr. et fig.); renforcer, augmenter. — *vocem*, élever la voix. — *odium*, augmenter la haine. — *pretia alimentorum*, hausser le prix des denrées. ¶ *Gramm.* Allonger (une syllabe), c.-à-d. la rendre longue. ¶ Affirmer avec force, soutenir, prétendre. ¶ (Rhét.) Poser comme prémisse.

intentiose, adv. Avec passion.

intentatio, *onis*, f. Action d'allonger vers. ¶ *Fig.* Action d'intenter (une accusation).

1. **intentatus** (INTEMPTATUS), *a*, *um*, adj. Non tenté, non essayé.

2. **intentatus**, *a*, *um*, part. pass. de INTENTO. [¶ Avec attention.

intente, adv. Avec force, avec effort.

intentio, *onis*, f. Action de diriger contre *ou* vers. ¶ (Spéc.) *Fig.* Action d'intenter (un procès). || Attention. ¶ Intention, dessein. ¶ Action de tendre; tension. || Effort. ¶ Augmentation, aggravation. || Intensité. ¶ Affirmation. ¶ (Log.) Majeure d'un syllogisme.

intento, *as*, *avi*, *atum*, *are*, tr. Allonger vers, étendre vers, diriger vers. ¶ *Spéc.* Présenter (un objet menaçant). ¶ *Fig.* Intenter (une accusation).

2. **intentus**, *us*, m. Action de tendre, tension. ¶ Action d'étendre *ou* d'allonger.

intepeo, *es*, *ere*, intr. Etre tiède.

intepesco, *is*, *tepui*, *ere*, intr. Devenir tiède. ¶ *Fig.* Se refroidir, c.-à-d. s'atténuer, se calmer. [milieu.

1. **inter**, adv. Dans l'intervalle; au

2. **inter**, prép. (av. l'acc.). Parmi, au milieu de. || Au nombre de. ¶ (*En parl. du temps.*) Pendant. || Dans l'espace de. ¶ (Pour marquer *réciprocité.*) *Inter se*, réciproquement; l'un l'autre. *Inter sese aspiciebant*, ils se regardaient entre eux.

interaestuo, *as*, *are*, intr. Bouillir par intervalles. ¶ Etre agité par intervalles.

interamenta, *orum*, n. pl. Varangues.

interamnanus, *a*, *um*, adj. Situé entre deux cours d'eau. [dent.

interamnus, *a*, *um*, adj. Comme le précé-

interanea, *orum*, n. pl. Intestins.

interaneus, *a*, *um*, adj. Intérieur; interne. [instants.

interanhelo, *as*, *are*, intr. Haleter par intervalles. ¶ [tarir.

interapertio, *onis*, f. Intervalle. [tarir.

interaresco, *is*, *ere*, intr. Se dessécher;

interbibo, *is*, *ere*, tr. Boire entièrement.

interbito, *is*, *ere*, intr. Périr.

intercalaris, *e*, adj. Intercalé; intercalaire. ¶ Répété en refrain.

intercalarius, *a*, *um*, adj. Intercalaire. ¶ Où il y a un mois (*ou* un jour) intercalaire.

intercalatio, *onis*, f. Intercalation.

intercalco, *as*, *are*, tr. Fouler dans l'intervalle.

intercalo, *as*, *avi*, *atum*, *are*, tr. Intercaler. ¶ Ajourner, différer.   [tent.

intercapedinans, *antis*, adj. Intermit-

intercedo, *is*, *cessi*, *cessum*, *ere*, intr. Venir entre, venir se placer au milieu; s'interposer, intervenir. ¶ Exister entre; séparer. ¶ S'écouler entre. ¶ Survenir. ¶ *Fig.* Intervenir, s'opposer à; protester. ¶ S'interposer, offrir ses bons offices, intercéder; se porter caution.   [Soustraction; vol.

interceptio, *onis*, f. .Interruption. ¶

interceptor, *oris*, m. Celui qui soustrait, qui dérobe à son profit; voleur. [vol.

interceptus, abl. *u*, m. Soustraction;

intercessio, *onis*, f. Interposition. ¶ Opposition; protestation. ¶ Intercession (d'un tribun), droit de véto. ¶ Médiation. ‖ Caution, garantie. ¶ *Qqf.* Exécution.

intercessor, *oris*, m. Celui qui fait opposition; opposant. ¶ Celui qui offre sa médiation; garant, répondant. ¶ (*Rare.*) Celui qui accomplit, qui exécute.   [vention, entremise.

intercessus, *us*, m. Intervalle. ¶ Inter-

1. **intercido**, *is*, *cidi*, *cisum*, *ere*, intr. Couper au milieu *ou* par le milieu. ‖ Séparer en coupant, fendre, ouvrir. ¶ Briser, couper (un pont), interrompre. ‖ Tailler dans... ‖ Déchirer (les feuillets d'un registre).

2. **intercido**, *is*, *cidi*, *ere*, tr. Tomber dans l'intervalle. ‖ Se produire dans l'intervalle; survenir. ¶ Tomber, se perdre, périr, disparaître. ‖ Tomber en désuétude.   [tervalle.

intercino, *is*, *ere*, tr. Chanter dans l'in-

intercipio, *is*, *cepi*, *ceptum*, *ere*, tr. Prendre au passage, arrêter, intercepter. ‖ Surprendre (l'ennemi). ¶ Soustraire, dérober; enlever, ravir. ¶ Faire périr (avant le temps). ¶ Couper, interrompre, empêcher.

intercludo, *is*, *clusi*, *clusum*, *ere*, tr. Fermer au milieu, mettre un obstacle au milieu; intercepter, couper. — *fugam*, couper la retraite. ‖ Séparer, tenir éloigné de, exclure, priver. ¶ Enfermer; bloquer. ¶ *Qqf.* Couvrir, c.-à-d. protéger.

interclusio, *onis*, f. Action d'intercepter *ou* d'obstruer. ¶ (*Gramm.*) Parenthèse.

intercolumnium, *ii*, n. Entrecolonnement.

intercurro, *is*, *cucurri* et *curri*, *cursum*, *ere*, intr. Courir au milieu de, courir entre. ¶ *Fig.* S'étendre, se prolonger entre. ‖ Courir dans l'intervalle (du temps). ¶ Intervenir, s'interposer. ‖

Fig. Se mêler à, survenir parmi. ¶ *Tr.* Parcourir.

intercurso, *as*, *are*, intr. Courir entre, se jeter entre. ¶ *Fig.* Entrecouper. ¶ Se trouver entre.

intercursus, abl. *u*, m. Action de se jeter entré, de venir à la traverse. ‖ Intervention. ¶ Apparition par intervalles.

1. **intercus**, *utis*, adj. Qui se trouve entre peau et chair. ¶ *Fig.* Intérieur, caché.

2. **intercus**, *utis*, f. Hydropisie.

interdico, *is*, *dixi*, *dictum*, *ere*, tr. et intr. Dire incidemment. ¶ (*Jur.*) Rendre un arrêt (en parl. du préteur). ‖ S'autoriser d'un édit (précédent); invoquer la jurisprudence existante. ¶ *Qqf.* Enjoindre. ¶ *Ordin.* Interdire, défendre, prohiber. ‖ Notifier interdiction de.

interdictio, *onis*, f. Interdiction, défense, prohibition.

interdictor, *oris*, m. Celui qui interdit *ou* défend.   [tion, de défense.

interdictorius, *a*, *um*, adj. D'interdic-

interdictum, *i*, n. Ordonnance (du préteur); arrêt. ¶ Interdiction, défense.

interdictus, *us*, m. Interdiction.

interdiu, adv. Pendant le jour, de jour.

interdius, adv. Comme le précédent.

interdo, *as*, *datum*, *dare*, tr. Distribuer, répandre.

interdum, adv. De temps en temps; parfois. ¶ En attendant, cependant.

interduo, arch. p. INTERDO.

interea, adv. Pendant ce temps-là. ¶ Sur ces entrefaites, cependant. ¶ (*Par ext.*) Pourtant. ¶ Quelquefois, parfois.

interemo. Voy. INTERIMO.

interemptibilis, *e*, adj. Périssable.

interemptio, *onis*, f. Meurtre. ¶ Destruction.

interemptor, *oris*, m. Meurtrier.

interemptorius, *a*, *um*, adj. Meurtrier, c.-à-d. qui donne la mort.

interemptrix, *icis*, f. Celle qui tue.

interemptus, *us*, m. Meurtre.

intereo, *is*, *ii*, *itum*, *ire*, intr. Se perdre, disparaître. ¶ Périr.

interequito, *as*, *are*, intr. et tr. Chevaucher au milieu de.

intererro, *as*, *are*, intr. Errer parmi. ¶ Se trouver dans.

interfatio, *onis*, f. Action de s'interrompre (en parlant). ¶ Action d'interrompre qqn qui parle.

interfectio, *onis*, f. Meurtre. ¶ Issue fatale (d'une maladie). [qui détruit.

interfector, *oris*, m. Meurtrier. ¶ Celui

interfectrix, *icis*, f. Celle qui tue.

interfemus, *femoris*, n. Intervalle entre les cuisses.

interficio, *is*, *feci*, *fectum*, *ere*, tr. Faire disparaître, détruire, anéantir. ¶ Faire périr, tuer. ¶ *Qqf.* Interrompre ¶ (*Rare.*) Priver de.

interfinium, *ii*, n. Ligne de démarcation; frontière.

interfio, *is*, *fieri*, passif d'INTERFICIO.

interfluo, *is*, *fluxi*, *fluxum*, *ere*, intr. et tr. Couler dans l'intervalle de. ¶ *Fig.* S'écouler entre.

interfluus, *a*, *um*, adj. Qui coule entre.

interfodio, *is*, (*fodi*), *fossum*, *ere*, tr. Creuser *ou* percer entre.

interfor, *aris*, *fatus sum*, *ari*, tr. Parler entre, *c.-à-d.* interrompre celui qui parle. [Briser au milieu, rompre.

interfringo, *is*, *fregi*, *fractum*, *ere*, tr.

interfugio, *is*, *ere*, tr. Fuir, se glisser entre.

interfundo, *is*, *fudi*, *fusum*, *ere*, tr. Verser entre. Au passif *interfundi*, se répandre *ou* couler entre.

interim, adv. Pendant ce temps-là, dans l'intervalle. ¶ Pour le moment; provisoirement. ¶ Cependant, toutefois. ¶ Quelquefois, parfois. *Interim... interim*, tantôt... tantôt.

interimo, *is*, *emi*, *emptum*, *ere*, tr. Enlever du milieu de, faire disparaître; mettre fin à; détruire. ¶ Se défaire de, faire périr, tuer.

interior, *us*, adj. Intérieur; qui est au dedans. || Du dedans. ¶ Eloigné des bords, plus près du centre; plus rapproché de l'objet principal. || Hors de la portée de. ¶ *Fig.* Plus près du cœur, intime. || Sûr. || Secret, profond; difficile.

interiora, *um*, n. pl. L'intérieur. ¶ Les entrailles. || Le noyau.

interitio, *onis*, f. Destruction, ruine. ¶ Meurtre, mort.

interitus, *us*, m. Comme le précédent.

interius, adv. (au compar.) Intérieurement.

interjaceo, *es*, *ere*, intr. S'étendre entre; être situé entre.

interjacio. Voy. INTERJICIO.

interjectio, *onis*, f. Intercalation. || Insertion. ¶ (Fig.) Incidente (t. de gramm.). || Parenthèse. || Interjection. ¶ Intervalle, temps intermédiaire.

interjectus, *us*, m. Insertion. ¶ Intervalle de temps; délai.

interjicio, *is*, *jeci*, *jectum*, *ere*, tr. Jeter, placer entre, interposer, intercaler. ¶ Entremêler.

interjungo, *is*, *junxi*, *junctum*, *ere*, tr. Joindre ensemble, unir. ¶ Dételer un instant (pour laisser reposer la bête). ¶ *Absol.* Faire halte (fig.), prendre quelque repos.

interlabor, *eris*, *labi*, dép. intr. Se glisser *ou* couler entre. ¶ (*En parl. du temps.*) S'écouler dans l'intervalle.

interlateo, *es*, *ere*, intr. Etre caché au milieu *ou* à l'intérieur.

interlatro, *as*, *are*, intr. Aboyer par moments.

interlego, *is*, *ere*, tr. Cueillir parmi; cueillir çà et là.

interlino, *is*, *levi*, *litum*, *ere*, tr. Enduire par places. || Relier (des pierres entre

elles) par du mortier *ou* du bitume. ¶ Raturer, *d'où* altérer un écrit.

interlocutio, *onis*, f. Interpellation. ¶ (*Jur.*) Jugement interlocutoire (ordonnant une enquête, une instruction préalable).

interloquor, *eris*, *locutus sum*, *loqui*, dép. intr. Interrompre (l'orateur pour lui faire une objection). ¶ (*Jur.*) Rendre un jugement interlocutoire.

interlucatio, *onis*, f. Action d'éclaircir un arbre, action d'élaguer.

interluceo, *es*, *luxi*, *ere*, intr. Luire (*ou* briller) entre. || Briller parmi; briller par intervalles, luire de place en place. ¶ Etre clairsemé.

interluco, *as*, *avi*, *atum*, *are*, tr. Eclaircir, élaguer, émonder (un arbre).

interlunium, *ii*, n. (Intervalle entre deux lunes.) Epoque de la nouvelle lune.

interluo, *is*, *lui*, *ere*, tr. Couler entre, baigner. ¶ Laver dans l'intervalle.

intermenstruum, *i*, n. Epoque de la nouvelle lune.

intermenstrus, *a*, *um*, adj. Placé entre deux lunes, entre deux lunaisons.

intermeo, *as*, *are*, tr. Passer entre; traverser.

1. **interminatus**, *a*, *um*, adj. Illimité; infini. ¶ *Fig.* Insatiable. ¶ Interminable. [d'INTERMINOR.

2. **interminatus**, *a*, *um*, part. passé

interminor, *aris*, *atus sum*, *ari* dép. Adresser des menaces. ¶ Défendre avec menaces.

interminus, *a*, *um*, adj. Qui est sans bornes, illimité; éternel.

intermisceo, *es*, *miscui*, *mixtum*, *ere*, tr. Mêler, entremêler.

intermissio, *onis*, f. Interruption. ¶ Intermittence. [suspension.

intermissus, abl. *u*, m. Interruption.

intermitto, *is*, *misi*, *missum*, *ere*, tr. Mettre entre; disposer à intervalles (égaux). ¶ Laisser un espace (non occupé, libre *ou* découvert); offrir une solution de continuité. ¶ Interrompre, suspendre; négliger (pour un moment) de. || Laisser passer; omettre. || Remettre, différer. ¶ *Intr.* S'interrompre; cesser. || Laisser un intervalle; faire une pause.

intermixtio, *onis*, f. Mélange.

intermorior, *eris*, *mortuus sum*, *mori*, dép. intr. Mourir lentement. ¶ *Fig.* Dépérir, s'éteindre, se perdre. ¶ Tomber en défaillance.

intermundia, *orum*, n. pl. Intermondes, espace entre les mondes.

intermuralis, *e*, adj. Qui se trouve entre les murs.

internascor, *eris*, *natus sum*, *nasci*, dép. intr. Naître entre. [NECIVUS.

internecinus. Fausse leçon p. INTER-

internecio (INTERNICIO), *onis*, f. Destruction complète, massacre général, extermination. ¶ *Fig.* Ruine totale.

internecium, *ii*, n. Comme le précédent.

internecivus, *a*, *um*, adj. Qui détruit complètement; très meurtrier; mortel; d'extermination.

interneco, *as*, (*avi*), *atum*, *nectum*, et *are*, tr. Tuer complètement, massacrer. ¶ Anéantir.

internecto, *is*, *ere*, tr. Entrelacer. ¶ Réunir par un nœud.

internicio. Voy. INTERNECIO.

internidifico, *as*, *are*, intr. Faire son nid entre.

interniteo, *es*, *nitui*, *ere*, intr. Briller à travers. ¶ Briller par places.

internodium, *ii*, n. Espace entre deux nœuds (d'une plante) *ou* entre deux articulations. ‖ Au plur. *internodia*, jambes.   [Distinguer, discerner.

internosco, *is*, *novi*, *notum*, *ere*, tr.

internundinum, *i*, n. Intervalle entre deux marchés; espace de neuf jours.

1. **internuntia**, *ae*, f. Celle qui sert d'intermédiaire.   [diaires.

2. **internuntia**, *orum*, n. pl. Intermédiaires.

internuntio, *as*, *are*, tr. Parlementer; négocier.   [d'intermédiaire.

1. **internuntius**, *a*, *um*, adj. Qui sert

2. **internuntius**, *ii*, m. Celui qui négocie entre deux parties, intermédiaire, parlementaire, négociateur.

internus, *a*, *um*, adj. Qui est à l'intérieur; interne.

1. **intero**, *is*, *trivi*, *tritum*, *ere*, tr. Broyer pour mélanger; pétrir. ¶ *Simpl.* Broyer.

2. **intero**, *as*, *are*, intr. Voy. 2. INTRO.

interpellatio, *onis*, f. Interruption. ¶ Empêchement, obstacle. ¶ Interpellation. ¶ Citation, sommation. ‖ Procès.

interpellator, *oris*, m. Celui qui interrompt. ‖ Importun, fâcheux. ¶ Séducteur, corrupteur.

interpello, *as*, *avi*, *atum*, *are*, tr. Interrompre (celui qui parle). ‖ Faire une objection. ‖ Objecter. ‖ Troubler, gêner, importuner. ‖ S'opposer à; empêcher (l'exercice d'un droit). ¶ Sommer, presser de. ¶ Solliciter (au mal). ¶ *Qqf. simpl.* Adresser la parole à.

interpolamentum, *i*, n. Interpolation.

interpolatio, *onis*, f. Action de remettre à neuf; modification apportée çà et là. ¶ Altération, tromperie, erreur.

interpolator, *oris*, m. Celui qui remet à neuf. ¶ Celui qui altère (en modifiant).

interpolatrix, *icis*, f. Celle qui altère.

interpolis, *e*, adj. Remis à neuf, réparé. ¶ Refondu, remanié. ¶ Requinqué.

interpolo, *as*, *avi*, *atum*, *ere*, tr. Remettre à neuf, réparer, refaire. ¶ Modifier, changer. ‖ Altérer. ¶ Intercaler, insérer.

interpolus, *a*, *um*, adj. Remis à neuf.

interpono, *is*, *posui*, *positum*, *ere*, tr. Mettre *ou* placer entre. ‖ Intercaler, interposer, insérer; entremêler. ‖

Faire intervenir. — *se*, s'entremettre, s'immiscer dans. ¶ Mettre en travers (fig.), opposer à. ‖ Prétexter. ¶ Donner en garantie. ‖ Faire venir (des gens), inviter. ‖ Apposter, suborner.

interpositio, *onis*, f. Action de placer entre, interposition. ¶ Introduction, intercalation. ¶ (*Méton.*) Mot intercalé. ‖ (Gramm.) Epenthèse. ‖ (Rhét.) Parenthèse. ¶ Rature, surcharge. ¶ Entremise, intervention.

interpositorium, *ii*, n. Haie, clôture.

interpositus, abl. *u*, m. Interposition.

interpres, *pretis*, m. et f. Intermédiaire, agent, négociateur, médiateur. ¶ Celui qui explique. ‖ Truchement, interprète. ‖ Traducteur. ‖ Commentateur.

interpretatio, *onis*, f. Interprétation; explication; traduction.

interpretatiuncula, *ae*, f. Courte interprétation.

interpretator, *oris*, m. Interprète.

interpretatorius, *a*, *um*, adj. Propre à expliquer.   [prète, qui explique.

interpretatrix, *icis*, f. Celle qui inter-

interpreto, *as*, *are*, tr. Comme le suivant.

interpretor, *aris*, *atus sum*, *ari*, dép. intr. et tr. ‖ *Intr.* Servir d'intermédiaire, de négociateur; venir en aide à. ‖ *Tr.* Interpréter, expliquer. ¶ Donner le sens de; traduire. ‖ Prendre dans tel ou tel sens; comprendre, apprécier, juger. ¶ S'expliquer nettement (sur qqch.), décider.

interpunctio, *onis*, f. Séparation des mots par des signes de ponctuation.

interpungo, *is*, *punxi*, *punctum*, *ere*, tr. (Mettre un point entre deux mots, *d'où*) ponctuer.

interquiesco, *is*, *quievi*, *quietum*, *ere*, intr. Se reposer par moments, avoir qq. relâche, cesser.

interregnum, *i*, n. Intervalle entre deux règnes; interrègne.

interrex, *regis*, m. Interroi, magistrat investi de l'autorité souveraine jusqu'à la nomination d'un roi *ou* jusqu'à l'élection des consuls.

interrogatio, *onis*, f. Interrogation, question. ¶ Interrogatoire. ¶ Argument; syllogisme. ¶ Stipulation.

interrogatiuncula, *ae*, f. Question insignifiante.

interrogo, *as*, *avi*, *atum*, *are*, tr. Interroger, questionner. ‖ *Jur.* Procéder à l'interrogatoire (d'un accusé *ou* des témoins). ¶ Entendre la déposition de. ¶ Demander compte (à qqn. de) : accuser, poursuivre. ¶ Argumenter (en questionnant un adversaire), raisonner.

interrumpo, *is*, *rupi*, *ruptum*, *ere*, tr. Rompre par le milieu; couper. ‖ Empêcher la continuité; intercepter. ¶ Entrecouper (en paroles). ¶ Déranger, troubler.

interrupte, adv. Avec des interruptions.

interruptio, *onis*, f. Interruption, discontinuation. ¶ *Rhét.* Aposiopèse, réticence.   [rompt.

interruptor, *oris*, m. Celui qui interrompt.

intersaepio, *is*, *saepsi*, *saeptum*, *ire*, tr. Mettre une clôture entre; séparer. ¶ Fermer, barrer. || Empêcher. || Intercepter, couper les communications.

intersaeptio, *onis*, f. Action de boucher; obstruction.

intersaeptum, *i*, n. Diaphragme. ¶ *Au plur.* Clôtures; limites.

interscalmium, *ii* n. Intervalle entre deux chevilles servant à fixer les rames. ¶ Intervalle entre deux bancs de rameurs.

interscapilium (INTERSCAPILIUM, INTERSCAPULUM), *ii*, n. Espace entre les épaules.

interscindo, *is*, *scidi*, *scissum*, *ere*, tr. Déchirer par le milieu, scinder, couper. ¶ *Spéc.* Traverser (en parl. d'un fleuve). ¶ Diviser. ¶ *Fig.* Diviser, interrompre, troubler.

interscribo, *is*, *psi*, *ptum*, *ere*, tr. Ecrire entre les lignes. ¶ *Fig.* Entremêler, varier, nuancer.

interseco, *as*, *secui*, *sectum*, *are*, tr. Couper par le milieu. ¶ Séparer, diviser.   [des denticules.

intersectio, *onis*, f. (Archit.) Coupure

intersemino, *as*, *avi*, *atum*, *are*, tr. Semer çà et là.

intersep... Voy. INTERSÆP...

1. **intersero**, *is*, *sevi*, *situm*, *ere*, tr. Semer *ou* planter entre.

2. **intersero**, *is*, *serui*, *ere*, tr. Insérer entre, entremêler.

intersisto, *is*, *stiti*, *ere*, intr. S'arrêter au milieu (d'un discours); faire une pause. ¶ Se tenir entre deux; s'insérer entre.   [situé entre.

1. **intersitus**, *a*, *um*, adj. Placé *ou*

2. **intersitus**. Part. p. de 1. INTERSERO.

interspiratio, *onis*, f. Action de reprendre haleine par instants; pause pour respirer.

interspiro, *as*, *are*, intr. Laisser passer l'air par les interstices.

interstitium, *ii*, n. Interstice. ¶ Intervalle (de temps).

intersto, *as*, *steti* ou *stiti*, *are*, intr. et tr. Etre placé dans l'intervalle, se trouver entre. ¶ S'écouler entre (en parl. du temps).   [bruit entre.

interstrepo, *is*, *ere*, intr. Faire du bruit entre.

interstringo, *is*, *ere*, tr. Serrer fortement.

intersum, *es*, *fui*, *esse*, intr. Etre entre *ou* dans l'intervalle. ¶ Etre présent; assister. ¶ Etre différent, constituer une différence. ¶ Impers. *Interest*, il est de l'intérêt de, il importe.

intertexo, *is*, *texui*, *textum*, *ere*, tr. Entrelacer; entremêler de, brocher de.

intertraho, *is*, *troxi*, *ere*, tr. Arracher, enlever.   [¶ Dommage. || Perte.

intertrimentum, *i*, n. Usure. || Déchet.

interturbatio, *onis*, f. Trouble.

interturbo, *as*, *are*, tr. Troubler, causer du trouble.   [intime; chemise.

interula (s.-e. VESTIS), *ae*, f. Vêtement

interulus, *a*, *um*, adj. Intérieur; intime.

intervallum, *i*, n. (Espace entre deux palissades.) Intervalle, espace, distance (pr. et fig.). ¶ Intervalle (de temps). ¶ *Fig.* Différence.

interventio, *onis*, f. Garantie. || Caution.

interventor, *oris*, m. Survenant; importun; visiteur, fâcheux. ¶ Répondant, garant. ¶ Médiateur; celui qui intercède.

interventus, *us*, m. Arrivée inopinée. ¶ Interposition. ¶ *Fig.* Intervention, assistance.

intervenio, *is*, *veni*, *ventum*, *ire*, intr. Venir entre; exister entre. ¶ Survenir (en parl. de pers. et de ch.). || Echoir à. ¶ Intervenir. || S'entremettre ¶ Faire obstacle à, contrarier. ¶ Interposer son autorité (comme juge, *ou* arbitre). ¶ *Jur* Se porter garant.

interverto (INTERVORTO), *is*, *verti*, *versum*, *ere*, tr. Détourner de sa direction *ou* de sa destination. ¶ Dérober, soustraire. || Dépouiller, voler (qqn). ¶ Dépenser follement, gaspiller, dissiper.

interviso, *is*, *visi*, *visum*, *ere*, tr. Aller voir, aller surveiller. ¶ Rendre visite de temps à autre.

intervolo, *as*, *avi*, *are*, intr. et tr. Voler entre, fendre (l'air), ¶ *Fig.* Se présenter soudain (à l'esprit).   [dre parmi.

intervomo, *is*, *ere*, tr. Vomir *ou* répandre parmi.

intestabilis, *e*, adj. Qui ne peut témoigner (en justice). ¶ Qui ne peut tester. ¶ *Fig.* Abominable, exécrable, maudit.

intestatus, *a*, *um*, adj. Intestat. ¶ Non convaincu par des témoignages.

1. **intestina**, *ae*, f. Comme INTESTINUM.

2. **intestina**, *orum*, n. pl. Entrailles, intestins.   [Travaux de marquetterie.

3. **intestina** (s.-e. OPERA), *orum*, n. pl.

1. **intestinarius**, *a*, *um*, adj. Qui exécute de la marquetterie.   [blettier.

2. **intestinarius**, *ii*, m. Ebéniste, tablettier.

intestinum, *i*, n. Intestin; boyau.

intestinus, *a*, *um*, adj. Intérieur; d'intérieur. — *opus*, tabletterie.

intexo, *is*, *texui*, *textum*, *ere*, tr. Entrelacer de. || Entremêler (pr. et fig.). ¶ Faire entrer qqch. dans, insérer. || Adapter à. ¶ Tisser, façonner; écrire

intextio, *onis*, f. Insertion, introduction.

intextus, abl. *u*, m. Assemblage.

intibum, *i*, n. *ou* **intibus**, *i*, m. et f. Chicorée; endive.

intime, adv. Tout à fait au fond. ¶ *Fig.* Intimement. || Instamment.

intimus, *a*, *um*, adj. Le plus reculé, le plus profond. ¶ Etroitement uni. || Intime par l'amitié ou la confiance.

intimo, *as*, *avi*, *atum*, *are*, tr. Faire pénétrer dans. ¶ Faire savoir, intimer. ¶ Rendre compréhensible.

intinctus, *us*, m. Action de tremper. ¶ (Méton). Sauce, jus.

intingo ou intinguo, *is*, *tinxi*, *tinctum*, *ere*, tr. Tremper dans, imprégner. ¶ Faire tremper dans une sauce, assaisonner. ¶ Baptiser.

intolerabilis, *e*, adj. Intolérable. ¶ Insupportable, fâcheux. ¶ Impatient.

intolerabiliter, adv. D'une façon intolérable. [lérable.

intolerandum, adv. D'une manière intolérandus, *a*, *um*, adj. Intolérable, insupportable.

intolerans, *antis*, adj. Qui ne peut pas supporter. ¶ Intolérable, insupportable.

intoleranter, adv. D'une manière intolérable. ¶ Immodérément.

intolerantia, *ae*, f. Caractère *ou* conduite insupportable; insolence. ¶ Humeur peu endurante; impatience.

intono, *as*, *tonui*, *tonatum*, *are*, intr. Tonner, faire retentir le tonnerre. Impers. *Intonat*, Il tonne. ¶ *Fig.* Tonner (avec la voix *ou* en parl. de la voix). ¶ Faire entendre un bruit menaçant; gronder. ¶ *Tr.* Faire retentir avec un bruit de tonnerre (fig.).

intonsus, *a*, *um*, adj. Non tondu, non rasé; qui porte toute sa barbe *ou* la chevelure longue. ¶ *Par anal.* Non taillé, touffu; boisé.

intorqueo, *es*, *torsi*, *tortum*, *ere*, tr. Tordre, tourner; contourner. || Faire (ses cheveux). ¶ Retourner, agiter (les flots). ¶ Rouler (les yeux). ¶ Brandir, darder, lancer (pr. et fig.).

1. intra, adv. Dedans, à l'intérieur.

2. intra, prép. (av. l'acc.). A l'intérieur de; en dedans de; dans. ¶ Dans l'intervalle de, dans l'espace de, pendant. ¶ *Fig.* En deçà de, seulement jusqu'à; au dessous de.

intrabilis, *e*, adj. Accessible.

intractabilis, *e*, adj. Intraitable; invincible. ¶ Apre, rigoureux.

intractatus (INTRECTATUS), *a*, *um*, adj. Non manié, non touché. ¶ Non essayé. ¶ Non travaillé, c.-à-d. naturel.

intractio, *onis*, f. Action de tirer péniblement.

intraho, *is*, *traxi*, *tractum*, *ere*, tr. Tirer en traînant; tirer avec peine. ¶ Attirer, amener. ¶ Outrager.

intremisco, *is*, *tremui*, *ere*, intr. Se mettre à trembler; trembler.

intremo, *is*, *ere*, intr. Trembler, frissonner. ¶ *Tr.* Redouter.

intrepide, adv. Comme le précédent.

intrepidus, *a*, *um*, adj. Qui ne s'effare pas, intrépide. ¶ Qui se passe sans alarmes. [(qq. ch.).

intribuo, *is*, *ere*, tr. Contribuer de

intributio, *onis*, f. Contribution.

intrico, *as*, (*avi*), *atum*, *are*, tr. Empêtrer, embarrasser. ¶ *Fig.* Embrouiller.

1. intrinsecus, adv. Au dedans; intérieurement. ¶ De dehors en dedans; vers l'intérieur.

2. intrinsecus, *a*, *um*, adj. Du dedans.

intrita, *ae*, f. Mortier. ¶ Soupe au pain; panade.

intritum, *i*, n. Soupe à la purée.

1. intritus, *a*, *um*, adj. Non broyé, non usé (pr. et fig.).

2. intritus, *a*, *um*, part. passé de INTERO.

1. intro, adv. Dedans (avec mouv.). ¶ Comme INTUS.

2. intro, *as*, *avi*, *atum*, *are*, intr. et tr. Pénétrer dans, entrer. || *Absol.* S'introduire; *spéc.* comparaître. ¶ *Fig.* Pénétrer dans, entrer au fond des choses; s'insinuer dans. ¶ Attaquer (l'ennemi). ¶ Percer, transpercer.

introduco, *is*, *duxi*, *ductum*, *ere*, tr. Faire entrer, introduire. ¶ *Fig.* Introduire, faire adopter.|| Mettre en avant, produire, déclarer; prétendre.

introductio, *onis*, f. Action d'introduire. ¶ *Fig.* Introduction, commencement. [et tr. Entrer.

introeo, *is*, *ivi*, et *ii*, *itum*, *ire*, intr.

introfero, *fero*, *tuli*, *latum*, *ferer*, tr. Porter dans.

introgredior, *eris*, *gressus sum*, *gredi*, intr. et tr. Entrer dans.

1. introitus, *us*, m. Action d'entrer; entrée. ¶ Entrée (en fonctions). ¶ Entrée en matière, exorde, début. ¶ Endroit par où l'on entre; entrée, avenue. ¶ Embouchure.

2. introitus, *i*, m. Comme le précédent.

intromitto, *is*, *misi*, *missum*, *ere*, tr. Faire entrer, introduire; admettre. ¶ Laisser entrer, donner accès (pr. et fig.). [en rampant.

introrepo, *is*, *ere*, intr. S'introduire

introrsum et introrsus, adv. Dedans, au dedans, dans l'intérieur (av. ou sans mouv.). ¶ *Fig.* Au fond. ¶ *Prép.* Au fond de.

introrumpo, *is*, *rupi*, *ruptum*, *ere*, intr. Entrer de force, faire irruption dans.

introspicio, *is*, *spexi*, *spectum*, *ere*, tr. Regarder dans. ¶ *Fig.* Regarder attentivement, pénétrer, sonder, percer.

introsum, adv. Voy. INTRORSUM.

introsus, adv. Voy. INTRORSUS.

introvocatus, abl. *u*, m. Action d'appeler à l'intérieur.

intubum. *i*. n. et intubus, *i*, m. et f. Voy. INTIBUM et INTIBUS.

intueor, *eris*, *tuitus sum*, *eri*, dép. tr. Avoir les yeux sur; regarder. || Regarder (en parl. d'un endroit). c.-à-d. être tourné vers. ¶ *Fig.* Observer, examiner avec soin. ¶ Regarder avec admiration, d'où admirer. ¶ Avoir égard à, tenir compte de.

intuitio. *onis*, f. Coup d'œil, regard, vue. ¶ Apparition de l'image sur la surface d'un miroir.

intuitus, *us*, m. Coup d'œil, regard, vue. || Considération, égard (pers.). ¶ Organe de la vision; puissance visuelle.

intumesco, *is*, *tumui*, *ere*, intr. S'enfler; se gonfler. || (Par ext.) Se grossir, s'augmenter. ¶ *Fig.* Etre gonflé d'orgueil; s'énorgueillir. ¶ Se gonfler de colère.

intumulatus, *a, um*, adj. Non enseveli.

inturbatus, *a, um*, adj. Non troublé, *c.-à-d.* calme.

inturbidus, *a, um*, adj. Non troublé, calme. ¶ Non turbulent.

intus, adv. De dedans, de l'intérieur. ¶ Au dedans, dedans. || A l'intérieur (d'un pays); au centre, loin des côtes. ¶ *Fig.* Intérieurement, au fond du cœur. ¶ En dedans, vers l'intérieur.

intusium. Voy. INDUSIUM.

intutus, *a, um*, adj. Non protégé; qui est sans défense. ¶ Dont on doit se défier; peu sûr.

intybum, *i,* n. et **intybus, i,** f. Voy. INTUBUM et INTUBUS.

inuber, *beris,* adj. Sec, maigre. ¶ Qui n'est pas plein (en parl. des huîtres).

inubero, *as, are,* intr. Etre surabondant.

inultus, *a, um,* adj. Resté sans vengeance. || Qui ne se venge pas. ¶ Dont on ne se venge pas; impuni. ¶ A l'abri du danger.

inumbratio, *onis,* f. Ombrage; obscurité.

inumbro, *as, avi, atum, are,* tr. Ombrager; couvrir d'ombre. ¶ *Fig.* Voiler, obscurcir. ¶ Esquisser, tracer la silhouette de.

inumigo. Voy. INHUMIGO.

inunco, *as, avi, atum, are,* tr. Accrocher. ¶ *Fig.* Chercher à arracher, à emporter.

inunctio, *onis,* f. Action d'appliquer (qqch.) en friction. ¶ Action de frictionner avec une pommade.

inundatio, *onis,* f. Inondation; débordement. ¶ *Fig.* Grand nombre, multitude. ¶ (Rhét.) Redondance. || Verbiage.

inundo, *as, avi, atum, are,* tr. Inonder, déborder sur. ¶ *Fig.* Abreuver de, remplir de. ¶ *Intr.* Déborder de, être inondé de.

inundor, *aris, ari,* dép. intr. Comme le précédent.

inungo (INUNGUO), *is, unxi, unctum, ere,* tr. Oindre, frotter avec (un liquide); frictionner (qqn). Passif *inungi,* se baigner (les yeux). ¶ Appliquer (un liniment) sur.

inuro, *is, ussi, ustum, ere,* tr. Brûler sur; imprimer (une marque) avec un fer rouge. || Imprimer, graver profondément dans. ¶ Marquer qqn d'une flétrissure; flétrir, stigmatiser. ¶ *Simpl.* Rendre brûlant, échauffer. || Friser au fer chaud.

inusitate, adv. D'une manière inusitée.

inusitatus, *a, um,* adj. Inusité, nouveau, inouï.

1. **inustus**, *a, um,* adj. Non brûlé.
2. **inustus**, part. passé d'INURO.

inutilis, *e,* adj. Qui ne sert pas; inutile; impropre à. ¶ Nuisible, pernicieux.

inutilitas, *atis,* f. Inutilité. ¶ Danger (que présente une chose).

inutiliter, adv. Inutilement. ¶ D'une façon nuisible.

invado, *is, vasi, vasum, ere,* intr. et tr. Pénétrer dans, venir dans. ¶ *Fig.* Commencer. ¶ Entrer avec violence dans; envahir (pr. et fig.). ¶ Fondre sur. || *Tr.* Charger, assaillir. ¶ Apostropher, attaquer (en paroles). ¶ S'approprier sans droit.

invalesco, *is, ui, ere,* intr. Se fortifier. ¶ S'établir. || Augmenter.

invaletudo, *inis,* f. Voy. INVALITUDO.

invalide, adv. Faiblement, sans effet.

invalidus, *a, um,* adj. Qui est sans force, faible, malade *ou* maladif. ¶ (*En parl. de ch.*) Inefficace, faible.

invalitudo (INVALETUDO), *inis,* f. Etat maladif; faiblesse.

invectio, *onis,* f. Importation. ¶ Entrée (en bateau, en voiture). ¶ Attaque (en paroles), violente apostrophe, invectives.

invectivae (s.-e. ORATIONES), *arum,* f. pl. Invectives (les Catilinaires de Cicéron).

invector, *oris,* m. Celui qui importe.

1. **invectus**, abl. *u,* m. Transport. ¶ Importation.

2. **invectus**, *i,* m. Importation (de marchandises).

inveho, *is, vexi, vectum, ere,* tr. Voiturer, charrier, apporter dans, importer. ¶ Charrier (en parl. d'un fleuve). || *Fig.* Apporter avec soi. ¶ (Au passif.) *Invehi,* se transporter (à cheval, en voiture, en bateau). — *litori,* accoster. ¶ Se précipiter contre, assaillir. || Attaquer en paroles, se déchaîner contre.

invenio, *is, veni, ventum, ire,* tr. (Arriver sur), trouver (par hasard), rencontrer. ¶ Trouver (en cherchant), découvrir. ¶ Trouver (à la réflexion), imaginer, inventer. || Rendre possible. ¶ Apprendre (par expérience), constater. ¶ Obtenir, acquérir.

inventa, abl. *u,* m. Invention (dans les arts); procédé.

invenuste, adv. Sans grâce, sans agrément.

invenustus, *a, um,* adj. Disgracieux, sans charme. ¶ Disgracié; rebuté, malheureux en amour. ¶ (Impudence.)

inverecunde, adv. Sans pudeur; avec impudence.

inverecundus, *a, um,* adj. Sans vergogne; impudent. ¶ Irrespectueux.

inventarium, *ii,* n. Inventaire.

inventio, *onis,* f. Action de trouver par hasard; rencontre. ¶ Action de trouver en cherchant : découverte. ¶ Action de trouver par la réflexion : invention. || *Spéc.* (Rhét.) Invention. || Faculté d'invention, imagination, conception. || (Méton.) Produit de l'imagination, trouvaille. ¶ Invention, *c.-à-d.* tromperie, fourberie.

inventiuncula, *ae,* f. Invention sans grande valeur.

inventor, *oris,* m. Celui qui trouve *ou* qui découvre : inventeur, auteur.

inventrix, *icis*, f. Celle qui découvre.

inventum, *i*, n. Découverte; invention.

inventus, *us*, m. Découverte; invention.

invergo, *is*, *ere*, tr. Renverser (un vase) sur, verser.

inversio, *onis*, f. Renversement. || (Rhét.) Anastrophe. ¶ Sarcasme déguisé; ironie. ¶ Allégorie. ¶ Transposition.

inverso, *as*, *are*, tr. Manier en examinant. Au passif *inversari*, s'occuper de.

inversum, adv. En sens contraire, à l'envers.

1. inversus, *part.* passé d'INVERTO.

2. inversus, *a*, *um*, adj. Non changé, intact.

inverto, *is*, *verti*, *versum*, *ere*, tr. Retourner, renverser. ¶ *Fig.* Intervertir; changer. || Dénaturer, altérer, fausser. ¶ (*Rare.*) Echanger *ou* troquer.

invesperascit, *ere*, impers. Il se fait tard.

1. investigabilis, *e*, adj. Qui ne peut être découvert. ¶ Impénétrable.

2. investigabilis, *e*, adj. Qu'on peut pénétrer, *c.-à-d.* comprendre.

investigatio, *onis*, f. Recherche, investigation. [cherche avec soin.

investigator, *oris*, m. Celui qui reinvestigo, *as*, *avi*, *atum*, *are*, tr. Suivre la piste de, suivre à la trace. ¶ *Fig.* Rechercher avec soin, scruter. ¶ Découvrir, trouver. [orner. ¶ Entourer

investio, *ivi*, *itum*, *ire*, tr. Revêtir.

inveterasco, *is*, *avi*, *ere*, intr. S'affaiblir par le temps. ¶ S'affermir par le temps; se fortifier. ¶ S'invétérer, *d'où* s'en raciner, se développer, croître.

inveteratio, *onis*, f. Maladie invétérée.

inveterator, *oris*, m. Comme VETERATOR. [|| Ancien. ¶ Suranné.

inveteratus, *a*, *um*, p. adj. Invétéré.

invetero, *as*, *avi*, *atum*, *are*, tr. Rendre vieux, faire vieillir. ¶ *Par ext.* Implanter, enraciner, affermir. ¶ Faire tomber en désuétude. [cables.

invia, *orum*, n. pl. Endroits impraticinvicem, adv. Tour à tour, alternativement. ¶ Réciproquement, mutuellement. ¶ De part et d'autre; des deux côtés. ¶ Inversement. || En revanche.

invicte, adv. Invinciblement.

invictus, *a*, *um*, adj. Invaincu. || Non atteint. ¶ *Par ext.* Invincible; indomptable. ¶ Inébranlable. ¶ Infatigable. ¶ (*En parl. de ch.*) Indestructible.

1. invidens, part. prés. d'INVIDEO.

2. invidens, *entis*, adj. Qui ne voit pas.

invidentia, *ae*, f. Sentiment d'envie, de jalousie.

invideo, *es*, *vidi*, *visum*, *ere*, intr. Regarder avec le mauvais œil. || Voir d'un mauvais œil. ¶ Regarder avec envie; envier, jalouser. ¶ *Tr.* Refuser (par envie), ne pas permettre, s'opposer (par malveillance) à. ¶ Traiter sans égard.

invidia, *ae*, f. Envie, jalousie. || Haine, animosité. ¶ Défaveur (due à l'envie), impopularité, discrédit. || Caractère odieux (d'une chose). || Le fait d'accorder qqch. de mauvaise grâce; lésinerie. || (Méton.) Objet de l'envie. || L'envie, *c.-à-d.* les envieux.

invidiose, adv. Avec jalousie. ¶ Par haine. ¶ D'une manière odieuse.

invidiosus, *a*, *um*, adj. Envieux, jaloux. ¶ Qui excite l'envie, envié. ¶ Qui rend odieux. || Odieux, révoltant. ¶ Qui fait pitié.

invidus, *a*, *um*, adj. Envieux, jaloux. ¶ (*Fig.*) *En pal. de ch.* Jaloux, *c.-à-d.* défavorable, ennemi, funeste.

invigilo, *as*, *avi*, *atum*, *are*, intr. Veiller à cause de. || Veiller sur. ¶ *Fig.* Veiller à, se consacrer à. [vulnérable.

inviolabilis, *e*, adj. Inviolable. ¶ Ininviolate, adv. D'une manière inviolable. ¶ Fidèlement.

inviolatus, *a*, *um*, adj. Non violé; qui n'a subi aucun mal. ¶ (*Par ext.*) Inviolable.

invisitatus, *a*, *um*, adj. Non visité.

inviso, *is*, *visi*, *visum*, *ere*, tr. et intr. Visiter; aller *ou* venir voir, faire visite. ¶ Voir, regarder.

1. invisus, *a*, *um*, adj. Non vu. ¶ Nouveau. ¶ Invisible; mystérieux.

2. invisus, *a*, *um*, adj. Détesté, odieux, haï. || *En parl. de ch.* Odieux, désagréable.

invitamentum, *i*, n. Invitation. ¶ Appât, attrait. [tion; défi

invitatio, *onis*, f. Invitation, provocainvitatiuncula, *ae*, f. Méchant défi.

invitatus, abl. *u*, m. Invitation.

invite, adv. De mauvais gré, malgré soi, à contre-cœur.

1. invito, *as*, *avi*, *atum*, *are*, tr. Inviter, convier. ¶ Convier (à un festin), *d'où* régaler, traiter, héberger. ¶ Accueillir *ou* traiter avec égards. ¶ *Fig.* Inviter encourager, animer, exciter.

2. invito, adv. Comme INVITE.

invitus, *a*, *um*, adj. Qui agit à contre-cœur; contraint; forcé. ¶ *En parl. de ch.* Involontaire, fait *ou* donné à contre-cœur.

invius, *a*, *um*, adj. Où il n'y a pas de chemin; impraticable, non frayé.

invocatio, *onis*, f. Invocation.

1. invocatus, *a*, *um*, adj. Non appelé; non invité.

2. invocatus, *a*, *um*, p. passé d'INVOCO.

3. invocatus, abl. *u*, m. Absence d'ordre; défaut d'invitation.

invoco, *as*, *avi*, *atum*, *are*, tr. Appeler, invoquer. ¶ Invoquer sous le nom de; nommer.

involator, *oris*, m. Voleur.

involatus, abl. *u*, m. Action de voler (vers); vol.

involito, *as*, *are*, intr. Voleter sur. ¶ Flotter sur. || (Au fig.) Habiter dans.

involnerabilis. Voy. INVULNERABILIS.

involo, *as*, *avi*, *atum*, *are*, intr. Voler dans, pénétrer en volant. ¶ Se précipiter sur (en volant). || Se précipiter vivement sur. ¶ *Tr*. Envahir; dérober, voler. [encore en état de voler.

involucer, *eris*, *ere*, adj. Qui n'est pas

involucre, *is*, n. Peignoir (pour la coiffure). [déguisement.

involucrum, *i*, n. Enveloppe. ¶ Voile,

involuntarie, adv. Involontairement.

involuntarius, *a*, *um*, adj. Involontaire.

involutus, *a*, *um*, p. adj. Embrouillé, entortillé; peu net, obscur.

involvo, *is*, *volvi*, *volutum*, *ere*, tr. Faire rouler dans *ou* sur; amener en faisant rouler. ¶ Rouler, enrouler. ¶ Envelopper, entortiller. ¶ Couvrir, cacher. || Embrouiller, embarrasser.

involvulus (INVOLVOLUS), *i*, m. Rouleuse (sorte de chenille).

invulgo (INVOLGO), *as*, *avi*, *atum*, *are*, tr. Publier, divulguer.

invulnerabilis (INVOLNERABILIS), *e*, adj. Invulnérable.

invulneratus, *a*, *um*, adj. Non blessé.

io, interj. Cri de joie. Ah ! ¶ Cri de douleur. Oh ! [précieuse.

ion, *is*, n. Violette. ¶ Sorte de pierre

ionice, adv. En dialecte ionien.

ios, *ii*, m. Rouille.

1. **iota**, n. indecl. Neuvième lettre de l'alph. grec. ¶ Un iota, *c.-à-d.* un rien.

2. **iota**, *œ*, f. Comme le précédant.

iotacismus, *i*, m. Iotacisme, prononciation défectueuse de l'iota; redoublement de l'I.

ipse, *a*, *um*, adj. pron. Lui-même, elle-même, cela même. ¶ En personne. || Lui aussi. ¶ Il, elle. || Le maître, la maîtresse. ¶ Pur, sans mélange; vrai. || Lui-même, en lui-même, seul, à lui seul. || Lui, elle précisément.

ir. Voy. HIR.

ira, *ae*, f. Colère, courroux, ressentiment, rancune. ¶ (*En parl. de ch.*) Fureur, rage, violence. ¶ (Méton.) Occasion de colère, outrage.

iracunde, adv. Avec colère.

iracundia, *ae*, f. Penchant à la colère, humeur irascible, irascibilité. ¶ Mouvement de colère, emportement. Au plur. *Iracundiae*, accès de colère, emportements.

iracundus, *a*, *um*, adj. Enclin à la colère, irascible, irritable, emporté. ¶ Irrité.

irasco, *is*, *ere*, intr. Comme le suivant.

irascor, *eris*, *iratus sum*, *irasci*, dép. intr. Se mettre en colère. ¶ *Par ext.* Etre en colère, être irrité. ¶ *En parl. de ch.* Devenir furieux *ou* violent.

irate, adv. Avec colère. ¶ En colère.

iratus, *a*, *um*, p. adj. En colère, irrité; indigné. ¶ *En parl. de ch.* Déchaîné, furieux.

ircus. Voy. HIRCUS.

iris, *ris* et *ridis*, f. Iris (fleur). ¶ Iris (pierre précieuse).

iritis, *tidis*, f. Iris (pierre précieuse).

irnea. Voy. HIRNEA.

irnela. Voy. HIRNULA.

ironia, *ae*, f. (Rhét.) Ironie.

irpex (URPEX, HYRPEX), *picis*, m. Sorte de herse.

irpus. Voy. HIRPUS.

irquitallio. Voy. HIRQUITALLIO.

irrationalis, *e*, adj. Déraisonnable. ¶ Irrationnel.

irraucesco, *is*, *rausi*, *ere*, intr. S'enrouer.

irrecusabilis, *e*, adj. Qui ne peut être refusé. ¶ Inévitable.

irrecusabiliter, adv. Inévitablement.

irreddibilis, *e*, adj. Qu'on ne peut rendre.

irredivivus, *a*, *um*, adj. Qu'on ne peut faire revivre. [attaché (au rivage).

irreligatus, *a*, *um*, adj. Non lié. ¶ Non

irreligiose, adv. Irréligieusement.

irreligiosus, *a*, *um*, adj. Irréligieux, impie.

irremeabilis, *e*, adj. D'où l'on ne peut revenir. [nir sur ses pas.

irremeabiliter, adv. Sans pouvoir reve-

irremediabilis, *e*, adj. Irrémédiable. ¶ *Fig.* Implacable.

irreparabilis, *e*, adj. Irréparable.

irrepertus, *a*, *um*, adj. Non trouvé.

irrepo, *is*, *repsi*, *reptum*, *ere*, intr. Ramper vers, dans *ou* sur, s'introduire furtivement, s'insinuer.

irreprehensus, *a*, *um*, adj. Irréprochable.

irrequietus, *a*, *um*, adj. Qui est sans repos, *c.-à-d.* incessant.

irresectus, *a*, *um*, adj. Non coupé.

irresolutus, *a*, *um*, adj. Non relâché, non détendu. ¶ *Fig.* Indissoluble.

irreticentia (INRETICENTIA), *ae*, f. Irréticence, franchise, franc-parler.

irretio, *is*, *ivi*, *itum*, *ire*, tr. Embarrasser dans des filets. ¶ Prendre comme dans des filets, embarrasser dans, envelopper de. || *Fig.* Séduire. ¶ Recouvrir d'un filet *ou* comme d'un filet.

irretortus, *a*, *um*, adj. Non retourné, non tourné en arrière, fixe.

irreverens, *entis*, adj. Irrespectueux, irrévérencieux. [sans respect.

irreverenter, adv. Avec irrévérence;

irreverentia, *ae*, f. Irrévérence, manque de respect. ¶ Licence.

irrevocabilis (INREVOCABILIS), *e*, adj. Qu'on ne peut rappeler, irrévocable. ¶ Qu'on ne peut ramener en arrière. ¶ *Fig.* Qu'on ne peut modifier, irréparable. ¶ Inflexible; implacable.

irrevocandus, *a*, *um*, adj. Irrévocable; irréparable. [arrêté. ¶ Irrévocable.

irrevocatus, *a*, *um*, adj. Non appelé, non

irridenter, adv. Par moquerie.

irrideo (INRIDEO), *es*, *risi*, *risum*, *ere*, intr. Se moquer de. ¶ *Tr*. Railler, tourner en dérision.

irridicule, adv. Sans esprit.

irridiculum, *i*, n. Raillerie, moquerie.

irrigatio, *onis*, f. Arrosement; irrigation.

irrigo (INRIGO), *as*, *avi*, *atum*, tr. Faire couler dans *ou* sur. ¶ Arroser, irriguer. || Baigner.

irrigue, adv. De manière à arroser.

irriguus, *a*, *um*, adj. Qui arrose, qui

baigne. ¶ *Fig.* Qui se répand (comme un ruisseau). ¶ Arrosé, baigné.

irrio. Voy. HIRRIO.

irrisio, *onis,* f. Dérision; moquerie.

irrisor, *oris,* m. Moqueur, railleur.

irrisus, *us,* m. Moquerie, raillerie.

irritabilis, *e,* adj. Irritable. ¶ Irritant.

irritamen, *inis,* n. Comme le suivant.

irritamentum, *i,* n. Ce qui irrite; irritant, excitant, stimulant, aiguillon (fig.).

irritatio, *onis,* f. Irritation, excitation; action de stimuler. ¶ Excitation à la colère, irritation.

irritatius, adv. (au compar.) D'une façon assez stimulante.

irritator, *oris,* m. Celui qui excite. ‖ *Spéc.* Celui qui pousse à la colère.

irritatrix, *icis,* f. Celle qui excite (à la rébellion), révoltée.   [d'irriter.

1. **irritatus,** abl. *u,* m. Action d'exciter,

2. **irritatus,** *a, um,* p. adj. Voy. IRRITO.

irrite, adv. Vainement.

1. **irrito,** *as, avi, atum, are,* tr. Exciter, provoquer. ¶ Exciter, irriter (les nerfs), agacer. ¶ Provoquer, causer (du mal). ¶ *Mor.* Exciter, stimuler. ‖ Pousser à la colère, irriter. ‖ Provoquer, faire naître (un sentiment violent).   [nuler.

2. **irrito,** *as, are,* tr. Rendre vain, an-

3. **irrito,** adv. Vainement.

irritus, *a, um,* adj. Non ratifié, non avenu, non valable. ¶ Sans effet, inutile, infructueux; vain. ¶ *En parl. de pers.* Qui ne réussit pas, qui échoue, qui n'obtient pas (l'objet de ses désirs).   [d'infliger [une peine]).

irrogatio, *onis,* f. Condamnation (action

irrogo (INROGO), *as, avi, atum, are,* tr. Proposer (une loi, une peine) contre (qqn). ¶ Prononcer contre (qqn), infliger, faire peser sur. ¶ Donner, accorder. ¶ Susciter, faire naître. ¶ Invoquer, implorer.

irroro (INRORO), *as, avi, atum, are,* tr. Répandre la rosée sur, mouiller, humecter, arroser. ¶ Verser, répandre (comme une rosée). ¶ *Intr.* Produire de la rosée; tomber en rosée; ruisseler.

irrubesco, *is, rubui, ere,* intr. Devenir rouge, rougir.

irrugo, *as, atum, are,* tr. Rider. ¶ Froncer, plisser.

irrumpo (INRUMPO), *is, rupi, ruptum, ere,* tr. Rompre violemment (pr. et fig.). ¶ *Intr.* Se précipiter dans *ou* sur (en brisant les obstacles), faire irruption dans, se jeter dans, fondre sur. ‖ *Spéc.* S'emparer (d'un bien fonds), usurper.

irruo (INRUO), *is, rui, ere,* intr. Se précipiter dans, sur *ou* contre. ¶ *Tr.* Jeter dans *ou* sur. ‖ Jeter bas.

irruptio, *onis,* f. Irruption, invasion, attaque.

1. **irruptus,** *a, um,* adj. Non rompu. ¶ Qu'on ne peut rompre; indissoluble.

2. **irruptus,** *us,* m. Invasion.

irrutilo (INRUTILO), *as, avi, are,* intr. Briller d'un éclat rougeâtre. ¶ *Simpl.* Briller.

irudo. Voy. HIRUDO.

s, *ea, id,* pron. et adj. ¶ *Pron.* Il, elle, cela. ‖ Antécédent de QUI : le, la; celui, celle, ce. ¶ Celui-ci, celle-ci, ceci (dont on vient de parler). ¶ *Adj.* Ce, cet, cette. ‖ Tel; animé de tels sentiments.

isagoge, *es,* f. Introduction. ¶ Au plur. *Isagogae, arum,* f. Eléments, premiers principes.

isagogicus, *a, um,* adj. Elémentaire.

isatis, *tidis,* f. Sorte de laitue.

iscus, *i,* m. Voy. DISCUS.

isox. Voy. ESOX.

isse, *a, um,* adj. Pour IPSE.

istac, adv. Par là, par le chemin que tu suis. ¶ *Fig.* A la manière qui est la tienne.

istactenus, adv. Jusqu'à ce point (où tu es).

iste, *ista, istud,* pron. et adj., dém. Ce, cet, cette (qui t'appartient, qui est avec toi, etc.). ¶ Cet homme que voici (pour désigner l'adversaire dans un procès). ‖ Cet (individu) *avec un ton méprisant.*

isthmus (ISTHMOS), *i,* m. Isthme.

isti, adv. Là-bas.   [Comme ISTE.

1. **istic** (ISTHIC) *aec, oc ou uc,* adj.

2. **istic** (ISTHIC), adv. Là-bas, là (où tu es). ¶ En cela, dans cette affaire (dont tu parles *ou* qui te concerne).

istimodi. Comme ISTIUSMODI.

istinc (ISTHINC), adv. De là (où tu es).

istius modi et mieux **istiusmodi,** gén. pron. De cette sorte. ¶ Adj. indécl. syn. de TALIS.   [*Fig.* A cela.

isto, adv. Là (où tu es) *avec mouv.*

1. **istoc,** adv. Là où tu es (av. mouv.).

2. **istoc,** adv. De là où tu es (question *unde*).

1. **istuc.** Neutre de 1. ISTIC.

2. **istuc** (ISTHUC), adv. Là où tu es (quest. *quo*). ¶ *Fig.* A cela (qui t'occupe).   [tu dis.

istucine, adv. interr. Jusqu'au point que

ita, adv. De cette manière, ainsi, de la sorte, comme cela. ¶ De la manière suivante, comme on va le dire. ‖ De la manière qui vient d'être dite; comme je dis; en vérité; c'est cela, oui. ‖ *Avec interrog.* Quoi ! vraiment ? ¶ Dans ces conditions; c'est pourquoi, ainsi donc. ¶ *Dans les comparaisons.* de même... (que), dans la mesure... (où), aussi vrai que.... ¶ Tellement, si..., à ce point... (que). ¶ De telle manière... que... ¶ A cette condition... (que).   [donc, par conséquent.

itaque, adv. Et ainsi. ¶ C'est pourquoi... ‖

item, adv. De même. ¶ D'autre part.

iter, *itineris,* n. Marche, *c.-à-d.* action de marcher. ¶ Voyage, trajet. ¶ Cours (d'un fleuve). ‖ (*Méton.*) Libre passage, droit d'aller qq. part. ¶ Voie, route, chemin. ¶ *Fig.* Voie, moyen, manière. ¶ Passage, couloir.

iteratio, *onis*, f. Répétition. ¶ *Spéc.* Second labour; second pressurage. ¶ (Rhét.) Retour du même mot au début de plusieurs phrases. || (Gramm.) Changement d'un verbe simple en verbe fréquentatif.   [quentatif.

iterativus, *a*, *um*, adj. (Gramm.) Fré-

iterato, adv. Une seconde fois, de nouveau.

1. **itero**, *as*, *avi*, *atum*, *are*, tr. Faire pour la seconde fois, répéter, recommencer, renouveler, réitérer. || *Spéc.* Biner, donner une seconde façon à la terre. || Répéter, redire, *c.-à-d.* redire. || Retracer, décrire, raconter. ¶ *Gramm.* Rendre un verbe fréquentatif.

2. **itero**, *avi*, *are*, intr. Voyager.

ithyphallicus, *a*, *um*, adj. Nom d'une espèce de vers, le même que le phalécien.

3. **itero**, adv. Comme le suivant.

iterum, adv. De nouveau, pour la seconde fois. ¶ Par contre, en revanche.

itidem, adv. De la même manière, de même.

itiner, *itineris*, n. Comme ITER.

itinerarium, *ii*, n. Signal de la marche. ¶ Relation de voyage.   [De marche.

itinerarius, *a*, *um*, adj. De voyage. De

itus, *us*, m. Action d'aller, marche. || Mouvement. ¶ Manière de marcher; démarche, allure.

iunx. Voy. le suivant.

iynx (IUNX), *gis*, f. Torcol, oiseau.

J

j, j (ou I consonne), confondu avec *i* dans l'alphabet latin.

jaceo, *es*, *cui*, *citurus*, *ere*, intr. Etre étendu *ou* couché. ¶ Etre au lit; reposer. ¶ Etre à table. || Etre malade. ¶ Etre renversé à terre, être terrassé *ou* vaincu. || Etre tué, tomber mort. ¶ Etre situé, s'étendre (en parl. d'une région). || Séjourner (en parl. de pers.). ¶ Etre bas; traîner. || Etre calme. || Etre stagnant. || Etre épuisé. ¶ *Fig.* Etre dans une situation pénible *ou* humiliée. || Etre sans crédit. || Etre abattu, démoralisé. ¶ (*En parl. de ch.*) Etre négligé *ou* déprécié. || N'être pas à la mode; n'être pas en honneur. || Etre sans emploi. || Etre vacant. || Etre sans propriétaire.

jacio, *is*, *jeci*, *jactum*, *ere*, tr. Jeter. ¶ Lancer. ¶ Jeter (dans la conversation), dire, proférer. ¶ Répandre, verser. || Semer. ¶ Etablir, fonder.

jactabilis, *e*, adj. Qui s'agite beaucoup.

jactabundus, *a*, *um*, adj. Agité. ¶ Plein de jactance.

jactans, *antis*, p. adj. Présomptueux. ¶ Glorieux. || Triomphant.

jactanter, adv. Avec jactance.

jactantia, *ae*, f. Action de vanter; éloge. ¶ Réputation, gloire. ¶ Vanité, présomption.

jactatio, *onis*, f. Action de jeter çà et là, de remuer beaucoup. ¶ Etat de ce qui se remue : agitation, gesticulation. || Bavardage. ¶ *Fig.* Etalage de. || Jactance, vanité. ¶ Popularité.

jactator, *oris*, m. Celui qui fait étalage *ou* se vante de.

jactatus, *us*, m. Agitation, mouvement.

jactito, *as*, *avi*, *are*, tr. Débiter en public. ¶ Faire parade de.

jacto, *as*, *avi*, *atum*, *are*, tr. Jeter (souvent *ou* continuellement), lancer; répandre, prodiguer. ¶ *Fig.* Lancer (des propos), proférer. ¶ Jeter çà et là, remuer, agiter, secouer, ballotter. ¶

Occuper; inquiéter, tourmenter. ¶ Rouler (dans son esprit). ¶ Persister à dire. || *Spéc.* Prôner, vanter; faire parade de.

jactura, *ae*, f. Action de jeter à la mer (des marchandises). || (Méton.) Perte, dommage. || Sacrifice. || Dépense, frais. ¶ Perte involontaire, échec.

jactus, *us*, m. Action de jeter *ou* de lancer; jet. ¶ Action de jeter les dés; coup de dés. ¶ Action de jeter (le filet). || (Méton.) Coup de filet. ¶ Action de jeter (une cargaison à la mer). || (Méton.) Ce qu'on jette; rebut. ¶ Construction (d'une jetée).

jaculabilis, *e*, adj. Qu'on peut lancer; de jet.   [lancer.

jaculatio, *onis*, f. Action de jeter, de

jaculator, *oris*, m. Celui qui lance. ¶ *Spéc.* Soldat armé du javelot. || Pêcheur.   [traits. || Chasseresse.

jaculatrix, *icis*, f. Celle qui lance des

jaculatus, *us*, m. Action de lancer. ¶ Exercice du javelot.

jaculo, *are*. Voy. le suivant.

jaculor, *aris*, *atus sum*, *ari*, dép. tr. et intr. ¶ *Intr.* Lancer le javelot; se livrer à l'exercice du javelot. ¶ *Fig.* Se répandre en propos blessants. ¶ *Tr.* Lancer, jeter. || Projeter. ¶ Frapper, atteindre avec le trait.

1. **jaculum**, *i*, n. Voy. 2. JACULUS.

2. **jaculum**, *i*, n. Trait, javelot, javeline, dard, arme de jet. ¶ Filet de pêcheur, épervier.

1. **jaculus**, *a*, *um*, adj. Qui se jette, qui se lance (en parl. d'un filet).

2. **jaculus**, *i*, m. Sorte de lasso.

jam, adv. Maintenant, à l'heure actuelle. ¶ Tout à l'heure, il n'y a qu'un instant. ¶ Dans un instant, bientôt. ¶ Désormais. *Non jam* ou *jam non*, désormais, ne... pas, *c.-à-d.* ne plus. ¶ Déjà. || Enfin. ¶ Dans ces conditions, cela étant. ¶ Et maintenant. || Outre cela.

jamdudum ou **jam dudum**, adv. Depuis longtemps. ¶ Bientôt; à l'instant.

jamjam ou **jam jam**, adv. Présentement. ¶ Tout à l'heure, à l'instant même.

jampridem ou **jam pridem**, adv. Depuis longtemps.

janitor, *oris*, m. Portier.

janitrices, f. Epouses de deux frères.

janitrix, *icis*, f. Portière. ¶ *Fig.* Qui est devant la porte.

jantaculum. Voy. JENTACULUM.

janto. Voy. JENTO.

janua, *ae*, f. Porte (d'une maison). ¶ (En gén.) Porte, entrée, accès.

jecorarius, *i*, m. Comme VICTIMARIUS.

jecur, *jecoris* (et *jecinoris*), n. et **jocur**, *jocineris*, n. Le foie. ¶ Le foie, siège des passions, *c.-à-d.* le cœur. ¶ Le foie, siège de l'intelligence, *c.-à-d.* intelligence, raison.

jecusculum, *i*, n. Petit foie.

jejento, *as*, *avi*, *are*, intr. Déjeuner.

jejunatio, *onis*, f. Jeûne. [jeûneur.

jejunator, *oris*, m. Celui qui jeûne;

jejune, adv. D'une manière sèche, d'une maigre façon; pauvrement.

jejunitas, *atis*, f. Estomac creux, faim. ¶ *Par ext.* Sécheresse. ¶ *Fig.* Sécheresse, maigreur (du style). ¶ (En gén.) Pauvreté.

jejunium, *ii*, n. Jeûne. ¶ Faim, soif, *c.-à-d.* besoin. ¶ Maigreur. ¶ Stérilité (d'un terrain).

jejuno, *as*, *avi*, *atum*, *are*, intr. Jeûner. ¶ *Fig.* S'abstenir de, se tenir à l'écart de.

jejunus, *a*, *um*, adj. Qui est à jeun. ¶ Affamé ou altéré. ¶ *Fig.* Avide. ¶ Vide. || Peu abondant. || Stérile. || *Fig.* Maigre, sec (en parl. du style). || Pauvre, insignifiant.

jentaculum, *i*, n. Le déjeuner du matin, le petit déjeuner (qu'on prend au saut du lit).

jento (**JANTO**), *as*, *avi*, *atum*, *are*, tr. et intr. ¶ *Tr.* Manger (tel tel mets) pour son déjeuner. ¶ *Intr.* Déjeuner.

jocabundus, *a*, *um*, adj. Qui plaisante, qui badine, qui folâtre.

jocatio, *onis*, f. Badinage; plaisanterie.

jocatus, *us*, m. Comme JOCATIO.

jocinerosus, *a*, *um*, adj. Voy. JECINE-ROSUS.

joco, *as*, *are*. Voy. JOCOR.

jocundus. Voy. JUCUNDUS.

jocor, *aris*, *atus*, *sum*, *ari*, intr. Badiner, plaisanter, folâtrer. ¶ *Tr.* Dire en plaisantant, faire en plaisantant.

jocose, adv. Plaisamment; en badinant.

jocosus, *a*, *um*, adj. Plaisant, enjoué, badin. ¶ Joyeux, drôle.

joculanter, adv. En plaisantant.

jocularia, *um*, n. pl. Plaisanteries.

jocularis, *e*, adj. Plaisant, enjoué, badin. ¶ Bouffon, risible.

jocularitas, *atis*, f. Humeur railleuse; enjouement.

joculariter, adv. Plaisamment, gaiement; en badinant. [nage.

joculatio, *onis*, f. Plaisanterie, badi-

joculator, *oris*, m. Rieur, railleur; qui aime à plaisanter. ¶ Bouffon.

joculatrix, *icis*, f. Celle qui plaisante.

joculor, *aris*, *atus sum*, *ari*, dép. tr. Dire en plaisantant, plaisanter.

joculus, *i*, m. Petite plaisanterie; badinage; bon mot.

jocund. Voy. JUCUND...

jocur. Voy. JECUR.

jocus, *i*, m. Plaisanterie, raillerie, badinage, moquerie. *Jocos dare alicui*, faire rire qqn à ses dépens. *Per jocum*, par plaisanterie, pour rire. ¶ Jeu, rires, ébats; passe-temps. ¶ *Spéc.* Badinage, *c.-à-d.* poésies légères. ¶ Jeu, bagatelle, chose facile ou insignifiante, enfantillage. ¶ (Méton.) Objet de raillerie ou de dérision.

jocusculum, *i*, n. Comme JECUSCULUM.

juba, *ae*, f. Crinière. ¶ Chevelure abondante ou pendante. ¶ Crête (de coq, de serpent). ¶ Panache. || Queue (d'une comète). ¶ Cime (d'un arbre). ¶ *Fig,* Abondance oratoire.

jubar, *aris*, n. Chevelure (d'un astre), rayonnement. || Eclat de l'étoile du matin. || Eclat des comètes. || Eclat du feu. || Eclat de l'or. ¶ Lumière du soleil; le soleil lui-même. ¶ *Fig.* Eclat, lumière. || Majesté, gloire.

jubatus, *a*, *um*, adj. Qui a une crinière. ¶ Qui a une crête (en parl. de serpents). ¶ Qui a une queue (en parl. d'une comète).

jubeo, *es*, *jussi*, *jussum*, *ere*, tr. Donner des ordres à, ordonner, commander, prescrire. || *Spéc.* Ordonner (une mesure publique), décréter. || *Simpl.* Engager ou inviter à; qqf. prier. [jubilaire.

1. **jubilaeus**, *a*, *um*, adj. Du jubilé;
2. **jubilaeus**, *i*, m. Temps du jubilé.

jubilatio, *onis*, f. Grand cri. ¶ Cri de joie, jubilation. || Réjouissance.

jubilo, *as*, *avi*, *atum*, *are*, intr. Pousser de grands cris. || Pousser des cris de joie. ¶ *Tr.* Appeler en criant. || Faire retentir (au milieu de transports de joie).

jubilum, *i*, n. Cri (poussé par les pâtres ou par les chasseurs pour exciter leurs chiens). ¶ Cri de guerre. ¶ Cri d'allégresse.

jubilus, *i*, m. Comme le précédent.

jucundatio, *onis*, f. Action de réjouir, de charmer.

jucunde, adv. Avec joie, avec plaisir.

jucunditas, *atis*, f. Charme, agrément. ¶ Amabilité (du caractère).

jucundo, *as*, *avi*, *atum*, *are*, tr. Réjouir, charmer. [réjouir.

jucundor, *aris*, *ari*, dép. intr. Se

jucundus, *a*, *um*, adj. Qui charme, qui fait plaisir, agréable. ¶ *En parl. de pers.* Aimable, d'agréable commerce.

judex, *icis*, m. Juge. ¶ Arbitre, critique.

judicatio, *onis*, f. Enquête judiciaire. ¶ Jugement, décision.

judicato, adv. Avec jugement, avec réflexion; de propos délibéré.

judicator, *oris*, m. Celui qui juge.

judicatrix, *icis*, f. Celle qui juge.

judicatum, *i*, n. Chose jugée, jugement, arrêt. ¶ Chose jugée, précédent judiciaire.

judicatus, *us*, m. Office de juge. || Judicature. ¶ Droit de juger.

judicialis, *e*, adj. Relatif aux jugements; judiciaire.

judiciarius, *a*, *um*, adj. Judiciaire; relatif à la justice *ou* aux tribunaux. ¶ Relatif aux juges *ou* aux magistrats; officiel.

judicium, *ii*, n. Action judiciaire, affaire en justice. || (Méton.) Jugement, sentence, arrêt. || Plaidoyer. || Office de juge. || Endroit où se rend la justice, tribunal. || Audience. || Le tribunal. || Au plur. *Judicia*, les juges. ¶ Décision, jugement. || Opinion, avis. ¶ Faculté de juger, jugement, goût, discernement; appréciation. ¶ Estime, prédilection, témoignage d'estime. ¶ Dispositions testamentaires. || Dernières volontés.

judico, *as*, *avi*, *atum*, *are*, tr. Etre juge, rendre la justice. || Rendre un arrêt; juger une affaire. || Juger contre (qqn), condamner. ¶ Juger en faveur de qqn), adjuger. ¶ *Simpl.* Traduire *ou* poursuivre en justice. ¶ *Fig.* Juger, *c.-à-d.* prononcer, décider. || *Spéc.* Penser, être d'avis, croire. || Avoir un avis sur, estimer, juger.

jugales, *ium*, m. pl. Attelage.

1. **jugalis**, *e*, adj. Du joug; attelé au joug. ¶ Qui a la forme d'un joug; jugal. ¶ De l'hymen, conjugal.

2. **jugalis**, *is*, m. Epoux.

3. **jugalis**, *is*, f. Epouse.

1. **jugarius**, *a*, *um*, adj. De joug, d'attelage. ¶ De trait. || De bête de somme.

2. **jugarius**, *ii*, m. Bouvier. || Palefrenier.

jugatio, *onis*, f. Action d'attacher la vigne à une treille. ¶ Etendue de terre labourée, journal. || Impôt foncier.

juge, adv. Sans interruption; sans cesse.

juger, *eris*, n. Comme JUGERUM.

jugerum, *i*, n. Jugère, mesure agraire (25 ares 182).

jugis, *e*, adj. De l'attelage, relatif à l'attelage. — *auspicium*, auspice conjoint, auspice défavorable donné par les bêtes attelées au joug, quand elles s'arrêtent pour soulager leurs entrailles. ¶ *Fig.* Qui unit. ¶ (*Ordin.*) Qui ne cesse pas, continu. || *Spéc.* Qui coule toujours. [le-champ.

jugiter, adv. Continuellement. ¶ Sur-le-champ.

juglans, *glandis*, f. Noix. ¶ (Méton.) Noyer.

1. **jugo**, *as*, *avi*, *atum*, *are*, tr. Attacher, lier. ¶ *Fig.* Joindre, unir. || *Spéc.* Marier.

2. **jugo**, *is*, *ere*, intr. Crier (en parl. du milan).

jugosus, *a*, *um*, adj. Montagneux.

jugula, *ae*, f. Voy. le suivant.

jugulae, *arum*, f. pl. Les trois étoiles formant le baudrier d'Orion. ¶ Deux étoiles du Cancer. Voy. ASELLI.

jugulo, *as*, *avi*, *atum*, *are*, tr. Couper la gorge à, égorger. ¶ Tuer, faire périr. ¶ *Fig.* Mettre (à qqn) le couteau sur la gorge, accabler, perdre. || Gâter (qqch.).

jugulum, *i*, n. Clavicule. ¶ Creux de la gorge, gorge. ¶ (*Fig.*) Point *ou* argument principal.

jugulus, *i*, m. Comme le précédent.

jugum, *i*, n. Joug (des bœufs). || Traverse servant à atteler des chevaux *ou* des ânes. || (Méton.) Attelage, couple attelé. || Couple, paire. || Voiture, chariot. || Terrain qu'un attelage de bœufs peut labourer en un jour. ¶ *Fig.* Joug, *c.-à-d.* lien, mariage; servitude, esclavage. ¶ (Par anal.) Ce qui a la forme d'un joug : traverse, support de la vigne; joug sous lequel on faisait passer les vaincus. || Fléau de balance; balance. || Ensouple (du tisserand). || Au plur. *Juga*, bancs de rameurs. || Crochet de portefaix. Arête, crête d'une chaîne de montagnes: montagne.

1. **jumentarius**, *a*, *um*, adj. De bête de somme. [charretier.

2. **jumentarius**, *ii*, m. Palefrenier *ou*

jumentum, *i*, n. Bête de somme.

juncetum, *i*, n. Endroit où poussent les joncs.

junceus, *a*, *um*, adj. De jonc. ¶ Mince *ou* grèle comme un jonc.

juncina, *ae*, f. Jonc.

juncinus, *a*, *um*, adj. De jonc.

juncosus, *a*, *um*, adj. Rempli de joncs.

junctim, adv. Ensemble. ¶ Côte à côte. ¶ L'un à la suite de l'autre, sans intervalles.

junctio, *onis*, f. Jonction, liaison.

junctura, *ae*, f. Jonction, assemblage. || (Méton.) Jointure, attache. ¶ Action d'atteler. || (Méton.) Attelage. || Courroie servant à atteler. ¶ *Fig.* Alliance. || *Rhét.* Alliance de mots. || *Gramm.* Composition (d'un mot).

1. **junctus**, *a*, *um*, p. adj. Lié, réuni. ¶ *Fig.* Lié (par le sang, l'amitié, etc.). || *Spéc.* Bien lié (style).

2. **junctus**, *us*, m. Attelage.

juncus, *i*, m. Jonc. ¶ (Par anal.) Tige mince *ou* grèle (comme le jonc).

jungo, *is*, *junxi*, *junctum*, *ere*, tr. Joindre, assembler; lier, relier. ¶ Atteler. ¶ Faire suivre sans interruption. ¶ *Fig.* Lier, associer; marier. ¶ *Gramm.* Composer, former un composé. || (*Rhét.*) Associer des mots entre eux, combiner.

1. **juniperus**, *i*, f. Genévrier, arbrisseau.

2. **juniperus**, *a*, *um*, adj. De genévrier.

junix, icis, f. Voy. JUVENIX.

juramentum, i, n. Serment.

jurandum, i, n. Serment.

jurator, oris, m. Celui qui fait un serment. ¶ Contrôleur juré ou assermenté.
¶ Témoin assermenté.

1. juratus, a, um, adj. Affirmé sous la
foi du serment. ¶ Qui a prêté serment;
assermenté. ¶ Dont le témoignage
est sûr.   [JUROR.

2. juratus, a, um, p. passé de JURO et de
jurea, orum, n. pl. Pâtée claire pour
les chiens.

jureconsultus. Voy. JURISCONSULTUS.

jureperitus. Voy. JURISPERITUS.

jureus, a, um, adj. De jus.

jurgatio, onis, f. Procès.

jurgialiter, adv. En querellant, en
contestant.   [¶ Procès.

jurgium, ii, n. Querelle; altercation.

jurgo, as, avi, atum, are, intr. Etre en
querelle ou en contestation. ¶ Etre
en procès. ¶ Tr. Quereller, gronder;
injurier.   [Comme le précédent.

jurgor, aris, atus sum, ari, dép. intr.

juridicialis, e, adj. Juridique. ¶ Relatif
au droit.

juridicina, ae, f. Comme JURISDICTIO.

1. juridicus, a, um, adj. Juridique;
relatif à la justice.

2. juridicus, i, m. Juge; justicier.

jurigo, as, are, intr. Voy. JURGO.

jurisconsultus, i, m. Jurisconsulte;
légiste.

jurisdictio, onis, f. Exercice de la justice; judicature. ¶ Droit de juger.
|| Compétence (d'un juge). ¶ Auto-
rité, pouvoir. ¶ Juridiction. || Ressort.

jurisperitia, ae, f. Connaissance du droit.

jurisperitus, i, m. Comme JURISCON-
SULTUS.   [jurisprudence.

jurisprudentia, ae, f. Science du droit;

juro, as, avi, atum, are, intr. Prêter
serment, jurer; se lier par un serment.
¶ Tr. Promettre (en jurant); affirmer
(avec serment). || Qqf. Nier sous la
foi du serment; jurer qu'on ne recourra
pas à. ¶ Jurer Par.   [Jurer.

juror, aris, atus sum, ari, dép. intr.

1. jus, juris, n. Sauce, jus, suc des
viandes cuites; bouillon. ¶ Suc, liquide
(en gén.).

2. jus, juris, n. Le droit. ¶ Droit, jurisprudence, législation. ¶ Bon droit,
équité, justice. ¶ Droit, c.-à-d. autorisation ou possibilité légale. ¶ Droit
(sur autrui); autorité, pouvoir. ¶ Condition (légale) de qqn; prérogative,
privilège. || Lien légal avec autrui,
union conjugale, parenté. ¶ Justice,
tribunal. ¶ Au plur. (Méton.) Jura,
documents fondements du droit.

jusjurandum, juris jurandi, n. Serment.
¶ Promesse faite sous la foi du serment.

jussio, onis, f. Ordre, commandement.
|| Spéc. Dernière volonté (d'un testa-
teur).

1. jusso, is, ere, tr. Ordonner.

2. jusso, p. JUSSERO. Voy. JUBEO.

jussor, oris, m. Celui qui ordonne. ¶
Spéc. Chef des rameurs.

jussoria, n. pl. Ordres.

jussum, i, n. Ordre, commandement.
|| Spéc. Décret (du peuple). || Ordon-
nance (d'un médecin).   [ment.

jussus, abl. u, m. Ordre, commande-

justa, orum, n. pl. Ce qui est dû, c.-à-d.
le nécessaire. ¶ Formalités, cérémo-
nies consacrées. || Funérailles. ¶ Sacri-
fices aux mânes. || Derniers devoirs
rendus aux morts.

juste, adv. Avec justice; justement.
¶ Avec raison, à bon droit. ¶ Comme
il faut; convenablement.   [ment.

justificus, a, um, adj. Qui agit juste-

justitia, ae, f. Justice, équité. || Par ext.
Bonté. ¶ Qqf. Justesse. ¶ Droit, législation.

justitium, ii, n. Suspension des affaires
judiciaires; congé donné aux tribunaux. ¶ Deuil public entraînant la
suspension de toutes les affaires. ¶
Par ext. Suspension, arrêt.

justus, a, um, adj. Juste ou équitable;
intègre. ¶ En parl. de ch. Juste, légi-
time, légal. || Conforme à la justice,
équitable, doux, modéré. || Légitime,
c.-à-d. fondé, ayant sa raison d'être.
|| Régulier, normal; conforme à l'usage.
|| Exact, complet, suffisant. ¶ Propre-
ment dit.   [¶ De la jeunesse.

juvenalis, e, adj. De jeune homme.

juvenca, ae f. Jeune fille. ¶ Génisse.

1. juvencus, a, um, adj. Jeune.

2. juvencus, i, m. Jeune homme. ¶
Jeune taureau. || (Méton.) Cuir de
taureau.

juvenesco, is, venui, ere, intr. Grandir;
arriver à l'âge de la jeunesse. ¶ Ra-
jeunir. || Fig. Se rétablir, refleurir,
reprendre de l'éclat.

juvenilis, e, adj. De jeune homme.
|| Par ext. Ardent.   [Juvénile.

juvenilitas, atis, f. Jeunesse, ardeur.

juveniliter, adv. En jeune homme.

1. juvenis, is, adj. m. et f. Jeune.

2. juvenis, is, m. et f. Jeune homme
ou jeune fille.

juvenor, aris, ari, ari, dép. intr. Agir (ou
parler) en jeune homme.

juventa, ae, f. Jeunesse; époque de la
jeunesse. || (Méton.) La jeunesse, c.-à-d.
les jeunes gens. ¶ L'éclat ou la vigueur
de la jeunesse. || Duvet de la jeunesse.

juventas, atis, f. Comme le précédent.

1. juventus, a, um, adj. Jeune; de jeunesse.

2. juventus, utis, f. Jeunesse, époque
de la jeunesse. ¶ (Méton.) La jeunesse
c.-à-d. les jeunes gens (en état de
porter les armes).

juvenulus, i, m. Jouvenceau.

juvo, as, juvi, jutum, are, tr. Aider,
assister, soulager. Impers. Juvat, il
est utile. ¶ Faire plaisir, amuser,

charmer. Impers. *Juvat*, on aime à, il est agréable de.

1. **juxta**, adv. Tout près, tout à côté. || *Simpl.* Dans le voisinage *ou* auprès. || *En parl. du temps* : immédiatement après. || *Fig.* Aussi bien, également; au même titre.

2. **juxta**, prép. (av. l'acc.). Tout près de, tout à côté de, joignant à. ¶ Immédiatement après. ¶ A l'approche de, vers. ¶ *Fig.* Près de. || Presque à l'égal de. ¶ Conformément à.

1. **juxtim**, adv. Tout auprès.

2. **juxtim**, prép. Tout près de.

K

K, k, ancienne lettre de l'alph. latin, conservée dans qqs abrév., ex. K= Kaeso, K ou Kal.=Kalendae, etc.

kakia, *ae*, f. Méchanceté.

kalendae, *arum*, f. pl. Voy. CALENDAE.

klepsydra. Voy. CLEPSYDRA.

koppa, lettre de l'ancien alph. grec, représentant le chiffre 60.

L

L, l, onzième lettre de l'alph. latin. || *Abrév.* L = Lucius. ¶ Signe numér. L = 50.

labarum, *i*, n. Bannière impériale portant le portrait de l'empereur. ¶ (Après Constantin.) Labarum, étendard portant une couronne, une croix et le monogramme de Jésus-Christ.

labasco, *is*, *ere*, intr. Commencer à chanceler, menacer ruine. ¶ *Fig.* Fléchir.

labecula, *ae*, f. Légère tache.

labefacio, *is*, *feci*, *factum*, *ere*, tr. Ebranler. ¶ Battre en brèche; affaiblir; ruiner. ¶ *Fig.* Ebranler la constance, la fidélité (de qqn); débaucher.

labefactatio, *onis*, f. Ebranlement, secousse (pr. et fig.).

labefacto, *as*, *avi*, *atum*, *are*, tr. Ebranler violemment, secouer fortement. ¶ (Par ext.) Ebranler, ruiner. || Endommager. || Faire péricliter.

labefio, *is*, *factus sum*, *fieri*, pass. de LABEFACIO.

1. **labellum**, *i*, n. Petite lèvre.

2. **labellum**, *i*, n. Cuvette.

labeo, *onis*, m. Lippu, aux grosses lèvres.

labes, *is*, f. Glissement, éboulement, chute, écroulement. ¶ *Fig.* Ruine, destruction, dissolution, dégât. || Fléau; maladie. || Atteinte. ¶ Tache, souillure. ¶ *Fig.* Souillure, honte, déshonneur; ignoble personnage.

1. **labium**, *ii*, n. Lèvre. ¶ Bord d'un vase, d'une rivière, etc. [LABRUM.

2. **labium**, *ii*, n. Vase; bassin. Comme

labo, *as*, *avi*, *atum*, *are*, intr. Chanceler, vaciller. ¶ *Fig.* Chanceler, c.-à-d. commencer à céder, plier. || Etre incertain, hésiter.

1. **labor**, *eris*, *lapsus sum*, *labi*, dép. intr. Glisser, c.-à-d. s'avancer doucement et insensiblement. || Voler. || Couler. || *Fig.* S'écouler, s'enfuir. S'insinuer. ¶ Glisser, faire un faux pas. || Chanceler, être près de sa fin. ¶ Glisser, c.-à-d. tomber, s'écrouler. || S'affaisser, pendre. || Défaillir,

s'évanouir. || Se perdre, périr. || *Fig.* En arriver à. ¶ Glisser de côté, se fourvoyer. ¶ S'écarter de son sujet, faire une digression. ¶ Se tromper, faire fausse route.

2. **labor**, *oris*, m. Effort, labeur, peine, travail. || (Méton.) Travail, acte, œuvre. || Exploit. || Ce qui oblige à faire effort : fardeau. ¶ Tourment, épreuve, revers. || Maladie. || Affliction, souci.

laboratus, *a*, *um*, p. adj. Obtenu avec peine. ¶ Pénible, plein d'épreuves.

laborifer, *fera*, *ferum*, adj. Qui supporte la fatigue. ¶ Qui apporte le travail. [souffrance.

laboriose, adv. Laborieusement. ¶ Avec

laboriosus, *a*, *um*, adj. Laborieux, qui exige (*ou* a exigé) beaucoup de peine. ¶ Laborieux, c.-à-d. appliqué au travail. ¶ Qui a subi beaucoup d'épreuves, éprouvé par l'infortune.

laboro, *as*, *avi*, *atum*, *are*, intr. Se donner beaucoup de peine, travailler avec zèle à, s'efforcer de, se mettre en peine de. ¶ Etre travaillé par (un mal), souffrir, pâtir; être lésé.|| Etre malade; succomber à la fatigue. || Etre en mal d'enfant. || S'éclipser (en parl. des astres). ¶ Se mettre en peine, s'inquiéter, se tourmenter, se travailler l'esprit. ¶ *Tr.* Travailler à, exécuter (avec effort), façonner à force de travail.

labos, *oris*, m. Comme 2. LABOR.

1. **labrum**, *i*, n. Lèvre. ¶ Bord (d'un vase); rebord.

2. **labrum**, *i*, n. Cuve, bassin. || Baignoire. || (Méton.) Bain. || *Par anal.* Fossé. [vage.

labrusca, *ae*, f. Lambruche, vigne sau-

labruscum, *i*, n. Fruit de la vigne sauvage. [(pr. et fig.).

labyrintheus, *a*, *um*, adj. De labyrinthe

labyrinthicus, *a*, *um*, adj. Comme le précédent.

labyrinthius, *a*, *um*, adj. De labyrinthe.

labyrinthos et labyrinthus, *i*, m. Labyrinthe, enclos à circuits compliqués où l'on se perd. ¶ *Fig.* Labyrinthe, dédale.

lac, *lactis*, n. Lait. ¶ Suc laiteux. ¶ (Méton.) Blancheur (du lait).

lacer, *era*, *erum*, adj. Déchiré, mutilé, mis en pièces. ¶ Qui déchire.

laceratio, *onis*, f. Action de déchirer. ¶ Calomnie. ¶ Sédition, rébellion.

lacerna, *ae*, f. Lacerne, manteau court agrafé sous le menton et muni d'un capuchon. [lacerne.

lacernatus, *a*, *um*, adj. Revêtu d'une lacernula, *ae*, f. Petite lacerne.

lacero, *as*, *avi*, *atum*, *are*, tr. Déchirer, mutiler, mettre en pièces. ¶ Déchirer; maltraiter (en paroles), décrier, diffamer. ¶ Déchirer, c.-à-d. ruiner *ou* perdre. ¶ Gaspiller, dissiper (ses biens) *ou* mal employer (son temps). ¶ Torturer, tourmenter.

lacerta, *ae*, f. Lézard. ¶ Poisson de mer, analogue au maquereau. [robuste.

lacertosus, *a*, *um*, adj. Musculeux;
1. **lacertus**, *i*, m. (Ordin. au plur.) Muscle. || Biceps; partie supérieure du bras, bras (vigoureux). ¶ (Méton.) Action de frapper *ou* de lancer avec force. ¶ *Fig.* Force, nerf, vigueur.
2. **lacertus**, *i*, m. Lézard. ¶ Poisson de mer. Comme LACERTA.

lacessor, *oris*, m. Agresseur.

lacesso, *is*, *ivi* ou *ii*, *itum*, *ere*, tr. Harceler, attaquer, provoquer. ¶ Poursuivre. ¶ Frapper, blesser, irriter (pr. et fig.). ¶ Provoquer, exciter, c.-à-d. faire naître, causer. [CRIMA.

lachrima (LACHRYMA), *ae*, f. Voy. LAchrimo (LACHRYMO), *as*, *are*, intr. Voy. LACRIMO.

lacinea, *ae*, f. Parcelle de terre.

lacinia, *ae*, f. Morceau, pièce, lambeau. || *Spéc.* Coin, pan, bord, frange (d'un vêtement). || Vêtement. ¶ Morceau, parcelle, languette (de terre).

laciniosus, *a*, *um*, adj. Découpé, dentelé, festonné. || Déchiré. ¶ Embarrassé, gêné, embrouillé. ¶ Diffus en parl. du style), prolixe.

lacio, *is*, *ere*, tr. Attirer, séduire.
1. **laconicum**, *i*, n. Etuve sèche.
2. **laconicum** (s.-e. VESTIMENTUM), *i*, n. Vêtement lacédémonien.

lacrima, *ae*, f. (Ordin. au plur.) Larmes, pleurs. ¶ (Par anal.) Suc, sève (qui coule), gomme *ou* résine.

lacrimabilis, *e*, adj. Déplorable. ¶ Qui pleure, plaintif. ¶ Qui suinte *ou* dégoutte. [larmes.

lacrimabundus, *a*, *um*, adj. Qui fond en lacrimatio, *onis*, f. Action de verser des pleurs. ¶ Larmoiement, affection ophthalmique.

lacrimo, *as*, *avi*, *atum*, *are*, intr. Pleurer. ¶ *Tr.* Déplorer. ¶ *Intr.* Suinter, dégoutter. ¶ *Tr.* Distiller.

lacrimor, *aris*, *atus sum*, *ari*, dép. intr. et tr. Comme le précédent.

lacrimose, adv. En pleurant.

lacrimosus, *a*, *um*, adj. Qui pleure. ¶ Larmoyant. ¶ *Par anal.* Qui suinte. ¶ Qui fait pleurer. || Qui cause le larmoiement. ¶ Déplorable, lamentable.

lacrimula, *ae*, f. Petite larme.

lacruma. Voy. LACRIMA.

lacrumo, *as*, *are*. Voy. LACRIMO.

lact. Voy. LAC. [lait.

lactaria, *orum*, n. pl. Pâtisseries au
1. **lactarius**, *a*, *um*, adj. A lait. ¶ Laiteux, qui donne du lait *ou* qui contient du lait. ¶ Fait avec du lait; où entre du lait. ¶ Qui concerne le lait.
2. **lactarius**, *ii*, m. Celui qui prépare des pâtisseries au lait.
1. **lactatio**, *onis*, f. Allaitement.
2. **lactatio**, *onis*, f. Action de séduire, de charmer, d'attirer.

lactens, *entis*, p. adj. Qui tette, qui est à la mamelle. ¶ Qui contient du lait, laiteux. [lait.

lacteolus, *a*, *um*, adj. Blanc comme le lactes, *ium*, f. pl. Intestin grêle. ¶ *Par ext.* Intestins, boyaux. ¶ Fraise (de veau). || Laites.

lactesco, *is*, *ere*, intr. Se changer en lait. ¶ Commencer à avoir du lait.

lacteus, *a*, *um*, adj. De lait. ¶ Gonflé de lait. ¶ Qui tette, qui se nourrit de lait. ¶ Semblable au lait, couleur de lait. ¶ Doux comme le lait.
1. **lacto**, *as*, *avi*, *atum*, *are*, tr. Allaiter. || Alimenter, nourrir. ¶ *Intr.* Téter. ¶ Etre composé de lait *ou* préparé avec du lait. Part. subst. *Lactantia*, *ium*, n. pl. Laitage. [Duper, leurrer.
2. **lacto**, *as*, *avi*, *atum*, *are*, tr. Séduire.

lactuca, *ae*, f. Laitue.

lactucula, *ae*, f. Petite *ou* jeune laitue.

lacuatus. Voy. LAQUEATUS.
1. **lacuna**, *ae*, f. Trou où l'eau s'amasse, fosse, fossé. ¶ Fondrière, ornière. ¶ Trou, ouverture. || Cavité, étang. || Lac. || Fossette. ¶ *Fig.* Vide, manque, déficit. || Brèche, lacune.
2. **lacuna**, *ae*, f. Comme LAGOENA.

lacunar, *aris*, n. Caisson (de plafond formé par l'entrecroisement des poutres). || Plafond. ¶ Espèce de cadran. || (Archit.) Face inférieure du larmier.

lacuno, *as*, *avi*, *atum*, *are*, tr. Creuser. ¶ Lambrisser.

lacus, *us*, m. Lac, bassin naturel. ¶ Trou rempli d'eau, étang. || *Poét.* Marais, eau *ou* eaux. *Stygii lacus*, les marais du Styx. ¶ Bassin (artificiel), réservoir, fontaine publique. || Auge. || Cuve (attenant à un pressoir). || Bassin à chaux. || Baquet. || Bac (de forgeron). || Coffre à grains, compartiment (dans un grenier). || Fosse (aux lions). || Caisson (de plafond).

lacusculus, *i*, m. Petite fosse creusée aux pieds des arbres, des ceps de vigne. ¶ Petite cuve à côté du pressoir.

laedo, *is*, *laesi*, *laesum*, *ere*, tr. Heurter, froisser. ¶ Blesser, endommager. ||

Gâter. ¶ Blesser, c.-à-d. offenser. ‖
Faire tort, affliger, incommoder. ¶
Charger (un accusé). ¶ Porter atteinte
à. ¶ Faire impression sur.

laena, ae, f. Manteau en étoffe de laine
à long poil (pour l'hiver).

laesio, onis, f. Lésion, blessure; tort,
préjudice (pr. et fig.). ¶ Attaque,
moyen d'irriter l'adversaire (fig. de
rhét.). [agréable.

laetabilis, e, adj. Qui met en joie;

laetabundus, a, um, adj. Tout joyeux.

laetatio, onis, f. Transport de joie; allégresse.

laete, adv. Avec joie. ¶ Avec enjouement. ¶ Avec abondance; plantureuse-
ment. ¶ Fig. En style fleuri.

laetifico, as, avi, atum, are, tr. Rendre
joyeux, réjouir, égayer. ¶ Rendre
fertile, fertiliser. ¶ Intr. Etre joyeux.

laetificus, a, um, adj. Qui cause de la
joie, qui réjouit.

laetitia, ae, f. Joie éclatante, allégresse,
liesse. ¶ Aspect riant, beauté, grâce.
¶ Fertilité.

laetities, ei, f. Comme LAETITIA.

laeto, as, avi, atum, are, tr. Réjouir. ¶
Engraisser, fertiliser.

laetor, aris, atus sum, ari, dép. intr.
Se réjouir, être joyeux, se livrer à la
joie. ¶ Etre heureux de, se féliciter de.
¶ Se trouver bien de (en parl. de ch.).

1. **laetus**, a, um, adj. Joyeux, gai,
content, satisfait, heureux. ¶ (Au fig.)
Qui exprime la joie. ¶ Qui réjouit;
agréable, heureux; favorable, propice, d'heureux augure. ¶ Qui a un
aspect riant, qui inspire la joie. ¶
Gras, fertile, riche, abondant. ¶ Fig.
Abondant, fleuri (en parl. du style).

3. **laetus**, i, m. Lète, étranger auquel
l'Etat romain donnait des terres à
cultiver, à charge d'une redevance.

laeva (s.-e. MANUS), ae, f. Main gauche;
la gauche.

laevamentum. Voy. LEVAMENTUM.

laeva, adv. Gauchement, maladroitement.

laev... Voy. LEV... [che (av. mouv.).

laevorsum, adv. A gauche; vers la gau-

laevorsus, adv. Comme le précédent.

laevum (s.-e. LATUS), i, n. Le côté
gauche.

laevus, a, um, adj. Gauche, qui est du
côté gauche. ¶ Par ext. Gauche, maladroit. ‖ Niais. ¶ Inopportun. ¶
Qui se montre à gauche, défavorable,
sinistre ou, au contr. favorable, de
bon augure (parce que la gauche de
l'observateur est la droite des dieux).

laganum, i, n. Sorte de beignet.

lagena, faute d'orth. p. LAGOENA.

lagoena, ae, f. Vase à col étroit et à
corps bombé, destiné surtout à conserver du vin; flacon, bouteille.

lagoenaris, e, adj. Qui a la forme d'une
bouteille.

lagona, ae, f. Voy. LAGOENA.

laguna, ae, f. Comme LAGOENA.

laguncula, ae, f. Petite bouteille, petit
flacon.

laguncularis, e, adj. Mis en bouteille.

1. **laicus**, a, um, adj. Laïque, de laïque.

2. **laicus**, i, m. Un laïque.

lambero, as, are, tr. Déchirer, mordre
(pr. et fig.). ¶ Grignoter.

lambio, is, ivi, ire, tr. Comme LAMBO.

lambo, is, lambi, lambitum, ere, tr.
Lécher, laper, humer. ¶ (Fig.) Lécher,
effleurer, caresser, baigner mollement
(en parl. d'une eau courante).

lamella, ae, f. Petite lame de métal.

lamentabilis, e, adj. Lamentable. ¶
Plaintif, qui se lamente. ¶ Accompagné de lamentations.

lamentarius, a, um, adj. Qui cause des
lamentations.

lamentatio, onis, f. Lamentations, gémissements, cris plaintifs.

lamento, as, avi, atum, are, intr.
Comme le suivant.

lamentor, aris, atus sum, ari, dép. intr.
Se lamenter. ¶ Tr. Déplorer.

lamia, ae, f. Vampire à figure de femme,
qui passait pour attirer les enfants
et sucer leur sang. ¶ Nom d'un animal
sauvage d'Afrique (chacal?). ¶ Poisson de mer (plie?).

lamina, ae, f. Lame, feuille, plaque (de
métal, de bois ou de marbre). ¶ Or ou
argent (en barre); lingot mince. ¶
Lame de métal rougie au feu, instrument de torture. ¶ Tranche (de
viande). ¶ Lobe (de l'oreille). ¶
Ecale (de noix).

lammina. Voy. LAMINA.

lamna, ae, f. Voy. LAMINA.

lamnula, ae, f. Petite feuille (de métal).

lampas, adis, f. Lueur, lumière. ¶
Torche, brandon, flambeau. ¶ (Méton.)
Candélabre, lampe. ¶ Eclat, lumière
(des astres). ‖ Lumière du soleil, jour.
‖ Clair de lune, d'où nuit. ‖ Lunaison,
mois. ‖ Météore igné (semblable à
une torche).

lana, ae, f. Laine; toison. ‖ (Méton.)
Filage de la laine. ‖ Etoffe de laine. ¶
(Par anal.) Ce qui ressemble à la
laine. ‖ Duvet, poil. ‖ Coton. ‖ Flocon.

lanaria (s.-e. OFFICINA), ae, f. Atelier
où se travaille la laine.

1. **lanarius**, a, um, adj. Relatif à la
laine.

2. **lanarius**, ii, m. Ouvrier qui travaille

lanata, ae, f. Brebis. [la laine.

lanatus, a, um, adj. Couvert de laine.
¶ Fourré de laine. ¶ Lanugineux,
cotonneux, recouvert de duvet. ¶
Fig. Moelleux et tendre (comme la
laine).

lancea, ae, f. Javeline, pique, lance.

lancearius (LANCIARIUS), ii, adj. m.
Qui porte une lance. Subst. Soldat
armé de la lance. [lance.

lanceatus, a, um, adj. Pourvu d'une

lanceo, *as, are,* intr. Manier la lance.

lanceola (LANCIOLA), *ae,* f. Petite lance.

lancino, *as, avi, atum, are,* tr. Déchirer, mettre en pièces. ¶ *Fig.* Dissiper, gaspiller.

laneus, *a, um,* adj. De laine. ¶ Lanugineux, cotonneux. ¶ *Fig.* Moelleux, tendre (comme la laine).

languefacio, *is, ere,* tr. Rendre languissant, ralentir, calmer; endormir.

langueo, *es, gui, ere,* intr. Etre languissant, être sans ressort. ¶ Etre mou, affaibli, énervé. || *Spéc.* Etre malade. || Etre fané. ¶ *Fig.* Etre nonchalant.

languesco, *is, ere,* intr. Devenir languissant, s'affaiblir. || Tomber malade. || Se faner. ¶ *Fig.* S'affaiblir, s'émousser. || Se calmer, s'adoucir.

languide, adv. Languissamment, nonchalamment, faiblement. [¶ Fané.

languidulus, *a, um,* adj. Languissant.

languidus, *a, um,* adj. Languissant, mou, faible, indolent, nonchalant. || Malade (de corps *ou* d'esprit). ¶ *En parl. de ch.* Faible, lent, sans force. || Calme, doux. ¶ *Qqf.* Enervant.

languor, *oris,* m. Langueur, faiblesse, maladie. || Fatigue. || Epuisement, abattement. ¶ *Fig.* Mollesse, paresse, indolence, nonchalance, lâcheté. || Mélancolie. ¶ Immobilité (des choses), calme plat (de la mer).|| Couleur terne.

laniarium, *ii,* n. Boucherie; étal de boucher.

laniarius, *ii,* m. Boucher.

laniatio, *onis,* f. Torture.

laniatus, *us,* m. Action de déchirer. ¶ *Fig.* Déchirement (de l'âme), remords.

lanicium. Voy. LANITIUM.

laniena, *ae,* f. Etal de boucher; boucherie. ¶ Action de déchirer (les chairs). || Dépècement. || Incision chirurgicale. ¶ Torture.

lanifer, *fera, ferum,* adj. Qui porte *ou* produit de la laine.

lanifica, *ae,* f. Fileuse *ou* filandière.

lanificium, *ii,* n. Travail de la laine.

lanificus, *a, um,* adj. Qui travaille la laine.

1. **laniger,** *gera, gerum,* adj. Qui porte de la laine; couvert de laine.

2. **laniger,** *geri,* m. Bélier, mouton, agneau.

lanigera, *ae,* f. Brebis.

1. **lanio,** *as, avi, atum, are,* tr. Déchirer, mettre en pièces, dépecer. ¶ *Fig.* Déchirer à belles dents, blâmer, censurer, critiquer.

2. **lanio,** *onis,* m. Boucher. ¶ Bourreau.

3. **lanio,** *as, are,* tr. Egorger, immoler.

lanionius, *a, um,* adj. De boucher.

lanipendia, *ae,* f. Femme qui pèse et distribue la quantité de laine à filer par jour.

lanipes, *pedis,* adj. Qui a les pieds enveloppés de laine; qui marche à pas feutrés.

lanista, *ae,* m. Laniste, maître d'escrime pour gladiateurs. ¶ *Par anal.* Dresseur de coqs de combat. ¶ *Fig.* Qui excite aux querelles, aux combats; celui qui met les autres aux prises.

lanitium, *ii,* n. Laine. || *Au plur.* (Méton.) *Lanitia,* bêtes à laine. ¶ Duvet des arbres.

lanius, *ii,* m. Celui qui dépèce. ¶ Boucher. ¶ Victimaire. ¶ Bourreau. ¶ Chirurgien. [*ou* de duvet, laineux.

lanosus, *a, um,* adj. Couvert de laine

lanterna, *ae,* f. Lanterne.

lanuginosus, *a, um,* adj. Laineux *ou* cotonneux; couvert de duvet.

lanugo, *inis,* f. Duvet (des plantes et des fruits). ¶ Poil follet. ¶ Tout ce qui ressemble à du duvet (plumet des roseaux; sciure; limaille).

lanx, *lancis,* f. Plat, plateau. ¶ *Spéc.* Plateau de balance. *Aequa lance,* avec équité.

lapathium, *ii,* n. Voy. le suivant.

lapathum, *i,* n. Patience, sorte de plante.

lapathus, *i,* m. Comme le précédent.

lapicida, *ae,* m. Lapicide. ¶ Tailleur de pierres, carrier. [pierre.

lapicidinae, *arum,* f. pl. Carrière de

1. **lapidarius,** *a, um,* adj. De pierre; à pierre. ¶ Rempli de pierres; pierreux.

2. **lapidarius** (s.-e. FABER), *ii,* m. Appareilleur, tailleur de pierres.

lapidatio, *onis,* f. Action de lancer des pierres, lapidation. ¶ (Par anal.) Chute de grêle.

lapidator, *oris,* m. Celui qui lapide.

lapidatrix, *icis,* f. Celle qui lapide.

lapidesco, *is, ere,* intr. Se pétrifier.

lapideus, *a, um,* adj. De pierre. ¶ *Fig.* Immobile *ou* insensible comme une pierre. ¶ Pierreux.

lapidic... Voy. LAPICID...

lapido, *as, avi, atum, are,* tr. Frapper à coups de pierre, lapider. ¶ Couvrir (un mort) avec une pierre. ¶ *Intr.* (Unipers.) *Lapidat,* il pleut des pierres.

lapidosus, *a, um,* adj. Plein de pierres, pierreux. ¶ Dur comme la pierre. ¶ Qui durcit, noueux. — *chiragra,* la goutte noueuse.

lapillus, *i,* m. Petite pierre, caillou. || *Spéc.* Calcul (rénal), pierre (de la vessie). ¶ Pierre précieuse, perle. ¶ Caillou (servant de bulletin de vote). ¶ Petite pierre tumulaire.

lapis, *idis,* m. Pierre. ¶ Borne, limite. ¶ Borne milliaire. ¶ Pierre tombale, stèle. ¶ Tribune de pierre (pour le crieur). ¶ Marbre. ¶ Cube de mosaïque. ¶ Pierre précieuse. ¶ Calcul rénal. ¶ *Fig.* Brute. borné, homme insensible *ou* stupide.

lapisculus, *i,* m. Petite pierre.

lappa, *ae,* f. Bardane, plante. [plante.

lapsana, *ae,* f. Sénevé des champs,

lapsio, *onis*, f. Faux pas (fig.).

lapsito, *as, are*, intr. Comme le suivant.

lapso, *as, are*, intr. Glisser, chanceler, trébucher; tomber.   [précédent.

lapsor, *aris, ari*, dép. intr. Comme le

lapsum, *i*, n. Vivier.

lapsus, *us*, m. Action de glisser, glissement. || Cours (de l'eau, des astres). || *Fig.* Fuite (du temps). ¶ Chute, écroulement. ¶ Faux pas (fig.); faute, erreur, méprise. || Entraînement. ¶ Comme LAPSUM.

laquear. *is*, n. Plafond lambrissé. Au plur. *laquearia, um*, n. Lambris.

laquearium, *ii*, pl. Comme LAQUEAR.

1. **laquearius**, *a, um*, adj. De lambris.

2. **laquearius**, *ii*, m. Lambrisseur.

laqueator, *oris*, m. Gladiateur faisant usage d'un nœud coulant.

1. **laqueo**, *as, atum, are*, tr. Plafonner, lambrisser.

2. **laqueo**, *as, avi, atum, are*, tr. Entourer d'un filet; prendre dans un filet, enlacer. ¶ *Fig.* Empêtrer.

laqueus, *i*, m. Lacs, lacet, nœud coulant. ¶ Filet (de chasse), collet, panneau, piège. ¶ *Fig.* Argument captieux.

lar, *laris*, m. (Ordin. au pl. LARES, *um* et *ium*). Lare, dieu protecteur du foyer, *et par ext.* d'une région, d'une rue, d'un champ. ¶ (Méton.) Foyer, maison.   [lares.

lararium, *ii*, n. Chapelle des dieux

lardarius, *ii*, m. Marchand de lard.

lardum. Voy. LARIDUM.

larex, *icis*, f. Voy. LARIX.

large, adv. Abondamment, largement.

largificus, *a, um*, adj. Abondant.

largifluus, *a, um*, adj. Qui coule abondamment.

largiloquus, *a, um*, adj. Bavard.

largior, *iris, itus sum, iri*, dép. tr. Donner largement, prodiguer. || Faire don, accorder. ¶ *Absol.* Se montrer large, généreux.

largitas, *atis*, f. Largesse, libéralité.

largiter, adv. Largement.

largitio, *onis*, f. Largesse, libéralité (intéressée), corruption électorale. ¶ Don, octroi, concession. Au plur. (méton.) *largitiones*, cassette impériale. *Comes largitionum*, intendant des libéralités impériales.

largitionalis, *is*, m. Intendant des largesses impériales.

largitor, *oris*, m. Celui qui donne abondamment, qui prodigue. ¶ Celui qui corrompt par des libéralités intéressées.   [largesses.

largitrix, *icis*, f. Celle qui fait des

largitudo, *inis*, f. Libéralité.

largitus, adv. Comme LARGITER.

largus, *a, um*, adj. Abondant, copieux. ¶ Qui abonde en; riche en. ¶ Qui donne volontiers, généreux; prodigue. ¶ Disposé à.

laridum et lardum, *i*, n. **Lard.**

larix, *icis*, f. Mélèze, arbre.

larva, *ae*, f. Fantôme, spectre, larve, génie malfaisant, revenant (chargé de tourmenter les vivants). ¶ Masque de théâtre. ¶ Fantoche, marionnette. ¶ Squelette.

larvalis, *e*, adj. De fantôme, de spectre.

larvatus, *a, um*, adj. Possédé, furieux, ensorcelé par un génie malfaisant.

larvea, *ae*, f. Comme LARVA.

larvo, *as, are*, tr. Ensorceler, rendre furieux.

lascive, adv. En badinant, d'une manière folâtre.

lascivia, *ae*, f. Enjouement. ¶ Effronterie, excès. ¶ *Spéc.* Affectation (dans le style).   [jouement; folâtre.

lascivibundus, *a, um*, adj. Plein d'en-

lascivio, *is, ii, itum, ire*, intr. Etre gai, prendre ses ébats, folâtrer. ¶ S'abandonner au désordre. ¶ Etre affecté (en parl. du style).

lascivus, *a, um*, adj. Enjoué, folâtre, espiègle. ¶ Effronté. ¶ Débauché, lascif. ¶ Trop chargé d'ornements, recherché, affecté (style).

laser, *eris*, n. Suc résineux du laserpicium, laser, benjoin. ¶ Comme le suivant.

laserpicium (LASERPITIUM), *ii*, n. Laserpicium (*ou* silphium), plante dont les anciens utilisaient le suc comme médicament ou comme assaisonnement.

lases, comme LARES. Voy. LAR.

lassesco, *is, ere*, intr. Se lasser, s'épuiser de fatigue.   [ment.

lassitudo, *inis*, f. Lassitude, épuise-

lasso, *as, avi, atum, are*, tr. Lasser, fatiguer. ¶ *Fig.* Importuner. ¶ Affaisser, faire fléchir. ¶ *Intr.* Se fatiguer.

lassulus, *a, um*, adj. Un peu las.

lassus, *a, um*, adj. Las, fatigué, harassé, épuisé. || Languissant, malade. ¶ *Fig.* (En parl. de ch.) Qui s'affaisse. || Qui se calme.

lastaurus, *i*, m. Débauché, vaurien.

late, adv. Au loin, au large, sur une grande étendue. ¶ *Fig.* Largement, amplement. || Avec prolixité.

latebra, *ae*, f. Action de se cacher; éclipse. ¶ Ce qui cache. || Cachette, retraite, refuge. || Repaire. ¶ *Fig.* Repli, détour. || Ombre, mystère. ¶ Subterfuge, prétexte.

latebricola, *ae*, m. Qui fréquente les repaires, les mauvais lieux.

latebrose, adv. Dans une cachette.

latebrosus, *a, um*, adj. Plein de cachettes *ou* de retraites. || *Fig.* Obscur, mystérieux, secret; difficile à résoudre. ¶ Qui aime les cachettes.   [rieux.

latens, *entis*, p. adj. Invisible, mysté-

latenter, adv. En cachette, secrètement.

lateo, *es, ui, ere*, nitr. Etre *ou* se tenir caché. || *Jur.* Ne pas comparaître, faire défaut. || Vivre dans l'obscurité.

|| Etre *ou* se tenir à l'abri. || N'être pas encore découvert. ¶ *Tr.* Etre caché, inconnu à; être ignoré de; être un secret pour.

later, eris, m. Brique. ¶ Brique crue (séchée au soleil). ¶ (Par anal.) Barre, lingot.

lateralia, ium, n. pl. Fontes, fourreaux placés des deux côtés d'une selle.

lateralis, adj. Qui est sur le côté *ou* sur le flanc. ¶ Qui est relatif aux flancs, latéral.

1. laterarius, a, um, adj. De briques, à briques; concernant les briques.

2. laterarius, ii, m. Briquetier.

3. laterarius, a, um, adj. Latéral. Subst. *Lateraria, orum,* n. pl. Chevrons posés en travers.

laterculum, i, n. Registre *ou* relevé officiel de toutes les charges et dignités de l'Empire.

laterculus, i, m. Petite brique. ¶ Espèce de gâteau. ¶ Carré de terrain (en forme de brique). [côtés.

1. laterensis, e, adj. Qui se tient aux

2. laterensis, is, m. Garde du corps.

latericius, a, um, adj. De brique; construit avec des briques.

latericulus, i, m. Comme LATERCULUS.

laterina, ae, f. Fabrication de la brique. || (Méton.) Brique.

laterna. Voy. LANTERNA.

1. latesco, is, ere, intr. S'élargir.

2. latesco, is, ere, intr. Se cacher.

1. latex, icis, m. Liquide; vin, eau.

2. latex, icis, m. *Fig.* Repli, profondeur.

latibulum, i, n. Cachette, retraite. || Repaire. ¶ *Fig.* Refuge.

laticlavia (s.-e. TOGA), ae, f. Toge bordée d'une large bande de pourpre.

laticlavium, ii, n. Comme LATICLAVUS.

1. laticlavius, a, um, adj. Orné d'une large bande de pourpre. ¶ Qui porte le laticlave. ¶ De sénateur.

2. laticlavius, ii, m. Celui qui porte le laticlave; patricien, sénateur.

laticlavus, i, m. Laticlave, large bande de pourpre au bord de la tunique.

latifolius, a, um, adj. A larges feuilles.

latifundium, ii, n. Vaste domaine.

latiloquens, entis, adj. Bavard, qui ne s'exprime pas brièvement.

latine, adv. En latin. ¶ En bon latin. ¶ *Fig.* Franchement (cf. « je vous le dis en bon français »).

latinitas, atis, f. Langue latine. || *Par ext.* Bonne latinité. ¶ Droit latin.

latinizo, as, are, tr. Traduire en latin; latiniser. [duire en latin.

latino, as, avi, are, tr. Dire *ou* tra-

latio, onis, f. Action de porter. || *Spéc.* Action de présenter *ou* de voter (une loi). || Action de déposer (son suffrage). || Action de porter un compte. [ché.

1. latito, as, avi, are, intr. Se tenir soigneusement caché; se dérober à toutes les recherches. ¶ Se tenir caché pour

éviter de comparaître. ¶ *Tr.* Se cacher de (qqn), fuir les regards de.

2. latito, as, avi, are, tr. Porter souvent.

1. latitudo, inis, f. Largeur, étendue (en largeur et en longueur). || Latitude (distance d'un lieu à l'équateur). || Prononciation lourde. ¶ *Fig.* Ampleur, richesse (du style). [caché.

2. latitudo, inis, f. Etat de ce qui est

latomiae, arum, f. pl. Voy. LAUTUMIAE.

lator, oris, m. Celui qui porte (une loi). || *Par ext.* Auteur.

latrator, oris, m. Celui qui aboie. || Chien. ¶ *Fig.* Braillard.

latratus, us, m. Aboiement. ¶ (Par ext.) Clabaudage, criaillerie.

latria, ae, f. *Eccl.* Adoration *ou* culte.

latrina, ae, f. Salle de bain. ¶ Lieux d'aisances.

latrinum, i, n. Bain.

latrix, tricis, f. Celle qui porte.

1. latro, as, avi, atum, are, intr. Aboyer. ¶ *Fig.* Brailler. ¶ *En parl. de ch.* Faire grand bruit, mugir. ¶ *Tr.* Aboyer contre, invectiver. || Réclamer à grands cris.

2. latro, onis, m. Mercenaire, routier. ¶ Voleur de grand chemin, brigand, bandit. || Pirate. || *Qqf.* Chasseur. ¶ Pion, pièce (d'un échiquier).

latrocinatio, onis, f. Brigandage.

latrocinium, ii, n. Service d'un soldat mercenaire. ¶ Brigandage, piraterie; attaque *ou* vol à main armée. || (Par ext.) Acte injuste et violent, violences, scélératesse. || (Méton.) Bande de brigands. || Jeu d'échecs.

latrocino, as, are, intr. V. le suivant.

latrocimor, aris, atus sum, ari, dép. intr. Servir comme mercenaire. ¶ Faire une guerre de brigands, exercer le brigandage *ou* la piraterie, voler à main armée. || *Par ext.* Chasser; épier, guetter (une proie). [jeu d'échecs.

latruncularius, a, um, adj. Relatif au

latrunculator, oris, m. Magistrat chargé de connaître des vols à main armée.

latrunculus, i, m. Soldat mercenaire. ¶ Voleur de grand chemin. ¶ Pion d'un échiquier.

lattuca. Voy. LACTUCA.

latumia, ae, f. Voy. LAUTUMIA.

1. latus, a, um, adj. Large, étendu; vaste. || *Spéc.* Qui se rengorge, qui se pavane. ¶ *Fig.* Ample, abondant (en pari. du style). || Détaillé. || Lourd, traînant (en pari. de la prononciation).

2. latus, a, um, part. passé de FERO.

3. latus, eris, n. Côté, flanc. ¶ Côte, flanc. *Lateris dolor,* point de côté, pleurésie. ¶ Flanc, siège de la force physique. || Reins; poumons; voix, poitrine. || Le corps (entier). ¶ (Méton.) Entourage (de qqn) : familiers. || *Fig.* Parenté. ¶ *En parl. de ch.* Flanc, bord. || (Géom.) Côté (d'un triangle).

latusculum, i, n. Flanc (délicat). ¶ Côté (d'un petit objet).

laudabilis, e, adj. Louable. ¶ Estimé.

laudabiliter, adv. D'une manière louable.

laudatio, onis, f. Action de louer.|| Éloge (prononcé), panégyrique; oraison funèbre. ¶ Apologie. ¶ Adresse envoyée au sénat romain par les habitants d'une province qui ont eu à se louer de leur gouverneur.

laudativa (s.-e. ORATIO), ae, f. Le genre démonstratif.

laudative, adv. Avec éloge.

laudativus, a, um, adj. Laudatif. ¶ Rhét. Démonstratif, où l'on fait montre de son talent.

laudator, oris, m. Celui qui loue; panégyriste ou apologiste. || Flagorneur. ¶ Celui qui prononce un éloge funèbre. ¶ Témoin à décharge.

laudatrix, icis, f. Celle qui loue.

laudatus, a, um, p. adj. Loué, vanté, renommé. ¶ Louable.

laudicenus, i, m. Parasite, écornifleur.

laudo, as, avi, atum, are, tr. Louer, vanter. || Approuver. ¶ Prononcer l'éloge funèbre de. ¶ Déposer en faveur de. ¶ Recommander. ¶ Féliciter. ¶ Citer, nommer.

laurea, ae, f. Laurier. ¶ Couronne de laurier. || (Méton.) Gloire militaire, victoire, triomphe. [de laurier.

laureatus, a, um, adj. Orné ou couronné

laureola, ae, f. Couronne de laurier. ¶ (Méton.) Victoire, triomphe.

lauretum, i, n. Lieu planté de lauriers.

laureus, a, um, adj. De laurier.

lauricomus, a, um, adj. Ombragé de lauriers. ¶ Planté de lauriers.

laurifer, fera, ferum, adj. Qui produit des lauriers. ¶ Couronné de laurier.

lauriger, gera, gerum, adj. Qui porte du laurier; couronné, ou orné de laurier.

laurinus, a, um, adj. De laurier.

laurio, onis, f. Comme SERPYLLUM.

laurus, i, f. Laurier. ¶ (Méton.) Couronne de laurier. || Victoire, triomphe.

laus, laudis, f. Louange, éloge, approbation. ¶ Éloge reçu, considération, estime, renom. || Vogue. ¶ (Méton.) Ce qui donne la réputation, c.-à-d. mérite, valeur, action d'éclat. || En parl. de ch. Qualité.

laute, adv. Somptueusement, avec magnificence, avec élégance, avec distinction. ¶ De la belle manière, joliment.

lautia, orum, n. pl. Réception somptueuse réservée aux ambassadeurs ou aux étrangers de marque.

lautitas, atis, f. Comme LAUTITIA.

lautitia, ae, f. Luxe, magnificence. || Somptuosité. ¶ Vie luxueuse.|| Table somptueusement servie.

lautumiae, arum, f. pl. Carrières. || Spéc. Carrières servant de prison.

lautus, a, um, p. adj. Lavé, propre. ¶ Somptueux, magnifique, splendide; riche. ¶ Délicat, recherché; élégant, distingué.

lavatio, onis, f. Action de laver, lavage, nettoyage. ¶ Action de se baigner, bain. || Eccl. Baptême. ¶ (Méton.) Ce qui sert pour le bain. || Eau du bain. || Baignoire. || Salle de bain; établissement de bains.

lavator, oris, m. Laveur; blanchisseur.

lavito, as, are, tr. Baigner souvent ou abondamment. [vant.

1. **lavo**, as, atum, are, tr. Comme le sui-

2. **lavo**, is, lavi, lautum, ere, tr. Laver, baigner. ¶ Mouiller, humecter. ¶ Laver, c.-à-d. effacer (pr. et fig.). ¶ Intr. Prendre un bain, se baigner.

laxamentum, i, n. Élargissement. || (Méton.) Espace (libre). || Passage. ¶ Relâchement; fig. adoucissement. || Relâche, répit.

laxatio, onis, f. Action d'élargir. ¶ (Méton.) Largeur, espace, intervalle. ¶ Action de détendre ou de relâcher. || Fig. Allègement.

laxe, adv. Largement, spacieusement. ¶ D'une manière lâche, sans serrer. || Fig. Sans contrainte.

laxitas, atis, f. Largeur, espace (libre). ¶ Détente.

laxitudo, inis, f. État de ce qui est flasque ou lâche.

laxo, as, avi, atum, are, tr. Élargir, agrandir, étendre. || Fig. Prolonger, différer. ¶ Détendre, desserrer, relâcher, ouvrir (pr. et fig.). || Amollir, affaiblir, adoucir, alléger, récréer, égayer. || Délivrer. ¶ Intr. Se relâcher, se détendre.

1. **laxus**, a, um, adj. Large, spacieux. || Long (en parl. du temps). ¶ Détendu, lâche. || Dénoué, flottant, pendant. || Ouvert. ¶ Fig. Mou, flasque.

2. **laxus**, us, m. Luxation.

lea, ae, f. Lionne.

laeaena, ae, f. Lionne. [mite.

lebes, betis, m. Bassin; cuvette. ¶ Mar-

lecte, adv. Avec choix, d'une manière choisie.

lectica, ae, f. Lit portatif, litière; chaise à porteurs; civière (pour malades). ¶ (Par anal.) Endroit de l'arbre où les branches se séparent du tronc.

lecticarius, ii, m. Porteur de litière.

lecticula, ae, f. Petite litière. ¶ Jolie litière. ¶ Civière. ¶ Lit de repos.

lectisternium, ii, n. Repas sacré offert aux dieux (dont les images étaient placées sur des coussins).

lectulus, i, m. Lit de repos.

lectio, onis, f. Action de recueillir, cueillette. ¶ Action de choisir, choix, élection, tri. ¶ Action de lire, lecture. || (Méton.) Ce qu'on lit : texte, morceau, passage.

lectito, as, avi, atum, are, tr. Cueillir ou recueillir avec soin. ¶ Lire et relire.

lectiuncula, ae, f. Courte lecture.

lector, oris, m. Celui qui lit, lecteur. ¶ Esclave chargé de faire la lecture. ¶ Eccl. Lecteur (à l'église).

lectulus, i, m. Petit lit. || Lit de repos. ¶ Lit de table. ¶ Lit de parade.

lectum, i, n. Comme 3. LECTUS.

1. **lectus**, a, um, p. adj. Choisi, de choix, d'élite; excellent.

2. **lectus**, us, m. Lecture.

3. **lectus**, i, m. Lit (pour dormir). ¶ Lit de table. ¶ Lit de repos, divan. ¶ Lit de parade. || Lit de mort.

legalis, e, adj. Légal, juridique. ¶ Conforme à la loi (divine), vertueux ou pieux.

legataria, ae, f. Légataire.

legatarium, ii, n. Disposition testamentaire. || Legs.

1. **legatarius**, a, um, adj. Porté sur un testament, qui reçoit ou a reçu un legs. ¶ Ordonné par testament.

2. **legatarius**, ii, m. Légataire.

legatio, onis, f. Ambassade, députation, légation, mission. || (Méton.) Ambassade, c.-à-d. ensemble des ambassadeurs; le personnel de l'ambassade. ¶ Rapport, message, mandat d'ambassadeur. ¶ Fonction de légat. || Fonction de lieutenant d'un général. || Fonction de gouverneur (d'une province).

legator, oris, m. Celui qui lègue; testateur. [¶ De légat impérial.

legatorius, a, um, adj. D'ambassadeur.

legatum, i, n. Disposition testamentaire; legs.

legatus, i, m. Envoyé, ambassadeur, député. ¶ Lieutenant d'un général. ¶ Commandant d'une légion. ¶ Légat, assesseur d'un préteur. ¶ Lieutenant ou légat de l'empereur. || Gouverneur d'une province impériale. ¶ Chef, magistrat.

legifer, fera, ferum, adj. Législateur.

legio, onis, f. Levée. ¶ Légion. *Legiones conscribere*, faire une levée; enrôler, recruter des légions. *Legiones novae*, légions nouvellement levées. ¶ Armée. || Au plur. *Legiones*, troupes, forces.

legionarius, a, um, adj. De légion. *Legionarii milites*, légionnaires.

legirupa, m. Qui viole les lois.

legirupio, onis, m. Comme le précédent.

legislatio, onis, f. Législation.

legislator, oris, m. Législateur.

legitime, adv. Conformément aux lois. ¶ *Au fig.* Comme il faut, selon les règles, convenablement.

legitimus, a, um, adj. Conforme aux lois, légal; légitime. || Fondé sur la loi, régulier. || Accordé par la loi. ¶ (Par ext.) Normal, dans les formes; convenable, juste, exact.

legiuncula, ae, f. Légion incomplète.

1. **lego**, as, avi, atum, are, tr. Envoyer, députer, déléguer. ¶ Confier une mission à. ¶ Désigner ou choisir comme légat. ¶ Donner par testament, léguer.

2. **lego**, is, legi, lectum, legeve, tr. Cueillir, recueillir, ramasser. || Prendre, enlever, voler. ¶ Epier, surprendre. ¶ Ramener à soi, retirer en pliant,

replier, enrouler, pelotonner. ¶ Enlever en choisissant, choisir, tirer, prendre dans le nombre; élire; nommer. ¶ Examiner, passer en revue, parcourir, observer les traces, raser (en passant). ¶ Prendre connaissance de, lire pour soi; faire connaître par la lecture, lire aux autres, réciter.

leguleius, i, m. Procédurier, formaliste.

legulus, i, m. Celui qui ramasse ou recueille (les olives).

legumen, inis, n. Toute graine qui est renfermée dans une gousse. ¶ (Méton.) Plante légumineuse.

leguminarius, ii, m. Marchand de légumes.

lembus, i, m. Chaloupe, canot.

lemma, atis, n. Majeure d'un syllogisme, une des prémisses. ¶ Sujet, matière d'un ouvrage. ¶ Titre d'un écrit ou d'un discours. ¶ Pièce de vers, épigramme. ¶ Conte (de nourrice).

lemniscatus, a, um, adj. Orné de rubans.

lemniscus, i, m. Ruban attaché aux couronnes ou aux palmes des vainqueurs. ¶ Charpie. || Bande, compresse.

lemures, um, m. pl. Ombres des morts, revenants, fantômes.

lemuria, orum, n. pl. Lémuries, fêtes célébrées le 9 mai pour apaiser les ombres et les esprits malfaisants.

lena, ae, f. Entremetteuse. ¶ Celle qui séduit. [ment.

lene, adv. En pente douce. ¶ Douce-

lenifico, as, are, tr. Lénifier.

lenificus, a, um, adj. Lénifiant.

lenimen, inis, n. Comme le suivant.

lenimentum, i, n. Adoucissement. ¶ Consolation.

lenio, is, ivi ou ii, itum, ire, tr. Rendre doux, adoucir, apaiser, soulager, calmer (pr. et fig.). || Rendre favorable, amadouer. || Atténuer, diminuer. ¶ *Intr.* S'adoucir, se calmer, s'apaiser.

1. **lenis**, e, adj. Doux au toucher; qui n'est pas rude. || Agréable pour les sens; facile, calme. ¶ (En parl. du style.) Doux, tempéré.

2. **lenis**, is, f. Cuve, grand tonneau.

lenitas, atis, f. Douceur, absence de rudesse. ¶ Douceur, clémence. || Humeur indulgente.

leniter, adv. Doucement, modérément. ¶ Avec indulgence, avec douceur, avec calme.

lenities, ei, f. Douceur.

lenitudo, inis, f. Douceur.

1. **leno**, onis, m. Marchand de femmes esclaves, entremetteur, proxénète, pourvoyeur. ¶ (Par ext.) Agent d'intrigues, homme méprisable.

2. **leno**, as, atum, are, intr. Faire le métier de proxénète. ¶ *Tr.* Séduire, débaucher.

lenocinium, ii, n. Trafic de femmes esclaves, métier de proxénète. ¶ *Fig.* Moyen de séduction, attraits, appas.

|| *Spéc.* Parure. || *Fig.* Recherche (de style), afféteries.

lenocinor, *aris, atus sum, ari,* dép. intr. Faire le métier de proxénète. ¶ Faire la cour à... || Chercher à séduire. ¶ Rendre plus séduisant; rehausser (artificiellement).

lenonius, *a, um,* adj. D'entremetteur.

1. lens, *lendis,* f. Œuf de pou, lente.

2. lens, *lentis,* f. Lentille.

lente, adv. Lentement, avec lenteur, longuement. ¶ De sang-froid, sans s'émouvoir, avec indifférence.

lenticula, *ae,* f. Voy. LENTICULA.

lenteo, *es, ere,* intr. Aller lentement.

lentesco, *is, ere,* intr. S'assouplir, s'amollir, s'étendre. || Devenir flexible *ou* visqueux. ¶ *Fig.* Se calmer, se ralentir, s'affaiblir.

lentiarius, *a, um,* adj. De lentilles.

lenticula, *ae,* f. Lentille. ¶ (Par anal.) Objet de forme lenticulaire : vase, bassin. || Au plur. *Lenticulae,* lentilles, taches de rousseur.

lenticularis, *e,* adj. De lentille. ¶ De forme lenticulaire.

lenticulatus, *a, um,* adj. En forme de lentille. || Qui rappelle la lentille.

lentiginosus, *a, um,* adj. Couvert de lentilles, c.-à-d. de taches de rousseur; lentigineux.

lentigo, *inis,* f. Tache de rousseur.

lentiscum, *i,* n. Comme le suivant.

lentiscus, *i,* f. Lentisque, arbrisseau. ¶ (Méton.) Résine *ou* huile de lentisque. ¶ Cure-dents (en bois de lentisque). [¶ Viscosité.

lentitia, *ae,* f. Flexibilité, souplesse.

lentitudo, *inis,* f. Flexibilité. ¶ Défaut d'énergie, indolence, apathie. ¶ Mollesse, langueur; froideur (du style).

lento, *as, avi, atum, are,* tr. Rendre flexible, ployer. ¶ Traîner en longueur, prolonger. ¶ Adoucir, calmer.

lentor, *oris,* m. Flexibilité, souplesse. ¶ Viscosité.

lentulus, *a, um,* adj. Quelque peu lent.

lentus, *a, um,* adj. Flexible, souple, pliant, ductile, malléable. ¶ Visqueux, gluant. ¶ Engourdi, immobile, lent, tranquille. || Apathique, froid, indifférent, impassible. ¶ Qui dure, qui se prolonge, long. ¶ Tenace, adhérent; résistant. ¶ Indolent, nonchalant. ¶ Qui tient à ses idées; entêté.

lenullus, *i,* m. Entremetteur.

lenunculárius, *ii,* m. Batelier.

1. lenunculus, *i,* m. Entremetteur.

2. lenunculus, *i,* m. Petit bateau, barque, canot.

leo, *onis,* m. Lion. || *Fig.* Un lion, c.-à-d. un homme courageux. || Peau de lion. || Le Lion, signe du zodiaque. || Sorte de homard. || Gueule de lion, plante. || Au plur. *Leones,* prêtres de Mithra adoré sous la forme d'un lion.

leoninus, *a, um,* adj. De lion. ¶ *Fig.* Léonin: où une personne se fait la part du lion.

leonteus, *a, um,* adj. De lion.

leontica, *orum,* n. pl. Sacrifices faits au dieu Mithra.

leontice, *es,* f. Comme CACALIA.

lepas, Voy. LOPAS.

lepide, adv. Avec grâce, avec agrément. || *Simpl.* Parfaitement; bien. ¶ Avec esprit. [¶ Assez spirituel.

lepidulus, *a, um,* adj. Assez gracieux.

lepidus, *a, um,* adj. Gracieux, charmant. ¶ Délicat, fin, spirituel.

1. lepor, *poris,* m. Comme LEPUS.

2. lepor, *oris,* m. Pour LEPOS.

leporaria (s.-e. VITIS), *ae,* f. Comme LAGEOS. [les animaux.

leporarium, *ii,* n. Garenne. ¶ Parc pour

leporarius, *a, um,* adj. De lièvre.

leporina (s.-e. CARO), *ae,* f. Chair de lièvre.

leporinus, *a, um,* adj. De lièvre.

lepos, *oris,* m. Grâce, agrément, charme, attrait. ¶ Finesse, enjouement.

lepra, *ae,* f. Lèpre.

leprosus, *a, um,* adj. Lépreux. ¶ *Fig.* Corrompu, gangrené.

lepus, *oris,* m. Lièvre. ¶ Poisson de mer de la couleur du lièvre. ¶ Le lièvre, constellation.

lepusculus, *i,* m. Levraut. [nèbres.

lessus, acc. *sen.* m. Lamentations fu-

letalis, *e,* adj. Mortel, qui cause la mort.

letaliter, adv. Mortellement, de façon à causer la mort.

lethalis, Voy. LETALIS.

lethargia, *ae,* f. Léthargie.

1. lethargicus, *a, um,* adj. Qui est en léthargie. [léthargie.

2. lethargicus, *i,* m. Celui qui est en

lethargus, *i,* m. Celui qui est en léthargie. ¶ Léthargie.

lethum, *i,* n. Voy. LETUM.

letifer, *fera, ferum,* adj. Mortel, meurtrier, qui cause la mort. [périr.

leto, *as, avi, atum, are,* tr. Tuer; faire

letum, *i,* n. Trépas, mort. ¶ *En parl. de ch.* Destruction.

leuca, Voy. LEUGA.

leucacantha, *ae,* f. Aubépine. ¶ Voy.

leucacanthos, *i,* m. Comme le précédent.

leucachates, *ae,* m. Agate blanche.

leucaspis, *idis,* f. Qui porte un bouclier blanc.

leuce, *es,* f. Ortie blanche, pied-de-poule. ¶ Sorte de raifort blanc sauvage. ¶ Tache blanche sur la peau *ou* sur les ongles.

leuga (LEUCA), *ae,* f. Lieue, mesure itinéraire chez les Gaulois.

leunculus, *i,* m. Lionceau.

levabilis, *e,* adj. Qui peut être soulagé *ou* allégé. [cissement.

levamen, *inis,* n. Soulagement, adou-

1. levamentum, *i,* n. Soulagement, adoucissement.

2. levamentum (LAEVAMENTUM), *i,* n. Outil servant à aplanir.

levatio, *onis,* f. Action de lever, de soulever. || (Mus.) Levé (temps de la mesure où on lève le pied *ou* la main).

¶ Soulagement, adoucissement; atténuation. [lisse. ¶ Eplié.
1. **lĕvatus**, *a*, *um*, p. adj. Poli, uni.
2. **lĕvatus**, part. de 1. LEVO.
leviculus, *a*, *um*, adj. Assez léger, quelque peu frivole. ¶ Futile.
levigatio, *onis*, f. Polissage. || (Méton.) Objet poli. ¶ *Fig.* (Gramm.) Absence d'aspiration.
levigino, *as*, *ere*, tr. Epiler.
1. **levigo** *as*, *avi*, *atum*, *are*, tr. Rendre léger, alléger; soulager.
2. **levigo** (LAEVIGO), *as*, *avi*, *atum*, *are*, tr. Polir, lisser. ¶ *Fig.* Adoucir. Pulvériser.
levipes, *pedis*, adj. Aux pieds légers.
levir, *iri*, m. Beau-frère, frère du mari.
1. **lĕvis**, *e*, adj. Léger. || Peu pesant. || Facile à digérer. || Sain. || Peu dense, meuble; maigre (en parl. du sol). ¶ Léger (à la course), agile, alerte. ¶ *Fig.* Léger, c.-à-d. de mince valeur, faible, insignifiant, futile. ¶ Léger, c.-à-d. facile à supporter, peu rigoureux, doux. ¶ Léger (de caractère), frivole. ¶ Inconstant, sans foi.
2. **lēvis**, *e*, adj. Lisse, uni, poli. ¶ Imberbe. || Jeune, beau, élégant. || Effé-miné, mou. ¶ Brillant. ¶ Glissant. ¶ Coulant (en parl. du style). ¶ Mou, délayé.
levĭta, *ae*, m. Comme LEVITES.
levĭtas, *atis*, f. Légèreté, faible poids. ¶ Agilité. ¶ *Fig.* Légèreté, frivolité. || Etourderie. || Inconstance. || Inconscience.
levĭter, adv. Légèrement. ¶ *Fig.* Légèrement, c.-à-d. peu. ¶ Sans peine, doucement. [ext.] Diacre.
levites (LEVITA), *ae*, m. Lévite. ¶ (Par **leviticus**, *a*, *um*, adj. De lévite, des lévites.
levitis, *idis*, adj. f. Des lévites.
levitissa, *ae*, f. Femme d'un lévite.
levitudo, *inis*, f. Le poli.
1. **lĕvo**, *as*, *avi*, *atum*, *are*, tr. Lever, soulever. ¶ Enlever, ôter. ¶ Prélever, lever (une contribution). ¶ *Fig.* Alléger. || Calmer, apaiser. ¶ Soulager, décharger, délasser. ¶ Affaiblir, diminuer.
2. **lēvo** (LAEVO), *as*, *avi*, *atum*, *are*, tr. Lisser, unir, polir, raboter. ¶ *Fig.* Polir (le style). [rudesse.
lēvor (LAEVOR), *oris*, m. Poli, absence de
lex, *legis*, f. Loi, texte de loi, disposition législative, droit écrit. ¶ Prescription, précepte, règle. ¶ Contrat, clause, stipulation. ¶ Ordre, arrangement. ¶ Nature, condition, manière d'être.
lexidion, *ĭi*, n. Petit mot.
lexis, *eos*, f. Mot.
lexiva, *ae*, f. Lessive.
libamen, *ĭnis*, n. Libation. || *Par ext.* Offrande, prémices. ¶ *Voy.* LIBUM.
libamentum, *i*, n. Comme le précédent. ¶ *Fig.* Prémices, premier essai.
libanotis, *idis* (acc. *ida*), f. Romarin, plante.

libanus, *i*, m. et f. Encens.
libarius, *ĭi*, m. Pâtissier.
libatio, *onis*, f. Libation.
libator, *oris*, m. Celui qui fait la libation.
libella, *ae*, f. Pièce d'un as. ¶ Pièce de mince valeur. ¶ Un entier, l'unité, la totalité. ¶ Niveau d'eau.
libellus, *i*, m. Petit livre, petit écrit, opuscule. ¶ Recueil de notes, carnet, journal, registre. ¶ Lettre, billet. ¶ Placet, pétition. ¶ Libelle *ou* pamphlet. ¶ Dénonciation écrite; mémoire produit au tribunal. ¶ Certificat. ¶ Carte d'invitation. ¶ Affiche. ¶ Au pl. *Libelli*, magasin de librairie.
libens (LUBENS), *entis*, p. adj. Qui agit de plein gré. ¶ Satisfait, content.
libenter, adv. Volontiers, de bon gré.
libentia (LUBENTIA), *ae*, f. Plaisir, gaieté.
1. **liber**, *era*, *erum*, adj. Libre, de condition libre. Subst. *Liber*, m. Un homme, libre. ¶ Indépendant, autonome, libre (en parl. d'un peuple). || Franc, exempt de charges; affranchi de...; qui est sans. ¶ Qui n'est soumis à aucune contrainte; libre; *qqf.* déréglé *ou* licencieux, trop libre. ¶ Indépendant (de caractère); sans préjugés, sans passions. ¶ Qui a son franc parler, ouvert, franc. ¶ Libre (en parl. de l'espace), non limité, non clos. ¶ Libre (en parl. de choses), inoccupé, vacant. ¶ Loisible, permis.
2. **liber**, *bri*, m. Liber, pellicule entre l'écorce et le bois d'un arbre, sur laquelle on écrivait avant l'invention du papyrus. ¶ (Méton.) Livre, écrit, ouvrage, traité. || Partie d'un ouvrage. ¶ Au plur. *Libri*, livres sacrés *ou* sibyllins, rituels. ¶ Registre *ou* catalogue. ¶ Acte, contrat, traité. ¶ Lettre. || Rescrit (de l'empereur).
liberalis, *e*, adj. Qui concerne la liberté, qui convient à un homme libre. ¶ Qui convient à un homme libre, noble, généreux, distingué. ¶ Bienveillant. || Généreux, qui donne volontiers, libéral. ¶ Qui est donné libéralement, abondant.
liberalitas, *atis*, f. Sentiments dignes d'un homme libre; noblesse de caractère. ¶ Bienveillance. ¶ Générosité, libéralité. || (Méton.) Présent, cadeau.
liberaliter, adv. Comme il sied à un homme libre, noblement. ¶ Avec bienveillance, avec générosité, libéralement. ¶ Abondamment, richement.
liberamentum, *i*, n. Affranchissement.
liberatio, *onis*, f. Action de rendre libre *ou* indépendant; affranchissement, libération; délivrance. ¶ Acquittement (d'un accusé). ¶ Paiement d'une dette.
liberator, *oris*, m. Libérateur, sauveur.
libere, adv. En homme libre. ¶ Librement, sans obstacle. ¶ Hardiment, franchement. ¶ Libéralement, généreusement, largement.
liberi, *orum*, m. pl. Enfants (de condi-

tion libre). ¶ (Par ext.) Fils (opp. à filles). ¶ Qqf. Petits (des animaux).

libero, as, avi, atum, are, tr. Mettre en liberté, affranchir, rendre indépendant. ¶ Par ext. Délivrer, exempter, libérer. || Acquitter (un accusé), absoudre; disculper. ¶ Exempter (d'impôts), dégrever, faire remise de. ¶ Liquider. ¶ Qqf. Passer librement, franchir.

liberta, ae, f. Affranchie.

libertas, atis, f. Liberté, condition d'homme libre. ¶ Liberté civile et politique. || Etat républicain, démocratie. ¶ Pouvoir d'agir à sa guise, liberté, permission. ¶ Liberté dans le langage ou les sentiments, franchise, hardiesse, licence; indépendance (de caractère). ¶ Libre espace. ¶ Immunité, franchise.

libertinitas, atis, f. Condition d'affranchi

libertina, ae, f. Affranchie.

1. **libertinus**, a, um, adj. D'affranchi qui est dans la condition d'affranchi.

2. **libertinus**, i, m. Affranchi. ¶ Fils d'affranchi.

libertus, i, m. Affranchi (de qqn).

libet (LUBET), uit ou itum est, ere, impers. Il plaît de, on a la fantaisie de.

libidinose, adv. Capricieusement, arbitrairement, tyranniquement. ¶ D'une manière déréglée.

libidinosus, a, um, adj. Qui s'abandonne à sa fantaisie; capricieux, tyrannique. ¶ Débauché, libidineux. ¶ Qui désire passionnément, avide de. ¶ Fait par caprice; arbitraire.

libido (LUBIDO), inis, f. Caprice, bon plaisir, fantaisie, envie. ¶ Arbitraire, tyrannie. ¶ Débauche, dépravation. ¶ Passion violente. ¶ Qqf. Besoin naturel, envie, appétit.

libita, orum, n. pl. Fantaisie, caprices.

1. **libo**, as, avi, atum, are, tr. Verser, répandre (un liquide en l'honneur des dieux). || Faire des libations. || Offrir les prémices de, d'où offrir, consacrer. ¶ Prélever une petite partie de, goûter, toucher légèrement; effleurer. ¶ Amoindrir, entamer.

libra, ae, f. Balance. || La Balance, signe du zodiaque. ¶ Livre, unité de poids. ¶ Niveau (instrument). || (Méton.) Contrepoids, équilibre.

libralis, e, adj. D'une livre, du poids d'une livre.

libramen, inis, n. Action de brandir. ¶ Action de peser. || Fig. Examen. ¶ Equilibre.

libramentum, i, n. Contrepoids. || Poids. ¶ Force d'impulsion; impulsion. ¶ Equilibre ¶ Surface unie, ligne horizontale. ¶ Egalité, équilibre, balance.

1. **libraria**, ae, f. Celle qui tient les livres, qui remplit les fonctions de secrétaire. ¶ (S.-ent. TABERNA). Boutique de libraire, librairie.

2. **libraria**, ae, f. Comme LANIPENDIA.

librariolus, i, m. Copiste, secrétaire.

librarium, ii, n. Local ou meuble où l'on serre les livres, les papiers.

1. **librarius**, a, um, adj. Relatif aux livres, à l'écriture.

2. **librarius**, ii, m. Secrétaire, copiste. ¶ Teneur de livres. ¶ Libraire.

3. **librarius**, a, um, adj. Qui se sert de la balance, qui pèse. ¶ Qui pèse une livre.

libratio, onis, f. Action de niveler; nivellement. || (Métom.) Surface nivelée. ¶ Mouvement régulier, pondération, balancement. || Spéc. Balancement de mots.

librator, oris, m. Qui prend le niveau; niveleur. ¶ Qui lance des projectiles avec la main. [Lancé avec force.

libratus, a, um, p. adj. Aplani, nivelé. ¶

librile, is, n. Fléau de balance. ¶ Balance.

librilis, e, adj. De balance. ¶ D'une livre, pesant une livre. Subst. Librilia, um, n. pl. Pierres d'une livre

libripens, pendis, m. Payeur des troupes. ¶ Officier public qui, dans les ventes simulées, tenait la balance avec laquelle il avait l'air de peser le cuivre représentant le prix de la chose vendue. [lance des projectiles.

libritor, oris, m. Comme LIBRATOR, qui

libro, as, avi, atum, are, tr. Peser. ¶ Examiner, considérer. ¶ Niveler, aplanir. ¶ Tenir en équilibre, équilibrer, pondérer. ¶ Balancer, brandir || Darder, faire voler.

libum, i, n. Gâteau. ¶ Gâteau offert aux dieux (fait avec de la farine, du fromage râpé, des œufs et de l'huile). ¶ Voy. LIBAMEN.

liburna ou **liburnica** (navis), ae, f. Liburne, bateau léger.

libysticum, i, n. Livèche, plante.

1. **licens**, entis, p. adj. Libre, hardi, licencieux.

2. **licens**, entis, part. de LICEOR.

licenter, adv. Librement, sans frein; avec excès.

licentia, ae, f. Pouvoir de faire ce que l'on désire, liberté ou permission d'agir à sa guise. ¶ Licence, dérèglement, excès. ¶ Franc-parler, écarts de langage. [cieux.

licentiosus, a, um, adj. Déréglé, licencieux.

liceo, es, cui, ere, intr. Etre mis en vente (à tel ou tel prix), être estimé ou coté, mis à prix. ¶ (En parl. du vendeur.) Ty. Estimer, coter, mettre à prix, demander (tel ou tel prix).

liceor, eris, citus sum, eri, dép. tr. Offrir un prix (d'une marchandise en vente). miser. || Enchérir. ¶ Achèterai l'encan.

licessit. Pour LICUERIT. Voy. le suivant.

1. **licet**, cuit et citum est, ere, impers. Il est permis, on a le droit, on peut. ¶ Il est possible que, on peut admettre que.

2. **licet**, conj. concessive. Même en

admettant que, bien que, quoique.
lichen, *chenis*, m. Lichen, plante. ¶
Lichen, maladie de peau.
lichena, *ae*, f. Comme le précédent.
licitatio, *onis*, f. Offre d'un prix (dans une enchère); enchère. ¶ Licitation, vente à l'enchère.
licitator, *oris*, m. Enchérisseur.
licite, adv. D'une façon licite.
licito, adv. Comme le précédent.
licitor, *aris*, *atus sum*, *ari*, dép. tr. Offrir un prix, mettre une enchère, enchérir. [légitime.
licitus, *a*, *um*, adj. Permis, licite, légal,
licium, *ii*, n. Fil de la trame. || Trame. || Fil. ¶ Tissu, linge. || *Spéc.* Ceinture; caleçon.
lictor, *oris*, m. Licteur, sorte de sergent d'armes chargé d'escorter les premiers magistrats à Rome.
lictorius, *a*, *um*, adj. De licteur.
lien, *enis*, m. Rate. [souffre de la rate.
lienicus, *a*, *um*, adj. De la rate. ¶ Qui
lienosus, *a*, *um*, adj. Qui souffre de la rate. [l'intestin.
lienteria, *ae*, f. Lienterie, affection de
lientericus, *a*, *um*, adj. Atteint de lientérie.
ligamen, *inis*, n. Comme le suivant.
ligamentum, *i*, n. Bande, bandage; lien.
ligatio, *onis*, f. Action de lier; ligature. ¶ Voy. ZEUGMA.
ligator, *oris*, m. Sans doute fausse leçon pour LITIGATOR.
ligatura, *ae*, f. Action de lier; ligature, lien. ¶ Amulette. [concernant le bois.
1. **lignarius**, *a*, *um*, adj. De bois, à bois,
2. **lignarius**, *ii*, n. Charpentier. ¶ Bûcheron. ¶ Marchand de bois. ¶ Esclave chargé de couper et d'apporter le bois destiné à un temple.
lignatio, *onis*, f. Action de couper du bois. ¶ Endroit où l'on coupe le bois; coupe. [du bois.
lignator, *oris*, m. Soldat qui va faire
ligneolus, *a*, *um*, adj. Fait en bois (en parl. d'un petit ou joli objet).
lignor, *aris*, *atus sum*, *ari*, dép. intr. S'approvisionner de bois; faire du bois.
lignosus, *a*, *um*, adj. Ligneux, semblable à du bois.
lignum, *i*, n. Bois (à brûler). ¶ *Spéc.* Bois (d'une lance, d'un javelot). || (Méton.) Tablette de bois (pour écrire). ¶ Arbre. ¶ Partie dure d'un fruit; noyau, écale, pépin.
1. **ligo**, *as*, *avi*, *atum*, *are*, tr. Lier, attacher. ¶ Atteler. ¶ Nouer, unir (pr. et fig.). [culture.
2. **ligo**, *onis*, m. Hoyau. ¶ (Méton.) Agriculture.
ligula et **lingula**, *ae*, f. Petite langue, languette. ¶ Langue de terre. ¶ Oreille, cordon de soulier. ¶ Cuiller. || *Méton.* Cuillerée. ¶ Petite épée. ¶ Extrémité pointue d'une tringle, d'une cheville. || Tenon, pointe, bout. ¶ Bec de pince. ¶ Anche. || Bec de flûte. ¶ Os de seiche. ¶ Aiguille (d'une balance).

ligumen, etc. Voy. LEGUMEN, etc.
ligurius. Voy. LYNCURIUM.
ligurrio (LIGURIO), *is*, *ivi* ou *ii*, *itum*, *ire*, tr. Lécher. || Manger avec gourmandise. || *Fig.* Convoiter. ¶ *Intr.* Manger du bout des dents.
ligurritio, *onis*, f. Gourmandise.
ligustrum, *i*, n. Troene, arbrisseau. ¶ Plante qu'on croit être le henné.
lilium, *ii*, n. Lis (plante). ¶ Chaine de cou. ¶ Sorte de cheval de frise (ouvrage militaire de défense).
lima, *ae*, f. Lime. ¶ (Méton.) Travail de la lime. || Soin qu'on met à polir un ouvrage.
limate, adv. Avec soin. Au compar.
limatius, avec plus de travail *ou* de correction. [Action d'user, usure.
limatio, *onis*, f. Action de limer. ¶ *Fig.*
limatulus, *a*, *um*, adj. Fin, délicat.
limatura, *ae*, f. Ce que la lime enlève; limaille. [soigneusement corrigé.
limatus, *a*, *um*, adj. Limé. ¶ *Fig.* Poli,
limax, *acis*, m., f. Limacon, limace. ¶ *Fig.* Animal dégoûtant.
limbolarius, *ii*, m. Comme le suivant.
limbularius, *ii*, m. Ouvrier en franges, en broderies; passementier.
limbus, *i*, m. Frange, bordure, liséré, lisière. ¶ Bandeau. || Ceinture. ¶ Collet (piège de chasse). ¶ (Astron.) Zone.
limen, *inis*, n. Seuil d'une porte. || (Méton.) Porte, d'*où* maison, demeure. ¶ Barrière, borne; ligne de démarcation. || Entrée. || Sortie. ¶ *Fig.* Commencement. || Fin.
limes, *itis*, m. Bande de terre non cultivée servant de limite entre deux champs. ¶ Ligne de démarcation; lisière, limite. ¶ *Spéc.* Parapet, rempart. ¶ *Qqf.* But. ¶ *Fig.* Distinction, différence. ¶ Sentier. ¶ Trace qu'on laisse derrière soi; sillage, sillon. ¶ Veine *ou* raie (d'une pierre précieuse).
limeum, *i*, n. Sorte de plante vénéneuse.
limitatio, *onis*, f. Délimitation.
limito, *as*, *avi*, *atum*, *are*, tr. Délimiter, borner. ¶ *Fig.* Fixer, préciser.
limitrophus, *a*, *um*, adj. Assigné aux soldats qui gardent les frontières.
limitus, *a*, *um*, p. adj. Comme LIMATUS.
limma, *atis*, n. Demi-ton (t. de musique). [(plante).
limnestis, *idis*, f. Grande centaurée
limnice, *es*, f. Glaïeul, plante.
1. **limo**, adv. De côté, obliquement.
2. **limo**, *as*, *avi*, *atum*, *are*, tr. Limer. ¶ Polir. ¶ *Fig.* Limer, donner le dernier coup de lime (à un ouvrage), corriger avec soin. ¶ Enlever avec la lime; retrancher, rogner. ¶ Mettre à nu en limant. || *Fig.* Sonder, approfondir.
3. **limo**, *as*, *are*, tr. Souiller de boue.
limosus, *a*, *um*, adj. Bourbeux, vaseux.
limpide, adv. Clairement, d'une manière limpide (pr. et fig.).
limpiditas, *atis*, f. Limpidité.

limpido, *as*, *are*, tr. Rendre limpide.

limpidus, *a*, *um*, adj. Limpide, transparent. [oblique.

limulus, *a*, *um*, adj. Quelque peu

1. limus, *a*, *um*, adj. Oblique. ¶ Qui se tourne de côté. ¶ Dont les regards vont de côté. ¶ Qui regarde du coin de l'œil.

2. limus, *i*, m. Limon, boue.¶ Sédiment. || Tartre (des dents). ¶ Excréments.

3. limus, *i*, m. Limus, sorte de tablier orné d'une bande de pourpre à l'usage des victimaires.

linamentum, *i*, n. Tissu de lin; fil de lin. ¶ Charpie. ¶ Mèche (de lampe).

linaria (s.-e. OFFICINA), *ae*, f. Atelier de tisserand.

1. linarius, *a*, *um*, adj. De toile de lin.

2. linarius, *ii*, m. Ouvrier qui travaille le lin. [de sucer.

linctus, abl. *u*, m. Action de lécher ou

lincurius. Voy. LYNCURIUM.

linea, *ae*, f. Fil de lin; cordon, ficelle. ¶ Fil à plomb. ¶ Ligne (de pêche). ¶ Corde d'un filet. || Au plur. *Lineae*, filet. ¶ Corde d'un arc. ¶ Ligne tracée (à la plume, etc.), ligne (géométrique). || Linéament, esquisse. || Plur. *Lineae*, traits, lignes du visage. ¶ Ligne de démarcation; sentier, limite. || Ligne séparant les places (au théâtre). || Sillon rempli de craie ou de chaux qui indiquait le point de départ et le but dans l'arène; borne, terme, limite. ¶ *Fig.* Ligne généalogique.

linealis, *e*, adj. Formé par des lignes, linéaire.

lineamentum, *i*, n. Ligné, trait. || Plur. *Lineamenta*, linéaments, contours; esquisse. || *Spéc.* Traits du visage, lignes du corps.

linearis, *e*, adj. De ligne, linéaire.

lineatio, *onis*, f. Action de tracer des lignes. ¶ (Méton.) Ligne, trait; contour.

1. lineatus, *a*, *um*, p. adj. Tiré au cordeau, d'où tiré à quatre épingles, élégant. [de lignes.

2. lineatus, *a*, *um*, p. adj. Rayé, marqué

lineo (LINIO), *as*, *avi*, *atum*, *are*, tr. Aligner, tirer au cordeau.

lineola, *ae*, f. Petite ligne, léger trait.

lineus, *a*, *um*, adj. De lin.

lingua, *ae*, f. Langue, organe de la parole, ¶ Langue, usage de la parole; parole, langage, discours, propos. || Son, cri, chant. ¶ Langue (d'un peuple), dialecte, idiome. ¶ Don de la parole, éloquence. ¶ *En mauv. part.* Mauvais propos, bavardage. ¶ (Par anal.) Nom de certaines plantes : scolopendre, buglosse, cynoglosse. ¶ Langue de terre. ¶ Bout aminci d'un levier. ¶ Languette (d'une balance). ¶ Epiglotte. ¶ Ligule, cuillerée. ¶ Biseau. [aux bavards.

linguarium, *ii*, n. Amende infligée

linguatulus, *a*, *um*, adj. Qui a assez de langue, c.-à-d. assez éloquent ou assez bavard.

linguatus, *a*, *um*, adj. Qui a de la langue. ¶ Eloquent. || *En parl. de ch.* Expressif. ¶ Bavard.

lingula. Voy. LIGULA.

linguluca, *ae*, m. f. Bavard, babillard. ¶ (Fém.) Poisson plat, sole, limande. ¶ Scolopendre, plante.

liniamentum. Voy. LINEAMENTUM.

linifium, *ii*, n. Voy. LINYFIUM.

liniger, *era*, *erum*, adj. Vêtu de lin.

linimen, *inis*, n. Liniment.

linimentum, *i*, n. Enduit.

1. linio, *is*,*ivi*, *itum*, *ire*, tr. Comme LINO.

2. linio. Voy. LINEO.

liniola, *ae*, f. Voy. LINEOLA.

lino, *is*, *livi* et *levi*, *litum*, *ere*, tr. Etendre en frottant, appliquer (un corps gras) sur. ¶ Frotter. || Enduire, graisser, oindre. || Farder. ¶ Boucher, calfeutrer; sceller. ¶ Barbouiller, salir. ¶ Surcharger; raturer.

linquo, *is*, *liqui*, *ere*, tr. Laisser, quitter. ¶ S'éloigner de, abandonner. || Renoncer à. ¶ Laisser (à un autre), remettre ou transmettre.

linteamen, *inis*, n. Toile de lin; linge.

lintearia, *ae*, f. Marchande de linge ou d'étoffe de lin. [linge.

1. lintearius, *a*, *um*, adj. De toile, de

2. lintearius, *ii*, m. Marchand d'étoffes de lin.

linteatus, *a*, *um*, adj. Vêtu de lin.

linteo, *onis*, m. Tisserand.

linteolum, *i*, n. Petit linge. || Serviette; mouchoir. ¶ Charpie. ¶ Mèche (de lampe.

linteolus, *a*, *um*, adj. De fine toile de lin.

linteolus, *a*, *um*, adj. De fine toile de lin.

linter, *tris*, f. Barque, nacelle, canot. ¶ (Par anal.) Auge ou baquet. ¶ Hotte (de vendangeur).

linteum, *i*, n. Etoffe de lin, toile. ¶ *Qqf.* Tissu de coton. || Etoffe. || Serviette. ¶ Voile de navire. ¶ Rideau de litière. ¶ Sorte de jupon ou de caleçon.

linteus, *a*, *um*, adj. De lin.

lintriculus, *i*, m. Petite barque.

lintris, *is*, m. Autre forme de LINTER.

linum, *i*, n. Lin, plante. ¶ Ce qu'on fabrique avec du lin. || Toile de lin, linge, toile. ¶ Morceau de toile. ¶ Voile (de navire). || Cuirasse de lin. || Fil de lin, fil à coudre. || Cordon, ficelle. || Câble. || Ligne à pêche. || Filet (pour la chasse ou la pêche). || Mèche (de lampe).

lipara, *ae*, f. Emplâtre adoucissant.

liparea, *ae*, f. Pierre précieuse inconnue.

lippesco, *is*, *ere*, intr. Comme le suivant.

lippio, *is*, *ivi*, *itum*, *ire*, intr. Avoir les yeux chassieux ou enflammés, avoir mal aux yeux.

lippitudo, *inis*, f. Inflammation des yeux, ophtalmie. ¶ Mauvaise vue.

lippus, *a*, *um*, adj. Chassieux. ¶ Dont les yeux suppurent. ¶ (Par ext.) Qui

voit mal (pr. et fig.). ¶ (Par anal.)
Qui laisse échapper son jus; trop mûr.

liquamen, *inis*, n. Suc exprimé, jus.
|| Sauce. || Garum, saumure. ¶ Comme
LIXIVIUM.

liquamentum. *i*, n. Sauce, jus.

liquefacio, *is*, *feci*, *factum*, *ere*, tr.
Fondre, liquéfier. ¶ *Fig*. Amollir,
affaiblir.

liquefactio, *onis*, f. Action de liquéfier.

liquefio, *fis*, *factus sum*, *fieri*, passif de
LIQUEFACIO, se fondre, se liquéfier.

liqueo, *es*, *liqui* ou *licui*, *ere*, intr. Etre
liquide. ¶ Etre clair, limpide, pur;
être serein. ¶ (Unipers.) *Liquet*, il est
clair, certain, évident, manifeste.

liquesco, *is*, *licui*, *ere*, intr. Devenir
liquide, se liquéfier, se fondre. ¶ Se
corrompre, se décomposer, se putréfier. ¶ S'amollir. ¶ *Fig*. Fondre, c.-à-d.
disparaître. || (Gramm.) Devenir
liquide (dans la prononciation). ¶ Devenir clair, limpide.

liquide, adv. Clairement, nettement.
¶ *Fig*. Manifestement.

liquidum, *i*, n. Un liquide. ¶ Eau. ¶ *Fig*.
Evidence, certitude.

liquidus, *a*, *um*, adj. Liquide, fluide.
|| *Fig*. Coulant (en parl. du style).
|| Liquide (gramm.). ¶ Limpide, clair,
serein. ¶ *Fig*. Clair, manifeste. || Franc,
loyal. ¶ Serein, calme.

1. liquo, *as*, *avi*, *atum*, *are*, tr. Liquéfier,
fondre. ¶ Rendre clair ou limpide.
|| Purifier. || *Fig*. Eclaircir (la voix).

2. liquo, *is*, *ere*, tr. Voy. LINQUO.

1. liquor, *oris*, m. Fluidité. ¶ (Méton.)
Liquide, eau, vin, etc. ¶ Limpidité,
transparence.

2. liquor, *eris*, *liqui*, dép. intr. Devenir
liquide, se liquéfier, fondre. ¶ *Fig*.
Se dissiper, se perdre.

lira (LERA), *ae*, f. Bande de terre sou-
levée entre deux sillons : billon, *d'où*
sillon.   [billons.

liratim, adv. Entre deux sillons. ¶ En

liro, *as*, *avi*, *atum*, *are*, intr. Faire un
troisième labour, après les semailles,
de manière à recouvrir le grain. || *Fig*.
déchirer, égratigner. ¶ Voy. DELIRO.

liroe, m. pl. Balivernes.

lis, *litis*, f. Différend, contestation. ¶
Procès. || (Méton.) Point en litige.

litania, *ae*, f. Prière, litanie, suite d'in-
vocations.   [dieux.

litatio, *onis*, f. Offrande agréable aux

liticen, *inis*, m. Sonneur de clairon.

litigatio, *onis*, f. Contestation.

litigator, *oris*, m. Plaideur.

litigatrix, *icis*, f. Plaideuse.

litigiosus, *a*, *um*, adj. Qui offre matière
à procès, litigieux. ¶ Où s'agitent
les procès, où se multiplient les dis-
putes. ¶ Processif.

litigium, *i*, n. Contestation, querelle.

litigo, *as*, *avi*, *atum*, *are*, intr. Se disputer, être en querelle. ¶ Plaider,
soutenir un procès.

litigosus, *a*, *um*, adj. Comme LITI-
GIOSUS.

lito, *as*, *avi*, *atum*, *are*, intr. Obtenir
des signes favorables dans un sacri-
fice, offrir un sacrifice agréable (aux
dieux). || Faire un sacrifice propitia-
toire. || *Fig*. Apaiser. ¶ Donner des
présages favorables (en parl. de la
victime). ¶ *Tr*. Sacrifier (une victime)
sous d'heureux auspices. || Sacrifier,
vouer, consacrer. ¶ Apaiser. || *Fig*.
Expier.

litoralis, *e*, adj. Du rivage de la mer.

litorarius, *a*, *um*, adj. Qui est sur le
rivage.   [la mer.

litoreus, *a*, *um*, adj. Situé au bord de

litorosus, *a*, *um*, adj. De rivage. ¶ De
sable.

littera, *ae*, f. Lettre (de l'alphabet), ca-
ractère d'écriture. ¶ Ecriture. || Ecri-
ture de qqn, main. ¶ Ecrit, lettre,
missive, billet. ¶ Epitaphe.

litterae, *arum*, f. pl. Ce qui est écrit,
papiers, pièces. || Ordonnance (du pré-
teur), documents. || Lettre missive,
épître, message, rapport, dépêche.
|| Ordre, rescrit. ¶ Littérature, culture
littéraire, étude des belles-lettres, éru-
dition. || Ouvrage littéraire.

litterarius, *a*, *um*, adj. Qui concerne les
lettres; relatif à l'art de lire et d'écrire.
¶ Epistolaire.

litterate, adv. En caractères nets. ¶ Littéralement, mot pour mot. ¶ En
homme instruit, savamment.

litteratio, *onis*, f. Enseignement élémentaire.

litterator, *oris*, m. Maître élémentaire,
qui enseigne à lire et à écrire. ¶ Grammairien, commentateur. ¶ Demi-
lettré, qui n'a qu'une teinture des
belles-lettres.

litteratoria (s.-e. ARS), *ae*, f. Grammaire

litteratorius, *a*, *um*, adj. Grammatical.

litteratrix, *icis*, f. Maîtresse élémentaire.

litteratulus, *a*, *um*, adj. Assez lettré,
assez instruit.

litteratura, *ae*, f. Alphabet. ¶ Ecriture.
¶ Grammaire, philologie. || Littérature.

litteratus, *a*, *um*, adj. Marqué de lettres,
qui porte des caractères. || Stigmatisé
(en parl. d'un esclave). ¶ Qui sait
lire et écrire. || Qui a de l'instruction,
qui a du goût pour les lettres; instruit, lettré.

litterula, *ae*, f. Petite lettre, petit caractère. ¶ Au plur. *Litterulae*, petite lettre
(missive). || Teinture de belles-lettres,
petites connaissances littéraires.

littus, *oris*, n. Voy. 1. LITUS.

litura, *ae*, f. Application d'un enduit,
d'un onguent, d'une couleur. || Tache.
|| Rature, correction. ¶ (Méton.) Pas-
sage *ou* mot raturé. ¶ Tache produite
par l'eau sur un écrit. || Tache (en
gén.). ¶ (Fig.) Changement, retour
sur ce qui a été fait.   [de notes.

liturarii, *orum*, m. pl. Brouillon, cahier

liturarius, *a*, *um*, adj. Où il y a des ratures.

1. litus, *oris*, n. Bord (de la mer), rivage, côte. || (Par ext.) Bord (d'un lac), rive (d'un fleuve). || La terre (*par opp. à* la mer). ¶ Lieu de débarquement, port.

2. litus, abl. *u*, m. Action d'enduire *ou* de frictionner.

lituus, *i*, m. Lituus, bâton recourbé de l'augure. ¶ Sorte de trompette recourbée, clairon. ¶ *Fig.* Trompette, clairon, *c.-à-d.* celui qui donne le signal de qqch.

liveo, *es*, *ere*, intr. Etre livide, blême *ou* blafard. ¶ *Fig.* Blêmir de jalousie; porter envie.

livesco, *is*, *ere*, intr. Devenir livide. ¶ Devenir blême de jalousie, concevoir de l'envie.

2. livido, *inis*, f. Voy. LIBIDO.

lividulus, *a*, *um*, adj. Un peu livide. ¶ *Fig.* Un peu envieux.

lividus, *a*, *um*, adj. Livide, blême, blafard. ¶ Bleuâtre. || *Spéc.* Noir de contusions. ¶ *Fig.* Envieux, jaloux.

livor, *oris*, m. Couleur livide, noirâtre, plombée. ¶ Bleu, ecchymose, meurtrissure. ¶ *Fig.* Envie, jalousie.

lix, m. Cendre servant à la lessive; eau mêlée de cendre.

lixa, *ae*, m. Valet d'armée, vivandier, cantinier. ¶ Appariteur, huissier.

lixa, *ae*, f. Comme LIX. [des cendres.

lixivia, *ae*, f. Lessive, eau où ont bouilli

lixivium, *ii*, n. Comme le précédent.

lixivius, *a*, *um*, adj. De lessive.

lixivum, *i*, n. Comme LIXIVIUM.

lixivus, *a*, *um*, adj. Comme LIXIVIUS.

lixo, *onis*, m. Porteur d'eau.

locatio, *onis*, f. Disposition, arrangement. ¶ Location. || (Méton.) Contrat de louage, bail. [à bail.

locator, *oris*, m. Loueur, celui qui donne

locatum, *i*, n. Louage, location.

locellus, *i*, m. Petite cassette.

1. loco, *as*, *avi*, *atum*, *are*, tr. Placer, poser, mettre, établir, disposer. ¶ Installer, loger. ¶ Etablir, *c.-à-d.* marier (sa fille). ¶ Louer, donner à bail, amodier. ¶ Donner en adjudication, donner une entreprise pour un prix de. ¶ Placer de l'argent, prêter. ¶ Engager sa signature, répondre pour.

2. loco, adv. Ici même, là même.

loculamentum, *i*, n. Compartiment. || Rayon de bibliothèque. || Niche, cellule (de colombier). || Alvéole dentaire. [l'espace, local.

1. locularis, *e*, adj. Qui a rapport à

2. locularis, *e*, adj. Conservé dans des barils.

loculatus, *a*, *um*, adj. Distribué en compartiments; réparti par cases, par cellules. [breux compartiments.

loculosus, *a*, *um*, adj. Divisé en nom-

loculus, *i*, m. Petit emplacement. || *Spéc.* Cercueil. ¶ Compartiment, case. ¶ *Au* plur. *Loculi*, boîte à compartiments,

coffret, écrin, étui. || *Spéc.* Cassette, bourse.

locuples, *etis*, adj. Riche en terres. ¶ *Par ext.* Riche, opulent. || *En parl. de* ch. Riche, abondant. ¶ *Fig.* Digne de foi, autorisé.

locupletatio, *onis*, f. Richesse.

locupletator, *oris*, m. Celui qui enrichit.

locupletius, adv. (au compar.) Plus richement, plus complètement.

locupleto, *as*, *avi*, *atum*, *are*, tr. Enrichir; pourvoir abondamment; orner, embellir.

locus, *i*, m. Lieu, place, emplacement, endroit. ¶ Localité. || Ville. || Contrée. || Habitation, logis. || Lieu de sépulture, tombe. ¶ Partie d'un domaine. || Domaine, propriété. ¶ Lieu qu'on occupe, poste. || Rang, dignité. || Naissance, origine. || Etat, condition. ¶ Espace de temps, temps. ¶ Lieu, *c.-à-d.* occasion, sujet. ¶ *Fig.* Passage (d'un texte), chapitre. || Point, article. ¶ *Plur.* *Loci*, lieux communs (rhét.).

locusta, *ae*, f. Sauterelle. ¶ Langouste.

locutilis, *e*, adj. Eloquent.

locutio, *onis*, f. Langage, parole. ¶ Prononciation. ¶ Locution.

locutor, *oris*, m. Celui qui parle. ¶ *Spéc.* Grand orateur. ¶ Grand parleur, bavard.

lodicula, *ae*, f. Petite couverture.

lodix, *icis*, f. Couverture de lit.

logarium, *ii*, n. Petit compte.

logeum (LOGIUM), *i*, n. Devant de la scène où se placent les acteurs pour débiter leurs rôles. ¶ Archives. ¶ Pectoral du grand prêtre juif.

1. logica, *ae*, f. Comme le suivant.

2. logica, *orum*, n. pl. La logique.

logice, *es*, f. Logique.

logicus, *a*, *um*, adj. Logique, rationnel.

logion, *ii*, n. Pectoral. Voy. LOGEUM.

logistorici (s.-e. LIBRI), *orum*, m. pl. Titre donné à des ouvrages perdus de Varron, surtout satiriques et anecdotiques.

1. logium, *ii*, n. Voy. LOGEUM.

2. logium, *ii*, n. Pectoral du grand prêtre juif.

logos et logus, *i*, m. Mot. || Bon mot. ¶ Fable, conte. ¶ Raison, raisonnement. ¶ *Eccl.* Le Verbe.

loligo, *inis*, f. Voy. LOLLIGO.

lolium, *ii*, n. Ivraie, plante.

lolligiuncula, *ae*, f. Petite ride.

lolligo, *inis*, f. Seiche, mollusque.

lomentum, *i*, n. Ce qui sert à laver. ¶ *Spéc.* Savon (à base de farine de fèves et de riz) employé contre les rides par les dames romaines. ¶ Couleur bleu d'azur, safre (oxyde de cobalt).

longaevus, *a*, *um*, adj. Très vieux, d'un grand âge. ¶ *En parl. de* ch. Très ancien.

longe, adv. Loin; au loin; de loin. ¶ *En parl. du temps.* Longtemps. || Longuement, en détaillant. ¶ *Fig.* Grandement. || De beaucoup.

longinque, adv. Loin; au loin. ¶ D'une manière antique.

longinquitas, *atis,* f. Eloignement (dans l'espace.) ¶ Longue étendue. ¶ *En parl. du temps.* Longue durée.

1. **longinquo,** *as, are,* tr. Eloigner.

2. **longinquo,** adv. Au loin. ¶ Longtemps.

longinquum, adv. Longuement.

longinquus, *a, um,* adj. Lointain, éloigné, qui se trouve au loin. ¶ Qui habite au loin, étranger. ¶ Long, étendu. || Qui porte loin. ¶ *En parl. du temps.* Lointain, reculé. || Antique. ¶ Qui dure longtemps, qui se prolonge; qui tarde.

longitudo, *inis,* f. Longueur, étendue en long. ¶ Longue durée, longueur. ¶ *Au plur. Longitudines,* syllabes longues.

longiuscule, adv. Un peu loin.

longiusculus, *a, um,* adj. Un peu long.

longurio, *onis,* m. Grande perche, grand échalas (en parl. d'un individu démesurément grand).

longurius, *ii,* m. Longue perche, échalas.

longus, *a, um,* adj. Long, étendu en longueur. ¶ De grande taille, haut. ¶ Vaste, étendu. ¶ Eloigné, lointain. ¶ Qui dure longtemps, long. ¶ Trop long en paroles, prolixe. ¶ Long (en parl. des syllabes). ¶ *Spéc.* Qui s'étend dans l'avenir. *Longa spes,* le long espoir.

loquacitas, *atis,* f. Babil, bavardage.

loquaciter, adv. Avec prolixité.

loquax, *acis,* adj. Bavard. ¶ Prolixe. ¶ (*En parl. de ch.*) Parlant, expressif.

loquela, *ae,* f. Langage, parole. ¶ Mot, expression. ¶ Langue *ou* idiome.

loquentia, *ae,* f. Facilité de parole.

loquitor, *aris, atus sum, ari,* dép. intr. Parler sans cesse.

loquor, *eris, locutus sum, loqui,* dép. intr. Parler, discourir. || S'exprimer. ¶ *Tr.* Dire, raconter. || Mentionner.

loquutio, *onis,* f. Comme LOCUTIO.

1. **lora,** *ae,* f. Piquette.

2. **lora.** Voy. LURA.

loramentum, *i,* n. Courroie. ¶ (Par ext.) Ce qui sert à lier; bande qu'on serre pour maintenir un assemblage, sangle. || Assemblage.

lorarius, *ii,* m. Fabricant *ou* marchand de courroies. ¶ Celui qui donne les étrivières. [roles.

loratus, *a, um,* adj. Lié avec des courlorea.** Voy. 1. LORA.

loreus, *a, um,* adj. De cuir.

lorica, *ae,* f. Cuirasse (*jadis en cuir*). ¶ Parapet, palissade (t. de fortificat.) ¶ Haie, clôture. ¶ Revêtement, crépi. ¶ Thorax, charpente osseuse.

loricaria (s.-e. OFFICINA), *ae,* f. Fabrique de cuirasses.

1. **loricarius,** *a, um,* adj. De cuirasse:

qui concerne les cuirasses. [rasses.

2. **loricarius,** *ii,* m. Fabricant de cuiloricatus,** *a, um,* p. adj. Cuirassé.

lorico, *as, avi, atum, are,* tr. Cuirasser, couvrir d'une cuirasse. ¶ (Par anal.) Enduire, crépir.

loripes, *pedis,* m. f. Qui a les jambes tortues. ¶ (Par ext.) Qui traîne les pieds.

lorum, *i,* n. Lanière de cuir, courroie. ¶ Sangle. ¶ Bride, guide. ¶ Fouet (fait de lanières de cuir), étrivières. ¶ Balle de cuir. Voy. BULLA. || Ceinture de Vénus. ¶ *Par anal.* Rameau de vigne.

lorus, *i,* m. Comme le précédent.

lotium, *ii,* n. Urine.

lotor, *oris,* m. Celui qui lave; qui baigne. ¶ Blanchisseur, dégraisseur.

lotos (LOTUS), *i,* f. Nom de différentes plantes. || Lotus *ou* lys des étangs. || Jujubier, lotus. || Fruit de cet arbre, nourriture des Lotophages. || Flûte (faite du bois de cet arbre).||Micocoulier. || Plaqueminier d'Italie. || Lotier, mélilot. [au lavage, lavure.

lotura, *ae,* f. Lavage. ¶ Eau qui a servi

1. **lotus,** *a, um.* Voy. LAVO.

2. **lotus.** Voy. LOTOS.

lubentia. Voy. LIBENTIA.

lubet. Voy. LIBET.

lubid... Voy. LIBID...

lubricatio, *onis,* f. Glissement.

lubrico, adv. En faisant glisser sur la pente du mal.

lubricitas, *atis,* f. Mobilité.

lubrico, *as, avi, atum, are,* tr. Rendre glissant, rendre poli. ¶ Faire vaciller, rendre incertain.

lubricum, *i,* n. Surface glissante.

lubricus, *a, um,* adj. Glissant, où l'on glisse. ¶ *Fig.* Peu sûr, incertain. || Difficile, critique, dangereux. ¶ Qui glisse (entre les mains), lisse. || Mobile, coulant. || *Fig.* Qui échappe, qui fuit; incertain, trompeur. || Vacillant. ¶ Enclin à pécher.

lucanica, *ae,* f. Saucisse fumée de Lucanie.

lucanicus, *i,* m. Comme le précédent.

lucanum, *i,* n. Point du jour.

lucanus, *a, um,* adj. Relatif à la lumière du jour.

1. **lucar,** *aris,* n. Impôt sur les bois sacrés. ¶ Salaire des acteurs (payé par cet impôt).

2. **lucar,** *aris,* n. Voy. LUCUS.

lucaria, *um,* n. pl. Fêtes des bois sacrés.

lucaris, *e,* adj. Qui concerne les bois sacrés.

lucellum, *i,* n. Petit gain, petit profit.

luceo, *es, luxi, ere,* intr. Etre lumineux, luire, briller. Unipers. *Lucet,* il fait jour. ¶ Etre visible *ou* transparent. ¶ *Fig.* Etre évident, manifeste. ¶ *Tr.* Faire luire, éclairer.

lucerna, *ae,* f. Lumière, lampe. || (Méton.) Travail fait sous la lampe, veille.

¶ Poisson de mer (phosphorescent).

lucesco (LUCISCO), *is*, *luxi*, *ere*, intr. Commencer à briller, à luire. Unipers. *Lucescit*, il commence à faire jour. ¶ *Fig.* Commencer à se produire, éclater.

lucide, adv. Clairement (fig.); avec lucidité.

lucido, *as*, *avi*, *are*, tr. Eclaircir. ¶ *Fig.* Eclaircir, c.-à-d. exposer, expliquer. [¶ *Fig.* Clair, lumineux.

lucidus, *a um*, adj. Lumineux; brillant.

1. **lucifer**, *fera*, *ferum*, adj. Qui apporte la lumière. ¶ Qui met au monde. ¶ Qui apporte le salut (fig.): salutaire.

2. **lucifer**, *feri*, m. L'étoile du matin, la planète Vénus quand elle se montre à l'orient, au lever du soleil.

lucifuga, *ae*, m. Qui craint le jour, qui fuit le jour. ¶ Qui fait de la nuit le jour.

lucifugus, *a*, *um*, adj. Qui fuit *ou* craint le jour. ¶ Qui se cache.

lucinus, *a*, *um*, adj. Relatif au jour. ¶ Qui concerne la naissance.

lucisco. Voy. LUCESCO.

lucius, *ii*, m. Brochet.

lucratio, *onis*, f. Gain.

lucrativus, *a*, *um*, adj. Lucratif, avantageux, employé avec profit. ¶ Acquis par donation ou par testament.

lucrifacio, *is*, *feci*, *factum*, *ere*, tr. Gagner. ¶ (Absol.) Recueillir un bénéfice.

lucrificus, *a*, *um*, adj. Qui porte profit.

lucrifio, *fis*, *fieci*, passif de LUCRIFACIO, être gagné.

lucrifuga, *ae*, m. Qui fuit le gain.

lucrio, *onis*, m. Homme avide de gain.

lucripeta, *ae*, m. Apre au gain.

lucro, *as*, *avi*, *atum*, *are*, tr. Gagner.

lucror, *aris*, *atus sum*, *ari*, dép. tr. Gagner, acquérir.   [avec bénéfice.

lucrose, adv. Avec gain, avec avantage.

lucrosus, *a*, *um*, adj. Profitable.

lucrum, *i*, n. Profit, bénéfice. || (Méton.) Gain, richesse acquise. ¶ Amour du gain; amour du lucre.

lucta, *ae*, f. Lutte, exercice de la lutte. ¶ *Fig.* Lutte, c.-à-d. épreuve.

luctabundus, *a*, *um*, adj. Qui lutte.

luctamen, *inis*, n. Lutte, exercice de la lutte. ¶ (En gén.) Lutte, combat, effort. ¶ Action de deux agents chimiques, combinaison.

luctatio, *onis*, f. Action de lutter. || Lutte, effort. ¶ Joute oratoire, discussion.

luctator, *oris*, m. Lutteur.

luctatus, *us*, m. Lutte. ¶ *Par ext.* Effort, peine; résistance.

luctifer, *fera*, *ferum*, adj. Qui cause le deuil. ¶ Funeste, triste.

luctificus, *a*, *um*, adj. Qui cause de la tristesse, triste, lamentable.

luctifugus, *a*, *um*, adj. Qui chasse la tristesse.   [triste.

luctisonus, *a*, *um*, adj. Dont le son est

luctito, *as*, *are*, intr. Lutter avec ardeur.

luctitor, *aris*, *atus sum*, *ari*, dép. intr. Comme le précédent.

lucto *as*, *avi*, *are*, intr. Voy. le suivant.

luctor, *aris*, *atus sum*, *ari*, dép. intr. Lutter, s'exercer à la lutte. ¶ *Fig.* Lutter, combattre. || Résister à. ¶ Prévoir, faire effort.   [ment.

luctuose, adv. Tristement, lugubrement.

luctuosus, *a*, *um*, adj. Triste, funeste, déplorable. ¶ *En parl. de pers.* Affligé.

luctus, *us*, m. Deuil, affliction (causée par la perte d'un être cher). ¶ Manifestation de deuil, pleurs, lamentations. || Vêtements de deuil. ¶ (Méton.) Cause de deuil, événement funeste, mort, perte (d'un être cher).

lucubratio, *onis*, f. Veillée, travail de nuit. ¶ (Méton.) Produit des veilles, élucubration. ¶ Ruse, tromperie, moyen coupable.

lucubratiuncula, *ae*, f. Travail de nuit, veillée. ¶ Temps que dure une veillée. ¶ Petit travail fait sous la lampe; opuscule.   [pour veiller.

lucubratorius, *a*, *um*, adj. Qui sert pour veiller.

lucubratus, *a*, *um*, adj. Elaboré à la lumière. ¶ *Spéc.* Elaboré, soigné.

lucubro, *as*, *avi*, *atum*, *are*, intr. Travailler à la lumière, travailler la nuit, veiller. ¶ *Tr.* Elaborer à la lumière.

luculente, adv. D'une façon claire, intelligible. ¶ Brillamment, avec éclat. ¶ De belle manière, en perfection.

luculenter, adv. Parfaitement, très bien.

luculentia, *ae*, f. Eclat. ¶ Distinction, élégance.

1. **luculentus**, *a*, *um*, adj. Clair, éclairé, brillant. ¶ Qui attire les regards *ou* l'attention : beau, magnifique, remarquable. || Distingué. ¶ (En parl. du style.) Brillant.

2. **luculentus**, *a*, *um*, adj. Profitable. ¶ Important, considérable — *auctor*, grave autorité.

luculus, *i*, m. Petit bois sacré. ¶ Bosquet consacré à un dieu.

lucuna. Voy. LACUNA.

lucunar, *aris*, n. Voy. LACUNAR.

1. **lucus**, *i*, m. Bois sacré. ¶ Bois (en génér.).

2. **lucus**, *us*, m. Comme LUX.

lucusta. Voy. LOCUSTA.

ludia, *ae*, f. Danseuse (au théâtre). ¶ Femme de gladiateur.   [dérision.

ludibriose, adv. Par dérision ou avec dérision.

ludibriosus, *a*, *um*, adj. Moqueur, insultant. ¶ Ridicule, grotesque.

ludibrium, *ii*, n. Moquerie. ¶ Manque d'égards, outrage. || (Méton.) Objet de risée, jouet. ¶ Illusion. || (Méton.) Ce qui fait illusion.

ludibundus, *a*, *um*, adj. Qui joue *ou* qui aime à jouer; folâtre. ¶ Qui fait qqch. en se jouant.

ludicer, cra, crum, adj. Amusant, divertissant. ¶ De jeu public, de théâtre, d'amphithéâtre. (terle.

ludicre, adv. En jouant, par plaisant-

ludicror, aris, ari, dép. intr. Jouer, plaisanter, badiner.

ludicrum, i, n. Amusement, divertissement. Au plur. Ludicra, bagatelles. ¶ Jeu public, jeu du cirque. || Spectacle.

ludicrus, a, um, adj. Comme LUDICER.

ludificatus, us, m. Raillerie, dérision.

ludifico, as, avi, atum, are, tr. Se jouer de; mystifier.

ludificor, aris, atus, sum, ari, dép. tr. Se jouer de; mystifier. ¶ Outrager. ¶ Mettre en défaut, déjouer; esquiver.

ludimagister, tri, m. Maître d'école.

ludio, onis, m. Comme le suivant.

ludius, ii, m. Pantomime, danseur. ¶ Gladiateur.

ludo, is, lusi, lusum, ere, intr. Jouer. ¶ S'amuser, prendre ses ébats. || Se livrer à un exercice. || Folâtrer, se jouer. || Plaisanter, badiner. || Jouer (un rôle), paraître en scène. ¶ Tr. Jouer à (un jeu). ¶ Employer à jouer d'où dépenser mal à propos. || Faire en se jouant, composer à temps perdu. ¶ Contrefaire, faire le... ¶ Se moquer de, mystifier.

ludus, i, m. Jeu, divertissement. ¶ Exercice du corps. ¶ Au plur. Ludi, jeux publics, représentation théâtrale. ¶ Plaisanterie, badinage. ¶ Jeu d'enfant, c.-à-d. chose très facile à faire. ¶ Moquerie, risée. || (Méton.) Objet de risée. ¶ Ecole; spéc. école élémentaire.

luela, ae, f. Comme le suivant.

luella, ae, f. Expiation.

lues, is, f. Liquide impur. || Spéc. Neige ou glace fondue. ¶ Ordin. Epidémie, peste, contagion. || Fig. Corruption (morale). ¶ Calamité, fléau. || (Méton.) Peste (en parl. de pers.).

lugeo, es, luxi, luctum, ere, intr. Etre en deuil, porter des vêtements de deuil. ¶ Se lamenter, être plongé dans la tristesse. ¶ Porter le deuil de, pleurer, déplorer.

lugubris, e, adj. De deuil. ¶ Funèbre, lugubre. ¶ (En parl. de pers.) Qui est en deuil. || (Méton.) Qui cause le deuil, déplorable.

lugubriter, adv. D'une façon lugubre.

luis, is, f. Comme LUES.

lumbellus, i, m. Rognon. [fendu.

lumbifidus, a, um, adj. Qui a le dos

lumbifragium, ii, n. Rupture des reins.

lumbricus, i, m. Ver de terre. ¶ Ver intestinal.

lumbus, i, m. Echine, reins. ¶ Râble, filet. ¶ Partie inférieure du cep de vigne, à l'endroit où les rameaux se séparent.

lumen, inis, n. Lumière, ce qui éclaire. ¶ Lumière du jour, d'où jour. ¶

Lumière artificielle : torche, flambeau, lampe. ¶ La lumière, c.-à-d. la vie. ¶ La lumière, c.-à-d. la vue. || (Méton.) Œil. ¶ Eclat. ¶ En peinture, clair, opp. à obscur. ¶ Ouverture laissant entrer la lumière, jour, fenêtre, soupirail, etc. ¶ Fig. Lumière (pour l'esprit), vue claire des choses. ¶ Gloire, flambeau (fig.).

luminare, is, n. Ce qui éclaire. ¶ Lumière (céleste), étoile, astre. ¶ Luminaire, torche, flambeau. ¶ Fenêtre.

luminarium, ii, n. Comme LUMINARE.

lumino, as, avi, atum, are, tr. Eclairer, rendre lumineux. || Munir de fenêtres. ¶ Doué de la vue. Male luminatus, qui a la vue courte ou faible.

luminosus, a, um, adj. Bien éclairé, lumineux. ¶ Fig. Brillant, éclatant.

luna, ae, f. La lune. ¶ (Méton.) Mois. || Nuit. ¶ (Par anal.) Croissant d'ivoire, ornement des chaussures des patriciens. ¶ Cartilage du larynx.

lunaris, e, adj. Lunaire. ¶ Qui ressemble à la lune. || En forme de croissant.

lunaticus, a, um, adj. Qui vit dans la lune. ¶ Lunatique, maniaque, soumis à l'influence de la lune. ¶ Qui ne dure qu'un mois; par est. fugitif, passager.

lunatus, a, um, p. adj. Qui est en forme de croissant. ¶ Orné d'un croissant d'ivoire.

lunter. Voy. LINTER.

lunula, ae, f. Petit croissant (sur la chaussure des patriciens). ¶ Lunule (ornement pour les femmes).

luo, is, lui, luiturus, ere, tr. Laver, baigner. ¶ Fig. Purifier. ¶ Expier. || Détourner par des expiations. ¶ Fig. Racheter, effacer. ¶ Payer, acquitter. ¶ Subir une peine en paiement d'une faute. (vaise vie.

lupa, ae, f. Louve. ¶ Femme de mau-

lupana, ae, f. Femme de mauvaise vie.

lupanar, aris, n. Maison de prostitution.

lupata, orum, n. pl. Comme le suivant.

lupati, orum, m. pl. Mors garni de pointes pour dresser les chevaux rétifs.

lupatria, ae, f. Charogne (t. d'injure).

lupatus, a, um, adj. Garni de pointes (ressemblant à des dents de loup).

lupillus, i, m. Petit lupin.

lupinum, i, n. Voy. 2. LUPINUS.

1. lupinus, a, um, adj. De loup, de louve.

2. lupinus, i, m. Lupin, légumineuse. ¶ Lupin, monnaie de théâtre.

lupula, ae, f. Femme de mauvaise vie.

lupus, i, m. Loup. ¶ Loup marin. ¶ Sorte de mollusque. ¶ Mors denté. ¶ Scie à main. ¶ Grappin. ¶ Houblon.

lurchinabundulus, a, um, adj. Glouton.

luridus, a, um, adj. Très pâle, livide, blême. ¶ Qui rend livide.

luscinia, ae, f. Rossignol, oiseau.

lusciniola, ae, f. Rossignolet.

1. **luscinius**, *ii*, m. Rossignol.

2. **luscinius**, *a*, *um*, adj. Éloigné.

luscinus, *a*, *um*, adj. Borgne.

luscus, *a*, *um*, adj. Qui ferme un œil. || Qui cligne des yeux. ¶ Borgne. ¶ Qui a la vue mauvaise, qui voit à peine.   [tissement.

lusio, *onis*, f. Action de jouer; diver-

lusito, *as*, *avi*, *are*, intr. Jouer sans cesse. ¶ *Fig.* Badiner. || Chanter sur un ton léger.

lusor, *oris*, m. Joueur. ¶ Celui qui plaisante *ou* badine. ¶ Mystificateur. ¶ Acteur, pantomime.

lusoriæ, *arum*, f. pl. Croiseurs (navires).

lusorie, adv. En raillant, en plaisantant.

lusorium, *ii*, n. Amphithéâtre, arène.

lusorius, *a*, *um*, adj. Relatif au jeu. ¶ Qui semble se jouer, qui va de côté et d'autre, qui croise (en parl. d'un navire). ¶ Divertissant, récréatif. ¶ Qu'on fait par jeu; peu sérieux. ¶ Vain, illusoire.

lustralis, *e*, adj. Lustral, c.-à-d. qui sert à purifier, expiatoire. ¶ Relatif au lustre, qui revient tous les cinq ans.

lustratio, *onis*, f. Purification, expiation (par un sacrifice). ¶ Action de parcourir, parcours.

lustrator, *oris*, m. Celui qui purifie. ¶ Celui qui parcourt.

1. **lustro**, *as*, *avi*, *atum*, *are*, tr. Éclairer. ¶ Purifier (par une cérémonie religieuse). || Passer une armée en revue. || Faire le recensement. ¶ Faire le tour de, parcourir. ¶ Observer, examiner. || *Fig.* Considérer (en esprit).

2. **lustro**, *onis*, m. Qui court les mauvais lieux.

lustror, *aris*, *atus sum*, *ari*, dép. tr. Courir les mauvais lieux.

1. **lustrum**, *i*, n. Lieu fangeux, bourbier. || Bauge (de sanglier). ¶ Retraite de bêtes sauvages, repaire. ¶ Lieu de débauche; bouge. || (Méton.) Débauche.

2. **lustrum**, *i*, n. Purification, sacrifice expiatoire offert tous les cinq ans pour la purification du peuple romain. ¶ Sacrifice expiatoire. ¶ (Méton.) Lustre, période de cinq ans. || Période (en gén.). || *Spéc.* (Sous l'empire.) Jeux publics donnés tous les cinq ans.

3. **lustrum**, *i*, n. Comme ILLUMINATIO.

lusum, *i*, n. Comme le suivant.

lusus, *us*, m. Action de jouer, jeu. ¶ Badinage. || *Spéc.* Raillerie. ¶ Voy. LUDUS, école.

lutarius, *a*, *um*, adj. De vase, qui vit dans la vase. ¶ Qui se nourrit de vase.

lutensis, *e*, adj. Qu'on trouve dans la vase.

luteolus, *a*, *um*, adj. Jaunâtre.

luter, *eris*, m. Bassin, baignoire.

lutesco, *is*, *ere*, intr. Devenir fangeux.

luteum, *i*, n. Couleur jaune. ¶ Jaune d'œuf.

1. **luteus**, *a*, *um*, adj. Teint avec le suc de la gaude : jaune d'or, orangé. ¶ Rouge clair, rose.

2. **luteus**, *a*, *um*, adj. De boue, d'argile. ¶ Boueux, sale. || *Fig.* Abject.

1. **luto**, *as*, *avi*, *are*, tr. Couvrir de boue *ou* d'argile. ¶ Enduire, graisser.

2. **luto**, *as*, *avi*, *are*, tr. Payer, acquitter.

lutosus, *a*, *um*, adj. Boueux, vaseux.

lutra, *æ*, f. Loutre, animal.

lutulento, *as*, *avi*, *are*, tr. Couvrir de boue. ¶ *Fig.* Déshonorer.

lutulentus, *a*, *um*, adj. Boueux, bourbeux, fangeux; vautré dans la boue. ¶ *Fig.* Bourbeux, trouble, peu clair (en parl. du style). ¶ Méprisable, abject.

1. **lutum**, *i*, n. Plante tinctoriale, gaude. ¶ (Méton.) Couleur jaune orangé.

2. **lutum**, *i*, n. Terre détrempée, bourbe, boue. ¶ *Spéc.* Terre à potier, terre grasse, argile. ¶ *Fig.* Bourbier, embarras inextricable.

lutus, *i*, m. Comme 2. LUTUM.

lux, *lucis*, f. Lumière, clarté, éclat. || Lumière du jour; jour. ¶ Corps lumineux, astre. ¶ La lumière, c.-à-d. la vie. ¶ La lumière, c.-à-d. la vue. *Fig.* Lumière, grand jour, publicité. ¶ Réputation, gloire. ¶ (Méton.) Flambeau (fig.), ornement, gloire. ¶ Lueur d'espoir, promesse de salut.

luxo, *as*, *avi*, *atum*, *are*, tr. Luxer, déboîter, démettre, disloquer. Part. Subst. *Luxata*, *orum*, m. pl. Luxations. ¶ *Fig.* Déplacer, déranger.

luxor, *aris*, *ari*, dép. intr. S'abandonner aux excès, à la débauche.

luxuria, *æ*, f. Surabondance, excès, exubérance (de vie *ou* de végétation). ¶ Excès d'ardeur, fougue. ¶ Intempérance; recherche du plaisir. ¶ Luxe, faste. || Mollesse, débauche. ¶ Exercice abusif de l'autorité.

luxurialis, *e*, adj. Comme LUXURIOSUS.

luxuries, *ei*, f. Comme LUXURIA.

luxurio, *as*, *avi*, *atum*, *are*, intr. Être exubérant. ¶ Déborder (de sève, de vigueur, de santé). || Regorger de. ¶ Se montrer intempérant. || Sortir de la règle. || Vivre dans les excès, dans la débauche.   [Comme le précédent.

luxurior, *aris*, *atus sum*, *ari*, dép. intr.

luxuriose, adv. Surabondamment, à l'excès. ¶ Avec intempérance, d'une manière déréglée. ¶ Dans le luxe, dans la débauche.

luxuriosus, *a*, *um*, adj. Exubérant, qui se développe d'une manière surabondante. ¶ *Fig.* Exubérant, excessif. || Intempérant, déréglé. || Adonné au luxe, à la mollesse. || Luxurieux.

1. **luxus**, *a*, *um*, adj. Déboîté. Subst. *Luxum*, *i*, n. Luxation, foulure.

2. **luxus**, *us*, m. Luxation.

3. **luxus**, *us*, m. Exubérance. ¶ *Fig.* Excès, dérèglement. ¶ Luxe, somp-

tuosité. ¶ Raffinement. || Amour des jouissances.

lycaon, *onis*, m. Loup-cervier.

lycapsos, *i*, f. Vipérine, plante.

lychnion, *i*, n. Petite lampe.

1. lychnis, *idis*, adj. f. Qui brille. ¶ Qui porte un flambeau.

2. lychnis, *idis*, f. Pierre précieuse. ¶ Espèce de rose. ¶ Muflier, plante.

lychnobius, *ii*, m. Celui qui fait de la nuit le jour (*pr.* qui vit sous la lampe).

lychnuchus, *i*, m. Lampadaire, candélabre.

lychnus, *i*, m. Flambeau, lampe.

lycium (s.-e. MEDICAMENTUM), *ii*, n. Médicament préparé avec la racine du nerprun.   [bide des sources.

lympha (LIMPHA), *ae*, f. Eau. ¶ Eau limpide des sources.

lymphaticus, *a*, *um*, adj. D'eau, aquatique. ¶ Hydrophobe. ¶ Egaré, en

délire. ¶ *En parl. de ch.* Produit par le délire, (terreur) panique.   [de sol.

1. lymphatus, *a*, *um*, p. adj. Hors

2. lymphatus, *us*, m. Délire.

lympho, *as*, *avi*, *atum*, *are*, tr. Egarer, mettre hors de soi.

lyncurium, *ii*, n. (Pierre de lynx) tourmaline.

lyncurius, *ii*, m. Comme le précédent.

lynter, lyntrarius. Voy. LINTER, LINTRARIUS.   [Lynx.

lynx, *lyncis* (acc. pl. *lyncas*), m. f.

lyra, *ae*, f. Lyre. ¶ (Méton.) Poésie lyrique.   [Odes.

lyrica, *orum*, n. pl. Poésies lyriques. ||

lyricen, *inis*, m. Joueur de lyre.

1. lyricus, *a*, *um*, adj. Lyrique.

2. lyricus, *i*, m. Poète lyrique.

lyristes, *ae*, m. Joueur de lyre.

lytra, *ae*, f. Voy. LUTRA.

lytron, *i*, n. Rançon.

M

1. M, m. Douzième lettre de l'alph. latin. ¶ M. Abréviation de Marcus. M' abréviation de Manlius.

2. M. Signe numérique p. 1.000.

maccus, *i*, m. Personnage bouffon des Atellanes. ¶ *Par ext.* Niais, lourdaud.

1. macellarius, *a*, *um*, adj. Qui concerne le marché *ou* le commerce de la viande.   [viandes et de comestibles.

2. macellarius, *ii*, m. Marchand de

macellum, *i*, n. Marché de la viande. || Marché. ¶ (Méton.) Victuailles, comestibles.

maceo, *es*, *ere*, intr. Etre maigre.

macer, *cra*, *crum*, adj. Maigre. ¶ *En parl. de la terre.* Maigre, stérile. ¶ *Fig.* Maigre, chétif.

macera, *ae*, f. Voy. MACHAERA.

maceratio, *onis*, f. Macération. ¶ Décomposition.   [ture.

maceria, *ae*, f. Mur brut servant de clôture.

macero, *as*, *avi*, *atum*, *are*, tr. Macérer, faire tremper (une substance dans un liquide froid), amollir. ¶ *Fig.* Affaiblir, épuiser. ¶ Faire languir, consumer (de chagrin), miner.

macesco, *is*, *ere*, intr. Devenir maigre, s'étioler. ¶ *Par ext.* S'épuiser (en parl. de la terre).

machaera, *ae*, f. Coutelas; sabre.[sabre.

machaerophorus, *i*, m. Soldat armé d'un

machina, *ae*, f. Ensemble de pièces artistement réunies, appareil, machine. ¶ Savant édifice. ¶ Machine, engin; grue, cabestan. ¶ Machine de guerre. ¶ Echafaudage, échafaud. ¶ Machination.

machinalis, *e*, adj. Relatif aux machines. — *scientia*, la mécanique.

machinamentum, *i*, n. Machine. || Machine de guerre ¶ Instrument; organe des sens. ¶ Appareil de chirurgie. ¶ *Fig.* Machination, expédient, ruse.

1. machinarius, *a*, *um*, adj. Relatif aux machines. ¶ Employé à une machine. ¶ Qui mesure avec des instruments.

2. machinarius, *i*, m. Ouvrier qui travaille sur un échafaudage. ¶ Constructeur de machines. || Mécanicien.

machinatio, *onis*, f. Mécanisme. || (Méton.) Machine. ¶ *Fig.* Machination, ruse.

machinator, *oris*, m. Constructeur de machines, machiniste, mécanicien. ¶ *Fig.* Celui qui machine, inventeur, artisan.   [qui est cause de.

machinatrix, *icis*, f. Celle qui machine.

machinatus, *us*, m. Machination, ruse.

machino, *as*, *are*, tr. Mordre.

machinor, *aris*, *atus sum*, *ari*, dép. tr. Disposer avec art, imaginer, créer, inventer. ¶ Machiner, compléter.

machinosus, *a*, *um*, adj. Ingénieusement combiné.

macies, *ei*, f. Maigreur. ¶ *Par ext.* Maigreur, stérilité (du terrain). ¶ Pénurie. ¶ Sécheresse (du style).

macilentus, *a*, *um*, adj. Maigre, amaigri.

macresco, *is*, *crui*, *ere*, intr. Devenir maigre. ¶ Dépérir.

macrocollum, *i*, n. Papier de grand format; papier royal.   [mortel.

mactabilis, *e*, adj. Qui donne la mort.

mactatio, *onis*, f. Action d'immoler, de tuer.   [trier.

mactator, *oris*, m. Celui qui tue, meur-

mactatus, abl. *u*, m. Action d'immoler.

macte, macti. Voy. MACTUS.

1. macto, *as*, *avi*, *atum*, *are*, tr. Honorer (les dieux d'un sacrifice); apaiser (les dieux). || Honorer, gratifier de...

2. macto, *as*, *avi*, *atum*, *are*, tr. Offrir en sacrifice, sacrifier, immoler. ¶ *Fig.* Consacrer, vouer. ¶ Immoler, tuer, faire périr. ¶ Accabler, frapper (d'un

mal). ¶ *Fig.* Détruire, ruiner, anéantir.

1. **mactus** (usité seul. au nom. *mactus* et au voc. *macte*), *a, um,* adj. Augmenté, accru. ¶ Honoré, *d'où* apaisé, content (du sacrifice offert). ¶ Honoré, applaudi. ¶ *Macte* (dev. invar.) Bravo ! à merveille ! Courage ! [atteint.

2. **mactus**, *a, um,* p. adj. Frappé,

1. **macula**, *ae,* f. Maille (d'un filet).

2. **macula**, *ae,* f. Marque, tache. ¶ *Fig.* Tache, souillure.

maculo, *as, avi, atum, are,* tr. Semer de taches, tacheter. ¶ Tacher, salir. ¶ *Fig.* Souiller, déshonorer. ¶ *Intr.* Faire tache.

maculosus, *a, um,* adj. Parsemé de taches. ¶ Sali, taché. ¶ *Fig.* Souillé, déshonoré.

madefacio, *is, feci, factum, ere,* tr. Rendre humide, mouiller, arroser. ¶ *Partic.* Enivrer.

madefactio, *onis,* f. Action de rendre humide. ¶ Etat humide.

madefacto, *as, are,* tr. Arroser, mouiller, tremper. [de MADEFACIO.

madefio, *is, factus sum, fieri,* passif

madeo, *es, ui, ere,* intr. Etre tout humide *ou* tout trempé, ruisseler. ‖ Etre moite (de sueur). ¶ *Spéc.* Se fondre. ‖ Etre amolli par la cuisson, être cuit à point. ¶ Etre arrosé de vin; être ivre. ¶ Etre imprégné, imbu de.

madesco, *is, dui, ere,* intr. Devenir humide; se mouiller. ¶ Se détremper, s'amollir. ¶ S'arroser (de vin), s'enivrer.

madide, adv. De façon à être trempé.

madidus, *a, um,* adj. Tout humide, ruisselant. ¶ Moite. ¶ Détrempé, amolli. ‖ Bien cuit. ¶ Pourri, corrompu. ¶ Bien arrosé (de vin); ivre. ¶ *Fig.* Imprégné, imbu de. ¶ Qui ne retient rien (en parl. de la mémoire).

maena (MENA), *ae,* f. Petit poisson de mer qu'on apprêtait comme l'anchois; mendole.

maenas, *adis,* f. Ménade, femme en délire, bacchante. ¶ Femme inspirée, prophétesse.

maenianum, *i,* n. Galerie extérieure, terrasse, balcon (disposition architect. due à C. Ménius).

maerens, *entis,* p. adj. Affligé.

maerentia, *ae,* f. Affliction.

maereo, *es, ere,* intr. Etre triste, affligé, abattu. ¶ *Tr.* S'affliger de; déplorer. ‖ Dire avec tristesse *ou* d'une voix lamentable.

maeror, *oris,* m. Tristesse, affliction.

maeste, adv. Tristement.

maestitia, *ae,* f. Tristesse, affliction, abattement. ¶ *Fig.* Défaut d'agrément, sévérité froide (du style).

maestus, *a, um,* adj. Triste, affligé, abattu. ¶ Morne, mélancolique. ‖ Qui dénote la tristesse; de deuil. ¶ Qui cause l'affliction. ‖ Qui présage

un malheur. ¶ *En parl. de ch.* Triste, sans agrément.

mafors. Voy. MAVORS.

maforte, *is,* n. Comme MAVORS.

mafortium, *ii,* n. Sorte de capeline.

maga, *ae,* f. Magicienne.

magalia, *um,* n. pl. Huttes, cabanes, tentes (de nomades). ¶ Faubourg de Carthage.

maganum. Voy. MAGGANUM.

magaria, *um,* n. pl. Comme MAGALIA.

magdalia, *orum,* n. Comme le suivant.

magdalides, *um,* f. Moules cylindriques employés en pharmacie; magdaléons.

magdaliolum, *i,* n. Mie de pain avec laquelle on s'essuyait les mains à table.

mage, adv. Comme MAGIS.

magefio, *is, fieri,* passif. S'augmenter, s'accroître.

magia, *ae,* f. Science des mages, magie.

magice, *es,* f. Comme le précédent.

magicus, *a, um,* adj. Relatif à la magie; magique.

1. **magis**, *idis,* f. Grand plat. ¶ Huche *ou* pétrin.

2. **magis**, adv. Plus, davantage. ¶ Plutôt, plus volontiers.

magister, *tri,* m. Supérieur; celui qui commande *ou* dirige; maître, directeur, chef; administrateur. — *morum,* censeur. — *pecoris,* berger. — *elephanti,* cornac. ¶ Maître (enseignant). ¶ Gouverneur, pédagogue. ‖ Précepteur. ¶ Conseiller, instigateur.

magisterium, *ii,* n. Fonction de chef, de président, de directeur. ¶ Fonction de maître (enseignant), de pédagogue, de gouverneur, de précepteur. ¶ Enseignement, leçons. ‖ Prescription, ordonnance.

magistra, *ae,* f. Celle qui dirige; présidente, directrice. ¶ Maîtresse, celle qui instruit. ¶ Grande prêtresse.

magistratus, *us,* m. Fonction publique; magistrature. ‖ (Méton.) Fonctionnaire public, magistrat. ¶ *Qqf.* L'ensemble des magistrats; l'autorité.

magma, *atis,* n. Résidu d'un onguent.

magnalia, *ium,* n. pl. Grandes actions, choses merveilleuses. [MUS.

magnanimis, *e,* adj. Comme MAGNANI-

magnanimitas, *atis,* f. Magnanimité, grandeur d'âme. [d'âme.

magnanimiter, adv. Avec grandeur

magnanimus, *a, um,* adj. Qui a l'âme grande; généreux, magnanime.

magnarii, *orum,* m. pl. Marchands en gros. [commerce en gros.

magnarius, *a, um,* adj. Qui concerne le

magnates, *ium,* m. pl. Les grands (de l'Etat).

magnicies. Comme MAGNITIES.

magnidicus, *a, um,* adj. Vantard, fanfaron. [de vanter.

magnificatio, *onis,* f. Action d'exalter.

magnifice, adv. Magnifiquement, somptueusement. ¶ Noblement, glorieusement. ¶ En termes magnifiques. ¶

Péjor. Avec emphase. ¶ Merveilleusement. [dent.

magnificenter, adv. Comme le précédent.

magnificentia, *ae*, f. Magnificence, somptuosité. ¶ Grandeur d'âme, générosité de sentiments, noblesse de caractère. ¶ Sublimité (du style). ¶ *Péjor.* Jactance.

magnifico, *as*, *are*, tr. Faire grand cas de, estimer. ¶ Glorifier, exalter.

magnificus, *a*, *um*, adj. Qui aime la magnificence, qui dépense largement. ¶ (*En parl. de ch.*) Magnifique, somptueux. ¶ Glorieux, grandiose, éclatant. ¶ Magnanime, généreux. ¶ Sublime (en parl. du style). ‖ Pompeux, emphatique. ¶ Très efficace; précieux.

magnilocus. Voy. MAGNILOQUUS.

magniloquus, *a*, *um*, adj. Elevé, sublime (en parl. du style). ¶ *Péjor.* Emphatique.

magnitudo, *inis*, f. Grandeur, grande étendue, grosseur. ¶ Grandeur, c.-à-d. grande quantité, abondance. ¶ Intensité, force, importance. ¶ Longue durée. ¶ *Fig.* Grandeur, rang élevé. Elévation, noblesse de caractère *ou* de sentiments. ¶ Grandeur (titre honorifique). [dement, extrêmement.

magnopere ou **magno opere**, adv. Grandement.

magnus, *a*, *um*, adj. De grande dimension, grand, gros. ¶ Vaste. ¶ Long, élevé. ¶ Grand (par le nombre ou la quantité), nombreux, considérable. ¶ Intense, fort, vif, énergique. ¶ Long, de longue durée. ‖ Agé. ¶ *Fig.* Grand, puissant, riche. ‖ *En parl. de ch.* Important. ¶ Grand (par le caractère), noble, généreux. ‖ Hautain. ¶ Grandiose, relevé (en parl. du style). ‖ *Péjor.* Emphatique.

1. magus, *i*, m. Savant (chez les Perses), mage. ¶ Magicien, enchanteur.

2. magus, *a*, *um*, adj. Magique.

maius, *a*, *um*, adj. Du mois de mai. Subst. *Maius*, *i*, m. le mois de mai.

majalis, *is*, m. Pourceau châtré. Terme injurieux.

majestas, *atis*, f. Majesté, grandeur, dignité, puissance. *Crimen majestatis*, accusation de lèse-majesté.

majorinus, *a*, *um*, adj. D'une plus grosse espèce, d'une plus grande dimension.

1. majus, *a*, *um*, adj. Arch. p. MA-

2. majus, neutre de MAJOR, compar. de MAGNUS.

majusculus, *a*, *um*, adj. Un peu plus grand (par la dimension), assez grand. ¶ Un peu plus âgé.

mala, *ae*, f. Mâchoire supérieure (des hommes et des animaux). ¶ Joue.

malabathron, *i*, n. Voy. MALOBATHRON.

malache, *es*, f. Mauve.

malacia, *ae*, f. Calme de la mer, bonace. ¶ *Fig.* Langueur, apathie (de l'estomac); inappétence.

malacisso, *as*, *are*, tr. Adoucir, assoupir. ¶ Apprivoiser.

malacus, *a*, *um*, adj. Mou, tendre, délicat. ¶ Mou, voluptueux. ¶ Souple, flexible.

malagma, *ae*, f. Cataplasme émollient.

malagma, *atis*, n. Comme le précédent.

male, adj. Mal. ¶ En mauvais état. ¶ D'une façon défectueuse. ¶ Méchamment, injustement. ¶ Autrement qu'il ne faut, mal à propos, à tort. ¶ Malheureusement, sans succès. ¶ Tristement, misérablement. ¶ Gravement, cruellement. ¶ Extrêmement, beaucoup. ¶ Mal, peu, pas, à peine.

maledicax, *acis*, adj. Comme MALE-DICUS.

maledice, adv. En médisant. [rieux.

maledicens, *entis*, adj. Médisant; injurieux.

maledicentia, *ae*, f. Médisance.

maledico, *is*, *dixi*, *dictum*, *ere*, intr. Médire de. ¶ Outrager. ¶ *Tr.* Maudire.

maledictio, *onis*, f. Médisance, calomnie. ¶ *Eccl.* Malédiction.

maledictum, *i*, n. Médisance. ¶ Propos blessant, outrage. ¶ *Postér.* Malédiction. [rieux.

maledicus, *a*, *um*, adj. Médisant, injurieux.

malefacio, *is*, *feci*, *factum*, *ere*, intr. Faire du mal, nuire. ¶ Se livrer aux pratiques magiques.

malefactum, *i*, n. Méfait. [chamment.

malefice, adv. De façon à nuire; méchamment.

maleficentia, *ae*, f. Malfaisance, méchanceté.

maleficium, *ii*, n. Mauvaise action, méfait. ¶ Tort, dommage, préjudice. ¶ Fraude, tromperie. ‖ Falsification. ¶ Charme, maléfice, sortilège. ¶ Plur. *Maleficia*, animaux malfaisants *ou* nuisibles.

maleficus, *a*, *um*, adj. Malfaisant; méchant. ¶ Nuisible. ¶ De sorcier, magique. ‖ Subst. *Malefica*, sorcière. *Maleficus*, sorcier. [reux.

malefidus, *a*, *um*, adj. Peu sûr, dangereux.

maleflo, *is*, *factus sum*, *fieri*, intr. Avoir des faiblesses, se trouver mal.

maleformis, *e*, adj. Difforme.

malei... Voy. MALII...

malens, part. prés. de MALO.

malesanus, *a*, *um*, adj. Insensé.

malevole, adv. Avec malveillance.

malevolens, *entis*, adj. Malintentionné, malveillant, jaloux.

malevolentia, *ae*, f. Malveillance, jalousie, mauvais vouloir. ‖ Inimitié.

malevolus, *a*, *um*. adj. Malintentionné, malveillant, jaloux.

malflo. Comme MALEFLO.

malifer, *era*, *erum*, adj. Qui produit des pommes.

malificium. Voy. MALEFICIUM.

malificus. Voy. MALEFICUS.

maligne, adv. Avec malignité, méchamment. ¶ Chichement.

malignitas, *atis*, f. Malignité, méchanceté. ¶ Parcimonie, mesquinerie. ¶

Fig. Faible rapport, dégénérescence, stérilité.

maligno, *as, avi, are,* intr. et tr. Montrer de la malignité; maltraiter; préparer méchamment.

malignor, *aris, ari,* dép. intr. et tr. Comme le précédent. ¶ Faire le mal.

malignus, *a, um,* adj. Méchant, malveillant, envieux. ¶ Malfaisant, dangereux. ¶ Chiche, parcimonieux. ¶ Qui manque de complaisance. ¶ *Fig.* Improductif, stérile. ¶ *En parl. de ch.* Petit, chétif, mesquin, faible.

malinus, *a, um,* adj. De pommier. ¶ Couleur vert pomme.

malis, acc. *im,* f. Maladie des chevaux.

malitia, *ae,* f. Mauvaise qualité; mauvaise nature. || Stérilité. ¶ Méchanceté, ¶ Malice, astuce, ruse; friponnerie. ¶ *En bonne part.* Malice, finesse. ¶ *Eccl.* Malheur, adversité.

malities, *ei,* f. Comme le précédent.

malitiose, adv. De mauvaise foi, avec astuce.

malitiosus, *a, um,* adj. Malicieux, insidieux, perfide, fourbe. ¶ Nuisible (en parl. de ch.).

malivolus. Voy. MALEVOLUS.

malleolus, *i,* m. Un petit marteau. ¶ Bouture, crossette. ¶ Sorte de trait enflammé, espèce de falarique. ¶ Bouton servant à fixer la courroie d'une sandale.

malleus, *i,* m. Marteau, maillet. ¶ Masse pour assommer les victimes. ¶ Sorte de maladie des chevaux.

malo, *mavis, malui, malle,* tr. Aimer mieux; préférer. ¶ *Intr.* Etre mieux disposé pour qqn, lui vouloir du bien, défendre ses intérêts.   [malobathre.

malobathratus, *a, um,* adj. Parfumé de malobathre.

malobathrinus, *a, um,* adj. De malobathre.

malobathron, *i,* n. Comme le suivant.

malobathrum, *i,* n. Malobathre, arbre de Syrie renommé pour le parfum qu'on en tirait. ¶ Essence de malobathre.

malochites, *ae,* m. Malachite.

malogranatum, *i,* n. Grenade, fruit.

malomelum, *i,* n. Comme MELIMELUM.

maltha, *ae,* f. Sorte de naphte épais. ¶ Ciment fait de chaux et de saindoux dont on enduisait les conduites d'eau pour les rendre imperméables. ¶ *Fig.* Homme mou, efféminé.

maltho, *as, are,* tr. Enduire du ciment appelé malthe.

1. malum, *i,* n. Mal. ¶ Maladie, souffrance. ¶ Malheur, calamité. || (Méton.) Ce qui cause le malheur; fléau. ¶ Préjudice, tort, dommage. ¶ Mauvaise action. ¶ *Comme juron.* Misère ! Peste !

2. malum, *i,* n. Pomme. ¶ (Par anal.) Fruit ressemblant à une pomme : orange, grenade, pêche, etc. ¶ *Malum terrae,* aristoloche, plante.   [NATUM.

malumgranatum. Voy. MALUM et GRA-

malundrum, *i,* n. Sorte de lychnide, plante.

1. malus, *a, um,* adj. Mauvais; de mauvaise qualité. ¶ Contrefait, laid. ¶ En mauvais état; malade. ¶ Mauvais, *c.-à-d.* méchant. || Pervers, vicieux, malhonnête. ¶ Incapable. ¶ Lâche. ¶ Mal pensant, démagogue. ¶ *Qqf.* Malin, rusé, espiègle. ¶ (*En parl. de ch.*) Malheureux, pernicieux. || De mauvais augure.

2. malus, *i,* f. Pommier, arbre. Par anal. — *persica,* pêcher. — *granata,* grenadier.

3. malus, *i,* m. Mât (de navire). ¶ Perche, poteau (où l'on fixait les tentures du cirque). ¶ Arbre de pressoir.

malusgranata, *ae,* f. Voy. 2. MALUS et GRANATUS.

malva, *ae,* f. Mauve, plante.   [mauve.

malvaceus, *a, um,* adj. Semblable à la

mamilla, *ae,* f. Mamelle, sein. ¶ (Terme affect.) Petit cœur. ¶ Bout de tuyau; sorte de robinet.

mamillare, *is,* n. Soutien-gorge, bande pour soutenir le sein.

mamma, *ae,* f. Mamelle, sein. || Pis. ¶ Saillie de l'écorce des arbres, bourgeon. ¶ *Mot enfantin.* Maman, grand-mère, nourrice.

mammalis, adj. Relatif aux mamelles.

mammatus, *a, um,* adj. Pourvu de mamelles. ¶ En forme de mamelle. Subst. *Mammata, orum,* n. pl. Robinets (en forme de mamelon) *ou* tuyaux garnis de robinets.   [grosses mamelles.

mammatus, *a, um,* adj. Qui a de

mammosus, *a, um,* adj. Qui a de grosses mamelles.

mammula, *ae,* f. Petite mamelle. ¶ Petite maman (langage enfantin).

manceps, *cipis,* m. Adjudicataire, acquéreur. ¶ Légitime possesseur. ¶ Soumissionnaire, entrepreneur. || Celui qui afferme *ou* qui loue. || Chef, meneur. ¶ Garant, répondant.

manciola, *ae,* f. Menotte, petite main.

1. mancipalis, *e,* adj. D'esclave.

2. mancipalis, *is,* m. Esclave.

manciparius, *ii,* m. Comme MANGO.

mancipatio, *onis,* f. Forme solennelle d'achat et de vente. ¶ Vente.

mancipatus, *us,* m. Vente. ¶ Qualité d'entrepreneur pour le compte de l'Etat.   [vant.

mancipiolum, *i,* n. Diminutif du sui-

mancipium, *ii,* n. Mode solennel d'acquisition (action de porter la main en présence de cinq témoins sur l'objet dont on veut acquérir la propriété, en même temps qu'on frappe avec une pièce de monnaie la balance tenue par le LIBRIPENS). ¶ Droit de propriété. || Pouvoir (sur qqch.). ¶ (Méton.) Ce qui est acheté. || Esclave (homme *ou* femme).

mancipo (MANCUPO), *as, avi, atum, are,* tr. Prendre avec la main. ¶ Aliéner, céder la propriété de, transmettre par mancipation, vendre. ¶ Livrer, adonner. Au passif : *mancipari*, s'adonner à...

mancup... Voy. MANCIP...

mancus, *a*, *um*, adj. Estropié.|| Manchot. || Mutilé. ¶ *Fig.* Imparfait, incomplet, défectueux.   [lité.

mandalia, n. pl. Collyres de bonne qua-

mandatio, *onis*, f. Mandat.

mandator, *oris*, n. Celui qui donne commission, mandant, commettant. ¶ Celui qui aposte un délateur et le style. ¶ Celui qui se porte garant pour un emprunteur.

mandatum, *i*, n. Ordre, mandat, commission. Au plur. *Mandata*, instructions. ¶ (*Jur.*) Procuration. ¶ Ordre, circulaire (de l'empereur).

mandatus, abl. *u*, m. Ordre, commission.

mandela, *ae*, f. Serviette.

mandibula, *ae*, f. Mâchoire, mandibule.

mandibulum, *i*, n. Râtelier.

1. **mando**, *as*, *avi*, *atum*, *are*, tr. Confier, livrer, remettre. ¶ *Fig.* Donner à qqn. mandat (de faire qqch.); confier le soin de, recommander. ¶ Mander, faire savoir.

2. **mando**, *is*, *mandi*, *mansum*, *ere*, tr. Mâcher. ¶ Manger. ¶ *Fig.* Dévorer, consumer.

3. **mando**, *onis*, m. Glouton.

manducabilis, *e*, adj. Que l'on peut manger.

manducatio, *onis*, f. Manducation.

manducator, *oris*, m. Mangeur. —

1. **manduco**, *as*, *avi*, *atum*, *are*, tr. Mâcher. ¶ Manger.

2. **manduco**, *onis*, m. Glouton.

manducor, *aris*, *ari*, dép. tr. Comme 1. MANDUCO.

manducus, *i*, m. Glouton. ¶ Mannequin mis en scène dans les vieilles comédies italiennes avec une bouche énorme, ouverte et des dents qui claquaient.

1. **mane**, n. indécl. Matin, matinée.

2. **mane**, adv. Au matin, le matin, dès le matin.

manentia, *ae*, f. Persistance.

maneo, *es*, *mansi*, *mansum*, *ere*, intr. Rester, demeurer. ¶ Séjourner. || Habiter. || Cohabiter. ¶ Durer, persister, persévérer. || Demeurer ferme. || Se conserver. || Attendre, ne pas s'en aller. || Tr. Attendre. || Etre réservé à, être sur le point d'échoir à.

manes, *ium*, m. pl. Ames des morts, mânes, esprits, fantômes (surt. favorables). ¶ L'âme d'un (seul) mort. ¶ (Méton.) Restes mortels. || Séjour des morts; enfers. || Traitement subi par les morts aux enfers.

mango, *onis*, m. Marchand de mauvaise foi, qui falsifie sa marchandise. ¶ Marchand d'esclaves (qui pare sa marchandise). ¶ Maquignon; revendeur.

mangonicus, *a*, *um*, adj. De marchand d'esclaves. ¶ De maquignon.

mangonium, *ii*, n. Maquignonnage; tromperie sur la marchandise.

mangonizo, *as*, *are*, tr. Parer, faire valoir sa marchandise (par des moyens frauduleux).

mania, *ae*, f. Folie, fureur.

manibiae. Voy. MANUBIAE.

manibula. Voy. MANICULA.

manica, *ae*, f. Longue manche (de tunique descendant jusqu'à l'extrémité des mains). ¶ Gant, mitaine, moufle. ¶ *Spéc.* Gantelet (des gladiateurs). ¶ Au plur. *Manicae*, fers pour les mains, menottes. ¶ Grappin de fer, harpon.

manicarius, *ii*, m. Gladiateur qui cherche à mettre les menottes à son adversaire.   [gues mains.

manicatus, *a*, *um*, adj. Garni de lon-

manicula, *ae*, f. Petite main. ¶ (Par anal.) Bras d'une baliste. ¶ Mancheron de charrue.

manifestarius, *a*, *um*, adj. Manifeste, évident. ¶ Pris sur le fait, en flagrant délit.

manifestatio, *oins*, f. Action de rendre manifeste.

manifestator, *oris*, m. Celui qui rend manifeste, qui dévoile, qui démontre.

manifeste, adv. Manifestement, ouvertement.

1. **manifesto**, adv. Comme le précédent.

2. **manifesto**, *as*, *avi*, *atum*, *are*, tr. Rendre manifeste, manifester, découvrir, révéler.

manifestus, *a*, *um*, adj. (Heurté avec la main); rendu palpable, manifeste, patent, évident, notoire. ¶ (*En parl. de pers.*) Pris sur le fait, convaincu de. ¶ Qui trahit ou dénote, qui fait voir clairement.   [du pas-d'âne, plante.

manifolium, *ii*, n. Un des noms latins

manipl... Voy. MANIPUL...

manipretium. Voy. MANUPRETIUM.

1. **manipularis**, *e*, adj. De manipule.

2. **manipularis**, *is*, m. Simple soldat.

1. **manipularius**, *a*, *um*, adj. De manipule.

2. **manipularius**, *ii*, m. Simple soldat.

3. **manipularius**, *a*, *um*, adj. De simple soldat.

manipulatim, adv. Par poignées; en faisceaux. ¶ Par manipules. ¶ En troupe.

manipulus, *i*, m. Ce qui tient dans la main fermée, poignée. ¶ Gerbe, javelle. || Au plur. *Manipuli*, m. Voy. HALTERES. ¶ Compagnie d'infanterie, manipule (qui avait primitivement pour guidon une botte de foin attachée à une perche).   [tité, grain.

1. **manna**, *ae*, f. Parcelle, petite quan-

2. **manna**, n. Comme le suivant.

3. **manna**, n. indécl. Manne, nourriture tombée du ciel.

mannulus, *i*, m. Petit bidet de race gauloise.   [loise; poney.

mannus, *i*, m. Petit cheval de race gau-

mano, *as, avi, atum, are,* intr. Couler, dégoutter, ruisseler. ¶ *Par ext.* Se répandre. ¶ *Fig.* Se répandre, c.-à-d. se propager. ¶ Dériver de, découler de, provenir de. ¶ S'échapper de, se perdre, être oublié. ¶ *Tr.* Faire couler, distiller. || Verser, répandre, émettre.

manos, *i,* m. Sorte d'éponge peu serrée.

mansio, *onis,* f. Action de séjourner, de résider; séjour, résidence. ¶ Durée, persistance. ¶ Lieu de séjour, résidence, domicile. ¶ *Spéc.* Gîte pour la nuit, auberge. || Etape, halte.

mansuefacio, *is, feci, factum, ere,* tr. Habituer à la main, apprivoiser des animaux. ¶ Rendre traitable, humaniser. || Policer, civiliser. [voiser.

mansuefactio, *onis,* f. Action d'appri-

mansuefio, *is, factus sum, fieri,* passif. S'apprivoiser; s'adoucir.

mansuesco, *is, suevi, suetum, ere,* intr. || *Tr.* Habituer à la main, apprivoiser. ¶ *Intr.* S'apprivoiser, s'adoucir.

mansuete, adv. Avec douceur.

mansuetudo, *inis,* f. Douceur (des bêtes apprivoisées). ¶ *Par ext.* Douceur indulgente, bonté, mansuétude. ¶ Titre honorifique.

mansuetus, *a, um,* adj. Apprivoisé. ¶ *Par ext.* Doux, traitable; calme, paisible. [sistant.

mansurus, *a, um,* p. adj. Durable, permantile (MENTILE), *is,* n. Serviette (de table). ¶ Nappe.

mantelium, *i,* n. Comme le précédent.

mantellum, *i,* n. Voile (fig.). ¶ Comme MANTELE.

mantelum, *i,* n. Comme le précédent.

mantica, *ae,* f. Besace. ¶ Sac de voyage. || Valise.

mantile, *is,* n. Comme MANTELE.

1. manuale, *is,* n. Etui à livre. ¶ (Au plur.) *Manualia, um,* n. pl. Manuels, abrégés, livres portatifs.

2. manuale, *is,* n. Rational (du grand prêtre des Hébreux).

manualis, *e,* adj. A main, de main, que la main peut saisir *ou* lancer.

1. manuarius, *a, um,* adj. Comme MANUALIS.

2. manuarius, *ii,* m. Voleur.

manuatus, *a, um,* adj. Qui a des mains.

manubia, *ae,* f. Foudre, coup de tonnerre (dans le langage des augures).

manubiae, *arum,* f. pl. Argent provenant du butin fait sur l'ennemi et vendu. ¶ *Par ext.* Butin, dépouilles. || Rapine. [butin.

manubialis, *e,* adj. Qui provient du manubiarius, *a, um,* adj. Dont ce retire du profit. [manche.

manubriatus, *a, um,* adj. Pourvu d'un manubrium, *ii,* n. Manche, poignée.

manuf... Voy. MANIF....

manuleatus, *a, um,* adj. Garni de longues manches. ¶ *En parl. de pers.* Vêtu d'une tunique à longues manches.

manuleus, *i,* m. Longue manche de la tunique terminée en manchette couvrant la main. [la manumission.

manumissialia, *um,* m. pl. Formalités de manumissio, *onis,* f. Action d'affranchir un esclave, manumission, affranchissement. ¶ *Fig.* Remise d'une peine, pardon.

manumitto, *is, misi, missum, ere,* tr. Affranchir un esclave, lui donner la liberté.

manupretium, *ii,* n. Prix de la main-d'œuvre; salaire. ¶ *Fig.* Récompense. ¶ Main-d'œuvre, façon, travail. || Valeur que la main-d'œuvre donne à un objet.

1. manus, *us,* f. Main. || (Méton.) Bras, c.-à-d. force physique, vaillance, exploits. ¶ Main armée, violence, voie de fait. ¶ Autorité, pouvoir, puissance. *In manu e se alicujus* (ou *alicui*), être sous l'autorité de qqn. ¶ Main de l'artiste *ou* de l'artisan; travail, main-d'œuvre art. ¶ Main, c.-à-d. style *ou* écriture (de qqn). ¶ Coup (d'épée, de fleuret), botte. || Coup de dés. ¶ (Par anal.) Trompe de l'éléphant. || Pieds de devant (de l'ours et du singe). || Branche d'arbre. || Main de fer, crampon, grappin d'abordage. ¶ Poignée (d'hommes), troupe, corps, bande.

2. manus, *a, um,* adj. Bon.

mapale, *is,* n. Voy. le suivant.

mapalia, *um,* n. pl. Huttes. ¶ Campement (de nomades), douar.

mappa, *ae,* f. Serviette de table. ¶ Drapeau servant à donner aux coureurs du cirque le signa du départ.

mappula, *ae,* f. Petite serviette.

marathrites, *ae,* m. Vin aromatisé au fenouil.

marathrum, *i,* n. Fenouil, plante.

marathrus, *i,* m. Comme le précédent.

marceo, *es, ere,* intr. Etre fané, être flétri. ¶ *Fig.* Etre affaibli, languissant, énervé. ¶ *Spéc.* Ressentir les effets pesants de l'ivresse.

marcesco, *is, cui, ere,* intr. Se faner, se flétrir. ¶ *Fig.* S'affaiblir, languir, dépérir. [guissant.

marcidulus, *a, um,* adj. Un peu lanmarcidus, *a, um,* adj. Fané, flétri, gâté. ¶ *Fig.* Faible, languissant, énervé; décrépit.

marcor, *oris,* m. Etat de ce qui est fané *ou* flétri. || Putréfaction. ¶ *Fig.* Marasme, apathie, torpeur.

marculentus, *a, um,* adj. Fané, flétri.

marculus, *i,* m. Petit marteau.

marcus, *i,* m. Gros marteau (de forgeron). [mer. || Couleur vert de mer.

mare, *is,* n. Mer. ¶ (Méton.) Eau de merga, *ae,* f. Marne, sorte de terre grasse. [de perles.

margarides, *um,* f. pl. Dattes en forme margarita, *ae,* f. Perle.

margaritaria, *ae,* f. Marchande de perles.

1. **margaritarius**, *a, um*, adj. Qui concerne les perles. [perles.

2. **margaritarius**, *ii*, m. Marchand de **margaritatus**, *a, um*, adj. Orné de perles.

margaritifer, *fera, ferum*, adj. Qui produit des perles.

margaritum, *i*, n. Comme **MARGARITA**.

margino, *as, avi, atum, are*, tr. Entourer d'une bordure, border.

margo, *inis*, m. et f. Bord, extrémité, pourtour. ¶ Seuil. ¶ Frontière, limite.

marinus, *a, um*, adj. De mer, marin.

marisca, *ae*, f. Marisque, sorte de figue énorme mais sans goût. ¶ *Par anal.* Excroissance morbide, condylome; fic.

1. **mariscus**, *a, um*, adj. De l'espèce mâle. ¶ Appartenant à la grosse espèce.

2. **mariscus**, *i*, m. Espèce de grand jonc.

marita, *ae*, f. Femme, épouse.

maritalis, *e*, adj. Relatif au mariage; conjugal, nuptial.

maritimus, *a, um*, adj. De mer; maritime; qui est dans la mer, sur la mer, près de la mer. Subst. *Maritima, orum*, m. pl. Littoral; région maritime.

marito, *as, avi, atum, are*, tr. Marier. ¶ Accoupler (les animaux). ¶ Unir, marier (les arbres).

1. **maritus**, *a, um*, adj. De mariage; nuptial, conjugal. ¶ Marié (à la vigne en parl. d'un orme ou d'un peuplier). ¶ Fécondant, fertilisant.

2. **maritus**, *i*, m. Mari, époux. ¶ Prétendant, fiancé. ¶ Mâle (en parl. d'animaux).

marmor, *oris*, n. Marbre. ¶ (Méton.) Objet en marbre, statue, table, borne milliaire. ¶ Surface unie et brillante de la mer. [cerne le marbre.

1. **marmorarius**, *a, um*, adj. Qui con-

2. **marmorarius**, *ii*, m. Marbrier, ouvrier qui travaille le marbre.

marmoratio, *onis*, f. Action de recouvrir de marbre.

marmoratum, *i*, n. Stuc.

marmoratus, *a, um*, adj. Fait de marbre. ¶ Revêtu, incrusté *ou* pavé de marbre. ¶ *Fig.* Dur comme le marbre.

marmoreus, *a, um*, adj. De marbre. ¶ Relatif au marbre. ¶ Semblable au marbre. [marbre.

marmoro, *as, atum, are*, tr. Revêtir de

marmorosus, *a, um*, adj. Dur comme le marbre; qui est de la nature du marbre.

marrubium, *ii*, n. Marrube, plante.

marsupium, *ii*, n. Bourse. [BARBULUS.

martiobarbulus, *i*, m. Comme **MATTIO-**

1. **martius** (s.c. **MENSIS**), *ii*, m. Le mois de mars. [mois de mars.

2. **martius**, *a, um*, adj. De mars, du

martulus, *i*, m. Comme 1. **MARCULUS**.

martyr, *yris*, m. f. Un martyr; une martyre.

martyrium, *ii*, n. Martyre. ¶ (Méton.) Tombeau d'un martyr. ‖ Eglise consacrée à un martyr.

mas, *maris*, m. Mâle, du sexe masculin. ¶ *Fig.* Viril, énergique.

masculinus, *a, um*, adj. Du sexe masculin. ¶ Masculin (t. gramm.).

1. **masculus**, *a, um*, adj. Mâle, du sexe masculin; masculin. ¶ *Fig.* Digne d'un homme, viril, héroïque.

2. **masculus**, *i*, m. Un mâle.

massa, *ae*, f. Pâte. ¶ Amas de choses pressées et comme pétries; masse, bloc. ¶ Amas, mo~ceau. ‖ Agglomération, foule. ¶ Ensemble d'une vaste propriété.

massula, *ae*, f. Petite masse, boulette.

masticatio, *onis*, f. Action de mâcher, mastication.

mastica, *es*, f. Voy. **MASTICHE**.

masticatus, *a, um*, adj. Aromatisé avec du mastic. [du mastic.

mastiche, *es*, f. Mastic, résine odorante

mastruca, *ae*, f. Vêtement en peau de mouton. ¶ Terme injurieux.

mastrucatus, *a, um*, adj. Vêtu d'une peau de mouton.

mastruga. Voy. **MASTRUCA**.

masucius, *ii*, m. Glouton.

matara, *ae*, f. Sorte de javelot gaulois.

mataris, *is*, f. Comme le précédent.

mataxa. Voy. **METAXA**.

mat la. Voy. **MATELLA**.

matella, *ae*, f. Pot, vase pour les liquides. ¶ Vase de nuit, pot de chambre.

mater, *tris*, f. Mère. ¶ (*Par ext.*) Femme. ‖ Nom donné par respect aux déesses et aux femmes âgées. ¶ Mère (en parl. d'animaux). ‖ Souche (d'un arbre). ‖ Source (d'un cours d'eau). ¶ Mère patrie, métropole. ‖ Capitale. ¶ Mère, cause première, origine, principe. ¶ (Méton.) Maternité, amour maternel. [mère, mère chérie.

matercula, *ae*, f. Petite mère, bonne

materia, *ae*, f. Substance dont une chose est faite, matière. ¶ Matériaux (de construction) : bois de charpente, bois de construction. ¶ (Médéc.) Aliments, mets, nourriture. ¶ Race (d'un animal), sang. ¶ *Fig.* Matière, sujet (d'un livre, etc). ¶ Matériaux, documents ¶ Matériel, c.-à-d. cause, origine. ¶ Disposition naturelle, humeur, caractère. [charpente.

materiaria, *ae*, f. Commerce du bois de

1. **materiarius**, *a, um*, adj. Relatif au bois de construction. ¶ Qui concerne la matière.

2. **materiarius**, *ii*, m. Marchand de bois de construction. ¶ Charpentier.

materies, *ei*, f. Comme **MATERIA**.

materior, *aris*, *atus, sum, ari*, dép. intr. Aller chercher du bois de construction.

materis. Voy. **MATARA**. [ternel.

maternus, *a, um*, adj. De mère, ma-

matertera, *ae*, f. Sœur de la mère, tante maternelle. — *magna*, grande tante, — *major*, arrière-grand'tante.

mathematica, *ae*, f. La mathématique. ¶ L'astrologie.

mathematice, es, f. Comme le précédent.

1. mathematicus, a, um, adj. Mathématique; qui concerne les mathématiques.   [¶ Astrologue.

2. mathematicus, i, m. Mathématicien.

mathesis, eos ou is, f. Mathématiques. ¶ Astrologie.   [parricide.

matricida, æ, m. et f. Qui tue sa mère.

matricidium, ii, n. Meurtre d'une mère, parricide.   [riage; conjugal.

matrimonialis, e, adj. Relatif au ma-

matrimonium, ii, n. Mariage ¶ Au plur.‖ (méton.) *Matrimonia*, femmes mariées.

matrimus, a, um, adj. Qui a encore sa mère.

matrix, icis, f. Femelle élevée et conservée en vue de la reproduction. ¶ (Par anal.) Souche productrice de rejetons. ¶ Mère, aïeule. ¶ *Fig.* Cause première, source, origine. ¶ (Méton.) Matrice. ¶ Matricule, registre.

matrona, æ, f. Matrone. ‖ Dame. ¶ (Par ext.) Epouse.

matronalis, e, adj. De matrone, de dame.

matta, æ, f. Natte de joncs.

mattea, æ, f. Friandise.

matteola, æ, f. Friandise délicate.

mattiobarbulus, i, m. Soldat qui lance des balles de plomb (en guise de bonbons).

matula, æ, f. Vase pour les liquides. ¶ Pot de chambre. ¶ *Terme injur.* Cruche.

maturesco, is, a vi, ere, intr. Mûrir devenir mûr.

maturate, adv. Promptement, en toute hâte.   [tude.

maturatio, onis, f. Rapidité; promptimaturato, adv. Comme MATURATE.

maturator, oris, m. Celui qui hâte, qui accélère.

mature, adv. A propos, à point, en son temps. ¶ Vite, tôt, promptement. ‖ Trop tôt, avant le temps, prématurément.   [amener à maturité.

maturefacio, is, ere, tr. Rendre mûr, maturesco, is, turui, ere, intr. Devenir mûr, mûrir. ¶ *Fig.* Se former, se développer; atteindre son plein développement.

maturitas, atis, f. Maturité. ‖ (Méton.) Fruit mûr. ¶ *Fig.* Maturité de l'âge. ‖ Complet développement, maturité, perfection. ¶ Temps opportun, occasion favorable. ¶ Célérité; promptitude.

1. maturo, as, avi, atum, are, tr. Mûrir, rendre mûr. ¶ Attendrir, amollir. ¶ *Fig.* Mener à terme, achever, perfectionner. ¶ Faire à temps *ou* à loisir. ¶ Mener promptement à bonne fin; accélérer, presser, hâter. ¶ *Intr.* Devenir mûr, mûrir. ¶ Se hâter.   [heure.

2. maturo, adv. A temps, de bonne maturus, a, um, adj. Mûr. ¶ Arrivé à maturité, à un développement complet. ¶ Qui est à point, qui a l'âge requis pour (se marier, porter les

armes, etc.). ¶ Qui a atteint l'âge où l'on doit cesser de faire qqch.; qui est mûr pour la retraite; âgé, vieux, qui a assez vécu. ¶ (En parl. de ch.) Prêt à être recueilli. ¶ Mûr avant le temps, précoce, hâtif; *fig.* prématuré. ¶ Prompt, rapide; exécuté rapidement.

matutine, adv. Comme MATUTINO.

matutino, adv. Le matin, de bonne heure.

matutinum, i, n. Matin, matinée.

matutinus, a, um, adj. Du matin, matinal. ¶ Qui a lieu le matin. ¶ Qui agit le matin.

mavolo. Voy. MALO.

mavors, ortis, m. Sorte de capeline.

maxilla, æ, f. Mâchoire. ¶ (Méton.) Menton.   [maxillaire.

maxillaris, e, adj. De la mâchoire;

maxime (MAXUME), adv. Le plus; au plus haut (*ou* à un très haut) degré; très; fort. ¶ Au plus. ¶ Principalement, avant tout, surtout, de préférence. ¶ Précisément, justement. ¶ En gros, sommairement. ¶ Très bien, oui, certainement, parfaitement, très volontiers (formules d'affirmation).

maximopere, adv. Très fort. Voy. MAGNOPERE.

maximus, a, um, adj. Superl. de MAGNUS.

masa, æ, f. Pâtée pour les chiens.

meabilis, e, adj. Par où l'on peut passer, praticable. ¶ Qui pénètre facilement.

meatus, us, m. Marche, course, passage. ‖ Vol (des oiseaux). ¶ Voie de communication, passage, ouverture, voie; canal.   [des femmes).

mecastor, interj. Par Castor (serment mechanema, atis, n. Ouvrage d'art.

1. mechanica, æ, f. La mécanique.

2. mechanica, orum, n. pl. Ouvrages d'art.

1. mechanicus, a, um, adj. Qui concerne la mécanique; mécanique.

2. mechanicus, i, m. Mécanicien.

mecon, onis, (acc. ona), f. Sorte de pavot.

meconicos, on, adj. De pavots.

meconion, ii, n. Suc de pavot. ¶ Plante. Voy. PEPLIS. ¶ Premiers excréments des nouveaux-nés.

meconium, ii, n. Voy. MECONION.

med, arch. p. ME.   [(chez les Osques).

meddix ou medix, icis, m. Magistrat

medela, æ, f. Traitement, guérison. ¶ (Méton.) Remède. ‖ *Fig.* Remède, c.-à-d. secours.   [suivant.

medeor, es, ere, intr. et tr. Comme le medeor, eris, eri, dép. intr. Porter remède à, soigner, guérir. ¶ *Fig.* Venir en aide à.

medianum, i, n. Le milieu.   [milieu.

medianus, a, um, adj. Qui se trouve au mediastinus, i, m. Esclave à tout faire.

1. medica, æ, f. Femme médecin, sagefemme.   [(de Médie).

2. medica (s.-e. HERBA), æ, f. Luzerne

3. medica, orum, n. pl. Plantes médicinales.

medicabilis, e, adj. Guérissable. ¶ Qui guérit.

medicamen, inis, n. Comme MEDICAMENTUM.

medicamentaria, ae, f. Empoisonneuse.

1. medicamentarius, a, um, adj. Qui concerne les médicaments. ¶ Qui concerne les poisons.

2. medicamentarius, ii, m. Pharmacien.

3. medicamentarius, ii, m. Empoisonneur.

medicamentosus, a, um, adj. Employé comme médicament. ¶ Qui agit comme médicament, médicinal, médicamenteux.

medicamentum, i, n. Drogue, ingrédient. ¶ Substance employée comme remède, médicament (interne ou externe); potion; emplâtre, onguent, pommade. ¶ Breuvage empoisonné, poison. ¶ Breuvage magique, philtre. ¶ Assaisonnement. ¶ Préparation; teinture, couleur, fard, cosmétique. || Fig. Fard, ornement artificiel.

medicatio, onis, f. Médication, traitement.   [médicinal.

medicatorius, a, um, adj. Médical ou

1. medicatus, a, um, p. adj. Propre à guérir; médicinal.   [glue.

2. medicatus, us, m. Composition magique.

medicina, ae, f. Médecine, art médical. ¶ Cabinet de médecin; officine de pharmacien. ¶ Remède, traitement. ¶ Fig. Remède, c.-à-d. secours. ¶ Médecine, c.-à-d. drogue, médicament. || Par ext. Poison, toxique.

medicinalis, e, adj. Relatif à la médecine; médical, médicinal.

medicinaliter, adv. D'une manière propre à guérir.   [cinal.

medicinus, a, um, adj. Médical; médi-

medico, as, avi, atum, are, tr. Soigner, guérir. ¶ Appliquer une préparation convenable; frotter, oindre, imbiber. || Empoisonner. ¶ Enchanter, amener par des enchantements. ¶ Teindre, colorer.

medicor, aris, atus sum, ari, dép. tr. Soigner, guérir. ¶ Fig. Porter remède à.

1. medicus, a, um, adj. Qui soigne, qui guérit. ¶ Médicinal. ¶ Magique.

2. medicus, i, m. Médecin. ¶ Chirurgien. || Vétérinaire. ¶ Le doigt annulaire.   [juste milieu.

medie, adv. Entre les deux; dans un

medietas, atis, f. Etat de ce qui est au milieu. ¶ (Méton.) Le milieu. || (Arith.) Moyenne. || Fig. Juste milieu. ¶ Moitié.

medimnum, i, n. Médimne (mesure grecque pour les matières sèches). valant 51 litres 78.

medimnus, i, m. Comme le précédent.

medio, as, atum, are, tr. Partager par le milieu ou par moitié. ¶ Intr. Etre à son milieu. Junio mediante, au milieu de juin. ¶ Etre placé au milieu, se

trouver entre, intervenir.   [diocre.

mediocriculus, a, um, adj. Assez médiocris, e, adj. Moyen, qui tient le milieu. ¶ Mesuré, modéré. ¶ Qui est de qualité moyenne, d'où médiocre, ordinaire, insuffisant.

mediocritas, atis, f. Juste milieu. ¶ Fig. Modération, mesure. ¶ Médiocrité, insuffisance, exiguïté.

mediocriter, adv. Modérément, passablement. || Fig. Avec modération simplement. ¶ Médiocrement, faiblement.   [jaune.

mediolum, i, n. Le milieu d'un œuf, le

medioximus (MEDIOXUMUS), a, um, adj. Placé au milieu. ¶ Comme MEDIOCRIS.

meditabundus, a, um, adj. Qui pense constamment à.

meditamen, inis, n. Méditation, projet.

meditamentum, i, n. Méditation. ¶ (Au plur.) Meditamenta, exercices préliminaires.   [étude. ¶ A fond.

meditate, adv. Avec réflexion, avec

meditatio, onis, f. Réflexion. ¶ Etude préparatoire, exercice.

meditatorium, ii, n. Préparation. || Prélude. ¶ Endroit où l'on se prépare.

meditatus, us, m. Comme MEDITATIO.

mediterraneus, a, um, adj. Situé au milieu des terres, d'où éloigné du la mer.

meditor, aris, atus sum, ari, dép. tr. Méditer, réfléchir, penser à. Meditatum scelus, crime prémédité. ¶ Se préparer à, étudier, s'exercer à. ¶ Cultiver, pratiquer.

meditullium, ii, n. Milieu.

medium, ii, n. Milieu, espace intermédiaire. ¶ (Fig.) Juste milieu. ¶ Ce qui est au milieu, c.-à-d. à la portée de tous, domaine commun, intérêt commun. ¶ Le public, la société; la publicité. ¶ Moitié, demie.

medius, a, um, adj. Du milieu, qui est au milieu. ¶ Intermédiaire. || Central. || Ecoulé dans l'intervalle. ¶ Fig. Moyen. || Modéré, tempéré. || Médiocre, ordinaire, vulgaire. ¶ Neutre, qui ne prend pas parti. ¶ Mixte, ambigu, équivoque, à double sens. ¶ Intermédiaire, c.-à-d. qui s'interpose.

medius fidius (s.-e. JUVET), formule d'invocation (que le dieu de la bonne foi m'assiste), par ma foi.

medix. Voy. MEDDIX.

medulla, ae, f. Moelle. ¶ (Par anal.) Pulpe (des fruits). ¶ Fig. Le cœur, la partie intime. ¶ Ce qu'il y a de meilleur, d'essentiel : le suc, la moelle.

medullaris, e, adj. Qui est dans la moelle des os.   [excellent.

medullatus, a, um, adj. Plein de moelle;

medullitus, adv. Jusque dans la moelle (des os). ¶ Du fond du cœur.

mefitis. Voy. MEPHITIS.

megistanes, um, m. pl. Les grands (d'un Etat).

mehe, arch. p. ME (acc. de EGO).

mehercle. Voy. le suivant.

mehercule, mehercules, formule de serment. Qu'Hercule m'assiste, par Hercule !

meiles, arch. pour MILES.

mein. Voy. MIN.

1. meio ou mejo, *is*, *ere*, intr. Uriner. ¶ *Fig.* Fuir (en parl. d'un vase félé).

2. mejo, *as*, *avi*, *are*, intr. Comme le précédent.

mel, mellis, n. Miel. Au plur. *Mella*, rayons de miel. ¶ *Fig.* Chose qui a la douceur du miel.

melancholia, *ae*, f. Bile ou humeur noire, mélancolie, hypocondrie.

melancholicus, *a*, *um*, adj. Atrabilaire, mélancolique, hypocondriaque.

meles, *is*, f. Martre ou blaireau.

melete, *es*, f. Comme CHAMAELEON.

melica, *orum*, n. pl. Poésies lyriques.

melice, *es*, f. Poésie lyrique.

1. melicus, *a*, *um*, adj. Musical. ¶ *Spéc.* Lyrique.

2. melicus, *i*, m. Poète lyrique.

melilotos, *i*, m. Mélilot (plante).

meliloton ou melilotum, *i*, n. Comme le précédent.

melimeli, n. Voy. MELOMELI.

melimelon. Voy. le suivant.

melimelum, *i*, n. Pomme dont la saveur est douce comme le miel. ¶ Vin de grenade.

melina, *ae*, f. Vin miellé.

melinum, *i*, n. Huile de coing.

1. melinus, *a*, *um*, adj. De coing. ¶ De la couleur du coing mûr; jaune coing.

2. melinus, *a*, *um*. Voy. MELLINUS.

3. melinus, *a*, *um*, adj. De martre ou de blaireau.

melior. Compar. de BONUS.

meliphyllum, *i*, n. Comme MELISPHYL-LUM.

melis, *is*, f. Voy. MELES.

melisphyllum, *i*, n. Mélisse (plante).

melissophyllon, *i*, n. Comme le précédent.

melius, adv. Compar. de BENE.

meliuscule, adv. Un peu mieux.

meliusculus, *a*, *um*, adj. Un peu meilleur. ¶ Qui se porte un peu mieux.

1. mella, *ae*, f. Eau miellée.

2. mella, *ae*, f. Lotus.

mellaceum, *i*, n. Vin cuit.

mellaceus, *a*, *um*, adj. Semblable au miel; mielleux.

mellarium, *ii*, n. Ruche.

1. mellarius, *a*, *um*, adj. Qui concerne le miel; à miel.

2. mellarius, *ii*, m. Eleveur d'abeilles.

mellatio, *onis*, f. Récolte du miel.

melleus, *a*, *um*, adj. De miel. ¶ Semblable au miel. ¶ *Fig.* Doux comme le miel, suave. [miel.

mellisugus, *a*, *um*, adj. Doux comme

mellifer, *fera*, *ferum*, adj. Qui produit du miel.

mellifex, *icis*, m. Apiculteur.

mellificium, *ii*, n. Production du miel.

mellifico, *as*, *are*, intr. Faire du miel.

mellificus, *a*, *um*, adj. Qui produit du miel. ¶ Propre à la production du miel.

mellifluens, *entis*, adj. D'où coule le miel. ¶ Dont la parole est douce comme le miel.

mellifluus, *a*, *um*, adj. D'où coule le miel. ¶ Doux comme miel.

mellitus, *a*, *um*. De miel. ¶ Au f., vin miellé.

mellitus, *a*, *um*, adj. De miel, au miel; sucré avec du miel. ¶ *Fig.* Doux, suave, charmant.

1. melo, *onis*, m. Melon.

2. melo, *onis*, m. Comme MELES.

melomeli, n. indécl. Eau de coing; cotignac.

melos, n. Chant, mélodie. ¶ Poésie lyrique.

membrana, *ae*, f. Peau mince, pellicule, membrane. ¶ Cloison membraneuse (des fruits). ¶ *Spéc.* Parchemin, peau préparée pour écrire. ¶ *Fig.* Superficie, surface; extérieur.

membranaceus, *a*, *um*, adj. Formé d'une peau. ¶ De parchemin. Semblable à de la peau.

membranula, *ae*, f. Pellicule. ¶ Parchemin. || (Méton., Acte sur parchemin.

membratim, adv. Membre à membre. ¶ Pièce par pièce, en détail. ¶ *Spéc.* Par courtes phrases.

membrum, *i*, n. Membre (du corps). ¶ Au plur. *Membra*, le corps. ¶ Partie d'un tout. || Membre de phrase. || Appartement, pièce; chambre. || Membre d'une association.

memini, *isse*, tr. et intr. Se souvenir; penser à. ¶ Mentionner.

memor, *oris*, adj. Qui garde le souvenir. ¶ Qui ne perd pas de vue. || Reconnaissant. || Qui n'oublie pas le mal, vindicatif. || Attentif. || Prévoyant. ¶ Qui fait souvenir, qui avertit.

memorabilis, *e*, adj. Digne de mémoire, mémorable. ¶ Dont on peut faire mention, vraisemblable.

memoralis, *e*, adj. Relatif à la mémoire ou au souvenir. ¶ Qui sert à rappeler.

memorandus, *a*, *um*, adj. Digne de mémoire.

memoratio, *onis*, f. Rappel, mention.

1. memoratus, *a*, *um*, adj. Rappelé, raconté. ¶ Célèbre.

2. memoratus, *us*, m. Mention ou récit.

memore, adv. Voy. MEMORITER.

memoria, *ae*, f. Mémoire, faculté de l'esprit. ¶ Action de se souvenir, souvenir, mémoire; réminiscence, ressouvenir. ¶ Action de penser (à qqch.), conscience, sentiment. ¶ Mention (qu'on fait d'une chose). ¶ Tradition (verbale ou écrite), relation, récit. || (Méton.) Livre d'histoire, mémoires. ¶ Monument élevé à la mémoire de qqn. ¶ Ce dont on se souvient; fait, événement. || Temps, époque.

memoriale, *is*, n. Monument, souvenir. Au pl. *Memorialia*, notes; mémento.

memoriales, *ium*, m. pl. Faits remarquables. ¶ Mémoires.

1. memorialis, *e*, adj. De souvenir. || Destiné à fixer le souvenir.

2. memorialis, *is*, m. Historiographe.

memoriola, *ae*, f. Mémoire. ¶ Petit monument.

memoriter, adv. De mémoire; par cœur. ¶ *Par ext.* Avec une mémoire sûre; exactement.

memoro, *as*, *avi*, *atum*, *are*, tr. Rappeler, faire souvenir. ¶ Mentionner, nommer. ¶ Parler de.

menda, *ae*, f. Voy. MENDUM.

mendaciloquus, *a*, *um*, adj. Menteur.

mendacium, *ii*, n. Mensonge, imposture, fausseté. ¶ Fiction poétique: fable, légende. ¶ Contrefacon. ¶ Illusion.

mendax, *acis*, adj. Qui ment, menteur, imposteur. ¶ Mensonger, faux. ¶ Imité, contrefait.

mendicabulum, *i*, n. Mendiant.

mendicatio, *onis*, f. Action de mendier.

mendice, adv. En mendiant, à la facon d'un mendiant, chichement. [gence.

mendicitas, *atis*, f. Mendicité, indi-

mendico, *as*, *avi*, *atum*, *are*, intr. Mendier, demander l'aumône. ¶ *Tr.* Mendier, demander en mendiant.

mendicor, *aris*, *atus sum*, *ari*, dép. intr. et tr. Comme le précédent.

1. mendiculus, *a*, *um*, adj. De mendiant.

2. mendiculus, *i*, m. Mendiant.

1. mendicus, *a*, *um*, adj. Qui mendie; indigent. ¶ De mendiant. ¶ *Fig.* Misérable, mesquin.

2. mendicus, *i*, m. Un mendiant. ¶ Au plur. *Mendici*, les prêtres de Cybèle, qui vivaient d'aumônes.

mendose, adv. D'une manière fautive, incorrecte, défectueuse.

mendosus, *a*, *um*, adj. Plein de fautes, défectueux. ¶ Incorrect, fautif. ¶Qui fait des fautes (de copie). ¶ Vicieux.

mendum, *i*, n. Défaut physique, tache sur la peau. || Difformité. ¶ Faute de copie, incorrection; bévue. ¶ Faute, erreur. ¶ *Qqf.* p. MENDACIUM, mensonge, tromperie, fraude. [cerveau.

meninga, *ae*, f. Méninge, membrane du

mens, *mentis*, f. Principe pensant, esprit, intelligence, raison. ¶ Pensée; idée. || Conscience. ¶ Intention, dessein. ¶ Caractère. ¶ Cœur, âme (siège des sentiments et des passions). ¶ Sentiment, avis.

mensa, *ae*, f. Table à manger. || (Méton.) Ce qu'on met sur la table; nourriture, mets; plat; service. — *secunda*, second service, dessert. ¶ (Par anal.) Etal de boucher, billot. || Table des marchands de comestibles. || Comptoir de changeur *ou* de banquier. || Table de jeu. || Table de sacrifice; autel. || Plate-

forme où étaient exposés les esclaves mis en vente. ¶ Pierre tombale. ¶ Table d'une catapulte.

mensalis, *e*, adj. De table, de repas. ¶ En forme de table.

mensarius, *ii*, n. Ce qui est sur la table.

1. mensarius, *a*, *um*, adj. Qui est sur la table *ou* qui concerne la table. ¶ Relatif au change, à la banque, aux finances. [¶ Contrôleur de finances.

2. mensarius, *ii*, m. Changeur, banquier.

mensio, *onis*, f. Action de mesurer, mesure. [truel.

mensis, *is*, m. Mois. ¶ Flux mens-

mensor, *oris*, m. Celui qui mesure. || *Spéc.* Arpenteur, géomètre. || Architecte. || Ingénieur. || Officier chargé de déterminer la distance entre les tentes. || Contrôleur, préposé au mesurage du blé destiné aux greniers publics.

menstrua, *orum*, n. pl. Menstrues.

menstrualis, *e*, adj. Mensuel, qui a lieu tous les mois. ¶ Menstruel. || Qui a ses menstrues. ¶ Qui dure un mois.

menstruum, *i*, n. Mois de service. ¶ Provisions pour un mois.

menstruus, *a*, *um*, adj. Mensuel; qui revient tous les mois. ¶ Qui dure un mois. [(fig. géométr.).

mensula, *ae*, f. Petite table. ¶ Trapèze

mensularius, *ii*, m. Changeur, banquier.

mensum, *i*, n. Mesure.

mensura, *ae*, f. Action de mesurer, mesurage; mesure. ¶ Résultat du mesurage. || Dimension, longueur, largeur, grandeur, étendue, etc. || *Gramm.* Quantité (des syllabes). || *Fig.* Mesure, portée, valeur, caractère (de qqn). || Juste mesure, exactitude des proportions, symétrie. ¶ Ce qui sert à mesurer; mesure, commune mesure. ¶ Ce qui peut être mesuré : étendue.

menta, *ae*, f. Menthe (plante).

mentha, Voy. MENTA.

1. mentio, *onis*, f. Action de rappeler, de citer, mention. ¶ Ouverture, proposition. || Demande en mariage. ¶ Initiative d'une mesure, d'une résolution : motion.

2. mentio, *is*, *irs*, intr. Voy. MENTIOR.

3. mentio, *onis*, f. Comme MENDACIUM.

mentior, *iris*, *titus sum*, *iri*, dép. intr. Inventer des fictions (poétique). ¶ Ne pas dire ce qui est réel; se tromper. ¶ Mentir. || Ne pas tenir une promesse. ¶ Inventer. ¶ Dire faussement; donner comme prétexte mensonger. ¶ Décevoir, tromper. ¶ S'attribuer faussement. ¶ Contrefaire.

mentis, *is*, f. Arch. p. MENS.

mentitus, *a*, *um*, part. passé. Imité, simulé, contrefait, faux, mensonger.

mento, *onis*, m. Qui a un long menton.

mentum, *i*, n. Menton. ¶ Barbe. ¶ (Archit.) Larmier.

meo, *as*, *avi*, *atum*, *are*, intr. Aller, passer, circuler. ¶ Décrire une révolu-

tion (en parl. des astres). [tilentiel,
mephiticus, *a, um,* adj. Méphitique, pes-
mephitis, *is* (acc. *im*), f. Exhalaison
pestilentielle.

meraculus, *a, um,* adj. A peu près pur.

meracus, *a, um,* adj. Non mélangé, pur.
¶ *Fig.* Non tempéré, sans restriction.

mercabilis, *e,* adj. Qui peut être acheté,
vénal.

mercator, *oris,* m. Commerçant, marchand. ¶ *Fig.* Celui qui trafique, qui
fait argent de... [de marchand.

mercatorius, *a, um,* adj. De commerce;

mercatura, *ae,* f. Commerce, négoce.
|| (Méton.) Marchandise. ¶ *Fig.* Trafic.

mercatus, *us,* m. Commerce, négoce,
trafic. ¶ Place de commerce, marché,
foire. ¶ Assemblée, réunion solennelle, à l'occasion d'une fête religieuse;
fête populaire.

mercedula, *ae,* f. Maigre salaire. ¶
Mince revenu (d'une terre).

1. **mercennarius** (MERCENARIUS), *a, um,*
adj. Salarié; mercenaire.

2. **mercennarius,** *ii,* m. Mercenaire: serviteur à gages. [p. MERX.

1. **merces** et **mercis,** *is,* f. Forme arch.

2. **merces,** *edis,* f. Rétribution, rémunération; paye, salaire; honoraires.
|| Récompense. ¶ Revenu, intérêt.
¶ Prix de l'on paye; *d'où* peine, puni-
tion, châtiment; salaire|| (*Péjor.*). Tort,
préjudice, dommage. *Magna mercede,*
chèrement, cher.

mercimonium, *ii,* n. Trafic. ¶ Marchandise.

mercor, *aris, atus sum, ari,* dép. intr.
Trafiquer, faire le commerce. Part.
subst. *Mercantes,* les marchands. ¶ *Tr.*
Acheter, acquérir à prix d'argent.
Mercatus magno, payé cher.

mere, adv. Purement, sans mélange.

merenda, *ae,* f. Goûter, collation; repas
pris l'après-midi. ¶ Repas des animaux.

merens, *entis,* p. adj. Qui rend service.
¶ Qui mérite, digne de. ¶ Coupable.

merenter, adv. Selon le mérite. ¶ Util-
lement.

mereo, *es, ui, itum, ere,* tr. Gagner,
acquérir, obtenir. || *Spéc.* Servir, être
soldat (*ou* gagner sa solde). ¶ Mériter,
être (*ou* se rendre) digne de. ¶ Mériter
(bien *ou* mal de qqn), être méritant,
rendre service. || *Péjor.* Se rendre cou-
pable de, commettre. || Faire tort
(à qqn). [Comme MEREO.

mereor, *eris, itus sum, eri,* dép. tr.

meretricie, adv. En courtisane.

meretricium, *ii,* n. Métier de courtisane.

meretricius, *a, um,* adj. De courtisane.

meretricor, *aris, atus sum, ari,* intr.
Faire le métier de courtisane. [étage.

meretricula, *ae,* f. Courtisane de bas

meretrix, *icis,* f. Fille de joie, courtisane.

merga. Voy. MERGUS. [sonneur.

mergae, *arum,* f. pl. Fourche de mois-

merges, *itis,* f. Gerbe (de blé).

mergo, *is, mersi, mersum, ere,* tr. Plonger, enfoncer dans l'eau, submerger,
engloutir. ¶ *Fig.* Submerger, c.-à-d.
ruiner. ¶ Cacher, dissimuler, rendre
invisible. ¶ *Intr.* Se plonger.

mergus, *i,* m. Plongeon, oiseau de mer.
¶ Provin.

meridialis, *e,* adj. Comme le suivant.

meridiana, *orum,* n. pl. Contrées méri-
dionales.

1. **meridianus,** *a, um,* adj. De midi. —
somnus, méridienne, sieste. ¶ Situé
au midi, méridional.

2. **meridianus,** *i,* m. Le midi, le sud.

meridiatio, *onis,* f. Méridienne, sieste.

meridies, *ei,* m. Milieu du jour, midi.
¶ Le midi, le sud. ¶ Milieu, moitié. —
noctis, minuit. [ridienne, la sieste.

meridio, *as, atum, are,* intr. Faire la mé-

1. **merito,** *as, avi, are,* tr. Gagner (un
salaire). ¶ Servir (comme soldat).

2. **merito,** adv. A bon droit; avec raison.

3. **merito,** syn. de PROPTER, par suite
de, à cause de. ¶ *Adv.* Conséquemment. [MERITO.

meritor, *atus, ari,* dép. tr. Comme 1.

meritorium, *ii,* n. Auberge, débit.
¶ *Qqf.* Mauvais lieu. ¶ Au plur. *Meri-
toria,* appartements qu'on loue.

meritorius, *a, um,* adj. Qui rapporte
un salaire *ou* un gain; qui se paye;
de louage. ¶ Qui gagne de l'argent
par la débauche.

meritum, *i,* n. Gain, salaire, récompense; profit. ¶ *Péjor.* Salaire, c.-à-d.
châtiment. ¶ Mérite. || *En parl. de ch.*
Valeur, importance. ¶ Belle conduite;
service rendu. ¶ Offense, faute, crime.

meritus, *a, um,* p. adj. Mérité, légitime.
¶ Qui mérite, digne. [NERO.

mero, *onis,* m. Ivrogne (jeu de mots sur
merobibus, *a, um,* adj. Qui boit son vin
pur.

merops, *opis,* m. Guêpier, oiseau.

mersito, *as, are,* tr. Plonger à plusieurs
reprises.

merso, *as, avi, atum, are,* tr. Plonger
dans, baigner. ¶ *Fig.* Submerger,
exploiter.

merula, *ae,* f. Merle, oiseau. ¶ (Par
anal.) Merle, poisson de mer. ¶ Machine hydraulique, qui fait entendre
un son semblable au chant du merle.

merum, *i,* n. Vin pur.

merus, *a, um,* adj. Pur, sans mélange.
¶ *Fig.* Pur, c.-à-d. vrai. — *segnities,*
paresse pure.

merx, *mercis* (gén. plur. *mercium*), f.
Marchandise, denrée. ¶ (Méton.) Prix
des marchandises . ¶ Récompense.
Voy. MERCES.

mesancylum, *i,* n. Sorte de javeline au
milieu de laquelle se trouve la courroie qui sert à la lancer.

mespilum, *i,* n. Nèfle (Fruit). ¶ (Méton.)
Néflier (arbre). [ton.] ¶ Pos

mespilus, *i,* f. Néflier (arbre.) ¶ (Mé-
messio, *onis,* f. Action de moissonner;
moisson.

messis, *is*, f. Action de moissonner; moisson. ¶ (Par anal.) Récolte. ¶ (Méton.) Ce qu'on récolte, grain. || Temps de la moisson, été. || Année. ¶ *Fig.* Moisson, récolte.

1. **messor**, *oris*, m. Moissonneur, faucheur. ¶ Celui qui récolte.

2. **messor**, *oris*, m. Comme MENSOR.

messoria (s.-e. FALX), *ae*, f. Faux de moissonneur.   [moissonneur.

messorius, *a*, *um*, adj. De faucheur, de

messura, *ae*, f. Action de moissonner, moisson.   [noms

met, partic. insép. qui s'ajoute aux pro-

meta, *ae*, f. Cône, pyramide. ¶ Borne ¶ Bout, pointe, extrémité. || But, terme, fin.

metal... Voy. METAPHE...

metalepsis, *is* (acc. *im*, abl. *i*), f. Métalepse (fig. de rhét.).

metallica, *ae*, f. Métallurgie.

1. **metallicus**, *ae*, *um*, adj. De métal, métallique. ¶ Relatif aux mines. ¶ Condamné au travail des mines.

2. **metallicus**, *i*, m. Ouvrier mineur.

metallum, *i*, n. Métal (or, argent, cuivre, etc.). ¶ (En gén.) Toute production minérale (marbre, sel, etc.). ¶ (Méton.) Mine, travail des mines.

metamorphosis, *eos* et *is*, f. Métamorphose.   [rhét.).

metaphora, *ae*, f. Métaphore (fig. de

metaphorice, adv. Métaphoriquement.

metaplasmus, *i*, m. Métaplasme (t. gramm.); altération de la forme d'un mot.

metathesis, f. Métathèse, transposition de lettres ou de syllabes (t. gramm.).

metatio, *onis*, f. Action de délimiter au moyen de bornes; bornage. ¶ Arpentage. ¶ Action de tracer un camp.

metator, *oris*, m. Celui qui jalonne, d'où qui délimite, qui mesure, qui trace. ¶ *Fig.* Celui qui détermine ou assigne.

metatus, *us*, m. Comme METATIO.

methodice, *es*, f. Méthode, partie de la grammaire qui traite des règles du langage.   [cause l'effroi.

meticulosus, *a*, *um*, adj. Craintif. ¶ Qui

metior, *iris*, *mensus sum*, *metiri*, dép. tr. Mesurer. || Arpenter. || *Fig.* Parcourir. ¶ Distribuer (par mesures). ¶ *Fig.* Juger, apprécier.

1. **meto**, *as*, *are*, tr. Mesurer, délimiter.

2. **meto**, *is*, *messui*, *messum*, *metere*, intr. et tr. Faire la moisson. || *En gén.* Faire une récolte. ¶ *Tr.* Moissonner, faucher. || Cultiver (une contrée), habiter. ¶ Cueillir; arracher. ¶ Moissonner, c.-à-d. faucher, massacrer, faire périr.

3. **meto**, *as*, *are*, intr. Comme COMITOR.

metor, *aris*, *atus sum*, *ari*, dép. tr. Planter des jalons ou des bornes (pour délimiter un terrain). || Délimiter, tracer l'enceinte ou le plan de .||Etablir, asseoir (un camp). ¶ Comme

METIOR : mesurer, arpenter; parcourir.

metreta, *ae*, f. Métrite (mesure athénienne pour les liquides valant 38 lit. 84 centil.). ¶ (Par ext.) Baril, barrique. ¶ Unité de tonnage (qqch. comme notre tonne).

metrici, *orum*, m. pl. Métriciens; qui traitent de la métrique.

metricus, *a*, *um*, adj. Soumis à une mesure régulière. ¶ Relatif à la mesure du vers; métrique.

metropolis, *is* (acc. *im*), f. Métropole, capitale.

metropolita, *ae*, m. Habitant d'une métropole. ¶ Métropolite, évêque d'une église métropolitaine.

1. **metropolitanus**, *a*, *um*, adj. De la métropole; métropolitain.

2. **metropolitanus**, *i*, m. Evêque métropolitain.   [¶ (Méton.) Vers.

metrum, *i*, n. Mètre, mesure d'un vers.

metuendus, *a*, *um*, p. adj. Qui est à craindre, redoutable.

metuens, *entis*, p. adj. Craintif.

metula, *ae*, f. Petite pyramide.

metuo, *is*, *ui*, *utum*, *ere*, intr. et tr. || *Intr.* S'effrayer, concevoir des inquiétudes, avoir peur. ¶ *Tr.* Craindre, appréhender. || Ne pas oser; se refuser à.

metus, *us*, m. Crainte, inquiétude. ¶ Alarmes. ¶ Crainte religieuse, respect. ¶ (Méton.) Objet de crainte. || Circonstance critique, danger.

meus, *a*, *um*, adj. Mon, mien. ¶ Qui m'appartient (en propre). ¶ Qui me concerne. ¶ Qui m'est cher. ¶ Dont je parle.

mica, *ae*, f. Parcelle, miette; grain.

micans, *antis*, p. adj. Brillant, étincelant.

mico, *as*, *ui*, *are*, intr. S'agiter vivement, trembloter, sautiller, tressauter, palpiter. || Darder. — *digitis*, jouer à la mourre ou (qqf.) tirer au sort. ¶ Briller, étinceler, scintiller. || Jeter des éclairs.

migratio, *onis*, f. Action de passer d'un endroit dans un autre : migration, émigration. ¶ *Fig.* Passage d'une signification à une autre.

migrator, *oris*, m. Emigrant.

migro, *as*, *avi*, *atum*, *are*, intr. Quitter un endroit pour un autre, émigrer. ¶ S'éloigner de, sortir de. ¶ Se transformer. ¶ Convoler. ¶ Mourir. ¶ *Tr.* Faire changer de place, faire passer ¶ Transgresser, violer.

milax, *acis*, f. Liseron épineux. ¶ Yeuse. ¶ If.

miles, *itis*, m. Soldat, simple soldat; *collect.* les soldats, l'armée. ¶ Fantassin (opp. à cavalier). ¶ Fonctionnaire du palais. ¶ Pion (d'un échiquier). ¶ *Fémin.* Se dit d'une femme.

milia, *ium*, n. pl. Un millier; des milliers. || *Fig.* Un millier, c.-à-d. un nombre indéterminé. ¶ Mille, espace de mille pas.

miliaria (s.-e. AVIS), ae, f. Ortolan.

1. miliarium, ii, n. Chaudière. ¶ Colonne d'un pressoir à olives.

2. miliarium, ii, n. Voy. MILLIARIUM.

miliarius, a, um, adj. De mil; relatif au mil.

milies (MILIENS). Voy. MILLIES.

militaris, e, adj. De soldat; militaire. —, arma, armes d'ordonnance. ¶ De guerre. — via, route stratégique. ¶ Guerrier, belliqueux.

militariter, adv. Militairement; à la manière des soldats.

militia, ae, f. Service militaire; service en campagne; métier de soldat; vie des camps. ¶ En gén. (fig.) Service, charge, office. || Charge (au palais impérial). ¶ Guerre, campagne. ¶ (Méton.) Milice, c.-à-d. soldats, armée.

militiola, ae, f. Service militaire court (ou insignifiant). [pion.

1. milito, onis, m. Combattant; cham-

2. milito, as, avi, atum, are, intr. Etre soldat, servir à l'armée; faire la guerre. Part. Subst. Militantes, ium, m. pl. Ceux qui sont à l'armée. ¶ Servir (au palais), remplir une charge (à la cour). || Servir, avoir pour office de... [indicium, sorgho.

milium, ii, n. Mil, millet (plante). —

mille (arch. MEILE), adj. numér. indécl. Mille. Voy. MILIA.

millenarium, ii, n. Un millénaire (espace de mille ans).

1. millenarius, a, um, adj. Qui contient mille unités; millénaire.

milleni, ae, a, adj. Mille par mille, mille pour chacun.

millepeda, ae, f. Mille-pieds, insecte.

millesima (s.-e. pars), ae, f. Un millième, la millième partie.

millesimus, a, um, adj. Millième. Adv. millesimum, pour la millième fois.

milliarii, orum, m. pl. Millénaires (secte d'hérétiques).

1. milliarium, ii, n. Un millier.

2. milliarium, ii, n. Milliaire, borne marquant sur les routes les distances de mille en mille pas.

milliarius, a, um, adj. Qui concerne le nombre mille. ¶ De mille pas.

millies (MILIES ou MILIENS), adv. Mille fois. ¶ Un nombre indéfini de fois.

milus, ae, f. Milan femelle (t. d'injure).

miluago, inis, f. Milan de mer, poisson.

miluina (s.-e. FAMES), ae, f. Boulimie, appétit dévorant. [blable au milan.

miluinus, a, um, adj. De milan; sem-

miluus, i, m. Milan (oiseau de proie). ¶ (Fig.) Homme rapace. ¶ (Par anal.) Milan de mer (poisson). ¶ Etoile voisine de la Grande Ourse.

milvus. Voy. MILUUS.

mima, ae, f. Mime, comédienne.

mimallones, um, f. pl. Bacchantes.

mimalloneus, a, um, adj. De bacchante.

mimarii, orum, m. pl. Pantomimes, acteurs. [vers iambiques.

mimiambi, orum, m. pl. Mimes en mimice, adv. A la manière des mimes; en comédien.

mimicus, a, um, adj. De mime, mimique; de bouffon. ¶ (Fig.) Simulé, hypocrite. [mimographe.

mimographus, i, m. Auteur de mimes.

mimula, ae, f. Mime, comédienne.

mimulus, i, m. Mime, comédien.

mimus, i, m. Mime, comédien, acteur. || Bouffon. ¶ Mime, comédie burlesque, farce. ¶ Fig. Comédie, farce.

1. min, pour MINIUM.

2. min, mot grec p. EUM.

3. min', pour MIHINE?

1. mina, ae, f. Mine (poids attique de cent drachmes, (436 gr. 30 centigr.). ¶ Mine, monnaie valant environ 92 fr. 68.

2. mina. Voy. MINAE.

minabundus, a, um, adj. Qui menace.

minaciae, arum, f. pl. Menaces.

minacitas, atis, f. Air menaçant.

minaciter, adv. D'une manière menaçante; en menaçant.

minae, arum, f. pl. Pointes saillantes, faîte crénelé. ¶ Ordin. Menaces. ¶ Cris menaçants. || Menaces des choses; signes menaçants.

minanter, adv. En menaçant.

minatio, onis, f. Action de menacer; menaces.

minax, acis, adj. Qui fait saillie, proéminent. ¶ Menaçant, qui fait des menaces.

mineus, a, um, adj. Rouge, vermillon.

mingo, is, minxi et mixi, minctum et mictum, are, intr. Uriner.

miniaceus (MINIACIUS), a, um, adj. De minium, de vermillon.

miniatulus, a, um, adj. Un peu rouge. ¶ Rouge (en parl. d'un objet menu).

miniatus, a, um, p. adj. D'un rouge éclatant.

minime, adv. Le moins, le moins possible, très peu. ¶ Nullement, pas du tout.

minimo, as, are, tr. Réduire à rien.

1. minimum, i, n. Très petite quantité. ¶ La plus petite quantité; le minimum.

2. minimum, adv. Comme MINIME.

minimus, a, um, adj. Très petit, minime. ¶ Le plus petit, le moindre. || Le plus jeune.

minio, as, avi, atum, are, tr. Passer au minium, au vermillon. Au passif miniari, devenir rouge.

1. minister, tra, trum, adj. Qui sert, qui aide, auxiliaire.

2. minister, tri, m. Subordonné, serviteur. ¶ Ministre (d'un culte), prêtre (d'un dieu). ¶ Agent (subalterne), lieutenant, collaborateur. ¶ Péjor. Suppôt.

ministerium, ii, n. Service, condition de serviteur. ¶ Par ext. Office, fonction, ministère. ¶ (Méton.) Personnel, ensemble des serviteurs. Au plur. Ministeria, orum, n. Serviteurs; bas officiers. ¶ Service de table (vaisselle, etc.).

ministra, ae, f. Servante. ¶ En gén. Celle qui prête son ministère, auxiliaire. [service.

ministratio, onis, f. Action de servir; ministrator, oris, m. Serviteur (surt. à table). ¶ Celui qui assiste, conseiller; adjoint, assesseur, second. ¶ Instructeur.

ministratrix, icis, f. Celle qui seconde.

ministratus, abl. u, m. Service.

ministro, as, avi, atum, are, intr. et tr. Servir. || Spéc. Servir à table. ¶ Fournir, procurer. ¶ Mettre la main à, s'occuper de, diriger, pourvoir à.

minitabundus, a, um, adj. Qui ne cesse de menacer.

minitor, aris, atus sum, ari, dép. tr. Menacer. — alicui mortem, menacer qqn de mort.

minium, ii, n. Minium, vermillon.

minius, a, um, adj. Voy. MINEUS.

mino, as, avi, are, tr. Mener (un animal) avec des cris et des coups; conduire, faire avancer.

1. minor, aris, atus sum, ari, dép. intr. tr. Faire saillie, être proéminent. ¶ Ordin. Menacer, dire ou annoncer avec menaces. ¶ Annoncer avec fracas, promettre (monts et merveilles).

2. minor, us, adj. (au compar.). Moindre, plus petit. || Spéc. Plus jeune. ¶ Inférieur, moins important.

minume. Voy. MINIME.

minuo, is, ui, utum, ere, tr. Rendre plus petit. ¶ Découper en menus morceaux, fendre, briser, broyer. ¶ Diminuer, amoindrir, restreindre. || Fig. Modérer. || Affaiblir, ruiner.

1. minus, adj. Neutre de MINOR.

2. minus, adv. Moins.

3. minus, a, um, adj. Pelé.

minusculus, a, um, adj. Un peu plus petit; assez petit.

minuta, orum, n. pl. Minutes, subdivisions de l'heure ou du degré (de la sphère). [viandes et de légumes.

minutal, alis, n. Sorte de hachis de minutalia, e, adj. Petit, insignifiant. Subst. Minutalia, um, n. pl. Petits êtres, menus objets.

minute, adv. En petits morceaux. ¶ Fig. Minutieusement. ¶ Mesquinement.

minutia, ae, f. Petite parcelle. ¶ Fig. Au plur. Minutiae, arum, f. Minuties, choses insignifiantes.

minutim, adv. Par petits morceaux.

minutio, onis, f. Amoindrissement (pr. et fig.). [Tout à fait insignifiant.

minutulus, a, um, adj. Tout petit. ¶

minutum, i, n. Minute, 60e partie du degré. Voy. MINUTA.

minutus, a, um, adj. Petit, menu. ¶ Sans importance, mesquin; frivole; insignifiant.

mirabilis, e, adj. Etonnant, surprenant, merveilleux, extraordinaire; étrange. ¶ Admirable. [gieusement.

mirabiliter, adv. Etonnamment, prodigieusement.

mirabundus, a, um, adj. Rempli d'étonnement.

miraculum, i, n. Chose étonnante, merveille, miracle. ¶ Ce qu'il y a de merveilleux dans un objet; bizarrerie, étrangeté.

mirandus, a, um, p. adj. Digne d'admiration, admirable; étonnant, surprenant. [admiration, étonnement.

miratio, onis, f. Action d'admirer;

mirator, oris, m. Admirateur.

miratrix, icis, f. Admiratrice.

miratus, abl. u, m. Admiration.

mire, adv. Etonnamment, prodigieusement. ¶ Admirablement.

mirifice, adv. Comme le précédent.

mirificus, a, um, adj. Prodigieux, extraordinaire.

miror, aris, atus sum, ari, dép. tr. Regarder fixement, contempler. ¶ S'étonner, être surpris de, être étonné. ¶ Tr. Regarder avec admiration, admirer. ¶ Se passionner pour.

mirus, a, um, adj. Etonnant, prodigieux, merveilleux, extraordinaire. ¶ Admirable.

mis, arch. p. MEI ou pour MEIS.

miscellanea, orum, n. pl. Ragoût grossier, nourriture des gladiateurs. ¶ Mélanges (littéraires), miscellanées.

miscellaneus, a, um, adj. Mêlé, mélangé.

misceo, es, miscui, mixtum, ere, tr. Mêler, mélanger. || Spéc. Préparer un breuvage, donner à boire. ¶ Mêler, c.-à-d. combiner, associer. ¶ Confondre, bouleverser. ¶ Exciter à la fois; produire beaucoup de....

misellus, a, um, adj. Pauvre malheureux. ¶ (En parl. de ch.). Chétif.

miser, era, erum, adj. Malheureux, misérable, digne de pitié. ¶ Souffrant, malade. ¶ (En parl. de ch.) Misérable, pitoyable. ¶ Qui rend malheureux, qui fait souffrir; exagéré.

miserabilis, e, adj. Digne de pitié, déplorable. ¶ Qui se lamente.

miserabiliter, adv. D'une manière lamentable; de façon à exciter la pitié.

miseramen, inis, n. Compassion, pitié.

miserandus, a, um, adj. Déplorable.

miseranter, adv. En excitant la compassion : d'une manière touchante.

miseratio, onis, f. Compassion, pitié. ¶ (T. de rhét.) Le pathétique.

misere, adv. Misérablement. ¶ D'une façon pitoyable. ¶ D'une façon qui rend malheureux; éperdument.

misereo, es, ui, eritum ou ertum, ere, intr. Comme le suivant.

misereor, eris, eritus ou ertus sum, eri,

dép. intr. Avoir pitié de, plaindre. ¶
Impers. *Miseretur* voy. MISERET.

miseresco, *is*, *ere*, intr. Eprouver de la
pitié, s'attendrir sur. Impers. *Mise-
rescit*, comme MISERET.   [en pitié.

miseret, impers. Avoir pitié, prendre

miseria, *ae*, f. Malheur, misère, détresse.
¶ Difficulté. ¶ Chagrin, inquiétude,

misericordia, *ae*, f. Pitié, compassion.
Au plur. *Misericordiae*, œuvres pieuses.

misericorditer, adv. Avec compassion.

misericors, *cordis*, adj. Compatissant,
miséricordieux.

missile, *is*, n. Arme de jet. ¶ Au pl.
Missilia, *um*, n. Armes de trait. ||
Objets jetés en cadeau au peuple. ||
Présents, cadeaux.   [jet; de trait.

missilis, *e*, adj. Qu'on peut lancer; de

missio, *onis*, f. Action d'envoyer; envoi.
|| *Jet*. Envoi en possession. ¶ Action
de lancer, jet. || Portée (d'un trait).
¶ Action de tirer du sang, saignée. ¶
Renvoi. || Libération, congé. || Grâce
accordée à un gladiateur blessé. *Sine
missione*, sans merci, sans quartier, à
outrance. || Affranchissement (d'un
esclave); élargissement (d'un prison-
nier). || Clôture (d'une séance). || Fin,
cesse.

missito, *as*, *avi*, *atum*, *are*, tr. Envoyer
fréquemment. ¶ Emettre, faire en-
tendre souvent.

missor, *oris*, m. Celui qui lance.

1. **missus**, *us*, m. Action d'envoyer,
envoi. ¶ Action de lancer, jet, portée
(d'un trait). ¶ Entrée des chars, des
gladiateurs; course, combat. ¶ Service,
ce qu'on apporte à chaque service.

2. **missus**, *i*, m. L'Envoyé (de Dieu),
le Messie.

misticius, *ii*, m. Voy. MIXTICIUS.

mistim. Voy. MIXTIM.

mistio, *onis*, f. Voy. MIXTIO.

mistura. Voy. MIXTURA.

misy, *yos*, n. Sorte de truffe *ou* de
champignon. ¶ Sulfate de fer.

mite, adv. Avec douceur; avec patience.

mitella, *ae*, f. Petite mitre. ¶ Coiffe
terminée en pointe. ¶ Echarpe (pour
soutenir un membre malade).

mitesco, *is*, *ere*, intr. S'adoucir, perdre
de son âpreté. ¶ Mûrir (en parl. des
fruits de la terre). ¶ S'amollir, devenir
tendre. || Devenir mûr à point. ||
Devenir moins violent; se calmer. ¶
Fig. S'apprivoiser. || S'adoucir, se
laisser fléchir.

mitifico, *as*, *avi*, *atum*, *are*, tr. Amollir,
attendrir. ¶ Apprivoiser. || *Fig.* Cal-
mer.   [de calmer.

mitigatio, *onis*, f. Action d'adoucir *ou*

mitigatorius, *a*, *um*, adj. Adoucissant,
calmant (t. méd.).   [TIO

mitigatus, abl. *u*, m. Comme MITIGA-

mitigo, *as*, *avi*, *atum*, *are*, tr. Adoucir,
amollir. || Assouplir. ¶ *Fig.* Apprivoi-
ser; civiliser. ¶ Apaiser, calmer. ||
Diminuer.

mitis, *e*, adj. Doux, sans rudesse. ¶
Tendre, mou. ¶ Mûr. || D'une douce
saveur. ¶ Modéré, sans violence. ¶
Doux, *c.-à-d.* pacifique. || *En parl.
d'anim.* Apprivoisé. ¶ Inoffensif. ||
Facile à supporter. ¶ *En parl. du
style.* Doux, moelleux.   •

mitra, *ae*, f. Mitre, coiffure phrygienne
avec des mentonnières. ¶ Câble (de
navire), cordage.

mitratus, *a*, *um*, adj. Coiffé d'une mitre.

mitto, *is*, *misi*, *missum*, *ere*, tr. Envoyer,
faire aller. || Députer, déléguer. ¶
Adresser, faire parvenir, dépêcher. ||
Dédier, offrir. ¶ Mander (par lettre),
écrire à, faire savoir. ¶ Lancer, jeter.
¶ Lâcher, déchaîner. — *se*, s'élancer.
¶ *Terme méd.* Faire sortir, tirer (du
sang). ¶ Emettre, exhaler, faire entendre; produire. ¶ Renvoyer, laisser
aller, congédier. || Donner (à qqn)
son congé, licencier (des troupes). ||
Répudier (sa femme). || Dissoudre
(une assemblée). — *senatum*, lever la
séance du sénat. || Affranchir. ||
Absoudre. ¶ Omettre, laisser de côté,
passer sous silence. || Négliger, ne pas
tenir compte de. || Renoncer à, se
désister de.   [mélangé; métis ..

mixticius, *a*, *um*, adj. Né d'une race

mixtim, adv. Pêle-mêle; à la fois.

mixtio, *onis*, f. Mélange, mixtion.

mixtura, *ae*, f. Action de mélanger;
mélange. ¶ (Méton.) Mixture, mélange

1. **mixtus** (MISTUS), *a*, *um*, p. adj. Mêlé
mélangé. Voy. MISCEO.

2. **mixtus**, abl. *u*, m. Mélange.

mobilis, *e*, adj. Qu'on peut mettre en
mouvement; mobile. || Léger, rapide,
vif. ¶ *Fig.* Mobile, inconstant.

mobilitas, *atis*, f. Facilité à se mouvoir;
mobilité. ¶ *Fig.* Inconstance. mobilité.

mobiliter, adv. Avec mobilité, rapidement, vivement. ¶ D'une manière
variable.

moderabilis, *e*, adj. Modéré, tempéré.

moderamen, *inis*, n. Tempérament,
adoucissement. ¶ Gouvernail, frein.
¶ Direction.

moderanter, adv. En dirigeant.

moderate, adv. Avec modération, avec
mesure.

moderatio, *onis*, f. Action de modérer,
de gouverner; autorité, pouvoir; gouvernement, conduite. ¶ Etat de ce
qui est réglé. || Pondération, ordre,
harmonie. || Modération, réserve, re-
tenue. || Clémence.

moderator, *oris*, m. Qui modère *ou* qui
tempère. ¶ Qui dirige, qui gouverne.

moderatrix, *icis*, f. Celle qui modère. ¶
Celle qui gouverne, qui règle.

moderatus, *a*, *um*, p. adj. Modéré,
mesuré, réglé. ¶ Qui est dans une
juste mesure. ¶ *En parl. de pers.*
Modéré, réservé.   [le suivant.

modero, *as*, *avi*, *atum*, *are*, tr. Comme

moderor, *aris*, *atus sum*, *ari*, dép. ⸴

et intr. Fixer une mesure, mettre des bornes à. || Restreindre, modérer. ¶ *Par ext.* Diriger, conduire, gouverner. || Manœuvrer. ¶ Etre maître de, disposer de.

modeste, adv. Avec mesure, modérément. ¶ Avec réserve, avec retenue, modestement.

modestia, *ae,* f. Modération, mesure; état de ce qui est tempéré. — *hiemis,* douceur de l'hiver. ¶ Réserve, retenue. || Simplicité, modestie. ¶ Obéissance, discipline. ¶ Moralité. || Décence, pudeur. ¶ Esprit d'à-propos, tact.

modestus, *a, um,* adj. Tempéré, mesuré, modéré. ¶ Réservé. || Simple, modeste. ¶ Doux. || Docile, obéissant, soumis, discipliné. ¶ Vertueux. ¶ Chaste.

modialis, adj. De la contenance d'un modius. [(boisseau).

modiatio, *onis,* f. Mesurage au modius

modice, adv. Médiocrement, faiblement, peu. ¶ Avec mesure, avec réserve. ¶ Décemment, convenablement.

modicum, adv. Un peu.

modicus, *a, um,* adj. Qui reste dans la mesure. ¶ Suffisant, convenable. ¶ Médiocre, modique, mesquin. ¶ Modéré, modeste, sans prétention.

modificatio, *onis,* f. Arrangement des mots selon les règles.

modifico, *as, avi, atum, are,* tr. Arranger selon des règles. ¶ Imposer une règle à.

modificor, *aris, atus sum, ari,* dép. tr. Mesurer. ¶ Régler, modérer. || Maîtriser.

modiolus, *i,* m. (Petit boisseau.) ¶ Petit vase à boire. ¶ Godet d'une roue hydraulique. ¶ Moyeu (d'une roue). ¶ Essieu de la meule d'un pressoir à olives. ¶ Corps de pompe. ¶ Rainure de la corde (dans une catapulte). ¶ Sorte de trépan.

modium, *ii,* m. Voy. le suivant.

modius, *ii,* m. Boisseau (pour les matières sèches). ¶ Mesure agraire (8 ares 39). ¶ Mesure (de capacité [8 l. 75]). ¶ Cavité où s'emboîte le pied d'un mât.

modo, adv. Seulement. ¶ Du moins, quoi qu'il arrive. ¶ Tant soit peu. ¶ Pourvu seulement. ¶ A l'instant même. || Tout à l'heure, naguère. || Dans un instant, bientôt. *Modo... modo...,* tantôt... tantôt.

modulate, adv. En cadence, en mesure. ¶ Harmonieusement.

modulatio, *onis,* f. Mesure, proportion. ¶ Mesure, cadence, rythme, modulation, harmonie.

modulator, *oris,* m. Celui qui fait qqch. en mesure; celui qui marque la cadence. ¶ Musicien. [met l'ordre.

modulatrix, *icis,* f. Celle qui règle, qui 1. **modulatus,** *a, um,* p. adj. Mesuré

réglé. ¶ Cadencé, harmonieux, mélodieux.

2. **modulatus,** abl. *u,* m. Chant.

modulor, *aris, atus sum, ari,* dép. tr. Mesurer. || Régler, disposer. ¶ Cadencer, rythmer; exécuter (un air, etc.) en mesure. || *En gén.* Chanter, jouer (sur un instrument).

modulus, *i,* m. Mesure, unité de mesure *ou* ce qui sert à mesurer. ¶ (Archit.) Module. ¶ Instrument servant à mesurer le débit d'une conduite d'eau. ¶ (Mus.) Mesure, cadence, rythme. || Mélodie, air. || Mode.

modus, *i,* m. Mesure. ¶ Ce qui sert de mesure, terme de comparaison. ¶ Résultat de la mesure : quantité, étendue, grandeur, dimension. ¶ (Mus.) Mesure, cadence, rythme. || Mélodie, air, motif. ¶ Terme, borne; but. ¶ *Fig.* Mesure, juste mesure, réserve. ¶ Manière, façon, procédé. ¶ Règle, principe. ¶ *Mus.* Mode. ¶ *Gramm.* Forme verbale, mode.

moecha, *ae,* f. Femme adultère. ¶ *Adj. fém.* Adultère.

moechisso, *as, are,* intr. Vivre en état d'adultère. ¶ *Tr.* Déshonorer.

moechocinaedus, *i,* m. Infâme débauché.

moechor, *aris, atus sum, ari,* dép. intr. Commettre un adultère. ¶ Vivre dans l'adultère.

moechus, *i,* m. Homme adultère.

moene, *is,* n. Muraille (d'une ville).

1. **moenia,** *um,* n. pl. Remparts, murailles. ¶ *Spéc.* Parois, enceinte. || *Méton.* Ville. || Edifices d'une ville. || *Qqf.* Vaste édifice, palais.

2. **moenia.** Voy. MUNIA.

moenianum, *i,* n. Muraille.

moenimentum. Voy. MUNIMENTUM.

moenio. Voy. MUNIO.

moenus, *eris,* n. Voy. MUNUS.

moereo. Voy. MAEREO.

moeror. Voy. MAEROR.

moerus, arch. p. MURUS.

moest... Voy. MAEST...

mola, *ae,* f. Meule (d'un moulin). Au plur. *Molae,* un moulin. ¶ Grain de froment égrugés et torréfiés, puis réduits en farine et mêlés de sel pour être semés sur la tête des victimes. *Mola salsa,* même signification. ¶ Môle, faux germe.

1. **molaris,** *e,* adj. De meule; dont on fait les meules. ¶ Qui sert à broyer.

2. **molaris** (s.-e. LAPIS), *is,* m. Pierre meulière. ¶ Grosse pierre.

3. **molaris** (s.-e. DENS), *is,* m. Dent mâchelière; molaire.

molarius, *a, um,* adj. De meule. ¶ De moulin. ¶ Qui tourne la meule.

moles, *is,* f. Masse, corps massif; charge, poids énorme. ¶ *Abstr.* Masse, pesanteur. || Poids, grosseur. ¶ *Fig.* Grandeur. ¶ Difficulté, effort, peine. ¶ *Concr.* Une masse. || Amas, monceau. || Foule. ¶ Construction énorme, vaste édifice. || Môle, jetée. || Gros navire. || Machine de guerre. || Banc de rochers. || Lame énorme *ou* paquet de mer, **moleste,** adv. D'une façon pénible, fatigante *ou* ennuyeuse. ¶ Avec peine, à regret.

molestia, *ae,* f. Ennui, chagrin, inquiétude. ¶ Embarras, désagrément. ¶ Recherche où l'on sent l'effort, affectation (de style). ¶ (Méton.) *Au plur.* Rougeurs, taches au visage.

molesto, *as, avi, are,* tr. Causer de la peine à, importuner, fatiguer. ¶ Etre à charge à.

molestus, *a, um,* adj. Difficile à supporter. ¶ Pénible, désagréable, à charge. || Choquant. ¶ Affecté, prétentieux. ¶ Difficile à exécuter.

molimen, *inis,* n. Effort énorme, grande dépense de forces. ¶ Ce qui exige un grand effort; importance énorme. ¶ Appareil imposant; lourde construction.

molimentum, *i,* n. Grande peine, fatigue. ¶ Embarras.

molina, *ae,* f. Moulin.

molio, *is, ire,* tr. Comme le suivant.

molior, *iris, itus sum, iri,* dép. tr. Mettre en mouvement, remuer avec effort, écarter avec effort. || Déplacer, soulever, lancer. ¶ Provoquer, exciter, soulever. ¶ Ebranler, saper. ¶ Creuser, labourer. ¶ Entasser, bâtir; construire des retranchements. ¶ Entreprendre avec peine, travailler à, machiner, ourdir, méditer, songer à; intriguer pour obtenir; provoquer, susciter. ¶ *Intr.* Se mettre en mouvement, se remuer, faire des efforts, se donner du mal.

1. molitio, *onis,* f. Action de mettre en mouvement avec effort. || Action de déplacer. ¶ Action de renverser, d'arracher. ¶ Mise en œuvre, moyens d'action, préparatifs, grands appareils. ¶ *Fig.* Machination.

2. molitio, *onis,* f. Action de moudre.

1. molitor, *oris,* m. Celui qui construit, qui exécute. ¶ Celui qui machine, qui trame.

2. molitor, *oris,* m. Meunier. [trame.

molitrix, *icis,* f. Celle qui machine, qui molitum, *i,* n. Ce qui est moulu; farine.

mollesco, *is, 'ere,* intr. Devenir mou. ¶ *Fig.* S'adoucir, s'humaniser. ¶ S'amollir, s'efféminer.

mollia, *um,* n. pl. Mollusques.

mollicellus, *a, um,* adj. Très tendre, délicat.

mollicina. Voy. MOLOCHINA.

molliculus, *a, um,* adj. Mou, tendre, délicat. ¶ Efféminé. || Voluptueux.

mollimentum, *i,* n. Adoucissement.

mollio, *is, ivi* et *ii, itum, ire,* tr. Amollir, assouplir, donner du moelleux à, donner de la souplesse à. ¶ Attendrir. ¶ Rendre moins escarpé, adoucir la pente de. ¶ *Fig.* Oter l'âpreté.

|| Attendrir, adoucir. || Amollir, efféminer.

mollipes, *edis,* adj. Qui a es pieds lents et paresseux.

mollis, *e,* adj. Mou au toucher, moelleux. *Mollia panis,* mie de pain. || Tendre, uni. ¶ En pente douce, sans escarpement. ¶ Lâche, relâché, détendu. ¶ Sans âpreté, tempéré. ¶ *Fig.* Tendre, sensible. ¶ Délicat, doux. || Indulgent, clément. || Condescendant, accommodant; caressant. ¶ *Péjor.* Sans énergie, mou, faible. || Efféminé, voluptueux.

molliter, adv. Mollement, moelleusement. ¶ Doucement, délicatement. ¶ En pente douce. ¶ *Fig.* Avec douceur, avec indulgence. ¶ Sans énergie. || Voluptueusement.

mollitia, *ae,* f. Souplesse. ¶ Tendreté. ¶ *Fig.* Sensibilité, délicatesse. ¶ *Péjor.* Manque d'énergie, timidité. ¶ Penchant à la volupté. || Débauche, dépravation.

mollities, *ei,* f. Comme le précédent.

mollitudo, *inis,* f. Souplesse (de la voix). ¶ Etat de ce qui est mou. ¶ Sensibilité, délicatesse; politesse. ¶ *Péjor.* Mollesse, sensualité.

1. molo, *is, lui, litum, ere,* tr. Moudre, broyer (des grains), réduire en poudre, écraser. ¶ *Intr.* Tourner la meule.

2. molo, *as, are, i,* tr. Moudre.

molon, *onis,* m. Comme MOLY.

molossus, *i,* m. Chien molosse. ¶ Pied de trois longues (pĕrmĭttŏ).

moltaticus. Voy. MULTATICUS.

moly, *yos,* n. Espèce d'ail dont on se servait contre les charmes. ¶ Morelle à fruits noirs.

momentum, *i,* n. Force motrice. ¶ Mouvement. *Venarum momenta,* battements du pouls. ¶ Poids rompant *ou* rétablissant l'équilibre; effet décisif, influence, importance. *Esse maximi momenti,* être d'un grand poids, avoir une grande importance. ¶ Motif déterminant, mobile; cause. ¶ Léger surcroît : parcelle. || Court intervalle, petite distance; point. || Minute, moment.

monachus, *i,* m. Moine.

moneo, *es, ui, itum, ere,* tr. Faire penser. || Faire souvenir, rappeler. ¶ Appeler l'attention sur, avertir. ¶ Conseiller, engager, inviter à. ¶ Faire connaître, annoncer. ¶ Rappeler (au bien), réprimander, corriger, punir.

moneris, *is,* f. Vaisseau à un seul rang de rames.

moneta, *ae,* f. Temple de Junon, la bonne conseillère. ¶ (A Rome.) Edifice où se fabrique la monnaie. ¶ Monnaie, argent monnayé. ¶ Coin servant à frapper la monnaie.

monetalis, *e,* adj. Relatif à la monnaie. ¶ Monnayé.

monile, *is,* n. Collier. ¶ *Au plur. Monilia,* bijoux, joyaux.

moniment... Voy. MONUMENT...

monita, *orum*, n. pl. Avertissements, avis. ¶ Signes prophétiques.

monitio, *onis*, f. Avertissement, conseil, avis.

monito, *as*, *are*, tr. Avertir fréquemment. ¶ Donner de sérieux avertissements.

monitor, *oris*, m. Celui qui avertit *ou* conseille. ¶ Celui qui assiste un avocat. ¶ Esclave nomenclateur. ¶ Souffleur au théâtre). ¶ Celui qui donne le signal de la prière *ou* du chant. ¶ Surveillant, inspecteur (des travaux agricoles). ¶ Chef (militaire).

monitus, *us*, m. Avis, avertissement. ¶ *Spéc.* Volonté (divine), prédiction, oracle. [corne; rhinocéros.

monoceros, *otis*, m. Qui n'a qu'une

monogramma, *atis*, n. Monogramme, tracé de plusieurs lettres réunies en un seul signe.

monogrammos, *on*, adj. Qui n'a qu'un trait, qu'une raie. ¶ Composé de simples lignes, simplement esquissé. ¶ Qui n'a que la forme d'un corps, qui n'est qu'une ombre. || Fantômatique, décharné.

monopodium, *ii*, n. Table à un seul pied.

monopolium, *ii*, n. Monopole.

monosyllabos, *on*, adj. Monosyllabe.

monosyllabus, *a*, *um*, adj. Comme le précédent. [solitaire.

monotropus, *i*, m. Celui qui vit seul,

mons, *montis*, m. Mont, montagne. ¶ (Méton.) Rocher, bloc de pierre. || *Plur.* Animaux sauvages (des montagnes). ¶ *Fig.* Amas, masse.

monstrabilis, *e*, adj. Digne d'être montré, remarquable. [indication.

monstratio, *onis*, f. Action de montrer;

monstrator, *oris*, m. Celui qui montre. ¶ *Spéc.* Guide. [TRATIO.

1. **monstratus**, abl. *u*, m. Comme MONS-

2. **monstratus**, *a*, *um*, p. adj. Signalé; qui est en grande considération (auprès de qqn).

monstrifer, *era*, *erum*, adj. Qui produit, qui suscite des monstres.

monstrifice, adv. Monstrueusement, bizarrement. [étrange.

monstrificus, *a*, *um*, adj. Monstrueux,

monstrigena, *ae*, m. Qui engendre des monstres.

monstro, *as*, *avi*, *arum*, *are*, tr. Indiquer, montrer, signaler. || Dénoncer. ¶ Faire connaître, exposer, raconter. ¶ Démontrer, prouver. ¶ Prescrire, ordonner. ¶ Pousser à.

monstrum, *i*, n. Prodige, présage (sinistre). ¶ Monstre, être répugnant *ou* gigantesque. ¶ Action abominable. ¶ Fléau. ¶ *Simpl.* Chose incroyable, merveille.

monstruose, adv. Monstrueusement.

monstruosus, *a*, *um*, adj. Prodigieux, surnaturel. ¶ Monstrueux. [gnes.

montana, *orum*, n. pl. Pays de monta-

montaneus, *a*, *um*, adj. Montagneux.

montani, *orum*, m. pl. Montagnards.

montanus, *a*, *um*, adj. De montagne. || Qui se trouve *ou* qui vit sur les montagnes. ¶ Montagneux, montueux.

monticola, *ae*, m. et f. Qui habite la montagne.

monticulus, *i*, m. Monticule.

montivagus, *a*, *um*, adj. Qui erre sur les montagnes.

montosus. Voy. le suivant.

montuosus, *a*, *um*, adj. Montueux, montagneux.

monumentum (MONIMENTUM), *i*, n. Ce qui rappelle un souvenir. || Edifice, statue. || Monument funèbre, tombeau. || Signe de reconnaissance, médaillon, amulette. ¶ *Au plur.* Documents, annales, mémoires.

1. **mora**, *ae*, f. Retard, perte de temps. || Délai. ¶ Temps d'arrêt. || Repos, pause. ¶ Espace de temps, durée, intervalle. ¶ Ce qui arrête, obstacle, empêchement.

2. **mora**, *ae*, f. Unité tactique des Lacédémoniens, comprenant de 400 à 900 hommes. [moral.

moralis, *e*, adj. Qui concerne les mœurs.

moratio, *onis*, f. Action de retarder; empêchement. ¶ Avocat qui amuse le tapis pour donner aux avocats principaux le temps de se reposer. ¶ Sorte de clown.

morator, *oris*, m. Celui qui retarde *ou* empêche. ¶ Celui qui fait obstacle. ¶ Celui qui s'attarde. || *Spéc.* Traînard, maraudeur. || Badaud.

1. **moratus**, *a*, *um*, adj. Part. passé de MOROR.

2. **moratus**, *a*, *um*, adj. Qui a telles ou telles mœurs. ¶ Qui est fait de telle ou telle façon. ¶ Où les mœurs sont bien étudiées, bien observées. || Où les caractères sont bien dessinés.

morbidus, *a*, *um*, adj. Malade. ¶ Malsain.

morbosus, *a*, *um*, adj. Malade, maladif. ¶ Malsain, insalubre. ¶ Passionné, maniaque. || *Spéc.* Infâme débauché.

morbus, *i*, m. Maladie, mal physique. ¶ Mal moral, chagrin, souci. || Contrariété. ¶ Passion violente. || Vice.

mordacitas, *atis*, f. Etat de ce qui est mordant *ou* piquant. ¶ Saveur piquante. ¶ Causticité, virulence (en paroles). [manière mordante.

mordaciter, adv. En mordant. ¶ D'une

mordax, *acis*, adj. Qui mord volontiers, habitué à mordre. ¶ Qui pique, piquant. || Qui sert à accrocher (comme l'agrafe). ¶ Acéré, coupant, tranchant, pénétrant. ¶ Corrosif. ¶ Acre. ¶ *Fig.* Caustique, médisant.

mordeo, *es*, *momordi*, *morsum*, *ere*, tr. Mordre. ¶ Mâcher, manger. || Dévorer, consommer. ¶ *En parl. de ch.* Piquer. || S'enfoncer dans, tenir ferme à, s'attacher à. || Entamer, attaquer, ronger. || Endommager. ¶ *Fig.* Déchirer à belles dents, attaquer, médire. ¶ Blesser, chagriner.

1. mordicus, adv. En mordant; avec les dents. ¶ Sans en démordre, opiniâtrément.

2. mordicus, *a, um,* adj. Qui mord.

moretum, *i,* n. Plat rustique composé de substances pilées (ail, oignon, ache, rue, coriandre, fromage) assaisonnées d'huile et de vinaigre.

moribundus, *a, um,* adj. Mourant, moribond. ¶ Mortel, périssable. ¶ Qui fait mourir, meurtrier.

morigero, *as, are,* tr. Comme le suivant.

morigeror, *aris, atus sum, ari,* dép. intr. Etre complaisant pour... ¶ Consentir (à qqch.).

morigerus, *a, um,* adj. Complaisant.

morio, *onis,* m. Fou, bouffon.

morior, *eris, mortuus sum, moriturus, mori,* dép. intr. Mourir. || Crever. ¶ *Fig.* Dépérir, se consumer (d'amour, de passion, etc.). ¶ *En parl. de ch.* Périr, s'éteindre, se perdre.

morologus, *a, um,* adj. Qui déraisonne.

1. mŏror, *aris, atus sum, ari,* dép. intr. S'arrêter, s'attarder, rester en arrière. || Hésiter. ¶ Faire halte, séjourner, demeurer. ¶ *Tr.* Faire attendre. || Retarder, retenir, arrêter, empêcher. || *Spéc.* Arrêter, c.-à-d. captiver, charmer. || ¶ Tenir à, se soucier de, faire cas de.

2. mŏror, *aris, ari,* dép. intr. Extravaguer.

morose, adv. Avec une humeur chagrine. ¶ *Fig.* D'une façon méticuleuse.

morositas, *atis,* f. Humeur chagrine. ¶ Esprit vétilleux, occupé de minuties.

1. morosus, *a, um,* adj. Exigeant, morose, chagrin, bizarre, capricieux. ¶ Méticuleux, vétilleux. ¶ *En parl. de ch.* Importun, désagréable.

2. morosus, *a, um,* adj. Lent, longtemps différé.

mors, *mortis,* f. Mort. ¶ (Méton.) Cadavre. || Carnage. || Ce qui donne la mort. ¶ (Par ext.) Destruction, fin.

morsicatim, adv. En mordillant.

morsicatio, *onis,* f. Action de mordiller.

morsico, *as, are,* tr. Mordiller. ¶ *Fig.* Lancer des œillades.

morsito. Voy. le précédent.

morsus, *us,* m. Morsure. ¶ (Par ext.) Action de manger. ¶ *Par anal.* Action de piquer, d'entamer, de s'enfoncer dans. || (Méton.) Dent (de l'ancre); agrafe. ¶ Brûlure. ¶ Atteinte, attaque. ¶ Saveur âcre *ou* piquante. ¶ *Fig.* Médisance. ¶ Impression pénible; dépit; chagrin.

1. mortalis, *e,* adj. Mortel. ¶ Sujet à la mort. || Périssable, éphémère. ¶ Humain, de condition humaine. ¶ *Rare.* Meurtrier. [homme.

2. mortalis, *is,* m. Etre mortel, un mortalitas, *atis,* f. Caractère de ce qui est mortel. || Instabilité, fragilité. ¶

Humanité, nature humaine. || (Méton.) Le genre humain.

mortarium, *ii,* n. Mortier (à piler). || Auge (de maçon). || Mortier, ciment. ¶ Fossé creusé au pied d'un arbre (pour l'arroser). [sans perdre de sang.

morticinium, *ii,* n. Tout ce qui meurt morticinum, *i,* n. Cadavre, charogne.

morticinus, *a, um,* adj. Mort naturellement; crevé. ¶ De mort. || De bête crevée.

mortifer, *fera, ferum,* adj. Qui donne la mort, mortel meurtrier, funeste.

mortifere, adv. Mortellement.

mortualia. *um,* n. pl. Chants funèbres. ¶ Vêtements de deuil.

morulus. *a, um,* adj. Moricaud.

morum, *i,* n. Mûre, fruit du mûrier. ¶ Mûre sauvage.

1. morus, *a, um,* adj. Fou.

2. morus, *i* f. Mûrier, arbre.

mos, *moris,* m. Volonté, gré. || Fantaisie, guise || Usage, habitude, coutume. ¶ *Mores, um,* m. pl. Conduite, caractère, mœurs (bonnes *ou* mauvaises). ¶ Loi, règle. ¶ Manière. || Mode manière de se vêtir.

mostellaria, *ae,* f. La pièce au revenant (comédie de Plaute).

mostellum, *i,* n. Spectre, fantôme, revenant.

mostrum, *i,* n. Arch. p. MONSTRUM.

motabilis, *e,* adj. Mobile.

motio, *onis,* f. Mouvement, agitation. || *Méd.* Accès de fièvre)), état fébrile, frisson. ¶ *Fig.* Agitation intérieure, impression. ¶ Action d'expulser. || Destitution, dégradation.

motiuncula, *ae,* f. Léger état fébrile; un peu de fièvre.

moto. *as, avi, are,* tr. Mouvoir *ou* remuer en divers sens, remuer souvent.

motor. *oris,* m. Celui qui met en mouvement *ou* qui remue. ¶ Celui qui déplace (les bornes d'un terrain).

motoria (s.-e. FABULA), *ae,* f. Comédie d'intrigue (pleine d'incidents et de mouvement).

motorium, *ii,* n. Principe du mouvement. ¶ Force motrice. || Mobile.

motorius, *a, um,* adj. Plein de mouvement, vivant, animé. — *comoedia,* voy. MOTORIA.

motum, *i,* n. Mot.

motus, *us,* m. Mouvement, agitation, secousse. || *Spéc.* Tremblement de terre, séisme. ¶ Mouvement du corps. || Gymnastique, exercice physique. || Evolution. || Danse, geste. || Action oratoire. || Mouvement de la sève. ¶ *Fig.* Mouvement, désordre, agitation. || Emeute, sédition. ¶ Mouvement de l'âme, impression, émotion, passion, sentiment. ¶ Activité (de l'esprit). || Motif, mobile. ¶ Changement. || Révolution (politique). || *Rhét.* Trope, figure.

moveo, *es movi, motum, ere,* tr. Mou-

voir, remuer, agiter, secouer, ébranler.
mettre en action. *Movere se, movere*
(absol.) ou *moveri*, se mouvoir. ¶ Remuer, c.-à-d secouer, troubler, *d'où*
incommoder, indisposer, rendre malade ¶ Ebranler (*fig.*), empêcher,
faire tort à. ¶ Altérer modifier. ¶ *Fig.*
Remuer moralement, émouvoir.||*Spéc.*
Toucher, apitoyer ||Inquiéter, effrayer
|| Mettre en colère. ¶ Mettre en mou-
vement. || Susciter, provoquer causer
faire naître. — *sudorem*, faire suer.
|| Pousser, produire. ¶ *Fig.* Exciter,
provoquer. || Soulever (une question).
|| Mettre en œuvre, entreprendre.
¶ Déplacer. ¶ Faire avancer. || Pré-
senter, offrir. || *Péjor.* Eloigner, chas-
ser, écarter, chasser, expulser. || *Fig.*
Déposséder, destituer, dégrader.

mox. adv. Bientôt, sous peu. ¶ Bientôt
après. || Plus tard, dans la suite. ¶
Puis, ensuite. [leur.

mu, interj. Grognement *ou* cri de dou-

muccio, *is, ire*, intr. Chevroter.

muccus. Voy. MUCUS.

muceo, *es, ere*, intr. Etre moisi.

mucesco, *is, ere*, intr. Se moisir.

mucidus, *a, um*, adj. Moisi. || Gâté.
¶ Morveux. [du vin *ou* du vinaigre.

mucor, *oris*, m. Moisissure. ¶ Event

mucosus, *a, um*, adj. Muqueux.

mucro, *onis*, m. Pointe (extrême d'un
objet). ¶ *Méton.* Arme pointue; sabre,
épée, pique. ¶ (Par ext.) Extrémité,
fin. ¶ *Fig.* Pénétration, finesse, subti-
lité. || Arme offensive, ressource pour
l'attaque.

mucronatim, adv. En pointe.

mucronatus, *a, um*, adj. Qui se termine
en pointe, pointu. [nasal.

mucus (MUCCUS). *i*, m. Morve, mucus

mugil, *is*, m. Mulet *ou* muge (poisson
de mer).

mugilis, *is*, n. Comme le précédent.

mugilo, *as, are*, intr. Crier (en parl. de
l'onagre).

muginor, *aris, ari*, intr. Murmurer.
¶ Ruminer; muser, perdre du temps.

mugio, *is, m et u, itum, ire,* intr.
Mugir, beugler. Part. subst. *Mu-
gientes*, bêtes à corne. ¶ Crier. ¶ Retentir, résonner.

mugitus, *us* m. Mugissement, beuglement. ¶ *Par ext* Grondement, fracas.

mula. *ae* (dat. et abl. pl. *abus*), f. Mule.

mularis, *e*, adj. De mulet *ou* de mule.

1 **mulcator** *oris* m. Celui qui maltraite.

2. **mulcator.** *oris*, m. Celui dont la
parole est une caresse.

mulceo, *es, mulsi, mulsum, ere,* tr.
Palper, caresser, flatter. ¶ Toucher
légèrement, effleurer. || Agiter douce-
ment. ¶ *Fig.* Charmer, enchanter,
réjouir. ¶ Apaiser, calmer. ¶ Récréer.

mulciber, *beris* et *beri*, m. Surnom de
Vulcain (celui qui amollit [les mé-
taux]). ¶ Le feu.

1. **mulco,** *as, avi, atum, are,* tr. Mal-

traiter, frapper, battre. || Meurtrir. ||
Endommager. ¶ Endurer, supporter.

2. **mulceo,** *as, are,* tr. Comme MULCEO.

mulct... Voy. MULT...

mulctra, *ae,* f. Vase à traire. || Seau à
lait. ¶ (Méton.) Lait.

mulgeo, *es, mulxi* ou *mulsi, mulctum* et
multum, ere, tr. Traire. ¶ *Fig.* Tirer,
attirer.

muliebris, *e,* adj. De femme, qui concerne les femmes. ¶ *Fig.* Efféminé.

muliebriter, adv. En femme, comme
une femme. ¶ *Fig.* Sans énergie.

mulier, *eris,* f. Femme. ¶ Femme
mariée. ¶ *Péjor.* Femmelette.

1. **mulierarius,** *a, um,* adj. Qui concerne
les femmes. [aux femmes.

2. **mulierarius,** *ii,* m. Homme adonné

muliercula, *ae,* f. Faible femme, femmelette. ¶ Femme sans mœurs.

muliercularius, Comme MULIEROSUS.

mulieritas, *atis,* f. Condition de femme.

mulierositas, *atis,* f. Passion pour les
femmes.

mulierosus, *a, um,* adj. Adonné aux

mulio, *onis,* m. Muletier. ¶ Sorte de
faon.

mulionicus, *a, um,* adj. De muletier.

mulionius, *a, um,* adj. De muletier.

mullei, *orum,* m. pl. Mules *ou* brode-
quins rouge pourpre (dont le port était
réservé aux grands personnages).

mulleolus, *a, um,* adj. Rouge pourpre.

mulleus, *a, um,* adj. Rouge pourpre.

1. **mullus,** *i,* m. Barbeau, rouget
(poisson).

2. **mullus.** Voy. MULLEUS.

mulo, *onis,* m. Comme MULIO.

mulomedicina, *i,* m. Art vétérinaire.

mulomediens, *i,* m. Celui qui soigne les
mulets; vétérinaire.

mulsa (s.-e. AQUA), *ae,* f. Hydromel.

mulseus, *a, um,* adj. Miellé. ¶ Doux
comme le miel. [miel.

mulsum (s.-e. VINUM), *i,* n. Vin mêlé de

mulsus, *a, um,* adj. Mêlé de miel. ¶
Doux comme le miel. ¶ *Fig.* Doux,
aimable. [tion, peine.

multa, *ae,* f. Amende. ¶ (Par ext.) Puni-

multangulus, *a, um,* adj. Qui a beaucoup d'angles.

multanimis, *e,* adj. Plein de cœur.

multaticius, *a, um,* adj. Relatif à une
amende. ¶ Provenant d'une amende.

multaticus, *a, um,* adj. Comme MULTA-
TICIUS.

multatio, *onis,* f. Amende. ¶ Punition.

multesimus, *a, um,* adj. Qui est partie
d'un tout nombreux, *d'où* faible, chétif. [foule, le commun des hommes.

multi, *orum,* m. pl. Le grand nombre, la

multiangulum, *i,* n. Polygone.

multiangulus, *a, um,* adj. Comme MUL-
TANGULUS. [coup.

multibibus, *a, um,* adj. Qui boit beau-

multicavatus, *a, um,* adj. Comme le
suivant.

multicavus, a, um, adj. Qui a beaucoup de trous, de cavités.

multicia, orum, n. pl. Vêtements faits d'étoffes brochées. [et fin.

multicius, a, um, adj. D'un tissu serré

1. multicolor, oris, adj. Multicolore.

2. multicolor, oris, f. Vêtement aux couleurs variées. [LORUS.

multicoloris, e, adj. Comme MULTICO-

multicolorus, a, um, adj. Multicolore.

multi facio et multifacio, is, feci, factum, ere, tr. Priser fort, tenir en grande estime.

multifariam, adv. Comme MULTIFARIE.

multifarie, adv. En beaucoup de lieux. ¶ De bien des manières.

multifarius, a, um, adj. Multiple, varié; de beaucoup de manières. [tile.

multifer, era, erum, adj. Fécond, fer-

multifidus, a, um, adj. Fendu en plusieurs parties, partagé. ¶ Fig. Qui se partage.

multiformis, e, adj. Qui a beaucoup de formes, varié, divers. ¶ Changeant, inconstant.

multigeneris, e, adj. Comme le suivant.

multigenerus, a, um, adj. De plusieurs espèces ou sortes.

multigenus, a, um, adj. Comme le précédent.

multijugis, e, adj. Comme le suivant.

multijugus, a, um ,adj. Attelé de plusieurs chevaux. ¶ Multiple. Subst. Multijugum, i, n. Accumulation de conjonctions dans une phrase.

multiloquium, ii, n. Bavardage.

multiloquus, a, um, adj. Qui parle beaucoup. [nières.

multimodis, adv. De beaucoup de ma-

multimodus, a, um, adj. Varié, divers.

multiplex, plicis, adj. Qui a beaucoup de plis; plissé. ¶ Qui a beaucoup de replis, sinueux. ¶ Composé de plusieurs couches. ¶ Composé de beaucoup de parties; compliqué ou complexe. ¶ Varié, divers. ¶ Fig. Multiple. || Plusieurs fois aussi grand; qui contient une quantité plusieurs fois. || Nombreux, considérable. ¶ Péjor. Versatile, changeant, inconstant.

multiplicabilis, e, adj. Comme le précédent.

multiplicatio, onis, f. Multiplication, augmentation. ¶ Multiplication (opération arith.). [¶ Fréquemment.

multipliciter, adv. De bien des manières.

multiplico, as, avi, atum, are, tr. Multiplier, grossir, augmenter. ¶ (Arithm.) Multiplier. [coup; très puissant.

multipotens, entis, adj. Qui peut beau-

multito, as, are, tr. Punir.

multitudo, inis, f. Multitude, grande quantité, foule. ¶ Péjor. Le public, le vulgaire, la foule. ¶ Gramm. Le pluriel. [bond.

multivagus, a, um, adj. Errant, vaga-

multivolus, a, um, adj. Capricieux. ¶ Exigeant.

1. multo (MULCTO), as, avi, atum, are, tr. Condamner à l'amende. ¶ Punir (en imposant qqch. ou en privant de qqch.); priver, dépouiller de. ¶ Punir.

2. multo, adv. Beaucoup; de beaucoup.

multoties, adv. Bien des fois; souvent.

1. multum, i, n. Une grande quantité de, beaucoup.

2. multum, adv. En grande quantité; beaucoup.

multus, a, um, adj. Qui est en grand nombre, nombreux. ¶ Abondant, considérable. ¶ Vaste, étendu. ¶ Important, considérable. || Général, répandu. — opinio, opinion répandue. || Long, avancé. Ad multum diem, bien avant dans le jour. Multa nocte, en pleine nuit. ¶ Fig. Qui se multiplie, qui se prodigue; infatigable. ¶ Qui s'étend longuement sur; prolixe, diffus.

mulus, i, m. Mulet. ¶ Ane bâté, être stupide.

1. mundanus, a, um, adj. Du monde, de l'univers. ¶ Du siècle, mondain. ¶ Du ciel, céleste. ¶ Matériel, corporel.

2. mundanus, i, m. Citoyen du monde, cosmopolite.

munde, adv. Avec propreté. ¶ Proprement, c.-à-d. artistement, élégamment.

munditer, adv. Avec propreté. ¶ Fig. Convenablement, décemment.

munditia, ae, et mundities, ei, f. Propreté, netteté. ¶ Elégance (dans la parure, l'ameublement, les manières). ¶ Politesse, élégance (du style).

mundo, as, avi, atum, are, tr. Nettoyer. ¶ Fig. Purifier.

1. mundus, a, um, adj. Propre, net. ¶ Fin, d'excellente qualité. ¶ Fig. Pur, vrai, authentique. || De mise soignée; élégant, pimpant, coquet. || Fig. Elégant (en parl. du style).

2. mundus, i, m. Tout ce qui contribue à la propreté ou à la parure. || Toilette, parure. ¶ Par ext. Attirail, matériel; ustensiles. ¶ Ensemble harmonieux de l'univers. || Monde, univers. || Ciel, espace céleste. || La terre, le globe. || Méton. Le monde, c.-à-d. les nations, les hommes. || Le monde souterrain. ¶ Eccl. Monde, siècle, vie du siècle.

1. munerarius, a, um, adj. Qui concerne les présents. ¶ Relatif aux combats de gladiateurs. — libellus, programme d'un combat de gladiateurs (avec les noms des combattants).

2. munerarius, ii, m. Celui qui offre des présents. ¶ Celui qui fait les frais d'un combat de gladiateurs.

muneratio, onis, f. Largesse.

munerigerulus, i, m. Celui qui porte des présents.

munero, as, avi, atum, are, tr. Donner, faire cadeau de. ¶ Pourvoir, gratifier.

muneror, aris, atus sum, ari, dép. tr. Donner en présent.

mungo, *is, ere*, tr. Moucher. [SUS.

mungosus, *a, um*, adj. Comme MUCO-munia, *ium* et *orum*, n. pl. Occupations, fonctions. ¶ Devoirs d'une charge.

municeps, *ipis*, m. et f. Citoyen (*ou* citoyenne) d'un municipe. ¶ Compatriote, celui *ou* celle qui appartient au même municipe.

municipalis, *e*, adj. D'un municipe, municipal. ¶ De petite ville, *d'ou* provincial.

municipaliter, adv. Dans un municipe *ou* comme dans un municipe.

municipium, *ii*, n. Municipe, ville libre (*partic.* en Italie). ¶ (Métón.) Habitants d'un municipe. [sement.

munifice, adv. Libéralement, généreu-munificens, *entis*, adj. Comme MUNI-FICUS.

munificentia, *ae*, f. Munificence, libéralité, générosité. Au plur. *Munificentiae*, largesses.

munificus, *a, um*, adj. Qui fait son service; qui est astreint à un service. ¶ Soumis à une redevance. ¶ Qui fait des présents; libéral, généreux. || Bienfaisant.

munimen, *inis*, n. Comme le suivant.

munimentum, *i*, n. Ce qui protège. || Fortification, rempart. || Arme défensive. ¶ *Fig.* Rempart, c.-à-d. abri, protection.

munio, *is, ivi* et *ii, itum, ire*, tr. Construire (un mur, un retranchement), faire un ouvrage de fortification. || Construire (une route), percer, frayer (un chemin). ¶ Entourer de murailles, fortifier, mettre en état de défense. ¶ *Fig.* Mettre à l'abri, protéger; mettre en sûreté.

munis, *e*, adj. Serviable.

munite, adv. A l'abri.

munitio, *onis*, f. Action de construire (une muraille), de percer (une route). ¶ Action de fortifier. ¶ (Métón.) Fortification, retranchement, rempart.

munitor, *oris*, m. Celui qui construit (un rempart), qui perce (une route). ¶ *Spéc.* Soldat du génie, terrassier, mineur. [tures, caleçons.

munitoria, *orum*, n. pl. Tabliers, cein-munitorius, *a, um*, adj. Propre à garantir. [¶ *Fig.* Garanti, protégé.

munitus, *a, um*, p. adj. Fortifié, défendu.

munus, *eris*, n. Charge, office, fonction, devoir, obligation envers l'Etat, occupation, travail. ¶ Prestation, contribution, impôt. ¶ Bon office, bienfait, service. || Dernier devoir (rendu à un mort). ¶ Cadeau, présent, don; offrande. || Libéralité faite au peuple par un magistrat. || Jeu public, spectacle, combat de gladiateurs. || Edifice public, théâtre construit pour un particulier à l'usage du peuple, portique, etc. [deau.

munusculum, *i*, m. Petit présent, ca-muraena. Voy. MURENA.

muraenula. Voy. MURENULA.

muralis, *e*, adj. De mur, mural.

murana, *ae*, f. Amas de pierres, moraine.

muratus, *a, um*, p. adj. Fortifié.

murena (MURAENA), *ae*, f. Murène, poisson de mer. ¶ Veine noire, défaut dans le bois de citronnier. ¶ Sorte de collier.

murenula (MURAENULA), *ae*, f. Petite murène. ¶ Sorte de petit collier.

murex, *icis*, m. Murex, coquillage pointu dont on tirait la pourpre. || (Métón.) Pourpre, couleur de pourpre. ¶ (Par ext.) Toute espèce de coquillage; conque. || Vase à liquides *ou* à parfums. ¶ Ce qui est hérissé de pointes. || Rocher pointu, pavé pointu. ¶ Coffre garni de pointes à l'intérieur. || Mors armé de pointes. || Chausse-trape.

muria, *ae*, f. Eau salée, saumure.

muriaticus, *a, um*, adj. Mariné dans la saumure. [mou.

muricidus, *a, um*, adj. Lent, paresseux, muries, *ei*, f. Voy. MURIA.

murinus, *a, um*, adj. De rat *ou* de souris. — *color*, couleur gris souris. — *auricula*, myosotis, plante.

muriola (MURRIOLA, MORIOLA), *ae*, f. Piquette, vin de raisin sec additionné de moût et remis au pressoir.

murmillo (MYRMILLO, MIRMILLO), *onis*, m. Sorte de gladiateur, qui combattait contre le rétiaire.

murmillonicus, *a, um*, adj. De murmillon, propre au murmillon.

murmur, *uris*, n. Murmure, grondement, bourdonnement, bruit sourd.

murmuratio, *onis*, f. Murmure. ¶ Murmure, plaintes de personnes mécontentes.

murmuro, *as, avi, atum, are*, intr. Murmurer, parler bas, grommeler, marmotter, se plaindre, exprimer son mécontentement. ¶ (En gén.) Faire entendre un bruit *ou* un son.

murmuror, *aris, atus sum, ari*, dép. intr. Comme MURMURO. ¶ *Tr.* Se plaindre de, accuser.

muropola. Voy. MYROPOLA.

1. murra (MURRHA, MYRRHA), *ae*, f. Arbre à myrrhe. ¶ Myrrhe, résine odorante. ¶ Espèce de cerfeuil musqué.

2. murra (MYRRHA, MURRA), *ae*, f. Murrhe, fluate de chaux *ou* fluorine dont on faisait des vases précieux. ¶ Vase murrhin.

murratus (MURRHATUS, MYRRHATUS), *a, um*, adj. Mélangé *ou* parfumé de myrrhe.

1. murreus (MURRHATUS, MYRRHEUS), *a, um*, adj. De l'arbre à myrrhe. ¶ Couleur de myrrhe, châtain.

2. murreus (MURRHEUS, MYRRHEUS), *a, um*, adj. Myrrhin.

murrha, etc. Voy. MURRA, etc.

1. murrhina (MURRINA), *ae*, f. Vin de myrrhe. [murrhins.

2. murrhina (s.-e. VASA), n. pl. Vases

murrhinum (s.-e. SINUM), i, n. Vin de myrrhe.

1. murrhinus ou murrinus,a, um, adj. De myrrhe ; à la myrrhe.

2. murrhinus (MURRINUS, MY RHINUS), a, um, adj. Myrrhin.

murriola, ae, f. Voy. MURIOLA.

murris. Voy. MURRA.

murrites, is, m. Vin de myrrhe ou aromatisé avec la myrrhe.

murritis. Voy. MYRRHITIS.

murta (MYRTA, MIRTA), ae, f. Baie de myrte. ¶ Myrte, arbrisseau.

murtaceus, a, um, adj. De myrte.

murtariae (MYRTARIAE), arum, f. pl. Comme MURTETA.

murtatum (s.-e. FARCIMEN), i, n. Sorte de saucisse ou de galantine appelée auj. mortadelle.

murtatus (MYRTATUS), a, um, adj. Assaisonné de myrte ou de baies de myrte.

murteolus, a, um, adj. Couleur de myrte.

murteta, ae, f. Comme le suivant.

murtetum (MYRTETUM), i, n. Bouquet ou bosquet de myrtes.

murteus, a, um, adj. Planté de myrtes. ¶ Fait avec des baies de myrte. ¶ Couleur de myrte, vert foncé.

murtinus (MYRTINUS) a, um, adj. De myrte.

murtites. Voy. MYRTITES.

murtum (MYRTUM), i, n. Baie de myrte.

murtuosus (MYRTUOSUS), a, um, adj. Semblable au myrte.

murtus (MYRTUS), i et us, f. Myrte, arbrisseau. || Branche de myrte. || Couronne de myrte. ¶ (Par ext.) Houlette ou lance en bois de myrte.

murus, i, m. Mur. ¶ Clôture, enceinte. ¶ Retranchement. ¶ Paroi. ¶ Tour portée par un éléphant.

mus, muris, m. et f. Rat, souris. ¶ Tout animal analogue au rat : hermine, martre, musc, etc. ¶ Sorte de poisson.

musa, ae, f. Muse. [tique, musical.

musaeus, a, um, adj. Des muses; poé-

musca, ae, f. Mouche, insecte. ¶ Fig. Curieux, parasite, importun.

muscarium, ii, n. Chasse-mouches. || Queue de paon servant d'éventail. || Ombelle, feuillage disposé en éventail. ¶ Armoire (où les papiers sont à l'abri des mouches).

muscarius, a, um, adj. De mouche.

muscella, ae, f. Petite mouche.

muscipula, ae, f. Ratière ou souricière. ¶ Fig. Piège.

muscipulum, i, n. Comme le précédent.

musclus. Voy. MUSCULUS.

muscosus, a, um, adj. Couvert de mousse, moussu.

musculus, i, m. Petit rat, petite souris. Muscle. ¶ Fig. Nerf, c.-à-d. vigueur. ¶ Sorte de mantelet, machine de guerre. ¶ Muscule, cétacé. ¶ Moule, coquillage.

museus, i, m. Mousse. ¶ Musc.

museiarius, ii, m. Mosaïste.

1. museum, i, n. Musée, bibliothèque, académie. ¶ Grotte artificielle.

2. museum, i, n. Ouvrage en mosaïque.

museus, a, um, adj. De mosaïque.

musiae, arum, f. pl. Nids de rats ou de souris.

musium, ii, n. Voy. 2. MUSEUM.

1. musica, ae, f. Musique. ¶ Poésie.

2. musica, ae, f. Musicienne.

3. musica, orum, n. pl. La musique.

musicalis, e, adj. Musical.

musicarius, ii, m. Musicien. ¶ Facteur d'instruments de musique. [monieux.

musicatus, a, um, p. adj. Musical, har-

1. musice, es, f. Comme 1. MUSICA.

2. musice, adv. A la façon des musiciens, en faisant bonne chère ; joyeusement.

1. musicus, a, um, adj. Relatif à la musique ; musical. ¶ Relatif à la poésie, poétique. ¶ Littéraire.

2. musicus, i, m. Musicien. ¶ Poète.

musinor. Comme MUGINOR.

musio, onis, m. Chat.

musium, ii, n. Voy. 1. MUSEUM.

musivarius, ii, m. Mosaïste.

musivum, i, n. Mosaïque. [saïque.

musivus, a, um, adj. Qui concerne la mo-

musmo, onis, m. Mouflon.

mussatio, onis, f. Action de marmotter.

mussabundus, a, um, adj. Qui murmure entre ses dents.

mussatio, onis, f. Action de marmotter. ¶ Action de grogner sourdement. [qui grogne ; mécontent.

mussitator, oris, m. Celui qui marmotte,

mussito, as, avi, atum, are, intr. Parler entre ses dents ; dire tout bas. ¶ Garder pour soi ; ne pas vouloir s'expliquer ; se taire.

mussitus, us, m. Grognement.

musso, as, are, intr. Parler entre ses dents. ¶ Murmurer de (mécontentement). ¶ Bourdonner. ¶ Ne pas vouloir (ou ne pas oser) dire. ¶ Rester muet.

mussor, aris, ari, dép. intr. Comme le précédent.

mustace, es, f. Comme MUSTAX.

mustaceum (MUSTACIUM), i, n. Sorte de gâteau de noces, où il entrait du vin doux et des feuilles du laurier mustax.

mustaceus (MUSTACIUS), i, m. Comme le précédent.

mustarius, a, um, adj. Relatif au moût.

mustax, acis, f. Sorte de laurier.

mustela (MUSTELLA), ae, f. Belette. ¶ Sorte de poisson de mer.

mustelinus (MUSTELLINUS), a, um, adj. De belette.

mustes. Voy. MYSTES.

musteus, a, um, adj. De moût, semblable au moût, doux comme du moût. ¶ Frais ; nouveau.

mustum, i, n. Moût, vin doux. ¶ (Méton.) Automne, où se fait le vin nouveau. || Huile nouvelle.   [veau.

mustus, *a, um*, adj. Jeune, frais, nouveau.

mutabilis, *e*, adj. Mobile. ¶ Qui peut se transformer; changeant, variable.

mutabilitas, *atis*, f. Mobilité. ¶ Variabilité.

mutatio, *onis*, f. Changement; variation. ¶ Action d'échanger : échange, troc. ¶ *Spéc.* Changement de chevaux, relai de poste. — *militiae*, rétrogradation. ¶ (Rhét.) Hypallage.

mutator, *oris*, m. Celui qui change. ¶ Celui qui échange. || Voy. DEBULTOR. || Trafiquant.

mutatorium, *ii*, n. Sorte de pèlerine.

mutatus, abl. *u*, m. Changement.

mutilo, *as, avi, atum, are*, tr. Mutiler, estropier. ¶ Couper, retrancher. || Amputer. ¶ *Fig.* Ecourter, tronquer. || Amoindrir, diminuer.

1. **mutilus**, *a, um*, adj. Qui a les cornes cassées. || A qui manque une corne. ¶ *En gén.* Privé d'un membre. || Estropié, mutilé. ¶ *Fig.* Incomplet, tronqué.

2. **mutilus**. Voy. MITULUS.

mutio, *is, ire*, intr. Voy. MUTTIO.

mutitio. Voy. MUTTITIO.

mutito, *as, are*, tr. Echanger souvent des repas; s'inviter tour à tour et souvent.

mutmut, n. indécl. Léger murmure.

muto, *as, avi, atum, are*, n. tr. Faire changer de place, transporter, déplacer. ¶ Changer, transformer. || Améliorer. || Corrompre. ¶ Teindre. ¶ *Intr.* Changer, c.-à-d. être différent. ¶ Changer de. ¶ Echanger, troquer.

muttio, *is, ivi, itum, ire*, intr. Parler entre ses dents, murmurer, grommeler. ¶ *En parl. d'anim.* Grogner, gronder.

muttitio, *onis*, f. Action de marmotter.

mutuarius, *a, um*, adj. Mutuel, réciproque.

mutuaticius, *a, um*, adj. Emprunté.

mutuaticus, *a, um*, adj. Emprunté.

mutuatio, *onis*, f. Emprunt. [ment.

mutue, adv. Mutuellement, réciproque-

1. **mutuo**, adv. Réciproquement; en retour.   [prunter.

2. **mutuo**, *as, avi, atum, are*, tr. Emmutuor, *aris, atus sum, ari*, tr. Emprunter. ¶ *Fig.* Tirer de.

1. **mutus**, *a, um*, adj. Muet, qui n'est pas doué de la parole. ¶ Muet, qui se tait, silencieux, qui ne répond pas. ¶ *En parl. de ch.* Muet, qui ne rend aucun son,où l'on n'entend aucun bruit. ¶ Dont on ne parle pas, qui est obscur et sans gloire.

2. **mutus**, *i*, m. Bâillon?   [prêt.

mutuum, *i*, n. Réciprocité. ¶ Emprunt; prêté.

mutuus, *a, um*, adj. Réciproque, mutuel. ¶ Emprunté. || Prêté.

my, n. indécl. Mu (lettre grecque).

mygale, *es*, f. Musaraigne.

myisca, *ae*, f. Petite moule.

myiscus, *i*, m. Comme le précédent.

myoparo, *onis*, m. Brigantin, barque de pirates.

myrica, *ae*, f. Tamaris, plante.

myrice, *es*, f. Comme le précédent.

myrobalanum, *i*, n. Myrobolan.

myrobalanus, *i*, m. Comme le précédent.

myropola (MUROPOLA), *ae*, n. Marchand de parfums; parfumeur.

myropolium, *ii*, n. Parfumerie, boutique de parfumeur.

myrrha. Voy. 1. MURRA.

myrrhatus. Voy. MURRATUS.

1. **myrrheus**, *a, um*, adj. Voy. MURREUS.

2. **myrrhinus**, *a, um*, adj. Voy. MURRINUS.

myrrhis. Voy. 1. MURRA.

myrta, *ae*, f. Voy. MURTA.   [CEUS.

myrtaceus, *a, um*, adj. Voy. MURTA-

myrtariae. Voy. MURTARIAE.

myrtatus, *a, um*, adj. Voy. MURTATUS.

myrteolus, *a, um*, adj. Voy. MURTEOLUS.

myrteta, *ae*, n. Voy. MURTETA.

myrtetum. Voy. MURTETUM.

myrteus, *a, um*, adj. Voy. MURTEUS.

myrtinus. Voy. MURTINUS.

myrtiolus. Voy. MURTEOLUS.

myrtis, *idis*, f. Géranium myrte.

myrtites, *ae*, m. Vin où l'on a fait infuser des baies de myrte. ¶ Variété de tithymale (plante).

myrtus, *i* et *us*, f. Voy. MURTUS.

mys, *yos*, m. Mys, sorte de mollusque.

mystagogica, *orum*, n. pl. Ouvrage sur l'iniation aux mystères.

mytagogus, *i*, m. Mystagogue. ¶ Celui qui initie aux mystères.

mysterium, *ii*, n. Mystère, cérémonie secrète. ¶ *Fig.* Chose secrète, énigme. ¶ *Eccl.* Mystère, vérité révélée.

mystes, *ae*, m. Prêtre qui préside aux cérémonies mystérieuses d'un culte secret. || Initié ux mystères.

mystica, *orum*, n. pl. Mystères, cérémonies secrètes.

mystice, adv. Mystérieusement; mystiquement.

mysticus, *a, um*, adj. Mystique, relatif aux mystères. ¶ Secret.

myxa, *ae*, f. Sorte de prunier. ¶ Bec de lampe; lumignon.

N

N, treizième lettre ae l'alph. latin. (Abrév.) N = Numerius.

nabis. Voy. NAVIS.

nae, adv. Voy. 1. NE.

naenia. Voy. NENIA.   [sur la peau.

naevius, *a, um*, adj. Qui a des signes

naevosus, *a*, *um*, adj. Plein de taches sur la peau.

naevulus, *i*, n. Petit signe, petite tache (sur la peau). ¶ *Fig.* Défaut, tache.

naevus, *i*, m. Signe naturel, tache sur le corps; envie. ¶ *Fig.* Défaut, tache.

nam, conj. Car, en effet. ¶ Quant à, pour ce qui est de. || D'autre part. ¶ Donc (pour renforcer une interrogation).

namque, conj. Car, en effet. ¶ Or.

nana, *ae*, f. Naine.

nanciscor, *eris*, *nactus* et *nanctus sum*, *isci*, dép. tr. Trouver, mettre la main sur, rencontrer (par hasard). ¶ Obtenir, acquérir, gagner.

nanque, con. Voy. NAMQUE.

nanus, *i*, m. Nain. ¶ Animal de petite taille. || Cheval nain. ¶ Flacon de forme basse.

napa, *ae*, f. Comme NAPUS. [forêts.

napaeus, *a*, *um*, adj. Des bois, des

naphtha, *ae*, f. Naphthe, bitume liquide.

naphthas, *ae*, m. Comme NAPHTHA.

napus, *i*, m. Navet.

narcissus, *i*, m. Narcisse (fleur).

1. nardinum (s.-e. VINUM), *i*, n. Vin parfumé de nard. [de nard.

2. nardinum (s.-e. OLEUM), *i*, n. Huile

nardinus, *a*, *um*, adj. Fait avec du nard. ¶ Qui a le parfum du nard.

nardum, *i*, n. Nard, espèce de valériane. ¶ Essence de nard, parfum.

nardus, *i*, f. Comme NARDUM.

nares, *ium*, f. Voy. NARIS.

naris, *is*, f. ordin. au pl. nares, *ium*, f. Narines, naseaux. || (Méton.) Nez, *c.-à-d.* pénétration, finesse, sagacité, goût. || Moquerie, dédain. ¶ (Par anal.) Orifice, embouchure, ouverture.

narrabilis, *e*, adj. Qu'on peut raconter.

narratio, *onis*, f. Action de raconter. ¶ (Méton.) Ce que l'on raconte, narration, récit, histoire. ¶ (Spéc.) *T. de rhét.* Partie d'un plaidoyer contenant la narration. [historiette.

narratiuncula, *ae*, f. Petit récit;

narrator, *oris*, m. Narrateur.

narratus, *us*, m. Narration, récit.

narro, *as*, *avi*, *atum*, *are*, tr. Faire savoir, raconter. ¶ Faire mention de, parler de, dire.

narthecia, *ae*, f. Petite férule (plante).

narthecium, *ii*, n. Petite boîte à parfums. [arbrisseau.

narthex, *ecis* (acc. *eca*), m. Férule.

narus. Voy. GNARUS. [vité.

1. nascentia, *ae*, f. Naissance, nati-

2. nascentia, *ium*, n. pl. Corps organiques. ¶ *Spéc.* Plantes.

nasco, *is*, *ere*, intr. Comme le suivant.

nascor, *eris*, *natus sum*, *nasci*, dép. intr. Naître, venir au monde; commencer d'être, se produire. ¶ Provenir, tirer son origine de. [et pointu.

nasica, *ae*, m. Qui a le nez long, mince

nasiterna (NASSITERNA), *ae*, f. Sorte d'arrosoir.

nasiternatus, *a*, *um*, p. adj. Pourvu d'un arrosoir.

nassa et naxa, *ae*, f. Nasse (de pêcheur). ¶ *Fig.* Mauvais pas, embarras, situation critique.

nassiterna, *ae*, f. Voy. NASITERNA.

nasturcium, *ii*, n. Cresson alénois (plante).

nasturtium, *ii*, n. Comme le précédent.

nasum, *i*, n. Comme le suivant.

nasus, *i*, m. Nez. ¶ (Méton.) Odorat. || *Fig.* Sagacité, finesse. || Raillerie, moquerie. ¶ (Par anal.) Bec, goulot (d'un vase).

nasute, adv. Avec finesse. ¶ Avec ironie.

nasutus, *a*, *um*, adj. Qui a le nez long. ¶ *Fig.* Qui a du flair, de la finesse, de l'esprit. [naissance.

natale, *is*, n. Naissance. ¶ Lieu de

natales, *ium*, m. pl. Naissance. || Extraction. || Origine, commencement.

natalicia, *ae*, f. Fête d'anniversaire.

natalicium, *ii*, n. Présent d'anniversaire.

natalicius, *a*, *um*, adj. Qui concerne le jour de la naissance, relatif à un anniversaire. [|| Natal. ¶ Inné, naturel.

natalis, *e*, adj. Relatif à la naissance.

natatio, *onis*, f. Action de nager; natation. ¶ (Méton.) Endroit pour nager.

natator, *oris*, m. Nageur. [piscine.

natatoria, *ae*, f. Endroit pour nager,

natatus, *us*, m. Natation. [pion.

nates, *ium*, f. Fesses, derrière; crou-

natio, *onis*, f. Naissance, extraction. ¶ Race, espèce, sorte. ¶ Nation, peuple. ¶ Secte, classe. || *Péjor.* Engeance. ¶ *Eccl.* Au pl. Nationes, les Gentils.

natis, *is*, f. Fesse. Voy. NATES.

nativus, *a*, *um*, adj. Né, qui a commencé d'être. ¶ Naturel, inné. ¶ *Gramm.* Non dérivé, primitif.

nato, *as*, *avi*, *atum*, *are*, tr. et intr. Nager. || *Tr.* Parcourir à la nage. ¶ Surnager, d'où voguer. || Etre porté par les eaux. ¶ Etre baigné, inondé. || Nager dans. ¶ Etre noyé, languissant (en parl. des yeux). ¶ *Fig.* Nager dans, *c.-à-d.* être au large, à son aise. || S'étaler. ¶ Osciller, être flottant. ¶ Balancer, hésiter.

natura, *ae*, f. Action de mettre au monde, génération, naissance. ¶ (*Ordin.*) Nature, *c.-à-d.* constitution, essence (d'un être). || Tempérament, caractère. || *En parl. de ch.* Propriété, qualité. ¶ Classe, espèce. ¶ Ordre naturel, cours des choses. ¶ Ensemble de la création; la nature, le monde. ¶ Matière, élément.

naturale, *is*, n. Parties naturelles; sexe. ¶ Besoin naturel. ¶ Don naturel.

naturalis, *e*, adj. Qui est selon la naissance, selon la chair. ¶ Naturel, inné. ¶ Conforme aux lois de la nature. ¶ Naturel, réel, vrai. ¶ Qui concerne la nature.

naturaliter, adv. Naturellement.

1. **natus**, *a*, *um*, p. adj. Né pour. ¶ Agé de. Voy. NASCOR.

2. **natus**, *i*, m. Fils.

3. **natus**, abl. *u*, m. Naissance. ¶ Croissance. ¶ Age.

nauclericus, *a*, *um*, adj. Qui concerne le patron d'un navire.

nauclerus, *i*, m. Patron de navire.

naucum, *i*, n. Zeste de noix. ¶ Objet sans valeur, un rien. *Nauci non esse*, ne pas valoir un clou.

naufragium, *ii*, n. Naufrage. ¶ (Fig.) Désastre, ruine. ¶ (Méton.) Epave (pr. et fig.).

1. **naufragus**, *a*, *um*, p. adj. Naufragé, qui a fait naufrage. ¶ *Fig.* Ruiné, perdu. ¶ Qui fait faire naufrage.

2. **naufragus**, *i*, m. Un naufragé.

naulum, *i*, n. Frais de passage *ou* de transport par eau ; fret.

naumachia, *ae*, f. Représentation d'un combat naval. ¶ (Méton.) Endroit ou a lieu cette représentation. [machine

1. **naumachiarius**, *a*, *um*, adj. De nau-

2. **naumachiarius**, *ii*, m. Acteur dans une naumachie.

nauplius, *ii*, m. Sorte de crustacé.

nausea (NAUSIA), *ae*, f. Mal de mer. ¶ (Par ext.) Nausée. ¶ *Fig.* Dégoût.

nauseabundus (NAUSIABUNDUS), *a*, *um*, adj. Qui a le mal de mer, qui éprouve des nausées. [qui a le mal de mer.

nauseator (NAUSIATOR), *oris*, m. Celui

nauseo (NAUSIO), *as*, *avi*, *atum*, *are*, intr. Avoir le mal de mer. ¶ Avoir mal au cœur. ¶ Vomir. ¶ *Fig.* Eprouver du dégoût. ¶ Faire le dégoûté.

nauseola (NAUSIOLA), *ae*, f. Légère nausée. [donne la nausée.

nauseosus (NAUSIOSUS), *a*, *um*, adj. Qui

nausia, etc. Voy. NAUSEA, etc.

nausior, *aris*, *ari*, dép. intr. Voy. NAUSEO. [nier.

nauta, *ae*, m. Batelier, matelot, marin.

nautea, *ae*, f. Mal de mer. ¶ Eau de sentine. [(d'un navire).

nautici, *orum*, m. pl. Marins ; équipage

nauticus, *a*, *um*, adj. De matelot. ¶ Relatif à la navigation ; nautique naval.

nautilus, *i*, m. Nautile *ou* argonaute, sorte de mollusque.

navale, *is*, n. Port, rade. ¶ Chantier de constructions navales. Plur. *Navalia*, *um*, n. Cales sèches, chantiers de construction. || (Spéc.) L'Arsenal (quartier de Rome voisin du Champ de Mars). || Matériel naval, agrès.

navalis, *e*, adj. De bateau, de flotte ; naval, nautique.

navarchus, *i*, m. Capitaine de navire.

nave, adv. Voy. NAVITER. [barque.

navicula, *ae*, f. Petit bateau, canot,

navicularia, *ae*, f. Marine marchande. ¶ Transport par eau (de marchandises *ou* de voyageurs). [gation.

navicularis, *e*, adj. Relatif à la navi-

1. **navicularius**, *a*, *um*, adj. Qui concerne la marine marchande *ou* le commerce maritime.

2. **navicularius**, *ii*, m. Patron d'un bateau marchand. || Armateur.

navifragus, *a*, *um*, adj. Qui brise les navires ; qui cause les naufrages.

navigabilis, *e*, adj. Où l'on peut naviguer. [par eau ; traversée.

navigatio, *onis*, f. Navigation, trajet

navigator, *oris*, m. Marin, navigateur.

naviger, *gera*, *gerum*, adj. Qui porte les navires ; navigable. ¶ Qui vogue comme un navire.

navigiolum, *i*, n. Petit bateau.

navigium, *ii*, n. Navigation. ¶ *Concr.* Embarcation.

navigo, *as*, *avi*, *atum*, *are*, intr. Naviguer, voyager par eau. || *Spéc.* Faire le commerce par eau. || Entreprendre une expédition navale. ¶ (Par ext.) Voguer. || Nager, flotter. || Couler, rouler (en parl. des flots). ¶ *Tr.* Parcourir, traverser à la voile.

navis, *is*, f. Navire, vaisseau, bateau, embarcation. *Navis solvit*, le vaisseau appareille. ¶ (Par anal.) Carcasse (d'une volaille).

navita, *ae*, m. Comme NAUTA.

navitas (GNAVITAS), *atis*, f. Ardeur, zèle, empressement.

naviter (GNAVITER), adv. Avec activité, avec empressement. ¶ Complètement, tout à fait.

navo, *as*, *avi*, *atum*, *are*, tr. Mettre son activité *ou* son zèle à... || Exécuter diligemment. || Prêter son concours, ne pas marchander (son dévouement).

navus (GNAVUS), *a*, *um*, adj. Actif, empressé, zélé.

1. **ne** (NAE), adv. Oui, certes.

2. **nē**, adv. arch. pour NON.

3. **nē**, adv. (particule négat.). Ne... pas. ¶ En admettant que ne... pas, ¶ Plaise au ciel que ne... pas ! ¶ *Conj.* Que ne... pas. || Afin que ne... pas ; de peur que ne... pas... || Pourvu que ne... pas.

4. **nĕ**, adv. interr. (enclitique). Est-ce que ? Est-ce que vraiment...? (dans l'interr. directe). ¶ Si (dans l'interr. indir.). || *Répété* ; si... ou...

nebula, *ae*, f. Brouillard, brume, vapeur, nuée. || Obscurité. ¶ (Par ext.) Nuage (de fumée, de poussière, etc.). ¶ *Fig.* Chose légère *ou* vaporeuse.

1. **nebulo**, *onis*, m. Vaurien, drôle, mauvais sujet.

2. **nebulo**, *as*, *are*, tr. Remplir de brumes, obscurcir. [pas.

1. **nec**, adv. (Négation simple). Ne...

2. **nec**, adv. Et... ne... pas. || Mais... ne... pas. || Or... ne... pas. || Et cependant... ne... pas. ¶ Ne pas même. ¶ Ni. ¶ (Répété). *Nec... nec...* ni... ni... *Nec... et...*, d'une part ne... pas... et d'autre part... *Et... nec*, d'une part... et d'autre part ne... pas...

necator, *oris*, m. Meurtrier.

needum, conj. Et ne... pas encore...

necessaria, *orum*, n. pl. Choses indispensables (à la vie); besoins nécessaires.

necessarie, adv. Nécessairement.

necessario, adv. Comme le précédent.

1. necessarius, *a*, *um*, adj. Nécessaire, forcé, inévitable. ¶ Etroitement uni par la parenté ou l'amitié. ¶ *Fig.* (En parl. de ch.). Connexe.

2. necessarius, *ii*, m. Parent. || Ami intime. || Client. || Patron.

necesse, adj. n. indécl. Nécessaire.

necessitas, *atis*, f. Nécessité, fatalité, loi inexorable. ¶ Nécessité, contrainte. ¶ Situation critique, extrémité, adversité. ¶ Au pl. *Necessitates*, besoins, choses indispensables. ¶ Lien de parenté, d'amitié, de clientèle. || Lien, obligation. || Force qui unit.

necessitudo, *inis*, f. Nécessité absolue, loi fatale, fatalité. ¶ Nécessité, force des choses, contrainte. ¶ Besoin, extrémité. ¶ Lien de parenté, d'amitié, de clientèle, d'hospitalité. *Necessitudines*, les parents, les amis; les relations. ¶ Enchaînement, connexion (des choses).

necesso, *as, are*, tr. Rendre nécessaire.

necessum, adj. n. Comme NECESSE.

necessus (NECESSUS). Comme NECESSE.

necleg. Voy. NEGLIG...

necne, adv. Ou non.

necnon (NEQUENON), adv. Et aussi, en outre, et même.

neco, *as, necavi* et *necui, atum, are*, tr. Tuer, faire périr. ¶ Détruire, anéantir.

necopinans, *antis*, adj. Surpris, à l'improviste.

necopinato, adv. A l'improviste.

necopinatus, *a, um*, adj. Inopiné, imprévu.

necopinus, *a, um*, adj. Inopiné, imprévu. ¶ Qui n'est pas sur ses gardes.

necromantia, *ae*, f. Voy. le suivant.

necromantia, *ae*, f. Nécromancie.

nectar, *aris*, n. Nectar, boisson des dieux. ¶ Nectar, parfum des dieux. ¶ *En gén.* Toute boisson délicieuse. || Odeur délicieuse.

nectarea, *ae*, f. Aunée, plante.

nectareus, *a, um*, adj. De nectar. ¶ Délicieux (comme le nectar).

necto, *is, nexui* et *nexi, nexum, ere*, tr. Attacher par un nœud, nouer. || Entrelacer, tresser. ¶ *Fig.* Nouer, joindre; enchaîner. || Ourdir, machiner, inventer. ¶ Enchaîner, c.-à-d. emprisonner. ¶ Etablir un lien entre, rattacher. ¶ Lier, engager; obliger. [part.

necubi, adv. Pour que ne... pas quelque

necunde, adv. Pour que ne... pas de quelque part.

necuter. Comme NEUTER.

nedum, adv. Bien loin que. ¶ Encore bien moins; à plus forte raison. ¶ Non seulement. [imple.

nefandus, *a, um*, adj. Abominable,

nefarie, adv. D'une manière impie *ou* scélérate.

nefarium, *ii*, n. Forfait abominable.

1. nefarius, *a, um*, adj. Abominable; impie.

2. nefarius, *ii*, m. Un scélérat.

nefas, n. indécl. Ce qui est défendu par la loi divine. || Péché. || Attentat, crime, forfait. ¶ (Méton.) Etre exécrable, monstre. ¶ *Exclam.* Horreur !

nefastus, *a, um*, adj. Interdit par la religion. ¶ Néfaste. ¶ Funeste, malheureux. || De mauvais augure. ¶ Défendu, impie, criminel.

negatio, *onis*, f. Action de nier; négation. ¶ (Méton.) Particule négative, négation. [négation.

negativa, *ae*, f. Particule négative,

negito, *as, avi, are*, intr. Nier avec obstination.

neglecte, adv. Avec négligence.

neglectim, adv. Comme NEGLECTE.

neglectio, *onis*, f. Action de négliger. ¶ Indifférence pour.

1. neglectus, *a, um*, p. adj. Négligé; traité avec dédain.

neglectus, *us*, m. Négligence

negleg... Voy. NEGLIG...

negligens (NEGLEGENS), *entis*, p. adj. Négligent, indifférent. ¶ Dépensier, dissipateur. ¶ Négligé, qui marque *ou* dénote la négligence.

negligenter (NEGLEGENTER), adv. Sans soin, négligemment.

negligentia (NEGLEGENTIA), *ae*, f. Négligence, indifférence. || Nonchalance. ¶ Mépris, froideur pour.

negligo (NEGLEGO), *is, lexi, lectum, ere*, tr. Ne pas tenir compte de. ¶ Négliger, omettre. ¶ Ne pas se soucier de, ne prêter nulle attention à.

nego, *as, avi, atum, are*, intr. Dire non, répondre non. ¶ Répondre par un refus. ¶ *Tr.* Nier. || Dire que ne... pas. ¶ Refuser. [rapport aux affaires

negotialis, *e*, adj. D'affaires; qui a rapport aux affaires

negotians, *antis*, m. Négociant (en gros). || Banquier. ¶ Commerçant, trafiquant.

negotiatio, *onis*, f. Commerce de gros. || Affaires de banque. ¶ Commerce, trafic.

negotiator, *oris*, m. Négociant. || Banquier. ¶ Commerçant, marchand. || Agent, commis.

negotiolum, *i*, n. Petite affaire.

negotior, *aris, atus sum, ari*, dép. intr. Faire le négoce *ou* le commerce en gros. || Faire la banque. ¶ Faire du commerce, trafiquer (pr. et fig.).

negotiosus, *a, um*, adj. Affairé, occupé. ¶ Qui exige de l'activité; qui donne de la peine. ¶ Consacré aux affaires

negotium, *ii*, n. Manque de loisir, occupation, activité. ¶ Tracas, embarras; désagrément. ¶ Ce qui occupe, affaire. || Occupation publique, service de l'état. ¶ Affaire d'argent, négoce, trafic. ¶ Affaire judiciaire, procès. ¶ Affaire privée, intérêt particulier. ¶ Circonstance. ¶ *Méton.* Chose, objet; créature, être.

nemen, *minis*, m. Tissu.

nemesiaci, *orum*, m. pl. Diseurs de bonne aventure.

nemo, *inis*, m. *et* f. Personne; aucun homme, aucune femme. ¶ *Adj.* Nul aucun. ¶ *Fig.* De nulle valeur, qui ne compte pas.

nemoralis, *e*, adj. De bois, de forêt.

nemorensis, *e*, adj. De bois, de forêt. ¶ Relatif au bois sacré de Diane (à Aricie). — *lacus*, le lac de Némi.

nemoreus, *a*, *um*, adj. Comme NEMO-RALIS. [bois.

nemoricultrix, *icis*, f. Habitante des

nemorivagus, *a*, *um*, adj. Qui erre dans les bois.

nemorosus, *a*, *um*, adj. Boisé, couvert de bois *ou* de forêts. ¶ Touffu (en parl. d'un arbre). || Épais (en parl. d'une forêt).

nempe, adv. Sans doute. || N'est-ce pas? ¶ Eh bien! (dans les réponses).

nemus, *oris*, n. Bois coupé de pâturages, parc.

nemut. p. NISI ETIAM.

nenia (NAENIA), *ae*, f. Chant funèbre. ¶ Chant triste, complainte; élégie. || Cri de douleur d'un animal mis à mort. ¶ Formule magique. ¶ Chanson de nourrice, berceuse. || Chanson populaire; ronde chantée par des enfants. || Baliverne, vétille.

neo, *nes*, *etum*, *ere*, tr. Filer. ¶ Tisser.

neocorus, *i*, m. Gardien d'un temple.

neofitus, *i*, m. Voy. NEOPHYTUS.

neogramma, *matis*, n. Tableau de style moderne.

neomenia, *ae*, f. Nouvelle lune.

neophytus, *i*, m. Néophyte.

nepenthes, n. (Qui dissipe le chagrin.) Nom d'une plante d'Égypte dont le suc mêlé au vin dissipe les soucis.

1. **nepos**, *otis*, m. Petit-fils. ¶ Arrière-petit-fils, descendant. *Nepotes*, neveux, c.-à-d. descendants, postérité. ¶ Rejeton (d'un végétal). ¶ Neveu.

2. **nepos**, *otis*, m. Mauvais sujet, débauché, dissipateur.

nepotalis, *e*, adj. De dissipateur.

nepotatus, *us*, m. Dissipation, débauche.

nepotor, *aris*, *ari*, dép. intr. Vivre en dissipateur.

nepotula, *ae*, f. Petite-fille.

nepotolus, *i*, m. Petit-fils.

nepta, *ae*, f. Comme NEPTIS.

neptis, *is*, f. Petite-fille. ¶ Nièce.

1. **nequam**, adj. indécl. De mauvaise qualité, sans valeur. ¶ Mauvais, vicieux. ¶ *Subst.* Vaurien.

2. **nequam**, n. indécl. Mauvais tour. ¶

nequaquam, adv. Nullement, en aucune manière.

neque. Voy. NEC.

nequedum. Voy. NEQDUM.

nequeo, *is*, *ivi* et *ii*, *itum*, *ire*, tr. Ne pas pouvoir, n'être pas en état de, n'avoir pas la force (*ou* le moyen) de.

nequicquam. Voy. NEQUIQUAM.

ne... quidem, adv. Ne... pas même. Voy. QUIDEM.

nequidquam. Voy. NEQUIQUAM.

nequior, adj. Compar. de 1. NEQUAM.

nequiquam, adv. En pure perte, sans résultat. ¶ Impunément. ¶ Sans but. || Sans raison. [1. NEQUAM.

nequissimus, *a*, *um*, adj. Superl. de

nequiter, adv. Mal, misérablement, tristement. ¶ Mal, méchamment. || Frauduleusement. ¶ *Qqf.* Ingénieusement, finement.

nequitia, *ae*, f. Mauvaise qualité (d'un objet). ¶ *En parl. de pers.* Méchanceté, malice. ¶ Débauche, paresse. ¶ *Qqf.* Adresse, finesse.

nequities, *ei*, f. Comme le précédent.

nervalis, *e*, adj. Relatif aux nerfs. *herba*, plantain.

nervia, *ae*, f. Nerf. *Au plur.* Nerfs; cordes d'un instrument de musique.

nerviaria, *ae*, f. Courroie, cordon de chaussure.

nerviceus, *a*, *um*, adj. De boyau.

nervinus, *a*, *um*, adj. De boyau.

nervose, adv. Avec énergie.

nervosus, *a*, *um*, adj. Nerveux, musculeux. ¶ Filamenteux. ¶ (Par ext.) Vigoureux. || *Fig.* Nerveux (en parl. du style).

nervulus, *i*, m. Nerf. Au plur. *nervuli*, nerf (du style). ¶ (Méton.) Force physique, énergie. ¶ *Fig.* Vigueur du style. || Nerf, ressort principal.

nervus, *i*, m. Tendon, fibre, ligament. *Nervi*, les muscles. ¶ (Méton.) Tout objet fait de tendons *ou* de boyaux: cordes (d'instruments de musique); ficelles (actionnant des marionnettes). || Corde (de l'arc). || L'arc (lui-même). || Cuir, courroie. ¶ Lien, *d'où* cachot, prison; captivité.

nescio, *is*, *ivi* ou *ii*, *itum*, *ire*, tr. Ne pas savoir, ignorer. ¶ N'avoir pas conscience de. ¶ N'être pas exercé à. ¶ Ne pas pouvoir s'exprimer en une langue.

nescius, *a*, *um*, adj. Non instruit de; qui ne sait pas. ¶ Qui n'est pas exercé à. ¶ Ignoré, inconnu.

nestis, *idis*, f. Partie de l'intestin appelée jejunum.

nete, *es*, f. Dernière corde de la lyre, la note la plus aiguë. ¶ (Méton.) Le petit doigt (parce que c'est lui qui touche cette corde).

netus, *us*, m. Tissu.

neu. Voy. NEVE.

neuter, *tra*, *trum*, pron. et adj. Ni l'un, ni l'autre; aucun des deux. ¶ (Gramm.) Neutre. ¶ *Philos.* Indifférent, ni bon, ni mauvais. [manière, pas du tout.

neutiquam, adv. Nullement, en aucune

neutique, adv. Nullement.

neutralis, e, adj. Neutre, du genre neutre.

neutro, adv. Ni d'un côté, ni de l'autre; vers aucune des deux directions.

neutrubi, adv. Ni dans un endroit ni dans un autre. ¶ *Qqf*. Ni dans un sens ni dans un autre. [Et ne... pas.

neve (NEU). Conj. Et que ne... pas. ¶

nevis, ne vult. Voy. NON VIS, NON VULT.

nevolus. Voy. NAEVULUS.

nex, *necis*, f. Mort violente, meurtre. || (Méton.) Sang versé. ¶ (Par ext.) Mort, trépas. ¶ *Fig*. Perte.

nexilis, e, adj. Noué, attaché. ¶ Qu'on peut joindre *ou* nouer.

nexo, *as*, *are*, tr. Nouer solidement.

nexum, *i*, n. Contrat en vertu duquel le débiteur insolvable devient l'esclave de son créancier. ¶ Engagement, obligation. || Cession temporaire. ¶ (Rhét.) Zeugma.

1. nexus, *a*, *um*, part. passé de NECTO.

2. nexus, *us*, m. Action d'enlacer, nœud, lien. || Etreinte. ¶ *Fig*. Connexion. ¶ (*Jur*.) Contrat, engagement. || Comme NEXUM.

1. ni, adv. Ne pas, non.

2. ni, conj. Que ne pas; de manière que ne pas. ¶ Comme NISI, si ne... pas.

nica, interj. (Sois vainqueur !) Cri d'encouragement aux jeux du cirque.

nico, *is*, *nici*, *nictum*, *ere*, tr. Faire signe.

nictatio, *onis*, f. Clignement d'yeux.

1. nicto, *is*, *ui*, *ere*, intr. Renifler.

2. nicto, *as*, *are*, intr. Cligner, clignoter. ¶ Faire signe des yeux, avertir par un regard. ¶ Scintiller.

nictus, *us*, m. Clignement d'yeux.

nidamentum, *i*, n. Matériaux d'un nid. ¶ (Méton.) Nid. [nid, nicher.

nidifico, *as*, *are*, intr. Construire un nid.

nidificus, *a*, *um*, adj. Qui fait un nid.

nidor, *oris*, m. Odeur de graillon. || (Méton.) Bouillon. ¶ Odeur forte, fumée, exhalaison.

nidulor, *aris*, *ari*, dép. intr. Faire un nid, nicher. ¶ *Tr*. Faire un nid pour, réchauffer dans un nid.

nidulus, *i*, m. Petit nid. ¶ *Fig*. Retraite.

nidus, *i*, m. Nid. || (Méton.) Nichée, couvée; jeunes animaux (à la mamelle). ¶ (Par anal.) Nid, c-à-d. habitation, séjour confortable. || Casier, rayon (de bibliothèque). || Coupe (en forme de nid).

nigella, *ae*, f. Nigelle (plante).

nigellus, *a*, *um*, adj. Tirant sur le noir, noirâtre.

niger, *gra*, *grum*, adj. Noir. ¶ Qui a la peau noire; basané; nègre. || Qui a le poil noir. ¶ Qui obscurcit. ¶ *Fig*. Noir c-à-d. funèbre, de deuil; qui est en deuil, affligé. || Malheureux, sinistre. || Méchant, malveillant. [noire.

nigredo, *dinis*, f. Noirceur, couleur

nigrefacio, *is*, *ere*, tr. Rendre noir.

nigreflo, *is*, *ieri*, passif. Devenir noir, noircir.

nigreo, *es*, *ere*, intr. Etre noir.

nigresco, *is*, *grui*, *ere*, intr. Devenir noir, noircir.

nigrico, *as*, *are*, intr. Tirer sur le noir.

nigritia, *ae*, f. Noirceur, couleur noire.

nigrities, *ei*, f. Comme le précédent.

nigro, *as*, *avi*, *atum*, *are*, intr. Etre noir. ¶ *Tr*. Rendre noir, noircir. [curité.

nigror, *oris*, m. Couleur noire. ¶ Obs-

nigrum, *i*, n. Noir, couleur noire. ¶ Noir, tache noire.

nihil et nil, n. indéclin. Rien, aucune chose. ¶ Rien, c-à-d. être *ou* objet sans valeur. ¶ *Adv*. En rien, nullement. ¶ Pour rien, sans motif.

nihildum, adv. Rien encore.

nihil, adv. En rien, nullement.

nihilominus (NIHILO MINUS), adv. Néanmoins; tout aussi bien.

nihilum (NILUM), *i*, n. Rien, aucune chose. ¶ Néant. ¶ *Adv*. Aucunement, d'aucune manière.

nil. Voy. NIHIL.

nimbosus, *a*, *um*, adj. Plein d'orages, orageux, pluvieux. ¶ Enveloppé de nuages; qui se dresse dans les nuages.

nimbus, *i*, m. Nuage épais apportant l'obscurité et la pluie. ¶ Pluie, grêle (pr. et fig.). ¶ Orage, pluie violente, tempête. || Vent d'orage. ¶ *Fig*. Orage, malheur, catastrophe. || Epreuve. ¶ *En gén*. Nuage, nuée. || *Spéc*. Nuage dont s'enveloppent les dieux. || *Eccl*. Nimbe, auréole, gloire. ¶ Bandeau que portent les femmes pour se rétrécir le front. ¶ *Fig*. Nuage, masse confuse. ¶ *Spéc*. Vase à plusieurs ouvertures pour faire pleuvoir des parfums.

ninie, adv. Extrêmement, beaucoup. ¶ Excessivement, trop.

nimio, adv. Comme NIMIE.

nimiopere (NIMIO OPERE), adv. Trop.

nimirum, adv. (Pas étonnant), apparemment, sans doute, assurément.

nimis, adv. Trop, à l'excès. ¶ Beaucoup, extrêmement.

1. nimium, adv. Comme NIMIS.

2. nimium, *ii*, n. Excès, trop grande quantité. [sif, exagéré.

nimius, *a*, *um*, adj. Trop grand, exces-

ningo (NINGUO), *is*, *ninxi*, *ere*, intr. Impers. *Ningit*, il neige. ¶ *Tr*. Faire neiger. ¶ Faire tomber sur...

ningor, *oris*, m. Abondance de neige. ¶ Temps de neige.

ninguidus, *a*, *um*, adj. Couvert de neige. ¶ Qui tombe comme la neige.

ninguis, arch. p. NIX.

ningulus, *a*, *um*, adj. Aucun.

ninguo. Voy. NINGO.

nisi, conj. Si... ne pas. ¶ *Nisi forte*, à moins, peut-être que. || Sinon, si ce n'est. ¶ Pourtant, toutefois.

1. nisus, *a*, *um*, part. passé de NITOR.

2. nisus (NIXUS), *us*, m. Action de s'appuyer sur, de faire effort; effort.

¶ Effort pour se mouvoir *ou* s'élever; marche, vol, essor. ¶ Travail de l'enfantement.

nitedula, *ae*, f. Mulot *ou* rat des champs.

nitens, *entis*, p. adj. Brillant, reluisant, poli. ¶ Brillant de santé; éclatant de beauté. ¶ *Fig.* Éclatant, illustre.

niteo, *es*, *ui*, *ere*, intr. Briller de l'éclat du poli; reluire. ¶ (Par ext.) Avoir l'air florissant.|| Etre brillant de santé. || Etre dans l'éclat de la beauté. || Etre riche, abondant. ¶ Etre éclatant, illustre.

nitesco, *is*, *ere*, intr. Commencer à briller. || Devenir luisant, poli. ¶ Prendre un aspect prospère, devenir vigoureux. ¶ *Fig.* Acquérir de l'éclat, s'illustrer. [grands efforts. ¶ Apesanti.

nitibundus, *a*, *um*, adj. Qui fait de nitide, adv. Avec éclat, brillamment. ¶ *Par ext.* Abondamment.

nitidus, *a*, *um*, adj. Brillant, luisant, poli. ¶ *Spéc.* Brillant de santé, bien portant. ¶ Soigné, élégant. ¶ Bien entretenu, bien tenu, propre, net. ¶ *Fig.* Soigné (en parl. du style).

1. **nitor**, *eris*, *nisus* et *nixus sum*, *niti*, dép. intr. S'appuyer sur. || Se fonder sur, reposer sur; s'en remettre à. ¶ Prendre son essor, voler. || Marcher, se diriger vers, gravir. ¶ Faire effort *ou* des efforts. || Se soulever, se lever. || Essayer de monter. || Rassembler ses forces, se tenir ferme sur ses jambes. || Etre en mal d'enfant. ¶ *Fig.* Se donner de la peine, s'efforcer, lutter pour. || Soutenir, chercher à démontrer, prétendre.

2. **nitor**, *oris*, m. Éclat, brillant, poli. ¶ Bonne mine. ¶ Beauté éclatante. || Parure, richesse. ¶ Beauté, pureté, soin, élégance (du style). [le nitre.

nitraria, *ae*, f. Nitrière, lieu où se forme nitrum, *i*, n. Nitre, natron, soude naturelle. ¶ *Fig.* Moyen de purification.

nivalis, *e*, adj. De neige. ¶ Couvert de neige. ¶ Qui ressemble à la neige. || *Fig.* Candide.

nivatus, *a*, *um*, adj. Rafraîchi dans la neige *ou* avec la neige; frappé.

1. **nive**, conj. Et si ne... pas. ¶ Ou non, soit que non.

2. **nive**. Voy. NEVE.

niveus, *a*, *um*, adj. De neige, neigeux. ¶ Qui a la couleur de la neige. || Blanc comme la neige. || Pur comme la neige, clair, limpide.

nivosus, *a*, *um*, adj. Couvert de neige, neigeux.

nix, *nivis*, f. Neige. ¶ Au plur. (méton.) *Nives*, les pays froids, le nord. ¶ Blancheur. ¶ Cheveux blancs.

nixor, *aris*, dép. intr. S'appuyer sur. || Reposer sur. ¶ Faire de grands efforts.

1. **nixus**, *a*, *um*. Voy. NITOR.

2. **nixus**, *us*, m. Voy. NISUS.

no, *nas*, *navi*, *nare*, intr. Nager. ¶ Voguer, naviguer. ¶ Fendre l'air, voler.

|| Etre flottant; ondoyer. || Etre noyé (en parl. du regard).

nobilis, *e*, adj. Connu, bien connu. ¶ Facile à connaître. || Qui se laisse voir, visible. ¶ Célèbre, renommé, fameux (*en bonne et mauv. part*). ¶ De noble naissance, noble, aristocrate. || De bonne race, généreux. || Qui a de nobles sentiments; magnanime. ¶ Remarquable.

nobilitas. *atis*, f. Notoriété. ¶ Célébrité gloire. ¶ Naissance illustre. || (Méton) La noblesse, l'aristocratie, les nobles. || Excellence de la race. ¶ Générosité, noblesse (de sentiments). ¶ Bonne qualité, mérite, excellence.

nobiliter, adv. D'une manière remarquable; excellemment.

nobilito, *as*, *avi*, *atum*, *are*, tr. Faire connaître, ébruiter. ¶ Rendre fameux *ou* célèbre. ¶ Ennoblir, rehausser. ¶ Rendre excellent.

nocens, *entis*, adj. Nuisible, malfaisant. ¶ Coupable, criminel. *Nocentes*, les malfaiteurs.

nocenter, adv. D'une manière nuisible *ou* de manière à nuire.

noceo, *es*, *ui*, *itum*, *ere*, intr. Nuire, faire du tort, faire du mal. ¶ *Tr.* Endommager, blesser, faire périr. Passif *noceri*, éprouver du mal, un dommage. || Commettre une mauvaise action.

nocive, adv. D'une manière nuisible.

nocivus, *a*, *um*, adj. Nuisible.

noctesco, *is*, *ere*, intr. Se couvrir de ténèbres, s'obscurcir, s'assombrir.

noctiluca, *ae*, f. Celle qui luit la nuit. || Lune. || Lanterne. [dant la nuit.

noctivagus, *a*, *um*, adj. Qui erre pennoctu, adv. De nuit; pendant la nuit.

noctua, *ae*, f. L'oiseau de nuit, la chouette. [pendant la nuit.

noctuabundus, *a*, *um*, p. adj. Qui voyage noctuba, *ae*, f. Milan.

nocturnus, *a*, *um*, adj. De nuit; nocturne.

noctuvigilus, *a*, *um*, adj. Qui veille la nuit.

nocuus, *a*, *um*, adj. Nuisible.

nodo, *as*, *avi*, *atum*, *are*, tr. Nouer. ¶ Garnir de nœuds, rendre noueux. ¶ (Par ext.) Réunir par un nœud, lier, attacher. ¶ Enlacer, unir, joindre. ¶ Rouler en forme de nœud.

nodosus, *a*, *um*, adj. Plein de nœuds, noueux. ¶ *Fig.* Compliqué, embrouillé. ¶ Qui serre, qui enlace, qui étreint.

nodulus, *i*, m. Petit nœud.

nodus, *i*, m. Nœud. ¶ (Méton.) Tout objet noué, ceinture; chignon; lacet; filet, rets. ¶ *Fig.* Nœud, union, liens. || Entrave, obligation. ¶ Embarras, complication. ¶ (Par ext.) Nœud, articulation, jointure. || Nœud (d'un arbre), bâton noueux, massue. || Nodosité, partie dure. || Tumeur dure, tophus. || (Astron.) Nœud, intersection de l'écliptique et de l'équateur.

1. **nola**, *ae*, f. Clochette, grelot.

2. **nola**, *ae*, f. Celle qui ne veut pas.

nolo, *non vis, nolui, nolle*, tr. Ne pas vouloir. ¶ *Intr.* Etre mal disposé pour (qqn). [ses troupeaux.

nomas, *adis*, adj. Nomade, qui erre avec

nomen, *inis*, n. Nom, dénomination. || Nom de famille; prénom *ou* surnom. || Titre. || (Méton.) Personne. ¶ Ceux qui portent le même nom : race, nation. ¶ *T. gramm.* Nom (subst. *ou* adj.). ¶ Renom, réputation. ¶ *Spéc.* Nom inscrit sur un livre de comptes, *d'ou* créance, dette. *Nomina exigere*, faire rentrer ses créances. *Nomina solvere*, payer ses dettes. || (Méton.) Débiteur. ¶ Nom (opp. à réalité), vain nom, apparence. ¶ Prétexte. || Nom mis en avant, rubrique, article. *Alio nomine*, à un autre titre. *Nomine meo*, pour mon compte, de ma part.

nomenclatio, *onis*, f. Action de désigner qqn par son nom. ¶ Nomenclature, liste.

nomenclator, *oris*, m. Nomenclateur, esclave chargé de nommer à son maître les personnes qu'il rencontrait. ¶ Esclave chargé d'énumérer les plats d'un repas.

nomenclatura, *ae*, f. Nomenclature.

nominatim, adv. Nommément, en désignant par le nom.

nominatio, *onis*, f. Action de nommer; dénomination, appellation. || (Méton.) Nom, mot. ¶ Nomination (à une charge). [nommer.

1. **nominativus**, *a, um*, adj. Qui sert à

2. **nominativus** (s.-e. CASUS), *i*, m. Nominatif (t. gramm.). [célèbre.

1. **nominatus**, *a, um*, p. adj. Renommé,

2. **nominatus**, *us*, m. Désignation. ¶ (Gramm.) Nom.

nomino, *as, avi, atum, are*, tr. Désigner par un nom, nommer, appeler. ¶ Appeler (qqn) par son nom. || Citer en justice; dénoncer. ¶ Nommer à des fonctions. ¶ Au pass. *Nominor*, j'ai un nom, je suis célèbre.

nomisma (NUMISMA), *atis*, n. Pièce de monnaie (d'or *ou* d'argent). ¶ Médaille. ¶ Empreinte (de monnaie), effigie.

nomos, *i*, m. Nome, district.

non, adv. Ne; ne... pas. ¶ A plus forte raison ne... pas... ¶ Non (opp. à oui).

nonae, *arum*, f. pl. Les nones, le cinquième *ou* le septième jour d'un mois romain.

1. **nonagenarius**, *a, um*, adj. De quatre-vingt-dix. ¶ Qui a quatre-vingt-dix ans.

2. **nonagenarius**, *ii*, m. Officier à la tête de quatre-vingt-dix hommes.

nonageni, *ae, a*, adj. Qui vont par quatre-vingt-dix; quatre-vingt-dix à la fois. ¶ Qui sont au nombre de quatre-vingt-dix.

nonagesies, adv. Quatre-vingt-dix fois.

nonagesimus, *a, um*, adj. Quatre-vingt-dixième.

nonagessis, *is*, m. Valeur de quatre-vingt-dix as.

nonagies et **nonagiens**, adv. Comme NONAGESIES.

nonaginta, indéclin. Quatre-vingt-dix.

nonalis, *e*, adj. Qui concerne les nones.

1. **nonanus**, *a, um*, adj. De la neuvième légion. [légion.

2. **nonanus**, *i*, m. Soldat de la neuvième

nonarius, *a, um*, adj. Relatif à la neuvième heure; de la neuvième heure.

nondum, adv. Ne... pas encore.

nongeni, *ae, a*, adj. Voy. NONAGENI.

nongenteni, *ae, a*, adj. Qui vont par neuf cents. ¶ Qui sont au nombre de neuf cents. [tième.

nongentesimus, *a, um*, adj. Neuf cen-

nongenti, *ae, a*, adj. Neuf cents.

nongenties et **noningenties**, adv. Quatre-vingt-dix fois.

nonies, adv. Neuf fois.

noningenarius, *a, um*, adj. Qui contient le nombre neuf cents. [le précédent.

noningentenarius, *a, um*, adj. Comme

noningentesimus, *a, um*, adj. Neuf-cen-

noningenti, *ae, a*, adj. Comme NONGENTI.

nonna, *ae*, f. Nonne, religieuse. ¶ Nourrice.

nonne, adv. (Interr. dir.) Est-ce que... ne... pas? ¶ N'est-ce pas? ¶ Interr. indir. Si ne... pas...

nonnemo, pron. Quelqu'un.

nonnihil, n. Quelque chose.

nonnihilum, *i*, n. Quelque chose.

nonnisi, adv. Seulement; ne... que...

nonnullus, *a, um*, adj. Plus d'un; quelque.

nonnunquam, adv. Quelquefois.

nonnus, *i*, m. Moine. ¶ Père nourricier.

nonnusquam, adv. Dans quelques endroits.

nono, adv. Neuvièmement.

nonpridem et **non pridem**, adv. Il n'y a pas longtemps.

nont... Voy. NUNT.

nonuncium, *ii*, n. Poids de neuf onces.

nonus, *a, um*, adj. Neuvième. Subst. NONA, *ae*, f. La neuvième heure. || La neuvième partie d'un tout, le neuvième.

nonusdecimus, *nona decima, nonum decimum*, adj. Dix-neuvième.

nonussis, *is*, m. Valeur de neuf as; pièce de monnaie de neuf ans.

noricula. Voy. NURICULA.

norma, *ae*, f. Equerre. ¶ Règle, modèle, exemple, type.

normalis, *e*, adj. Fait à l'équerre. || Qui est à angle droit. ¶ *Fig.* Normal, régulier. [Nous.

nos (gén. *nostri* et *nostrum*), pron. pers.

noscitabundus, *a, um*, p. adj. Qui cherche à reconnaître; qui reconnaît.

noscito, *as, avi, atum, are*, tr. Chercher à reconnaître, épier, explorer. ¶ Chercher des yeux. ¶ Connaître, reconnaître.

nosco, *is, novi, notum, ere*, tr. Prendre connaissance de, examiner, étudier. Parf. *Novisse*, connaître, savoir. ¶

Spéc. Connaître de. ¶ Reconnaître (ce qu'on avait déjà vu). ¶ Reconnaître valable, admettre.

nosmet. Nous-mêmes.

noster, *nostra, nostrum,* adj. Notre, qui est à nous. ¶ Qui nous concerne. ¶ Qui appartient à notre temps, à notre pays, à nos parents, à nos amis. ¶ Qui nous est favorable.

nostras, *atis,* adj. Qui est de notre pays.

nostratim, adv. A notre manière.

nostratis, *e,* adj. Comme NOSTRAS.

nota, *ae,* f. Signe, marque. ¶ Caractère (alphabétique); lettre; chiffre. Au pl. *Notae,* une lettre, un écrit. ¶ Ecriture conventionnelle; chiffre. || Signe sténographique, note tironienne. || Note de musique. || Signe de ponctuation. ¶ Point (en math.) ¶ Marque (sur un objet). || Empreinte. || Etiquette. || Sorte, qualité. ¶ Remarque, note explicative, annotation. ¶ Marque au fer rouge, stigmate; flétrissure, opprobre. || Marque de distinction; titre honorifique. ¶ Tache (sur la peau), envie. ¶ Signe de tête *ou* clin d'œil.

notabilis, *e,* adj. Perceptible; qu'on peut voir. ¶ Notable, marquant, insigne.

notabilitas, *atis,* f. Caractère de ce qui est marquant *ou* insigne.

notabiliter, adv. D'une manière remarquable; notablement.

notaria (s.-e. ARS), *ae,* f. Sténographie.

1. **notarius,** *a, um,* adj. Relatif à l'écriture. ¶ Qui concerne la sténographie.

2. **notarius,** *ii,* m. Sténographe; maître en sténographie. ¶ Copiste, secrétaire.

notatio, *onis,* f. Action de marquer d'un signe. ¶ *Fig.* Flétrissure (par le censeur). ¶ Action de faire connaître, description, peinture. ¶ Définition (d'un terme); étymologie. ¶ Observation, enquête, étude.

notatus, *a, um,* p. adj. Signalé. ¶ Connaissable. ¶ Connu.

notesco, *is, notui, ere,* intr. Commencer à être connu.

nothus, *a, um,* adj. Bâtard, illégitime. ¶ (En parl. d'animaux.) Hybride, métis. ¶ *Fig.* Non authentique.

notio, *onis,* f. Connaissance. || Notion, idée. ¶ *Jur.* Droit de connaître d'une affaire; compétence. ¶ Enquête. || Instruction. || *Spéc.* Enquête du censeur; flétrissure infligée par lui.

notitia, *ae,* f. Notoriété, renom; réputation. ¶ Connaissance, liaison, relation. ¶ Connaissance (qu'on a des choses), notion, idée. ¶ Rôle, relevé, état, liste. — *dignitatum,* liste des dignitaires.

notities, *ei,* f. Comme NOTITIA.

noto, *as, avi, atum, are,* tr. Marquer d'un signe. ¶ Faire une marque, un trait sur. ¶ Marquer (comme d'un signe); désigner, noter. || *Spéc.* Noter d'infamie, stigmatiser, flétrir; censu-

rer. ¶ Appeler l'attention (sur qqch. par un signe), faire observer, signaler. || Définir, donner l'étymologie d'un mot. ¶ Noter, prendre note de; faire attention à. ¶ Représenter par un signe. || Ecrire; chiffrer; sténographier. Désigner par un mot; exprimer.

notor, *oris,* m. Celui qui connaît une personne; garant, répondant. [d'avis.

notoria (s.-e. EPISTULA), *ae,* f. Lettre

notorium, *ii,* n. Dénonciation.

notorius, *a, um,* adj. Qui fait connaître.

1. **notos,** *i,* m. Voy. 2. NOTUS.

2. **notos,** *oris,* m. Arch. p. NOTOR.

notrix. Voy. NUTRIX.

notula, *ae,* f. Petite marque, petit signe. ¶ Petite remarque.

1. **nōtus,** *a, um,* p. adj. Connu. || Célèbre. || Décrié. ¶ Connu, *c.-à-d.* familier, ami. Subst. *Noti, orum,* m. pl. Connaissances. ¶ Qui connaît.

2. **nŏtus,** *i,* m. Vent du sud. ¶ Vent orageux, tempête.

novacula, *ae,* f. Rasoir. ¶ (*En gén.*) Couteau bien aiguisé. || Pointe acérée, poignard, épée. ¶ Poisson inconnu.

novale, *is,* n. Terre nouvellement défrichée. ¶ Terre en jachère. ¶ Au plur. *Novalia,* champs (en gén.).

1. **novalis,** *e,* adj. Qui est en jachère.

2. **novalis,** *is,* f. Comme NOVALE.

novator, *oris,* m. Celui qui renouvelle. ¶ Celui qui remet en honneur.

novatus, *us,* m. Innovation. ¶ Chargement. [sitée.

nove, adv. D'une manière nouvelle, inu-

novella, *ae,* f. Sorte de cuiller.

1. **novellae,** *arum,* f. pl. Jeunes arbres. ¶ Jeunes vignes.

2. **novellae,** *arum,* f. pl. Les Novelles, constitutions publiées après le Code Théodosien.

novello, *as, are,* tr. Planter de nouvelles vignes.

novellus, *a, um,* adj. Nouveau, jeune; qui existe depuis peu.

novem, ind. Neuf.

1. **november,** *bris, bre,* adj. Du mois de novembre.

2. **november** (s.-e. MENSIS), *bris,* m. Novembre.

novemdecim, adj. pl. ind. Dix-neuf.

novenarius, *a, um,* adj. Qui contient le nombre neuf; composé de neuf unités.

novendiale (s.-e. SACRUM), *is,* n. Cérémonie du neuvième jour; banquet célébré neuf jours après les funérailles.

novendialis (NOVEMDIALIS), *e,* adj. De neuf jours; qui dure neuf jours. ¶ Qui a lieu le neuvième jour. — *sacrum.* Voy. NOVENDIALE.

novennis, *e,* adj. Agé de neuf ans.

noverca, *ae,* f. Belle-mère, marâtre. ¶ *Fig.* Lieu peu favorable (à l'établissement d'un camp). ¶ Conduite de drainage.

novercalis, *e,* adj. De marâtre.

novercor, *aris, ari*, dép. intr. Agir en marâtre.

novicii, *orum*, m. pl. Nouveaux esclaves.

novicio, adv. Nouvellement.

noviciolus, *a, um*, adj. Un peu nouveau.

novicius, *a, um*, adj. Nouveau, récent. ¶ Nouveau venu. || Novice, inexpérimenté. ¶ Nouvellement réduit en esclavage.

novies (NOVIENS), adv. Neuf fois.

noviesdecies, adv. Dix-neuf fois.

novilunium, *ii*, n. Nouvelle lune.

novissime, adv. Tout dernièrement, tout récemment. ¶ En dernier lieu.

novissimo, adv. Enfin, en dernier lieu.

novissimus, *a, um*, adj. (au superl.) Le plus nouveau, c.-à-d. qui vient en dernier; extrême, dernier, suprême. — *agmen*, arrière-garde.

novitas, *atis*, f. Nouveauté, caractère de ce qui est nouveau. ¶ Nouveauté de la race, noblesse récente. ¶ Chose nouvelle, nouveauté, étrangeté; l'extraordinaire.

novo, *as, avi, atum, are*, tr. Rendre nouveau. ¶ Renouveler, ramener, à son ancien état, remettre à neuf; réparer. || Renouveler une obligation. || *Fig.* Ranimer, recréer, rafraîchir. ¶ Donner une forme nouvelle, transformer, changer. ¶ Faire du nouveau, inventer, imaginer.

novus, *a, um*, adj. Nouveau. ¶ Récent, qui existe depuis peu. ¶ Encore inconnu, insolite. || Etrange, extraordinaire. ¶ *En parl. de pers.* Inexpérimenté, novice. ¶ Qui n'a pas d'aïeux, qui doit sa noblesse à lui-même.

1. nox, *noctis*, f. Nuit, temps de la nuit. ¶ Approche de la nuit, soir. ¶ (Méton.) Ce qui se fait la nuit. || Veille, travail de nuit. || Repos, sommeil. || Songe. ¶ (Par ext.) Obscurité. || Ombre. || Orage. || Cécité. || Nuit éternelle, mort; enfers. ¶ *Fig.* Ténèbres, incompréhensibilité. || Aveuglement, ignorance. || Confusion, trouble.

2. nox, adv. De nuit; pendant la nuit.

noxa, *ae*, f. Dommage, préjudice. ¶ (Méton.) Ce qui cause un dommage : délit, faute. || Auteur d'un dommage : coupable; corps du délit. ¶ Punition, châtiment.

noxale, *is*, n. Action en dommages-intérêts.

noxalis, *e*, adj. Relatif à un dommage.

noxia, *ae*, f. Faute, délit. ¶ (Méton.) Dommage, tort, préjudice.

noxiosus, *a, um*, adj. Coupable, criminel. ¶ Nuisible, préjudiciable.

noxius, *a, um*, adj. Nuisible, préjudiciable; funeste.

nubecula, *ae*, f. Petit nuage. ¶ Ce qui ressemble à un nuage; tache (sur la peau). ¶ *Fig.* Nuage (de tristesse), air sombre.

nubes, *is*, f. Nuage, nuée. *Nubes captare*, se perdre dans les nuées. ¶ (Par ext.) Nuage (de fumée, de poussière, etc.). || Tourbillon, masse. || Nuage (dans un métal), tache. || Vêtement léger. ¶ *Fig.* Nuage, voile. ¶ Nuage (de tristesse), air sombre. || Orage, calamité, malheur menaçant.

nubicula, *ae*, f. Comme NUBECULA.

nubifer, *fera, ferum*, adj. Qui amène les nuages, orageux. ¶ Qui porte les nuages, qui touche aux nues. ¶ Porté par les nuages.

nubigena, *ae*, adj. m. et f. Né des nuages. Au plur. *Nubigenae*, les Centaures.

nubilis, *e*, adj. Nubile.

nubilo, *as, are*, intr. Etre nuageux. Impers. *Nubilat*, le temps est couvert. ¶ (Par ext.) Etre sombre. ¶ *Tr.* Obscurcir, assombrir (pr. et fig.).

1. nubilum, *i*, n. Temps couvert; accumulation de nuages. Au plur. *Nubila*, nuées, brouillards.

2. nubilum, *i*, n. Nuage de tristesse.

nubilus, *a, um*, adj. Nuageux, brumeux. ¶ Qui amène les nuages, orageux. || Sombre, obscur, noir. ¶ *Fig.* Qui a l'air sombre. ¶ Egaré, troublé. ¶ Funeste. ¶ Défavorable *ou* malveillant.

nubo, *is, nupsi, nuptum, ere*, tr. Couvrir, voiler. ¶ *Intr.* Se couvrir d'un voile. || Se marier (en parl. d'une femme). || *Fig.* Se marier, s'enlacer (en parl. d'une plante).

nubs, p. NUBES.

nucalis, *e*, adj. Semblable à une noix.

nucamentum, *i*, n. Fruit semblable à une noix.

nucella, *ae*, f. Petite noix.

nucetum, *i*, n. Lieu planté de noyers.

nuceus, *a, um*, adj. De noyer; de bois de noyer. [des noix.

nucifer, *fera, ferum*, adj. Qui porte des noix.

nucifrangibulum, *i*, n. Casse-noix, c.-à-d. (plaisamm.) dent. [un noyau.

nucleo, *as, are*, intr. Devenir dur comme un noyau.

nucleolus, *i*, m. Petit noyau.

nucleus, *i*, m. Amande de la noix et des fruits semblables. ¶ Noyau, pépin. ¶ *Par ext.* L'intérieur, le cœur, la partie dure d'un corps.

nucula, *ae*, f. Petite noix.

nudatio, *onis*, f. Action de mettre à nu.

nudator, *oris*, m. Celui qui met à nu, qui dépouille.

nude, adv. Simplement; sans ornement.

nuditas, *atis*, f. Nudité, état de ce qui est nu. ¶ Dénûment, pénurie.

nudius, adv. *Ne s'emploie que joint à un adj. num. ordin.* Le jour où nous sommes est le (troisième, le dixième) depuis lors.

nudiustertianus, *a, um*, adj. Qui date de trois jours; d'avant-hier.

nudo, *as, avi, atum, are*, tr. Mettre à nu, déshabiller. ¶ *Par ext.* Dépouiller, découvrir. || Laisser sans défense, dégarnir. ¶ Dépouiller, ravager, ruiner. || Priver de. ¶ Mettre à découvert, dévoller, révéler.

nudus, *a, um*, adj. Nu, sans vêtement. || Qui n'a qu'un léger vêtement. ¶ Découvert, dénudé. || Qui a la tête rase. || Sans armes, sans défense; ¶ *Fig.* Dépouillé, dégarni, privé de. || Nu, *c.-à-d.* sans apprêts. || Pur et simple. || Pauvre, mesquin.

nugacitas, *atis*, f. Frivolité.

nugaciter, adv. En plaisantant.

nugae (NAUGAE), *arum*, f. pl. Bagatelles, sornettes. ¶ Vers badins. || Colifichets. ¶ (Méton.) Hommes frivoles; farceurs.

nugalia, *um*, n. pl. Futilités.

nugalis, *e*, adj. Frivole, futile.

nugas, adj. indécl. Voy. NUGAX.

nugator, *oris*, m. Diseur de riens, niais. ¶ Imposteur. fourbe. ¶ Débauché, vaurien.   [à la légère.

nugatorie, adv. D'une manière frivole·

nugatorius, *a, um*, adj. Frivole, insignifiant. ¶ Sans valeur.

nugax, *acis*, adj. Frivole, qui prend les choses en plaisanterie; farceur. ¶ Impertinent.

nugigerulus, *i*, m. Colporteur de colifichets; diseur de balivernes.

nugor, *aris, atus sum, ari*, dép. intr. Dire des sornettes. ¶ En conter.

nullatenus, adv. En aucune façon.

nullibi, adv. Nulle part.

nullum, *ius*, n. Rien.

1. **nullus**, *a, um*, adj. indéf. Nul, aucun. ¶ Qui n'existe plus. ¶ Qui n'a aucune valeur, nul.

2. **nullus**, *ius*, m. Personne, nul.

nullusdum, *adum, umdum*, adj. Aucun jusqu'à présent, aucun encore.

1. **num**, adv. interr. (*Interr. dir.*) Est-ce que? Est-ce que par hasard? Est-ce que vraiment? ¶ (*Interr. indir.*) Si, si vraiment.

2. **num**, Voy. NUNC.

num... Voy. NUMM...

numen, *inis*, n. Mouvement de tête, signe de tête. || Action d'incliner la tête ¶. *En gén.* Inclinaison. || Assentiment. || Volonté (divine), majesté divine. || (Méton.) Une divinité. || (Par anal.) Majesté impériale.

numenclator. Voy. NOMENCLATOR.

numerabilis, *e*, adj. Qui peut être compté. ¶ Facile à compter, *d'où* en petit nombre.

numeratio, *onis*, f. Action de compter. ¶ Action de payer; payement.

numerator, *oris*, m. Celui qui compte.

numeratum, *i*, n. Argent comptant; numéraire.   [nombres; numérique.

numerius, *a, um*, adj. Relatif aux

1. **numero**, *as, avi, atum, are*, tr. Compter, calculer, nombrer. ¶ *Abs.* Compter, savoir compter. ¶ Enumérer, passer en revue, faire l'appel de. ¶ Pouvoir compter, avoir. ¶ Compter parmi;

mettre au nombre de, regarder comme. ¶ Compter, payer.

2. **numero**, adv. A temps, à propos. ¶ Tôt, vite. ¶ Trop tôt, trop vite.

numerose, adv. En grand nombre. ¶ En cadence.

numerosus, *a, um*, adj. Nombreux, qui est en grand nombre. ¶ Multiple, compliqué. ¶ Cadencé, rythmé.

numerus, *i*, m. Collection d'unités, nombre. ¶ (Méton.) *Au plur.* Dés marqués avec des nombres. || Registre, rôle. *In numeris esse*, être enrôlé. ||Arithmétique.||Astrologie. ¶ Nombre indéterminé, foule, quantité.|| Nombre (et rien de plus). *Nos numeri sumus*, nous, nous faisons nombre. || *Gramm.* Nombre. ¶Nombre déterminé, nombre requis. *Ad numerum esse*, être au complet. || *Spéc.* Nombre déterminé de soldats, corps de troupe, détachement. || Catégorie, classe, rang. || Lieu, place, valeur, considération. || Fonction; attributs. ¶ Partie d'un tout, unité. || Division musicale, mesure. || Pied métrique; mètre, vers. ¶ Nombre, *c.-à-d.* cadence, harmonie. || Régularité. || (Méton.) *Au plur.* Air, mélodie. ¶ *Fig.* Règle, loi.

numfa. Voy. NYMPHA.

numisma. Voy. NOMISMA.

nummarius, *a, um*, adj. Relatif à l'argent; à argent. ¶ Vénal.

nummatus, *a, um*, adj. Pourvu d'argent; riche.

nummulus, *i*, m. Petite pièce de monnaie; petit écu.

nummus (NUMUS), *i*, m. Pièce de monnaie (argent). ¶ Sesterce. ¶ Drachme *ou* double drachme (en Grèce).

numnam, **numne**. Voy. NUM.

numquam, adv. Voy. NUNQUAM.

numquando, adv. interr. Est-ce que quelquefois?

num qui, adv. interr. Est-ce qu'en quelque façon...? Est-ce qu'à quelque égard...?

num quid, adv. interr. Est-ce que...? ¶ *Dans une interr. indir.* Si.

num quis, etc. Voy. NUM et QUIS.

numus. Voy. NUMMUS.

nunc, adv. Maintenant, au moment présent. ¶ Alors, à ce moment-là. ¶ *Nunc... nunc...*, tantôt... tantôt. ¶ *Dans les transit*. Eh bien! Donc; puisqu'il en est ainsi. ¶ *Dans les oppositions*. Mais au contraire, or au contraire. *Nunc vero*, même sens.

nuncia. Voy. NUNTIA.

nunciam, adv. Voy. NUNC et JAM.

nunciat... Voy. NUNTIAT...

nuncine, adv. Est-ce maintenant que?

nuncio. Voy. NUNTIO.   [occasion...?

nuncubi, adv. Est-ce qu'en quelque

nuncupatio, *onis*, f. Action de nommer, de donner un nom. || Dénomination, appellation. ¶ *Spéc.* Action· de prononcer *ou* de déclarer solennellement.

|| Action de prononcer des vœux, des formules. || Désignation solennelle d'un héritier par devant témoins. || Dédicace (d'un livre).

nuncupator, *oris*, m. Celui qui nomme; celui qui désigne par un nom.

nuncupo, *as*, *avi*, *atum*, *are*, tr. Nommer, appeler. || Invoquer. ¶ Prononcer solennellement. ¶ *Jur.* Désigner, instituer (comme héritier) devant témoins. ¶ Dédier, vouer, consacrer.

nuncusque, adv. Jusqu'à présent, jusqu'à aujourd'hui.

nundinae, *arum*, f. pl. Marché, jour de marché (tous les neuf jours). || (Méton.) Marché c.-à-d. ville où se tient le marché. || *Fig.* Trafic (*péjor.*).

nundinarius, *a*, *um*, adj. Spécial aux jours de marché.

nundinatio, *onis*, f. Marché, trafic. ¶ (Méton.) Prix courant (du marché). || Achat, trafic (de consciences), corruption.

nundinator, *oris*, m. Marchand forain. ¶ (Fig.) Celui qui trafique de.

nundinium (s.-e. *TEMPUS*), *ii*, n. Marché. ¶ Court espace de temps pour lequel étaient nommés les consuls (sous le Bas-Empire).

nundino, *as*, *avi*, *are*, tr. Faire trafic de (fig.).

nundinor, *aris*, *atus sum*, *ari*, dép. intr. Tenir marché, faire le commerce, trafiquer. ¶ Affluer comme au marché, se rassembler comme à une foire. ¶ *Tr.* Trafiquer de, acheter *ou* vendre (la conscience, l'honneur, etc.).

nundinum, *i*, n. Temps qui s'écoule entre deux marchés; espace de neuf jours.

nundinus, *a*, *um*, adj. Du neuvième jour, qui concerne le neuvième jour.

nunquam, adv. Ne... jamais. ¶ Jamais ...ne, c.-à-d. certainement... ne... pas.

nuntia (NUNCIA), *ae*, f. Messagère; celle qui fait connaître.

nuntiatio, *onis*, f. Action d'annoncer de déclarer. || Déclaration (des augures touchant le résultat de leurs observations). || Déclaration des biens tombés en déshérence. || Sommation d'avoir à cesser des constructions dommageables à autrui.

nuntiator, *oris*, m. Celui qui annonce. ¶ *Jur.* Celui qui interdit *ou* qui met opposition.

nuntiatrix, *icis*, f. Celle qui annonce.

nuntio, *as*, *avi*, *atum*, *are*, tr. Annoncer, faire savoir, déclarer. ¶ *Jur.* Faire une déclaration au fisc. || Sommer qqn de cesser une construction dommageable à autrui.

nuntium, *i*, n. Nouvelle; avis.

1. **nuntius**, *a*, *um*, adj. Qui annonce, qui révèle.

2. **nuntius**, *ii*, m. Messager, courrier. || *Eccl.* Ange. ¶ Nouvelle, message.

ordre (porté). || Avis de répudiation *ou* de divorce.   [signe de tête.

nuo, *is*, *ere*, intr. (Inusité) Faire un

nuper, adv. Récemment, naguère. ¶ Il y a déjà quelque temps.

nuperus, *a*, *um*, adj. Récent, nouveau.

nupta, *ae*, f. Epouse.

nuptiae, *arum*, f. pl. Noces. || Mariage. ¶ Union (illégitime).

nuptialis, *e*, adj. De noces, nuptial. ¶ De mariage.

nuptula, *ae*, f. Petite mariée; jeune

nuptuo, *is*, *ire*, intr. Comme le suivant.

nupturio, *is*, *ivi*, *ire*, intr. A voir envie de se marier.

nuptus, *us*, m. Mariage.

nura, *ae*, f. Voy. NURUS.

nuricula (NORICULA), *ae*, f. Chère bru.

nurua, *ae*, f. Comme NURUS.

nurus, *us*, f. Bru (femme du fils). || Fiancée du fils. || Femme du petit-fils. ¶ Jeune femme; femme mariée. || (*En gén.*) Femme.

nus, m. Intelligence. ¶ *Spéc.* Un des éons de l'hérésiarque Valentin.

nusquam, adv. Nulle part (avec *ou* sans mouvement). ¶ (Par ext.) En aucune occasion; ne... jamais. ¶ *Fig.* En rien. || A rien. || Pour rien.

nutatio, *onis*, f. Oscillation, action de chanceler. || Etat chancelant. ¶ Action de hocher la tête.

nuto, *as*, *avi*, *atum*, *are*, intr. Vaciller, osciller, chanceler. || Menacer ruine. || *Fig.* Fléchir, c.-à-d. être dans un état critique. || Balancer, être indécis. || Etre d'une fidélité douteuse. ¶ *Spéc.* Faire signe de la tête, hocher la tête.

nutricatio, *onis*, f. Action de nourrir; allaitement. ¶ (Par ext.) Croissance (des végétaux).

nutricatus, *us*, m. Comme le précédent.

nutricia, *ae*, f. Nourrice.

nutricio, *onis*, m. Père nourricier.

nutricium, *ii*, n. Soins donnés par une nourrice. || Allaitement. Au pl. *Nutricia*, salaire de la nourrice.

1. **nutricius**, *a*, *um*, adj. Qui nourrit, qui allaite. ¶ Qui élève (un enfant).

2. **nutricius**, *ii*, m. Père nourricier.

nutrico, *as*, *are*, tr. Nourrir, alimenter.

nutricor, *aris*, *atus sum*, *ari*, tr. Nourrir, allaiter. || Elever (un enfant). ¶ *Fig.* Nourrir, élever.

nutricula, *ae*, f. Nourrice. ¶ *Fig.* Celle qui élève.

nutrimen, *inis*, n. Comme le suivant.

nutrimentum, *i*, n. *Ne s'emploie qu'au* plur. Aliments (pr. et fig.); nourriture. ¶ Première éducation. || *Fig.* Formation.

nutrio, *is*, *ivi* et *ii*, *itum*, *ire*, tr. Nourrir, allaiter. ¶ *En gén.* Nourrir, alimenter, faire grandir. ¶ Faire l'éducation de, élever. ¶ Soigner, veiller sur. ¶ *Fig.* Alimenter, développer, entretenir.

nutrior, *iris, itus sum, iri,* dép. tr. Comme le précédent. [allaitement.

nutritio, *onis,* f. Action de nourrir;

nutritius, *a, um.* Voy. NUTRICIUS.

nutritor, *oris,* m. Celui qui nourrit, qui élève.

nutritorius, *a, um,* adj. Nutritif. || Nourricier. || *Fig.* Fortifiant. ¶ Qui concerne les nourrissons; de nourrisson.

nutrix, *icis,* f. Nourrice. || Celle qui allaite *ou* élève. ¶ (Méton.) *Nutrices,* mamelles. ¶ *Fig.* Celle qui entretient, développe, accroît.

nutus, *us,* m. Inclinaison. ¶ Mouvement de haut en bas dû à la pesanteur; gravitation. ¶ Mouvement de la tête *ou* du doigt; signe, geste. || Volonté (exprimée par un signe); ordre, commandement. || Puissance. || Assentiment, consentement.

nux, *nucis,* f. Noix. ¶ Noisette. ¶ (Par anal.) Fruit à écorce dure (amande, châtaigne). ¶ Noyer. || Amandier.

nyctalmus, *i,* m. Nyctalopie.

nyctalops, *opis* (acc. *apa*), m. Nyctalope; qui ne voit que de nuit. ¶ Nom d'une plante.   [nuit.

nyctegresia, *ae,* f. Action de veiller la

nyctegretos, *i,* f. Plante qui luit la nuit.

nycteris, *idis,* f. Plante inconnue.

nycticorax, *racis,* m. Sorte de hibou, hulotte.

nymfeum (NYMFIUM), *i,* n. Voy. NYMPHAEUM.

1. **nympha,** *ae,* f. Fiancée. ¶ Nouvelle mariée. ¶ Nymphe, chrysalide.

2. **nympha,** *ae,* f. Nymphe, divinité.

nymphaea, *ae,* f. Nénufar (plante).

nymphaeum, *i,* n. Tout édifice consacré aux nymphes. || Grotte, bosquet orné de statues. || Fontaine d'eau jaillissante.

nympheum, *i,* n. Voy. NYMPHAEUM.

nynphigena, *ae,* m. et f. Fils *ou* fille d'une nymphe.

nymphon, *onis,* m. Chambre nuptiale.

O

1. **o, o,** quatorzième lettre de l'alph. lat. ¶ *Abrév.* o = optimus, omnis.

2. **o et oh,** interj. O ! Ah !

ob, prép. (avec l'Acc.). Devant, en face de. ¶ Vers, dans la direction de. ¶ *Fig.* A cause de. || Sous l'influence de. || En vue de. ¶ En échange de, pour.

obaerati, *orum,* m. pl. Débiteurs.

obaeratus, *a, um,* adj. Obéré, endetté.

obambulatio, *onis,* f. Allées et venues.

obambulo, *as, avi, atum, are,* intr. Se promener devant *ou* autour. ¶ Aller et venir. ¶ *Tr.* Parcourir en marchant de long en large.   [contre.

obarmo, *as, avi, atum, are,* tr. Armer

obaro, *as, avi, are,* tr. Labourer; défricher.

obatratus, *a, um,* adj. Voilé d'ombre.

obatresco, *is, ere,* intr. Devenir noir à la surface.

obaudiens, *entis,* p. adj. Obéissant.

obaudientia, *ae,* f. Obéissance.

obaudio, *is, ii, ire,* tr. Obéir.

obbrutesco, *is, tui, ere,* intr. Etre frappé de stupeur.

obc... Voy. OCC...

obdo, *is, didi, ditum, ere,* tr. Mettre devant (pour faire obstacle). || Etaler (pour recouvrir). || *Absol.* Fermer. ¶ Envelopper, engager dans.

obdormio, *is, ire,* intr. Dormir à poings fermés.

obdormisco, *is, mivi, ere,* intr. S'endormir. tomber dans un profond sommeil.

obduco, *is, duxi, ductum, ere,* tr. Tirer devant; placer comme obstacle. ¶ (Par ext.) Fermer. ¶ Tirer sur, couvrir de. || (Par ext.) Recouvrir, revêtir, envelopper, cacher (pr. et fig.). ¶ Tirer dans une direction donnée, rassembler. || Contracter, froncer, crisper. || Attirer à soi, aspirer. || Humer; boire avidement. ¶ Tirer en longueur, prolonger; ajouter. ¶ Conduire devant, mener contre, opposer. || *Par ext.* Réfuter, convaincre.

obductio, *onis,* f. Action de recouvrir, de voiler. ¶ (Méton.) Voile de tristesse; chagrin.

obduresco, *is, durui, ere,* intr. Devenir dur, durcir. ¶ *Fig.* S'endurcir, devenir insensible.

obduro, *as, avi, atum, are,* intr. Tenir bon, persister. ¶ *Tr.* Endurcir, rendre insensible.

obed... Voy. OBOED...

obelisous, *i,* m. Broche de fer. || (Par anal.) Pyramide allongée; obélisque. ¶ Bouton de rose. ¶ Obèle, signe critique.

obelus, *i,* m. Signe critique (ayant la forme d'une broche); obèle.

obeo, *is, ii, itum, ire,* intr. Aller, se présenter devant *ou* contre; survenir, intervenir. ¶ Aller à l'opposé, se coucher (en parl. d'un autre). ¶ *Par ext.* Disparaître; être détruit; mourir. ¶ *Tr.* Aller vers *ou* dans, aller trouver, aller voir, visiter. ¶ *Fig.* Se charger de, s'appliquer à, entreprendre, accomplir. ¶ Faire le tour de passer en revue, parcourir. ¶ Parcourir à cheval. ¶ R égner autour de, entourer.

obequito, *as, avi, atum, are,* intr. Chevaucher devant *ou* autour de. ¶ *Tr.* Parcourir à cheval.

oberro, *as, avi, atum, are,* intr. Errer devant *ou* autour. ¶ (Par ext.) Se tromper. ¶ *Tr.* Parcourir.

obesitas, *atis*, f. Embonpoint excessif, obésité. ¶ Développement excessif, (des plantes). [maigre.

1. obesus, *a*, *um*, adj. Rongé, miné.

2. obesus (OBESSUS), *a*, *um*, adj. Trop nourri, gras, replet. || Obèse. ¶ Gonflé, tuméfié; ballonné. ¶ *Fig.* Epais, grossier.

obex. Voy. OBJEX.

obf... Voy. OFF...

obgannio, *is*, *ivi* et *ii*, *itum*, *ire*, intr. Grogner contre. ¶ *Tr.* Chuchoter, murmurer. [senter, offrir.

obgero, *is*, *gessi*, *gestum*, *ere*, tr. Pré-

obhaereo, *es*, *ere*, intr. Etre attaché à.

obhaeresco, *is*, *haesi*, *haesum*, *ere*, intr. S'attacher; se trouver retenu, être arrêté par. [sonner à la vue de.

obhorresco, *is*, *horrui*, *ere*, intr. Fris-

obicio. Voy. OBJICIO

obifer. Voy. OVIFER.

obilla, *ae*, f. Petit vase.

obirascor, *eris*, *iratus sum*, *irasci*, dép. intr. S'irriter contre; s'emporter.

obiter, adv. Chemin faisant, en passant. ¶ *Fig.* En passant, c.-à-d. sans insister. ¶ Avec cela, en outre. || En même temps, par la même occasion. ¶ Superficiellement, vite.

obitus, *us*, m. Action de survenir; arrivée. ¶ Action de s'en aller; disparition, coucher (des astres). || *Fig.* Fin, anéantissement. || Mort. ¶ Action d'aller trouver, visite. ¶ *Fig.* Action d'accomplir; exécution, accomplissement. [devant *ou* auprès.

objaceo, *is*, *jacin*, *ere*, intr. Etre étendu

objectatio, *onis*, f. Accusation, reproche. ¶ Objection.

objectio, *onis*, f. Action de mettre devant *ou* d'opposer. ¶ *Fig.* Reproche. || Objection.

objecto, *as*, *avi*, *atum*, *are*, tr. Jeter *ou* placer devant. || Opposer, présenter. || Exposer, livrer. ¶ *Fig.* Reprocher. || Objecter.

objectus, *us*, m. Action de placer devant; interposition. ¶ (*Méton.*) Obstacle, barrière. || Objet, spectacle.

objex, *icis*, m. Ce qui est placé devant comme obstacle; barrière. ¶ Traverse, barre, verrou. ¶ Barricade. || Digue, môle. ¶ *Fig.* Obstacle, empêchement.

objicio (OBICIO), *is*, *jeci*, *jectum*, *ere*, tr. Jeter *ou* mettre devant. || Présenter, offrir, donner. || Proposer. ¶ Exposer, livrer à. Passif *objici*, être en butte à. ¶ *Fig.* Présenter; procurer, inspirer, causer. ¶ Opposer; mettre devant (comme barrière *ou* obstacle). ¶ *Par ext.* Jeter à la face. || Reprocher, objecter.

objurgatio, *onis*, f. Blâme, reproche.

objurgator, *oris*, m. Celui qui blâme, qui réprimande. || *Adj.* Grondeur.

objurgatorius, *a*, *um*, adj. De blâme, de reproche; de réprimande.

objurgo, *as*, *avi*, *atum*, *are*, tr. Blâmer, réprimander. ¶ *Par ext.* Châtier, punir. [précédent.

objurgor, *aris*, *avi*, dép. tr. Voy. le

objurigo, *as*, *are*, tr. Comme OBJURGO.

oblanguesco, *is*, *langui*, *ere*, intr. Languir, s'alanguir. [(d'un arbre).

oblaqueatio, *onis*, f. Déchaussement

1. oblaqueo, *as*, *are*, tr. Déchausser (un arbre). [rer. || Sertir.

2. oblaqueo, *as*, *are*, tr. Enlacer, entou-

oblaticius, *a*, *um*, adj. Offert volontairement.

oblatio, *onis*, f. Action d'offrir, offre. || Enchère. ¶ Action de présenter, d'offrir, de donner. || Payement, remboursement. || (*Méton.*) Chose offerte, oblation, offrande, don; victime. || Don volontaire.

oblatiuncula, *ae*, f. Petit don.

oblativus, *a*, *um*, adj. Offert volontairement.

oblator, *oris*, m. Celui qui offre.

oblatratio, *onis*, f. Action d'aboyer contre; aboiement. ¶ Action de rudoyer, d'injurier. [personnage.

oblatrator, *oris*, m. Aboyeur, grossier

oblatratrix, *icis*, f. Celle qui aboie; mégère.

oblatro, *as*, *avi*, *atum*, *are*, intr. et tr. Aboyer contre; s'emporter contre.

oblatus, *a*, *um*, part. passé d'OFFERO.

oblectabilis, *e*, adj. Agréable, récréatif.

oblectamen, *inis*, n. Divertissement, amusement. [amusement.

oblectamentum, *i*, n. Divertissement,

oblectatio, *onis*, f. Charme, amusement, plaisir, récréation.

oblecto, *as*, *avi*, *atum*, *are*, tr. Divertir, charmer. ¶ Passer agréablement.

oblenio, *is*, *ire*, tr. Adoucir, calmer.

oblido, *is*, *lisi*, *lisum*, *ere*, tr. Serrer fortement, comprimer. ¶ (Par ext.) Etouffer.

obligatio, *onis*, f. Action de lier, d'entraver; lien, chaîne, entrave; embarras. ¶ Lieu moral, engagement, obligation. || Rapport du créancier et du débiteur. || Droit de mettre en gage.

obligatorius, *a*, *um*, adj. Qui lie; obligatoire. [obligé,

obligatus, *a*, *um*, p. adj. Lié, engagé.

obligo, *as*, *avi*, *atum*, *are*, tr. Lier, attacher, empaqueter, envelopper. || Lier (une sauce). || Lier d'une bande, bander, ligaturer, faire un pansement. ¶ (Par ext.) Impliquer dans, rendre complice *ou* coupable, faire commettre. — *se ou obligari*, se rendre coupable de, commettre (une faute); encourir (une peine). || *Fig.* Embarrasser. ¶ Lier à, attacher à. || Enchaîner (par des charmes, des enchantements). ¶ Lier, enchaîner, engager (par un contrat, un jugement, un service, etc.). || (Par ext.) Engager: hypothéquer. [*Fig.* Manger, dissiper.

obligurio, *is*, *ii*, *ire*, tr. Lécher. ¶

obliguritor et obligurritor, *oris*, m. Dissipateur.

oblimo, *as*, *avi*, *atum*, *are*, tr. Couvrir de limon, de boue. || Combler; boucher. ¶ *Fig.* Troubler; obscurcir. ¶ Dissiper, gaspiller.

oblingo, *is*, *ere*, tr. Lécher autour.

obliniio, *is*, *ii*, *itum*, *ire*, tr. Comme OBLINO.

oblino, *is*, *levi*, *litum*, *ere*, tr. Recouvrir d'un corps gras, oindre, enduire. || Frotter de, barbouiller. ¶ *Par ext.* Boucher, garnir, sceller. ¶ Recouvrir (des tablettes); biffer, raturer. ¶ *Fig.* Recouvrir, couvrir, remplir. ¶ Salir, souiller. ¶ *Fig.* Souiller, déshonorer, perdre de réputation.

oblique, adv. Obliquement, de côté. ¶ *Fig.* D'une manière oblique *ou* détournée; avec dissimulation.

obliquitas, *atis*, f. Obliquité. ¶ Ambiguité, obscurité.

obliquo, *as*, *avi*, *atum*, *are*, tr. Placer de biais; diriger de côté, faire obliquer. ¶ *Fig.* Présenter d'une manière détournée. || Faire dévier, déformer, modifier.

obliquus (OBLICUS), *a*, *um*, adj. Qui est *ou* va de côté, oblique, de biais, de travers. || De profil. ¶ Non direct; non légitime (en parl. de la descendance).|| *Gramm.* (Cas) oblique; (style) indirect. ¶ Détourné, dissimulé, sans sincérité. || Equivoque, énigmatique, obscur. ¶ Envieux, malveillant, hostile.

obliscor, *oblisci*, arch. p. OBLIVISCOR.

obliter... Voy. OBLITTER...

oblitesco, *is*, *tui*, *ere*, intr. Se cacher.

oblitteratus, *a*, *um*, adj. Plus-que-parfait.

oblittero (OBLITERO), *as*, *avi*, *atum*, *are*, tr. Effacer, biffer. ¶ *Par ext.* Effacer du souvenir, faire oublier. || Détruire.

oblivio, *onis*, f. Action d'oublier, oubli. ¶ Manque de mémoire, caractère oublieux. || Distraction.

obliviosus, *a*, *um*, adj. Oublieux. ¶ Qui produit l'oubli.

oblivisco, *is*, *ere*, tr. Comme le suivant.

obliviscor, *eris*, *oblitus sum*, *oblivisci*, tr. et intr. Ne plus penser à, perdre le souvenir, oublier. ¶ (Par ext.) Se déshabituer de.

oblivium, *ii*, n. Oubli.   [louage.

oblooo, *as*, *are*, tr. Louer, donner à

oblocutor, *oris*, m. Contradicteur. ¶ Interrupteur.

oblongus, *a*, *um*, adj. Allongé, oblong.

obloquium, *ii*, n. Contradiction. || Chicane.

obloquor, *eris*, *locutus* (et *loquutus*) *sum*, *loqui*, dép. intr. Parler contre, contredire; interrompre. ¶ Blâmer, improuver. || Injurier. ¶ S'accompagner en chantant. || Chanter, gazouiller.

obloquutor. Comme OBLOCUTOR.

obluceo, *es*, *ere*, intr. Briller devant. ¶ *Fig.* Faire pâlir, d'où nuire à.

obluctatio, *onis*, f. Lutte, résistance.

obluctor, *aris*, *atus sum*, *ari*, dép. intr. Lutter contre, résister.

obludo, *is*, *lusi*, *lusum*, *ere*, intr. Railler, plaisanter. ¶ Tromper, abuser, faire allusion à.

obluridus, *a*, *um*, adj. Livide.

obmolior, *iris*, *itus sum*, *iri*, dép. tr. Elever, accumuler. ¶ Obstruer, boucher.

obmurmuro, *as*, *avi*, *atum*, *are*, intr. Murmurer contre, protester. ¶ *Tr.* Murmurer, dire à voix basse.

obmutesco, *is*, *mutui*, *ere*, intr. Devenir muet, perdre la voix. ¶ *Fig.* Se taire; cesser, finir.

obnascor, *eris* *natus sum*, *nasci*, intr. Naître près de.

obnecto, *is*, *nexum*, *ere*, tr. Lier, enlacer. ¶ *Fig.* Obliger.

obnisus, *us*, m. Effort, peine.

obnitor, *eris*, *nixus sum*, *niti*, dép. intr. S'appuyer contre, se raidir contre. ¶ Faire des efforts pour résister, lutter contre, résister. ¶ S'employer à.

obnixe, adv. Avec effort, avec persévérance; instamment; obstinément.

obnixum, adv. Obstinément.

obnixus, *a*, *um*, p. adj. Qui fait tous ses efforts: obstiné; inébranlable.

obnoxie, adv. D'une manière coupable. ¶ Humblement, avec humilité.

obnoxius, *a*, *um*, adj. Lié, enchaîné, esclave. ¶ Soumis à qqn; sujet. ¶ Exposé à un châtiment; coupable. ¶ Exposé à, livré à, en butte à; enclin. ¶ Redevable, obligé. ¶ Humble, bas, servile. ¶ Faible, délicat.

obnubilo, *as*, *avi*, *atum*, *are*, tr. Entourer d'un nuage, obscurcir. ¶ *Fig.* Assombrir.   [nuages; ténébreux.

obnubilus, *a*, *um*, adj. Couvert de

obnubo, *is*, *nupsi*, *nuptum*, *ere*, tr. Couvrir d'un voile; voiler, envelopper.

obnuntiatio, *onis*, f. Annonce de mauvais présages.

obnuntio, *as*, *avi*, *atum*, *are*, tr. Déclarer que les présages sont défavorables. || S'opposer à. || Faire de l'opposition. ¶ (En gén.) Annoncer une mauvaise nouvelle.

oboediens (OBEDIENS), *entis*, p. adj. Obéissant, soumis, docile. ¶ Souple, qui se prête à.

oboedienter (OBEDIENTER), adv. Avec obéissance, docilement.

oboedientia (OBEDIENTIA), *ae*, f. Obéissance, soumission.

oboedio (OBEDIO), *is*, *ivi*, *itum*, *ire*, intr. Prêter l'oreille à. ¶ Obéir, se plier à, être soumis. ¶ *Fig.* Etre souple.

oboedior, *iris*, *iri* dép. tr. Comme le précédent.

oboleo, *es*, *ui*, *ere*, intr. Exhaler une odeur. ¶ *Tr.* Avoir l'odeur de; sentir.

obolus, *i*, m. Obole, monnaie grecque égale au sixième de la drachme (0 fr. 16). ¶ Poids valant un sixième de drachme.

oborior, *eris*, *ortus sum*, *oriri*, dép. intr. Naître, paraître, se produire; survenir.

obrepo, *is*, *repsi*, *reptum*, *ere*, intr. Se glisser, s'insinuer furtivement, s'avancer à pas de loup. ¶ *Tr.* Surprendre. ¶ *Intr.* Tromper, faire illusion à.

obrepticius, *a*, *um*, adj. Obtenu par surprise, obreptice.

obreptio, *onis*, f. Action de se glisser, de surprendre. ¶ Surprise, obreption.

obrepto, *as*, *avi*, *are*, intr. Se glisser par surprise, surprendre.   [glacé.

obrigeo, *es*, *ere*, intr. Etre rigide; être

obrigesco, *is*, *rigui*, *ere*, intr. Devenir raide, devenir dur *ou* froid. ¶ *Fig.* S'endurcir, devenir insensible.

obripio, *is*, *ere*, intr. Comme OBREPO.

obroboratio, *onis*, f. Rigidité des nerfs.

obrodo, *is*, *ere*, tr. Ronger autour, ronger.

obrogatio, *onis*, f. Proposition de loi destinée à abroger *ou* à modifier une autre loi.

obrogo, *as*, *avi*, *atum*, *are*, intr. Proposer, présenter une loi de modification *ou* d'abrogation. || Abroger (une loi). ¶ S'opposer à une proposition de loi.

obruo, *is*, *ui*, *utum*, *ere*, tr. Recouvrir de terre, enfouir, enterrer, ensevelir || Semer. ¶ *Fig.* Accabler, surcharger. || Ecraser; renverser. ¶ Détruire l'effet de. || Ternir. ¶ Couvrir d'ombre, ensevelir dans l'oubli, faire oublier, éclipser; écraser de sa supériorité.

obrussa, *ae*, f. Epreuve de l'or par le feu. ¶ *Fig.* Epreuve, pierre de touche.

obrutus, *a*, *um*, adj. Comme PONDEROSUS.   [au feu.

obryzatus, *a*, *um*, adj. Fait d'or éprouvé

obryzum (AURUM), *n.* Or qui a subi l'épreuve du feu.

obsaepio, *is*, *saepsi*, *saeptum*, *ire*, tr. Barrer, fermer; rendre impraticable. ¶ *Fig.* Barrer la route, intercepter.

obsce, adv. Voy. OSCE.

obscaevo (OBSCEVO), *as*, *avi*, *are*, intr. Porter malheur.

obscoene (OBSCENE), adv. D'une manière indécente, obscène.

obscoenitas (OBSCENITAS), *otis*, f. Le fait d'être défavorable. ¶ Obscénité, impureté. || (Méton.) Objet obscène.

obscoenus (OBSCENUS), *a*, *um*, adj. De mauvais augure, funeste. ¶ Hideux, sale, affreux, repoussant. ¶ Impudique, obscène.

obscurat, *avit*, *are*, impers. Il fait sombre, il est nuit.

obscuratio, *onis*, f. Obscurcissement, ténèbres. ¶ *Fig.* Etat de ce qui est à peine perceptible.

obscure, adv. D'une manière obscure, confusément. ¶ D'une manière dissimulée, secrètement. || D'une manière obscure, *c.-à-d.* sans gloire. ¶ *Fig.* D'une manière enveloppée, peu claire; obscurément.

obscuritas, *atis*, f. Etat de ce qui est

obscur, obscurité; ténèbres. || Obscurcissement. ¶ Obscurité, humilité, naissance obscure. ¶ *Fig.* Obscurité, défaut de clarté; incertitude. || (Méton.) Passage obscur. || Couleur noire.

obscuro, *as*, *avi*, *atum*, *are*, tr. Rendre obscur, obscurcir, jeter de l'ombre sur. ¶ *Fig.* Obscurcir, *c.-à-d.* troubler (l'esprit), assourdir (un son). ¶ Rendre peu clair *ou* inintelligible. ¶ Eclipser; faire oublier. ¶ Rendre invisible. || Dissimuler, cacher.

obscurum, *i*, n. Obscurité; ténèbres.

obscurus, *a*, *um*, adj. Sans lumière, sombre, obscur. ¶ *Fig.* Sourd, peu net. || Peu clair, peu intelligible; énigmatique. ¶ Obscur, inconnu, sans gloire, sans éclat. ¶ Invisible, caché. || Dissimulé (en parl. du caractère).

obsecratio, *onis*, f. Prières instantes, supplications. || (Rhét.) Obsécration. ¶ Protestation avec serment. ¶ Prières publiques.

obsecrator, *oris*, m. Suppliant.

obsecro (OPSECRO), *as*, *avi*, *atum*, *are*, tr. Prier (qqn) au nom des dieux *ou* de ce qu'il y a de plus sacré. ¶ Prier instamment, supplier, adjurer. ¶ *Obsecro*, je vous prie, dites oui.

obsecula (OPSECULA), *ae*, f. Femme de mœurs faciles.

obsecundanter, adv. Conformément à.

obsecundatio, *onis*, f. Condescendance; déférence.   [cier du palais.

obsecundator, *oris*, m. Serviteur, offi-

obsecundo, *as*, *avi*, *atum*, *are*, intr. Consentir à, condescendre à, céder, se prêter à (pr. et fig.). ¶ *Tr.* Concéder, accorder.

obsecundor, *aris*, *atus sum*, *ari*, dép. intr. Comme le précédent.

obsecutio, *onis*, f. Obéissance.

obsecutor, *oris*, m. Celui qui obéit à, qui se conforme à.

obsep... Voy. OBSAEP...

obsequela (OPSEQUELLA), *ae*, f. Complaisance, condescendance.

obsequens, *entis*, p. adj. Complaisant. || Favorable. ¶ Obéissant, soumis.

obsequenter, adv. Avec déférence. Avec obéissance.   [complaisance.

obsequentia, *ae*, f. Condescendance, Avec obéissance.

obsequiae, *arum*, f. Obsèques, funérailles.   [sus.

obsequialis, *e*, adj. Comme OBSEQUIO-

obsequibilis, *e*, adj. Complaisant, obligeant.

obsequiosus, *a*, *um*, adj. Plein de complaisance, obéissant, soumis, attentif.

obsequium, *ii*, n. Complaisance, condescendance. || Action de céder à. ¶ (Par ext.) Obéissance, soumission, subordination. || *Péjor.* Servilité. ¶ Service auprès de qqn; devoir, fonction. ¶ (Méton.) Au plur. *Obsequia*, clients, serviteurs.

obsequor, *eris*, *sequ'tus et secutus sum*,

sequi, dép. intr. Céder à, se prêter à, se livrer à. ‖ Condescendre aux désirs de. ‖ Obéir, se soumettre. ‖ Rendre hommage à.

obsequutio, Voy. OBSECUTIO.

obseratio, *onis*, f. Action de fermer.

obsericatus, *a*, *um*, adj. Tout vêtu de soie.

1. **obsero**, *as*, *avi*, *atum*, *are*, tr. Fermer au verrou, verrouiller. ¶ (En gén.) Fermer.

2. **obsero**, *is*, *sevi*, *situm*, *ere*, tr. Semer; planter sur *ou* dans. ¶ Ensemencer de, planter de.

observabilis, *e*, adj. Qu'on peut remarquer, visible; sensible. ¶ Digne de remarque, remarquable.

1. **observans**, *antis*, p. adj. Qui observe (une loi), qui remplit (un devoir). ¶ Qui a des égards pour, qui respecte.

2. **observans**, *antis*, p. adj. Comme ABSTEMIUS.

observanter, adv. Avec soin, scrupuleusement. ¶ Avec égards, avec respect.

observantia, *ae*, f. Observation, c.-à-d action de remarquer, d'examiner. ¶ Action de faire cas, de tenir compte; considération, respect, égards. ‖ Observation scrupuleuse (d'une loi, d'un devoir). ‖ Pratique du culte, dévotion.

observate, adv. Avec attention.

observatio, *onis*, f. Observation, contemplation. ¶ Attention, circonspection. ¶ Considération, égards, respect. ‖ Respect des règles. ‖ (Méton.) Règle.

observator, *oris*, m. Celui qui observe; celui qui remarque. ¶ Celui qui observe (une règle) *ou* pratique (un culte).

observatus, *us*, m. Action d'observer.

observio, *is*, *ire*, intr. Etre le fidèle serviteur de.

observo, *as*, *avi*, *atum*, *are*, tr. Observer, examiner. remarquer. ‖ Epier. ¶ Surveiller, faire attention à. ¶ Tenir compte de. ‖ Avoir égard à. ‖ Respecter, honorer. ¶ Se conformer à.

obses (OPSES), *idis*, m. et f. Otage. ¶ Garant, caution.

obsessio, *onis*, f. Action d'assiéger; siège, investissement.

obsessor, *oris*, m. Celui qui se tient auprès: celui qui reste (dans un lieu). ¶ Celui qui assiège *ou* qui investit.

obsidatus, *us*, m. Echange d'otages.

obsideo, *sedi*, *sessum*, *ere*, intr. Etre établi auprès, se tenir auprès. ¶ *Tr.* Se tenir près de, occuper. ‖ *Spéc.* Occuper militairement; investir; assiéger. ¶ *Fig.* Assiéger, c.-à-d. envahir, remplir. ¶ Epier l'occasion de. ‖ Guetter.

1. **obsidio**, *onis*, f. Action d'assiéger; siège, investissement, blocus. ¶ Captivité; détention. ¶ Danger pressant; situation pénible. [dional.

obsidionalis, *e*, adj. De siège; obsi-

1. **obsidium**, *ii*, n. Siège, investissement. ¶ (Par ext.) Attaque (en gén.). ‖ Embuscade, piège. ‖ Danger. ¶ Surveillance, guet.

2. **obsidium**, *ii*, n. Condition d'otage.

obsido, *is*, *sedi*, *sessum*, *ere*, tr. Occuper (une position), se tenir dans (un lieu). ¶ *Spéc.* Occuper (une position militaire). ‖ Envahir. ‖ Attaquer, assiéger.

obsignatio, *onis*, f. Action de sceller. ¶ (Fig.) *Eccl.* Sceau (du baptême).

obsignator, *oris*, m. Celui qui scelle, qui appose un sceau.

obsigno, *as*, *avi*, *atum*, *are*, tr. Apposer un sceau, un seing; sceller, cacheter. ‖ *Par ext.* Fermer. ¶ Consigner dans un acte authentique, rédiger en forme (un testament, une accusation); souscrire. ¶ Mettre sous scellés. ¶ Empreindre *ou* graver. [devant.

obsipo, *as*, *are*, tr. Jeter; répandre

obsisto, *is*, *stiti*, *ere*, intr. S'arrêter devant. ‖ S'opposer à, résister (pr. et fig.). ¶ *Tr.* Placer en face.

obsitus, *a*, *um*, p. adj. Couvert *ou* chargé (de qqch. qui enlaidit *ou* attriste)

obsolefacio, *is*, *feci*, *factum*, *ere*, tr. Faire tomber en désuétude.

obsolefio, *is*, *factus sum*, *fieri*, intr. Tomber en désuétude. ¶ Se déconsidérer, s'avilir.

obsolesco, *is*, *levi*, *etum*, *ere*, intr. Tomber en désuétude. ¶ Perdre de son éclat, passer de mode.

obsolete, adv. A l'ancienne mode; d'une manière surannée.

obsoletus, *a*, *um*, adj. Tombé en désuétude, passé de mode. ¶ Flétri, usé. ¶ Banal, rebattu.

obsonator (OPSONATOR), *oris*, m. Celui qui fait son marché *ou* qui fait les provisions de bouche.

obsonatus (OPSONATUS), *us*, m. Achat de provisions de bouche.

obsonito (OPSONITO), *as*, *avi*, *are*, intr. Tenir table ouverte.

obsonium (OPSONIUM), *ii*, n. Plat, mets (qui se mange avec le pain, sauf les viandes rôties). ¶ Plat de poisson.

1. **obsono** (OPSONO), *as*, *avi*, *atum*, *are*, intr. Acheter des provisions de bouche. ¶ Donner un repas.

2. **obsono**, *as*, *are*, intr. Faire du bruit de manière à interrompre.

obsnoor, *aris*, *atus sum*, *ari*, dép. intr. Voy. 1. OBSONO. [tir (pr. et fig.).

obsorbeo, *es*, *bui*, *ere*, tr. Avaler, englou-

obsordesco, *is*, *dui*, *ere*, intr. Devenir sale. ¶ Se passer, vieillir. [hideux.

obsqualeo, *es*, *ere*, intr. Etre sale; être

obstaculum, *i*, n. Obstacle (pr. et fig.).

obstantia, *ae*, f. Etat de ce qui est placé devant. ‖ Interposition. ¶ Résistance.

obsterno, *is*, *ere*, tr. Etendre devant.

obstetrI ium, *ii*, n. Office de sage-femme.

obstetricins (OPSTETRICIUS), *a*, *um*, adj. De sage-femme. ¶ *Fig.* Mis au jour.

obstetrico, *as*, *avi*, *are*, intr. Faire l'office de sage-femme.

obstetricor, *aris*, *atus sum*, *ari*, dép. intr. Comme le précédent.

obstetrix (OBSTITRIX, OPSTITRIX), *icis*, f. Sage-femme. [tinée.

obstinate, adv. Avec une fermeté obs-

obstinatio, *onis*, f. Persévérance. ¶ Obstination.

obstinatus, *a*, *um*, p. adj. Persévérant, ferme. || Obstiné. ¶ Qu'on s'est mis fermement dans l'esprit.

obstineo, *es*, *ere*, tr. Présenter, montrer.

obstino, *as*, *avi*, *atum*, *are*, tr. Se mettre résolument dans l'esprit. || Persister à, s'obstiner à.

obstipatio, *onis*, f. Presse, foule pressée.

obstipe, adv. De travers.

obstipesco. Voy. OBSTUPESCO.

obstipo, *as*, *are*, tr. Incliner, pencher.

obstipus, *a*, *um*, adj. Penché, incliné (en avant, en arrière *ou* de côté).

obstipusculus, *a*, *um*, adj. Qui a la tête légèrement penchée de côté.

obstitrix. Voy. OBSTETRIX.

obstitum, *i*, n. Direction oblique.

obstitus, *a*, *um*, adj. Penché d'un côté, oblique. ¶ *Spéc.* Atteint par la foudre.

obsto, *as*, *stiti*, *statum*, *are*, intr. Se tenir devant *ou* auprès. ¶ *Spéc.* Se tenir devant (pour résister); s'opposer à, faire obstacle. || Empêcher (pr. et fig.).

obstrepo, *a*, *um*, adj. Qui fait entendre un bruit importun.

obstrepo, *is*, *strepui*, *strepitum*, *ere*, intr. et tr. Retentir devant *ou* auprès, couvrir un autre bruit, faire un bruit importun. ¶ Interrompre bruyamment, couvrir la voix (de celui qui parle). ¶ *Par ext.* Troubler, gêner.

obstrictus, *us*, m. Comme OBSTRICTIO.

obstrigillo (OBSTRINGILLO), *as*, *are*, intr. Se mettre en travers, faire obstacle, empêcher. ¶ Blâmer, censurer.

obstringo, *is*, *strinxi*, *strictum*, *ere*, tr. Serrer fortement. ¶ Attacher autour de *ou* devant. || Agrafer. || Tenir enfermé, retenir, emprisonner. ¶ *Fig.* Lier, *c.-à-d.* engager (moralement), obliger. || Impliquer dans, rendre coupable *ou* complice de.

obstructio, *onis*, f. Action d'enfermer *ou* d'emprisonner (fig.). ¶ (Méton.) Prison.

obstruo, *is*, *struxi*, *structum*, *ere*, tr. et intr. Bâtir, construire devant. ¶ Obstruer, boucher. || Masquer.

obstrusio *et* **obtrusio**, *onis*, f. Engorgement, constipation (t. méd.).

obstupefacio, *is*, *feci*, *factum*, *ere*, tr. Stupéfier, engourdir, étourdir. ¶ *Spéc.* Frapper de stupeur, d'étonnement.

obstupefio, *is*, *factus sum*, *fieri*, intr. Devenir stupide. ¶ Etre frappé de stupeur, d'étonnement.

obstupesco (OBSTIPESCO *et* OPSTIPESCO), *is*, *stupui* (*et* *stipui*), *ere*, intr. Devenir immobile *ou* insensible, s'engourdir.

¶ *Spéc.* Etre frappé de surprise, être stupéfait. || Etre interdit. || Etre glacé d'effroi.

obsum, *es*, *fui*, *esse*, intr. Etre devant. ¶ Faire obstacle, gêner. || Faire tort, nuire.

obsuo, *is*, *ui*, *utum*, *ere*, tr. Coudre autour. ¶ Fermer, clore. || Boucher.

obsurdesco, *is*, *dui*, *ere*, intr. Devenir sourd. ¶ *Fig.* Fermer l'oreille à, être sourd à...

obsurdo, *as*, *are*, tr. Rendre sourd.

obtaedescit, *ere*, impers. S'ennuyer.

obtectio, *onis*, f. Action de couvrir, de cacher.

obtectus, abl. *u*, m. Comme le précédent

obtego, *is*, *texi*, *tectum*, *ere*, tr. Couvrir par-dessus; recouvrir. || Cacher *ou* dissimuler. ¶ Abriter.

obtemperanter, adv. Avec docilité. ¶ Avec mesure; modérément. [lité.

obtemperatio, *onis*, f. Obéissance, doci-

obtempero, *as*, *avi*, *atum*, *are*, tr. Se conformer à la volonté de, obtempérer, obéir.

obtendo, *is*, *tendi*, *tensum* *et* *tentum*, *ere*, tr. Tendre *ou* étendre devant. || *Fig.* Mettre en avant, prétexter. ¶ Couvrir (comme d'un voile), masquer, voiler.

obtentio, *onis*, f. Action d'étendre devant. ¶ Action de voiler. ¶ *Fig.* Façon de parler voilée. *Obtentiones*, voiles (de l'allégorie).

1. **obtentus**, *us*, m. Action de tendre *ou* d'étendre devant. ¶ (Méton.) Ce qu'on étend devant. || Prétexte, motif allégué || Obstacle, empêchement. ¶ Action de cacher *ou* de dissimuler. || (Méton.) Voile (fig.). [d'obtenir.

2. **obtentus**, *us*, m. Obtention, action d'obtenir.

obter (OPTER), prép. Comme PROPTER.

obtero, *is*, *trivi*, *tritum*, *ere*, tr. Broyer, écraser. ¶ *Spéc.* Tailler en pièces. || Fouler aux pieds, piétiner. ¶ *Fig.* Ravaler, déprécier, rabaisser. || Dénigrer. ¶ Frotter. || Nettoyer en frottant.

obtestatio, *onis*, f. Engagement (pris en attestant les dieux); serment. ¶ Prière *ou* supplication.

obtestor, *aris*, *atus sum*, *ari*, dép. tr. Prendre à témoin; attester. ¶ (Spéc.) Prier (au nom des dieux), invoquer, supplier. || Adjurer. ¶ Affirmer (sous la foi du serment); jurer; protester.

obtexo, *is*, *texui*, *ere*, tr. Tisser devant *ou* sur. || *Fig.* Mettre en avant (des prétextes). ¶ Couvrir, voiler. || *Fig.* Cacher *ou* dissimuler.

obticentia, *ae*, f. Réticence (fig. de rhét.).

obticeo, *es*, *ere*, intr. Garder le silence.

obtinax. Voy. OBSTINAX. [sion.

obtinentia, *ae*, f. Occupation, posses-

obtineo, *es*, *tinui*, *tentum*, *ere*, tr. Tenir solidement. ¶ Etre maître de, posséder, occuper, tenir. || Rester maître de, conserver, garder, retenir, maintenir. || Défendre. ¶ Venir à bout, gagner, obtenir; remporter. ¶ Faire prévaloir (un avis), soutenir; démontrer, prouver. ¶ *Intr.* Prévaloir, être établi, être consacré. Impers. *Obtinet*, il est passé en usage.

obtingo, *is*, *tigi*, *ere*, tr. Toucher, parvenir à. ¶ *Intr.* Arriver (en parl. d'un événement). || Echoir.

obtorpesco, *is*, *torpui*, *ere*, intr. S'engourdir, se sentir comme paralysé. ¶ Etre interdit, tomber dans la torpeur, être glacé (d'effroi).

obtorqueo, *es*, *torsi*, *tortum*, *ere*, tr. Tourner, faire virer. ¶ *Spéc.* Tourner violemment, tordre.

obtortio, *onis*, f. Distorsion, déviation.

obtrectatio, *onis*, f. Action de rabaisser; critique (*surt.* malveillante), dénigrement.   [lant), détracteur, envieux.

obtrectator, *oris*, m. Critique (malvei-

obtrectatus, *us*, m. Comme OBTRECTATIO.

obtrecto, *as*, *avi*, *atum*, *are*, tr. et intr. Déniger, rabaisser. || Critiquer. || Calomnier; envier. ¶ Faire tort à, s'opposer à.   [d'écraser.

obtritus, *us*, m. Action de broyer *ou*

obtrudo (OBSTRUDO , OPSTRUDO), *is*, *trusi*, *trusum*, *ere*, tr. Pousser brutalement contre. ¶ *Fig.* Donner de force, fourrer, imposer. ¶ *Spéc.* Fourrer dans sa bouche, avaler (gloutonnement). ¶ Recouvrir. ¶ Fermer, boucher.

obtruncatio, *onis*, f. Action de tailler.

obtrunco, *as*, *avi*, *atum*, *are*, tr. Tailler (la vigne), étêter (un arbre). ¶ Décapiter. ¶ Tuer, massacrer.

obtrusio, *onis*, f. Comme OBSTRUSIO.

obtueor (OPTUEOR), *eris*, *eri*, dép. tr. Regarder en face, voir, apercevoir.

obtundo (OPTUNDO), *is*, *tudi*, *tusum* et *tunsum*, *ere*, tr. Frapper violemment. ¶ Emousser en frappant. ¶ *Fig.* Emousser, affaiblir, amortir. || Assourdir. ¶ *Fig.* Assommer, étourdir. || Importuner.

obtuns... Voy. OBTUS...   [OBTUEOR.

obtuor (OPTUOR), *eris*, *i*, dép. tr. Comme

obturaculum, *i*, n. Comme le suivant.

obturamentum (OPTURAMENTUM), *i*, n. Bouchon. ¶ Bonde (d'un tonneau).

obturatio, *onis*, f. Action de boucher.

obturbo, *as*, *avi*, *atum*, *are*, tr. Rendre trouble, troubler. ¶ Mettre en désordre. ¶ Troubler par des cris, importuner; interrompre.

obturgesco (OPTURGESCO), *is*, *tursi*, *ere*, intr. S'enfler; se gonfler.

obturo, *as*, *avi*, *atum*, *are*, tr. Boucher, fermer. || Calfeutrer. ¶ *Fig.* Arrêter, mettre fin à.

obtuse (OBTUNSE), adv. Avec une vue faible. ¶ *Fig.* Sans finesse.   [obtus.

obtusiangulus, *a*, *um*, adj. A angles

obtusio (OBTUNSIO), *onis*, f. Contusion, coup, meurtrissure. ¶ Etat de ce qui est émoussé. || Affaiblissement. || Hébétement.

obtusus (OBTUNSUS), *a*, *um*, p. adj. Emoussé. || (Géom.) Obtus. ¶ *Fig.* Emoussé, affaibli, diminué, sans force. ¶ Sans pénétration, lourd, grossier.

obtutus, *us*, m. Action de regarder en face. ¶ Regard. || Contemplation. || (Méton.) :il.

obumbraculum, *i*, n. Ce qui ombrage.

obumbramentum, *i*, n. Ce qui fait ombre.

obumbratio, *onis*, f. Action d'ombrager; *ou* d'obscurcir. ¶ Obscurcissement. || Voile.

obumbro, *as*, *avi*, *atum*, *are*, tr. Jeter de l'ombre sur, couvrir de son ombre; ombrager. ¶ *Fig.* Obscurcir, ternir. ¶ Couvrir; cacher, dissimuler.

obuncus, *a*, *um*, adj. Crochu, recourbé.

oburbo, *as*, *are*, tr. Tracer une ligne courbe.

obustus, *a*, *um*, adj. Brûlé tout autour. ¶ Durci au feu. ¶ Brûlé, durci par la gelée.   [vagissements.

obvagio, *is*, *ire*, tr. Troubler par des

obvallo, *as*, *avi*, *atum*, *are*, tr. Entourer d'un retranchement.

obvenio, *is*, *veni*, *ventum*, *ire*, intr. Se trouver sur le chemin de, rencontrer. ¶ Survenir, se présenter, arriver. ¶ Tomber en partage, échoir.

obversor, *aris*, *atus sum*, *ari*, dép. intr. Se trouver devant, se présenter à (pr. et fig.). ¶ Faire face à, s'opposer, résister.

obverto (OBVORTO), *is*, *verti* ou *vorti*, *versum* et *vorsum*, *ere*, tr. Faire faire un tour à, retourner. ¶ Tourner vers ou contre. || Diriger du côté de. ¶ Au passif *obvertor*, se tourner vers; *fig.* s'appliquer à; se tourner contre, résister.

obviam, adv. Sur le chemin de, à la rencontre de, au-devant de (pr. et fig.).

obvigilo, *as*, (*avi*), *atum*, *are*, intr. Etre vigilant; veiller à.

obvio, *as*, *avi*, *are*, intr. Aller au-devant, rencontrer. ¶ *Fig.* Obvier *ou* remédier à. ¶ S'opposer à, résister.

1. **obvius**, *a*, *um*, adj. Qui va au-devant; qui est sur la route; qu'on rencontre. ¶ Qui vient au-devant (en ennemi), qui s'oppose, qui résiste. ¶ Qui vient au-devant (en ami), prévenant, aimable. ¶ Qui est au-devant; situé devant, exposé à. || Qui s'offre facilement, qu'on a sous la main, facile. || Qui s'offre trop facilement; banal.

2. **obvius**, *ii*, m. Un passant.

obvolito, *as*, *are*, intr. Voler çà et là; courir çà et là.

obvolvo, *is*, *volvi*, *volutum*, *ere*, tr. Envelopper, voiler (pr. et fig.). ¶ Au passif. *Obvolvor*, se rouler devant, se jeter aux pieds de.

occa, *ae*, f. Herse.

occabus (OCCAVUS), *i*, m. Bracelet.

occaecatio, *onis*, f. Action de recouvrir de terre.

occaeco, *as, avi, atum, are*, tr. Rendre aveugle, aveugler (pr. et fig.). ¶ Obscurcir (pr. et fig.). ¶ Cacher. ¶ *Spéc*. Recouvrir de terre.

occallatus, *a, um*, adj. Qui a la peau épaisse. ¶ *Fig*. Endurci; rendu insensible.

occalesco, *is, ui, ere*, intr. Devenir calleux. ¶ *Fig*. S'endurcir; devenir insensible.

occano, *is, canui, ere*, tr. Sonner de la trompette. ¶ Sonner, retentir (en parl. de la trompette elle-même).

occasio, *onis*, f. Occasion, moment favorable. ¶ Facilité; avantage (résult. de qqch.). ¶ Moyen de se procurer.

occasus, *us*, m. Coucher (des astres *ou* du soleil). ¶ Chute du jour, soir. ¶ (Méton.) Couchant, occident. ‖ *Fig*. Déclin, fin; ruine, destruction. ¶ (Rar.) Occasion.

occatio, *onis*, f. Hersage.

occator, *oris*, m. Celui qui herse. ¶ Dieu qui préside au hersage.   [hersage.

occatorius, *a, um*, adj. Qui concerne le

occavus, *i*, m. Voy. OCCABUS.

occedo, *is, cessi, ere*, intr. Aller-au-devant de.   [(aux sens).

occelo, *as, avi, are*, tr. Cacher, dérober

occensus, *a, um*, p. adj. Brûlé.

occentatio, *onis*. f. Son (des trompettes).

occento, *as, avi, avi, atum, are*, tr. Chanter devant qqn *ou* devant la porte de qqn. ‖ Donner (à qqn) une aubade, une sérénade. ‖ Chanter une chanson satirique. ¶   Chanter   un   chant d'hyménée.

occentus, *us*, m. Cri (de la souris).

occepso. Voy. OCCIPIO.

occepto, *as, avi, are*, intr. Commencer.

occidens, *entis*, m. Couchant, ouest. ¶ (Méton.) Pays de l'occident.

occidentalis, *e*, adj. Du couchant; occidental.   [¶ Massacre.

occidio. *onis*. f. Destruction complète.

occidium, *ii*, n. Comme le précédent.

1. **occido**, *is, cidi, casum, ere*, intr. Tomber. ¶ Se coucher, disparaître (en parl. des astres). ¶ Tomber mort, périr, succomber. ‖ *Fig*. Etre perdu, s'éteindre, finir.

2. **occido**, *is, cidi, cisum, ere*, tr. Rouer de coups. ¶ Faire périr, tuer. ¶ Causer la perte *ou* la ruine de. ¶ Obséder, importuner.   [l'occident.

occidua, *orum*, n. pl. Les régions de

occidualis, *e*, adj. Du couchant; occidental.

1. **occiduus**, *a, um*, adj. Qui se couche (en parl. d'un astre). ¶ De l'occident, des régions occidentales. ¶ Qui va mourir, mourant. ¶ Périssable.

2. **occiduus**, *i*, m. Le couchant; l'ouest.

occillo, *as, are*, tr. Briser (comme avec une hirse).

occino, *is, cecini* et *cinui, ere*, intr. Sonner, retentir auprès. ‖ *Spéc*. Crier (en parl. des oiseaux qui fournissent des pré-

sages), *d'où* faire entendre un cri sinistre. ¶ Chanter.

occipio, *is, cepi, ceptum, ere*, tr. Commencer, entreprendre. ¶ *Intr*. Commencer, débuter.   [occiput.

occipitium, *ii*, n. Derrière de la tête;

occiput, *pitis*, n. Comme le précédent.

occisio, *onis*, f. Coup mortel. ¶ Meurtre; massacre.

occisor, *oris*, m. Meurtrier.

occisus, *a, um*, p. adj. Perdu, anéanti.

occlamito, *as, are*, tr. Etourdir par ses criailleries.   [rompre par des cris.

occlamo, *as, are*, intr. Crier. ¶ Interloquer.

occludo, *is, clusi, clusum, ere*, tr. Clore. ‖ Fermer, boucher. ¶   Enfermer. ‖ (Fig.) Contenir, retenir.

occlusio, *onis*, f. Action de fermer *ou* d'intercepter.

occlusus (OBCLUSUS), *a, um*, p. adj. Fermé. ¶ *Fig*. Bouché, c.-à-d. stupide.

occo, *as, avi, atum, are*, tr. Herser; briser les mottes. ¶ Rechausser un arbre, un cep de vigne.

occoepi. Pour OCCEPI. Voy. OCCIPIO.

occubitus, *us*, m. Coucher (du soleil). ¶ Mort.

occubo, *as, bui, bitum, are*, intr. Etre couché contre. ¶ Etre étendu mort. ‖ Etre mort.   [aux pieds; piétiner.

occulco, *as, avi, atum, are*, tr. Fouler

occulo, *is, cului, cultum, ere*, tr. Cacher, couvrir, recouvrir. ¶ *Fig*. Tenir caché; dissimuler, taire.

occulta, *orum*, n. pl. Secrets.

occultate, adv. Secrètement.

occultatio, *onis*, f. Action de cacher. ¶ *Fig*. (T. de rhét.) Prétérition. ¶ Action de se cacher.   [Recéleur.

occultator, *oris*, m. Celui qui cache.

occulte, adv. En secret, en cachette; avec mystère. ¶ D'une façon insensible.

occultim, adv. Comme le précédent.

1. **occulto**, *as, avi, atum, are*, tr. Cacher avec soin, couvrir, dérober. ¶ *Fig*. Tenir caché, tenir secret, taire.

2. **occulto**, adv. En secret, en cachette.

occultus, *a, um*, p. adj. Caché, secret, mystérieux. ¶ (En parl. de pers.) Secret, qui cache ses sentiments; mystérieux.

occumbo *is, cubui, cubitum, ere*, intr. et *qqf*. tr. Se coucher sur. ‖ Se coucher (en parl. des astres). ¶ Tomber mort, périr, succomber. ¶ *Tr*. Succomber à.

occupatio, *onis*, f. Action d'occuper *ou* de prendre possession, occupation. ¶ (Par ext.) Affaire, embarras.

1. **occupatus**, *a, um*, p. adj. Occupé. ‖ Qui a un maître. ¶ *En parl. des pers*. Qui a beaucoup d'occupations; affairé.

2. **occupatus**, *us*, m. Comme OCCUPATIO.

occupio. Voy. OCCIPIO.

1. **occupo**, *as, avi, atum, are*, tr. S'emparer de, devenir maître de, mettre la main sur, occuper. ‖ Atteindre, frapper. ¶ Tenir occupé, remplir. ‖

Occuper (le temps), employer. ‖ Donner de l'occupation à. ‖ Employer (de l'argent), placer (des fonds). ¶ Surprendre. ‖ Devancer, gagner de vitesse, prendre les devants sur, arriver le premier à... ‖ *Spéc.* Prendre le premier la parole. ¶ Se hâter. ¶ Avancer, hâter.

2. **occupo**, *onis*, m. Celui qui s'empare (surnom de Mercure, dieu des voleurs).

occurro, *is, curri, cursum, ere,* intr. Courir à la rencontre de. ‖ *Spéc.* Attaquer. ‖ Résister *ou* riposter. ‖ *Fig.* Répliquer. ‖ S'opposer à; venir en aide, remédier, prévenir. ¶ Se rendre à, prendre part à. ‖ *Jur.* Comparaître. ¶ Se trouver sur le chemin de (qqn); rencontrer. ‖ *En parl. de ch.* Se rencontrer, s'offrir. ‖ Venir à l'esprit.

occursatio, *onis*, f. Action d'accourir vers. ¶ Salutations, hommage. ‖ Prévenances.

occursator, *oris*, m. Celui qui court audevant. ‖ Empressé. ‖ Fâcheux.

occursatrix, *icis*, f. Celle qui va audevant.

occurso, *as, avi, atum, are,* tr. Courir au-devant de. ¶ S'opposer à, résister à; obvier à, prévenir. ¶ Aller vers; aller trouver, se présenter à. ¶ *Fig.* S'offrir, se présenter à l'esprit.

occursus, *us*, m. Action de venir à la rencontre. ‖ Rencontre, choc.

ocellati (s.-e. LAPILLI), *orum*, m. pl. Petites pierres précieuses de forme ovale. ¶ Billes (dont les enfants se servent pour jouer).

ocellatus, *a, um*, adj. Pourvu de petits yeux; qui ressemble à un petit œil.

ocellus, *i*, m. Petit œil. ‖ il. ¶ Objet charmant, perle (fig.). ‖ Bijou (t. caress.). ¶ Excroissance, petit tubercule.

ocimum, *i*, n. Basilic, plante.

ocior, *us, oris,* adj. au compar. Plus rapide, plus prompt. [rapide très prompt.

ociossimus, *a, um*, adj. au superl. Très

ociter, adv. Rapidement, promptement.

ocium. Voy. OTIUM.

ocius, ocissime. Voy. OCITER.

ociferius, *a, um,* adj. Qui frappe les regards. [Guêtre de cuir.

ocrea, *ae*, f. Jambière *ou* jambart. ¶

ocreatus, *a, um,* adj. Qui porte des jambarts *ou* des guêtres. [escarpé.

ocris, acc. *im*, m. Montagne; rocher

octanus, *i*, m. Soldat de la huitième legion.

octaphoros. Voy. OCTOPHOROS.

octas, *adis*, f. Le nombre huit. ‖ Hui-

octosemus, *a, um*, adj. Qui a huit temps t. de métr.).

octastylos, *on*, adj. Qui a huit colonnes.

octateuchos, *on*, adj. Qui contient huit ouvrages (*ou* volumes).

octava (s.-e. HORA), *ae*, f. La huitième heure. ¶ (S.-e. PARS.) Le huitième.

octavanus, *i*, m. Soldat de la huitième légion.

octavus, *a, um*, adj. Huitième. *Octavus decimus, octava decima, octavum decimum,* dix-huitième.

octennis, *e*, adj. Agé de huit ans.

octennium, *ii*, n. Espace de huit ans.

octies et octiens, adv. Huit fois.

octingenarius, *a, um*, adj. Qui comprend huit cents unités.

octingeni et octingenteni, *ae, a,* adj. Par huit cents; huit cents chaque fois.

octingentenarius, *a um*, adj. Comme OCTINGENARIUS. [tième.

octingentesimus, *a, um*, adj. Huit cen-

octingenteni. Voy. OCTINGENI

octingenti, *ae, a,* adj. Huit cents.

octingenties, adv. Huit cents fois.

octipes, *pedis*, adj. Qui a huit pieds.

octo, indécl. Huit.

1. **october**, *bris, bre,* adj. D'octobre.

2. **october**, *bris*, m. Octobre, le mois d'octobre.

1. **octogenarius**, *a, um*, adj. Qui contient quatre-vingts unités. ¶ Agé de quatre-vingts ans. ¶ Qui a quatre-vingts pouces.

2. **octogenarius**, *ii*, m. Officier qui commande à 80 hommes.

octogeni, *ae, a,* adj. Quatre vingts chaque fois *ou* pour chacun.

octogesimus, *a, um*, adj. Quatre-vingtième. [vingts fois.

octogies et octogiens, adv. Quatre-

octoginta, indécl. Quatre-vingts.

1. **octojugis**, *e*, adj. Attelé de huit chevaux. ¶ Qui s'avancent huit de front.

2. **octojugis**, *is*, m. La huitaine, un des éons de l'hérésiarque Valentin.

octonarius, *a, um*, adj. Qui renferme huit unités.

octoni, *ae, a,* adj. distrib. Huit chaque fois *ou* pour chacun. [à huit porteurs.

octophoron (OCTAPHORON), *i*, n. Litière

octophoros, *on*, adj. Porté par huit hommes.

octosyllabos, *on*, adj. De huit syllabes.

octovir, *viri*, m. Membre d'un collège de huit.

octuaginta. indécl. Voy. OCTOGINTA.

octuplicatus et octiplicatus, *a, um,* adj. Multiplié par huit; rendu huit fois plus grand.

octuplum, *i*, a. Somme octuple.

octuplus, *a, um*, adj. Octuple, huit fois plus grand.

octussis, *is*, m. Somme de huit as.

oculare, *is*, n. Pommade pour les yeux.

ocularius, *a, um*, adj. Qui concerne les yeux. — *faber*, fabricant d'yeux (pour statues). [les yeux.

1. **ocularius**, *a, um*, adj. Qui concerne

2. **ocularius**, *ii*, m. Oculiste.

oculata, *ae*, f. Sorte de poisson inconnu.

oculatim, adv. Par la simple vue.

oculatus, *a, um*, p. adj. Qui a des yeux. ‖ Qui a vu de ses yeux. ‖ Qui voit, c.-à-d. clairvoyant. ¶ Qui a comme des yeux; parsemé de taches; étoilé. ¶ Qui a la forme d'un œil. ¶ Qui frappe les yeux; bien en vue.

oculeus, *a, um*, adj. Qui a des yeux. ¶ Constellé. || Moucheté. ¶ Qui a bonne vue; perspicace.

oculicrepida, *ae*, m. Dont les yeux retentissent de coups (mot forgé).

oculissimus, *a, um*, adj. Qu'on aime comme la prunelle de ses yeux.

oculitus, adv. Comme on chérit ses yeux.

oculo, *as, are*, tr. Pourvoir d'yeux. || Douer de la vue. ¶ *Fig.* Eclairer; rendre clairvoyant. ¶ Rendre visible, *d'où* orner.

oculosus, *a, um*, adj. Plein d'yeux.

oculus, *i*, m. Œil. || (Méton) Vue, regard. || *Fig.* Vue (de l'esprit). (Par ext.) Objet d'une tendance particulière; tout ce qui est cher (comme la prunelle de ses yeux). *Par oculorum*, une paire d'yeux (*c.-à-d.* d'amis). ¶ Lieu fameux, perle (d'une contrée), joyau. || Ce qui a l'éclat de l'œil. — *mundi*, l'œil du monde (le soleil). ¶ (Par anal.) Tache, moucheture. || Œil (de la queue du paon). || Œil, bourgeon. || Tubercule de certaines racines. || Œil de bœuf (plante). || Œil de volute (dans le chapiteau ionique).

odarium, *ii*, n. Chant, chanson.

ode, *es*, f. Chant.

odeum et **odium**, *i*, n. Théâtre couvert (destiné aux concours de poésie et de musique); odéon.

odi, *isse*, tr. Haïr, détester. ¶ Avoir de l'aversion pour; ne pas s'accommoder de. || Etre mécontent, regretter. || Craindre de... || Ne pas pouvoir supporter.

odio. Voy. ODI. [*ou* insupportable.

odiose, adv. D'une manière désagréable

odiossus. Arch. p. ODIOSUS.

odicsus, *a, um*, adj. Odieux, haïssable. ¶ Déplaisant, importun.

1. **odium**, *ii*, n. Haine, aversion, antipathie. ¶ *Fig.* Répugnance (des choses entre elles). ¶ (Méton.) Ce qui est odieux *ou* de nature à créer la haine. || Conduite déplaisante *ou* insupportable. || Ennui (qu'on cause). ¶ *En parl. de pers.* Individu odieux.

2. **odium**, *ii*, n. Voy. ODEUM.

odor, *oris*, m. Odeur, senteur. || Mauvaise odeur; infection. *Oris odor*, haleine fétide. ¶ Parfum. Au plur. *Odores*, parfums, essences, aromates. ¶ Vapeur, exhalaison, émanation. ¶ *Fig.* Odeur, *d'où* soupçon, indice, apparence. ¶ *Rar.* Odorat. [Odorat.

odoratio, *onis*, f. Action de flairer. ¶

1. **odoratus**, *a, um*, part. Odorant, parfumé.

2. **odoratus**, *a, um*, part.Voy. ODOROR.

3. **odoratus**, *us*, m. Action de flairer. ¶ Odorat. ¶ *Rar.* Odeur.

odorifer, *fera, ferum*, adj. Odoriférant. Qui produit des parfums.

odoro, *as, avi, atum, are*, tr. Rendre odorant, *d'où* parfumer *ou* infecter. Etre doué d'odorat, sentir.

odoror, *aris, atus sum, ari*, dép. tr. Sentir, flairer. ¶ *Fig.* Flairer, *d'où* pressentir. || Suivre (à la piste), se mettre en quête de, rechercher; explorer. ¶ Aspirer à, avoir envie de. ¶ Ne faire qu'effleurer; toucher légèrement.

odorus, *a, um*, adj. Qui a de l'odeur. || Odorant, odoriférant. || Puant. ¶ Qui a du flair.

odos, *oris*, m. Voy. ODOR.

oeconomia, *ae*, f. Disposition, ordre. arrangement, plan. ¶ Economie (d'un discours, d'un poème).

1. **oeconomicus**, *a, um*, adj. Relatif à l'administration d'une maison. ¶ Bien disposé, bien ordonné; régulier.

2. **oeconomicus**, *i*, m. L'Economique (traité de Xénophon). [nome.

oeconomus, *i*, m. Administrateur, éco-

oecos, *i*, m. Salle, salon.

oenanthe, *es*, f. Raisin de la vigne sauvage. ¶ Œnanthe, plante. ¶ Sorte d'oiseau de mauvais augure.

oenanthinus, *a, um*, adj. Fait avec le raisin de la vigne sauvage.

oenanthium, *ii*, n. Huile *ou* essence tirée du raisin de la vigne sauvage.

oenof... Voy. OENOPH... [garum.

oenogaratus,*a, um*, adj. Cuit dans l'œno-

oenogarum, *i*, n. Sauce au garum et au vin.

oenomel, *n.* Comme le suivant.

oenomeli, *itos*, n. Comme MULSUM.

oenomelum, *i*, n. Comme MULSUM.

oenophorium, *ii*, n. Petit œnophore.

oenophorum, *ii*, n. Vase pour transporter du vin.

oenopolium, *ii*, n. Cabaret.

oenothera, *ae*, f. Sorte de plante, qui, macérée dans du vin, guérit l'insomnie.

oenotheras, *ae*, f. Voy. OENOTHERA.

oenotheris, *idis*, f. Voy. OENOTHERA.

oenothoras, *ae*, f. Comme OENOTHERA.

oenotropae, *arum*, f. Celles qui transforment le vin.

oenus, *a, um*, adj. Arch. p. UNUS.

oestrum, *i*, n. Voy. le suivant.

oestrus, *i*, m. Taon. ¶ (Méton.) Fureur, délire prophétique. || Enthousiasme (poétique) . ¶ *Péjor.* Fougue de la passion.

oesus. Arch. p. USUS.

oesypum, *i*, n. Laine grasse. ¶ Suint de la laine. || Pommade à base de suint.

ofella, *ae*, f. Petite bouchée; petite tranche. ¶ Grumeau.

offa, *ae*, f. Morceau, bouchée. ¶ Boulette de pâte. ¶ Masse informe. ¶ Tumeur.

offendiculum, *i*, n. Pierre d'achoppement; obstacle. ¶ *Fig.* Scandale.

1. **offendo**, *inis*, f. Comme OFFENSIO.

2. **offendo**, *is, fendi, fensum, ere*, intr Heurter contre, donner contre, buter. || Broncher. ¶ Echouer, faire naufrage. ¶ *Fig.* Broncher, *c.-à-d.* faire une faute, commettre une erreur. ¶ Eprouver un échec, échouer. ¶ Déplaire,

tomber dans la disgrâce, être mal vu. ¶ Se formaliser, trouver à redire. ¶ *Tr.* Heurter, cogner, choquer. ‖ *Par ext.* Tomber (par hasard) sur, trouver. ¶ Endommager, blesser, affecter. ¶ Choquer, *c.-à-d.* froisser, offenser. blesser, fâcher.

offensa, *ae*, f. Action de heurter; heurt. choc. ‖ Lésion, mal, malaise, incommodité. ¶ Contrariété, ennui. ¶ Offense. ‖ Brouille. ‖ Mécontentement. rancune. ‖ Disgrâce, défaveur. [fig.].

offensio, *onis*, f. Heurt, choc (pr. et

offensio, *onis*, f. Choc, heurt. ‖ Faux pas. ‖ (Méton.) Ce qui arrête le toucher. *Nihil offensionis habere*, ne présenter aucune aspérité. ¶ (Par ext.) Incommodité, malaise. ‖ Maladie. ¶ Echec mauvais succès, revers. ¶ Offense; mécontentement. ‖ Rancune. ‖ Défaveur, disgrâce.

offensiuncula, *ae*, f. Léger revers. ¶ Simple mécontentement.

offenso, *as*, *are*, intr. Heurter, choquer ¶ *Intr.* Broncher, trébucher. ¶ *Fig* Balbutier.

1. offensus, *us*, m. Rencontre, choc.

2. offensus, *a*, *um*, p. adj. Choqué froissé. ‖ Mécontent, mal disposé pour .. ¶ Choquant, odieux.

offero, *fers*, *obtuli*, *oblatum*, *offerre*, tr Présenter, tendre, mettre sous les yeux; montrer. ¶ Faire avancer à la rencontre (comme adversaire), *d'où* opposer. ¶ Exposer, livrer, sacrifier. ¶ Offrir, *c.-à-d.* proposer de donner. ‖ (Partic.) Offrir en sacrifice; consacrer. dévouer. ¶ Apporter, procurer, causer; faire éprouver, inspirer (un sentiment). ¶ (En gén.) Faire subir.

offeramentae, *arum*, f. pl. Présents, cadeaux. ¶ (Plaisamm.) Coups, plaies et bosses.

offerumentum, *i*, n. Don, offrande.

officina, *ae*, f. Lieu où l'on travaille, fabrique, atelier. ‖ Boutique. ¶ (En part.) Carrière. ‖ Forge. ‖ Basse-cour. ¶ (Fig.) *Péjor.* Boutique, *c.-à-d.* maison mal ordonnée. ¶ *Abstr.* Fabrication : travail.

officio, *is*, *feci*, *fectum*, *ere*, intr. Se mettre devant, faire obstacle à, gêner. ¶ *Fig.* Faire ombre à. ¶ Faire tort, nuire à. ¶ (Qqf.) *Tr.* Intercepter, entraver. ‖ Barrer. ¶ Appliquer sur, superposer.

officiose, adv. Par complaisance; avec obligeance. ¶ Poliment, d'un air obligeant. [geance.

officiositas, *atis*, f. Complaisance, obli-
1. officiosus, *a*, *um*, adj. Complaisant, obligeant. ¶ Poli, courtois. ¶ Conforme au devoir, légitime.

2. officiosus, *i*, m. Vil complaisant. ¶ Esclave qui garde les vêtements des baigneurs.

officium, *ii*, n. Devoir, obligation

morale. ¶ Office, fonction, charge. ¶ Conduite (*ou* action) conforme au devoir, sentiment du devoir. ¶ Obéissance *ou* soumission. ¶ Complaisance, obligeance. ¶ Bon office, service rendu, bienfait. ¶ Marque de respect; devoir de politesse (imposé par le savoir-vivre *ou* l'usage). ¶ (Méton.) *Au plur.* Officiers, fonctionnaires. ‖ Le personnel (d'une cour, etc.).

offigo, *is*, *fixi*, *fixum*, *ere*, tr. Clouer à *ou* sur, attacher, fixer, assujettir.

offirmate, adv. Obstinément.

offirmatio, *onis*, f. Ténacité.

offirmatus, *a*, *um*, p. adj. Ferme, constant. ¶ *Péjor.* Entêté.

offirmo, *as*, *avi*, *atum*, *are*, tr. Affermir, consolider. ¶ *Fig.* Affermir. ‖ Garder avec constance. ¶ Suivre obstinément ¶ *Absol.* S'obstiner, s'entêter. [virer.

offlecto, *is*, *ere*, tr. Détourner, faire

of oco, *as*, *are*, tr. Suffoquer, étouffer.

offrenatus, *a*, *um*, p. adj. Dompté. *c.-à-d.* maîtrisé.

offringo, *is*, *fregi*, *fractum*, *ere*, tr. Briser *ou* rompre (les mottes de terre).

offucia, *ae*, f. Fard. ¶ *Fig.* Tromperie.

offula (OFFLA), *ae*, f. Petit morceau; boulette (de viande, de pain).

offulcio, *is*, *tum*, *ire*, tr. Fermer, boucher, tamponner.

offulgeo, *es*, *fulsi*, *ere*, intr. Briller devant *ou* aux yeux de. ¶ Apparaître (pr. et fig.).

offundo, *is*, *fudi*, *fusum*, *ere*, tr. Répandre devant *ou* autour de. Au passif *offundi*, se répandre autour. ¶ *Fig.* Verser (dans l'âme). ¶ Voiler, éclipser. ¶ *Fig.* Inonder, remplir (l'âme, le cœur).

ofi... Voy. OFFI...

ogdoas, *adis*, f. Huitaine; le nombre huit. ¶ Un des éons de l'hérésiarque Valentin.

ogg... Voy. OBG...

oh! interj. Oh ! ah !

ohe! interj. Hé ! holà !

oho, interj. Ho, ho !

oi, interj. Oh ! (douleur).

oiei, interj. Aïe, hélas !

olea, *ae*, f. Olivier, arbre. ¶ Olive, fruit.

1. oleaceus, *a*, *um*, adj. Semblable à l'olivier.

2. oleaceus, *a*, *um*, adj. Huileux.

oleagineus, *a*, *um*, adj. D'olivier. ¶ Semblable à l'olivier. ¶ Qui a la couleur de l'olivier.

olearis, *e*, adj. A l'huile. [l'huile

1. olearius, *a*, *um*, adj. Qui concerne

2. olearius, *ii*, m. Fabricant *ou* marchand d'huile.

oleaster, *tri*, m. Olivier sauvage.

olens, *entis*, p. adj. Exhalant une odeur (bonne *ou* mauvaise); parfumé *ou* puant.

olentia, *ae*, f. Odeur.

1. oleo, *es*, *ui*, *ere*, intr. et tr. ‖ *Intr.* Avoir *ou* répandre une odeur (bonne ou mauvaise). ¶ Se trahir par son odeur. || *Fig.* Être remarqué, se laisser deviner. ¶ *Tr.* Se ressentir de, dénoter, laisser paraître.

2. **oleo**, *ere*, tr. Comme DELEO.

oleosus, *a, um*, adj. Huileux.

oleraceus, *a, um*, adj. Semblable à un légume; de la nature des légumes.

olerator, *aris*, m. Marchand de légumes.

olesco, *is, ere*, intr. Se développer; croître.

oleum, *i*, n. Huile d'olive. || (Par ext.) Huile. || *Spéc.* Huile à brûler, *d'où* travail sous la lampe, veille. || Huile dont se frottaient les lutteurs, *d'où* palestre; lutte.

olfacio, *is, jeci, factum, ere*, tr. Sentir flairer. || *Fig.* Pressentir, deviner. ¶ Faire sentir, donner à respirer. ¶ Frotter les lèvres (avec qqch.).

olfacto, *as, avi, atum, are*, tr. Flairer, humer.

olfactoriolum, *i*, n. Petite boîte à parfums; sachet.

olfactorium, *ii*, n. Flacon de parfum. ¶ Bouquet. [odeur.

olfactorius, *a, um*, adj. Qui exhale une

olfactus, *us*, m. Action de sentir (une odeur). ¶ Odorat.

olfio, *is, fieri*, passif. Être senti, être flairé. Voy. OLFACIO.

olidus, *a, um*, adj. Qui a de l'odeur. ¶ Qui sent bon, parfumé. ¶ Puant, infect.

olim, adv. Jadis, une fois, un jour. || Il y a de cela longtemps; depuis longtemps. ¶ Un jour à venir, un jour. ¶ Souvent, ordinairement; générale-ment. [maraîcher.

olitor (HOLITOR), *oris*, m. Jardinier,

olitorius, *a, um*, adj. De légumes; potager.

oliva, *ae*, f. Olive. ¶ Olivier. || (Méton.) Bâton de bois d'olivier. || Rameau d'olivier.

olivetum, *i*, n. Lieu planté d'oliviers. ¶ *Eccl.* Le Mont *ou* Jardin des oliviers.

olivifer, *fera, ferum*, adj. Qui produit des oliviers. ¶ Faix de branches d'oliviers. [lette des olives.

olivitas, *atis*, f. Olivaison. ¶ Cueil-

olivo, *as, are*, intr. Cueillir des olives, faire la récolte des olives.

olivum, *i*, n. Huile d'olive. || Huile (en gén.). || Huile parfumée, parfum. ¶ (Méton.) Palestre; gymnastique.

olla, *ae*, f. Marmite. ¶ Urne cinéraire.

ollaris, *e*, adj. Qu'on conserve dans des marmites.

ollarius, *a, um*, adj. Relatif aux marmites. ¶ Qui concerne les urnes funé-raires. Subst. *Ollarium*, *ii*, n. Voy. COLUMBARIUM.

olle. Voy. OLLUS.

olli, adv. Comme OLIM. ¶ Alors.

ollic, adv. Arch. p. ILLIC.

ollula, *ae*, f. Petite marmite.

ollus et olle, arch. pour ILLE.

1. **olor**, *oris*, m. Cygne.

2. **olor**, *oris*, m. Odeur.

olorinus, *a, um*, adj. De cygne.

olus (HOLUS), *eris*, n. Légume, herbe potagère. ¶ (Spéc.) Chou.

olusculum (HOLUSCULUM), *i*, n. Mé-chant légume. ¶ (Par ext.) Légume

1. **olympias**, *adis*, f. Olympiade, espace de quatre ans. ¶ Lustre, espace de cinq ans.

2. **olympias**, *ae*, m. Vent de l'O. N. O.

olympionica, *ae*, m. Comme le suivant

olympionices, *ae*, m. Vainqueur aux jeux olympiques.

olyra, *ae*, f. Petit épeautre. [bœuf.

omasum, *i*, n. Gras double; tripes de

1. **omen**, *minis*, n. Présage tiré de paroles échappées à qqn. || Présage, augure, pronostic. ¶ Vœu, souhait (pour qqn). ¶ (Méton.) Acte solennel pour lequel on consulte les auspices. || Mariage. || Engagement solennel.

2. **omen**, *minis*, n. Comme OMENTUM.

omentum, *i*, n. Membrane qui enve-loppe les intestins; épiploon, péritoine mésentère. ¶ (Méton.) Intestins. || Graisse. ¶ Membrane (qui tapisse), muqueuse.

ominalis, *e*, adj. De mauvais augure.

ominatio, *onis*, f. Action de présager; présage.

ominator, *oris*, m. Devin.

omino, *as, are*, tr. Comme le suivant.

ominor, *aris, atus sum, ari*, tr. Présager augurer. ¶ Souhaiter, faire des vœux.

ominose, adv. Sous de tristes présages.

ominosus, *a, um*, adj. Qui est de mau-vais augure.

omissio, *onis*, f. Action de négliger.

omissus, *a, um*, p. adj. Qui s'abandonne, qui se néglige, insouciant.

omitto, *is, misi, missum, ere*, tr. Laisser partir. || Lâcher. || Abandonner. || Renvoyer. || *Fig.* Mettre de côté, omettre; négliger, renoncer à. ¶ Passer sous silence, taire, omettre. ¶ Dédaigner. [toute manière.

omnifariam, adv. De tous côtés; de

omnifer, *fera, ferum*, adj. Qui produit toutes choses. [toute espèce.

1. **omnigenus**, *a, um*, adj. Qui est de

2. **omnigenus**, *a, um*, adj. Qui produit toutes choses.

omnimodis, adv. Comme le suivant.

omnino, adv. Tout à fait, entièrement, complètement; absolument, sans ex-ception. *Omnino non*, pas du tout. ¶ En tout, tout au plus, seulement. ¶ D'une manière générale; en général. ¶ Pour tout dire en un mot, bref. ¶ Sans doute, assurément.

omniparens, *entis*, adj. Qui fait naître toutes choses

omnipotens, *entis*, adj. Tout-puis ant.

omnipotentia, *ae*, f. Toute-puissance

omnis, *e*, adj. Tout. || Au plur. *Omnes*, tous; *omnia*, toutes choses, tout. ¶ Tout, chaque. ¶ De toute sorte, quel-

conque. ¶ Tout ensemble, tout entier.
omnituens, *entis*, adj. Qui voit tout.
omnivagus, *a*, *um*, adj. Qui erre de tous côtés.
omnivolus, *a*, *um*, adj. Qui veut tout.
omnivomus, *a*, *um*, adj. Qui vomit, qui rejette tout.
omnivorus, *a*, *um*, adj. Qui dévore tout, qui mange tout sans discernement.
omoeo... Voy. HOMOEO...
onager, *gri*, m. Onagre, âne sauvage. ¶ Machine de guerre pour lancer de grosses pierres.
onagrus, *i*, m. Comme ONAGER.
onco, *as*, *are*, intr. Braire.
onerarius, *a*, *um*, adj. De transport. Subst. *Oneraria, ae*, f. Bateau de transport; navire marchand.
onero, *as*, *atum*, *are*, tr. Charger de. || Combler de. || Accabler de, fatiguer; être lourd à. ¶ Rendre plus lourd, aggraver. ¶ Charger sur; accumuler.
onerosus, *a*, *um*, adj. Lourd, pesant, qui fatigue. ¶ *Fig.* A charge, importun, accablant.
onus, *eris*, n. Charge, fardeau; poids. ¶ *Fig.* Charge, embarras, gêne. ¶ *Spéc.* Charge, impôt.
onusto, *as*, *avi*, *atum*, *are*, tr. Charger; surcharger (pr. et fig.).
onustus, *a*, *um*, adj. Chargé. ¶ *Fig.* Rempli, comblé.
onyx, *ychis* (acc. sing. *ycha*, acc. pl. *ychas*), m. et f. Onyx, espèce d'agate. || *Spéc.* Vase d'onyx. ¶ *Fém.* Onyx. sorte de pierrerie. ¶ *Masc.* Sorte de mollusque.
opa, *ae*, f. Trou de boulin. ¶ Ope, ouverture entre les métopes.
opacitas, *atis*, f. Ombrage, ombre. ¶ *Fig.* Obscurité, ténèbres.
opaco, *as*, *avi*, *atum*, *are*, tr. Ombrager, donner de l'ombre à. ¶ Couvrir, recouvrir. ¶ *Fig.* Obscurcir.
opacus, *a*, *um*, adj. Ombragé, ombreux. || *D'où* sombre, ténébreux. ¶ Qui donne de l'ombre. || Touffu.
ope. es, f. Voy. OPA.
opella, *ae*, f. Léger travail; occupation peu importante.
opera, *ae*, f. Travail (des mains), occupation, activité; peine; soin, attention. ¶ Peine prise pour autrui; service, aide, concours. || Sacrifice (aux dieux). ¶ (Méton.) Résultat de l'activité, œuvre, ouvrage, travail. || Fait, effet, réalité; pratique. ¶ Temps nécessaire pour un travail; loisir. || Journée de travail. ¶ Ouvrier, homme de peine, manœuvre. Au plur. *Operae* hommes à gages, agents stipendiés.
operaria, *ae*, f. Ouvrière, travailleuse. ¶ *Eccl.* Bienfaitrice.
1. operarius, *a*, *um*, adj. De travail, de travailleur; qui sert pour le travail.
2. operarius, *ii*, m. Ouvrier, homme de peine, manœuvre. || Méchant avocat. ¶ Serviteur de Dieu.

operatio, *onis*, f. Travail, ouvrage. ¶ *Spéc.* Acte religieux; sacrifice. ¶ *Eccl.* Bonnes œuvres.
1. operatus, *a*, *um*, p. adj. Occupé, qui travaille. ¶ *En parl. de ch.* Efficace.
2. operatus, *us*, m. Travail.
operculo, *as*, *avi*, *atum*, *are*, tr. Mettre un couvercle à.
operculum, *i*, n. Couvercle.
operimentum, *i*, n. Couverture (de lit). ¶ Capara on. ¶ Couvercle. ¶ Toiture. ¶ Fermeture. ¶ Enveloppe (de la noix).
operio, *is*, *operui*, *opertum*, *ire*, tr. Couvrir, recouvrir. ¶ Couvrir (de terre). enterrer, ensevelir. ¶ *Fig.* Couvrir. c.-à-d. accabler, écraser. ¶ Cacher, dissimuler, ¶ Clore, fermer.
operior. Voy. OPPERIOR. [suivant.
opero, *as*, *avi*, *atum*, *are*, tr. Comme le
operor, *aris*, *atus sum*, *ari*, dép. intr. Travailler, s'occuper, s'appliquer à. ¶ Accomplir l'acte religieux (par excellence), offrir un sacrifice, servir (un dieu). || *Eccl.* Accomplir de bonnes œuvres. ¶ (Fig.) *En parl. de ch.* Etre opérant *ou* efficace. ¶ *Tr.* Travailler (la terre); exécuter, accomplir. || Exercer, pratiquer. [ment. ¶ Avec soin.
operose, adv. Avec peine, laborieuse-
operositas, *atis*, f. Excès de travail *ou* de soin. || Soin minutieux. ¶ Travail, fatigue. ¶ Difficulté, peine, embarras.
operosus, *a*, *um*, adj. Actif, occupé, appliqué, laborieux. ¶ *En parl. de ch.* Efficace. ¶ Qui donne de la peine, laborieux, pénible, difficile.
operte, adv. Secrètement, mystérieusement.
opertorium, *ii*, n. Couverture. ¶ *Fig.* Ce qui cache *ou* dissimule; voile. ¶ *Eccl.* Tombeau.
opertum, *i*, n. Lieu retiré, retraite. || Profondeur. ¶ Secret; mystère.
opertus, *us*, m. Action de couvrir. (Méton.) Voile. [Maigre salaire.
operula, *ae*, f. Petit travail. || (Méton.)
opes, *um*, f. pl. Voy. OPS.
ophiusa, *ae*, f. Sorte de plante magique.
opifer, *fera*, *ferum*, adj. Secourable, salutaire. [Artisan, c.-à-d. auteur.
opifex, *ficis*, m. Ouvrier, artisan. ¶ *Fig.*
opificina, *ae*, f. Comme OFFICINA. ¶ Atelier. ¶ Travail, œuvre.
opificium, *ii*, n. Exécution d'un ouvrage; travail.
opilio (UPILIO), *onis*, m. Berger (qui fait paître des brebis *ou* des chèvres).
opima, *orum*, n. pl. Dépouilles opimes (remportées par celui qui a tué de sa main le général ennemi).
opime, adv. Abondamment, richement.
opimitas, *atis*, f. Embonpoint. ¶ *Fig.* Abondance; magnificence.
opimo, *as*, *avi*, *atum*, *are*, tr. Engraisser. || Fertiliser. ¶ *Fig.* Rendre abondant *ou* copieux; enrichir. || Charger de. || Honorer par des offrandes.

opimus, *a*, *um*, adj. Gras, bien nourri.
¶ Gras, *c.-à-d.* fécond, fertile. ¶ *Fig.*
Riche, magnifique; abondant, copieux.
|| *Spéc.* Trop riche, trop chargé d'or-
nements (en parl. de style). || Abon-
damment pourvu de.
opinabilis, *e*, adj. Conjectural.
opinatio, *onis*, f. Préjugé. ¶ *Ordin.*
Opinion.
opinator, *oris*, m. Celui qui fait des
conjectures. ¶ Celui qui estime *ou*
apprécie. ¶ *Partic.* Commissaire aux
vivres. || Chargé de fonctions mili-
taires dans les provinces sous le Bas-
Empire.
1. **opinatus**, *a*, *um*, p. adj. Conjecturé,
supposé, imaginé. ¶ Renommé, cé-
lèbre.
2. **opinatus**, *us*, m. Conjecture.
opinio, *onis*, f. Conjecture, opinion,
croyance. ¶ Attente, espérance. ¶
Péjor. Préjugé, idée préconçue. ¶
Haute opinion (qu'on donne de soi
à autrui); estime; réputation. || Re-
nommée, célébrité. ¶ Bruit populaire,
rumeur publique.
opiniosus, *a*, *um*, adj. Qui fait conjectures sur conjectures; riche en hypothèses.   [NOR.
opino, *as*, *are*, intr. et tr. Arch. p. OPI-
opinor, *aris*, *atus sum*, *ari*, dép. intr.
Se faire une opinion sur les choses
qui ne sont que vraisemblables), faire
des conjectures. || Conjecturer, croire,
penser. || S'imaginer, se faire une
idée de.
opinus, *a*, *um*, adj. Voy. NECOPINUS.
opipare, adv. Abondamment, richement; avec magnificence.
opiparis, *e*, adj. Voy. le suivant.
opiparus, *a*, *um*, adj. Abondant, somptueux, magnifique.
opisthodomus, *i*, f. Opisthodome, partie
postérieure d'un temple *ou* d'un édifice.   [sur le revers.
opisthographia, *ae*, f. Le fait d'écrire
opisthographum, *i*, n. Parchemin écrit
des deux côtés
opisthographus, *a*, *um*, adj. Écrit sur
le revers des feuilles.   [TONOS.
opisthotonia, *ae*, f. Comme OPISTHO-
opisthotonos, *i*, m. Tétanos (avec renversement du corps en arrière).
opitulor, *aris*, *atus sum*, *ari*, dép. intr.
Secourir, porter secours, aider, assister.
opium, *ii*, n. Opium, suc de pavot.
opobalsamentum, *i*, n. Lieu planté de
baumiers.   [baume.
opobalsamum, *i*, n. Suc du baumier,
oportet, *uit*, *ere*, intr. Il faut, il est
nécessaire; il est avantageux; il con-
vient.   [devant. ¶ *Fig.* Appliquer.
oppango, *is*, *ere*, tr. Ficher contre *ou*
oppansum, *i*, n. Voile.
oppecto, *is*, *ere*, tr. Eplucher un poisson
en ôtant la chair des arêtes.
oppedo, *is*, *ere*, intr. déter., au nez de;

insulter grossièrement.
opperimentum, *i*, n. Attente.
opperior, *iris*, *pertus sum*, *iri*, intr. et
tr. Attendre.   [RIOR.
opperitus, *a*, *um*, autre partic. d'OPPE-
oppessulatus, *a*, *um*, adj. Verrouillé.
oppeto, *is*, *ivi* et *ii*, *itum*, *ere*, tr. Aller
au-devant de, affronter. ¶ Encourir
endurer, souffrir. || Subir. ¶ *Absol.*
Périr.   [coiffure.
oppexus, *us*, m. Manière de coiffer;
oppico, *as*, *are*, tr. Enduire de poix.
oppidani, *orum*, m. pl. Les habitants
d'une ville (assiégée).
oppidanus, *a*, *um*, adj. D'une ville
(autre que Rome); d'une ville de
province; de petite ville.
oppidatim, adv. De ville en ville.
oppido, adv. Tout à fait, complètement.
¶ Extrêmement. ¶ Oui, sans doute;
assurément (dans le dialogue).
oppidulum, *i*, n. Petite place forte;
petite ville.
oppidum, *i*, n. Ville close, place forte.
¶ Ville (*opp. à* Rome). || *Rar.* Rome.
¶ Ville (de province). ¶ Forêt retran-
chée servant de place de guerre aux
Bretons.
oppignero, *as*, *avi*, *atum*, *are*, tr. Donner
en gage, engager. ¶ *Fig.* Engager,
lier. — *se*, promettre son dévouement.
oppilatio, *onis*, f. Obstruction (des
narines).   [obstruer,
oppilo, *as*, *avi*, *atum*, *are*, tr. Boucher.
oppleo, *es*, *evi*, *etum*, *ere*, tr. Remplir
(pr. et fig.).
oppono (OBPONO), *is*, *posui*, *positum*,
ere, tr. Poser, placer, mettre devant
ou en face de. || *Spéc.* Opposer (en
guise d'obstacle, de barrière). ¶ Exposer, présenter. ¶ *Jur.* Engager, mettre
en gage. ¶ *Fig.* Présenter à l'esprit;
mettre sous les yeux. ¶ Mettre en
avant, *c.-à-d.* opposer, alléguer, objecter. ¶ Mettre en regard, comparer,
mettre en balance. ¶ *Qqf.* Imposer
(un serment).
opportune, adv. Dans un endroit favorable. ¶ A propos, opportunément.
opportunitas, *atis*, f. Situation favorable (d'une localité). ¶ Opportunité,
occasion favorable. ¶ *En gén.* Commodité; facilité, avantage.
1. **opportunus**, *a*, *um*, adj. Avantageu-
sement situé; commode pour le passage. ¶ *En parl. du temps.* Opportun,
favorable. ¶ *En gén.* Commode, avantageux. ¶ *En parl. de pers.* Disposé
à, fait pour; capable. ¶ *Spéc.* Facile à
prendre, mal défendu *ou* mal fortifié;
favorable à une attaque; donnant
prise à... ¶ *Fig.* Exposé à, sujet à;
accessible à.
2. **opportunus** (OPORTUNUS), *a*, *um*,
adj. Nécessaire.
opposite, adv. En opposition.
oppositio, *onis*, f. Opposition, contraste.
¶ *Spéc.* (t. de rhét) Antithèse. ¶ Réfu-

tation d'objections prévues. Voy. AN-
THYPOPHORA.

1. **oppositus**, *a, um,* p. adj. Placé
devant, situé en face. ¶ *Fig.* Mis en
opposition; contraire. Subst. *Oppo-
sita,* n. pl. Antithèses.

2. **oppositus**, *us,* m. Action de placer
devant *ou* contre. ¶ Le fait d'être
placé devant; interposition. ¶ *Fig.*
Action d'opposer, c.-à-d. d'objecter.

oppressio, *onis,* f. Action de comprimer,
d'étouffer, d'écraser. ¶ Oppression,
action d'opprimer, de faire violence.
¶ *Méd.* Catalepsie. || Digestion diffi-
cile, dyspepsie.

oppressiuncula, *ae,* f. Légère pression.

oppressor, *oris,* m. Oppresseur (fig.);
destructeur.

oppressus, *us,* m. Action de presser *ou*
de peser sur. ¶ Ecroulement.

opprimo, *is, pressi, pressum, ere,* tr.
Presser sur, appuyer sur; serrer. ||
Retenir, tenir enchaîné. ¶ Se rendre
maître de, s'emparer de, capturer.
|| Terrasser, vaincre. ¶ (Par ext.)
Serrer fortement, écraser, étrangler;
étouffer. || Eteindre (le feu). ¶ *Fig.*
Ecraser, abattre, accabler. ¶ Etouf-
fer, c.-à-d. faire cesser, arrêter, couper
court. || Cacher, déguiser, dissimuler.
¶ Tomber sur, surprendre, attaquer
à l'improviste.

opprobramentum, *i,* n. Opprobre, honte.

opprobratio, *onis,* f. Blâme, réprimande,
reproche. [déshonorant.

opprobriosus, *a, um,* adj. Honteux,

opprobrium (OPPROBRIUM), *ii,* n. Honte,
déshonneur. ¶ (Méton.) Sujet de honte,
opprobre. || Injure, outrage.

oppugnatio, *onis,* f. Attaque, assaut.
¶ Art de conduire un assaut. ¶ *Fig.*
Assaut (en paroles), opposition, con-
tradiction. [Adversaire, ennemi.

oppugnator, *oris,* m. Assaillant. ¶ *Fig.*

oppugnatorius, *a, um,* adj. Relatif à
l'attaque; d'assaut.

oppugnatrix, *icis,* f. Celle qui attaque.

1. **oppugno**, *as, avi, atum, are,* tr. Combattre contre, attaquée. ¶ Donner
l'assaut à. ¶ *Fig.* Attaquer, battre en
brèche, faire de l'opposition à. ¶ Poursuivre (en justice).

2. **oppugno**, *as, avi, atum, are,* tr. Frapper avec le poing.

ops, *opis* (acc. *opem,* abl. *ope*). f. Pouvoir, faculté, moyen. ¶ Force, ressource. ¶ Aide, assistance, secours.
¶ (Méton.) Au plur. *Opes,* ressources,
richesses, fortune. || Finances. ¶ Puis-
sance, forces militaires. ¶ Puissance
politique, influence, crédit, autorité.

2. **ops...** Comme OPULENTUS.

3. **ops...** Voy. OBS..

optabilis, *e,* adj. Désirable, souhaitable.

optabiliter, adv. D'une manière souhaitable. [souhaitable.

optandus, *a, um,* p. adj. Désirable.

optate, adv. A souhait.

---

optatio, *onis,* f. Désir, souhait. ¶ *T
rhét.* Optation. ¶ Option; libre choix

1. **optativus**, *a, um,* adj. Qui exprime
un souhait.

2. **optativus** (s.-e. MODUS), *i,* m. L'op-
tatif (t. de gramm.).

optato, adv. A souhait.

optatum, *i,* n. Souhait, vœu; désir.

optatus, *a, um,* p. adj. Souhaité, désiré.
¶ *Par ext.* Agréable, précieux, cher.

optimas, *atis,* adj. Aristocratique. ¶ Qui
appartient au parti des grands, à
l'aristocratie.

optimates, *ium* ou *um,* m. pl. Les
grands, les nobles, l'aristocratie.

optime, adv. (superl.) Très bien, parfaitement. Voy. BENE.

optimus, *a, um,* adj. (au superl.) Très
bon, excellent, le meilleur. Voy. BONUS.

1. **optio**, *onis,* f. Choix, option, droit de
choisir.

2. **optio**, *onis,* m. Aide, adjoint; sous-
chef. ¶ (T. milit.) Adjoint au centurion, adjudant. [choix.

optivus, *a, um,* adj. Dont on a fait

opto, *as, avi, atum, are,* tr. Faire choix
de, choisir; opter pour. ¶ (Par ext.)
Désirer, souhaiter, exprimer le souhait de.

opulens, *entis,* adj. Comme OPULENTUS.

opulente, adv. Richement, magnifiquement.

opulenter, adv. Comme le précédent.

opulentia, *ae,* f. Puissance. ¶ Richesse,
opulence.

opulento, *as, are,* tr. Enrichir, fournir
en abondance (à qqn).

opulentus, *a, um,* adj. Qui a beaucoup
de ressources à sa disposition. ¶ *Spéc.*
Puissant, influent. ¶ Opulent, riche.
|| *En parl. de ch.* Abondant, copieux,
somptueux. || Où il y a beaucoup de
choses.

1. **opus**, *eris,* n. Travail, occupation
(physique). || *Spéc.* Travail des champs,
agriculture; labour. || Travaux de
construction *ou* de fortification. ¶
Travail (moral); tâche, fonction. ¶
Effort, fatigue. || Fatigues (de la
guerre). ¶ (Par ext.) Travail (de
l'homme) *opp. à* la nature art. || Main-
d'œuvre, façon. ¶ Peine, fatigue. ¶
(Méton.) Matière sur laquelle on travaille; sujet. ¶ Travail exécuté, œuvre,
ouvrage. || Construction. édifice; digue
jetée. || Retranchements. || Travaux
d'approche. || Machine de siège. ¶
Œuvre d'art *ou* de littérature. ¶ *Fig.*
Œuvre, action, exploit. ¶ *Absol.*
Œuvre politique. || *Eccl.* Les bonnes
œuvres, les œuvres de charité.

2. **opus**, n. indécl. Besoin, nécessité.
Opus est. il est besoin. il faut.

opusculum, *i,* n. Petit ouvrage. ¶ *Spéc.*
Petit écrit, opuscule.

1. **ora**, *ae,* f. Partie extérieure, bord,
bordure, lisière. ¶ Bord de la mer,
côte. || Extrémité, issue. ¶ Contrée,

région. *Luminis orae*, les régions de la lumière, le monde. ¶ Zone.

2. ora, *ae*, f. Câble, amarre.

oracium, *i*, n. Sync. p. ORACULUM.

1. oraculum, *i*, n. Réponse des dieux, parole divine, oracle. ‖ Prédiction; présage. ¶ Sentence, adage. ¶ (Méton.) Temple (où se rendent les oracles), oracle. ‖ (*Par anal.*) Sanctuaire du temple de Jérusalem.

2. oraculum, *i*, n. Oratoire.

orarium, *ii*, n. Mouchoir.

orarius, *a, um*, adj. De côte, côtier; servant au cabotage.

orata, *ae*, f. Comme AURATA.

oratio, *onis*, f. Faculté de parler; langage. ¶ Langue, idi me. ¶ Manière de parler, élocution, style, ton. ‖ Prose (*opp. d* vers). ¶ (*Par ext.*) Don ou art de la parole; éloquence. ‖ (Méton.) Discours, harangue, plaidoyer. ¶ *Postér.* Rescrit impérial. ¶ *Eccl.* Oraison, prière.

oratiuncula, *ae*, f. Petit ou joli discours.

orator, *oris*, m. Celui qui parle; député pour porter la parole. ¶ Celui qui cultive l'art de la parole; orateur, avocat. ‖ Maître d'éloquence. ‖ Professeur, docteur. ¶ Celui qui prie, qui demande.

oratoria, *ae*, f. Art oratoire.

oratorie, adv. D'une manière oratoire.

oratorium, *ii*, n. Oratoire.

oratorius, *a, um*, adj. D'orateur; qui concerne l'éloquence; oratoire. ¶ *Eccl.* Relatif à l'oraison.

oratrix, *icis*, f. La rhétorique. ¶ Celle qui prie, qui demande.

oratus, *us*, m. Prière; demande.

orbatio, *onis*, f. Privation. ¶ *Spéc.* Cécité. [de ses enfants].

orbator, *oris*, m. Celui qui prive (qqn

orbatrix, *icis*, f. Celle qui prive (qqn de ses enfants).

orbiculatus, *a, um*, adj. De forme ronde, arrondi, orbiculaire.

orbiculus, *i*, m. Petit rond, petit cercle, rondelle. ¶ *Spéc.* Petite roue, roulette. ¶ Poulie.

orbis, *is*, m. Rond, cercle. ¶ Objet de forme circulaire. ‖ Table ronde. ‖ Disque. ‖ Plateau (de balance). ‖ Miroir (rond). ‖ Orbe (de bouclier). ¶ Roue. ‖ Sorte de tambour de basque. ‖ Meule (d'un pressoir). ‖ Poisson inconnu (de forme ronde). ¶ Mouvement circulaire. ‖ Cours de l'année. ‖ Cours des événements. ‖ Période oratoire; style périodique. ‖ Cercle, **ensemble** de vues; système. ‖ Ensemble de connaissances; encyclopédie. ‖ Ensemble de pays. ‖ Le monde *et spéc.* le monde romain. ¶ Globe *ou* orbite de l'œil; œil.

orbita, *ae*, f. Trace d'une roue sur le sol; ornière. ¶ Route suivie par un astre; orbite. ¶ Empreinte circulaire laissée par un lien, *d'où* trace; conséquence; exemple, leçon.

orbitas, *atis*, f. Etat de celui qui reste privé de qqch. de cher *ou* de précieux. ‖ *Spéc.* Perte (des parents *ou* des enfants). ‖ Perte de la vue, cécité.

orbo, *as, avi, atum, are*, tr. Priver de ce qui est précieux *ou* cher. ‖ Priver (qqn) de (ses) enfants, de (ses) parents. ¶ Priver de la vue, rendre aveugle.

orbus, *a, um*, adj. Privé de. ¶ *Spéc.* Privé de ses parents. Subst. *Orbus, i,* m. Orphelin; *orba, ae,* f. Orpheline. ¶ Qui n'a pas d'enfants. ‖ Qui n'a plus d'enfants. ¶ Veuf, veuve. ¶ Privé de la vue, frappé de cécité.

orca, *ae*, f. Orque *ou* épaulard (mammifère marin). ¶ Jarre *ou* tonne. ¶ Cornet à dés.

orchas, *adis*, f. Espèce d'olive.

orchestra, *ae*, f. *Chez les Grecs.* Partie du théâtre réservée au chœur. ¶ *Chez les Romains.* Places réservées aux sénateurs. ‖ (Méton.) Le sénat.

orcinus, *a, um*, adj. Des enfers. ‖ Mortuaire; funéraire. ¶ Se dit de l'esclave affranchi par le testament de son maître décédé. [DEACEUS, etc.

ordaceus et **ordearius...** Voy. HOR-

ordeolus. Voy. HORDEOLUS.

ordeum. Voy. HORDEUM.

ordia prima, n. pl. Pour PRIMORDIA.

1. ordinarius, *a, um*, adj. Qui est placé en lignes en rangs. ‖ Rangé symétriquement. ¶ Régulier, ordinaire, conforme à l'usage *ou* à l'ordre établi.

2. ordinarius, *ii*, m. Simple soldat (qui se tient dans le rang). ¶ Chef de file.

ordinate, adv. En ordre; régulièrement.

ordinatio, *onis*, f. Action d'aligner, *d'où* ordonnance architecturale. ¶ *Fig.* Ordonnance, disposition, ordre; arrangement. ¶ Administration, gouvernement. ¶ *Spéc.* Nomination à une charge. ‖ Installation dans un emploi. ‖ *Eccl.* Ordination. ¶ Manière selon laquelle les choses sont disposées; rangement; rang.

ordinator, *oris*, m. Celui qui ordonne, c.-à-d. qui règle; ordonnateur. ¶ *Spéc.* Celui qui instruit un procès. ¶ *Eccl.* Ordonnateur ecclésiastique.

ordinatus, *a, um*, adj. Réglé *ou* régulier.

ordino, *as, avi, atum, are*, tr. Disposer par files; aligner, planter en ligne. ¶ Ranger (des troupes); disposer (en formations régulières). ‖ Encadrer (des soldats). ¶ (*Fig.*) Disposer avec suite, par série; ranger. ¶ Mettre en ordre, régler, distribuer convenablement; tracer; répartir; organiser. ‖ Instruire (un procès). ¶ Nommer à une fonction. ‖ *Eccl.* Ordonner (un prêtre). ¶ Rédiger, écrire.

ordio, *is, ire*, tr. Voy. ORDIOR.

ordior, *iris, orsus sum, iri*, tr. Monter la chaîne (d'un tissu); ourdir. ¶ *Par ext.* Mettre en train, commencer, entamer (un récit). ‖ *Spéc.* Entrer en matière, commencer à parler.

ordo, *inis*, m. Rangée, file, rang. || Rangée de bancs de rameurs. || Rangée de sièges au théâtre. *Quatuordecim ordines*, les quatorze gradins réservés aux chevaliers (au théâtre). ¶ (Méton.) File de soldats, rang. *Nullis ordinibus*, à la débandade. || Corps de troupe, centurie. *Ordinem ducere*, conduire, commander une centurie. *Primus ordo*, la première centurie de la première cohorte. || (Méton.) Grade, commandement. || Centurion. *Primi ordines*, les dix premiers centurions des dix manipules des triaires. ¶ Classe de citoyens, ordre (sénatorial, équestre). || Classe, rang, condition sociale. ¶ (*Fig.*) Série, succession, suite, ordre. — *temporum*, ordre chronologique. *Ordine*, point par point. ¶ Ordre, mesure, règle. || (Par ext.) Ordre, disposition, réglementation.

organalis, *e*, adj. D'orgue.

organarius, *ii*, m. Joueur d'instrument de musique; musicien. ¶ Joueur d'orgue.

1. **organicus**, *a*, *um*, adj. D'instrument; mécanique. || D'instrument de musique. || *Par ext.* Mélodieux. ¶ Organique.

2. **organicus**, *i*, m. Musicien.

organum, *i*, n. Instrument (en général); mécanisme; ressort. ¶ *Fig.* Ressort: ce qui met en mouvement. || Instrument de musique. || Orgue hydraulique. || Orgue à soufflets.

orgia, *orum*, n. pl. Mystères de Bacchus, orgies. ¶ *Par ext.* Mystères. || *Fig* Secrets mystérieux.

orichalcum, *i*, n. Orichalque, laiton. ¶ (Méton.) Trompette en cuivre. ¶ Arme en cuivre.

oriens, *entis*, m. Soleil levant; aurore; jour. ¶ (Méton.) Le levant, la région de l'est, l'orient.

orientalis, *e*, adj. De l'orient; oriental. Subst. *Orientales*, *ium*, m. pl. Orientaux. [plante.

origanon et **origanum**, *i*, n. Origan,

originatio, *onis*, f. Dérivation; étymologie.

origo, *inis*, f. Point de départ, origine, provenance, naissance. ¶ Etymologie. ¶ Extraction, race, famille. ¶ (Méton.) Fondateur, créateur, ancêtre. ¶ Pays natal; métropole. ¶ Au pl. *Origines*, premiers principes.

orion, *ii*, n. Variété de renouée, plante.

orior, *oreris*, *ortus sum*, *iri*, dép. intr. Se lever. || (En parl. d'un astre.) Se lever, se montrer, paraître. ¶ *Par ext.* Prendre naissance, se produire, se former, s'élever. || Commencer. ¶ Tirer son origine, provenir, être issu de.

oriundus, *a*, *um*, p. adj. Qui tire son origine, issu, descendant de.

ornamentum, *i*, n. Appareil, attirail, équipement, harnachement; armure. ¶ Ornement, parure, objet précieux.

(Au plur. Bijoux, joyaux. || Parure (du style). ¶ Ornement, honneur, illustration. || Distinction honorable, honneur, dignité.

ornate, adv. D'une manière ornée; avec recherche; avec élégance.

ornatio, *onis*, f. Action d'orner; ornementation.

ornator, *oris*, m. Celui qui orne.

ornatrix, *icis*, f. Celle qui orne. ¶ Esclave chargée de la toilette de sa maitresse : coiffeuse *ou* femme de chambre.

1. **ornatus**, *a*, *um*, p. adj. Equipé, harnaché; muni *ou* pourvu de. ¶ Orné, paré. || Beau, élégant. ¶ Paré de, distingué, honoré. ¶ Honorifique, honorable, glorieux.

2. **ornatus**, *us*, m. Préparatif, apprêt. ¶ Attirail. || Equipement. || Costume. ¶ Ornement, parure (pr. et fig.). ¶ Eclat, beauté.

orneus, *a*, *um*, adj. D'orne.

ornithon, *onis*, m. Volière. ¶ Poulailler.

orno, *as*, *avi*, *atum*, *are*, tr. Préparer, apprêter. ¶ Equiper, gréer, armer. || Munir *ou* pourvoir de. ¶ *Spéc.* Orner, parer, embellir. ¶ Honorer, doter de. || Combler de. ¶ Faire valoir par la parole, vanter, louer.

ornus, *i*, f. Orne, frêne sauvage. ¶ (Méton.) Lance en bois d'orne.

oro, *as*, *avi*, *atum*, *are*, tr. Parler, s'exprimer. || (Par ext.) Traiter, débattre (en paroles comme député ou orateur). *Absol.* Prononcer un discours. ¶ Exprimer une prière, prier; implorer, supplier. ¶ *Eccl.* Prier (au sens chrétien).

orobus, *i*, m. Orobe (*ou* ers), plante légumineuse.

orphanus, *i*, m. Orphelin.

orphus, *i*, m. Orphe, poisson de mer.

orsa, *orum*, n. pl. Commencements; projet, entreprise. ¶ Paroles. ¶ Ecrits, œuvres.

orsus, *us*, m. Trame, chaîne d'un tissu. ¶ *Fig.* Entreprise; projet.

orthius, *a*, *um*, adj. Elevé; aigu (t. de musique). — *pes*, pied ayant la valeur de quatre temps.

orthographia, *ae*, f. Orthographe. ¶ Coupe perpendiculaire du plan d'un édifice; élévation. [lement.

1. **orthographus**, *a*, *um*, adj. Ecrit fidè-

2. **orthographus**, *i*, m. Celui qui enseigne l'orthographe.

orthomastius, *a*, *um*, adj. Qui a la poitrine haute ou bombée. — *mala*, pommes de grosse espèce.

orthopnoea, *ae*, f. Respiration difficile, orthopnée, dyspnée qui oblige le patient à rester debout ou assis.

orthopnoicus, *a*, *um*, adj. Qui est atteint d'orthopnée.

ortulanus. Voy. **HORTULANUS**.

1. **ortus**, *us*, m. Lever (des astres *et surt* du soleil). || (Méton.) Levant,

orient. ¶ (En gén.) Origine, commencement, naissance.

2. **ortus**, i, Voy. HORTUS.

ortyga, ae, f. Caille, oiseau.

ortygometra, ae, f. Roi des cailles; râle, oiseau. ¶ Caille.

oryx, ygis, m. Gazelle, antilope.

oryza, ae, f. Riz, plante.

1. **os**, oris, n. Bouche; gueule; museau; bec. *Uno ore*, d'une seule voix. || *In ore vulgi esse*, être dans toutes les bouches. ¶ (Fig.) Orifice, ouverture. || Embouchure (d'un fleuve). || Source || Eperon (de navire). ¶ (Méton.) Organe de la parole, parole. || Langue, dialecte. || Enseignement; éloquence, poésie. ¶ *Par ext.* Face, visage. *Ante os*, sous les yeux. || Partie antérieure du visage, masque: crâne. || (Méton.) Front, air. || Front, impudence.

2. **os**, ossis, n. Os. Au pl. *ossa*, squelette. ¶ (Fig.) *Ossa*, squelette, charpente (d'un discours). ¶ *En part.* Ossements, cendres, dépouille mortelle. ¶ (Méton.) Poinçon (en os) pour écrire. ¶ *Par ext.* Partie dure de qqch.: cœur (d'un arbre); noyau (d'un fruit).

osce, adv. En langue osque.

oscen, inis, m. Oiseau dont la voix servait de présage.

oscillatio, onis, f. Jeu de la balançoire.

oscillo, as, are, intr. Se balancer.

oscillor, aris, ari, dép. Intr. Se balancer.

1. **oscillum**, i, n. (Petite bouche; petit visage.) ¶ Dans les graines des légumineuses, petite cavité d'où sort le germe. ¶ Petit masque, petite figurine qu'on suspendait aux arbres en l'honneur de Bacchus ou de Saturne.

2. **oscillum**, i, n. Balançoire, escarpolette.

oscinus, a, um, adj. Voy. OSCEN.

oscitabundus, a, um, p. adj. Qui a de fréquents bâillements. [lamment.

oscitanter, adv. En bâillant; nonchalamment.

oscitatio, onis, f. Action d'ouvrir la bouche. ¶ Action de bâiller, bâillement. ¶ (Par ext.) Somnolence, indolence, nonchalance.

oscito, as, are, intr. Ouvrir la bouche. || (Par anal.) S'ouvrir (en parl. d'une fleur). ¶ Bâiller. || *Fig.* Etre indolent, nonchalant. [précédent.

oscitor, aris, ari, dép. intr. Comme le

osculabundus, a, um, adj. Qui donne sans cesse des baisers.

1. **osculatio**, onis, f. Ouverture (d'une veine); anastomose.

2. **osculatio**, onis, f. Action de baiser.

1. **osculo**, as, are, tr. Ouvrir une veine.

2. **osculo**, as, avi, atum, are, tr. Arch. p. OSCULOR.

osculor, aris, atus sum, ari, dép. tr. Donner un baiser à, baiser. ¶ *Fig.* Caresser, choyer. || Courtiser.

1. **osculum**, i, n. Petite bouche. ¶ (Méton.) Baiser.

2. **osculum**, i, n. Orifice.

osor (OSSOR), oris, m. Celui qui hait; ennemi.

ospicor. Voy. AUSPICOR.

ossarium. Voy. OSSUARIUM.

osseus, a, um, adj. D'os. || Fait en os. ¶ Dur comme un os.

ossiculum, i, n. Petit os. ¶ (Par anal.) Noyau *ou* pépin (des fruits).

ossifraga, ae, f. Orfraie, aigle de mer.

1. **ossifragus**, a, um, adj. Qui brise les os.

2. **ossifragus**, i, m. Comme OSSIFRAGA.

ossu, n. Voy. 2. OS.

ossuarium (OSSARIUM), ii, n. Ossuaire.

ossuarius (OSSARIUS), a, um, adj. Relatif aux os; des os. [OSSICULUM.

ossuclum et ossuculum, i, n. Comme

ostendo, is, tendi, tentum *ou* tensum, ere, tr. Etendre devant, présenter, exposer. ¶ Exposer aux regards, faire voir, montrer. || Faire entendre. — *vocem*, montrer sa voix. ¶ *Fig.* Mettre sous les yeux, faire luire, faire entrevoir, promettre. || Mettre au jour, révéler, expliquer. ¶ Faire preuve de; manifester. ¶ Montrer, démontrer, prouver.

ostentatio, onis, f. Action de montrer souvent *ou* avec insistance. ¶ *Péjor.* Etalage, ostentation; parade. || Affectation, dehors affectés. ¶ Hypocrisie, faux semblant.

ostentator, oris, m. Celui qui montre. ¶ Celui qui étale, qui fait parade. || Glorieux.

ostentatorie, adv. Avec ostentation.

ostentatorius, a, um, adj. Qui montre, qui annonce, qui présage.

ostentatrix, icis, f. Celle qui étale, qui fait parade de.

ostentatura, ae, f. Merveille, miracle.

ostentatus, us, m. Etalage, montre, parade.

ostento, as, avi, atum, are, tr. Tendre présenter *ou* montrer à plusieurs reprises *ou* avec insistance. ¶ *Fig.* Faire luire aux yeux (en guise de promesse *ou* de menace). ¶ Faire parade de, étaler avec ostentation. || Mettre en évidence, manifester. || Dénoter, prouver.

ostentum, i, n. Prodige, fait extraordinaire qui présage de graves événements; présage. ¶ Merveille, miracle. ¶ Monstre.

ostiarium, ii, n. Impôt sur les portes.

1. **ostiarius**, a, um, adj. Relatif à la porte extérieure; de la porte.

2. **ostiarius**, ii, m. Portier, concierge. ¶ *Eccl.* Sacristain. [En détail.

ostiatim, adv. De porte en porte. ¶ *Fig.*

ostiolum, i, n. Petite porte.

ostium, ii, n. Entrée, ouverture. || Passage. ¶ Porte extérieure, porte d'entrée. ¶ Embouchure d'un fleuve.

ostracismus, i, m. Ostracisme, bannissement de six ans infligé aux citoyens d'Athènes dont l'influence paraissait dangereuse pour l'Etat.

ostrea, ae, f. Huître.   [Parc à huîtres.
ostrearium, ii, n. Banc d'huîtres. ¶
1. ostrearius, a, um, adj. Relatif aux
huîtres, d'huîtres.
2. ostrearius, ii, m. Marchand d'huîtres.
ostrifer, fera, ferum, adj. Qui produit
des huîtres.
ostrinus, a, um, adj. De pourpre.
ostrum, i, n. Pourpre (tirée d'un
coquillage). ¶ (Méton.) Etoffe, vêtement ou couverture de pourpre. ¶
Eclat de pourpre.
osurus, a, um. Voy. part. fut. de ODI.
osus, a, um, p. adj. Qui hait. ¶ Détesté,
haï.
otia, ae, f. Oreille de mer, coquillage.
otiabundus, a, um, p. adj. Qui a beaucoup de loisir.
otiolum, i, n. Court loisir.
otior, aris, atus sum, ari, dép. intr.
Avoir des loisirs; prendre du repos;
faire le paresseux.
otiose, adv. De loisir, sans occupation.
¶ Avec indolence, avec lenteur. ¶
Sans inquiétude, tranquillement.
otiositas, atis, f. Loisir. ‖ Désœuvre-
ment, inaction. ¶ (Méton.) Fruit des
loisirs (livre, écrit, etc.).
otiosus, a, um, adj. Qui a du loisir,
oisif, inactif, inoccupé, désœuvré. —
pecunia, argent qui ne rapporte rien.
¶ En parl. de ch. De loisir, consacré
au repos. ¶ Qui a du loisir pour l'étude.
¶ Qui ne se mêle de rien; neutre. ‖
Tranquille, calme, indifférent. ¶
Oiseux, superflu, inutile.
otis, tidis, f. Outarde, oiseau.
otium, ii, n. Loisir, repos laissé par les
affaires, inaction, oisiveté. Per otium,
à loisir. ¶ Loisir nécessaire pour faire
qqch.; loisir pour l'étude. ¶ (Méton.)
Fruit des loisirs, œuvre littéraire.

poème, etc. ¶ Paix, tranquillité,
calme. Per otium, en temps de paix.
ovatio, onis, f. Ovation, petit triomphe.
1. ovatus, a, um, part. du verbe OVO.
2. ovatus, a, um, p. adj. De forme
ovale. ¶ Parsemé de taches ovales.
3. ovatus, a, um. Cri de triomphe.
oviaria, ae, f. Bergerie.
oviarium, ii, n. Bergerie, bercail.
oviarius, a, um, adj. Relatif aux brebis;
de brebis.
ovicula, ae, f. Petite brebis.
ovile, is, n. Etable à moutons, bergerie.
¶ Etable à chèvres. ¶ Partie close
du Champ-de-Mars où l'on votait.
ovilio, onis, m. Berger.   [de brebis.
ovilis, e, adj. Qui concerne les brebis;
ovilla (s.-c. CARO), ae, f. Viande de
mouton.
ovillinus, a, um, adj. De brebis.
ovillus, a, um, adj. De brebis, de
mouton.   [ton.
ovina (s.-e. CARO), ae, f. Viande de mou-
ovinus, a, um, adj. De brebis, de
mouton.
ovis, is, f. Brebis, mouton. ‖ (Méton.)
Toison, laine. ¶ Fig. Homme assez
niais.
ovo, as, are, intr. Obtenir l'ovation
(ou petit triomphe), triompher par
ovation. ‖ (Par ext.) Triompher. ¶
Fig. Triompher, pousser des cris de
joie; être triomphant, fier.
ovum, i, n. Œuf. ¶ Œuf en bois, au
cirque, servant à marquer chaque
tour de piste fait par les chars de
course dans le cirque. ¶ Capacité d'une
coquille d'œuf. ¶ Ovale.
oxos (abl. o), n. Vinaigre.
oxymel, mellis, n. Voy. OXYMELI.
oxymeli, itos, n. Oxymel, breuvage fait
de vinaigre et de miel.

P

P, p. Quinzième lettre de l'alph. latin.
¶ Abrév. P. = Publius; P. C. = Patres
conscripti; P. M. = Pontifex. Maximus;
P. R. = Populus Romanus [fourrage.
pabulari, orum, m. pl. Fournisseurs de
pabularis, e, adj. Relatif au fourrage;
qui sert de fourrage.
pabulatio, onis, f. Fourrage; action
d'aller au fourrage ¶ Action de paître;
pâturage.   [qui va au fourrage.
pabulator, oris, m. Fourrageur; celui
pabulor, aris, atus sum, ari, dép. intr.
Paître, prendre sa pâture. ¶ Aller au
fourrage. ¶ Chercher sa nourriture.
pabulum, i, n. (En parl. des animaux.)
Pâture, fourrage. ¶ (En parlant des
hommes.) Nourriture, aliment.
pacalis, e, adj. De paix; relatif à la
paix.   [ment.
pacate, adv. Pacifiquement; tranquille-
pacator, oris, n. Pacificateur.
pacatus, a, um, p. adj. Pacifié, paisible;

tranquille. ¶ Dévoué.
pacifer, fera, ferum, adj. Qui apporte
la paix, pacificateur; qui est un symbole de paix.
pacificatio, onis, m. Pacification, accommodement, réconciliation.
pacificator, oris, m. Pacificateur.
pacificatorius, a, um, adj. Propre à
rétablir la paix.   [suivant.
pacifico, as, avi, atum, are, tr. Voy. le
pacificor, aris, atus sum, ari, dép. intr.
Faire la paix; traiter la paix. ¶ Pacifier, apaiser.
pacificus, a, um, adj. Pacifique, qui
aime la paix. ¶ Pacifié, apaisé, récon-
cilié.
paciscor, eris, pactus sum, pacisci, dép.
intr. Faire un traité, un pacte, un
arrangement. ¶ Convenir de, stipuler.
¶ Payer la gloire (au prix de sa vie).
1. paco, as, avi, atum, are, tr. Pacifier,
soumettre, dompter. ¶ Purger de,

débarrasser. ¶ Dompter (par la charrue); mettre en culture, défricher.

2. **paco,** *is, ere,* tr. Arch. p. PANGO.

pacta, *ae,* f. Voy. PACTUS.

pacticius, *a, um,* adj. Stipulé.

pactio, *onis,* f. Convention, pacte, arrangement, traité. *Pactiones,* termes, conditions (d'un arrangement, d'une capitulation). ¶ Adjudication des impôts publics. ¶ Accord illicite: corruption. ¶ Formule déterminée d'une convention.

pactor, *oris,* m. Celui qui fait une convention, contractant, négociateur.

pactum, *i,* n. Convention, pacte, contrat, traité. ¶ Manière; façon.

1. **pactus,** *a, um,* p. adj. Qui a fait une convention. ¶ Convenu, stipulé, conclu. ¶ Engagé, promis, fiancé.

2. **pactus,** *a, um,* p. passé de PANGO.

paedagogium, *ii,* n. Lieu où l'on instruit les enfants, et (particul.) les jeunes esclaves. ¶ Enfants qui fréquentent le *pédagogium,* pages.

paedagogus, *i,* m. Esclave qui accompagne des enfants partout, surtout à l'école. ‖ Gouverneur, précepteur. ¶ Conducteur, guide, mentor. ¶ Pédagogue, pédant.

paelex. Voy. PELEX.

paene ou **pene,** adv. De fond en comble, à fond, tout à fait. ¶ Presque, peu s'en faut; à peu près.

paeninsula, *ae,* f. Péninsule, presqu'île.

paenitendus, *a, um,* adj. Qui doit être regretté, déplorable, dont on aura à se repentir. [repent.

paenitens, *tis,* p. adj. Qui regrette, qui se repent.

paenitentia, *ae,* f. Repentance, regret. ¶ Pénitence. [pénitence.

paenitentialis, *e,* adj. Qui concerne la pénitence.

paeniteor, *eris, eri,* dép. intr. Forme ancienne de PAENITET.

paenitet, *uit, ere,* impers. N'être pas content (intérieurement). ¶ Etre profondément touché de; se repentir de; être aux regrets de, regretter.

paenitudo, *dinis,* f. Repentir.

paenula, *ae,* f. Pénule (ample manteau de laine qu'on mettait pour voyager). ¶ Couverture, couvercle. ¶ Chape du réservoir d'air dans une pompe.

paenulatus, *a, um,* adj. Revêtu de la pénule.

paeon, *onis,* m. Péon (terme de métrique désignant un pied de quatre syllabes, trois brèves et une longue).

paeonia, *ae,* f. Pivoine fleurie.

paetulus, *a, um,* adj. Qui louche un peu.

paetus, *a, um,* adj. Qui regarde de côté; qui louche un peu. [plume.

paganica, *ae,* f. Sorte de balle bourrée de

paganicus, *a, um,* adj. De village, de campagne.

paganismus, *i,* m. Paganisme.

paganus, *a, um,* adj. De village, de la campagne, habitant des villes (*par oppos. à* soldat).

pagatim, adv. Par village.

pagella, *ae,* f. Feuille de papier.

pagina, *ae,* f. Feuille de papyrus prête à recevoir l'écriture, feuille d'un écrit *ou* d'une page, feuillet. ¶ Ecrit, ouvrage, recueil, lettre. ¶ Gaine, feuille de métal appliquée sur le socle des statues. ¶ Rangs de vigne, formant un carré.

pagino, *atus, are,* tr. Assembler les parties d'un navire, construire. ¶ Composer, écrire.

paginula, *ae,* f. Petite page, colonne.

pagus, *i,* m. Bourg, village. ¶ Canton, district (chez les Gaulois et les Germains). [bague. ¶ Omoplate.

pala, *ae,* f. Bêche. ¶ Pelle. ¶ Chaton de

palabundus, *a, um,* adj. Errant, vagabond.

palaestra, *ae,* f. Palestre, lieu où l'on s'exerce à la lutte, salle d'exercice, gymnase. ¶ Art de la lutte, palestre, exercice du corps. ¶ Ecole, académie, lieu où l'on s'exerce à la parole. ¶ Habileté politique *ou* oratoire, savoir-faire. [teurs.

palaestrice, adv. A la manière des lut-

1. **palaestricus,** *a, um,* adj. Qui concerne la lutte, la palestre. [de gymnastique

2. **palaestricus,** *i,* m. Maître de palestre.

palaestrita, *ae,* m. Maître de palestre, de gymnastique.

palam, adv. Ouvertement, publiquement. ¶ En présence (du peuple).

palara. *ae,* f. Oiseau inconnu.

palaria, *ium,* n. pl. Exercice consistant à s'escrimer contre un pieu figurant l'adversaire.

palaris, *e,* adj. De pieux; à pieux.

palathium, *ii,* n. Marmelade de dattes.

palatium, *ii,* n. Le Palatin, une des sept collines de Rome. ¶ Le palais des Césars. ¶ Palais (en génér.). [pieux.

palatio, *onis,* f. Action de planter des

palatum, *i,* n. Voûte du palais, palais (organe du goût). ¶ Goût, jugement. ¶ Palais (organe de la parole). ¶ Voûte du ciel.

1. **palatus,** *i,* m. Arch. p. PALATUM.

2. **palatus,** part. de PALO.

3. **palatus,** part. p. de PALOR.

pale, *es,* f. Lutte, exercice athlétique.

palea, *ae,* f. Paille. ¶ Paillette de métal, limaille. ¶ Barbe du coq.

palear, *aris,* n. et **palearia,** *ium,* n. pl. Fanon (du bœuf). ¶ Gorge, arrière-bouche (des ruminants).

palearis, *e,* adj. De paille.

palearium, *ii,* n. Grenier à paille.

palimbacchius, *(pes),* m. Comme ANTI-BACCHIUS.

palimpsestos, *i,* m. f. Palimpseste, parchemin que l'on grattait pour y écrire de nouveau.

paliurus, *i,* m. Paliure, sorte de ronce.

palla, *ae,* f. Grand manteau de femme. ¶ Manteau des acteurs tragiques.

¶ Tenture, rideau. ¶ Linceul.

pallaca, *ae*, f. Concubine.

pallens, *entis*, p. adj. Pâle, blême. ¶ Jaunâtre. ¶ Verdâtre, pâle. ¶ Qui rend pâle.

palleo, *es*, *ui*, *ere*, intr. Etre pâle, pâlir (par l'effet de la maladie *ou* de l'âge). se décolorer. ¶ Pâlir, jaunir (par l'effet du travail, d'un désir de la convoitise). ¶ Pâlir de crainte, trembler pour. ¶ Pâlir devant; redouter.

pallesco, *is*, *pallui*, *ere*, intr. Devenir pâle, pâlir. ¶ Se décolorer, perdre sa couleur *ou* sa fraîcheur, jaunir.

palliatus, *a*, *um*, adj. Vêtu d'un pallium. ¶ Couvert; garanti.

pallidulus, *a*, *um*, adj. Un peu pâle.

pallidus, *a*, *um*, adj. Pâle, blême, livide. ¶ Qui rend pâle, qui fait pâlir. ¶ Pâle d'effroi.

pallio, *as*, *are*, tr. Couvrir (fig.).

palliolatim, adv. En pallium.

palliolum, *i*, n. Petit pallium, petit manteau grec. ¶ Capuchon.

pallium, *ii*, n. Pallium, manteau grec. ¶ Toge, vêtement de dessus. ¶ Couverture, voile. ¶ (Au plur.) *Pallia*, chiffons, guenilles.

pallor, *oris*, m. Pâleur, teint pâle. ¶ Pâleur, effroi. ¶ Couleur pâle. ¶ La pâleur personnifiée, déesse de la peur.

palma, *ae*, f. Paume de la main. || Main. || Pied palmé, patte d'oie. ¶ Palmier. || Palme, branche de palmier. ¶ Pale de la rame, rame. ¶ Palme, prix *ou* symbole de la victoire, victoire. ¶ Vainqueur. || Celui qui est à vaincre. ¶ Pour PALMES. ¶ Pour PARMA.

1. **palmaris**, *e*, adj. De palmier; rempli de palmiers. ¶ Qui mérite la palme. || Merveilleux, supérieur. ¶ Qui a une palme pour attribut. — *dea*, la déesse de la victoire.

2. **palmaris**, *e*, adj. Long d'un palme, d'un travers de main.

palmarium, *ii*, n. Chef-d'œuvre, ouvrage qui mérite le prix. ¶ Honoraires de l'avocat (après le gain du procès).   [MARIS.

palmarius, *a*, *um*, adj. Comme 1. PAL-

palmatus, *a*, *um*, adj. Qui porte l'empreinte d'une main *ou* qui a la forme d'une main. ¶ Qui a la forme d'une palme. ¶ Brodé de branches de palmier.

palmes, *itis*, m. Sarment, bois de la vigne. ¶ Vigne. ¶ Branche (en gén.).

palmesco, *is*, *ere*, intr. Pousser, germer.

palmetum, *i*, n. Lieu planté de palmiers.

1. **palmeus**, *a*, *um*, adj. De palmier, de bois de palmier.   [d'un palme.

2. **palmeus**, *a*, *um*, adj. Long *ou* haut

palmifer, *fera*, *ferum*, adj. Qui produit des palmiers.

palmiger, *gera*, *gerum*, adj. Qui porte une palme, un rameau de palmier.

palmipedalis, *e*, adj. Haut (*ou* long)

d'un pied et d'un palme.

1. **palmipes**, *edis*, adj. Qui a le pied palmé, palmipède.   [DALIS.

2. **palmipes**, *edis*, adj. Voir PALMIPE-

1. **palmo**, *as*, *are*, tr. Broder des palmes. ¶ Marquer de l'empreinte de la main.

2. **palmo**, *as*, *are*, tr. Echalasser la vigne.

palmosus, *a*, *um*, adj. Abondant en palmiers.

palmula, *ae*, f. Paume d'une petite main. ¶ Pale d'une petite rame. ¶ Palmier; dattier.

palmus, *i*, m. Palme, mesure de longueur (0 m. 0739).   [échalasser.

1. **palo**, *as*, *avi*, *atum*, *are*, tr. Etayer,

2. **palo**, *as*, *are*, intr. Voy. PALOR.

palor, *aris*, *atus sum*, *ari*, dép. intr. Errer çà et là, courir en désordre, être dispersé; marcher à l'aventure. ¶ (Fig.) Etre égaré.

palpatio, *onis*, f. Action de toucher. ¶ Attouchement, caresse.   [caresse.

palpator, *oris*, m. Celui qui palpe, qui palpatus**, abl. *u*, m. Action de toucher.

palpebra, *ae*, f. Paupière. ¶ Cils.

palpitatio, *onis*, f. Palpitation, battement.

palpitatus, *us*, m. Comme PALPITATIO.

palpito, *as*, *avi*, *atum*, *are*, intr. Remuer, s'agiter, frétiller. ¶ Palpiter, être agité de convulsions. ¶ (En parl. de ch.). ¶ Trembloter. || *Fig*. Etre agité, ému.

1. **palpo**, *as*, *avi*, *atum*, *are*, tr. et **palpor**, *aris*, *atus sum*, *ari*, dép. tr. Palper, toucher, tâter, caresser, flatter avec la main. ¶ Caresser, flatter, faire sa cour. ¶ (Absol.) Flatter, caresser.

2. **palpo**, *onis*, m. Flatteur, patelin.

paludamentum, *i*, n. Manteau militaire. ¶ Manteau de général. || (Méton.) Guerre.

paludatus, *a*, *um*, adj. Revêtu du manteau militaire *ou* du manteau de général. Subst. *Paludati*, les guerriers.

paludosus, *a*, *um*, adj. Marécageux.

palum, *i*, n Voy. 1. PALUS.   [ramier.

palumbes, *is*, m. et f. Palombe. ¶ Pigeon

palumbinus, *a*, *um*, adj. De pigeon ramier.

palumbus, *i*, m. Comme PALUMBES.

1. **palus**, *i*, m. Poteau, pieu, cheville échalas. ¶ Poteau (auquel on attachait les condamnés). ¶ Poteau contre lequel les soldats s'exerçaient à faire des armes. ¶ Poteau indicateur (de limite).

2. **palus**, *udis*, f. Marais, étang, marécage. ¶ (Méton.) Jonc, roseau de marais.

paluster, *tris*, *e* et **palustris**, *e*, adj. Marécageux. ¶ Fangeux (en parl. du vice).

palustria, *ium*, n. pl. Marécages.

pammachium, *ii*, n. Voy. le suivant.

pammachum, *i*, n. Pancrace (un des jeux gymnastiques comprenant à la fois la lutte et le pugilat).

pampinarium, ii, n. Sarment qui ne produit que du pampre.

pampinarius, a, um, adj. De pampre.

pampinatio, onis, f. Epamprement de la vigne.

pampinator, oris, m. Celui qui épampre.

1. pampinatus, a, um, adj. Orné de pampres. ¶ Qui a la forme du pampre.

2. pampinatus, a, um, part. de PAMPINO.

pampineus, a, um, adj. De pampre, couvert de pampres.

pampino, as, avi, atum, are, tr. Epamprer la vigne. ¶ (Par ext.) Tailler, émonder, élaguer.

pampinus, i, m. Pampre, jeune pousse de la vigne. ¶ Feuillage de la vigne. ¶ Vrille, bras (d'une plante grimpante).

panaca, ae, f. Vase en terre pour boire.

panacea, ae, f. Voy. PANAX.

panaces, is, n. Voy. PANAX.

panariolum, i, n. Petite corbeille à pain.

panarium, i, n. Corbeille à pain. ¶ Huche en marbre.

panarius, ii, m. Boulanger.

panax, acis, m. Nom donné à diverses plantes médicinales. ¶ Panacée, plante imaginaire à laquelle on attribuait la vertu de guérir toutes les maladies.

pancratias, ae, m. Mélecture pour le suivant.

pancratiastes, ae, m. Athlète qui combat au pancrace, pancratiaste.

pancratice, adv. A la manière des athlètes, des pancratiastes.

1. pancration, ii, n. Chicorée sauvage : scille maritime.

2. pancration (PANCRATIUM), ii, n. Pancrace, exercice réunissant la lutte et le pugilat.

pancratium, i, n. Voy. 2. PANCRATION.

pandectes, ae, m. L'adverbe qui contient tout en lui. ¶ Recueil universel qui embrasse tout. Au plur. *Pandectae, arum,* m. Les Pandectes (de Justinien).

pandicularis (dies), m. Jour où l'on offrait un sacrifice à tous les Dieux à la fois. [s'allonger en bâillant.

pandiculor, aris, ari, dép. intr. S'étendre,

1. pando, as, avi, atum, are, tr. Courber, arquer. Au passif *pandari,* se courber, se fléchir. ¶ Intr. Se courber, se déjeter.

2. pando, is, pandi, pansum et **passum, ere,** tr. Etendre, tendre, étaler, déployer. ¶ Etendre (pour sécher), faire sécher. ¶ Ouvrir. ¶ Etendre, déployer. ¶ Faire connaître, publier, expliquer; annoncer (par un oracle).

pandus, a, um, adj. Voûté, arqué, bombé, cintré.

1. panegyricus, a, um, adj. Relatif à l'assemblée générale du peuple, à une fête populaire. || Relatif aux discours laudatifs prononcés solennellement, *d'où* laudatif, apologétique.

2. panegyricus, i, m. Panégyrique.

panegyrista, ae, m. Panégyriste.

pango, is, panxi et **pepigi, pactum, ere,** tr. Enfoncer, ficher. ¶ Planter, ensemencer. ¶ (Fig.) Composer, écrire (un poème); chanter, célébrer (en vers). ¶ (Aux temps formés du parfait.) Convenir, stipuler, conclure. ¶ Promettre en mariage.

paniceus, a, um, adj. Fait de pain.

panicium, ii, n. Fabrication de pain, boulangerie. ¶ Comme PANICUM.

panicula, ae, f. Panicule (des végétaux). ¶ Sorte de tumeur.

1. paniculus, i, m. Touffe de roseau, chaume dont on couvre les toits. ¶ Sorte de tumeur.

2. paniculus, i, m. Petit pain.

panicum, i n. Panic, sorte de millet.

panificium, ii, n. Fabrication du pain. ¶ (Méton.) Pain, gâteau, pâtisserie.

panis, is, m. Pain. ¶ Pain, motte, boule, masse (en forme de pain). || Saumon (de métal).

pannarius, a, um, adj. De toile. Subst. *Pannaria, orum,* n. pl. Cadeaux consistant en toile.

panneus, a, um, adj. Déguenillé, en haillons, de haillons. — *vestis,* vêtement en guenilles.

pannicularia (s.-e. RES), ae, f. Loque.

pannicularius, a, um, adj. Relatif à la dépouille d'un condamné.

1. panniculus, i, m. Petit morceau d'étoffe, chiffon.

2. panniculus, i, m. Petit abcès. Voy. PANICULUS.

pannosus, a, um, adj. Déguenillé, couvert de haillons. ¶ Semblable à des haillons, ridé, rugueux.

panniceus, a, um, adj. Déguenillé, couvert de haillons, rapiécé. ¶ Ridé, ratatiné.

pannucius, a, um, adj. Comme le précédent. [*Pannuli,* guenilles, haillons.

pannulus, i, m. Lambeau, haillon. Au pl

pannus, i, m. Morceau d'étoffe, draperie; lambeau. ¶ Habit rapiécé *ou* déchiré; haillon, guenille. ¶ Compresse, bande (pour les plaies). ¶ Couche, lange.

pansa, ae, adj. Qui a les pieds larges.

pantagathus, i, m. Oiseau de bon augure. ¶ Pouliot.

pantex, icis, m. et *pantices, icum,* m. pl. Intestin, panse, abdomen.

1. panther, eris, n. Filet pour prendre les bêtes fauves.

2. panther, eris, m. Comme PANTHERA.

1. panthera, ae, f. Panthère.

2. panthera, ae, f. Comme 1. PANTHER.

pantherinus, a, um, adj. De panthère *ou* tacheté comme la panthère. ¶ Souple, rusé, artificieux.

pantheris, idis, f. Panthère (femelle).

pantices, um, m. pl. Voy. PANTEX.

panticosus, a, um, adj. Pansu.

pantomima, ae, f. Femme qui joue la pantomime. [la pantomime.

pantomimicus, a, um, adj. Qui concerne

pantomimus, i, m. Danseur, pantomime.
¶ Pièce mimique, pantomime.

papae, interj. Oh, oh ! Ah !

papaver, eris, n. Pavot.

papavereus, a, um, adj. De pavot.

papilio, onis, m. Papillon. ¶ Pavillon, tente.

papilla, ae, f. Bouton du sein, mamelon, téton (de l'homme et des animaux). ¶ Le sein, la poitrine. ¶ Bouton de rose. ¶ Pustule, ampoule.

papula, ae, f. Papule, petit bouton. ¶ Pustule. ¶ Mamelon du sein.

papyraceus, a, um, adj. De papyrus.

papyrifer, fera, ferum, adj. Qui produit le papyrus.   [rus.

papyrinus, a, um, adj. Relatif au papy-papyrum, i, n. Voy. le suivant.

papyrus, i, f. Papyrus, roseau d'Egypte. ¶ Vêtement de papyrus. ¶ Papier fait avec l'écorce du papyrus. || Livre écrit.

1. par, paris, adj. Egal, pareil. ¶ Egal à, de force pour, qui peut lutter. ¶ De même qualité, assorti. ¶ Du même âge, jumeau. ¶ Convenable, juste.

2. par, paris, n. Couple, paire.

parabilis, e, adj. Facile à se procurer.

parabola, ae, f. Voy. PARABOLE. ¶ Parole.

parabole, es, f. Comparaison, similitude. ¶ Récit en parabole (évangélique).

paradisus, i, m. Parc à bêtes; enclos où on garde les animaux. ¶ Le paradis terrestre, séjour du premier homme. ¶ Le paradis céleste, ciel, le séjour des bienheureux.

paradoxa, orum, n. pl. Propositions paradoxales, principes en apparence contraires à la raison.

paradoxon, i, n. (Rhét.) Phrase sus pendue, suspension (figure qui consiste à tenir l'auditeur dans l'incertitude de ce qu'on va dire et à lui montrer tout autre chose que ce qu'il attendait)..

1. paradoxos, on, adj. Inattendu, rare.

2. paradoxos, i, m. Celui qui est vainqueur (à la lutte ou au pancrace) contre l'attente générale. ¶ (Au pl.) Pitres.   [prescription.

paraenesis, eos, f. Avertissement, avis,

paragauda, ae, f. Bordure d'or ou de soie (brodée sur un vêtement). ¶ Habit orné d'une bordure, paragaude.

paragaudis, is, f. Voy. le précédent.

paragaudius, a, um, adj. Bordé d'or ou de soie.   [Parallèle.

parallelos, on, et parallelus, a, um, adj.

paralysis, i, m. Paralysie (d'un côté du corps). ¶ (Dans la langue des harus-pices.) Solution, explication.

paralyticus, i, m. Paralytique (d'un côté du corps).

parangarius, a, um, adj. Relatif à une corvée extraordinaire.

paranympha, ae, f. Fille d'honneur dans un mariage.

paranymphus, i, m. Paranymphe, celui

qui reconduit les mariés, garçon d'honneur.

paraphrasis, is, f. Paraphrase.

paraphrastes, ae, m. Celui qui paraphrase, au lieu de traduire.

paraplecti, orum, m. pl. Malades atteints de paralysie partielle.

paraplexia, ae, f. Paraplexie, apoplexie qui ne paralyse que partiellement.

pararius, ii, m. Intermédiaire, courtier.

parasita, ae, f. Femme parasite.

parasitaster, tri, m. Vil parasite.

parasitatio, onis, f. Flatterie de parasite,

parasiticus, a, um, adj. De parasite.

parasitor, aris, ari, dép. intr. Faire le métier de parasite.

parasitus, i, m. Qui mange auprès ou avec. ¶ Parasite, pique-assiette.

parate, adv. Avec préparation. ¶ Avec soin; exactement. ¶ Avec habileté. ¶ Avec présence d'esprit.

paratio, onis, f. Préparation. ¶ Acquisition. ¶ Efforts, menées (pour acquérir).   [qui occasionne.

parator, oris, m. Celui qui prépare,

1. paratus, a, um, p. adj. Préparé, prêt. ¶ Prêt, bien armé, bien pourvu. || Qui est en mesure, décidé à, disposé à. || Prêt de toutes les façons. || Très habile, versé dans.

2. paratus, us, m. Préparation, apprêt, arrangement, dispositions, préparatifs. ¶ Appareil, pompe, apparat, magnificence.

paraveredus, i, m. Cheval de poste pour les services extraordinaires.

parce, adv. Avec économie, avec épargne, chichement. ¶ Modérément, avec réserve, avec retenue. ¶ Rarement.

parcimonia. Voy. PARSIMONIA.

parco, is, peperci (rar. parsi), parcitum et parsum, ere, intr. Epargner, ménager. ¶ Ménager, traiter avec ménagement, conserver avec soin; ne point endommager. ¶ S'abstenir, se retenir, se modérer (en qqch.), ne pas employer.

parcus, a, um, adj. Econome, ménager; avare. ¶ Rare, peu abondant.

pardalis, is, f. Panthère femelle.

pardus, i, m. Panthère mâle.

1. parens, entis, m. f. Le père, la mère. les auteurs de nos jours. ¶ Au pl. Parentes, les parents, c.-à-d. le père et la mère. ¶ La ville mère, la métropole. ¶ (Fig.) Père, auteur, inventeur, fondateur.   [mis docile.

2. parens, entis, p. adj. Obéissant, sou-

parentalia, ium, n. pl. Fêtes en l'honneur des morts.

parentalis, e, adj. Qui concerne les parents (le père, la mère). ¶ Relatif à ce qu'on fait en leur honneur après leur mort.   [fête mortuaire.

parentatio, onis, f. Cérémonie funèbre,

parenthesis, is, f. Ce qu'on intercale dans le discours. ¶ Lettre ou syllabe intercalée dans un mot.

parento, *as, avi, atum, are*, intr. Célébrer une cérémonie funèbre (pour ses parents, ses proches *ou* d'autres personnes). ¶ Venger un mort (en lui offrant la vie d'un autre en sacrifice expiatoire).

pàreo, *es, ui, itum, ere*, intr. Paraître, apparaître, se montrer, être visible. ¶ (Impers.) *Paret*, il est évident. ¶ Paraître sur l'ordre de qqn, se mettre à ses ordres, servir. ¶ Etre dépendant de, sujet de, obéir à qqn. ¶ Obéir, être soumis: suivre. ¶ Céder à, se prêter à, se régler d'après. ¶ (En parl. de choses.) Etre en harmonie avec.

parergon, *i*, n. (En peinture.) Ornement accessoire (qui ne fait pas partie du sujet principal).

paresco, *is, ere*, intr. Paraître.

paries, *etis*, m. Mur, muraille; clôture, barrage en bois.

parietalis, *e*, adj. De mur, de muraille. — *herba*, pariétaire, plante.

parietaria, *ae*, f. Pariétaire, plante.

parietinae, *arum*, f. pl. Vieux murs, murs délabrés. ‖ Décombres, débris, ruines (pr. et fig.).   [raille.

parietinus, *a, um*, adj. De mur, de mu-

parilis, *e*, adj. Pareil, semblable, égal.

parilitas, *atis*, f. Parité, égalité.

1. **pario**, *is, peperi, paritum et partum, ere*, tr. Enfanter, mettre bas (en parl. des animaux); pondre. ¶ Produire, engendrer, faire naître. ¶ Créer, inventer (en parl. d'une production de l'esprit). ¶ Produire, faire naître. ‖ Exciter, engendrer, susciter, être cause de, procurer. ¶ Part. subst. *Parta*, *orum*, n. pl. Acquisitions, gains, conquêtes.

2. **pario**, *as, avi, atum, are*, tr. Rendre égal, égaler, faire aller de pair. ¶ Etre égal, aller de pair. ¶ Vendre et acheter, trafiquer.

paritas, *atis*, f. Parité, égalité.

pariter, adv. Egalement, pareillement. ¶ (Avec AC *ou* ATQUE.) De même que; comme si. ¶ Ensemble, simultanément. ¶ Ensemble, de front. ¶ (Avec CUM.) En même temps, au même moment.

parito, *as, are*, tr. S'apprêter à, se disposer à, être sur le point de.

parma, *ae*, f. Parme, petit bouclier rond. ¶ (Méton.) Gladiateur, armé d'une parme, gladiateur thrace. ¶ Soupape d'un soufflet.   [parme.

parmatus, *a, um*, adj. Armé d'une

parmula, *ae*, f. Petite parme, petit bouclier rond.

parmularius, *ii*, m. Ami du bouclier c.-à-d. celui qui prend le parti des thraces *ou* gladiateurs armés d'une parme.

1. **paro**, *as, avi, atum, are*, tr. Apprêter, préparer, disposer, arranger, mettre en état. ¶ (Avec l'inf.) Se préparer,

s'apprêter, se disposer (à faire qqch.). ¶ (En parl. du destin.) Préparer, réserver, destiner (qqch. à qqn.) ¶ Se procurer, acquérir, acheter (pour de l'argent).

2. **paro**, *as, avi, atum, are*, tr. Faire la paire, apparier; mettre de paire, placer sur la même ligne.

3. **paro**, *onis*, m. Sorte de navire léger.

parochensis, *e*, adj. De paroisse.

parochia. Corrupt. de PAROECIA   [sial.

parochialis, *e*, adj. De paroisse, parois-

parochitanus, *a, um*, adj. De paroisse.

parochus, *i*, m. Celui qui (pour une somme déterminée) fournissait aux magistrats en voyage les objets de première nécessité. ¶ Celui qui traite: le maître de la maison, l'amphitryon.

parodia, *ae*, f. Réponse où l'on conserve les mêmes mots ou les mêmes tours.

paroecia, *ae*, f. Diocèse, résidence d'un évêque. ¶ Paroisse.   [gorie.

paroemia, *ae*, f. Adage, proverbe, allé-

paroemiacum, *i*, n. Vers parémiaque, (dimètre anapestique catalectique.

paromoeon (PARHOMOEON), *i*, n. Rapprochement de mots qui se ressemblent.

paronomasia, *ae*, f. Paronomase (figure de mots qui consiste à rapprocher deux mots de même famille).

paronychia, *ae*, f. Comme le suivant.

paronychium, *ii*, n. Panaris.

paronymon, *i*, n. Paronyme (mot qui a du rapport avec un autre tant par la forme que par l'étymologie).

paropsis (PAROBSIS et PARAPSIS), *idis*, f. Petit plat pour le dessert, petit plat en général.

parotida, *ae*, f. Comme PAROTIS.

parotis, *idis*, f. Tumeur aux oreilles. ¶ (Archit.) Console en pierre, encorbellement.   [vais augure.

parra, *ae*, f. Nom d'un oiseau de mau-

parricida, *ae*, m. et f. Parricide, meurtrier de son père *ou* de sa mère. ¶ Meurtrier d'un parent quelconque. ¶ Meurtrier du chef de l'Etat (considéré comme le père de la patrie). ¶ Coupable de crime de haute trahison. ¶ Sacrilège.

parricidalis, *e*, adj. De parricide, parricide, fratricide, homicide. ‖ Impie, sacrilège.

parricidalitor, adv. En parricide ; en assassin.   [DIUM.

parricidatus, *us*, m. Comme PARRICI-

parricidialis, *e*, adj. Voy. PARRICIDALIS.

parricidialiter, adv. Voy. PARRICIDA-LITER.

parricidium, *ii*, n. Parricide, meurtre d'un père *ou* d'une mère. ¶ Meurtre d'un frère, d'une sœur, d'un proche parent. ¶ Meurtre d'un citoyen (homme libre). ¶ Crime de rébellion, de haute trahison. ¶ Nom donné aux Ides de Mars (jour où fut commis le meurtre de César).

pars, *partis*. Partie, part, portion, morceau. ¶ Côté, direction, sens. ¶ Parti, cause. ¶ Au plur. **partes**, *ium*, f. Parti (politique), faction. ‖ Rôle (d'un acteur). ‖ Rôle, fonction, emploi, office. ‖ Partie de la terre, région, contrée. ‖ Part (de nourriture), portion.

parsimonia (PARCIMONIA), *ae*, f. Epargne, économie. ‖ (Méton.) Ce qu'on a économisé. ‖ Au plur. *Eccl.* Jeûnes, privations. ¶ Sobriété de l'orateur. ¶ Ménagements. [(au cirque.

partecta, *orum*, n. pl. Loges de côté

parthenice, *es*, f. Plante appelée aussi PARTHENION. [PULEGIUM, pouliot.

parthenicon, *i*, n. Plante appelée aussi

parthenion, *ii*, n. Nom de plusieurs plantes : la pariétaire, la matricaire, la mercuriale, l'armoise.

parthenis, *idis*, f. Armoise.

parthenium, *ii*, n. Voy. PARTHENION.

partialis, *e*, adj. Particl. [partie.

partialiter, adv. Partiellement; en

partiarius, *a*, *um*, adj. Qui partage avec d'autres, qui a une part de; partiaire. ¶ A partager; qu'on se partage. ¶ Par moitié, en partageant. ¶ Copartageant, celui qui a sa part.

partiatim, adv. Par parties, membre par membre.

partibilis, *e*, adj. Divisible.

particeps, *cipis*, adj. Participant; qui a sa part de; qui partage. ¶ Camarade, compagnon, associé, complice, affilié.

participatio, *onis*, f. Participation, partage, action de faire partager. ¶ *Gramm.* Participe.

participator, *oris*, m. Qui prend part à.

participatrix, *icis*, f. Celle qui prend part, qui a part à. [TIO.

participatus, *us*, m. Comme PARTICIPA-

participium, *ii*, n. Participation. ¶ *Gramm.* Participe.

participo, *as*, *avi*, *atum*, *are*, tr. Faire participer, admettre au partage. ¶ Prendre part à, participer à qqch.

participor, *aris*, *atus sum*, *ari*, dép. tr. Prendre part à, participer à.

particula, *ae*, f. Petite partie, particule, parcelle. ¶ *Rhét.* Incise, membre d'une phrase, d'une période. ¶ Particule.

particulatim, adv. Par morceaux, par parties, par lots, en détail. ¶ En particulier, particulièrement.

partim, adv. En partie; une partie; les uns, les autres; d'autres. ¶ (Qqf.) Principalement, de préférence.

1. partio, *onis*, f. Accouchement; ponte (des poules).

2. partio, *onis*, f. Partie du discours, espèce de mot.

3. partio, *is*, *ivi* ou *ii*, *itum*, *ire*, tr. Partager, diviser. ¶ Part. passif. PARTITUS, *a*, *um*. Partagé, distribué, divisé. Voy. PARTIOR.

partior, *iris*, *itus sum*, *iri*, dép. tr. Diviser, distribuer, partager. ¶ Adj.

verbal PARTIENDUS, *a*, *um*. Qui doit être partagé, divisé.

partitio, *onis*, f. Partage, division, distribution, classification. ¶ Division, décomposition, analyse, énumération des parties. ¶ Partition oratoire.

parturio, *is*, *ivi*, *ou ii*, *ire*, intr. Etre en mal d'enfant, être en couches, en gésine. ¶ Créer, enfanter, produire. ‖ Mettre au jour. ‖ Causer. ¶ Souffrir, se tourmenter.

parturitio, *onis*, f. Mal d'enfant, accouchement. ¶ Production, création, enfantement.

1. partus, p. pass. de PARIO.

2. partus, *us*, m. Accouchement, enfantement. ¶ Fruit, enfant; portée (des animaux). ‖ Fruit des arbres. ¶ Conception, production (de l'esprit).

parum, adv. Trop peu, pas assez; en quantité insuffisante.

parumper, adv. Pendant un peu de temps; un peu. ¶ En peu de temps, promptement. ¶ Un peu. Voy. PAULUM.

parunculus, *i*, m. Petite nacelle; petite barque. [cas de, dédaigner.

parvipendo, *is*, *ere*, tr. Faire peu de

parvitas, *atis*, f. Petitesse, faible importance.

parvulus, *a*, *um*, adj. Tout petit, peu considérable. ¶ Très jeune; tout à fait en bas âge.

parvus, *a*, *um*, adj. Petit, de petite dimension, faible, peu important. Subst. PARVUM, *i*, n. Peu de chose. ¶ Humble; de basse condition. ¶ (Dans les bas temps.) *Parvi*, p. PAUCI.

parygrus, *a*, *um*, adj. Un peu humide.

pascalis, *e*, adj. De pâturage, qui paît.

paseolus, *i*, m. Petit sac en cuir (pour l'argent), bourse.

pascha, *ae*, f. et pascha, *atis*, n. La fête de Pâques, la pâque. ¶ L'agneau pascal. [de Pâques; pascal.

paschalis, *e*, adj. Relatif à la fête

pascito, *as*, *are*, intr. Paître, brouter.

pasco, *is*, *pavi*, *pastum*, *ere*, tr. Faire paître, mener paître. ¶ Nourrir, alimenter; entretenir, sustenter. ¶ Nourrir, repaître, assouvir, réjouir. ¶ Paître, pâturer, brouter.

pascor, *eris*, *pastus sum*, *pasci*, passif (av. le sens moyen). Paître, brouter; se nourrir. [Nourriture.

1. pascua, *ae*, f. Pâturage, pâture. ¶

2. pascua, *orum*, n. pl. Voy. PASCUUM.

pascuosus, *a*, *um*, adj. Abondant en pâturage, propre au pâturage.

pascuositas, *atis*, f. Le fait d'être abondant en pâturages.

pascuum, *i*, n. Pâturage, pacage.

pascuus, *a*, *um*, adj. Propre au pâturage.

passer, *eris*, m. Passereau, moineau. — *marinus*, l'autruche. ¶ Turbot (poisson de mer).

passercula, ae, f. Petit moineau (terme de tendresse appliqué à une jeune fille).

passerculus, i, m. Petit moineau, jeune passereau. ¶ Terme de tendresse.

passim, adv. Çà et là, de côté et d'autre, de toutes parts; partout. ¶ Sans ordre, en désordre, à la débandade. ¶ Sans ordre, pêle-mêle, confusément.

passio, onis, f. Action de souffrir, souffrance. ¶ Maladie, affection morbide, malaise. ¶ Accident, perturbation (dans la nature). ¶ Affection, perturbation (morale). ¶ La passion de Jésus-Christ. ¶ *Gramm.* Le passif.

1. passive, adv. Çà et là, de côté et d'autre; confusément, pêle-mêle.

2. passive, adv. *Gramm.* Passivement, au passif. ¶ D'une manière pathétique.

1. passivitas, atis. Mobilité, inconstance, absence de discernement, tendance (morale) à errer.

2. passivitas, atis, f. *Gramm.* Voix passive.

passivitus, adv. Comme PASSIM.

passivoneutra, n. pl. Verbes neutres passifs.

passivi, orum, m. pl. Les vagabonds.

1. passivus, a, um, adj. Répandu, disséminé, qui est partout, commun.

2. passivus, a, um, adj. Sensible, susceptible de passion, impressionnable. ¶ *Gramm.* — *verba,* verbes passifs.

passo, avi, atum, are, intr. Se ramollir, tomber (en parl. des ongles).

passor, oris, m. Celui qui ouvre.

passum (s.-e. VINUM), i, n. Vin fait avec du raisin étendu pour sécher au soleil, vin de raisins secs.

1. passus, a, um, p. adj. Etendu, déployé. ¶ Etendu pour sécher au soleil.

2. passus, part. passé de PATIOR.

3. passus, us, m. Marche, pas, enjambée. ¶ Pas (mesure itinéraire de cinq pieds romains, 1. m. 479).

1. pasta, ae, f. Poule engraissée, poularde.

2. pasta, ae, f. Pâte de farine.

3. pasta, ae, f. Sorte de plante employée en médecine, pastel, guède.

pastellus, i, m. Pastel, guède (plante).

pasticus, a, um, adj. Qui va paître, en état d'aller au paturage.

pastillarius, ii, m. Fabricant de pastilles.

pastillico, as, are, intr. Avoir la forme d'une pastille.

pastillulus, i, m. Petite pastille.

1. pastillum, i, n. Petit pain, gâteau; petit gâteau rond pour les sacrifices.

2. pastillum, i, n. Comme PASTELLUS.

pastillus, i, m. Petit pain, petit gâteau de fleur de farine. ¶ Pastille, pilule. ¶ Tablette parfumée pour l'haleine.

pastinator, aris, m. Celui qui remue la vigne à la houe.   [houe.

pastinatum, i, n. Terrain remué à la

pastino, as, avi, atum, are, tr. Façonner à la houe, bêcher un terrain (pour y planter la vigne).

pastinum, i, n. Houe (instrument pour houer la vigne ou un terrain destiné à la vigne). ¶ Action de houer la vigne. || Sol préparé à la houe.

pastio, onis, f. Action de faire paître, de nourrir, d'élever des bestiaux. ¶ Pâturage, pacage.

pastor, oris, m. Pasteur, berger. ¶ (Fig.) Gardien, surveillant.

pastoralis, e, adj. De berger, de pâtre, pastoral.   [pasteur, pastoral.

pastoricius, a, um, adj. De pâtre, de 1. pastus, part. p. de PASCO et de PASCOR.

2. pastus, us, m. Action de paître. ¶ Nourriture, pâture (des animaux). ¶ Nourriture de l'homme. ¶ (*Fig.*) Nourriture de l'esprit, de l'âme.

patagiarius, ii, m. Fabricant de franges, de tresses.

patagiatus, a, um, adj. Orné de franges; garni d'une bordure.

patagium, ii, n. Frange (appliquée sur la robe des dames romaines).

patagus, i, m. Sorte de maladie pestilentielle, qui laissait des taches sur le corps.

patefacio, is, feci, factum, ere, tr. Ouvrir. ¶ Rendre visible. ¶ Découvrir, dévoiler, révéler, mettre à découvert, publier, dénoncer.

patefactio, onis, f. Action d'ouvrir (une blessure). ¶ Action de découvrir, de faire connaître, de dévoiler.

patefio, is, factus sum, fieri, passif de PATEFACIO.

1. patella, ae, f. Petit plat, assiette (en terre ou en métal servant à cuire les aliments). ¶ Plat servant aux sacrifices, patène. ¶ La rotule (articulation du genou). ¶ Maladie de l'olivier. ¶ Sorte de palette.   [coquillage.

2. patella, ae, f. Patelle espèce de

patens, entis, p. adj. Ouvert, découvert, accessible, praticable. ¶ Ouvert, exposé, en butte à. ¶ Large. ¶ Manifeste.   [manifestement.

patenter, adv. Ouvertement, clairement,

pateo, es, ui, ere, intr. Etre ouvert. ¶ Etre ouvert, exposé, en butte, donner prise. ¶ S'étendre (en longueur *ou* en largeur); avoir de la portée. ¶ Etre ouvert, libre, accessible, praticable, abordable. ¶ Etre clair, manifeste, évident.

pater, tris, m. Père. ¶ (Au plur.) Pères, aïeux, ancêtres. ¶ Père (nom donné par respect aux vieillards, aux héros, aux dieux). ¶ Désignation honorifique des sénateurs. ¶ Titre donné par respect aux bienfaiteurs, à certains prêtres. ¶ (En parl. des animaux.) Le mâle, le chef du troupeau.

patera, ae, f. Patère, coupe plate et large, employée dans les sacrifices.

paterfamilias, n. Père de famille.

paterne, adv. En père, comme un père paternellement.

paternitas, *atis*, f. Paternité. ¶ *Fig.* Sentiments de père.

paternus, *a*, *um*, adj. Paternel, de père. ¶ Qui vient du père. ¶ De la patrie; natal. ¶ (*Gramm.*) *casus*, le génitif, le cas qui sert à former les autres.

patesco. *is*, *ere*, intr. S'ouvrir être ouvert. ¶ S'étendre, se développer. ¶ Se montrer à découvert, apparaître, se dévoiler.

patetae, *arum*, f. pl. Dattes séchées sur l'arbre et qu'on dirait avoir été foulées.

pathetice, adv. D'une manière pathétique. [touchant.

patheticus, *a*, *um*, adj. Pathétique.

pathicus, *a*, *um*, adj. Débauché.

patibilis, *e*, adj. Supportable, tolérable. ¶ Doué de sensibilité, sensible. ¶ Capable de souffrir. [gibet.

patibulatus, *a*, *um*, adj. Attaché au patibulum.

patibulum, *i*, n. Fourche patibulaire, gibet. ¶ Echalas fourchu (pour soutenir la vigne). ¶ Verrou de bois (pour fermer les portes).

patibulus, *i*, m. Comme PATIBULUM.

patiens, *entis*, p. adj. Qui endure, qui supporte. ¶ Endurant, patient, résigné. ¶ Compatissant à. ¶ Ferme, solide, dur, qui ne cède pas.

patienter, adv. Patiemment, avec résignation.

patientia, *ae*, f. Action de souffrir, d'endurer, de supporter. ¶ Patience, courage à supporter, résistance au malheur, fermeté, constance. ¶ Soumission, obéissance. ¶ Indolence; lâche soumission, faiblesse.

patina, *ae*, f. Plat, poêle, poissonnière, casserole. ¶ Sorte de gâteau (ayant la forme d'un plat). ¶ Mangeoire, crèche.

1. patinarius, *a*, *um*, adj. De plat. — *piscis*, poisson cuit dans une poissonnière, avec une sauce.

2. patinarius, *ii*, m. Gourmand.

patio, *ere*, tr. Comme le suivant.

patior, *cris*, *passus sum*, *pati*, dép. tr. Souffrir, éprouver, tolérer, endurer. ¶ Supporter, tolérer, souffrir, admettre, comporter. || Permettre, laisser faire. ¶ *Gramm.* Avoir le sens passif, *ou* la forme passive.

patisco. *is*, *ere*, intr. Voy. PATESCO.

pator, *oris*, m. Ouverture.

patraster, *tri*, m. Beau père, second mari de la mère.

patrater, *tri*, m. Voy. le précédent.

patratio, *onis*, f. Accomplissement, exécution, achèvement, conclusion.

patrator, *oris*, m. Celui qui exécute, accomplit, consomme.

patria, *ae*, f. Patrie, pays natal. ¶ Race, famille.

patriarcha (PATRIARCHES), *ae*, m. Patriarche. ¶ Un des principaux évêques, patriarche ecclésiastique.

patriarchalis, *e*, adj. De patriarche; relatif aux patriarches.

patriarchicus, *a*, *um*, adj. De patriarche, patriarcal.

patrice, adv. En père, paternellement.

patriciatus, *us*, m. Patriciat, condition de patricien (à Rome).

patriciolus, *i*, m. Jeune patricien.

1. patricius, *a*, *um*, adj. De patricien, patricien.

2. patricius, *ii*, m. Patricien. ¶ Patrice.

patrie, adv. Paternellement, en père.

patrimonium, *ii*, n. Patrimoine; biens hérités du père, biens de famille.

patrimus, *a*, *um*, adj. Qui a encore son père. [père.

patrinus, *a*, *um*, adj. Qui vient du père.

patriota, *ae*, m. Compatriote.

1. patrioticus, *a*, *um*, adj. Qui est du même pays, de la même patrie.

2. patrioticus, *i*, m. Compatriote.

patrisso, *as*, *are*, intr. Marcher sur les traces de son père. [miques.

patrita, *orum*, n. pl. Noms patrony-

patritus, *a*, *um*, adj. Du père; paternel.

patrium, *ii*, n. Nom patronymique.

1. patrius, *a*, *um*, adj. Du père, qui appartient au père; qui vient du père. ¶ *Gramm.* — *casus*. Voy. PATERNUS.

2. patrius, *a*, *um*, adj. De la patrie, du pays natal, national.

patro, *as*, *avi*, *atum*, *are*, tr. Exécuter, effectuer, accomplir, consommer.

patrocinium, *ii*, n. Protection, patronage, patronat. ¶ Défense en justice. ¶ (Fig.) Défense, justification, patronage.

patrocinor, *aris*, *atus sum*, *ari*, dép. intr. Défendre, protéger.

patrona, *ae*, f. Protectrice, patronne (à l'égard d'un affranchi). ¶ Celle qui protège.

patronatus, *us*, m. Condition de patron, patronat, patronage.

patronus, *i*, m. Patron, patricien sous la protection de qui se plaçaient des plébéiens). ¶ Ancien maître d'un affranchi. ¶ Défenseur en justice, avocat. ¶ Protecteur, appui.

patronymice, adv. D'après le nom du père.

patronymicus, *a*, *um*, adj. Patronymique, formé d'après le nom du père.

patruelis, *e*, adj. Qui descend du frère du père; cousin germain (du côté paternel). ¶ De cousin germain.

1. patruus, *i*, m. Oncle paternel, frère du père. ¶ *Fig.* Moraliste; censeur.

2. patruus, *a*, *um*, adj. De l'oncle paternel.

patulus, *a*, *um*, adj. Ouvert; tout ouvert, béant. ¶ Large, vaste, étendu, touffu, spacieux. ¶ Accessible à tout le monde, commun, trivial.

paucies (PAUCIENS), adv. Un petit nombre de fois, rarement.

pauciloquium, *ii*, n. Sobriété, brièveté du langage. [quantité; rareté.

paucitas, *atis*, f. Petit nombre, petite

pauculus, *a*, *um*, adj. En très petite quantité.

paucus, *a*, *um* et (*plus souvent*), **pauci**, *ae*, *a*, adj. Peu nombreux; en petit nombre. ¶ Un petit nombre de personnes, peu de gens.

paulatim (PAULLATIM), adv. Insensiblement, peu à peu. ¶ L'un après l'autre, par parties, en détail.

paulisper (PAULLISPER), adv. Un petit moment, un instant, un peu de temps.

paulo (PAULLO), adv. (Devant les mots exprimant comparaison.) Un peu. ¶ (Dans le latin poster.) *Paulo minus*, presque.

paululo (PAULLULO), adv. Un petit peu.

1. **paululum** (PAULLULUM), adv. Très peu.

2. **paululum**, *i*, n. Très petite quantité.

paululus, *a*, *um*, adj. Très petit.

1. **paulum** (PAULLUM), adv. Un peu, quelque peu.

2. **paulum**, *i*, n. Un peu de.

paulus (PAULLUS), *a*, *um*, adj. Petit, faible, peu considérable.

pauper, *eris*, adj. Qui possède peu, pauvre, sans fortune. Subst. *Pauperes*, — les pauvres. ¶ Pauvre, modique, chétif. [CULUS.

pauperclus, *a*, *um*, adj. Voy. PAUPER-

pauperculus, *a*, *um*, Pauvre, nécessiteux. ¶ (En parl. des choses.) Pauvre, maigre, chétif, piètre.

pauperies, *ei*, f. Pauvreté. ¶ Dommage causé par un animal.

paupero, *as*, *are*, tr. Rendre pauvre, appauvrir. ¶ (Fig.) Fruster, priver de.

paupertas, *atis*, f. Pauvreté, indigence (pr. et fig.). [besoin.

paupertatula, *ae*, f. Pauvreté, gêne,

paupertinus, *a*, *um*, adj. Pauvre, misérable ¶ (Fig.) Maigre, chétif.

pausa, *ae*, f. Pause, cessation, arrêt, trève, repos. ¶ Station (au cours d'une procession).

pausarius, *ii*, m. Chef des rameurs (qui indiquait par un coup de marteau, quand il fallait s'arrêter).

pausea (PAUSIA) et **posea**, *ae*, f. Sorte d'olive (qui donnait une huile excelente).

pauso, *as*, *avi*, *atum*, *are*, intr. Faire une pause, s'arrêter, cesser. ¶ Etre pris de sommeil.

pauxillatim, adv. Peu à peu, insensiblement.

pauxillisper, adv. En peu de temps *ou* en détail, par petites portions.

pauxillo, adv. Un peu, très peu (avec un compar.). [petite quantité.

1. **pauxillulum**, adv. Très peu, en très

2. **pauxillulum**, *i*, n. Ce qui est en très petite quantité.

pauxillulus, *a*, *um*, adj. Qui est en très

petite quantité; petit, faible, très peu considérable.

pauxillum, adv. Un peu.

pauxillus, *a*, *um*, adj. En petite quantité, petit, faible.

pava, *ae*, *f*. Femelle du paon,

pavefacio, *is*, *ere*, tr. Effrayer.

pavefactus, *a*, *um*, part. pass. Effrayé.

pavefio, *is*, *fieri*, passif de PAVEFACIO, être effrayé.

paveo, *es*, *pavi*, *ere*, intr. Trembler d'effroi; être épouvanté, effrayé. ¶ *Tr.* Craindre, avoir peu de.

pavesco, *is*, *ere*, intr. S'effrayer. ¶ *Tr* Craindre, redouter.

pavide, adv. Avec frayeur, avec crainte, timidement.

pavidus, *a*, *um*, adj. Qui tremble de peur: effrayé, craintif. ¶ Accompagné d'effroi, troublé par la crainte. ¶ Qui annonce la peur. ¶ Qui cause des terreurs, qui éveille la crainte.

pavimentatus, *a*, *um*, p. adj. Carrelé, dallé, pavé.

pavimento, *as*, *avi*, *atum*, *are*, tr. Battre le sol. ¶ Abattre, détruire entièrement.

pavimentum, *i*, n. Aire en cailloutage et en terre ou mortier battus. ¶ Carrelage, carreau, pavé, dalle.

pavio, *is*, *ivi*, *itum*, *ire*, tr. Battre, frapper. ¶ Battre, frapper pour aplanir, niveler.

pavito, *as*, *avi*, *atum*, *are*, intr. Trembler de peur, être effrayé. ¶ Avoir le frisson de la fièvre.

pavitum, *i*, n. Comme PAVIMENTUM.

pavo, *onis*, m. Paon, oiseau.

pavonaceus, *a*, *um*, adj. Qui tient de la nature du paon. ‖ De diverses couleurs.

pavoninus, *a*, *um*, adj. De paon. *muscaria*, chasse mouches faits avec des queues de paon. ¶ Varié de diverses couleurs.

pavor, *oris*, m. Agitation, tremblement, trouble (causé par la crainte *ou* par la joie). ‖ Frayeur, peur.

pax, *pacis*, f. Paix, traité de paix. ¶ Permission. ¶ Bienveillance, faveur, appui, assistance, secours (des dieux). La domination, la paix romaine. ¶ (Interj.) *Pax* ! Paix. [de pécher.

peccatio, *onis*, f. Action de broncher,

peccator, *oris*, m. Pécheur. [le péché,

peccatorius, *a*, *um*, adj. Qui concerne

peccatrix, *icis*, adj. Qui péche, coupable. ¶ Pécheresse.

peccatum, *i*, n. Faute, action coupable. ¶ Comme PECCATIO.

peccatus, *u*, m. Comme PECCATIO.

pecco, *as*, *avi*, *atum*, *are*, intr. Broncher. ‖ Faillir, commettre une faute, faire mal. ¶ (En parl. des animaux et des choses) Etre fautif, défectueux, manquer, faire défaut.

pecten, *tinis*, m. Peigne (pour les cheveux). ¶ Peigne, partie du métier de tisserand. ¶ Peigne (de cardeur); carde. ¶ Rateau. ¶ Les deux mains entrelacées. ¶ Fibre, veine du bois. ¶ L'ensemble des dents. ¶ Plectre instrument servant à parcourir les cordes de la lyre. ¶ Peigne de Vénus, plante dentelée, peut-être le cerfeuil.

1. **pectinarius**, *a, um*, adj. Relatif aux peignes à carder.

2. **pectinarius**, *ii*, m. Fabricant de peignes à carder.

pectinatim, adv. En forme de peigne.

pectinator, *oris*, m. Cardeur.

1. **pectinatus**, *a, um*, part. passé de PECTINO.

2. **pectinatus**, *a, um*, p. adj. Disposé, partagé, en forme de peigne.

pectino, *as, avi, atum, are*, tr. Peigner. ¶ Carder. ¶ Herser.

pectitus, *a, um*. Part. p. de PECTO.

pecto, *is, pexi, pexum* ou *pectitum, ere*, tr. Peigner (les cheveux). ¶ Peigner, carder (la laine). ¶ Nettoyer, bien travailler.

pectoralia, *ium*, n. pl. Cuirasse, plastron.

pectoralis, *e*, adj. Qui a rapport à la poitrine, pectoral.

pectus, *oris*, n. Poitrine (de l'homme et des animaux). ¶ Cœur, sentiment, âme, courage. ¶ Esprit, intelligence, pensée.

pectusculum, *i*, n. Poitrine délicate.

pecu, dat. et abl. *u*, n. Troupeau, bétail. ¶ Au plur. Pecua, troupeaux.

pecualis, *e*, adj. Relatif aux troupeaux. ¶ Comme OVILLUS.

1. **pecuaria**, *ae*, f. Elève du bétail.

2. **pecuaria**, *ae*, f. Parc à bestiaux.

3. **pecuaria**, *ium*, n. pl. Comme le suivant.

4. **pecuaria**, *orum*, n. pl. Bestiaux, troupeaux. [de bétail.

1. **pecuarius**, *a, um*, adj. De troupeaux.

2. **pecuarius**, *ii*, m. Eleveur de bétail. ¶ Employé d'intendance chargé de fournir du bétail aux armées.

peculator, *oris*, m. Concussionnaire, celui qui détourne les deniers publics.

peculatus, *us*, m. Péculat, concussion, détournement des deniers publics. ¶ (En parl. d'un dommage particulier.) Privation d'un gain.

peculiaris, *e*, adj. Relatif au pécule, acquis avec le pécule, acheté des propres deniers; qui appartient en propre. || Particulier, spécial. ¶ Unique en son genre, remarquable, extraordinaire. ¶ Subst. *Peculiares*, clients.

peculiaritas, *atis*, f. Particularité, spécialité.

peculiariter, adv. A titre de pécule. || En propre; comme propriété. ¶ Particulièrement, spécialement.

peculiatus, *a, um*, p. adj. Enrichi, riche.

peculio, *as, avi, atum, are*, tr. Gratifier d'un pécule.

peculiolum, *i*, n. Petit pécule, petite propriété

peculiosus, *a, um*, adj. Qui possède un riche pécule.

peculium, *ii*, n. Propriété, possession, pécule. ¶ Epargne, réserve. ¶ Biens que la femme possédait en propre, biens paraphernaux. ¶ Avoir particulier d'un fils de famille qui est encore sous la puissance paternelle. ¶ Profit moral.

peculor, *aris, atus, sum, ari*, dép. intr. Se rendre coupable de péculat.

pecunia, *ae*, f. Biens, fortune, avoir, possessions, richesse, ce qu'on possède. ¶ Argent comptant, monnaie. ¶ Argent, sommes d'argent. ¶ Jour du payement, de l'échéance. ¶ La déesse du gain. || Surnom de Jupiter.

pecuniaris, *e*, adj. Relatif à l'argent, d'argent pécuniaire.

pecuniarius, *a, um*, adj. D'argent, pécuniaire.

pecuniosus, *a, um*, adj. Qui a beaucoup d'argent, riche, opulent. ¶ Qui procure de l'argent, qui enrichit.

1. **pecus**, *oris*, n. Bétail, troupeau. ¶ Brebis, menu bétail. || Tête de bétail, un animal. ¶ (En parl. des hommes.) Bête, brute. ¶ Fetus.

2. **pecus**, *udis*, f. Troupeau. || (Méton.) Bête, tête de bétail; animal domestique. ¶ Le menu bétail, moutons, brebis. ¶ Animaux terrestres. ¶ (En parl. des hommes.) Brute, bête, animal; être stupide.

pedale, *is*, n. Chaussure.

pedalis, *e*, adj. Relatif au pied. Subst. Voy. PEDALE. ¶ Relatif au pied (mesure); de la grandeur d'un pied.

pedamen, *minis*, n. Pieu, échalas.

pedamentum, *i*, n. Comme PEDAMEN.

pedaneus *a, um*, adj. Qui a un pied de dimension. ¶ Inférieur, subalterne sans importance.

pedarius, *a, um*, adj. Ordinairement subst., PEDARII. *orum*, m. pl. Sénateurs subalternes (qui n'avaient pas voix délibérative). [l'autre.

pedatim, adv. Pied à pied, un pied après

1. **pedatura**, *ae*, f. Espace d'un pied d'étendue; mesure par pieds *ou* par pas. [la vigne.

2. **pedatura**, *ae*, f. Echalassement de

1. **pedatus**, *us*, m. Attaque, marche sur l'ennemi; charge, choc. [pieds.

2. **pedatus**, *a, um*, p. adj. Qui a des

3. **pedatus**, *us*, m. Prison.

pedes, *itis*, m. Celui qui va à pied, piéton. ¶ Soldat à pied, fantassin. ¶ Collect. ¶ Les troupes de terre. || Les plébéiens qui servaient à pied.

pedester, *tris, tre*, adj. Qui est à pied, pédestre, de fantassin. ¶ Subst. *Pedestres*, les fantassins, l'infanterie. ¶ Terre à terre; qui ne s'élève pas. ¶ Ecrit en prose.

pedestris, *tre*, adj. Voy. PEDESTER.

pedetentim (PEDETEMPTIM), adv. Pas à pas, lentement. ¶ Graduellement, peu à `peu, avec précaution.

pedica, *ae*, f. Lien pour les pieds; entrave: (pour les hommes) lacets; lacs (pour les animaux). ¶ (Fig.) Liens, fers, chaînes, pièges.

pedicularis, *e*, adj. Relatif aux poux, pediculaire.

1. pediculus, *i*, m. Petit pied. ¶ Pédoncule, queue d'un fruit *ou* d'une feuille.

2. pediculus, *i*, m. Pou, vermine.

pedis, *is*, m. et f. Pou.

pedisequa, *ae*, f. Suivante. ¶ Compagne.

pedisequus (PEDISSEQUUS), *i*, m. Suivant, esclave, qui marchait immédiatement derrière son maître. ¶ Celui qui accompagne : compagnon.

1. peditatus, *us*, m. Infanterie.

2. peditatus, *a*, *um*, adj. Composé de fantassins.

peditum, *i*, n. Pet.

1. pedo, *as*, *avi*, *atum*, *are*, tr. Munir de pieds. ¶ Echalasser les arbres, la vigne.   [Peter.

2. pedo, *is*, *pepedi*, *peditum*, *ere*, intr.

3. pedo, *onis*, m. Qui a de grands pieds, de larges pieds.

pedum, *i*, n. Houlette.

pegma, *atis*, n. Machine, échafaud. estrade en planches. ¶ Corps *ou* rayon de bibliothèque. ¶ Echafaud, machine de théâtre *ou* de cirque (qui s'abaissait *ou* se levait d'elle-même).

pejeratio, *onis*, f. Action de se parjurer, parjure.

pejero (PERJERO), *as*, *avi*, *atum*, *are*, intr. et tr. Faire un faux serment, se parjurer. ¶ Mentir, en imposer.

pejor, *us*, adj. Compar. de MALUS.

pejuro, *as*, *are*, intr. et tr. Voy. PEJERO.

pejurus. Voy. PERJURUS.

pejus, adv. comp de MALE.

pelage, n. pl. Les mers.

pelagea, *ae*, f. Le pourpre (coquillage).

pelagicus, *a*, *um*, adj. De la mer, de la haute mer.

pelagium, *ii*, n. La couleur pourpre.

pelagius, *a*, *um*, adj. Voy. MARINUS.

pelagus, *i*, n. La mer. ¶ Les eaux débordées d'une rivière. ‖ Grande quantité, profusion, flot.

pelex (PAELEX), *licis*, f. Concubine, maîtresse, rivale d'une femme mariée.

pelicanus, *i*, m. Pelican, oiseau.

pelicatus (PAELICATUS), *us*, m. Concubinage.

pellacia, *ae*, f. Tromperie : pièges adroits, caresses perfides. ¶ Séduction de la luxure.

pellax, *acis*, adj. Séducteur, perfide.

pellecebrae, *arum*, f. pl. Séductions, amorces, charmes, appas.

pellectio, *onis*, f. Lecture complète, lecture d'un bout à l'autre.

pellector, *oris*, m. Celui qui tente *ou* séduit.

pellego, *is*, *ere*, tr. Voy. PERLEGO.

pelleus, *a*, *um*, adj. De peau.

pellex. Voy. PELEX.

pellicatus, *us*, m. Voy. PELICATUS.

pellicia, *ae*, f. Pelisse.

pellicio, *is*, *pellexi*, *pellectum*, *ere*, tr. Engager (par des paroles flatteuses), gagner, séduire, enjôler. ¶ Gagner des suffrages. ¶ (Dans la langue religieuse.) Attirer par des paroles magiques, par des enchantements.

pellicius (PELLICEUS), *a*, *um*, adj. Fait de peau, de fourrure.

pellicula, *ae*, f. Petite peau. *Pelliculam curare*, avoir soin de sa petite personne ¶ Condition (dans laquelle on est), sentiments. ¶ (Méton.) Comme SCORTUM.

pellis, *is*, Peau d'animal, fourrure, toison. ¶ Vêtement, habit *ou* chaussure en peau. ¶ Au plur. *Pelles*, tentes des soldats (recouvertes de peaux). ‖ Feuilles, rouleaux de parchemin.

pellitus, *a*, *um*, adj. Couvert d'une peau *ou* de fourrures; vêtu de peaux.

pello, *is*, *pepuli*, *pulsum*, *ere*, tr. Frapper, battre, pousser, heurter. ‖ Agiter mettre en mouvement. ¶ Faire sortir, mettre dehors, chasser, éloigner, écarter, repousser (l'ennemi), mettre en déroute. ¶ Emouvoir (les sens *ou* l'âme), toucher, faire impression, produire de l'effet sur, frapper. ¶ Chasser, écarter. éloigner, bannir, repousser, ¶ Triompher de, vaincre (au sens moral).

pelluceo. Voy. PERLUCEO.

pellucidus, *a*, *um*, adj. Voy. PERLUCIDUS.

pelluviae, *arum*, f. Eau pour laver les pieds.

peloris, *ridis*, f. Péloride *ou* palourde, coquillage.

pelta, *ae*, f. Pelte, petit bouclier (en forme de croissant).

peltastae, *arum*, m. Peltastes (soldats armés de la pelte).

peltatus, *arum*, adj. Armé d'une pelte.

pelvicula, *ae*, f. Petit bassin de métal.

pelvis (PELUIS), *is* (acc. *im* et *em*, abl. *e* et *i*), f. Bassin de métal pour se laver. ¶ Chaudron.

penarius (PENUARIUS), *a*, *um*, adj. Relatif aux provisions, aux vivres.

pendeo, *es*, *pependi*, *pensurus*, *ere*, intr. Pendre, être suspendu. ¶ Se pendre. ¶ Etre affiché (en parl. des noms des condamnés *ou* débiteurs, dont les biens sont mis en vente). ¶ Etre suspendu dans les airs *ou* sur nos têtes, planer (au-dessus de nous). ¶ Etre comme attaché, fixé. ‖ S'arrêter. ¶ Etre pendant, être flasque. ¶ Dépendre de qqn *ou* de qqch. ¶ Etre suspendu à la bouche de qqn, avoir ses regards attachés sur lui. ¶ Etre incertain, indécis, flottant, en suspens.

pendo, *is*, *pependi*, *pensum*, *ere*, tr. Peser. ¶ *Fig.* Compter, payer. ¶ Pe-

ser, examiner, apprécier; juger. ¶
Intr. Peser, avoir un poids.

pendulus, *a, um*, adj. Pendant, qui
pend; suspendu; qui descend. ¶ En
pente, incliné, en talus. — *loca*, terrains en pente, ¶ Incertain, hésitant,
flottant, indécis.

pene. Voy. PAENE.

penes, prép. (av. l'acc.). Entre les mains
de, au pouvoir de, à la disposition de,
en la possession de. ¶ Chez. ¶ *Qqf.*
(avec un n. abstr.) *Penes rem publicam
est*, c'est affaire à l'Etat.

penetrabilia, *um*, n. pl. Comme PENE-
TRALIA Voy. PENETRALE.

penetrabilis, *e*, adj. Pénétrable, qui
peut être pénétré *ou* percé. ¶ Pénétrant, perçant.

penetral. Voy. PENETRALE.

penetralis, *e*, adj. Pénétrant, perçant.
¶ Intérieur, retiré, secret.

penetrale (PENETRAL), *is*, n. et (ordin.
au plur.) penetralia, *um*, n. pl. Le
fond, l'endroit le plus retiré d'une
ville, d'un édifice; le cœur; les appar-
tements les plus reculés. || Sanctuaire
(d'un temple). || Chapelle des Pénates,
|| Pénates, dieux domestiques. || *Fig.*
Partie intime, les secrets. || L'essence.

penetraliter, adv. Intérieurement; au
fond de la conscience.

penetratio, *onis*, f. Action de pénétrer,
de percer; piqûre. ¶ Pénétration;
intelligence.

penetro, *as, avi, atum, are*, tr. Faire
entrer, faire pénétrer, introduire, faire
passer, pousser. ¶ *Intr.* Pénétrer
dans, s'enfoncer dans. ¶ Faire impression sur l'esprit, venir à l'esprit. ¶
Intr. Pénétrer, entrer, s'introduire.

penicillum, *i*, n. Voy. le suivant.

penicillus, *i*, m. Pinceau de peintre.
|| (Méton.) Le pinceau, c.-à-d. la pein-
ture. ¶ Pinceau de l'écrivain, touche,
¶ Tampon de charpie. ¶ Eponge
(pour essuyer).

peniculus, *i*, m. Petite queue (terminée
par un bouquet de poils *ou* de crins),
plumeau, brosse. ¶ Pinceau. ¶ Eponge.

peninsula. Voy. PAENINSULA.

1. penitus, *a, um*, adj. (T. de boucherie)
Accompagné de la queue. — *offa*,
longe de porc avec la queue.

2. penitus, *a, um*, adj. Intérieur, intime, qui est au fond.

3. penitus, adv. Intérieurement, à l'intérieur, à fond. ¶ Profondément, en
pénétrant profondément, bien avant,
jusqu'au fond. ¶ Profondément, à
fond, tout à fait, complètement.

penna (PINNA), *ae*, f. Grosse plume de
l'aile (*ou* de une plume) d'un oiseau.
¶ Plume. || (Plur.) Les ailes. ¶ Vol de
certains oiseaux; auspices, présages.
¶ Oiseau. ¶ Plumes qui garnissent
une flèche. || Plume pour écrire.

pennatulus, *a, um*, adj. Qui a de petites
ailes.

pennatus (PINNATUS), *a, um*, adj. Emplumé, qui a des plumes; ailé.

penniger, *gera, gerum*, adj. Emplumé,
ailé. — *sagittae*, flèches empennées.

pennipes. Voy. PINNIPES.

pennipotens, *entis*, adj. Qui a des ailes,
ailé. Subst. PENNIPOTENTES, *ium*, f.
pl. La gent ailée.

pennula (PINNULA), *ae*, f. Petite aile.

pensatio, *onis*, f. Compensation, indemnité. ¶ Examen, réflexion, appréciation. [suspend pour les conserver.

pensilia, *ium*, n. pl. Fruits que l'on

pensilis, *e*, adj. Qui pend, pendant,
suspendu. ¶ (T. d'architect.) Suspendu. ¶ *Fig.* — *tribus*, les tribus
suspendues, assises sur des sièges
mobiles (au théâtre).

pensio, *onis*, f. Action de peser, pesée;
de là poids, charge. ¶ Payement,
terme fixé pour un payement. ¶ Imposition, impôt. ¶ Prix de location,
loyer. ¶ Intérêt d'argent. ¶ Indemnité, dédommagement.

pensitatio, *onis*, f. Action de peser la
monnaie, payement. ¶ Compensation,
dédommagement, indemnité. ¶ Dépense. [expressions], puriste.

pensitator, *oris*, m. Celui qui pèse (ses

pensito, *as, avi, atum, are*, tr. Peser
avec soin. ¶ Payer, payer des impôts.
¶ Peser, examiner avec soin, réfléchir.

penso, *as, avi, atum are*, tr. Peser avec
soin. ¶ Balancer, compenser, dédom-
mager de, tenir lieu de. ¶ Payer de,
acheter par *ou* au prix de. ¶ Calmer,
apaiser. ¶ *Intr.* Peser, avoir tel *ou*
tel poids.

pensor, *oris*, m. Celui qui pèse.

pensum, *i*, n. Un certain poids de laine
à filer en un jour. ¶ (*Fig.*) Tâche, devoir,
fonction. — *absolvere*, remplir ses
obligations.

pensus, *a, um*, p. adj. Estimé, dont on
fait cas, précieux. *Nihil pensi habere*,
ne faire cas de rien, ne se préoccuper
de rien. *Non pensi ducere*, ne pas
ajouter d'importance à.

1. pentameter, *tra, trum*, adj. (Vers)
contenant cinq pieds. [mètre.

2. pentameter, *tri*, m. Le vers penta-

pentathlum, *i*, n. Le pentathle, l'ensemble des cinq exercices, gymnastiques (disque, saut, lutte, course,
javelot). [pentathle.

pentathlus, *i*, m. Le vainqueur au

pentatomon, *i*, n. Quinte-feuille, plante.

pentecostalis, *e*, adj. De la Pentecôte.

pentecoste, *es*, f. La Pentecôte, le cinquantième jour après Pâques.

penteloris, *e*, adj. Qui a cinq bandes.

penteris, *is*, f. Galère à cinq rangs de
rames.

penuarius. Voy. PENARIUS.

penula, penularius, penulatus. Voy.
PAENULA, etc.

penum, *i*, n. Comme 1. PENUS. ¶ Sanctuaire d'un temple de Vesta.

penuria, *ae*, f. Manque, pénurie, disette, absence de.

1. **penus**, *us*, f. Provisions de bouche, comestibles, vivres.

2. **penus**, *us*, et *i*, m. Comme 1. PENUS.

3. **penus**, *oris*, n. Comme 1. PENUS.

peplum, *i*, n. Peplum, long et large manteau, richement brodé, à l'usage des femmes. ¶ Manteau de parade ou de cérémonie.

peplus, *i*, m. Comme PEPLUM.

pepo, *onis*, m. Melon de la grande espèce.

pepticus, *a*, *um*, adj. Digestif, qui facilite la digestion.

pequ... Voy. PECU.

per, prép. av.l'acc.(*Relativ. à l'espace*). A travers. ¶(*Relat. au temps*) Pendant, durant, dans. ¶ (*Pour indiquer la manière.*) Par, dans, avec. ¶ (*Pour indiquer le moyen.*) Par. au moyen de. ¶(*Pour indiquer la cause*) A cause de, grâce à, par la faute de. ¶ Par, au nom de.

pera, *ae*, f. Poche, besace.

perabsurdus, *a*, *um*, adj. Très insipide, très absurde.

peraccommodatus, *a*, *um*, adj. Tout à fait convenable, très commode.

peracer, *cris*, *ere*, adj. Très aigre.

peracerbus, *a*, *um*, adj. Très aigre.

peracesco, *is*, *acui*, *ere*, intr. Devenir tout à fait aigre.

peractio, *onis*, f. Achèvement, accomplissement. ¶ Dénouement.

peracute, adv. D'une voix très perçante *ou* très aiguë. ¶ Très finement, très subtilement.

peracutus, *a*, *um*, adj. Très tranchant, très aigu. ¶ Très fin, très subtil, très sagace.

peradulescens, *entis*, adj. Tout jeune encore.

peradulescentulus, *i*, m. Tout jeune homme.

peraedifico, *as*, *are*, tr. Bâtir, construire entièrement.

peraequatio, *onis*, f. Conformité, symétrie parfaite. ¶ Egale répartition, péréquation des impôts.

pera quatio, *onis*, f. Répartition des impôts.

peraeque, adv. Exactement de même, également.

peraequo, *as*, *avi*, *atum*, *are*, tr. Egaliser, niveler. ¶ S'élever à, atteindre le niveau de; mesurer.

peragito, *as*, *avi*, *atum*, *are*, tr. Remuer en tous sens, agiter. ¶ Pourchasser, repousser, culbuter (l'ennemi), inquiéter. ‖ *Fig.* Exciter (l'esprit), stimuler.

perago, *is*, *egi*, *actum*, *ere*, tr. Poursuivre sans relâche, harceler. ‖ (Fig.) Travailler l'esprit de qqn. ¶ Agiter fortement, pousser, travailler sans relâch . ¶ Poursuivre, achever, accomplir. ‖ Passer (le temps); terminer (sa vie);

au passif; mourir. ¶ Exprimer, exposer complètement, énoncer, formuler. ¶ (T. de droit.) Faire déclarer qqn coupable.

peragratio, *onis*, f. Action de parcourir, parcours. ¶ Circuit, révolution (d'un astre).   [traverser.

peragro, *as*, *avi*, *atum*, tr. Parcourir,

peramans, *antis*, adj. Très attaché à.

peramanter, adv. Très affectueusement.

perambulo, *as*, *avi*, *atum*, *are*, tr. Parcourir, traverser. ¶ Visiter, faire sa tournée (en parl. d'un médecin).

peramoenus, *a*, *um*, adj. Très agréable; charmant.

peramplus, *a*, *um*, adj. Très grand, très étendu, très vaste.

peranguste, adj. Très étroitement. ‖ D'une manière très concise.

perangustus, *a*, *um*, adj. Très étroit; très resserré.   [une année.

peranno, *as*, *avi*, *are*, intr. Durer, vivre

perantiquus, *a*, *um*, adj. Très ancien.

perappositus, *a*, *um*, adj. Très convenable à.

perardeo, *es*, *arsi*, *ere*. intr. Brûler entièrement.   [DEO.

perardesco, *is*, *ere*, intr. Comme PERAR-

perardus, *a*, *um*, adj. Très difficile, très pénible.

peraresco, *is*, *arui*, *ere*, intr. Se dessécher entièrement.

perargutus, *a*, *um*, adj. Qui a un son très aigu. ¶ *Fig.* Très fin, très spirituel, très avisé.

peraridus,*a*, *um*,adj. Très sec, très aride.

peraro, *as*, *avi*, *atum*, *are*, tr. Sillonner, rider. ‖ Sillonner la mer. ¶ (Fig.) Tracer, écrire.

perattente, adv. Très attentivement.

perattentus, *a*, *um*, adj. Très attentif.

perbacchor, *aris*, *atus sum*, *ari*, dép. intr. Faire des excès, des orgies.

perbeatus, *a*, *um*, adj. Très heureux.

perbelle, adv. Parfaitement bien; à merveille; très finement.

perbene, adv. Très bien; parfaitement.

perbenemeritus, *a*, *um*, adj. Très méritant.

perbenevolus, *a*, *um*, adj. Très bienveillant, très bien disposé pour.

perbenigne, adv. Avec beaucoup de bonté.

perbibo, *is*, *bibi*, *ere*, tr. Sucer, épuiser. ¶ Boire entièrement, s'imprégner, s'imbiber de, absorber. ¶ Se pénétrer de, être imbu.

perbito, *is*, *ere*, intr. Périr.

perblandus, *a*, *um*, adj. Très amical, très séduisant, très insinuant.

perbonus,*a*,*um*,adj. Très bon, excellent.

perbrevis, *e*, adj. Très court, très bref ¶ Très concis (en parl. d'un orateur). ¶ Très petit.

perbreviter, adv. Très brièvement.

perca, *ae*, f. Perche, poisson.

percalefacio, *is*, *ere*, tr. Echauffer fortement,

percalefio, *is*, *factus sum*, *fieri*, intr. S'échauffer fortement.

percalesco, *is*, *calui*, *ere*, intr. S'échauffer fortement, devenir de plus en plus chaud.

percallesco, *is*, *callui*, *ere*, intr. S'endurcir, devenir insensible. ¶ *Tr.* Apprendre à fond, savoir à fond, connaître parfaitement.

percarus, *a*, *um*, adj. Très cher, très coûteux, très précieux. ¶ Très cher, très aimé.

percautus, *a*, *um*, adj. Très circonspect.

percelebrer, *bris*, *bre*, adj. Très célèbre.

percelebro, *as*, *avi*, *atum*, *are*, tr. Rendre très fréquent. ¶ Répéter, rendre très connu. [prompt.

perceler, *is*, *e*, adj. Très rapide, très perceleriter, adv. Très promptement.

percello, *is*, *culi*, *culum*, *ere*, tr. Heurter, frapper fortement. ¶ Ebranler, renverser, jeter à terre. ¶ (Fig.) Ebranler, ruiner, anéantir. ‖ Frapper (l'esprit), émouvoir. ‖ Décourager, effrayer. ¶ Pousser, attirer, séduire.

percenseo, *es*, *censui*, *ere*, tr. Faire le dénombrement de, compter. ¶ Enumérer complètement, passer en revue. ¶ Parcourir, traverser; visiter entièrement.

perceptio, *onis*, f. Action de prendre, de recevoir. ¶ Action de recueillir, récolter. ¶ Perception de l'esprit, notion, connaissance.

perceptor, *oris*, m. Celui qui recueille c.-à-d. qui apprend. [rème.

perceptum, *i*, n. Principe; règle. ‖ Théorperceptus, part. p. de PERCIPIO.

perceido, *is*, *cidi*, *cisum*, *ere*, tr. Mettre en pièces, briser, fracasser.

percieo, *es* et percio, *is*, *civi*, *citum*, *cire*. tr. Ebranler; agiter fortement. ¶ Nommer, proclamer.

percipio, *is*, *cepi*, *ceptum*, *ere*, tr. Saisir dans son ensemble, embrasser, prendre possession *ou* s'emparer de, envahir; s'imprégner, se pénétrer de. ‖ Recevoir, acquérir, recueillir, récolter, retirer. ¶ (Fig.) Saisir par les sens, remarquer, percevoir, sentir.

percitus, *a*, *um*, p. adj. Fortement agité, excité, emporté. ¶ Prompt à s'emporter, irascible, vif.

percivilis, *e*, adj. Très affable, très bienveillant, plein de prévenances.

percognitus, *a*, *um*, adj. Connu parfaitement.

percognosco, *is*, *novi*, *nitum*, *ere*, tr. Etudier à fond, connaître parfaitement.

1. percolo, *as*, *avi*, *atum*, *are*, tr. Filtrer, passer. ¶ *Fig.* Faire passer, laisser passer.

2. percolo, *is*, *colui*, *cultum*, *ere*, tr. Cultiver avec soin. ¶ Soigner, nettoyer. ‖ Orner, parer, embellir. ¶ Mettre la dernière main, terminer, achever un travail. ¶ Honorer beau-

coup; chérir; faire grand cas de. ¶ Habiter constamment.

percomis, *e*, adj. Très aimable, très affable. [fort à propos.

percommode, adv. Très commodément,

percommodus, *a*, *um*, adj. Très avantageux, convenable, qui vient fort à point.

percontatio, *onis*, f. Action de s'informer, question, interrogation. ¶ Interrogation (fig. de rhét.).

percontator, *oris*, m. Questionneur, celui qui interroge, qui s'informe.

perconterreo, *es*, *ere*, tr. Frapper d'une grande épouvante.

perconto (PERCUNCTO), *as*, *avi*, *atum*, *are*, tr. Comme PERCONTOR. ¶ (Au passif.) Etre interrogé, être demandé.

percontor (PERCUNCTOR), *atus sum*, *ari*, dép. tr. Explorer, sonder; s'informer, questionner, interroger.

percontumax, *macis*, adj. Très opiniâtre, très entêté.

percopiosus, *a*, *um*, adj. Très abondant (en parl. d'un orateur).

percoquo, *is*, *coxi*, *coctum*, *ere*, tr. Faire cuire parfaitement. ‖ Mûrir, amener à parfaite maturité. ¶ Faire chauffer (un liquide). ¶ Brûler, noircir, basaner (en parl. du soleil).

percrebresco, *is*, *brui* et *bui*, *ere*, intr. Se répandre, se divulguer. ¶ Devenir fréquent *ou* commun.

percrepo, *as*, *crepui*, *crepitum*, *are*, intr. Résonner, retentir bruyamment. ¶ *Tr.* Publier, chanter, faire retentir, aux oreilles de tous. [ment.

percrucio, *as*, *are*, tr. Inquiéter vive-

percudo, *is*, *cudi*, *ere*, tr. Briser, casser.

perculsus, *us*, m. Secousse, ébranlement.

percunctatio. Voy. PERCONTATIO.

percunctatum, *i*, n. Axiome, vérité universelle (fondamentale).

percupide, adv. Avec grand empressement, avec passion.

percupidus, *a*, *um*, adj. Très attaché, très dévoué à.

percupio, *is*, *ere*, tr. Désirer vivement, avoir grande envie de.

percuriosus, *a*, *um*, adj. Très curieux, très attentif, très vigilant.

percuro, *as*, *avi*, *atum*, *are*, tr. Guérir complètement (pr. et fig.) .

percurro, *is*, *cucurri* ou *curri*, *cursum*, *ere*, tr. Courir à travers, parcourir, traverser. ‖ (Au fig.) Parcourir, suivre la série de. ‖ Parcourir (en parlant), passer en revue. ‖ Parcourir par la pensée, parcourir du regard. ¶ *Intr.* Courir à, se diriger en toute hâte vers, voler vers. [course, tournée.

percursatio, *onis*, f. Action de parcourir;

percursio, *onis*, f. Action de parcourir (par la pensée), revue rapide. ¶ Narration rapide (qui passe légèrement sur les détails).

percurso, *as*, *are*, tr. Parcourir, traverser. ¶ *Intr.* Courir çà et là, rôder.

percursus, abl. *u,* m. Action de parcourir.

percussio, *onis,* f. Action de frapper, percussion. ¶ Battement (en musique), mesure.

percussor, *oris,* m. Celui qui frappe, qui tue. ¶ Meurtrier, assassin gagé, sicaire, bandit.

percussus, *us,* m. Action de frapper, de pousser; coup, choc, battement.

percutio, *is, cussi, cussum, ere,* tr. Frapper fortement, traverser en frappant. || Frapper mortellement, tuer. ¶ Frapper, battre, atteindre, heurter, choquer. || *Spéc.* Frapper (de la monnaie). || Frapper (un instrument de musique). || Presser, serrer la trame (en parl. du tisserand). || Presser, étaler (la pâte avec le rouleau). ¶ *Fig.* Frapper, atteindre (en parl. d'un malheur). ¶ Tromper, duper.

perdecorus, *a, um,* adj. Très beau, très convenable.

perdelirus, *a, um,* adj. Très extravagant, insensé.

perdensus, *a, um,* adj. Très dense, très condensé.

perdifficilis, *e,* adj. Très difficile.

perdifficiliter, adv. Très difficilement.

perdignus, *a, um,* adj. Très digne.

perdiligens, *entis,* adj. Très soigneux.

perdiligenter, adv. Très soigneusement, très ponctuellement. [à fond.

perdisco, *is, didici, ere,* tr. Apprendre

perdiserte, adv. En excellents termes; très éloquemment.

perdite, adv. En homme perdu, d'une manière infâme. ¶ Démesurément, excessivement; éperdument.

perditio, *onis,* f. Perte, ruine. ¶ Perte d'un objet (qu'on ne retrouve pas).

perditor, *oris,* m. Destructeur, corrupteur; fléau.

1. **perditus,** *a, um,* p. adj. Perdu, ruiné sans espoir. ¶ Qui a de fortes, de vives passions; éperdument, épris, fou d'amour. ¶ Perdu moralement, corrompu, pervers, infâme, dépravé.

perdiu, adv. Pendant très longtemps.

perdius, *a, um,* p. adj. Qui passe tout le jour. [longtemps.

perdiuturnus, *a, um,* adj. Qui dure très

perdives, *vitis,* adj. Très riche.

perdix, *dicis,* f. Perdrix.

perdo, *is, didi, ditum, ere,* tr. Perdre, causer la perte de, ruiner, détruire, rendre malheureux. ¶ Perdre, corrompre, pervertir. ¶ Perdre, dépenser en pure perte, gaspiller, dissiper. ¶ Perdre ce qu'on avait, être privé de.

perdoceo, *es, docui, doctum, ere,* tr. Instruire à fond, enseigner complètement. ¶ Démontrer, prouver.

perdocte, adv. Très savamment, à fond.

perdoctus, *a, um,* p. adj. Très instruit; très savant.

perdoleo, *es, dolui, dolitum, ere,* intr. Etre affligé profondément.

perdomitor, *oris,* m. Vainqueur de.

perdomitus, part. passé de PERDOMO.

perdomo, *as, domui,* tr. Dompter complètement (des animaux); subjuguer, soumettre (des nations). ¶ Pétrir la farine. ¶ Ameublir un terrain.

perdormisco, *is, ere,* intr. Dormir toute la nuit.

perduco, *is, duxi, ductum, ere,* tr. Conduire jusqu'à, conduire qqn (ou qqch.) qq. part. || Transporter, déporter. ¶ Construire, tracer, conduire (une construction jusqu'au point voulu). ¶ Mener, amener (à un but); prolonger jusqu'à faire durer, continuer, || Amener à, décider à, gagner.

perductor, *oris,* m. Conducteur, guide (celui qui fait visiter une maison à qqn). ¶ Corrupteur, suborneur.

perduellio, *onis,* f. Crime d'Etat, crime de haute trahison, attentat. || Désertion. ¶ Ennemi.

perduellis, *is,* m. Ennemi public, ennemi de guerre (comme HOSTIS). ¶ Ennemi privé (comme INIMICUS). ¶ Hostile, mal intentionné.

perduro, *as, avi, atum, are,* intr. Durer, persister, subsister. ¶ *Tr.* Rendre dur.

perdurus, *a, um,* adj. Très dur, très rigoureux.

1. **peredo,** *is, edi, esum, ere,* tr. Dévorer entièrement. ¶ Ronger entièrement, corroder, miner. ¶ *Fig.* Dévorer consumer. [poser, de produire.

2. **peredo,** *is, ere,* tr. Achever de composer, de produire.

peregre, adv. Au dehors, en pays étranger. ¶ Du dehors, de l'étranger. ¶ Vers l'étranger, pour le dehors.

peregrei, adv. Voy. PEREGRE.

peregri, adv. Comme PEREGRE.

peregrina, *ae,* f. Une étrangère.

peregrinabundus, *a, um,* adj. Qui court le monde, qui voyage dans tous les sens.

peregrinatio, *onis,* f. Voyage à l'étranger, séjour à l'étranger; longue course.

peregrinitas, *atis,* f. Pérégrinité, condition d'étranger. ¶ Goût étranger; mœurs, manières étrangères.

peregrino, *as, are,* intr. Comme le suivant.

peregrinor, *aris, atus sum, ari,* dép. intr. Voyager à l'étranger. || Faire de longs voyages, de longues courses. ¶ Etre à l'étranger, vivre ou se comporter en étranger. ¶ Aller en voyage, circuler, voyager. ¶ Etre étranger, être inconnu.

1. **peregrinus,** *a, um,* adj. Etranger, exotique. ¶ Etranger (par oppos, à citoyen); d'étranger. ¶ Etranger (dans une chose); novice, naïf.

2. **peregrinus,** *i,* m. Un étranger.

perelegans, *antis,* adj. Très élégant, de très bon goût.

pereleganter, adv. Très élégamment, avec beaucoup de goût, de finesse.

pereloquens, *entis*, adj. Très éloquent.

1. peremnis, *e*, adj. Relatif au passage d'un fleuve.

2. peremnis, *e*, adj.Voy. PERENNIS.

peremnitas. Voy. PERENNITAS.

peremo, *is*, *ere*. Voy. PERIMO. [teur.

peremptor, *oris*, m. Meurtrier; destruc-

peremptorie, adv. Péremptoirement.

peremptorius, *a*, *um*, adj. Meurtrier; mortel. ¶ Qui tranche la discussion, décisif, péremptoire, définitif.

perendie, adv. Après-demain.

perendinatio, *onis*, f. Action de remettre au surlendemain. [main.

perendinus, *a*, *um*, adj. Du surlende-

perenne, adv. Pendant toute une année. ¶ Constamment, continuellement.

perennis, *e*, adj. Qui dure une année entière. ¶ Qui dure longtemps, solide, durable, perpétuel, continuel.

perenniservus, *i*, m. Esclave à perpétuité.

perennitas, *atis*, f. Durée continue; perpétuité. ¶ Titre qu'on donnait aux empereurs romains.

perenno, *as*, *avi*, *atum*, *are*, tr. Faire durer, conserver longtemps. ¶ *Intr.* Durer longtemps, durer de longues années.

pereo, *is*, *ii*, *itum*, *ire*, intr. Passer à travers, s'en aller. ¶ Mourir, périr, se tuer; être ruiné, être perdu. ¶ Mourir, se consumer d'amour, être violemment épris. ¶ Être perdu, être inutile. ¶ Être perdu (en parl. d'un procès); devenir caduc (en parl. d'un legs, d'un privilège).

perequito, *as*, *avi*, *atum*, *are*, intr. Aller à cheval, de côté et d'autre. ¶ Parcourir à cheval.

pererro, *as*, *avi*, *atum*, *are*, tr. Errer à travers, parcourir entièrement; traverser, visiter.

pereruditus, *a*, *um*, adj. Très instruit, très savant.

perexigue, adv. Très peu.

perexiguus, *a*, *um*, adj. Très petit, très restreint, très faible (en parl. de l'espace ou du nombre). ¶ Très court (en parl. du temps).

perexilis, *e*, adj. Très maigre, très grêle, très mince. [très facile.

perexpeditus, *a*, *um*, adj. Très dégagé,

perexsequor, *eris*, *exsequi*, dép. tr. Effectuer entièrement.

perexsicco, *as*, *avi*, *atum*, *are*, tr. Dessécher entièrement.

perexspecto, *as*, *are*, tr. Attendre très longtemps.

perfabrico, *as*, *avi*, *are*, tr. Tromper, duper; refaire qqn.

perfacete, adv. Très plaisamment, d'une manière très spirituelle.

perfacetus, *a*, *um*, adj. Très plaisant, très spirituel (en parl. des pers.).

perfacile, adv. Très facilement. ¶ Très volontiers. [complaisant.

perfacilis, *e*, adj. Très facile. ¶ Très

perfacul, adv. Pour PERFACILE.

perfacundus, *a*, *um*, adj. Très éloquent.

perfamiliaris, *e*, adj. Très lié, étroitement lié avec qqn, très ami.

perfecte, adv. Complètement, parfaitement. [achèvement.

perfectio, *onis*, f. Perfection; complet

perfectissimatus, *us*, m. Perfectissimat, dignité de perfectissime.

perfectissimus, *i*, m. Perfectissime, titre honorifique. sous les derniers empereurs.

perfectivus, *a*, *um*, adj. Qui enchérit sur; qui indique la perfection. ¶ Qui opère, qui produit, qui fait naître.

perfector, *oris*, m. Celui qui achève, qui accomplit. ¶ Celui qui perfectionne.

perfectrix, *icis*, f. Celle qui fait complètement: auteur de.

1. perfectus, *a*, *um*, p. adj. Achevé, accompli, consommé, parfait. ¶ Achevé, révolu, passé (en parl. du temps).

2. perfectus, *us*, m. Achèvement, perfectionnement, perfection. ¶ (Au plur.) Actions, impressions.

perferens, *entis*, p. adj. Qui supporte avec patience.

perfero, *fers*, *tuli*, *latum*, *ferre*, tr. Porter jusqu'au bout, jusqu'au terme; entraîner. ¶ Porter qq. part, transporter; apporter une nouvelle, annoncer, faire savoir. ¶ Soutenir jusqu'à la fin, mener à terme. ¶ Remplir, accomplir, conserver.

perficio, *is*, *feci*, *fectum*, *ere*, tr. Achever, accomplir, parfaire, perfectionner. ¶ Perfectionner qqn dans un art. ¶ Travailler, confectionner, préparer. ¶ Obtenir *ou* faire que, réussir à.

perfide, adv. Perfidement, sans foi.

perfidelis, *e*, adj. Très fidèle, très digne de confiance. [déloyauté. ¶ Hérésie.

perfidia, *ae*, f. Mauvaise foi, perfidie,

perfidiose, adv. Perfidement, déloyalement. [de mauvaise foi.

perfidiosus, *a*, *um*, adj. Perfide, déloyal,

perfidum, adv. Perfidement.

perfidus, *a*, *um*, adj. Perfide, déloyal. ¶ (En parl. des choses.) Trompeur, peu sûr, dangereux.

perflabilis, *e*, adj. Pénétrable, exposé à l'air libre, aéré. ¶ Agité.

perflagitiosus, *a*, *um*, adj. Très déshonorant, infâme.

perflatus, *us*, m. Action de souffler à travers; souffle, vent.

perflo, *as*, *avi*, *atum*, *are*, tr. Souffler à travers, souffler sur; ébranler, agiter en soufflant. ¶ *Intr.* Souffler d'une manière continue.

perfluo, *is*, *fluxi*, *fluxum*, *ere*, tr. Couler à travers, couler, passer. ¶ Fuir, laisser échapper. ¶ Flotter, tomber, traîner très bas (en parl. d'un vêtement).

perfodio, *is, fodi, fossum, ere*, tr. Percer d'outre en outre, transpercer.

perforo, *as, avi, atum, are*, tr. Transpercer, percer, trouer, perforer, ouvrir (pour ménager une vue).

perfortiter, adv. Très bravement.

perfossor, *oris*, m. Celui qui perce, qui pratique une ouverture. ¶ Celui qui vole avec effraction. [forter.

perfoveo, *es, ere*, tr. Réchauffer, réconforter.

perfractio, *onis*, f. Fracture.

perfragrans, *antis*, adj. Très odorant.

perfremo, *is, ere*, intr. Frémir violemment. [très peuplé.

perfrequens, *entis*, adj. Très fréquenté.

perfrequento, *as, are*, tr. Fréquenter beaucoup.

perfrico, *as, fricui, fricatum et frictum, are*, tr. Frotter fortement; enduire, oindre. || Frictionner. ¶ Frotter (son front), dépouiller toute pudeur, s'armer d'audace. [frisson.

1. **perfrictio**, *onis*, f. Refroidissement.

2. **perfrictio**, *onis*, f. Ecorchure (causée par le frottement).

perfrigefacio, *is, ere*, tr. Glacer (de terreur) le cœur (de qqn), faire frissonner de peur.

perfrigero, *as, are*, tr. Refroidir entièrement. [froid, se refroidir.

perfrigesco, *is, frixi, ere*, Devenir très

perfrigidus, *a, um*, adj. Très froid.

perfringo, *is, fregi, fractum, ere*, tr. Briser entièrement, mettre en pièces. ¶ Casser, annihiler, annuler, détruire. ¶ Rompre, renverser, se frayer par la violence un chemin à travers. ¶ Braver, triompher de, fouler aux pieds.

perfrio, *as, are*, tr. Piler, broyer.

perfruor, *is, ere*, intr. Comme PERFRUOR.

perfruor, *eris, fructus sum, i*, dép. intr. Jouir complètement, se délecter de. ¶ S'acquitter de, accomplir un ordre.

perfuga, *ae*, m. Déserteur, transfuge.

perfugio, *is, fugi, fugitum, ere*, intr. Se réfugier vers, dans, auprès, chercher un refuge auprès, avoir recours à. ¶ Déserter, passer à l'ennemi.

perfugium, *ii*, n. Refuge, asile, abri, recours.

perfunctio, *onis*, f. Exercice d'une charge; accomplissement (d'un travail, d'un devoir).

perfundo, *is, fudi, fusum, ere*, tr. Verser sur; mouiller, arroser, inonder. ¶ Colorer, teindre, imbiber de. ¶ Répandre sur, saupoudrer, couvrir de. ¶ (Fig.) Donner une légère teinture de. ¶ Faire couler.

perfungor, *eris, functus sum, fungi*, dép. intr. S'acquitter de, remplir une fonction. ¶ Avoir passé par, en avoir fini avec; être hors de. ¶ Subir, soutenir, éprouver. ¶ Jouir de.

perfuro, *is, ere*, intr. Etre en pleine fureur.

¶ Exercer sa fureur dans.

perfusio, *onis*, f. Action de mouiller, d'arroser. ¶ Action d'ondoyer.

perfusor, *oris*, m. Celui qui arrose; garçon de bains (qui verse de l'eau sur les baigneurs).

perfusorie, adv. Superficiellement, vaguement, sans préciser.

perfusorius, *a, um*, adj. Superficiel. ¶ Vague, sans précision.

pergaudeo, *es, ere*, intr. Se réjouir fort.

pergo, *is, perrexi, perrectum, ere*, tr. Continuer qqch., poursuivre, achever. ¶ Aller, venir, marcher. ¶ Aller à, marcher vers, se mettre à.

pergracilis, *e*, adj. Très grêle, très mince.

pergraecor, *aris, ari*, dép. intr. Vivre à la grecque, mener une vie de débauche; faire bombance.

pergrandis, *e*, adj. Très grand, très étendu, très considérable.

pergraphicus, *a, um*, adj. Achevé, parfait, fait à peindre.

pergratus, *a, um*, adj. Très agréable.

pergravis, *e*, adj. Très lourd, très grave, très important. [fort

pergraviter, adv. Très gravement, très

1. **pergula**, *ae*, f. Construction en saillie ressaut. [VECTIGAL.

2. **pergula**, *ae*, f. Comme TRIBUTUM ou

perhibeo, *es, bui, bitum, ere*, tr. Fournir, présenter; attribuer, rapporter (à qqn). ¶ Rapporter (un récit), mentionner, déclarer, prétendre, dire.

perhiemo, *as, are*, intr. Passer tout l'hiver.

perhilum, *i*, n. Très peu.

perhonorifice, adv. Très honorablement.

perhonorificus, *a, um*, adj. Très honorable. ¶ Très respectueux, plein d'égards pour. [redouter.

perhorreo, *es, ere*, tr. Frémir, frissonner,

perhorresco, *is, horrui, ere*, intr. Frissonner de tout son corps, être rempli d'effroi. ¶ Avoir horreur, trembler, redouter, s'effrayer de. [rible.

perhorridus, *a, um*, adj. Affreux, horrible.

perhumaniter, adv. Très obligeamment, avec beaucoup d'affabilité.

perhumanus, *a, um*, adj. Très obligeant, très affable, très poli, très aimable.

perhyemo. Voy. PERHIEMO.

periagium, *ii*, n. Rouleau.

periclitabundus, *a, um*, adj. Qui essaie, qui fait l'épreuve de. [rience.

periclitatio, *onis*, f. Epreuve, expé-

periclitor, *aris, atus sum, ari*, dép. intr. Essayer, éprouver, faire l'essai, expérimenter, sonder. ¶ Chercher à savoir, éprouver, mettre à l'épreuve. ¶ Risquer, être en péril, être exposé, courir des dangers. [CULUM.

periclum, *i*, n. Syncope, pour PERI-

periclymenos, *i*, f. Plante sarmenteuse (peut-être chèvrefeuille).

pericope, *es*, f. Section, partie d'un tout; pensée renfermée dans une phrase courte.

periculose, adv. Dangereusement; avec danger.

periculosus, a, um, adj. Dangereux, périlleux (en parl. des ch.). ¶ Qui crée des dangers (en parl. des pers.).

periculum, i, n. Essai, expérience, tentative. || Exercice littéraire. ¶ Danger, péril, risque. ¶ Procès, accusation, condamnation, sentence. || Registre administratif. ¶ Crise d'une maladie. ¶ Ruine, danger de destruction.

peridoneus, a, um, adj. Très propre à.

perillustris, e, adj. Très clair, très évident. ¶ Très connu, très considéré.

perimbecillus, a, um, adj. Très faible.

perimetros, i, f. Périmètre, circonférence, pourtour.

perimo, is, emi, emptum, ere, tr. Enlever, supprimer, soustraire, abolir, effacer, détruire. || Jurisc. Abolir, périmer, éteindre. ¶ (Poét.) Mettre fin à la vie de qqn, tuer, faire mourir.

perimpeditus, a, um, adj. Très difficile, impraticable (en parl. d'un lieu).

perimpleo, es, plevi, ere, tr. Remplir entièrement; accomplir.

perincertus, a, um, adj. Très incertain.

perincommode, adv. Très mal à propos, tout à fait à contretemps.

perincommodus, a, um, adj. Très incommode, qui arrive très mal à propos.

perinde, adv. D'une façon correspondante ,semblablement, également, de même, autant. ¶ (Avec une conjonct.) De même que; comme si. ¶ (A l'époque impériale.) Autant que. [très faible.

perindulgens, entis, adj. Très indulgent.

perinfamis, e, adj. Très décrié pour ses mœurs, perdu de réputation.

perinfirmus, a, um, adj. Très faible.

peringeniosus, a, um, adj. Très spirituel, très ingénieux.

peringratus, a, um, adj. Très ingrat.

periniquus, a, um, adj. Très injuste.

perinjurius, a, um, adj. Très injuste.

perinquietus, a, um, adj. Très agité, très remuant.

perinsignis, e, adj. Très singulier, très remarquable, très visible.

perinstringo, is, ere, tr. Serrer très fort.

perinvisus, a, um, adj. Très odieux à.

perinvitus, a, um, adj. Qui agit tout à fait malgré soi. [vrage d'Ausone).

periocha, ae, f. Sommaire (titre d'un ouvrage d'Ausone).

periodicus, a, um, adj. Périodique, intermittent. [époque périodique.

periodus, i, f. Période, phrase. ¶ Période.

perior, iris, peritus sum, iri, dép. tr. Éprouver, faire l'essai de.

periosteon, i, n. Périoste (t. d'anatomie).

peripetasma, matis, n. Tapisserie, tapis, tenture.

periphrasis, acc. sin, abl. si, f. Périphrase.

periplus, i, m. Relation d'un voyage de circumnavigation.

periratus, a, um, adj. Très irrité contre.

periscelis, idis, f. Périscélide, anneau

précieux, porté par les femmes, autour de la cheville.

periscelium, ii, n. Comme PERISCELIS.

perispomenon, i, n. Mot qui a l'accent circonflexe sur la dernière syllabe, mot périspomène.

peristroma, matis, n. Couverture, tapis.

peristylium, ii, n. Comme PERISTYLUM.

peristylum, i, n. Péristyle, colonnade.

perite, adv. Avec expérience, avec art, habilement.

peritia, ae, f. Expérience, connaissance acquise (par l'expérience), science. ¶ Habileté, talent, art. [autour.

peritretos, on, adj. Percé de trous tout autour.

peritus, a, um, adj. Qui a l'expérience, la science, le talent de; habile, expérimenté, savant. ¶ Fait avec art; ingénieux.

perjucunde, adv. Très agréablement.

perjucundus, a, um, adj. Très agréable, très réjouissant.

perjuriosus, a, um, adj. Parjure.

perjuris, e, adj. Comme PERJURUS.

perjurium, ii, n. Parjure, faux serment.

perjuro, as, are, intr. Voy. PEJERO.

perjurus, a, um, adj. Qui se parjure, qui fait un faux serment.

perlabor, eris, lapsus sum, labi, dép. intr. Pénétrer, se glisser dans. ¶ Tr. Glisser sur.

perlaetus, a, um, adj. Très joyeux.

perlambo, is, ere, tr. Lécher.

perlate, adv. Très loin. [jours caché.

perlateo, es, ui, ere, intr. Rester toujours caché.

perlatio, onis, f. Déplacement, transport. ¶ Action de supporter, résignation. [lettres.

perlator, oris, m. Messager, porteur de lettres.

perlego, is, legi, lectum, ere, tr. Parcourir des yeux, examiner. ¶ Parcourir en lisant, lire en entier.

perlepide, adv. Avec beaucoup d'agrément ou de grâce.

perlevi. Parf. de PERLINO.

perlevis, e, adj. Très léger, très faible, très petit. ||faiblement.

perleviter, adv. Très légèrement, très faiblement.

perlibens. Voy. PERLUBENS.

perliberalis, e, adj. Bien élevé, de très bon ton, très distingué.

perliberaliter, adv. Très obligeamment, très généreusement.

perlibet. Voy. PERLUBET.

perlibro, as, avi, atum, are, tr. Niveler, égaliser. ¶ Brandir, lancer.

perlicio. Voy. PELLICIO.

perligo, is, ere, tr. Voy. PERLEGO.

perlimo, as, are, tr. Limer. ¶ Rendre plus clair, éclaircir.

perlinio, is, ire, tr. Comme PERLINO.

perlino, is (levi), litum, ere, tr. Enduire entièrement, frotter de.

perliquidus, a, um, adj. Très liquide; très limpide.

perlito, as, avi, atum, are, intr. Offrir un sacrifice agréable (en trouvant les victimes) : se rendre les dieux favorables.

perlitteratus, *a*, *um*, adj. Très instruit.

perlonge, adv. Très loin.

perlonginquus, *a*, *um*, adj. Très long.

perlongus, *a*, *um*, adj. Très long. ¶ Qui dure très longtemps.

perlubens, *entis*, adj. Qui fait *ou* qui voit qqch. très volontiers.

perlubenter, adv. Très volontiers, avec grand plaisir.   [agréable de.

perlubet, *buit*, *ere*, intr. Il est très

perluceo (PELLUCEO), *es*, *luxi*, *ere*, intr. Paraître, luire à travers. ¶ Etre transparent, laisser passer la lumière.

perlucesco, *is*, *ere*, intr. Comme PER-LUCEO.

perlucidus, *a*, *um*, adj. Transparent.

perluctuosus, *a*, *um*, adj. Très triste, déplorable.

perluo, *is*, *lui*, *lutum*, *ere*, tr. Laver, rincer, nettoyer. ¶ Se baigner.

perlustro, *as*, *avi*, *atum*, *are*, tr. Parcourir des yeux, considérer. ¶ Parcourir, visiter. ¶ Purifier (entièrement) ; sanctifier. ¶ Eclairer.

permaceo, *cra*, *crum*, adj. Très maigre.

permadefacio, *is*, *feci*, *ere*, tr. Humecter largement, inonder.

permadesco, *is*, *madui*, *ere*, intr. Etre trempé, être inondé. ¶ S'amollir.

permagnus, *a*, *um*, adj. Très grand, très considérable.

permale, adv. Très malheureusement. — *pugnare*, éprouver une grande défaite.   [quant.

permananter, adv. En se communi-

permanasco, *is*, *ere*, intr. Arriver aux oreilles de qqn (en parl. d'une rumeur).

permaneo, *es*, *mansi*, *mansum*, *ere*, intr. Demeurer jusqu'au bout, persister, rester, s'attacher à.

permano, *as*, *avi*, *atum*, *are*, intr. Couler à travers, pénétrer dans, s'insinuer, se répandre. ¶ Se répandre dans le public, se divulguer, s'ébruiter, transpirer.

permansio, *onis*, f. Action de séjourner, séjour dans un lieu. ¶ Persévérance, persistance (dans une opinion).

permaturasco, *is*, *maturavi*, *ere*, intr. Comme le suivant.

permaturesco, *is*, *maturui*, *ere*, intr. Devenir tout à fait mûr.

permaturus, *a*, *um*, adj. Tout à fait mûr.

permediocris, *e*, adj. Très faible, très médiocre.   [bien endoctriné.

permeditatus, *a*, *um*, adj. Bien préparé ;

permeo, *as*, *avi*, *atum*, *are*, tr. Traverser, couler à travers. ¶ *Intr.* Aller jusqu'au bout, pousser jusqu'à un but.

permetior, *iris*, *mensus sum*, *iri*, dép. tr. Mesurer entièrement ; mesurer. ¶ Arpenter, parcourir, traverser.

permirandus, *a*, *um*, adj. Très étonnant, très merveilleux.

permirus, *a*, *um*, adj. Très surprenant, très merveilleux.

permisceo, *es*, *miscui*, *mistum* ou *mixtum*, *ere*, tr. Mêler, mélanger ; unir,

confondre. ¶ Troubler, mettre en désordre, brouiller, bouleverser.

permissio, *onis* f. Action de livrer, d'abandonner à la discrétion de qqn. ¶ Permission, permis.

permissum, *i*, n. Permission.   [MITTO.

1. **permissus**, *a*, *um*, part. p. de PER-

2. **permissus**, *us*, m. Permission ; autorisation.

permities. Voy. PERNICIES.

permitis, *e*, adj. Très doux.

permitto, *is*, *misi*, *missum*, *ere*, tr. Laisser passer à travers, laisser aller ; abandonner les rênes, lancer. ‖ Exporter. ‖ *Fig.* Laisser libre, lâcher. ¶ Abandonner, livrer, confier. ¶ Permettre, accorder. ‖ Laisser une chose avoir lieu ; autoriser. ¶ Oublier, pardonner.

permixte, adv. Confusément, pêle-mêle.

permixtio, *onis*, f. Action de mélanger, mélange, confusion. ‖ Mélange, c.-à-d. mixture. ¶ Désordre, bouleversement.

permixtus, *u*, m. Mélange.

permodestus, *a*, *um*, adj. Très modeste, très réservé, très modéré.   [rément.

permodice, adv. Très peu, très modé-

permodicus, *a*, *um*, adj. Très mesuré, très petit ; en très petite quantité ; très peu considérable.

permoleste, adv. Avec beaucoup de peine *ou* de déplaisir.

permolestus, *a*, *um*, adj. Très pénible, très incommode, très désagréale.

permollis, *e*, adj. Très doux, très agréable (à entendre).

permotio, *onis*, f. Mouvement de l'âme, émotion, affection, passion.

permoveo, *es*, *ovi*, *otum*, *ere*, tr. Agiter profondément, remuer fortement, mettre en mouvement. ¶ Exciter, faire naître un sentiment.

permulceo, *es* *mulsi*, *mulsum* et *mulctum*, *ere*, tr. Caresser, toucher légèrement. ¶ Caresser, flatter, chatouiller agréablement. ¶ Apaiser, calmer, adoucir.

permultus, *a*, *um*, adj. Très nombreux.

permunio, *is*, *ivi*, *itum*, *ire*, tr. Achever de fortifier complètement. ¶ Fortifier convenablement, bien fortifier.

permutatio, *onis*, f. Changement, modification. ¶ Mutation, échange d'une chose contre une autre, troc, commerce. ¶ Echange (de prisonniers). ¶ Echange d'expression.

permuto, *as*, *avi*, *atum*, *are*, tr. Changer complètement, déplacer, retourner, modifier profondément. ¶ Faire le change, échanger une monnaie contre une autre : acheter, acquérir. ¶ Rançonner, fixer la rançon de prisonniers.

perna, *ae*, f. La cuisse avec la jambe de l'homme. ‖ Cuisse (des animaux) ; jambon. ¶ Pinne marine, sorte de coquillage. ¶ Partie inférieure coupée *ou* arrachée du tronc.   [viguant.

pernavigo, *as*, *are*, tr. Traverser en na-

pernecessario, adv. Nécessairement.

pernecessarius, a, um, adj. très nécessaire, très étroitement uni; très lié, intime. [saire; indispensable.

pernecesse, adj. n. indécl. Très nécessaire.

pernego, as, avi, atum, are, tr. Nier absolument. ¶ Refuser absolument.

perneo, es, nevi, netum, ere, tr. Filer jusqu'au bout achever de filer.

perniciabilis, e, adj. Funeste, pernicieux.

pernicialis, e, adj. Pernicieux, mortel.

pernicies, ei, f. Perte, ruine, destruction, malheur. [manière funeste.

perniciose, adv. Pernicieusement; d'une

perniciosus, a, um, adj. Pernicieux, funeste, dangereux.

pernicitas, atis, f. Rapidité, vitesse, légèreté, agilité.

perniciter, adv. Rapidement, vite, promptement, légèrement.

pernimius, a, um, adj. Beaucoup trop grand, excessif.

pernix, icis, adj. Infatigable, dur à la peine. ¶ Rapide, léger, agile, prompt.

pernobilis, e, adj. Très connu, très célèbre. ¶ D'une grande et haute noblesse.

pernoctanter, adv. En passant les nuits.

pernoctatio, onis, f. Action de passer la nuit.

pernocto, as, avi, aturus, are, intr. Passer la nuit. ¶ Rester toute la nuit.

pernosco, is, novi, ere, intr. Chercher à bien connaître; approfondir. ¶ Connaître à fond, exactement.

pernotesco, is, notui, ere, intr. Devenir connu de tous; être notoire.

pernotus, a, um, p. adj. Très connu.

pernox, noctis, adj. Qui dure toute la nuit.

pernumero, as, avi, atum, are, tr. Compter, payer entièrement.

pero, onis, m. Chaussure ou guêtre à l'usage des soldats.

perobscurus, a, um, adj. Très obscur.

perodi, osus sum, odisse, tr. Haïr fort, détester, avoir en horreur.

perodiosus, a, um, adj. Très désagréable, très odieux.

perofficiose, adv. Très obligeamment, avec beaucoup d'égards.

peronatus, a, um, adj. Chaussé de guêtres de peau.

peropportune, adv. Très à propos.

peropportunus, a, um, adj. Qui arrive fort à propos, très opportun.

peroptato, adv. Fort à souhait.

peropus, adv. Tout à fait nécessaire, de toute nécessité.

peroratio, onis, f. Péroraison, conclusion, dernière partie d'un discours.

perornatus, a, um, p. adj. Très orné (en parl. d'un discours).

perorno, as, avi, are, tr. Orner beaucoup; être l'ornement, la gloire de.

peroro, as, avi, atum, are, tr. Plaider, parler, exposer, jusqu'au bout. ¶ Achever, conclure, clore son discours.

perosus, a, um, p. adj. Qui hait fort, qui abhorre, qui déteste.

perpaco, as, avi, atum, are, tr. Pacifier entièrement.

perpallidus, a, um, adj. Très pâle.

perparce, adv. Très parcimonieusement.

perparum, adv. Très peu.

perparvulus, a, um, adj. Très petit.

perparvus, a, um, adj. Très petit.

perpasco, is, ere, tr. Paître entièrement.

perpastus, a, um, adj. Bien nourri, bien repu, gras.

perpauculus, a, um, adj. Très peu.

perpaucus, a, um, adj. Très peu. Subst. Perpauci, très peu de gens.

perpaululum, adv. Très peu. [peu.

perpaulum (PERPAULLUM), adv. Très

perpauper, peris, adj. Très pauvre.

perpauxillum, i, n. Quelque peu de.

perpavefacio, is, ere, tr. Epouvanter.

perpello, is, puli, pulsum, ere, tr. Pousser fortement. ¶ Pousser, décider, déterminer à. ¶ Faire sur qqn une profonde impression.

perpendicularis, e, adj. Perpendiculaire.

perpendiculum, i, n. Fil à plomb; niveau, direction, perpendiculaire. ¶ Ligne droite. ¶ Règle, loi.

perpendo, is, pendi, pensum, ere, tr. Peser exactement. ¶ Peser avec soin, examiner attentivement, apprécier, juger après examen.

perpenetro, as, are, tr. Pénétrer dans.

perpensatio, onis, f. Examen attentif.

perpense, adv. Scrupuleusement, judicieusement. [la direction voulue.

perpensum, i, n. Alidade placée dans

perpensus, a, um, adj. Pesé, examiné avec attention.

perperam, adv. De travers, mal; vicieusement, d'une manière incorrecte. ¶ Par erreur, par mégarde.

perpes, petis, adj. Non interrompu, continuel, continu. ¶ Entier (en parl. du temps). [constance, fermeté.

perpessio, onis, f. Courage à endurer;

perpetim, adv. Sans interruption, consécutivement.

perpetior, eris, pessus sum, peti, dép. tr. Endurer avec fermeté, supporter avec confiance, souffrir. ¶ Eprouver.

perpetrabilis, e, adj. Licite, permis.

perpetratio, onis, f. Exécution, accomplissement.

perpetrator, oris, m. Celui qui accomplit, qui commet; auteur de.

perpetro, as, avi, atum, are, tr. Achever, accomplir, mener à bonne fin, consommer. [PERPETRO.

perpetror, aris, ari, dép. tr. Comme

perpetuabilis, e, adj. Qui doit être conservé, perpétué.

perpetualis, e, adj. Général, universel.

1. perpetuarius, a, um, adj. Qui est toujours en mouvement.

2. perpetuarius, ii, m. Emphytéote.

perpetuitas, atis, f. Continuité, continuation, ensemble, intégrité, durée ininterrompue.

1. perpetuo, adv. Sans interruption, continuellement, perpétuellemnt.

2. perpetuo, as, avi, atum, are, tr. Faire sans interruption, continuellement, perpétuellement.

perpetuum, adv. A jamais.

perpetuus, a, um, adj. Ininterrompu, continu, qui se suit, qui s'enchaîne, entier. ¶ (Par rapport au temps.) Continuel, perpétuel, éternel.

perplaceo, es, ere, intr. Plaire beaucoup.

perplexabilis, e, adj. Qui embarrasse; obscur, inintelligible.

perplexabiliter, adv. De façon à troubler, à rendre perplexe.

perplexe, adj. D'une manière obscure, ambiguë.   [ler, embarrasser.

perplexor, aris, ari, dép. tr. Embrouil-

perplexus, a, um, adj. Entrelacé, sinueux, tortueux. ¶ Embrouillé, obscur, équivoque, ambigu, inintelligible.   [brouillé.

perplicatus, a, um, part. Emmêlé, em-

perpluo, is, ere, intr. Pleuvoir. ¶ Laisser passer la pluie. ¶ Tr. Faire pleuvoir dans, soulever une tempête dans.

perpolio, is, ivi, itum, ire. Polir entièrement. ¶ Polir, perfectionner, donner le dernier poli.

perpolite, adv. Avec perfection.

perpolitio, onis, f. Le dernier poli, le fini.

perpopulor, aris, atus sum, ari, dép. tr. Ravager, dévaster.

perpotatio, onis, f. Action de boire avec excès, orgie.

perpotior, iris, potitus sum, iri, dép. intr. Posséder, jouir entièrement de.

perpoto, as, avi, atum, are, intr. Boire avec excès, boire tout le temps; faire des orgies. ¶ Boire entièrement.

perpremo, ere, tr. Voy. PERPRIMO.

perprimo, is, ere, tr. Presser continuellement, fortement.   [très prospère.

perprosper, a, um, adj. Très heureux;

perpudesco, is, ere, intr. Ressentir une grande honte.   [obstiné.

perpugnax, acis, adj. Très disputeur;

perpulcher, chra, chrum, adj. Très beau.

perpulsus, a, um, p. adj. Fortement frappé.

perpurgo, as, avi, atum, are, tr. Nettoyer entièrement. ¶ Mettre au net, éclaircir complètement, mettre en règle.

perpusillus, a, um, adj. Très petit.

perquam, adv. Beaucoup, extrêmement.

perquiro, is, sivi, situm, ere, tr. Rechercher avec soin, s'informer avec zèle, s'enquérir de qqch.; approfondir.

perquisite, adv. Avec une recherche attentive; avec soin.

perquisitio, onis, f. Recherche.

perquisitor, oris, m. Celui qui recherche, qui s'enquiert.

perraro, adv. Très rarement.

perrarus, a, um, adj. Très rare.

perreconditus, a, um, adj. Très caché.

perrepo, is, repsi, reptum, ere, intr. Se glisser, se traîner vers. ¶ Tr. Ramper sur, se traîner sur.

perrepto, as, avi, atum, are, tr. et intr. Se traîner, se glisser vers, parcourir.

perridicule, adv. Très ridiculement.

perridiculus, a, um, adj. Très ridicule.

perrodo, is, rosi, ere, tr. Ronger entièrement.

perrogatio, onis, f. Interrogation, action de prendre les avis. ¶ Action de faire passer une loi.   [successivement.

perrogito, as, are, tr. Demander à tous

perrogo, as, avi, atum, are, tr. Demander successivement à tous. ¶ Faire passer une loi.

perrumpo, is, rupi, ruptum, ere, intr. Passer à travers (en brisant); pénétrer par la violence; se faire jour ¶ Rompre, forcer, enfoncer, briser entièrement, fracasser. ¶ Passer à travers; enfreindre, violer. ¶ Anéantir, détruire.

persaepe, adv. Très souvent.   [fureur.

persaevus, a, um, adj. Transporté de

persalse, adv. Très spirituellement.

persalsus, a, um, adj. Très spirituel.

persalutatio, onis, f. Salutations faites à chacun à la ronde.

persaluto, as, avi, atum, are, tr. Saluer successivement tout le monde.

persancte, adv. Très saintement, très religieusement.

persanctus, a, um, adj. Très saint.

persano, as, avi, atum, are, tr. Guérir complètement.

persanus, a, um, adj. Parfaitement sain.

persapiens, entis, adj. Très sage.

persapienter, adv. Très sagement.

persciens, entis, p. adj. Qui connaît à fond.   [très habilement.

perscienter, adv. Très prudemment,

perscindo, is, scidi, sissum, ere, tr. Déchirer, fendre d'un bout à l'autre.

perscisco, is, ere, tr. Apprendre en détail, être bien informé de.   [mant.

perscitus, a, um, adj. Très beau, char-

perscribo, is, scripsi, scriptum, ere, tr. Ecrire qqch. complètement ou en toutes lettres, écrire tout au long. ¶ Consigner ou mettre par écrit, rédiger (qqch.) par écrit. ¶ Assigner, attribuer (qqch.) comme destiné à; mandater, payer en un billet. ¶ Surcharger une lettre.

perscriptio, onis, f. Rédaction d'un acte officiel, d'une lettre, d'un protocole. ¶ Inscription sur les livres de comptes, écritures.   [teneur de livres.

perscriptor, oris, m. Celui qui transcrit,

perscrutatio, onis, f. Investigation, recherche.   [gateur.

perscrutator, oris, m. Chercheur, investi'

perscrutatrix, icis, f. Celui qui cherche, qui scrute.   [cher, visiter.

perscruto, as, avi, atum, are, tr. Recher-

perscrutor, aris, atus sum, ari, dép. tr.

Rechercher avec soin, fouiller, visiter soigneusement. ¶ Scruter, approfondir.

perseco, *as, secui, sectum, are*, tr. Couper entièrement, retrancher, percer un abcès: disséquer. ¶ Fendre l'air.

persector, *aris, atus sum, ari*, dép. tr. Poursuivre sans relâche. ¶ S'appliquer à, examiner avec soin.

persecutio, *onis*, f. Poursuite judiciaire. ¶ Persécution (des chrétiens). ¶ Poursuite, continuation d'une affaire.

persecutor, *oris*, m. Celui qui poursuit, ennemi déclaré. ¶ Persécuteur (des chrétiens). ¶ Celui qui poursuit en justice, accusateur.

persedeo, *es, sedi, sessum, ere*, intr. Rester longtemps assis.

persegnis, *e*, adj. Très lâche, très mou, très lent, très languissant.

persenex, *senis*, adj. Très vieux.

persenilis, *e*, adj. De vieillard.

persentio, *is, si, sum, ire*, tr. Ressentir profondément. ¶ Sentir, s'apercevoir de, remarquer.

persentisco, *is, ere*, tr. Ressentir profondément, sentir, s'apercevoir de, remarquer.

persequor, *sequutus et sequuutus sum, sequi*, dép. tr. Suivre sans s'arrêter, suivre jusqu'au bout, s'acharner à poursuivre. ¶ Poursuivre pour vengeance. ¶ Parcourir un lieu en cherchant. ¶ Suivre qqch. en agissant. || Exécuter, traiter, faire accomplir. ¶ Suivre en écrivant, écrire à la dictée, décrire, exposer, raconter, expliquer.

perserpo, *is, serpsi, ere*, intr. Ramper à travers. ¶ Errer dans.   [ment.

perservo, *as, are*, tr. Garder constamment.

perseverabilis, *e*, adj. Persévérant.

perseverans, *antis*, p. adj. Persévérant, constant.

perseveranter, adv. Avec persévérance, constamment, avec opiniâtreté.

perseverantia, *ae*, f. Persévérance, constance, persistance. ¶ Longue durée.

persevero, *as, avi, atum, are*, intr. Persévérer, persister, s'opiniâtrer, demeurer ferme. ¶ Continuer, ne pas cesser de. ¶ Soutenir obstinément.

perseverus, *a, um*, adj. Très sévère.

persiccus, *a, um*, adj. Très sec.

persideo, *ere*, intr. Voy. PERSEDEO.

persido, *is, sedi, sessum, ere*, intr. S'arrêter, séjourner dans.

persigno, *as, are*, tr. Tenir note de, enregistrer exactement. ¶ Marquer partout. || Tatouer.

persimilis, *e*, adj. Très semblable.

persimplex, *plicis*, adj. Très simple.

persisto, *is, ere*, intr. Persister, continuer.

persolvo, *is, solvi, solutum, ere*, tr. Délier entièrement. ¶ Payer intégralement, acquitter. ¶ Payer par un mandat sur qqn. ¶ Acquitter, donner,

rendre, infliger. - *vota*, acquitter des vœux. - *grates*, rendre grâces. - *poenam*, infliger un châtiment.

persona, *ae*, f. Masque que portaient les acteurs, et qui leur couvrait tout le visage. ¶ Caractère, personnage, rôle rempli par un acteur. || *(Concret.)* Personnage, personne, individu.

personatus, *a, um*, adj. Masqué, qui a un masque. ¶ Déguisé, apparent, faux.

persono, *as, sonui, sonitum, are*, intr. Résonner, retentir. ¶ Jouer d'un instrument. ¶ Faire résonner, faire retentir.   [tentissant

personus, *a, um*, adj. Qui résonne, retentissant.

persorbeo, *es, ere*, tr. Boire entièrement, absorber.

persordidus, *a, um*, adj. Abject.

perspecte, adv. Sagement.

perspectio, *onis*, f. Intelligence complète de.

perspecto, *as, avi, are*, tr. Voir à travers qqch. ¶ Regarder jusqu'à la fin. ¶ Examiner attentivement.

perspectus, *a, um*, p. adj. Examiné attentivement, approfondi, reconnu, éprouvé. || Évident, manifeste.

perspeculor, *aris, atus sum, ari*, dép. tr. Examiner attentivement.

perspergo, *is, ere*, tr. Arroser, baigner. ¶ *Fig.* Assaisonner (d'esprit un discours).   [tration.

perspicacitas, *atis*, f. Perspicacité, pénétration.

perspicientia, *ae*, f. Vue pénétrante; connaissance approfondie.

perspicio, *is, spexi, spectum, ere*, intr. Voir à travers, percer du regard. ¶ *Tr.* Voir à travers, pénétrer de ses regards, observer attentivement, examiner en détail.   [ment, nettement.

perspicue, adv. Clairement, évidemment.

perspicuitas, *atis*, f. Transparence, limpidité. ¶ Clarté, évidence.

perspicuus, *a, um*, adj. Transparent, limpide. ¶ Clair, évident, certain, net.

perspiro, *as, are*, intr. Respirer partout. ¶ Souffler constamment.

persterno, *is, stravi, stratum, ere*, tr. Aplanir entièrement.

perstillo, *as, are*, intr. Laisser passer l'eau; suinter goutte à goutte.

perstimulo, *as, are*, tr. Exciter, exaspérer, irriter.

persto, *as, stiti, staturus, are*, intr. Se tenir en place, demeurer ferme. ¶ Durer, persister. || *Fig.* Persister, persévérer, continuer. ¶ Demeurer inébranlable.

perstrepo, *is, pui, ere*, intr. Faire grand bruit, résonner. ¶ *Tr.* Faire retentir, faire résonner.   [mairement.

perstrictim, adv. Superficiellement, sommairement.

perstringo, *is, strinxi, strictum, ere*, tr. Serrer fortement, contracter. ¶ Parcourir en frôlant; sillonner, écorcher. ¶ Frapper vivement, blesser. ¶ Atteindre, agacer, blesser. || Mécontenter. ¶ Émousser une pointe.

perstruo, *is, structum, ere*, tr. Bâtir entièrement; élever. ¶ Fermer, boucher, obstruer.

perstudiose, adv. Avec beaucoup de zèle.

perstudiosus, *a, um*, adj. Très zélé. Qui a beaucoup de goût pour.

perstulte, adv. Très sottement.

perstultus, *a, um*, adj. Très sot.

persuadeo, *es, suasi, suasum, ere*, intr. et tr. Persuader, convaincre, faire croire. ¶ Persuader de, déterminer à.

persuasio, *onis*, f. Persuasion, action de persuader. ¶ Persuasion, conviction, croyance.

persuastrix, *icis*, f. Celle qui persuade.

1. persuasus, *a, um*, p. adj. Qu'on s'est persuadé, dont on est convaincu. ¶ Déterminé, décidé.

2. persuasus, abl. *u*, m. Persuasion, instigation, conseil.

persuavis, *e*, adj. Très agréable.

persubtilis, *e*, adj. Très subtil, très délicat. ¶ Très ingénieux.

persulto, *as, avi, atum, are*, intr. Courir çà et là, bondir, sauter. ¶ Se faire entendre, retentir (en parl. de la voix). ¶ *Tr.* Sauter à travers, parcourir. || Commander, ordonner impérieusement.

persuptibilis. Voy. PERSUBTILIS.

pertabesco, *is, tabui, ere*, intr. Se consumer lentement, se calciner.

pertaedesco, *is, ta dui, ere*, intr. S'ennuyer, se dégoûter de.

pertaedaet, *t esum, est, ere*, impers. Etre fort ennuyé, être très dégoûté de, être las de. [entièrement.

pertego, *is, texi, tectum, ere*, tr. Couvrir

pertempto. Voy. PERTENTO.

pertendo, *is, tendi, ere*, tr. Terminer, achever. || Fig. S.-e. *animum*, faire attention à. ¶ *Intr.* Aller, se diriger vers, s'efforcer d'arriver à.

pertento, *as, avi, atum, are*, tr. Tâter, essayer, éprouver, examiner. ¶ Remuer, agiter, émouvoir. [très léger.

pertenuis, *e*, adj. Très fin. ¶ Très faible.

perterebro, *as, avi, atum, are*, tr. Transpercer avec une tarière.

pertergeo, *es, tersi, tersum, ere*, tr. Essuyer entièrement.

pertero, *is, trivi, tritum, ere*, tr. Broyer, concasser, écraser. [Epouvanter.

perterrefacio, *is, feci, factum, ere*, tr.

perterreo, *es, terrui, territum, ere*, tr. Epouvanter. [bruit terrible.

perterricrepus, *a, um*, adj. Qui fait un

perterrito, *as, are*, tr. Epouvanter, frapper d'un vif effroi.

pertexo, *is, texui, textum, ere*, tr. Tisser entièrement. ¶ Achever de construire.

pertica, *ae*, f. Perche, gaule, long bâton, échalas, fléau. ¶ Perche d'arpenteur. || Mesure. [perches.

perticalis, *e*, adj. Dont on fait des

pertimesco, *is, timui, ere*, tr. et intr. Etre épouvanté; craindre fortement.

pertinacia, *ae*, f. Ténacité, opiniâtreté; obstination, entêtement. ¶ Constance, fermeté, persévérance.

pertinaciter, adv. Très solidement. ¶ Opiniâtrément, obstinément. || Avec persévérance.

pertinax, *acis*, adj. Qui tient bien; tenace, qui ne lâche pas prise. ¶ Opiniâtre, obstiné: fermé, constant; persévérant, assidu.

pertineo, *es, tinui, ere*, intr. S'étendre jusqu'à, aboutir à. ¶ S'étendre à, se répandre sur; s'appliquer à; être commun à. ¶ Tendre à, avoir pour but de, servir à. ¶ Se rattacher à, tenir à (par la parenté). ¶ Se rapporter à. || Importer, être utile.

pertorqueo, *es, ere*, tr. Faire tordre, faire grimacer. ¶ *Fig.* Jeter, lancer des paroles, fulminer.

pertractatio (PERTRECTATIO), *onis*, f. Soin, application, étude approfondie. ¶ Maniement des affaires.

pertractator, *oris*, m. Celui qui approfondit, qui étudie à fond.

pertracto (PERTRECTO), *as, avi, atum, are*, tr. Manier, palper, tâter. ¶ Examiner avec soin, sonder, approfondir, revoir (un travail). [de séjour.

pertractus, *us*, m. Durée, prolongation

pertraho, *is, traxi, tractum, ere*, tr. Tirer jusqu'à, traîner vers; attirer. — *in jus*, traîner en justice. ¶ Faire sortir (le virus).

pertranseo, *is, ivi ou ii, ire*, intr. Traverser, passer outre. *Tr.* ¶ Passer à travers un pays.

pertrectatio. Voy. PERTRACTATIO.

pertrecto. Voy. PERTRACTO.

pertristis, *e*, adj. Très triste. ¶ Très sombre, très sévère. [rebattu, banal.

pertritus, *a, um*, p. adj. Usé, trivial,

pertundo, *is, tudi, tusum ou tunsum, ere*, tr. Percer, trouer, perforer. [sordre.

perturbate, adv. Confusément, en désordre.

perturbatio, *onis*, f. Agitation. || Temps orageux. ¶ *Fig.* Agitation, désordre, perturbation. || Trouble de l'âme, passion.

perturbator, *oris*, m. Celui qui trouble. perturbateur.

perturbatrix, *icis*, f. Celle qui trouble.

perturbatus, *a, um*, adj. Très trouble; plein de confusion, en désordre. ¶ (Fig.) Tout troublé, consterné, bouleversé.

perturbo, *as, avi, atum, are*, tr. Troubler fortement, jeter dans un grand trouble, bouleverser. ¶ Remuer: mélanger (plusieurs ingrédients ensemble).

perturpis, *e*, adj. Très honteux, très déshonorant. [perforé.

pertusus, *a, um*, p. adj. Percé, troué, perubique, adv. Partout.

perula, *ae*, f. Petit sac, besace.

perunctio, *onis*, f. Action d'enduire, friction.

perungo, *is, unxi, unctum, ere*, tr. Enduire entièrement, frotter *ou* frictionner partout. [finesse.

perurbane, adv. Avec beaucoup dê

perurbanus, *a, um,* adj. Très fin, très spirituel, de très bon goût. ¶ Trop fin, trop spirituel.

perurgeo (PERURGUEO), *es, ursi, ere,* tr. Presser vivement, poursuivre avec ardeur. || Presser (qqn) en paroles, insister auprès de qqn. ¶ S'exercer à, approfondir.

peruro, *is, ussi, ustum, ere,* tr. Brûler entièrement, consumer. ¶ Mettre à vif, écorcher. ¶ *Fig.* Enflammer, échauffer, consumer, ronger.

perustio, *onis,* f. Combustion. ¶ Ardeur, flamme (fig.).

perutilis, *e,* adj. Très utile.

pervado, *is, vasi, vasum, ere,* intr. Passer à travers, se répandre dans, pénétrer dans, parvenir jusqu'à. ¶ *Tr.* Comme OCCUPARE ou RAPERE.

pervagatus, *a, um,* p. adj. Très répandu, très connu, commun, banal. ¶ Général, universel. [VAGOR.

pervago, *as, are,* intr. Comme PER-

pervagor, *aris, atus sum, ari,* dép. intr. Errer çà et là, parcourir entièrement. ¶ Se répandre beaucoup, devenir très commun.

pervagus, *a, um,* adj. Errant, vagabond.

pervalidus, *a, um,* adj. Très fort.

pervarie, adv. D'une manière très variée.

pervarius, *a, um,* adj. Très varié; varié.

pervasto, *as, avi, atum, are,* tr. Ravager, dévaster. [de transporter.

pervectio, *onis,* f. Action de voiturer,

pervector, *oris,* m. Porteur, messager.

perveho, *is, vexi, vectum, ere,* tr. Voiturer, transporter, faire passer. *Pervehi,* traverser, passer, ¶ Porter, transporter (qqch. qq. part). || Passif. *Pervehi,* aller qq. part (à cheval, en voiture, par eau, par terre).

pervello, *is, velli, ere,* tr. Errer fortement. ¶ *Fig.* Harceler, tourmenter, dénigrer. ¶ Stimuler. ¶ Exciter, aiguillonner, réveiller la bonne foi (de qqn).

pervenio, *is, veni, ventum, ire,* intr. Arriver à, parvenir à, atteindre un lieu. || *Fig.* Arriver, parvenir, atteindre à qqch.

pervenor, *aris, ari,* dép. tr. Faire la chasse en tous sens, parcourir (fig.).

pervenustus, *a, um,* adj. Très beau; charmant. [tr. Craindre fort.

pervereor, *eris, veritus sum, eri,* dép.

perverse, adv. De travers, à l'envers. ¶ *Fig.* A tort, par erreur.

perversio, *onis,* f. Action de mettre à l'envers. ¶ Renversement de la construction d'une phrase, inversion, anastrophe. ¶ Dépravation.

perversitas, *atis,* f. Corruption, dépravation, déréglement. || Egarement. ¶ Extravagance, déraison.

perversus, *a, um,* p. adj. Renversé, mis à l'envers. ¶ Tourné de travers. ¶ Renversé, contraire à ce qui doit être. || Vicieux, mauvais, pervers.

perverto (PERVORTO), *is, verti, versum, ere,* tr. Renverser, détruire, ruiner, anéantir, abattre. ¶ Pervertir, corrompre.

pervesperi, adv. Très tard le soir.

pervestigatio, *onis,* f. Investigation, recherche minutieuse.

pervestigo, *as, avi, atum, are,* tr. Suivre à la piste, dépister, dénicher.

pervetus, *veteris,* adj. Très ancien, très vieux.

pervetustus, *a, um,* adj. Très vieux.

perviam, adv. D'une manière accessible.

pervicacia, *ae,* f. Obstination, opiniâtreté, persévérance, fermeté, constance. ¶ (En parl. des ch.). Solidité, résistance. [nément.

pervicaciter, adv. Opiniâtrement, obsti-

pervicax, *cacis,* adj. Obstiné, opiniâtre, entêté. ¶ Qui persiste, qui persévère, ferme.

pervideo, *es, vidi, ere,* tr. Voir complètement; voir distinctement. ¶ Examiner avec soin, considérer, approfondir. ¶ Voir clairement, reconnaître, pénétrer, constater.

pervigeo, *es, gui, ere,* intr. Rester florissant; rester en pleine possession de.

pervigil, *ilis,* adj. Qui veille toujours.

pervigilatio, *onis,* f. Veillée, veille. ¶ Fête religieuse célébrée la nuit.

pervigilia, *ae,* f. Veille prolongée.

pervigilium, *ii,* n. Longue veille. ¶ Fête religieuse célébrée la nuit.

pervigilo, *as, avi, atum, are,* intr et tr. Veiller; passer la nuit. ¶ Veiller attentivement sur (av. l'acc.).

pervilis, *e,* adj. Qui est à très bas prix.

pervinco, *is, vici, victum, ere,* intr. Remporter une victoire complète. || *Fig.* Vaincre entièrement, maintenir son droit, faire triompher son avis. ¶ *Tr.* Surmonter, dominer. || Obtenir avec effort, parvenir à. ¶ Démontrer, prouver irréfutablement.

perviridis, *e,* adj. Très vert.

pervium, *ii,* n. Communication, passage.

pervius, *a, um,* adj. Par où l'on peut passer, accessible, praticable. ||_Qu'on peut passer (à gué). ¶ *Fig.* Accessible, ouvert. ¶ Qui s'ouvre un passage.

pervivo, *is, vixi, ere,* intr. Vivre jusqu'à.

pervolito, *as, avi, are,* intr. et tr. Voler à travers. || Voler vers *ou* jusqu'à; arriver. || Parcourir en volant.

1. **pervolo,** *as, avi, atum, are,* intr. Voler à travers. ¶ *Tr.* Parcourir rapidement.

2. **pervolo,** *pervis, volui, velle,* intr. Désirer vivement, souhaiter, souhaiter fort. [dûment.

pervoluto, *are,* tr. Feuilleter, lire assidûment.

pervolvo, *is, volvi, volutum, ere,* tr. Rouler. Passif *pervolvi,* se rouler.

¶ S'occuper assidûment de, se familiariser avec. ¶ Feuilleter, lire assidûment.

pervor... Voy. PERVER...   [mun.

pervulgate, adv. Suivant l'usage com-

pervulgatus, a, um, adj. Très connu, divulgué, répandu. ¶ Très commun, banal, trivial.

per-vulgo, as, avi, atum, are, tr. Publier, répandre, divulguer. ¶ Fréquenter, visiter souvent, parcourir.

pes, pedis, m. Pied, patte. In pedes se conjicere, prendre ses jambes à son cou. ¶ Pied d'une table, d'un banc. ¶ Pied, mesure de longueur (0 m. 30).

pessime, adv. Superl. de MALE.

pessimo, as, are, tr. Maltraiter, mettre en très mauvais état, perdre. ¶ Rabaisser, ravaler.

pessimus, a, um, adj. Superl. de MALUS.

pessulum, i, n. Petit tampon, pessaire.

pessulus, i, m. Verrou.

1. pessum, i, n. (T. de médec.) Pessaire.

2. pessum, adv. En bas, à fond, au fond. — ire, tomber dans le malheur, être malheureux.

pessumdo et **pessum do,** as, dedi, datum, dare, tr. Précipiter au fond, submerger. || Noyer. ¶ (Au fig.) Perdre qqn.; détruire, anéantir; rendre malheureux.

pestifer, a, um, adj. Pestilentiel, insalubre. ¶ Pernicieux, funeste, désastreux.

pestifere, adv. Pernicieusement, d'une manière funeste, ruineuse, désastreuse.

pestilens, entis, adj. Pestilentiel, insalubre. ¶ Pernicieux, funeste.

pestilentia, ae, f. Epidémie, toute maladie contagieuse; peste. ¶ Air empesté, insalubrité. || Contrée malsaine. ¶ Venin, virulence. || Méchanceté.

pestis, is, f. Maladie contagieuse, épidémie, épizootie, peste. ¶ Fig. Fléau, malheur, ruine, peste.

petasatus, a, um, adj. Coiffé d'un pétase; en chapeau de voyage; prêt à partir.

petasio (PETASO), onis, m. Jambon de devant (opposé à perna, jambon de derrière).

petasus, i, m. Pétase, chapeau à larges bords, pour voyager ou pour se garantir, soit du soleil soit de la pluie. ¶ Dôme.   [seur de corde.

petaurista, ae, m. Equilibriste, dan-

petauristes, ae, m. Comme PETAURISTA.

petaurum, i, n. Petaure, corde raide, machine sur laquelle le pétauriste fait ses tours.   [de.

petax, acis, adj. Qui recherche, avide

petesso, is, ere, tr. Demander avec instances, quémander, ambitionner, convoiter.

petiolus, i, m. Jambe fine. || Pied de mouton. ¶ Queue d'un fruit.

petisso, is, ere, tr. Voy. PETESSO.

petitio, onis, f. Attaque. || Spéc. Assaut (d'escrime), botte. ¶ Attaque en paroles. ¶ Prière, requête, demande. || Spéc. Brigue, poursuite (des honneurs). ¶ (Langue des tribunaux.) Réclamation, plainte, instance (en matière civile). || Droit de réclamer.

petitor, oris, m .Celui qui recherche, qui tâche d'obtenir. || Candidat (à une charge publique). || Demandeur, plaignant (en matière civile). ¶ Prétendant à la main d'une femme. ¶ Enrôleur, recruteur.

petitrix, icis, f. Celle qui brigue un emploi. ¶ Demanderesse, plaignante (t. de droit).   [se porter candidat.

petiturio, ire, intr. Avoir envie de

petitus, us, m. Action de se laisser aller. ¶ Demander.

peto, is, ivi et ii, itum, ere, tr. Chercher à atteindre, viser. ¶ Se diriger vers; gagner (le large), regagner, se rendre. ¶ Aspirer à, chercher à obtenir, rechercher; prétendre (à la main de). || Tâcher de se procurer, aller ou venir chercher. ¶ Demander. ¶ Postuler, briguer (une charge). ¶ Réclamer en justice; être demandeur.

petoritum, i, n. Chariot gaulois (découvert) à quatre roues.

petorritum, i, n. Voy. le précédent.

petra, ae, f. Pierre, roche.

petraeus, a, um, adj. Rocheux, qui se trouve ou qui vient sur des rochers.

petro, onis, m. Vieux bélier (qui a la chair dure). ¶ Paysan endurci, lourdaud.

petroselinon, i, n. Sorte de persil.

petrosa, (s.-e. LOCA), orum, n. pl. Endroits pierreux, rocailleux.

petrosus, a, um, adj. Pierreux, rocheux. ¶ Qui lance des pierres.

petulans, antis, p. adj. Gai, espiègle, taquin. ¶ Pétulant, bouillant, emporté. ¶ Impudent, insolent. ¶ Sans retenue, libertin.

petulanter, adv. Avec pétulance.

petulantia, ae, f. Disposition à attaquer, pétulance, emportement, fougue. ¶ Effronterie. ¶ QQf. Légèreté, étourderie.

petulcus, a, um, adj. Qui frappe de la corne, qui cosse. ¶ Fig. Fringant. Folâtre. || Effronté.

phaecasia, ae, f. Comme PHAECASIUM.

phaecasiatus, a, um, adj. Chaussé de souliers blancs.

phaecasium, ii, m. Phécase, chaussure en cuir blanc que portaient les prêtres à Athènes.   [plur.] Météores.

phaenomenon, i, n. Symptôme. || (Au phalanga (PALANGA), ae, f. pl. Perche servant à porter un fardeau, brancard, levier. ¶ Rouleau de bois pour le déplacement des vaisseaux.

phalangion (PHALANGIUM), ii, n. Araignée venimeuse, tarentule.

phalangitae, arum, m. pl. Soldats de la phalange.

phalangius, *ii*, m. Comme PHALANGION.

phalanx (FALANX), *angis*, f. Corps combattant en rangs serrés. || (Fig.) Multitude, foule compacte. ¶ Phalange (des Athéniens *ou* des Spartiates). || Phalange macédonienne. || Phalange (chez les Gaulois *ou* chez les Germains).

phalarica, *ae*, f. Voy. FALARICA.

phalaris, *ridis*. Voy. PHALERIS.

phalera, *orum*, n. pl. Comme PHALERAE.

phalerae (FALERAE), *arum*, f. pl. Phalères (collier fait de bulles d'or et d'argent, ornement des patriciens, et récompense militaire). ¶ Vains ornements, clinquant.

phaleratus (FALERATUS), *a*, *um*, adj. Orné de phalères. ¶ *Fig. Dicta phalerata*, paroles dorées, mots qui sonnent creux.

phaleris, *idis*, f. Foulque, espèce de poule d'eau. ¶ Millet des oiseaux.

phalero, *as*, *are*, tr. Orner (pr. et fig.).

phantasia, *ae*, f. Idée, conception. ¶ Ombre, fantôme.

phantasma, *atis*, n. Fantôme, spectre. ¶ Image (d'une chose), représentation imaginaire.

phantasmaticus, *a*, *um*, adj. Imaginaire.

phantastice, adv. Par imagination.

phantasticus, *a*, *um*, adj. Imaginaire, chimérique.

pharetra, *ae*, f. Carquois.

pharetratus, *a*, *um*, adj. Qui porte un carquois.

pharmaceutria, *ae*, f. Magicienne.

pharmacopola, *ae*, m. Pharmacien, apothicaire, droguiste.

phaselus (PHASELOS), *i*, m. et f. Embarcation légère (de forme allongée). ¶ Faséole sorte de fèves comestibles (comme les haricots).

phaseolus, *i*, m. Petite fève. [fiole.

phiala, *ae*, f. Coupe (à large ventre),

philacterium. Voy. PHYLACTERIUM.

philitia, *orum*, n. pl. Agapes (repas publics, chez les Lacédémoniens).

philologia, *ae*, f. Amour de la science, érudition. ¶ Interprétation (des écrivains); exégèse.

1. philologus, *a*, *um*, adj. Littéraire; d'érudition. ¶ Instruit.

2. philologus, *i*, m. Homme lettré *ou* instruit; érudit. ¶ Philologue, savant commentateur ou critique.

philosophia, *ae*, f. Philosophie.

philosophice, adv. En philosophe.

philosophicus, *a*, *um*, adj. Philosophique. ¶ Comme QUADRATARIUS.

philosophor, *aris*, *atus*, *sum*, *ari*, dép. intr. Philosopher, s'occuper d'études philosophiques; parler, agir en sage.

1. philosophus, *a*, *um*, adj. De philosophe, philosophique. ¶ Digne d'un sage.

2. philosophus, *i*, m. Philosophe. || Moraliste sévère. ¶ Artiste, maître sculpteur. [gique.

philtrum, *i*, n. Philtre, breuvage ma-

philyra (PHILURA), *ae*, f. Tilleul.

phimus, *i*, m. Cornet à dés. [marin.

phoca, *ae* et **phoce**, *es*, f. Phoque, veau

phocis, *idis*, acc. *ida* f. Sorte de poirier.

phoenicatus, *a*, *um*, adj. Comme PHOENICIATUS.

phoenice, *es*, f. Ivraie sauvage.

phoeniceus, *a*, *um*, adj. Comme PUNICEUS. [d'un cheval).

phoeniciatus, *a*, *um*, adj. Bai (en parl.

phoenicinus, *a*, *um*, adj. De palmier.

phoenicites, *ae*, m. Vin de palme.

phoenicobalanus, *i*, m. Datte.

phoenicopterus, *i*, m. Flamant, oiseau.

phoenix, *icis*, f. Le palmier.

phonascus, *i*, m. Maître de chant *ou* de déclamation. ¶ Celui qui entonne, coryphée.

phormio (FORMIO), *onis*, m. Natte de jonc, paillasson. [style.

phrasis, *is*, acc. *in*, f. Diction, élocution.

phrenesis, *is*, f. Frénésie, délire, frénétique. [adj. Frénétique.

1. phreneticus (PHRENETICUS), *a*, *um*,

2. phreneticus, *i*, m. Un fou, un maniaque.

phthir, m. Pou de mer.

phthisicus, *i*, n. Phtisique.

phthisis, *eos* et *is*, f. Phtisie.

phui ou **phy !** interj. Fi !

phylacista, *ae*, m. Créancier (qui harcèle sans cesse son débiteur, et le surveille comme un geôlier).

phylacterium, *ii*, n. Amulette. ¶ Au plur, *Phylacteria*, chaînes et médaillons portés par les gladiateurs comme signes de leurs victoires.

phylarcus, *i*, m. Chef de tribu.

physeter, *eris*, m. Tube pour insuffler qqch. ¶ Souffleur (cétacé).

1. physica, *ae*, f. Physique, les sciences naturelles.

2. physica, *orum*, n. pl. Les sciences naturelles, la physique.

1. physice, *es*, f. Comme 1. PHYSICA.

2. physice, adv. En physicien.

physicum, *i*, n. Remède naturel.

1. physicus, *a*, *um*, adj. Physique, naturel; des sciences naturelles. ¶ Conforme à la nature.

2. physicus, *i*, m. Physicien, naturaliste. ¶ Médecin. ¶ Astrologue.

physiognomon, *onis*, m. Physionomiste.

physiologia, *ae*, f. Les sciences physiques et naturelles.

physiologice, adv. Physiologiquement.

physiologicus, *a*, *um*, adj. Physiologique. [d'histoire naturelle.

physiologumena, *on*, n. pl. Recherches

physiologus, *i*, m. Naturaliste.

piabilis, *e*, adj. Qui peut être expié. ¶ Expiatoire.

piaclum, *i*, n. p. PIACULUM.

piacolom. Voy. PIACULUM.

piacularis, *e*, adj. Expiatoire.

piaculariter, adv. D'une manière indigne, impie.

pisaculum, i, n. Expiation ; victime et sacrifice expiatoire. || Expiation, châtiment, peine. ¶ Tout ce qui rend nécessaire un sacrifice expiatoire : impiété, forfait. || Calamité, événement fâcheux. [expiatoire.

piamen, inis, n. Expiation, sacrifice

piamentum, i, n. Expiation, sacrifice expiatoire.

piatio, onis, f. Expiation.

piator, aris, m. Prêtre qui fait des cérémonies expiatoires.

piatrix, icis, f. Prêtresse, qui fait des cérémonies expiatoires.

pica, ae, f. Pie, oiseau.

picaria, ae, f. Fabrique où l'on prépare la poix. [sonné avec de la poix.

picatus, a, um, adj. Empoissé .|| Assai-

picea, ae, f. Sapin, arbre.

piceus, a, um, adj. De poix. ¶ Noir comme la poix.

picinus, a, um, adj. Noir comme la poix.

pico, as, avi, atum, are, tr. Enduire de poix, goudronner.

picridiae, arum, f. pl. Salade amère, sorte de chicorée.

pictaciolum. Voy. PITTACIOLUM.

pictor, oris, m. Peintre. ¶ Brodeur.

pictoria, ae, f. La peinture.

pictorius, a, um, adj. De peintre.

pictura, ae, f. La peinture, l'art de peindre. || (Méton.) Peinture, tableau. || Ouvrage de broderie. || Tapisserie. || Point de broderie. || Mosaïque. || Enluminure. || Fard. ¶ *Fig.* Peinture, c.-à-d. description.

picturatus, a, um, adj. Nuancé de diverses couleurs. || Brodé. ¶ Brodé, damasquiné. [naies.

picturo, as, are, tr. Frapper des monpictus, a, um, p. adj. Peint, orné d'une peinture. *Tabula picta,* un tableau. ¶ Brodé. || Coloré, orné. ¶ Représenté en peinture seulement c.-à-d. imaginaire, vain. [Griffon, oiseau fabuleux.

picus, i, m Pie, pivert, oiseau. ¶

pie, adv. Pieusement, religieusement. || Conformément aux sentiments et aux devoirs naturels. ¶ Tendrement, avec affection.

piens, entis, adj. Voy. PIUS.

pietas, atis, f. Sentiment du devoir. || Sentiment du devoir envers les dieux, sentiments religieux. ¶ Tendresse, amour, affection, piété filiale, amitié fraternelle, amour paternel. ¶ Amour de la patrie, patriotisme. ¶ Justice, droiture, vertu. ¶ Indulgence, clémence.

piger, gra, grum, adj. Paresseux, indolent, lent. ¶ Paresseux, inerte. — *annus,* année interminable. || *Fig.* Traînant. || Qui rend inerte. ¶ Triste, mélancolique.

piget, uit ou *itum est, ere,* intr. impers. Répugner, hésiter à. ¶ Etre fâché, regretter de, se repentir de.

1. **pigmentarius, a, um,** adj. Relatif aux couleurs, au fard, aux parfums.

2. **pigmentarius, ii,** m. Marchand de couleurs *ou* de parfums.

pigmentatus, a, um, adj. Coloré, fardé.

pigmentum, i, n. et *(ordin.)* pigmenta, *orum,* n. pl. Couleur, matière colorante. || Fard. || *Fig.* Couleurs, ornements du style. ¶ Baume, aromate, parfum aromatique. ¶ Drogue, médicament. ¶ Epices. [d'hypothèque.

pigneraticia, ae, f. Poursuite en matière

pigneraticius, a, um, adj. Hypothécaire. ¶ Donné en hypothèque.

pigneratio, onis, f. Hypothèque, engagement hypothécaire.

pignerator, aris, m. Celui qui prend des gages, qui reçoit des hypothèques (prêteur sur gages).

pignero, as, avi, atum, are, tr. Engager, mettre en gage, donner en gage. ¶ Obliger, gagner par des bienfaits.

pigneror, aris, atus sum, ari, dép. tr. Prendre en gage, recevoir en nantissement. ¶ *Fig.* Prendre pour gage : s'engager. || Accepter comme certain.

pignor... Voy. PIGNER...

pignus, oris et *eris,* n. Gage, nantissement. ¶ Enjeu. ¶ Caution, gage, sûreté; caution que prenait le consul (pour contraindre les sénateurs à assister aux séances). ¶ Au plur. *Pignora* ou *pignera,* gages de tendresse, objets d'affection, enfants, parents. ¶ Gage, témoignage, preuve. ¶ Contrat avec hypothèque. [ment, lentement.

pigre, adv. Avec paresse, nonchalam-

pigresco, is, ere, intr. Se ralentir.

pigritia, ae, f. Ennui, répugnance. ¶ Paresse, nonchalance.

pigrities, ei, f. Comme PIGRITIA.

pigrito, as, are, intr. Comme PIGRITOR.

pigritor, aris, atus sum, ari, dép. intr. Etre nonchalant *ou* très paresseux.

pigro, as, are, intr. Avoir de la répugnance, être lent à.

1. **pigror, aris, ari,** dép. intr. Négliger de, avoir de la répugnance.

2. **pigror, oris,** m. Paresse.

1. **pila, ae,** f. Matière à piler.

2. **pila, ae,** f. Pile, pilier, colonne. ¶ Môle, digue, jetée.

3. **pila, ae,** f. Balle, paume. || Jeu de paume. ¶ Balle, boule, pelote, globe. || Savonnette. || Petite boule pour le scrutin des juges. || Navet rond. ¶ Mannequin. || Robe en loques.

pilanus, i, m. Triaire (soldat armé du pilum).

pilaris, e, adj. De balle.

pilarium, ii, n. Lieu de sépulture où l'on gardait les urnes funéraires. || Columbarium. [tateur.

pilarius, ii, m. Jongleur, prestidigi-

pilatus, a, um, adj. Armé du *pilum.*

pileatus, a, um, adj. Coiffé du *pileus.*

pilentum, i, n. Char suspendu, à l'usage des dames romaines. ¶ Char servant à porter les vases sacrés.

pileolum (PILLEOLUM), *i*, n. Comme PI-LEOLUS.

pileolus (PILLEOLUS), *i*, m. Un petit bonnet de feutre.

pileum, *i*, n. Comme PILEUS.

pileus (PILLEUS), *i*, m. Bonnet de feutre *ou* de laine, qu'on donnait à l'esclave le jour de son affranchissement. ‖ Symbole de la liberté : indépendance, affranchissement. ¶ Enveloppe de l'embryon.

pilicrepus, *i*, m. Joueur de balles.

1. pilo, *as, are*, tr. Devenir pollu. ¶ Epiler. ‖ *Fig.* Plumer, dépouiller.

2. pilo, *as, are*, tr. Appuyer fortement.

pilula, *ae*, f. Petite balle (jouet d'enfant). ¶ Boulette; bille. ¶ Pilule.

pilum, *i*, n. Pilon (pour piler, dans un mortier). ¶ Pilum, javelot de l'infanterie romaine.

1. pilus, *i*, m. Compagnie des pilaires *ou* triaires (armés du *pilum*).

2. pilus, *i*, m. Poil ,crin. ‖ Cheveu. Un cheveu, *c.-à-d.* un rien.

pina (PINNA), *ae*, f. Pinne-marine (coquillage).

pinacotheca, *ae*, f. et pinacothece, *es*, f. Galerie de tableaux, musée.

pinaster, *tri*, m. Pin sauvage.

pincerna, *ae*, m. Echanson.

pinea, *ae*, f. Pomme de pin.

pinetum, *i*, n. Forêt de pins.

pineus, *a, um*, adj. De pin.

pingo, *is, pinxi, pictum, ere*, tr. Peindre. ‖ Broder. ‖ Peindre, colorer, enluminer, barbouiller. *Pingi*, se farder. ‖ *Fig.* Peindre, dépeindre, décrire. ¶ Colorer (le style), donner du coloris (à l'expression).

pingue, *is*, n. Le gras, la graisse.

pinguedo, *inis*, f. Embonpoint, obésité. ¶ Graisse. ¶ Epaisseur, consistance.

pinguefacio, *is, feci, factum, facere*, tr. Engraisser, rendre gras.

pinguesco, *is, ere*, intr. S'engraisser, devenir gras. ‖ Devenir huileux. ‖ Prendre de la consistance, épaissir. ¶ S'étendre, grandir (en parl. de la flamme). ¶ Se prononcer avec une aspiration plus forte.

pinguis, *e*, adj. Gras, engraissé, bien nourri. ¶ Gras, graisseux, huileux. ¶ Enduit, barbouillé. ¶ Epais. ¶ Fade, d'une saveur douce. ¶ Epais, lourd, grossier. ‖ Empâté (en parl. du style), bouffi, ampoulé. ¶ Calme, paisible. ¶ Plein, fort (en parl. de la prononciation).

pinguiter, adv. Grassement. ¶ Largement, richement, abondamment. En gros.

pinguitudo, *inis*, f. Graisse. [des pins.

pinifer, *era, erum*, adj. Qui produit

1. pinna, *ae*, f. Voy. PENNA. ¶ Créneau.

2. pinna, *ae*, f. Pinne marine, coquillage

3. pinna, *ae*, f. Lobe du foie. [faîte.

pinnaculum, *i*, n. Petite aile, ¶ Pinacle,

pinnatus. Voy. PENNATUS. [geoires.

pinniger, *era, erum*, adj. Muni de na-

pinnirapus, *i*, m. Qui cherche à enlever l'aigrette du casque *c.-à-d.* antagoniste du gladiateur samnite.

pinnosus, *a, um*, adj. Comme ALTUS *ou* SUPERBUS.

pinnoteres, *ae*, m. Pinnotère, petit crabe qui se loge dans la pinne marine.

pinnula (PINULA), *ae*, f. Petite plume, petite aile. ‖ (Au plur.) Nageoires.

pinophylax, *acis*, m. Pinnotère, petit crabe (qui se loge dans la pinne marine).

pinosus, *a, um*, adj. Couvert de pins.

pinoteres, *ae*, m. Voy. PINOPHYLAX.

pinotheras, *ae*, m. Comme PINNOTERES.

pinsitor, *oris* m. Pileur, broyeur.

1. pinso, *is, si et sui, sum, situm et pistum*, tr. Battre, piler, broyer.

2. pinso, *as, atus, are*, tr. Réduire en poudre.

pinsor, *aris*, m. Comme PINSITOR.

pinula. Voy. PINNULA.

pinus, *us* et *i*, f. Pin, arbre, consacré à Cybèle et à Diane. ¶ Objet fait avec le pin. ‖ Vaisseau, navire. ‖ Torche de pin. ‖ Lance en bois de pin. ‖ Rame. ‖ Forêt de pins. ‖ Pin pignon (à fruits comestibles).

pio, *as, avi, atum, are*, tr. Apaiser par des sacrifices, rendre propice. ¶ Honorer par des sacrifices. ¶ Expier, réparer, détourner par un sacrifice expiatoire. ¶ Venger, punir. ¶ Rendre pieux.

piper, *eris*, n. Poivre. ¶ *Fig.* Mots mordants.

piperatum, *i*, n. Sauce poivrade.

piperatus, *a, um*, adj. Poivré.

piperinus, *a, um*, adj. Taché de grains comme ceux du poivre. — *lapis*, péperin, sorte de pierre. [pler.

pipilo, *as, are*, intr. Gazouiller, pé-

1. pipio, *as, are*, intr. Vagir, pousser de vagissements, piauler.

2. pipio, *is, ire*, intr. Piauler. [reau.

3. pipio, *onis*, m. Pigeonneau, tourte-

pipo, *as, are*, intr. Glousser (en parl. de la poule). ¶ Crier (en parl. de l'épervier). ¶ Pépier (en parl. des oiseaux).

pipulum, *i*, n. Vagissement, gémissement. ¶ Plaintes, criailleries.

pipulus, *i*, m. Voy. le précédent.

piracium, *ii*, n. Poiré (cidre poiré).

piramis. Voy. PYRAMIS.

pirata, *ae*, m. Pirate; corsaire.

piratica (s.-e. ARS), *ae*, f. Métier de pirate; piraterie.

piratice, adv. En pirate.

piraticum, *i*, n. Poiré, cidre poiré.

piraticus, *a, um*, adj. De pirate.

piretrum. Voy. PYRETHRON.

pirum, *i*, n. Poire, fruit.

pirus, *i*, f. Poirier (arbre).

pisa, *ae*, f. Pois (légumes).

piscaria, *ae*, f. Marché au poisson.

piscariola, *ae*, f. Comme CHAMAEPITYS.

1. **piscarius**, *a*, *um*, adj. Relatif au poisson.

2. **piscarius**, *ii*, m. Pêcheur.

piscator, *oris*, m. Pêcheur. ¶ Marchand de poisson; poissonnier.

piscatoria, *ae*, f. Métier de pêcheur.

piscatorius, *a*, *um*, adj. De pêcheur. ¶ De poisson. — *forum*, marché au poisson.

piscatrix, *icis*, f. Une pêcheuse.

piscatum, *i*, n. Plat de poisson.

piscatus, *us*, m. Pêche. ¶ (Mét.) Pêche, produit de la pêche.

pisciculus, *i*, m. Petit poisson.

piscina, *ae*, f. Vivier (étang à poisson). ¶ Piscine, bassin (dans les bains). ¶ Abreuvoir, mare. ¶ Baquet, auge.

piscinarius, *ii*, m. Celui qui a des viviers.

piscis, *is*, m. Poisson. ¶ Au plur. *Pisces*, les Poissons, constellation. [Pêcher.

piscor, *aris*, *atus sum*, *ari*, dép. tr.

piscosus, *a*, *um*, adj. Poissonneux, abondant en poissons. ¶ Semblable au poisson. [poissons.

pisculentum, *i*, n. Remède composé de

pisculentus, *a*, *um*, adj. Poissonneux.

1. **piso**, *is*, *pisi*, *ere*. Voy. 1. PINSO.

2. **piso**, *as*, *atus*, *are*, tr. Voy. 2. PINSO.

3. **piso**, *onis*, m. Mortier.

pistacia, *ae*, f. Pistachier.

pistacium, *ii*, n. Pistache (fruit).

pistillum, *i*, n. Petit pilon.

pistillus, *i*, m. Petit pilon.

pisto, *as*, *are*, tr. Piler.

pistor, *oris*, m. Celui qui pile le grain dans un mortier.|| Boulanger.|| Pâtissier. [— *milites*, les mitrons.

pistoriensis, *e*, adj. De boulangerie.

pistorium, *ii*, n. Pétrin, huche.

pistorius, *a*, *um*, adj. De boulanger, de pâtissier.

pistrilla, *ae*, f. Petite meule à bras.

pistrina, *ae*, f. Lieu où l'on pile le grain; boulangerie.

pistrinalis, *e*, adj. De boulangerie.

pistrinarius, *ii*, m. Boulanger *ou* meunier.

pistrinensis, adj. De moulin.

pistrinum, *i*, n. Moulin que faisaient mouvoir des bêtes de somme *ou* des esclaves punis par leurs maîtres. ¶ Boulangerie.

pistris, *is*, f. Voy. PRISTIS.

1. **pistrix**, *icis*, f. Voy. PISTRIS.

2. **pistrix**, *icis*, f. Boulangère.

pistura, *ae*, f. Action de piler le blé, action de moudre; mouture.

pistus, *a*, *um*, p. adj. Voy. 1. PINSO.

pisum, *i*, n. Pois (légume).

pittaciolum, *i*, n. Voy. PITTACIUM.

pittacium, *ii*, n. Morceau de cuir, de toile *ou* de papier. || Emplâtre. || Pièce (à un soulier). || Capuchon. || Etiquette d'une bouteille. || Billet de loterie. || Mémoire, contrat, quittance. || Annonce, placard, affiche. [pin.

pituinus et pityinus, *a*, *um*, adj. De

pituita, *ae*, f. Humeur pituitaire, pituite; glaire, humeur, mucosité. || Flux de ventre. || Pus. || Pépie. || Gomme (des arbres). [plante.

pituitaria, *ae*, f. Herbe pédiculaire, pituitaire.

pituitosus, *a*, *um*, adj. Sujet à la pituite. ¶ (*En parl. de ch.*) Qui tient à la pituite.

pius, *a*, *um*, adj. Qui accomplit ses devoirs envers les dieux; pieux, religieux. || Qui remplit ses devoirs envers ses parents, ses enfants, sa patrie. ¶ Honnête, vertueux, juste. Subst. *Pii*, *orum*, m. pl. Les justes, les bienheureux, les morts. ¶ Bienveillant, clément. ¶ Miséricordieux. ¶ (En parl. de ch.) Juste, légitime.

pix, *picis*, f. Poix.

placabilis, *e*, adj. Qu'on peut apaiser, qui n'est point implacable; indulgent, clément. ¶ Propre à apaiser, capable d'apaiser.

placabilitas, *atis*, f. Facilité à se laisser fléchir, indulgence, clémence.

placabiliter, adv. De manière à apaiser.

placamen, *inis*, n. Moyen d'apaiser.

placamentum, *i*, n. Voy. PLACAMEN.

placate, adv. Avec calme, tranquillement.

placatio, *onis*, f. Action d'apaiser.

placatus, *a*, *um*, p. adj. Apaisé, fléchi, calmé. || Bienveillant. ¶ Paisible, calme.

placenta, *ae*, f. Gâteau.

placentarius, *ii*, m. Pâtissier.

1. **placentia**, *ae*, f. Désir de plaire.

placeo, *es*, *ui*, *ere*, intr. Plaire, vouloir plaire (à qqn). || Plaire, réussir. || Impers. *Placet*, c'est l'avis, la volonté de; il plaît à... ¶ Tomber d'accord, convenir de.

placide, adv. Avec douceur, avec bonté. ¶ Avec calme, avec résignation. ¶ Doucement, insensiblement. [doux.

placiditas, *atis*, f. Douceur, caractère

placidum, *i*, n. Calme, bonace.

placidus, *a*, *um*, adj. Doux, calme, paisible, tranquille (en parl. des pers. et des ch.). [coup.

1. **placito**, *as*, *are*, intr. Plaire beau-

2. **placito**, *as*, *are*, intr. Poursuivre devant les tribunaux.

placitum, *i*, n. Ce qui plaît, volonté, désir, souhait. || Agrément. ¶ Ordonnance; précepte.

placitus, *a*, *um*, p. adj. Qui a plu, qui plaît, cher, aimé, agréable.

placo, *as*, *avi*, *atum*, *are*, tr. Apaiser, calmer. ¶ Apaiser, fléchir, adoucir. || Tâcher d'apaiser, chercher à calmer.

1. **plaga**, *ae*, f. Corde tendue à la base et au sommet d'un filet de chasse. || Filet de chasse, piège, panneau. || Bordure d'une couverture, bande d'étoffe. ¶ *Fig.* Ligne. || Bande de terre, étendue de terre, de ciel *ou* d'eau. || Zone. || Contrée, canton.

2. **plaga**, *ae*, f. Choc, heurt. || Choc des

atomes. ¶ Meurtrissure, blessure. ‖ *Fig.* Coup, atteinte, dommage, préjudice, malheur.

plagiarius, *ii*, n. Plagiaire (celui qui débauche et recèle les esclaves d'autrui). ¶ Plagiaire (celui qui s'approprie ce qu'il a copié dans les ouvrages d'autrui). ¶ Voleur, ravisseur.

plagiator, *aris*, m. Plagiaire, receleur d'esclaves. ¶ Séducteur d'enfants.

plagigerulus, *a*, *um*, adj. Roué de coups.

plagio, *as*, *avi*, *are*, tr. Commettre un détournement d'esclave, au préjudice de qqn; voler, spolier.

plagipatida, *ae*, m. Souffre-douleur.

plagosus, *a*, *um*, adj. Couvert de coups *ou* de blessures. ¶ Qui est prodigue de coups, brutal.

plagula, *ae*, f. Pan d'une toge. ¶ Couverture de lit. ¶ Feuillet; feuille de papier.

plana, *ae*, f. Doloire.

planctus, *us*, m. Action de frapper avec bruit; battement des ailes. ‖ Bruit des vagues. ¶ Coups qu'on se donne dans la douleur. ‖ Douleur bruyante, lamentations.

plane, adv. De plain-pied, horizontalement. ¶ Sans détours, clairement, nettement. ‖ Entièrement, tout à fait. ‖ Oui certes, certainement.

planeta, *arum*, m. pl. et **planetes**, *um*, m. pl. Planètes.

plango, *is*, *planxi*, *planctum*, *ere*, tr. Frapper avec bruit. Passif-moyen. *Ales plangitur*, l'oiseau bat des ailes. ¶ Montrer une douleur bruyante, se lamenter. *Plangi*, même sens. ¶ *Tr.* Pleurer *ou* déplorer bruyamment.

plangor, *oris*, m. Coups, action de se frapper. ¶ Coups qu'on se donne dans la douleur; lamentations.

planguncula, *ae*, f. Poupée en cire, marionnette.

planicies. Voy. PLANITIES.

planitas, *atis*, f. Etat de ce qui est uni, netteté, clarté.

planitia, *ae*, f. Voy. le suivant.

planities, *ei*, f. Surface plane. ¶ Plaine, pays plat.

plano, *as*, *are*, tr. Aplanir, polir. ¶ Comme EXPLANARE.

planta, *ae*, f. Plant, rejeton, bouture. ¶ Plante, herbe, végétal. ¶ Plante du pied, pied.

plantago, *inis*, f. Plantain.

plantaria, *ium*, n. pl. Jeunes plants, boutures. ‖ Plantation, pépinière. ‖ *Fig.* Les cheveux.

plantaris, *e*, adj. Relatif aux plants. ¶ Du pied. Subst. *Plantaria* n. pl. Talonnières de Mercure, de Persée.

plantarium, *ii*, n. Pépinière.

plantatio, *onis*, f. Action de planter. ¶ Plantation. [transplanter.

planto, *as*, *avi*, *atum*, *are*, tr. Planter,

planum, *i*, n. Surface plane. ¶ Plaine.

De plano, sur la place, extra-judiciairement.

1. **planus**, *a*, *um*, adj. Plan, plein, uni, égal, plat. ¶ Uni, facile, aisé.

2. **planus**, *i*, m. Vagabond. ‖ Imposteur, charlatan.

1. **plasma**, *atis*, n. Une créature. ‖ Fiction (poétique). ¶ Modulation, efféminée de la voix. [PLASMA.

2. **plasma**, *ae*, f. Autre forme de 1.

plasmo, *as*, *avi*, *atum*, *are*, tr. Former, créer. [glle, modeleur.

plastes, *ae*, m. Celui qui modèle l'ar-

plastica, *ae*, f. La plastique, art de modeler en argile, en cire).

plastice, *es*, f. Voy. PLASTICA. [lage.

plasticus, *a*, *um*, adj. Relatif au mode-

plataninus, *a*, *um*, adj. De platane.

platanon, *onis*, acc. *ona*, m. Lieu planté de platanes.

1. **platanus**, *i*, f. Platane (arbre).

2. **platanus**, *us*, f. Comme 1. PLATANUS.

platea, *ae*, f. Rue (d'une ville). ¶ Place. ‖ Place publique. ‖ Place du marché. ‖ Cour (la maison). ¶ Spatule (oiseau).

plateola, *ae*, f. Diminutif de PLATEA.

platessa, *ae*, f. Poisson plat, plie.

plaudo, *is*, *plausi*, *plausum*, *ere*, intr. et tr. Claquer, battre. — *alis*, battre des ailes. ‖ Battre des mains, applaudir. ‖ Faire du bruit (en signe de mécontentement). ¶ Faire claquer, frapper, battre.

plausibilis, *e*, adj. Qui est digne d'être applaudi *ou* approuvé; louable.

plausor, *oris*, m. Applaudisseur. ‖ Claqueur.

1. **plaustrarius** (PLOSTRARIUS), *a*, *um*, adj. De chariot, pour les chariots.

2. **plaustrarius**, *ii*, n. Charron. ¶ Voiturier, charretier.

plaustrum (PLOSTRUM), *i*, m. Chariot, charrette. ¶ Le chariot (constellation).

plausus, *us*, m. Bruit produit en frappant, battement. ‖ Battement de mains, applaudissement. ‖ Applaudissement, *c.-à-d.* approbation.

plautus (PLOTUS), *a*, *um*, adj. Plat, large; aux pieds plats.

plebecula, *ae*, f. Populace, menu peuple.

plebeius. Voy. PLEBEJUS.

plebeja, *ae*, f. Une plébéienne.

1. **plebejus**, *a*, *um*, adj. Plébéien, du peuple. ¶ Commun, vulgaire, trivial.

2. **plebejus**, *ii*, m. Un plébéien.

plebes, *bei* et *bi*, f. Forme archaïque de PLEBS. [démagogue.

plebicola, *ae*, m. Flatteur du peuple,

plebicula. Comme PLEBECULA.

plebis. Autre forme de PLEBES.

plebiscitum, *i*, n. Plébiscite. Voy. SCITUM.

plebs, *bis*, f. La plèbe, les plébéiens (par oppos. aux patriciens). ‖ Foule. ‖ Le peuple, le bas peuple, la populace. ¶ Les simples soldats. ¶ Paroisse, paroissiens. [enlacer.

plectilis, *e*, adj. Qu'on peut tresser,

1. **plecto**, *is*, *ere*, tr. Frapper, châtier, infliger une peine corporelle; corriger. ¶ Au passif. *Plecti*, être châtié, puni. ‖ Etre blâmé.

2. **plecto**, *is*, *plexi* et *plexui*, *plexum*, *ere*, tr. Plier, tresser. ¶ (Ordin.) Au part. passé *plexus*, *a*, *um*, tressé.

plectrifer, *era*, *erum*, adj. Qui porte le plectre *ou* l'archet (en parl. d'Apollon).

plectriger, *era*, *erum*, adj. Comme PLECTRIFER.

plectripotens, *entis*, adj. Maître d'archet c.-à-d. grand dans la poésie lyrique.

plectrum, *i*, n. Plectre, verge de bois *ou* d'ivoire, pour toucher les cordes de la lyre. ‖ Lyre. ‖ Poésie lyrique. ¶ Barre de gouvernail.

plene, adv. Tout plein, jusqu'au bord. ¶ Pleinement, abondamment, richement.

plenilunium, *ii*, n. Pleine lune.

plenitudo, *inis*, f. Développement complet. ‖ Plénitude. ¶ Grosseur, épaisseur. ¶ *Fig.* Plénitude (son plein des syllabes).

plenus, *a*, *um*, adj. Plein, rempli. ¶ Saturé de. ¶ (En parl. de la voix.) Sonore, plein.

plerumque, adv. La plupart du temps, ordinairement, le plus souvent. ¶ Parfois, quelquefois.

plerus, *a*, *um*, adj. Pris dans sa plus grande partie. *Plerum*, voy. PLE-RUMQUE.

plerusque, *aque*, *umque*, adj. Pris dans sa plus grande partie. ¶ (Ordin.) Au plur. *Plerique*, la plupart, le plus grand nombre. Neutre adv. *Pleraque*, le plus souvent. ‖ Beaucoup. ‖ Un certain nombre de.

plethron, *i*, n. Mesure agraire de 10.000 mètres carrés (chez les Grecs).

pletura, *ae*, f. Plénitude.

pleuritici, *orum*, m. pl. Malades atteints de pleurésie.

pleuriticus, *a*, *um*, adj. Pleurétique; causé par la pleurésie.

pleuritis, *idis*, f. Pleurésie (maladie).

plicatilis, *e*, adj. Qu'on peut plier; qu'on ploie, pliant.

plicatura, *ae*, f. Action de plier.

plico, *as*, *avi* et *ui*, *atum*, *are*, tr. Plier, ployer, replier.

plodo, *is*, *ere*, tr. et intr. Voy. PLAUDO.

plorabilis, *e*, adj. Larmoyant, plaintif.

ploratus, *us*, m. Pleurs, lamentations. ¶ (Par ext.) Larmes, gouttes (qui coulent d'un arbre).

ploro, *as*, *avi*, *atum*, *are*, intr. Crier, se plaindre en criant, se lamenter. ¶ *Tr.* Pleurer, déplorer, gémir de.

plostellum, *i*, n. Petit chariot.

plostrarius. Voy. PLAUSTRARIUS.

plostrum, *i*, n. Voy. PLAUSTRUM.

plosus, *us*, m. Voy. PLAUSUS.

plotus. Voy. PLAUTUS.

pluma, *ae*, f. Plume, duvet. Au plur.

Plumae' plumage. ¶ Coussin (de plume). ¶ *Fig.* Une plume, un rien. ‖ (Par ext.) Duvet, première barbe. ‖ Au plur. Ecailles d'une cuirasse.

1. **plumarius**, *a*, *um*, adj. Qui imite la plume, au plumetis. — *ars*, broderie au plumetis. [d'étoffes de brocart.

2. **plumarius**, *ii*, m. Brodeur; fabricant

plumatile, *is*, n. Vêtement de brocart.

plumatilis, *e*, adj. Brodé.

plumatus, *a*, *um*, p. adj. Couvert de plumes, emplumé. ¶ Couvert d'écailles. ¶ Broché, brodé.

plumbago, *ginis*, f. Plombagine, mine de plomb. ¶ Tache de plomb (sur les pierres, précieuses). ¶ Dentelaire, menthe pouliot (plante).

plumbarius, *a*, *um*, adj. Relatif au plomb, de plomb.

plumbatae (s.-e. GLANDES), *arum*, f. pl. Balles de plomb. ‖ Fouet (garni de balles de plomb).

plumbatura, *ae*, f. Soudure au plomb.

plumbatus, *a*, *um*, adj. Garni de plomb, fait en plomb, de plomb.

plumbea, *ae*, f. Balle de plomb.

plumbeum, *i*, n. Vase de plomb.

1. **plumbeus**, *a*, *um*, adj. De plomb; qui est en plomb. ¶ Lourd, accablant.

2. **plumbeus** (s.-e. NUMMUS, *i*, m. Monnaie de plomb, sans valeur.

plumbo, *as*, *avi*, *atum*, *are*, tr. Souder avec du plomb, plomber.

plumbosus, *a*, *um*, adj. Rempli de plomb; qui contient du plomb.

plumbum, *i*, n. Plomb. — *album* ou *candidum*, étain. (Méton.) ¶ Balle de plomb. ‖ Tuyau de plomb. ‖ Crayon. ‖ Fouet (garni de plomb). ¶ Tache dans l'œil.

plumesco, *is*, *ere*, intr. Commencer à se couvrir de plumes.

plumeus, *a*, *um*, adj. De plume : de duvet. ¶ (Par ext.) Léger comme la plume. ‖ Broché, brodé, couvert de broderies.

plumiger, *era*, *erum*, adj. Emplumé, couvert de plumes.

plumipes, *edis*, adj. Qui a les pieds (les pattes) garnis de plumes.

plumo, *as*, *avi*, *atum*, *are*, tr. et intr. Couvrir de plumes. ¶ Broder. Voy. PLUMATUS. ¶ *Intr.* Se couvrir de plumes, s'emplumer, avoir des plumes.

plumosus, *a*, *um*, adj. Couvert de plumes. ‖ Couvert de duvet.

plumula, *ae*, f. Petite plume, duvet.

pluo, *is*, *plui*, *ere*, intr. et tr. Pleuvoir, tomber en pluie, faire pleuvoir. ¶ (Fig.) Tomber comme la pluie; faire tomber en grande quantité. ¶ (Ordin.) Impers. *Pluit*, il pleut.   [du pluriel.

pluralia, *um*, n. pl. Noms ayant la forme

1. **pluralis**, *e*, adj. Pluriel, composé de plusieurs unités. ‖ Multiple, nombreux.

2. **pluralis**, *is*, m. Le pluriel.

pluralitas, *atis*, f. La pluralité. ¶ *Gramm.* Le pluriel.

pluraliter, adv. En pluralité, *ou* plusieurs fois. ¶ (T. de gramm.) Au pluriel.

plurativum, *i*, n. Le pluriel.   [pluriel.

plurativus, *a*, *um*, adj. *Gramm.* Au plures, *a*, *um*, adj. Plus nombreux, qui sont en plus grand nombre. || Nombreux.   [d'une fois

pluries (PLURIENS), adv. Souvent; plus d'une fois

plurifariam, adv. En plusieurs lieux. ¶ De plusieurs manières; diversement.

plurifarius, *a*, *um*, adj. Diversement varié, multiple.   [différent, varié.

pluriformis, *e*, adj. A plusieurs formes;

plurimum, adv. Le plus, surtout, principalement, en très grande partie.

plurimus, *a*, *um*, adj. Le plus nombreux, le plus considérable, très considérable. ¶ Nombreux, très grand. ¶ (*Fig.*) Répandu, fréquent. ¶ *Plurimi facere*, faire très grand cas de. *Plurimo emere*, acheter très cher.

pluriores, *a*, adj. Forme barbare p. PLURES.

pluris, gén. D'un plus grand prix.

1. **plus**, *uris*, n. Qui est en plus grande quantité.

2. **plus**, adv. Plus, davantage. ¶ Comme MAGIS dev. un positif pour rendre l'idée du comparatif.

1. **plusculum**, *i*, n. Un peu plus de...

2. **plusculum**, adv. Un peu plus.

plusculus, *a*, *um*, adj. Un peu plus nombreux, un peu plus grand.

plusquamperfectum, *i*, n. Le plus-que-parfait.

plutearius (PLUTIARIUS), *ii*, m. Fabricant de mantelets de guerre.

pluteum, *i*, n. Voy. le suivant.

pluteus, *i*, m. Tout ce qui est fait de planches assemblées : un toit. ¶ Dos d'un lit *ou* d'un banc. || Lit de parade (pour un mort). || Une cloison. || Un parapet. || Pupitre. || Étagère (pour mettre des bustes). || Rayon de bibliothèque. ¶ Mantelet, sorte de toit mobile protégeant les assaillants.

plutiarius. Voy. PLUTEARIUS.

pluvia, *ae*, f. Pluie.

pluvialis, *e*, adj. De pluie. ¶ Qui préside à la pluie. ¶ Pluvieux.

pluviaticus, *a*, *um*, adj. De pluie.

pluviatilis, *e*, adj. Qui concerne la pluie; pluvial.

pluviosus, *a*, *um*, adj. Pluvieux.

pluvium, *ii*, n. Comme IMPLUVIUM.

pluvius, *a*, *um*, adj. Pluvieux, de pluie.

pneumaticus, *a*, *um*, adj. Qui concerne l'air *ou* le vent. — *organa*, pompes.

pocillator, *oris*, m. Echanson.

pocillum, *i*, n. Coupe, petit vase à boire.

poclum, *i*, n. Pour POCULUM.

poculum, *i*, n. Coupe, vase à boire. ¶ (Méton.) Boisson. || Philtre. ¶ Au plur. *Pocula*, orgie. *In poculis*, dans les festins. ¶ Coupe empoisonnée, poison.   [qui a la goutte.

podager, *gri*, m. Podagre, goutteux.

podagra, *ae*, f. Goutte (aux pieds).

¶ Accès de goutte.   [la goutte.

1. **podagricus**, *a*, *um*, adj. Atteint de

2. **podagricus**, *i*, m. Podagre, goutteux.

podagrosi, *orum*, m. pl. Les goutteux.

podagrosus, *a*, *um*, adj. De goutteux.

poderes (PODERIS), *is*, f. Longue robe de prêtre, descendant jusqu'aux chevilles.

podex, *icis*, m. Anus, derrière.

podium, *ii*, n. Support des tonneaux, des ruches. ¶ Piédestal d'une statue. || Console, cordon saillant (archit.). || Avant-scène de l'orchestre. ¶ Balcon *ou* terrasse, loge impériale (au cirque).

podius, *ii*, m. Comme PODIUM.

poecile, *es*, f. Le pœcile, portique à Athènes, garni de peintures.

poema, *atis*, n. Poème, pièce de vers.

poematium, *ii*, n. Petite pièce de vers.

poena, *ae*, f. Prix du sang. satisfaction, compensation, rançon. ¶ Châtiment, punition, vengeance. ¶ Peine, douleur. || Mauvais traitement, supplice. ¶ La vengeance, déesse.

poenalis, *e*, adj. Pénal. ¶ Digne de punition, coupable. ¶ Pénible, douloureux.

poenarius, *a*, *um*, adj. Pénal.

poenio, *is*, *ire*, tr. Pour PUNIO.

poenior, *iri*, dép. tr. Voy. PUNIO.

poenitendus. Voy. PAENITENDUS.

poenosus, *a*, *um*, adj. Pénible, douloureux.   [vers, poème.

poesis, *is*, *in*, f. Poésie. || Pièce de vers,

poeta, *ae*, m. Fabricant, créateur, inventeur. ¶ Poète.

poetes, *ae*, m. Comme POETA.

poetica, *ae*, f. et **poetice**, *es*, f. Poésie, art poétique.

poetice, adv. Poétiquement, en poète.

poeticum, *i*, n. Quelque chose de poétique. Au plur. *poetica*, *orum*, n. pl. Œuvres poétiques, poésie.

poeticus, *a*, *um*, adj. Poétique.

poeto, *as*, *are*, intr. Etre poète, faire des vers.

poetor, *aris*, *ari*, dép. intr. Voy. POETO.

poetria, *ae*, f. Poétesse.

pol, interj. Par Pollux !

1. **polenta**, *ae*, f. Polenta, bouillie faite avec de la farine d'orge.   [cédent.

2. **polenta**, *orum*, n. pl. Comme le pré-

polentarius, *a*, *um*, adj. De polenta.

polentum, *i*, n. Comme POLENTA.

polimen, *inis*, n. Le poli, ce qui est bien poli. ¶ (*Fig.*) Parure, ornement.

1. **polio**, *is*, *ivi*, *itum*, *ire*, tr. Polir, limer; brunir; dégrossir. || Mettre un enduit, crépir. || Fouler le drap, l'apprêter. ¶ Donner (à un champ) la dernière façon. ¶ Achever, raffiner, perfectionner, mettre la dernière main.   [seur. ¶ Foulon.

2. **polio**, *onis*, m. Polisseur, brunis-

polion (POLIUM), *ii*, n. Polium (plante).

polite, adv. D'une manière élégante, accomplie. || Avec finesse, avec art, avec perfection.

politia, *ae*, f. Organisation politique, gouvernement. ¶ La République, titre d'un dialogue de Platon.

politicus, *a, um*, adj. Qui concerne la science du gouvernement, relatif aux affaires publiques.

politio, *onis*, f. Polissage; poli, brillant. ¶ Le revêtement, le ravalement des murs. ¶ (Par ext.) Dernière façon donnée à la terre. ¶ Calandrage des étoffes.

politor, *oris*, m. Polisseur. ¶ Celui qui donne la dernière façon à un champ. || Celui qui le cultive pour recevoir une part du revenu.

politura, *ae*, f. Polissage, poli. ¶ Apprêt *ou* calandrage des étoffes.

politus, *a, um*, p. adj. Poli; d'un travail achevé, orné, décoré avec goût. ¶ (Au fig.) Poli, formé, façonné (par l'éducation *ou* par l'instruction). || Elégant, accompli. || Civilisé. || Châtié (en parl. du style).

polium, *ii*, n. Voy. POLION.

pollen *inis*, n. et **pollis**, *inis*, m. et f. Farine de blé, fleur de farine. ¶ Poussière, poudre très fine.

pollens, *tis*, p. adj. Fort, puissant. ¶ Considérable, influent.

pollenter, adv. Puissamment.

pollentia, *ae*, f. Puissance, influence.

polleo, *es, ere*, intr. Etre prépondérant, puissant, influent. ¶ (Par ext.) Pouvoir, être en état de. ¶ Etre efficace (en parlant de remèdes). || Etre riche en.

pollex, *icis*, m. Pouce. || Gros orteil; pouce du pied. || Pouce, mesure. ¶ (Par ext.) Sarment (taillé court au-dessus des bourgeons). || Nœud *ou* loupe d'un tronc d'arbre.

pollicaris, *e*, adj. D'un pouce de long.

polliceo, *es, ere*. Comme le suivant.

polliceor, *eris, itus sum, eri*, dép. tr. S'offrir à faire, promettre, s'engager à accorder. || Promettre au début d'un discours, s'engager à. || Offrir une marchandise. || Annoncer, prédire (en parl. des oiseaux).

pollicitatio, *onis*, f. Promesse.

pollicitator, *oris*, f. Celui qui promet.

pollicitatrix, *icis*, m. Celle qui promet.

pollicitor, *aris, atus sum, ari*, dép. tr. Promettre bien des fois.

pollicitum, *i*, n. Promesse.

pollicitus, *a, um*, part. Promis, accordé.

pollictor, *oris*, m. Croque-mort, ensevelisseur; employé des pompes funèbres.

pollinarius, *a, um*, adj. Qui concerne la fleur de farine. — *cribrum*, blutoir.

pollinatus, *a, um*, adj. Bluté.

pollinctor, *oris*, m. Comme POLLICTOR.

pollingo, *is, linxi, linctum, ere*, tr. Embaumer et ensevelir un mort. ¶ (Par ext.) Préparer pour le bûcher.

pollio. Voy. 2. POLIO.

pollis, *inis*, m. et f. Voy. POLLEN.

pollubrum. Voy. POLUBRUM.

polluceo, *es, luxi, luctum, ere*, tr. Offrir en sacrifice. ¶ Servir sur une table, offrir publiquement.

pollucibilis, *e*, adj. Splendide, somptueux (en parl. d'un repas).

pollucte, adv. Splendidement.

polluctum, *i*, n. Partie de la victime abandonnée au peuple. ¶ Chère lie.

polluo, *is, ui, utum, ere*, tr. Souiller, ternir, salir. ¶ Profaner, déshonorer. || Violer.

pollutio, *onis*, f. Souillure.

pollutus, *a, um*, p. adj. Souillé. ¶ (Fig.) Profané. || Avili, dégradé.

polubrum (POLLUBRUM), *i*, n. Bassin pour se laver les mains.

polulus. Voy. PAULULUS.

polum, *i*, n. Comme POLUS.

polus, *i*, m. Pôle. ¶ (Par ext.) Le ciel. || Globe céleste, globe astronomique. ¶ L'étoile polaire.

polvinar. Voy. PULVINAR.

polvis. Voy. PULVIS.

polybrum. Voy. POLUBRUM.

polygala, *ae*, f. Palygala, plante.

polygamia, *ae*, f. Polygamie. [NOS.

1. **polygonium**, *ii*, n. Comme POLYGO-

2. **polygonium**, *ii*, n. Polygone.

polygonius, *a, um*, adj. Polygonal.

polygonos (POLYGONUS), *i*, f. Renouée (plante).

polygonum, *i*, n. Polygone.

polyhistor, *oris*, m. L'érudit, surnom de Cornélius Alexander, grammairien grec. ¶ Titre d'un ouvrage de Solin.

1. **polymitarius**, *a, um*, adj. Damassé.

2. **polymitarius**, *ii*, m. Ouvrier en damas. [massée.

polymitum (s.-e. OPUS), *i*, n. Laine da-

polymitus, *a, um*, adj. Damassé.

polymixos, *i*, f. Garni de plusieurs mèches.

polyphagus, *i*, m. Grand mangeur.

polyposus, *a, um*, adj. Affligé d'un polype dans le nez.

polypus, *i* et **polypus**, *podis*, m. Polype, poulpe, seiche. ¶ Excroissance de chair dans le nez, polype.

pomarium, *ii*, n. Verger. ¶ Fruitier, cellier à fruits. [tier.

1. **pomarius**, *a,* adj. A fruits, frui-

2. **pomarius**, *ii*, m. Marchand de fruits, fruitier. [RIDIANUS.

pomeridianus, *a, um*, adj. Voy. POSTME-

pomerium, *ii*, n. Pomerium, espace vide et consacré au dedans et au dehors, des remparts de Rome: boulevard, enceinte.

pometum, *i*, n. Verger. [fruits; fécond.

pomifer, *era, erum*, adj. Qui porte des

pomilio. Voy. PUMILIO.

pomoerium, *ii*, n. Voy. POMERIUM.

pomosus, *a, um*, adj. Couvert de fruits.

pompa, *ae*, f. Pompe, procession, cortège solennel. || Solennité; ouverture solennelle des jeux du cirque. || Toute fête où les images des dieux ou des Césars étaient promenées en triomphe. ‖ Cortège, file, escorte, équipage. ¶ *Fig.* Faste, luxe, magnificence, appareil, ostentation. [apparat.

pompo, *as, are*, intr. Faire qqch. avec

pomum, *i*, n. Fruit d'un arbre (cerise, figue, datte, noix); fruits. ¶ Mûre. ¶ (Par ext.) Arbre fruitier. ‖ (Méton.) Fruit. [Fruit.

pomus, *i*, f. Arbre fruitier. ¶ (Par ext.)

pomusculum, *i*, n. Petit fruit.

ponderatio, *onis*, f. Pesage, pesée.

ponderitas, *atis*, f. Poids, pesanteur.

pondero, *as, avi, atum, are*, tr. Peser. ¶ *Fig.* Evaluer, apprécier, peser, estimer.

ponderosus, *a, um*, adj. Lourd, pesant. ¶ (Par ext.) Important, de grande valeur. ¶ Comme HERNIOSUS.

pondo, indécl. En poids, pesant.

pondus, *eris*, n. Poids. ‖ Poids d'un objet. ‖ Fardeau, charge. ‖ *Fig.* Fardeau, embarras. ¶ (Par ext.) Pesanteur, poids. ‖ Quantité. ¶ *Fig.* Poids, importance. ‖ Sérieux, gravité.

pondusculum, *i*, n. Petit poids, léger fardeau.

pone, adv. Derrière, par derrière. ¶ Prép. (av. l'acc.) Derrière.

pono, *is, posui, positum, ere*, tr. Placer, mettre en place. ¶ Servir sur la table. ¶ Donner une charge, un emploi. Placer à intérêts. ¶ Arranger, disposer, ¶ Placer debout, dresser. ¶ Construire, élever. ¶ Planter. ¶ Placer à terre, étendre. ¶ Mettre à bas, déposer. ¶ Rappeler, citer. ¶ Admettre, poser en principe, supposer. ¶ Calmer, apaiser. [les sièges]

pons, *tis*, m. Pont. ¶ Pont volant (dans

ponticulus, *i*, m. Petit pont; passerelle.

pontifex, *ficis*, m. Pontife, prêtre. ¶ Prêtre chrétien. ‖ Evêque.

pontificalis, adj. Pontifical. ¶ De prêtre chrétien.

pontificatus, *us*, m. Pontificat, charge et dignité d'un pontife. [pontifes.

pontificii, *orum*, m. pl. Les livres des

pontificium, *ii*, n. Autorité pontificale. ¶ Pouvoir, souveraineté.

pontificius, *a, um*, adj. Concernant le pontificat; pontifical; de pontife.

ponto, *onis*, m. Barque ou bateau de transport employé en Gaule. ‖ Bac. ‖ Bateau servant à faire un pont de bateaux.

pontufex. Voy. PONTIFEX.

pontus, *i*, m. Profondeur. — *maris*, l'abîme de la mer. ‖ La mer. ‖ Paquet de mer, vague.

1. **popa**, *ae*, m. Servant du sacrificateur, victimaire (chargé de présenter le feu, l'encens, le vin, le sel, et la victime à l'autel).

2. **popa**, *ae*, m. Cabaretier.

popanum, *i*, m. Gâteau sacré.

popellus, *i*, m. Menu peuple, bas peuple.

popina, *ae*, f. Cabaret, taverne. ¶ (Méton.) Cuisine de gargote.

popinalis, *e*, adj. De cabaret, de taverne.

popino, *onis*, m. Pilier de cabaret.

popinor, *ari*, dép. intr. Etre un pilier de cabaret.

poples, *itis*, m. Jarret, articulation du genou. ¶ (Méton.) Genou.

poplicus, *a, um*, adj. Arch. p. PUBLICUS.

poploe, plur. arch. de POPLUS, p. POPULUS 1.

poppysma, *atis*, n. et **poppysmus**, *i*, m. Claquement, appel des lèvres. ¶ Claquement de la langue qu'on doit faire entendre, quand on voit un éclair, pour détourner de soi l'orage.

populabilis, *e*, adj. Qu'on peut ravager.

populabundus, *a, um*, adj. Qui ravage, qui dévaste.

populacius, *a, um*, adj. Populaire.

1. **popularis**, *e*, adj. Du peuple, des citoyens. ¶ Populaire, national. ¶ Qui est du même pays. ¶ Complice. ¶ Associé, confrère. ¶ Populaire qui recherche la popularité; démagogique; révolutionnaire. ¶ Qui appartient à la population civile. ¶ Qui appartient au populaire, vulgaire, trivial.

2. **popularis**, *is*, m. Un natif, un indigène. ¶ Un compatriote. ¶ Au plur. *Populares*, démocrates. ¶ Un bourgeois (par opp. à *miles*). ¶ Un simple soldat.

popularitas, *atis*, f. Lien entre concitoyens. ‖ Qualité de compatriote. ¶ Recherche de la popularité. ‖ Camaraderie. ¶ Population. ¶ Opinion vulgaire.

populariter, adv. Comme le peuple; vulgairement. ¶ D'une manière agréable au peuple; en démagogue, en révolutionnaire.

populatim, adv. (De peuple à peuple), partout. ¶ En masse, somme toute.

1. **populatio**, *onis*, f. Dévastation, ravage. ‖ Dépouilles, butin. ¶ Dégâts commis par les passants ou par les animaux qui mangent les fruits. ‖ Destruction, ruine. [peuple.

2. **populatio**, *onis*, f. Population.

populator, *aris*, m. Dévastateur. ‖ (Par ext.) Pillard (en parl. d'animaux). ¶ (Au fig.) Qui ruine, qui détruit.

populatrix, *icis*, f. Dévastatrice, qui pille.

populatus, *us*, m. Ravage, dévastation.

populetum, *i*, n. Lieu planté de peupliers.

populeus, *a, um*, adj. De peuplier.

populifer, *fera, ferum*, adj. Qui produit des peupliers.

populifugia, *orum*, n. pl. Populifugies, fête commémorative de la fuite des Romains, devant les Latins et du salut inespéré qu'ils trouvèrent alors.

populiscitum. Voy. SCITUM.

populneus, *a, um*, adj. De peuplier.

1. populo, *as, avi, are,* tr. Rendre le peuple bienveillant pour quelqu'un.

2. populo, *as, avi, atum, are,* tr. et **populor,** *aris, atus sum, ari,* dép. tr. Ravager, dévaster. ¶ Dépouiller, détruire, ruiner.

populosus, *a, um,* adj. Populeux.

1. pŏpulus, *i,* m. Peuple, nation. ‖ Habitants d'un pays, population. ¶ Le peuple (corps politique). ¶ Le peuple (*par opp.* aux sénateurs et aux chevaliers). ¶ Le peuple entier, les citoyens : la foule, le public. ¶ Foule, multitude, quantité, grand nombre. ¶ *Eccl.* Les laïques.

2. pŏpulus, *i,* f. Peuplier. [*ou* contre.)

por, Ancien préfixe (signifiant vers

porca, *ae,* f. Truie. ¶ Bande de terre formant saillie entre deux sillons, *d'où* parterre, plate-bande. ¶ Mesure agraire (en Espagne) de trente pieds de large et cent quatre-vingts pieds de long. [cernant les porcs.

1. porcarius, *a, um,* adj. De porc, con-

2. porcarius, *ii,* m. Porcher. [lait.

porcellinus, *a, um,* adj. De cochon de

porcellio, *onis,* n. Cloporte.

porcellus, *i,* m. Cochon de lait, petit porc. ¶ Marcassin.

porcinarium, *ii,* n. Porcherie.

porcinarius, *ii,* m. Charcutier.

porcina (s.-e. CARO), *ae,* f. Viande de porc. ¶ Charcuterie.

porcinus, *a, um,* adj. De porc.

porculator, *aris,* m. Eleveur de porcs.

porculetum, *i,* n. Terrain cultivé en planches *ou* plates-bandes : carreau (de jardin).

porculus, *i,* m. Jeune porc. — *marinus,* marsouin. ¶ Crochet *ou* ferrure de pressoir. [de mer.

porcus, *i,* m. Porc, porc mâle. ¶ Cochon

porgo, Pour PORRIGO 2.

porisma, *atis,* n. Corollaire.

porphyreticus, *a, um,* adj. De couleur pourpre. ¶ De porphyre rouge.

porphyrio, *onis,* m. Porphyrion *ou* poule sultane (oiseau).

porphyrites, *ae,* m. Porphyre.

porphyritis, *idis,* adj. f. De couleur pourpre. [Vert pâle, vert poireau.

porraceus, *a, um,* adj. De poireau. ¶

porrectio, *onis,* f. Extension (des doigts, du bras). ¶ Ligne droite. [anses.

porrectarius, *ii,* m. Sorte de coupe à

porrectum, *i,* n. Longueur. ‖ Ligne droite. ‖ Surface unie.

1 porrectus, *a, um,* p. adj. Etendu, allongé; qui s'étend en ligne droite *ou* plate, uni, long. ¶ Non froncé, déridé. ¶ *Gramm.* Prononcé long.

2. porrectus, *a, um,* p. adj. Offert, donné comme offrande.

porricio, *is, ici, ectum, icere,* tr. Présenter en offrande aux Dieux. ¶ Produire, porter.

1. porrigo, *inis,* f. Teigne, pityriasis. ¶ Teigne, maladie du cuir chevelu.

2. porrigo, *is, rexi, rectum, ere,* tr. Tendre, étendre, allonger; ¶ Etendre par terre, renverser, coucher. ¶ Tendre, offrir, présenter, fournir, procurer. ¶ Prolonger, faire durer.

porrina, *ae,* f. Planche de poireaux.

porrixo, *as, are,* tr. Faire étendre.

porro, adv. Plus loin, au loin. ¶ Loin, de loin. ¶ (Par ext.) Désormais, à l'avenir. ¶ Puis, en outre. ¶ Mais, néanmoins, cependant; au contraire. ¶ (Fig.) Moyen.

porrum, *i,* n. Poireau.

porrus, *i,* m. Comme PORRUM.

porta, *ae,* f. Ouverture. ¶ Porte (de la ville). ¶ *Au plur. Portae,* passage, gorge, défilé. ¶ Porte, issue, passage.

portabilis, *e,* adj. Supportable.

portatio, *onis,* f. Transport, action d'apporter.

portator, *oris,* m. Qui porte, porteur.

portatoria, *ae,* f. Chaise à porteurs.

portatorius, *a, um,* adj. De porteur.

portendo, *is, di, tum, dere,* tr. Présager, faire pressentir; annoncer (par des prodiges *ou* par des rêves), prédire. Passif. *Portendi,* se révéler.

portentificus, *a, um,* adj. Gros de présages (funestes). [*ou* merveilleuse.

portentose, adv. D'une manière étrange

portentosum, *i,* n. Monstruosité, difformité. *Portentosa,* m. pl. Monstres.

portentosus, *a, um,* adj. Signalé par des présages; miraculeux, merveilleux, prodigieux, extraordinaire.

portentum, *i,* n. Signe, présage, pronostic, signe miraculeux. ‖ Prodige. ¶ Monstruosité, difformité, monstre. ‖ Au fig. Lie, rebut de l'humanité. ¶ (Au plur.) *Portenta,* fictions, inventions merveilleuses *ou* chimériques (des poètes). [enfers).

porthmeus, *ei* et *os,* m. Nocher (des

porthmos, *i,* m. Détroit.

porticula, *ae,* f. Petite galerie.

porticulus, *i,* m. Comme PORTICULA.

porticum, *i,* n. Voy. 1. PORTICUS.

1. porticus, *us,* f. Galerie (supportée par des colonnes); portique, colonnade. ¶ *Spéc.* Le portique (en parl. de la secte de Zénon); les stoïciens. ¶ *Par ext.* Entrée d'une tente. ¶ (Au plur.) Parapet, auvent; mantelet (pour protéger les assiégeants). ¶ Auvent, abri. ¶ Le dernier rang de gradins dans l'amphithéâtre (place des pauvres).

2. porticus, *i,* m. Voy. 1. PORTICUS.

portio, *onis,* f. Part, portion, partie.

portisculus, *i,* m. Bâton avec lequel le chef des rameurs battait la mesure pour conserver l'unité dans les mouvements. [douanier d'un port.

1. portitor, *oris,* m. Receveur du péage;

2. portitor, *oris,* m. Celui qui porte *ou* qui transporte; porteur. ¶ Voiturier. ¶ Nocher, batelier.

portiuncula, *ae,* f. Petite portion.

porto, *as, avi, atum, are,* tr. Porter, transporter. ¶ *Par ext.* (en parl. d'objets abstraits). Apporter; contenir, avoir en soi.

portorium, *ii,* n. Péage, droit de circulation, droit de colportage. (d'Ostie).

portuensis, *e.* adj. Propre au port

portula, *ae,* f. Petite porte, guichet.

portulaca, *ae,* f. Cloporte.

portuosus, *a, um,* adj. Qui présente plusieurs ports, riche en ports.

portus, *us,* m. Port. || (Au fig.) Port, asile, abri, refuge. ¶ Entrepôt, magasin. ¶ Maison, lieu de refuge.

1. **porus,** *i,* m. Tuf blanc.

2. **porus,** *i,* m. Pore (du corps humain). ¶ Voies respiratoires.

pos. Même signification que POST.

posca, *ae,* f. Boisson acide composée d'eau et de vinaigre; boisson du peuple et des soldats. [coulisses.

poscaenium, *ii,* n. Derrière de la scène;

posco, *is, poposci, ere,* tr. Demander, réclamer, exiger. || Demander en mariage. ¶ Désirer. ¶ Faire un prix, demander. ¶ Demander, exiger, nécessiter. || Appeler, invoquer. [TUS.

posculentus, *a, um,* adj. Voy. POCULEN-

positio, *onis,* f. Action de mettre, de placer. ¶ Action de poser à terre, de baisser. ¶ Affirmation; thèse, énoncé d'un sujet. ¶ Position; situation. ¶ Terminaison désinence. || Forme première, radical. ¶ Position d'une syllabe (gramm.).

positive, adv. Conventionnellement. ¶ *Gramm.* Au positif.

positivum, *i,* n. Substantif.

positivus, *a, um,* adj. Posé, établi, conventionnel. ¶ Qui est au positif. || Qui joue le rôle de substantif.

positor, *oris,* m. Celui qui élève (un édifice), fondateur.

positura, *ae,* f. Position, place, disposition. ¶ (Fig.) Construction, disposition des mots. || Plur. *Positurae,* signes de ponctuation.

1. **positus,** *a, um,* p. adj. Voy. PONO. ¶ Etabli, fixé; séjournant, résidant.

2. **positus,** *us,* m. Position, lieu, emplacement. || (T. de gr.) Position. ¶ Arrangement, ajustement (de la chevelure). Au plur. *Positus,* manières de se coiffer.

1. **possessio,** *onis,* f. Action de posséder, possession, jouissance. || *Fig.* Action d'avoir telle ou telle qualité, tel ou tel mérite. ¶ (Méton.) Ce que l'on possède, propriété. Au plur. *Possessiones,* domaines, biens-fonds.

2. **possessio,** *onis,* f. Prise de possession, occupation. [petits biens.

possessiuncula, *ae,* f. Petite propriété;

possessor, *oris,* m. Possesseur, maître. ¶ Propriétaire. ¶ Contribuable. ¶ Défendeur (dans un procès).

possessus, abl. *u,* m. Possession.

possibilis, *e,* adj. Possible.

possibilitas, *atis,* f. Possibilité.

possideo, *es, edi, essum, idere,* tr. Posséder, avoir en sa possession, être propriétaire.

possido, *is, sedi, sessum, ere,* tr. Prendre possession de, s'emparer de, se rendre maître de.

possum, *potes, potui, posse,* tr. et intr. Pouvoir, avoir la force, la faculté de, être en état de. ¶ Avoir du pouvoir, de l'influence (en parl. de pers.); être efficace, avoir de l'action (en parl. de ch.).

1. **post,** adv. Après, derrière. ¶ Après, ensuite. ¶ Enfin.

2. **post,** prep. (av. l'acc.). Après, derrière, à la suite. ¶ Hormis, excepté.

postautumnalis, *e,* adj. Qui vient après l'automne; tardif.

postea, adv. Après cela, ensuite, après, depuis. ¶ En outre, en sus. ¶ (Au commenc. d'une phrase, etc.). Ensuite, en second lieu. [POSTQUAM.

posteaquam, conj. Après que. Voy.

posteri, *orum,* m. pl. Les descendants la postérité.

posterior, *us,* adj. (au compar.). Le second, le suivant (en parl. de deux). Au plur, *Posteriores,* la postérité, les descendants. ¶ Qui occupe le second rang, inférieur en qualité.

posteritas, *atis,* f. Avenir, âges futurs, postérité. ¶ Race, lignée. ¶ Second rang. [suite; plus tard.

1. **posterius,** adv. En second lieu, en-

2. **posterius** *a, um,* adj. Qui vient après, qui succède.

posterula, *ae* f. Petite porte de derrière; porte dérobée. ¶ Petit sentier détourné *ou* dérobé. [conséquence.

posterum, *i,* n. Ce qui vient après;

posterus, *a, um,* adj. Qui vient après, qui suit, suivant.

postfero, *fers, tuli, ferre,* tr. Estimer moins, faire moins de cas de.

postfuturum, *i,* n. Avenir.

postfuturus, *a, um,* p. adj. Qui doit venir après. ¶ *Postfuturi,* ceux qui ne sont pas encore nés. ¶ Avenir.

postgenitus, *a, um,* adj. Né après. ¶ Subst. *Postgeniti,* les descendants, la postérité.

posthabeo, *es, ui, ere,* tr. Placer en seconde ligne, négliger pour.

posthac, adv. Ensuite.

posthiemat, impers. L'hiver est tardif.

posthinc, adv. Ensuite.

posthumus. Voy. POSTUMUS.

postibi, adv. Ensuite.

postica, *ae,* Porte de derrière. [rière.

posticula, *ae,* f. Petite porte de der-

posticulum, *i,* n. Petite chambre de derrière. [ment.

posticum, *i,* n. Arrière-corps de bâti-

posticus, *a, um,* adj. Placé derrière.

postid, adv. Après, ensuite.

postidea, adv. Après, ensuite.

postilena, *ae,* f. Croupière, avaloire.

postillac, adv. Comme POSTEA.

postis, *is,* m. Montant, jambage d'une porte.

postliminium, *ii,* n. Rentrée chez soi (c.-à-d. retour au seuil paternel). ¶ Recouvrement, restitution. ¶ Retour, remise en vigueur. [midi.

postmeridianus, *a, um,* adj. De l'après-midi.

postmeridiem, adv. Dans l'après-midi.

postmodo, adv. Dans la suite, après, à la suite.

postmodum, adv. Comme POSTMODO.

postmoerium, *ii,* n. Voy. POMOERIUM.

1. postomis,*idis,* f. Frein, mors de bride.

2. postomis, *idis,* f. Voy. PROTOMIS.

pospartor, *aris,* m. Acquéreur, propriétaire futur.

postpono, *is, posui, positum, ere,* tr. Mettre en seconde ligne, estimer moins.

postprincipia, *orum,* n. pl. Continuation d'une chose commencée; conséquences, suites.

postputo, *as, avi, are,* tr. Mettre en seconde ligne, estimer moins.

postquam, conj. Après que, depuis que. ¶ Puisque.

postremo, adv. Bref. ¶ Enfin.

postremum, adv. Pour la dernière fois. ¶ Finalement.

postremus, *a, um,* adj. Dernier; qui vient après tous les autres. — *acies,* arrière-garde. [demain.

postridie, adv. Le jour suivant, le len-**postriduanus,** *a, um,* p. adj. Suivant d'un jour; qui arrive le lendemain.

postriduo, adv. Voy. POSTRIDIE.

postscribo, *is, scripsi, scriptum, ere,* tr. Ecrire à la suite de.

postsignani, *orum,* m. pl. Peloton *ou* détachement placé derrière les étendards.

postularius, *a, um,* adj. Qui montre qu'on doit accomplir un vœu oublié.

postulaticius, *a, um,* adj. Demandé *ou* réclamé (se disait des gladiateurs expressément réclamés par le peuple, parce qu'ils s'étaient distingués dans leurs exercices).

postulatio, *onis,* f. Demande, sollicitation. ¶ Plainte, réclamation. ¶ (T. de droit.) Requête (adressée au préteur pour obtenir l'autorisation d'introduire une plainte). [gnant.

postulator, *oris,* m. Demandeur, plai-**postulatum,** *i,* n. Demande, réclamation, exigence. ¶ Plainte, requête.

postulatus, *us,* m. Plainte en justice, requête.

postulo, *as, avi, atum, are,* tr. Demander (ce qui est dû), prétendre à, exiger, réclamer. ‖ Demander (de l'argent). ¶ *Jurisc.* Réclamer qqch. en justice. ‖ Porter plainte, se plaindre; accuser.

postuma, *ae,* f. Fille posthume.

postumatus, *us,* m. Rang inférieur.

postumo, *as, are,* intr. Etre postérieur à. ¶ Etre postérieur.

postumum, *i,* n. Extrémité.

1. postumus, *a, um,* adj. Le dernier. ‖ *Spéc.* Posthume, né après la rédaction du testament *ou* la mort de son père.

2. postumus, *i,* m. Fils posthume.

postus, *a, um,* p. POSITUS. Voy. PONO.

postvenio, *is, ire,* intr. Venir après.

potatio, *onis,* f. Action de boire avec excès; orgies, débauches.

potator, *aris,* m. Buveur, ivrogne.

potatorius,, *a, um,* adj. Qui sert pour boire. — *vas,* vase à boire, coupe.

potatus, *us,* m. Action de boire.

pote. Voy. POTIS.

potens, *tis,* p. adj. Puissant; capable de; en état de. ¶ Qui a une grande puissance, un grand pouvoir, de grandes forces, de l'autorité; puissant, fort. ¶ Bon, habile. ‖ Energique, efficace. ¶ Maître de. ¶ Qui a obtenu (ce qu'il désire), satisfait.

potentatus, *us,* m. Pouvoir, force. ¶ Le souverain pouvoir, l'autorité, la souveraineté.

potenter, adv. Puissamment, avec force. ¶ Dans la mesure de ses forces.

potentia, *ae,* f. Pouvoir, puissance. ¶ (Par ext.) Faculté, efficacité. ¶ Puissance politique, influence, autorité, pouvoir, domination.

poterion, *ii,* n. Vase à boire. ¶ Astragale de Crète (plante). [POSSUM.

potesse, *potessit,* p. POSSE, POSSIT, de

potestas, *atis,* f. Pouvoir, propriété. ¶ Pouvoir, faculté, droit (de faire qqch.). ¶ Autorité sur. ¶ (*Jurisc.*) Autorité civile, compétence (d'un magistrat), juridiction; charge publique. ‖ Pouvoir politique, souveraineté, domination. ‖ (Méton.) Magistrat, autorité, personnage revêtu d'un pouvoir. *Potestates,* les autorités. ¶ Pouvoir, faculté, occasion. ‖ Possibilité.

pothos, *i,* m. Célèbre statue de Scopas, représentant le génie du désir.

1. potio, *ivi, itum, ire,* tr. Mettre en possession de.

2. potio, *onis,* f. Boisson, breuvage. ¶ Poison. ‖ Potion médicinale. ‖ Breuvage, potion magique.

potiono, *as, avi, atum, are,* tr. Faire boire, administrer un breuvage. ¶ Donner un philtre.

1. potior, *iris, itus sum, iri,* dép. intr. et tr. Etre maître de, avoir en sa possession; posséder, tenir.

2. potior, *us,* adj. Préférable, meilleur. ¶ *Subst.* POTIORA, *um,* n. pl. Les choses préférables, qui valent mieux.

potis, pote, adj. Qui peut, capable de. *Quantum pote,* autant que possible. ¶

potissimum, adv. De préférence, par dessus tout.

potissimus (POTISSUMUS), *a, um,* adj. Le meilleur, le principal, le plus important, l'essentiel.

potissime, fausse leçon p. POTISSIMUM, voy. ce mot.

potito, *are*, intr. Boire beaucoup *ou* souvent.

potitor, *aris*, m. Celui qui se rend maître de. [dante.

potiuncula, *ae*, f. Boisson peu abondante.

potius, adv. Plutôt, de préférence.

poto, *as, avi, atum, are*, tr. et intr. Boire, s'abreuver. ‖ Boire de l'eau d'un fleuve, c.-à-d. demeurer sur ses bords. ¶ Boire, s'imbiber, s'imprégner de. ¶ Faire une orgie, s'enivrer.

potor, *oris*, m. Buveur de. ‖ (Poét.) Qui demeure auprès d'un fleuve. ‖ Buveur, ivrogne. [boisson.

potorius, *a, um*, adj. Qui concerne la boisson.

potrix, *tricis*, f. Buveuse, ivrognesse.

potulentus, *a, um*, adj. Bon à boire. ¶ Qui a bu, qui s'est enivré, ivre.

1. potus, *a, um*, Part. de POTO.

2. potus, *us*, m. Action de boire; le boire. ¶ Ivrognerie. ¶ Banquet.

1. prae, adv. Devant, en avant. ¶ En comparaison de, eu égard à.

2. prae, prép. (av. l'abl.) Par devant, en avant. ¶ Auprès de, au prix de, en comparaison de. ¶ A cause de, par suite de.

praeacuo, *is, ui, ere*, tr. Terminer en pointe, rendre pointu.

praealte, adv. Très profondément.

praealtus, *a, um*, adj. Très haut.

praeambulo, *as, are*, intr. Marcher devant.

praeambulus, *a, um*, adj. Qui va. qui marche devant.

praebenda, *ae*, f. Argent fourni par l'Etat à un particulier; prébende.

praebeo, *es, ui, itum, ere*, tr. Tenir devant soi, présenter, offrir. ¶ (Par ext.) Montrer, faire preuve de, témoigner.

praebia, *orum*, n. pl. Allumettes.

praebibo, *is, bibi, ere*, tr. Boire à la santé de. ¶ Boire avant.

praebita, *orum*, n. pl. Salaire. ¶ Entretien, nourriture.

praebitio, *onis*, f. Action d'offrir *ou* de donner (l'hospitalité). ¶ Action de fournir; contribution, redevance. ¶ Organisation, direction de la représentation d'un drame.

praebitor, *aris*, m. Fournisseur, pourvoyeur. ¶ Fournisseur de vivres (chargé dans les provinces de fournir les vivres aux fonctionnaires en voyage).

praecadens, *entis*, p. adj. Qui tombe en avant. [bouillant.

praecalidus, *a, um*, adj. Très chaud.

praecalvus, *a, um*, adj. Très chauve *ou* chauve par devant.

praecano, *is, ere*, tr. Dire d'avance; prophétiser. ¶ Rendre à l'avance une incantation sans effet, préserver d'un charme. [charme, sorcellerie.

praecantatio, *onis*, f. Enchantement.

praecantator, *oris*, m. Enchanteur.

praecantatrix, *tricis*, f. Enchanteresse.

praecanto, *as, avi, atum, are*, tr. Con-

sacrer par des paroles magiques; ensorceler. [TATOR.

praecantor, *oris*, m. Comme PRAECAN-

praecanus, *a, um*, adj. Vieux (prématurément).

praecautio, *onis*, f. Précaution.

praecaveo, *es, cavi, cautum, ere*, intr. et tr. Prendre garde, prendre des précautions. ¶ Chercher à écarter; détourner, obvier. ¶ Eviter de faire quelque chose.

praecedo, *is, cessi, cessum, ere*, intr. et tr. Marcher devant, précéder. ‖ Arriver *ou* avoir lieu avant. ¶ Précéder, devancer. [pide.

praeceler, *celeris, celere*, adj. Très rapide.

praecelero, *as, are*, intr. et tr. Aller en toute hâte; devancer en toute hâte.

praecellens, *entis*, p. adj. Eminent, supérieur, excellent, préférable, extraordinaire. — *ingenio vir*, homme richement doué, homme d'un rare génie.

praecello, *is, ere*, intr. Exceller. ¶ L'emporter sur. [élevé.

praecelsus, *a, um*, adj. Très haut, très

praecentio, *onis*, f. Fanfare, concert d'instruments (avant *ou* pendant le sacrifice, *ou* avant d'engager le combat). [formule magique.

praecento, *as, are*, intr. Réciter une

praecentor, *oris*, m. Celui qui entonne un chant; maître de chapelle, principal chantre.

praecentarius, *a, um*, adj. Qui sert pour les préludes; relatif aux préludes.

praecenturio, *as, (avi), atum, are*, tr. Diviser au préalable en centuries.

praecentus, *us*, m. Action d'entonner le chant.

1. praeceps, *cipitis*, adj. Qui tombe la tête la première. ‖ Qui se précipite en toute hâte, à toute vitesse; qui court précipitamment. ¶ (En parl. des terres.) Qui va en pente, incliné; escarpé. ‖ (En parl. du temps.) Qui est sur son déclin, qui touche à sa fin. ‖ (Par ext.) Rapide, prompt, impétueux. ¶ Qui agit en toute hâte, qui fait précipitamment (qqch.). ¶ Enclin à; qui se laisse aller à …

2. praeceps, *ipitis*, n. Précipice, abîme. ¶ Péril, danger extrême. ‖ Ruine.

3. praeceps, adv. Précipitamment, brusquement.

praeceptio, *onis*, f. Prélèvement, préciput. ¶ Précepte, enseignement, instruction. ¶ Décret impérial, injonction de l'empereur. ¶ Prévention; idée préconçue.

praeceptive, adv. Impérativement.

praeceptivus, *a, um*, adj. Qui commande, qui enseigne.

praecepto, *as, are*, tr. Recommander souvent *ou* à plusieurs reprises.

praeceptor, *oris*, m. Celui qui prélève, qui prend d'avance. ¶ Celui qui donne un ordre, qui commande. ¶ Précepteur, maître; qui enseigne.

praeceptrix, *tricis*, f. Maîtresse; celle qui enseigne. [cription.

praeceptum, *i*, n. Précepte, règle; prescription.

praecerpo, *is*, *cerpsi*, *cerptum*, *ere*, tr. Couper, moissonner prématurément. ¶ *Fig.* Déflorer, affaiblir, gâter, flétrir. ¶ (Par ext.) Détacher, arracher. || Faire des extraits.

praecessio, *onis*, f. Action de précéder, antériorité; précession.

praecessor, *oris*, n. Qui précède; devancier.

praecidaneus, *a*, *um*, adj. Immolé avant. — *porca* ou *agna*, truie ou jeune brebis immolée avant la moisson.

praecido, *is*, *idi*, *isum*, *ere*, tr. Couper par devant ou ce qui est devant, couper le bout de; tailler, trancher, dépecer. ¶ Couper court à, supprimer, ôter, enlever. || Fig. Ôter, enlever; raccourcir, abréger. ¶ Briser en frappant.

praecinctio, *onis*, f. Action de ceindre les reins; ceinture, tour des reins. ¶ Petite plate-forme qui enceint un mont. ¶ *Spéc.* Au pl. *Praecinctiones*, larges couloirs entre deux rangées de gradins.

praecinctorium, *ii*, n. Ceinture.

praecinctus, *us*, m. Ceinture. ¶ Vêtement, costume.

praecingo, *is*, *cinxi*, *cinctum*, *ere*, tr. Ceindre. ¶ Entourer, enceindre, munir; revêtir, endurer.

praecino, *is*, *cecini* et *cinui*, *centum*, *ere*, intr. et tr. ¶ *Intr.* Jouer d'un instrument (en partic. de la flûte) devant ou en l'honneur de quelqu'un. || Précéder (qqn) en jouant de la flûte. ¶ *Tr.* Réciter une formule magique. ¶ Entonner, conduire un chant. ¶ Prédire, prophétiser.

praecipes, adj. Arch. p. **PRAECEPS.**

praecipio, *is*, *cepi*, *ceptum*, *cipere*, tr. Prendre ou recevoir d'avance ou à l'avance. ¶ Prendre ou jouir d'avance; anticiper, prévenir. ¶ Indiquer d'avance, donner des avis, des conseils. || Recommander, prescrire, ordonner. ¶ Apprendre, enseigner.

praecipitanter, adv. En toute hâte, précipitamment. [rapide.

praecipitantia, *ae*, f. Chute profonde et

praecipitatim, adv. Précipitamment.

praecipitium, *ii*, n. Escarpement, précipice, abîme. ¶ Chute, renversement, désastre.

praecipito, *as*, *avi*, *atum*, *are*, tr. Faire tomber de haut, précipiter. || *Fig.* Précipiter, bouleverser, ruiner. ¶ *Intr.* Tomber de haut, se précipiter. || (Par ext.) Tirer à sa fin (en parl. du temps.) || *Fig.* Courir à sa perte.

praecipue, adv. En particulier, spécialement, principalement, surtout, notamment.

praecipuus, *a*, *um*, adj. Qu'on prend avant tous les autres. ¶ *Spécial*; propre, exceptionnel. ¶ Qui se distingue des autres, extraordinaire. ¶ Qui est particulièrement propre à.

praecise, adv. Brièvement, d'une façon concise. ¶ Tout net; absolument, sans condition.

praecisi, *orum*, m. pl. Castrats, eunuques.

praecisio, *onis*, f. Action de couper, de retrancher.

praecisus, *a*, *um*, p. adj. Coupé à pic. ¶ (Rhét.) Abrégé, court, succinct.

praeclare, adv. Très nettement, très clairement. ¶ Avec distinction, supérieurement, très bien; glorieusement.

praeclarus, *a*, *um*, adj. Très clair, très brillant. ¶ *Fig.* Très remarquable, très beau; illustre; supérieur.

praecludo, *is*, *clusi*, *clusum*, *ere*, tr. Fermer, barrer. ¶ Interdire, empêcher.

praeclueo, *ere*, intr. Être très célèbre.

praeclusio, *onis*, f. Action d'intercepter. || Gêne, embarras, entrave. ¶ (Dans un sens concret). Barrage; réservoir.

praeco, *onis*, m. Héraut, crieur public. ¶ Celui qui célèbre, qui proclame; héraut, panégyriste.

praecogitatio, *onis*, f. Action de penser d'avance. || Méditation, préparation.

praecogito, *as*, *avi*, *atum*, *are*, tr. Songer d'avance à qqch.; préméditer.

praecognosco, *is*, *novi*, *nitum*, *ere*, tr. Connaître d'avance.

praecolo, *is*, *colui*, *cultum*, *ere*, tr. Cultiver, former d'avance. ¶ Courtiser d'avance.

praecompositus, *a*, *um*, p. adj. Composé d'avance.

praecondio, *is*, *ire*, tr. Assaisonner d'avance. [d'avance.

praeconditus, *a*, *um*, p. adj. Créé

praeconium, *ii*, n. Charge, fonction de héraut. ¶ Publication, annonce, proclamation (faite par le héraut). ¶ Éloge public, apologie, panégyrique. ¶ *Eccl.* Prédication.

praeconius, *a*, *um*, adj. De crieur public, de héraut; d'huissier.

praeconsumo, *is*, *sumpsi*, *sumptum*, *ere*, tr. Épuiser d'avance, consumer prématurément. [d'avance.

praecontrecto, *as*, *are*, tr. Toucher

praecoque, adv. Prématurément, à contre-temps.

praecoquo, *is*, *coxi*, *coctum*, *ere*, tr. Faire cuire d'avance ou avec soin. ¶ Hâter la maturité.

praecordia, *orum*, n. pl. Diaphragme. ¶ Estomac, intestin, entrailles; poitrine, cœur, sein; sentiments. ¶ Les hypocondres.

praecordium, *ii*, n. Comme **PRAECORDIA.**

praecorrumpo, *is*, *rupi*, *ruptum*, *ere*, tr. Corrompre d'avance, séduire, gagner.

praecox, *ocis*, adj. Précoce, mûr avant le temps. ¶ Qui rapporte avant le temps. ¶ Prématuré, hâtif. || Hors de propos.

praecrassus, *a*, *um*, adj. Très épais.

præculco, *as*, *are*, tr. Inculquer d'avance *ou* profondément.

præcultus, *a*, *um*, adj. Très orné.

præcupidus, *a*, *um*, adj. Très avide de.

præcurro, *is*, *cucurri* ou *curri*, *cursum*, *ere*, intr. et tr. Courir avant *ou* devant, prendre les devants. ¶ *Tr.* Prévenir, devancer. || *Fig.* Surpasser, l'emporter sur.

præcursio, *onis*, f. Action de devancer *ou* de prévenir. ¶ Combat d'avant-postes. ¶ Préparation, entrée en matière. ¶ La précursion de saint Jean-Baptiste.

præcursor, *oris*, m. Celui qui court devant, qui ouvre la marche, qui va devant. ¶ Soldat d'avant-garde, éclaireur. ¶ Limier. ¶ Le Précurseur (Jean-Baptiste). ¶ Avant-coureur, indice.

præcursorius, *a*, *um*, adj. Qui va devant. — *index*, messager envoyé en avant.

præcursus, *us*, m. Action de précéder.

præcutio, *is*, *ussi*, *ussum*, *ere*, tr. Secouer, agiter devant soi *ou* d'avance.

præda, *æ*, f. Proie, bien conquis; butin, dépouilles. ¶ Proie; gibier. ¶ Trouvaille, gain, profit, avantage.

prædabundus, *a*, *um*, adj. En pillard, en dévastateur. [d'avance.

prædamno, *as*, *are*, tr. Condamner

prædatio, *onis*, f. Butin.

prædator, *oris*, m. Pillard, brigand.

prædatorius, *a*, *um*, adj. Qui pille; de brigand, de brigandage.

1. prædatus. Voy. **præedo** et **præedor**.

2. prædatus, *a*, *um*, p. adj. Donné d'avance. [d'avance.

prædelasso, *as*, *are*, tr. Fatiguer

prædemno, *as*, *are*, tr. Voy. **præedamno**. [au préalable.

prædemo, *is*, *demptus*, *ere*, tr. Enlever

prædensus, *a*, *um*, adj. Très serré.

prædestino, *as*, *avi*, *atum*, *are*, tr. Réserver par avance. ¶ Se procurer d'avance. ¶ Prédestiner.

prædianus, *a*, *um*, adj. Provenant de biens fonds vendus par l'Etat.

prædiator, *oris*, m. Estimateur d'immeubles.

prædiatorius, *a*, *um*, adj. Relatif à l'adjudication des terres confisquées.

prædicabilis, *e*, adj. Louable, recommandable.

prædicamentum, *i*, n. Enonciation; prédicat (catégorie d'Aristote). ¶ Prédiction par allégories.

prædicatio, *onis*, f. Publication, annonce publique, proclamation, criée. ¶ Action de proclamer, de vanter, éloge, louange, apologie. ¶ Prédication, prêche.

prædicator, *oris*, m. Crieur public. ¶ (Par ext.) Prôneur, panégyriste. ¶ Celui qui prêche, prédicateur.

1. prædico, *as*, *avi*, *atum*, *are*, tr. Proclamer; annoncer en public. ¶ Prôner, louer, vanter. ¶ Prédire, prophé-

tiser, annoncer d'avance.

2. prædico, *is*, *dixi*, *dictum*, *ere*, tr. Dire à l'avance; prévenir. || Annoncer d'avance, prédire. || Mentionner auparavant. ¶ Faire connaître, fixer, déterminer à l'avance. ¶ Recommander, conseiller, ordonner.

prædictio, *onis*, f. Action de dire d'avance. || (Fig. de gr.) Prolepse *ou* anticipation. ¶ Prédiction.

prædictor, *oris*, m. Celui qui prédit. ¶ Celui qui prescrit. ¶ Celui qui prône.

prædictum, *i*, n. Annonce, prédiction, prophétie. ¶ Ordre, commandement. ¶ Convention.

prædiolum, *i*, n. Petite propriété, petit fonds de terre.

prædisco, *is*, *didici*, *ere*, tr. Apprendre à l'avance, se familiariser avec.

prædispono, *is*, *ere*, tr. Disposer d'avance, faire des préparatifs.

prædispositus, *a*, *um*, p. adj. Disposé d'avance. || A qui on a fait la leçon; dressé.

præditus, *a*, *um*, adj. Muni de, pourvu de, doué de. ¶ Préposé à, qui préside à.

prædium, *ii*, n. Propriété, bien-fonds.

prædives, *itis*, adj. Très riche.

prædivinatio, *onis*, f. Divination, connaissance de l'avenir.

prædivino, *as*, *are*, tr. Deviner, prédire *ou* pressentir l'avenir.

prædivinus, *a*, *um*, adj. Prophétique.

1. prædo, *as*, *avi*, *atum*, *are*, tr. Comme **prædor**. Au passif *prædari*, être pris comme butin; être pillé.

2. prædo, *onis*, m. Brigand, pillard. ¶ Voleur. [Instruire d'avance.

prædoceo, *es*, *docui*, *doctum*, *ere*, tr.

prædomo, *as*, *domui*, *domitum*, *are*, tr. Dompter d'avance.

prædor, *aris*, *atus sum*, *ari*, dép. intr. Faire du butin, vivre de rapine, exercer le brigandage, marauder, ravager. || Profiter, tirer avantage de. ¶ *Tr.* Piller, enlever. || Prendre à la pêche *ou* à la chasse. || *Fig.* Enlever, ravir, dérober.

præduco, *is*, *duxi*, *ductum*, *ere*, tr. Mener devant, tirer, creuser (un fossé devant le camp).

præductorius, *a*, *um*, adj. Qui sert à guider. [sucrés. ¶ (Fig.) Fadaises.

prædulcia, *um*, n. pl. Friandises, plats

prædulcis, *e*, adj. Doux, très agréable. ¶ Très doux, très agréable. Adv. *Prædulce* (fig.), très doucement. || Trop doux, trop sucré. || Affecté (en parl. du style).

præduro, *as*, *avi*, *atum*, *are*, tr. Durcir. || (Fig.) Endurcir. || Commencer à rôtir. ¶ *Intr.* Durcir, devenir dur.

prædurus, *a*, *um*, adj. Dur. || Très ferme, très solide, très résistant. ¶ (Par ext.) Endurci. ¶ *Fig.* Pénible, très rude (travail). — *os*, impudence. — *verba*, propos grossiers.

praeduus, *a*, *um*, adj. Qui exerce des déprédations.

praeeminens, *entis*, adj. Eminent.

praeemineo, *es*, *ui*, *ere*, intr. et tr. Etre proéminent, faire saillie. ¶ (Fig.) Etre supérieur, l'emporter sur.

praeeo, *is*, *ivi* ou *ii*, *itum*, *ire*, intr. Aller devant, marcher devant, précéder. ¶ *Fig.* Réciter avant qqn (une formule que celui-ci doit répéter). || Donner le ton à qqn; lui faire dire ou répéter qqch. || Etablir, ordonner.

praefatio, *onis*, f. Formule récitée avant une cérémonie. || *Jur.* Exposition préliminaire. ¶ Préambule, avant-propos, exorde, introduction. ¶ Eclaircissement préalable. [petit préambule.

praefatiuncula, *ae*, f. Courte préface,

praefatus, abl. *u*, m. Action de dire d'abord; prédiction. [préfet.

praefectorius, *a*, *um*, adj. De préfet; du

praefectura, *ae*, f. Fonction d'intendant ou de fermier; gérance. ¶ Administration, surveillance. || Commandement(de la cavalerie, des troupes alliées et des ouvriers militaires). ¶ Administration, gouvernement (d'une province, d'une ville, etc.).|| Préfecture, ville, district (administré par un préfet). ¶ Partie de territoire enlevée à une ville étrangère au profit d'une colonie.

préfecturalis, *e*, adj.. Relatif à la portion de territoire prélevée au profit d'une colonie.

1. **praefectus**, *a*, *um*, adj. Fait à l'avance, au préalable. [FICIO.

2. **praefectus**, *a*, *um*, part. p. de PRAE-

3. **praefectus**, *i*, m. Intendant; directeur; préposé à. ¶ Titulaire d'une fonction civile ou militaire.—*annonae*, préfet des vivres. — *urbis*, préfet de Rome. || Commandant de la cavalerie (des alliés). — *fabrum*, chef du génie (militaire).

praefecundus, *a*, *um*, adj. Très fécond, très fertile.

praefero, *fers*, *tuli*, *latum*, *ferre*, tr. Porter devant. || Porter en avant; faire passer, faire défiler. ¶ Mettre devant, présenter, offrir. ¶ Montrer, laisser percer, manifester, trahir. ¶ Mettre avant, donner la supériorité à; préférer, aimer mieux. ¶ Présenter. — *opem*, secourir. ¶ Prendre d'avance, hâter, anticiper. ¶ Louer, vanter.

praeferox, *ocis*, adj. Emporté, violent.

praeferratus, *a*, *um*, adj. A pointe de fer; ferré. ¶ Chargé de fers.

praefertilis, *e*, adj. Très fertile.

praefervidus, *a*, *um*, adj. Brûlant. (Fig.) — *ira*, colère furieuse.

praefestino, *as*, *are*, intr. Faire (qqch.) en toute hâte; agir avec précipitation. ¶ *Tr.* Parcourir très vite.

praefica, *ae*, f. Pleureuse (aux funér.).

praeficio, *is*, *feci*, *fectum*, *ere*, tr. Faire auparavant. ¶ Préposer, mettre à la tête de; nommer à une charge.

praefidens, *entis*, adj. Qui a trop de confiance. — *sibi*, présomptueux.

praefidenter, adv. Avec une trop grande confiance en soi-même.

praefigo, *is*, *fixi*, *fixum*, *ere*, tr. Attacher, fixer, ficher par devant ou au bout de. ¶ Boucher, obstruer. — *prospectum*, boucher la vue. ¶ Transpercer. ¶ Ensorceler, charmer.

praefinio, *ivi*, *itum*, *ire*, tr. Déterminer d'avance, fixer, prescrire.

praefinitio, *onis*, f. Fixation antérieure, décision préalable, ordonnance.

praefinito, adv. D'après les instructions.

praefiscine ou **praefiscini**, adv. Sans exciter de récrimination, soit dit sans offenser personne. [miné.

praefixus, *a*, *um*, p. adj. Fixé, déter-

praefloreo, *es*, *ere*, intr. Avoir une floraison hâtive.

praefloro, *as*, *avi*, *atum*, *are*, tr. Flétrir, faner avant le temps; déflorer.

praefluo, *is*, *ere*, intr. et tr. Couler devant; baigner. [qui baigne.

praefluus, *a*, *um*, adj. Qui coule devant,

praefoco, *as*, *avi*, *atum*, *are*, tr. Etouffer.

praefodio, *is*, *fodi*, *fossum*, *ere*, tr. Creuser devant. — *portas*, creuser un fossé devant les portes. ¶ Creuser auparavant. ¶ Enfouir auparavant.

praefoecundus. Voy. PRAEFECUNDUS.

praefor, *aris*, *atus sum*, *ari*, dép. tr. Dire d'avance, faire d'avance une déclaration (verbale ou écrite). || Subst. *Praefatum*, *i*, n. Préface. ¶ Prononcer une formule de dévouement ou de consécration. ¶ Parler d'abord de, s'excuser de. ¶ Dire d'avance, prédire, prophétiser. ¶ *Intr.* S'exprimer d'une certaine façon.

praeformido, *as*, *are*, tr. Craindre à l'avance, appréhender.

praeformo, *as*, *avi*, *atum*, *are*, tr. Former à l'avance; façonner, faire l'éducation de... ¶ Tracer, esquisser.

praefracte, adv. Opiniâtrement, avec ténacité, avec âpreté.

praefractus, *a*, *um*, p. adj. Heurté, saccadé. ¶ Dur, cassant (de caractère); opiniâtre, inflexible. [glacé.

praefrigidus, *a*, *um*, adj. Très froid,

praefringo, *is*, *fregi*, *fractum*, *ere*, tr. Briser (à la partie antérieure); émousser, épointer, ébrécher.

praefulcio, *is*, *fulsi*, *fultum*, *ire*, tr. Etayer, soutenir. ¶ *Fig.* Donner un appui, un soutien. || Appuyer; établir fermement.

praefulgeo, *es*, *fulsi*, *ere*, intr. Briller sur le devant (du cou, de la poitrine, etc.). ¶ *Fig.* Jeter un vif éclat.

praefulguro, *as*, *are*, intr. Etinceler. ¶ *Tr.* Illuminer; éclairer vivement.

praefundo, *is*, *fusum*, *ere*, tr. Arroser au préalable. ¶ *Fig.* Accompagner de. ¶ Répandre d'abord; vider en versant. ¶ Faire infuser à l'avance.

praefurnium, *ii*, n. Bouche, entrée de four.

praegelidus, *a*, *um*, adj. Glacé.

praegermino, *as*, *are*, intr. Germer, bourgeonner hâtivement.

praegero, *is*, *gessi*, *gestum*, *ere*, tr. Porter devant, présenter à. ¶ Exécuter auparavant.

praegestio, *is*, *ire*, tr. Désirer vivement.

praegnans, *antis*, adj. Enceinte, grosse, pleine. Subst. *Praegnantes*, f. pl. Femmes enceintes. || Près d'entrer en végétation. ¶ Enflé, gonflé.

praegnas, *atis*, adj. Voy. PRAEGNANS.

praegnatio, *onis*, f. Grossesse. || Gestation (en parl. des animaux). || Production (en parl. des plantes). ¶ Principe fécondant. [PRAEGNANS.

1. **praegnatus**. Part. de PRAEGNO. Voy.

2. **praegnatus**, *us*, m. Comme PRAEGNATIO.

praegnax, *acis*, adj. Fécond.

praegno, *as*, *are*, tr. Rendre grosse; *au fig.* gonfler.

praegracilis, *e*, adj. Très grêle.

praegrado, *as*, *are*, intr. Devancer, précéder. [énorme.

praegrandis, *e*, adj. Immense, colossal,

praegravidus, *a*, *um*, adj. Très lourd.

praegravis, *e*, adj. Très lourd, qui est mû *ou* qui se meut difficilement. ¶ *Fig.* (En parl. de pers.) Difficile à supporter; qui gêne; qui est à charge; onéreux.

praegravo, *as*, *avi*, *atum*, *are*, tr. Accabler de son poids, surcharger, alourdir, opprimer, accabler. || *Fig.* Ecraser de sa supériorité; éclipser. ¶ *Intr.* L'emporter par son poids; pendre en avant. || *Fig.* L'emporter; avoir la prépondérance.

praegredior, *eris*, *gressus sum*, *gredi*, intr. Précéder; ouvrir la marche. ¶ *Tr.* Devancer, dépasser, franchir. ¶ Longer.

praegressio, *onis*, f. Action de précéder, de devancer.

praegressus, *us*, m. Action de marcher en avant, de précéder. ¶ Développement, progrès.

praegustator, *oris*, m. Dégustateur, officier de la table impériale. ¶ *Fig.* Celui qui a les prémices de.

praegusto, *as*, *avi*, *atum*, *are*, tr. Goûter le premier. ¶ (Par ext.) Prendre à l'avance et par précaution (un contrepoison). ¶ *Fig.* Jouir par avance, savourer d'avance.

praehibeo, *es*, *bui*, *itum*, *ere*, tr. Fournir, administrer, donner.

praeicio, *is*, *ere*, tr. Voy. PRAEJICIO.

praejaceo, *es*, *ere*, intr. Etre situé devant, s'étendre le long. ¶ *Tr.* Même sens.

praejacio, *is*, (*jeci*), *jactum*, *ere*, tr. Jeter (construire) en avant. ¶ *Fig.* Disséminer, répandre au préalable, faire naître.

praejacto, *as*, *avi*, *are*, tr. Jeter d'avance

(des graines). ¶ *Fig.* Dire avec jactance.

praejectivus, *a*, *um*, adj. Destiné à être placé en tête, placé devant.

praejicio, *is*, *ere*, tr. Mettre en tête.

praejudiciabiliter, adv. Comme PRAEJUDICIALITER.

praejudicialis, *e*, adj. Relatif à un premier jugement; préjudiciel; provisoire.

praejudicialiter, adv. Avec préjudice.

praejudicium, *ii*, n. Jugement par anticipation, préjugé; précédent judiciaire. ¶ Préjugé, opinion préconçue, prévention. ¶ Précédent (servant de présage); présage (de malheur ¶ Préjudice, tort, dommage. ¶ Empêchement, entrave.

praejudico, *as*, *avi*, *atum*, *are*, tr. Juger préalablement, préjuger. Subst. *Praejudicatum*, *i*, n. Jugement arrêté d'avance. ¶ *Intr.* Causer du préjudice, faire du tort. [Aider auparavant.

praejuvo, *as*, *juvi*, *jutum*, *juvare*, tr.

praelabor, *eris*, *lapsus sum*, *labi*, dép. intr. et tr. Glisser devant, fuir. || *Fig.* Ne faire que glisser. ¶ Couler devant, baigner (en parl. d'un cours d'eau). ¶ Devancer (en nageant *ou* en volant).

praelambo, *is*, *i*, *ere*, tr. Goûter, déguster auparavant. ¶ *Fig.* Lécher en coulant (en parl. d'un fleuve), baigner.

praelargus, *a*, *um*, adj. Abondant, opulent. [préférence.

praelatio, *onis*, f. Action de préférer,

praelatus, *oris*, adj. (au compar.) Préférable, supérieur.

1. **praelativus**, *a*, *um*, adj. Placé devant. ¶ Qui exprime la préférence, la supériorité.

2. **praelativus**, *i*, m. Le comparatif.

praelautus, *a*, *um*, adj. Fastueux; qui aime le luxe.

praelectio, *onis*, f. Explication (d'un maître), lecture explicative.

1. **praelego**, *as*, *avi*, *atum*, *are*, tr. Assurer, imposer par testament. ¶ Préléguer, léguer par préciput.

2. **praelego**, *is*, *legi*, *lectum*, *legere*, tr. Lire à haute voix, commenter, expliquer (un auteur). || Lire d'abord. ¶ Trier, choisir. ¶ Côtoyer.

praelibatio, *onis*, f. Action d'effleurer de ses lèvres, de goûter. ¶ Offrande des premiers fruits, des prémices. ¶ Amoindrissement. [à l'avance.

praelibo, *as*, *are*, tr. Déguster, goûter

praeliganeus, *a*, *um*, adj. Prématurément récolté.

praeligo, *as*, *avi*, *atum*, *are*, tr. Lier par devant *ou* au bout. ¶ *Par ext.* Couvrir, envelopper, bander (les yeux).

praelior. Voy. PROELIOR.

praelium. Voy. PROELIUM. [face.

praelocutio, *onis*, f. Avant-propos; pré-

praelongo, *as*, *avi*, *are*, tr. Prolonger, allonger. [trop long.

praelongus, *a*, *um*, adj.

praeloquor, *eris*, *locutus* ou *loquutus*

sum, loqui, dép. intr. Prendre la parole le premier. ¶ Dire d'abord. || (Absol.) Faire un préambule.

praeluceo, *es, luxi, ere*, intr. Luire devant, reluire. ¶ Faire luire devant, éclairer.

praelucidus, *a, um*, adj. Très brillant.

praeludo, *is, lusi, ere*, tr. et intr. Préluder, se préparer à. ¶ S'essayer, préluder.

praelusio, *onis*, f. Prélude. [éclatant.

praelustris, *e*, adj. Qui est bien en vue ;

praemandata, *orum*, n. pl. Lettre de réquisition ; mandat d'amener.

1. praemando, *as, avi, atum, are*, tr. Recommander, prescrire d'avance. ¶ Recommander qqn de tout cœur.

2. praemando, *is, ere*, tr. Mâcher auparavant. || *Fig.* Expliquer en détail.

praemature, adv. Prématurément ; trop tôt. [¶ *Fig.* Prématuré.

praematurus, *a, um*, adj. Hâtif, précoce.

praemedicatus, *a, um*, p. adj. Qui a pris d'avance des antidotes.

praemeditatio, *onis*, f. Préparation, méditation ; prévision.

praemeditatorium, *ii*, n. Lieu de préparation, laboratoire.

praemeditor, *as, atus sum, ari*, dép. intr. Penser d'avance à (un sujet) ; préparer *ou* se préparer ; combiner. ¶ Préluder (sur la lyre).

praemercor, *aris, atus sum, ari*, tr. Acheter, se procurer d'avance.

praemetuens, *entis*, p. adj. Qui craint d'avance ; qui se méfie de.

praemetuenter, adv. Avec appréhension.

praemetuo, *is, ere*, intr. Etre inquiet d'avance. ¶ *Tr.* Redouter d'avance.

praemiator, *oris*, m. Celui qui récompense, rémunérateur. ¶ Celui qui fait une prise ; voleur.

praemico, *as, are*, intr. Briller devant, resplendir.

praemigro, *as, are*, intr. S'en aller auparavant. [EMINEO.

praemineo, *es, ere*, intr. Comme PRAE-

praeminister, *stri*, m. Serviteur, ministre de. [trument de.

praeministra, *ae*, f. Celle qui est l'ins-

praeministro, *as, are*, intr. Etre près de qqn pour le servir. ¶ Procurer d'avance. [nacer d'avance.

praeminor, *aris, atus sum, ari*, dép. Me-

praemio, *as, are*, tr. Récompenser.

praemior, *aris, ari*, dép. tr. Stipuler pour soi un (certain) bénéfice.

praemissio, *onis*. f. Action de mettre en avant. ¶ Chose mise en avant.

praemistus et **praemixtus**, *a, um*, adj. Mélangé d'avance.

praemitis, *e* ,adj. Très doux.

praemitto, *is, misi, missum, ere*, tr. Envoyer devant soi, envoyer d'avance. ¶ Laisser échapper, émettre auparavant. ¶ Mettre en avant, placer en tête.

praemium, *ii*, n. Part qu'on prend avant les autres. || Avantage, profit ;

faveur. ¶ Distinction, privilège. ¶ Récompense, salaire, prix.

praemodulor, *aris, ari*, dép. tr. Mesurer, régler d'avance.

praemodum, adv. Outre mesure.

praemoenio. Arch. p. PRAEMUNIO.

praemolestia, *ae*, f. Crainte, sollicitude au sujet de l'avenir ; souci prématuré.

praemolior, *iris, iri*, dép. tr. Préparer d'avance, disposer.

praemollio, *is, ire*, tr. Amollir d'avance. ¶ Adoucir d'avance. [tendre.

praemollis, *e*, adj. Très mou, très

praemoneo, *es, ui, itum, ere*, tr. Avertir d'avance, recommander à l'avance, prévenir. ¶ Présager, annoncer, prédire l'avenir. [préalable.

praemonitio, *onis*, f. Avertissement préventif.

praemonitor, *oris*, m. Qui avertit, qui prévient.

praemonitum, *i*, n. Avis.

praemonitus, *us*, m. Avis. [lable.

praemonstratio, *onis*, f. Indication préa-

praemonstrator, *oris*, m. Guide.

praemonstro, *as, avi, atum, are*, tr. Montrer à faire une chose, guider. ¶ Prophétiser, prédire.

praemordeo, *es, mordi, morsum, ere*, tr. Mordre le bout de, *et par ext.* mordre. ¶ Rogner, retrancher, raccourcir.

praemordicus, *a, um*, adj. Dont on ne mange que le bout.

praemorior, *eris, mortuus sum, mori*, dép. intr. Mourir avant l'âge ; mourir auparavant ; mourir lentement.

praemostro, *as, are*, tr. Arch. p. PRAE-MONSTRO. [voir en avant.

praemoveo, *es, movi, motum, ere*, tr. Mou-

praemulceo, *es, mulsus, ere*, tr. Passer doucement la main sur.

praemundo, *as, are*, tr. Nettoyer, purifier d'avance.

praemunio, *is, ivi, itum, ire*, tr. Fortifier les abords d'une place. || Barrer, barricader. ¶ Garantir, prémunir. ¶ *Fig.* Fortifier d'avance, préparer (le terrain).

praemunitio, *onis*. f. Ce qui protège. ¶ Action de préparer le terrain.

praenarro, *as, avi, are*, tr. Raconter auparavant.

praenascor, *eris, natus sum, nasci*, dép. intr. Naître auparavant.

praenato, *as, are*, intr. Nager devant *ou* en avant ; précéder en nageant. ¶ *Tr.* Couler le long de, baigner.

praenavigatio, *onis*, f. Cabotage, action de naviguer le long des côtes.

praenavigo, *as, avi, atum, are*, tr. Côtoyer, passer le long de, longer.

praendo. Voy. PRENDO.

praeneco, *as, are*, tr. Tuer d'avance.

praenimis, adv. Beaucoup trop, par trop.

praenimium, adv. Par trop.

praeniteo, *es, ui, ere*, intr. Briller plus vivement. ¶ *Fig.* Eclipser. || Plaire davantage.

praenobilis, *e*, adj. Très fameux.

praenomen, *inis*, n. Prénom, nom qui précède le nom de famille. ¶ (Par ext.) Titre placé avant le nom.

1. praenomino, *as*, *are*, tr. Nommer d'avance.

2. praenomino, *as*, *are*, tr. Donner le prénom de, prénommer.

praenosco, *is*, *novi*, *notum*, *ere*, tr. Savoir par anticipation, connaître d'avance; pronostiquer.

praenotio, *onis*, f. Connaissance anticipée; instinct d'une chose.

praenoto, *as*, *avi*, *atum*, *are*, tr. Noter, marquer par devant. ¶ (Par ext.) Intituler. ¶ Annoncer, remarquer d'avance. ¶ Prendre note.

praenubilus, *a*, *um*, adj. Sombre.

praenubo, *is*, *ere*, intr. Epouser au préalable.

praenuncia. Voy. PRAENUNTIA.

praenuncupatus, *a*, *um*, adj. Nommé *ou* appelé d'avance.

praenuntia, *ae*, f. Celle qui présage; qui indique; avant-courrière.

praenuntio, *as*, *avi*, *atum*, *are*, tr. Annoncer à l'avance, instruire de; informer. ¶ (*En parl. de ch.*) Indiquer, marquer, faire connaître.   [précurseur.

praenuntium, *ii*, n. Annonce, signe

1. praenuntius, *a*, *um*, adj. Qui présage, qui annonce.   [coureur.

2. praenuntius, *ii*, m. Messager; avant-

1. praeoccido, *is*, *ere*, intr. Se coucher auparavant (en parl. d'un astre).

2. praeoccido, *is*, *ere*, tr. Tuer auparavant.

praeoccupatio, *onis*, f. Saisie préalable occupation préalable d'un lieu. ¶ *Rhét.* Prolepse. ¶ Obstruction intestinale.

praeoccupo, *as*, *avi*, *atum*, *are*, tr. Envahir le premier, occuper, auparavant. ¶ *Fig.* S'emparer de. || Gagner par avance. || Disposer favorablement; gagner d'avance à sa cause. ¶ Devancer, prévenir. || Dire par anticipation.

praeopto, *as*, *avi*, *atum*, *are*, tr. Préférer, aimer mieux.

praepando, *is*, *ere*, tr. Etendre, étaler par devant. ¶ Etendre à, communiquer à.

praeparatio, *onis*, f. Préparation, apprêt. ¶ Comme 2. APPARATUS. ¶ *Rhét.* Préparation.

praeparato, adv. Avec préparation, après s'être préparé. ¶ Avec préméditation.   [précurseur.

praeparator, *oris*, m. Celui qui prépare,

praeparatus, *us*, m. Préparatif, apprêts.

praeparcus, *a*, *um*, adj. Parcimonieux, serré à l'excès.

praeparo, *as*, *avi*, *atum*, *are*, tr. Préparer, disposer à l'avance, apprêter. *Ex praeparato*, voy. PRAEPARATO. ¶ Acquérir, se procurer d'avance.

praeparvus, *a*, *um*, adj. Extrêmement petit.

praepatior, *eris*, *passus sum*, *pati*, dép. intr. Souffrir beaucoup.

praepedimentum, *i*, n. Empêchement, obstacle.

praepedio, *is*, *ivi* et *ii*, *itum*, *ire*, tr. Entraver, mettre des fers aux pieds. || (Par ext.) Embarrasser, gêner; immobiliser; paralyser.

praependeo, *es*, *ere*, intr. Etre suspendu par devant, être pendu en avant.

1. praepes, *etis*, adj. Qui vole en avant. || Dont le vol est de bon augure. || Favorable, commode (en parl. de lieux), ¶ Ailé; prompt, rapide.

2. praepes, *etis*, m. et f. Créature ailée.

praepigneratus, *a*, *um*, adj. Engagé *ou* lié d'avance.

1. praepilatus, *a*, *um*, adj. Garni d'une boule par devant; moucheté. Subst. *Praepilata*, n. pl. Fleurets mouchetés. ¶ Emoussé, inoffensif.

2. praepilatus, *a*, *um*, adj. Dont l'extrémité est garnie d'une pointe.

praepinguis, *e*, adj. Très gras. ¶ *Fig.* Empâté.

praepollens, *entis*, adj. Très puissant, qui l'emporte; éminent, influent.

praepolleo, *es*, *ere*, intr. Avoir la prépondérance, être très influent, très puissant.

praepondero, *as*, *avi*, *atum*, *are*, intr. Etre d'un poids plus considérable, être plus pesant. || *Fig.* Faire pencher la balance; avoir le dessus, être prépondérant. || Pencher d'un côté; incliner vers. ¶ *Tr.* Faire trébucher; accabler. || Surpasser (au passif *praeponderari*, être inférieur, avoir moins de poids, être primé par...

praepono, *is*, *posui*, *positum*, *ere*, tr. Mettre devant, placer en avant. ¶ Mettre à la tête de, donner le commandement. ¶ Aimer mieux, préférer. ¶ Comme PROPONO.

praeporto, *as*, *are*, tr. Porter devant soi.

praeposita, *ae*, f. Supérieure (d'un couvent de femmes).

praepositio, *onis*, f. Action de mettre en tête, de confier à qqn la direction d'une affaire. || Préférence. ¶ *Gramm.* Préposition.

praepositus, *i*, m. Intendant. ¶ Inspecteur. || Chef d'atelier. || Majordome, ¶ *Au plur. Praepositi*, chefs militaires.

praepostere, adv. En intervertissant l'ordre, inversement. ¶ *Fig.* A rebours, maladroitement.

praeposterus, *a*, *um*, adj. Intervertir, renversé, mis à rebours. ¶ Qui vient hors de son temps. ¶ (En parl. de pers.) Qui agit à contretemps, gauche, maladroit, malavisé.

praepotens, *entis*, adj. (En parl. de pers.) Extrêmement influent, très puissant. ¶ (En parl. de ch.) Très puissant, énergique.

praepotentia, *ae*, f. Toute puissance, pouvoir suprême.

praepoto, *as, are*, tr. Boire auparavant. ¶ Faire boire auparavant.

praeproperanter, adv. En toute hâte.

praepropere, adv. Avec précipitation, trop rapidement. [précipité.

praeproperus, *a, um*, adj. Très prompt,

praepudium, *ii*, n. Voy. PRAEPUTIUM.

praepulcher, *chra, chrum*, adj. De toute beauté, ravissant.

praepurgo, *as, are*, tr. Purger à l'avance.

praeputiatio, *onis*, f. Etat des circoncis.

praeputiatus, *a, um*, adj. Incirconcis.

praeputium, *ii*, n. Prépuce. ¶ *Fig.* Souillure. [ce que.

praequam, adv. En comparaison de

praequeror, *eris, questus sum, queri*, dép. intr. Se plaindre d'avance.

praeradio, *as, are*, intr. Eclipser, effacer.

praerado, *is, ere*, tr. Raser d'avance.

praerancidus, *a, um*, adj. Très puant. ¶ *Fig.* Très choquant.

praerapidus, *a, um*, adj. Très rapide, très vite. ¶ Emporté, trop vif.

praerasus, *a, um*, adj. Rasé par devant

praereptor, *oris*, m. Qui prend qqch. au nez des gens. ‖ Usurpateur, spoliateur.

praerigesco, *is, rigui, ere*, intr. Se roidir, s'engourdir tout à fait.

praerigidus, *a, um*, adj. Roide, dur, austère. [RUPIUM.

praeripia, *orum*, n. pl. Voy. PRAE-

praeripio, *is, ripui, reptum, ere*, tr. Ravir à la face de qqn, enlever, soustraire, dérober. ¶ Se hâter de saisir, prévenir, devancer. ¶ Enlever avec prestesse. ¶ Déjouer (de mauvais desseins). ‖ Faire avorter.

praerodo, *is, rosi, rosum, ere*, tr. Ronger par le bout. ¶ Dévorer.

praerogativa, *onis*, f. Prérogative, privilège. ¶ Distribution, partage.

1. **praerogativa**, *ae*, f. La centurie prérogative (qui vote la première). ‖ Vote de la centurie prérogative. ¶ Choix antérieur *ou* préalable. ¶ Indice, marque, présage, pronostic; présomption. ¶ Préférence, prérogative, privilège.

2. **praerogativa**, *orum*, n. pl. Présages tirés du vote de la centurie prérogative.

praerogativarius, *a, um*, adj. Qui a des droits à certaines prérogatives.

praerogativus, *a, um*, adj. Qui est appelé le premier à donner son avis, qui vote le premier. ¶ Qui concerne la centurie appelée la première à voter.

praerogator, *oris*, m. Dispensateur.

praerogo, *as, avi, atum, are*, tr. Demander d'abord *ou* d'avance. ¶ Dépenser antérieurement; solder d'avance. ¶ Dispenser, distribuer.

praerumpo, *is, rupi, ruptum, ere*, tr. Rompre par devant, briser. ¶ Fatiguer, épuiser d'avance.

praerupium, *ii*, n. Rocher abrupt. ¶ (Au plur.) Récifs, écueils, escarpements.

praeruptio, *onis*, f. Pente abrupte.

1. **praeruptus**, *a, um*, adj. Abrupt, escarpé, à pic. Subst. *Praerupta*, n. pl. Lieux escarpés; précipices. ¶ (Fig.) Altier, brusque, emporté, violent. ¶ Ardu, dangereux. — *periculum*, péril extrême.

2. **praeruptus**, abl. *u*, m. Pente abrupte; précipice.

1. **praes**, *dis*, adj. Disposé, qui se présente à la main. ¶ (Subst.) Celui qui se présente pour garantir l'exécution d'une chose promise par autrui : caution, garant. ¶ Celui qui dans une revendication judiciaire se porte garant, que durant toute l'instance le propriétaire ne causera aucun dommage à la propriété. ¶ Celui qui garantit que les dommages-intérêts seront payés par la personne condamnée. ¶ L'acquéreur *ou* le contractant, quand il engage ses propres biens en garantie. [main.

2. **praes**, adv. Là, tout près, sous la

praesaepe, *is*, n. Enclos; tout lieu fermé. ‖ Etable, écurie. ‖ Parc à moutons. ‖ Maison, demeure. ‖ Ruche. ‖ Crèche. ‖ Cabaret. ‖ Bouge.

praesaepes, *is*. Voy. PRAESAEPE.

praesaepio, *is, saepsi, saeptum, ire*, tr. Fermer par devant, barricader (l'entrée), fermer (le passage).

praesaepis, *is*, f. Comme PRAESAEPES.

praesaepium, *ii*, n. Comme PRAESAEPES. ¶ Au plur. *Praesaepia*, les crèches (espace dans le ciel, dans la constellation du Cancer).

1. **praesagio**, *is, ivi, ire*, tr. Pressentir, augurer, présager, prévoir. ¶ Faire pressentir, annoncer, prophétiser.

2. **praesagio**, *as, are*, tr. Comme 1. PRAESAGIO.

praesagior, *aris, ari*, dép. tr. Comme 1. PRAESAGIO.

praesagitio, *onis*, f. Faculté de prévoir, prévision, pressentiment.

praesagium, *ii*, n. Prévision, pressentiment; présage, augure ¶ Prédiction.

1. **praesagus**, *a, um*, adj. Qui a le pressentiment, qui prévoit, qui devine. ¶ Qui annonce. ¶ Prophétique.

2. **praesagus**, *i*. m. Devin.

praesano, *as, avi, atum, are*, tr. Guérir auparavant. ¶ Se guérir auparavant.

praesauciatus, *a, um*, p. adj. Très affaibli. [de.

praescateo, *es, ere*, intr. Etre plein

praescientia, *ae*, f. Prescience.

praescindo, *is, scidi, ere*, tr. Séparer, déchirer.

1. **praescio**, *is, ivi, itum, ire*, tr. Pressentir, savoir à l'avance.

2. **praescio**, *onis*, m. Celui qui pressent, qui sait d'avance. [PRAESCIO.

praescisco, *is, scivi, ere*, tr. Comme **raescitio**, *onis*, f. Connaissance de l'avenir, prévision.

praescitum, *i*. n. Pressentiment, prévision, pronostic.

praescitus, *us*, m. Prescience.

1. praescius, *a*, *um*, adj. Qui prévoit, qui a le pressentiment.

2. praescius, *ii*, m. Devin.

praescribo, *is*, *scripsi*, *scriptum*, *ere*, tr, Mettre en tête d'un écrit. ¶ Ecrire d'avance. ¶ Prétexter; s'autoriser de (l'exemple de qqn || *Jur.* Exciper de, produire une exception. ¶ Tracer un modèle; esquisser. ¶ Prescrire, ordonner, recommander. || Déterminer, fixer.

praescriptio, *onis*, f. Action d'intituler, titre. ¶ Action de mettre en avant, prétexte. || *Jur.* Exception, déclinatoire; *par ext.* prescription. ¶ *Fig.* Echappatoire, faux-fuyant. ¶ Prescription, précepte, loi.   [recevoir.

praescriptive, adv. Avec une fin de non-

praescriptivus, *a*, *um*, adj. Exceptionnel.   [avance.

praescripto, *as*, *are*, tr. Ecrire par

praescriptum, *i*, n. Limite fixée. ¶ Exemple d'écriture (tracé pour servir de modèle). ¶ Prescription, règle recommandation, loi.   [dement

praescriptus, *us*, m. Précepte, comman-

praescrutatio, *onis*, f. Attention préalable.   [d'avance.

praescrutor, *aris*, *ari*, dép. tr. Examiner

praeseco, *as*, *secui*, *secatum*, ou *sectum*, *are*, tr. Couper par devant; raccourcir, rogner, limer.

praesegmen. *inis*, n. Rognure, parcelle.

praesens, *entis*, p. adj. Présent, qui assiste en personne. || Auquel on assiste en personne. ¶ Présent, actuel. ¶ Immédiat, qui a lieu à l'instant même. ¶ Déterminé, résolu. ¶ Qui est prêt à assister: propice, secourable. ¶ Qui agit immédiatement, puissant, énergique, efficace. ¶ Manifeste, évident. ¶ Qui trouve une explication immédiate; à propos, opportun.

praesensio, *onis*, f. Pressentiment. ¶ Notion primitive. ¶ Idée innée.

praesentalis, *e*, adj. Présent, actuel.

praesentaneus, *a*, *um*, adj. Présent, visible. ¶ Qui se fait immédiatement, instantané. ¶ Immédiat, efficace.

praesentarius, *a*, *um*, adj. Qu'on a sous la main. ¶ Violent, qui agit immédiatement.   [circonstances présentes.

1. praesentia, *um*, n. pl. Le présent, les

2. praesentia, *ae*, f. Présence. ¶ Moment actuel. ¶ Promptitude, résolution. ¶ Efficacité, puissance. ¶ Aide, assistance, protection (des deux).

praesentio, *is*, *sensi*, *sensum*, *ire*, tr. Pressentir, deviner, se douter de. ¶ S'apercevoir de.

praesento, *as*, *avi*, *atum*, *are*, tr. Présenter, montrer. ¶ Représenter, tenir la place de.

praesaep... Voy. PRAESAEP...

praesepultus, *a*, *um*, adj. Déjà enseveli.

praesero, *is*, *ere*, tr. Semer d'avance.

praesertim, adv. Surtout, essentiellement, particulièrement. ¶ Expressément, précisément, évidemment.

praeservio, *is*, *ire*, intr. Servir avec zèle. ¶ Etre assujetti à.

praeservo, *as*, *are*, tr. Observer au préalable. ¶ Préserver.

1. praeses, *sidis*, adj. m. et f. Qui se tient devant pour protéger. ¶ Qui se tient devant pour diriger *ou* gouverner.

2. praeses, *idis*, m. et f. Protecteur *ou* protectrice. ¶ Chef, préfet; gouverneur.

praesica, *ae*, f. Comme BRASSICA.

praesicco, *as*, *atus*, *are*, tr. Dessécher d'avance.

praesicus, *a*, *um*, adj. Desséché.

1. praesidalis, *e*, adj. De gouverneur de province.   [neur de province.

2. praesidalis, *is*, m. Ancien gouver-

praesidatus, *us*, m. Protection. ¶ Gouvernement d'une province.

praesideo, *es*, *sedi*, *sessum*, *ere*, intr. et (qqf.) tr. Etre assis en avant *ou* à la première place. || *Fig.* Avoir la présidence, le commandement; diriger, conduire, gouverner. ¶ Protéger; défendre.

praesidero, *are*, intr. Venir avant le temps (en parl. de phénomènes atmosphériques, froid, chaleur, orages, qui se produisent avant l'époque normale).

1. praesidialis, *e*, adj. De gouverneur de province.   [qui a été préside.

2. praesidialis, *is*, m. Personnage

praesidialiter, adv. En surveillant.

praesidium, *ii*, n. Protection, secours, aide, défense. || (Méton.) Ce qui porte secours; défenseur, soutien. || Garde, défense, garnison, poste. || (Par ext.) Escorte, troupe. || Position, poste. ¶ *Fig.* Ressource, secours, asile; moyen; appui, soutien. ¶ (Méd.) Secours, remède.

praesignator, *oris*, m. Celui qui indique d'avance (la part d'un héritage qui revient à l'Etat).

praesignificatio, *onis*, f. Indice, présage.

praesignifico, *as*, *are*, tr. Faire connaître d'avance, présager.   [vant.

praesigno, *as*, *are*, tr. Marquer aupara-

praesono, *as*, *are*, intr. Résonner auparavant. ¶ *Tr.* Surpasser par le son.

praespeculor, *aris*, *atus sum*, *ari*, dép. tr. Rechercher, scruter, sonder d'avance.

praespero, *as*, *are*, tr. Espérer d'avance.

praespicio, *is*, *ere*, tr. Prévoir. ¶ Comme PROSPICIO.

praestabilis, *e*, adj. Distingué, remarquable, avantageux, excellent, préférable. ¶ Qui pardonne volontiers.

praestans, *antis*, p. adj. Qui excelle, qui l'emporte. ¶ Eminent, supérieur, extraordinaire. ¶ Efficace, puissant, souverain. Superl. subst. *Praestantissimus, i*, m. Monseigneur *ou* Sire (titre donné aux empereurs).

praestanter, adv. D'une manière remarquable; excellemment. ¶ D'une manière souveraine.

praestantia, *ae*, f. Supériorité, avantage. ¶ Efficacité.

praestatio, *onis*, f. Garantie, engagement. ¶ Payement; *par ext.* prestation, redevance, payement (de l'impôt).

praestator, *oris*, m. Répondant, garant. ¶ Comme PRAESTITOR.

praesterno, *is*, *ere*, tr. Etendre devant.

praestes, *stitis*, m. et f. Celui *ou* celle qui préside, qui protège.

praestigia, *ae*, f. Voy. le suivant.

praestigiae, *arum*, f. pl. Prestiges, illusions. ¶ Jongleries. [Imposteur.

praestigiator, *oris*, m. Jongleur. ¶

praestigiatrix, *tricis*, f. Trompeuse.

praestigio, *as*, *are*, intr. Faire des jongleries, des tours de passe-passe.

praestigior, *aris*, *ari*, dép. intr. Escamoter (en faisant des tours de passe-passe). [éblouissant; trompeur.

praestigiosus, *a*, *um*, adj. Prestigieux;

praestinguo, *is*, *tinxi*, *tinctum*, *ere*, tr. Eteindre, éclipser. ¶ *Fig.* Anéantir, déjouer, faire échouer.

praestino, *as*, *avi*, *atum*, *are*, tr. Acheter, acquérir.

praestites, *um*, m. pl. Voy. PRAESTES.

praestitor, *oris*, m. Celui qui donne, qui procure.

praestituo, *is*, *ui*, *utum*, *ere*, tr. Fixer d'avance; déterminer, prescrire.

1. **praesto**, adv. A portée, sous la main, tout près. — *esse*, aider, assister; être présent à.

2. **praesto**, *as*, *stiti*, *stare*, intr et tr. *Intr.* Etre ou se tenir debout ou devant; couvrir, abriter. ¶ L'emporter sur; se distinguer. Impers. *Praestat*, il vaut mieux, il est préférable. ¶ Se porter fort pour, répondre de, garantir; assumer la responsabilité. ¶ Maintenir, conserver. ¶ Faire, accomplir, remplir (un devoir, etc.). ¶ Montrer, témoigner. ¶ Montrer, présenter. ¶ Procurer, fournir, donner; payer. ¶ Prêter.

praestolatio, *onis*, f. Attente.

praestolo, *as*, *are*, tr. Voy. PRAESTOLOR.

praestolor, *aris*, *atus sum*, *ari*, dép. intr. et tr. Attendre.

praestrangulo, *as*, *are*, tr. Etrangler; couper la respiration; empêcher de parler. [ou de serrer.

praestrictio, *onis*, f. Action de lacer

praestrigiae, *arum*, f. pl. Pour PRAESTIGIAE. [STIGILATOR.

praestrigiator, *aris*, m. Comme PRAESTRIGIATRIX.

praestrigiatrix, *ricis*, f. Comme PRAESTIGIATRIX.

praestringo, *is*, *strinxi*, *strictum*, *ere*, tr. Serrer, comprimer, garotter. ¶ Entourer. ¶ Resserrer, épaissir. ¶ Toucher le bord de, effleurer, *d'où* blesser en passant. ‖ Emousser (la vue), éblouir. ¶ Oter les bourgeons.

praestructio, *onis*, f. Préparation antérieure.

praestruo, *is*, *struxi*, *structum*, *ere*, tr. Construire en avant, construire (un avant-corps de bâtiment). ¶ *Fig.* Bâtir d'avance, *c.-à-d.* préparer, ménager d'avance. ¶ Projeter, se proposer de. ¶ Construire devant, *c.-à-d.* obstruer, barricader.

praestupesco, *is*, *ere*, intr. Etre stupéfait. [bête, niais.

praestupidus, *a*, *um*, adj. Excessivement

praesuasio, *onis*, f. Action de parler d'avance (en faveur de).

praesudo, *as*, *are*, intr. Etre humide d'avance. ¶ Suer d'avance. ¶ *Fig.* Suer d'avance, se donner de la peine, s'exercer.

praesul, *sulis*, m. et f. Celui *ou* celle qui est à la tête de, qui préside. ‖ Préposé. ¶ Celui qui s'est élevé au premier rang dans son genre, qui est passé maître. ¶ Chef des Saliens.

praesulatus, *us*, m. Dignité de supérieur (d'une communauté).

praesulor, *aris*, *ari*, dép. intr. Etre supérieur d'une communauté religieuse.

praesulsus, *a*, *um*, adj. Très salé.

praesultator, *aris*, m. Le chef des danseurs.

praesulto, *as*, *are*, intr. Bondir devant, précéder en dansant. ¶ Tressauter.

praesultor, *oris*, m. Comme PRAESULTATOR.

praesum, *es*, *praefui*, *esse*, intr. Etre devant, être en tête; *et ordin.* être à la tête de, présider à. ¶ Défendre. ¶ Etre l'instigateur de, provoquer. ¶ Comme PRODESSE.

praesumo, *is*, *sumpsi*, *sumptum*, *ere*, tr. Prendre d'avance *ou* d'abord. ¶ Détacher d'avance; peler *ou* écorcer d'avance. ¶ Prendre avant le temps, prendre d'avance, anticiper, usurper; prendre sur, devancer. ¶ Présumer, conjecturer, pressentir; savoir d'avance. ¶ Oser, avoir l'audace *ou* l'intrépidité de; être assez présomptueux pour. ¶ Goûter, manger, boire; prendre, consommer.

praesumptio, *onis*, f. Jouissance anticipée. ¶ Supposition, conjecture, prévision. ¶ Opinion préconçue, préjugé. ‖ Opinion, pensée. ¶ Présomption, hardiesse, effronterie. ¶ *Rhét.* Prolepse.

praesumptiose, adv. Avec présomption.

praesumptiosus, *a*, *um*, adj. Présomptueux, audacieux; téméraire.

praesumptive, adv. Avec présomption.

praesumptor, *oris*, m. Celui qui prend d'avance; usurpateur. ¶ Homme audacieux, présomptueux.

praesumptorie, adv. Avec présomption, témérairement. [tueux.

praesumptorius, *a*, *um*, adj. Présomp-

praesuo, *is*, *ui*, *utum*, *ere*, tr. Coudre

par devant. ¶ Recouvrir, garnir de.

praesurgo, *is*, *surrexi*, *ere*, intr. Se lever avant.

praetango, *is*, *tactus*, *ere*, tr. Affecter d'avance. ¶ Toucher, frotter d'avance.

praetectio, *onis*, f. Action de couvrir.

praetego, *is*, *texi*, *tectum*, *ere*, tr. Couvrir par devant. ¶ Abriter. ¶ Dissimuler, voiler.

praetendo, *is*, *tendi*, *tentum*, *ere*, tr. Tendre devant, tenir en avant de soi. ¶ Etendre devant, mettre devant (pour protéger, pour cacher). ‖ Tendre en avant, présenter; montrer. ¶ Mettre en avant, donner pour prétexte, alléguer, prétexter, prétendre. ¶ Camper devant, être de faction *ou* de garde; servir, lutter (contre).

praetener, *era*, *erum*, adj. Très tendre.

praetentatus (PRAETEMPTATUS), abl. *u*, m. Essai; tâtonnement.

praetento (PRAETEMPTO), *as*, *avi*, *atum*, *are*, tr. Tendre en avant. ¶ Tâter d'avance; explorer. ¶ Sonder, essayer. ¶ Prétexter, alléguer, simuler.

praetentura, *ae*, f. Poste avancé. ‖ Cordon de troupes. ¶ Partie du camp comprise entre la *via principalis* et la *porta praetoria*.

praetenuis, *e*, adj. Très mince, très délié.

praetepesco, *tepui*, *ere*, intr. S'échauffer d'avance.

1. **praeter**, adv. Si ce n'est, hormis, à l'exclusion de. ¶ En outre, plus. — *quam*, plus que.

2. **praeter**, prép. (av. l'acc.). Devant. ¶ Le long de. ¶ (Par ext.) Outre, au delà de. ‖ En dehors, en opposition à; outre. — *modum*, outre mesure. — *consuetudinem*, contre l'usage. ¶ Plus que, au-dessus. ¶ Outre, en sus de; avec. ¶ Hormis, à l'exception de, excepté.

praeterago, *is*, *ere*, tr. Faire passer outre (un cheval). ¶ Devancer, dépasser.

praetercurro, *is*, *curri*, *cursum*, *ere*, intr. Courir au delà. ¶ Défiler devant (une ville). [delà.

praeterduco, *is*, *ere*, tr. Conduire au

praeterea, adv. En outre, de plus, en sus. ¶ Ensuite, désormais.

praetereo, *is*, *ii*, *itum*, *ire*, intr. et tr. Passer devant *ou* auprès de. ¶ Passer, s'écouler (pr. et fig.). ¶ Passer devant *ou* le long de. ¶ Dépasser, surpasser (pr. et fig.). ¶ Echapper (à l'esprit, à la mémoire). ¶ Passer outre, omettre (en lisant *ou* en écrivant, à dessein *ou* non). ‖ Oublier qqn (dans un choix, un héritage, une invitation, etc.). ¶ Echapper à.

praeterequito, *as*, *are*, intr. Passer, s'avancer à cheval.

praetereunter, adv. En passant; légèrement.

praeterfero, *fers*, *tuli*, *latum*, *ferre*, tr. Passer au delà, dépasser.

praeterfluo, *is*, *ere*, intr. Couler au delà. ¶ Couler devant, longer (en coulant). ¶ S'écouler, se perdre.

praetergredior, *eris*, *gressus sum*, *gredi*, dép., tr. et intr. Passer devant, dépasser. ¶ *Intr.* Passer outre.

praeterhac, adv. Désormais, dorénavant.

praeterinquiro, *is*, *ere*, intr. S'informer de nouveau.

praeteritio, *onis*, f. Action de passer, de s'écouler. ¶ Action d'omettre (dans un testament). ¶ Prétérition (fig. de rhét.).

praeteritus, *a*, *um*, p. adj. Passé, écoulé. ‖ Qui n'est plus; mort.

praeterlabor, *eris*, *lapsus sum*, *labi*, dép. intr. Couler auprès. ¶ *Tr.* Baigner. ‖ Côtoyer. ¶ Echapper, s'écouler.

praeterlambo, *is*, *ere*, tr. Longer, baigner (en parl. d'un fleuve). [passant.

praeterluo, *is*, *ere*, tr. Baigner en

praetermeo, *as*, *are*, intr. Passer outre *ou* devant. ¶ Passer le long de, côtoyer, longer.

praetermissio, *onis*, f. Omission. ‖ Refus (de s'occuper de telle *ou* telle chose).

praetermitto, *is*, *misi*, *missum*, *ere*, tr. Laisser passer. ¶ Laisser échapper, omettre. ¶ Omettre de; s'abstenir de. ¶ Oublier, passer sous silence. ¶ Permettre, négliger, fermer les yeux sur. ¶ Faire passer au delà; transporter.

praetermonstro, *as*, *are*, tr. Indiquer qqn.

praeternavigo, *as*, *are*, intr. et tr. Dépasser, doubler (en naviguant); longer, côtoyer.

praetero, *is*, *trivi*, *tritum*, *ere*, tr. User, limer par devant. ¶ Broyer (au préalable).

praeterpropter, adv. Environ, approximativement. ¶ Tant bien que mal.

praeterquam, adv. Outre, excepté, si ce n'est.

praetersum, *es*, *fui*, *esse*, intr. Ne pas faire attention à. [sage.

praetervectio, *onis*, f. Traversée, passage.

praetervehor, *eris*, *vectus sum*, *vehi*, tr. et intr. Passer devant *ou* le long de (en bateau, en voiture, à cheval). ‖ Laisser de côté. ¶ Passer devant, dépasser (en parl. de l'infanterie).

praeterverto, *is*, *ere*, tr. Aller au devant de, se tourner vers.

praetervolo, *as*, *avi*, *atum*, *are*, tr. et intr. Dépasser en volant.

praetexo, *is*, *texui*, *textum*, *ere*, tr. Tisser devant. ¶ Mettre en avant, alléguer, prétexter. ¶ Border. ‖ (Méton.) Garnir par devant, *d'où* couvrir, cacher. ¶ Dissimuler, pallier. ¶ Décorer (la première page d'un livre, le fronton d'un temple).

praetexta, *ae*, f. Prétexte, robe prétexte (toge blanche bordée de pourpre), vêtement officiel que portaient les rois de Rome, les consuls, les pré-

teurs, les édiles curules, certains prêtres, les magistrats des municipes *ou*
des colonies, et les enfants de noble
famille jusqu'à dix-sept ans. ¶ Tragédie nationale (à sujets romains, où
figurent des personnages revêtus de
la prétexte).

praetextatus, *a*, *um*, adj. Vêtu de la
prétexte. Voy. PRAETEXTA. Subst.
Praetextati, *orum*, m. pl. Citoyens,
bourgeois. ¶ Qui a besoin d'être voilé
ou gazé; licencieux, dissolu.

praetextum, *i*, n. Ornement, parure,
broderie. ¶ Prétexte, faux semblant,
apparence. [TEXO.

1. **praetextus**, *a*, *um*, part. de PRAE-
2. **praetextus**, abl. *u*, m. Ornement,
parure, éclat, représentation. ¶ Prétexte.

praetimeo, *es*, *ui*, *ere*, **tr.** Craindre
d'avance, appréhender.

praetimidus, *a*, *um*, adj. Timoré.

praetingo, *is*, *tinctus*, *ere*, tr. Plonger,
tremper d'avance.

praetium. Voy. PRETIUM. [devant.

praetondeo, *es*, *ere*, tr. Couper par

praetor, *oris*, m. Celui qui va devant,
d'où (dans la vie civile et politique) :
chef, gouverneur, magistrat. ¶ Préteur, magistrat chargé de rendre la
justice). ¶ Chef militaire, général (non
pas d'armées romaines, mais seulement des troupes alliées et des merce-
naires grecs). ‖ Amiral.

praetoriae (s.-e. COHORTES), *arum*, f. pl.
Cohortes prétoriennes; garde impériale.

1. **praetorianus**, *a*, *um*, adj. Prétorien;
de la garde impériale. ¶ Qui concerne
le préfet du prétoire. [au préteur.
2. **praetorianus**, *a*, *um*, adj. Relatif

1. **praetoricius**, *a*, *um*, adj. De préteur.
2. **praetoricius**, *ii*, m. Ancien préteur.

praetoriolum, *i*, n. Petite maison;
cabine (de navire).

praetorium, *ii*, n. Tente du général. ¶
Prétoire. ‖ Palais du préteur *ou* du
propréteur; *par ext.* palais, maison
de plaisance, château. ‖ Place (autour
de la tente du général, où se trouvait
l'autel et où siégeait le tribunal). ‖
Conseil de guerre. ‖ Cellule de la reine
desabeilles. ‖ Camp. ‖ *Par ext.* (méton.)
Soldats du prétoire, prétoriens,
garde impériale.

1. **praetorius**, *a*, *um*, adj. Du préteur,
prétorien. ¶ Du général. ‖ De l'amiral,
2. **praetorius**, *ii*, m. Un ancien préteur.

praetorridus, *a*, *um*, adj. Très chaud.
brûlant. [ou effaré.

praetrepido, *as*, *are*, intr. Etre affairé

praetrepidus, *a*, *um*, adj. Palpitant. ¶
Inquiet, agité. [usé.

praetritus, *a*, *um*, adj. Complètement

praetrunco, *as*, *are*, tr. Couper le bout
de, rogner.

praetumidus, *a*, *um*, adj. Très gonflé,
qui s'enfle. ¶ Bouffi d'orgueil.

praetura, *ae*, f. Dignité et fonction de
préteur (à Rome), préture. ¶ Dignité
de commandement en chef, de stra-
tège (en Grèce).

praeulceratus, *a*, *um*, adj. Qui suppure
déjà; ulcéré d'avance.

praeumbro, *as*, *are*, intr. Porter de
l'ombre, étendre son ombre.

praeungo, *is*, *unctus*, *ere*, tr. Oindre,
frotter à l'avance.

praeuro, *is*, *ussi*, *ustum*, *ere*, tr. Brûler
par devant *ou* au bout.

praeut, adv. En comparaison de ce que...

praevalentia, *ae*, f. Supériorité.

praevaleo, *es*, *valui*, *ere*, intr. Etre
physiquement très fort, très puissant.
¶ (Par ext.) L'emporter en valeur,
en considération, en puissance; avoir
la prépondérance. ¶ Avoir plus de
voix dans une élection, obtenir la
majorité. ¶ Etre particulièrement
efficace. ¶ Pouvoir; être capable de.

praevalesco, *is*, *ere*, intr. Devenir vigoureux. ¶ Prévaloir.

praevalide, adv. Puissamment.

praevalidus, *a*, *um*, adj. Très fort, très
robuste. ¶ Très *ou* trop fort; très
puissant. [lissader.

praevallo, *as*, *are*, tr. Fortifier, pa-

praevaricatio, *onis*, f. Action de transgresser le devoir; double jeu; préva-
rication, entente secrète avec la partie
adverse.

praevaricator, *oris*, m. Prévaricateur,
qui manque à son devoir. ¶ *Eccl.*
Traître à la vérité, à la loi divine, etc.;
pécheur.

praevarico, *as*, *avi*, *atus*, *are*, tr. Transgresser, violer; *abs.* pécher.

praevaricor, *aris*, *atus sum*, *ari*, dép.
intr. S'écarter du droit chemin, dévier. ¶ Prévariquer, manquer à son
devoir. ¶ *Tr.* Transgresser.

praevarus, *a*, *um*, adj. Très irrégulier.

praeveho, *is*, *vexi*, *vectum*, *ere*, tr.
Porter, mener, conduire devant *ou*
en avant. Au passif : *Praevehi*, se
porter devant, chevaucher devant *ou*
en avant. ¶ (Par ext.) *Praevehi*,
passer le long de, côtoyer; couler le
long de.

praevello, *is*, *velli* et *vulsi*, *ere*, tr.
Arracher par devant. ¶ *Fig.* Faire disparaître. [va très vite.

praevelox, *ocis*, adj. Très rapide, qui

praevenio, *is*, *veni*, *ventum*, *ire*, intr.
Prendre les devants. ¶ *Tr.* Devancer,
précéder, prévenir; surprendre. ¶
(Venir en tête), surpasser, l'emporter
sur.

praeventio, *onis*, f. Comme PRAEVENTUS.

praeventor, *oris*, m. Qui marche en
avant-garde, éclaireur; de l'avant-
garde.

praeventus, abl. *u*, m. Action d'arriver
avant (*ou* inopinément).

praeverbium, *ii*, n. Préfixe, préposition,
particule inséparable. ¶ Adverbe.

praevernat, *are*, impers. Le printemps est précoce. [toyer auparavant.

praeverro, *is*, *ere*, tr. Balayer, nettoyer auparavant.

praeverto (PRAEVORTO), *is*, *verti*, *versum*, *ere*, tr. Faire passer avant, entreprendre d'avance *ou* avant autre chose, se proposer d'abord de. ¶ Devancer, précéder, gagner de vitesse. ¶ Empêcher, faire échouer. ¶ Saisir auparavant, prendre le premier. ¶ Surpasser en valeur, l'emporter sur, avoir plus d'influence que.

praevertor, *eris*, *i*, dép. tr. et intr. Faire une excursion dans. ¶ Se tourner tout d'abord *ou* de préférence vers, s'occuper de. ¶ Aller plus vite que, devancer.

praeves, arch. p. PRAES.

praevexo, *as*, *avi*, *atum*, *are*, tr. Affaiblir extrêmement.

praevideo, *es*, *vidi*, *visum*, *ere*, tr. (Au sens propre.) Voir d'avance *ou* avant. ¶ *Fig.* Voir une chose avant qu'elle arrive, prévoir. ¶ Prendre ses mesures.

praevigilo, *as*, *are*, intr. Etre très vigilant. [Lier, enchaîner d'avance.

praevincio, *is*, *vinxi*, *vinctum*, *ire*, tr.

praevinco, *is*, *ere*, tr. L'emporter sur.

praevio, *as*, *are*, intr. Précéder, guider.

praeviridaus, *antis*, adj. Très vert, c.-à-d. très fort et très vigoureux.

praeviridis, *e*, adj. Très vert.

praevitio, *as*, *avi*, *atum*, *are*, tr. Gâter, ruiner entièrement. [qui précède.

praevius, *a*, *um*, adj. Qui va devant,

praevolo, *as*, *avi*, *are*, intr. et tr. Voler devant *ou* en avant.

pragma, *matis*, n. Affaire.

pragmatica, *orum*, n. pl. Les Pragmatiques, ouvrage d'Accius.

pragmaticarius, *ii*, m. Celui qui rédigeait les pragmatiques sanctions.

pragmaticum, *i*, n. Rescrit; pragmatique sanction.

1. pragmaticus, *a*, *um*, adj. Qui a l'expérience *ou* la pratique des affaires, expérimenté. ¶ Relatif aux affaires civiles

2. pragmaticus, *i*, m. Praticien. ¶ Jurisconsulte, avocat consultant.

prandeo, *es*, *prandi*, *pransum*, *ere*, intr. Prendre un morceau le matin, déjeuner. ¶ *Tr.* Manger à son repas du matin, manger de... [collation.

prandiculum, *i*, n. Léger déjeuner,

prandiolum, *i*, n. Léger déjeuner, collation.

prandium, *ii*, n. Repas du matin, déjeuner (que l'on prenait vers la septième heure et qui se composait de pain, de poisson, de viande froide). ¶ Nourriture des animaux.

pransito, *as*, *avi*, *atum*, *are*, intr. Déjeuner, faire un léger repas. ¶ *Tr.* Prendre à son repas du matin, à sa collation.

pransor, *oris*, m. Qui prend part à un déjeuner; convive.

pransorius, *a*, *um*, adj. Dont on se sert au déjeuner.

1. pransus, *a*, *um*, adj. Qui a pris de la nourriture le matin, qui n'est pas à jeun.

2. pransus, abl. *u*, m. Déjeuner.

prasinatus, *a*, *um*, adj. Revêtu d'un vêtement de couleur verte (vert poireau). [prasine.

prasinianus, *i*, m. Partisan de la faction

prasinus, *a*, *um*, adj. Qui est de la couleur du poireau. ¶ Qui appartient à la faction des verts (dont les cochers, dans les courses de chars, étaient habillés de vert).

prasion et prasium, *ii*, n. Marrube, sorte de plante. [leur vert poireau.

1. prasius, *a*, *um*, adj. Qui est de la cou-

2. prasius, *ii*, m. Pierre fine de la couleur du poireau; émeraude.

prasoides, m. Espèce de topaze *ou* de jaspe de couleur verte.

prason, *i*, n. Espèce de varech.

pratens, *entis*, adj. De couleur vert pré.

pratensis, *e*, adj. Qui vient, qui pousse dans les prés.

pratulum, *i*, n. Petite prairie.

pratum, *i*, n. Pré, prairie. || (Méton.) Herbe, gazon. ¶ *Fig.* Plaine, vaste étendue.

prave, adv. De forme courbée, d'où de travers, mal, défectueusement. *Pudens prave*, par fausse honte.

pravitas, *atis*, f. Forme tortue, difformité, défaut. ¶ Difformité (morale), perversité, méchanceté. || Vice.

pravus, *a*, *um*, adj. Tortu, difforme, de travers. ¶ Défectueux, mauvais; qui n'est pas conforme aux règles. ¶ Immoral, perverti, dépravé, vicieux.

precabundus, *a*, *um*, adj. En suppliant.

precario, adv. Par la prière. || A titre de faveur. ¶ Sous forme de prière; en suppliant.

precarius, *a*, *um*, adj. Suppliant, qui affecte la forme d'une prière. ¶ Obtenu, qui s'obtient par la prière *ou* à force de prières. ¶ Qu'on ne doit qu'à la prière, d'où mal assuré, incertain, précaire. ¶ Passager, qui ne dure qu'un moment.

precatio, *onis*, f. Action de prier, prière. ¶ Formule de prière.

precative, adv. Sous forme de prière.

precativus, *a*, *um*, adj. Obtenu à force de prières. [cesseur.

precator, *oris*, m. Celui qui prie, inter-

precatus, *us*, m. Prière, supplication.

preces, *um*, f. Voy. PREX. [vigne.

preciae et pretiae, *arum*, f. Sorte de

preco. Voy. PRECOR.

precor, *aris*, *atus sum*, *ari*, dép. intr. et tr. Prier, supplier; adresser une prière *ou* des supplications à qqn (pour en obtenir qqch.). ¶ *Tr.* Souhaiter (du bien *ou* du mal à qqn). || (Absol.) *Precari alicui*, maudire qqn.

prehendo et prendo, *is*, *idi*, *sum*, *ere*, tr.

Prendre, s'emparer de: saisir. ¶ Arrêter qqn (pour lui parler). ¶ S'emparer de qqn, le capturer, l'arrêter. || Se rendre rapidement maître de. ¶ Atteindre. ¶ Saisir (par la pensée), comprendre.

prehensio, *onis,* f. Saisie, arrestation.

prehenso et (pl. souv.) prenso, *as, avi, atum, are,* tr. Saisir fortement et rapidement *ou* avec précipitation. ¶ Arrêter qqn, pour le prier. || Solliciter les suffrages de qqn.

prelum, *i,* n. Presse, pressoir. ¶ Roue qui sert à comprimer les étoffes.

premo, *is. pressi, pressum, ere,* tr. Presser, serrer, appuyer. ¶ Presser de son poids; être debout, assis *ou* couché sur, appuyer de son propre poids. ¶ Couvrir, cacher (en couvrant), revêtir, ¶ Presser, serrer de près. ¶ Enfoncer, faire entrer (en pressant), appuyer, imprimer dans; enfoncer (dans la terre), planter. ¶ Faire baisser (en appuyant), abaisser, rabaisser. ¶ Réunir, rapprocher en serrant. || Tenir serré, tenir serré. || Raccourcir, abréger. ¶ (Fig.) Presser, forcer, accabler, poursuivre. *Premi aere alieno,* être accablé de dettes. ¶ Cacher, couvrir en pressant, dissimuler. ¶ Rabaisser, ravaler, amoindrir. ¶ Réduire, resserrer; dire en peu de mots. ¶ Empêcher, entraver, contenir. ¶ Ecraser (un ennemi politique).

prendo. Voy. PREHENDO. ¶ Prendre.

prenso. Voy. PREHENSO.

presbyter, *eri,* m. Vieillard. ¶ Prêtre (dans l'église chrétienne).

presbyteralis, *e,* adj. De prêtre.

presbyteratus, *us,* m. Fonction de prêtre, prêtrise.   [des prêtres.

presbyterium, *ii,* n. L'ordre, le collège

presse, adv. En serrant fortement, en pressant. ¶ De près, court, ras. ¶ *Fig.* Nettement (en parl. de la prononciation). || Avec précision, simplement, brièvement (en parl. du style). || Exactement, avec soin.

pressim, adv. En serrant fortement (contre son cœur). ¶ D'une manière serrée.

pressio, *onis,* f. Action de comprimer, pression: pesanteur. ¶ Point d'appui d'un levier pendant qu'on soulève un fardeau.

presso, *as, are,* tr. Traire.

pressor, *oris,* m. Rabatteur, celui qui rabat le gibier à la chasse.

pressorium, *ii,* n. Presse, pressoir.

pressorius, *a, um,* adj. Qui sert à presser.

pressura, *ae,* f. Action de presser, pression. || Pression, pressurage (du vin, de l'huile). ¶ Charge, fardeau. ¶ Pression exercée par *ou* sur un liquide. ¶ Sommeil lourd, profond, qui n'est pas naturel. ¶ Tribulation, tourment, malheur.

1. pressus, *a, um,* p. adj. Qui est appuyé, d'où contenu, lent. ¶ Pressé, serré de près, tenu fortement. ¶ Lent, grave (en parl. de la voix), étouffé, sourd. ¶ (En parl. des couleurs). Terne, sombre. ¶ Serré, économe. ¶ (En parl. des pensées; du discours.) Serré, sobre, concis.   [¶ Pression.

2. pressus, *us,* m. Action de serrer.

praester, *teris,* m. Tourbillon de feu, colonne de feu. ¶ Espèce de serpent dont la morsure cause une soif brûlante et fait enfler le corps.

pretiae. Voy. PRAECIAE.   [ment.

pretiose, adv. Richement, magnifique-

pretiosus, *a, um,* adj. Qui a de la valeur; précieux. ¶ (Par ext.) Qui coûte cher, onéreux. ¶ Qui paye cher.

pretium, *ii,* n. Prix d'une chose, valeur vénale. ¶ Prix d'achat. ¶ Prix, argent reçu.

prex, *precis,* f. Prière, demande, || Prière (à la divinité). ¶ *Au plur.* Prières. || Malédictions, imprécations. || Intercessions. || Souhaits, vœux, désirs.

pridem, adv. Il n'y a pas longtemps, naguère. ¶ Depuis peu. ¶ Quelque temps auparavant, déjà.

pridianus, *a, um,* adj. De la veille.

pridie, adv. La veille. ¶ (Par ext.) Quelque temps auparavant.

primaevus, *a, um,* adj. Qui est du premier âge; jeune.   [mière légion.

primani, *orum,* m. pl. Soldats de la pre-

1. primanus, *a, um,* adj. Qui est de la première légion.

2. primanus, *a, um,* adj. Qui est des premiers, du premier rang, distingué.

primas, *atis,* m. et f. Qui est au premier rang.

primatus, *us,* m. Le premier rang, prééminence. ¶ Droit de primogéniture, droit d'aînesse.

prime, adv. En particulier, en première ligne, éminemment.   [cier.

primiceriatus, *us,* m. Place de primi-

primicerius, *a, um,* adj. Dont le nom se trouve en tête des tablettes de cire, d'où le premier de ceux qui exercent le même emploi, chef, primicier.

primigeniae, *arum,* f. pl. La nature première des choses.

primigenius, *a, um,* adj. Primitif, primordial, premier de son espèce. ¶ La nature première des choses.

primigenus, *a, um,* adj. Primitif, primordial.

primipara, *ae,* f. Qui a mis bas pour la première fois (en parl. des animaux).

1. primipilaris, *e,* adj. Qui regarde *ou* concerne la première centurie des triaires.

2. primipilaris, *is,* m. Centurion de la première centurie des triaires (le premier des centurions). ¶ Intendant (des vivres). ¶ Evêque.   [primipile.

3. primipilaris, *is,* m. Celui qui a été

4. primipilaris, *is,* m. Qui concerne les

intendants,les commissaires aux vivres.

1. **primipilarius**, *a*,*um*,adj. Comme 1. PRI-MIPILARIS. [MIPILARIS.

2. **primipilarius**,*a*,*um*,adj. Comme 2.PRI-

primipilatus, *us*, m. Charge d'intendant, de commissaire aux vivres.

primipilus, *i*, m. Voy. 1. PILUS. ¶ Fonction, charge de primipile.

primipotens, *entis*, adj. Le premier en puissance, tout puissant.

primitia, *ae*, f. Prime jeunesse.

primitiae, *arum*, f. pl. Prémices, les premières productions de la terre. ¶ *Fig.* Commencements, débuts.

primitiva, *orum*, n. pl. Droit d'aînesse. ¶ *Fig.* Premiers fruits, prémices.

primitivus, *us*, m. Etat de premier né.

1. **primitivus**, *a*, *um*, adj. Qui naît le premier. ¶ Primitif *ou* simple. || Au positif (en parl. d'un adjectif).

2. **primitivus**, *i*, m. Jeune bouc (né en hiver).

primitus, adv. D'abord, pour la première fois; au début.

primo, adv. D'abord, en premier lieu, au commencement.

1. **primogenitus**, *a*, *um*, adj. Premier né, aîné. *Jus primogeniti*, le droit d'aînesse. [premier né.

2. **primogenitus**, *us*, m. Qualité de

primordium, *ii*, n. et (ordin.) **primordia**, *orum*, n. pl. Commencement, origine, début. ¶ Commencement d'un règne, avènement d'un prince.

primores, *um*, m. pl. Soldats du premier rang. ¶ Les premiers, les grands.

primulum, adv. Tout d'abord.

primulus, *a*, *um*, adj. Qui ne fait que commencer.

primum, adv. Premièrement, en premier lieu, au commencement (dans les énumér., suivi de DEINDE). ¶ Pour la première fois.

primumdum, adv. Avant tout.

primus, *a*, *um*, adj. Premier; qui est en avant, au commencement. ¶ Premier dans le temps. *Prima luce*, au commencement du jour. ¶ Premier (par le rang). *In primis*, surtout, particulièrement.

princeps, *cipis*, adj. Le premier, qui est le premier à faire (telle ou telle chose). ¶ Le premier (sur la liste du Sénat). ¶ Le premier, le plus considéré. ¶ Chef, instigateur. ¶ Prince, souverain. ¶ Soldat (autrefois de la première ligne. ¶ Principal, capital: supérieur. ¶ Du prince, de l'empereur. ¶ Qui appartient aux *principes* dans les légions. [l'âme.

principale, *is*, n. La partie maîtresse de

1. **principalis**, *e*, adj. Premier, primitif. ¶ Principal, capital, supérieur. ¶ Du prince, de l'empereur. ¶ (Milit.) Qui appartient aux *principes* dans les légions. ¶ Relatif au quartier général.

2. **principalis**, *is*, m. Chef. Au plur. *Principales*, les premiers personnages

d'une cité. || Officier subalterne.

principaliter, adv. En prince. ¶ Principalement; originairement.

principatus, *us*, m. Commencement, origine. ¶ Premier rang, primauté, prééminence, supériorité. || (Méton.) Prince, empereur. ¶ Principe des actions, faculté directrice. ¶ Commencement, origine, principe. ¶ Principe, fond d'un ouvrage.

principes, *um*, m. pl. Soldats, autrefois de la première ligne, mais qui passèrent plus tard en seconde ligne entre les hastaires et les triaires.

principialis, *e*, adj. Primitif, originaire.

principium, *ii*, n. Principe, origine, commencement, début. ¶ Fondement, base. || (Méton.) Auteur, fondateur. ¶ Au plur. *Principia*, éléments, principes. ¶ La première (en parl. de la tribu qui vote la première aux comices par curies). ¶ Premier rang, prééminence, supériorité. ¶ (T. milit.) Au plur. *Principia*, le front de l'armée, le premier rang, les premières lignes. || Place d'armes, quartier général. || Officiers supérieurs, état-major général.

prior, *us*, adj. Premier (de deux). ¶ De devant, antérieur. ¶ Premier (dans le temps *ou* dans l'espace), antérieur, précédent. ¶ Premier (selon l'ordre, le rang); supérieur, qui l'emporte. ¶ Premier, qui est en avant; qui est au commencement.

prisce, adv. A la manière antique. ¶ Sans politesse.

priscus, *a*, *um*, adj. Vieux, antique, d'autrefois, de l'ancien temps. ¶ Conforme aux mœurs antiques, sévère, grave. ¶ Précédent, d'auparavant.

prisma, *matis*, n. Prisme (t. de géom.).

prista, *ae*, m. Scieur de bois.

1. **pristinus**, *a*, *um*, adj. D'auparavant; ancien. ¶ Qui précède, immédiatement, d'hier, dernier. ¶ Comme PRISCUS.

2. **pristinus**, *a*, *um*, adj. De la baleine.

pristis, *is*, f. Tout monstre marin, tout grand cétacé : baleine, requin. ¶ Espèce de petit navire, fin voilier. || Nom d'un navire de la flotte d'Enée.

prius, adv. Auparavant, plus tôt. ¶ Plutôt, de préférence. ¶ Autrefois, jadis, anciennement. [TEQUAM.

priusquam, conj. Avant que. Voy. AN-

privatim, adv. En dehors du gouvernement; en particulier: dans son particulier; en son nom. ¶ Chez soi, à la maison. [suppression (d'une chose).

privatio, *onis*, f. Absence, privation,

privatum, *i*, n. Intérieur. *In privato*, en particulier.

1. **privatus**, *a*, *um*, adj. Qui est séparé de l'Etat, en dehors du gouvernement; particulier, privé. ¶ Privé.

2. **privatus**, *i*, m. Un simple particulier.

privigna, *ae*, f. Fille du premier lit; belle-fille.

1. **privignus**, *a*, *um*, adj. D'un premier lit.

2. **privignus**, *i*, m. Fils d'un premier lit; beau-fils.   [d'un privilège.

privilegiarius, *ii*, m. Celui qui jouit

privilegium, *ii*, n. Loi exceptionnelle qui concerne un particulier, *ou* qui ne concerne qu'un individu. ¶ Ordonnance rendue en faveur d'un particulier. ‖ Privilège, faveur.

privo, *as*, *avi*, *atum*, tr. Dépouiller, priver. ¶ Délivrer, exempter.

privus, *a*, *um*, adj. Qui est à part, isolé, particulier. ¶ Pris à part, un à un. ¶ Propre, particulier, spécial. ¶ Dépouillé, privé, qui manque de qqch.

1. **pro** *ou* **proh**, interj. (Serv. à exprimer l'étonnement *ou* la douleur). O ! ah ! hélas !

2. **pro**, prép. (avec l'abl.) Devant, sur le devant. ¶ En vue de, en faveur de, pour. ¶ Au lieu de, en guise de. ¶ En échange de, pour. ¶ A titre de, comme. ¶ Pour, eu égard à. ¶ Par le fait de, par.

proaedificatum, *i*, n. Saillie d'un bâtiment, avant-corps.

proagorus, *i*, m. Proagore.

proamita, *ae*, f. Grand'tante.

proavia, *ae*, f. Bisaïeule.

proavunculus, *i*, m. Frère de la bisaïeule; grand-oncle.

proavus, *i*, m. Bisaïeul (paternel *ou* maternel). ¶ Ancêtre.

proba, *ae*, f. Epreuve, essai, examen.

probabilis, *e*, adj. Digne d'approbation, recommandable. ¶ Acceptable, probable.

probabilitas, *atis*, f. Approbation. ¶ Probabilité, vraisemblance.

probabiliter, adv. De manière à mériter l'approbation, d'une façon recommandable. ¶ Avec vraisemblance.

probata, *orum*, n. pl. Brebis.

probatio, *onis*, f. Essai, épreuve, examen. ¶ Ratification, agrément, autorisation. ¶ Apparence de vérité, vraisemblance. ¶ Démonstration, preuve.

probativus, *a*, *um*, adj. Relatif à la démonstration.

probator, *oris*, m. Approbateur, partisan. ¶ Comme EXPLORATOR.

probatus, *a*, *um*, p. adj. Mis à l'épreuve, éprouvé; bon, excellent. ¶ Approuvé; qui convient, qui plaît, bienvenu, agréable.

probe, adv. Convenablement, bien, excellemment. ¶ Complètement, absolument. ¶ Honnêtement, loyalement.

probitas, *atis*, f. Valeur morale, probité, honnêteté, vertu.   [blème.

problema, *matis*, n. Question posée, pro-

probo, *as*, *avi*, *atum*, *ara*, tr. Mettre à l'épreuve, essayer. ¶ Reconnaître la valeur d'une chose, approuver. ¶ Eprouver. ¶ Montrer les avantages

de qqch.; faire approuver *ou* agréer. ¶ Prouver, démontrer. ¶ Faire passer.

proboscis, *idis*, f. Trompe de l'éléphant.

probrachys, m. Nom d'un pied de quatre longues précédées d'une brève (rĕdŭndŭvŭrŭnt).

probrose, adv. D'une façon outrageante.

probrosus, *a*, *um*, adj. Outrageant, injurieux, déshonorant, indigne. ¶ Déshonoré, infâme.

probrum, *i*, n. Action honteuse, turpitude, infamie. ‖ Impudicité; adultère. ¶ Déshonneur, ignominie, opprobre. ‖ (Méton.) Homme déshonoré. ¶ Reproche outrageant, injure, invective.

probum, *i*, *uum*. Douceur (de mœurs).

probus, *a*, *um*, adj. De bonne qualité. ¶ Honnête, vertueux, loyal, sans reproche. ¶ Doux, apprivoisé.

procacitas, *atis*, f. Effronterie, impudence; licence (du langage). ¶ Pétulance.

procaciter, adv. Effrontément, insolemment, avec licence.

procastria, n. pl. Fortification en avant d'un camp; ouvrage avancé. Voy. PROCESTRIA.

procax, *acis*, adj. Exigeant. ¶ Effronté, insolent, impudent. ¶ (En parl. de ch.) Effréné, excessif.

1. **procedo**, *is*, *ere*, intr. Pour PRAECEDO.

2. **procedo**, *is*, *cessi*, *cessum*, *ere*, intr. Aller en avant, se mettre en mouvement *ou* en marche. ¶ S'avancer, se montrer. ¶ Marcher lentement *ou* avec pompe. ¶ S'avancer, s'étendre, faire saillie. ¶ Avancer, faire des progrès; avoir de l'avancement. ¶ (En parl. du temps.) Avancer, s'écouler. ¶ Arriver à une fin, aboutir. ¶ Etre utile, avantageux. ¶ Paraître, arriver, se produire. ¶ Aller de soi; être possible.

1. **proceleumaticus**, *i*, m. et proceleusmaticus, *i*, m. Procéleusmatique (pied composé de quatre brèves).

2. **proceleumaticus**, *a*, *um*, adj. Composé de procéleusmatiques; relatif au procéleusmatique.

procella, *ae*, f. Coup de vent, orage, tempête, bourrasque, ouragan. ¶ *Fig.* Violente attaque. — *equestris*, charge de cavalerie. ‖ Trouble, agitation politique, sédition. ‖ Orage, calamité, désastre.   [LENS.

procellens, *entis*, adj. Comme PRAECEL-

1. **procello**, *is*, *ere*, tr. Frapper, renverser.   [CELLO.

2. **procello**, *is*, *ere*, intr. Comme PRAE-

procellosus, *a*, *um*, adj. Orageux, houleux. ¶ Qui amène des orages, fécond en orages.

procer, *ceris*, m. Un grand, un noble. ¶ Ordin. au plur. PROCERES, *um*, m. Les grands, les nobles, l'aristocratie; les principaux personnages, les premiers de l'Etat. ‖ Maîtres, chefs.

procere, adv. En longueur, en avant.

proceres, *um*, m. pl. Voy. PROCER.

proceritas, *atis*, f. Longueur; haute stature; forme élancée, grandeur, hauteur. ¶ (T. de métrique.) Longueur des pieds, des syllabes. [RITAS.

proceritudo, *dinis*, f. Comme PROCE-

proceruius, *a, um*, adj. Un peu long.

procerus, *a, um*, adj. Long, étendu, allongé, grand, élevé, haut, élancé, svelte.

processio, *onis*, f. Action d'avancer, marche. ¶ Marche pompeuse. || Cortège solennel (du consul à son entrée en charge). || Cortège officiel de l'empereur. ¶ Procession religieuse.

1. processus, *us*, m. Action de s'avancer, mouvement en avant. ¶ Saillie (d'un membre), proéminence. ¶ *Fig.* Progrès. ¶ Heureux résultat, bonheur, succès. ¶ Grade, dignité.

2. processus, *a, um*, p. adj. Avancé en âge.

procestria (PROCASTRIA), n. pl. Ouvrages avancés. ¶ Terrains en avant de la ville.

1. procidentia, *um*, n. pl. Descentes, déplacements (de certains organes).

2. procidentia, *ae*, f. Procidence, chute d'une partie (comme l'iris, le rectum). ¶ Emploi d'un cas pour un autre.

procido, *is, cidi, ere*, intr. Tomber en avant, s'écrouler; tomber aux pieds de qqn. ¶ Tomber, se déplacer.

prociduus, *a, um*, adj. Tombé en avant, renversé, écroulé. ¶ Déplacé (en parl. d'un organe).

procinctus, *us*, m. Costume du soldat équipé et prêt. || Etat de qqn qui est tout prêt *ou* qui a tout sous la main. ¶ Expédition, campagne. ¶ Voisinage immédiat. || Lieu attenant à un autre.

procingo, *is, cinxi, cinctum, ere*, tr. Ceindre, sangler, équiper. Usité seul. au part. passé. *Procinctum esse*, être prêt pour le combat.

proclamatio, *onis*, f. Réclamation. || Recours à l'assistance judiciaire.

proclamator, *oris*, m. Criailleur, déclamateur. ¶ Celui qui lit à haute voix.

proclamo, *as, avi, atum, are*, intr. Crier fortement *ou* bien haut, pousser des cris.

proclinatio, *onis*, f. Pente, déclivité.

proclino, *as, avi, atum, are*, tr. Faire pencher en avant, incliner. Au pass. *Proclinari*, pencher (intr.). Fig. *Proclinata jam re*, l'affaire étant déjà presque décidée.

proclive et proclivi, adv. Vers le bas, en pente. ¶ Facilement.

proclivis, *e* et proclivus, *a, um*, adj. Penché; qui va en pente. ¶ Qui roule sur une pente; rapide, précipité. || Qui est sur son déclin. ¶ Enclin à, disposé à. ¶ Aisé, facile.

proclivitas, *atis*, f. Pente, inclinaison,

descente. ¶ Penchant naturel, prédisposition.

procliviter, adv. Facilement.

proclivus, *a, um*, adj. Voy. PROCLIVIS.

procludo, *is, ere*, tr. Enfermer.

proco, *are*, tr. Comme PROCOR.

procoeton, *onis*, m. Antichambre.

proconsul, *sulis*, m. Proconsul (sous la République) : ancien consul (dont les pouvoirs ont été prorogés à la fin de l'année . ¶ (Sous l'empire.) Gouverneur d'une province sénatoriale.

proconsularis, *e*, adj. De proconsul, proconsulaire. [consul.

proconsularitas, *atis*, f. Dignité de pro-

proconsulatus, *us*, m. Dignité de proconsul, proconsulat. ¶ Fonction de gouverneur. [exiger.

procor, *aris, ari*, dép. tr. Demander;

procrastinatio, *onis*, f. Remise au lendemain. ¶ (En gén.) Ajournement, remise, délai.

procrastino, *as avi, atum, are*, tr. Renvoyer au lendemain.¶ (En gén.) Différer, remettre.

procreatio,*onis*,f. Procréation.¶(Méton.) Produit; embryon; enfant.

procreator, *oris*, m. Auteur, créateur; procréateur.

procreatrix, *icis*, f. Créatrice, mère

procreo, *as, avi, atum, are*, tr. Procréer, engendrer, produire. ¶ Produire, faire naître, engendrer, occasionner.

procresco, *is, ere*, intr. Naître, se former. ¶ Grandir, s'accroître, se développer.

procubo, *as, are*, intr. Etre couché, s'étendre, s'allonger.

procudo, *is, cudi, cusum, ere*, tr. Travailler au marteau, forger. ¶ Produire. ¶ Former, façonner. ¶ (Etendre comme au marteau), traîner sa vie.

procul, adv. En avant, à une certaine distance; loin; au loin. ¶ (En parl. du temps.) Pendant une longue durée. ¶ Loin, à distance; beaucoup, bien.

proculcatio, *onis*, f. Action de fouler aux pieds; bouleversement, renversement.

1. proculcatus, *a, um*, p. adj. Rebattu, trivial, banal.

2. proculcatus, *us*, m. Action de fouler aux pieds; *fig.*, insulte, mépris.

proculco,*as.avi, atum, are*, tr. Fouler aux pieds, marcher sur. || Piétiner, fouler, abîmer. ¶ Fouler aux pieds, insulter, mépriser.

proculus, *a, um*, adj. En avant. ¶ Eloigné, lointain, c.-à-d. né dans la vieillesse de ses parents.

procumbo, *is, cubui, cubitum, ere*, intr. Se pencher en avant, s'incliner. || Etre incliné, pencher. ¶ (Par ext.) Se coucher, se prosterner.

procuratio, *onis*, f. Action de donner ses soins à; administration, gestion. ¶ Charge de procurateur impérial. ¶ (Dans la langue religieuse.) Indication des moyens à prendre pour détourner l'effet des prodiges. ¶ Peine, effort pénible.

procuratiuncula, *ae*, f. Petit emploi.

procurator, *oris*, m. Celui qui a soin pour un autre, gérant, agent, administrateur. ¶ Intendant, régisseur. || Comptable, caissier. ¶ Mandataire de l'empereur (chargé dans les provinces sénatoriales de surveiller la rentrée des impôts dévolus au fisc).

procuratorius, *a*, *um*, adj. Relatif au fondé de pouvoirs *ou* au procurateur impérial.   [soins à.

procuratrix, *icis*, f. Celle qui donne ses

procuratus, *a*, *um*, p. adj. Soigné, bien nettoyé.

procuro, *as*, *avi*, *atum*, *are*, tr. Soigner, s'occuper de. || S'occuper de qqch. pour le compte d'autrui : gérer, administrer; diriger. || Remplir les fonctions de procurateur impérial. ¶ Interpréter les prodiges et indiquer les satisfactions réclamées par les dieux. Absol. — *Jovi*, donner satisfaction à Jupiter. || Impers. *Procuratum est*, on fit des sacrifices expiatoires.

procurro, *is*, *curri* et *cucurri*, *cursum*, *ere*, intr. Courir *ou* s'élancer en avant; faire une sortie. || Devancer. ¶ Avancer, faire saillie. ¶ *Fig.* Avancer, progresser; être en abondance.

procursatio, *nis*, f. Combat d'avant-garde; escarmouche.

procursator, *oris*, m. Au plur. Soldats d'avant-garde; éclaireurs, flanqueurs.

procursio, *nis*, f. (Action de s'élancer en avant, marche en avant.) Mouvement que fait l'orateur, dans les moments de passion. ¶ Attaque. ¶ *Fig.* Digression.

procurso, *as*, *are*, intr. Courir en avant. || (T. milit.) Escarmoucher.

procursus, *us*, m. Course en avant, marche rapide, attaque. ¶ *Fig.* Explosion (de colère), emportement. ¶ Progrès.

procurvo, *as*, *are*, tr. Courber en avant.

procurvus, *a*, *um*, adj. Courbé en avant, recourbé.

1. procus, *i*, m. Celui qui recherche une femme en mariage, prétendant.

2. procus, pour PROCER.

prod. Voy. PRODE.   [PRO.

prode ou (*par abréviat.*) **prod**, comme **prodefacio**, *is*, *ere*, intr. Même sens que PROFICIO. Au pass. *Prodefieri*, être avantageux.

prodeo, *is*, *ii*, *itum*, *ire*, intr. S'avancer, venir en avant. || Paraître, monter sur la scène. || Comparaître (comme témoin). ¶ Pousser, croître. ¶ S'avancer, faire des progrès. ¶ Avancer; faire saillie.

prodico, *is*, *dixi*, *dictum*, *ere*, tr. Indiquer d'avance. ¶ Ajourner, proroger.

prodictio, *nis*, f. Fixation du jour de la prochaine audience; rendez-vous

donné aux prévenus. ¶ Ajournement, remise.

prodige, adv. Avec prodigalité.

prodigentia, *ae*, f. Gaspillage.

prodigiale, adv. Merveilleusement.

prodigialis, *e*, adj. Qui détourne les mauvais présages, *d'ou* protecteur (en parl. de Jupiter). ¶ Prodigieux, merveilleux.

prodigialiter, adv. D'une manière prodigieuse, *ou* extraordinaire; étrangement.

prodigiose, adv. D'une façon merveilleuse, surnaturelle; étrangement.

prodigiosus, *a*, *um*, adj. Prodigieux, merveilleux, étrange, monstrueux, inouï.

prodigium, *ii*, n. Prodige, présage (de malheur). ¶ Phénomène extraordinaire, monstruosité, acte révoltant.

prodigo, *is*, *egi*, *actum*, *ere*, tr. Pousser (devant soi). ¶ Jeter devant soi, c.-à-d. prodiguer, dissiper. ¶ *Qqf.* Employer, consommer.

prodigus, *a*, *um*, adj. Prodigue, dépensier. ¶ Prodigue de, c.-à-d. qui donne en abondance, riche. ¶ Qui entraîne à des dépenses, coûteux.

1. proditio, *nis*, f. Révélation, trahison, perfidie. ¶ Ajournement, remise.

2. proditio, *nis*, f. Apparition, approche.

proditor, *oris*, m. Celui qui décèle, qui révèle; celui qui trahit, traître.

proditus, abl. *u*, m. Révélation. [près.

prodius, adv. Plus loin en avant, plus

prodo, *is*, *didi*, *ditum*, *ere*, tr. Produire, faire sortir, donner naissance à. ¶ Informer, notifier; raconter, rapporter, publier. ¶ Mettre au jour, révéler, dénoncer. || Remettre, livrer, trahir. ¶ Étendre, prolonger. ¶ Laisser après soi, transmettre, propager.

prodoceo, *es*, *ere*, tr. Enseigner publiquement.

prodromus, *i*, m. Avant-coureur; messager; agent. ¶ (Au plur.) Vents du N.-N.-E. qui soufflent durant sept jours, avant la canicule. ¶ (Au plur.) Figues précoces.

produco, *is*, *duxi*, *ductum*, *ere*, tr. Amener en avant, faire avancer. || *Fig.* Engager à . ¶ Faire paraître, produire. || Exposer, mettre en vente. ¶ Tirer de force, faire avancer, étendre, allonger. ¶ Produire, mettre au jour *ou* au monde; faire pousser. || Découvrir. ¶ Faire arriver à un certain état; former, élever des enfants. || Faire arriver, pousser, élever aux honneurs. ¶ Prolonger, faire durer. || Remettre, différer. || Amuser, retarder qqn. ¶ Allonger une syllabe, la prononcer longue. ¶ Conduire, faire cortège à.

producta, *orum*, n. pl. Biens extérieurs, qui ne constituent pas le vrai bonheur, mais qu'on peut préférer à d'autres, quand on a le choix.

producte, adv. En donnant à une syllabe, la durée d'une longue. ¶ D'une manière prolongée.

productio, onis, f. Action de faire avancer. ¶ Action d'étendre; allongement d'un mot (par l'adjonction d'une syllabe).

productus; a, um, adj. Allongé, étendu; développé; prolongé. ¶ Subst. Au plur. n. Choses qu'on fait passer avant d'autres. Voy. PRODUCTA.

proeliator, oris, m. Combattant, guerrier. ¶ Brave au combat.

proelio, as, are, intr. Voy. PROELIOR.

proelior, aris, atus sum, ari, dép. intr. Livrer bataille, combattre. ¶ Batailler, discuter.

proelium, ii, n. Combat, bataille. ¶ Lutte, débat, combat, mêlée, conflit. ¶ (Lutte entre nations), guerre.

profanatio, onis, f. Profanation; sacrilège.

profanator, oris, m. Profanateur.

profane, adv. Avec impiété, d'une manière sacrilège.

1. profano, as, avi, atum, are, tr. Offrir qqch. à la divinité devant son temple, consacrer, dédier.

2. profano, as, avi, atum, are, tr. Rendre profane, profaner. ¶ Divulguer un secret.

profanus, a, um, adj. Non consacré, profane. ¶ Etranger ou contraire à la religion; impie. sacrilège. || Abominable. ¶ (En pari. des personnes) Profane, non initié. || Profane, étranger à...

profatum, i, n. Maxime, sentence.

profatus, abl. u, m. Action de parler; paroles, discours.

profectio, onis, f. Départ. ¶ Point de départ, source, origine.

profecto, adv. Sûrement, assurément, certes, sans doute.

profectoria, ae, f. Dîner d'adieu.

profectus, us, m. Avancement, accroissement, progrès, profit, avantage. ¶ Amélioration (dans l'état d'un malade).

profero, fers, tuli, latum, ferre, tr. Porter en avant, mettre hors, produire. ¶ Produire, faire pousser, faire croître. ¶ Produire, inventer, créer, mettre au jour; faire connaître. — se, se faire connaître, se distinguer. || Exprimer, exposer. || Invoquer l'autorité, ou le témoignage de; citer. ¶ Porter en avant, faire avancer; ¶ Faire avancer; reculer (tr.), étendre. ¶ Reculer, remettre, différer.

professio, onis, f. Déclaration, manifestation, promesse. ¶ Déclaration publique (de son nom, de sa fortune, de son métier). ¶ Profession, état, emploi, métier.

professor, oris, m. Celui qui enseigne publiquement, maître. ¶ Professeur. ¶ Médecin.

professus, a, um, p. adj. Déclaré, connu,

c.-d-d. manifeste, public, notoire.

profestus, a, um, adj. Non férié. — dies, jour ouvrable. ¶ Non consacré, profane. [profit.

proficienter, adv. Avec succès, avec profit.

proficio, is, feci, fectum, ere, intr. Avancer, s'avancer. ¶ (En pari. des pers.) Avancer, faire des progrès. || Entrer en convalescence, se remettre. || Venir bien, profiter (en parl. d'un enfant). || En parl. de ch. Réussir. || Servir, être utile, avantageux: aider: être efficace ou salutaire. ¶ Partir, se retirer.

proficiscor, is, ere, intr. Comme PROFICISCOR.

proficiscor, eris, fectus sum, ficisci, dép. intr. Aller de l'avant: se mettre en route, partir. ¶ Pousser à, venir à. ¶ Partir de, commencer par. ¶ Venir de, provenir.

profiteor, eris, fessus sum, eri, dép. tr. Déclarer, publiquement, reconnaître hautement. || Dénoncer. || Se reconnaître pour. || Déclarer en justice. ¶ Déclarer (son nom, sa fortune, sa profession). || Se faire inscrire. || Se mettre sur les rangs. ¶ Faire profession de; exercer publiquement, se donner pour. Professae (s.-e. feminas), filles ou femmes inscrites. ¶ S'engager à faire une chose; proposer, promettre.

proflatus, abl. u, m. Ronflement.

profligatio, onis, f. Dissipation, gaspillage. ¶ Règlement d'une dette; recouvrement.

profligator, oris, m. Celui qui détruit, anéantit. ¶ Dissipateur.

profligatus, a, um, p. adj. Perdu, dépravé, infâme. ¶ Avancé, qui approche de sa fin.

1. profligo, as, avi, atum, are, tr. Abattre ,terrasser. || Battre, mettre en déroute. ¶ Perdre. ruiner, anéantir. ¶ Terminer, mener à terme. — bellum, décider l'issue de la guerre.

2. profligo, is, flictus, ere, tr. Abattre, renverser. ¶ Dissiper.

proflo, as, avi, atum, are, tr. Souffler, exhaler. ¶ Fondre, liquéfier (en soufflant).

1. profluens, fluentis, p. adj. Qui coule. ¶ Qui donne abondamment. ¶ Coulant, facile, abondant (en pari. du discours).

2. profluens (s.-e. AQUA), entis, f. Eau courante; cours d'eau.

3. profluens, entis, n. Parole facile, abondante.

profluenter, adv. Comme de source; facilement, abondamment.

profluentia, ae, f. Flux de paroles.

profluo, is, fluxi, fluxum, ere, intr. Découler, couler, || Couler abondamment. ¶ Découler, provenir. ¶ En venir à, arriver ou se laisser aller à...

profluus, a, um, adj. Qui coule abondamment.

profluvium, ii, n. Ecoulement, flux.

1. **profluvius**, *a, um*, adj. Qui coule abondamment. ¶ *Fig.* Inconstant.

2. **profluvius**, *ii*, m. Flux, écoulement (maladie).

profor, *aris, fatus sum, ari*, dép. tr. Dire, énoncer, prononcer. ¶ Prédire, prophétiser.

profore. Voy. PROSUM.

profuga, *ae*, m. Fugitif.

profugio, *is, fugi, fugitum, ere*, intr. et tr. S'enfuir, se sauver, s'échapper. ¶ *Tr.* Fuir, quitter, abandonner.

profugus, *a, um*, adj. Qui s'est enfui, qui s'est échappé. ¶ Exilé, proscrit. ¶ Errant, vagabond. ¶ Renégat.

profunde, adv. Profondément (pr. et fig.).

profundo, *is, fudi, fusum, ere*, tr. Verser, répandre. — *se* ou *profundi* (pass.-moy.), se répandre, couler à flots. ¶ Répandre, étendre, développer. ¶ Laisser couler, mettre au jour, produire. ¶ Emettre, pousser; exhaler. ¶ Dire, exprimer. ¶ Donner, sacrifier. ¶ Dissiper, dépenser, prodiguer. ¶ Déployer, employer; appliquer. ¶ Laisser perdre.

profundum, *i*, n. Profondeur insondable, abîme. || Mer. || Au plur, *Profunda*, les enfers. ¶ *Fig.* Immensité. || L'inconnu.

profundus, *a, um*, adj. Profond, sans fond. ¶ Haut, élevé. ¶ Qui est au fond; infernal. ¶ *Fig.* Profond, immense; démesuré. ¶ Inconnu, caché, secret. ¶ Profond, pénétrant (en parl. de l'esprit).

profuse, adv. Avec précipitation, en désordre. ¶ Sans mesure, avec excès. ¶ A grands frais.

profusio, *onis*, f. Action de répandre. Au plur. *Profusiones*, libations (en l'honneur des mânes). ¶ Prodigalité.

profusus, *a, um*, p. adj. Long, pendant, allongé. ¶ *Fig.* Extrême, excessif, immodéré. ¶ Prodigue, dissipateur. || *Q7/.* Libéral. ¶ Coûteux.

progener, *generi*, m. Mari de la petite-fille, petit-gendre.

progeneratio, *onis*, f. Procréation.

progenero, *as, are*, tr. Produire, engendrer.

progenies, *ei*, f. Descendance, race, souche. ¶ Progéniture, lignée, postérité. || (Méton.) Descendants, enfants. || Petits d'animaux. ¶ Ancêtres.

progenitor, *oris*, m. Aïeul, ancêtre.

progermino, *as, are*, intr. Bourgeonner.

progero, *is, gessi, gestum, ere*, tr. Porter en avant, porter dehors; emporter. ¶ Porter par devant.

progigno, *is, genui, genitum, ere*, tr. Engendrer, mettre au monde, produire.

prognatus, *a, um*, p. adj. Produit, venu (en parl. de plantes). || Subst. *Prognati*, enfants. ¶ Issu ou descendant de. Subst. *Prognati*, descendants.

prognosis, *is*, f. Prescience. ¶ (T. méd.) Pronostic.

prognostica, *orum*, n. pl. Signes d'un orage. ¶ Les Pronostics (œuvre d'Aratus). [prescience.

prognosticus, *a, um*, adj. Relatif à la programma, *matis*, n. Affiche; proclamation.

progredio, *is*, intr. Comme PROGREDIOR.

progredior, *eris, gressus sum, gredi*, dép. intr. Aller devant; sortir. ¶ Aller en avant, avancer, marcher. ¶ *Fig.* Avancer, faire des progrès.

progressio, *onis*, f. Action d'avancer. || Développement (du discours). ¶ Progrès. ¶ Gradation. ¶ Progression (math.). [GREDIOR.

1. **progressus**, *a, um*, part. de PRO-

2. **progressus**, *us*, m. Action d'avancer, marche. ¶ (Méton.) Avance, saillie. ¶ Commencement, début. ¶ Développement, progrès.

proh ! Voy. 1. PRO.

prohibeo, *es, bui, bitum, ere*, tr. Tenir éloigné, écarter. ¶ Empêcher. ¶ Interdire, prohiber. ¶ Préserver, garantir. [dues. || Interdictions.

prohibita, *orum*, n. pl. Choses défen-

prohibitio, *onis*, f. Prohibition. ¶ Défense, interdiction (légale). ¶ Défense (faite par un supérieur à un inférieur d'user de ses pouvoirs).

proicio. Voy. PROJICIO.

proin. Voy. le suivant.

proinde (PROIN), adv. Ainsi donc, par conséquent. ¶ Pareillement, comme. Confondu souv. av. PERINDE.

projecte, adv. Avec indifférence ou mépris.

projectio, *onis*, f. Action d'étendre, d'allonger (le bras, la main etc.). ¶ Avance, saillie (d'une construction). || (Méton.) Bâtiment en saillie; pièce saillante; encorbellement.

projectum, *i*, n. Avance, saillie, balcon, encorbellement.

projectura, *ae*, f. Avance; saillie.

1. **projectus**, *a, um*, p. adj. Qui fait saillie, proéminent (en parl. du ventre). ¶ *Fig.* Porté en avant. c.-à-d. effréné, excessif (en parl. de ch.); porté, enclin (en parl. de pers.). ¶ Couché, prosterné. || Vil, abject, bas. ¶ Abattu, consterné.

2. **projectus**, *abl.u*, m. Action d'étendre.

projicio, *is, jeci, jectum, ere*, tr. Jeter devant soi, jeter. ¶ Lancer, précipiter. ¶ Jeter en avant, étendre, allonger. ¶ Laisser échapper, répandre. ¶ Rejeter, expulser. ¶ Exposer, abandonner (un enfant). || Abandonner, laisser dans l'embarras. ¶ Repousser; mépriser. ¶ Abaisser, humilier. ¶ Jeter à bas. ¶ Différer, remettre; renvoyer qqn à une date ultérieure.

prolabor, *eris, lapsus sum, labi*, intr. Se glisser en avant; être porté en avant. ¶ Se laisser entraîner, en venir à, se laisser aller à. ¶ Glisser ou tomber en avant. ¶ Tomber. dégénérer; s'avilir. ¶ Faillir, commettre une faute. ‖ Se tromper.

prolapsio, *onis*, f. Faux pas, chute. ‖ Ecroulement. ¶ *Fig.* Entraînement; étourderie, précipitation; erreur, faute.

prolapsus, *us*, m. Comme PROLAPSIO (fig.).

prolatio, *onis*, f. Action d'émettre (un son); prononciation, articulation. ‖ Action de produire; énonciation, citation. ¶ Génération. ¶ Production, création. ¶ Action de reculer (les bornes de), agrandissement; extension (de territoire). ¶ Remise, ajournement. ‖ Délai. ‖ Prorogation.

prolato, *as*, *avi*, *atum*, *are*, tr. Etendre, agrandir, reculer. ¶ Remettre, ajourner, différer, surseoir.

prolator, *oris*, m. Celui qui apporte, qui produit *ou* qui profère.

prolatus, abl. *u*, m. Action de produire. ¶ Débit, élocution.

prolectibilis, *e*, adj. Séduisant.

prolecto, *as*, *avi*, *atum*, *are*, tr. Faire jaillir, provoquer (des larmes). ¶ Attirer, séduire.

prolepsis, *is*, f. Prolepse (fig.).

proles, *is*, f. Progéniture, descendance, postérité. ‖ (Méton.) Rejeton, descendant; enfant. ‖ Race, espèce, petits (en parl. d'animaux).‖Produits,fruits‖. Enfants d'une contrée, jeunes hommes, jeunes guerriers. ¶ Testicules.

1. **proletarius**, *a*, *um*, adj. Qui n'est compté que par le nombre de ses enfants. ¶ Du bas peuple, commun, trivial.

2. **proletarius**, *ii*, m. Prolétaire.

prolibo, *as*, *are*, tr. Offrir en libation.

prolicio, *is*, *ere*, tr. Attirer, séduire.

prolixe, adv. Largement, abondamment. ¶ Avec empressement, volontiers.

prolixitas, *atis*, f. Grande dimension, étendue, longueur; longue durée; (fig.) prolixité.

prolixus, *a*, *um*, adj. Qui s'épanche, qui se répand abondamment. ‖ Allongé, étendu. ¶ Long, prolixe (en parl. d'un discours *ou* d'un orateur). ¶ Dont le sens est très étendu (en parl. d'un mot). ¶ Coulant, libéral. ‖ Facile, bienveillant. ¶ Heureux, favorable (en parl. des circonstances de la vie). [tion.

prolocutio, *onis*, f. Proposition, assertion.

prologus, *i*, m. Prologue (d'une pièce de théâtre). ¶ L'acteur chargé de dire le prologue.

proloquor, *eris*, *locutus sum*, *loqui*, dép. intr. et tr. Dire à haute voix, déclarer; annoncer, exposer. ¶ Prédire.

proloquutor, *oris*, m. Voy. PROLOCUTOR.

prolubido, *dinis*, f. Comme PROLUBIUM.

prolubium, *ii*, n. Envie, désir, caprice. ¶ Envie satisfaite, plaisir.

proludium, *ii*, n. Prélude *et* (en parti-

culier) exercice militaire préparatoire.

proludo, *is*, *lusi*, *lusum*, *ere*, intr. S'essayer d'avance, préluder (pr. et fig.).

prolugeo, *es*, *ere*, intr. Prolonger le deuil (au delà du temps voulu).

proluo, *is*, *ui*, *utum*, *ere*, tr. Entraîner dans son cours, rejeter (en parl. de la mer, d'un fleuve). ¶ Emporter, balayer. ¶ Baigner, arroser, mouiller, laver.

prolusio, *onis*, f. Prélude, préambule.

proluvies, *ei*, f. Inondation. ¶ Débordement, flux de ventre.

proluvio, *onis*, f. Inondation.

proluvium, *ii*, n. Inondation. ¶ Débordement, abondance extrême. ¶ Rebut, déchet.

proma, *ae*, f. Office cellier.

promercalis, *e*, adj. Qui est en vente.

promereo, *ui*, *itum*, *ere*, tr. Voy. le suivant.

promereor, *eris*, *itus sum*, *eri*, dép. tr. Mériter, être digne (en bonne et en mauvaise part). ¶ Bien mériter de, obliger, servir. ¶ Mériter, gagner, obtenir. ¶ Se concilier, se rendre favorable.

promeritum, *i*, n. Mérite *ou* démérite. ‖ Bon *ou* mauvais service.

1. **prominens**, *entis*, p. adj. Saillant.

2. **prominens**, *entis*, n. Saillie, éminence.

prominentia, *ae*, f. Avance, saillie. ‖ (Méton.) Promontoire.

promineo, *es*, *minui*, *ere*, intr. Etre saillant, proéminent. ¶ *Fig.* S'étendre, se prolonger jusqu'à.

promisce, adv. Comme PROMISCUE.

promisceo, *es*, *mixtus*, *ere*, tr. Mélanger par avance.

promiscue, adv. Indistinctement, en commun, confusément, pêle-mêle.

promiscus, *a*, *um*, adj. Comme PROMISCUUS.

promiscuus, *a*, *um*, adj. Mêlé, commun; non séparé, confondu. ¶ Qui est des deux genres, commun, épicène. ¶ Commun, vulgaire, banal.

promissa, *ae*, f. Promesse.

promissio, *onis*, f. Promesse. ¶ (Rhét.) Engagement.

promissor, *oris*, m. Celui qui promet. ‖ Hâbleur. ¶ (T. de droit) Celui qui prend (par contrat) un engagement formel.

promissum, *i*, n. Promesse.

1. **promissus**, *a*, *um*, p. adj. Qu'on a laissé pousser, qui pend. ¶ Qui excite l'attente.

2. **promissus**, abl. *u*, m. Promesse.

promitto, *is*, *misi*, *missum*, *ere*, tr. Faire sortir; laisser aller. ¶ Faire espérer, promettre, s'engager à; se porter garant de. ‖ Promettre (à une divinité), vouer. ‖ Accepter à dîner. ¶ Offrir un prix. ¶ Annoncer, présager, faire attendre.

promo, *is*, *prompsi*, *promptum*, *ere*, tr. Produire au dehors, prendre, tirer, sortir. ¶ (*Fig.*) Produire, mettre au jour, faire paraître. ¶ Raconter, exprimer; exposer, expliquer.

promoneo, *es, ere*, tr. Avertir d'avance. ¶ (Dans la langue des haruspices.) Attirer l'attention sur.   [DIGIA.

promonstra, *orum*, n. pl. Comme PRO-

promontorium, *ii*, n. Voy. PROMUN-TURIUM.

1. **promotus**, *a, um*, p. adj. Avancé. Subst. *Promota*, n. pl. Voy. PRODUCTA.

2. **promotus**, *us*, m. Comme PROMOTIO.

promoveo, *es, movi, motum, ere*, tr. Faire avancer, pousser en avant; mettre hors. ¶ Luxer, déboîter. ¶ Élever à un emploi, faire monter en grade. ¶ Faire avancer les choses; arriver à, obtenir. || (Absol.) Réussir.

promptarium. Voy. PROMPTARIUM.

promptarius. Voy. PROMPTUARIUS.

prompte ou **promte**, adv. Vite, promptement. ¶ Avec facilité, sans hésitation. || Avec empressement, volontiers.

prompto, *as, are*, tr. Tirer souvent (de la cassette), dépenser.

promptuarium, *ii*, n. Garde-manger. || Office. || Magasin. || Chambre, cabinet.

promptuarius, *a, um*, adj. Où l'on serre, où l'on conserve.

promptulus, *a, um*, adj. Assez disposé à.

1. **promptus**, *a, um*, p. adj. Tiré hors, produit au grand jour; exposé aux regards. || Découvert, visible, évident. ¶ Apprêté, prêt, qui est sous la main, facile, commode. ¶ Disposé à, prompt à, dispos, résolu.

2. **promptus**, abl. *u*, m. Apparence, évidence. *Esse in promptu*, être évident. ¶ Libre disposition. *In promptu esse*, être sous la main. || Facilité.

promulgatio, *onis*, f. Promulgation officielle d'une loi.   [mulgue, qui publie.

promulgator, *oris*, m. Celui qui pro-

promulgo, *as, avi, atum, are*, tr. Faire connaître par voie d'affiches, publier, promulguer une loi.

promulsidare, *is*, n. Plateau pour servir une entrée de table.

promulsis, *idis*, f. Entrée de table, plats d'entrée (tels que œufs, poissons salés, hydromel, etc.). || *Fig.* Avant-goût. ¶ Voy. PROMULSIDARE.

promum, *i*, n. Voy. PROMA.

promunturium, *i, i*, n. Contrefort (d'une montagne). ¶ Promontoire, cap.

1. **promus**, *a, um*, adj. D'où l'on tire les provisions. — *cella*, voy. PROMA. ¶ Qui s'occupe des provisions.

2. **promus**, *i*, m. Chef d'office, cellérier, sommelier. ¶ (Fig.) — *librorum*, bibliothécaire.

promuscis, *cidis*, f. Voy. PROBOSCIS.

promutuum, *i*, n. Prêt, avance.

promutuus, *a, um*, adj. Perçu d'avance; avancé.

pronaos, *i*, n. Voy. PRONAUS.

pronato, *as, are*, intr. S'avancer en nageant.

pronatus, *i*, m. Voy. PROGNATUS.

pronaus, *i*, m. Vestibule d'un temple, porche.

pronepos, *otis*, m. Arrière-petit-fils.

proneptis, *is*, f. Arrière-petite-fille.

pronomen, *inis*, n. Pronom. ¶ Prénom.

pronuba, *ae*, f. Celle qui assiste la mariée.

pronubo, *as, are*, intr. Faire l'office de *pronuba*, former les liens d'un mariage.

1. **pronubus**, adj. Qui fait le mariage; d'hymen, nuptial. ¶ Qui sert d'entremetteur.   [assiste le marié.

2. **pronubus**, *i*, m. Jeune garçon qui

pronum, *i*, n. Pente, déclivité.

pronumero, *as, are*, tr. Compter par avance.   [gramm.].

pronuntiabilis, *e*, adj. Énonciatif (t. de

pronuntiatio, *onis*, f. Déclaration, publication, annonce. || Sentence du juge, arrêt. ¶ Déclamation, débit. ¶ Énumération. ¶ Expression. ¶ Syllabe détachée dans la prononciation, son articulé. ¶ Emploi qu'un écrivain fait d'un mot.

pronuntiator, *oris*, m. Celui qui proclame. ¶ Celui qui raconte, narrateur.

pronuntiatum, *i*, n. Proposition évidente, axiome (t. de logique). ¶ Prononcé d'un jugement; sentence.

pronuntiatus, abl. *u*, m. Prononciation, intonation, débit.

pronuntio (PRONUNCIO), *as, avi, atum, are*, tr. Proclamer, publier, faire connaître. ¶ Annoncer. ¶ Faire connaître, raconter, dire. ¶ Publier (qu'on fera telle ou telle chose), promettre. ¶ Proclamer l'élection de, nommer, élire. || Réciter, lire. || Rendre un arrêt, prononcer un jugement. ¶ Prononcer. ¶ Exprimer (un vote). ¶ Employer telle *ou* telle forme grammaticale. ¶ Comme PRAENUNTIO.

pronurus, *us*, f. Femme du petit-fils.

pronus, *a, um*, adj. Penché en avant, incliné, qui tombe en avant. ¶ Qui court en avant, qui descend, qui va en pente. || Dirigé du côté de. ¶ *Fig.* Qui a du penchant pour, porté, enclin. || Qui penche pour, favorable à, bien disposé pour. || (En parl. de ch.) Qui va tout seul, aisé, facile. [exorde.

prooemior, *aris, ari*, dép. intr. Faire un

prooemium, *ii*, n. Exorde, début. ¶ *Fig.* Début, commencement.

propagatio, *onis*, f. Action de provigner, de propager. ¶ Prolongation, extension.

propagator, *aris*, m. Propagateur, qui étend. || Propagateur, conquérant. ¶ Celui qui prolonge, qui fait proroger (une magistrature).

1. **propago**, *as, avi, atum, are*, tr. Propager par bouture, provigner. || Propager. ¶ Propager, *c.-à-d.* répandre, faire connaître. ¶ Augmenter, étendre, agrandir. ¶ Prolonger, faire durer, perpétuer; proroger.

2. **propago**, *inis*, f. Bouture, provin,
rejeton. ¶ Lignée, descendance, espèce.
|| Rejeton, enfant. [demment.

propalam, adv. Publiquement. ¶ Evi-

propatior, *eris*, *pati*, dép. tr. Souffrir
auparavant. [bisaïeul.

propatruus, *i*, m. Grand-oncle, frère du

propatula, *orum*, n. pl. Les choses
visibles, évidentes.

propatulus, *a*, *um*, adj. Découvert,
exposé à la vue, public. ¶ Evident,
qui saute aux yeux.

1. **prope**, adv. Auprès de, près, proche.
¶ Proche (en parl. du temps). ¶ Presque,
à peu près. ¶ A peu de chose près,
pour ainsi dire.

2. **prope**, prép. (av. l'acc.). Près de; à
l'approche de. ¶ *Fig.* Tout près de.

propediem, adv. Au premier jour, très
prochainement, sous peu.

propello, *is*, *ere*, tr. Pousser devant soi,
chasser. ¶ Chasser, éloigner. ¶ Renverser. ¶ Pousser, exciter à.

propemodo, adv. et **propemodum**, adv.
Presque, à peu près.

propendeo, *es*, *pendi*, *pensum*, *ere*, intr.
Etre pendant, pendre en avant.
¶ *Fig.* Pencher, l'emporter. || Pencher
pour, être favorable à.

propendo, *is*, *ere*. Voy. PROPENDEO.

propendulus, *a*, *um*, adj. Qui pend en
avant. [bienveillance.

propense, adv. Spontanément. ¶ Avec

propensio, *onis*, f. Penchant, inclination.
|| Bienveillance.

propensus, *a*, *um*, p. adj. Qui pend en
avant. || *Fig.* Porté à, enclin, qui a du
penchant pour, bien disposé pour,
favorable à. ¶ Pesant, lourd.

properabilis, *e*, adj. Qui se hâte, rapide.

properans, *antis*, p. adj. Qui se hâte,
prompt, rapide.

properanter, adv. Comme PROPERE.

properantia, *ae*, f. Comme PROPERATIO.

properatio, *onis*, f. Hâte, précipitation.

properato, adv. En hâte.

properatus, *a*, *um*, p. adj. Fait à la
hâte, précipité, rapide, prématuré.

propere, adv. A la hâte, vite, avec empressement.

properipes, *edis*, adj. Aux pieds rapides.

properiter, adv. Comme PROPERE.

propero, *as*, *avi*, *atum*, *are*, intr. et tr.
¶ *Intr.* Se hâter, être pressé, courir.
¶ *Tr.* Hâter, accélérer; faire en hâte.

properus, *a*, *um*, adj. Hâté, qui se presse
(vers un but), empressé, rapide.

propes, *edis*, m. Extrémité inférieure
du câble qui sert à attacher la voile,
de l'écoute.

propexus, *a*, *um*, p. adj. Peigné en
avant, long, pendant (en parl. des
cheveux *ou* de la barbe).

prophanus. Voy. PROFANUS.

propheta, *ae*, m. et **prophetes**, *ae*, m.
Devin, prophète, prêtre d'un oracle.

prophetalis, *e*. De prophète, prophétique.

prophetatio, *onis*, f. Prophétie.

prophetia, *ae*, f. Prophétie.

prophetialis, *e*, adj. Prophétique.

prophetice, adv. Prophétiquement.

propheticus, adv. De prophète, prophétique.

prophetis, *idis*, f. Comme le suivant.

prophetissa, *ae*, f. Prophétesse.

propinatio, *ons*, f. Provocation à boire.
|| Santé portée, toast. ¶ Banquet,
repas funèbre. [à boire.

propinator, *aris*, m. Celui qui provoque

propino, *as*, *avi*, *atum*, *are*, tr. Boire à
la santé de qqn. || Boire d'abord à une
coupe et la passer ensuite à celui à
qui l'on veut faire honneur. ¶ Offrir,
donner, livrer.

propinqua, *ae*, f. Parente.

propinque, adv. A proximité.

propinquitas, *atis*, f. Proximité, voisi-
nage. ¶ Parenté. || Alliance, liaison.

propinquum, *i*, n. Voisinage, proximité.

propinquo, *as*, *avi*, *atum*, *are*, intr.
Approcher, s'approcher. ¶ Etre voisin,
être proche. ¶ *Tr.* Rapprocher, hâter.

1. **propinquus**, *a*, *um*, adj. Rapproché,
voisin. ¶ Prochain (en parl. du temps,
peu éloigné). ¶ Proche parent. || Proche,
qui a de l'analogie avec.

2. **propinquus**, *i*, m. Parent. Au plur.
Propinqui, *orum*, m. pl. Les parents,
les proches.

propior, *us*, adj. Situé plus près, placé
plus près. ¶ (En parl. du temps.)
Prochain, plus prochain, plus récent,
plus rapproché. ¶ Qui touche de plus
près; plus proche parent. ¶ Analogue,
plus analogue. ¶ Familier, plus familier. ¶ Plus lié, plus intime, plus favorable.

propitio, *as*, *avi*, *atum*, *are*, tr. Offrir un
sacrifice expiatoire; rendre propice,
rendre favorable. ¶ Expier.

propitius, *a*, *um*, adj. Qui vole en avant;
qui donne un présage favorable, *d'où*
propice. ¶ Bien disposé; bienveillant.

propius, adv. Comp. de PROPE. Voy. ce
mot. [modèle (en terre glaise).

proplasma, *atis*, n. Ebauche, maquette,

propnigeon ou **propnigeum**, *i*, n. Etuve
de bain. [reur.

1. **propola**, *ae*, m. Brocanteur, ¶ Accapa-

2. **propola**, *ae*, f. Boutique de brocanteur. [sorte de résine.

propolis, f. Propolis (des abeilles).

propono, *is*, *posui*, *positum*, *ere*, tr.
Placer devant; exposer, étaler; affi-
cher. || Présenter, offrir. ¶ Offrir en
butte, exposer. ¶ Proposer, énoncer,
faire connaître, déclarer, indiquer.
¶ Offrir, proposer (une récompense),
menacer (d'un châtiment). ¶ Avancer,
citer, alléguer. ¶ Poser (une question).
¶ Se proposer comme but.

proporro. Plus loin. || De plus, en outre.

proportio, *onis*, f. Proportion, rapport,
analogie. [proportionné.

proportionalis, *e*, adj. Proportionnel,

propositio, *onis*, f. Action de mettre devant les yeux, représentation. || Thème, sujet, question. || Majeure d'un syllogisme. || Proposition, phrase. ¶ Projet, résolution.

propositum, *i*, n. Projet, dessein, plan, intention, but. || Genre de vie. ¶ Thème, sujet. ¶ Affirmation. ¶ Majeure d'un syllogisme. ¶ Considération générale, lieu commun, thèse.

propraetor, *oris*, m. Propréteur.

propraetore ou **pro praetore**, m. indécl. Voy. le précédent.

proprie, adv. En particulier, en propre, individuellement, personnellement. ¶ En termes appropriés, avec précision. ¶ Particulièrement, surtout. ¶ D'une façon durable, persistante.

1. **proprietarius**, *a*, *um*, adj. Propriétaire. [priétaire.

2. **proprietarius**, *a*, *um*, adj. De propriétaire.

proprietas, *atis*, f. Propriété, qualité propre; caractère distinctif. ¶ Droit de propriété, possession. ¶ Propriété, précision des termes.

proprius, *a*, *um*, adj. Qui est la propriété de, qui appartient en propre à, propre, particulier, spécial. ¶ Commun. ¶ Durable, stable, garanti. ¶ Convenable, favorable.

1. **propter**, adv. Tout à côté, dans le voisinage.

2. **propter**, prép. (av. l'acc.). Près de, le long de, sur le bord de. ¶ A cause de, pour, par. ¶ A cause de, en raison de, vu.

propterea, adv. A cause de cela.

propudiosus, *a*, *um*, adj. Ehonté, débauché, infâme, obscène.

1. **propudium**, *ii*, n. Action déshonnête, infamie. ¶ Homme infâme (t. d'inj.).

2. **propudium**. Voy. PROPEDIEM.

propugnaculum, *i*, n. Ouvrage de défense, retranchement, rempart, fortification. ¶ *Fig.* Défense, protection, moyen de défense.

propugnatio, *onis*, f. Défense (d'une place). ¶ Action de défendre; défense.

propugnator, *oris*, m. Celui qui défend les armes à la main, combattant, défenseur. ¶ *Fig.* Défenseur, champion, protecteur. [qui protège.

propugnatrix, *tricis*, f. Celle qui défend.

propugno, *as*, *avi*, *atum*, *are*, intr. S'élancer pour combattre. ¶ *Intr.* et tr. Combattre en avant de, défendre, protéger. Subst. *Propugnantes*, les défenseurs. ¶ *Fig.* Soutenir, être le champion de.

propulsatio, *onis*, f. Action de repousser.

propulsator, *oris*, m. Celui qui repousse; défenseur, protecteur.

propulso, *as*, *avi*, *atum*, *are*, tr. Repousser, écarter. ¶ *Fig.* Conjurer, écarter.

1. **propulsus**. Part. p. de PROPELLO.

2. **propulsus**, abl. *u*, m. Action de pousser en avant; impulsion.

propylaeon, *i*, n. et **propylaea**, *orum*, n. pl. Les Propylées, avenue de l'Acropole, à Athènes. [pylées.

propylon, *i*, n. Un vestibule des Propylées.

proquaestor, *oris*, m. et ordin. **proquaestore**, m. indécl. Proquesteur.

pro quaestore ou **pro quaestore**. Voy. le précédent. [tion que.

proquam, conj. Selon que, à proportion que.

proquirito, *as*, *avi*, *atum*, *are*, tr. Crier en public, proclamer, publier.

prora, *ae*, f. Proue, avant d'un vaisseau. ¶ (Méton.) Navire, vaisseau.

prorepo, *is*, *repsi*, *reptum*, *ere*, intr. S'avancer en rampant, ramper. || Venir *ou* apparaître lentement. ¶ Pousser, croître. ¶ S'étendre, se répandre.

proreta, *ae*, m. Matelot qui se tient sur l'avant d'un navire; vigie, pilote en second.

proreus, *ei*, m. Comme PRORETA.

proripio, *is*, *ripui*, *reptum*, *ere*, tr. Tirer dehors avec effort, entraîner, pousser à. — *se*, se précipiter, s'échapper, se sauver, s'enfuir; se produire brusquement, éclater.

proris, f. Voy. PRORA.

prorito, *as*, *avi*, *atum*, *are*, tr. Attirer dehors; entraîner. ¶ Provoquer, stimuler. ¶ Engager, séduire.

prorogatio, *onis*, f. Demande en prolongation de pouvoir. || Prolongation, prorogation. ¶ *Fig.* Accroissement, extension.

prorogativus, *a*, *um*, adj. Qui peut être reculé. ¶ Qui n'agit pas immédiatement.

prorogator, *oris*, m. Celui qui paie.

prorogo, *as*, *avi*, *atum*, *are*, tr. Accorder une prolongation; prolonger, proroger. ¶ *Fig.* Prolonger. ¶ Différer, ajourner. ¶ Escompter, payer d'avance. ¶ Etendre, propager.

prorsa, *ae*, f. Déesse qui présidait aux accouchements réguliers.

prorsum, adv. En ligne droite, en avant, devant soi. ¶ D'un bout à l'autre; absolument, tout à fait.

1. **prorsus**, adv. En avant, en ligne droite, directement. ¶ D'un bout à l'autre, entièrement, tout à fait. || Généralement. ¶ Sans doute, certainement. ¶ En un mot, enfin.

2. **prorsus**, *a*, *um*, adj. Direct, droit. ¶ En prose, prosaïque.

prorumpo, *is*, *rupi*, *ruptum*, *ere*, tr. et intr. Pousser avec violence, lancer; faire sortir. ¶ *Intr.* S'élancer, se précipiter. ¶ *Fig.* Eclater, paraître brusquement. || Se déchirer. || Eclater (en parl. d'un bruit).

proruo, *is*, *ui*, *utum*, *ere*, tr. Pousser en avant, faire impétueusement sortir, arracher, renverser, culbuter. || Ruiner, raser. — *se* ou about.), — *se* se précipiter ! ¶ *Intr.* S'écrouler, tomber.

proruptio, *onis*, f. Action de fondre sur, irruption.

proruptor, *oris*, m. Celui qui fait irruption, qui fait une sortie (en parl. des assiégés).

prosa, *ae*, f. Prose. [prose.

1. **prosaïcus**, *a, um*, adj. De prose, en
2. **prosaïcus**, *i*, m. Prosateur.

prosapia, *ae*, f. Longue suite d'ancêtres, race. ¶ Toute une série; un grand nombre.

prosapies. Comme PROSAPIA.

prosator, *oris*, m. Procréateur.

prosatus, *a, um*, part. Engendré, issu.

proscaenium et proscenium, *ii*, n. Le devant de la scène. || La scène, le théâtre. ¶ Terrasse.

proscholos, *i*, m. Sous-maître.

proscindo, *is, scidi, scissum, ere*, tr. Sillonner devant soi, fendre, ouvrir. ¶ *Fig.* Insulter, déchirer, décrier.

proscissio, *onis*, f. Premier labour.

proscissum, *i*, n. Sillon.

proscribo, *is, scripsi, scriptum, ere*, tr. Marquer par devant, marquer au front; flétrir. ¶ Afficher, publier par écrit, annoncer par un écrit. || Mettre en vente. *Proscriptus*, en vente. || Mettre le nom de qqn sur un placard. || Annoncer (par affiche) une confiscation, *d'où* confisquer. || Mettre le nom de qqn sur une liste de proscription, *d'où* proscrire. || Mettre à prix la tête de qqn. ¶ *Fig.* Avilir, prostituer.

proscriptio, *onis*, f. Action de publier par une affiche; affiche. || Vente. || Confiscation. || Proscription.

proscriptor, *oris*, m. Qui proscrit, qui aime à proscrire. [de proscrire.

proscripturio, *ire*, intr. Avoir envie

proscriptus, *i*, m. Un proscrit. *Proscripti*, les proscrits.

proseco, *as, secui, sectum, are*, tr. Couper. ¶ Fendre (ouvrir la terre), labourer. [victime.

prosecta, *orum*, n. pl. Entrailles de la

prosectio, *onis*, f. Entaille.

1. **prosectus**. Part. p. de PROSECO.
2. **prosectus**, abl. *u*, m. Coupure, entaille.

prosecutio (PROSEQUUTIO), *onis*, f. Action d'escorter. || Démonstration d'estime au moment des adieux. ¶ Suite du discours.

prosecutor (PROSEQUUTOR), *oris*, m. Celui qui accompagne, qui escorte.

prosecutoria, *ae*, f. Rescrit impérial qui donne le droit d'escorte. [lune.

proselenos, *i*, m. Plus vieux que la

proselyta, *ae*, f. Prosélyte, nouvelle convertie.

1. **proselytus** (PROSELITUS), *i*, m. Prosélyte, qui passe du paganisme au judaïsme.
2. **proselytus**, *a, um*, adj. Qui vient *ou* provient dans un pays. ¶ Étranger dans un pays.

prosemino, *as, avi, atum, are*, tr. Semer, disperser. ¶ Propager.

prosequor, *eris, secutus* (ou *sequutus*) *sum, sequi*, dép. tr. Suivre, poursuivre. ¶ Accompagner, escorter,

suivre. ¶ Suivre, rechercher. || Imiter. ¶ Poursuivre. || Traiter qqn bien *ou* mal. — *omnibus officiis*, combler (qqn) d'égards. ¶ Continuer à parler de; parler de.

1. **prosero**, *is, serui, sertum, ere*, tr. Faire sortir, faire paraître.
2. **prosero**, *is, sevi, satum, ere*, tr. Créer, engendrer, procréer. ¶ Faire naître.

proserpo, *is, ere*, intr. Sortir *ou* s'avancer en rampant, ramper, venir *ou* apparaître lentement. ¶ Pousser. ¶ S'étendre.

proseucha, *ae*, f. Prière.

prosiciae, *arum*, f. pl. et **prosicies**, *ei*, f. ou **prosicium**, *ii*, n. Morceaux de la chair des victimes offertes en sacrifice.

prosilio (arch. PROSULIO), *is, silui, ire* intr. Sauter en avant, s'élancer hors de. || Se donner carrière. ¶ Courir à, accourir. ¶ *Fig.* Jaillir, sourdre. ¶ Germer, pousser; croître, grandir. ¶ Saillir, faire saillie. ¶ *Fig.* En venir rapidement à. [saillie.

prosisto, *is, ere*, intr. Avancer, être en

prosocer, *eri*, m. Père du beau-père; grand père de la femme.

prosocrus, *us* f. Mère de la belle-mère, grand'mère de la femme. [tonique.

prosodia, *ae*, f. Prosodie, accent,

prosiodacus, *a, um*, adj. Prosodique.

prosopopoeia, *ae*, f. Prosopopée (t. de rhét.). [men fait à l'avance.

prospectio, *onis*, f. Prévoyance. ¶ Exa-

prospectivus, *a um*, adj. Relatif à la vue.

prospecto, *as, avi, atum, are*, tr. Regarder en avant *ou* au loin. ¶ Regarder, être tourné vers. ¶ Regarder, chercher des yeux. ¶ Attendre. ¶ S'attendre à, être résigné à. ¶ Lire dans l'avenir, prévoir.

1. **prospectus**, part. p. de PROSPICIO.
2. **prospectus**, *us*, m. Action de regarder au loin, vue. ¶ Perspective; point de vue. ¶ *Fig.* Égard. ¶ Vue, aspect. ¶ Prévoyance.

prospeculor, *aris, atus sum, ari*, dép. intr. et tr. Observer au loin. ¶ Observer, épier. ¶ Explorer, étudier (un terrain).

prosper. Voy. PROSPERUS.

prospera *orum*, n. pl. Succès, prospérité.

prospere, adv. Avec bonheur, heureusement, à souhait. [bonheur.

prosperitas, *atis*, f. Prospérité, succès, bonheur.

prospero, *as, avi, atum, are*, tr. Rendre heureux. ¶ Favoriser. [pice.

prosperor, *aris, ari*, dép intr. Être prospère.

prosperus, *a, um*, adj. Conforme aux vœux, heureux, prospère. ¶ Favorable, propice. [devin.

prospex, *picis*, m. Celui qui prévoit, prospicientia, *ae*, f. Prévoyance. ¶ Aspect extérieur, air.

prospicio, *is, spexi, spectum, ere*, tr. Regarder devant soi, regarder au loin *ou* de loin. ¶ Voir, apercevoir devant soi *ou* au loin. || Avoir la vue de, avoir vue sur. ¶ Examiner, considérer, être attentif à — être aux aguets. ¶ Pourvoir à. ¶ Prévoir, entrevoir (dans l'avenir). ¶ Chercher à se procurer. [soin.

prospicue, adv. Avec prévoyance. avec

prospicuus, *a*, *um*, adj. Qui est en vue, élevé. ¶ Prévoyant, qui voit dans l'avenir. [dehors, s'exhaler.

prospiro, *as*, *avi*, *are*, intr. Souffler au

prossus, adv. Voy. PROSUS et 1. PRORSUS. [(d'une maison).

prostas, *adis*, f. Vestibule, portique

prosterno, *is*, *stravi*, *stratum*, *ere*, tr. Coucher, étendre. || Renverser, abattre (pr. et fig.). | *Fig.* Abattre, ruiner, anéantir. — *se*, s'avilir. ¶ Prostituer.

prosthesis, *is*, f. et **prothesis**, *is*, f. Prosthèse *ou* prothèse addition d'une lettre *ou* d'une syllabe au commencement d'un mot.

prostibilis, *is*, f. Prostituée.

prostibula, *ae*, f. Prostituée.

prostibulum, *i*, n. Prostituée. || Prostitué. ¶ (Méton.) Lieu de prostitution.

prostituo, *is*, *stitui*, *stitutum*, *ere*, tr. Exposer en public. ¶ Étaler, mettre en vente, faire litière de. || Trafiquer de; prostituer.

prostituta, *ae*, f. Femme publique, prostituée. [fanation.

prostitutio, *onis*, f. Prostitution. ¶ Prostitutor, *oris*, m. Celui qui prostitue. ¶ Profanateur. [¶ Obscène.

prostitutus, *a*, *um*, p. adj. Prostitué.

prosto, *as*, *stiti*, *stare*, intr. Avancer, faire saillie. ¶ Se mettre en vue (pour faire un commerce), trafiquer. ¶ Être exposé en vente. ¶ Se prostituer.

prostomis, *idis*, f. Muselière.

prostratio, *onis*, f. Action de coucher, d'étendre. ¶ Abattement, prostration. ¶ Ruine, anéantissement.

prostrator, *oris*, m. Celui qui renverse, qui terrasse.

prostro, *as*, *are*, tr. Renverser, terrasser.

prostylos, *on*, adj. Prostyle, qui a des colonnes par devant.

prosubigo, *is*, *ere*, tr. Piétiner, fouler. ¶ Travailler au marteau, forger.

prosulio. Voy. PROSILIO.

1. **prosum**, *prodes*, *profui*, *prodesse*, intr. Être utile, servir. ¶ Être salutaire, être employé avec succès pour (en parl. d'un remède).

2. **prosum**, adv. Voy. PRORSUM.

prosumia, *ae*, f. Petit navire d'observation, croiseur. [en ligne droite.

prosuppo et **prosupo**, *as*; *are*, tr. Étendre

prosurgo, *is*, *ere*, intr. Se lever, se dresser.

1. **prosus**, *a*, *um*. Voy. 2. PRORSUS.

2. **prosus**, adv. Voy. 1. PRORSUS.

protasis, acc.*in*, f. Sentence, proposition; majeure d'un syllogisme. ¶ Exposition d'une pièce de théâtre, protase.

protaticus, *a*, *um*, adj. Protatique, qui

ne paraît que dans la protase.

protaules, *ae*, m. Flûtiste, première flûte.

protectio, *onis*, f. Action de recouvrir. || (Méton.) Toit, abri. ¶ Défense, protection.

protector, *oris*, m. Protecteur, défenseur. ¶ Garde du corps, satellite.

protectorius, *a*, *um*, adj. De garde du corps.

protectum, *i*, n. Toit, avant-toit.

1. **protectus**, *a*, *um*. Part. de PROTEGO.

2. **protectus**, *us*, m. Abri, toiture.

protego, *is*, *texi*, *tectum*, *ere*, tr. Couvrir par devant, couvrir, abriter. ¶ Couvrir, protéger, garantir (pr. et fig.). ¶ Préserver. ¶ *Fig.* Couvrir, dissimuler, cacher.

protelatio, *onis*, f. Action de lancer les traits de loin, escarmouche. ¶ Action de repousser; ajournement, délai.

protelo, *as*, *avi*, *atum*, *are*, tr. Éloigner, repousser, chasser. ¶ Différer, ajourner. ¶ Conduire jusqu'à.

protelum, *i*, n. Corde tendue qui attache les bêtes de somme au limon de la charrue; tirage. || Attelage de bœufs. ¶ Suite, série ininterrompue.

protendo, *is*, *tendi*, *tentum* *ou* *tensum*, *ere*, tr. Tendre en avant, étendre, allonger. || Au passif *Protendi*, s'étendre (en parl. d'une contrée). ¶ Développer. || Allonger (dans la prononciation). || Traîner sur (un mot).

protensio, *onis*, f. Action d'étendre, de tendre en avant. ¶ Extension, développement. ¶ Voy. PROTASIS.

protenus. Voy. PROTINUS.

protermino, *as*, *avi*, *are*, tr. Reculer les bornes, agrandir.

protero, *is*, *trivi*, *tritum*, *ere*, tr. Fouler aux pieds, écraser, broyer. || Écraser (fig.). ¶ *Fig.* Abattre, anéantir, ruiner. ¶ User, rendre banal.

proterreo, *es*, *ui*, *itum*, *ere*, tr. Chasser en effrayant, mettre en fuite, effrayer, effaroucher.

proterve, adv. Hardiment. ¶ Effrontément, sans vergogne, insolemment.

protervia, *ae*, f. Comme PROTERVITAS.

protervio, *is*, *ire*, intr. Être impudent.

protervitas, *atis*, f. Effronterie, impudence, insolence. || Mine provocante, agacerie.

proterviter, adv. Comme PROTERVE.

protervus, *a*, *um*, adj. Hardi, audacieux. ¶ Effronté, impudent, insolent: éhonté. ¶ Violent, impétueux.

protestatio, *onis*, f. Protestation, assurance.

protesto, *as*, *are*, intr. Pour PROTESTOR.

protestor, *aris*, *atus sum*, *ari*, dép. tr. Attester, témoigner || Indiquer. ¶ Protester, déclarer publiquement.

protheorema, *atis*, n. Considérations *ou* notions préliminaires.

prothesis, *is*, f. Voy. PROSTHESIS.

prothyme et **prothume**, adv. Avec empressement.

prothymia (PROTHUMIA), ae, f. Bonnes dispositions, bienveillance.

prothyra, orum, n. pl. Espace qui se trouvait devant la principale porte (chez les Grecs); corridor, vestibule. ¶ (Chez les Romains.) Toit porté sur des colonnes devant la porte.

protinam (PROTENAM), adv. Comme PROTINUS.

protinus (PROTENUS), adv. Devant soi, en avant. ¶ Aussitôt, immédiatement. ¶ Sans intervalle, d'une manière continue.

protollo, is, ere, tr. Porter en avant, étendre. ¶ Suspendre, consacrer (une offrande). ¶ Prolonger, différer, ajourner. ¶ Passif. Protolli, monter.|| S'élever.   [Faire éclater sa colère.

protono, as, are, intr. Tonner. || Fig.

protoplasma, atis, n. Le premier être créé (en parl. d'Adam).

protoplastus, i, m. Le premier être créé (en parl. d'Adam).

protopraxia, ae, f. Créance privilégiée.

prototypia, ae, f. Fonction de recruteur (qui fournissait des remplaçants aux jeunes soldats, à prix d'argent).

1. prototypos, on, adj. Originaire, primitif.   [primitive.

2. prototypos, i, m. Prototype, forme

protracte, adv. En traînant sur les syllabes.

protractio, onis, f. Extension. || Prolongement d'une ligne: tracé. ¶ Prolongement dans le temps, ajournement.

protractus, us, m. Traînée (de feu, etc.). ¶ Prolongement, enchaînement, suite.

protraho, is, traxi, tractum, ere, tr. Tirer dehors, faire sortir.|| Entraîner. ¶ Produire, au grand jour, révéler, dévoiler, dénoncer. ¶ Prolonger, retarder. ¶ Étendre (au fig.).   [écrit).

protrepticon, i, n. Exhortation. ¶

protropum, i, n. Vin de mère goutte (qui sort avant le pressurage).

protrudo, is, trusi, trusum, ere, tr. Pousser avec force en avant. || Chasser. ¶ Ajourner, différer.

protubero, as, are, intr. Être protubérant, commencer à paraître. ¶ Fig. Ressortir, être en saillie.

proturbo, as, avi, atum, ere, tr. Chasser violemment devant soi, repousser, mettre en fuite, en déroute. Faire sortir, exhaler. ¶ Renverser, abattre.

protutela, ae, f. Fonction de protuteur.

prout ou pro ut, conj. Selon que, comme.

provectio, onis, f. Marche en avant, ¶ Avancement, promotion.

provector, oris, m. Promoteur.

1. provectus, a, um, p. adj. Avancé. || Avancé en âge. Voy. PROVEHO.

2. provectus, us, m. Marche en avant, progrès. ¶ Avancement, promotion. ¶ Progrès, accroissement.

proveho, is, vexi, vectum, ere, tr. Porter en avant, transporter, pousser. Au passif. Provehi, s'avancer (à cheval,

en voiture ou en bateau). ¶ Faire avancer, élever (aux honneurs). Au passif. Provehi, faire des progrès, avancer. ¶ Amener, entraîner.

provenio, is, veni, ventum, ire, intr. S'avancer, paraître. ¶ Naître, provenir. ¶ Venir, croître, pousser, se développer. ¶ Survenir, avoir lieu; résulter.|| Se terminer.|| Absol. Réussir.

proventus, us, m. Naissance (des animaux), production. ¶ Récolte.|| Abondance, grande quantité. ¶ Succès.

proverbialis, e, adj. Proverbial.

proverbium, ii, n. Proverbe, dicton ¶ Expression. || Parabole, énigme.

proversus, a, um, adj. Dirigé en avant, qui va devant soi.

provide, adv. Avec prévoyance.

providens, entis, p. adj. Prévoyant, prudent.   [gement.

providenter, adv. Avec prévoyance, sa-

providentia, ae, f. Prescience, prévision. ¶ Prévoyance, prudence, sagesse.

provideo, es, vidi, visum, videre, intr. et tr. Voir en avant, voir devant soi. ¶ Être prévoyant.

providus, a, um, adj. Qui prévoit, avisé; prudent, circonspect. ¶ Qui veille à. attentif.

provincia, ae, f. Tâche imposée, obligation. || Affaire, soin. ¶ Compétence d'un magistrat, cercle des attributions qui lui sont propres, emploi qui lui est confié; commission, mission, fonctions. || Charge de gouverneur de province. || Commandement militaire. ¶ Province, gouvernement romain hors de l'Italie.   [de la province.

provinciales, ium, m. pl. Les habitants

1. provincialis, e, adj. De province, des provinces. ¶ De gouverneur ou de gouvernement d'une province. ¶ Provincial, grossier.

2. provincialis, is, m. Habitant de la province, provincial.

provinciatim, adv. Par provinces.

provisio, onis, f. Prescience, prévision, prévoyance. ¶ Mesures préventives, moyen de prévenir, précaution.

1. proviso, adv. De dessein prémédité.

2. proviso, is, ere, tr. Aller ou venir voir, aller aux informations, s'informer.

provisor, oris, m. Celui qui prévoit. ¶ Celui qui pourvoit à, pourvoyeur.

1. provisus, part. p. de PROVIDEO.

2. provisus, us, m. Action de voir au loin. ¶ Prévision, prévoyance, vigilance. || Précaution.   [existence.

provivo, is, vixisse, intr. Prolonger son

provocabulum, i, n. Pronom.

provocatio, onis, f. Appel. ¶ Défi, provocation.

provocator, oris, m. Celui qui défie, provocateur. ¶ Sorte de gladiateur (qui harcèle son adversaire).

provoco, as, avi, atum, are, tr. Appeler, demander au dehors. ¶ Provoquer.

défier, le disputer à, rivaliser. ¶ Citer en justice. ¶ En appeler, faire appel· ¶ *Fig.* Exciter, provoquer.

provolgo. Voy. PROVULGO.

provolo, *as, avi, atum, are,* intr. S'envoler, s'enfuir en volant. ¶ *Fig.* Voler, s'élancer, accourir.

provolvo, *is, volvi, volutum, ere,* tr. Rouler en avant, jeter, renverser. ¶ *Fig.* Renverser.

provomo, *is, ere,* tr. Vomir, exhaler.

provulgo (PROVOLGO) *as, avi, atum, are,* tr. Publier.

prox, interj. Sauf votre respect.

proxeneta, *ae,* m. Courtier, entremetteur, proxénète.

proxeneticum, *i,* n. Salaire de l'entremetteur, droit de courtage.

proxime, adv. De très près, très près. ¶ Presque, presque autant, presque tout à fait. ¶ Tout à l'heure, en dernier lieu, tout récemment.

proximitas, *atis,* f. Proximité, voisinage. || Analogie, ressemblance. ¶ Réunion, assemblage, rapprocheme·`.

1. **proximo,** adv. Comme PROXIME.

2. **proximo,** *as, avi, atum, are,* tr. et intr. Approcher de.

proximum, *i,* n. Voisinage, proximité. ¶ Le temps le plus rapproché.

1. **proximus,** *a, um,* adj. Le plus voisin, le plus proche; le plus rapproché. ¶ (En parl. du temps) Le plus prochain, le plus récent. ¶ (Relat. au rang.) Le plus proche. ¶ Qui se rapproche le plus de. || Le plus proche (parent). ¶ Le plus convenable.

2. **proximus,** *i,* u. Proxime, officier du palais. ¶ Le prochain.

proxum... Comme proxim...

prudens, *entis,* adj. Sachant d'avance, prévoyant. ¶ Versé dans, expérimenté, habile. ¶ Qui agit exprès, à dessein, de propos délibéré. ¶ Prudent, sage, intelligent, sensé, avisé.

prudenter, adv. Sagement, prudemment habilement.

prudentia, *ae,* f. Prévision. ¶ Science, habileté, expérience. ¶ Précaution. ¶ Prudence, sagesse, intelligence.

pruina, *ae,* f. Gelée blanche, frimas, givre. ¶ Neige, froid. || (Méton.) Hiver.

pruinosus, *a, um,* adj. Couvert de givre, glacé. || Sous lequel on grelotte.

pruna, *ae,* f. Charbon ardent, braise.

prunum, *i,* n. Prune (fruit).

prunus, *i,* f. Prunier.

pruriginosus, *a, um,* adj. Qui éprouve des démangeaisons; teigneux.

prurigo, *inis,* f. Démangeaisons, prurit. ¶ Lasciveté.

prurio, *is, ire,* intr. Eprouver une démangeaison. ¶ Brûler d'envie.

pruritivus, *a, um,* adj. Qui cause des démangeaisons.   [civeté.

pruritus, *us,* m. Démangeaison ¶ Lasprytaneum,** *i,* n. Prytanée, lieu de réunion des prytanes. à Athènes.

prytanis, *is,* m. Prytane, magistrat athénien. ¶ Premier magistrat de Rhodes et d'autres villes grecques.

psallo, *is, i, ere,* intr. Jouer de la cithare, chanter en s'accompagnant de la cithare. ¶ Chanter les psaumes de David, psalmodier.

psalma, *atis,* n. Chant (avec accompagnement d'un instrument à cordes), psaume.   [des psaumes.

psalmicen, *inis,* m. Celui qui chante.

psalmidicus, *i,* m. Auteur des psaumes.

psalmista, *ae,* m. Celui qui compose et qui chante des psaumes, psalmiste.

psalmodia, *ae,* f. Chant des psaumes.

psalmographus,i, m. Auteur de psaumes.

psalmus, *i,* m. Psaume.

psalterium, *ii,* n. Psalterion, cithare. ¶ Chant, morceau de chant. ¶ Psautier, recueil de psaumes.

psaltes, *ae,* m. Joueur de cithare, chanteur musicien.

psaltria, *ae,* f. Joueuse de cithare, chanteuse, musicienne.

psecas, *adis,* f. Coiffeuse, parfumeuse. ¶ Esclave qui parfumait et frisait les cheveux de sa maîtresse.

psegma, *atis,* n. Paillette métallique.

psetta, *ae,* f. Poisson appelé aussi RHOMBUS.

pseudapostolus ou **pseudoapostolus,** *i,* m. Faux apôtre.   [chrétien.

pseudochristianus, *a, um,* adj. Faux

pseudocyprus, *i,* f. Faux cyprès.

pseudodiaconus, *i,* m. Faux diacre.

pseudodipteros, *on,* adj. Qui semble diptère, qui semble avoir deux rangs de colonnes.

pseudographus, *a, um,* adj. Qui porte un faux titre, apocryphe.

pseudosphex, *sphecis,* f. Fausse guêpe.

pseudosynodus, *i,* m. Faux synode.

pseudothyrum, *i,* n. Porte dérobée, porte de derrière. ¶ *Fig.* Echappatoire.

psiathium, *ii,* n. Petite natte.

psila, *as,* f. Couverture qui n'a du poil que d'un côté.

psithius, *a, um.* Psithien (nom d'une espèce de vigne grecque). ¶ Au f., vigne psithienne; raisin de cette vigne. ¶ Au n., vin psithien.

psitta, *ae,* f. Comme PSETTA.

psittacinus, *a, um,* adj. De perroquet.

psittacium, Voy. PISTACIUM.

psittacus, *i,* m. Perroquet, oiseau.

psora, *ae,* f. Gale, teigne.

psorae, *arum,* f. pl. Comme le précédent.

psoricus, *a, um,* adj. Relatif à la gale

psychicus, *a, um,* adj. Matérialiste, charnel.

psychomantium, *ii,* n. Lieu où l'on évoque les âmes des morts.

psychrolusia, *ae,* f. Bain froid.

psychrolutes, *ae,* m. Celui qui prend des bains froids.   [puces).

psyllion, *ii,* n. Plantain (ou herbe aux

psyth... Voy. PSITH...   [cament).

ptarmicum, *i,* n. Sternutatoire (médi-

ptarmicus, a, um, adj. Qui fait éternuer.

pte. Particule pronominale qu'on joint comme enclitique à l'abl. des adj. poss. ¶ Se trouve aussi jointe à l'acc. et au dat. du pron. pers.

pteris, idos, f. Sorte de fougère.

pteroma, atis, n. Colonnade latérale (d'un temple grec).

pteron, i, n. Aile d'un bâtiment.

pterygium, ii, n. Orgelet (excroissance qui vient sur l'œil). ¶ Excroissance qui vient sur les ongles. ¶ Tache sur le béryl.

ptisana (TISANA), ae, f. Orge mondé. ¶ Tisane d'orge; tisane de riz.

ptisanarium (TISANARIUM), ii, n. Tisane d'orge; tisane de riz.   [pauvres.

ptochium, ii, n. Hospice pour les

ptochotrophium, ii, n. Hospice pour les pauvres.

pubens, entis, adj. Qui a atteint la puberté. ¶ (Fig.) Jeune, tendre, frais.

puber, eris, adj. Voy. 1. PUBES.

pubertas, atis, f. Puberté, âge adulte. ¶ Signe de la puberté, barbe. || Duvet des plantes ou des fruits. ¶ (Méton.) Jeunesse saine et forte, jeunes gens vigoureux.

1. pubes, eris, adj. Adulte, pubère, déjà grand. Subst. Puberes, jeunes gens, adultes. ¶ Velu, garni de duvet (en parl. des plantes); velouté, frais.

2. pubes, is, f. Poil follet, poil, barbe. ¶ (Fig.) Os pubis, aine. ¶ (Méton.) Jeunesse, jeunes gens en état de porter les armes. || Jeunes taureaux. || (Par ext.) Hommes, gens, foule.

pubesco, is, pubui, ere, intr. Se couvrir de poil follet. ¶ Fig. Entrer dans l'adolescence. ¶ Grandir, se développer, croître. || Devenir velouté, se couvrir de duvet (en parl. de plantes).

1. pubis, eris, adj. Comme 1. PUBES.

2. pubis, is, f. Comme 2. PUBES.

publica (s.-e. VIA), ae, f. La voie publique, la rue. ¶ Femme publique.

1. publicanus, a, um, adj. Relatif à la ferme des impôts.

2. publicanus, i, m. Publicain, fermier d'un impôt; receveur d'impôts.

publicatio, onis, f. Confiscation, vente à l'encan.

publicator, oris, m. Celui qui divulgue.

publicatrix, icis, f. Celle qui divulgue.

publice, adv. Dans l'intérêt de l'Etat, officiellement, au nom de l'Etat. ¶ Aux frais de l'Etat. ¶ En masse, en corps. ¶ Publiquement, ouvertement.

publicitus, adv. Comme PUBLICE.

publicum, i, n. Lieu public, place publique.

publico, as, avi, atum, are, tr. Donner au trésor public, à l'Etat au public. ¶ Adjuger à l'Etat, confisquer. ¶ Montrer, exhiber. — se, se donner en spectacle. ¶ Publier, éditer. || Révéler.

publicus, a, um, adj. Relatif à l'Etat, qui se fait au nom de l'Etat, aux frais

de l'Etat, qui appartient à l'Etat; public. ¶ Général, public, à l'usage de tous, usité, universel. ¶ Commun trivial, vulgaire.   [nubile.

pubor, aris, ari, dép. intr. Devenir

pudefactus, a, um, adj. Rendu honteux.

pudenda, orum, n. p. Parties honteuses, parties sexuelles. ¶ Le derrière.

pudendus, a, um, p. adj. Dont on doit rougir; honteux, déshonorant.

pudens, entis, p. adj. Qui a de la pudeur, modeste, honnête. ¶ Qui a le sentiment de l'honneur. Subst. Pudentes, hommes d'honneur.

pudenter, adv. Avec réserve, avec retenue, modestement.

pudeo, es, pudui, ere, intr. Avoir honte, causer de la honte. ¶ Ordin. impers. Pudet, uit, ere, intr. Rougir, avoir honte de.

pudibundus, a, um, adj. Qui rougit facilement. ¶ Dont on doit rougir, honteux, infâme.   [tement.

pudice, adv. Pudiquement. ¶ Honnê-

pudicitia, ae, f. Pudicité, chasteté, pudeur.

pudicus, a, um, adj. Pudique, chaste, modeste, réservé. ¶ Irréprochable.

pudor, oris, m. Pudeur, sentiment de pudeur. || Timidité, réserve, modestie. ¶ Sentiment du devoir, honneur, dignité. ¶ Honte, déshonneur. ¶ Rougeur de la peau; incarnat. ¶ (Concr.) Parties honteuses, parties sexuelles.

puella, ae, f. Jeune fille, jeune femme. ¶ Amante, maîtresse.

puellaris, e, adj. De jeune fille, tendre, innocent. ¶ Enfantin.   [cemment.

puellariter, adv. En jeune fille; inno-

puellasco, is, ere, intr. Devenir jeune fille, faire l'office d'une jeune fille.

puellula, ae, f. Jeune fille, fillette.

puellus, i, m. Petit garçon.

puer, eri, m. Enfant (garçon ou fille). || Garçon (jusqu'à dix-sept ans), enfant. ¶ Célibataire, garçon.

puera, ae, f. Enfant, petite fille.

puerasco, is, ere, intr. Entrer dans l'âge qui suit la première enfance. || Grandir. ¶ Rajeunir.

puerilia, um, n. pl. Puérilités.

puerilis, e, adj. D'enfant, enfantin. ¶ Puéril, frivole.

puerilitas, atis, f. Enfance, bas âge. ¶ Caractère d'enfant, puérilité, enfantillage.

pueriliter, adv. A la manière des enfants; naïvement. ¶ Follement, d'une manière inconsidérée, d'une façon puérile.

pueritia, ae, f. Enfance, âge au-dessous de dix-sept ans. || Jeunesse (des animaux). ¶ (Au plur.) Les premiers commencements.

puerities, ei, f. Voy. PUERITIA.

puerpera, ae, f. Accouchée, jeune mère. ¶ Femme en travail.

puerperium, ii, n. Accouchement, en-

fantement. || (Méton.) Nouveau-né, enfant. [d'enfantement.

puerperus, a, um, adj. D'accouchement.

puerulus, i, m. Jeune garçon, garçonnet. ¶ Jeune esclave. ¶ (Avec un sens de mépris.) Jeune mignon.

pugil, m. Athlète pour le pugilat.

pugilaris et pugillatio, onis, f. Pugilat.

pugilator, oris, m. Voy. PUGIL.

pugilatorius. Voy. PUGILLATORIUS.

pugilatus et pugillatus, us, m. Pugilat.

pugilice, adv. Comme un athlète au pugilat; vigoureusement.

pugilis, is, m. Voy. PUGIL. [LARES.

pugillar, aris, n. Carnet. Voy. PUGIL-

pugillare, is, n. Comme PUGILLARES.

pugillares, ium, m. pl. Tablettes, porte-feuille, carnet.

pugillariarius, ii, n. Fabricant de tablettes pour écrire. [LARES.

1. **pugillaris, is,** m. Comme PUGIL-

2. **pugillaris, e,** adj. Qu'on peut tenir dans la main; de la grosseur du poing.

1. **pugillatio.** Voy. PUGILATIO.

2. **pugillatio, onis,** f. Expédition des lettres (dirigée par un procureur impérial).

pugillor. Comme PUGILOR.

pugillus, i, m. Ce qui peut tenir dans la main fermée; poignée.

pugilo, as, are, intr. Comme PUGILOR.

pugilor, aris, ari, dép. intr. Combattre avec le poing. ¶ Frapper avec les pieds de devant (en parl. d'un cheval).

pugio, onis, m. Poignard, stylet (porté [comme un symbole du droit de vie et de mort] par les empereurs, par le préfet du prétoire, par les généraux en chef et les capitaines de l'empereur).

pugiunculus, i, m. Petit poignard.

pugna, ae, f. Combat à coups de poing, combat d'homme à homme, combat entre des particuliers ou entre des armées; bataille; lutte. — singularis, combat singulier.¶Troupes en bataille, lignes d'une armée. ¶ Fig. Discussion, débat.

pugnabilis,e,adj. Qu'on peut combattre.

pugnabundus, a, um, adj. Plein d'ardeur au combat.

pugnacitas, atis, f. Ardeur belliqueuse.

pugnaciter, adv. Obstinément, avec acharnement. [part

pugnaculum, i, n. Lieu fortifié; rem-

pugnatio, onis, f. Combat. [soldat.

pugnator, oris, m. Combattant, guerrier,

pugnatorius, a, um, adj. Relatif au combat, propre au combat. ¶ Acéré, meurtrier. [Guerrière; belliqueuse.

pugnatrix, tricis, f. Une combattante.

pugnax, acis, adj. Belliqueux, guerrier, avide de combats. ¶ (Fig.) Véhément, violent (en parl. d'un discours ou d'un orateur). ¶ Obstiné, opiniâtre, qui résiste.

pugneus, a, um, adj. Relatif aux poings.

pugno, as, avi, atum, are, intr. et qqf.

tr. Combattre, se battre, en venir aux mains. *Pugnatur,* on se bat. ¶ Fig. Lutter, être en lutte, être en désaccord, se contredire; s'opposer à. ¶ Contrarier. ¶ Se donner de la peine pour, s'efforcer d'arriver à, tâcher d'atteindre, d'obtenir.

pugnus, i, m. Poing. *Pugnum facere,* serrer le poing (en fermant la main). ¶ Fig. Une poignée (mesure).

pulchellus (PULCELLUS), a, um, adj. Joli, charmant.

pulcher, chra, chrum et pulcer, cra, crum, adj. Beau. ¶ Fig. Beau, excellent, honorable, glorieux, grand, magnifique.

pulchralia (PULCRALIA), ium, n. pl. Dessert, friandises.

pulchre ou pulcre, adv. Bien, très bien, à merveille. ¶ (Exclamation.) Bravo !

pulchresco (PULCRESCO), is, ere, intr. Devenir beau. ¶ Tr. Rendre beau.

pulchritudo (PULCRITUDO), dinis, f. Beauté (physique ou morale); excellence, perfection.

pulegium, ii, n. Voy. PULEJUM.

pulejatum, i, n. Vin de pouliot.

pulejatus, a, um, adj. Aromatisé avec du pouliot.

pulejum (PULEIUM), et pulegium, ii, n. Pouliot, plante odoriférante. ¶ Fig. Parfum, charme, agrément.

pulex, icis, m. Puce. ¶ Puceron.

pulicaria, ae, f. Herbe aux puces.

pulicosus, a, um, adj. Plein de puces.

1. **pullarius, a, um,** adj. Qui a rapport aux jeunes animaux, part. aux poussins. ¶ Qui concerne les poulets sacrés annonçant l'avenir suivant qu'ils mangent ou ne mangent pas.

2. **pullarius, ii,** m. Celui qui donne à manger aux poulets sacrés; augure chargé des poulets sacrés.

pullastra, ae, f. Une jeune poule.

pullati, orum, m. pl. Le bas peuple.

pullatio, onis, f. Couvaison.

pullatus, a, um, adj. Vêtu de deuil. ¶ Vêtu d'étoffe brune.

pulligo, ginis, f. Le noir, le brun; couleur sombre. poule.

pullina (s.-e. CARO), ae, f. Chair de la

pullinaticius, a, um, adj. De poulet.

pullinus, a, um, adj. Qui a rapport aux petits animaux. ¶ De poule.

pullities, ei, f. Couvée, nichée.

pullulasco, is, ere, intr. Croître, bourgeonner.

pullulatio, onis, f. Germination, croissance, pousse des plantes. ¶ Multiplication (de l'espèce humaine). || Fig. Développement excessif.

pullulo, as, avi, atum, are, intr. Pousser des rejetons; pousser, croître; fourmiller, pulluler. ¶ Se développer, se propager, pulluler. ¶ Produire, engendrer.

1. **pullulus, i,** m. Jeune animal, jeune

pigeon, poussin. ¶ (En parl. des plantes.) Pousse, rejeton.

2. pullulus, *a*, *um*, adj. Noirâtre, brun.

1. pullus, *a*, *um*, adj. Poulain, petit (d'un animal). ¶ Subst. *Pullus*, *i*, m. Un jeune animal. — *gallinaceus*, poussin, poulet, jeune coq. Au plur. *Pulli*, poulets sacrés. ¶ Jeune rameau, jeune pousse.

2. pullus, *a*, *um*, adj. Foncé, brun, noirâtre. Subst. *Pullum*, *i*, n. Le noir, la couleur noire. ¶ Qui est en deuil. ¶ Qui est de couleur sombre. ¶ (*Fig.*) Triste; malheureux.

3. pullus, *a*, *um*, adj. Net, propre.

pulmentaris, *e*, adj. Ce qu'on mange avec le pain.

pulmentarium, *ii*, n. Mets en bouillie, ragoût, ce qu'on mange avec le pain, mets. ¶ Pâtée (pour la volaille).

pulmentum, *i*, n. Fricassée, ragoût. ¶ Mets, nourriture.

pulmo, *onis*, m. Poumon. Au plur. *Pulmones*, les deux lobes du poumon. ¶ Espèce de poisson de mer.

pulmonarius, *a*, *um*, adj. Pulmonique, poitrinaire.

pulmoneus, *a*, *um*, adj. Qui a un rapport aux poumons. ¶ *Fig.* Mou, spongieux.

1. pulpa, *ae*, f. Partie charnue du corps des animaux, sans graisse et sans os; la partie maigre de la viande. ¶ La partie charnue des plantes et des fruits, pulpe. ¶ La partie tendre et charnue du bois. ¶ Mie de pain.

2. pulpa, *ae*, f. Poulpe, seiche, poisson d'où l'on extrait une couleur.

pulpamen, *minis*, n. Ragoût de viande.

pulpamentum, *i*, n. Chair dégraissée et désossée; (*par ext.*) chair des poissons. ¶ Viande, ragoût, mets.

pulpitum, *i*, n. Estrade. || Tréteaux, scène. ¶ Chaire; tribune.

puls, *pultis*, f. Bouillie de farine de légumes, de fèves (dont se nourrissaient les Romains avant de connaître le pain); aliment des pauvres. || Nourriture des poulets sacrés.

pulsatio, *onis*, f. Action de frapper, choc. ¶ Coup porté à une personne. || (*Fig.*) Attentat.

pulsator, *oris*, m. Celui qui frappe; celui qui heurte à la porte. ¶ Celui qui touche d'un instrument.

pulsatus, *us*, m. Action de frapper; coup, choc.

pulso, *as*, *avi*, *atum*, *are*, tr. Pousser, secouer, ébranler, frapper à coups répétés. ¶ Frapper (pour entrer). ¶ Frapper (pour maltraiter). ¶ *Fig.* Renverser, culbuter, écarter. ¶ Ebranler. ¶ Frapper, fouetter, battre (en parl. de la pluie, du vent, de la mer). ¶ Remuer, défricher le sol. ¶ Secouer, frapper. || Frapper, pincer les cordes d'un instrument de musique. || Pincer la corde d'un arc. ¶ (Fig.) Frapper, toucher, émouvoir. ¶ Fatiguer, pour-

suivre (de ses plaintes). ¶ Poursuivre (devant un tribunal), accuser. ¶ Broyer, piler.

pulsus, *us*, m. Choc, coup, ébranlement, secousse; battement, impulsion. ¶ *Fig.* Impression, sensation, commotion (morale).

pultarius, *ii*, m. Tasse pour mettre les boissons chaudes. ¶ Vase pour mettre le moût. ¶ Vase pour conserver le raisin. ¶ Réchaud pour mettre des charbons ardents. ¶ Ventouse.

pultatio, *onis*, f. Action de frapper à la porte.

pulticula, *ae*, f. Bouillie.

pulto, *as*, *are*, tr. Frapper, heurter.

1. pulver, *veris*, m. Voy. PULVIS.

2. pulver, *eris*, n. Voy. PULVIS.

pulveratio, *onis*, f. Action de réduire en poussière les mottes de terre au pied des ceps de vigne.

pulvereus, *a*, *um*, adj. De poussière, poudreux; qui contient de la poussière; plein de poussière. ¶ Qui soulève la poussière.

pulvero, *as*, *are*, tr. Couvrir de poussière. ¶ Pulvériser, réduire en poudre *ou* en cendre. ¶ *Intr.* Produire de la poussière; être couvert de poussière.

pulverulentus, *a*, *um*, adj. Poudreux, couvert de poussière. ¶ *Fig.* Qui s'acquiert avec peine.

pulvillus, *i*, m. Petit coussin.

pulvinar (POLVINAR), *aris*, n. Coussin garni de riches couvertures que l'on utilisait dans les cérémonies religieuses. ¶ (Méton.) Les temples *ou* les statues des dieux. ¶ Lit nuptial des déesses *ou* des impératrices. ¶ Balcon, loge (place du cirque, d'où l'empereur regardait les jeux).

pulvinaris, *e*, adj. De coussin, d'oreiller. ¶ Qui a rapport aux tertres qui séparent les sillons.

pulvinarium, *ii*, n. Coussin; lit d'une divinité dans un temple. ¶ Chantier pour les navires.

pulvinatus, *a*, *um*, adj. Qui a la forme d'un coussin; rembourré, bombé.

pulvinulus, *i*, m. Petit amas de terre au pied des arbres.

pulvinus, *i*, m. Coussin, oreiller. || Tabouret, banc, chaise, litière. ¶ Elévation de terre entre deux sillons, planche de jardin, carreau. ¶ Elévation en brique dans une grange. ¶ Banc de sable dans la mer. ¶ Fondation d'une pile dans l'eau. ¶ Partie saillante de la catapulte, oreiller.

1. pulvis, *eris*, m. Poussière, poudre, sable. ¶ (Méton.) Lieu où l'on s'exerce à la lutte, carrière, arène. ¶ Champ où s'exerce une activité quelconque. ¶ *Fig.* Peine, travail, difficulté. ¶ Terre, pays. ¶ Terre de potier.

2. pulvis, *eris*, m. Acanus (plante épineuse).

pulvisculus, *i*, m. Poussière très fine;

poudre. ¶ *Fig.* Chose très petite, insignifiante.

pumex, *micis*, m. Pierre ponce. || Pierre ponce (pour polir).|| Emblème de sécheresse, d'avarice. || Chose, d'où il n'y a rien à tirer. ¶ Rocher, pierre tendre, poreuse *ou* spongieuse comme la lave.

pumiceus, *a, um*, adj. De pierre ponce *ou* de pierre poreuse. ¶ Sec comme la pierre ponce.

pumico, *as, avi, atum, are*, tr. Polir avec la pierre ponce, poncer, nettoyer.

pumicosus, *a, um*, adj. De la nature de la pierre ponce; poreux, ponceux.

pumilio, *onis*, m. et f. Nain *ou* naine.

1. **pumilus**, *i*, m. Nain.

2. **pumilus**, *a, um*, adj. Nain.

puncta, *ae*, f. Coup de pointe *ou* d'estoc.

punctariola, *ae*, f. Escarmouche.

punctatim, adv. Bref, en somme, en un mot.

punctio, *onis*, f. Piqûre, élancement, [douleur lancinante

punctiuncula, *ae*, f. Légère douleur. ¶ (Fig.) Ce qui pique moralement.

punctorium, *ii*, n. Instrument de jardinier, plantoir.

punctulum, *i*, n. Légère piqûre.

punctum, *i*, n. Piqûre, petit trou, point. ¶ Marque flétrissante, stigmate. ¶ Point douloureux. ¶ Ouverture faite dans une conduite d'eau. ¶ Point, marque faite sur des tablettes de cire *ou* gravée dans la pierre. ¶ Petite coupure, petite pause, jalon dans le discours. ¶ Point, petite tache. ¶ Point marqué sur un dé. ¶ Point que l'on marquait dans les comices au-dessous des noms des candidats sur une tablette de cire. ¶ Point marqué sur le fléau d'une balance. ¶ Point mathématique. ¶ Point, étendue imperceptible. ¶ Tout petit morceau. ¶ Temps très court, instant.

punctura, *ae*, f. Piqûre.

punctus, *us*, m. Piqûre. ¶ Point.

pungo, *is, pupugi, punctum, ere*, tr. Piquer, percer. ¶ Aiguillonner, ¶ Tourmenter. ¶ (Absol.) Etre piquant, ironique.

punicans, *antis*, adj. Rouge, qui rougit.

puniceus, *a, um*, adj. Rouge, rougeâtre, pourpre, pourpré.

punicum, *i*, n. Grenade (fruit).

punicus, *a, um*, adj. Grenat, écarlate. *Punica malus*, grenadier.

punio (POENIO), *is, ivi*, ou *ii, itum, ire*, tr. Punir, châtier. ¶ Venger.

punior, *iris, iri*, dép. tr. Comme le précédent.

punitio, *onis*, f. Punition, châtiment.

punitor, *oris*, m. Celui qui punit. ¶ Vengeur.

pupa, *ae*, f. Petite fille. ¶ Poupée.

pupilla, *ae*, f. Jeune fille sans parents, orpheline, mineure, pupille. ¶ La pupille de l'œil. || Prunelle, œil.

pupillaris, *e*, adj. Pupillaire, de pupille,

de mineur. [pupille, d'un mineur.

pupillariter, adv. Au lieu et place d'un

pupillus, *i*, m. Enfant qui n'a plus ses parents; orphelin; mineur; pupille.

puppis, *is*, f. L'arrière d'un navire, la poupe. ¶ *Fig.* Le vaisseau de l'Etat. || (Plaisamm.) Le dos. ¶ (Mét.) Navire. [¶ Pupille de l'œil.

pupula, *ae*, f. Petite fille, fillette.

pupulus, *i*, m. Petit garçon. ¶ Poupée, figurine.

pupus, *i*, m. Garçon, enfant. ¶ (T. de tendresse.) Petit mignon. ¶ La pupille de l'œil.

pure, adv. Purement, proprement. || Clairement, nettement. ¶ *Fig.* Purement, sans tache, vertueusement, chastement, saintement. ¶ Clairement, sans obscurité.

purgabilis, *e*, adj. Facile à nettoyer; facile à éplucher.

purgamen, *minis*, n. Immondices, ordures. ¶ Moyen de purification, d'expiation. ¶ Pureté, netteté, clarté.

purgamentum, *i*, n. Ordures, immondices. ¶ Résidu, déchet. ¶ Scories du fer. ¶ Lie, rebut (t. injurieux). ¶ Purification, sacrifice expiatoire.

purgatio, *onis*, f. Nettoyage, curage. || (Méton.) Déchets, scories. ¶ Eclaircissement, explication. ¶ Justification. ¶ Purification religieuse, expiation d'une faute.

1. **purgatus**, *a, um*, p. adj. Purifié, pur, nettoyé. ¶ *Fig.* Pur, chaste, exempt de souillure. ¶ Disculpé, justifié.

2. **purgatus**, *us*, m. Comme PURGATIO.

purgito, *are*, tr. Nettoyer. ¶ *Fig.* Prodiguer des excuses.

purgo, *as, avi, atum, are*, tr. Nettoyer, balayer, éplucher, purger, débarrasser. ¶ Purger, faire évacuer. ¶ *Fig.* Purger, nettoyer, débarrasser. ¶ Purger (au moral), laver d'une accusation, justifier. ¶ Régler, terminer, liquider.

purificatio, *onis*, f. Purification, cérémonie expiatoire, expiation.

purifico, *as, avi, atum, are*, tr. Nettoyer. ¶ *Fig.* Purifier (au point de vue religieux), laver une faute, expier.

1. **puritas**, *atis*, f. Netteté, pureté, limpidité. ¶ *Fig.* Pureté, correction (du langage). ¶ Pureté (des mœurs).

2. **puritas**, *atis*, f. Purulence.

puriter, adv. Arch. p. PURE.

purpura, *ae*, f. Le pourpre, coquillage. || (Méton.) Couleur pourpre. ¶ La pourpre, étoffe teinte en pourpre. || Vêtement de pourpre. — *regalis*, la pourpre royale. || (Méton.) Haute dignité. ¶ Comme PORPHYRITE, porphyre.

purpuraria, *ae*, f. Teinturerie en pourpre.

1. **purpurarius**, *a, um*, adj. Relatif à la pourpre; où l'on travaille la pourpre.

2. **purpurarius**, *ii*, m. March and d'étoffe de pourpre. || Teinturier en pourpre.

purpurasco, *is*, *ere*, intr. Prendre une teinte pourpre.

purpurati, *orum*, m. pl. Hauts dignitaires vêtus de pourpre. [pourpre.

purpuratus, *a*, *um*, p. adj. Vêtu de pourpre.

purpurasco, *is*, *ere*, intr. Comme PURPURASCO.

purpuretica, *ae*, f. Le portique en granit rouge du forum de Trajan.

purpureticus, *a*, *um*, adj. Voy. PORPHYRETICUS.

purpureus, *a*, *um*, adj. Couleur de pourpre, pourpré (et suivant les nuances), rouge, rougeâtre, violet, brun, noirâtre. ¶ (Méton.) Vêtu de pourpre. ¶ Brillant, qui jette un vif éclat.

purpurissatus, *a*, *um*, adj. Teint avec la couleur appelée *purpurissum*, fardé; vermillonné. || (Fig.) — *fasti*, les fastes consulaires (à cause de la pourpre portée par les consuls).

purpurissum, *i*, n. Sorte de couleur pourpre foncée employée comme teinture et comme fard.

purpuro, *as*, *avi*, *atum*, *are*, tr. Rendre couleur de pourpre, rendre sombre, brunir. || *Fig.* Embellir, orner, émailler. ¶ *Intr.* Etre couleur de pourpre, être brillant, éclatant.

purulente, adv. Avec suppuration.

purulentia, *ae*, f. Amas de pus, pus. ¶ *Fig.* Lie, rebut. [de pus.

purulentus, *a*, *um*, adj. Purulent, plein

purus, *a*, *um*, adj. Pur, propre. — *aedes*, maison bien tenue. ¶ *Fig.* Qu n'a rien d'étranger, d'accessoire; sans mélange, pur; uni, tout simple. ¶ Pur, sans tache, innocent, chaste, vertueux. ¶ (En parl. du langage et du style.) Simple, sans ornements, naturel. ¶ Sans condition, sans restriction, absolu, pur et simple.

pus, *puris*, n. Pus, humeur, sang corrompu. ¶ Bave, venin de la calomnie.

pusillanimis, *e*, adj. et **pusillanimus**, *a*, *um*, adj. Pusillanime.

pusillanimitas, *atis*, f. Pusillanimité.

pusillitas, *atis*, f. Petitesse.

pusillulus, *a*, *um*, adj. Encore tout petit, tout jeune.

1. **pusillum**, adv. Un peu.

2. **pusillum**, *i*, n. Un peu, une petite quantité, une pincée; un grain. || Un instant. Au plur. *Pusilla*, les petites choses, les menus détails.

pusillus, *a*, *um*, adj. Très petit, exigu; en miniature, nain. || Difforme par arrêt de croissance. ¶ *Fig.* Petit, étroit, mesquin.

pusio, *onis*, m. Un jeune garçon.

pustula, *ae*, f. Pustule, ampoule. ¶ Bulle, soufflure produite dans la fusion. ¶ Argent fondu.

pustulatio, *onis*, f. Eruption de pustules.

pustulatus, *a*, *um*, adj. Couvert de bulles, de soufflures.

pusula, *ae*, f. Pustule. ¶ Erysipèle. ¶

Soufflure que la cuisson produit dans le pain. [tules.

pusulosus, *a*, *um*, adj. Couvert de pus-

pusus, *i*, m. Garçon, petit garçon.

puta, adv. Par exemple. *Ut puta*, comme par exemple. [chure.

putamen, *minis*, n. Ecale, coquille; éplu-

1. **putatio**, *onis*, f. Action de couper, taille. || (Méton.) Branche coupée.

2. **putatio**, *onis*, f. Calcul, supputation. ¶ Action de croire; attribution de qualité à une personne. [des arbres.

1. **putator**, *oris*, m. Celui qui taille

2. **putator**, *oris*, m. Celui qui pense, qui juge.

puteal, *alis*, n. Entourage de l'ouverture d'un puits, margelle. ¶ Enceinte (en forme de margelle) autour d'un lieu sacré.

putealis, *e*, adj. De puits.

putearius, *ii*, m. Puisatier.

putefacio, *is*, tr. Voy. PUTREFACIO.

putens, *entis*, p. adj. Puant.

puteo, *es*, *ui*, *ere*, intr. Puer, sentir mauvais. ¶ Etre putréfié, être gâté.

puter, *putris*, *putre*, adj. Pourri, gâté, putréfié, délabré, vermoulu. ¶ *Fig.* Friable, sec. ¶ Vitreux; flétri.

putesco, *is*, *ere*, intr. Se corrompre, se gâter.

puteus, *i*, m. Trou, tranchée. ¶ Puits (de mine ou de carrière). || Fosse, pour la conservation des grains, silo. ¶ Puits, source. ¶ Soupirail, regard d'aqueduc. ¶ Souterrain, cachot pour les esclaves.

puticuli, *orum*, m. pl. ou **puticulae**, *arum*, f. pl. Ouvertures du puits; entrée des souverains (où l'on enterrait les pauvres et les esclaves, sur le mont Esquilin).

putide, adv. Avec trop de recherche, avec affectation.

putiditas, *atis*, f. Puanteur.

putidiusculus, *a*, *um*, adj. Fatigant, importun.

putidulus, *a*, *um*, adj. Affecté (dans les manières et le langage).

putidus, *a*, *um*, adj. Puant, qui a mauvaise odeur, pourri. ¶ Puant (à force d'affectation). ¶ Recherché, affecté, prétentieux (en parl. de l'orateur et de son style).

putillus, *i*, m. Petit garçon; mignon.

1. **puto**, *as*, *avi*, *atum*, *are*, tr. Eplucher, nettoyer, peigner. — *lanam*, peigner la laine.

2. **puto**, *as*, *avi*, *atum*, *are*, tr. Compter, calculer. ¶ Etablir *ou* apurer un compte calculer, supputer; considérer, raisonner. ¶ Estimer, apprécier. ¶ *Fig.* Estimer, apprécier, faire cas, priser. ¶ Juger, penser, croire, ajouter foi à. [(pr. et fig.).

putor, *oris*, f. Mauvaise odeur, puanteur

putredo, *dinis*, f. Putréfaction, pourriture.

putrefacio, *is*, *feci*, *factum*, *ere*, tr.

Pourrir, corrompre, putréfier. ¶ Amollir, dissoudre.

putrefactio, *onis*, f. Putréfaction, pourriture.

putrefio, *is*, *factus sum*, *fieri* pass. de *putrefacio* : tomber en putréfaction.

putresco, *is*, *trui*, *ere*, intr Pourrir, se putréfier. ¶ S'amollir, fondre.

putridus, *a*, *um*, adj. Pourri, gâté. ¶ *Fig.* Flasque.

putris, *e*, adj. Voy. PUTER.

1. **putus**, *a*, *um*, adj. Purifié, pur, net, brillant. ¶ *Fig.* Soigné, achevé.

2. **putus**, *i*, m. Petit garçon.

puxis, *idis*, f. Voy. PYXIS.

pycta, *ae*, m. ou **pyctes**, *ae*, m. Pugile (athlète qui s'exerce au pugilat).

pygargus, *i*, m. Pygargue, espèce d'aigle. ¶ Espèce de grande antilope.

pylae, *arum*, f. pl. Gorges, défilés; pas. ¶ Les Thermopyles.

pylorus, *i*, m. Ouverture qui fait communiquer l'estomac avec l'intestin; pylore.

pyra, *ae*, f. Bûcher.

pyrallis, *lidis*, f. Sorte de petit animal qui vit dans le feu.   [métrique.

pyramida, *ae*, f. Pyramide, figure géo-

pyramidalis, *e*, adj. En forme de pyramide.

pyramis, *idis*, Pyramide, figure géomé-

trique. ¶ Pyramide construction des Egyptiens.   i(plante)

pyrethron et **pyrethrum**, . n. Pyrèthre

pyrgus, *i*, m. Petite tour en bois à travers laquelle on jetait les dés sur la table.

pyropus, *i*, m. Pyrope, sorte de bronze.

pyrrhicha, *ae* et **pyrrhiche**, *es*, f. Pyrrhique, danse guerrière. ¶ Danse de jeunes garçons et de jeunes filles.

pyrrhichius, *a*, *um*, adj. Pyrrhique (t. de métrique). — *pes*, pied composé de deux brèves.

pyrum, *e*, n. Voy. PIRUM.

pyrus, *i*, f. Voy. PIRUS.

pythaules, *ae*, m. Pythaule, celui qui jouait sur la flûte le combat d'Apollon Pythien contre le serpent Python. ¶ Musicien qui, dans les tragédies, jouait sur la flûte un solo ou un hymne, en l'honneur des dieux.   [pythaule.

pythaulicus, *a*, *um*, adj. Pythaulique, du

pytisma, *matis*, n. Crachat; *particul.* vin que l'on rejette après l'avoir goûté.   [après l'avoir goûté.

pytisso, *as*, *are*, intr. Cracher du vin,

pyxidicula, *ae*, f. Toute petite boîte,

pyxis, *idis*, f. Boîte, coffret (pour les médicaments, les pommades ou les objets de toilette). ¶ Capsule métallique.

Q

Q, **q**. Seizième lettre de l'alph. latin. ¶ Abrév. Q.=Quintus. S. P. Q. R.= Senatus populusque Romanus. Q.= quaestor, quinquennalis. Q. V. A. = qui vixit annos.

1. **qua**, adv. relat. Par où; du côté où. ¶ Comme; autant que, dans la mesure où. *Qua... qua...*, d'un côté..., de l'autre; tant... que.

2. **qua**, adv. interrog. Par où? ¶ *Fig.* Par quel moyen?

quacunque, adv. Partout où, de quelque côté que. ¶ Par quelque moyen que. ‖ D'une manière quelconque.

quadamtenus, adv. Jusqu'à une certaine limite.

quadra, *ae*, f. Carré; figure carrée. ¶ Morceau carré. ¶ Table carrée. ¶ Socle carré (d'une colonne); plinthe; listel.

1. **quadragenarius**, *a*, *um*, adj. De quarante; qui comprend quarante unités. ¶ De quarante ans; âgé de quarante ans.

2. **quadragenarius**, *ii*, m. Un quadragénaire.

quadrageni, *ae*, a. adj. Quarante par quarante; quarante chaque fois. ¶ Quarante.

quadragesima, *ae*, f. La quarantième partie. ¶ *Spéc.* Impôt du quarantième ou des deux cinquièmes. ¶ *Eccl.* Carême; jeûne de quarante jours.

quadragesimus, *a*, *um*, adj. Quarantième.   [rante as.

quadragessis, *is*, f. Somme de quarante as.

quadragies ou **quadragiens**, adv. Quarante fois.

quadraginta, adj. pl. indecl. Quarante.

quadrans, *antis*, m. Quatrième partie de l'unité; quart. ¶ Quart de l'as (monnaie), c.-à-d. trois onces. ‖ Menue pièce de monnaie. ¶ Quart de la livre (poids); trois onces. ¶ Quart d'un jugère. ¶ Quart d'un setier. ¶ Quart de la journée, six heures.

quadrantal, *alis*, n. Vase carré contenant huit conges. ‖ Cube. ‖ Dé.

quadrantarius, *a*, *um*, adj. Du quart, relatif au quart. ¶ *Spéc.* Qui coûte le quart d'un as. ¶ De peu de valeur; qu'on peut avoir à vil prix.

quadrassis, *is*, m. Somme de quatre as.

1. **quadratarius**, *a*, *um*, adj. De pierres de taille.   [pierres.

2. **quadratarius**, *ii*, m. Tailleur de

quadratio, *onis*, f. Carré, figure carrée.

quadrator, *oris*, m. Tailleur de pierres.

quadratum, *i*, n. Carré, figure carrée. ¶ (Astron.) Quadrature (position d'un astre faisant un angle droit avec le soleil).

quadratura, *ae*, f. Quadrature. ¶ (Méton.) Carré, figure carrée.

1. quadratus, *a*, *um*, adj. Taillé en carré; équarri. ¶ Quadrangulaire, carré. ¶ Bien taillé, bien proportionné, bien fait. || *Fig.* Régulier. ¶ (*Par ext.*) Carré (en parl. d'un nombre). ¶ De quatre mesures (en parl. d'un vers). [de quatre jours.

quadriduum (QUATRIDUUM), n. Espace

quadriennis, *e*, adj. De quatre ans; âgé de quatre ans. [ans.

quadriennium, *ii*, n. Espace de quatre

quadrieris, *is*, m. Galère à quatre rangs de rames. [¶ De quatre manières.

quadrif riam, adv. En quatre parts.

quadrifinium, *ii*, n. Point qui sert de limite à quatre propriétés.

quadriga, *ae*, f. Voy. le suivant.

quadrigae, *arum*, f. pl. Attelage de quatre chevaux. || (Méton.) Quadrige, char attelé de quatre chevaux. || Le char du soleil. ¶ *Par ext.* Groupe de quatre personnes *ou* de quatre animaux. || Assemblage de quatre objets.

1. quadrigarius, *a*, *um*, adj. Relatif aux quadriges. [quadrige.

2. quadrigarius, *ii*, m. Conducteur de

quadrigatus, *a*, *um*, adj. Qui porte l'empreinte d'un quadrige. Subst. *Quadrigati*, *orum*, m. pl. Deniers d'argent (marqués d'un quadrige).

quadrigeminus, *a*, *um*, adj. Quadruple.

quadrigeni. Voy. QUADRINGENI.

quadrigenti, *ae*, *a*, adj. Voy. QUADRINGENTI.

quadrigula, *ae*, f. Voy. le suivant.

quadrigulae, *arum*, f. pl. Petit quadrige.

quadrijugae, *orum*, f. pl. Comme QUADRIGAE. [quatre.

quadrijugi, *orum*, m. pl. Attelage de

quadrijugis, *e*, adj. D'un attelage à quatre chevaux. ¶ Attelé de quatre chevaux. [DRIJUGIS.

quadrijugus, *a*, *um*, adj. Comme QUADRIJUGIS.

quadrilaterus, *a*, *um*, adj. Qui a quatre côtés; quadrilatère.

quadrilibris, *e*, adj. Pesant quatre livres.

quadrimanis, *adj.* Qui a quatre mains; quadrumane. [précédent.

quadrimanus, *a*, *um*, adj. Comme le

quadrimatus, *us*, m. L'âge de quatre ans.

quadrimembris, *e*, adj. Qui marche à quatre pattes.

quadrimestris, *e*, adj. De quatre mois. ¶ Âgé de quatre mois.

quadrimodus, *a*, *um*, adj. De quatre manières *ou* espèces.

quadrimulus, *a*, *um*, adj. Âgé de quatre ans.

quadrimus, *a*, *um*, adj. Âgé de quatre ans. [tient quatre cents unités.

quadringenarius, *a*, *um*, adj. Qui contient quatre cents unités.

quadringeni, *ae*, *a*, adj. num. Au nombre de quatre cents à la fois; quatre cents chaque fois; quatre cents par quatre cents. [centième.

quadringentesimus, *a*, *um*, adj. Quatre-centième.

quadringenti, *ae*, *a*, adj. num. Quatre cents.

quadringenties, adv. Quatre cents fois.

quadrini, *ae*, *a*, adj. Quatre par quatre; quatre à la fois *ou* chaque fois.

quadripartitio, *onis*, f. Division en quatre parties.

quadripartito, adv. En quatre parts.

quadripartitus, *a*, *um*, adj. Partagé en quatre.

quadripl... Voy. QUADRUPL...

1. quadriremis, *e*, adj. A quatre rangs de rames. [rangs de rames.

2. quadriremis, *is*, f. Galère à quatre

quadrisemus, *a*, *um*, adj. Qui contient quatre unités de temps.

quadrivium, *ii*, n. Carrefour. ¶ *Fig.* Ensemble de quatre sciences.

quadrivius, *a*, *um*, adj. De carrefour.

quadro, *as*, *avi*, *atum*, *are*, tr. Rendre carré, équarrir. ¶ *Fig.* Faire cadrer, compasser, symétriser. ¶ Achever, compléter. ¶ *Intr.* Etre carré *ou* symétrique. || Etre exact, cadrer avec.

quadrum, *i*, n. Carré. ¶ *Fig.* Régularité, symétrie.

quadrumanis. Voy. QUADRIMANIS.

1. quadrupedans, *antis*, adj. Qui marche avec quatre pieds. ¶ Qui galope.

2. quadrupedans, *antis*, m. Coursier.

quadrupedia, n. pl. Quadrupèdes.

quadrupedo, adv. Au galop.

quadrupedus, *a*, *um*, adj. Qui va sur quatre pieds.

1. quadrupes, *pedis*, adj. Qui a quatre pieds, qui va sur quatre pieds. ¶ Qui est à quatre pattes (qui s'appuie sur ses pieds et ses mains). ¶ Qui galope.

2. quadrupes, *pedis*, m. f. Quadrupède, animal à quatre pattes.

quadruplaris, *e*, adj. Quadruple.

quadruplator, *oris*, m. Celui qui quadruple. ¶ Celui qui grossit. || *Fig.* Celui qui exagère. ¶ Quadruplateur, délateur qui recevait le quart de la fortune de ceux qu'il accusait. ¶ Fermier des impôts (bénéficiant d'une remise d'un quart).

1. quadruplex, *plicis*, adj. Quadruple. ¶ Qui sont au nombre de quatre. ¶ Qui fait quatre fois. [PLUM.

2. quadruplex, *icis*, n. Comme QUADRUPLUM.

quadruplicatio, *onis*, f. Action de quadrupler.

quadruplicato, adv. Voy. le suivant.

quadrupliciter, adv. Quatre fois autant.

quadruplico, *as*, *avi*, *atum*, *are*, tr. Comme le suivant. [drupler.

quadruplo, *as*, *avi*, *atum*, *are*, tr. Quadrupler.

quadruplor, *aris*, *ari*, dép. intr. Faire le métier de quadruplateur.

quadruplum, *i*, n. Le quadruple.

quadruplus, *a*, *um*, adj. Quadruple.

quadruplator, *oris*, m. Comme QUADRUPLATOR.

quadrus, *a*, *um*, adj. Carré.

quadruvium. Voy. QUADRIVIUM.

quaerito, *as*, *avi*, *atum*, *are*, tr. Chercher constamment *ou* longtemps. ¶ Chercher à se procurer || Gagner (par son travail). ¶ S'informer, s'enquérir soigneusement de.

quaero, *is*, *sivi* ou *sii*, *situm*, *ere*, tr. Etre en quête (*ou* à la recherche) de. ¶ Chercher à se procurer. || Chercher à; tâcher de. || Attendre, demander, vouloir. || Regretter. ¶ *En parl. de ch.* Demander, exiger, requérir. ¶ Chercher dans son esprit; imaginer, inventer. ¶ Faire des recherches, chercher (par l'étude), rechercher. ¶ S'informer, s'enquérir. ¶ Faire une enquête, instruire (une affaire); poursuivre (en justice). || Mettre à la question.

quaesitio, *onis*, f. Recherche. ¶ Question, torture.

quaesitor, *oris*, m. Celui qui cherche. ¶ Celui qui fait une enquête judiciaire. || Juge criminel. ¶ Chercheur, sceptique.

quaesitum, *i*, n. Demande, question. ¶ Bien (acquis), avoir. Plur. *quaesita*, provision; *qqf.* gain.

1. **quaesitus**, *a*, *um*, p. adj. Cherché, recherché. ¶ Affecté. ¶ Insolite, extraordinaire. ¶ Délicat, exquis.

2. **quaesitus**, *us*, m. Recherche.

quaeso, *is*, *ivi*, *ere*, tr. Chercher *ou* rechercher. || Chercher à se procurer. ¶ *Ordin.* Demander, prier. *Quaeso*, s'il vous plaît; de grâce.

quaesticulus, *i*, m. Petit gain.

quaestio, *onis*, f. Action de chercher; recherche. ¶ Question à résoudre, problème; point à débattre. ¶ Question, interrogation. || Instruction, enquête judiciaire, interrogatoire. || Question, *c.-à-d.* torture. ¶ (*Méton.*) Procès-verbal. || Tribunal; juges.

quaestiuncula, *ae*, f. Petit problème; recherche peu importante.

quaestor, *oris*, m. Magistrat chargé d'une enquête; juge d'instruction. ¶ Questeur, comptable du trésor public, administrateur financier. ¶ *Sous l'empire.* Magistrat attaché à la personne de l'empereur. || *Sous Constantin.* Chancelier.

quaestoria, *orum*, n. pl. Questions.

quaestorium, *ii*, n. Tente du questeur (aux armées). || Résidence du questeur (en province).

1. **quaestorius**, *a*, *um*, adj. De questeur, de questure. ¶ Qui concerne le questeur. ¶ Qui a rang de questeur.

2. **quaestorius**, *ii*, m. Ancien questeur.

quaestuaria, *ae*, f. Qui trafique de son corps; courtisane. [trafique.

1. **quaestuarius**, *a*, *um*, adj. Dont on

2. **quaestuarius**, *ii*, m. Qui exerce une industrie. ¶ Mercenaire. [gensement.

quaestuose, adv. Avec profit; avantaquaestuosus, *a*, *um*, adj. Lucratif. ¶ Qui recherche le gain; âpre au gain. || Enrichi, riche.

quaestura, *ae*, f. Questure, charge de questeur. || (*Méton.*) Caisse du questeur.

quaestus, *us*, m. Action de rechercher. || Action d'obtenir en cherchant : gain, profit. || *Fig.* Utilité, avantage. ¶ Moyen de gagner, métier; industrie.

quale, *is*, n. Qualité (terme de logique).

qualibet (QUALUBET), adv. Par quelque endroit que ce soit; partout. ¶ De quelque manière que ce soit; par tous les moyens.

qualis, *e*, adj. Interr. Quel? de quelle sorte? ¶ *Relat.* Tel que; que. ¶ *Indéf.* Tel ou tel, d'une certaine sorte.

qualiscumque (QUALISCUNQUE), adj. relatif. Quelque... que. ¶ Quelconque.

qualislibet, adj. Quelconque, n'importe quel.

qualitas, *atis*, f. Qualité, manière d'être, nature. ¶ (*Gramm.*) Mode (d'un verbe).

qualiter, adv. De quelle manière, comme. ¶ Ainsi que, comme.

qualubet. Comme QUALIBET. [panier.

qualum, *i*, n. et **qualus**, *i*, m. Corbeille;

quam, adv. et conj. Que (dans une comparaison). *Tam doctus quam modestus*, aussi savant que modeste. *Doctior quam tu*, plus savant que toi. *Fortior est quam prudentior*, il est encore plus brave qu'habile. *Magis fortis quam prudens est*, il est plutôt brave qu'habile. *Die sexto quam...*, cinq jours après que. || Après un mot marquant différence : *contra faciunt quam ipsi professi sunt*, ils agissent autrement qu'ils ont annoncé. || Avec un superlatif. *Quam maxima* (*potest*) *voce clamat*, il crie le plus haut possible. Avec un positif. *Quam magnis itineribus Gergoviam contendit*, il se dirige sur Gergovie à marches forcées. ¶ *Interrog.* ou *exclam.* Que ! Combien ! A quel point !

quamde, adv. et conj. Que.

quamdiu, adv. interr. Combien de temps? Depuis quand? ¶ *Relatif.* Aussi longtemps que; tant que. || Pendant tout le temps que.

quamdudum (QUAM DUDUM), adv. Depuis combien de temps?

quamlibet, adv. Autant qu'on veut; à loisir. ¶ Quelque... que. ¶ Quoique.

quam magnus cumque, adj. indéf. Le plus grand possible.

quamobrem, adv. interr. Pour quelle raison? Pourquoi? ¶ *Relatif.* C'est pourquoi; ainsi; donc.

quamplures, *a*, adj. Voy. COMPLURES.

quamplurimus, *a*, *um*, adj. Le plus nombreux possible. ¶ Comme PLURIMUS. [temps? Voy. PRIDEM.

quampridem, adv. Depuis combien de

quamprimum, adv. Le plus tôt possible.

quamquam, conj. Quoique, bien que, encore que. ¶ Cependant, toutefois, d'ailleurs.

quamvis, adv. et conjonc. || *Adv.* Autant qu'on voudra, autant que. ¶ Autant que possible; extrêmement, infiniment. ¶ *Conj.* A quelque degré que;

quelque... que. ‖ Bien que, quoique.

quanam, adv. interr. Par où? ¶ *Fig.* Comment? Par quel moyen?

quandiu. Voy. QUAMDIU.

quando, adv. et conj. Quand (avec *ou* sans interr.). ¶ Lorsque, quand. ¶ Pour ALIQUANDO (après *num, ne, si*), quelquefois. ¶ Puisque, vu que.

quandoc, conj. Arch. p. QUANDOQUE.

quandocumque, conj. et adv. Tant que. ¶ Toutes les fois que. ¶ Quelque jour, c.-à-d. un jour ou l'autre.

quandolibet, adv. Un jour ou l'autre.

quandone, conj. Lorsque, quand.

quandoque, adv. et conj. Un jour, quelque jour, un jour ou l'autre. ¶ Quelquefois, parfois. ¶ Quand, lorsque. ¶ Puisque.

quandoquidem, conj. Puisque.

quanquam. Voy. QUAMQUAM.

quanti, gén. de QUANTUS. A quel prix? Combien? De quel prix? *Quanti quanti*, à tout prix.

quantillus, a, um, adj. Combien petit. ¶ Si petit qu'il soit. [temps?

quantisper, adv. Pendant combien de

quantitas, atis, f. Quantité.

quanto, adv. (ordin. avec un compar. ou un mot équivalent). ‖ *Interr.* Que? Combien? ¶ *Relat.* Autant que (après TANTO).

quantopere (QUANTO OPERE), adv. interr. Combien? A quel point? ¶ *Relat.* Autant que. ‖ Que (après TANTOPERE). [Aussi peu que.

1. **quantulum**, i, n. Combien peu? ¶

2. **quantulum**, adv. Aussi peu que.

quantuluscumque, acumque, umcumque, adj. De quelque grandeur que, si grand que. ¶ *Fig.* Si important que. ¶ *Au plur.* Si nombreux que.

quantuluslibet, lalibet, lumlibet, adj. Si petit qu'on voudra.

1. **quantum**, i, m. *Interr.* Combien de? ¶ *Relat.* Une aussi grande quantité que. ‖ Que (après TANTUM). *Interr.* Combien? ¶ *Relatif.* Que. [TANTUM.

2. **quantum**, adv. Autant.‖ Que (après

quantumcumque, adv. Autant que.

quantumlibet, adv. Autant qu'on voudr.

1. **quamtumvis**, adv. et conj. ¶ *Adv.* Autant qu'on voudra; extrêmement. ¶ *Conj.* Quoique, tout... que; quelque... que.

2. **quantumvis**, *quantivis*, n. Autant qu'on voudra; n'importe combien de... *quantus, a, um*, adj. interr. et exclam. Combien grand? De quelle grandeur? ¶ *Fig.* Combien important. Au plur. *Quanti*, combien nombreux? ¶ *Relatif.* Aussi grand que; que (après TANTUS).

quantuscumque, acumque, umcumque, adj. indéf. De quelque grandeur que; si grand que. ¶ *Fig.* Si important que. Au pl. *Quanticumque*, quelque nombreux que.

quantuslibet, alibet, umlibet, adj. Si

grand qu'il soit; aussi grand qu'on voudra. [QUE.

quantusquantus. Comme QUANTUSCUM-

quantusvis, *avis, umvis*, adj. indéf. Si grand qu'on voudra, si grand qu'il soit.

quapropter, adv. interr. Pour quelle raison? Pourquoi? ¶ *Relatif.* C'est pourquoi; pour cette raison.

quaqua, adv. Partout où. ¶ De quelque manière que. [Dans tous les sens.

quaquaversus ou **quaquaversum**, adv.

quasque, adv. Comme QUAQUA.

quare, adv. *Interr.* Pourquoi? Pour quelle raison? ¶ *Relat.* C'est pour cela que; c'est pourquoi; donc. ¶ Afin que par là, pour que par là.

quarta (s.-e. PARS), ae, f. La quatrième partie, le quart. ¶ (S.-e. HORA). La quatrième heure.

quartadecimani, orum, m. pl. Soldats de la quatorzième légion. quarte.

quartana (s.-e. FEBRIS), ae, f. Fièvre

quartanarius, a, um, adj. Qui forme le quart. ¶ Qui a la fièvre quarte.

quartani, orum, m. pl. Soldats de la quatrième légion.

quartanus, a, um, adj. Du quatrième. ¶ Du quatrième jour; qui revient tous les quatre jours. ¶ De la quatrième légion.

quartarius, ii, m. Le quart d'une mesure (p. ex. du SEXTARIUS). ¶ Pièce d'or valant le quart d'un AUREUS. ¶ Muletier à quart de solde.

quartato, adv. Pour la quatrième fois.

quarto, adv. Quatrièmement; en quatrième lieu. ¶ Pour la quatrième fois

quartodecimanus, a, um, adj. Relatif au quatorzième jour. Subst. *Quartodecimani*, m. pl. Hérétiques qui célébraient la fête de Pâques le quatorzième jour après la première nouvelle lune du printemps.

1. **quartum**, i, n. Le quart. [fois.

2. **quartum**, adv. Pour la quatrième

1. **quartus**, a, um, adj. Quatrième.

2. **quartus** (s.-e. LIBER), m. Le quatrième livre (d'un ouvrage). ¶ (S.-e. LAPIS). La quatrième borne milliaire. ¶ (S.-e. DIES) Le quatrième jour.

quartusdecimus, *adecima, umdecimum* adj. ordin. Quatorzième.

quasi, adv. et conj. Comme si. ¶ Comme de même que. ¶ Pour ainsi dire; à peu près.

quasillum, i, n. Comme le suivant.

quasillus, i, m. Corbeille. ¶ *Spéc.* Cor beille à laine (pour les fileuses).

quassabilis, e, adj. Qui peut être ébranlé ¶ Qui ébranle

quassatio. onis, .. Ebranlement, se cousse. ¶ Action de frapper (sur un instrument).

quassatura, ae, f. Coup, contusion. ¶ (Méton.) Membre contusionné.

quasso, as, avi, atum, are, tr. Secouer souvent *ou* vivement; agiter; brandir. ¶ Ebranler *ou* frapper violemment·

briser, endommager, casser. ¶ *Fig.*
Etourdir, troubler, déconcerter. ¶ *Fig.*
Branler, trembler.

1. **quassus**, *a, um*, p. adj. Brisé, cassé.
¶ Affaibli, abattu. ¶ Chancelant.

2. **quassus**, *us*, m. Secousse, ébranlement.

quatefacio, *is. feci, ere*, tr. Ebranler (fig.).

quatenus, adv. et conj. || *Interr.* Jusqu'à
quel lieu? || Jusqu'à quel moment?
|| *Fig.* Jusqu'à quel point? ¶ *Relat.*
Jusqu'au point où; aussi loin que.
¶ *Fig* Dans le mesure où, autant que.
¶ *Conj.* Puisque, étant donné que.
¶ Afin que.

quater, adv. Quatre fois.

quaterni, *ae, a*, adj. num. Quatre à la
fois *ou* chaque fois, quatre par quatre,
quatre pour chacun.

quaternio, *onis*, m. Le nombre quatre
(aux dés). ¶ Escouade de quatre soldats. ¶ Cahier de quatre feuilles *ou*
d'une feuille pliée en quatre. || Cahier.

quatinus. Voy. QUATENUS.

quatio, *is, quassum, ere*, tr. Secouer,
agiter. ¶ Ebranler, heurter, frapper.
|| Pousser. ¶ Enfoncer, briser, abattre.
¶ *Fig.* Troubler, inquiéter. ¶ Ruiner,
épuiser. ¶ *Qqf.* Attaquer.

quatriduanus. Voy. QUADRIDUANUS.

quatriduum. Voy. QUADRIDUUM.

quatrieris. Voy. QUADRIERIS.

quatuor, et mieux *quattuor*, adj.
num. indécl. Quatre.

quatuordecies (QUATUORDECIENS), adv.
num. Quatorze fois.   [torze.

quatuordecim, adj. num. indécl. Quatuorprimi, *orum*, m. pl. Les quatre
premiers décurions d'un municipe.

quatuorvir. Voy. QUATUORVIRI.

quatorviralis, *is*, m. Ancien quatorvir.

quatorviratus, *us*, m. Charge de quatuorvir.

quatorviri, *orum*, m. pl. A Rome. Les
quatre magistrats chargés de la surveillance de la voie publique. ¶ *En
provinces.* Les quatre premiers magistrats d'un municipe ou d'une colonie.

quaxo. Voy. COAXO.

que, conj. enclit. Et; et aussi; et en
général. ¶ Et, au contraire; mais.
¶ Et par conséquent. ¶ *Rar.* Ou.

queentia, *ae*, f. Puissance.

quemadmodum ou **quem ad modum**,
interr. De quelle manière? Comment?
¶ *Relatif.* De la manière que, de même
que, ainsi que, comme. ¶ Comme, par
exemple.   [manière que ce soit.

quemadmodumcumque,adv. De quelque

queo, *is, quivi* et *qui, quitum, quire*, tr.
Pouvoir; être en état de (faire telle
ou telle chose).

quercerus. Voy. QUERQUERUS.

quercetum, *i*, n. Chênaie, forêt de
chênes.

quercus, *a, um*, adj. De chêne.

querous, *us*, f. Chêne. || (Méton.) Couronne de chêne. || Gland. || Vaisseau.

|| Vase à boire. || Lance (en bois de
chêne).

querela, *ae*, f. Plainte, grief, reproche.
¶ Plainte en justice. ¶ Cri plaintif.
|| Roucoulement. ¶ (Au plur.) Cris
d'animaux, chants d'oiseaux. ¶ Douleur, souffrance. || Maladie.

querella. Comme QUERELA.   [missant.

queribundus, *a, um*, adj. Plaintif; gé-

querimonia, *ae*, f. Plainte, cri de douleur. ¶ Lamentation. ¶ Regrets. ¶
Plainte, grief. ¶ Dispute, brouille,
querelle. ¶ Souffrance, maladie.

queritor, *aris, ari*, dép. intr. Se plaindre
sans cesse.

querneus, *a, um*, adj. De chêne.

quernus, *a, um*, adj. De chêne.

queror, *eris, questus sum, queri*, dép.
intr. Se plaindre, gémir. || *En parl.
d'animaux*, Faire entendre un cri
plaintif. || *En parl. de ch.* Rendre des
sons plaintifs. ¶ Exprimer son mécontentement. ¶ *Tr.* Déplorer.

querquedula, *ae*, f. Sarcelle, oiseau.

querquera, *ae*, f. Fièvre.

querquerus, *a, um*, adj. Qui fait grelotter (en parl. de la fièvre).

querquetulanus, *a, um*, adj. De la forêt
de chênes. ¶ Ancienne épithète du
mont Cœlius, à Rome, et de la porte
qui se trouvait sur cette colline.

querquetum. Voy. QUERCETUM.

querqueus. Voy. QUERCEUS.

querulus, *a, um*, adj. Qui se plaint; qui
fait entendre un cri (*ou* un son) plaintif.
¶ Qui rend un son aigu *ou* criard.
¶ Qui se plaint; mécontent, morose.

ques, anc. nomin. pl. de 1. QUIS.

questio, *onis*, f. Action de se plaindre.

questus, *us*, m. Plainte, gémissement.
|| Chant plaintif d'un oiseau. ¶ Plainte,
reproche.

1. **qui**, *quae, quod*, pron. et adj. relatif.
Qui, que; lequel, laquelle. ¶ *Au comm.
d'une phrase.* Et (or, mais) celui-ci.
¶ *Adj. interr.* Quel? lequel? laquelle?
¶ *Pron. indét.* (après SI, NISI, etc.).
Quelque, quelqu'un, quelque chose.

2. **qui** (anc. abl. de QUIS), adv. interr.
De quelle manière? Comment? En
quoi? Pourquoi? Combien? ¶ *Relatif.*
De quoi, pourquoi, avec quoi, en quoi.
¶ *Indéf.* De quelque manière.

quis, conj. De ce que. ¶ Parce que.
¶ *Eccl.* Que.   [quoi donc?

quianam, adv. interr. Pourquoi? Pourquoi donc?

quiane, adv. Est-ce parce que? Est-ce
que?

quicqu... Voy. QUIDQU...

quicum. Pour CUM QUO.

quicumque (QUICUNQUE), *quaecumque,
quodcumque* (adj.) et *quidcumque*, pron.
¶ *Adj.* Tout; quel; quelque... que;
quel... que. ¶ *Pron.* Quiconque. ||
Toute personne qui. || Toute chose
qui...   [ment? Pourquoi?

quid, n. interr. Quoi? En quoi? Com-

quidam, *quaedam, quoddam* (adj.) et

quiddam (pron.). ¶ *Adj.* Certain. ‖ (Au plur.) Un certain nombre de. ¶ *Pron.* Une certaine personne; quelqu'un; une certaine chose.

quidem, adv. En vérité, certes, assurément. ¶ *Concessif.* A la vérité, sans doute. *Quidem certe*, ce qu'il y a de sûr du moins, c'est que; en tout cas. ¶ *Et... quidem*, et qui plus est. *Ne... quidem*, ne pas même; non plus.

quidnam. Voy. QUISNAM.

quidni ou **quid ni**, adv. interr. Pourquoi... ne pas?

quidpiam. Voy. QUISPIAM. ¶ *Adv.* En quelque chose, un peu.

quidquam. Voy. QUISQUAM.

quidque. Voy. QUISQUE.

quidquid. Voy. QUISQUIS.

quidum, adv. Comment cela?

quidvis. Voy. QUIVIS.

1. quies, *etis*, f. Repos. ¶ Répit, relâche, délassement. ¶ Repos de la nuit; sommeil. ¶ Repos éternel; mort. ¶ Tranquillité, calme, paix. ¶ (Méton.) lieu où l'on se repose. ¶ Nuit. ‖ Songe, rêve.

2. quies, *etis*, adj. Comme QUIETUS.

quiesco, *is, quievi, etum, ere*, intr. Se reposer, se délasser. ‖ Dormir. ¶ Se calmer, être en repos. ¶ Etre calme, inactif; rester tranquille. ¶ Ne pas s'opposer à; s'abstenir de. ¶ *Tr.* Faire cesser; cesser. [ment.

quiete, adv. Tranquillement; paisible-

quieto, *as, are*, tr. Mettre en repos.

quiestor, *aris, ari*, dép. tr. Comme QUIETO.

quietum, *i*, n. Le calme (de l'air).

quietus, *a, um*, adj. Qui est en repos; calme; tranquille; sans inquiétude. ¶ Qui est en paix, paisible. ¶ Inactif, neutre, indifférent. ‖ Libre de passion. ‖ Endormi. Subst. *Quieti*, les morts.

quilibet, *quaelibet, quodlibet* et *quidlibet*, adj. et pron. indéf. Quelconque. *Unus quilibet*, le premier venu. ¶ *Pron.* Qui l'on voudra, n'importe qui, n'importe quoi.

quin, adv. et conj. A cause de quoi ne... pas. ¶ Que... ne (après douter, empêcher, etc.). ‖ Sans que. ¶ *Adv.* Comment ne... pas? pourquoi ne... pas? Que... ne? ¶ *Avec un impér.* Eh ! bien ! Allons ! ‖ Bien plus. *Quin etiam* ou *quin immo*, bien plus. [de cinq.

quinalis, *e*, adj. Qui est au nombre

quinam, *quaenam, quodnam*, adj. interr. Quel... donc?

1. quinarius, *a, um*, adj. Relatif au nombre cinq. ‖ Qui vaut cinq.

2. quinarius (s.-e. NUMMUS), *ii*, m. Demi-denier.

quinctus, *a, um*, arch. p. QUINTUS.

quincuncialis, *e*, adj. Qui contient les cinq douzièmes d'un entier. ¶ Spéc. Qui a cinq pouces. ¶ Disposé en quinconce.

quincunx, *uncis*, m. Les cinq douzièmes de l'as. ¶ Les cinq douzièmes de l'unité. ‖ Poids de cinq onces. ‖ Mesure de capacité égale à cinq douzièmes de setier. ‖ Les cinq douzièmes d'un jugère. ¶ Le taux de cinq pour cent. ¶ Quinconce, manière de planter les arbres.

quincuplex, *icis*, adj. Quintuple.

quincupliciter, adv. Au quintuple.

quincuplico, *as, are*, tr. Quintupler.

quincuplum, *i*, n. Le quintuple.

quincuplus, *a, um*, adj. Quintuple.

quindecies, adv. Quinze fois.

quindecim, adj. num. indécl. Quinze.

quindecimprimi, *orum*, m. pl. Les quinze premiers sénateurs d'un municipe.

quindecimvir. Voy. QUINDECIMVIRI.

quindecimviralis, *e*, adj. De quindecimvir; quindecemviral.

quindecimviratus, *us*, m. Dignité de quindécemvir.

quindecimviri, *orum*, m. pl. Quindécemvirs, membre d'un collège ou d'une commission de quinze personnes.

quindeni, *ae, a*, adj. Quinze par quinze, quinze chaque fois ou pour chacun.

quinetiam. Voy. QUIN.

quingenarius, *a, um*, adj. Qui contient cinq cents unités. ¶ Spéc. Qui pèse cinq cents livres.

quingeni, *ae, a*, adj. Cinq cents par cinq cents, cinq cents pour chacun. ¶ Cinq cents.

quingentarius, *a, um*, adj. De cinq cents; composé de cinq cents unités.

quingentenarius, *a, um*, adj. Comme QUINGENARIUS. [GENI.

quingenteni, *ae, a*, adj. Comme QUIN-

quingentesimus, *a, um*, adj. Cinq centième.

quingenti, *ae, a*, adj. Cinq cents.

quingenties, adv. Cinq cents fois.

quini, *ae, a*, adj. Cinq par cinq, cinq chaque fois, cinq pour chacun. ¶ *Qqf.* Cinq.

quinideni, *quinaedenae, quinadena*, adj. distrib. Quinze par quinze.

quinimmo. Voy. QUIN.

quinio, *onis*, m. Nombre de cinq. ¶ Le coup de cinq aux dés.

quiniviceni, *ae, a*, adj. distrib. Vingt-cinq par vingt-cinq.

1. quinquagenarius, *a, um*, adj. Relatif au nombre cinquante; qui se compose de cinquante unités; qui vaut cinquante.

2. quinquagenarius, *ii*, m. Officier qui commande à cinquante homme.

quinquageni, *ae, a*, adj. Cinquante à la fois, cinquante par cinquante.

quinquagenus, *a, um*, adj. Voy. le précédent. [Comme QUINQUAGIES.

quinquagessies (QUINQUAGESIENS), adv.

quinquagesima, *ae*, f. Impôt du cinquantième. ¶ *Eccl.* La Pentecôte.

quinquagesimus, *a, um,* adj. Cinquantième. [somme de cinquante as.

quinquagessis, *is,* m. Cinquante as.

quinquagies (QUINQUAGIENS), adv. Cinquante fois. [quante.

quinquaginta, adj. num. indécl. Cinquinquangulum, *i,* n. Pentagone.

quinquatres, *ium,* m. pl. Voy. QUIN-QUATRUS. [QUATRUS.

quinquatria, *ium,* n. pl. Voy. QUIN-

quinquatrus, *uum,* f. pl. Quinquatries, fêtes de Minerve (célébrées cinq jours après les ides).

1. **quinque**, adj. num. indécl. Cinq.

2. **quinque**. Comme ET QUIN.

quinquefolium, *ii,* n. Quintefeuille, plante. [feuilles.

quinquefolius, *a, um,* adj. Qui a cinq

quinquejugus, *a, um,* adj. Qui a cinq sommets.

quinquelibralis, *e,* adj. De cinq livres.

quinquelibris, *e,* adj. Comme le précédent.

quinquemestris, *e,* adj. De cinq mois.

quinquenarius, *a, um,* adj. Comme QUINARIUS. [brées tous les cinq ans.

quinquennalia, *ium,* n. pl. Fêtes célé-

1. **quinquennalis**, *e,* adj. Qui a lieu tous les cinq ans; quinquennal. ¶ Qui est pour cinq ans; qui dure cinq ans.

2. **quinquennalis**, *is,* m. Quinquennal (magistrat d'un municipe qui restait cinq ans en charge).

quinquennatus, *u,* m. Age de cinq ans (chez un animal). [tous les cinq ans.

quinquennia, *um,* n. Fêtes célébrées

quinquennis, *e,* adj. De cinq ans; qui a cinq ans.

quinquennium, *ii,* n. Espace de cinq ans.

quinquepartitus, *a, um,* adj. Voy. QUIN-QUEPERTITUS. [cinq parties.

quinquepertitus, *a, um,* adj. Divisé en

quinqueplum, *i,* n. Voy. QUINCUPLUM.

quinqueprimi, *orum,* m. pl. Les cinq premiers magistrats d'un municipe.

1. **quinqueremis**, *e,* adj. Qui a cinq rangs de rames. [rangs de rames.

2. **quinqueremis**, *is,* f. Navire à cinq

quinquevir, *i,* m. Voy. QUINQUEVIRI.

quinqueviralicius, *a, um,* adj. Comme QUINQUEVIRALIS.

quinqueviralis, *e,* adj. Des quinquévirs; relatif aux quinquévirs. [fois.

quinquies (QUINQUIENS), adv. Cinq

quinqueviratus, *us,* m. La dignité de quinquévir.

quinqueviri, *orum,* n. pl. Quinquévirs, membres d'une commission de cinq personnes.

quinquies, adv. Cinq fois.

quintadecimani, *orum,* m. pl. Soldats de la quinzième légion.

quintana (s.-e. VIA), *ae,* f. Dans un camp romain, emplacement où était gardé le butin et situé entre le 5ᵉ et le 6ᵉ manipule. [cinquième légion.

quintani, *orum,* m. pl. Soldats de la

quintanus, *a, um,* adj. Appartenant au cinquième rang, à la cinquième division. ¶ *Spéc.* Placé de cinq en cinq. ¶ Qui tombe le cinq du mois.

quinto, adv. Cinquièmement; en cinquième lieu. ¶ Pour la cinquième fois.

quintum, adv. Pour la cinquième fois.

quintupl... Voy. QUINCUPL...

quintus, *a, um,* adj. Cinquième.

quinus, *a, um,* adj. Voy. QUINI.

quipiam, adv. De quelque manière.

quippe, adv. et conj. Certes, assurément oui. ‖ *Iron.* En vérité, sans doute. ¶ En effet, car. ¶ En tant que; à titre de. ¶ *Quippe qui,* puisque lui.

quippeni. Voy. QUIPPINI. [PIAM.

quippiam. Pour QUIDPIAM. Voy. QUIS-

quippini (QUIPPENI), adv. Pourquoi pas? Pourquoi non? ¶ Oui, assurément. [au secours.] ¶ Cri de détresse.

quiritatio, *onis,* f. Action d'appeler

quiritatus, *us,* m. Comme QUIRITATIO.

1. **quirito**, *as, atum, are,* intr. Appeler à l'aide; crier au secours. ¶ *Tr.* Se plaindre à haute voix de; déplorer à haute voix. ¶ Dire à haute voix, crier.

2. **quirito**, *as, are,* intr. Grogner (en parl. du porc). [1. QUIRITO.

quiritor, *aris, ari,* dép. intr. Comme

quirquir. Pour QUIRQUIR.

quirrito, *as, are,* intr. Comme 2. QUIRITO

1. **quis**, *quae, quod,* adj. interr. Quel, quelle, quel? ¶ *Adj. indéf.* Quelque.

2. **quis**, *quae* (ou *qua*), *quid,* pron. interr. Qui? quoi? que? ¶ *Pron. indéf.* Quelqu'un, quelque chose.

quisnam, *quidnam,* pron. interr. Qui donc? quoi donc?

quispiam, *quaepiam, quodpiam* (adj.) et *quidpiam* (*quippiam*), pron. Quelqu'un, quelque chose. ¶ *Adj.* Quelque, maint.

quisquam, *quaequam, quidquam* (ou *quicquam*), adj. et pron. indéf. Quelqu'un; quelque chose.

quisque, *quaeque, quodque* (adj.) et *quidque* (pron.), adj. et pron. indéf. ¶ *Pron.* Chacun. ¶ *Adj.* Chaque, tout. ¶ *Qqf.* Quiconque. Voy. QUICUMQUE.

quisquilia, *orum,* n. pl. Bagatelles.

quisquiliae, *arum,* f. pl. Tout ce qui tombe d'un arbre (branches, feuilles mortes). ¶ *Fig.* Rebut.

1. **quisquis**, *quaeque, quodquod,* adj. indéf. Quelconque; tout.

2. **quisquis**, *quidquid,* pron. indéf. Qui que ce soit qui; quiconque.

quivis, *quaevis, quodvis* (adj.) et *quidvis* (pron.), adj. et pron. indéf. ¶ *Adj.* N'importe quel; tout. ¶ *Pron.* Qui vous voudrez, n'importe qui; n'importe quoi. ‖ Le premier venu, le premier objet venu.

quiviscumque, *quaeviscumque, quodvis-cumque*. Comme QUIVIS.

1. **quo**, adv. interr. Où? (avec mouvement). ‖ *Fig.* Jusqu'à quel point? Dans quelle intention? Pourquoi?

2. **quo**, adv. relatif. Où (avec mouv.). ¶ Par suite de quoi; c'est pourquoi. ¶ *Conj.* Parce que. || Afin que par là, Pour que. ¶ (D'autant plus) que.

3. **quo**, adv. indéf. Quelque part (av. mouv.). ¶ De quelque manière.

1. **quoad**, adv. interr. et relat. ¶ *Interr.* Jusqu'où? || Jusqu'à quand? ¶ *Relat.* Aussi longtemps que; jusqu'à ce que. || Autant que; dans la mesure où.

2. **quoad**, prép. Quant à, pour ce qui est de, relativement à.

quoadusque, conj. Jusqu'à ce que.

quocirca, conj. C'est pourquoi; aussi.

quocumque, adv. Partout où, en quelque endroit que (av. mouvement).

quodammodo, adv. En quelque sorte.

quojas ou **quojatis**, e, adj. Voy. CUJAS.

1. **quojus**, a, um, adj. Voy. CUJUS.

2. **quojus**, arch. p. CUJUS, gén. de QUI ou de QUIS.

quolibet, adv. N'importe où (av. mouv.).

quom. Voy. CUM.

quominus, conj. Afin que par là ne... pas. ¶ (Après une expression marquant empêchement.) Que... ne...

quomodo, adv. interr. Comment. ¶ *Exclamat.* Comme! ¶ *Relat.* De la manière dont; comme. *Quomodo... sic* (ou *ita*)..., de même que..., de même...

quomodocumque, adv. De quelque façon que. ¶ D'une façon quelconque.

quomodolibet, adv. Comme le précédent. [donc?

quomodonam, adv. interr. Comment

quonam, adv. interr. Où donc? (av. mouvem.). ¶ *Fig.* Jusqu'à quel point donc?

quondam, adv. A un certain moment, une fois. || *Spéc.* Autrefois, jadis. || Un jour à venir, quelque jour. ¶ Quelquefois, parfois. [Puisque, comme.

quoniam, conj. Après que. ¶ *Ordin.*

quopiam, adv. Quelque part (avec mouvement).

quoquam, adv. Quelque part (av. mouvem.). ¶ *Fig.* Pour quelque chose, en vue de quelque chose.

1. **quoque**, adv. Aussi, encore, même.

2. **quoque**. Pour ET QUO.

quoqueversum. Voy. QUOQUOVERSUM.

quoqueversus. Voy. QUOQUOVERSUS.

quoquo, adv. Comme QUOCUMQUE.

quoquoversum. Comme le suivant.

quoquoversus, adv. De tous côtés; en tous sens (av. mouvement).

quor. Voy. CUR.

quorsum. Comme le suivant.

quorsus, adv. Dans quel sens? (avec mouvem.). ¶ *Fig.* A quelle fin? Dans quelle intention? || A quoi bon?

quot, adj. plur. indécl. || *Interr.* Combien nombreux? Combien de? ¶ *Relat.* Que (après *tot*, autant). || *Absol.* Tous les; chaque. [ans.

quotannis, adv. Chaque anné , tous les

quotcumque, adj. plur. indécl. Quelque nombreux que.

quoteni, as, a. adj. distrib. Combien (chaque fois)? Combien à la fois? Combien pour chacun?

quotennis, e, adj. De combien d'années?

quotidiano, adv. Chaque jour.

quotidianus, a, um, adj. De chaque jour; quotidien. ¶ *Fig.* De tous les jours, c.-à-d. habituel, commun ou vulgaire. [jours.

quotidie, adv. Chaque jour; tous les

quotidio, adv. Comme le précédent.

quotiens. Voy. QUOTIES.

quoties (QUOTIENS), adv. interr. Combien de fois? ¶ *Relat.* Toutes les fois que, aussi souvent que. || Que (après *toties*, autant de fois).

quotiescumque (QUOTIENSCUMQUE), adv. Toutes les fois que; aussi souvent que.

quotieslibet (QUOTIENSLIBET), adv. Autant de fois qu'on voudra.

quotlibet, adj. plur. indécl. Autant (ou aussi nombreux) qu'on voudra.

quotquot, adj. plur. indécl. Quelque nombreux que; aussi nombreux que. ¶ Tous les, chaque.

quotus, a, um, adj. Quantième? Quel rang ayant? quel ordre occupant?

quotuscumque, acumque, umcumque, adj. indéf. Quel que soit (le rang occupé). || Si petite que soit (la fraction).

quotuslibet, alibet, umlibet, adj. indéf. Formant telle fraction qu'on voudra.

quotusquisque, aquaeque, umcumque, adj. interr. En quel (petit) nombre? Combien peu?

quousque, adv. *Interr.* Jusqu'où. || Jusqu'à quand? ¶ *Relat.* Jusqu'où; aussi loin que. || *Fig.* Autant que. [voudra.

quovis, adv. N'importe où; où l'on

quum. Voy. CUM.

R

r, **r**, 17e lettre de l'alph. latin. || Abrév. R=Rufus ou Romanus, recte, regnum, reficiendum, etc. RR=relationes relatae; RP=respublica.

rabide, adv. Avec rage (fig.); furieusement.

rabidus, a, um, adj. Enragé, atteint de la rage. ¶ (Par ext.) Furieux; forcené. || *Spéc.* En proie au délire pro-

phétique. ¶ *En parl. de ch.* Effréné, excessif.

rabies, ei, f. Rage. ¶ *Par ext.* Fureur, frénésie. || *Spéc.* Délire prophétique. || Fureurs amoureuses. ¶ *Fig.* Fureur, rage (des éléments).

1. **rabio**, is, ere, intr. Etre enragé, être en fureur; faire rage.

2. **rabio**, are, intr. Comme le précédent.

rabiose, adv. Avec rage.   [furieux.
rabiosulus, *a*, *um*, adj. Quelque peu
rabiosus, *a*, *um*, adj. Enragé; atteint
de la rage. ¶ *Par ext.* Furieux; féroce.
1. **rabo**, *onis*, m. Comme ARRHABO.
2. **rabo**, *is*, *ere*, intr. Voy. 1. RABIO.
rabula, *ae*, m. Braillard (mauvais avocat).   [du tigre].
racco, *as*, *are*, intr. Hurler (en parl.
racemarius, *a*, *um*, adj. A grappes.
racematio, *onis*, f. Récolte des grappes
laissées par les vendangeurs.
racematus, *a*, *um*, p. adj. Qui a des
grappes.
racemifer, *fera*, *ferum*, adj. Qui porte
des grappes. ¶ Couronné de grappes
ou de pampres.
racemosus, *a*, *um*, adj. Qui a beaucoup
de grappes. ¶ Qui a la forme d'une
grappe.
racemus, *i*, m. Râpe, rafle (de raisin).
¶ (Méton.) Grappe de raisin (avec les
grains). ¶ *En gén.* Grappe. || Raisin. ||
Jus de raisin, moût, vin.
radians, *antis*, p. adj. Eclatant (pr. et
fig.). ¶ Subst. *Radians*, *antis*, m. Le
soleil.
radiatio, *onis*, f. Rayonnement; éclat.
radiatus, *a*, *um*, p. adj. Qui a des rayons
(comme une roue). ¶ Rayonnant,
lumineux, radieux.
radicesco, *is*, *ere*, intr. Prendre racine.
radicitus, adv. Avec la racine, jusqu'à
la racine. ¶ *Fig.* Radicalement; complètement.   (pr. et fig.).
radico, *as*, *are*, intr. Jeter des racines
radicor, *aris*, *atus sum*, *ari*, dép. intr.
Prendre racine, pousser des racines;
s'enraciner (pr. et fig.).   [de racines.
radicosus, *a*, *um*, adj. Qui a beaucoup
radicula, *ae*, f. Petite racine (pr. et
fig.). ¶ (*Spéc.*) Saponaire (plante).
|| Radis.
radio, *as*, *avi*, *atum*, *are*, intr. Lancer
des rayons, rayonner; étinceler (pr.
et fig.). ¶ *Tr.* Faire rayonner (pr. et
fig.). Au passif. *Radior*, je rayonne.
radiolus, *i*, m. Petit rayon. ¶ Sorte
d'olive oblongue. ¶ Sorte de fougère.
radiosus, *a*, *um*, adj. Rayonnant, radieux.
radius, *ii*, m. Baguette. || Bâton; piquet.
¶ *Spéc.* Rayon (d'une roue). || Baguette
de géomètre. || Navette. || Radius, œs
de l'avant-bras. || Dard, arme de cer-
tains poissons. || Ergot (de certains
oiseaux). || Sorte d'olive oblongue.
¶ Rayon de cercle, demi-diamètre.
|| Rayon lumineux. || Carreau (de la
foudre).
radix, *icis*, f. Racine. || *Spéc.* Racine
(*en gén.* comestible). || Réglisse. || Rai-
fort; radis. || Saponaire. ¶ (*Par ext.*)
Partie basse d'un objet; pied (d'une
montagne). ¶ *Fig.* Racine, c.-à-d.
principe, origine.
rado, *is*, *rasi*, *rasum*, *ere*, tr. Gratter,
racler. || Ratisser. ¶ Nettoyer en ra-

ciant, lisser, polir, limer. || *Fig.* Polir,
c.-à-d. retoucher. ¶ Enlever en grattant, effacer. ¶ *Spéc.* Raser, tondre.
¶ Déchirer, blesser. ¶ *Fig.* Blesser,
choquer, offenser. ¶ Raser, c.-à-d.
effleurer, frôler, côtoyer.
radula, *ae*, f. Racloir, grattoir.
raed... Voy. RED...
ragad... Voy. RHAGAD...
raja, *ae*, f. Raie, poisson.
rallum, *i*, n. Racloir (de charrue).
rallus, *a*, *um*, adj. A poil ras (en parl.
d'une étoffe).
ramale, *is*, n. Ramée, branchage.
ramalis, *e*, adj. De branchage.
ramen, *minis*, n. Comme RAMENTUM.
ramenta, *ae*, f. Voy. RAMENTUM.
ramentum, *i*, n. Raclure; sciure; limaille. ¶ *Fig.* Parcelle.   [rameaux.
rameus, *a*, *um*, adj. De branches; de
ramex, *icis*, m. Hernie; varicocèle.
¶ (Au plur.) *Ramices*, vaisseaux dans
les poumons. || (*Méton.*) Poumon.
ramicosus, *a*, *um*, adj. Qui a une hernie.
ramosus, *a*, *um*, adj. Branchu; touffu.
¶ *Fig.* Embrouillé.
ramulosus, *a*, *um*, adj. Qui a beaucoup
de menues branches.
ramulus, *i*, m. Petite branche; brindille.
ramus, *i*, m. Branche, rameau. ¶ *Spéc.*
Branche coupée; gourdin, bâton, mas-
sue. || *Méton.* Arbre. || Feuillage. || Fruit
(des arbres). || Encens (produit de
certains arbrisseaux). ¶ (Par anal.)
Ramification. || Rameau (d'une mon-
tagne). || Bras (d'un cours d'eau). || (Au
plur.) *Rami*, les deux branches de Y
(symbole des deux chemins qui s'of-
frent à l'homme dans sa vie). || *Fig.*
Rameau, branche (en généalogie).
ramusculus, *i*, m. Petit rameau (pr.
et fig.).
rana, *ae*, f. Grenouille. || *Péjor.* Homme
de rien. ¶ Nom d'un poisson; bau-
droie. ¶ Ranule, grenouillette, maladie
de la langue chez les animaux.
rancens, *entis*, p. adj. Rance.
ranceso, *is*, *ere*, intr. Devenir rance,
rancir.
rancidulus, *a*, *um*, adj. Un peu rance.
¶ *Fig.* Désagréable, déplaisant, chô-
quant.   [plaisant, désagréable.
rancidus, *a*, *um*, adj. Rance. ¶ *Fig.* Dé-
rancor, *oris*, m. Rancidité. ¶ *Fig.* Ran-
cœur.
ranula, *ae*, f. Petite grenouille. ¶ (*Méd.*)
Ranule, grenouillette (affection de la
langue, chez les animaux).
ranunculus, *i*, m. Petite grenouille.
¶ *Fig.* Habitant d'un pays marécageux. ¶ Renoncule, plante.
rapa, *ae*, f. Voy. RAPUM.   [voleurs.
rapacida, *ae*, m. Qui est de la race des
rapacitas, *atis*, f. Rapacité. ¶ Penchant
au vol.
rapax, *acis*, adj. Qui saisit, qui emporte,
ravisseur. || *Fig.* Qui saisit rapidement,
qui s'assimile. ¶ *Péjor.* Porté à pren-

dre; voleur, rapace, ravisseur.‖ Avide, cupide, intéressé.

raphaninus, *a*, *um*, adj. De raifort.

raphanus, *i*, f. Raifort.

rapici, *orum*, m. pl. Jeunes tiges de raves

rapicius, *a*, *um*, adj. De rave.

rapide, adv. Rapidement.

rapiditas, *atis*, f. Rapidité.

rapidus, *a*, *um*, adj. Qui saisit et entraîne; ravisseur.‖ Dévorant (en parl. du feu). ¶ *Par ext.* Rapide, impétueux.

1. **rapina**, *ae*, f. Action d'emporter. ‖ Rapine, pillage, rapt. ¶ (Méton.) Ce qu'on emporte : proie, butin.

2. **rapina**, *ae*, f. Champ *ou* carré de raves. ¶ (Méton.) Rave.

rapinator, *oris*, m. Pillard.

rapio, *is*, *rapui*, *raptum*, *ere*, tr. Saisir vivement (pr. et fig.); se saisir de; mettre la main sur. ‖ Saisir au vol. ‖ Entraîner (avec soi). ‖ Faire avancer rapidement. ¶ Entraîner de force, ravir, arracher. ‖ Voler, soustraire. ‖ Piller, mettre au pillage. ¶ Emporter, ravir, *c.-à-d.* faire mourir. ¶ *Fig.* Ravir, *c.-à-d.* attirer à soi, captiver, charmer. ‖ Entraîner. ¶ Faire en hâte, accomplir rapidement. ‖ Accélérer, hâter. ‖ Parcourir rapidement.

rapo, *onis*, m. Ravisseur; voleur.

raptatio, *onis*, f. Action d'enlever.

raptator, *oris*, m. Comme RAPTOR.

raptatus, *us*, m. Comme RAPTATIO.

raptim, adv. En prenant. ¶ En (toute) hâte; précipitamment.

raptio, *onis*, f. Enlèvement, rapt.

rapto, *as*, *avi*, *atum*, *are*, tr. Entraîner rapidement *ou* de force. ¶ Traîner en tous sens (pr. et fig.). ¶ Saccager, piller, voler.

raptor, *oris*, m. Celui qui attire à soi *ou* qui entraîne. ‖ *Spéc.* Celui qui enlève, qui commet un rapt; ravisseur, voleur.

raptus, *us*, m. Action de ravir *ou* d'entraîner. ‖ Enlèvement, rapt. ‖ Pillage, brigandage. ¶ (Méd.) Convulsion, spasme.

rapulum, *i*, n. Petite rave.

rapum, *i*, n. Rave. ¶ *Par ext.* Bulbe (d'une racine).

rare, adv. D'une manière clairsemée; en laissant des intervalles. ¶ Rarement, peu souvent.

rarefacio, *is*, *feci*, *factum*, *ere*, tr. Raréfier, rendre moins dense. ¶ Ameublir (la terre).

rarefio, *is*, *factus sum*, *fieri*, passif. Se raréfier; devenir moins dense.

rarenter, adv. Rarement.

raresco, *is*, *ere*, intr. Devenir moins compact, moins dense, moins serré. ‖ Se résoudre, se désagréger. ‖ Se dissiper. ‖ S'ouvrir. ¶ Devenir rare.

raritas, *atis*, f. Faible densité, porosité, vide. Au plur. *Raritates* (méton.), ouvertures. ¶ Petit nombre rareté. ‖ (Méton.) Chose rare, rareté.

raritudo, *dinis*, f. Comme RARITAS.

raro, adv. Rarement, peu souvent. ‖ De temps à autre.

rarus, *a*, *um*, adj. Peu dense, peu serré; poreux. ¶ Clairsemé, espacé; disséminé; isolé. ‖ Peu nombreux, rare. ¶ Peu fréquent; qui fait rarement une chose. ¶ Rare, *c.-à-d.* peu commun, extraordinaire.

rasilis, *e*, adj. Raboté, poli, lisse. ¶ *Par anal.* Nu, sans végétation.

rasito, *as*, *avi*, *are*, tr. Raser souvent *ou* ordinairement.

rastellus, *i*, m. Petit rateau.

raster, *tri*, m. Instrument pour ratisser. ¶ Rateau, hoyau.

rastrum, *i*, n. Comme le précédent.

rasura, *ae*, f. Action de racler. ‖ Action de raser. ¶ (Méton.) Raclure, rognure. ‖ Grattage. [de ratisser.

rasus, abl. *u*, m. Action de racler *ou*

rata (s.-e. PARS *ou* PORTIO), *ae*, f. Rapport mathématique.

rataria, *ae*, f. Voy. RATIARIA.

rate, adv. D'une façon certaine, définitive.

ratiaria, *ae*, f. Radeau.

ratio, *onis*, f. Compte, calcul. ‖ (Méton.) Statistique, relevé. ‖ Compte, *c.-à-d.* somme, montant, total. ¶ Maniement des affaires. Au plur. *Rationes*, affaires, intérêts. ¶ *Fig.* Calcul, *c.-à-d.* action de faire entrer en compte. ¶ Relation *ou* rapport. ‖ Égard, considération; souci. ¶ Action de peser, *d'où* délibération, réflexion. ‖ Raisonnement, argument, démonstration. ‖ (Méton.) Raisonnement (faculté), raison; discernement. ¶ Manière de se conduire (d'après un raisonnement); conduite, marche suivie; plan, méthode, règle. ‖ Proportion, harmonie. ‖ Ordre des choses; disposition méthodique. ‖ Genre, manière, sorte, espèce. ¶ Direction donnée à l'esprit; tendance, intention; opinion, avis. ¶ Principe, système. ‖ Théorie, science. ¶ Motif, raison d'agir.‖ Cause, raison, motif, mobile.

ratiocinatio, *onis*, f. Raisonnement (réfléchi). ‖ Argumentation philosophique. ‖ Syllogisme. ¶ *Fig. de rhét.* Subjection, action de se poser une question. ¶ Théorie (*opp. à* pratique).

ratiocinativus, *a*, *um*, adj. De raisonnement. ¶ Où l'on emploie le raisonnement. ¶ Qui indique un raisonnement.

ratiocinator, *oris*, m. Calculateur, comptable. ¶ *Fig.* Appréciateur.

ratiocinor, *aris*, *atus sum*, *ari*, dép. tr. Calculer, compter. ¶ *Fig.* Calculer, réfléchir. ¶ Raisonner, déduire; conclure. [de raison. ¶ Rationnel.

rationabilis, *e*, adj. Raisonnable, doué

rationale, *is*, n. Pectoral du grand prêtre (chez les Juifs). [table.

1. **rationalis**, *is*, m. Calculateur, comptable.

2. **rationalis**, *e*, adj. Relatif au calcul. ¶ Relatif à la raison *ou* au raisonne-

ment. || Doué de raison, raisonnable. || Où intervient la raison, rationnel, logique; théorique. [Rationnellement.

rationaliter, adv. Raisonnablement. ¶

rationarium, ii, n. Statistique. ¶ Etat, relevé. [calcul.

1. **rationarius, a, um,** adj. Relatif au

2. **rationarius, ii,** m. Comptable, teneur de livres.

1. **ratis, is,** f. Train de bois, radeau. || (Méton.) Pont volant (fait avec des radeaux). ¶ (Par ext.) Poét. Bateau, navire. [Voy. PTERIS.

2. **ratis, is,** f. Nom gaulois d'une plante.

ratiuncula, ae, f. Petit compte. ¶ Raisonnement sans valeur.

ratus, a, um, p. adj. Déterminé (par le calcul), calculé. ¶ Par ext. Déterminé, réglé. || Fixe, constant. ¶ Ratifié, confirmé. || Qui s'effectue ou se réalise. || En parl. de pers. Résolu, c.-à-d. décidé.

raucitas, atis, f. Enrouement. ¶ Son rauque.

raucus, a, um, adj. Enroué. ¶ Rauque. ¶ Dont le son est sourd; caverneux.

1. **raudus, eris,** n. Morceau de bronze brut, servant de monnaie.

2. **raudus, i,** m. Comme le précédent.

raudusculum, i, n. Petit morceau de bronze brut servant de monnaie. ¶ Par ext. Petite somme. [de parler.

1. **ravio, as, are,** intr. S'enrouer à force

2. **ravio, is, ire,** intr. Comme le précédent.

ravis (acc. im), f. Enrouement.

1. **ravus, a, um,** adj. Gris jaunâtre.

2. **ravus, a, um,** adj Comme RAUCUS.

re ou **red,** préfixe insép. Marquant mouvement en arrière ou opposition, retour à un état antérieur ou répétition, etc.

rea, ae, f. Accusée.

reapse, adv. En réalité.

reatus, us, m. Etat d'accusation; prévention. || (Méton.) Extérieur (négligé) d'un accusé. ¶ Faute, crime. || Eccl. Péché.

reballatio, onis, f. Révolte; rébellion.

reballatrix, tricis, f. Celle qui se révolte.

1. **rebellio, onis,** f. Reprise des hostilités (par les vaincus); soulèvement; insurrection.

2. **rebellio, onis,** m. Celui qui reprend les hostilités contre le vainqueur ou l'oppresseur; rebelle.

rebellis, e, adj. Qui recommence la guerre; qui se révolte; rebelle; insurgé; révolté. ¶ Fig. Rebelle, c.-à-d. indocile.

rebello, as, avi, atum, are, intr. Reprendre les armes (en parl. de vaincus); s'insurger, se révolter. ¶ Se montrer indocile.

rebito, is, ere, intr. Revenir.

reboo, as, are, intr. Répondre par un cri à un cri, par un mugissement à un mugissement, etc. ¶ (En gén.) Retentir, renvoyer un son. ¶ Tr. Faire retentir.

recalcitro, as, avi, are, intr. Regimber,

ruer. || Ne pas se laisser aborder. ¶ Etre récalcitrant ou entêté.

recalco, as, atus, are, tr. Fouler de nouveau. ¶ Fig. Renouveler, répéter.

recalefacio et recalfacio, is, feci, factum, ere, tr. Réchauffer (pr. et fig.).

recalefio et recalfio, is, factus sum, fieri, passif. Se réchauffer.

recaleo, es, ere, intr. Retrouver sa chaleur, se réchauffer (pr. et fig.).

recalesco, is, calui, ere, intr. Se réchauffer (pr. et fig.).

recalf... Voy. RECALEF... [dégarni.

recalvaster, tri, m. Celui qui a le front

recalvatio, onis, f. Calvitie du devant de la tête, du front.

recalvus, a, um, adj. Qui a le front haut et chauve.

recandesco, is, candui, ere, intr. Devenir ou redevenir blanc; blanchir. ¶ Redevenir chaud. || Fig. Se rallumer.

recano, is, ere, tr. Répondre par un chant. || Chanter (de façon à rappeler). ¶ Détruire un enchantement.

recanto, as, are, intr. Répondre par un son; faire écho. ¶ Tr. Répéter en chantant. ¶ Rétracter, retirer; désavouer. ¶ Désensorceler.

recedo, is, cessi, cessum, ere, intr. Se retirer, faire retraite. || Reculer. ¶ Se séparer, s'éloigner de. ¶ Fig. Etre en retrait ou en renfoncement; rentrer. ¶ Disparaître. ¶ Renoncer à. ¶ Se mettre en désaccord avec.

1. **recens, entis,** adj. Qui dégoutte de, mouillé. — a vulnere, dont la blessure saigne encore. ¶ Encore humide, frais. ¶ Par ext. Neuf, nouveau, récent. ¶ Qui arrive de, frais émoulu ou débarqué. ¶ Moderne. ¶ Frais, dispos.

2. **recens,** adv. Fraîchement, tout nouvellement.

recenseo, es, censui, censitum et censum, ere, tr. Faire le recensement ou le dénombrement de. || Passer en revue. ¶ En gén. Parcourir successivement. || Enumérer, détailler. || Absol. Raconter. ¶ Faire la révision de; retoucher (une œuvre littéraire). [sement.

recensio, onis, f. Dénombrement, recen-

recensitio, onis, f. Recensement des esclaves. ¶ Fig. Action de repasser (sur un texte); action de relire.

recenso, as, are, tr. Comme RECENSEO.

recensus, us, m. Recensement (pour la distribution du blé). ¶ Fig. Examen de conscience. [ment, récemment.

recenter, adv. Fraîchement, nouvelle-

receptaculum, i, n. Réceptacle, magasin, entrepôt. || Réservoir.

receptator, oris, m. Qui recèle, recéleur.

receptio, onis, f. Action de recevoir. ¶ Action de se réserver par contrat.

recepto, as, avi, atum, are, tr. Reprendre, ressaisir (pr. et fig.). — se, se retirer, se reculer. ¶ Recouvrer. ¶ Recevoir ordinairement (chez soi).

receptor, oris, m. Celui qui reprend ou

reconquiert. ‖ Celui qui délivre. ¶ Celui qui donne asile à.‖ *Fig.* Recéleur.

receptorius, *a, um,* adj. Qui sert d'asile. ◦ Qui recèle.

receptrix, *icis,* f. Celle qui reçoit *ou* recueille. ¶ Recéleuse.

1 receptus, *a, um,* p. adj. Reçu, c.-à-d. usité, habituel. *Sequi recepta,* se conformer à l'opinion commune.

2. receptus, *us,* m. Action de reprendre, de retirer. ‖ *Fig.* Rétractation. ¶ Action de se retirer. ‖ Retraite. ‖ Recul. ‖ Reflux. ¶ Recours. ¶ (Méton.) Lieu où l'on se retire, retraite, asile, refuge. ¶ *Fig.* Ressource.

recessa, *ae,* f. Reflux (de la mer).

recessim, adv. A reculons.

recessio, *onis,* f. Action de se retirer. ¶ *Fig.* Répudiation.

1. recessus, *a, um,* p. adj. Retiré, écarté.

2. recessus, *us,* m. Action de s'éloigner; retraite (pr. et fig.). ¶ Reflux. ‖ *Milit.* Retraite. ¶ (Méton.) Retraite, lieu retiré. ‖ Enfoncement, creux. ‖ Solitude. ‖ *Fig.* Repli (de l'âme).

recidivus, *a, um,* adj. Qui tombe en arrière, qui retombe. ¶ *Fig.* Qui se relève, qui repousse, qui renaît.

1. recido, *is, reccidi,* part. fut. *recasurus, ere,* intr. Retomber à, retourner à. revenir (en parl. de la fièvre). ¶ Avoir une rechute. ¶ Tomber. ‖ *Fig.* Echoir à, être dévolu à. ¶ Tomber, coïncider avec.

2. recido, *is, cidi, cisum, ere,* tr. Rogner, raccourcir, tailler. ¶ *Fig.* Retrancher, amoindrir; supprimer.

recingo, *is, cinxi; cinctum, ere,* m. Dénouer, détacher; ôter sa ceinture. *Recingi,* se déshabiller. ¶ Renouer. *Recingi,* se rhabiller, s'équiper de nouveau; reprendre du service.

recini... Voy. RICINI...

recino, *is, ere,* intr. Résonner, retentir. ¶ *Tr.* Répéter, redire. ¶ Se rétracter; chanter la palinodie.

reciper... Voy. RECUPER...

recipio, *is, cepi, ceptum, ere,* tr. Rentrer en possession de, reprendre, recouvrer. ‖ *Particul.* Reprendre de la nourriture se remettre à manger. ‖ *Fig.* — *se,* se rétablir; reprendre ses sens; se remettre. ¶ Ramener en arrière; faire battre en retraite. — *se,* se retirer, faire retraite; s'en aller. ¶ Ramener. ¶ Recevoir, accueillir (pr. et fig.). ¶ Conquérir, s'emparer de. ¶ Recevoir chez soi; héberger; faire place (à qqn auprès de soi). ¶ Accepter, adopter, accueillir. ¶ Tirer, retirer, prendre (pr. et fig.). ¶ Prendre sur soi; se charger de. Absol. *Recipio,* j'en réponds; je le prends sur moi. ¶ Excepter, se réserver (par contrat, etc.).

reciprocatio, *onis,* f. Mouvement alternatif *ou* réciproque. ‖ Rétrogradation.

¶ *Fig.* Réciprocité. ‖ *Gramm.* Action réfléchie.

reciprocatus, *us,* m. Comme le précédent

reciproce, adv. En allant et venant, alternativement, ¶ Inversement.

reciproco, *as, avi, atum, are,* tr. Pousser d'un mouvement alternatif : faire aller et venir. ¶ *Fig.* Rendre réciproque. ‖ Au passif. *Reciprocari,* être pris dans le sens inverse. ¶ *Intr.* Avoir un flux et un reflux. ¶ Rétrograder, refluer.

reciprocus, *a, um,* adj. Qui va et vient, alternatif, réciproque. ¶ *Fig.* Qu'on peut retourner, qu'on peut prendre dans un sens inverse. ¶ Rétrograde, qui recule. ¶ *Gramm.* Réfléchi. ‖ Qu'on peut lire dans les deux sens. — *versus,* vers rétrograde, qui lu à rebours, présente le même mètre.

recisamen, *minis,* n. Rognure; brindille.

recisamentum, *i,* n. Rognure.

recisio, *onis,* f. Action de couper *ou* de rogner.

recisus, *a, um,* p. adj. Coupé, rogné. Subst. *Recisi,* les eunuques. ¶ Ecourté, abrégé. ‖ Court.

recitatio, *onis,* f. Lecture à haute voix. ‖ Lecture de documents judiciaires. ¶ Lecture publique (d'une œuvre littéraire).

recitator, *oris,* m. Celui qui lit à haute voix. ¶ Lecteur de documents judiciaires. ¶ Auteur qui lit publiquement ses œuvres.

recito, *as, avi, atum, are,* tr. Lire à haute voix (un acte, une loi, des documents); donner lecture de; faire une lecture publique. ¶ Prononcer. ¶ Débiter, déclamer, réciter. ¶ *Qqf.* Faire repousser.

reclamatio, *onis,* f. Cris répétés; cris d'improbation. ¶ Désapprobation, protestation, opposition.

reclamito, *as, are,* intr. Se récrier contre, protester.

reclamo, *as, avi, atum, are,* intr. Se récrier, protester contre, réclamer. ¶ S'écrier. ¶ *Poét.* Faire écho; résonner, ¶ *Tr.* Appeler en criant. ‖ Répéter retire.

reclinis, *e,* adj. Penché *ou* renversé en arrière. ¶ Etendu sur; appuyé sur.

reclino, *as, avi, atum, are,* tr. Pencher *ou* incliner sur, coucher, appuyer sur. Au passif *reclinari,* se pencher (vers *ou* sur qqn). ¶ *Fig.* Donner du repos, du relâche. ¶ *Intr.* Etre couché, reposer.

reclinus, *a, um,* adj. Voy. RECLINIS.

reclivis, *e,* adj. Incliné; qui est en pente.

recludo, *is, clusi, clusum, ere,* tr. Ouvrir. ¶ Découvrir, mettre à nu; *fig.* révéler. ¶ Ouvrir, c.-à-d. percer, fendre, creuser. ¶ Refermer. ‖ Fermer, enfermer; emprisonner. ¶ *Fig.* Tenir secret, cacher. ‖ Dénier, interdire.

reclusio, *onis,* f. Ouverture.

recluso, *as, are,* tr. Rouvrir.

recogitatio, *onis,* f. Réflexion.

récogitatus, *us,* m. Comme le précédent.

recogito, *as, avi, are,* intr. Repasser dans son esprit. ¶ Réfléchir, examiner.

recognitio, *onis,* f. Action de reconnaître, reconnaissance. ¶ Revue, inspection, vérification.

recolligo, *is, legi, lectum, ere,* tr. Rassembler, réunir. ¶ Ressaisir, reprendre. — *se,* se remettre. ¶ Ramener, réconcilier. ¶ Retrouver (ses souvenirs), se rappeler. ¶ Retirer. — *se,* se retirer.

1. recolo, *as, are,* tr. Filtrer de nouveau.

2. recolo, *is, colui, cultum, ere;* tr. Cultiver de nouveau; recommencer à exploiter. ¶ Habiter de nouveau. ¶ Visiter de nouveau (un endroit). ¶ Recommencer, renouveler, restaurer, remettre en honneur. ¶ Repasser dans sa mémoire, se rappeler. ‖ Réfléchir à.

recomminiscor, *eris, minisci,* dép. tr. Se remettre en mémoire, se rappeler.

recompono, *is, positum, ere,* tr. Remettre en place. ‖ Rajuster. ¶ *Fig.* Remettre en état; réconforter.

reconciliatio, *onis,* f. Action de rétablir, de ramener. ¶ Réconciliation, rapprochement. ¶ *Eccl.* Retour au giron de l'église.

reconciliator, *oris,* m. Celui qui rétablit (la paix); réconciliateur. [cille.

reconciliatrix, *icis,* f. Celle qui réconcilie.

reconcilio, *as, avi, atum, are,* tr. Rapprocher, réunir. ‖ Rétablir. ¶ Guérir. ¶ Ramener, réconcilier. *Reconciliari,* se réconcilier. ¶ Remettre en ordre. ¶ Ramener à soi, regagner. ‖ Se procurer de nouveau.

reconditus, *a, um,* p. adj. Enfoncé, retiré. ‖ Écarté, caché. ¶ *Fig.* Secret. ‖ Obscur, mystérieux. ¶ Peu usité. ¶ Peu expansif, renfermé, sournois.

recondo, *is, didi, ditum, ere,* tr. Remettre à sa place; serrer de nouveau, replacer. ¶ Renfoncer. ¶ Emmagasiner, serrer. ‖ Cacher. ¶ *Spéc.* Enfoncer profondément. ¶ Dévorer, avaler. ¶ Cacher. ¶ *Fig.* Laisser dans l'obscurité, dissimuler.

reconduco, *is, duxi, ductum, ere,* tr. Reprendre à bail. ¶ Se charger de (qqch.) moyennant une somme convenue.

reconflo, *as, are,* tr. Ranimer.

recoquo, *is, coxi, coctum, ere,* tr. Faire recuire. ¶ Remettre au feu. ¶ Refondre. ‖ Retremper, reforger.

recordatio, *onis,* f. Souvenir, ressouvenir; retour sur le passé.

recordatus, *us,* m. Souvenir.

recordo, *as, are,* tr. Comme le suivant.

recordor, *aris, atus sum, ari,* dép. tr. Se rappeler, se souvenir; songer au passé. ¶ Songer (à l'avenir); se figurer.

recorrigo, *is, rexi, ere,* tr. Remettre droit, rétablir. ¶ *Fig.* Redresser, améliorer.

recrastino, *as, are,* tr. Remettre au lendemain.

recreatio, *onis,* f. Régénération; renaissance. ¶ Rétablissement; convalescence. ¶ Récréation.

recreo, *as, avi, atum, are,* tr. Créer de nouveau; refaire; reproduire. ¶ *Fig.* Rétablir, ranimer, rendre à la vie.

recrepo, *as, are,* intr. Retentir. ¶ *Tr.* Faire retentir.

recresco, *is, crevi, cretum, ere,* intr. Croître de nouveau; repousser.

recrudesco, *is, crudui, ere,* intr. Redevenir saignant, se rouvrir (en parl. d'une plaie). ¶ *Fig.* Devenir plus violent *ou* plus terrible; recommencer avec plus d'acharnement.

recta, adv. En droite ligne.

recte, adv. En droite ligne, directement. ‖ Horizontalement. ‖ Perpendiculairement. ¶ Régulièrement, bien, comme il faut. ‖ Sagement. ‖ Avec succès, heureusement. ‖ Bien, parfaitement, tout à fait. ‖ Largement, beaucoup. ‖ Bravo ! ‖ Bien, merci. [tion.

rectio, *onis,* f. Direction; administra-

rector, *oris,* m. Celui qui gouverne; chef; maître. ‖ Guide; conducteur; pilote, etc. [reine; souveraine.

rectrix, *tricis,* f. Directrice, maîtresse,

rectum, *i,* n. L'honnête; le bien.

rectus, *a, um,* p. adj. Droit; direct. ¶ Qui se tient droit; qui est debout. ‖ Vertical. ¶ (Par ext.) *Fig.* Régulier. ‖ Simple, naturel, uni. — *vox,* voix sans inflexions. — *casus,* le nominatif. — *oratio,* le discours direct. ¶ Droit, loyal, honnête.

recubitus, *u,* m. Action de se coucher. ¶ (Méton.) Place à table.

recubo, *as, avi, are,* intr. Être couché (sur le dos); être étendu.

recula et rescula, *ae,* f. Petit avoir.

recumbo, *is, cubui, ere,* intr. Se coucher, s'étendre. ‖ Se mettre (*ou* être) à table. ¶ Pencher, s'affaisser, s'abaisser. ‖ Être situé, s'étendre (en parl. d'une localité).

recuperatio, *onis,* f. Recouvrement. ¶ Décision du RECUPERATOR.

recuperator, *oris,* m. Celui qui reprend *ou* recouvre. ¶ *Spéc.* Au plur. *Recuperatores,* commission (de trois ou de cinq membres) chargée de juger les procès (en restitution et indemnité) entre Romains et étrangers.

recuperatorius, *a, um,* adj. Relatif aux récupérateurs.

recupero, *as, avi, atum, are,* tr. Rentrer en possession de, recouvrer (*ou* récupérer). ¶ *Fig.* Regagner, reconquérir. ‖ Délivrer (qqn). ¶ *Fig.* Rentrer dans les bonnes grâces de. ¶ Au passif. *Recuperari,* reprendre des forces; se remettre.

recuro, *as, avi, atum, are,* tr. Rétablir à force de soins; guérir. ¶ Retravailler. ‖ Refaire avec soin.

recurro, *is, curri, cursum, ere,* intr. Courir en arrière, revenir en courant. || *Partic.* Rebrousser chemin. || (Spéc.) *Tr.* Parcourir en revenant sur ses pas. ¶ *Fig.* Se reporter à, remonter à. || Recourir à, avoir recours à. || Revenir à l'esprit. || Pouvoir se lire à rebours. *Recurrentes versus,* vers rétrogrades.

recurso, *as, are,* intr. Courir en arrière. ¶ *Fig.* Retourner. || Revenir (souvent) à l'esprit.

recursus, *us,* m. Course en arrière. || Retour en courant. || Flux et reflux. || Chemin pour revenir. ¶ *Fig.* Retour (à la santé). || *Jurisp.* Recours. [ber.

recurvo, *as, avi, atum, are,* tr. Recourber.

recurvus, *a, um,* adj. Courbé en arrière; recourbé.

recusatio, *onis,* f. Récusation, refus. ¶ Répugnance; dégoût. ¶ *Jur.* Réclamation, protestation. || Réplique justificative. || Opposition.

recuso, *as, avi, atum, are,* tr. Refuser, repousser; ne pas vouloir de. || Récuser. || Se refuser à. ¶ Nier. || Réfuter. ¶ *Jur.* Protester, faire opposition à; faire ses réserves.

recussus, abl. *u,* m. Rebondissement.

recutio, *is, cussi, cussum, ere,* tr. Faire rebondir; renvoyer. ¶ Secouer, ébranler. [concis.

recutitus, *a, um,* adj. Ecorché. ¶ Circonda, *ae,* f. Chariot à quatre roues.

redambulo, *as, are,* intr. Revenir (en se promenant). [pour amour.

redamo, *as, are,* intr. Rendre amour

redarguo, *is, gui, gutum, ere,* tr. Réfuter. ¶ Convaincre de faux. || Prouver (qqch.) irréfutablement.

1. redarius, *a, um,* adj. Relatif aux chariots; de chariot.

2. redarius, *ii,* m. Conducteur d'un chariot. ¶ Charron; fabricant de chariots.

redauspico, *as, are,* intr. Prendre de nouveau les auspices; revenir prendre les auspices. ¶ *Plaisamm.* Réintégrer.

redditio, *onis,* f. Action de rendre; rendement. ¶ Action d'exposer, de présenter. ¶ (Rhét.) Apodose.

reddo, *is, didi, ditum, ere,* tr. Rendre. || Restituer. ¶ Donner en échange *ou* en compensation. ¶ Donner en réponse; répondre. || Répercuter, répéter. || Traduire. || Imiter, reproduire (les traits). || Rendre, *c.-à-d.* faire devenir. ¶ Donner; remettre, offrir. || Payer, acquitter. || Fournir (comme revenu). ¶ Rendre, *c.-à-d.* exhaler. ¶ Exprimer.

redemptio, *onis,* f. Rachat; rançon. || *Eccl.* Rédemption. ¶ Action de louer, de prendre à ferme. || Soumission. || Adjudication. || Entreprise.

redempto, *as, are,* tr. Payer la rançon de.

redemptor, *oris,* m. Celui qui rachète *ou* paye la rançon de. || *Eccl.* Rédempteur. ¶ Fermier, entrepreneur, adju-

dicataire, soumissionnaire. || *Spéc.* Qui rachète une créance.

redemptrix, *icis,* f. Celle qui rachète.

redemptura, *ae,* f. Ferme. || Adjudication. ¶ Entreprise.

redeo, *is, ii, itum, ire,* intr. Revenir. ¶ (Spéc.) *Fig.* En venir à, en être réduit à. || Faire retour à; échoir. ¶ Etre le revenu de; revenir (comme produit).

redhibeo, *es, ui, itum, ere,* tr. Restituer, rendre. || *Spéc.* Rendre (au vendeur un objet acheté). || Reprendre (un objet vendu).

redhibitio, *onis,* f. Rédhibition, *c.-à-d.* annulation d'un marché. || Action de rendre (une marchandise). || Action de reprendre (en parl. du marchand).

redhibitor, *oris,* m. Celui qui rend un objet qu'on lui a vendu.

redhibitorius, *a, um,* adj. Redhibitoire; qui entraîne la redhibition.

redigo, *is, egi, actum, ere,* tr. Ramener; faire revenir. || *Spéc.* (Fig.) Faire payer; recueillir, recevoir. || Faire rentrer (dans une caisse). ¶ Réduire (à un certain état). || Réduire, *c.-à-d.* restreindre.

redimicula, *ae,* f. Comme le suivant.

redimiculum, *i,* n. Attache. ¶ Ruban, bandeau. || Cordon. ¶ *Fig.* Lien, chaîne. ¶ Ceinture. Tablier.

redimio, *is, ii, itum, ire,* tr. Ceindre; couronner. ¶ Entourer. [ronner.

redimitus, *us,* m. Action de cou-

redimo, *is, emi, emptum, ere,* tr. Racheter. || Payer la rançon de. ¶ *Fig.* Délivrer; sauver. ¶ Faire cesser (au prix d'une compensation). || Racheter; compenser. ¶ Acheter. ¶ Prendre à bail *ou* à ferme, louer. ¶ Prendre à gage. ¶ Soumissionner; se porter adjudicataire.

redintegratio, *onis,* f. Renouvellement. || Rétablissement. ¶ Répétition (d'un mot).

redintegro, *as, avi, atum, are,* tr. Recommencer; reprendre. ¶ Réparer, restaurer. || Rétablir. ¶ Ranimer (pr. et fig.).

redipiscor, *eris, dipisci,* dep. tr. Rentrer en possession de; recouvrer.

reditio, *onis,* f. Retour.

reditus, *us,* m. Retour. || Retour (périodique); révolution (d'un astre). ¶ *Fig.* Rentrée, retour. ¶ Revenu; rapport.

redivia. Voy. REDUVIA.

rediviosus. Voy. REDUVIOSUS.

redivivum, *i,* n. Objet ayant déjà servi. Au plur. *Rediviva, orum,* n. Matériaux qui ont déjà servi.

redivivus, *a, um,* adj. Qui renaît; qui ressuscite. ¶ (Par ext.) *Fig.* Qui sert une seconde fois. || Renouvelé; qui recommence.

redolens, *entis,* p. adj. Parfumé.

redoleo, *es, ui, ere,* intr. Exhaler une odeur, sentir. || *Spéc.* Embaumer. || *Tr.*

Avoir une odeur de, sentir le... || *Fig.* Avoir comme un parfum de. || Venir à la connaissance de.   [précédent.

redolesco, *is, ere.* intr. Comme le

redonator, *oris,* m. Celui qui restitue.

redono, *as, avi, are,* tr. Restituer. ¶ Faire le sacrifice de (en faveur de qqn).   [qui est tissé]. ¶ Dévider.

redordior, *iris, iri,* dép. tr. Défaire (ce

redormio, *is, ire,* intr. Redormir.

redormitio, *onis,* f. Action de redormir.

reduco, *is, duxi, ductum, ere,* tr. Tirer, ramener à soi *ou* en arrière, faire reculer. || *Spéc.* Arracher à la mort; sauver de...|| Détourner de. ¶ Ramener, reconduire; faire cortège à. || Reprendre pour épouse. ¶ Rappeler (de l'exil, etc.). ¶ Rappeler des troupes, leur commander la retraite. || *Absol.* Faire retraite. ¶ Faire rapporter, faire produire. ¶ *Fig.* Ramener (à un état). ¶ Réduire à.

reductio, *onis,* f. Action de ramener à soi *ou* de tirer en arrière. ¶ Action de ramener *ou* de rétablir.

reducto, *as, are,* tr. Ramener.

reductor, *oris,* m. Celui qui ramène. ¶ Celui qui restaure, qui rétablit.

reductus, *a, um,* p. adj. Ramené (pr. et fig.). ¶ Retiré, enfoncé *ou* renfoncé. ¶ *Fig.* Eloigné des deux extrêmes. Subst. *Reducta, orum,* n. pl. Biens secondaires. || Crochu.

reduncus, *a, um,* adj. Courbé en arrière.

redundans, *antis,* p. adj. Débordé. ¶ Débordant; superflu.

redundanter, adv. A flots; avec excès. ¶ *Fig.* D'une façon prolixe.

redundantia, *ae,* f. Trop plein; débordement. ¶ Excès. ¶ Redondance (du style).

redundatio, *onis,* f. Trop-plein; débordement. || *Fig.* Grand nombre. ¶ Reflux. *Fig. Redundationes,* mouvements de rotation (qui ramènent les astres à la manière d'un reflux). ¶ Nausée.

redundo, *as, avi, atum, are,* intr. Déborder, inonder, se répandre sur. ¶ Etre inondé de, ruisseler. ¶ *Fig.* Etre trop abondant *ou* en excès. || *Spéc.* Etre redondant en parl. du style). ¶ Regorger de. ¶ Refluer, rejaillir. || Retomber (sur).

reduplicatio, *onis,* f. Réduplication (t. de rhét.); redoublement, répétition (à la fin d'une phrase d'un mot qui se trouve au début).

reduvia, *ae,* f. Envie (autour des ongles). ¶ (Par ext.) Rebut.

reduviosus, *a, um,* adj. Qui a des envies (autour des ongles). ¶ *Fig.* Plein d'aspérités, rugueux.   [Qui est de retour.

redux, *ducis,* adj. Qui ramène. ¶ *Ordin.*

refectio, *onis,* f. Action de refaire. || Réparation; restauration. ¶ Soulagement; délassement. || Repos.

refector, *oris,* m. Celui qui refait, rétablit *ou* restaure.

refectorius, *a, um,* adj. Qui répare les forces; qui ranime.   [raffermi.

1. **refectus,** *a, um,* p. adj. Réconforté;

2. **refectus,** *us,* m. Action de restaurer. || Réfection. || Repos. ¶ Revenu, rentrée de fonds.

refello, *is, felli, ere,* tr. Réfuter.

refercio, *is, fersi, fertum, ire,* tr. Remplir, bourrer. ¶ Gorger, combler. ¶ Amonceler.

referio, *is, ire,* tr. Frapper de nouveau *ou* à son tour. ¶ Rendre un coup. ¶ Répercuter; refléter.

refero, *fers, tuli, latum, ferre,* tr. Reporter, remporter; replacer. ¶ Ramener en arrière. *Referri,* revenir en arrière, se retirer. — *gradum,* rétrograder, reculer. ¶ Rendre, restituer. || Payer. ¶ Rendre, c.-à-d. rejeter, vomir. ¶ Répéter, répercuter (le son). ¶ Remettre (une somme due), verser, payer. || Acquitter. || Rembourser. ¶ *Fig.* Reporter, ramener. ¶ Faire revenir. — *se,* revenir à, se remettre (à l'étude, etc.); retrouver (une qualité perdue). ¶ Ramener en deçà. || Avancer (une date). ¶ Renvoyer en échange; rendre en retour. ¶ Répondre. ¶ Rapporter, redire, raconter, citer, faire mention. ¶ Renouveler, répéter. || Remettre en usage. || Rétablir, reproduire. ¶ Rappeler (par la ressemblance). ¶ Remporter, obtenir. — *repulsam,* essuyer un échec. — *victoriam ex Volscis,* remporter une victoire sur les Volsques. ¶ Rapporter, produire, rendre. ¶ Rapporter *ou* ramener à. — *omnia ad voluptatem,* ramener tout au plaisir. ¶ Soumettre. || En référer à. ¶ Enregistrer, consigner; inscrire. ¶ Rapporter, c.-à-d. juger d'après; attribuer à.

refert, *retulit, referre,* impers. Il importe à; il est de l'intérêt de. || Il est intéressant.

refersus. Comme REFERTUS.

refertus, *a, um,* p. adj. Rempli *ou* bourré de. ¶ *Fig.* Riche *ou* abondant en. || *Absol.* Riche, opulent.

referveo, *es, ere,* intr. Etre brûlant.

refervesco, *is, ere,* intr. Bouillonner.

reficio, *is, feci, fectum, ere,* tr. Refaire, c.-à-d. faire de nouveau *ou* une seconde fois. || Réélire. ¶ Rétablir dans son ancien état. || Reconstruire *ou* restaurer. || Redonner des forces à, ranimer, reconforter. || Guérir, rétablir. ¶ Rentrer dans ses frais; couvrir une dépense. — *sumptum,* faire ses frais. || Réparer; compenser. ¶ Tirer un produit), retirer (comme bénéfice). — *pecuniam ex venditionibus,* trouver dans des ventes une somme de bénéfices pécuniaires.

refigo, *is, fixi, fixum, ere,* tr. Desceller,

déclouer. || Arracher, enlever. || Abolir (des lois); annuler (des dettes). ¶ *Eccl.* Remettre en croix.

refingo, *is*, *ere*, tr. Reformer; refaire.

reflagito, *as*, *are*, tr. Réclamer de nouveau. [¶ Vent contraire (pr. et fig.).

reflatus, abl. *u*, m. Souffle (renvoyé).

reflecto, *is*, *flexi*, *flexum*, *ere*, tr. Recourber, replier. || *Fig.* Retourner les sentiments de || Fléchir, *c.-à-d.* disposer à la pitié. ¶ Appliquer son esprit. || (*Log.*) Convertir, renverser une proposition). ¶ *Intr.* Se retirer.

reflexim, adv. En renversant les termes; inversement.

reflexio, *onis*, f. Action de retourner. ¶ *Spéc.* Conversion, renversement d'une proposition. ¶ (Fig. de rhét.). Reprise des paroles d'un adversaire pour en retourner le sens contre lui,

reflexus, *us*, m. Marche en arrière; rétrogradation. ¶ Enfoncement. || *Spéc.* Golfe, baie.

reflo, *as*, *avi*, *atum*, *are*, intr. Souffler en sens contraire (pr. et fig.). ¶ *Tr.* Souffler de nouveau. || Expirer (l'air aspiré), exhaler. || Enfler, gonfler. || Dégonfler. ¶ Faire évaporer.

refloreo, *es*, *ere*, intr. Fleurir de nouveau (pr. et fig.). [(pr. et fig.).

refloresco, *is*, *florui*, *ere*, intr. Refleurir

refluo, *is*, *fluxi*, *fluxum*, *ere*, intr. Couler en sens contraire, refluer. || Se retirer (en parl. des eaux).

refluus, *a*, *um*, adj. Qui coule en sens contraire; qui reflue. || Qui se retire. ¶ *Fig.* Qu'on rejette; superflu. ¶ Où il y a un mouvement de va-et-vient.

refocilatio, *onis*, f. Action de réconforter.

refocilo, *as*, *avi*, *atum*, *are*, tr. Réchauffer; réconforter. || Ranimer; guérir. [de nouveau. ¶ Déterrer.

refodio, *is*, *fodi*, *fossum*, *ere*, tr. Creuser

reformatio, *onis*, f. Transformation; metamorphose. || *Fig.* Réforme. ¶ (Jur.) Restitution.

reformidatio, *onis*, f. Appréhension.

reformido, *as*, *avi*, *atum*, *are*, tr. Redouter; appréhender.

reformo, *as*, *avi*, *atum*, *are*, tr. Rendre à sa première forme, rétablir. || Refaire, reconstruire. ¶ Modifier, changer. ¶ Réformer, corriger.

refoveo, *es*, *fovi*, *fotum*, *ere*, tr. Réchauffer; ranimer. ¶ Revivifier.

refractariolus, *a*, *um*, adj. Un peu chicaneur.

refractarius, *a*, *um*, adj. Indocile; rétif.

refractus, abl. *u*, m. Réfraction.

refraen... Voy. REFREN...

refragor, *aris*, *atus*, *sum*, *ari*, dép. intr. Voter contre. || S'opposer à. ¶ *Fig.* Etre contraire; résister.

refrango, *is*, *ere*, tr. Comme REFRINGO.

refrenatio, *onis*, f. Action de réfréner. || Répression.

refreno, *as*, *avi*, *atum*, *are*, tr. Retenir avec un frein. ¶ Entraver, maîtriser. || Réfréner; réprimer.

refrico, *as*, *fricui*, *fricaturus*, *are*, tr. Frotter de nouveau. || Rouvrir une blessure. ¶ *Fig.* Raviver. || Renouveler.

refrigeratio, *onis*, f. Refroidissement. || Rafraîchissement. ¶ *Fig.* Adoucissement, soulagement. [sant.

refrigeratorius, *a*, *um*, adj. Rafraîchissant.

refrigerium, *ii*, n. Rafraîchissement. ¶ *Fig.* Adoucissement, soulagement.

refrigero, *as*, *avi*, *atum*, *are*, tr. Refroidir; rafraîchir. ¶ *Fig.* Refroidir; affaiblir, diminuer. ¶ Soulager, couvrir. ¶ *Intr.* Se refroidir.

refrigesco, *is*, *frixi*, *ere*, intr. Devenir froid; se refroidir. ¶ *Fig.* Se refroidir, *c.-à-d.* s'affaiblir.

refringo, *is*, *fregi*, *fractum*, *ere*, tr. Briser, rompre; enfoncer (une porte). ¶ *Fig.* Briser, abattre, détruire. || *Spéc.* Estropier (dans la prononciation. ¶ (Phys.) Réfracter.

refugio, *is*, *fugi*, *fugitum*, *ere*, intr. Fuir (en revenant sur ses pas); reculer en fuyant. ¶ S'éloigner. ¶ S'écarter. || Etre écarté (en parl. d'un endroit). ¶ Chercher un refuge. ¶ *Tr.* Faire sortir de. ¶ Se dérober à, refuser.

refugium, *ii*, n. Action de fuir; fuite. ¶ Lieu d'exil, refuge. [en fuite.

refugo, *as*, *are*, tr. Mettre de nouveau

refugus, *a*, *um*, adj. Qui fuit; qui recule ou se retire. Subst. *Refugi*, *orum*, m. pl. Fuyards. ¶ Qui est ou reste en arrière.

refulgentia, *ae*, f. Eclat.

refulgeo, *es*, *fulsi*, *ere*, intr. Reluire, resplendir; briller d'un vif éclat (pr. et fig.).

refundo, *is*, *fudi*, *fusum*, *ere*, tr. Verser de nouveau, reverser. ¶ Faire refluer; refouler. ¶ *Fig.* Restituer, rendre. ¶ Rejeter, dédaigner. ¶ Rejeter sur, *c.-à-d.* imputer. ¶ Faire fondre, ramener à l'état liquide. ¶ Au passif. *Refundi*, se répandre, s'étendre. || Se coucher, se pencher.

refutatio, *onis*, f. Réfutation.

refutatus, abl. *u*, m. Réfutation.

refuto, *as*, *avi*, *atum*, *are*, tr. Repousser. || Refouler (pr.). ¶ *Fig.* Repousser, réprimer. ¶ Refuser, dédaigner. ¶ Réfuter. || Nier. [(royal).

regales, *ium*, m. pl. Princes du sang

regalia, *ium*, m. pl. Palais royal; résidence du roi.

regalis, *e*, adj. Royal; de roi. ¶ *Par ext.* Digne d'un roi; princier.

regaliter, adv. Royalement; en roi. ¶ Princièrement, *c.-à-d.* magnifiquement. ¶ *Péjor.* En tyran.

regelo, *as*, *avi*, *atum*, *are*, tr. Faire dégeler. || Réchauffer (pr. et fig.). ¶ Refroidir, rafraîchir. ¶ *Intr.* Se refroidir.

regenero, *as, avi, atum, are*, tr. Faire renaître. ¶ Faire revivre, *c.-à-d.* ressembler à.

regens, *entis*, m. Chef, prince, roi.

regerminatio, *onis*, f. Nouvelle pousse.

regermino, *as, are*, intr. Germer *ou* pousser de nouveau; repousser.

regero, *is, gessi, gestum, ere*, tr. Porter en arrière; reporter. ¶ Apporter à plusieurs reprises. || Mettre en tas. Reporter sur un registre; transcrire. ¶ Remporter, renvoyer. || Enlever. || Réduire (par évaporation). ¶ *Fig.* Rejeter sur. || Rétorquer.

regesta, *orum*, n. pl. Registre.

regestum, *i*, n. Déblai; terre enlevée.

regia, *ae*, f. Demeure royale, palais, cour. ¶ Palais de Numa. || Tente royale. || Basilique. || Dignité de roi; royauté. ¶ Plante appelée aussi BASILISCA. [quement.

regie, adv. En roi. ¶ (*Péjor.*) Tyranniregifice, adv. Royalement.

regifious, *a, um*, adj. Royal, princier.

regifugium, *ii*, n. Fête commémorant l'expulsion des rois, à Rome.

regigno, *is, ere*, tr. Enfanter de nouveau. || Faire renaître.

regii, *orum*, m. pl. Soldats du roi; troupes royales. ¶ Officiers royaux.

1. **regillus**, *a, um*, adj. (Tissu) à fils droits.

2. **regilus**, *a, um*, adj. Princier.

regimen, *minis*, n. Action de diriger; direction. ¶ *Fig.* Administration, conduite. ||...|| (Méton.) Gouvernail. || Guide, directeur.

regina, *ae*, f. Reine, souveraine. ¶ Epouse du roi des sacrifices. ¶ (Par ext.). Déesse. ¶ Princesse royale. ¶ Dame de qualité.

regio, *onis*, f. Direction, sens. *E regione*, droit, directement; vis-à-vis. ¶ (Terme d'augur.) Ligne imaginaire limitant la partie du ciel où se faisaient les observations. || Horizon. || Bornes, limites. ¶ Point cardinal. || Situation géographique. || Climat, ¶ Région, contrée. || *Fig.* Sphère, *c.-à-d.* domaine. || District, canton. || Quartier (d'une ville).

regionatim, adv. Par régions, par districts, par quartiers.

regius, *a, um*, adj. De roi; royal. ¶ Digne d'un roi; princier. ¶ Despotique, tyrannique.

reglutino, *as, atum, are*, tr. Décoller, détacher (pr. et fig.). ¶ Recoller, rattacher. [et fig.).

regnator, *oris*, m. Roi, souverain (pr.

regnatrix, *icis*, f. Souveraine. [sujet.

regnicola, *ae*, m. Habitant du royaume;

regno, *as, avi, atum, are*, intr. Etre roi; régner. ¶ *Fig.* Commander en maître. || Exercer un pouvoir despotique. ¶ Etre heureux comme un roi. ¶ Etre souverain; régner (en parl. de ch.); triompher. ¶ *Tr.* Régner sur. *Regnari*

volebant, ils voulaient avoir un roi.

regnum, *i*, n. Pouvoir royal, royauté; trône. ¶ (Par ext.) Domination, puissance, haute autorité. || Despotisme. ¶ (Méton.) Royaume. || Domaine. || Roi, souverain (surt. au plur.).

rego, *is, rexi, rectum, ere*, tr. Diriger, faire avancer en ligne droite. ¶ (Par ext.) Diriger, guider, conduire. ¶ Ramener dans le droit chemin, redresser. ¶ Diriger, régir.

regredior, *eris, gressus sum, gredi*, intr. Revenir sur ses pas; retourner. ¶ (Spéc.) Faire retraite. ¶ *Fig.* Revenir. || *Jur.* Faire retour. [Régression.

regressio, *onis*, f. Retour. ¶ (Rhét.).

regressus, *us*, m. Retour. || (*Spéc.*) Retraite. ¶ *Fig.* Retour (*c.-à-d.* moyen de revenir sur qqch.). || *Jur.* Recours.

1. **regula**, *ae*, f. Règle, équerre. ¶ Règle, principe, précepte. || Loi. ¶ Barre, bâton. || Eclisse. ¶ Claie (pour la fabrication de l'huile).

2. **regula**, *ae*, f. Basilic (plante).

regularis, *e*, adj. Qui a la forme d'une règle. ¶ Qui contient une règle (de conduite). || Régulier.

regulariter, adv. Régulièrement.

regulatim, adv. Comme le précédent.

regulus, *i*, m. Petit roi; roi d'un petit pays. ¶ Prince, fils de roi. ¶ Roitelet, oiseau. ¶ Basilic, sorte de serpent.

regusto, *as, avi, atum, are*, tr. Goûter de nouveau. ¶ *Fig.* Savourer.

reic... Voy. REJIC...

reiteratio, *onis*, f. Répétition.

reitero, *as, are*, tr. Renouveler; réitérer.

rejactatio, *onis*, f. Voy. REJECTATIO.

rejacto, *as, are*, tr. Voy. REJECTO.

rejecta, *orum*, n. pl. Comme le suivant.

rejectanea, *orum*, n. pl. Les choses indifférentes, les biens inférieurs (dans la doctrine stoïcienne.)

rejectaneus, *a, um*, adj. Qu'on peut mettre au rebut.

rejectio, *onis*, f. Action de rejeter. || Rejet, refus. ¶ Action d'imputer (à un autre). ¶ *Jur.* Récusation.

rejecto, *as, are*, tr. Rejeter; vomir. ¶ Répercuter (un son). [dédaigné.

1. **rejectus**, *a, um*, p. adj. Mis au rebut;

2. **rejectus**, *us*, m. Partie de la poupe d'un navire.

rejicio (REICIO), *is, jeci, jectum, ere*, tr. Rejeter. ¶ Jeter en arrière; jeter sur ses épaules; rejeter. ¶ Renvoyer. || Répercuter. ¶ Rejeter, *c.-à-d.* cracher; vomir. ¶ Rejeter, *c.-à-d.* ôter, quitter. ¶ Rejeter, *c.-à-d.* repousser, chasser. ¶ Rejeter, *c.-à-d.* dédaigner. || *Jur.* Récuser. || Renvoyer à plus tard, remettre. [rejeté; de rebut.

rejiculus, *a, um*, adj. Qui mérite d'être

relabor, *eris, lapsus sum, labi*, dép. intr. Glisser en arrière; rétrograder-(insensiblement). ¶ Couler en arrière, refluer. ¶ *Fig.* Retomber dans, revenir à.

relanguesco, *is, langui, ere*, intr. S'affaiblir. || Diminuer. ¶ S'alanguir. || Faiblir.

relapsio, *onis*, f. Action de retomber.

relatio, *onis*, f. Action de reporter. ¶ Action de reporter *ou* de rejeter sur un autre (une accusation, etc.). ¶ Action de donner en retour. || *Rhét.* Répétition fréquente et pathétique d'un même mot. ¶ Relation, récit; revue. ¶ Rapport (sur une affaire; motion, ordre du jour. ¶ Relation, rapport.

relator, *oris*, m. Rapporteur (au sénat). ¶ Narrateur, historien. ¶ Commissaire (dans les ventes).

relatum, *i*, n. *Jur.* Répétition d'un même mot (pour y insister).

relatus, *us*, m. Action de rapporter, c.-à-d. de raconter. || Action de réciter. ¶ Rapport (au sénat); motion. || Action de mettre en délibération.

relaxatio, *onis*, f. Action de relâcher, c.-à-d. de détendre. ¶ *Fig.* Relâche, repos.

relaxo, *as*, *avi*, *atum*, *are*, tr. Relâcher, détendre. ¶ Elargir; ouvrir. ¶ *Fig.* Donner du relâche, du répit, du repos. || Distraire, reposer. || Dérider. ¶ Délivrer.

relegatio, *onis*, f. Relégation. || Bannissement. ¶ *Jur.* Attribution par testament.

1. **relego**, *as*, *avi*, *atum*, *are*, tr. Reléguer, mettre à l'écart. || Bannir, exiler. ¶ *Fig.* Rejeter, refuser. || Renvoyer à. || Rejeter (sur), imputer. ¶ *Jur.* Restituer. || Donner par testament.

2. **relego**, *is*, *legi*, *lectum*, *ere*, tr. Prendre de nouveau, reprendre. ¶ Longer de nouveau, repasser par. ¶ *Fig.* Lire de nouveau. || Parcourir des yeux. ¶ Relater. ¶ Se rappeler. || Réfléchir à.

relentesco, *is*, *ere*, intr. Se ralentir; faiblir.

relevatio, *onis*, f. Soulèvement. || *Spéc.* Nuage dans l'urine. ¶ Soulagement, allègement.

relevo, *as*, *avi*, *atum are*, tr. Relever, redresser. || *Fig.* Remettre sur pied. ¶ Alléger, décharger. || *Fig.* Soulager. || Exonérer. || Rendre plus supportable; apaiser. || Guérir.

reliceor, *eris*, *eri*, dép. tr. Faire une offre inférieure (à la mise à prix, dans une vente).

reliciae. Voy. RELIQUIAE.

relicinus, *a*, *um*, adj. Ramené en arrière (en parl. de cheveux). ¶ Dont les cheveux sont ramenés en arrière (en parl. de pers.). [Action de délaisser.

relictio, *onis*, f. Action de laisser. ¶ **relictor**, *oris*, m. Celui qui délaisse; celui qui n'aide pas; celui qui n'a d'égard pour rien.

relictus, *us*, m. Abandon.

relicuus (RELICUS), *a*, *um*, adj. Voy. RELIQUUS.

relido, *is*, *lisi*, *lisum*, *ere*, intr. et tr.

Faire rejaillir; faire rebondir. ¶ *Fig.* Frapper. || Appliquer un soufflet. ¶ Faire rentenir. ¶ Réfuter; nier.

religatio, *onis*, f. Action de lier *ou* d'attacher.

religens, *entis*, p. adj. Religieux; qui craint les dieux.

religio, *onis*, f. Exactitude à remplir ses devoirs; intégrité, conscience. ¶ Scrupule. || Scrupule religieux. ¶ Sentiment religieux. Au pl. *religiones*, croyances. || Superstition. ¶ Ce qui est de nature à inspirer une crainte religieuse : sainteté, caractère religieux (d'une personne *ou* d'un lieu). ¶ Dette. ¶ Signe envoyé par la divinité; présage. ¶ Profanation, souillure. ¶ Culte religieux. *Religiones*, cérémonies religieuses, rites. || (Méton.) Objet du culte. || Temple.

religiose, adv. Scrupuleusement. ¶ Religieusement.

1. **religiosus**, *a*, *um*, adj. Scrupuleux, consciencieux. ¶ Qui a le sentiment religieux; pieux. || *Péjor.* Superstitieux. ¶ Consacré par la religion; sacré; saint. || *Eccl.* Religieux (*opp. à* séculier). ¶ Défendu par la religion; néfaste.

2. **religiosus**, *i*, m. Un religieux.

religo, *as*, *avi*, *atum*, *are*, tr. Lier par derrière. || Attacher, lier. || Amarrer. ¶ Délier; démarrer.

2. **religo**, *is*, *ere*, intr. Voy. RELIGENS.

relinio, *is*, *itus*, *ire*, tr. Enduire, frotter.

relino, *is*, *levi*, *litum*, *ere*, tr. Déboucher, ouvrir. ¶ Enlever, ôter.

relinquo, *is*, *liqui*, *lictum*, *ere*, tr. Laisser derrière soi, ne pas emporter, ne pas emmener. ¶ Laisser de reste; céder. ¶ Laisser à sa mort, léguer, transmettre. || Laisser en arrière, c.-à-d. distancer. ¶ Quitter, délaisser. ¶ *Fig.* Renoncer à, négliger, omettre, passer sous silence. ¶ Laisser inachevé, laisser en repos, en jachère.

relinquosus, *a*, *um*, adj. Qui néglige.

reliquatio, *onis*, f. Reliquat (de compte). || Reste. ¶ Dépôt (de soldats).

reliquator, *oris*, m. (*Jur.*) Reliquataire; celui qui doit un reliquat de compte.

reliquatum, *i*, n. Reliquat.

reliquia, *ae*, f. Reste, débris (d'aliments attaché aux dents).

reliquiae, *arum*, f. pl. Restes. || Reliefs (d'un repas). ¶ Restes (mortels), cendres. || *Eccl.* Reliques. ¶ Ce qui reste d'une victime brûlée. ¶ Excréments.

reliquo, *as*, *avi*, *atum*, *are*, tr. Avoir un reste (de compte) à payer.

reliquor, *aris*, *atus sum*, *ari*, dép. intr. Etre reliquataire; devoir des arrérages.

reliquum, *i*, n. Le reste, le restant.

reliquus, *a*, *um*, adj. Qui reste encore; restant; laissé. ¶ *Spéc.* Qui reste à payer (dette). ¶ Qui reste à courir (temps). ¶ Qui est en surplus. Subst.

Reliqui, orum, m. pl. Ceux qui restent, tous les autres; les autres.

rellig... Voy. RELIG...

reluceo, *es, luxi, ere,* intr. Reluire. || Refléter la lumière. ¶ Briller, luire.

relucesco, *is, luxi, ere,* intr. Recommencer à briller.

reluctanter, adv. Avec résistance.

reluctatio, *onis,* f. Résistance; opposition. [suivant.

relucto, *as, atum, are,* intr. Comme le **reluctor,** *aris, atus sum, ari,* dép. intr. Lutter contre, opposer résistance à, résister (pr. et fig.).

reludo, *is, lusi, ere,* intr. Rendre la balle; riposter. ¶ *Tr.* Répondre à une plaisanterie par une autre.

remacresco, *is, crui, ere,* intr. Maigrir (de nouveau).

remaledico, *is, ere,* intr. Injurier à son tour; rendre injure pour injure.

remancipatio, *onis,* f. Rémancipation.

remancipo, *as, avi, atum, are,* tr. Rentrer en possession de.

1. **remando,** *as, atum, are,* tr. Mander en retour; répondre.

2. **remando,** *is, ere,* tr. Mâcher de nouveau; ruminer.

remaneo, *es, mansi, mansum, ere,* intr. Rester, s'arrêter, demeurer. ¶ *Fig.* Subsister, durer. ¶ Rester (dans un certain état). [refluer.

remano, *as, are,* intr. Couler en arrière.

remansio, *onis,* f. Séjour.

remansor, *oris,* m. Soldat qui reste absent (du corps) au delà de son congé. ¶ Soldat en congé.

remastico, *as, are,* tr. Remâcher.

remeabilis, *e,* adj. Qui revient ou retourne.

remediabilis, *e,* adj. Qu'on peut guérir. ¶ Qui sert à guérir; salutaire (pr.et fig.).

remedium, *ii,* n. Ce qui guérit; remède.

remeo, *as, avi, atum, are,* intr. Retourner; revenir.

remetior, *iris, mensus sum, iri,* dép. tr. Mesurer de nouveau. ¶ (Par ext.) Parcourir de nouveau. ¶ *Fig.* Repasser dans son esprit. || Raconter de nouveau. ¶ Rendre en égale mesure. ¶ Troquer, échanger. ¶ Vomir tout ce qu'on a pris. [Chiourme.

remex, *migis,* m. Rameur. ¶ *Collectiv.*

remigatio, *onis,* f. Action de ramer.

remigium, *ii,* n. Rang ou appareil de rames. || *Par anal.* Mouvement des ailes. || Ailes d'un oiseau. ¶ (Méton.) Action de ramer. || Navigation à la rame. || Rameurs; chiourme.

remigo, *as, avi, atum, are,* intr. Ramer. ¶ *Tr.* Faire marcher à la rame.

remigro, *as, avi, atum, are,* intr. Rentrer, revenir; faire retour.

reminisco, *ere,* tr. Comme le suivant. **reminiscor,** *eris, minisci,* dép. tr. Se rappeler, se remémorer. ¶ Penser à. || Se figurer.

remisceo, *es, miscui, mistum, ere,* tr.

Mêler de nouveau. ¶ Mélanger.

remissa, *ae,* f. Remise, pardon.

remissarius, *a, um,* adj. Qui sert à desserrer.

remisse, adv. D'une manière peu serrée. ¶ *Fig.* En se relâchant. || Avec négligence. || Avec douceur. || Avec enjouement.

remissio, *onis,* f. Action de renvoyer, de mettre en liberté. ¶ Action de refléter. ¶ Action de desserrer, de détendre. || *Spéc.* Action de baisser ou d'abaisser. ¶ Relâche, répit. ¶ Remise (d'une peine, d'une dette, etc.). ¶ Faiblesse. ¶ Indulgence, douceur. ¶ Détente de l'esprit; récréation.

remissus, *a, um,* p. adj. Détendu. || Peu violent, faible. || Terne (couleur). ¶ Peu actif, mou. ¶ Paisible, doux. ¶ Enjoué.

remitto, *is, misi, missum, ere,* tr. Pousser ou jeter en arrière, rejeter. || Répercuter. ¶ *Fig.* Renvoyer, rendre. ¶ Envoyer, rendre, émettre; produire; causer. ¶ Détendre ou relâcher. || *Spéc.* Laisser pendre, laisser aller, lâcher. || Détacher, délier. || Dissoudre. ¶ Délivrer, débarrasser. ¶ Apaiser, faire cesser. *Ventus remittit* ou *remittitur* ou *se remittit,* le vent diminue de violence ou se calme ou cesse. ¶ Lâcher la bride à, donner libre cours à. ¶ Permettre; accorder, concéder. || Faire le sacrifice de. ¶ Remettre, c.-à-d. faire remise de; pardonner. || Tenir quitte de. ¶ Se départir de, renoncer à.

remolior, *iris, itus sum, iri,* dép. tr. Déplacer péniblement. || Soulever avec effort. ¶ Enfoncer, forcer, briser. ¶ Faire effort pour renouveler ou préparer de nouveau.

remollesco, *is, ere,* intr. Se ramollir. ¶ *Fig.* Se laisser fléchir. ¶ S'amollir, s'énerver.

remollio, *is, ivi, itum, ire,* tr. Ramollir. ¶ *Fig.* Amollir, énerver. ¶ Adoucir, fléchir. [(poisson).

remora, *ae,* f. Retard, obstacle. ¶ Rémore

remoramen, *minis,* n. Comme REMORATIO.

remoratio, *onis,* f. Empêchement; entrave. [malade.

remorbesco, *is, ere,* intr. Retomber

remordeo, *es, mordi, morsum, ere,* tr. Mordre à son tour. ¶ Rendre morsure pour morsure; user de représailles. ¶ *Fig.* Ronger, tourmenter. ¶ *Spéc.* Être piquant; avoir une saveur astringente. [(t. augural). ¶ Lent.

remoris, *e,* adj. Qui arrête, qui empêche

remoror, *aris, atus sum, ari,* dép. intr. Tarder, rester, séjourner. ¶ *Tr.* Retarder, arrêter, empêcher. ¶ Faire attendre, différer.

remote, adv. Au loin. [et fig.).

remotio, *onis,* f. Action d'écarter (pr.

remotus, a, um, p. adj. Ecarté, éloigné; reculé. ¶ Fig. Libre de, exempt de. || Etranger à. || Qui a de l'aversion pour. ¶ (Philos.) Remota. Voy. REJECTANEA.

removeo, es, movi, motum, ere, tr. Ecarter, éloigner (pr. et fig.). — mensam, desservir. — moram, se hâter.

remugio, is, ire, intr. Répondre par des mugissements. ¶ Fig. Retentir, résonner.

remulceo, es, mulsi, mulsum, ere, tr. Caresser. ¶ Fig. Calmer, apaiser. || Charmer. ¶ Rebrousser (avec la main). || Replier. [halage.

remulcum, i, n. Remorque; câble de

remulus, i, m. Petite rame.

remuneratio, onis, f. Rémunération, salaire, récompense. || Reconnaissance.

remunero, as, avi, are, tr. Comme le suivant.

remuneror, aris, atus sum, ari, dép. tr. Rémunérer, récompenser; payer de retour. ¶ Péjor. Punir (selon les mérites).

remurmuro, as, are, intr. Répondre par des murmures. ¶ Tr. Répéter. || Répondre en maugréant.

remus, i, m. Rame. ¶ (Par anal.) Remi, orum, m. pl. Bras et jambes (d'un nageur). || Ailes d'un oiseau.

ren, renis. Rein. Ordin. au pl. Renes, um, m. Reins. || Lombes. dos. || Flancs.

renarro, as, are, tr. Raconter de nouveau; faire le récit (souvent fait) de.

renascor, eris, natus sum, nasci, dép. intr. Renaître (pr. et fig.).

renato, as, are, intr. Revenir sur l'eau. ¶ Traverser de nouveau à la nage.

renavigo, as, are, intr. Revenir par eau.

reneo, es, ere, tr. Filer de nouveau.

renes, um, m. pl. Voy. REN.

renideo, es, ere, intr. Briller; être brillant de. ¶ Fig. Avoir un air riant ou rayonnant; avoir la joie sur le visage.

renidesco, is, ere, intr. Commencer à luire, à briller.

renitor, eris, nisus sum, niti, dép. intr. Faire effort contre; résister à.

1. reno, as, are, intr. Revenir par eau. ¶ Surnager.

2. reno, onis, m. Peau de renne. ¶ Vêtement en peau de renne.

renodo, as, avi, atum, are, tr. Dénouer.

renovamen, minis, n. Nouvelle forme; métamorphose.

renovatio, onis, f. Renouvellement (pr. et fig.). ¶ (Rhét.) Récapitulation. ¶ Spéc. Cumul des intérêts.

renovator, oris, m. Celui qui renouvelle. || Restaurateur.

renovo, as, avi, atum, are, tr. Renouveler. || Recommencer. || Réparer; remettre en état. || Rajeunir. || Raviver. ¶ Reposer, ranimer; rendre dispos. ¶ Cumuler (les intérêts).

renumero, as, avi, atum, are, tr. Payer, rembourser.

renuntiatio, onis, f. Proclamation, déclaration. ¶ Proclamation (du scrutin); nomination. ¶ Jur. Renonciation. ¶ Eccl. Renoncement.

renuntiator, oris, m. Celui qui annonce ou divulgue; révélateur.

renuntio, as, avi, atum, are, tr. Annoncer, rapporter; dire, exposer. ¶ Rapporter, faire un rapport officiel. ¶ Publier, proclamer (le résultat des élections); déclarer (élu); nommer. ¶ Faire savoir qu'on renonce à, se désister de; se dédire. || Eccl. Renoncer (au monde, à Satan, etc.).

renuntius, ii, m. Second messager.

renuo, is, ui, ere, intr. Faire un signe négatif; refuser. || Désapprouver. || Défendre; s'opposer à. ¶ Tr. Refuser, décliner; rejeter.

renuto, as, are, intr. Refuser, s'opposer à.

renutus, abl. u, m. Refus.

reor, reris, ratus sum, eri, dép. tr. Etre persuadé. ¶ Etre d'avis; penser, croire; se dire.

repagulum, i, n. et ordin. repagula, orum, n. pl. Barrière. ¶ Barre de clôture (pour fermer une porte à deux battants); double verrou. ¶ Poulies sur lesquelles glissent les cordes (dans une machine de guerre). ¶ Fig. Barrière, obstacle.

repandirostrus, a, um, adj. Qui a le museau retroussé (en parl. d'un dauphin).

repandus, a, um, adj. Retroussé. ¶ Arrondi. ¶ Renversé en arrière. ¶ Ouvert, épanoui. ¶ Qui se renouvelle.

reparabilis, e, adj. Qu'on peut réparer.

reparatio, onis, f. Rétablissement, reconstruction. ¶ Restauration.

reparco, is, ere, intr. Etre chiche de. ¶ Tr. S'abstenir de.

reparo, as, avi, atum, are, n. Se procurer de nouveau; recouvrer. ¶ Réparer, compenser. ¶ Réparer, remettre en état, restaurer. ¶ Reconstruire; rétablir. ¶ Rendre de la force à. || (Eccl.) Reparari, se régénérer. ¶ Renouveler; recommencer. ¶ Troquer.

repastinatio, onis, f. Seconde façon donnée à la terre, second labour; binage. ¶ Fig. Retouche (faite à un ouvrage); correction.

repastino, as, avi, atum, are, tr. Remuer de nouveau (avec la houe), biner. Part. subst. Repastinatum, i, n. Terre binée. ¶ Spéc. Défricher, défoncer (le sol). ¶ Fig. Nettoyer. || Corriger. ¶ Réprimer; Réformer.

repecto, is, pexum, ere, tr. Peigner. ¶ Fig. Mêler les cheveux ou la crinière (en parl. de l'air qui s'y joue).

repedo, as, avi, are, intr. Revenir sur ses pas. ¶ Rétrograder, reculer.

repello, is, reppuli, pulsum, ere, tr. Refouler, pousser. || Chasser. ¶ Ecarter, éloigner, rejeter. ¶ Détourner, exclure. || Réduire à, rejeter vers.

¶ Repousser, *c.-à-d.* dédaigner. ¶ Réfuter; confondre.

rependo, *is, pendi, pensum, ere*, tr. Peser de nouveau; rendre poids pour poids. ¶ Contre-peser; contre-balancer. ‖ Racheter (un captif). ¶ Payer, donner en retour, compenser. ¶ *Fig.* Peser, considérer, apprécier.

repens, *entis*, adj. Subit, soudain; imprévu. Adv. *Repens*, tout à coup, soudain. ¶ Récent.

repenso, *as, avi, atum, are*, tr. Rendre poids pour poids. ¶ (*Fig.*) Compenser.

repente, adv. Tout à coup.

repentine, adv. Comme le précédent.

repentino, adv. Comme REPENTE.

repentinus, *a, um*, adj. Subit, soudain. ‖ Imprévu.

reperco. Voy. REPARCO.

repercussio, *onis*, f. Action de renvoyer. ‖ Contre-coup. ‖ Reflet.

repercussus, *us*, m. Action de renvoyer. ‖ Echo. ‖ Réverbération; reflet.

repercutio, *is, cussi, cussum, ere,* tr. Renvoyer (un choc, un coup); repousser. ‖ Renvoyer (le son); répercuter. ‖ Renvoyer (la lumière); refléter. ¶ Conjurer, détourner. ‖ Réfuter. ¶ Frapper de nouveau. ‖ Refondre. ¶ Rendre coup pour coup.

reperio, *is, repperi, pertum, ire*, tr. Retrouver. ‖ Trouver (ce qu'on avait perdu). ¶ Trouver, *c.-à-d.* découvrir. ‖ Reconnaître, constater. ‖ Trouver, se procurer. ‖ Trouver, inventer.

repertio, *onis*, f. Découverte.

repertor, *oris*, n. Inventeur. ¶ Créateur, auteur. [toire.

repertorium, *ii*, n. Inventaire; répertus, *us*, m. Action de trouver. ¶ Découverte.

repetentia, *ae*, f. Ressouvenir.

repetitio, *onis*, f. Réclamation. ¶ Redite. ¶ Action de remonter à (en comptant).

repetitor, *oris*, m. Celui qui redemande, qui réclame. ¶ Celui qui répète.

repeto, *is, ivi* et *ii, itum, ere*, tr. Viser de nouveau; attaquer de nouveau. ‖ Riposter. ¶ Retourner vers; regagner. ¶ Redemander; réclamer. ‖ Poursuivre (en réparation d'un tort). ¶ Reprendre, recouvrer. ¶ Redemander. ‖ Retourner chercher. ¶ *Fig.* Faire remonter à. ‖ Revenir sur. ‖ Reprendre. ‖ Répéter *ou* recommencer. ¶ *Fig.* Rappeler à sa mémoire; penser de nouveau à. ¶ Redire, répéter.

repetundae (s.-e. PECUNIAE), *arum*, f. pl. Délit de concussion; péculat (*littér.* sommes à réclamer).

repexo, *is, ere*, tr. Repeigner.

repleo, *es, plevi, pletum, ere*, tr. Remplir. ¶ Compléter. ¶ Boucher les vides; suppléer. ¶ Rétablir, réconforter. ¶ Emplir. ‖ *Fig.* Rassasier, gorger. ‖ Combler de.

repletio, *onis*, f. Action de remplir. ¶ Action de compléter *ou* de parfaire.

replicatio, *onis*, f. Action de revenir sur soi-même; révolution. ¶ Répétition. ‖ *Jur.* Réplique. ‖ *Math.* Décomposition d'un nombre en ses facteurs.

replico, *as, avi, atum, are*, tr. Replier. ‖ Plier en arrière. ‖ Recourber. ‖ Reverbérer. ‖ *Jur.* Répliquer. ¶ Dérouler. ‖ Compulser. ‖ Repasser dans son esprit, penser à. ‖ Revenir sur, répéter (en parlant). ¶ *Qqf.* Plier de nouveau, replier.

replum, *i*, adj. Châssis d'une porte. ‖ Cadre d'un panneau. ¶ Partie d'une baliste. ¶ Vêtement de femme.

replumbo, *as, are*, tr. Dessouder.

repo, *is, repsi, reptum, ere*, intr. Ramper; se glisser en rampant. ¶ *Fig.* Etre peu élevé. ¶ Se glisser lentement, s'insinuer.

repono, *is, posui, positum, ere*, tr. Poser derrière soi. ‖ Ramener en arrière, replier. ¶ Mettre de côté *ou* en réserve. ¶ Serrer; garder. ‖ Enfouir; mettre au tombeau; ensevelir. ¶ Déposer, mettre bas, quitter. ¶ Remettre en place, rétablir ¶ Remettre sur la table, resservir. ¶ Remettre sur la scène. ¶ Restituer, rendre. ¶ Mettre à la place de; substituer. ‖ Remplacer. ¶ Donner à la place *ou* en échange. ‖ Répondre; répliquer. ¶ Poser sur *ou* dans, reposer; mettre au rang *ou* au nombre de; faire consister dans.

reportatio, *onis*, f. Action de remporter.

reporto, *as, avi, atum, are*, tr. Porter de nouveau. ‖ Porter en arrière. ‖ Ramener, faire revenir. ¶ Rapporter, revenir avec. ¶ Rapporter; restituer. ¶ Rapporter (une nouvelle); annoncer, raconter.

reposco, *is, ere*, tr. Redemander (ce qu'on a perdu). ‖ Demander en retour. ¶ Réclamer, demander compte de. ‖ Revendiquer; exiger.

2. **reposco**, *onis*, m. Celui qui réclame; (un) mécontent.

repositio, *onis*, f. Action de mettre en réserve, de serrer. ‖ (Méton.) Réserve, dépôt; grange. ‖ Compartiment. ‖ Chose mise en réserve.

repositorium, *ii*, n. Entrepôt, réserve. ¶ Sorte de dressoir. ‖ Plateau de table. ‖ Etagère. ¶ Tombeau.

repositus (REPOSTUS), *a, um*, p. adj. Déposé. Subst. *Repositum, i*, n. Provision; réserves. ¶ Ecarté (en parl. d'un lieu). Subst. *Repositum, i*, n. Intérieur du sanctuaire.

repostor, *oris*, m. Restaurateur (d'un monument).

repotatio, *onis*, f. Voy. le suivant.

repotia, *orum*, n. pl. Action de boire après un festin. ¶ Fête du lendemain (après les noces); second banquet.

repotialis, e, adj. Qui concerne la fête du lendemain.

repraesentatio, onis, f. Action de mettre sous les yeux. || Tableau, représentation. ¶ (Rhét.) Hypotypose. ¶ Versement immédiat; paiement au comptant.   [l'image de...

repraesentator, oris, m. Celui qui est

repraesento, as, avi, atum, are, tr. Rendre présent, mettre sous les yeux. || *Fig.* Démasquer. ¶ Reproduire la vivante image de; imiter. ¶ Exécuter immédiatement, effectuer sur-le-champ ¶ Payer comptant.

reprehendo, is, prehendi, prehensum, ere, tr. Ressaisir, rattraper. || Ramener (pr. et fig.). ¶ Reprendre, c.-à-d. réprimander, blâmer. || Réfuter.

reprehensio, onis, f. Action de reprendre, de ramener. || Action de se reprendre (en parlant). ¶ Reproche, blâme. || (Méton.) Faute. ¶ (Rhét.) Réfutation.   [mener avec insistance.

reprehenso, as, are, tr. Retenir. ¶ Ramener

reprehensor, oris, m. Celui qui reprend; celui qui cherche à corriger. || Celui qui blâme.

reprendo. Voy. REPREHENDO.

represse, adv. Avec retenue, avec réserve. || Modérément.

repressio, onis, f. Action de refouler *ou* de faire reculer. ¶ Blâme, reproche.

repressor, oris, m. Celui qui réprime, qui maîtrise. || Celui qui rabaisse.

repressus, a, um, adj. Mat, terne.

reprimo, is, pressi, pressum, ere, tr. Refouler, repousser. ¶ (*Médec.*) Arrêter, calmer. ¶ *Fig.* Réprimer, maîtriser, faire rentrer dans l'ordre.

reprobo, as, avi, atum, are, tr. Juger mauvais; reconnaître (comme) mauvais; désapprouver, réprouver; rejeter.

reprobus, a, um, adj. Réprouvé, rejeté. ¶ Défectueux; de mauvais aloi.

repromissio, onis, f. Promesse réciproque. ¶ *Eccl.* Promesse.

repromissor, oris, m. Celui qui promet. ¶ Celui qui garantit.

repromitto, is, misi, missum, ere, tr. Promettre en retour. ¶ Promettre de nouveau. ¶ *Eccl.* Promettre.

reptabundus, a, um, adj. Qui se traîne; qui va en se traînant.

reptatio, onis, f. Action de se traîner sur le ventre (comme les petits enfants).

reptatus, us, m. Marche rampante. ¶ Action de grimper (en parl. de la vigne).

reptilis, e, adj. Qui rampe.

repto, as, avi, atum, are, intr. Ramper *ou* se traîner. ¶ *Fig.* Marcher avec peine; avancer péniblement. ¶ *Tr.* Parcourir *ou* atteindre en rampant.

repubesco, is, ere, intr. Rajeunir, redevenir vigoureux. ¶ Reverdir.

repudiatio, onis, f. Rejet, refus, dédain. ¶ *Jur.* Répudiation.

repudiator, oris, m. Qui rejette, qui dédaigne. ¶ Qui répudie.

repudio, as, avi, atum, are, tr. Rejeter, repousser. ¶ Renoncer à. ¶ Reconduire, renvoyer. ¶ Renoncer au mariage. || Rompre (avec une fiancée). || Econduire (un prétendant). || Répudier.

repudiosus, a, um, adj. Qui est à rejeter.

repudium, ii, n. Rupture (d'un mariage). ¶ Refus (d'un parti). || Rupture (entre fiancés). ¶ Divorce, répudiation.

repuerasco, is, ere, intr. Redevenir enfant. ¶ Tomber en enfance. || Dire *ou* faire des enfantillages.

repugnans, antis, p. adj. Contradictoire; incompatible.   [contre-cœur.

repugnanter, adv. Avec répugnance; à

1. repugnantia, ae, f. Lutte des éléments. ¶ *Fig.* Désaccord, antipathie. ¶ Moyen de défense; arme naturelle. ¶ Opposition, incompatibilité.

2. repugnantia, um, n. pl. Incompatibilités.

repugno, as, avi, atum, are, intr. Opposer de la résistance; se défendre; lutter (pr. et fig.). ¶ *Fig.* S'opposer à. || Etre opposé (par nature), être contradictoire, être antipathique, être inconciliable.

repullulo, as, avi, are, intr. Repulluler. ¶ *Fig.* Avoir de nombreux rejetons.

repulsa, ae, f. Echec (d'un candidat). ¶ *Par ext.* Echec (en gén.). || Mécompte. || Refus.

repulsio, onis, f. Action de repousser; résistance. ¶ Rejet. || Réfutation.

repulso, as, are, tr. Repousser maintes fois. ¶ Renvoyer un son; répercuter. ¶ *Fig.* Repousser; ne pas admettre.

repulsor, oris, m. Qui repousse. || Qui rejette.   [défense;

repulsorium, ii, n. Moyen de repousser;

1. repulsus, a, um, p. adj. Ecarté, éloigné. ¶ Qui a éprouvé un échec.

2. repulsus, us, m. Répercussion (du son). ¶ Réverbération. || Reflet. ¶ Choc, coup.   [de racler, de polir.

repumicatio, onis, f. Action de gratter,

repungo, is, ere, tr. Piquer (à son tour).

repurgo, as, avi, atum, are, tr. Nettoyer. ¶ Oter en nettoyant. || Purifier.

reputatio, onis, f. Compte. || Imputation (d'une somme). || Evaluation. ¶ Méditation, réflexion; examen, étude.

reputo, as, avi, atum, are, tr. Compter, supputer, calculer, évaluer. ¶ Examiner; songer à; faire des réflexions sur. ¶ *Eccl.* Faire entrer en compte, imputer, attribuer.

requies, quietis, f. Repos, récréation, relâche. ¶ *Eccl.* Repos dans la mort, paix du tombeau.

requiesco, is, quievi, quietum, ere, intr. Se reposer; prendre du repos *ou* du loisir; se délasser. ¶ *Spéc.* Reposer dans la mort, être mort. ¶ S'appuyer

ou se reposer sur. ¶ *Tr.* Faire reposer.
|| Reposer, *c.-à-d.* apaiser.

requietus, *a, um*, p. adj. Reposé; récréé.
¶ Qui n'est pas frais, vieux; qui a été longtemps laissé de côté.

requiro, *is, quisivi, quisitum, ere*, tr. Chercher, rechercher; se mettre à la recherche de. ¶ Demander, s'informer, s'enquérir, questionner. ¶ Demander, *c.-à-d.* avoir besoin, exiger, requérir. ¶ Chercher en vain; ne pas trouver; regretter l'absence de.

requisita, *orum*, n. pl. Ce qui est requis, désiré *ou* nécessaire. ¶ Besoins naturels.

res, *rei*, f. Chose matérielle, objet naturel, être, corps, créature. ¶ Le fait, la réalité, le fond (*opp. à* la forme); idée (*opp. à* mot). *Verbis, rebus*, en apparence, en réalité. *Re ipsa* ou *re vera*, en fait, en réalité; en effet; au fond. ¶ Chose, affaire. *Res divina*, sacrifice; cérémonies du culte. — *frumentaria*, approvisionnements de blé. — *militaris*, art militaire. ¶ Etat, situation, position, condition; circonstance, conjoncture. *Res adversae*, malheurs, adversité. — *secundae*, prospérité. ¶ Affaire, utilité, intérêt, avantage; relations, rapports. *Consulere suis rebus*, veiller à ses intérêts. *In rem est* (av. l'inf.), il est utile de... *E re publica est*, il est de l'intérêt public... ¶ Propriété, biens, fortune, richesse. *Rem habere*, avoir du bien. ¶ Cause, motif, moyen. *Quam ob rem*, pour ce motif *ou* c'est pourquoi. ¶ Fait, événement; issue. ¶ Acte, action, entreprise. || Exploit. || Fait historique. ¶ La chose publique, les affaires, le gouvernement, l'Etat, la constitution. ¶ Débat, procès, cause; contestation. ¶ Sujet (traité *ou* à traiter); ce qui est en question.

resarcio, *as, are*, tr. Relever d'une interdiction.

resalutatio, *onis*, f. Salut rendu.

resaluto, *as, avi, atum, are*, tr. Saluer de nouveau. ¶ *Absol.* Rendre un salut.

resanesco, *is, sanui, ere*, intr. Revenir à son état normal, revenir à la raison, au bon sens.

resarcio, *is, sarsi, sartum, ire*, tr. Rapiécer, raccommoder, réparer. ¶ Réparer (un dommage); compenser (une perte).

rescindo, *is, scidi, scissum, ere*, tr. Déchirer de nouveau. || Rouvrir (une blessure). || Débrider une plaie. ¶ Couper, déchirer, rompre. — *vallum*, forcer un retranchement. ¶ Abroger, annuler, détruire; rescinder, tenir pour nul et non avenu; enfreindre (les dernières volontés de qqn); casser (les actes de qqn). [à savoir, apprendre.

rescio, *is, ire*, tr. Etre informé de, venir à savoir.
rescisco, *is, scivi* ou *scii, scitum, ere*, tr. Venir à savoir, être informé de,

apprendre, découvrir.

rescissio, *onis*, f. Annulation; rescission, abrogation.

rescissoria, *ae*, f. (Action) qui se fonde sur l'annulation d'un jugement.

rescribo, *is, scripsi, scriptum, ere*, tr. Inscrire de nouveau; porter sur des rôles nouveaux. ¶ Récrire; répondre par écrit. ¶ Répondre pour réfuter, *d'où* réfuter. ¶ Recomposer, refaire, corriger. ¶ Rendre un rescrit. ¶ Payer, rembourser.

rescriptio, *onis*, f. Réponse par écrit. ¶ Rescrit (de l'empereur).

rescriptum, *i*, n. Réponse par écrit (de l'empereur); rescrit.

reseco, *as, secui, sectum, are*, tr. Couper, tailler, rogner. ¶ *Fig.* Retrancher, supprimer.

resecro, *as, avi, atum, are*, tr. Prier *ou* supplier de nouveau. ¶ Rétracter; retirer.

resectio, *onis*, f. Action de couper, de tailler. ¶ *Spéc.* Taille (de la vigne).

reseda, *ae*, f. Réséda, plante.

resedo, *as, are*, tr. Calmer; guérir.

resemino, *as, are*, tr. Reproduire.

resequor, *eris, secutus sum, sequi*, dép. tr. Suivre en parlant; répondre immédiatement à. [ouverture.

reseratio, *onis*, f. Action d'ouvrir;

reseratus, abl. *u*, m. Action d'ouvrir; ouverture.

1. **resero**, *as, avi, atum, are*, tr. Ouvrir (pr. et fig.). ¶ Dévoiler, révéler. || Exprimer, raconter; publier.

2. **resero**, *is, sevi, ere*, tr. Ensemencer de nouveau, replanter.

reservo, *as, avi, atum, are*, tr. Réserver, mettre en réserve; ménager. ¶ Sauver, conserver, garder.

reses, *sidis*, adj. Qui reste, qui séjourne dans; immobile. ¶ Oisif, inactif, inoccupé.

resideo, *es, sedi, sessum, ere*, intr. Rester assis; s'asseoir; rester, séjourner. ¶ Etre inactif, oisif; se calmer. ¶ Rester, demeurer, subsister, durer. || Etre fondé sur, reposer sur. ¶ *Tr.* Chômer (une fête). ¶ S'apaiser.

resido, *is, sedi, sessum, ere*, intr. S'asseoir, se poser; se percher; percher. ¶ S'établir, se fixer (dans un lieu). ¶ S'affaisser; s'aplanir. ¶ S'apaiser, se calmer.

residuus, *a, um*, adj. Qui reste. Subst. *Residuum, ii*, n. Reste, restant. ¶ Qui reste dû. ¶ Qui subsiste encore. ¶ Inactif; désœuvré.

resignaculum, *i*, n. Empreinte d'un cachet. ¶ *Fig.* Marque que Dieu a mise sur ses créatures.

resigno, *as, avi, atum, are*, tr. Décacheter, desceller, ouvrir une lettre, un testament. ¶ Briser, rompre; enfreindre. ¶ Dévoiler, révéler. ¶ Rendre, rembourser. ¶ Assigner, attribuer.

resilio, *is, silui, sultum, ire*, intr. Sauter

en arrière, sauter de nouveau, rebondir; rejaillir, être repoussé. ¶ Se retirer sur soi-même, se réduire, se raccourcir; rentrer; reculer, se replier (dans un combat). [troussé.

resimus, *a*, *um*, adj. Recourbé, retroussé.

resina, *ae*, f. Résine, gomme.

resinaceus, *a*, *um*, adj. Résineux.

resinatus, *a*, *um*, adj. Enduit de résine. ¶ Mélangé de résine; aromatisé avec de la résine. [résineux.

resinosus, *a*, *um*, adj. Plein de résine;

resipio, *is*, *ere*, tr. Avoir la saveur de, sentir. ¶ Avoir le goût de; se ressentir. ¶ Prendre du goût. [repentir.

resipiscentia, *ae*, f. Résipiscence; re-

resipisco, *is*, *sipui* et *sipii*, *ere*, intr. Revenir à la raison, revenir à soi, revenir à de bons sentiments; se repentir.

resisto, *is*, *stiti*, *ere*, intr. S'arrêter, faire halte, demeurer. ¶ Résister, opposer de la résistance, tenir tête. ‖ *Qqf*. Résister, faire de l'opposition. ¶ Se relever; se remettre sur ses pieds.

resolutio, *onis*, f. Action de détacher, de dénouer ses chaussures. ¶ Relâchement. ¶ Annulation, résiliation (d'un contrat).

resolutus, *a*, *um*, p. adj. Paralysé. ‖ Efféminé, voluptueux. ¶ Effréné, immodéré.

resolvo, *is*, *solvi*, *solutum*, *ere*, tr. Délier, dénouer, détacher, défaire; ouvrir. ¶ Désagréger, résoudre, dissoudre, faire fondre, décomposer. ¶ Relâcher, détendre, amollir, énerver. ¶ Supprimer, dissiper, écarter; diminuer. ¶ Résoudre, expliquer, éclaircir. ¶ Payer, acquitter.

resonabilis, *e*, adj. Qui répète un son.

resono, *as*, *sonui* et *sonavi*, *are*, intr. Renvoyer le son; résonner, retentir. ¶ *Tr*. Faire résonner, faire retentir. ‖ Faire entendre, produire un son (qui se répète).

1. resono, *ere*, intr. Renvoyer un son, retentir, résonner. ¶ Avoir un sens. ¶ *Tr*. Faire retentir, faire répéter.

resonus, *a*, *um*, adj. Qui renvoie un son, retentissant; sonore.

resorbeo, *es*, *ere*, tr. Ravaler, avaler de nouveau (pr. et fig.). ¶ Refouler.

respecto, *as*, *avi*, *atum*, *are*, intr. Regarder sans cesse derrière soi, tourner souvent les yeux vers; regarder; attendre. ¶ Avoir les yeux sur, ne pas perdre de vue, s'occuper de, s'intéresser à. ¶ Attendre *ou* espérer de quelqu'un (en retour).

respectus, *us*, m. Regard jeté en arrière, considération, réflexion, égard, compte que l'on tient de. ¶ Recours, refuge, asile. ¶ Examen.

1. respergo, *is*, *spersi*, *spersam*, *ere*, tr. Éclabousser, arroser, tacher. ¶ Refouler pour étendre.

2. respergo, *ginis*, f. Action de mouiller;

souillure, tache, éclaboussure.

respersio, *onis*, f. Action d'arroser, action de verser. [éclaboussure.

respersus, abl. *u*, m. Action de mouiller;

respicio, *is*, *spexi*, *spectum*, *ere*, tr. Regarder par derrière, se tourner pour regarder; apercevoir derrière soi. ¶ Avoir égard à, veiller sur, songer à. ‖ Considérer, avoir en vue, regarder, concerner. ¶ Regarder favorablement. ¶ Attendre, espérer.

respiramen, *minis*, n. Canal de la respiration; trachée-artère; respiration.

respiratio, *onis*, f. Respiration. ¶ Pause pour reprendre haleine. ¶ Evaporation, exhalaison. [tion.

respiratus, dat. *ui*, abl. *u*, m. Respira-

respiro, *as*, *avi*, *atum*, *are*, tr. Respirer, exhaler, rendre (un souffle). ¶ Prendre haleine, respirer; se remettre, se reposer, se ranimer, revivre. ¶ Se ralentir, cesser.

resplendeo, *es*, *dui*, *ere*, intr. Reluire, resplendir, donner un reflet, jeter un vif éclat (pr. et fig.).

respondeo, *es*, *spondi*, *sponsum*, *ere*, tr. Promettre en retour, garantir de son côté. ¶ Répondre, faire une réponse. ¶ Répondre (à un appel), comparaître en justice; se présenter. ¶ Répondre à, être en accord avec, cadrer avec, correspondre, être symétrique. ¶ Répondre à l'attente, réussir, être efficace. ¶ Tenir tête à, résister. ¶ Etre situé vis-à-vis. ¶ Tenir ses engagements, payer, s'acquitter. ¶ Appartenir à, dépendre de. [¶ Subjection.

responsio, *onis*, f. Réponse; réplique.

responsito, *as*, *avi*, *are*, tr. et intr. Donner des consultations de droit.

responso, *as*, *are*, intr. Répondre; répliquer. ‖ Renvoyer le son, résonner, retentir. ¶ Etre proportionné à. ¶ Résister à; lutter contre.

responsor, *oris*, m. Celui qui répond. ¶ *Spéc*. Celui qui donne des consultations de droit.

responsum, *i*, n. Réponse. ¶ Réponse (d'un oracle). ¶ Consultation de droit.

responsus, *us*, m. Réponse. ¶ Correspondance, symétrie.

respublica. Voy. RES.

respuo, *is*, *ui*, *ere*, tr. Recracher, rejeter, rendre, vomir. ‖ Ne pas garder, écarter de soi, repousser. ¶ Repousser, rejeter, dédaigner, mépriser.

restagnatio, *onis*, f. Débordement. ‖ *Fig*. Vomissement *ou* nausée.

restagno, *as*, *are*, intr. Déborder, former une nappe d'eau. ¶ Etre débordé. ¶ Etre inondé.

restauratio, *onis*, f. Rétablissement, renouvellement.

restaurator, *oris*, m. Restaurateur d'un édifice. ¶ Celui qui rétablit en son premier état. ¶ Rédempteur.

restauro, *as*, *avi*, *atum*, *are*, tr. Réparer, rebâtir, restaurer. ¶ Renouveler, recommencer. ¶ Comprendre, embrasser, récapituler.

restibilis, *e*, adj. *Proprement*, ce qui est fait pour être debout; *d'après d'autres*, de reste, qui demeure, qui dure. ¶ Qui se renouvelle, qui repousse, qui se reproduit de nouveau. [ficelle.

resticula, *ae*, f. Corde mince, cordon,

restillo, *as avi atum*, *are* tr. Introduire goutte à goutte. ¶ Revenir en coulant goutte à goutte. [la soif).

restinctio, *onis*, f. Etanchement (de restinguo, *is*, *stinxi*, *stinctum*, *ere*. tr. Eteindre. ¶ Eteindre, refroidir, calmer, apaiser. ¶ Détruire, anéantir.

restio, *onis*, m. Cordier (ironique en parl. de qqn qui est fouetté à coups de cordes). ¶ Titre d'un mime de Labérius. [pulation réciproque.

restipulatio, *onis*, f. Restipulation, stirestipulor, *aris*, *ari*, dép. intr. Stipuler de nouveau; stipuler réciproquement.

restis, *is*, f. Corde. ¶ Queue (d'ail *ou* d'oignon).

restito, *as*, *are*, intr. S'arrêter souvent; rester en arrière, s'attarder. ¶ S'opposer, résister, tenir bon.

restituo, *is*, *ui*, *utum*, *ere*, tr. Remettre en place, replacer. ¶ Ramener, rappeler, faire revenir. ¶ Rétablir, remettre; relever, restaurer. ¶ Réparer (un dommage), remettre en état, relever. ¶ Rendre, redonner, restituer. ¶ *Jct.* Remettre (ce qu'on a reçu), livrer, donner (ce qui est dû). ¶ Donner, produire. ¶ Casser, infirmer (un jugement).

restitutio, *onis*, f. Réparation, rétablissement. ¶ Rappel de l'exil, réintégration (dans ses droits).

restitutor, *oris*, m. Restaurateur, celui qui rebâtit. ¶ Celui qui rétablit.

restitutorium, *ii*, n. Action en restitution.

resto, *as*, *stiti*, *are*, intr. S'arrêter, rester en arrière. ¶ Rester, être de reste, survivre (en parl. des pers. et des ch.). ¶ Résister.

restricte, adv. Avec ménagement, avec réserve. ¶ Strictement, rigoureusement, sévèrement. [ment.

restrictim, adv. Strictement, rigoureuserestrictus, *a*, *um*, p. adj. Resserré, étroit, juste. ¶ Retenu, modéré. ¶ Ménager, avare, serré. ¶ Rigoureux, sévère, rigide.

1. **restringo**, *is*, *strinxi*, *strictum*, *ere*, tr. Serrer étroitement. ¶ Resserrer. ¶ (Fig.) Attacher, lier. ¶ Réprimer, contenir, supprimer. ¶ Desserrer, ouvrir.

2. **restringo**, *is*, *ere*, tr. Tordre, presser.

resudo, *as*, *are*, intr. Suer (en parl. du sol), être humide, suinter. ¶ Rendre, rejeter (un liquide). [veau, rouvrir.

resulco, *as*, *are*, tr. Sillonner de nouresulto, *as*, *are*, intr. Rebondir, rejaillir. ¶ Retentir, résonner (en parl. de l'écho). ¶ Répugner, résister. ¶ Résis-

ter, faire de l'opposition à. ¶ Déserter son parti, apostasier. ¶ Répercuter.

resumo, *is*, *sumpsi*, *sumptum*, *ere*, tr. Reprendre. ¶ Entreprendre de nouveau, reprendre, recommencer. ¶ Reprendre, recouvrer. ¶ Ranimer, rétablir, guérir.

resumptio, *onis*, f. Action de reprendre, de faire un nouvel usage de. ¶ Répétition (emphatique, de la même pensée). ¶ Rétablissement, guérison.

resupinatus, *a*, *um*, p. adj. Penché en arrière; couché sur le dos; recourbé.

resupinus, *a*, *um*, adj. Penché, renversé en arrière. ¶ Couché sur le dos. ¶ Qui se redresse, qui se rengorge, qui porte la tête haute, hautain. ¶ Nonchalant, insouciant, efféminé.

resupino, *as*, *avi*, *atum*, *are*, tr. Pencher en arrière, renverser, jeter à la renverse. ¶ Coucher sur le dos. ¶ Faire que qqn se renverse orgueilleusement en arrière *ou* redresse superbement la tête.

resurgo, *is*, *surrexi*, *surrectum*, *ere*, intr. Se relever. ¶ Se relever, se rétablir, renaître. ¶ Se ranimer, se renouveler, renaître. ¶ Faire revivre, ressusciter.

resurrectio, *onis*, f. Action de se relever, de se réveiller. ¶ Résurrection.

resuscito, *as*, *avi*, *atum*, *are*, tr. Redresser, reconstruire. ¶ Réveiller, faire revivre, ranimer. ¶ Ressusciter (un mort).

retae, *arum*, f. pl. Arbres qui se trouvent sur les bords *ou* dans le lit d'une rivière, et qui gênent la navigation. [délai.

retardatio, *onis*, f. Retardement, retard, retardo, *as*. *avi*, *atum*, *are*, tr. Retarder, arrêter. ¶ Arrêter, contenir, réprimer; empêcher. || Dissuader. ¶ Récriminer.

retaxo. *as*, *are*, tr. Censurer à son tour.

rete, *is*, n. Rets, filets (pour la chasse et la pêche), lacs, réseau. || Toile d'araignée. ¶ Lacs, filets, piège, séduction.

retego, *is*, *texi*, *tectum*, *ere*, tr. Découvrir, mettre à nu. ¶ Ouvrir. ¶ Découvrir, dévoiler, révéler. ¶ Recouvrir.

retendo, *is*, *tendi*, *tentum*, *ere*, tr. Détendre, relâcher. ¶ Camper dans la RETENTURA. Voy. ce mot.

retentaculum, *i*, n. Chaîne qui retient.

retentator, *oris*, m. Détenteur.

retentio, *onis*, f. Action de retenir. ¶ Action de suspendre, de conserver, de garder. ¶ Retenue sur une somme à payer.

1. **retento**, *as*, *avi*, *atum*, *are*, tr. Essayer, tenter de nouveau. ¶ Chercher à ressaisir, à reprendre. ¶ Repasser dans son esprit.

2. **retento**, *as*, *avi*, *atum*, *are*, tr. Retenir, arrêter. ¶ *Fig.* Contenir, maîtriser. ¶ Conserver; maintenir.

retentura, *ae*, f. Troisième division d'un camp (entre la *via quintana* et la *porta decumana*).

1. **retentus**, part. de RETENDO.

2. **retentus**, *us*, m. Action de retenir (en parl. de la main).

3. **retentus**, *us*, m. Part. de RETINEO.

retexo, *is*, *texui*, *textum*, *ere*, tr. Défaire un tissu, détisser. ¶ Défaire, détruire, annuler. ¶ Tisser de nouveau; refaire, recommencer, renouveler. ¶ Rappeler, retracer; insérer (dans un récit).

retiarius, *ii*, m. Rétiaire, gladiateur (armé d'un trident et d'un filet). ¶ Fabricant de filets.

retiatus, *a*, *um*, adj. Qui a la forme d'un filet, treillissé, grillé.

reticentia, *ae*, f. Long silence; silence obstiné. ¶ Réticence (rhét.).

reticeo, *cui*, *ere*, intr. Se taire. ¶ Garder le silence, ne pas répondre à la question de qqn. ¶ Se taire sur, passer sous silence.

reticula, *ae*, f. Comme RETICULUM.

reticulatus, *a*, *um*, adj. Fait en forme de filet, de réseau, réticulaire.

reticulum, *i*, n. Voy. le suivant.

reticulus, *i*, m. Filet à petites mailles. ¶ Réseau, sachet, sac.

retimeo, *es*, *ere*, tr. Redouter.

retinaculum, *i*, n. Attache, corde.

retinens, *entis*, p. adj. Qui retient, qui garde. ¶ Attaché à, qui observe scrupuleusement.

retinentia, *ae*, f. Action de retenir (dans sa mémoire), ressouvenir.

retineo, *es*, *tinui*, *tentum*, *ere*, tr. Retenir, arrêter. || Tenir solidement. ¶ Maintenir, contenir. ¶ Ne pas rendre, conserver, garder. ¶ *Fig.* Observer comme une règle, observer fidèlement. ¶ Garder dans son esprit. ¶ Retenir, attacher, *c.-à-d.* captiver.

retinnio, *is*, *ire*, intr. Résonner *ou* tinter de nouveau. ¶ *Tr.* Faire résonner.

retiolum, *i*, n. Résille.

retis, *is*, m. Voy. RETE.

retondeo, *es*, *tonsus*, *ere*, tr. Couper, faucher de nouveau.

retorqueo, *es*, *torsi*, *tortum*, *ere*, tr. Tourner en arrière *ou* de côté,. retourner, diriger en arrière. ¶ Intervertir. ¶ Rétorquer.

retorridus, *a*, *um*, adj. Desséché, sec, ridé, rabougri (par la chaleur). ¶ Rabougri, ratatiné (par l'âge). ¶ Renfrogné, difficile, chagrin.

retractatio, *onis*, f. Remaniement, correction (usité seulement au plur.). ¶ Répétition du même mot, pris dans un autre sens. ¶ Action de se dédire, refus, résistance (usité seulement à l'abl.).

retractator, *oris*, m. Celui qui répète. ¶ Celui qui se refuse à. ¶ Volontaire, indocile.   [corrigé.

1. **retractatus**, *a*, *um*, p. adj. Retouché,

2. **retractatus**, *us*, m. Répétition, redite. ¶ Hésitation.

retractio, *onis*, f. Action de retirer, retrait. ¶ Raccourcissement (des jours).

¶ Soustraction. ¶ Hésitation, refus.

retracto, *as*, *avi*, *atum*, *are*, tr. Toucher de nouveau. ¶ Retoucher, corriger. ¶ Entreprendre de nouveau, reviser, renouveler. ¶ Repasser dans son esprit, réveiller un souvenir; se rappeler. ¶ Retirer, reprendre, révoquer. ¶ Refuser; résister; hésiter. ¶ Rabaisser, ravaler, critiquer.

1. **retractus**, *a*, *um*, p. adj. Tiré à l'écart, retiré, éloigné, enfoncé.

2. **retractus**, abl. *u*, m. Action de tirer en arrière.

retraho, *is*, *traxi*, *tractum*, *ere*, tr. Tirer en arrière, ramener, retirer. ¶ Rattraper, arrêter, ramener de force. ¶ Eloigner de, sauver *ou* préserver de. ¶ Retenir, ne pas remettre. ¶ Supprimer. ¶ Raccourcir, diminuer. ¶ Traîner de nouveau, ramener. ¶ *Fig.* Faire reparaître, faire revivre. ¶ *Simpl.* Amener en tirant. || *Fig.* Amener à, faire tourner à.

retrecto. Voy. RETRACTO.

retribuo, *is*, *tribui*, *ere*, tr. Donner en échange. ¶ Rendre, restituer.

retributio, *onis*, f. Retour, récompense, équivalent, riposte, renvoi. ¶ Rémunération, rétribution

retributor, *oris*, m. Rémunérateur.

1. **retro**, adv. En arrière, par derrière, à reculons (à la question *quo*). ¶ En arrière, par derrière (à la question *ubi*). ¶ (En parl. du temps.) En arrière du présent, en remontant vers le passé. ¶ En sens contraire, dans l'ordre inverse, réciproquement.

2. **retro**, prép. (av. l'acc.) En arrière de, derrière.

retrdago, *is*, *egi*, *actum*, *ere*, tr. Ramener pousser en arrière; faire reculer. ¶ Retourner, changer.   [rétrograder.

retrocedo, *is*, *cessi*, *ere*, intr. Reculer,

retroduco, *is*, *duxi*, *ductum*, *ere*, tr. Ramener en arrière.   [culer.

retroeo, *is*, *ire*, intr. Rétrograder, re-

retroflecto, *is*, *flexi*, *flexum*, *ere*, tr. Ramener, plier en arrière.

retrogradior, *eris*, *gressus sum*, dép. intr. Rétrograder, reculer.

retrogradus, *a*, *um*, adj. Rétrograde.

retrorsum et **retrorsus**, adv. Dans une direction rétrograde, en arrière. ¶ (En parl. du temps.) Antérieurement. ¶ Réciproquement, en sens inverse.

retrorsus, *a*, *um*, p. adj. Qui est retourné. ¶ Qui est en arrière.

retros... Voy. RETRORS...

retroversum, adv. En arrière.

retroversus, *a*, *um*, p. adj. Tourné en arrière, renversé. ¶ En arrière, à reculons, derrière soi.   [de, changer en.

retroverto, *is*, *ere*, tr. Ramener à l'état

retrudo, *is*, *ere*, tr. Pousser en arrière, faire reculer, faire rentrer violemment. ¶ Reléguer, mettre à l'écart.

retundo, *is*, *tudi*, *ere*, tr. Repousser, refouler. ¶ Emousser (pr. et fig.);

affaiblir. ¶ Affaiblir, réprimer, rabattre.

returo, *as, are*, tr. Remplir (au pr. et au fig.). ¶ Déboucher, ouvrir.

retusus, *a, um*, p. adj. Emoussé. ¶ Affaibli, languissant, amorti; obtus.

reus, *i*, m. et **rea**, *ae*, f. Celui (*ou* celle) qui est engagé dans un procès, le défendeur *ou* le demandeur. ¶ Prévenu, accusé. ¶ Qui est engagé, obligé, débiteur, responsable de.

revalesco, *is, valui, ere*, intr. Recouvrer la santé, se rétablir. ¶ Reprendre de la force *ou* du crédit, se relever, revivre. [portant.

revecto, *as, are*, tr. Ramener en trans-

reveho, *is, vexi, vectum, ere*, tr. Ramener en transportant (sur les épaules, à cheval, par mer, en voiture); rapporter.

revelatio, *onis*, f. Action de découvrir. ¶ Révélation d'un secret. ¶ *Eccl.* La Révélation. [teur.

revelator, *oris*, m. Qui révèle, révéla-

revello, *is, velli, ere*, tr. Arracher, détacher, enlever. ¶ Séparer violemment, éloigner, détruire. ¶ Fendre la terre avec la charrue, défricher. ¶ Ouvrir violemment, enfoncer.

revelo, *as, avi, atum, are*, tr. Mettre à nu, découvrir. ¶ Eclaircir, expliquer.

revendo, *is, vendidi, ere*, tr. Revendre.

reveneo, *venii, ire*, intr. Etre revendu.

revenio, *is, veni, ventum, ire*, intr. Revenir, retourner. [ment.

revera ou **re vera**, adv. En fait, réellement.

reverbero, *as, are*, tr. Repousser, rejeter; faire rebondir.

reverendus, *a, um*, p. adj. Digne de vénération; vénérable; imposant.

reverens, *entis*, p. adj. Qui craint. ¶ Qui révère, respectueux. ¶ Vénérable, respectable.

reverenter, adv. Avec une crainte respectueuse; avec déférence, respectueusement.

reverentia, *ae*, f. Timidité, timidité jointe à la crainte *ou* à la pudeur; pudeur, retenue. ¶ Timidité jointe au respect, à la vénération; respect, crainte respectueuse, déférence, égard. ¶ Dignité, majesté.

revereor, *eris, veritus sum, eri*, dép. tr. Eprouver une crainte profonde (par respect, par pudeur, par scrupule); appréhender. ¶ Révérer, vénérer, respecter, avoir de la considération, de l'estime pour.

revergo, *is, ere*, intr. Se tourner vers.

reverro, *is, ere*, tr. Disperser de nouveau (en balayant).

reversio, *onis*, p. Retour, action de rebrousser chemin. ¶ Retour (périodique), réapparition (révolution d'un astre). ¶ *Rhét.* Inversion; anastrophe. ¶ Epistrophe, retour des mêmes mots à la fin de plusieurs propositions.

reverso, *atus, are*, tr. Retourner. ¶ Tourner en sens contraire.

reversus, abl. *u*, m. Action de lire à rebours. ¶ Comme REVERSIO (t. de rhét.).

reverto, *is, ere* et **revertor**, *eris, versus sum, verti*, dép. intr. Retourner, revenir. ¶ Se tourner vers; se rapporter à.

revestio, *is, ivi, itum, ire*, tr. Vêtir de nouveau. [tion.

revibratio, *onis*, f. Reflet: réverbéra-

revibratus, abl. *u*, m. Reflet, réverbération. [se refléter.

revibro, *as, avi, are*, tr. Refléter.

revictio, *onis*, f. Réfutation.

revincio, *is, vinxi, vinctum, ire*, tr. Lier par derrière. ¶ Attacher fortement; enchaîner; fixer. ¶ Lier, enchaîner. ¶ Détacher, délier, relacher.

revinco, *is, vici, victum, ere*, tr. Vaincre de nouveau, vaincre, réprimer. ¶ Réfuter victorieusement, convaincre.

reviresco, *virui, ere*, intr. Redevenir vert, reverdir. ¶ Rajeunir, être rajeuni. ¶ Renaître, revivre; se relever.

revisito, *as, are*, tr. Revisiter, visiter souvent.

reviso, *is, visi, visum, ere*, tr. Revenir voir. ¶ Revisiter, visiter de nouveau; inspecter de nouveau, revenir à.

revivesco. Voy. REVIVISCO. [vie.

revivificatus, *a, um*, adj. Rendu à la

revivisco, *is, vixi, ere*, intr. Revivre; renaître; ressusciter. ¶ Repousser. ¶ Renaître, se rétablir, se ranimer.

revocabilis, *e*, adj. Qu'on peut rappeler, qu'on peut faire revenir. ¶ Réparable.

revocamen, *minis*, n. Action de rappeler.

revocatio, *onis*, f. Rappel. ¶ Rappel d'un exilé.

revocator, *oris*, m. Celui qui rappelle.

revocatorius, *a, um*, adj. Qui rappelle. ¶ Révulsif (t. médic.).

revoco, *as, avi, atum, are*, tr. Rappeler, appeler de nouveau, convoquer, citer de nouveau. ¶ Rappeler un acteur, redemander. ¶ Réclamer. ¶ Rappeler, faire rétrograder, faire revenir, ramener.

revolo, *as, avi, atum, are*, intr. Revenir en volant, revoler; revenir promptement.

revolsio, *onis*, f. Voy. REVULSIO.

revolubilis, *e*, adj. Qui recule en arrière. ¶ Qui peut se rouler en arrière. || Qu'on peut dérouler. ¶ Qu'on peut rouler en sens inverse.

revolutio, *onis*, f. Action de faire rouler en arrière. ¶ Retour, révolution (du temps).

revolvo, *is, volvi, volutum, ere*, tr. Rouler en arrière. ¶ Retomber, tomber en arrière. ¶ Ramener sur soi-même, replier. ¶ Rouler de nouveau. ¶ Repasser dans son esprit, réfléchir. ¶ Raconter, exposer, retracer.

revomo, *is, vomui, ere*, tr. Revomir, rendre, rejeter.

revulsio, *onis*, f. Action d'arracher.

rex, *regis*, m. Roi, souverain, monarque,

prince. ¶ (En mauvaise part.) Despote, tyran. ¶ Le grand roi, le roi des Perses. ¶ Souverain maître. ¶ Chef; président. ¶ Gouverneur, précepteur. ¶ Chef des jeux d'enfants. ¶ Patron, protecteur, grand *ou* riche personnage.

rhagadia, *ae*, f. Voyez RHAGAS.

rhagadium, *ii*, n. Voyez RHAGAS.

rhagas, *adis*, f. Crevasse, gerçure.

rhagion, *ii*, n. Sorte de petite araignée noire et venimeuse.

rhamnos *ou* **rhamnus**, *i*, f. Nerprun, arbrisseau épineux.

rhapsodia, *ae*, f. Rhapsodie, chant (d'un poème homérique).

rheda, *ae*, f. Voy. REDA.

rhedarius, *a*, *um*, adj. Voy. REDARIUS.

rheno, *onis*, m. Voy. RENO.

rhetor, *oris*, pl. Rhéteur, maître de rhétorique. ¶ Orateur.

1. **rhetorica**, *ae*, f. La rhétorique.

2. **rhetorica**, *orum*, n. pl. Leçons *ou* préceptes de rhétorique.

1. **rhetorice**, *es*, f. Comme 1.RHETORICA.

2. **rhetorice**, adv. En orateur. ¶ Avec des fleurs de rhétorique.

rhetoricor, *aris*, *ari*, dép. intr. Faire le rhéteur; parler en rhéteur.

1. **rhetoricus**, *a*, *um*, adj. De rhétorique. ¶ Relatif à l'éloquence; de rhétorique.

2. **rhetoricus** (s.-ent. LIBER), *i*, m. Traité de rhétorique.

rhinoceros, *rotis*, m. Rhinocéros. ¶ (Méton.) Vase en corne de rhinocéros.

rhombus, *i*, m. Fuseau. || *Spéc.* Fuseau de magicien, rouet magique. ¶ *Math.* Rhombe, losange. ¶ Turbot, poisson.

rhomphaea. Voy. ROMPHAEA.

rhonch... Voy. RONCH...

rhopalicus, *a*, *um*, adj. En forme de massue; qui va en s'élargissant. — *versus*, vers rhopalique (où chaque mot a une syllabe de plus que le précédent).

rhopalion, *i*, n. Nénuphar (plante).

rhus, *rhois* (acc. *rhun*), f. Rhus *ou* sumac (arbrisseau).

rhythmica, *ae*, f. Comme le suivant.

rhythmice, *es*, f. Science du rythme.

rhythmici, *orum*, m. pl. Orateurs qui se préoccupent trop du rythme.

rhythmicus, *a*, *um*, adj. Rythmique.

rhythmos, *i*, m. Voy. RYTHMUS.

rhythmulus, *i*, m. Rythme court.

rhythmus, *i*, m. Symétrie; rapport; proportion. ¶ Rythme, cadence.

rhytium, *ii*, n. Vase à boire en forme de cornet. [pendant un sacrifice.

rica, *ae*, f. Voile porté par les femmes

riciniatus, *a*, *um*, adj. Qui a mis le RICINIUM. Voy. ce mot.

ricinium, *ii*, n. Voile carré porté en signe de deuil *ou* pour un sacrifice.

1. **ricinus**, *i*, m. Ricin, tique, ixode (insecte qui s'attaque au bétail). ¶ Ricin, plante. ¶ Mûre qui n'a pas encore pris forme.

2. **ricinus**, *a*, *um*, adj. Qui a la tête

couverte du voile RICA.

rictus, *us*, m. Ouverture de la bouche. ¶ Gueule béante. ¶ (Par anal.) Ouverture des yeux.

ricula, *ae*, f. Petit voile. Voy. RICA.

ridendus, *a*, *um*, p. adj. Qui prête à rire; ridicule, risible; comique.

rideo, *es*, *risi*, *risum*, *ere*, intr. Rire. || Sourire aimablement. || Etre favorable. ¶ Avoir un aspect riant. ¶ Sourire, c.-à-d. plaire. ¶ *Tr.* Rire de.

1. **ridicularius**, *a*, *um*, adj. Plaisant.

2. **ridicularius**, *i*, m. Bouffon.

ridicule, adv. Plaisamment. ¶ *Péjor.* Ridiculement. [nerie.

ridiculum, *i*, n. Plaisanterie; bouffon-

1. **ridiculus**, *a*, *um*, adj. Plaisant, amusant, comique. ¶ *Péj.* Ridicule grotesque.

2. **ridiculus**, *i*, m. Plaisant, bouffon.

rien. Voy. REN. [sage.

rigatio, *onis*, f. Action d'arroser; arro-

rigatus, *us*, m. Arrosement; arrosage.

rigens, *entis*, n. adj. Raide de froid, engourdi, glacé. ¶ Rigide. || Immobile. ¶ *Mor.* Enduroi, insensible.

rigeo, *es*, *ere*, intr. Etre raide de froid *ou* engourdi par le froid. || Etre glacé. ¶ Etre raide, se tenir droit et raide. ¶ Etre hérissé. ¶ *Fig.* Etre insensible.

rigesco, *is*, *gui*, *ere*, intr. Devenir raide. || Se glacer. ¶ Durcir. ¶ Se dresser, se hérisser. ¶ *Fig.* Reprendre de l'énergie, se redresser (fig.).

rigide, adv. Avec raideur. ¶ *Fig.* Rigoureusement, sévèrement. ¶ Sans fléchir. || En ligne droite.

rigiditas, *atis*, f. Rigidité, raideur.

rigidus, *a*, *um*, adj. Raide (de froid), glacé, engourdi. ¶ Qui engourdit (en parl. du froid.) ¶ Raide, qui se tient droit. || Ferme, dur. ¶ *Fig.* Rigide, austère. || Inflexible. ¶ Dur, farouche, insensible. ¶ Dur au travail, infatigable.

rigo, *as*, *avi*, *atum*, *are*, tr. Répandre (pr. et fig.); faire couler. ¶ Arroser, baigner. ¶ *Fig.* Abreuver, c.-à-d. nourrir de.

rigor, *oris*, m. Raideur, rigidité. || Engourdissement (dû au froid). || (Méton.) Froid glacial. ¶ Direction en ligne droite. ¶ *Fig.* Raideur (de maintien *ou* de style). ¶ Rigueur, dureté. || Austérité.

rigua, *orum*, n. pl. Irrigations. || (Mét.) Rigoles. ¶ Endroits humides.

riguus, *a*, *um*, adj. Qui arrose *ou* qui baigne. ¶ Bien arrosé, humide. ¶ *Fig.* Qui regorge.

1. **rima**, *ae*, f. Fente, fissure.

2. **rima**, *ae*, f. Sillon. || Ligne. || Trait.

1. **rimatus**. Voy. RIMO.

2. **rimatus**, *a*, *um*, adj. Escarpé.

rimo, *as*, *are*, tr. Comme le suivant.

rimor, *aris*, *atus sum*, dép. tr. Fendre; ouvrir. || Déchirer. ¶ Creuser, fouiller. || *Fig.* Chercher soigneusement, sonder, scruter. || *Par ext.* Déterrer en cherchant.

rimosus, *a, um*, adj. Fendu *ou* crevassé. || Fêlé. ¶ *Fig.* Qui est comme fendu; qui ne garde rien.

rimula, *ae*, f. Petite fente.

ringor, *eris, gi*, dép. intr. Ouvrir largement la bouche, montrer les dents. ¶ *Par ext.* Grogner *ou* gronder. || *Fig.* Etre fâché.

rinoceros. Voy. RHINOCEROS.

ripa, *ae*, f. Rive, berge; bord (d'un cours d'eau). ¶ (Par ext.) Rivage (de la mer).

ripula, *ae*, f. Petite rive.

riscus, *i*, m. Coffre, malle.

risor, *oris*, m. Rieur. || Plaisant.

risus, *us*, m. Rire. ¶ Raillerie, moquerie. || (Méton.) Objet de moquerie.

rite, adv. Selon le rite, conformément à la liturgie. ¶ (Par ext.) Légalement *ou* régulièrement. ¶ *Fig.* Selon l'usage, conformément aux habitudes. || Avec raison, à juste titre. || Bien, à souhait.

1. **ritualis**, *e*, adj. Qui concerne les rites.

2. **ritualis** (s.-c. LIBER), *is*, m. Rituel, rituaire.

ritualiter, adv. Conformément aux rites.

ritus, *us*, m. Rite, usage sacré; formes religieuses. ¶ Forme légale. || Usage, habitude, coutume. || Mœurs. || Manière. [rivière.

1. **rivalis**, *e*, adj. De ruisseau; de

2. **rivalis**, *is*, m. Riverain; celui qui partage avec d'autres l'usage d'un cours d'eau. ¶ *Fig.* Rival.

rivalitas, *atis*, f. Rivalité (en amour).

rivulus, *i*, m. Petit ruisseau (pr. et fig.). ¶ *Médec.* Canal.

rivus, *i*, m. Cours d'eau, ruisseau. ¶ Conduite d'eau, canal, rigole. ¶ *Fig.* Ruisseau, torrent. || Cours, courant.

rixa, *ae*, f. Querelle, rixe, combat.

rixabundus, *a, um*, adj. Qui se plaît aux querelles.

rixator, *oris*, m. Querelleur.

rixo, *are*, intr. Voy. RIXOR.

rixor, *atus sum, ari*, dép. intr. Avoir une rixe, se quereller, se disputer. ¶ Lutter, être en lutte.

rixosus, *a, um*, adj. Querelleur, batailleur (se dit des hommes et des animaux).

robigino, *as, are*, intr. Se rouiller.

robiginosus, *a, um*, adj. Couvert de rouille.

robigo, *ginis*, f. Rouille. ¶ Rouille, corruption, de l'âme. || Inaction, désœuvrement.

roborarium, *ii*, n. Parc construit en bois solide, enclos à renfermer des bêtes, garenne. [fort.

1. **roboratus**, *a, um*, p. adj. Fortifié,

2. **roboratus**, *a, um*, adj. Atteint du tétanos (en parl. d'un cheval).

roboreus, *a, um*, adj. En bois de chêne.

roboro, *as, avi, atum, are*, tr. Fortifier, consolider. ¶ Corroborer, affermir. ¶ Confirmer (une nouvelle).

robur, *oris*, n. Rouvre (sorte de chêne très dur). || Arbre dur, bois dur. ||

Objet en chêne *ou* en bois dur. ¶ Cachot souterrain (dans la prison d'Etat). ¶ Dureté, solidité, force. ¶ Epaisseur. ¶ Force morale, énergie, fermeté. ¶ (Sens concret.) Ce qui dans une chose est le plus fort, élite. ¶ Tétanos, maladie.

robureus, *a, um*, adj. De chêne.

1. **robus**, *a, um*, adj. Rouge. Voy. RUFUS.

2. **robus**, *oris*, n. Comme ROBUR. ¶ Sorte de froment très dur, de qualité supérieure.

robuste, adv. Fortement.

robusteus, *a, um*, adj. Fait de rouvre *ou* d'un bois dur.

robustus, *a, um*, adj. De rouvre, de chêne. ¶ Fort, résistant, solide, vigoureux, robuste. ¶ Epais.

rodo, *is, rosi, rosum, ere*, tr. Ronger. ¶ Déchirer, décrier, déniger.

1. **rodus**, *eris*, n. Voy. RAUDUS.

2. **rodus.** Voy. RUDUS.

rodusculum. Voy. RAUDUSCULUM.

rogalis, *e*, adj. De bûcher.

rogatio, *onis*, f. Action de demander. ¶ Demande, sollicitation. ¶ Interrogation. ¶ Proposition *ou* projet de loi. ¶ Loi adoptée. ¶ Les rogations (fête catholique). ¶ Ambassade.

rogatiuncula, *ae*, f. Petite question. ¶ Projet de loi peu important.

rogator, *oris*, m. Celui qui demande. ¶ Celui qui implore. || Mendiant. ¶ Celui qui propose une loi au peuple. ¶ Celui qui invite le peuple à se rendre au lieu du vote, qui surveille le vote, et qui recueille les voix; scrutateur. || Solliciteur (de votes). ¶ Costumier de théâtre (qui emprunte des costumes). [licitation.

rogatus, abl. *u*, m. Demande, prière, sol-

rogitatio, *onis*, f. Proposition de loi.

rogito, *as, avi, atum, are*, tr. Demander avec instance, interroger souvent.

rogo, *as, avi, atum, are*. Demander. prier, solliciter. ¶ Inviter, faire venir, mander. ¶ Interroger, questionner. ¶ Demander l'avis, le vote, consulter (officiellement). ¶ Proposer un candidat. ¶ Faire prêter serment aux soldats, enrôler, lever. ¶ Consulter qqn pour savoir s'il veut souscrire à une stipulation.

rogum, *i*, n. Voy. le suivant.

rogus, *i*, m. Bûcher funèbre; tombeau.

romphaea, *ae*, f. Bois de lance, avec un fer d'égale longueur. ¶ Romphée, grande et longue épée que l'on portait sur l'épaule droite.

romphaealis, *e*, adj. De romphée.

ronchisonus, *a, um*, adj. Ronflant.

roncho, *as, are*, intr. Ronfler.

ronchus, *i*, m. Ronflement. ¶ Coassement (de la grenouille).

ropio, *onis*, f. Rouget (poisson).

rorarii, *orum*, m. pl. Soldats armés à la légère, marchant en tête de l'armée et lançant des pierres et des flèches.

rorarius, *ii*, m. Voy. le précédent.

roratio, *onis*, f. Rosée, chute de la rosée. ¶ Coulure de la vigne. ¶ Eau qui tombe goutte à goutte dans la clepsydre.

roridus, *a*, *um*, adj. Couvert de rosée.

rorifer, *fera*, *ferum*, adj. Qui répand la rosée.

roro, *as*, *avi*, *atum*, *are*, intr. Tomber (en parlant de la rosée). ¶ Dégoutter, tomber goutte à goutte. ¶ Etre mouillé, ruisseler de ¶ Faire couler goutte à goutte, distiller. ¶ Mouiller, arroser.

rorulentus, *a*, *um*, adj. Couvert de rosée.

ros, *roris*, m. Rosée. ¶ Tout liquide qui coule goutte à goutte (larmes, sang, vin). ¶ (Partic.) *Ros marinus* ou absol.) *ros*, romarin, arbrisseau.

rosa, *ae*, f. Rose. ¶ Rosier. [roses.

rosaceus, *a*, *um*, adj. De rose; fait de roses.

rosacinus, *a*, *um*, adj. De rose.

rosalis, *um*, n. pl. Fêtes pendant lesquelles on portait des roses sur les tombeaux.

rosalis, *e*, adj. De roses, relatif aux roses. — *esca*, repas donné à l'occasion des ROSALIA. Voy. ce mot.

rosans, *antis*, p. adj. Rosé; qui a le teint de la rose. [roseraie.

rosarium, *ii*, n. Lieu planté de roses;

rosarius, *a*, *um*, adj. De roses. — *absorptio*, breuvage préparé avec des roses. [des roses sur les tombeaux.

rosatio, *onis*, f. Action de répandre

rosatum, *i*, n. Vin rosat. ¶ Compote à la rose. [roses.

rosatus, *a*, *um*, adj. Préparé avec des

roscidus, *a*, *um*, adj. De rosée, humide de rosée. ¶ Humide, mouillé, arrosé goutte à goutte.

rosetum, *i*, n. Haie de rosiers. ¶ Lieu planté de roses; roseraie.

roseus, *a*, *um*, adj. De rose, garni ou rempli de roses. ¶ Rosé, vermeil.

rosidus, *a*, *um*, adj. Voy. ROSCIDUS.

rosio, *onis*, f. Action de ronger, de déchirer; sensation de déchirement.

rosmarinus. Voy. ROS.

rosor, *oris*, n. Rongeur.

rostellum, *i*, n. Petit bec. ¶ Museau.

rostra, *orum*, n. pl. Tribune aux harangues ornée des éperons de navires pris à l'ennemi. ¶ Assemblée du peuple.

rostratus, *a*, *um*, adj. Recourbé en forme de bec, garni d'un bec ou d'une pointe recourbée par devant. — *columna*, colonne rostrale.

rostrum, *i*, n. Bec d'oiseau, pointe recourbée d'un objet. ¶ Museau, mufle, groin, gueule ;suçoir des abeilles.

rota, *ae*, f. Roue d'un char. ¶ Roue de potier. ¶ Roue (instrument de supplice). ¶ Le char du soleil, l'étoile du matin. ¶ Rotation, tour de roue. ¶ Roue, poisson (sorte de zoophyte).

¶ Mesure inégale d'un vers hexamètre ou pentamètre.

rotabilis, *e*, adj. Mu circulairement; qu'on fait tourner. ¶ Où l'on peut aller en voiture, carrossable.

rotabulum, *i*, n. Voy. RUTABULUM.

rotatio, *onis*, f. Action de mouvoir en rond, de faire tourner, rotation.

rotator, *oris*, m. Celui qui fait tourner ou pirouetter. ¶ Celui qui arrondit.

rotatus, *us*, m. Action de faire tournoyer; rotation.

roto, *as*, *avi*, *atum*, *are*, tr. Mouvoir circulairement, tourner, faire tournoyer, rouler. ¶ Se mouvoir en roulant, rouler. [pendant d'oreille.

rotula, *ae*, f. Petite roue. ¶ Cercle, [forme circulaire.

rotunda, *ae*, f. Patisserie de forme ronde; macaron.

rotundatio, *onis*, f. Action d'arrondir.

rotunde, adv. En rond. ¶ D'une manière arrondie; élégamment.

rotunditas, *atis*, f. Forme arrondie, rondeur. ¶ *Fig.* Style arrondi; harmonie du langage.

rotundo, *as*, *avi*, *atum*, *are*, tr. Donner une forme ronde, arrondir. ¶ Arrondir une somme, compléter. ¶ Arrondir (son style).

rotundus, *a*, *um*, adj. Qui a la forme d'un disque rond. ¶ Arrondi, qui n'offre aucune prise (en parl. du sage qui se met en boule). ¶ Arrondi, harmonieux (en parl. du style).

rubefacio, *is*, *feci*, *factum*, *ere*, tr. Rendre rouge, rougir.

rubens, *entis*, p. adj. Rougi, rouge, vermeil. ¶ Qui rougit de pudeur.

rubeo, *es*, *ui*, *ere*, intr. Etre rouge. ¶ Rougir (de pudeur ou de honte).

ruber, *bra*, *brum*, adj. Rouge, qui a une couleur ou un éclat rouge; roux.

rubesco, *is*, *bui*, *ere*, intr. Devenir rouge; rougir. ¶ Rougir de honte ou de pudeur.

rubeta, *ae*, f. Crapaud qui vit dans les buissons.

rubetum, *i*, m. Buisson de mûres sauvages; lieu plein de ronces.

1. **rubeus**, *a*, *um*, adj. Roux, rougeâtre.

2. **rubeus**, *a*, *um*, adj. De ronces.

rubico, *as*, *are*, tr. Teindre en rouge; rougir. [rouge de honte.

rubicundulus, *a*, *um*, adj. Quelque peu rouge.

rubicundus, *a*, *um*, adj. D'un rouge vif, rubicond. [brun.

rubidus, *a*, *um*, adj. Rouge foncé, rouge

rubig... Voy. ROBIG...

rubor, *oris*, m. Rouge, couleur rouge, substance rouge, fard. ¶ Rouge considéré comme propriété d'un corps (habituelle ou momentanée). ¶ Rouge, rougeur de la pudeur, de la honte. ¶ Honte, déshonneur.

rubrica, *ae*, f. Ocre rouge, rubrique, craie rouge. ¶ Rubrique (titre écrit en rouge dans les livres de droit). ¶ Titre de loi, rubrique. [en rouge.

rubricatus, *a*, *um*, adj. Coloré, peint

rubrus, *a*, *um*, adj. Voy. RUBER.

rubus, *i*, m. Ronce, framboisier. ¶ Framboise.

robustus, *a*, *um*, adj. V. ROBUSTUS.

ructabundus, *a*, *um*, adj. Qui rote.

ructo, *as*, *avi*, *atum*, *are*, intr. et tr. Roter, avoir des rapports. ¶ Vomir, rendre. ¶ Exhaler, exprimer.

ructor, *aris*, *ari*, dép. tr. Voy. RUCTO.

ructuosus, *a*, *um*, adj. Entrecoupé de rapports. [¶ Licence, caprice.

ructus, *us*, m. Rot, rapport, renvoi.

rudens, *entis*. Grosse corde, cordage, câble. ¶ (Méton.) Vaisseau.

rudera, *um*, n. pl. Voy. RUDUS.

ruderatio, *onis*, f. Lourdage, pavage en blocage. ¶ Aire en blocage.

ruderatus, *a*, *um*, adj. Couvert de gravois *ou* de décombres.

rudero, *as*, *are*, tr. Hourder.

ruderosus, *a*, *um*, adj. Raboteux, hérissé.

rudiarius, *ii*, n. Gladiateur qui a reçu son congé.

rudimentum, *i*, n. Commencement, apprentissage, noviciat, début. ¶ Impéritie, imbécilité.

1. **rudis**, *e*, adj. Brut, non travaillé. || Inculte, informe. ¶ Grossier. ¶ Raboteux. ¶ *Poét.* Jeune, novice. ¶ *Fig.* Sans art, sans culture. || Ignorant, grossier. || Inexpérimenté. || Qui n'a pas été instruit à, inhabile à. || Étranger à.

2. **rudis**, *is*, f. Cuiller pour remuer une chose que l'on fait cuire, spatule. ¶ Baguette dont se servaient les soldats et les gladiateurs pour s'exercer, fleuret. ¶ Baguette que les gladiateurs recevaient du prêteur avec leur congé. [(en parl. de l'homme).

rudo, *is*, *ere*. Braire. ¶ Bramer. ¶ Crier

1. **rudus**, *deris*, n. Pierres pilées *ou* concassées. ¶ Terre grasse, marne. ¶ Gravois, platras.

2. **rudus**. Voy. RAUDUS. [roux.

rufesco, *is*, *ere*, intr. Roussir, devenir

rufius, *ii*, m. Nom gaulois du loup-cervier.

rufo, *as*, *are*, tr. Rendre roux; roussir (en parl. de matières colorantes).

rufulus, *a*, *um*, adj. Rougeâtre, roussâtre. ¶ *Subst. Rufuli*, *orum*, m. pl. Noms des tribuns militaires choisis par le général *ou* par l'armée (par opposition aux tribuns que le peuple choisissait dans les comices).

rufus, *a*, *um*, adj. Roux, rouge. ¶ *Spéc.* Qui a les cheveux rouges *ou* rouge de cheveux.

ruga, *ae*, f. Ride du visage. ¶ Ride, rugosité, aspérité. ¶ Les rides, l'âge.

rugatio, *onis*, f. Action de rider *ou* de froncer.

rugibundus, *a*, *um*, adj. Rugissant.

rugio, *is*, *ivi* *ou* *ii*, *ire*, intr. Rugir. ¶ Bramer. ¶ Braire

rugitus, *us*, m. Rugissement.

rugo, *as*, *avi*, *atum*, *are*, tr. Rider.

¶ *Intr.* Se froncer, faire des plis (en parl. d'un vêtement).

rugosus, *a*, *um*. Ridé, plissé. ¶ Qui fait des plis. ¶ Rugueux, plein d'aspérités. [(en parl. d'un fleuve).

ruibundus, *a*, *um*, adj. Qui se précipite

ruina, *ae*, f. Chute, écroulement, effondrement (dans tous les sens). ¶ Ruine, chute, perte, désastre. ¶ Ruines, décombres. ¶ Qui cause la ruine, fléau.

ruinosus, *a*, *um*, adj. Ruineux, qui menace ruine. ¶ Ruiné; en ruine. ¶ Ruineux, funeste. [mal élevé.

rullus, *a*, *um*, adj. Rustique, grossier,

1. **ruma**, *ae*, f. Voy. RUMIS.

2. **ruma**, *ae*, f. Voy. RUMEN.

rumen, *minis*, n. Gosier, œsophage, jabot, panse, premier estomac des ruminants.

rumentum, *i*, n. Interruption.

rumex, *micis*, m. et f. Rumex *ou* petite oseille, plante. ¶ Sorte de dard.

rumifico, *as*, *are*, tr. Proclamer.

rumigatio, *onis*, f. Rumination.

rumigeratio, *onis*, f. Action de semer un bruit, de colporter une nouvelle.

rumigero, *as*, *are*, tr. et rumigeror, *aris*, *ari*, dép. tr. Colporter des nouvelles, divulguer.

rumigerulus, *a*, *um*, adj. Colporteur de nouvelles, nouvelliste, bavard.

ruminatio, *onis*, f. Rumination. ¶ Redoublement, reproduction, redite.

ruminator, *oris*, m. Celui qui rumine.

rumino, *as*, *are*, tr. et intr. Ruminer, remâcher (en parl. des bestiaux). ¶ Remâcher, mâcher. ¶ Répéter, rabâcher.

rumis, *is*, f. Mamelle, pis.

rumor, *oris*, m. Bruit sourd, murmure; rumeur d'une foule. ¶ Bruit, nouvelle, propos; on-dit. ¶ Bruit public, opinion publique; réputation, renommée. ¶ *Péjor.* Blâme public.

rumpo, *is*, *rupi*, *ruptum*, *ere*, tr. Rompre, briser; ouvrir en brisant *ou* en déchirant. Passif *rumpi*, se briser, éclater, crever. ¶ *Spéc.* Épuiser de fatigue; forcer à la course. || Faire crever de dépit. || Rompre la tête (à force de bruit). ¶ Rompre, forcer, se frayer violemment un passage. ¶ Faire jaillir. Au passif, *rumpi*, jaillir, s'élancer de. ¶ Faire éclater, faire retentir. || Proférer. ¶ *Fig.* Rompre, c.-à-d. violer, enfreindre. ¶ Faire cesser, mettre fin à. ¶ Faire échouer. || Venir à bout de. [discours, caquets.

rumusculus, *i*, m. Vains propos, vains

runa, *ae*, f. Sorte de javeline (peut-être la même arme que le pilum dont on se servit plus tard). ¶ Caractère runique des Scandinaves.

runcatio, *onis*, f. Action de sarcler, sarclage. ¶ Sarclure, mauvaise herbe

runco, *onis*, m. Sarcleur.

runcina, *ae*, f. Rabot.

runcino, *as*, *are*, tr. Raboter (pr. et fig.)

1. **runco**, *as*, *are*, tr. Sarcler. ¶ (Par ext.) Epiler. ¶ Faucher, moissonner.

2. **runco**, *onis*, m. Sarcloir.

ruo, *is*, *rui*, *rutum* (part. fut. *ruiturus*), *ere*, intr. Se précipiter. ‖ S'élancer, se ruer.‖ Agir précipitamment. ¶ S'écrouler, s'effondrer; tomber en ruine. ‖ *Fig*. Tomber, s'affaisser, décliner. ¶ *Tr*. Enlever, ramasser, entraîner violemment. ‖ Soulever. ¶ Creuser, fouiller. ‖ Abattre, détruire.

rupes, *is*, f. Roche. ‖ Ecueil. ¶ (Méton.) Caverne, grotte.

rupeus, *a*, *um*, adj. De roche.

1. **rupex**, *icis*, adj. De pierre.

2. **rupex**, *picis*, m. Bloc de pierre. ¶ (Fig.) Lourdaud.

rupicapra, *ae*, f. Chamois.

ruptor, *oris*, m. Celui qui déchire. ¶ Celui qui fait éclater. ¶ Celui qui rompt. ¶ Celui qui enfreint.

ruptura, *ae*, f. Rupture.

ruralis, *e*, adj. De la campagne; champêtre; rural. [façon champêtre.

ruraliter, adv. Aux champs. ¶ D'une

ruratio, *onis*, f. Vie aux champs.

rurestris, *e*, adj. Rustique; rural.

1. **ruricola**, *ae*, adj. m. et f. Qui cultive les champs. ¶ Qui habite les champs.

2. **ruricola**, *ae*, m. Cultivateur.

1. **rurigena**, *ae*, adj. m. et f. Né *ou* née aux champs. [plur.).

2. **rurigena**, *ae*, m. Paysan (surt. au

rus, *ruris*, n. Les champs; la campagne.

rursus et **rursum**, adv. En arrière, en reculant. ¶ *Fig*. Par contre, au contraire, au rebours. ¶ De nouveau, une seconde fois.

ruscum, *i*, n. Fragon, arbrisseau.

ruscus, *i*, f. Comme le précédent.

russeus, *a*, *um*, adj. Rouge brun, rougeâtre.

russulus, *a*, *um*, adj. Un peu rougeâtre.

russum, adv. Voy. RURSUM.

russus, *a*, *um*, adj. Rouge. [rustique.

rusticanus, *a*, *um*, adj. Des champs;

rusticatim, adv. En paysan.

rusticatio, *onis*, f. Villégiature, séjour à la campagne. ‖ Vie à la campagne. ¶ Travail des champs; agriculture.

rustice, adv. En paysan. ¶ Lourdement, grossièrement.

rusticitas, *atis*, f. Qualité de paysan, rusticité. ‖ Simplicité de mœurs, naïveté. ‖ *Péj*. Grossièreté de mœurs, gaucherie, maladresse. ‖ Timidité. ¶ Travail des champs; agriculture. ¶ (Méton.) Les paysans.

rusticor, *aris*, *ari*, dép. intr. Faire le paysan, agir en paysan. ¶ Habiter la campagne. ‖ Etre en villégiature. ‖ Travailler aux champs. ¶ *Fig*. Parler en paysan, en lourdaud.

rusticula (s.-e. GALLINA), *ae*,f. Gélinotte.

1. **rusticulus**, *a*, *um*, adj. Des champs; rustique. ¶ Un peu grossier.

2. **rusticulus**, *i*, m. Simple paysan.

1. **rusticus**, *a*, *um*, adj. Rustique, champêtre. ‖ De la campagne. Subst. *Rasticus*, *i*, n. Paysan. *Rustica*, *ae*, f. Paysanne. ¶ *Fig*. Champêtre, c.-à-d. simple, modeste. ‖ *Péj*. Rustique, gauche, lourd, grossier. Subst. *Rusticus*, *i*, m. Un lourdaud.

rusum, adv. Voy. RURSUM.

rusus, adv. Voy. RURSUS.

1. **ruta**, *ae*, f. Rue, plante. ¶ (Méton.) Amertume, âcreté.

2. **ruta caesa**, *orum*, n. pl. Ce qui dans une propriété peut s'enlever *ou* se couper; ce que le vendeur peut se réserver en livrant l'immeuble à l'acheteur.

rutabulum, *i*, n. Instrument servant à remuer. ‖ Pelle à feu, fourgon (de boulanger). ‖ Cuiller à pot; spatule.

rutaceus, *a*, *um*, adj. De rue, plante.

rutilans, *antis*, p. adj. Rutilant.

rutilesco, *is*, *ere*, intr. Devenir roux *ou* rouge.

rutilo, *as*, *avi*, *atum*, *are*, intr. Etre d'un rouge ardent; briller comme l'or. ¶ *Tr*. Rendre rouge, teindre en rouge; rougir. [rouge comme l'or; roux.

rutilus, *a*, *um*, adj. D'un rouge ardent;

rutinus, *a*, *um*, adj. De rue (plante); extrait de la rue.

ruto, *as*, *are*, intr. Lancer.

rutrum, *i*, m. Bêche. ‖ Truelle.

rutuba, *ae*, f. Confusion; trouble.

rutula, *ae*, f. Petite rue (plante).

rutund... Voy. ROTUND...

rutus, abl. *u*, m. Action de fouiller *ou* de déterrer.

S

s, **s**, dix-huitième lettre de l'alph. latin. Abrév. S. = Sextus. S. = semissis. S. ou Sp. = Spurius. S. C. = senatus consultum. S. P. Q. R. = senatus populusque Romanus.

sabaja, *ae*, f. Tisane d'orge (boisson des pauvres en Illyrie). [d'orge.

sabajarius, *ii*, m. Buveur de tisane

sabbatarii, *orum*, m. pl. Ceux qui célèbrent le sabbat. [relatif au sabbat.

sabbatarius, *a*, *um*, adj. Du sabbat;

sabbatious, *a*, *um*, adj. De sabbat. — *annus*, année de sabbat (*ou* de repos tous les sept ans. [bat.

sabbatismus, *i*, m. Célébration du sab-

sabbatum, *i*, n. Sabbat.

sablo, *onis*, m. Voy. SABULO.

sabuletum, *i*, n. Endroit sablonneux. ¶ Sablière.

sabulo, *onis*, m. Gros sable; gravier.

sabulosa, *orum*, n. pl. Terrains sablonneux.

sabulosus, *a*, *um*, adj. Plein de sable; sablonneux.

sabulum, *i*, n. Gros sable, gravier; sablon.   [lest.

saburra, *ae*, f. Sable (pour lester);

saburro, *as*, *avi*, *atum*, *are*, tr. Le ter (pr. et fig.). ¶ Exhaler (une odeur).

saccaria,*ae*, f. Métier de porteur de sacs.

1. saccarius, *a*, *um*, adj. Relatif aux sacs.

2. saccarius, *ii*, m. Porteur de sacs. ¶ Fabricant de chausses (sacs à filtrer).   [piquette.

saccatum, *i*, n. Lie de vin filtréo;

saccellum, *i*, n. Sachet (appliqué sur un membre malade).

saccellus, *i*, m. Bourse, sacoche. ¶ (T de méd.) Sachet.   [sière toile à sac.

sacceus, *a*, *um*, adj. De sac; fait de gros-

saccharon, *i*, n. Suc doux du bambou

sacco, *as*, *atum*, *are*, tr. Passer à la chausse; filtrer.

sacculus, *i*, m. Petit sac (de blé).

saccus, *i*, m. Sac (à blé, à farine, etc.). ¶ (Médec.) Sachet. ¶ Chausse, sac à filtrer. ¶ Sac (à argent), bourse. ¶ Besace.

sacellum, *i*, n. Petit sanctuaire.

1. sacer, *cra*, *crum*, adj. Sacré, voué à un dieu; consacré au service divin. ¶ Saint, sacré, vénérable. || Auguste. ¶ Dévoué aux dieux infernaux; maudit. || Exécrable, abominable.

2. sacer, *cris*, *cre*, adj. Comme 1. SACER.

sacerdos, *dotis*, m. et f. Prêtre, prê-tresse. ¶ *Eccl.* Evêque.   [dotal.

1. sacerdotalis, *e*, adj. De prêtre; sacer-

2. sacerdotalis, *is*, m. Celui qui est revêtu d'un sacerdoce.

sacerdotium, *ii*, n. Sacerdoce; dignité sacerdotale; ministère sacerdotal.

sacramentum, *i*, n. Consignation (d'une somme pour instruire un procès). ¶ (Méton.) Procès au civil (*litt.* sorte de pari entre les accusateurs et les accusés devant les juges). ¶ Serment militaire. || Enrôlement. ¶ (En gén.) Serment, engagement, obligation.

sacrarium, *ii*, n. Sanctuaire. || *Fig.* Sanctuaire, c.-à-d. asile, retraite (in-violable). ¶ Oratoire. ¶ (Par ext.) Cabinet de l'empereur.

sacrarius, *ii*, m. Gardien d'un temple.

sacrata, *ae*, f. Prêtresse.

1. sacratus, *a*, *um*, p. adj. Consacré, saint,sacré. || Divinisé. Subst. *Sacrati*, les personnages divinisés.

2. sacratus, *i*, m. Prêtre.

sacricola, *ae*, m. et f. Sacrificateur, victimaire; prêtre.   [les objets sacrés.

sacrifer, *fera*, *ferum*, adj. Qui porte

sacrificalis, *e*, adj. Relatif aux sacrifices.

sacrificatio, *onis*, f. Action de sacrifier. ¶ Sacrifice.

sacrificator, *oris*, m. Sacrificateur.

sacrificatrix, *icis*, f. Sacrificatrice.

sacrificatus, dat. *ui*, m. Action de sacrifier.

sacrificium, *ii*, n. Sacrifice. ¶ (Méton.) Victime offerte en sacrifice. || Offrande faite à Dieu.

sacrifico, *as*, *avi*, *atum*, *are*, intr. et tr. ¶ *Intr.* Sacrifier, offrir un sacrifice. ¶ *Tr.* Offrir en sacrifice; sacrifier.

sacrificor, *aris*, *atus sum*, *ari*, dép. tr. et intr. Comme SACRIFICO.

sacrificulus, *i*, m. Sacrificateur. — *rex*, le roi des sacrifices.   [sacrifices.

sacrificus, *a*, *um*, adj. Relatif aux sacrifices.

sacrilega, *ae*, f. Une misérable.

sacrilege, adv. D'une façon sacrilège.

sacrilegium, *ii*, n. Sacrilège, pillage d'un temple, vol d'objets sacrés. || (Méton.) Sacrilège, celui qui pille un temple. ¶ (En gén.) Sacrilège, profanation, impiété.

1. sacrilegus, *a*, *um*, adj. Relatif à un sacrilège, au pillage d'un temple. ¶ Sacrilège, profanateur, impie.

2. sacrilegus, *i*, m. Sacrilège; pilleur de temple. ¶ Misérable.

sacro, *as*, *avi*, *atum*, *are*, tr. Consacrer, vouer, dédier. ¶ Donner un caractère sacré à, rendre inviolable. ¶ Dévouer, maudire. ¶ *Fig.* Consacrer, immortaliser. || Diviniser.

sacrosanctus, *a*, *um*, adj. Consacré par la religion; sacré, inviolable. ¶ *Fig.* Sacré, vénérable, auguste.

sacrum, *i*, n. Objet sacré; objet consacré au culte; offrande. ¶ Sacrifice. ¶ Cérémonie religieuse. || Culte. ¶ Lieu sacré, sanctuaire.

saeclum, *i*, n. Voy. SAECULUM.

saecularis (SECULARIS), *e*, adj. Séculaire. ¶ *Eccl.* Du siècle, séculier; profane, mondain.

saeculum (SECULUM), *i*, n. Génération, race, espèce. ¶ Génération, durée ordinaire de la vie humaine. || Epoque pendant laquelle règne un prince. || (Méton.) Temps, génération. ¶ Siècle, espace de cent ans. ¶ Suite, durée indéfinie. ¶ Siècle, époque, mœurs du temps, mode du jour. || Vie mondaine, monde.   [tretien des haies.

saeparius, *ii*, m. Ouvrier chargé de l'en-

saepe, adv. Souvent, fréquemment.

saepenumero, adv. Souvent, à diverses reprises.   [clôture.

saepes (SEPES), *is*, f. Haie. ¶ Enceinte,

saepia. Voy. SEPIA.

saepio (SEPIO), *is*, *saepsi*, *saeptum*, *ire*, tr. Entourer d'une haie. ¶ *En gén.* Entourer, enclore, enceindre. || Préserver, garantir. ¶ Garantir, c.-à-d. assurer.

saepior, superl. saepissimus, *a*, *um*, adj. Plus fréquent; très fréquent.

saepis, *is*, f. Comme SAEPES.

saepiuscule, adv. Assez souvent.

saeps, *is*, f. Voy. SAEPES.   [Clôture.

saeptio, *onis*, f. Action d'enclore. ¶

saeptum, *i*, n. Clôture, enclos, enceinte. || Barrière. ¶ *Spéc.* Diaphragme. ¶ *Saepta*, *orum*, n. pl .Grande place fermée par une enceinte où le peuple se réunissait pour voter. ¶ Place où les marchands étalaient leurs marchandises.

saeptuose, adv. D'une manière enveloppée; avec obscurité.

saeptus, abl. *u,* m. Voy. SAEPTUM.

saeta (SETA), *ae,* f. Poil rude (des animaux). || Soie (de porc, de sanglier). *Setae,* cheveux ébouriffés. || Crin; crinière. ¶ (Méton.) Objets fabriqués (avec des poils *ou* des soies), *comme* pinceau, ligne (de pêche), etc. ¶ (Par ext.) Piquant (d'un animal *ou* d'un arbrisseau). [Hérissé de soies.

1. **saetiger** (SETIGER), *gera, gerum,* adj.
2. **saetiger,** *geri,* m. Sanglier.

saetosus (SETOSUS), *a, um,* adj. Hérissé de soies, velu, poilu.

saetula (SETULA), *ae,* f. Poil rude.

saeve, adv. Avec inhumanité, cruellement. ¶ Avec rigueur.

saevidicus, *a, um,* adj. Qui tient un langage cruel *ou* menaçant. [ravages.

saeviens, *entis,* p. adj. Qui exerce des

saevio, *is, saevi, saevitum, ire,* intr. Etre en fureur, être furieux, s'emporter. ¶ Exercer sa fureur, sévir. || Commettre des cruautés. ¶ *Fig.* Se déchaîner, exercer ses fureurs.

saevitas, *atis,* f. Fureur, cruauté.

saeviter, adv. Comme SAEVE.

saevitia, *ae,* f Fureur, furie. || Violence. ¶ *En parl. de ch.* Rigueur, inclémence. ¶ Cruauté, rigueur, inhumanité.

saevities, *ei,* f. Comme SAEVITIA.

saevus, *a, um,* adj. Furieux, emporté, violent. ¶ Cruel, inhumain, dur, insensible, impitoyable. ¶ *En parl. de ch.* Violent, terrible. || Rigoureux. || Horrible.

saga. *ae,* f. Sorcière, magicienne.

sagacitas, *atis,* f. Finesse, délicatesse des sens. ¶ Finesse de l'odorat (chez les chiens) ¶ *Fig* Sagacité, pénétration.

sagaciter, adv Avec un odorat subtil. ¶ (*Fig.*) Avec sagacité, avec perspicacité. [|| *Spéc.* Qui a l'odorat subtil.

sagax, *gacis,* adj. Qui a les sens subtils.

sagina, *ae,* f. Action d'engraisser. engraissement (des animaux). ¶ Nourriture abondante, bonne chère. || Pâture, aliments. ¶ Embonpoint; réplétion. || Nourriture fortifiante. || (Méton.) Animal engraissé.

saginatio. *onis,* f. Action d'engraisser, engraissement. || (Méton.) Bétail engraissé. [les animaux.

saginator, *oris,* m. Celui qui engraisse

saginatus: *a, um,* p. adj. Engraissé.

sagino, *as, avi, atum, are,* tr. Engraisser. ¶ *Fig.* Engraisser, gorger.

sagio, *is, ire,* intr. Avoir les sens, l'esprit subtils.

sagita, *ae,* f. Comme le suivant.

sagitta. *ae,* f. Flèche. ¶ (Méton.) Ce qui ressemble à une flèche || Sagittaire,

plante. || Lancette. || Partie extrême et pointue d'une branche, d'une crossette.

1. **sagittarius.** *a, um,* adj. De flèche.
2. **sagittarius,** *ii,* m. Fabricant de flèches ¶ Archer || *Fig.* Traître qui frappe dans l'ombre.

sagittifer, *fera, ferum,* adj Armé de flèches. ¶ Qui contient des flèches

sagittiger, *gera, gerum,* adj Qui porte des flèches. Subst SAGITTIGER. *eri,* m. Le Sagittaire, constellation.

sagittipotens, *entis.* adj. Puissant par les flèches. Subst. SIGITTIPOTENS. *entis,* n. Le Sagittaire, constellation

sagitto, *as, avi, atum, are,* intr. et tr. ¶ *Intr* Lancer des flèches. ¶ *Tr.* Viser avec des flèches.

sagitula, *ae,* f. Petite flèche.

sagmen, *minis,* n. Brin d'herbe sacrée cueillie dans la citadelle, symbole d'inviolabilité. [De sayon, de manteau.

sagularis, *e* et **sagularius.** *a, um,* adj.

sagulati, *orum,* m. pl. Les soldats.

sagulatus, *a, um,* adj. Vêtu du manteau militaire.

sagulum. *i,* n. Manteau. || *Spéc.* Manteau militaire. ¶ Sayon, costume des Gaulois.

sagum, *i,* n Sayon *ou* saie, petit manteau d'étoffe grossière (jeté sur l'épaule et assujetti d'un côté par une agrafe). || Vêtement des esclaves, des pâtres || Couverture pour les chevaux. || Plaid. || Couverture servant à berner. || Couverture servant d'abri contre les traits ¶ Casaque *ou* capote militaire, symbole de la guerre. [phétique

1. **sagus.** *a, um.* adj. Qui présage, pro-
2. **sagus,** *i, m.* Comme SAGUM.

sal, *salis,* m. (*rar* n.). Sel. Plur. *Sales,* grains de sel, sel. ¶ (Par ext.) Grain, défaut dans une gemme. || (Métaph.) Mer, l'onde salée. ¶ *Fig.* Sel, esprit, plaisanterie, mot piquant; agrément; saillie. ¶ Excitant, attrait. || Bon goût, élégance, délicatesse

salacitas, *atis,* f. Lubricité.

salaco. *onis,* m. Vaniteux, fanfaron.

salamandra. *ae,* f. Salamandre

salaputtium, *ii,* n. Petit bout d'homme, nabot.

salarium, *ii,* n. Ration de sel argent pour acheter du sel. || Allocation en sel. || Solde || Indemnité, traitement, salaire; appointements. || Honoraires d'un juge *ou* d'un médecin. ¶ Année de service (militaire). [au sel.

1. **salarius.** *a, um,* adj. De sel. relatif
2. **salarius,** *ii,* m. Marchand de salaisons.

salax. *acis.* adj. Lubrique, lascif ¶ Aphrodisiaque.

salebra. *ae,* f. Aspérité du sol, terrain raboteux, mauvais pas ¶ *Fig.* Difficulté, heurt, secousse, rudesse inégalité (du style).

salebrosus, *a, um.* adj. Raboteux,

rocailleux. ¶ *Fig.* Inégal, raboteux (en parl du style).

salemonia. *ae*, f. Saumure, marinade.

saliaris. *e*, adj. Dansant

saliatus. *us*, m, Dignité de prêtre salien.

salicetum. *i*, n. Saussaie, lieu planté de saules.

salictarius. *a*, *um*, adj. De saule Subst. *Salictarius. ii.* m. Celui qui taille, qui soigne les saules. [de saules.

salictum, *i*, n. Saussaie. lieu planté

salicula, *ae*, f. Saule.

salientes (s.-e. FONTES). *ium*, m. pl. Jets d'eau: fontaines jaillissantes.

saligneus. *a*, *um*, adj. De bois de saule. ¶ D'osier [dent.

salignus, *a*, *um*, adj. Comme le précé-

salillum, *i*, n. Petite sallère. [salines.

salinae, *arum*, f. pl. Mines de sel

salinator, *oris*, m. Marchand de sel: saunier. [Saler.

1. salio (SALLIO), *is*, *ii*, *itus*, *ire*, tr.

2. salio, *is*, *salui* (rar. *salivi*), *saltum*, *ire*, intr. Sauter, bondir. ¶ Jaillir. ¶ Bondir, sauter. ¶ Rebondir, palpiter. || Battre (en parl. du pouls). ¶ Danser. ¶ *Tr.* Saillir, couvrir.

salitura, *ae*, f. Action de saler, salage.

saliunca, *ae*, f. Nard celtique, plante.

saliva, *ae*, f. Salive. *Salivam movere*, faire venir l'eau à la bouche. ¶ Goût, saveur. — *vini*, bouquet du vin. ¶ ¶ Bave. || Eau (des coquillages). || Suintement.

salivarium, *ii*, n. Le mors.

salivarius, *a*, *um*, adj. Relatif à la salive.

salivatum, *i*, n. Médicament qui provoque la salivation.

salivo, *as*, *are*, tr. Saliver. || Sécréter une liqueur visqueuse. ¶ Traiter, guérir (en provoquant la salivation),

salivosus, *a*, *um*, adj. Plein de salive. ¶ Baveux, visqueux.

salix, *icis*, f. Saule: osier. ¶ (Méton.) Baguette de saule.

sallio, *ire*, intr. Arch. p. 1. SALIO.

salmo, *onis*, m. Saumon.

salpa, *ae*, f. Merluche.

1. salsamentarius, *a*, *um*, adj. De poisson salé. ¶ Qui concerne les salaisons. [salaisons.

2. salsamentarius, *ii*, m. Marchand de

salsamentum, *i*, n. Saumure. ¶ Salaison, chair *ou* poisson salé.

salsarium, *ii*, n. Saucière.

salse, adv. Avec sel. ¶ Avec esprit, finement; d'une manière piquante.

salsitudo, *dinis*, f. Salure, état salé de l'eau, des aliments, etc.

salsugo, *ginis*, f. Salure, état salin. ¶ Goût salé. ¶ Eau salée, eau de mer. || *Spéc.*

salsura, *ae*, f. Salage; action de mariner. ¶ Saumure. ¶ (Méton.) Poisson salé. || Plaisanterie piquante.

salsus, *a*, *um*, p. adj. Salé, assaisonné

de sel. Subst. *Salsa, orum*, n. pl. Salaison. ¶ Salé, qui a une saveur salée. ¶ *Fig.* Fin, spirituel. || Piquant, mordant. Subst. *Salsa*, choses plaisantes, traits d'esprit. [saultillant.

saltabundus, *a*, *um*, adj. Qui danse;

saltatio, *onis*, f. Action de sauter; danse. ¶ Danse religieuse. ¶ Pantomime; représentation mimique. [terie.

saltatiuncula, *ae*, f. Petite danse; sau-

saltator, *oris*, m. Danseur. ¶ Mime, pantomime. [orbis, ronde.

saltatorius, *a*, *um*, adj. De danse. —

saltatricula, *ae*, f. Petite danseuse.

saltatrix, *icis*, f. Danseuse. ¶ *Adj.* Qui danse en sautillant.

saltatus, *us*, m. Danse.

saltem, adv. Au moins. || Du moins.

1. saltim, adv. En sautillant.

2. saltim, adv. Comme SALTEM.

salto, *as*, *are*, intr. Danser beaucoup *ou* avec ardeur.

salto, *as*, *avi*, *atum*, *are*, intr. Danser, sauter (en gesticulant, comme un mime). || *Spéc.* Avoir un style sautillant. ¶ *Tr.* Exécuter une danse mimique, représenter en pantomime, jouer dans une pantomime; mimer.

saltuarius, *ii*, m. Gardien d'un bois, garde forestier.

saltuatim, adv. En sautant. ¶ (Fig.) Par bonds et par sauts; d'une manière saccadée.

saltuosus, *a*, *um*, adj. Boisé.

1. saltus, *us*, m. Saut, bond. || *Spéc.* Palpitation (de cœur). ¶ Danse. ¶ Mouvement réflexe.

2. saltus, *us*, m. Région montagneuse et boisée, coupée de ravins et de gorges. bois, forêts; retraite de bêtes fauves. ¶ Pâturage (dans une région montueuse et boisée). || Propriété rurale, domaine comprenant des pâturages. || Mesure agraire (281 hect. 480). ¶ Gorge, défilé, pas.

saluber, *bris*, *bre*, adj. Sain, salubre, salutaire. ¶ Bienfaisant. || Bon, utile, favorable, avantageux, convenable. ¶ Sain, bien portant, robuste.

salubritas, *atis*, f. Salubrité. ¶ Etat sain; santé.

salubriter, adv. D'une manière saine; sainement. ¶ D'une manière saine. || Avec avantage, avec efficacité.

salum, *i*, n. Mer agitée. ¶ Mouvement d'un navire, roulis. || *Spéc.* Courants, flots, vagues (d'un fleuve). ¶ Pleine mer, haute mer. || Mer. || Couleur d'eau de mer.

1. salus, *utis*, f. Salut, conservation (de la vie), santé, sauvegarde. || Bon état, bien-être, prospérité. || *Eccl.* Salut éternel. || Le baptême. ¶ Salut, bonjour, compliment. || Santé, toast. ¶ Dédicace. ¶ Adieu.

2. salus, *i*, m. Comme SALUM. [resalue.

salutabundus, *a*, *um*, adj. Qui salue et

salutaria, *um*, n. pl. Remèdes.

salutaris, *e*, adj. Qui donne la santé. ‖ Efficace. ¶ Salutaire, favorable, bon, utile, profitable. *Salutaria*, n. pl. Sage parti. ¶ Secourable, serviable. ¶ Qui procure le salut, qui sauve. ‖ *Spéc.* Qui procure le salut éternel. ¶ Relatif aux salutations.

salutariter, adv. D'une façon salutaire, utile, avantageuse, efficace.

salutatio, *onis*, f. Salutation, salut. ‖ Salutation par écrit .¶Visites (à un patron, à un prince); cour. ¶ Salutation à un dieu; adoration. ¶ *Collect.* Foule des visiteurs : courtisans, cour.

salutator, *oris*, m. Celui qui salue. ¶ Visiteur, client, courtisan, solliciteur.

salutatorius, *a*, *um*, adj. Relatif aux salutations, aux visites. ¶ Qui sert à saluer.

salutatorium, *ii*, n. Salle de réception. ¶ Autel où l'on vient faire ses dévotions.

salutatrix, *icis*, f. Qui salue. ¶ Qui fait **salutifer**, *fera*, *ferum*, adj. Qui apporte la santé, la guérison, le bonheur, le salut; salutaire. ¶ De salutation.

1. salutiger, *gera*, *gerum*, adj. Comme SALUTIFER. ¶ De salutation.

2. salutiger, *geri*, m. Celui qui est chargé d'apporter les salutations : messager.

salutigerulus, *a*, *um*, adj. Qui apporte des compliments.

saluto, *as*, *avi*, *atum*, *are*, tr. Dire à qqn salut; saluer. ‖ *Spéc.* Saluer qqn par lettre, envoyer ses compliments. ¶ Accueillir, saluer de ses cris (une personne, une localité). ¶ Venir saluer, visiter; rendre hommage, faire sa cour à. ‖ Honorer (les dieux). ¶Saluer dire adieu à. ¶*Eccl.* Sauver. [sauté.

1. salve, adv. En bon état, en bonne

2. salve, impér. de SALVEO.

salveo, *ere*, intr. Etre en bonne santé, se bien porter. *Salve*, porte-toi bien, salut, bonjour.

salvo, *as*, *avi*, *atum*, *are*, tr. Guérir. ¶ Sauver. ‖ *Eccl.* Opérer le salut. ‖ Maintenir qqch. ¶ *Intr.* Etre sauvé. salvos. Pour SALVUS.

salvus, *a*, *um*, adj. Conservé, sain et sauf, bien portant, intact, en bon état. *Salva res est*, tout va bien. ¶ *Eccl.* Sauvé (sens chrétien).

sambuca, *ae*, f. Sambuque, sorte de harpe. ¶ Sorte de machine de guerre; pont d'assaut.

sambuceus, *a*, *um*, adj. De sureau.

sambuciarius, *a*, *um*, adj. Relatif à la sambuque.

sambucina, *ae*, f. Joueuse de sambuque.

sambucistra, *ae*, f. Comme SAMBUCISTRIA. [buque.

sambucistria, *ae*, f. Joueuse de sam-

sambucum (SABUCUM), *i*, n. Fruit du sureau.

1. sambucus, *i*, m. Joueur de sambuque.

2. sambucus (SABUCUS), *i*, m. Sureau, arbuste.

samentum, *i*, n. Baguette d'olivier, enveloppée de laine, que les flamines portaient à l'extrémité de leur bonnet.

sanabilis, *e*, adj. Guérissable, qui n'est pas incurable (pr. et fig.). ¶ Salutaire.

sanatio, *onis*, f. Guérison (pr. et fig.).

sanator, *oris*, m. Celui qui guérit.

sanatorius, *a*, *um*, adj. Qui guérit.

sancio, *is*, *sanxi*, *sanctum*, *ire*, tr. Etablir par un acte religieux, rendre inviolable consacrer (un temple); établir (une loi *ou* par une loi); régler, déterminer. ¶ Interdire, punir. ¶ Sanctionner, ratifier, confirmer, assurer, affirmer. ‖ *Spéc.* Dédier. ¶ Honorer, vénérer.

sancte, adv. D'une façon inviolable. ¶ Religieusement, honnêtement, fidèlement, scrupuleusement.

sanctimonia, *ae*, f. Sainteté. ‖ Caractère sacré. ¶ Honnêteté, délicatesse, probité, loyauté. ‖ Pureté, chasteté.

1. sanctimonialis, *e*, adj. Saint, consacré, religieux. [nonne.

2. sanctimonialis, *is*, f. Religieuse,

sanctimonialiter, adv. Saintement, religieusement; à la façon des religieux.

sanctimonium, *ii*, n. Sainteté, vie religieuse. ¶ Le martyre. ¶ Titre donné aux évêques et aux prêtres.

sanctio, *onis*, f. Sanction d'une loi, clause pénale attachée à une loi. ¶ En *gén.* Clause.

sanctitas, *atis*, f. Caractère sacré, sainteté, inviolabilité. ¶ Piété, sentiments religieux. ‖ Sainteté. ‖ Honnêteté, droiture. ¶ Honneur, chasteté, pureté. ¶ Sainteté, titre honorifique.

sanctitudo, *inis*, f. Sainteté, caractère sacré. ¶ Intégrité, vertu. ¶ Sainteté, titre honorifique.

sanctus, *a*, *um*, p. adj. Saint, sacré, inviolable. ¶ Divin, auguste, vénérable, vénéré. Subst. *Sancti*, *orum*, m. pl. Adorateurs du vrai Dieu, anges, saints, martyrs. ¶Saint, pur, chaste, honnête, vertueux.

1. sandaliarius, *a*, *um*, adj. Des sandales.

2. sandaliarius, *ii*, m. Fabricant de sandales.

sandaligerula, *ae*, f. Esclave chargée de porter les sandales de sa maîtresse.

sandalium, *ii*, n. Sandale, pantoufle. ¶ Chaussure de femme.

sandapila, *ae*, f. Cercueil, bière des gens d'infime condition.

sandyx, *dycis*, m. et f. Sandyx, arbuste à fleurs rouges. ¶ Minium, vermillon.

sane, adv. En bon état. ¶ Sainement, sagement, raisonnablement. ¶ Certes, assurément, sans doute. ¶ Tout à fait, beaucoup, très. ¶ Soit, j'y consens.

sanesco, *is*, *ere*, intr. Se guérir, guérir.

sanguinarius, *a*, *um*, adj. De sang. — *herba*, renouée, plante. ¶ Fig. Sanguinaire. [ragie.

sanguinatio, *onis*, f. Saignement, hémor-

sanguineus, *a*, *um*, adj. De sang, composé de sang. ¶ Sanglant, teint du sang. ¶ De couleur de sang. ¶ Sanguinaire.

sanguino, *as*, *avi*, *are*, intr. Saigner, dégoutter de sang. ¶ Etre couleur de sang. ¶ *Tr.* Ensanglanter, verser le sang; frapper jusqu'au sang.

sanguinolentus (SANGUINULENTUS), *a*, *um*, adj. Ensanglanté, couvert de sang (pr. et fig.). ¶ Couleur de sang. ¶ Qui se gorge de sang, sanguinaire.

sanguis, *guinis*, m. Sang (qui coule dans les veines). *Sanguinis missio*, saignée. || Coup de sang, apoplexie. ¶ Sang versé, effusion de sang; meurtre. ¶ Sang, liens du sang, parenté.|| Sang, descendant, rejeton. ¶ Suc des plantes, sève. ¶ *Fig.* Force, vigueur, moelle, sève.

sanguisuga, *ae*, f. Sangsue.

sanies, *ei*, f. Sanie, sang corrompu; humeur. ¶ (Méton.) Suc épais; suc du pourpre; marc d'huile. ¶ Bave du serpent, venin.

sanitas, *atis*, f. Santé (du corps); état sain. ¶ Santé de l'esprit, bon sens, raison. ¶ Bon état des choses. ¶ Comme SANATIO.

saniter, adv. D'une manière raisonnable.

sanna, *ae*, f. Grimace moqueuse.

sannator, *oris*, m. Moqueur.

sannio, *onis*, m. Faiseur de grimaces, bouffon.

sano, *as*, *avi*, *atum*, *are*, tr. Guérir physiquement. ¶ (Fig.) Guérir, remédier à; réparer. ¶ Sauver (les âmes).

sanus, *a*, *um*, adj. Sain, bien portant. ¶ Sain d'esprit, sensé, raisonnable. ¶ Qui est en bon état, intact. ¶ Pur, sain, sobre, de bon goût (en parl. du style).

sapa, *ae*, f. Vin cuit.

sapide, adv. D'une manière savoureuse.

sapidus, *a*, *um*, adj. Qui a du goût, de la saveur; sapide. ¶ *Fig.* Sage, vertueux.

1. **sapiens**, *entis*, p. adj. Intelligent, sage. raisonnable, prudent, judicieux. ¶ Qui sait, qui connaît.

2. **sapiens**, *entis*, m. Un sage, un homme sensé, judicieux, raisonnable. ¶ Celui qui sait. || Connaisseur. ¶ Un sage, un philosophe.

sapienter, adv. Sagement, raisonnablement, prudemment, judicieusement.

sapientia, *ae*, f. Science, instruction, sagesse (résultant de l'étude), d'où habileté dans une science, capacité. || *Spéc.* Jurisprudence *ou* éloquence. ¶ La science suprême, la philosophie. ¶ Bon sens, sagesse, intelligence, raison, prudence.

sapineus. Voy. SAPPINEUS.

sapinus, *i*, f. Voy. SAPPINUS.

1. **sapio**, *is*, *ere*, intr. et tr. ¶ *Intr.* Etre sapide; avoir de la saveur, du goût. ¶ Avoir la saveur de (avec l'acc. de la chose). || *Par ext.* Avoir telle *ou* telle odeur; sentir. ¶ Sentir les saveurs, avoir le goût fin. ¶ (Fig.) Avoir de la pénétration, de la raison. || Etre sensé, être sage. ¶ *Tr.* Savoir, connaître, comprendre. [précédent.

2. **sapio**, *ire*, intr. et tr. Comme le

sapo, *onis*, m. Savon.

sapor, *oris*, m. Saveur, goût. ¶ (Par ext.) Odeur. ¶ Saveur, bon goût. || (Mét.) Aliment savoureux. *Sapores*, friandises. ¶ *Fig.* Goût, sens, raison.

sapphir... Voy. SAPPIR .

1. **sapphirus**, *i*, f. Voy. SAPPIRUS.

2. **sapphirus**, *i*, m. Saphir. [sapin.

sappineus et **sappinius**, *a*, *um*, adj. De

sappinus, *i*, f. Sorte de sapin *ou* de pin. ¶ Partie inférieure et sans nœud du sapin. (de saphirs.

sappiratus, *a*, *um*, adj. De saphir, orné

sappirinus (SAPPHIRINUS, SAFFIRINUS), *a*, *um*, adj. De saphir.

sappirus, *i*, f. Saphir, pierre précieuse.

sarcina, *ae*, f. Bagage, paquet, effets. Plur. *Sarcinae*, *arum*, f. pl. Bagage (des soldats). ¶ Charge (de bête de somme). ¶ Fardeau, fruit, portée (d'une femelle). ¶ *Fig.* Fardeau, poids; charge. [les bagages.

1. **sarcinarius**, *a*, *um*, adj. Qui porte

2. **sarcinarius**, *ii*, m. Qui transporte les bagages; muletier. [ravaudeur.

1. **sarcinator**, *oris*, m. Raccommodeur,

2. **sarcinator**, *oris*, m. Portefaix.

1. **sarcinatrix**, *icis*, f. Ravaudeuse.

2. **sarcinatrix**, *.icis*, f. Qui a la garde des bagages. [gages.

sarcinatus, *a*, *um*, adj. Chargé de ba-

sarcinosus, *a*, *um*, adj. Lourdement chargé. ¶ *Fig.* Trousseau; dot.

sarcinula, *ae*, f. Léger bagage; effets.

sarcio, *is*, *sarsi*, *sarsum* ou *sartum*, *ire*, tr. Recoudre, raccommoder, réparer, remettre en bon état. *Sartus tectus*, en bon état, bien conservé.

sarcofag... Voy. SARCOPHAG...

sarcophago, *as*, *are*, tr. Ensevelir, enfermer dans un sarcophage.

sarcophagum, *i*, n. Comme 2. SARCOPHAGUS. [les chairs.

1. **sarcophagus**, *a*, *un*, adj. Qui consume

2. **sarcophagus**, *i*, m. Sarcophage, tombeau.

sarculatio, *onis*, p. Sarclage. [cler.

sarculo, *as*, *avi*, *atum*, *are*, tr. Sarcler.

sarculum, *i*, n. Sarcloir, houe légère.

sarculus, *i*, m. Comme SARCULUM.

sarda, *ae*, f. Sardine, sorte de poisson. ¶ Sorte de pierre précieuse.

sardina, *ae*, f. Voy. SARDA. [dines.

sardinarius, *a*, *um*, adj. Rempli de sar-

sardinius (LAPIS), Voy. le suivant.

sardius, (s.-e. LAPIS), *ii*, m. Sardoine, pierre précieuse.

sardo, *as*, *are*, intr. Comprendre; être fin (comme un Sarde).

sario, *is*, *ivi* ou *ui*, *sartum*, *ire*, tr. Sarcler.

sarisa, *ae*, f. Sarisse, longue pique des

Macédoniens. ¶ (Méton.) Macédonien.

sarisophorus, *i*, m. Sarissophore, soldat macédonien armé de la sarisse.

sarissa. Voy. SARISA.

sarmenticius, *a*, *um*, adj. De sarment.

sarmentosus, *a*, *um*, adj. Sarmenteux, plein de sarments.

sarmentum, *i*, n. Sarment (de la vigne); menue branche.

sarpa, *ae*, f. Héron.

sarpio ou **sarpo**, *is*, *sarpsi*, *sarptum*, *ere*, tr. Tailler, émonder.

sarra, *ae*, f. Barre.

sarracum, *i*, n. Voy. SERRACUM.

sarritura. Voy. SARTURA 1.

sarrio. Comme SARIO.

sarritura. Voy. SARTURA 1.

sarsor, *oris*, m. Comme 1. SARTOR.

sartago, *ginis*, f. Poêle à frire; casserole. ¶ *Fig.* Chaudière de l'enfer. — *Fig.* Pot pourri, fatras; mélange inouï.

1. **sartor**, *oris*, m. Raccommodeur.

2. **sartor**, *oris*, m. Sarcleur.

1. **sartura**, *ae*, f. Sarclage; hersage.

2. **sartura**, *ae*, f. Raccommodage.

sartus, *a*, *um*. Voy. SARCIO.

sas, acc. f. pl. de SUUS.

sat, adj. et adv. ¶ *Adj.* Suffisant. ¶ *Adv.* Assez, suffisamment.

satagius, *a*, *um*, adj. Qui s'inquiète, qui se tourmente.

satagito, *as*, *are*, intr. Se donner assez de mal; s'inquiéter assez pour.

satago, *is*, *ere*, intr. Se donner assez de peine, faire des efforts. || Etre dans une situation embarrassée. ¶ Se donner assez de mouvement, s'agiter, se trémousser, être affairé. ¶ Satisfaire, payer.

satelles, *litis*, m. et f. Garde du corps (des rois étrusques), satellite, soldat. ¶ Complice.

satellis, m. et f. Comme le précédent.

satellitium (SATELLICIUM), *ii*, n. Garde (d'un prince). ¶ (*Fig.*) Appui. ¶ Service, sujétion; servitude.

satias, *atis*, f. Quantité suffisante. ¶ Satiété, dégoût. || Ennui.

satiate, adv. Jusqu'à satiété.

saties, *ei*, f. Satiété.

satietas, *atis*, f. Quantité suffisante. ¶ Rassasiement, satiété, dégoût. ¶ Trop plein. || Excréments.

satin. = SATISNE. Est-ce que... assez?

1. **satio**, *as*, *avi*, *atum*, *are*, tr. Rassasier, satisfaire (la faim, la soif), assouvir. ¶ Saturer, imbiber, imprégner. ¶ *Fig.* Rassasier, satisfaire. ¶ Dégoûter, fatiguer, lasser.

2. **satio**, *onis*, f. Ensemencement. Sationes, f. pl. Semailles; champs ensemencés. ¶ Plantation.

satira, *ae*, f. Satire, mélange de prose et de vers; poème dramatique et didactique. ¶ (Par ext.) Poème satirique, satire.

satirice, adv. Satiriquement.

1. **satiricus**, *a*, *um*, adj. Relatif à la satire, satirique.

2. **satiricus**, *i*, m. Ecrivain satirique.

satis, adj. et adv. ¶ *Adj.* Suffisant. ¶ *Jur.* (Subst.) Assurance, caution suffisante. ¶ *Adv.* Assez, suffisamment; passablement. ¶ (Par ext.) *Eccl.* Bien, beaucoup, très. [caution.

satisaccipio, *is*, *ere*, tr. Recevoir une

satisdatio, *onis*, f. Satisfaction donnée au créancier.

satisdato, adv. Sur caution.

satisdatum, *i*, n. Caution.

satisdo, *as*, *dedi*, *datum*, *are*, intr. Donner caution.

satisfacio, *is*, *feci*, *factum*, *ere*, intr. Satisfaire à, s'acquitter de, suffire à. ¶ Satisfaire un créancier (par voie de paiement ou de caution), s'acquitter envers. ¶ Donner satisfaction à, faire réparation.

satisfactio, *onis*, f. Satisfaction donnée à un créancier, paiement d'une dette. ¶ Réparation (d'un tort), satisfaction (d'une injure). ¶ Peine, punition, châtiment.

satisfio, *is*, *fieri*, passif de SATISFACIO. Voy. ce mot.

satius, adj. (au compar.). Mieux, préférable. *Satius est*, il vaut mieux.

sativa, *orum*, n. pl. Lieux cultivés; cultures.

sativus, *a*, *um*, adj. Semé; qui vient de sem s; cultivé. — *res*, produits du sol.

sator, *oris*, m. Semeur, planteur. ¶ Auteur, artisan; moteur, promoteur. ¶ Auteur, créateur, père.

satrapa, *ae*, m. Comme SATRAPES.

satrapea, *ae*, f. Voy. SATRAPIA.

satrapes, *ae*, m. Satrape, gouverneur de province (chez les Perses).

satrapia, *ae*, f. Satrapie, province gouvernée par un satrape.

satraps, *is*, m. Voy. SATRAPES.

satum, *i*, n. Terre ensemencée. Au plur. *Sata*, *orum*, n. pl. Semailles, terres ensemencées, récoltes.

satur, *tura*, *turum*, adj. Rassasié, gorgé. ¶ Riche, abondant, fécond. ¶ Saturé, chargé, gras, épais.

1. **satura**, *ae*, f. Plat composé de toutes sortes de fruits qu'on offrait aux dieux tous les ans. ¶ Mélange, pot pourri, macédoine. ¶ (Par ext.) Pêlemêle. *Per saturam*, sans distinction, sans ordre, en bloc, en masse.

2. **satura**, p. SATIRA.

saturatus, *a*, *um*, p. adj. Rassasié; *au fig.* chargé, épais; foncé.

saturitas, *atis*, f. Rassasiement. *Ad saturitatem*, beaucoup. ¶ Grande quantité, abondance. || *Spéc.* Ennui, dégoût. ¶ Saturation (d'une couleur). ¶ Excréments.

saturo, *as*, *avi*, *atum*, *are*, tr. Rassasier, repaître. ¶ Saturer. ¶ Remplir, combler. ¶ Assouvir, satisfaire. ¶ Dégoûter.

satus, dat. *ui*, m. Action de semer. || Plantation. || Semailles. ¶ Naissance.

génération, origine. ¶ *Fig.* Semences morales.

satyra, *ae*, f. Voy. SATIRA.

satyriasis, *is*, f. Satyriasis; priapisme.

satyrice. Voy. SATIRICE.

satyricos, adv. D'une manière satyrique, narquoise.

satyricus. Voy. SATIRICUS.

satyrion, *ii*, n. Orchis *ou* satyrion, plante aphrodisiaque.

satyrographus, *i*, m. Comme 2. SATIRI-OUS. ¶ Auteur d'un drame satirique.

sauciatio, *onis*, f. Action de blesser, blessure.

saucio, *as*, *avi*, *atum*, *are*, tr. Blesser. ¶ Léser. ¶ Déchirer. || Ouvrir (la terre). || Tailler (un arbre).

saucius, *a*, *um*, adj. Blessé. ¶ Lésé, endommagé (pr. et fig.). ¶ Troublé (par la boisson); ivre. ¶ *Fig.* Atteint moralement, affaibli, attaqué, malade (d'esprit *ou* de cœur). ¶ Attristé.

savio, *as*, *are*, tr. Donner un baiser.

saviolum, *i*, n. Tendre baiser.

savior, *aris*, *atus sum*, *ari*, dép. tr. Baiser. || *Spéc. Saviatus*, qui mérite d'être baisé.

savium, *ii*, n. Lèvres (qui s'avancent pour donner un baiser). ¶ Baiser tendre. [de poisson.

saxatiles, *ium*, m. pl. Saxatiles, sorte

saxatilis, *e*, adj. Qui se tient dans les pierres. ¶ De pierres.

saxetum, *i*, n. Lieu pierreux.

saxeus, *a*, *um*, adj. De rocher, de pierre. ¶ Dur comme la pierre; aussi gros qu'une pierre.

saxificus, *a*, *um*, adj. Qui pétrifie.

saxifraga, *ae*, f. Capillaire, saxifrage.

saxifragia, *ae*, f. Comme le précédent.

saxifragus, *a*, *um*, adj. Qui brise les rochers *ou* les pierres.

saxosus, *a*, *um*, adj. Pierreux, rocailleux; rempli de pierres. Subst. *Saxosa*, n. pl. Terrain pierreux. ¶ Qui coule *ou* qui croit entre des pierres.

saxulum, *i*, n. Petit rocher.

saxum, *i*, n. Roche, rocher, montagne rocheuse. ¶ Bloc de pierre, grosse pierre, pierre. — *quadratum*, pierre de taille. ¶ Mur, construction en pierre. || Tombeau. ¶ Poids. ¶ Craie cimolée. ¶ (Fig.) Bûche (en parl. d'un homme stupide). ¶ Écueil. *Spéc.* Le mont Aventin; la roche Tarpéienne; le Capitole.

saxus, *i*, m. Comme SAXUM.

scabellum (SCABILLUM), *i*, n. Escabeau, petit banc, marchepied, tabouret. ¶ Instrument sur lequel frappait avec les pieds le joueur de flûte, pour marquer la mesure.

scaber, *bra*, *brum*, adj. Inégal, âpre, rude, raboteux. ¶ *En parl. de pers.* Malpropre, qui a les dehors négligés. || Galeux, lépreux.

scabia, *ae*, f. Comme SCABIES.

scabies, *ei*, f. Rugosité, inégalité, aspé-

rité. || Rouille. || Malpropreté. ¶ Gale. || Lèpre. || *Spéc.* Gale (des plantes). || Rouille (des métaux). ¶ *Fig.* Démangeaison, prurit, vif désir, envie, tentation, attrait.

scabillarii, *orum*, m. pl. Scabillaires, qui marquaient le rhythme en frappant du pied le scabellum.

scabillum, *i*, n. Voy. SCABELLUM.

scabio, *as*, *avi*, *are*, intr. Souffrir de la gale. || Devenir galeux.

scabiola, *ae*, f. Légère démangeaison. ¶ *Fig.* Tentation.

scabiosus, *a*, *um*, adj. Raboteux, rugueux. ¶ Galeux, lépreux. Subst. *Scabiosi*, m. pl. Lépreux. ¶ Mauvais, gâté, pourri. || Moisi.

scabo, *is*, *scabi*, *ere*, tr. Gratter. || Chatouiller. ¶ Râcler.

scabritia, *ae*, f. Rugosité, rudesse, aspérité. ¶ Gale, lèpre.

scabrities, *ei*, f. Comme le précédent.

scabritudo, *dinis*, f. Rugosité, lèpre (pr. et fig.).

scabrosus, *a*, *um*, adj. Rugueux, inégal, hérissé. ¶ Sordide.

scaena (SCENA), *ae*, f. Scène d'un théâtre, théâtre. || (Méton.) Théâtre, c.-à-d. art dramatique. ¶ (Par ext.) Place ensoleillée et bordée d'arbres à droite et à gauche. ¶ *Fig.* Théâtre public; publicité; scène du monde. || Champ d'activité. ¶ Spectacle, pompe, apparat, étalage. ¶ Scène, coup de théâtre, intrigue; vaine apparence; comédie. ¶ Aspect extérieur.

scaenalis, *e*, adj. Scénique, théâtral.

scaenarium, *ii*, n. Lieu de la scène, scène. [scène, scénique.

scaenarius, *a*, *um*, adj. Relatif à la

scaenaticus, *i*, m. Personnage de théâtre.

scaenatilis, *e*, adj. Scénique, théâtral.

scaenia, *ae*, f. Comédienne, actrice.

scaenice, adv. D'une manière théâtrale.

1. **scaenicus**, *a*, *um*, adj. De la scène, scénique, théâtral. ¶ De comédie; faux, apparent.

2. **scaenicus**, *i*, m. Acteur, comédien.

scaenographia, *ae*, f. Scénographie, représentation en perspective d'un bâtiment.

scaeptrum. Voy. SCEPTRUM.

1. **scaeva**, *ae*, m. Gaucher.

2. **scaeva**, *ae*, f. Signe (qui s'observe à gauche), présage, augure.

scaevitas, *atis*, f. Gaucherie, maladresse. ¶ Malheur.

scaevus, *a*, *um*, adj. Gauche, situé à gauche. ¶ Gauche, maladroit. || Malavisé. ¶ Sinistre, funeste.

scala, *ae*, f. Echelle. ¶ *Spéc.* Echelle (de Jacob). ¶ (Rhét.) Gradation.

scalae, *arum*, f. pl. Escalier. ¶ (Méton.) Degrés, marches, échelons.

scalare, *is*, n. Escalier. Au pl. Escaliers, marches, degrés.

scalmus, *i*, m. Cheville pour attacher l'aviron. ¶ (Par ext.) Rame, aviron.

scalpellum, *i*, n. Scalpel, bistouri, lancette. ¶ Canif.

scalpellus, *i*, n. Comme le précédent.

scalpo, *is*, *scalpsi*, *scalptum*, *ere*, tr. Gratter, frotter. || *Fig.* Chatouiller. ¶ Gratter avec le ciseau, tailler, creuser, sculpter; graver.

scalprum, *i*, n. Instrument tranchant. || Tranchet. || Burin, ciseau. || Lancette, bistouri, scalpel. || Canif. ¶ Serpette (de vigneron). || Tranchant de la serpette.

scalprus, *i*, m. Vulg. p. SCALPRUM.

scalptor, *oris*, m. Graveur (sur métaux ou sur pierre).

scalptorium, *ii*, n. Instrument en forme de main pour se gratter le dos.

scalptura, *ae*, f. Action de graver (sur pierre); gravure; glyptique. ¶ (Mét.) Figure gravée; camée.

scamellum, *i*, n. Petit banc.

scamillarii. Voy. SCABILLARII.

scamillum, *i*, n. Voy. SCAMELLUM.

scamillus, *i*, m. Petit banc. ¶ (Méton.) Saillie inégale d'un chapiteau (au plur.).

scamma, *matis*, n. Place entourée d'un fossé et sablée, où s'exerçaient les athlètes. || Espace réservé dans la palestre. ¶ *Fig.* Arène, lice. || Lutte, combat.

scammoneum, *i*, n. Voy. SCAMMONIUM.

scammonia (SCAMONI..) et **scammonea**, *ae*, f. Scammonée, plante purgative.

scammonium, *ii*, n. Suc de scamonée.

scamnum, *i*, n. Escabeau, marchepied, tabouret. || Banc, banquette. ¶ Bande de terre non retournée entre deux sillons. || Rameaux épais étendus dans le sens de la largeur et qui servaient de bancs. || Barre (espace de terre entre deux fossés). || Largeur (opp. à *striga*, longueur). || Dans un camp : espace où se trouvaient les tentes des légats et des tribuns.

scandala, *ae*, f. Epeautre.

scandalizo, *as*, *avi*, *atum*, *are*, tr. Scandaliser.

scandalum, *i*, n. Pierre d'achoppement. ¶ Scandale, mauvais exemple.

scandix, *dicis*, f. Cerfeuil, plante.

scando, *is*, *scandi*, *scansum*, *ere*, intr. et tr. ¶ *Intr.* Monter, s'élever (pr. et fig.). ¶ *Tr.* Monter sur, gravir; escalader. ¶ *Gramm.* Scander (des vers).

scansilia, *um*, n. pl. Gradins.

scansilis, *e*, adj. Où l'on peut monter. ¶ Progressif, graduel.

scansio, *onis*, f. Action de monter. ¶ *Fig.* Echelle ascendante (des sons).

scapha, *ae*, f. Esquif, barque, nacelle, chaloupe, canot. ¶ Navette de tisserand.

scaphium (SCAPIUM), *ii*, n. Vase, vaisseau, bassin. || Clepsydre. || Cadran solaire. || Vase de nuit. || Vase à boire, coupe.

1. scapula, *ae*, f. Comme VENUCULA.

2. scapula, *ae*, f. Epaule. [vant.

3. scapula, *orum*, n. pl. Comme le sui-

scapulae, *arum*, f. pl. Omoplates, épaules, dos. ¶ Partie supérieure d'un objet. ¶ Bras (d'une machine). ¶ Croupe (d'une montagne).

scapus, *i*, n. Tige; support. ¶ Tige (de plante); tronc. || Fût (de colonne). || Tige (de chandelier). || Bois de lance. || Cylindre pour enrouler un manuscrit. || Traverse d'un métier de tisserand. || Fléau de balance; verge de peson. || Montant d'une porte. || Vis d'escalier.

scarabaeus, *i*, m. Escarbot; scarabée.

scarifatio (SCARAPHATIO), *onis*, f. Scarification. ¶ *Fig.* Grattage, labour léger.

scarificatio, *onis*, f. Comme SCARIFATIO.

scarifico, *as*, *are*, tr. Voy. SCARIFO.

scarifo (SCARIPHO), *as*, *avi*, *atum*, *are*, tr. Inciser légèrement, scarifier. ¶ Gratter légèrement.

scarus, *i*, m. Scare, poisson de mer.

scatebra, *ae*, f. Jaillissement de l'eau, jet. || Eau jaillissante, cascade. ¶ *Fig.* Pluie, déluge. || Foule.

scateo, *es*, *ere*, intr. Sourdre ¶ *Fig.* Sortir, jaillir en abondance. ¶ *Fig.* Etre abondant, pulluler, fourmiller, || Bouillonner.

scaturiginosus, *a*, *um*, adj. Abondant en sources, marécageux.

scaturigo (SCATURRIGO), *ginis*, f. Eau jaillissante; source. ¶ *Fig.* Une foule, un torrent de...

scaturio (SCATURRIO), *as*, *ivi*, *ire*, intr. Sourdre, jaillir. ¶ *Fig.* Affluer, être abondant. || (Méton.) Etre plein de.

scaurus, *a*, *um*, adj. Qui a un pied bot.

scazon, *ontis*, m. Scazon ou choliambe, iambe boîteux, trimètre iambique dont le dernier pied est un spondée ou un trochée. [chamment.

scelerate, adv. Criminellement, mé-

scelerator, *oris*, m. Criminel.

sceleratus, *a*, *um*, p. adj. Souillé par un crime; où un crime a été commis. ¶ Criminel, scélérat, impie, infâme. ¶ Dangereux, funeste, nuisible. || Infortuné, malheureux.

1. scelero, *as*, *avi*, *atum*, *are*, tr. Souille par un crime. ¶ Rendre nuisible.

2. scelero, *onis*, m. Voy. SCELIO.

scelerosus, *a*, *um*, adj. Criminel, infâme, impie. [cleusement.

sceleste, adv. Criminellement. ¶ Mali-

1. scelestus, *a*, *um*, adj. Scélérat, criminel, infâme, impie, perfide. ¶ Malheureux, désastreux, funeste.

2. scelestus, *i*, m. Un criminel, un coquin. [¶ (Abus.) Squelette.

sceletus, *i*, m. Corps desséché, momie.

scelio, *onis*, m. Homme infâme; scélérat.

scelus, *eris*, tr. Nature criminelle; scélératesse. ¶ (Méton.) Acte criminel ou impie, attentat, forfait, crime. ¶ Malheur, fléau, désastre. Voy. INFORTUNIUM. ¶ (Méton.) Crime incarné, brigand, scélérat.

scema. Voy. SCHEMA.

scen... Voy. SCAEN...

1. **scena.** Voy. SCAENA.

2. **scena,** *ae,* f. Hache du sacrificateur.

sceptos, *i,* m. Tempête, ouragan.

sceptrifer, *fera, ferum,* adj. Qui porte un sceptre. [un sceptre.

sceptriger, *gera, gerum,* adj. Qui manie

sceptrum, *i,* n. Sceptre, bâton royal, symbole de la royauté. || Sceptre des triomphateurs, bâton de commandement. || Le sceptre, la royauté. ¶ *Par ext.* Le genre tragique. || *Plaisamm.* Férule. ¶ Voy. ASPALATHUS.

scheda, *ae,* f. Voy. SCHIDA.

schedium, *ii,* n. Impromptu, poème improvisé.

schedula, *ae,* f. Petite feuille de papier, feuillet, billet.

schema, *matis,* n. Voy. le suivant.

schema, *ae,* f. Manière d'être, figure mine ¶ Forme, extérieur: costume ¶ Attitude, maintien. ¶ Esquisse. || Figure géométrique. ¶ Figure de rhétorique. || Image, métaphore.

schematismus, *i,* m Style figuré.

schida, *ae,* f Feuillet de papyrus; page.

schidia, *ae,* f. Copeau (ordin. au pl.).

schinus, *i,* f. Lentisque, arbrisseau.

schisma, *matis,* n. Séparation, schisme. ¶ (Mus.) Intervalle musical moindre d'un demi-ton.

schismaticus, *i,* m. Schismatique.

schoeniculae, *arum,* f. pl. Courtisanes de bas étage.

schoenobates, *ae,* m. Funambule.

schoenanthos, *i,* n. Comme SCHOINUANTHOS.

schoenum, *i,* n. Comme le suivant.

schoenus, *i,* m. Jonc, roseau (dont les Romains se servaient pour aromatiser le vin. ¶ (Méton.) Parfum à vil prix employé par les courtisanes de bas étage. ¶ Schène, mesure agraire chez les Grecs, mesure itinéraire chez les Perses et les Egyptiens.

schoinuanthos. i. m. Jonc odorant.

schola (SCOLA), *ae,* f. Loisir consacré à l'étude, occupation littéraire et scientifique, d'où leçon, conférence, entretien savant; thèse, matière. ¶ Ecole (où l'on enseigne), classe. ¶ Galerie d'exposition; académie. || Salle d'attente. ¶ Siège d'une corporation. ¶ Ecole (philosophique), secte, système, doctrine. || (Par ext.) Compagnie, corps (civil ou militaire); corporation, collège. [garde impériale.

scholares, *ium,* m. pl. Gardes du palais,

scholaris (SCOLARIS), *e,* adj. De l'école, scolaire. ¶ Relatif à la garde impériale.

scholarius, *ii,* m. Garde du palais.

scholastica, *orum,* n. pl. Exercices de l'école, déclamations.

scholastice, adv. A la manière d'un rhéteur, d'une façon déclamatoire.

scholasticellulus, *i,* m Voy le suivant.

scholasticellus, *i,* m. Comme le suivant.

scholasticulus, *i,* m. Petit rhéteur

1. **scholasticus** *a, um,* adj. D'école, relatif à l'étude de l'éloquence

2. **scholasticus,** *i,* m. Ecolier, étudiant, élève. ¶ Rhéteur, maître de déclamation. ¶ Avocat consultant. ¶ Savant, lettré, érudit. ¶ *Péjor.* Pédant.

scholicus, *a, um,* adj. D'école.

schole (SCOLE), *es,* f Voy. SCHOLA.

scida, *ae,* f. Feuille de papyrus. || Feuillet. page ¶ *Qqf.* Livre

scidola, *ae,* f. Comme SCHEDULA.

sciens, *entis,* p. adj Qui sait, informé. ¶ *Adj* Qui agit sciemment ou de propos délibéré ou en connaissance de cause. ¶ Qui sait, instruit, savant, habile.

scienter. adv Sciemment, en connaissance de cause. ¶ Savamment, habilement, doctement.

scientia, *ae,* f. Connaissance (qu'on a des hommes et des choses); science. ¶ Science, savoir. [ficielle.

scientiola, *ae,* f. Connaissance super-

scilicet, adv. On peut voir que, naturellement, assurément, apparemment, cela va de soi. ¶ Sans doute, il est vrai (par concession). || Eh! oui, certainement. ¶ Apparemment, vraiment (par ironie). ¶ Savoir, à savoir, c'est-à-dire, c'est que; par exemple.

scilla et **squilla,** *ae,* f. Scille ou oignon de mer. ¶ Squille, écrevisse de mer, crabe.

scindo, *is, scidi, scissum, ere,* tr. Fendre; déchirer; arracher (les cheveux).|| Entr'ouvrir. || Rompre. ¶ Séparer, diviser, partager. || Subdiviser. ¶ Couper, découper; servir à table. ¶ Interrompre. ¶ Rouvrir une blessure (pr. et fig.).

scintilla, *ae,* f. Etincelle (pr. et fig.). ¶ Point brillant; paillette de métal.

scintillo, *as, avi, are,* intr. Scintiller, étinceler, briller (pr. et fig.).

scintillula, *ae,* f. Petite étincelle (pr. et fig.).

scio, *is, ivi* et *ii, itum, ire,* tr. Savoir (par perception ou par ouï-dire), connaître (par expérience) ¶ Savoir, être instruit dans, être capable de — *litteras,* être lettré || *Spéc.* Comprendre, avoir conscience de, remarquer. || Connaître, savoir, ct. NOSSE. ¶ Avoir commerce avec.

scipio, *onis.* m. Bâton.

scirpea, *ae,* f. Voy. SIRPEA.

scirpeus, *a, um,* adj. Voy. SIRPEUS.

scirpiculus. *a, um,* adj. Voy. SIRPICULUS.

scirpo (SIRPO), *as, avi, atum, are,* tr. Lier, attacher avec des joncs ¶ Tresser avec des joncs. [inconnue.

scirpula (VITIS), *ae,* f. Sorte de vigne

scirpus (SIRPUS), *i,* m Jonc ¶ *Fig.* Nœud, énigme. [investigation.

sciscitatio. *onis,* f. Information, enquête,

sciscitator, *oris,* m. Qui enquête, qui s'informe, qui fait des recherches.

sciscito, *as, are,* tr. Voy. SCISCITOR.

sciscitor, *aris, atus sum, ari,* dép. tr. Demander, s'enquérir, s'informer, chercher à savoir. ¶ Tenter, faire un essai.

scisco, *is, scivi, scitum, ere,* tr. et intr. Chercher à savoir, s'informer. ¶ Décider, décréter (en parl. du peuple). ¶ Voter. ¶ Parvenir à savoir, savoir par expérience.   [SCISCO.

sciscor, *eris, i,* dép. tr. et intr. Comme

scissilis, *e,* adj. Qu'on peut fendre; qu'on peut séparer en lames; scissile. ¶ Déchiré.

scissio, *onis,* f. Déchirement, division, scission. Scissiones, fentes, crevasses; ¶ Gramm. Diérèse.

scissor, *oris,* m. Celui qui découpe; écuyer tranchant. ¶ Sorte de gladiateur qui lacérait les cadavres de ceux qui avaient succombé.

scissum, *i,* n. Déchirure, fente, trou.

scissura, *ae,* f. Division, séparation. ‖ (Méton.) Fente, fissure; crevasse. ¶ Fig. Discussion, scission. ¶ Déchirement. ‖ Egratignure.

scissus, *a, um,* p. adj. Fendu, séparé, déchiré. — genas, joues ridées. — folia, feuilles échancrées. — vocis genus, débit saccadé.

scitamenta, *orum,* n. pl. Mets délicats, friandises. ¶ (Au fig.) Ornements, délicatesses (du style).

scite, adv. Habilement, avec art. ‖ Avec élégance, avec esprit; avec goût.

1. **scitor,** *aris, atus sum, ari,* dép. tr. Demander, interroger.

2. **scitor,** *oris,* m. Qui sait, qui connaît.

scitule, adv. Avec assez d'art; joliment, d'une façon charmante.

scituli, *orum,* m. pl. De jeunes élégants.

scitulus, *a, um,* adj. Joli, élégant, mignon, charmant. [Axiome, principe.

scitum, *i,* n. Ordonnance, décret. ¶

1. **scitus,** *a, um* p. adj. Qui connaît. ‖ Expérimenté, entendu, habile, instruit. ‖ En parl. de ch. Savant; fin. spirituel. ¶ Fig. Joli, charmant, élégant. ¶ Apte, propre, convenable.

2. **scitus,** abl. *u, m.* Décret (du peuple); plébiscite.

sciurus, *i,* m. Ecureuil.

1. **scius,** *a, um,* adj. Qui agit sciemment. ¶ Qui sait, qui connaît.   [gent.

2. **scius,** *ii,* m. Homme sensé, intelligent.

scobina, *ae,* f. Sorte de râpe, lime.

1. **scobis,** *is,* f. Limaille, sciure, rognure, copeaux, raclure, scories. ¶ Dartre farineuse.

2. **scobis,** *is,* m. Voy. le précédent.

scola, *ae,* f. Comme SCHOLA.

scolaris, *e,* adj. Voy. SCHOLARIS.

scolasticus. Voy. SCHOLASTICUS.

scolopendra, *ae,* f. Scolopendre, insecte. ¶ Sorte de poisson de mer.

scolopendrion, *ii,* n. Capillaire.

scomber, *bri,* m. Scombre, maquereau, poisson de mer.

scombrus, *i,* m. Comme le précédent.

1. **scopa,** *ae,* f. Inspection, examen.

2. **scopa,** *ae,* f. Brindille (de plante). Au plur. Scopae, ramilles de l'absinthe, de l'asperge, etc.

3. **scopa,** *ae,* f. Balai.

scopae, *arum,* f. pl. Balai (formé de brindilles). — solutae, balai défait (en parl. d'un propre à rien).

1. **scopo,** *as, avi, are,* tr. Balayer.

2. **scopo,** *is, ere,* tr. Considérer, examiner.

scopula, *ae,* f. Brin de balai. ¶ (Méton.) Au plur. Scopulae, petit balai.

scopulosus, *a, um,* adj. Plein de rochers, semé d'écueils. ¶ Fig. Périlleux. ‖ Pénible, difficile.

scopulus, *i,* m Tout lieu élevé d'où l'on peut voir au loin; éminence, rocher. ‖ Grosse pierre. ‖ Spéc. Récif, écueil, brisant. ¶ Fig. Ecueil, fléau.

scopus, *i,* m. But, cible.

scordalia, *ae,* f. Querelle, dispute.

scordalus, *i,* m. Chamailleur, querelleur.

scorpiacum, *i,* n. Remède contre la piqûre du scorpion.   [PROSERPINACA.

scorpinaca, *ae,* f. Plante nommée aussi

scorpio, *onis,* m. Scorpion, bête venimeuse. ‖ Scorpion, signe du zodiaque. ¶ Scorpion, machine de guerre. ‖ Javelot (lancé par le scorpion).

scorpioctonon, *i,* n. Héliotrope, plante.

scorpion, *ii,* n. Plante appelée aussi THELYPHONON.

scorpionius, *a, um,* adj. De scorpion.

scorpios, *ii,* m. Comme SCORPIO.

scorpitis, *tidis,* f. Pierre précieuse, qui par la couleur et la forme ressemble au scorpion.

scorpiuron, *i,* n. Comme SCORPIURUS.

scorpiuros, *i,* m. Comme le suivant.

scorpiurus, *i,* f. Scorpiure, queue de scorpion, plante.

scorpius, *ii,* m. Comme SCORPIO.

scortatio, *onis,* f. Fréquentation des femmes de mauvaise vie.

scortator, *oris,* m. Débauché, putassier.

scortatorium, *ii,* n. Maison de débauche.

scortatorius, *a, um,* adj. De débauché.

scortatus, abl. *u, m.* Débauche, libertinage.   [manteau de fourrure.

1. **scortea,** *ae,* f. Vêtement de peau.

2. **scortea,** *orum,* n. pl. Objets en peau.

scorteus, *a, um,* adj. De peau, de cuir.

scortillum, *i,* n. Petite peau (t. de mépris).

scortor, *aris, ari,* dép. intr. Fréquenter les femmes de mauvaise vie.

scortulum, *i,* n. Peau, fourrure. ‖ Spéc. Peau de lion.

scortum, *i,* n. Cuir, peau. ¶ Fig. (t. de mépris). Peau, femme de mauvaise vie.

scotia, *ae,* f. Scotie, moulure concave à la base d'une colonne. ¶ Rainure, partie du larmier d'une colonne.

scrapta, *ae,* f. Comme SCRATTA.

scratta, *ae,* f. Fille ou femme de joie.

scrattia, ae, f. Voy. SCRATTA.

sorea, n. pl. Crachats, pituite.

screator, oris, m. Celui qui crache.

screatus, us, m. Crachement.

screibo, arch. p. SCRIBO.

screo, as, are, intr. Cracher.

scriba, ae, m. Scribe; spéc. greffier, secrétaire (au service du sénat ou de hauts fonctionnaires). ¶ Poète (chez les anc. Romains). ¶ Eccl. Au plur. Scribae, les scribes, docteurs de la loi chez les Juifs.   [secrétaire.

scribatus, us, m. Emploi de scribe, de scriblita, ae, f. Sorte de tourte.

scriblitarius, a, um, adj. Qui fait des tourtes.

1. scribo, is, scripsi, scriptum, ere, tr. Rayer avec un objet pointu, marquer, empreindre, tracer des (caractères, des lignes, des figures); dessiner. ¶ Tracer des lettres, écrire. || Spéc. Ecrire sur, graver. || Ecrire, annoncer par lettre. ¶ Ecrire, composer (un ouvrage). ¶ Raconter (par écrit), rapporter, décrire. || Célébrer (qqn). ¶ Ecrire, rédiger (un acte); libeller (une accusation). ¶ Nommer par écrit. ¶ Inscrire (sur les rôles), enrôler.

2. scribo, onis, m. Voy. SCRIBA.

scribtura. Voy. SCRIPTURA.

scriniaria, ae, f. Archiviste.   [viste.

scriniarius, ii, m. Bibliothécaire, archi-

scriniolum, i, n. Petit coffret, petite cassette. ¶ Fig. Magasin, trésor.

scrinium, ii, n. Cassette cylindrique destinée à contenir des papiers, des livres, etc., coffret, écrin, portefeuille. ¶ Archives.

scriptio, onis, f. Action d'écrire, écriture. ¶ Action de composer par écrit; composition écrite. ¶ Ce qui est écrit, rédaction, texte. ¶ Obligation écrite, billet.

scriptito, as, avi, atum, are, tr. Ecrire habituellement ou souvent. ¶ Ecrire, composer un ouvrage.   [dent.

scripto, as, are, tr. Comme le précé-

scriptor, oris, m. Ecrivain, copiste, secrétaire. ¶ Ecrivain, auteur. || Prosateur. ¶ Ecrivain (public), rédacteur (public). — legis ou legum, législateur.

scriptorium, ii, n. Style (pour écrire sur les tablettes de cire).

scriptorius, a, um, adj. Qui sert à écrire.

1. scriptulum, i, n. Petite ligne (tracée sur le damier).

2. scriptulum, i, n. Voy. SCRIPULUM.

scriptum, i, n. Ligne tracée (sur un damier). Lusus duodecim scriptorum, jeu des douze lignes, jeu de trictrac sur un damier divisé par douze lignes en cases carrées. ¶ Ecrit, pièce écrite, brouillon, minute; rédaction; livre, ouvrage; manuscrit. ¶ Lettre, épître. || Recettes écrites, livre de recettes. ¶ Le texte, la lettre.

scriptura, ae, f. Ligne tracée. ¶ Action d'écrire; écriture. ¶ Composition, ré-

daction; exercice de style. ¶ Ouvrage, livre, inscription, texte. || Lettre, demande écrite, requête. || Eccl. La Sainte Ecriture. || Inscription. || Texte de loi, loi. || Teneur d'un testament. ¶ Taxe de pacage, droit de pâture.

scriptus, us, m. Fonction de greffier.

scripulum, i, n. Scrupule, fraction de l'unité (en général), c.-à-d. 1/228e. || Fraction du jugère. || Fraction de la livre (1 gr. 137). ¶ Fig. La plus faible partie d'une mesure.

scrobis, is, m. et f. Fosse disposée pour recevoir un jeune arbre. ¶ Fosse, c.-à-d. tombe.   [reproduction.

1. scrofa, ae, f. Truie conservée pour la reproduction.

2. scrofa, ae, f. Scrofule; au plur. écrouelles.   [truie.

1. scrofina (s.-e. CARO), ae, f. Chair de

2. scrofina (s.-e. VOLVA), ae, f. Matrice de truie.

serofinus, a, um, adj. De truie.

scrofipascus, a, um, adj. Nourrisseur de truies.

scrofulae, arum, f. pl. Scrofules, strumes.

scrophinus. Voy. SCROFINUS.

scrotum, i, n. Scrotum (t. d'anatomie).

scrupea, ae, f. Difficulté épineuse.

scrupeus, a, um, adj. Garni de pierres pointues, pierreux; ocailleux. ¶ Fig. Hérissé, épineux, difficile.

scruposus, a, um, adj. Rocailleux, pierreux. ¶ Fig. Difficile.

scrupul... Voy. SCRIPUL...

scrupulose, adv. Minutieusement, scrupuleusement.

scrupulosus, a, um, adj. Pointu. || Pierreux, caillouteux, rocailleux. ¶ Epineux, difficile. ¶ Minutieux, vétilleux, scrupuleux.

scrupulum, i, n. Voy. SCRIPULUM.

scrupulus (SCRIPULUS), i, m. Petite pierre pointue. ¶ Voy. SCRIPULUM. ¶ Fig. Embarras, difficulté. || Inquiétude, scrupule. ¶ Recherches minutieuses. || Subtilités, vétilles.

scrupulus, i, m. Comme SCRIPULUM.

scrupus, i, m. Pierre pointue. ¶ Fig. Souci, inquiétude, embarras.

scruta, orum, n. pl. Vieilles hardes, vieilles nippes, défroques. || Vieilleries.

1. scrutarius, a, um, adj. Qui concerne les vieilles nippes.

2. scrutarius, ii, m. Fripier.

scrutatio, onis, f. Recherche, perquisition. ¶ Fig. Critique minutieuse.

scrutator, oris, m. Celui qui fouille, qui scrute. ¶ Fig. Celui qui examine attentivement.

scrutatrix, icis, f. Celle qui recherche.

scrutinium, ii, n. Action de fouiller, de visiter.

scruto, as, are, tr. Comme le suivant.

scrutor, aris, atus sum, ari, dép. tr. Fouiller, sonder, visiter, explorer. ¶ Fig. Scruter, sonder, chercher à pénétrer. ¶ Chercher, rechercher minutieusement.

sculpo, *is*, *sculpsi*, *sculptum*, *ere*, tr. Graver, tailler, ciseler, sculpter (la pierre, le marbre, les métaux, etc.). ¶ *Fig.* Ciseler, travailler avec soin. || Graver, faire pénétrer (dans l'esprit).

sculponeae, *arum*, f. pl. Chaussures en bois, sabots.

sculptile, *is*, n. Image taillée, idole.

sculptilis, *e*, adj. Sculpté, ciselé, gravé.

sculptor, *oris*, m. Sculpteur, ciseleur, graveur.

sculptura, *ae*, f. Sculpture, gravure. Au plur. *Sculpturae*, œuvres plastiques. [ture; relatif à la sculpture.

sculpturatus, *a*, *um*, adj. De la sculp-

scurra, *ae*, m. Badaud, désœuvré. ¶ Bouffon de cour, parasite; bouffon de théâtre, baladin. || Homme facétieux; plaisant. ¶ Garde du corps.

scurrilis, *e*, adj. De bouffon; plaisant. ¶ Comique, divertissant.

scurrilitas, *atis*, f. Bouffonnerie.

scurriliter, adv. En bouffon.

scurror, *aris*, *ari*, dép. intr. Faire le bouffon. ¶ Faire le flatteur, flagorner.

scutarium, *ii*, n. Qualité, rang de scu- taire.   [bouclier.

1. **scutarius**, *a*, *um*, adj. Relatif aux

2. **scutarius**, *ii*, m. Fabricant de bou- cliers. ¶ Garde du corps, scutaire. ¶ Partisan des gladiateurs armés du bouclier long.

scutatus, *a*, *um*, adj. Armé d'un bou- clier. Subst. *Scutati*, *orum*, m. pl. Scutaires, soldats armés de boucliers.

scutella, *ae*, f. Petite coupe, petite sou- coupe.   [Martinet, étrivières.

scutica, *ae*, f. Courroie de fouet. ¶

scutra, *ae*, f. Plateau; écuelle.

1. **scutula**, *ae*, f. Petit plateau, sébile. ¶ Assiette *ou* écuelle.

2. **scutula**, *ae*, f. Cylindre, rouleau (pour faire glisser les navires sur le rivage).

3. **scutula**, *ae*, f. Plaque, carreau en losange. ¶ Losange (géom.). ¶ Lo- sange d'étoffe, sorte de masque qu'on s'appliquait sur les yeux. ¶ Greffe en écusson. ¶ Maille, tricot.

scutulatus, *a*, *um*, adj. En forme de losange. || Qui a des carreaux. Subst. *Scutulata*, *orum*, n. pl. Etoffes à car- reaux.

scutulum, *i*, n. Petit bouclier.

scutum, *i*, n. Bouclier long, en forme de parallélogramme, fait de planches et couvert de cuir.

scymnus, *i*, m. Petit d'un animal.

scyphulus, *i*, m. Petite coupe. ¶ Petite lampe (en verre).

scyphus, *i*, m. Vase à boire, coupe. ¶ *Spéc.* Coupe de poison.

scypulus. Voy. SCYPHULUS.

scytala, *ae*, f. et **scytale**, *es*, f. Bâton, rouleau. ¶ Scytale, bâton cylindrique servant à Lacédémone à enrouler les dépêches secrètes. || (Méton.) Dépêche secrète; ordre secret. ¶ Bâton, bé- quille. ¶ Serpent (qui a la même gros-

seur dans toute sa longueur).

1. **se** (arch. SED), prépos. Sans. ¶ *En compos.* Partic. insép. marquant pri- vation *ou* manque, désunion, isole- ment.

2. **se.** Pour SEMI, demi.

3. **se.** Pour SEX.

4. **se**, acc. ou abl. de SUI.

sebaciarius (*miles*), m. Soldat chargé de l'éclairage du corps de garde et de la fourniture des flambeaux destinés aux patrouilles.

sebacii, *orum*, m. pl. Chandelles.

sebalis, *e*, adj. Suiffé.

sebastonices, *ae*, m. Vainqueur aux jeux sébastes, donnés à Alexandrie, en l'honneur de l'empereur.

sebe, arch. p. *sibi*. Voy. SUI. [du suif.

sebo, *as*, *are*, tr. Suiffer. ¶ Faire avec

sebum, *i*, m. Suif.   [sécable.

secabilis, *e*, adj. Qui peut être coupé,

secale, *is*, n. Seigle.

secamenta, *orum*, n. pl. Boissellerie.

secedo, *is*, *cessi*, *cessum*, *ere*, intr. Aller à l'écart, s'éloigner, s'écarter, se re- tirer. ¶ Se retirer (de la vie publique); chercher la retraite, le repos. || Ren- trer en soi-même, se recueillir. ¶ En- trer dans le repos, mourir. ¶ Faire scission, se séparer; se révolter. ¶ Etre éloigné (en parl. d'un lieu).

secerno, *is*, *crevi*, *cretum*, *ere*, tr. Trier, mettre à part, séparer; distraire. ¶ Distinguer, discerner. || *Spéc.* Mettre de côté, éliminer.

secessio, *onis*, f. Action de se retirer de se séparer, d'aller à l'écart. ¶ Scis- sion, désunion, défection, désertion. ¶ *Spéc.* Retraite de la plèbe sur le mont Sacré; sécession.

secessus, *us*, m. Retraite, action de se retirer. || Départ. || *Spéc.* Sécession. ¶ Retraite, isolement, solitude. || (Mé- ton.) Lieu retiré. || Lieu reculé, enfon- cement. ¶ *Par ext.* Excavation, grotte. || *Spéc.* Anus. || Lieu d'aisance. || Chaise percée.

1. **secius.** Voy. SECUS.

2. **secius** ou (mieux) **setius**, adv. Moins. *Nihilo setius*, néanmoins. ¶ Mal.

secludo, *is*, *clusi*, *clusum*, *ere*, tr. En- fermer séparément, isoler. — *curas*, bannir les soucis. ¶ Séparer. *Seclusa sacra*, mystères. *In secluso*, à part, loin de tous les yeux.

seclum, *i*, n. Voy. SAECULUM.

seclusorium, *ii*, n. Volière.

seco, *as*, *secui*, *sectum*, *are*, tr. Couper, tailler, trancher. || Découper. ¶ (Méd.) Tailler les chairs, amputer. || Mutiler, châtrer. ¶ *Fig.* Diviser, démembrer. ¶ Trancher, décider. ¶ Déchirer, écor- cher, blesser. ¶ Torturer. ¶ Couper, passer par le milieu de, fendre.

secordia, *ae*, f. Voy. SOCORDIA.

secretio, *onis*, f. Séparation, dissolution.

secreto, adv. Séparément, à part, à l'écart. || En particulier. ¶ Secrètement, sans bruit, en cachette.

secretum, i, n. Retraite, lieu secret, solitude. *In secreto*, à l'écart, dans l'ombre. *Secreta*, écrits *ou* papiers secrets ¶ Secret, chose secrète, pensée secrète, menées secrètes.

secretus, a, um, p. adj. Séparé, éloigné, distinct; spécial. ¶ Placé à l'écart, isolé, solitaire. ¶ Secret, caché, mystérieux, occulte. — *auris*, oreille discrète. ¶ Rare, peu usité.

secta, ae, f. Voie qu'on suit, manière d'agir; système de conduite. ‖ *Spéc.* Parti politique, faction. ¶ Doctrine philosophique, école, secte. ‖ Ecole de médecine, école de jurisprudence. ‖ Secte (religieuse). ¶ Bande (de voleurs).

sectatio, onis, f. Poursuite. ¶ (Fig.) Emulation.

sectator, oris, m. Qui suit constamment qqn, compagnon assidu; partisan. *Sectatores*, suite, cortège, cour. ¶ Partisan d'une doctrine, sectateur, disciple. ¶ *Spéc.* Qui s'attache à, qui s'applique à. [tisan *ou* amie de.

sectatrix, icis, f. Femme qui est par-

sectilis, e, adj. Qui est susceptible de se partager. ¶ Partagé, fendu. — *luna*, quartier de lune.

sectio, onis, f. Action de couper, coupure, section. ¶ Division, distribution des parties d'un discours. ¶ Divisibilité (t. d'arithm.). ¶ Section, taille, amputation. ¶ *Jurisp.* Partage, morcellement, vente à l'encan et par lots (du butin *ou* des biens confisqués).‖ (Méton.) Biens confisqués. ‖ Lots vendus à l'encan. ¶ Poursuite.

sectius. Voy. 2. SECUS.

1. **sector**, aris, atus sum, ari, dép. tr. Suivre assidûment; accompagner, escorter. ¶ Fréquenter. ‖ Rechercher, faire la cour à. ¶ Poursuivre, donner la chasse à. ¶ Chercher à atteindre, être en quête de, rechercher. ¶ Aspirer à, tendre à. ‖ Chercher à savoir.

2. **sector**, oris, m. Celui qui coupe. ¶ (Géom.) Secteur. ¶ Acquéreur de biens confisqués, spéculateur qui revend en détail les biens confisqués achetés en bloc. ¶ Celui qui met à l'encan *ou* qui trafique de.

sectura, ae, f. Action de couper. ‖ (Méton.) Coupure, entaille, incision. ¶ Excavation, mine, carrière.

secubitus, us, m. Action de coucher seul *ou* à part.

secubo, as, bui, are, intr. Coucher seul, faire lit à part. ¶ (Fig.) Vivre solitaire.

secula, ae, f. Faucille.

secularis. Voy. SAECULARIS.

seculum. Voy. SAECULUM.

secum p. *cum se.* Voy. SUI.

secunda (s.-e. HORA), ae, f. La deuxième heure (sept heures du matin). ¶ *Secunda* n. pl. *ou secundas, arum,* f. pl. Secondines, arrière-faix.

secundari, orum, m. pl. Soldats de la seconde légion. [le rang.

secundanus, a, um, adj. Second par

secundarium, ii, n. Secondaire, accessoire.

secundarius, a, um, adj. Qui est du second rang. ¶ De seconde qualité.

secunde, adv. Avec bonheur.

1. **secundo**, as, avi, are, tr. Disposer favorablement. ¶ Favoriser, seconder; rendre heureux. ¶ *Intr.* Etre complaisant.

2. **secundo**, adv. En second lieu, secondement. ¶ Une seconde fois. ¶ Deux fois.

1. **secundum**, adv. A la suite, immédiatement après, derrière. ¶ En second lieu. ¶ Deux fois.

2. **secundum**, prép. (avec l'acc.). Immédiatement à la suite de... ‖ *Fig.* Immédiatement après (dans l'espace), ¶ Le long de, auprès de. ¶ Immédiatement après (dans le temps). ‖ Pendant, durant. ¶ Suivant, selon, conformément à. ¶ *Jurisc.* En faveur de, pour.

secundus, a, um, adj. Suivant; qui suit. ¶ Qui vient après le premier : second, deuxième. *Partes secundae ou* (subst.) *secundae*, le second rôle (pr. et fig.). ¶ Inférieur; de seconde qualité. ¶ Qui va en descendant; qui suit le cours *ou* le courant. ¶ Qui suit facilement *ou* complaisamment. ¶ Qui va bien; prospère ¶ Bien disposé, favorable, propice.

secure, adv. Tranquillement, avec calme. ¶ Sans danger; en toute sécurité. [une hache.

securifer, fera, ferum, adj. Qui porte

securis, is, acc. im, f. Hache, cognée (pr. et fig.). ‖ Hache de bûcheron. ‖ Hache de sacrificateur. ‖ Hache d'armes. ¶ *Spéc.* Masse de carrier, pioche. ¶ Croissant formé par la serpe du vigneron. ¶ (Méton.) Hache du licteur; autorité: consulat; puissance souveraine. ¶ *Fig.* Coup de hache, coup mortel.

securitas, atis, f. Absence d'inquiétude, tranquillité d'âme; sécurité. *Securitates*, heures de tranquillité. ¶ *Péjor.* Incurie, négligence, insouciance. ¶ Absence de danger, sûreté, paix, repos. ¶ *Jurisc.* Sûreté, garantie, gage. ‖ Reçu, quittance.

securiter, adv. Comme SECURE.

securus, a, um, adj. Qui est sans crainte, sans inquiétude; plein de sécurité; qui n'a rien à craindre; rassuré, sûr. ¶ *Péjor.* Qui ne s'inquiète pas, qui est sans souci, indifférent à, insouciant, négligent. ‖ *Qqf.* Audacieux, insolent. ¶ Où l'on n'a rien à craindre, dont on n'a rien à craindre; sûr. ¶ *Spéc.* Qui jouit du dernier repos. ¶ Tranquille, sûr (en parl. de ch.).

1. **secus**, n. indécl. Sexe. Voy. SEXUS.

2. **secus**, adj. Comme SECUNDUS.

3. **secus,** adv. Loin, loin de. *Non multo secus,* pas beaucoup plus. ¶ Différemment, autrement. *Bene aut secus,* bien ou mal, à tort ou à raison. ¶ Autrement qu'il ne faut, mal. — *procedere,* échouer.

4. **secus,** prép. (av. l'acc.). Le long de. ¶ Aussitôt après. ¶ Selon, conformément à.

secutor, *oris,* m. Qui suit, qui accompagne. || Surveillant. ¶ Sorte de gladiateur (qui combattait contre le rétiaire). [qqn, qui recherche qqn.

secutulejus, *a, um,* adj. Qui court après

1. **sed.** Voy. SE.

2. **sed,** conj. Mais. ¶ Oui, mais. ¶ Mais cependant. || Ainsi, dirais-je; mais enfin; quoi qu'il en soit. ¶ Mais en voilà assez. ¶ Admettons que. ¶ Mais, dit-on. ¶ Or; et. ¶ Mais comme, mais aussi, mais même. *Non solum..., sed etiam,* non seulement, mais encore.

sedate, adv. Avec calme, tranquillement. || Sans murmurer. ¶ Doucement.

sedatio, *onis,* f. Action d'apaiser, de calmer; tranquillité, adoucissement.

sedator, *oris,* m. Qui apaise. [quille.

1. **sedatus,** *a, um,* p. adj. Calme, tranquille.

2. **sedatus,** abl. *u,* m. Apaisement, calme.

sedecennis, *e,* adj. Agé de seize ans.

sedecies, adv. Seize fois.

sedecim et **sexdecim,** adj. num. Seize.

sedecula, *ae,* f. Petit siège; petite chaise.

sedentarius, *a, um,* adj. A quoi l'on travaille assis. ¶ Qui travaille assis.

sedeo, *es, sedi, ere,* intr. Etre assis. || Rester à sa place. ¶ Etre perché. ¶ Siéger (en parl. de juges *ou* de magistrats). || Etre assesseur. || Etre au banc de la défense. ¶ Etre à son poste. || Faire le métier de prostituée. ¶ Etre sur le siège, à la selle. ¶ S'arrêter, demeurer, séjourner, stationner. || Demeurer oisif, perdre son temps. ¶ Attendre (près de l'autel le secours de la divinité). ¶ Vivre à la maison (d'une vie retirée). ¶ S'établir, se fixer. ¶ Etre campé. || Etre assiégé. ¶ Rester dans l'inaction. ¶ Se fixer, rester fixé; tenir bon. || *Spéc.* Etre fixé, arrêté, résolu. ¶ S'asseoir, descendre, s'affaisser, s'abaisser (pr. et fig.).

sedes, *is,* f. Siège. || *Spéc.* Banc (de rameurs). ¶ *Fig.* Place. ¶ Résidence, séjour, demeure, habitation. || Maison. || Cantonnement (de soldats). || Siège d'une juridiction. || Lieu de repos, tombeau. ¶ Corps (demeure de l'âme). ¶ Siège, emplacement. - *belli,* théâtre de la guerre, centre des opérations, place d'armes. ¶ Siège, fondement, anus.

sedibilis, *e,* adj. Où l'on peut s'asseoir.

sedile, *is,* n. Siège, banquette. || *Spéc.* Banc (d'une voiture). || Perchoir, juchoir. || Banc, gradin (au théâtre). || Banc de rameurs. || Housse. ¶ Action

de s'asseoir, repos sur un siège.

seditio, *onis,* f. Désunion, division, discussion, querelle, rupture. ¶ Sédition, émeute, soulèvement populaire; insurrection; révolte militaire. || (Méton.) Les séditieux, les révoltés. ¶ Agitation (des flots). || Dérangement (de corps).

seditiose, adv. Séditieusement.

seditiosus, *a, um,* adj. Séditieux. ¶ Remuant, agité, turbulent.

sedo, *as, avi, atum, are,* tr. Faire asseoir, faire tomber; abattre. ¶ *Fig.* Faire cesser, calmer, apaiser. ¶ *Intr.* Se calmer, cesser.

seduco, *is, duxi, ductum, ere,* tr. Conduire à l'écart, mener *ou* tirer à l'écart. ¶ Détourner, soustraire (pr. et fig.). || *Spéc.* Egarer, séduire. ¶ Diviser, séparer.

seductio, *onis,* f. Action de tirer à l'écart. || Action de prendre à part. ¶ Séparation. ¶ Séduction.

seductus, *a, um,* p. adj. Retiré, isolé, solitaire. *In seducto,* dans la solitude. ¶ Eloigné, lointain. [sement.

sedule, adv. Assidûment. ¶ Soigneusement. ¶ Avec empressement. ¶ A dessein, exprès.

sedulitas, *atis,* f. Assiduité, empressement, application, diligence, zèle, bon vouloir. ¶ Trop grand empressement, importunité.

sedulo, adv. Sans fraude, loyalement; || Sincèrement, naïvement. || Franchement. ¶ Consciencieusement, soigneusement. ¶ Avec empressement. ¶ A dessein, exprès.

sedulum, adv. Sans fraude, loyalement.

sedulus, *a, um,* adj. Soigneux, empressé, attentif, exact, diligent, zélé. ¶ Trop empressé, importun. [plante.

1. **sedum,** *i,* n. Joubarbe des toits.

2. **sedum,** conj. Arch. p. SED.

seges, *getis,* f. Terre labourable; terre prête à être ensemencée. || Terrain; ¶ Terre labourée *ou* ensemencée, champ de blé; moisson sur pied. || Fruits, production. ¶ Foule d'objets serrés *ou* hérissés; grande quantité, abondance. ¶ (Fig.) Champ, terrain, matière. ¶ Fruit, rapport.

segestre, *is,* n. Natte de paille. ¶ Couverture, housse. Au plur. *Segestria,* couvertures (en peau) pour les chaises à porteurs; toiles d'emballage; couvertures en cuir pour amortir le choc des projectiles.

segestria, *ae,* f. Couverture de chaise à porteurs. ¶ Manteau d'étoffe grossière.

segmen, *minis,* n. Parcelle, rognure, fragment, esquille.

segmentatus, *a, um,* adj. Garni de petites bandes de pourpre *ou* d'or; chamarré, galonné. ¶ Qui porte un vêtement chamarré. ¶ *Fig.* Orné, enrichi, enjolivé.

segmentum, *i,* n. Morceau coupé, parcelle, rognure. ¶ Partie du globe, zone. ¶ (Au plur.) Petits galons d'or cousus sur les robes des femmes, chamarrures, garnitures, passemeneterie. ¶ Vêtement chamarré.

segne, adv. Comme SEGNITER.

segnis, *e,* adj. Lent (de corps *ou* d'esprit), languissant, nonchalant, indolent. paresseux, traînard. ¶ *En parl. de ch.* Faible, mou; improductif. — *obsidio,* siège mené mollement. ‖ Qui manque d'entrain; indifférent.

segniter, adv. Lentement, nonchalamment, mollement, sans entrain, sans ardeur, faiblement.

segnitia, *ae,* f. Lenteur, paresse, indolence, nonchalance, faiblesse, lâcheté, mollesse, inertie.

segnities, *ei,* f. Comme le précédent.

segredior, *eris, gredi,* dép. intr. Aller à part; aller de son côté.

segregatim, adv. A part, séparément.

segregatio, *onis,* f. Séparation.

segregatus, *a, um,* p. adj. Isolé.

segrego, *as, avi, atum, are,* tr. Séparer du troupeau, isoler. ¶ Isoler, écarter, retrancher. ¶ *Fig.* Ecarter, c.-à-d. éloigner.

sei, conj. Arch. p. SI.

seic, adv. Arch. p. SIC.

seive, conj. Arch. p. SIVE.

sejuga, *ae,* f. Attelage à six chevaux. Au plur. SEJUGAE, *arum,* f. Voy. SE-JUGES. [chevaux.

sejuges, *ium,* m. pl. Attelage de six

1. sejugis, *e,* adj. Attelé de six chevaux.

2. sejugis, *e,* adj. Placé à part, séparé.

sejugo, *as, atus, are,* tr. Séparer l'un de l'autre, isoler.

sejunctio, *onis,* f. Séparation, disjonction (t. de rhét.). ¶ Dissentiment, mésintelligence.

sejungo, *is, junxi, iunctum, ere,* tr. Séparer, désunir, disjoindre (pr. et fig.). ¶ Séparer, distinguer.

selectio, *onis,* f. Sélection, triage.

selector, *oris,* m. Celui qui trie, qui fait un choix. [chaux.

selenites, *ae,* m. Sélénite, sulfate de

selenitis, *tidis,* f. Comme SELENITES.

selibra, *ae,* f. Demi-livre.

seligo, *is, legi, lectum, ere,* tr. Séparer, choisir, trier.

selinas, *adis,* acc. *ada,* f. Voy. le suiv.

selinoides, acc. *den,* f. Qui est de la nature de l'ache.

selinon, *i,* n. Ache, persil.

sella, *ae,* f. Siège, chaise. ‖ *Spéc.* Chaise de travail, tabouret (d'un artisan). ‖ Chaise de professeur. ¶ Chaise curule. ¶ Siège de juge, tribunal. ¶ Trône. ¶ Siège de cocher. ¶ Chaise percée. ‖ Selle, évacuation par le bas. ¶ Chaise à porteurs, litière. ¶ Selle de cheval.

sellaria, *ae,* f. Chambre garnie de sièges, salon, boudoir. [banc.

sellariolus, *a, um,* adj. De siège, de

1. sellaris, *e,* adj. De siège. ¶ De selle — *jumenta,* chevaux qu'on monte.

2. sellaris (s.-e. EQUUS), *is,* m. Cheval de selle.

sellisternium, *ii,* n. Sellisterne, repas sacré en l'honneur des déesses, dont les images étaient placées sur des sièges. [à porteurs.

sellula, *ae,* f. Petit siège. ¶ Petite chaise

1. sellularius, *a, um,* adj. De siège; sédentaire. [vaille assis.

2. sellularius, *ii,* m. Ouvrier qui tra-

semanimis, *e,* adj. Comme SEMIANIMIS.

semanimus, *a, um,* adj. Voy. SEMIANIMIS.

semel, adv. Une fois, une seule fois. ¶ Une première fois, la première fois. ‖ D'abord. ¶ Une fois, à un moment donné, un jour. ‖ Une fois, une seule fois, pas plus d'une fois. ¶ A jamais. ¶ En une fois; une fois pour toutes; une bonne fois. ‖ En un mot; pour n'y plus revenir.

semen, *minis,* n. Semence, graine. ¶ Elément nutritif. ¶ *Fig.* Origine, souche; race. ¶ Semence, germe, principe, cause. [MESTRIS.

semenster, *stris, stre,* adj. Comme SE-

sementis, *is,* f. Ensemencement; semailles. ‖ Temps des semailles. ‖ Semence, semis. ¶ Moisson en herbe. ¶ Semence animale.

sementium, *ii,* n. Comme SEMENTIS.

sementiva, *orum,* n. pl. Graines de prime semence.

sementivus, *a, um,* adj. Relatif aux semailles; de semailles.

semermis, *e,* adj. Comme SEMIERMIS.

semermus, *a, um,* adj. Comme SE-MIERMUS.

semessus. Voy. SEMESUS.

semestria, *ium,* n. pl. Recueil d'ordonnances rendues pendant une période de six mois. [six mois.

1. semestris (SEMENSTRIS), *e,* adj. De

2. semestris (SEMENSTRIS), *e,* adj. D'un demi-mois. [zaine.

semestrium, *ii,* n. Demi-mois, quin-

semesus, *a, um,* adj. A demi-mangé, à demi consommé.

semet, c.-à-d. SE. Voy. SUI.

semeter, *tra, trum,* adj. Sans mesure, dépourvu d'harmonie.

semi, part. insép. Demi; à demi.

semiadopertulus, *a, um,* adj. Mi-clos.

semiambustus, *a, um,* adj. A demi brûlé.

semianimis, *e,* adj. Voy. le suivant.

semianimus, *a, um,* adj. A demi mort, mourant. ¶ Qui respire encore.

semiapertus, *a, um,* adj. A demi ouvert, entr'ouvert. [bare.

semibarbarus, *a, um,* adj. A demi bar-

semibos, *bovis,* m. Qui est à moitié bœuf.

semicaper, *capri,* m. Qui est à moitié bouc.

1. semicirculus, *i,* m. Demi-cercle.

2. semicirculus, *a, um,* adj. Demi-circulaire. [enfermé à moitié.

semiclausus, *a, um,* adj. Demi-clos;

semiclusus, *a, um*, adj. Comme le précédent.

semicoctus, *a, um*, adj. A moitié cuit.

semicrematus, *a, um*, adj. A demi brûlé.

semicubitalis, *e*, adj. Long d'une demi-coudée.

semidecima, *ae*, f. Moitié de la dîme.

1. semideus, *a, um*, adj. A demi dieu; à demi déesse. — *pecus*, la troupe des Faunes.

2. semideus, *i*, m. Demi-dieu, héros.

semidoctus, *a, um*, adj. Qui n'a reçu qu'une demi-éducation; demi-savant.

semiermis, *e*, adj. Voy. le suivant.

semiermus, *a, um*, adj. Qui est à moitié armé; armé à demi. [à moitié achevé.

semifactus, *a, um*, adj. A moitié fait.

semifer, *fera, ferum*, adj. Moitié homme, moitié bête. ¶ A demi sauvage. ¶ A moitié barbare. [— *luna*, demi-lune.

semiformis, *e*, adj. A moitié formé.

semifultus, *a, um*, adj. A moitié appuyé.

semigraece, adv. Moitié à la grecque.

semigravis, *e*, adj. A moitié ivre.

semigro, *as, avi, are*, intr. Quitter, se séparer de. [entr'ouvert.

semihians, *antis*, adj. A moitié ouvert.

semihiulcus (SEMULCUS), *um*, adj. Entr'ouvert.

semihomo, *hominis*, m. Moitié bête, moitié homme. — *canis*, Anubis. ¶ *Fig.* A moitié sauvage.

semihora, *ae*, f. Demi-heure.

semiinanis, *e*, adj. Voy. SEMINANIS.

semijejunia, *orum*, n. pl. Demi-jeûne.

semijugerum, *i*, n. Demi-jugère.

semilacer, *cera, cerum*, adj. A demi-déchiré.

semilautus, *a, um*, adj. A moitié lavé.

semiliber, *bera, berum*, adj. A moitié libre.

semilibra, *ae*, f. Demi-livre.

semilixa, *ae*, m. Demi-goujat (t. injur.).

semimadidus, *a, um*, adj. A demi trempé, à moitié humide.

semimarinus, *a, um*, adj. Amphibie.

semimas, *maris*, m. Androgyne, hermaphrodite. ¶ Castrat. — *ovis*, mouton.

semimortuus, *a, um*, adj. A moitié mort.

seminalia, *ium*, n. pl. Terres ensemencées; moissons.

seminalis, *e*, adj. Relatif à la semence des plantes. ¶ Relatif à la semence des animaux; séminal. [moitié plein.

seminanis, *e*, adj. A moitié vide, à semi naris, *ae*, f. Grainetière.

seminarium, *ii*, n. Pépinière. ¶ *Fig.* Pépinière; principe, origine.

seminarius, *a, um*, adj. Qui concerne les semences.

seminatio, *onis*, f. Ensemencement. ¶ Procréation, fécondation. || Reproduction. ¶ (Méton.) Semence.

seminator, *oris*, m. Père, auteur.

seminecus, *a, um*, adj. Voy. SEMINEX.

semineutralis, *ium*, n. pl. Noms qui sont neutres au plur. et masculins au sing. (ou réciproquement).

semineutralis, *e*, adj. A moitié neutre.

seminex, *necis*, adj. A demi-mort.

seminium, *ii*, n. Semence. ¶ (Méton.) Race (d'animaux).

semino, *as, avi, atum, are*, tr. Semer (du grain). Part subst. *Seminata, orum*, n. pl. Semailles· champs ensemencés. ¶ Procréer, engendrer. || Produire (en parl. de plantes). ¶ *Fig.* Propager (une doctrine). ¶ Ensemencer.

seminudus, *a, um*, adj. A demi-nu, à moitié vêtu. || *Spéc.* Presque désarmé. ¶ *Fig.* A peu près nu, sans ornements.

semiorbis, *is*, m. Demi-cercle.

semipaganus, *i*, m. A moitié rustre.

semipedalis, *e*, adj. D'un demi-pied.

semiperfectus, *a, um*, adj. A demi-achevé. ¶ (Fig.) Incomplet, imparfait.

semipes, *pedis*, m. Demi-pied (mesure). ¶ Demi-pied (t. de métr.). ¶ A moitié estropié; privé d'une jambe.

semiplenus, *a, um*, adj. A moitié plein. || Incomplet. ¶ *Fig.* Inachevé, imparfait. [mal taillé.

semiputatus, *a, um*, adj. A moitié taillé.

semiquinaria, *ae*, f. La moitié d'un pentamètre. ¶ Coupe penthémimère.

semiquinarius, *a, um*, adj. Qui contient la moitié de cinq (2 ½).

semirasus, *a, um*, adj. A demi-tondu; à demi-rasé.

semireductus, *a, um*, adj. A demi ramené en arrière; à demi couché.

semiremex, *migis*, m. Demi-rameur.

semirutus, *a, um*, adj. A moitié renversé *ou* détruit. Subst. *Semiruta*, n. pl. Brèches.

1. semis, *indécl.* Moitié; demi.

2. semis, *missis*, m. Demi-as. *Fig. Homo par semissis*, homme qui ne vaut pas deux liards. ¶ Moitié d'un tout, moitié. || *Spéc.* Demi écu d'or. || Demi-journée (de terre). || Un demi pied *ou* six pouces. || Les 6/12, la moitié d'un héritage. ¶ Intérêt d'un demi pour cent par mois, de 6 p. 100 par an. (Math.) Le nombre trois (moitié de 6 réputé nombre parfait).

semisalitus, *a, um*, adj. A moitié salé.

semisaucius, *a, um*, adj. A demi blessé.

semiseptenaria, *ae*, f. Césure hephthémimère. [tient la moitié de sept.

semiseptenarius, *a, um*, adj. Qui contient.

semisepultus, *a, um*, adj. A moitié enfoui.

semisomnis, *e*, adj. Comme le suivant.

semisomnus, *a, um*, adj. A moitié endormi; assoupi.

semisopitus, *a, um*, adj. A moitié endormi; légèrement assoupi. [précédent.

semisoporus, *a, um*, adj. Voy. le semispherium, *ii*, n. Chevalet hémisphérique sur lequel étaient tendues les cordes de la cithare.

semissalis, *e*, adj. D'un demi-as.

semissarius, *a, um*, adj. D'un demi as.

semissis, *is*, m. Voy. 2. SEMIS.

semisupinus, *a*, *um*, adj. A demi renversé sur le dos.

semisyllaba, *ae*, f. Demi-syllabe.

semita, *ae*, f. Chemin latéral (à une route). || Trottoir. || Sentier, ruelle. ¶ *Fig.* Chemin, voie, passage. || Traînée de feu, queue d'une comète. ¶ *Fig.* Voie, chemin; moyen.

semitalis, *e*, adj. De sentier.

semitarius, *a*, *um*, adj. De ruelle, qui se tient dans les ruelles. [à demi nu.

semitectus, *a*, *um*, adj. A moitié vêtu,

semitritus, *a*, *um*, adj. A demi broyé.

semiulcus. Voy. le suivant.

semiuncia, *ae*, f. Voy. SEMUNCIA.

semiuncialis, *e*, adj. Voy. SEMUNCIALIS.

semiustulatus. Voy. le suivant.

semiustus (SEMUSTUS), *a*, *um*, adj. A demi brûlé, à moitié consumé.

semivir, *viri*, adj. et subst. m. Qui est à moitié homme et à moitié animal. || Centaure. ¶ Eunuque, castrat. ¶ Androgyne, hermaphrodite. ¶ *Fig.* Efféminé; débauché. [moribond.

semivivus, *a*, *um*, adj. A moitié mort:

semivocalis, *e*, adj. Qui sonne à demi, qui n'a qu'à demi le son de la voix.

semizonarius, *ii*, m. Fabricant de ceinturons. [muid.

semodius, *ii*. m. Demi-boisseau. ¶ Demi-

semota, *orum*, n. pl. Endroits éloignés, écartés.

semote, adv. A l'écart, à part.

semotus, *a*, *um*, p. adj. Ecarté, éloigné: retiré (pr. et fig.). ¶ Différent, distinct. ¶ Qui a lieu à l'écart; secret.

semoveo, *es*, *movi*, *motum*, *ere*, tr. Ecarter, éloigner, séparer, mettre à l'écart (pr. et fig.); exclure.

semper, adv. Toujours, sans cesse, constamment; régulièrement. ¶ De tout temps.

sempiterne, adv. Eternellement.

sempiterno. Voy. le suivant.

sempiternum, adv. Toujours, perpétuellement, éternellement.

sempiternus, *a*, *um*, adj. Qui dure toujours, éternel, impérissable.

semul. Voy. SIMUL.

semuncia, *ae*, f. Demi-once, vingt-quatrième partie de l'as. || Demi-once (monnaie). || Vingt-quatrième partie d'un arpent. || Vingt-quatrième partie de la livre. ¶ Le 24ᵉ d'un tout. ¶ *Fig.* Faible partie, faible quantité, parcelle, grain. ¶ Un des paniers du bât de l'âne. [once.

semuncialis, *e*, adj. Qui pèse une demi-

senaculum, *i*. n. Salle des conférences du Sénat. ¶ Lieu de réunion. || Salon de conversation.

senariolus, *i*, m. Un petit vers iambique sénaire, un iambique sénaire insignifiant.

1. **senarius**, *a*, *um*, adj. Composé de six. ¶ Sénaire. – *versus*, voy. 2. SE-NARIUS. [naire.

2. **senarius**, *ii*, m. Vers iambique sé-

senator, *oris*, m. Membre du Sénat (de Rome); sénateur. ¶ Membre d'une assemblée délibérante. ¶ Décurion. ¶ Personnage important. [sénatorial.

1. **senatorius**, *a*, *um*, adj. De sénateur;

2. **senatorius**, *ii*, m. Personnage sénatorial, sénateur.

senatus, *us*, m. Conseil des anciens; sénat, corps des premiers magistrats de Rome. ¶ (Par ext.) Assemblée délibérante, conseil. ¶ (Méton.) Assemblée du Sénat, réunion du Sénat. ¶ Le Sénat, salle du Sénat. || Places réservées aux sénateurs. [sulte.

senatusconsultum, *i*, m. Sénatus con-

sene, prép. Forme vulg. p. SINE.

1. **senecio**, *onis*, m. Petit vieillard.

2. **senecio** *onis*, m. Seneçon, plante.

senecta, *ae*, f. Comme 1. SENECTUS.

senecta (s.-e. AETAS), *ae*, f. Grand âge, vieillesse. || Ancienneté. || (Méton.) Vieillard, vieille femme. ¶ Dépouille des serpents.

1. **senectus**, *a*, *um*, adj. Vieux, vieille.

2. **senectus**, *utis*, f. Age avancé, vieillesse. || *Fig.* Maturité. ¶ (Méton.) Tristesse (de l'âge), sévérité, sérieux. || Inertie, découragement. ¶ (Méton.) *Concret.* Cheveux gris. ¶ Vieillard. || Dépouille des serpents. ¶ Malpropreté, délabrement. ¶ *Fig.* Vétusté, vieillesse (des choses).

senei, adj. Arch. p. SENI.

seneo, *es*, *ere*, intr. Etre vieux. ¶ Etre languissant.

senes, *is*, m. Voy. SENEX.

senescentia, *ae*, f. Le fait de vieillir.

senesco, *is*, *senui*, *ere*, intr. Devenir vieux, vieillir. ¶ *Fig.* Vieillir, c.-à-d. s'affaiblir, décroître, décliner; s'épuiser, s'éteindre. ¶ Vieillir, se consumer sur.

1. **senex**, *senis*, adj. Agé, vieux.

2. **senex**, *senis*, m. Homme âgé, vieillard.

3. **senex**, *senis*, f. Vieille femme.

seni, *ae*, *a*, adj. num. distrib. De six en six, qui vont par six. ¶ Six à la fois.

seniculus, *i*, m. Petit vieux, vieillot.

senilis, *e*, adj. De vieillard, sénile (pr. et fig.). || Qui a l'air vieux.

seniliter, adv. Comme un vieillard.

senio, *onis*, m. Le six (au jeu de dés).

1. **senior**, adj. Aîné de deux.

2. **senior**, *oris*, m. (Terme de respect); seigneur. ¶ Au plur. *Seniores* (opp. à *juniores*, soldats de réserve (de 40 à 60 ans). *Seniores patrum*, les plus âgés des sénateurs.

senis, *is*, m. Autre forme de SENEX.

senium, *ii*, n. Vieillesse, caducité; affaiblissement (de l'âge). || (Méton.) Vieillard, vieux. || (En parl. de ch.). Vétusté, déclin, dépérissement.

sensate, adv. D'une manière sensée.

sensatus, *a*, *um*, adj. Doué de raison, doué d'intelligence, sensé.

sensibile, *is,* n. La partie sensible de notre être. [riels, corps.

sensibilia, *ium,* m. pl. Objets maté-
sensibilis, *e,* adj. Perceptible (par les sens), sensible. ¶ Doué de la faculté de sentir.

sensibilitas, *atis,* f. Faculté de sentir, sensibilité. ¶ Signification, sens des mots. [matériellement.

sensibiliter, adv. Par le moyen des sens:

sensiculus, *i,* m. Petite sentence, courte pensée. [une sensation.

sensifer, *fera, ferum,* adj. Qui cause

sensificus, *a, um,* adj. Qui donne le sentiment, qui rend sensible.

sensilia, *ium,* m. pl. Choses sensibles, objets matériels. [sens, sensible.

sensilis, *e,* adj. Qui tombe sous les

sensilocus, *a, um,* adj. Qui parle sagement; sage, avisé.

sensim, adv. Insensiblement, graduelle-
ment, peu à peu, par degrés. || Len-
tement. ¶ Sensément, modérément. ¶ Un peu.

sensio, *onis,* f. Pensée.

sensus, *us,* m. Action de s'apercevoir, de remarquer. ¶ Sens, organe des sens. || Faculté de sentir. || Sens, sensation, sentiment. ¶ Sensibilité morale et intellectuelle. || Disposition de l'âme, affection, émotion, passion. ¶ Manière de voir, manière de penser. || Jugement, opinion, sentiment. Idée, pensée. || Intelligence, raison. ¶ Sens, signification (d'un mot, d'une phrase). ¶ Phrase, période.

sententia, *ae,* f. Façon de penser, senti-
ment. || Avis, opinion. ¶ Volonté, désir, détermination. ¶ Avis émis (dans une délibération), vote, sentence (pr. et fig.). ¶ Sens, signification; acception. ¶ Teneur (d'un discours). ¶ Phrase, période. ¶ Pensée saisis-
sante, maxime, sentence, trait brillant.

sententiola, *ae,* f. Petite sentence. ¶ Petite pensée brillante, maxime. ¶

sententiose, adv. Avec une grande force de pensée. ¶ Par sentence, senten-
cieusement.

sententiosus, *a, um,* adj. Sentencieux, plein de sentence. ¶ Plein de traits brillants. [lle.

sentine, *ae,* f. Sentine. ¶ *Fig.* Rebut.

sentino, *as, are,* tr. Vider la sentine. ¶ (*Fig.*) *Intr.* Avoir fort à faire.

sentinosus, *a, um,* adj. Plein d'eau de sentine; infect.

sentio, *is, sensi, sensum, ire,* tr. Sentir, percevoir par les sens. || Ressentir; subir, essuyer. ¶ Sentir, avoir le sentiment de, remarquer, comprendre. ¶ Savoir. ¶ Sentir moralement, reconnaître, sentir, éprouver. ¶ Penser, juger, avoir un avis. ¶ Emettre son opinion, voter.

sentis, *is,* m. Arbuste épineux. ¶ *Fig.* (Au plur.) Mains crochues (esclaves, voleurs).

sentisco, *is, ere,* intr. Remarquer. s'apercevoir.

sentix, *ticis,* m. Eglantier.

sentus, *a, um,* adj. Plein de ronces, épineux; hérissé. ¶ (Fig.) *En parl. de pers.* Horrible, hideux.

1. **senus,** *a, um,* adj. Sixième. *Bis senus,* douzième.

2. **senus.** Voy. SINUS.

seorsus et seorsum, adv. Séparément, à part, en particulier (pr. et fig.).

separabilis, *e,* adj. Séparable.

separate, adv. Séparément, à part.

separatio, *onis,* f. Séparation. ¶ (Rhét.) Séparation, le fait de placer un mot entre deux mots semblables (*duc. age, duc ad nos*).

separator, *oris,* m. Celui qui sépare.

separatrix, *icis,* f. Celle qui sépare.

1. **separatus,** *a, um,* p. adj. Séparé, mis à part; détaché, isolé, distinct.

2. **separatus,** *us,* m. Séparation.

1. **separo,** *ere,* tr. Comme le suivant.

2. **separo,** *as, avi, atum, are,* tr. Séparer; disjoindre, diviser; isoler. || Fraction-
ner. ¶ *Fig.* Séparer, distinguer, excep-
ter; faire abstraction de.

sepelibilis, *e,* adj. Qu'on peut enfouir. ¶ *Fig.* Qu'on peut cacher, dissimuler.

sepelio, *is, pelivi et pelii, pultum, ire,* tr. Enterrer, inhumer. || Brûler (le corps), mettre sur le bûcher. *Sepulti,* les morts. ¶ *Fig.* Enterrer, étouffer, anéantir. ¶ Endormir, plonger dans.

1. **sepes,** *pedis,* adj. Qui a six pieds.

2. **sepes.** Voy. SAEPES. [Encre.

sepia, *ae,* f. Sèche, poisson. ¶ (Méton.)

sepimen. Voy. SAEPIMEN.

sepio. Voy. SAEPIO.

seplasiarium, *ii,* n. Parfumerie, boutique de parfumeur.

seplasiarius, *ii,* m. Parfumeur, marchand de parfums.

seplasium, *ii,* n. Parfumerie, droguerie.

sepono, *is, posui, positum, ere,* tr. Mettre de côté, mettre en réserve; ménager. ¶ Placer à part, mettre séparément. ¶ Séparer, distinguer; choisir. ¶ Exclure, bannir. || Relé-
guer, exiler.

sepositio, *onis,* f. Action de mettre à part, *ou* en réserve. ¶ Eloigné.

sepositus, *a, um,* p. adj. Mis en réserve. || Choisi; d'élite. ¶ Eloigné, retiré.

1. **seps,** *sepis,* m. et f. Sorte de petit lézard (dont la piqûre entraîne la putréfaction). ¶ Mille-pieds, insecte.

2. **seps.** Voy. SAEPS, p. SAEPES.

sepse, pour SE IPSE.

septa, *orum,* n. pl. Voy. SAEPTUM.

septem, indécl. Le nombre sept.

1. **september,** *bris, bre,* adj. Du septième mois; de septembre.

2. **september,** *bris,* m. Septembre.

septemdecim, n. de nombre. Dix-sept.

septemfariam, adv. En sept parties.

septemfluus, *a, um,* adj. Qui a sept embouchures.

septemgeminus, *a, um*, adj. Qui est au nombre de sept; septuple.

septempedalis,*e*, adj. Haut de sept pieds.

septemplex, *plicis*, adj. Septuple.

septemtrio, *onis*, m. Voy. le suivant.

septemtriones, *um*, m. pl. Les sept bœufs de labour, constellation comprenant sept étoiles, le Chariot (*ou* Grande Ourse) et la Petite Ourse. || (Méton.) Le pôle nord. || Le Septemtrion, le Nord, les contrées du Nord. || Vent du nord *ou* septemtrion. || *Spéc.* Occident, pays de l'Occident. ¶ Ornement, constellation de pierreries.

septentrionalia (s.-c. LOCA), *ium*, n. pl. Régions septentrionales. [du nord.

septentrionalis, *e*, adj. Septentrional,

septentrionarius, *a, um*, adj. Septentrional. [sept ans.

septemvicennis, *e*, adj. Âgé de vingt-

septemvir, *viri*, m. Voy. le suivant.

septemviri, *orum*, m. pl. Commission de sept membres.

septemvirales, *ium*, m. pl. Anciens septemvirs. [septemviral.

septemviralis, *e*, adj. De septemvir;

septenarii, *orum*, m. pl. Vers septénaires.

septenarius, *a, um*, adj. Septénaire, composé de sept. — *versus*, vers de sept pieds, septénaire trochaïque *ou* iambique.

septendecim. Voy. SEPTEMDECIM.

septeni, *ae, a*, adj. num. distrib. Sept par sept, sept chaque fois, chacun sept. ¶ Sept à la fois, sept.

septennis, *e*, adj. Voy. SEPTUENNIS.

septentrio. Voy. SEPTEMTRIO.

septenus, *a, un*, adj. Qui contient le nombre sept. — *tegmen*, bouclier recouvert de sept cuirs. [MIS.

septeresmos, *i*, adj. Arch. p. SEPTIRE-

septic llis, *e*, adj. Qui a sept collines.

septicus, *a, um*, adj. Septique, qui fait pourrir. [Pour la septième fois.

septies (SEPTIENS), adv. Sept fois. ¶

septifariam. Voy. SEPTEMFARIAM.

septifarius, *a, um*, adj. Qui a sept parties.

septigenti, *ae, a*, adj. SEPTINGENTI.

septimana, *ae*, f. Semaine. ¶ Période de sept ans.

septimanarius, *ii*, m. Semainier.

septimani, *orum*, m. pl. Soldats de la septième légion.

septimanus (SEPTUMANUS), *a, um*, adj. Relatif au nombre sept. ¶ Né au septième mois.

septimo, adv. Pour la septième fois.

septimum, adv. Pour la septième fois.

septimus, *a, um*, adj. Septième.

septimusdecimus, *a, um*, adj. Dix-septième. [de sept cents.

septingenarius, *a, un*, adj. Au nombre

septingeni, *ae, a*, adj. distrib. Qui sont au nombre de sept cents chacun.

septingentani, *ae, a*, adj. Comme le précédent. [tième.

septingentesimus, *a, um*, adj. Sept cen-

septingenti, *ae, a*, adj. numér. Sept cents. Subst. *Septingenta* (s.-c. *sestertia*), *orum*, m. pl. Sept cent mille sesterces.

septingenties, adv. Sept cents fois.

septio, *onis*, f. Voy. SAEPTIO.

septiremis, *e*, adj. Garni de sept rangs de rames.

septuagenarius, *a, um*, adj. Qui contient le nombre soixante-dix. — *homo*, un septuagénaire.

septuageni, *ae, a*, adj. Qui sont soixante-dix chacun. [dixième.

septuagesimus, *a, um*, adj. Soixante-

septuagessis, *is*, m. Soixante-dix as.

septuagi s, adv. Soixante-dix fois.

septuaginta, adj. numér. Soixante-dix.

septuennis, *e*, adj. De sept ans; âgé de sept ans.

septuennium, *ii*, n. Espace de sept ans.

septum, *i*. Voy. SAEPTUM.

septumanus. Voy. SEPTIMANUS.

septumus. Voy. SEPTIMUS.

septunx, *uncis*, m. Sept onces *ou* sept douzièmes d'un tout (monnaie, poids, mesure). ¶ *Fig.* Nombre de sept.

septuose, adv. D'une manière enveloppée, avec obscurité.

1. **septuplum**, *i*, n. Le septuple.

2. **septuplum**, adv. Au septuple.

septuplus, *a, um*, adj. Septuple.

septus, abl. *u*, m. Voy. SAEPTUS.

sepulch—. Voy. SEPULC—.

sepulcralis, *e*, adj. Sépulcral.

sepulcretum, *i*, n. Lieu de sépulture, cimetière.

sepulcrum (SEPULCHRUM), *i*, n. Lieu de sépulture; sépulcre, tombeau. ¶ Lieu où l'on brûle les cadavres; bûcher. ¶ Tombeau (monument et épitaphe). ¶ *Fig.* Tombeau, abîme, ruine. || (Au plur.) *Sepulcra* (méton.), les morts, les ombres.

sepultura, *ae*, f. Action de mettre au tombeau, sépulture, inhumation, funérailles. || (Méton.) *Sepulturae*, monuments où reposent les morts. ¶ *Spéc.* Action de brûler un cadavre, crémation.

sequacitas, *atis*, f. Habitude de suivre. ¶ *Spéc.* Le fait de rester en arrière.

sequaciter, adv. Conséquemment.

1. **sequax**, *acis*, adj. Qui suit rapidement, qui poursuit sans relâche, qui s'attache à. ¶ Qui suit l'impulsion donnée, qui se laisse diriger.¶ Flexible, souple. || Facile à manier, ductile. ¶ (Astron.) Qui reste volontiers en arrière.

2. **sequax**, *acis*, m. Sectateur, partisan.

sequela *et* **sequella**, *ae*, f. Suite. || Conséquence. ¶ (Méton.) Suite, ceux qui suivent.

sequens, *entis*, adj. Qui suit. Subst. *Sequentes*, les modernes. Voy. SEQUOR. ¶ Comme SECUNDUS. [suivant.

1. **sequester**, *tra, trum*, adj. Comme le

2. **sequester**, *tris, tre*, adj. Qui intervient.

3. **sequester**, *tris* ou *tri*, m. Celui qui intervient. || Médiateur, intermédiaire, entremetteur. || Négociateur. || Ambassadeur. ¶ *Jurisc.* Médiateur, dépositaire (d'objets en litige), séquestre.

sequestra, *ae*, f. Médiatrice. || Entremetteuse.

sequestrarius, *a*, *um*, adj. Relatif au séquestre.

sequestratim, adv. Séparément.

sequestratio, *onis*, f. Séquestre, dépôt d'un objet en litige. ¶ Séparation, éloignement.

sequestrator, *oris*, m. Qui séquestre. ¶ *Fig.* Qui interdit, qui empêche.

sequestratorium, *ii*, n. Lieu de dépôt.

sequestre, *is*, n. Voy. SEQUESTRUM.

1. **sequestro**, *as*, *avi*, *atum*, *are*, tr. Mettre à part. || Mettre en dépôt; confier à. ¶ Séparer, éloigner. || *Spéc.* Renvoyer, rejeter.

2. **sequestro**, adv. En séquestre.

sequior, *us*, adj. (au compar.). Inférieur, moindre, pire (*littér.* qui vient après).

sequius, adv. Autrement. ¶ Mal.

sequo, *ere*, tr. Arch. p. SEQUOR.

sequor, *eris*, *secutus* (*sequutus*) *sum*, *sequi*, dép. tr. Suivre, accompagner, escorter, aller après. || *Spéc.* Suivre qqn, courir après qqn, rechercher qqn. || Ne pas quitter, s'attacher à. ¶ Suivre (en ennemi), poursuivre; serrer de près; presser. || Donner la chasse à. ¶ Suivre une direction, tendre vers, poursuivre, rechercher (fig.). — *castra*, suivre la carrière militaire. — *utilitatem*, avoir en vue son intérêt. ¶ Suivre, venir de soi-même, céder sans résistance. ¶ Suivre, venir ensuite, succéder. Subst. *Sequens, entis*, n. Epithète. *Seque tia*, la suite de l'histoire. ¶ Suivre (dans le discours), venir ensuite. *Sequitur ut dicam...* Il me reste à dire... ¶ Dire après, parler après raconter, rappeler. ¶ Suivre, venir de, découler; venir comme conséquence; suivre, s'ensuivre, résulter. || Suivre logiquement, être la conséquence logique de. ¶ Suivre, échoir à (pr. et fig.). ¶ Suivre, se guider sur, se conformer à, marcher sur les traces de, imiter. || Ex uter (les ordres reçus).

sequris, Voy. SECURIS.

sequu... Voy. SECU...

1. **sera**, *ae*, f. Barre de clôture. ¶ Barre pour fermer; serrure, verrou; loquet.

2. **sera**, *ae*, f. Soir (cf. ital. *la sera*).

serapias, *adis*, f. Orchis, plante.

serapion, *ii*, n. Comme le précédent.

serarius, *a*, *um*, adj. Qui se nourrit de petit-lait.

serenans, *antis*, adj. Serein, pur.

serene, adv. Avec sérénité.

serenitas, *atis*, f. Sérénité (du temps). Au plur. *Serenitates*, les sécheresses. ¶ *Fig.* Sérénité (de l'âme), calme. ¶ Fa-

veur de la fortune. ¶ (Titre honor.) Altesse sérénissime.

sereno, *as*, *avi*, *atum*, *are*, tr. Rendre serein (le ciel), rasséréner. || (*Intr.*) Etre serein, clair. *Cum serenat*, quand le ciel est serein. ¶ *Fig.* Rasséréner, apaiser; égayer. [beau temps.

serenum, *i*, n. Sérénité, ciel serein, **serenus**, *a*, *um*, adj. Sans nuages, pur. serein, clair, limpide. — *hiemes*, hivers secs. ¶ *Fig.* Serein, calme, tranquille, || Heureux, favorable. ¶ (Titre honor.) Sérénissime. ¶ Qui rend serein, qui purifie l'air. [se sécher.

1. **seresco**, *is*, *ere*, intr. Devenir sec,
2. **seresco**, *is*, *ere*, intr. Se convertir en petit lait; tourner (en parl. du lait).

1. **seria**, *ae*, f. Vase de terre (grand, large et long). || Tonne, jarre. || Cruche.

2. **seria**, *orum*, n. pl. Choses sérieuses.

3. **seria**, *ae*, f. Voy. SERIES.

seriablatta. Voy. SERICOBLATTA.

sericae, *arum*, f. pl. Habits de soie.

sericaria, *ae*, f. Esclave chargée d'avoir soin des robes de soie.

1. **sericarius**, *a*, *um*, adj. De soie, qui concerne les étoffes de soie.

2. **sericarius**, *ii*, m. Fabricant *ou* marchand de soieries.

sericatus, *a*, *um*, adj. Vêtu de soie.

sericeus et **sericius**, *a*, *um*, adj. De soie.

serichatum, *i*, n. Plante aromatique inconnue. [de soieries.

serici (SIRICI), *orum*, m. pl. Marchands

sericoblatta, *ae*, f. Vêtement de soie pourpre.

sericum, *i*, n. Etoffe de soie. Au plur. *Serica*, habits de soie, soieries.

sericus, *a*, *um*, adj. Du pays de la soie; de soie. — *toga*, robe en soie.

series, acc. *em*, abl. *e*, f. Rangée, suite, file, entrelacement d'objets réunis mais pouvant rentrer les uns dans les autres). ¶ Enchaînement, succession, série. ¶ Suite de générations, descendance.

serio, adv. Avec sérieux, sérieusement.

seriola, *ae*, f. Petite tonne. || Cruche, jarre.

seriose, adv. Sérieusement. [RIUS.

seriosus, *a*, *um*, adj. Sérieux. Voy. 2. SE-

seris, *idis*, acc. *im*, abl. *i*, f. Sorte d'endive; chicorée.

serisapia, *ae*, f. Qui a un goût tardif.

seritas, *atis*, f. Arrivée tardive; retard; lenteur. [Au plur. Voy. 2. SERIA.

serium, *ii*, n. Chose sérieuse. || Sérieux.

1. **serius**, adv. compar. de 4. SERO.

2. **serius**, *a*, *um*, adj. (*En parl. de ch.*) Sérieux, grave. ¶ Vrai, réel. ¶ (*En parl. de pers.*) Sérieux.

sermo, *onis*, m. Paroles échangées, entretien, conversation, causerie. || *Spéc.* Conversation savante, entretien philosophique; discussion. ¶ Rumeur publique, bruit qui court, propos de la foule. || Objet de l'entretien public; celui qui est la fable de. ¶ Ton de la conversation, langage familier *ou* usuel; style familier; prose; vers qui se rapprochent de la prose (satire, épître). || Paroles, discours public, harangue (non préparée). ¶ Langage, manière de s'exprimer, élocution. || Expression, mot. ¶ Langue, idiome. || *Eccl.* Le Verbe.

sermocinanter, adv. En causant.

sermocinatio, *onis*, f. Entretien, conversation, causerie, dialogue. ¶ (Rhét.) Dialogisme.

sermocinator, *oris*, m. Celui qui cause.

sermocinatrix, *icis*, f. Celle qui s'entretient. ¶ L'art du dialogue. ¶ Une bavarde.

sermocino, *as*, *are*, intr. Voy. le suivant.

sermocinor, *aris*, *atus sum*, *ari*, dép. intr. Converser, s'entretenir, causer. ¶ *Spéc.* Avoir une conversation sur un sujet scientifique; discuter.

sermunculus, *i*, m. Rumeur frivole, commérage, bruits malveillants; cancans, chronique scandaleuse. ¶ Petit discours, petit écrit.

1. **sero**, *is*, *serui*, *sertum*, *ere*, tr. Lier, entrelacer, entremêler, tresser. ¶ *Fig.* Enchaîner, entremêler.

2. **sero**, *is*, *sevi*, *satum*, *ere*, tr. Semer, ensemencer; planter. ¶ Procréer, engendrer, créer, faire naître. ¶ *Fig.* Semer, répandre, engendrer, produire, causer. ¶ Ensemencer, planter de...

3. **sero**, *as*, *avi*, *atum*, *are*, tr. Mettre une barre de clôture, fermer (avec une barre). ¶ Comme RESERO 1.

4. **sero**, adv. Tard, avant dans la soirée *ou* dans la nuit. ¶ Tard, tardivement. *Serius*, plus tard. *Quam serissime*, le plus tard possible. ¶ Trop tard. *Serius*, un peu trop tard. [mûrit tard.

serotinus, *a*, *um*, adj. Qui vient *ou* qui serpens, *entis*, m. et f. Bête rampante, serpent. ¶ *Fig.* Le Dragon, constellation. || Le Serpentaire, constellation. || Le Serpent d'eau, l'Hydre (constellation). ¶ *Par ext.* Insecte rampant, ver. || Pou. [d'un serpent.

serpentigena, *ae*, m. et f. Né *ou* née

serpentinus, *a*, *um*, adj. De serpent.

serpentipes, *pedis*, adj. Dont les pieds sont des serpents.

serperastra, *orum*, n. pl. Eclisses pour redresser les jambes arquées des enfants. ¶ (Au fig.) *Plaisamm.* Officiers qui contiennent les soldats dans les bornes du devoir.

serpillum, *i*, n. Serpolet.

serpio, *is*, *ere*, intr. Comme le suivant.

serpo, *is*, *ere*, intr. Ramper, se traîner ¶ S'avancer lentement, se répandre peu à peu. || Glisser, s'insinuer.

serra, *ae*, f. Scie. ¶ Scie, manœuvre militaire (alternative d'avance et de recul). ¶ Scie, poisson de mer. ¶ Chariot à roues armées de dents.

serracum, *i*, n. Chariot. ¶ Le Chariot (constellation).

serrago, *ginis*, f. Sciure.

serralia (SARRALIA), *ae*, f. Laitue.

1. **serrarius**, *a*, *um*, adj. Qui travaille avec la scie.

2. **serrarius**, *ii*, m. Scieur (de marbre).

serrata (s.-e. HERBA), *ae*, f. Germandrée, plante.

serrati (s.-e. NUMMI), *orum*, m. pl. Pièces de monnaie dont le cordon est dentelé.

serratim, adv. En forme de scie.

serratio, *onis*, f. Action de scier.

serratorius, *a*, *um*, adj. De scie; en forme de scie; dentelé comme une scie.

serratula, *ae*, f. Bétoine, plante.

serratura, *ae*, f. Sciage.

serratus, *a*, *um*, adj. En forme de scie, dentelé. — *nummi* Voy. SERRATI.

serro, *as*, *avi*, *atum*, *are*, tr. Scier.

serrula, *ae*, f. Petite scie. [fleurs]

1. **serta**, *orum*, n. pl. Guirlande (de

2. **serta**, *ae*, f. Comme SERTUM. Au pl. SERTAE, *arum*, f. pl. Couronnes tressées, guirlandes. [lande (de fleurs).

sertatus, *a*, *um*, adj. Couronné, enguirsertum, *i*, n. Tresse de fleurs, guirlande, feston.

seru, n. indécl. Voy. 1. SERUM.

1. **serum**, *i*, n. Partie séreuse du lait caillé; petit-lait. || Sérum. ¶ (Par anal.) Liquide séreux.

2. **serum**, *i*, n. Temps avancé, heure avancée (du jour *ou* de la nuit).

serus, *a*, *um*, adj. Qui dure tard, avancé — *posteritas*, arrière-neveux. ¶ Avancé en âge. || A son déclin. ¶ Qui traîne en longueur. ¶ Qui a lieu tard; lent à se réaliser; tardif. ¶ Qui vient *ou* a lieu trop tard.

serva, *ae*, f. Une esclave.

servabilis, *e*, adj. Qui peut être sauvé.

servans, *antis*, p. adj. Attaché à; qui observe.

servatio, *onis*, f. Observation (d'une règle) || Expérience (acquise par l'observation).

servator, *oris*, m. Conservateur, sauveur, libérateur. ¶ Observateur; qui se conforme à. ¶ Celui qui est attentif à; contemplateur.

servatrix, *icis*, f. Celle qui conserve, qui sauve, libératrice. || Protectrice, gardienne. ¶ Celle qui observe, qui accomplit qqch.

serviculus, *i*, m. Petit esclave (d'un ordre inférieur)

servilis, *e*, adj. D'esclave, qui appartient aux esclaves, servile (pr. et fig.).

servilitas, *atis*, f. Servilité. || Sentiments d'esclave.

serviliter, adv. En esclave, servilement.

servio, *is*, *ivi* et *ii*, *itum*, *ire*, intr. Servir, être esclave, vivre dans la servitude. ¶ *Par ext.* Servir, être au service de; être dépendant. ¶ *Fig.* Servir, céder à, être assujetti à, se prêter à, venir en aide à, avoir égard à, songer à. ¶ (En parl. de ch.). Etre utile, être employé à, servir à.

servitium. *ii*. n. Condition d'esclave, l'esclavage, servitude.

servitudo, *dinis*. f. Servitude, esclavage.

servitus. *utis*, f. Condition d'esclave, esclavage. ¶ *Fig.* Servitude, captivité. ‖ Dépendance, obéissance, sujétion. ¶ (Méton.) Esclaves. ¶ *Eccl.* Service dû à Dieu. ¶ *Jurisc.* Servitude.

servo. *as, avi, atum, are*, tr. Conserver, sauver, préserver. ¶ Conserver pour l'avenir; réserver, garder. ‖ Destiner. ¶ *Fig.* Garder, tenir, observer, rester fidèle à. ¶ Observer, regarder, avoir l'œil sur. ‖ Veiller, surveiller. ¶ *Spéc.* (intr.) Faire (en qq sorte) le guet, séjourner, demeurer. ¶ Faire attention à, veiller à. ¶ Tenir qqn éloigné de, sevrer (fig.); ‖ Mettre à la diète.

servula, *ae*, f. Une jeune esclave.

servulicola, *ae*, f. Celle qui a soin des esclaves.

servulus (SERVOLUS), *i*, m. Jeune esclave.

1. servus, *i*, m. Esclave, serviteur.

2. servus, *a, um*, adj. D'esclave, servile. ¶ (Fig.) Assujetti, dépendant. ¶ *Jurisc.* Assujetti à une servitude.

sesama, *ae*, f. Voy. SESAMUM.

sesaminus, *a, um*, adj. De sésame.

sesamon, *i*, n. et sesamum, *i*, n. Sésame, plante. — *silvestre*, ricin.

sescla, *ae*, n. f. Comme SEXTULA.

sesconcia. Voy. SESCUNCIA.

sescuncia, *ae*, f. Un douzième et demi; *c'-à-d.* un huitième; une once et demie.

sescuncialis, *e*, adj. D'un douzième et demi. ‖ *Spéc.* D'un pouce et demi.

sescuplaris, *e*, adj. Comme SESCUPLUS.

sescuplex et sesquiplex, *plicis*, adj. Qui contient une fois et demie.

sescuplum, *i*, n. Une fois et demie.

sescuplus, *a, um*, adj. Qui contient une fois et demie.

sesqui. adv. un tiers. Une demie en plus.

sesquialter et (sync.) sesqualter, *altera, alterum*, adj. Sesquialtère, qui contient un autre nombre une fois et demie (par ex. 3 par rapport à 2).

sesquicularis (SESQUICULLEARIS). *e*. adj. Qui contient un culéus et demi.

sesquicyathus. *i*. m Un cyathe et demi.

sesquidecimus. *a, um*, adj. Qui contient un dixième en plus; qui vaut onze dixièmes; dans le rapport de 11 à 10.

sesquidigitalis, *e*, adj. D'un pouce et demi.

sesquidigitus, *i*, m. Un doigt et demi.

sesquihora, *ae*, f. Une heure et demie.

sesquijugerum, *i*, n. Un jugère et demi.

sesquilibra, *ae*, f. Une livre et demie.

sesquimensis, *is*, m. Un mois et demi.

sesquimodius, *ii*, m. Un boisseau et demi.

sesquiobolus. *i*, m. Une obole et demie.

sesquioctavus. *a, um*, adj. Qui contient un huitième en plus, qui vaut neuf huitièmes.

sesquioctavus decimus, *a, um*, adj. Qui contient dix-huit et demi, qui est dans le rapport de 19 à 18.

sesquiopera, *ae*, f. Une journée et demie de travail. [née et demie.

sesquiopus, *eris*, n. Travail d'une jour-

sesquipeda *is*, *e*, adj. D'un pied et demi. ¶ (*Au fig.*) D'une longueur démesurée; énorme.

sesquipes, *pedis*, m. Un pied et demi.

sesquiplaga, *ae*, f. Un coup et demi.

sesquiplaris, *is*, m, Soldat qui reçoit une ration et demie.

sesquiplex. Voy. SESCUPLEX.

sesquiplicarius. *a, um*, adj. Voy. SESQUIPLARIS

sesquiplum. Voy. SESCUPLUS.

sesquiquartus, *ii*, m. Qui contient un quart en plus, qui est dans le rapport de 5 à 4.

sesquiquintus, *a, um*, adj. Qui contient un cinquième en plus, qui est dans le rapport de 6 à 5.

sesquisenex. *is*, m. Archivieux.

sesquiseptimus, *a, um*, adj. Qui contient un septième en plus, qui vaut huit septièmes. qui est dans le rapport de 8 à 7.

sesquiseptimus decimus, *a, um*, adj. Qui contient un dix-septième en plus.

sesquisextus, *a, um*, adj. Qui contient un sixième en plus.

sesquitertius (SESQUETERTIUS), *a, um*, adj. Qui contient un tiers en plus, qui vaut quatre tiers, qui est dans le rapport de 4 à 3.

sesquitricesimus, *a, um*, adj. Qui contient un trentième en plus, qui vaut trente et un trentième. qui est dans le rapport de 31 à 30.

sesquivicesimus, *a, um*, adj. Qui contient un vingtième en plus, qui vaut vingt et un vingtième, qui est dans le rapport de 21 à 20.

sessibilis, *is*, n. Comme le suivant.

sessibulum, *i*, n. Siège, chaise.

sessilis, *e*, adj. Sur quoi l'on peut s'asseoir. ¶ Qui se tient bien; bien assis, qui a une large base. ¶ *Spéc.* Sessile, qui croît en largeur plutôt qu'en hauteur.

sessio, *onis*, f. Action de s'asseoir; position assise. ¶ Action de s'arrêter, de séjourner; pause, halte. ¶ Séance (pour discuter). ‖ Audience (pour juger). ¶ (Méton.) Endroit pour s'asseoir. *Sessiones*, sièges, places. ¶ Endroit qui sert de support à qqch. ‖ Racine. ¶ Bain de siège. ¶ Siège, der ière. ‖ Rectum.

sessito, *as, avi, are*, intr. Etre assis longtemps, être ordinairement assis, posé *ou* perché.

sessor, *oris*, m. Celui qui est assis. ‖ Spectateur (au théâtre). ‖ Habitué de mauvais lieux. ¶ Cavalier. ¶ Résident, habitant. [jour, résidence.

sessorium, *ii*, m. Siège, chaise. ¶ Sé-

sessus, *dat. ui.* m. Action de s'asseoir. ¶ (Méton.) Siège, anus. ¶ Résidence.

sestertiarius, *a, um*, adj. D'un sesterce.

¶ De peu de valeur.　　　　[terces.

sestertiolum, i, n. Un millier de sestertium, ii, n. Mille sesterces. *Decivs sestertium* (av. ellipse de *centena milia*), un million de sesterces.

1. **sestertius,** a, um, adj. Qui contient deux et demi.

2. **sestertius,** ii, m. Sesterce, monnaie d'argent valant deux as et demi (0 fr. 21). ¶ *Au fig.* Somme peu considérable. ¶ Monnaie de cuivre valant 4 as. ¶ Mesure de deux pieds et demi (en profondeur).

set. Voy. SED.

seta. Voy. SAETA.

setania, ae, f. Sorte de grosse nèfle. ¶ Sorte d'oignon. ¶ Sorte de plante bulbeuse.

setanion, ii, n. Comme le précédent.

setiger. Voy. SAETIGER.

setim, n. indécl. Bois de sétim (sorte d'acacia qui croît en Orient).

setimus, a, um, adj. Voy. SEPTIMUS.

setosus. Voy. SAETOSUS.

seu. Voy. SIVE.

seutlophace. Voy. TEUTLOPHACE.

seva... Voy. SEBA.

sevehor, eris, vectus sum, vehi, dép. intr. Aller de côté, aller à part; s'écarter.

severe, adv. Sérieusement, gravement, sévèrement. ¶ Rigoureusement, cruellement.

severitas, atis, f. Gravité, air sérieux. ‖ Sévérité, austérité. ¶ Rigueur, dureté.

severus, a, um, adj. Sérieux, grave. sévère. Subst. *Severa,* n. pl. Choses graves et sérieuses.¶ Sévère pour soi-même, rigide, austère. ‖ Sobre, économe. ¶ Sévère pour les autres, dur, rigoureux.

sevir et **sexvir,** iri, n. Sévir, membre d'un collège de six personnes. ¶ Président d'un collège de six personnes.

sevoco, as, avi, atum, are, tr. Appeler en particulier, prendre à part, tirer à l'écart. ‖ Tirer à soi, s'approprier (qqch.). ¶ (Fig.) Séparer, éloigner, détacher, distraire.

sex, adj. numér. Six.

sexagenarii, orum, m. pl. Sexagénaires. ‖ *Spéc.* Fonctionnaires aux appointements de soixante mille sesterces.

sexagenarius, a, um, adj. Qui contient soixante.　　　　[naire

2. **sexagenarius,** ii, m. Un sexagé-

sexageni, ae, a, adj. numér. distrib. Soixante chacun. ¶ Au nombre de soixante. ¶ *Fig.* Très nombreux.

sexagesies, adv. Voy. SEXAGIES.

sexagesimus, a, um, adj. Soixantième. Subst. SEXAGESIMA (s.-e. *pars*), ae, f. Le soixantième, un soixantième.

sexagessis, is, m. Soixante as.　　[fois.

sexagies (SEXAGIENS), adv. Soixante

sexaginta, adj. numér. Soixante. ¶ (Méton.) Un grand nombre de.

sexangulum, i, n. Hexagone.

sexangulus, a, um, adj. Hexagonal.

sexcenarius, a, um, adj. Composé de six cents.

sexceni (SESCENI), ae, a, adj. numér. distrib. Qui vont par six cents, six cents chaque fois.

sexcenni, ae, a, adj. Qui vont par six cents, six cents pour chacun *ou* chaque fois.

sexcentesimus, a, um, adj. Soixantième.

sexcenti, ae, a, adj. Six cents. ¶ (Méton.) Un très grand nombre de.

sexcenties (SEXCENTIENS), adv. Six cents fois. ¶ Un nombre indéfini de fois.

sexdecim. Voy. SEDECIM.

sexennis, e, adj. Âgé de six ans. *Sexenni die,* dans un délai de six ans.

sexennium, i, n. Espace de six ans.

sexies (SEXIENS), adv. Six fois.

sexprimi, orum, m. pl. Les six premiers d'un collège de dix magistrats (dans les municipes et les coloni:s).

sextadecimani, orum, m. pl. Les soldats de la seizième légion.　　[sixième légion.

sextani, orum, m. pl. Les soldats de la

sextans, antis, m. Le sixième d'un as *ou* d'un tout. ¶ Sextant, petite monnaie valant le 6ᵉ de l'as (deux onces). ‖ *Fig.* De peu de valeur. ¶ Le sixième d'un héritage. ‖ Le sixième de la livre. ‖ Un sixième de jugère. ¶ Sixième du sextarius. ¶ (Math.) L'unité (le sixième du nombre six).

sextantalis, e, adj. Qui contient la sixième partie d'un tout.

sextantarius, a, um, adj. Qui contient la sixième partie d'un tout.

sextarius, ii, m. La sixième partie, le sixième d'un tout. ¶ Setier, sixième du conge. ¶ Setier, quart du modius. ¶ Vase contenant un setier.

1. **sextilis,** e, adj. Le sixième (mois).

2. **sextilis,** is, m. Le sixième mois de l'année (commençant en mars); ancien nom du mois d'août.

sexto, adv. Six fois.

sextula, ae, f. Le sixième d'une once le soixante-douzième de l'as. ¶ La soixante-douzième partie d'un tout. ‖ Le soixante-douzième d'un jugère. ‖ Vase contenant le sixième de l'hémine.

sextum, adv. Pour la sixième fois.

sextus, a, um, adj. Sixième.

sextusdecimus, a, um, adj. Seizième.

sexungula, ae, f. Qui a six griffes (courtisane cupide).

sexus, us, m. Sexe (masculin *ou* féminin). ¶ Sexe (des animaux). ¶ (Méton.) Sexe, c.-à-d. parties sexuelles.

sfaer... Voy. SPHAER.

sfondilus. Voy. SPONDYLUS.

sfongia (SFUNGIA), ae, f. Voy. SPONGIA.

si, adv. et conj. (Dans les souhaits.) Si, si seulement ! ¶ *Partic. conditionelle.* Si, supposé que, en cas que, à la condition que. ‖ Si toutefois, si jamais.

¶ (*Partic. concessive.*) Quoique, supposé que.|| (*Partic. tempor.*) Lorsque, toutes les fois que. ¶ Puisque, vu que. || Que, parce que. *Haud mirum est. si...* Il n'est pas étonnant que... ¶ Pour le cas où.

sibilatus, *us*, m. Sifflement.

sibilo, *as*, *ae*, intr. Siffler (en parl. d'un serpent). || Gazouiller (en parl. d'un oiseau). ¶ Appeler qqn en sifflant. ¶ *En parl. de ch.* Produire un sifflement. ¶ *Tr.* Produire en (sifflant) un son faible. ¶ (Fig.) Siffler, huer.

sibilor, *aris*, *ari*, dép. intr. Comme le précédent.

sibilum, *i*, n. Voy. 2. SIBILUS.

1. sibilus, *a*, *um*, adj. Sifflant.

2. sibilus, *i*, m. Sifflement, bruissement, frémissement. ¶ Sifflement (d'un serpent). ¶ Coup de sifflet. || Sifflets, huées.

sibimortuus, *a*, *um*, adj. Comme MORTICINUS. ¶ Mort (en parl. des chairs).

sibina, *ae*, f. Epieu.

sibiplacentia, *ae*, f. Contentement de soi.

sibones, *um*, f. pl. Pour SIBINAE. Voy. SIBINA.

sibus, *a*, *um*, adj. Sensé. ¶ Fin, rusé.

sibyna, *ae*, f. Comme SIBINA.

sic, adv. Ainsi, comme cela, de la sorte; de cette manière. || En ces termes. ¶ De même. || Bien que... cependant; il est vrai... cependant. ¶ A cette condition, avec cette réserve. ¶ C'est cela, oui. ¶ Aussi vrai que. ¶ Tant, tellement.

sicale, *is*, n. Voy. SECALE. [Assassinat.

sica, *ae*, f. Poignard.|| Arme.|| (Méton.)

sicarius, *ii*, m. Assassin, meurtrier, sicaire. Par ext. *Sicarii*, hommes impies et cruels.

siccanea, *orum*, n. pl. Endroits secs.

siccaneus, *a*, *um*, adj. D'une nature sèche, sec.

siccanus, *a*, *um*, adj. D'une nature sèche, sec; qui pousse dans des terrains secs.

siccarius, *a*, *um*, adj. Qui sert à sécher.

siccatio, *onis*, f. Dessiccation. [siccatif.

siccativus, *a*, *um*, adj. Desséchant, dessicce, adv. En lieu sec, au sec. ¶ Brièvement, sobrement, sèchement.

siccesco, *is*, *ere*, intr. Devenir sec, se sécher; se dessécher.

siccine (SICINE, SICIN'), adv. Est-ce ainsi que? Ainsi donc?

siccitas, *atis*, f. Sécheresse, nature sèche, siccité. ¶ Sécheresse, temps de sécheresse. ¶ Constitution sèche du corps, tempérament sec, bonne constitution. [rains secs.

siccum, *i*, n. Lieu sec. *Sicca*, n. pl. Terrains secs.

sicco, *as*, *avi*, *atum*, *are*, tr. Sécher, faire sécher; dessécher. ¶ Mettre à sec, vider, tarir (pr. et fig.). ¶ *Spéc.* Faire partir une humeur morbide, guérir. ¶ Fortifier. ¶ *Intr.* Devenir sec, sécher. ¶ (Impers.) *Siccat*, le temps est sec.

sicoeoculus, *a*, *um*, adj. Qui a les yeux secs.

siccus, *a*, *um*, adj. Sec, sans humidité. ¶ Sec, non pluvieux. ¶ *Fig.* Sec, froid, insensible. ¶ Altéré, qui a soif. || A jeun. || Sobre, tempérant. ¶ Mal nourri, pauvre. ¶ D'une constitution sèche; sain, nerveux, vigoureux. ¶ *Fig.* Sec, maigre, nerveux (en parl. du style). ¶ Qui dessèche, dessiccatif.

sicdum, adv. Cela étant.

sicelisso, *as*, *are*, intr. Avoir l'accent sicilien, être dans le goût sicilien (en parl. d'une pièce de théâtre).

sicera, *ae*, f. Boisson enivrante (chez les Juifs). [d'enfant.

sicilicula, *ae*, f. Petite faucille, joujou

sicilicus (SICILIQUUS), *i*, m. Sicilique, quart de l'once *ou* quarante-huitième de l'as. ¶ Quarante-huitième d'un héritage. ¶ Deux drachmes (41° de la livre). || Deux drachmes, monnaie de cuivre. ¶ Quart du pouce. ¶ Le quarante-huitième d'une heure. ¶ Quarante-huitième d'un jugère. ¶ *Fig.* Comma *ou* virgule. ¶ Sigle annonçant qu'une consonne doit être doublée.

sicilio, *is*, *ire*, tr. Couper avec la faucille.

sicilis, *is*, f. Faucille. ¶ Arme de guerre.

sicilisso, *as*, *are*, intr. Comme SICELISSO.

sicilizo, *are*, intr. Comme SICELISSO.

sicin' et **sicine**. Voy. SICCINE.

sicinium, *ii*, n. Solo (de chant).

sicinnista, *ae*, m. Qui danse le *sicinnium*.

sicinnium, *ii*, n. Danse naïve (particulière au drame satyrique).

sicium. Voy. ISICIUM.

siclus, *i*, m. Sicle, monnaie d'argent des [Hébreux.

sico, *as*, *are*, tr. Forme vulg. de SECO.

sicubi, adv. Si en quelque endroit, si parfois. [quelque part.

sicunde, adv. Si de quelque côté, si de

siout et **sicuti**, adv. Comme, de même que, ainsi que. ¶ Comme c'est la vérité, comme réellement. ¶ Comme, en quelque sorte. || Comme, par exemple, ainsi. ¶ Comme, dans l'état où, comme, tel que; ainsi que. ¶ Comme, puisque. ¶ Comme si, comme lorsque. ¶ A mesure que, à proportion que.

sideralis, *e*, adj. Relatif aux astres, sidéral, astronomique.

sideratio, *onis*, f. Position des astres par rapport à l'horoscope de qqn. ¶ Maladie produite par la température excessive, insolation. ¶ Maladie des arbres, coup de chaleur. || Insolation. || Frénésie causée par un coup de soleil.

sideratus, *a*, *um*, adj. Frappé d'apoplexie, paralysé; perclus.

sidereus, *a*, *um*, adj. Relatif aux étoiles; étoilé. ¶ *Spéc.* Relatif au soleil; du soleil. ¶ *Fig.* Céleste, divin. || *Par ext.* Brillant, étincelant, rayonnant; beau, sublime.

sideror, *aris*, *atus sum*, *ari*, dép. intr. Etre frappé d'une influence maligne des astres, souffrir d'un coup de soleil; devenir frénétique.

sido, *is,* **sedi** ou **sidi,** *sessum, ere,* intr. S'asseoir, se poser, s'accroupir. ¶ (*En parl. de ch.*) S'arrêter, se fixer; s'abaisser, s'affaisser (pr. et fig.). ¶ Se fixer, s'arrêter, s'enfoncer. ¶ S'échouer, s'engraver, couler à fond, sombrer.

sidus, *eris,* n. Constellation. ¶ Astre, étoile. || Soleil, lune. || Planète. ¶ Etoile sous laquelle on naît; influence (bonne *ou* mauvaise) des astres. ¶ Au plur. *Sidera,* le ciel, les cieux. || La nuit étoilée, *d'où* la nuit. ¶ Saison, température, climat. ¶ *Fig.* Astre, éclat, ornement, gloire. || *Spéc.* Bel astre (t. de caresse).

siem, arch. p. **SIM,** subj. de **SUM.**

sigillaria, *orum,* n. pl. Sigillaires, fête qu'on célébrait à Rome en s'envoyant pour cadeaux des statuettes de cire *ou* d'argile. || Statuettes, figurines échangées à l'occasion de cette fête. || *Spéc.* Idoles, images des dieux. || Endroit de Rome où se vendaient ces figurines et d'autres objets d'art, même des livres. [RIUS.

sigillariarius, *ii,* m. Comme **SIGILLA-**

sigillaricia (s.-e. DONA), *orum,* n. pl. Cadeaux faits à la fête des statuettes.

sigillaricium, *ii,* v. Fête des statuettes.

sigillaricius, *a, um,* adj. Relatif aux statuettes.

1. **sigillarius,** *a, um,* adj. Qui concerne les statuettes (de cire *ou* d'argile); relatif aux poupées, aux figurines.

2. **sigillarius,** *ii,* m. Fabricant de statuettes, de figurines. [tuettes.

sigillator, *oris,* m. Fabricant de sta-

sigillatus, *a, um,* adj. Orné de figurines, de reliefs; ciselé. — *serica,* soieries où sont brodés des personnages.

sigilliolum, *i,* n. Figurine.

sigillo, *as, avi, are,* tr. Empreindre, graver. ¶ Faire le signe de la croix devant qqn (pour le mettre en fuite).

sigillum, *i,* n. Petite figure, figurine, statuette. ¶ Petite image d'une divinité. ¶ Sceau, figure gravée sur un cachet. ¶ Signe, empreinte, trace.

sigla, *orum,* n. pl. Sigles, abréviations.

signator, *oris,* m. Témoin qui signe au bas d'un acte; signataire (d'un testament); signataire (d'un contrat de mariage). — *falsi,* faussaire. ¶ Qui frappe la monnaie, monnayeur. ¶ Celui qui marque, qui désigne.

signatorium, *ii,* n. Bague à cachet.

signatorius, *a, um,* adj. Qui sert à sceller, à cacheter. — *anulus,* bague à cachet.

signatura, *ae,* f. Marque du sceau.

signatus, *a, um,* p. adj. Bien gardé, bien fermé; protégé, intact. ¶ Reconnaissable, visible; expressif; clair.

1. **signifer,** *fera, ferum,* adj. Qui porte un signe, une figure. || Orné de figures *ou* de figurines. ¶ Qui porte des cons-

tellations; parsemé d'étoiles, constellé. ¶ Qui porte une enseigne militaire.

2. **signifer,** *cri,* m. Le Zodiaque.

3. **signifer,** *feri,* m. Porte-enseigne, porte-drapeau. ¶ Chef, guide; coryphée.

significans, *antis,* p. adj. Qui rend bien la pensée, expressif, clair, net.

significanter, adv. D'une manière expressive.

significantia, *ae,* f. Netteté, force d'expression, valeur (d'un mot). ¶ Signification, sens.

significatio, *onis,* f. Action de faire signe; signal. ¶ Action de faire connaître *ou* d'indiquer; indication, désignation, annonce, signe, marque. || Symptôme. ¶ Signe d'assentiment, marque d'approbation *ou* de faveur; applaudissement. ¶ Sens, signification (d'un mot). ¶ *Rhét.* Proposition *ou* phrase. ¶ *Rhét.* Energie de l'expression. || Emphase.

significatus, *us,* m. Signe précurseur, indice, pronostic. ¶ Dénomination, signification, sens.

significo, *as, avi, atum, are,* tr. Faire un signe, indiquer (par un signe). ¶ Faire connaître, faire comprendre, manifester. || *Spéc.* Nommer, désigner (par un nom). ¶ Annoncer une chose à venir, présager, pronostiquer. ¶ Signifier, vouloir dire. [précédent.

significor, *aris, ari,* dép. tr. Comme le

signo, *as, avi, atum, are,* tr. Mettre une marque, une empreinte, un signe; marquer, désigner, signaler. ¶ (Méton.) Marquer, toucher. ¶ Tracer, marquer (de la plume *ou* du pinceau, du burin), graver; célébrer. ¶ Revêtir d'un sceau, sceller, cacheter. || Mettre le sceau à, fermer, clore, terminer. ¶ Marquer d'un nom, nommer, désigner. || Définir, exprimer. ¶ Désigner, indiquer. || Prouver, attester. ¶ Marquer du regard, noter remarquer. || Observer. ¶ Avouer, confesser. ¶ Frapper d'une empreinte. — *aes, argentum,* frapper des monnaies de bronze, d'argent. *Argentum factum atque signatum,* argent travaillé et monnayé. ¶ Orner, distinguer.

signum, *i,* n. Signe, marque. || Signe de la croix. ¶ Signe, indice, preuve; *t. de rhét.,* preuve extrinsèque. *Signa atque argumenta,* les preuves et les raisons. ¶ Symptôme, présage. ¶ (Milit.) Enseigne, drapeau, étendard. *Signa ferre,* se mettre en marche, se porter en avant. *Signa referre,* battre en retraite. *Signa constituere,* faire halte, camper. *Signa inferre,* en venir aux mains. || *Spéc.* Enseigne d'un corps de troupe. || Méton. Corps de troupes, manipule, cohorte. ¶ Signal donné par le général commandement. || Signal donné avec la trompette. || Mot d'ordre. ¶ Surnom, sobriquet. ¶ Image travaillée avec art, statue, figure. ¶ Sceau, cachet. ¶ Signe du zodiaque. ¶ (Math.) Point.

silanus, *i,* m. Jet d'eau (jaillissant d'une tête de Silène); fontaine.

silens, *entis,* p. adj. Qui se tait, silencieux. ¶ (Subst.) *Silentes, ium,* m. pl. Les silencieux, *c.-à-d.* les ombres, les mânes. ‖ Les Pythagoriciens (astreints à la loi du silence). ¶ Silencieux; calme, tranquille.

silenter, adv. Silencieusement. [TIUM.

silentia, *ae,* f. Forme vulg. de SILEN-**silentiarius,** *ii,* m. Esclave chargé de faire tenir silencieux les autres esclaves. ¶ Silentiaire, huissier de la cour chargé de faire faire silence.

silentium, *i,* n. Silence. *Cum silentio, per silentium, silentio* en silence. ¶ Silence, calme (des éléments). ¶ Absence de tout signe défavorable (dans l'observation des augures). ¶ Silence, repos, cessation d'activité. ‖ Oubli.

sileo, *es, ui, ere,* intr. et tr. Se taire, cesser de parler; être silencieux. ¶ (En parl. de ch.). Ne faire aucun bruit, être calme. ¶ Se taire, ne pas parler de. *Silenda,* choses qu'on doit taire, secrets, mystères. ¶ Se taire, garder le silence, ‖ Rester inactif. ¶ Spéc. Dormir du dernier sommeil.

siler, *eris,* m. Sorte d'osier.

silesco, *is, ere,* intr. Rentrer dans le silence. ¶ S'apaiser, devenir calme.

1. **silex,** *licis,* m. Pierre dure, silex, pierre à feu; caillou. ¶ Granit, basalte (pour pavé). ‖ Caillou, pierre tranchante, hache en pierre. ‖ Spéc. Pierre à chaux. ¶ Rocher, roche dure. ¶ Fig. Roc, pierre, être insensible.

2. **silex,** *licis,* f. Comme le précédent.

silicernium, *ii,* n. Repas funèbre. ¶ Sorte de hachis ou de saucisse. ¶ Vieillard décrépit.

siliceus, *a, um,* adj. De silex, de caillou.

siligineus, *a, um,* adj. De froment, préparé avec de la fleur de farine.

siligo, *ginis,* f. Sorte de froment. ¶ (Méton.) Fleur de farine.

siliqua, *ae,* f. Silique, gousse des plantes légumineuses. *Siliquae,* f. pl. Légumes à cosses. ¶ Caroube. ¶ Fenugrec. ¶ Le sixième d'un scrupule (petit poids). ¶ Vingt-quatrième partie du solidus (petite monnaie).

1. **sillybus,** *i,* m. Voy. SITTYBOS.

2. **sillybus** (SYLLIBUS), *i,* f. Gondélie, plante semblable au chardon.

silo, *onis,* m. Camard, camus.

silurus, *i,* m. Silure, poisson de rivière.

silus, *a, um,* adj. Qui a le nez écrasé ou épaté, camard, camus.

silva, *ae,* f. Forêt, bois. ‖ (Méton.) Bosquet. ‖ Arbres, feuillage. ¶ Plantation d'arbres; parc. ¶ Fig. Grande quantité (serrée et compacte), forêt; abondance, foule, ample matière. ¶

Spéc. (Au plur.) Silves, *c.-à-d.* recueil de mélanges, de variétés. ‖ Matériaux d'un travail; brouillon.

silvaticus, *a, um,* adj. De forêt. ¶ (Par ext.) Qui croît *ou* qui vit dans un endroit sauvage; sauvage.

silvesco, *is, ere,* intr. Pousser trop de bois, pousser tout en branches. ¶ Devenir trop touffu (en parl. d'une chevelure inculte). ¶ S'étendre avec exubérance, pulluler. [TRIS.

1. **silvester,** *tris, tre,* adj. Voy. SILVES-

2. **silvester,** *tri,* m. Comm 1. SILVESTER.

silvestris, *e,* adj. De forêt, couvert de forêts *ou* d'arbres. ¶ Qui se trouve dans les forêts, qui vit dans les forêts, sauvage. ¶ Rustique, champêtre, grossier. [forêts. ¶ Un brahmane.

silvicola, *ae,* m. et f. Qui habite les

silvicultrix, *icis,* f. Qui habite les forêts.

silvifragus, *a, um,* adj. Qui brise les arbres.

silviger, *gera, gerum,* adj. Boisé.

silvosus, *a, um,* adj. Boisé. Subst. *Silvosa,* n. pl. Contrée boisée. ¶ Touffu, épais (pr. et fig.).

silvula, *ae,* f. Petit bois, bosquet.

sima, *ae,* f. Doucine (t. d'archit.)

simeitu, adv. Voy. SIMITU.

simia, *ae,* f. Singe, guenon. ¶ Fig. Singe, plat imitateur. ¶ Injur. Vilain singe.

simila, *ae,* f. Fine fleur de farine.

similis, *e,* adj. Semblable; ressemblant. Subst. *Simile,* n. Ressemblance, analogie; comparaison (t. de rhét.); similitude.

similitas, *atis,* f. Ressemblance. ¶ Propriété de même nature *ou* similaire; similitude.

similiter, adv. Semblablement, pareillement, de la même façon; de même. ¶ Fidèlement, exactement. ¶ Comme SIMUL.

similitudo, *dinis,* f. Ressemblance. ¶ Analogie, rapport. ¶ Comparaison. ¶ Similitude. ‖ Application à des cas semblables. ¶ Uniformité; monotonie.

1. **similo,** *as, avi, are,* intr. et tr. Etre semblable. ¶ Tr. Rendre semblable; assimiler.

2. **similo,** *are,* tr. Variante de SIMULO.

simialus, *i,* m. Petit singe; vilain singe (injur.).

simitu, adv. En même temps.

simius, *ii,* m. Voy. SIMIA.

simmo, *as, avi, atum, are,* tr. Aplatir le nez, rendre camus; déprimer.

simplex, *plicis,* adj. D'une seule partie, tout d'un bloc, composé d'un seul élément; simple, *c.-à-d.* non mélangé; naturel, pur; simple, *c.-à-d* simple *ou* nu. ¶ Simple, *c.-à d.* non compliqué. ¶ Simple, sans apprêt, sans art. ¶ (Au moral.) Simple, droit, loyal, franc, bon. ‖ Ingénu, naïf, innocent. ¶ Fig. Simple.

simplicitas, *atis,* f. Simplicité, unité. ¶ (Au moral.) Simplicité, naturel, bonhomie. || Naïveté, crédulité. ¶ Innocence, candeur.

simpliciter, adv. D'une manière simple, unie, non contournée. ¶ Uniquement; au singulier. ¶ Uniquement, seulement. ¶ *Spéc.* A part, isolément. ¶ D'une manière simple, tout bonnement, tout uniment. ¶ Simplement, sans apprêt, sans art. ¶ Simplement, loyalement, franchement, de bonne foi, à cœur ouvert.

simplus, *a, um*, adj. Simple, unique.

simplarius, *ii*, m. Fabricant de simples.

simpulum, *i*, n. Simpule, petite coupe pour puiser le vin destiné aux libations.

simpuvium, *ii*, n. Coupe pour les libations (dans les sacrifices).

simul, adv. En même temps, ensemble; à la fois. *Simul atque* (*ac*), dès que. ¶ Aussitôt, sur-le-champ. ¶ En somme, en tout.

2. **simul**, prép. (avec l'abl.). En même temps que.

simulacrum, *i*, n. Représentation, imitation, image. || Portrait, statue. Statue (d'une divinité). || Idole. ¶ Image, apparence, simulacre, imitation, faux semblant; fantôme (fig.). ¶ Image (reflétée dans l'eau *ou* dans un miroir). ¶ Image sans consistance, spectre, fantôme, ombre; chimère. Au plur. *Simulacra*, ombres des morts, fantômes, spectres (des songes). ¶ (Philos.) Simulacre (des corps), idée, représentation (d'un objet). || Image, représentation (mnémonique). ¶ Portrait, description (d'un caractère).

simulamen, *minis*, n. Représentation, imitation.

simulamentum, *i*, n. Apparence, faux semblant. ¶ (Au plur.) Artifices; leurre.

simulans, *antis*, p. adj. Qui contrefait.

simulate, adv. D'une manière feinte; par jeu.

simulatio, *onis*, f. Imitation, apparence. || Fausse apparence, feinte, artifice. ¶ (Absol.) Mensonge, comédie. ¶ Plur. *Simulationes*, hypocrisies. ¶ (Rhét.) Ironie. ¶ Comme SIMULTAS.

simulator, *oris*, m. Celui qui imite, qui copie; imitateur. ¶ Celui qui feint (qqch.). || (Absol.) Qui dissimule, qui feint.

simulatus, *a, um*, p. adj. Apparent, spécieux. ¶ Feint, faux. Abl. *Simulato, quod...*, sous prétexte que...

simulo, *as, avi, atum, are*, tr. Rendre semblable, imiter, reproduire, représenter; singer. ¶ Feindre, faire semblant de, affecter, simuler.

simultas, *atis*, f. Concurrence, compétition. || Rapports tendus entre deux personnes. || Mésintelligence, brouille imminente, rivalité, jalousie. ¶ Lutte, combat, rivalité. [Aplati.]

simus, *a, um*, adj. Camus, camard. ¶

sin, conj. Mais si, si au contraire. *Sin minus*, sinon; autrement; dans le cas contraire.

sinapi, *is*, n. et **sinapis**, *is*, f. Moutarde.

sincere, adv. Bien; comme il faut. ¶ Sincèrement, franchement, loyalement.

sinceritas, *atis*, f. Pureté, intégrité, état normal (pr. et fig.). ¶ Sincérité, loyauté, franchise. ¶ (Titre honor.) Votre Sincérité.

sincerus, *a, um*, adj. Qui ne contient pas d'éléments étrangers; pur, sans mélange, naturel. ¶ Qui est en bon état; sain, intact. ¶ Pur et simple. ¶ Pur, net, propre (pr. et fig.); irréprochable. ¶ (*Fig.*) Pur, sain. ¶ Franc, loyal, sincère.

sinciput, *pitis*, n. Demi-tête; la moitié de la tête, devant de la tête. || (Méton.) Tête; cervelle (siège de la raison). ¶ Tête (tout entière).

sine, prép. (av. l'abl.) Sans.

sigillatim, adv. Isolément, en particulier. ¶ En détail, un à un, l'un après l'autre.

singula, *ae,* f. Une demi-livre (monnaie).

singulare, adv. Comme SINGULARITER.

singulares, *ium*, m. pl. Soldats d'élite. ¶ Gardes du corps. ¶ Courriers au service des préfets.

1. **singularis**, *e*, adj. Relatif à un seul; seul, unique, isolé; simple. ¶ *Spéc.* D'un seul, propre à un seul, personnel, particulier. ¶ (Gramm.) Singulier. — *numerus*, le singulier. ¶ Individuel, exceptionnel. ¶ (*Fig.*) Unique en son genre, rare, singulier, extraordinaire. || Insigne, étrange.

2. **singularis**, *is*, f. Veuve.

singularitas, *atis*, f. Isolement. || *Spéc.* Célibat. ¶ (*Gramm.*) Le singulier. ¶ L'unité. || Le nombre un. ¶ L'unité (de la Trinité).

singulariter, adv. Isolément, particulièrement, individuellement. ¶ A part, à l'écart. ¶ (Gramm.) Au singulier. ¶ *Fig.* Singulièrement, particulièrement extraordinairement; beaucoup.

singularius, *a, um*, adj. Isolé, individuel, unique en son espèce. ¶ Distingué, d'élite. — *equites*, voy. SINGULARES. ¶ (Fig.) Singulier, rare, extraordinaire.

singulatim, adv. Voy. SINGILLATIM.

singuli, *ae, a*, adj. pl. Un à un, un chaque fois. || Seul, sans compagnie. ¶ Un pour chacun; chaque. *Singulis diebus*, chaque jour. *In dies singulos*, journellement.

singultim, adv. En sanglotant. ¶ (Fig.) En hésitant, d'une voix entrecoupée.

singultio, *is, ire*, intr. Sangloter. ¶ Avoir le hoquet. ¶ Glousser (en parl. d'une poule). ¶ Frémir de plaisir.

singulto, *as, avi, atum, are*, intr. Sangloter. *Verba singultantia*, paroles saccadées *ou* entrecoupées de sanglots.

|| Râler. ¶ Faire glouglou. ¶ *Tr.* Exhaler en râlant.

singultus, *us*, m. Sanglot, soupir. ¶ Râle. ¶ Hoquet. ¶ Gloussement. || Croassement. || Glouglou (d'une bouteille).

singulus, *a*, *um*, adj. Unique, seul isolé. – *numerus*, le nombre singulier. ¶ (Distrib.) Chaque fois un. Voy. SIN-GULI.

sinister, *tra*, *trum*, adj. Gauche, qui est du côté gauche. ¶ Mauvais, pervers. ¶ Qui est à la gauche de l'observateur. || (Chez les Romains,) Favorable, de bon augure, propice. || (Chez les Grecs.) Défavorable, malheureux. ¶ Fâcheux sinistre, contraire.

sinistra (s.-e. MANUS), *ae*, f. La main gauche. ¶ Le côté gauche. *Ad sinistram*, à gauche, sur la gauche.

sinistre, adv. A gauche. ¶ De travers. mal, défavorablement. || En mauvaise part.　　　　　　　　[armée en bataille.

sinistri, *orum*, m. pl. Aile gauche d'une

sinistrorsum, adv. A gauche, à main gauche; vers la gauche.

sinistrorsus, adv. Comme le précédent.

sinistroversus, adv. Comme SINISTROR-SUM.

sinistrum, *i*, n. La méchanceté, le mal.

sino, *is*, *sivi*, *situm*, *ere*, tr. Déposer, placer, poser. *Situs* placé, situé. *Pecunia sita*, argent placé. *Hic situs est*, ci-gît. ¶ Permettre, tolérer, souffrir, laisser faire. ¶ Laisser. *Sine hanc animam.* laisse-moi la vie. *Sine me*, laisse-moi tranquille; laisse-moi aller. ¶ (Dans la conversat.) *Sine*, laisse, soit ! on peut; soit ! bon ! très bien !

sinum, *i*, n. Gros vase bombé, terrine d'argile pour le vin ou le lait. ¶ Baratte.

sinuo, *as*, *avi*, *atum*, *are*, tr. Rendre courbe ou sinueux, recourber; plier; arrondir; faire onduler; infléchir. ¶ Creuser en forme d'arc.

sinuosus, *a*, *um*, adj. Plein de sinuosités. || Courbe, recourbé. || Tortueux, onduleux. ¶ (*Fig.*) Diffus, plein de digressions. ¶ Tortueux, enchevêtré. – *quaestio*, question compliquée.

1. sinus, *i*, m. Voy. SINUM.

2. sinus, *us*, m. Courbure, sinuosité, pli. || *Spéc.* Courbure (de la voile gonflée par le vent), d'où voile, ¶ Mouvement giratoire (de la fronde). ¶ Cheveux frisés, frisure tresse. ¶ Replis (du serpent). ¶ Courbure du filet, filets. || Toile d'araignée. ¶ Poche d'une plaie; sinus d'un ulcère, abcès. ¶ Pli d'un vêtement; pan d'une robe. || (Méton.) Robe, toge. ¶ Pli de toge (devant la poitrine); poche, bourse. ¶ Sein, giron. *In sinu gaudere*, rire sous cape. ¶ Sein, c.-à-d. protection, soins, amour, tendresse. ¶ Partie intime, fond d'une chose. || Partie reculée, retraite. *In sinu urbis*, au cœur de la

ville. || *Spéc.* Ventre, utérus, sein. ¶ Cavité, trou, enfoncement. ¶ Golfe, baie, rade crique.　　　　　[tique.

sion et **sium**, *ii*, n. Berle, plante aquasiparium, *ii*, n. Petite toile de théâtre, rideau couvrant le fond de la scène. ¶ (*Méton.*) Style comique. ¶ Rideau pour garantir du soleil.

siparum. Voy. SUPPARUM.　　　[PARUM.

sipharum (SIPHARUS), *i*, n. Voy. SUP-

sipho, *onis*, m. Tuyau, tube, siphon. || *Spéc.* Petit tube à boire. ¶ *Par ext.* Jet (d'un liquide). ¶ Pompe à incendie.

siphunculus, m. Petit tuyau.

sipo, *onis*, m. Voy. SIPHO.

siquando, adv. Si une fois; si jamais. ¶ (Absol.) Si jamais cela doit arriver ou est arrivé.

siquidem, conj. Si toutefois, si du moins. ¶ Puisque, vu que, attendu que.

sircitula, *ae*, f. Sorte de raisin.

siremps, adv. Pareillement.

sirempse, adv. Comme le précédent.

siriasis, *is*, f. Coup de soleil, coup de chaleur.

siri... Comme seri...

siring... Voy. SYRING...

sirium, *ii*, n. Armoise, plante.

siromastes, *ae*, m. Bâton servant aux douaniers à fouiller les tas de blé.

1. sirpe, *is*, n. Silphium, plante.

2. sirpe (SIRPIA), *ae*, f. Panier.

sirpeus (SCIRPEUS), *a*, *um*, adj. De jonc.

sirus, *i*, m. Voy. SCIRPUS.

sis. = SI VIS. Voy. 2. VOLO.

sisamum, *i*, n. Voy. SESAMUM.

sisara, *ae*, f. Comme ERICE.

siser, *seris*, n. Raiponce, chervis, plante.

sisera. Voy. SISARA.　　　　　[BRIUM.

sisinbria, *orum*, n pl. Plur. de SISYM-

sisirus. Voy. SISURA.

sisto, *is*, *stiti* et *steti*, *statum*, *ere*, tr. Faire tenir, placer, poser. ¶ Faire comparaître. – *se*, comparaître, se présenter (devant le tribunal). || Assigner. *Sisti*, comparaître. *Si status non esset*, s'il avait fait défaut. || *Par ext.* – *se*, joindre qqn, se rendre ou se trouver chez qqn. ¶ Empêcher d'avancer, arrêter, retenir, contenir (pr. et fig.). – *gradum*, s'arrêter. ¶ *Intr.* Fixer, consolider (pr. et fig.). ¶ *Intr.* Etre placé. ¶ (*Jurisc.*) Comparaître (en justice). ¶ S'arrêter, rester en place. ¶ Se tenir debout, se maintenir. || Subsister, exister, être.

sistratus, *a*, *um*, adj. Qui porte un sistre. – *turba*, les prêtres d'Isis.

sistrifer, *fera*, *ferum*, adj. Qui porte le sistre.

sistrum, *i*, n. Sistre, instrument de musique en usage dans le culte d'Isis (sorte de cerceau métallique traversé de baguettes également métalliques, rendant, quand on l'agitait, des sons aigus et retentissants.

sisumbrium, *ii*, n. Voy. SISYMBRIUM.

sisymbrium, *ii*, n. Serpolet *ou* menthe à feuilles hérissées.

sitorchia, *ae*, f. Caisse pour les provisions. ¶ *Spéc.* Gibecière.

sitarcia, *ae*, f. Comme le précédent.

sitella, *ae*, f. Urne de scrutin (ayant la forme d'un pot à col étroit et à ventre bombé).

siticulosus, *a*, *um*, adj. Altéré; qui a soif. ¶ *Par ext.* Aride, desséché. ¶ Altérant.   [Ardemment.

sitienter, adv. Avec soif; avidemment. ¶

sitio, *is*, *ivi* et *ii*, *itum*, *ire*, intr. et tr, ¶ *Intr.* Avoir soif, être altéré. || *Fig.* Avoir un besoin impérieux de. ¶ Manquer d'eau, être aride, desséché. Subst. *Sitientia*, n. pl. Lieux arides. ¶ *Spéc.* Souffrir de la chaleur, vivre sous un climat brûlant. ¶ *Tr.* Désirer boire. ¶ (*Fig.*) Avoir soif de, être altéré de, désirer ardemment.

sitis, *is*, f. Soif. ¶ (Par ext.) Manque d'eau, sécheresse; aridité. ¶ *Fig.* Désir ardent, avidité.

sitona, *ae*, m. Acheteur de blé; intendant des greniers publics.

sitonia, *ae*, f. Intendance des greniers publics.

sittace, *es*, f. Perroquet.

sittybos (SITTUBOS), *i*, m. Bande de parchemin attachée aux manuscrits et portant le nom de l'auteur *ou* le titre de l'ouvrage. || Etiquette.

situla, *ae*, f. Vase pour puiser de l'eau; seau. ¶ Cruche (pour le vin). ¶ Urne de scrutin. Comme SITELLA.

situlus, *i*, m. Voy. SITULA.

1. **situs**, *a*, *um*, p. adj. Posé, placé. ¶ Situé, sis, qui se trouve qq. part. *In medio situs*, à la portée de tout le monde. *In armis omnia sita*, tout dépend du sort des armées. ¶ Bâti, élevé. ¶ Déposé (chez le banquier), placé (en parl. de l'argent). ¶ Déposé dans la tombe, enterré. *Hic situs est*, ci-gît.

2. **situs**, *us*, m. Situation, position; assiette. ¶ (Méton). Construction, structure. || *Spéc.* (T. philos.) La catégorie κεῖσθαι. ¶ Site, contrée, pays. || *Spéc.* Propriété naturelle d'un pays; description d'un pays. ¶ Corruption qui résulte de la station prolongée dans un lieu; moisissure, rouille, putréfaction. ¶ Malpropreté. ¶ Vétusté ¶ Abandon, désuétude. ¶ Oisiveté.

sive et **seu**, conj. Ou si. ¶ *Sive... sive... ou... soit...*; soit que... soit que. ¶ *Dans un dilemme.* Si d'une part... si au contraire... ¶ Pour le cas où... ou bien où... ¶ Si... ou si... ¶ *Conj. disj.* Ou ce qui revient au même; ou plutôt. ¶ *Eccl.* Et.

six, adj. num. Voy. SEX.

smaragdachates, *ae*, m. Agate couleur d'émeraude.

smaragdineus, *a*, *um*, adj. D'émeraude.

smaragdus (ZMARAGDUS), *i*, m. et f.

Emeraude; béril; jaspe;malachite,etc. ¶ Vert, couleur verte.

smilax. Voy. MILAX.

smyrna (SMURNA), *ae*, f. Myrrhe.

smyrus, *i*, m. Voy. ZMYRUS.

sobol... Voy. SUBOL...

sobrie, adv. Sobrement. ¶ (*Fig.*) Prudemment, sagement.

sobrietas, *atis*, f. Tempérance, usage modéré (du vin). ¶ Sobriété, fragilité, chasteté.

sobrina, *ae*, f. Cousine.

sobrinus, *i*, m. Enfant de deux frères ou sœurs, cousin (issu de germain).

sobrius, *a*, *um*, adj. Non ivre, à jeun. ¶ (Méton.) Passé sans boire, où l'on ne fait pas d'excès. ¶ (Par ext.) Tempérant, sobre, frugal. ¶ (*Fig.*) Modéré sage, de sang froid, rassis, réservé. || Honnête, sage, vertueux. |dequins.

soccatus, *a*, *um*, adj. Chaussé de brocellus, i, m. Voy. SOCCULUS.

soccifer, *fera*, *ferum*, adj. Comme SOCCATUS.

socculus, *i*, m. Petit brodequin. ¶ Chaussure des acteurs de comédie. || (*Méton.*) Style comique.

soccus, *i*, m. Chaussure basse et légère (en usage chez les Grecs); socque, brodequin. ¶ Chaussure portée à Rome par les femmes et les efféminés. ¶ Chaussure habituelle des acteurs de comédie. || (*Méton.*) La comédie, le genre comique. ¶ Base. | Socle.

1. **socer**, *ceri*, m. Beau-père (du mari ou de la femme). Au plur. *Soceri*, beaux-parents.

2. **socer**, *eris*, m. Comme le précédent.

socera, *ae*, f. Voy. 3. SOCRUS.

socerus, *i*, m. Voy. 1. SOCER.

sociabilis, *e*, adj. Qui peut être uni. ¶ Qui est d'accord; sociable.

socialis, *e*, adj. Fait pour vivre en société, sociable. ¶ D'allié – *turmae*, cavalerie auxiliaire. ¶ Nuptial.

socialitas, *atis*, f. Communauté, vie en commun.   [camarade.

socialiter, adv. Amicalement; en bon

societas, *atis*, f. Association, réunion; société. ¶ Communauté, participation. – *vitae*, sociabilité. – *scele is*, complicité. ¶ Association commerciale. || (Méton.) Société, compagnie. *Judicium societatis*, procès en règlement de comptes. || *Spéc.* Corporation, collège. ¶ Association politique; alliance.

socio, *as*, *avi*, *atum*, *are*, tr. Rendre commun, faire participer, partager avec; communiquer. *Sociatus labor*, travail fait en commun. *Sociatus numerus*, nombre multiplié. ¶ Associer, unir par le mariage.

1. **socius**, *a*, *um*, adj. Joint, uni. ¶ Associé, allié. ¶ Mis en commun; partagé. ¶ Uni par le mariage; nuptial.

2. **socius**, *ii*, m. Compagnon, camarade, associé. ¶ Uni par la parenté. ||

Conjoint, époux. ¶ Allié. confédéré.
¶ Associé (en affaires), cointéressé.
Au plur. *Socii*, compagnie des fermiers généraux.

socordia (SECORDIA), *ae*, f. Faiblesse d'esprit; stupidité. ¶ Manque de cœur, lâcheté. ¶ Indolence, **apathie**. || Nonchalance, insouciance.

socorditer, adv. Nonchalamment. ¶ Lâchement.

socors, *cordis*, adj. Faible d'esprit, borné, sot. ¶ Indolent, nonchalant; apathique. ¶ Sans cœur, lâche.

socrualis, *e*, adj. De belle-mère.

1. **socrus**, *i*, m. Comme 1. SOCER.

2. **socrus**, *us*, m. Comme 1. SOCER.

3. **socrus**, *us*, f. Belle-mère.

sodalicium, *ii*, n. Commerce d'amitié, confraternité, camaraderie. ¶ Réunion de convives; repas de corps. ¶ Compagnie, association; société, corporation (religieuse). ¶ *Péjor.* Association secrète, coterie politique; cabale.

sodalicius, *a*, *um*, adj. De camaderie; de société. — *collegia*, sociétés secrètes.

1. **sodalis**, *e*, adj. De compagnon, d'ami.

2. **sodalis**, *is*, m. Camarade, compagnon, ami. || *Spéc.* Compagnon et compagne (en parl. du mari et de la femme). || Compagnon de débauche. || *Spéc.* Sigisbée. ¶ Ami politique, partisan. || Complice. ¶ Membre d'un collège; collègue.

sodalitas, *atis*, f. Camaraderie, liaison, amitié. || (Méton.) Compagnons, amis. ¶ Réunion de convives, repas de corps (au plur.). ¶ Corporation, confrérie. ¶ Assemblée illicite, réunion secrète.

sodalitius. Voy. SODALICIUS. [de grâce.

1. **sodes**, p. *si audes*, s'il te plaît.

2. **sodes**, m. Mon cher.

sol, *solis*, m. Soleil. ¶ Lumière *ou* chaleur du soleil. *Soles*, rayons du soleil. *In sole aperto*, en plein soleil. ¶ Beau temps. ¶ Journée. || *Par ext.* Année. ¶ *Fig.* Grand jour, publicité. || Un soleil, *c.-à-d.* un astre, un grand homme. [petite consolation.

solaciolum, *ii*, n. Faible soulagement.

solacium, *ii*, m. Soulagement, consolation, adoucissement. || *Spéc.* Ressource contre... ¶ Secours, aide, assistance. || Secours, troupe de secours.

solago, *ginis*, f. Héliotrope. [gement.

solamen, *minis*, n. Consolation, soulagement.

solaris, *e*, adj. Du soleil, solaire.

1. **solarium**, *ii*, n. Cadran solaire. || Clepsydre. || Endroit du forum où se trouvait le cadran solaire. || Terrasse *ou* balcon exposé au midi.

2. **solarium** (s.-c. VECTIGAL), *ii*, n. Impôt foncier.

1. **solarius**, *a*, *um*, adj. Solaire.

2. **solarius**, *a*, *um*, adj. Relatif au sol; foncier.

solatio, *onis*, f. Comme SOLACIUM.

solatiolum. Voy. SOLACIOLUM.

solatium. Voy. SOLACIUM.

solator, *oris*, m. Consolateur.

solatus, *a*, *um*, adj. Qui a reçu un coup de soleil; frappé d'insolation.

soldurii, *orum*, m. pl. Compagnons gaulois liés à leur chef, à la vie à la mort).

soldus, *a*, *um*, adj. Comme SOLIDUS.

solea, *ae*, f. Plante du pied. || Sabot (des animaux). ¶ Chaussure attachée au pied avec du cordon (qui laissait les orteils et le dessus du pied libres), sandale. ¶ *Par ext.* Ceps, entraves (aux pieds des criminels). ¶ Garniture du sabot des bêtes de somme. ¶ Pressoir à huile. ¶ Sole, poisson. ¶ Sorte de plancher. [sandale.

solearis, *e*, adj. Qui a la forme d'une

solearius, *ii*, m. Fabricant de sandales, cordonnier. [dales.

soleatus, *a*, *um*, adj. Chaussé de sandales.

solemnis, *e*, adj. Voy. SOLLEMNIS.

solen, *enis*, m. Manche-de couteau, coquillage.

solenn... Voy. SOLLENN...

soleo, *es*, *solitus sum*, *ere*, intr. Avoir coutume, être habitué. [précédent.

soleor, *eris*, *eri*, dép. intr. Voy. le

solers, *solertia*. Voy. SOLLERS, SOLLERTIA.

solidamen, *minis*, n. Comme le suivant.

solidamentum, *i*, n. Consolidation. || Soutien.

solidatio, *onis*, f. Fondation.

solidatrix, *icis*, f. Celle qui consolide.

solide, adv. Massivement, solidement. || Fortement. || Avec un corps compact. ¶ (*Fig.*) Positivement. || Entièrement; tout à fait.

solidesco, *is*, *ere*, intr. Se solidifier, devenir massif. ¶ Se rejoindre, rejoindre, reprendre, se souder (en parl. d'os brisés).

solidipes, *pedis*, adj. Qui n'a pas la corne du pied fendu; solipède.

soliditas, *atis*, f. Consistance (des atomes). || Solidité du ciel, firmament. || *Spéc.* Epaisseur, grosseur (d'un arbre). ¶ Fondement, base. ¶ Solidité, fermeté. *Solidfates*, masses solides. || Dureté. ¶ *Jur.* Totalité, intégrité.

solido, *as*, *avi*, *atum*, *are*, tr. Souder, faire reprendre (des os brisés). ¶ Rendre solide, consolider, affermir. || Donner de la consistance à, durcir. *Solidari*, se solidifier, prendre de la consistance. ¶ *Fig.* Affermir. rendre stable. || *Spéc.* Unir étroitement (par le mariage).

1. **solidum**, *i*, n. Terre ferme. ¶ Corps solide. *Solida*, n. pl. Solides. *Ad solidum*, jusqu'au tuf. ¶ Totalité. *In solido*, en tout. *In solidum deberi*, être dû intégralement. ¶ Terrain solide base ferme. || Sécurité, sûreté. *In solido*, en sûreté, en lieu sûr.

2. **solidum**, adv. Fortement, violemment.

1. solĭdus, *a, um*, adj. Tout d'une pièce; massif; solide; compact, consistant; ferme. ¶ (Par ext.) Complet, entier. – *vires*, forces intactes, pleine vigueur. – *stipendium*, solde complète. ¶ (Fig.) Ferme, solide; vrai réel; sûr. – *laus*, vrai mérite.

2. solĭdus, *i*, m. Monnaie d'or (valant à peu près 12 fr. 50,¢ la bonne époque).

solĭfer, *fera, ferum*, adj. Qui porte le soleil; oriental.

solĭlŏquĭum, *ii*, n. Monologue.

solĭnunt, p. *solent*. Voy. SOLEO.

1. solĭtānĕus, *a, um*, adj. Isolé, à part.

2. solĭtānĕus, *a, um*, adj. Habituel.

solĭtārĭē, adv. Solitairement.

solĭtārĭus, *a, um*, adj. Unique, absolu; seul. ¶ Isolé, seul, séparé, retiré. ¶ Unique en son genre. [traite.

solĭtas, *atis* f. Isolement, solitude. ¶ Resolĭtaurīlĭa. Voy. SUOVETAURILIA.

1. solĭto, *as, avi, are*, intr. Avoir coutume. [rement.

2. solĭto, adv. Habituellement, ordinaisolĭtūdo, *dinis*, f. Solitude; absence d'êtres vivants, lieu désert. *Solitudinem facere*, transformer un pays en désert. ¶ Retraite. ¶ Délaissement, isolement. ¶ Manque, absence de.

solĭtum, *i*, n. Coutume; ce qui est ordinaire. *Ex solito*, comme d'ordinaire; régulièrement. *Praeter solitum*, contre la coutume. *Magis solito*, plus que de coutume. [naire.

solĭtus, *a, um*, p. adj. Habituel, ordinsolĭum, *ii*, n. Siège haut et élevé. ¶ Trône. ¶ (Méton.) Trône, *c.-à-d.* royauté. ¶ *Spéc.* Siège d'un dieu (dans le temple). ¶ Siège de magistrat, de juge. ¶ Fauteuil du jurisconsulte. ¶ Cuve, baignoire (en pierre *ou* en bois). ¶ Cercueil en pierre, sarcophage. ¶ Lit funèbre. ¶ Reliquaire, châsse.

sŏlĭus, *ii*, m. Comme SOLIUM.

sōlĭvăgus, *a, um*, adj. Qui erre seul; solitaire; sauvage. ¶ (Fig.) Isolé. ¶ Incomplet. ¶ Unique, rare; qui n'a pas son pareil.

sollemne, *is*, n. Solennité, cérémonie religieuse. ¶ *Spéc.* Au plur. *Sollemnia*, sacrifice; *méton.* victime. ¶ Coutume, usage.

sollemnis, *e*, adj. Annuel; qui revient chaque année. ¶ Solennel, accompagné de cérémonies publiques; célébré avec éclat. ¶ Religieux; consacré. ¶ Habituel, ordinaire, usuel. *Sollemnia*, acc. adv. Communément. Subst. *Sollemnia*,n. pl. Impôt régulier.

sollemnĭtas, *atis*, f. Solennité, fête annuelle. ¶ Formalité. ¶ Forme légale.

sollemnĭter, adv. Conformément aux rites, solennellement. ¶ Selon la coutume. ¶ Selon les formes légales.

sollers, *ertis*, adj. Industrieux, adroit, habile, ingénieux (en parl. de pers.). ¶ Fin, rusé. ¶ (En parl. de ch.) Fait avec adresse. ¶ *Spéc.* Productif.

sollerter, adv. Industrieusement, habilement. ¶ Ingénieusement, finement; subtilement.

sollertĭa, *ae*, f. Dextérité, adresse, industrie, habileté. ¶ Finesse, sagacité. ¶ *Péjor.* Artifice, ruse.

sollĭcĭtātĭo, *onis*, f. Sollicitation, instigation. ¶ Séduction. ¶ Inquiétude.

sollĭcĭtātor, *oris*, m. Celui qui sollicite (au mal); corrupteur, séducteur.

sollĭcĭtē, adv. Avec soin, avec précaution. ¶ Avec inquiétude.

sollĭcĭto, *as, avi, atum, are*, tr. Secouer violemment, remuer, ébranler, agiter. ¶ Poursuivre. ¶ (*Fig.*) Troubler, inquiéter, tourmenter. ¶ Se préoccuper de. ¶ Provoquer à, pousser à, exciter, inviter à. ¶ *Péjor.* Entraîner à mal faire, chercher à corrompre, à séduire. ¶ Tenter, séduire, corrompre.

sollĭcĭtūdo, *dinis*, f. Trouble physique; affection; souffrance. ¶ Trouble moral, inquiétude, préoccupation, souci. ¶ (*Méton.*) Tâche, fonction, charge.

sollĭcĭtus, *a, um*, adj. Agité, remué, mis en mouvement. ¶ (Au fig.) Inquiet, agité, troublé. ¶ Attentif, en éveil (en parl. des animaux). ¶ (*En parl. de ch.*) Agité, troublé, plein de souci, en peine. ¶ Qui inquiète, qui trouble. [fer.

sollĭferrĕum, *i*, n. Javelot tout en solo, *as, avi, atum, are*, tr. Dévaster, dépeupler.

soloecismus, *i*, m. Solécisme, faute contre la syntaxe. ¶ Faute, péché.

soloecista, *ae*, m. Qui fait des solécismes.

soloecum, *i*, n. Voy. SOLOECISMUS.

sōlor, *aris, atus sum, ari*, dép. tr. Restaurer, rendre des forces. ¶ Réparer (un désastre). ¶ Réconforter, soulager, calmer. ¶ Adoucir, alléger, soulager. ¶ *Spéc.* Indemniser.

solsequĭa, *ae*, f. et solsequĭum, *ii*, n. Tournesol.

solstĭtĭālis, *e*, adj. Du solstice d'été. – *dies*, jour le plus long de l'année. – *nox*, nuit la plus courte de l'année. – *morbus*, fièvre chaude. ¶ (Méton.) De l'été; de la plus forte chaleur. ¶ Solaire; annuel.

solstĭtĭum, *ii*, n. Solstice. ¶ Solstice d'été, le jour le plus long de l'année.

sŏlŭbĭlis, *e*, adj. Soluble; qu'on peut dissoudre *ou* séparer. ¶ Qui relâche; qui dissout.

1. sŏlum, *i*, n. Toute surface servant de support; fondement; sol, aire, fond, niveau du sol. ¶ *Spéc.* Emplacement d'un édifice, d'une ville. ¶ Base. ¶ Plante des pieds. ¶ Semelle. ¶ Lieu, pays, territoire. ¶ Sol. ¶ Terre, terrain (cultivé *ou* non). ¶ Propriété immobilière. *Res soli*, biens fonds, propriétés. ¶ (Fig.) Fondement, base. ¶ Qualité fondamentale.

2. sōlum, adv. En tout et pour tout, seulement, uniquement. *Non solum...*

sed etiam, non seulement..., mais encore. [ment.

solummodo, adv. Seulement, uniquement.

solus, *a*, *um*, adj. Seul, unique; ¶ Particulier, exclusif. ¶ Seul, isolé; réduit à ses propres moyens. ¶ *Spéc.* Privé de. Subst. *Sola*, veuve. *Solus*, célibataire. ¶ Désert, abandonné.

solute, adv. D'une manière dégagée, librement, sans entraves. || Sans contrainte. ¶ Sans peine, facilement. ¶ Négligemment, nonchalamment.

solutilis, *e*, adj. Qui peut se démontrer (facilement).

solutio, *onis*, f. Action de délier, de rendre à la liberté. ¶ Etat de ce qui est délié; liberté. || Etat de célibat *ou* de veuvage. ¶ Dissolution, décomposition. ¶ Relâchement, dévoiement. ¶ (Au fig.) Action d'acquitter; payement; solde. ¶ Solution; explication.

solutus, *a*, *um*, p. adj. Dissous. Désuni, disjoint. || Dénoué. || (Méd.) Relâché. ¶ Peu serré, lâche, défait. ¶ Libre (d'entraves), dégagé; affranchi; dispos; quitte (de tout travail). ¶ *Spéc.* Aisé, facile, coulant (en parl. du style). ¶ Qui n'a pas de retenue, relâché. effréné. || Dissolu. ¶ Sans énergie, insouciant, négligent. ¶ Qui n'a plus de dettes: dégrevé. ¶ Dégagé des entraves du mètre, prosaïque. ¶ Libre d'entraves, non arrondi en périodes (en parlant du style.

solvo, *is*, *solvi*, *solutum*, *ere*, tr. Dissoudre, désunir, séparer, disjoindre, dérouler (ce qui est attaché *ou* lié). || Dételer *d'où* réformer (un cheval). || Décacheter.|| Ouvrir.|| (Méd.) Relâcher (le ventre). || *Spéc.* Appareiller. – *ancoram* ou *navem*, lever l'ancre, mettre à la voile, appareiller; sortir du port, prendre le large *ou* la mer. ¶ (*Fig.*) Acquitter (une dette); payer; rembourser. *Solvendo non esse*, être insolvable. || (Par ext.) S'acquitter, se dégager. – *fidem*, tenir sa parole. – *justa funeri*, rendre les derniers devoirs à un mort. ¶ Résoudre, expliquer. ¶ Détacher de qqch., délivrer. || Relever (d'un engagement); dispenser; affranchir; guérir. ¶ (En gén.) Défaire les diverses parties d'un tout. désagréger, décomposer, détruire. || Faire fondre; putréfier. ¶ Délier (ce qui est réuni), séparer, diviser, désunir. || *Spéc.* Diviser (arithm.). ¶ Relâcher, détendre, affaiblir, paralyser (pr. et fig.). ¶ Détendre les ressorts de la vie, faire mourir. ¶ Faire cesser. || Eloigner, écarter, ôter. || Déroger. ¶ *Spéc.* Mettre (des vers) en prose; briser la mesure (d'un vers).

somniator, *oris*, m. Qui croit aux songes. ¶ Songeur, rêveur.

somniculose, adv. Avec somnolence, nonchalamment.

somniculosus, *a*, *um*, adj. Endormi.

somnolent, engourdi. || Nonchalant. ¶ Qui endort, qui engourdit.

somnifer, *fera*, *ferum*, adj. Qui apporte le sommeil, qui endort. || Soporifique narcotique. ¶ Qui engourdit; assoupissant. || Mortel.

somnio, *as*, *avi*, *atum*, *are*, intr. et tr. Songer, rêver; faire un rêve. – *aliquem*, rêver de qqn. ¶ *Tr.* Songer, s'imaginer. ¶ *Intr.* Rêver tout éveillé, extravaguer, délirer.

somnior, *aris*, *ari*, dép. Comme SOMNIO.

somnium, *ii*, n. Songe, rêve. ¶ (Au fig.) Rêve, chimère, extravagance. ¶ *Somnia*, utopies, chimères. || (Méton.) Songe-creux. ¶ Sommeil, assoupissement.

1. **somnus**, *i*, m. Sommeil, somme. *Somnum capere*, goûter le sommeil. *Somnum tenere*, se tenir éveillé. *Somnum parere*, faire dormir, endormir. *Excitus somno*, réveillé. *Somno solvi*, se réveiller. || *Spéc.* Léthargie. ¶ (Fig.) Engourdissement moral, indolence, apathie. ¶ (Par ext.) Le dernier sommeil, la mort. || *Spéc.* Calme, repos (des éléments). || (Méton.) La nuit. ¶ *Spéc.* Songe, rêve.

2. **somnus**, *us*, m. Comme le précédent.

sonabilis, *e*, adj. Sonore, retentissant.

sonans, *antis*, p. adj. Sonore, retentissant. ¶ Fortement accentué, qui sonne bien, plein.

sonax, *acis*, adj. Retentissant, bruyant.

1. **sonipes**, *pedis*, adj. Au pied sonore.

2. **sonipes**, *pedis*, m. Cheval, coursier.

sonito, *as*, *are*, intr. Résonner bruyamment.

1. **sonitus**, *us*, m. Son (persistant), retentissement, bruit. ¶ (Par ext.) Bruit, éclat, fracas (du style). ¶ Mots creux et sonores.

2. **sonitus**, *i*, m. Comme le précédent.

sonivius, *a*, *um*, adj. Qui résonne en tombant par terre (se disait du bruit produit par les grains que les poulets sacrés laissaient tomber en mangeant).

1. **sono**, *as*, *sonui*, *sonitum*, *are*, intr. Résonner, retentir. || Faire du bruit. – *aridum*, faire entendre un bruit sec, craquer. – *pinguius*, avoir un son plus plein. – *optime*, avoir une excellente prononciation. *Verba sonantia*, mots harmonieux. || Avoir de l'écho. ¶ *Tr.* Faire entendre un son – *raucum*, faire entendre un son rauque. ¶ Trahir par la voix *ou* par le son. || Avoir un sens. ¶ Parler *ou* dire d'une voix sonore; faire sonner; célébrer, chanter, vanter. ¶ Déclamer.

2. **sono**, *is*, *ere*, intr. Comme le précédent. [son.

1. **sonor**, *oris*, m. Bruit retentissant,

2. **sonor**, *oris*, adj. Ronflant.

sonorus, *a*, *um*, adj. Bruyant, sonore, retentissant. ¶ *Fig.* Ronflant, sonore, pompeux (en parl. du style).

1. **sons**, *sontis*, adj. Nuisible, funeste. ¶ Coupable, criminel.

2. **sons**, *sontis*, m. Un coupable.

3. **sons**, *sontis*, n. Crime.

sonticus, *a*, *um*, adj. Dangereux, grave. — *morbus*, mal caduc, épilepsie. — *causa*, excuse valable, cause grave, empêchement sérieux.

1. **sonus**, *i*, m. Son, bruit (en génér.). ¶ Voix. — *gravissimus*, voix de basse. || Parole. ¶ Langage. || Mot. ¶ Ton, inflexion. ¶ Accent.

2. **sonus**, *us*, m. Comme le précédent.

3. **sonus**, *a*, *um*, adj. Qui rend un son, qui résonne.

sophia, *ae*, f. Sagesse.

sophisma, *matis*, n. Sophisme.

sophista, *ae*, m. Comme SOPHISTES. ¶ Professeur d'éloquence.

sophistes, *ae*, m. Sophiste.

sophistica, *orum*, n. pl. Sophismes.

1. **sophistice**, adv. Par des sophismes; captieusement.

2. **sophistice**, *es*, f. Art du sophiste; sophistique. || Subtilité, argutie, chicane.

1. **sophos**, adv. Bravo! Très bien!

2. **sophos**, *i*, m. Un sage.

sophus, *a*, *um*, adj. Sage.

sopio, *is*, *ivi* et *ii*, *itum*, *ire*, tr. Engourdir, assoupir, endormir. ¶ (*Fig.*) Endormir, apaiser, calmer. ¶ *Spéc.* Endormir du sommeil de la mort, tuer. ¶ Frapper d'engourdissement, faire tomber en syncope. *Sopiri*, s'évanouir.

sopor, *oris*, m. Assoupissement. ¶ Profond sommeil. || Sommeil. ¶ (Méton.) Engourdissement, léthargie. || Sommeil éternel, mort. || (Méton.) Narcotique. ¶ Songe, rêve. || Tempe, siège du sommeil. ¶ *Fig.* Engourdissement, apathie, nonchalance.

sopora, *ae*, f. Narcotique.

soporatus, *a*, *um*, p. adj. Assoupi, endormi. ¶ Doué d'une vertu somnifère.

soporifer, *fera*, *ferum*, adj. Soporifère, somnifère, narcotique.

soporo, *as*, *avi*, *atum*, tr. et intr. ¶ *Tr.* Endormir, assoupir, engourdir. *Soporari*, s'endormir. ¶ Calmer, apaiser. ¶ *Intr.* Dormir. Subst. *Soporantes*, gens endormis.

soporus, *a*, *um*, adj. Assoupissant, qui endort. ¶ Endormi.

soracum, *i*, n. Manne, coffre.

sorbeo, *es*, *sorbui*, *ere*, tr. Gober, avaler. || Humer. ¶ (*Fig.*) Engloutir, absorber dévorer. || Dévorer, concentrer (ses ressentiments). [avaler facilement.

sorbilis, *e*, adj. Qu'on peut humer *ou*

1. **sorbilo** (SORBILLO), *as*, *are*, tr. Boire à petits coups. [petits coups.

2. **sorbilo**, adv. Goutte à goutte; à

sorbitio, *onis*, f. Action de boire. ¶ Boisson. || Potion, tisane. || Bouillie, purée.

sorbitium, *ii*, n. Breuvage. [potage.

sorbitiuncula, *ae*, f. Breuvage délicat,

sorbo, *is*, *ere*, tr. Voy. SORBEO.

sorbum, *i*, n. Sorbe, alize, fruit du sorbier.

sorbus, *i*, f. Sorbier, alizier, arbuste.

sordeo, *es*, *dui*, *ere*, intr. Etre sale *ou* souillé, être malpropre. ¶ (Fig.) Etre sans éclat *ou* sans prix. || Etre mauvais. ¶ (Par ext.) Etre méprisable; être dédaigné, méprisé.

sordes, *ium*, f. pl. Saleté, crasse. ¶ Ordure. ¶ Chassie. ¶ Tenue négligée (en signe de deuil); deuil. ¶ *Fig.* Souillure morale, bassesse, turpitude, ignominie. || *Spéc.* Humilité, bassesse (d'origine). ¶ Lésinerie, avarice sordide. ¶ (En parl. de pers.) Rebut, lie. || Etre ignoble.

sordesco, *is*, *ere*, intr. Devenir sale, se salir. — *mente*, avoir l'âme vile.

sordidatus, *a*, *um*, adj. Négligé dans sa mise, mal vêtu. || Sale. || *Spéc.* Qui porte un vêtement de deuil (à la suite d'une accusation *ou* d'un malheur public). ¶ (*Fig.*) Souillé par le vice, immonde.

sordide, adv. Salement. ¶ (*Fig.*) Bassement. || Misérablement. || Sordidement, chichement.

sordidulus, *a*, *um*, adj. Un peu sale. ¶ (*Fig.*) Un peu vil.

sordidus, *a*, *um*, adj. Sale, malpropre, crasseux. ¶ *Spéc.* Négligé dans sa mise, mal vêtu (en signe de deuil). ¶ *Fig.* Bas, pauvre. || Méprisable, vil; sans naissance. ¶ Honteux, repoussant. || Ignoble, dégoûtant. ¶ Avare, crasseux, sordide.

sorditudo. *dinis*, f. Crasse, malpropreté.

sorex, *ricis*, m. Souris.

sorites, *ae*, m. Sorite, sorte d'argumentation par accumulation de preuves.

soror, *oris*, f. Sœur. ¶ Compagne, amie. || Maîtresse, amante. ¶ Sœur, qui fait partie de la même confrérie. ¶ *Eccl.* Sœur, religieuse.

sororcula, *ae*, f. Petite sœur.

sororicida, m. Meurtrier de sa sœur.

sororio, *as*, *are*, intr. Grandir ensemble comme deux sœurs.

1. **sororius**, *a*, *um*, adj. De sœur.

2. **sororius**, *ii*, m. Mari de la sœur; beau-frère. ¶ Fils de la sœur, neveu.

1. **sors**, *sortis*, f. Sort; bulletin pour tirer au sort. || Billet de loterie, de tombola. || Au plur. *Sortes*, petites tablettes de bois portant la soi-disant réponse de la divinité consultée. || Sentences tirées au sort. || (Méton.) Prédiction, oracle. ¶ (Par ext.) Action de tirer au sort. *Extra sortem*, sans recourir à la voie du sort. ¶ Ce qui échoit par le sort, lot, part. ¶ Lot. *c.-à-d.* tâche. || Fonctions (tirées au sort); tour de rôle; attributions. ¶ Sort, destin, condition, rang, état. ¶ Manière d'être, sexe. || Sorte, catégorie. ¶ *Spéc.* Concession de sépulture faite aux membres de la famille qui avait élevé un tombeau à frais com-

muns. ¶ Lot de terre, mesure agraire de deux arpents. ¶ Patrimoine. ¶ Principal, capital prêté à intérêts.

2. **sors**, *sordis*, f. Voy. SORDES.

sorsum, sync. p. SEORSUM.

sorticula, *ae*, f. Petite tablette (pour tirer au sort). ¶ Bulletin de vote.

sortifer, *fera*, *ferum*, adj. Qui rend des oracles.   [fatidique.

1. **sortilegus**, *a*, *um*, adj. Prophétique.

2. **sortilegus**, *i*, m. Devin. ¶ *Spéc.* Celui qui prédit à l'aide de sentences ou de vers pris au hasard dans un livre.

sortio, *is*, *ivi*, *itum*, *ire*, intr. Tirer au sort. ¶ *Tr.* Partager par la voie du sort.

sortior, *iris*, *itus sum*, *iri*, dép. intr. et tr. ¶ *Intr.* Tirer au sort. ¶ *Tr.* Tirer ou obtenir par le sort. ¶ Partager par la voie du sort, répartir; distribuer. ¶ Obtenir par le sort, gagner, recevoir. ¶ Désigner, choisir. ¶ Apprendre par le sort, par l'oracle. ¶ Part. passé passif. *Sortitus*, tiré au sort, échu à.

sortis, *is*, f. Voy. SORS.

sortitio, *onis*, f. Tirage au sort. *Sortione*, à volonté, à discrétion.

sortito, abl. n. adv. Au sort, par arrêt du sort; par arrêt du destin. ¶ Par la force des choses.

sortitor, *oris*, m. Celui qui tire les bulletins de l'urne.   (à la fin).

1. **sortitus**, *a*, *um*, part. Voy. SORTIOR

2. **sortitus**, *us*, m. Tirage au sort. || (Méton.) Sort; bulletin de vote. ¶ Sort, destinée, lot, partage.

sory (SORI), *eos*, n. Sulfate de cuivre.

sospes, *itis*, adj. Sauvé, sain et sauf. ¶ Heureux, prospère. ¶ Qui protège. Subst. *Sospes*, sauveur, libérateur.

sospita, *ae*, f. Libératrice.

sospitalis, *e*, adj. Protecteur, tutélaire.

sospito, *as*, *are*, tr. Conserver sain et sauf, préserver. || Protéger.

soteria, *orum*, n. pl. Fête à l'occasion d'une convalescence. ¶ Titre d'un poème à l'adresse d'un convalescent.

spadix, *dicis*, m. Palme, branche de palmier détachée avec son fruit rougeâtre. ¶ *Adj.* Rouge brun, chatain. — *equus*, cheval bai. ¶ Spadix, sorte de lyre.

spado, *onis*, m. Impuissant, castrat, eunuque. ¶ *Adj.* Châtré. — *equus*, cheval hongre. — *gallus*, chapon. ¶ (Par ext.) Mutilé, incomplet.

spadonatus, *us*, m. État d'eunuque.

spadonius, *a*, *um*, adj. Asperme, stérile (en parl. de plantes).

1. **spargo**, *is*, *sparsi*, *sparsum*, *ere*, tr. Semer, répandre de place en place. ¶ *Spéc.* Jeter, lancer. ¶ (*Fig.*) Disséminer, éparpiller, disperser. || Gaspiller. ¶ Répandre; étendre. ¶ Répandre (un bruit); colporter. ¶ Semer, répandre la semence. ¶ Parsemer, saupoudrer, couvrir, joncher. || Arroser.

2. **spargo**, *ginis*, f. Aspersion.

sparsio, *onis*, f. Aspersion de parfums; pluie d'eaux de senteurs (dans le cirque et au théâtre). ¶ Distribution de cadeaux jetés au peuple (dans le théâtre). ¶ *Eccl.* Aspersion du sang de Jésus-Christ.

sparsus, *a*, *um*, p. adj. Épars, dispersé, disséminé, éparpillé. || Fait de pièces et de morceaux; sans unité. ¶ Bigarré, moucheté.   [tations de sparte.

spartaria (s.-e. *loca*), *orum*, n. pl. Plan-

spartarius, *a*, *um*, adj. De sparte. ¶ Abondant en sparte.

spartea, *ae*, f. Semelle en sparte.

sparteus, *a*, *um*, adj. De sparte. — *solea*, Voy. SPARTEA.

sparton, *i*, n. Sparte, sorte de jonc servant à faire des nattes, des cordes et des câbles. ¶ (Méton.) Corde tressée en sparte.   [connue.

spartopolia, *ae*, f. Pierre précieuse in-

spartum, *i*, n. Voy. SPARTON.

sparulus, *i*, m. Brème, poisson.

sparum, Voy. 1, SPARUS.

1. **sparus**, *i*, m. Petit épieu de chasse (terminé aux deux bouts par une pointe de fer).

2. **sparus**, *i*, m. Brème, poisson.

spasma, *matis*, n. Comme SPASMUS.

spasmus, *i*, m. Spasme, convulsion, crampe.

spastici, *orum*, m. pl. Ceux qui souffrent de spasmes, de convulsions.

spasticus, *a*, *um*, adj. Atteint de spasmes, de convulsions.

spatalium, *ii*, n. Sorte de bracelet.

spatangius, *ii*, m. Espèce de hérisson de mer.   [THARIUS.

1. **spatarius**, *a*, *um*, adj. Voy. SPA-

2. **spatarius**, *ii*, m. Serviteur qui garde l'épée de son maître.

spatha, *ae*, f. Morceau de bois large et plat pour mêler et remuer les ingrédients d'un médicament. || Spatule; cuiller. || Palette (des chirurgiens). ¶ Pièce de bois large et plate dont se servaient autrefois les tisserands. ¶ Épée large et à deux tranchants, sans pointe pour frapper de taille; flamberge, estramaçon. ¶ Tige des feuilles de palme, spathe. ¶ Sorte de palmier. Cocotier *ou* dattier.

spathalium, *ii*, n. Voy. SPATALIUM.

1. **spatharius** (SPATARIUS), *a*, *um*, adj. Relatif aux glaives à deux tranchants.

2. **spatharius**, *ii*, m. Voy. 2. SPATARIUS.

spathe, *es*, f. Comme ELATE.

spatiator, *oris*, m. Coureur, grand promeneur.

spatio, *as*, *are*, intr. Voy. SPATIOR.

spatiolum, *i*, n. Petit espace.

spatior, *aris*, *atus sum*, *ari*, dép. intr. Se promener, aller de côté et d'autre, aller. ¶ Marcher, s'avancer. ¶ (Par ext.) S'étendre, se déployer, se propager.

spatiose, adv. Spacieusement, largement; sur une grande étendue. ¶ (Au fig.) Longuement, longtemps.

spatiosus, *a*, *um*, adj. Spacieux, étendu, long, large, vaste, grand, démesuré. ¶ (Fig.) Qui embrasse. ¶ Long; de longue durée.

spatium, *ii*, n. Espace, étendue en long et en large, distance, éloignement. ¶ Intervalle, distance. ¶ Etendue d'un corps, longueur, grandeur. ¶ Espace à parcourir, traite, parcours. ¶ *Spéc.* Carrière pour la course des chars, tour dans la carrière; évolution. ¶ Lice, arène. ¶ Action de se promener, tour de promenade. || (Méton.) Lieu de promenade. ¶ Espace de temps; durée, époque. ¶ Loisir, temps, occasion, délai. ¶ (Mus.) Intervalle. || (Méton.) Longueur, durée.

spatomale, f. Sorte de sonde.

1. **specialis**, *e*, adj. Spécial, particulier propre. ¶ Particulier, propre à; distinctif.

2. **specialis**, *is*, m. Ami intime.

species, *ii*, f. Vue, regard, coup d'œil. ¶ Ce qui se voit, ce qui est vu, aspect, air. ¶ Forme (qu'on voit avec les yeux), forme extérieure; vision, extérieur. ¶ Aspect brillant, éclat, beauté naturelle(ou artificielle); belle apparence. *Addere speciem alicui rei*, donner du relief, de l'éclat, du lustre à qqch. ¶ Apparence (sans réalité), *d'où* fantôme, spectre. ¶ Apparence (*opp.* à réalité); prétexte, faux semblant; vain dehors. *Per speciem*, sous couleur de, sous prétexte de. *Specie*, en apparence. *Ad speciem*, pour donner le change. ¶ Portrait, statue, image. ¶ Objet, pièce. — *vestis*, objets de toilette. Au plur. *Species*, f. pl. Marchandises. || Aromates, épices. ¶ (Philos.) La forme qu'on se représente; type, idée (platonicienne); notion : idée, idéal. ¶ Espèce, subdivision du genre. ¶ *Jurisc.* Espèce. cas particulier.

specillum, *i*, n. Instrument de chirurgie, sonde, éprouvette. ¶ Petit miroir.

specimen, *minis*, n. Preuve, marque, indice. ¶ (Par ext.) Echantillon, modèle, exemple, spécimen. ¶ *Spéc.* Eclat, parure, ornement.

specini, *orum*, m. pl. Espèce de soldats.

specio (SPICIO), *is*, *spexi*, *spectum*, *ere*, tr. Voir, regarder.

speciose, adv. Bien, magnifiquement; avec élégance. ¶ *Fig.* D'une façon pompeuse, brillamment.

speciosus, *a*, *um*, adj. Beau, de belle apparence. ¶ Magnifique, éclatant imposant. ¶ (*Fig.*) Pompeux, brillant. || Qui fait illusion, spécieux.

speclum, *i*, n. Voy. SPECULUM.

spectabilis, *e*, adj. Visible, qui est en vue. ¶ *Fig.* Qui mérite d'être vu, remarquable. || Brillant, distingué. ¶ Honorable (titre donné aux dignitaires de second rang).

spectaculum, *i*, n. Vue, aspect, spectacle. ¶ Spectacle, représentation (dramatique *ou* de cirque). || (Méton.) Théâtre, amphithéâtre. || Places au théâtre, gradins, tribunes. *Ex omnibus spectaculis*, de tous les coins de la salle.

spectamen, *minis*, n. Vue, spectacle. ¶ Epreuve, preuve. || Exemple. || Démonstration (géométrique).

spectamentum, *i*, n. Vue, spectacle; ce qui s'offre aux regards. [quable.

spectate, adv. D'une manière remarquable.

spectatio, *onis*, f. Action de regarder, vue. ¶ Aspect, spectacle. ¶ Epreuve, essai (de l'argent). ¶ (*Fig.*) Egard, considération. [spéculatif.

spectativus, *a*, *um*, adj. Théorique.

spectator, *oris*, m. Spectateur, observateur, témoin. || *Spéc.* Témoin important, espion. ¶ Celui qui examine qui étudie. || Juge, connaisseur. ¶ Spectateur (au théâtre).

spectatrix, *icis*, f. Spectatrice. ¶ Juge.

spectatus, *a*, *um*, p. adj. Eprouvé, qui est à l'épreuve. || *Spéc.* Qui a fait ses preuves, émérite. ¶ Eminent, distingué, remarquable.

spectio, *onis*, f. Observation augurale. ¶ Droit d'observation (réservé aux plus hauts magistrats).

1. **specto**, *as*, *avi*, *atum*, *are*, intr. et tr. Regarder, contempler, observer, considérer. ¶ Regarder (un spectacle), être spectateur. Subst. *Spectantes*, les spectateurs. ¶ Regarder avec admiration, concentrer ses regards sur. *Spectandus*, qui mérite d'être vu remarquable. ¶ (En parl. de localités.) Regarder, avoir vue sur; être tourné du côté de. ¶ (*Fig.*) Voir, examiner, considérer. ¶ Juger, apprécier, faire cas de, avoir égard à, estimer; tenir compte de. || Juger, rendre un arrêt. ¶ Examiner, éprouver. ¶ Avoir en vue, tendre à, désirer, attendre (en parl. de pers.); envisager; songer, aspirer à. ¶ (Avec un nom abstr. p. sujet) Tendre à, se rapporter à, regarder, concerner. ¶ Voy. EXPECTARE.

2. **specto**, *is*, *ere*, tr. Comme le précédent.

spectrum, *i*, n. Apparition, vision, fantôme, spectre.

spectus, abl. *u*, m. Aspect.

specu, *u*, n. Voy. 1. SPECUS.

1. **specula**, *ae*, f. Faible espoir, lueur d'espérance.

2. **specula**, *ae*, f. Lieu d'observation. hauteur, observatoire. || (*Méton.*) Action d'observer. ¶ Sommet. ¶ (Fig.) Observation, garde, vigilance. *In speculis esse*, être aux aguets.

speculabundus, *a*, *um*, adj. Qui est en observation, *ou* aux aguets.

specularius, *ii*, m. Vitrier.

specularia, *ium* et *iorum*, n. pl. Vitres, carreaux. ¶ *Spec.* Vitres de serres chaudes.

1. specularis, e, adj. De miroir. ¶ Transparent. — *lapis*. Voy. 2. SPECULARIS.

2. specularis, *is*, m. Pierre spéculaire (sélénite transparente, qui se divisait en feuilles minces, usitées comme vitres chez les anciens

speculator, *oris*, m. Eclaireur, observateur. || Espion (de guerre). ¶ Croiseur. ¶ *Spéc.* Ordonnance attachée à la personne d'un général; chasseur, courrier. ¶ Bourreau. Voy. SPECULATOR. ¶ Observateur, scrutateur. ¶ Surveillant; celui qui veille sur. ¶ Témoin oculaire. ¶ Celui qui jette les yeux sur, c.-à-d. qui convoite.

speculatorium, *ii*, n. Observatoire.

speculatorius, *a*, *um*, adj. Qui sert à observer. — *naves*, croiseurs. ¶ D'éclaireur. || D'espion.

speculatrix, *icis*, f. Observatrice. || Femme qui joue le rôle d'espion. ¶ *Fig.* Qui regarde, qui a vue sur.

speculor, *aris*, *atus sum*, *ari*, dép. tr. et intr. ¶ *Intr.* Epier, espionner. || Etre aux aguets, être en observation. ¶ *Tr.* Epier, espionner. ¶ Observer, regarder, considérer.

speculum, *i*, n. Miroir (consistant en une lame de métal brillant). ¶ (Au fig.) Miroir, c.-à-d. image, reflet.

specum, *i*, n. Comme le suivant.

specus, *us*, m. Caverne, grotte, antre. ¶ Cavité artificielle. || Souterrain. || Puits de mine. || Mine de siège. || Canal; écluse. ¶ *Fig.* Cavité, profondeur. [Comme le précédent.

2. specus, *speci* et *specoris*, m. et n.

spelaeum, *i*, n. Caverne, tanière, repaire

speleum, *i*, n. Voy. le précédent.

spelta, *ae*, f. Epeautre. [¶ Repaire.

spelunca, *ae*, f. Caverne, antre, grotte, [repaire.

sperabilis, *e*, adj. Qu'on peut espérer.

1. sperata, *ae*, f. Fiancée.

2. sperata, *orum*, n. pl. Vœux; espérance qu'on entretient; attente.

sperator, *oris*, m. Celui qui espère.

1. speratus, *a*, *um*, p. adj. Espéré, désiré.

2. speratus, *i*, m. Fiancé; futur.

speres. Voy. SPES.

1. sperno, *is*, *sprevi*, *spretum*, *ere*, tr. Ecarter, éloigner. ¶ *Fig.* Repousser, mépriser; rejeter, dédaigner, faire fi de. || Ne tenir aucun compte de. ¶ S'exprimer en termes dédaigneux sur le compte de qqn. || Railler.

2. sperno, *as*, *are*, tr. Voy. le précédent.

spernor, *aris*, *ari*, dép. tr. Comme 1. SPERNO.

spero, *as*, *avi*, *atum*, *are*, intr. et tr. ¶ *Intr.* Espérer, attendre qqch. d'heureux. — *bene*, avoir bon espoir. ¶ *Tr.* et *intr.* Attendre, espérer; se flatter de, compter sur. || Se figurer que… ¶ S'attendre à qqch. de funeste, craindre, redouter d'avance. ¶ Se mettre à.

spes, *spei*, f. Espérance, espoir. — *vera*, espoir fondé. *Esse in magna spe*, avoir bon espoir. *Spem ponere in aliquo*, mettre son espoir en qqn. *Praeter spem*, contre tout espoir, inopinément. || *Spéc.* Espoir d'une succession. ¶ (Méton.) Espoir, celui en qui *ou* ce en quoi on espère. ¶ Attente, pressentiment, crainte. *Contra spem*, contre toute attente. *Spe omnium serius*, plus tard *ou* moins promptement qu'on ne s'y attendait.

spetile, n. Ventre de porc.

sphaera (SPHERA), *ae*, f. Sphère, globe, boule. ¶ Sphère céleste. || Système astronomique. ¶ Balle (à jouer), paume. ¶ Sphère, figure géométrique.

sphaeralis, *e*, adj. De sphère, sphérique. ¶ Circulaire.

sphaerica, *ae*, f. L'étude des corps sphériques et de leurs mouvements.

sphaericus (SPHERICUS), *a*, *um*, adj. Circulaire. — *numeri*, nombres cubiques. ¶ Relatif à la sphère, sphérique.

sphaerista, *ae*, m. Joueur de paume. ¶ Sphériste, celui qui dirigeait les exercices de gymnastique où l'on se servait de balles.

sphaeristerium, *ii*, n. Salle (d'un gymnase) consacrée au jeu de paume. ¶ Jeu de paume.

sphaeristica, *ae*, f. Branche de la gymnastique ancienne où l'on se servait de balles.

sphaeromachia, *ae*, f. Pugilat avec des balles de fer (couvertes d'un bourrelet de cuir).

spherica, *ae*, f. Voy. SPHAERICA.

sphincter, *cteris*, m. Sphincter, muscle annulaire (t. d'anat.).

sphragis, *gidis*, f. Sorte de pierre servant de cachet. || Cachet. ¶ Terre de Lemnos, terre sigillée (vendue par petits pains sur lesquels était imprimé un cachet).

spica, *ae*, f. Extrémité, pointe. || Epi. ¶ (Par ext.) Tête de certaines plantes. *allii*, tête d'ail. ¶ L'Epi, étoile du signe de la Vierge. ¶ Aiguille de tête. ¶ Brique, carreau (de pavage). ¶ Epeautre.

spicatus, *a*, *um*, adj. Pointu, garni d'une pointe. || Fendu par le bout. ¶ Qui porte des épis. [d'épis.

spiceus, *a*, *um*, adj. D'épi. ¶ Couronné

spicifer, *fera*, *ferum*, adj. Qui porte des épis; couronné d'épis. ¶ Qui produit des épis. || Fertile en blé.

spicilegium, *ii*, n. Glanage.

spicio, *is*, *ere*, tr. Voy. SPECIO.

spico, *as*, *avi*, *atum*, *are*, tr. Rendre pointu, garnir d'une pointe. *Spicati aculei*, piquants. ¶ Former en épi; disposer en forme d'épi. *Spicata testacea*, terrasse *ou* aire en briques triangulaires.

spicula, *ae*, f. Comme CHAMAEPITYS.

spiculator, *oris*, m. Bourreau.

spiculo, *as*, *avi*, *atum*, *are*, tr. Rendre pointu.

spiculum, *i*, n. Fer de lance *ou* de javelot. ¶ (Méton.) Dard, javelot, flèche. ‖ Dard *ou* aiguillon (de l'abeille, du frelon, du scorpion). ¶ *Par ext.* Aiguillon, épine. ‖ Rayon (du soleil).

spiculus, *a*, *um*, adj. Pointu.

spicum, *i*, n. Comme SPICA.

spicus, *i*, m. Comme SPICA.

spina, *ae*, f. Epine, arbrisseau épineux (églantier, aubépine, acacia). ¶ Epine, piquant (des plantes). ¶ Epine servant d'agrafe. ¶ *Spéc.* Tige pointue (de l'asperge, etc.). ¶ Cure-dent (semblable à une épine. ¶ Aiguillon (des animaux), piquant (du hérisson). ¶ Arête (de poisson). ¶ Epine dorsale, colonne vertébrale. ¶ Quille (d'un vaisseau). ¶ L'os sacrum. ‖ Queue. ¶ l'épine, mur bas qui traversait le cirque dans sa longueur. ¶ (*Fig.*) Difficultés, embarras, ambages; ce qui est épineux. ‖ (Au plur.) *Spinae*, les vices.

spinetum, *i*, n. (seul. au plur.) Buisson d'épines. ¶ *Fig.* Subtilités, difficultés.

spineus, *a*, *um*, adj. D'épine; épineux.

spingatus, *a*, *um*, adj. Comme SPHINGATUS. [épines, épineux.

spinifer, *fera*, *ferum*, adj. Qui a des

spinosus, *a*, *um*, adj. Epineux, qui a des épines. ¶ (*Fig.*) Poignant, aigu. ¶ (En parl. du style) Epineux, difficile. ‖ Subtil, captieux.

spinter, *teris*, m. Sphintère, bracelet en forme de serpent. [noire, prunellier.

1. **spinus**, *i*, f. Arbuste épineux, épine
2. **spinus**, abl. *u*, f. Comme le précédent.

spira, *ae*, f. Spirale, enroulement, tour (en géométrie).¶(Au plur.)*Spirae*, replis (des serpents), anneaux, orbes. ‖ Circonvolutions des intestins. ¶ Nœud, veine du bois. ¶ Sorte de pâtisserie en spirale. ¶ Câble. ¶ Natte, tresse de cheveux. ¶ Moulure de la base d'une colonne, spire, tore. ¶ Cordon de bonnet, mentonnière. ¶ *Spéc.* Troupe de soldats, escouade. ¶ Chœur sacré.

spirabilis, *e*, adj. Qu'on respire; respirable. ¶ Qui sert à la vie, vivifiant. ¶ Respiratoire. ¶ Aérien.

spiraculum, *i*, n. Soupirail, ouverture. Souffle. ¶ Inspiration divine.

spiramen, *minis*, n. Ouverture par où passe l'air; soupirail. — *naris*, fosse nasale. ¶ Souffle, haleine. ¶ Souffle vital, respiration. ¶ Aspiration. ‖ *Eccl.* Le Saint-Esprit.

spiramentum, *i*, n. Ouverture par où passe l'air. ¶ Canal respiratoire. ¶ Temps de respirer, pause, intervalle. ‖ Souffle, haleine. ¶ Exhalaison, odeur. ¶ *Spéc.* Action de respirer, respiration.

spiratus, *us*, m. Respiration.

spiritalis, *e*, adj. Animé, doué d'une âme. Voy. SPIRITUALIS.

spiritaliter. Voy. SPIRITUALITER.

spiritualis, *e*, adj. A air, mû par l'air

pneumatique. ¶ Qui sert à la respiration, respiratoire. ¶ Spirituel, immatériel. ¶ *Gramm.* Aspiré.

spiritualiter, adv. Spirituellement, immatériellement.

spiritum, *i*, n. Voy. SPIRITUS.

spiritus, *us*, m. Souffle, vent. ‖ Flatuosité: exhalaison, émanation. ‖ Odeur. ¶ Air, atmosphère. ¶ Souffle haleine, respiration. *Uno spiritu*, d'une seule haleine, d'un seul trait. ‖ *Spéc.* Souffle vital, vie. ¶ Gémissement, soupir. ‖ Sifflement (d'un serpent) ¶ Esprit, sentiments, cœur. ¶ Présomption, fierté, arrogance. ‖ Morgue ‖ Colère; amour-propre. ¶ Inspiration enthousiasme. ¶ Esprit, âme. ‖ (Méton.) Esprit, âme, c.-à-d. une personne. ‖ *Eccl.* Le Saint-Esprit. ¶ *Gramm.* Esprit rude *ou* doux. ¶ Ton (de la voix); son (d'un instrument). ¶ Division du temps fixé par la respiration; mesure.

spiro, *as*, *avi*, *atum*, *are*, intr. Souffler (en parl. du vent). ‖ (Fig.) — *alicui*, être favorable à qqn. ¶ S'exhaler (en parl. d'un parfum), avoir une odeur. ¶ S'exhaler, sortir avec force. ¶ Souffler, respirer. ¶ Respirer, être animé, vivre (pr. et fig.). ‖ Palpiter. ¶ (Au fig.) Vivre, être animé. *Spirantia aera.* bronzes, qui semblent respirer, bronzes vivants. ¶ (Poét.) Bouillonner, jaillir en bouillonnant. ¶ Résonner, avoir un son (en parl. des lettres). ¶ Etre inspiré. ¶ *Tr.* Souffler, lancer en soufflant. ¶ Sentir, exhaler (un parfum). ¶ *Fig.* Respirer, être plein de; être animé de; avoir l'air de. ¶ Aspirer à, ne penser qu'à.

spissamentum, *i*, n. Tampon, bouchon.

spissatio, *onis*, f. Action de tasser, de fouler; foulage.

spisse, adv. D'une manière serrée. ¶ Avec peine, lentement.

spissigradus, *a*, *um*, adj. Lent dans sa marche.

spissitas, *atis*, f. Densité.

1. **spisso**, *as*, *avi*, *atum*, *are*, tr. Rendre compact, épaissir, condenser, serrer, resserrer. ¶ (Au fig.) Faire souvent. répéter.
2. **spisso**, adv. Lentement.

spissus, *a*, *um*, adj. Dru, serré, compact, dense, touffu. ‖ Epais. Subst. SPISSAE (s.-e. *vestes*), *arum*, f. pl. Etoffes grossières (d'un tissu épais). ¶ Comblé, bien garni. ¶ (Au fig.) Lent, tardif. ¶ Lourd, pénible.

splen, *splenis*, m. Rate.

splendens, *entis*, p. adj. Resplendissant.

splendeo, *es*, *ere*, intr. Briller, luire, reluire. ¶ Etinceler. ¶ *Fig.* Briller, être illustre.

splendesco, *is*, *dui*, *ere*, intr. Commencer à briller, devenir éclatant. ¶ (Au fig.) Acquérir du lustre.

splendide, adv. D'une manière brillante, avec éclat. ¶ *Fig.* Glorieusement, honorablement.

splendido, *as, are,* tr. Rendre brillant.

splendidus, *a, um,* adj. Brillant, éclatant, resplendissant. ¶ Sans tache-intact. ¶ Magnifique, splendide, luxueux. ¶ (*Fig.*) Brillant, distingué, glorieux, illustre (en parl. de pers.), ¶ Qui a des dehors spécieux; brillant. ¶ Clair, lucide.

splendor, *oris,* m. Eclat, brillant, poli. *Splendores,* phénomènes lumineux. ‖ Beauté. ‖ Limpidité. ¶ Splendeur, magnificence, faste, luxe. ¶ Eclat, gloire, considération. ¶ Eclat, beauté, ornements. ¶ Clarté, pureté.

splenici, *orum,* m. pl. Les splénétiques.

splenicus, *a, um,* adj. Splénique, splénétique, malade de la rate.

splenium, *ii,* n. Asplénion, cétérac (plante employée dans les affections de la rate). ¶ Mouche, emplâtre (destiné à cacher un défaut *ou* une cicatrice sur la figure).

spodium, *ii,* n. Cendre. ¶ Oxyde de zinc.

spodos, *i,* f. Spode, oxyde de zinc.

spolia, *ae,* f. Voy. SPOLIUM.

spoliarium, *ii,* n. Spoliaire (endroit de l'amphithéâtre où l'on achevait et dépouillait les gladiateurs mis hors de combat). ¶ *Par ext.* Repaire d'assassins, de brigands. ¶ Vestiaire *ou* cabinet de bains.

spoliatio, *onis,* f. Spoliation, pillage. ¶ (*Par ext.*) Action de dépouiller d'une dignité.

spoliator, *oris,* m. Spoliateur.

spoliatrix, *icis,* f. Spoliatrice.

spoliatus, *a, um,* p. adj. Dépouillé c.-à-d. nu, pauvre.

spolio, *as, avi, atum, are,* tr. Déshabiller dépouiller. ‖ Ecosser. ¶ Piller, ravir, dérober (pr. et fig.). ¶ Dépouiller de, priver de. ¶ (Asol.) Piller.

spolium, *ii,* n. Dépouille d'un animal; peau. ¶ *Par ext.* (Ordin. au plur.) Armure enlevée à un ennemi vaincu, dépouille. ‖ Butin. ¶ Fruit d'un vol; dépouille, butin. — *mendici,* défroque de mendiant.

sponda, *ae,* f. Bois de lit, châlit. ‖ (Méton.) Lit de repos. ‖ Sopha. ¶ *Fig.* Cercueil, civière.

spondeo, *es, spopondi, sponsum, ere,* intr. et tr. Promettre solennellement, s'engager. ‖ Parler. ¶ Se porter garant, être caution; donner sa garantie; répondre (pour qqn). ‖ *Spéc.* Présager pronostiquer, annoncer. ¶ Promettre en mariage; fiancer. ¶ Prendre un engagement moral, assurer, promettre, répondre de, garantir.

spondeos, *i,* m. Voy. SPONDEUS.

spondeum, *i,* n. Vase pour les libations.

1. **spondeus**, *a, um,* adj. Qui sert aux libations

2. **spondeus** (s.-e. PES), *i,* m. Spondée, pied de deux longues (employé dans les mélodies lentes et solennelles chantées pendant les libations). ¶ (Méton.) Poème en vers spondaïques.

spondiacus, *a, um,* adj. Composé de spondées; spondaïque. [de spondées.

spondiazon, *ontis,* m. Hexamètre composé de spondées.

spondilium. Voy. SPODYLION.

spondios, *ii,* m. Voy. SPONDEUS.

spondius, *ii,* m. Voy. SPONDEUS.

spondo, *is, ere,* intr. et tr. Voy. SPONDEO.

spondyle, *es,* f. Voy. SPHONDYLE.

spondylion (SPHONDYLION), *i,* n. Acanthe, branche ursine, athamanthe. ¶ Vertèbre ronde, articulation de la partie supérieure de l'épine dorsale. ¶ Pédoncule des huitres.

spondylium, *ii,* n. Comme le précédent.

spondylus (SPHONDYLUS), *i,* m. Articulation cervicale. ¶ Pédoncule des huitres et des mollusques. ¶ Coquille épineuse, sorte de mollusque.

spongea, *ae,* f. Voy. SPONGIA.

spongeola, *ae,* f. Voy. SPONGIOLA.

spongeosus, *a, um,* adj. Voy. SPONGIOSUS.

spongeus, *a, um,* adj. Voy. SPONGIUS.

spongia, *ae,* f. Eponge. ‖ Instrument de supplice (introduit dans la bouche du patient) pour provoquer la suffocation). ¶ Galle de l'églantier. ¶ Pierre ponce employée par les gladiateurs. ¶ Racine d'asperge *ou* de menthe. ¶ Pierre poreuse, pierre ponce. ‖ Plastron en pierre ponce employé par les gladiateurs. ¶ Sorte de pierre qui se trouve dans l'éponge. ¶ Minerai fondu (formant une masse poreuse). ¶ Mousse (des prés). ¶ Pain fongueux.

spongiola, *ae,* f. Bdégua. ¶ Petite racine d'asperge.

spongiolus, *a,* m. Mélecture p. SFONDILUS. Voy. SPONDYLUS. [poreux.

spongiosus, *a, um,* adj. Spongieux,

spons, *spontis,* f. Volonté libre, plein gré; initiative. ¶ Abl. *Sponte,* volontairement, librement, spontanément. *Sponte mea (tua, sua)* ou simpl. *sponte,* de mon (ton, son) propre mouvement spontanément, librement. ¶ De soi-même, avec ses propres moyens, en son nom personnel; avec ses seules lumières; de sa propre initiative. ¶ En soi, par soi-même.

sponsa, *ae,* f. Promise, fiancée

sponsalia, *ium* et *iorum,* n. pl. Fiançailles. ¶ Repas de noces. ¶ Cadeaux de noces.

1. **sponsalis**, *e,* adj. De fiançailles.

2. **sponsalis**, *is,* m. Chambre nuptiale.

sponsio, *onis,* f. Promesse solennelle, engagement, parole. ¶ Stipulation, convention. ¶ Caution; garantie. ‖ Somme stipulée, gage, enjeu du procès. *d'où* procès. *Sponsione provocare...,* parier, gager (que)

sponsor, *oris,* m. Répondant, garant, caution. ¶ Parrain (d'un néophyte).

sponstrix, *icis*, f. Répondante, caution.

sponsum, *i*, n. Chose promise, promesse. ¶ Engagement, contrat.

1. sponsus, *i*, m. Fiancé.

2. sponsus, *us*, m. Promesse, engagement; stipulation. || *Spéc.* Caution garantie. ¶ Procès où l'on consigne un enjeu. || Consignation, gage.

spontaneus, *a*, *um*, adj. Spontané, volontaire. || De plein gré.

sponte. Voy. SPONS. |Chausse à filtrer.

sporta, *ae*, f. Panier tressé, corbeille. ¶

sportella, *ae*, f. Petite corbeille. || Coffret, cassette. ¶ Sorte d'ustensile de cuisine. ¶ *Spéc.* Corbeille de table. || Mets froid présenté dans une corbeill .

sportula, *ae*, f. Petit panier. ¶ Sportule (petit panier de provisions dans lequel les clients emportaient les cadeaux en nature ou en argent offerts par leur patron). ¶ Petits jeux donnés au peuple. ¶ Gratification, don, largesse. ¶ Frais d'un repas. ¶ Pique-nique; petit repas.

sportulor, *aris*, *ari*, dép. intr. Recevoir la sportule, vivre de dons; mendier.

spretio, *onis*, f. Action de mépriser; mépris. [daigne.

spretor, *oris*, m. Qui méprise, qui dé-

1. spretus, *a*, *um*, p. adj. Méprisé, dédaigné. ¶ Digne de mépris, méprisable.

2. spretus, *us*, m. Mépris, dédain.

spuma, *ae*, f. Ecume, bave, mousse. — *argenti*, litharge. — *solis*, sel blanc.

spumatio, *onis*, f. Action d'écumer.

spumatus, abl, *u*, m. Action d'écumer: écume. [meux; écumer.

spumesco, *is*, *ere*, intr. Devenir écu-

spumeus, *a*, *um*, adj. Plein d'écume, écumeux, écumant. ¶ Semblable à l'écume, mousseux.

spumifer, *fera*, *ferum*, adj. Qui roule de l'écume, écumeux.

spumo, *as*, *avi*, *atum*, *are*, intr. Jeter de l'écume, écumer. || *Par ext.* Fermenter, bouillonner. ¶ (Fig.) Ecumer (de rage). ¶ *Tr.* Blanchir d'écume. *Spumatus*, couvert d'écume. || Distiller en écumant, suer, exhaler.

spumosus, *a*, *um*, adj. Ecumeux, écumant.

spungia, *ae*, f. Voy. SPONGIA.

spuo, *is*, *spui*, *sputum*, *ere*, intr. et tr. ¶ *Intr.* Cracher. ¶ *Tr.* Rejeter en crachant, cracher.

spurce, adv. Salement. ¶ *Fig.* D'une manière grossière, révoltante.

spurcidicus, *a*, *um*, adj. Qui dit des choses obscènes; ordurier.

spurcificus, *a*, *um*, adj. Qui salit, qui souille.

spurcitia, *ae*, f. Saleté, ordure, immondices. ¶ Mœurs dissolues, vie ordurière.

spurcities, *ei*, f. Comme le précédent.

spurco, *as*, *avi*, *atum*, *are*, tr. Salir, gâter. || Fre later. ¶ *Fig.* Souiller.

spurcus, *a*, *um*, adj. Sale, malpropre, immonde, dégoûtant. ¶ Obscène. ¶

(Fig.) Dégoûtant, impur, ignoble, éhonté, méprisable.

spurius, *a*, *um*, adj. Naturel; illégitime; né d'un père inconnu et d'une courtisane. ¶ (*Fig.*) Faux, de mauvais aloi; supposé, apocryphe. [d'être conspué.

sputalicius, *a*, *um*, adj. Qui mérite

sputator, *oris*, m. Qui crache.

sputo, *as*, *are*, intr. et tr. Cracher, expectorer. ¶ Eloigner (un mal) en crachant. [enduit, couche légère.

sputum, *i*, n. Crachat. ¶ (*Méton.*) Léger

1. sputus, *us*, m. Crachat.

2. sputus, *i*, m. Comme le précédent.

squaleo, *es*, *ere*, intr. Etre écailleux, âpre, rude, roide, hérissé. ¶ *Spéc.* Etre sec, desséché. || Etre rouillé. ¶ Etre inculte, être en friche. ¶ Etre sale, poudreux, négligé. || (*Méton.*) Etre en deuil; avoir un extérieur négligé.

squalide, adv. Négligemment, sans soin.

squalidus, *a*, *um*, adj. Ecailleux, rude, hérissé, âpre. ¶ Non poli, rude. ¶ Malpropre. ¶ *Fig.* Négligé. ¶ *Spéc.* Misérablement vêtu, dans une tenue négligée; en deuil. || Obscur, ténébreux. ¶ Désert, inculte, en friche. ¶ *Fig.* Sec, aride, Négligé, grossier (en parl. du style). [|| Extérieur négligé.

squalitas, *atis*, f. Saleté, malpropreté.

squalor, *oris*, m. Surface rugueuse, aspérité. ¶ Saleté, malpropreté, crasse. || Rouille. ¶ Extérieur négligé (en signe de deuil), dehors misérables, deuil extérieur. || *Spéc.* Aspect désolé, triste. sombre. ¶ *Fig.* Misère, affliction. || Situation misérable. || Négligence, rudesse (du style). ¶ Aridité, sécheresse. || (*Méton.*) Branches sèches.

1. squalus, *a*, *um*, adj. Sale, malpropre.

2. squalus, *i*, m. Chien de mer, squale.

squama, *ae*, f. Ecaille (des poissons, des serpents, etc.). || (*Méton.*) Poisson. ¶ Maille. || Pellicule, paillette. ¶ *Fig.* Rudesse, aspérité (du style).

squamatim, adv. En manière ou en forme d'écailles. [vert d'écailles.

squameus, *a*, *um*, adj. Ecailleux, cou-

squamifer, *fera*, *ferum*, adj. Ecailleux, couvert d'écailles.

squamosus, *a*, *um*, adj. Ecailleux, couvert d'écailles. — *pecus*, les poissons. ¶ (Par ext.) Apre, rude, raboteux.

squamula, *ae*, f. Petite écaille.

squilla, *ae*, f. Voy. SCILLA. [tien.

stabilimen, *minis*, n. Appui, étai, sou-

stabilimentum, *i*, n. Appui, soutien (pr. et fig.).

stabilio, *is*, *ivi*, *itum*, *ire*, tr. Rendre ferme, stable; étayer, soutenir. — *navem*, lester un navire.

stabilis, *e*, adj. Solide, ferme, assuré. ¶ (Au fig.) Ferme, constant, durable. || Inébranlable, fixe, immuable.

stabilitas, *atis*, f. Solidité, fermeté, consistance. ¶ (*Fig.*) Fermeté, stabilité. constance.

stabiliter, adv. Fermement, solidement
¶ *Fig.* D'une manière constante, invariable, immuable. [soutien.
stabilitor, *is*, m. Celui qui affermit;
stabularia (s.-e. MULIER), *ae*, f. Aubergiste, cabaretière, logeuse.
1. **stabularius**, *a*, *um*, adj. D'écurie.
2. **stabularius**, *ii*, m. Valet d'écurie.
¶ Logeur, cabaretier.
stabulatio, *onis*, f. Séjour des troupeaux
dans l'étable. ¶ Séjour des hommes
dans un endroit.
stabulo, *as*, *are*, tr. et intr. ¶ *Tr.* Garder
à l'étable, parquer. ¶ *Intr.* Etre à
l'étable; séjourner.
stabulor, *aris*, *atus sum*, *ari*, dép. intr.
Etre à l'étable, être à l'écurie; être
parqué.
stabulum, *i*, n. Lieu de séjour, demeure,
domicile. ¶ Séjour des animaux; gîte,
tanière. ¶ Etable, écurie, parc. || Basse-
cour, poulailler || Piscine, vivier.
|| Ruche. ¶ (Plu·r.) *Stabula*, bergerie,
séjour des bergers. || (Méton.) Trou-
peaux. ¶ Chaumière. ¶ Lieu où on
loge; hôtellerie, auberge. || *Péjor.* Ta-
verne, mauvais lieu, bouge.   [cée.
stachys, *yos*, f. Stachys, plante herba-
stacta, *ae*, f. Myrrhe, huile de myrrhe.
stacte, *es*, f. Comme le précédent.
stadiodromos, *i*, m. Coureur du stade.
stadium, *ii*, n. Stade, mesure itinéraire
des Grecs (625 pieds *ou* 125 pas). ¶
(Méton.) Carrière (où l'on s'exerçait
à la course). || (Fig.) Lice, carrière.
stagnalis, *e*, adj. Qui vit dans les étangs
ou dans l'eau stagnante.
stagnans, *antis*, p. adj. Qui s'étend
comme une eau stagnante.
stagnatilis, *e*, adj. De marais.
1. **stagnatus**, *a*, *um*, p. adj. Cuirassé.
2. **stagnatus**, *a*, *um*, adj. Etamé.
1. **stagno**, *as*, *avi*, *atum*, *are*, intr. et tr.
¶ *Intr.* Etre stagnant, séjourner (en
parl. de l'eau). ¶ (Par ext.) Etre
inondé, être sous les eaux. *Stagnantia*,
n. pl. Lieux inondés. ¶ Inonder, submerger.
2. **stagno**, *as*, *avi*, *atum*, *are*, tr. Rendre
solide, faire tenir. ¶ (Fig.) Durcir,
consolider.
stagnosus, *a*, *um*, adj. Couvert d'eaux
stagnantes; marécageux. *Stagnosa*, n.
pl. Marécages.
1. **stagnum**, *i*. n. Eau stagnante, marais.
|| Etang. || (Par ext.) Etendue d'eau,
lac, mer.   [argentifère. ¶ Etain.
2. **stagnum**, *i*, n. Plomb d'œuvre, plomb
stagnus, *i*, m. Comme 1. STAGNUM.
stalagmias, *ae*, m. Nom du vitriol naturel (qui se condense en tombant
goutte à goutte).
stalagmium, *ii*, n. Pendant d'oreilles.
stamen, *minis*, n. Fil tendu sur le
métier, chaîne du métier vertical des
tisserands. ¶ (Par ext.) Fil de la que-
nouille, du fuseau. || Fil (des Parques).
|| Fil d'Ariadne. ¶ Fil d'araignée. || Fil

(en gén.). || Corde de la lyre. || (Méton.)
Tissu ; habit. || Bandelette (des prêtres).
¶ Fibre ligneuse, filament. ¶ Eta-
mine de lis.
staminatus, *a*, *um*, adj. Qui tient une
cruche remplie jusqu'au bord.
stamineus, *a*, *um*, adj. De fil, garni de
fil. ¶ Fibreux.   [(un mur).
stannatio, *onis*, f. Action de crépir
stannatura, *ae*, f. Crépi.   [TUS.
stannatus, *a*, *um*, adj. Voy. 2. STAGNA-
stanneus, *a*, *um*, adj. D'étain.
stannum, *i*, n. Voy. 2. STAGNUM.
1. **statarius**, *a*, *um*, adj. Qu'on fait
debout. ¶ Qui arrive *ou* qui se fait à
la même place; immobile; sédentaire.
— *pugna*, combat acharné (où personne ne lâche pied). — *retia*, filets
dormants. — *comoedia*, comédie où
l'action est faible. — *orator*, orateur
dont l'action est calme.
2. **statarius**, *ii*, m. Acteur qui joue des
comédies où il y a peu d'action.
stater, *eris*, m. Statère, poids. ¶ Poids
d'une demi-once. || Poids de quatre
drachmes. ¶ Statère, petite monnaie
de quatre drachmes (chez les Juifs).
1. **statera**, *ae*, f. Balance, peson, trébuchet. ¶ Joug d'attelage. ¶ Bassin,
plat. ¶ Prix d'achat, valeur d'une chose.
2. **statera**, *ae*, f. Comme STATER.
staticulum, *i*, n. Petite statue, figurine.
¶ Ornement d'architecture. ¶ Idole.
1. **staticulus**, *i*, m. Danse sur place,
sorte de pantomime.
2. **staticulus**, *i*, m. Comme STATICULUM.
statim, adv. Debout, sur place; de pied
ferme; sans désemparer. || D'une ma-
nière fixe, permanente, constamment,
régulièrement. ¶ Tout de suite, sur-
le-champ, aussitôt, à l'instant. ¶
Bientôt, puis, ensuite.
statio, *onis*, f. Etat de repos; immo-
bilité. || *Spéc.* Immobilité (apparente)
des corps célestes. ¶ Arrêt, cessation.
¶ (*Fig.*) Ce qui est établi solidement
par l'habitude et l'usage. ¶ Station,
séjour. || Lieu où l'on se tient, séjour.
Stationes, fi ques d'eau. ¶ (En parl.
de ch.) Position, état, situation. || Place
publique. || Ecole (publique) de droit.
|| Lieu de réunion. || Quartier affecté
aux ambassadeurs. || Ecurie, étable.
¶ Faction, vedette. || Poste. || Piquet
de soldats, poste. || (*Méton.*) Senti-
nelle. ¶ *Fig.* Poste, fonction. || Poste
suprême, puissance impériale. ¶ Quartier, campement. ¶ Station navale,
mouillage, rade. || *Fig.* Port, retraite.
¶ Bureau des employés du fisc. ¶ Bureau de poste. ¶ Factorerie. ¶ Assemblée (de chrétiens).
stationalis, *e*, adj. Stationnaire; fixe.
stationarii, *orum*, m. pl. Soldats de
garde. ¶ Soldats en garnison. ¶ Avant-
postes. ¶ Maitres de poste. ¶ Employés du fisc.
stationarius, *a*, *um*, adj. Stationnaire,

fixe (t. d'astron.). ¶ Qui garde un poste; en garnison.

1. **stativa** (s.-e. CASTRA), *orum*, n. pl. Campement fixe, cantonnement, quartiers. ¶ Garnison. ¶ Stations dans un voyage, haltes.

2. **stativa**, *ae*, f. Comme 1. STATIVA.

stativus, *a*, *um*, adj. Qui reste en place. stationnaire. — *aquae*, eaux dormantes. — *praesidium*, poste militaire, piquet. — *castra*, cantonnement, quartiers. ¶ Fixe, déterminé.

stator, *oris*, m. Serviteur public, attaché aux magistrats dans les provinces. ¶ Ordonnance, planton (du souverain). ¶ Serviteur public d'une cité ¶ *Spéc.* Gardien.

statua, *ae*, f. Statue (d'un homme). ¶ *Fig.* Statue, personnage immobile et silencieux. ¶ Colonne.

statuaria (s.-e. ARS), *ae*, f. La statuaire

1. **statuarius**, *a*, *um*, adj. De statue.

2. **statuarius**, *ii*, m. Statuaire, sculpteur.

statumen, *minis*, n. Soutien, support. ‖ Perche, échalas. ¶ Carcasse (d'un vaisseau en chantier). ‖ Lit de pierres plates, servant d'assise au pavé. ¶ Première couche, base de la fabrication du papier.

statuminatio, *onis*, f. Lit de pierres servant de fondation au pavage.

statumino, *as*, *are*, tr. Soutenir, étayer, échalasser

statunculum, *i*, n. Figurine, statuette.

statuo, *is*, *ui*, *utum*, *ere*, tr. Faire tenir debout, dresser; mettre, placer. ¶ Construire, élever, ériger. ‖ Fonder. ¶ Faire tenir immobile, arrêter, enrayer, refréner. ¶ Établir, assigner. ‖ Déterminer, fixer. ¶ Se mettre dans la tête, se persuader, s'imaginer, croire. ‖ Déclarer, juger. ¶ Statuer, prononcer. ¶ Résoudre, se résoudre à, décider, prendre un parti. ‖ Examiner, décider. [¶ Élévation, hauteur.

statura, *ae*, f. Stature, taille. ‖ Grandeur

1. **status**, *a*, *um*, p. adj. Fixé, fixe, déterminé. ‖ Périodique, revenant à intervalles fixes. — *sacrificium*, sacrifice périodique. ¶ Proportionné, ordinaire. — *forma*, beauté régulière.

2. **status**, *us*, m. Le fait d'être debout, la station (*par opp.* à la position assise); immobilité (*opp. à* mouvement). ¶ Attitude, maintien, posture, contenance. ‖ Position, situation, attitude (d'un combattant). ¶ Taille, stature. ‖ Hauteur, élévation. ¶ État, assiette; situation. ¶ (Fig.) État, position. situation, nature, condition. ‖ *Spéc.* Bonne position, situation heureuse et prospère. ¶ (Théol.) Être, essence. ¶ (Jurisc.) Condition de citoyen; état naturel de l'homme. ¶ (Rhét.) État de la question, question. ¶ *Gramm.* Mode (du verbe). ¶ Station (d'un astre).

statutus, *a*, *um*, adj. Qui est de haute taille.

ste, adj. pron. Forme abrégée de ISTE.

stega, *ae*, f. Tillac.

stela, *ae*, f. Pilier, stèle, colonne. ¶ *Spéc.* Cippe, colonne tumulaire.

1. **stella** *ae*, f. Étoile. — *diurna*, l'étoile du matin. — *erratica*, planète. — *crinita*, comète. ‖ Étoile filante, météore. ¶ (Par ext.) Figure d'une étoile, étoile. ¶ Éclat du regard *ou* des yeux. ¶ Étoile de mer, astérie. ¶ Point brillant (sur les pierres précieuses). ¶ (Au plur.) *Stellae*, vers luisants. ¶ Comme GROMA. ¶ (Poét.) Constellation, astre. ‖ Le soleil.

2. **stella**, *ae*, f. Voy. STELA. [étollé.

stellans, *antis*, p. adj. Parsemé d'étoiles,

1. **stellaris**, *e*, adj. D'étoile.

2. **stellaris** (s.-e. ARS), *is*, f. Astronomie.

stellatura, *ae*, f. Gain illicite (des intendants militaires sur les rations des soldats); déprédation.

stellatus, *a*, *um*, adj. Étoilé, parsemé d'étoiles. ¶ (Par ext.) Constellé. ¶ Étincelant. ¶ Étoilé, *c-à-d.* en forme d'étoile. [les astres, étoilé.

stellifer, *fera*, *ferum*, adj. Qui porte d'étoile.

stellio, *onis*, m. Stellion, sorte de lézard (avec des taches sur le dos), emblème de l'adresse et de la fraude. ¶ (Fig.) Fourbe, qui change de couleur et de parti.

stemma, *matis*, n. Bandeau, bandelette, couronne. ¶ Couronne *ou* bandelette dont on ornait les images des ancêtres et qui portait des inscriptions généalogiques. ‖ (Méton.) Généalogie. ‖ Noblesse. ¶ (Fig.) Noblesse; antique origine. [couronne (tableau de Pausias).

stephaneplocos, *i*, f. Celle qui tresse une

stephanites, *ae*, m. Sorte de vigne.

stephanopolis, *is*, f. La vendeuse de couronnes, tableau de Pausias.

stercerarius. Voy. STERCORARIUS.

sterceratus. Voy. STERCORATUS.

stercilinium, *ii*, n. Voy. STERQUILINIUM.

stercilinum, *i*, n. Voy. STERQUILINIUM.

stercoralis, *e*, adj. Comme le suivant.

stercorarius (STERCERARIUS), *a*, *um*. adj. De fumier; d'excréments.

stercoratio, *onis*, f. Action de fumer les terres.

stercoratum, *i*, n. Terrain fumé, amendé.

stercoratus (STERCERATUS), *a*, *um*, p. adj. Fumé, amendé par un engrais.

stercoreus, *a*, *um*, adj. Excrémentiel, immonde.

stercoro, *as*, *avi*, *atum*, *are*, tr. Fumer, amender (une terre). ¶ Vider, curer.

stercorosus, *a*, *um*, adj. Bien fumé. ¶ Plein de fumier, fangeux, bourbeux.

sterculinum, *i*, n. Voy. STERQUILINIUM.

stercus, *coris*, n. Excréments (des hommes et des animaux); fiente. fumier. ¶ Poudrette. ¶ (Fig.) Ordure rebut. ¶ Scorie.

sterilesco, *is*, *ere*, intr. Devenir stérile. ¶ (Fig.) Devenir vain, s'évanouir.

sterilis, *e*, adj. Stérile, infécond. ¶ (Par

ext.) Improductif, inutile. ¶ (Fig.)
Stérile, infructueux, vide, vain. ‖
Pauvre, maigre. ¶ Qui rend stérile.

sterilitas, *atis*, f. Stérilité, infécondité.
¶ Disette. *Sterilitates*, suite d'années
de disette. ¶ (Fig.) Indigence ; impuissance.   [tueuse, stérile.

steriliter, adv. D'une manière infructueuse.

sternax, *nacis*, adj. Qui renverse, qui
jette par terre. ¶ Qui se prosterne,
qui supplie.

sterno, *is*, *stravi*, *stratum*, *ere*, tr.
Etendre qqch. sur, mettre dessus.
‖ Etaler, exposer. ¶ Coucher, prosterner. *Sterni*, se coucher, s'allonger,
s'étendre. ¶ Jeter à terre violemment,
terrasser, renverser, culbuter. ¶ Aplanir, égaliser. ¶ Couvrir, recouvrir,
tapisser, joncher. ¶ Couvrir, garnir.
— *lectum*, dresser un lit. — *mensam*,
mettre le couvert. *Jubet sibi sterni*, il
se fait dresser un lit. — *equum*, seller
un cheval. ¶ Paver. *Via strata*, route
pavée.   [ton.] Poudre sternutatoire.

sternumentum, *i*, n. Eternument. ¶ (*Méton.*) Poudre sternutatoire.

sternuo, *is*, *ui*, *ere*, intr. et tr. ¶ *Intr.*
Eternuer. ¶ Pétiller (en parl. d'une
lampe). ¶ *Tr.* Donner (en éternuant)
un présage favorable.

sternutamentum, *i*, n. Eternument.

sternutatio, *onis*, f. Action d'éternuer ;
éternument.

sterquilinium, *ii*, n. Fosse à fumier.
¶ (Fig.) Fumier (t. injur.).

sterto, *is*, *ere*, intr. Ronfler ; dormir en
ronflant. ‖ Dormir profondément. ¶
(Au fig.) S'endormir. ‖ S'engourdir.

stibadium, *ii*, n. Lit de repos, sopha
demi-circulaire.

stibi, *stibis*, n. Antimoine. ¶ (Méton.)
Poudre d'antimoine ; noir pour les
sourcils.

stibium, *ii*, n. Comme STIBI.

1. **stigma**, *matis*, n. Stigmate, flétrissure au fer chaud. ¶ (Fig.) Flétrissure, note d'infamie. ¶ Coupure faite
par un barbier maladroit ; marque,
cicatrice.

2. **stigma**, *ae*, f. Voy. le précédent.

stigmatias, *ae*, m. Esclave marqué à
l'épaule, stigmatisé.

stilicidium, *ii*, n. Voy. STILLICIDIUM.

stilla, *ae*, f. Goutte. ¶ (Par ext.) Une
goutte, *c.-à-d.* un rien. ¶ (Au fig.) Un
court instant.   [goutte à goutte.

stillaticius, *a*, *um*, adj. Qui tombe

stillatim, adv. Goutte à goutte.

stillicidium, *ii*, n. Suintement, écoulement, eau qui tombe goutte à goutte.
¶ Eau de pluie, eau de toit *ou* de gouttière. ¶ *Fig.* Court espace de temps.

stillo, *as*, *avi*, *are*, intr. et tr. ¶ *Intr.*
Tomber goutte à goutte, dégoutter de.
Absol. *Stillantes voces*, sons saccadés.
¶ *Tr.* Faire *ou* laisser tomber goutte
à goutte, distiller.

stillula, *ae*, f. Gouttelette.   [tige.

1. **stilo**, *as*, *avi*, *are*, intr. Pousser une

2. **stilo**, *onis*, m. Comme STELLIO.

stilus (STYLUS) *i*, m. Objet pointu.
¶ Poinçon (en fer *ou* en os), style pour
écrire sur la cire. *Stilum vertere*, retourner le style (pour effacer, pour
corriger), *litt.* tourner le style du côté
de la partie supérieure (qui était large,
pour effacer). ¶ Poinçon *ou* poignard
(jeu de mots). ¶ (Par ext.) Manière
d'écrire, style, expression. — *diligens*,
style châtié. ¶ *Spéc.* Caractère littéraire. ‖ Littérature. ¶ Expression
d'un jugement, bulletin, vote. ‖ Langage. ¶ (T. techn.) Pieu, cheval de
frise. ‖ Instrument pointu, long et
rond, pour couper les racines surabondantes, poinçon, stylet, sonde de jardinier. ¶ Tige d'une plante.

stimmi, *is*, n. Voy. STIBI.

stimulatio, *onis*, f. Action d'aiguillonner.
‖ Aiguillon, stimulant.   [instigateur.

stimulator, *oris*, m. Celui qui excite

stimulatrix, *icis*, f. Celle qui excite
instigatrice.   [ner, aiguillon.

stimulatus, abl. *u*, m. Action d'aiguillon-

stimulo, *as*, *avi*, *atum*, *are*, tr. Piquer
de l'aiguillon. ¶ (Fig.) Blesser, tourmenter, faire souffrir. ¶ Aiguillonner,
stimuler, exciter, pousser à, harceler
pour.

stimulus, *i*, m. Aiguillon, bâton garni
d'une pointe (pour exciter les bœufs).
¶ Fouet, martinet. ¶ (*Fig.*) Aiguillon,
stimulant. ‖ Excitation. ¶ Piqûre,
tourment. ¶ (Techn.) Chevaux de
frise, chausse-trapes. ‖ Tige pointue ;
fer (de la charrue).

1. **stinguo**, *is*, *ere*, tr. Piquer (mot usité
surt. dans les composés *instinguo* et
distinguo).

2. **stinguo**, *is*, *ere*, tr. Eteindre, obscurcir. *Stingui*, s'éteindre ; être éteint.

stipatio, *onis*, f. Condensation. ¶ Affluence, rassemblement. ‖ Presse. ¶
(Méton.) Cortège, entourage. ¶ (Fig.)
Amas, entassement de choses.

1. **stipator**, *oris*, m. Calfat.

2. **stipator**, *oris*, m. Celui qui fait cortège. ¶ Au plur. *Stipatores*, gardes
du corps, satellites. ‖ Cortège, suite.

stipatus, *a*, *um*, p. adj. Entouré, escorté.

stipendialis, *e*, adj. De tribut, soumis
à un tribut.

stipendiarii, *orum*, m. pl. Ceux qui
paient un impôt en argent ; peuples
tributaires.

stipendiarius, *a*, *um*, adj. Tributaire,
soumis à l'impôt en argent. ¶ Qui est
à la solde, stipendié, mercenaire.

stipendior, *aris*, *atus sum*, *ari*, dép.
intr. Etre à la solde de, servir.

stipendium, *ii*, n. Impôt, tribut, contribution (en argent). ¶ Punition, châtiment, réparation. ¶ Secours, appui,
¶ Solde militaire, paye. *Stipendia
merere* ou *mereri*, faire son service
militaire. ‖ (Méton.) Service militaire,
carrière des armes. ‖ Année de service,

campagne. ¶ (Par ext.) Action de servir (chez qqn); service.

stipes, *pitis*, m. Tronc, souche. || Bûche. ¶ Arbre. || Branche. ¶ Baguette, rejeton. ¶ Tronc d'arbre travaillé, poteau, pieu, piquet. || Pal. ¶ Bois de chauffage. || Tison, brandon. ¶ Bûche (t. injur.).

stipo, *as*, *avi*, *atum*, *are*, tr. Rendre compact, agglomérer, presser, serrer. ¶ Entourer en foule. || Escorter. ¶ Encombrer. || Bourrer, remplir. ¶ Obstruer.

1. stips, *stipis*, f. Petite pièce de monnaie, obole. || (Méton.) Mendicité; aumône. ¶ Petite cotisation, faible don, mince tribut, légère souscription. || *Spéc.* Cadeau. ¶ Petit salaire; mince profit.

2. stips, *is*, m. Forme vulg. p. STIPES.

stipticus. Voy. STYPTICUS.

stipula, *ae*, f. Tige de roseau *ou* de blé. || (Au plur.) Chaume, paille. ¶ *Spéc.* Tige de fève. || Tige de millet. || Paille *ou* herbe laissée après la récolte. ¶ Chalumeau, pipeau, flûte.

stipulatio, *onis*, f. Stipulation, engagement verbal. ¶ Obligation, convention; contrat.

stipulatiuncula, *ae*, f. Faible stipulation, engagement insignifiant.

stipulator, *oris*, m. Qui fait promettre par contrat; qui obtient une obligation; [exigée, stipulation.] gation.

stipulatus, *us*, m. Promesse formelle

stipulo, *as*, *are*, tr. Rompre une paille en signe de promesse. Comme STIPULOR. ¶ (Au passif.) *Stipulari*, être stipulé.

stipulor, *atus sum*, *ari*, dép. intr. et tr. Se faire promettre verbalement, stipuler, exiger un engagement formel, faire un contrat, une convention. ¶ Promettre, prendre un engagement, s'obliger à.

stiria, *ae*, f. Glaçon qui pend, chandelle de glace; goutte au nez; roupie.

stirpesco, *is*, *ere*, intr. Pousser des rejetons (en parl. de l'asperge).

stirpeus, *a*, *um*, adj. Qui est l'origine de.

stirpis, *is*, f. Voy. STIRPS.

stirpitus, adv. Avec les racines. ¶ (Fig.) Radicalement, entièrement.

stirps, *stirpis*, f. Souche, partie inférieure du tronc avec les racines. ¶ L'arbre sans ses branches, tronc. || Jeune arbre, marcotte. || Eclat de bois. || Plante, arbrisseau, tige. || Rejeton, surgeon; jeune pousse. ¶ (Fig.) Souche, origine, race, famille. — *regia*, sang royal. ¶ Rejeton; postérité, lignée. ¶ Racine, principe, fondement.

stiva, *ae*, f. Manche d'une charrue; mancheron. [¶ Croiseur, brigantin.

stlata (STLATTA),*ae*,f. Navire marchand.

stlatarius, *e*, adj. Voy. le suivant.

stlatarius, *a*, *um*, adj. De navire, apporté par un navire.

1. sto, *as*, *steti*, *statum*, *are*, intr. Se tenir debout. ¶ Séjourner, stationner. || Se trouver. *Stare de marmore*, avoir sa statue de marbre. ¶ Etre saillant, être proéminent, être raide. || (Avec l'abl.) Etre couvert *ou* rempli de, être hérissé, inondé de. *Stat nive Soracte*, le Socrate n'est plus qu'un bloc de neige. ¶ (Techn.) Etre debout à son poste, être sous les armes, combattre. *Totius Asiae steterunt vires*, toute l'Asie fut sur pied. || (Spéc.) Etre à son poste, attendre les ordres (en parl. d'un esclave). ¶ (En parl. de constructions.) S'élever, être debout *ou* sur pied, être construit, être achevé. ¶ (En parl. des navires et des navigateurs.) Etre à l'ancre, au mouillage. ¶ Tenir pour *ou* contre, être partisan *ou* adversaire de. — *ab aliquo*, tenir pour qqn, être de son parti. *Aliunde stare*, *aliunde sentire*, défendre un parti auquel on n'appartient pas. ¶ Dépendre de, reposer sur. ¶ S'obtenir au prix de, coûter. ¶ Se tenir en place, rester immobile, ne pas bouger. ¶ Soutenir le combat, résister, ne pas reculer, tenir bon. || (Par ext.) Etre ferme *ou* inébranlable, durer; subsister. || Tenir, être fixé, enfoncé. ¶ Demeurer court (en parlant). ¶ Demeurer ferme, durer, prospérer, se soutenir dans un état, rester semblable à soi-même. ¶ Durer, continuer, se prolonger. ¶ Etre fixe, déterminé, invariable. *Stat sententia*, la résolution est bien prise. ¶ Etre solide, inébranlable, s'en tenir à. — *in fide*, être fidèle à sa parole. — *animis*, être inébranlable. — *animo*, avoir sa raison. ¶ (Spéc.) Se soutenir, c.-à-d. avoir du succès, plaire, réussir (en parl. d'un acteur *ou* d'une pièce). || Se tenir debout, se soutenir (en parl. d'une opinion).

2. sto, arch. p. ISTO. Voy. ISTE.

stobrus, *i*, f. Arbre qui produit une résine odoriférante.

stoebe, *es*, f. Nom d'une plante.

stoechas, gen. *stoechadis*, f. Sorte de lavande, plante.

stola, *ae*, f. Longue robe (qui allait du cou aux genoux). || *Spéc.* Robe des grandes dames, à Rome. || (Méton.) Patricienne, femme de haut rang. ¶ Vêtement d'homme. || Robe des joueurs de flûte (aux fêtes de Minerve). ¶ Robe des prêtres d'Isis.

stolatae, *arum*, f. pl. Dames de qualité; dames de haut rang.

stolatus, *a*, *um*, adj. Vêtu d'une stola. ¶ Revêtu d'une stola, comme signe honorifique. ¶ Propre à une dame du grand monde. [ment, sottement.

stolide, adv. Brutalement. ¶ Stupide-

stoliditas, *atis*, f. Folie, déraison. ¶ Stupidité, sottise.

stolidus, *a*, *um*, adj. Sot, stupide, fou, déraisonnable, niais. ¶ Dépourvu de raison, qui est sans raison.

stolo, onis, m. Maladroit, qui manque son but. ¶ Rejeton, surgeon.|| Bouture.

stomachabundus, a, um, adj. Irrité, furieux. ¶ Qui exhale sa bile.

stomachanter, adv. Avec indignation, avec fureur. [tion.

stomachatio, onis, f. Violente indigna-

stomachica, orum, n. pl. Remèdes contre les maux d'estomac. [l'estomac.

stomachici, orum, m. pl. Malades de

stomachicus, a, um, adj. Relatif à l'estomac; stomacal. ¶ Qui souffre de l'estomac, atteint de gastralgie.

stomachor, aris, atus sum, ari. dépintr. Exhaler sa bile, se faire du mauvais sang.|| Avoir de l'humeur. ¶ Se fâcher, s'emporter, s'indigner, s'irriter. *Stomachor omnia*, tout m'irrite.

stomachose, adv. Avec humeur, avec colère.

stomachosus, a, um, adj. Indigné, de mauvaise humeur. ¶ Irrité, en colère, furieux. ¶ Qui indique la mauvaise humeur, le dépit, l'irritation.

stomachus, i, m. Œsophage. ¶ (Par ext.) Estomac. || (Méton.) Appétit. || Goût, désir. ¶ Dégoût, mauvaise humeur, dépit. || Mécontentement, colère. *Stomachum facere* ou *movere alicui*, mettre qqn hors de lui. ¶ (Plaisamm.) Humeur patiente.

storea (STORIA), ae, f. Couverture tressée en jonc, natte.

1. **storia**, ae, f. Voy. STOREA.

2. **storia**, ae, f. Voy. HISTORIA.

1. **straba**. Voy. STRABUS.

2. **straba** ae, f. Trophée.

strabo, onis, n. Affligé de strabisme. ¶ (Fig.) Qui regarde d'un mauvais œil; envieux.

strabus, a, um, adj. Qui louche. ¶ *Fig*. Qui n'est pas en harmonie avec.

strages, is, f. Renversement, ruine, destruction. *Stragem facere*, entasser des ruines. ¶ Destruction, abatage. || (Méton.) Amas, monceau. ¶ Carnage, massacre, tuerie. ¶ Défaite sanglante. || *Spéc*. Meurtre, assassinat.

stragula, ae, f. Comme STRAGULUM. ¶ Linceul.

1. **stragulatus**, a, am, adj. Qui sert à couvrir. — *vestis*, couverture.

2. **stragulatus**, a, um, p. adj. Teint de couleurs variées; bigarré, bariolé.

stragulo, as, are, tr. Barioler, teindre de couleurs variées (comme on faisait les couvertures).

stragulum, i, n. Etoffe qu'on étend sur un lit, sur un sopha. || Matelas, couverture. ¶ Linceul. || Housse, couverture de selle. ¶ Ce qu'on étend sous les oiseaux qui couvent,lit,couche.

stragulus, a, um, adj. Qu'on étend (sur un lit). *Vestis* —, couverture de lit; matelas. tapis.

stramen, minis, n. Ce qu'on étend à terre, litière, paille. ¶ Couverture.

stramentarius, a, um, adj. De paille. ¶ De moisson. -- *falces*, faucilles pour moissonner. [couvert de chaume.

stramenticius, a, um, adj. Fait de paille;

stramentor, aris, ari, dép. intr. Fourrager.

stramentum, i, n. Ce qui sert à couvrir. || Litière, paille. || Chaume. ¶ Blé en herbe (avec lequel on fait la paille). ¶ Couverture, tapis, housse de cheval.

stramineus, a, um, adj. Couvert de chaume; fait de paille. *casa*, chaumière. — *Quirites*, mannequins de paille. [cissement.

strangulatus,us, m. Etranglement, rétré-

strangulo, as, avi, atum, are, tr. Etrangler, étouffer, suffoquer, asphyxier. Passif, *strangulari*, étouffer, suffoquer. ¶ (Par ext.) Serrer, comprimer. ¶ Etouffer, faire périr (en parl. de ch.). ¶ (*Fig*.) Prendre à la gorge; angoisser; tourmenter. [d'urine.

stranguria, ae, f. Strangurie, rétention

stratagema, matis, n. Ruse de guerre, stratagème. ¶ Stratagème, ruse.

strategematica, orum, n. pl. Traité sur les stratagèmes. [vernement militaire.

strategia, ae, f. Préfecture militaire, gou-

strategica, on, n. pl. Traité de stratégie ou d'art militaire.

strategus, i, m. Général. ¶ (Plaisamm.) Président d'un banquet.

stratio, onis, f. Action de garnir avec des couvertures ou des tapis; action de tapisser.

strator, oris, m. Celui qui étale, qui étend. ¶ Ecuyer (chargé de seller le cheval du maître). || Employé des écuries impériales. || Domestique de la suite d'un gouverneur de province. ¶ Geôlier. [*Stratoria*, couvertures-

stratorium, ii, n. Lit de repos. Au plur.

stratorius, a, um, adj. Qui sert à couvrir. — *vestes*, couvertures.

stratum, i, n. Ce qui a été étendu. || Garniture de lit. || Couverture. || Coussin. ¶ (Méton.) Natte, matelas. || Lit. || Housse, selle, bât. ¶ Pavé, pavage. || Carreau d'un plancher, plancher. ¶ Plate-forme. [de fumier.

stratura, ae, f. Pavage, pavé. ¶ Couche

stratus, us, m. Action d'étendre, d'étaler. ¶ (*Fig*.) Abaissement, abattement. ¶ (Méton.) Couverture, tapis, matelas. || Housse, selle. || Lit de repos.

strena, ae, f. Présage, augure. ¶ Présent qu'on faisait pour servir de bon présage. || Présent de bonne année, étrenne.

strenua, ae, f. Voy. le précédent.

strenue, adv. Vivement, avec entrain. || Hardiment, vaillamment,bravement.

strennitas, atis, f. Activité, entrain. || Zèle. ¶ Vaillance.

strenuo, as, are, intr. Faire diligence; se hâter.

strenuus, a, um, adj. Actif, diligent, zélé. ¶ Alerte. ¶ Résolu, vaillant.

— *bello*, vaillant homme de guerre.
— *manu*, bonne épée. ¶ Péjor. Remuant, turbulent. ¶ (En parl. de ch.)
Solide, fort, efficace. — *remedium*,
remède énergique.

strepito, *as*, *are*, intr. Faire grand bruit.
¶ Crier, hurler. ¶ (En parl. de ch.)
Retentir de cris, de hurlements.

strepitus, *us*, m. Son, bruit violent et
confus, cri, vacarme. ‖ Tumulte. ¶
(Poét.) Son, bruit d'un instrument de
musique. ¶ Fig. Fracas, pompe (du
style).

strepitus, *i*, m. Comme le précédent.

strepo, *is*, *pui*, *pitum*, *ere*, intr. et tr. ¶
Intr. Faire du bruit, résonner, retentir.
¶ (Fig.) Faire grand bruit, c.-à-d.
être renommé. ¶ *Tr.* Emplir de bruit;
dire en criant, crier, murmurer. ‖ (Fig.)
Faire sonner bien haut, citer avec
emphase.

stria, *ae*, f. Rainure, strie. ¶ (Spéc.)
Pli d'un vêtement. ¶ (Archit.) Rainure, cannelure, raie, strie.

stricte, adv. Etroitement, en serrant.
¶ (Fig.) Strictement, rigoureusement,
sévèrement.

strictim, adv. Etroitement. ¶ Ras. ¶
Superficiellement, en effleurant. ‖ Légèrement; à la hâte. ¶ (Fig.) Brièvement,succinctement. ‖ Sommairement.

strictio, *onis*, f. Resserrement. ¶ (Fig.)
Sévérité, rigueur.

strictivus, *a*, *um*, adj. Cueilli (et non
tombé, en parl. d'olives).

strictor, *oris*, m. Celui qui fait la cueillette (d'olives).

strictoria, *ae*, f. Vêtement de dessous
à longues manches qui serre étroitement le corps, sorte de chemise
d'homme.

strictorium, *ii*, n. Cordon.

strictura, *ae*, f. Resserrement, compression (d'un organe). ‖ Resserrement,oppression (pr. et fig.). ¶ *Par ext.*
Angoisse, souffrance. ¶ Action de
tremper et de battre le fer chaud.
‖ Masse de fer travaillé. ¶ Masse de
fonte, gueuse.

strictus, *a*, *um*, p. adj. Serré, resserré,
tendu, roide. ‖ Etroit. *Stricti artus*
membres trapus, ramassés. — *venter*,
ventre resserré. ¶ (Fig.) Serré, concis
(en parl. de style). ¶ Renfrogné. Rigoureux, sévère, strict. ‖ *Spéc.* Serré,
chiche, avare.

striculus, *a*, *um*, adj.Voy. HYSTRICULUS.

strideo, *es*, *ere*, intr. Rendre un son
sifflant ou aigu, faire du bruit, résonner, retentir. ‖ Siffler (en parl. des
serpents, des flèches). ‖ Mugir (en
parl. du vent, de la mer, etc.). ‖ Grincer. ‖ Cliqueter (en parl. de chaînes).
‖ Crier (en parl. de chaussures). ¶ Faire
entendre un bruit aigu (en parl. de la
voix). ‖ Bourdonner.   [STRIDEO.]

strido, *is*, *ere*, intr. Forme poétique de
stridor, *oris*, m. Son aigu. ‖ Craquement

frémissement, sifflement, mugissement
(du vent, des cordages), grincement
(d'une porte, de la scie), son aigu
(de la flûte), grincement (des dents).
¶ Sifflement (du serpent), grognement
(du porc),cri (des oies),bourdonnement
(des abeilles), ‖ Chuchotement, murmure.

stridosus,*a*, *um*, adj. Comme le suivant.

stridulus, *a*, *um*, adj. Aigu, sifflant,
grinçant; criard.

1. **striga**, *ae*, f. Rangée de blé *ou* de
foin coupé. ¶ Bande de terre allant
du sud au nord. ¶ Rangée de tentes;
lieu de campement.

2. **striga**, *ae*, f. Strige, sorcière.

strigatus, *a*, *um*, adj. Traversé par des
sillons dans toute sa longueur; sillonné en long.

striges, *um*, f. pl. Voy. STRIX.

strigicula, *ae*, f. Petite strigile.

strigilis, *is*, f. Strigile, sorte d'étrille (de
métal *ou* de corne) dont les baigneurs
se servaient pour se nettoyer la peau.
¶ Etrille. ‖ Racloir. ¶ (Chirurg.) Seringue pour oreilles. ¶ Parcelle d'or
natif. ¶ Cannelure.

strigmentum, *i*, n. Crasse (qu'on enlève
avec la strigile). ¶ *Spéc.* Raclure,
ordure, immondices.

1. **strigo**, *as*, *are*, intr. Faire halte en
labourant. ‖ S'arrêter, se reposer. ¶
Fig. Respirer, souffler, se reposer.

2. **strigo**, *onis*, m. Comme STRIGOSUS.

strigosus, *a*, *um*, adj. Ridé par la maigreur, maigre, décharné. ‖ Efflanqué.
¶ (*Fig.*) Maigre, décharné (en parl.
de style).

stringo, *is*, *strinxi*, *strinctum*, *ere*, tr.
Serrer, resserrer, presser, comprimer,
contracter. — *vela*, carguer les voiles.
— *rotam*, enrayer. — *habenam*, serrer
la bride. ¶ (Fig.) Serrer (en parlant),
abréger. ‖ Tenir serré, contenir, réprimer, dompter. ¶ Serrer (les branches)
pour cueillir, émonder, élaguer. ¶ Effleurer, raser. ‖ Effleurer (un sujet).
¶ Tirer, dégainer, faire blanc (de son
épée).‖ Etriller (des chevaux). ¶ *Fig.*
Emouvoir,serrer (le cœur). ¶ Toucher
blesser. ¶ Atteindre, porter atteinte à.
‖ Blâmer, réprimander. ¶ Absorber
(d'un trait), avaler. ¶ *Fig.* Engloutir,
dévorer (son patrimoine).

stringor, *oris*, m. Serrement, resserrement; contraction douloureuse.

strio, *as*, *avi*, *atum*, *are*, tr. Couper par
des lignes *ou* des rainures; rayer, strier.
¶ Canneler.   [pire.

strix, *igis*, f. Strige, sorte de vam-

stropha, *ae*, f. Tour. ¶ Strophe (du
chœur). ¶ Ruse, artifice.

strophe, *es*, f. Comme le précédent.

strophiarius, *ii*, m. Fabricant de bandes
ou de corsets.

strophicus, *i*, m. Qui souffre de coliques.

strophiolum, *i*, n. Petite guirlande,
petite couronne.

strophium, *ii*, n. Bande qui soutenait la gorge (des femmes), corset. ¶ Bandelette (des prêtres). ¶ Couronne. ¶ Amarre, corde, lien.

structilis, *e*, adj. Propre à la construction. ¶ Bâti, construit, fait de pièces de rapport.

structio, *onis*, f. Construction. ¶ Assemblage, arrangement. ¶ (*Fig.*) Attirail, appareil. ‖ Edifice. ¶ Instruction, enseignement.

structor, *oris*, m. Constructeur, maçon architecte. ¶ Ordonnateur. ‖ Maître d'hôtel. ¶ *Spéc.* Celui qui arrange.

structorius, *a*, *um*, adj. De construction.

structura, *ae*, f. Construction; action *ou* manière de construire; style (en architect.). ¶ Maçonnerie. ‖ Mur. ¶ ¶ Bâtiment. ¶ Organisation, structure, disposition, ordonnance. ¶ Construction, arrangement, structure (en parl. de style).

structus, *us*, m. Amoncellement, tas.

strues, *is,f*. Amas, pile, monceau (d'objets placés par couches, l'une sur l'autre *ou* à côté l'une de l'autre). ¶ Tas (considéré comme mesure). ¶ Tas, masse épaisse de la phalange. ¶ Accumulation (de mots). ¶ Petits gâteaux sacrés qui avaient la forme de doigts joints ensemble.

struma, *ae*, f. Scrofules, écrouelles. ¶ Plaie hideuse. ¶ *Fig.* Opprobre.

strumosus, *a*, *um*, adj. Strumeux, scrofuleux.

strumus, *i*, m. Renoncule, plante qui guérit les scrofules. ¶ Comme STRYCH-NOS.

struo, *is*, *struxi*, *structum*, *ere*, tr. Placer des objets par piles (les uns sur les autres *ou* les uns à côté des autres) entasser, empiler. ¶ Elever, construire bâtir, édifier. Partic. subst. *Structa* n. pl. Constructions, massifs, assises ¶ Ordonner, préparer, disposer. ¶ Préparer (qqch. de mal), dresser, ourdir, tramer. ¶ Composer (un discours), construire (une phrase). ¶ Amonceler. ‖ Augmenter. ‖ Pourvoir comme il faut; douer de. ¶ Fermer, boucher. ‖ Murer, emmurer. ¶ Lever (le pied), fuir.

struppearia, *orum*, n. pl. Fêtes des couronnes.

struppus (STROPPUS), *i*, m. Courroie d'une litière. ¶ Lien d'un aviron. ¶ Bandeau, bandelette, couronne, guirlande, tresse.

struthea, *orum*, n. pl. Pommes à moineau, petite espèce de coings.

strutheus (STRUTHIUS), *a*, *um*, adj. De moineau. — *mala*. Voy. STRUTHEA.

struthio (STRUTIO), *onis*, m. Autruche.

struthion, *ii*, n. Saponaire officinale, plante.

struthioninus, *a*, *um*, adj. D'autruche.

struthocamelinus, *a*, *um*, adj. D'autruche.

struthocamelus, *i*, m. et f. Autruche.

struthopus, *podis*, adj. Qui a des pieds (pattes) de moineau.

strutio. Voy. STRUTHIO.

strychnos, *i*, m. Sorte de morelle, plante.

studeo, *es*, *ui*, *ere*, intr. S'appliquer à, s'occuper avec zèle de, s'intéresser à, avoir du goût pour. ‖ Se livrer à, travailler à, s'efforcer de. — *ut* (subj.), s'appliquer à... — *ne* (subj.), s'appliquer à ne... pas... ¶ Désirer vivement. ¶ S'appliquer à l'étude d'une science; étudier, s'instruire. ¶ Etre bien disposé pour, être favorable à, s'intéresser (à qqn).

studiolum, *i*, n. Petit travail (littéraire); petite composition. ¶ Cabinet d'étude.

studiose, adv. Avec zèle, avec application. ¶ De propos délibéré, à dessein.

studiosus, *a*, *um*, adj. Zélé, attaché à; qui recherche avec ardeur. ¶ Appliqué, studieux. ¶ Appliqué à l'étude (d'une science), savant, lettré, instruit. Subst, *Studiosi*, *orum*, m. pl. Etudiants; hommes d'étude, lettrés. ¶ Favorable à, dévoué à, adhérent, partisan de, ami de.

studium, *ii*, n. Application, soin, zèle, ardeur. ¶ Goût, désir; passion. ¶ Application, étude. ¶ Etude, science. ‖ (Méton.) Au plur. *Studia*, ouvrages œuvres littéraires. ¶ Profession. ‖ Lieu d'étude, cabinet de travail. ¶ Penchant pour qqn, sympathie, attachement, faveur, intérêt. ‖ Partialité, parti pris. — *partium* ou (absol.) *studium*, esprit de parti. ‖ Passion politique. ¶ Penchant pour une chose, prédilection, intérêt, goût particulier.

stulte, adv. Sottement, stupidement, follement.   [tise.

stultiloquentia, *ae*, f. Bavardage, sottise.

stultiloquium, *ii*, n. Sot bavardage.

stultiloquus, *a*, *um*, adj. Qui dit des sottises, des niaiseries.

stultitia, *ae*, f. Sottise, stupidité, niaiserie. ‖ Folie, déraison. ‖ Imprudence. ¶ Folie. ‖ Impudicité.

stultities, *ei*, f. Comme le précédent.

1. **stultus**, *a*, *um*, adj. Sot, stupide, insensé, fou, déraisonnable, imbécile, niais. ¶ *Spéc.* Ignorant, inhabile. ¶ *En parl. de ch.* Déraisonnable, fou.

2. **stultus**, *i*, m. Un sot; un fou.

stup... Voy. STUPP...

stupa, *ae*, f. Comme STUPPA.

stupefacio, *is*, *feci*, *factum*, *ere*, tr. Engourdir, paralyser. ¶ Stupéfier.

stupefio, *is*, *factus sum*, *fieri*, passif du précéd. Etre abasourdi, être stupéfait. Au part. *Stupefactus*, abasourdi, étourdi, stupéfait.

stupendus, *a*, *um*, p. adj. Etonnant, merveilleux.

stupeo, *es*, *ui*, *ere*, intr. Etre engourdi. paralysé. ¶ Etre frappé (de stupeur, d'étonnement, d'admiration); être interdit. Part. *Stupens*, étonné, ébahi, ahuri. ¶ Etre immobile, s'arrêter. ¶ *Tr.* Voir avec stupeur. admirer.

stupesco, *is, ere,* intr. Demeurer stupide (pr. et fig.).

stupiditas, *atis,* f. Hébétement, stupidité.

stupidus, *a, um,* adj. Etourdi, interdit, stupéfait. ¶ (*Fig.*) Inculte, stérile. ¶ Stupide, sot, imbécile. Subst. *Stupidus,* un niais, un bouffon (de comédie).

stupor, *oris,* m. Etourdissement, engourdissement, saisissement. || Insensibilité, paralysie. ¶ Stupéfaction, stupeur, admiration. ¶ Sottise, stupidité. || (*Méton.*) Homme stupide.

stuppa, *ae,* f. La partie dure du lin. ¶ Etoupe.

stuppeus (STUPPEUS), *a, um,* adj. D'étoupe.

stuprator, *oris,* m. Corrupteur, séducteur.

stupre, adv. Honteusement.

stupro, *as, avi, atum, are,* tr. Souiller, polluer. ¶ Attenter à la pudeur de, déshonorer.   [bauche.

stuprosus, *a, um,* adj. Porté à la débauche.

stuprum, *i,* n. Déshonneur, honte, infamie. ¶ *Spéc.* Stupre, attentat à la pudeur, violence; séduction. || Commerce criminel. || Débauche. || (*Méton.*) Femme de mauvaise vie.

sturnus, *i,* m. Etourneau.

stylus, *i,* m. Voy. STILUS.

stymma, *matis,* n. Substance astringente.   [(persuasive.

suadela, *ae,* f. Persuasion; éloquence

suadenter, adv. D'une manière persuasive; éloquemment.

suadeo, *es, suasi, suasum, ere,* intr. et tr. ¶ *Intr.* Donner un conseil, conseiller, persuader. ¶ *Tr.* Conseiller (qqch.), engager, inviter. Part. subst. *Suasum,* un conseil. ¶ Conseiller de, engager à. ¶ Conseiller qqn; convaincre, persuader. ¶ Recommander (un projet de loi), parler en faveur d'un projet de loi, soutenir (un projet de loi).   [docile. ¶ Qui persuade.

suadibilis, *e,* adj. Qui se laisse persuader;

suaria, *ae,* f. Commerce de porcs.

suarium, *ii,* n. Etable à porcs.

1. suarius, *a, um,* adj. De porcs. — *forum,* marché aux porcs. [de porcs.

2. suarius, *ii,* m. Porcher. ¶ Marchand

suasim, adv. Par persuasion.

suasio, *onis,* f. Action de conseiller; conseil (donné). ¶ *Spéc.* Recommandation, discours en faveur d'un projet de loi. ¶ *Rhét.* Discours du genre délibératif.

suasor, *oris,* m. Celui qui conseille; conseiller. ¶ *Spéc.* Celui qui appuie un projet de loi, qui parle en sa faveur.

suasoria (s.-e. ORATIO), *ae,* f. Discours du genre délibératif. [nière de conseil.

suasorie, adv. En conseillant, par ma-

suasorius, *a, um,* adj. Qui invite; persuasif. ¶ *Rhét.* Qui tend à persuader, qui concerne le genre délibératif.

1. suasum, *i,* n. Voy. SUADEO.   [brune.

2. suasum, *i,* n. Couleur brune, tache

suasus, *is,* m. Action de conseiller, conseil.   [— *olens,* voy. le suivant.

suave, adv. Avec charme; agréablement.

suaveolens, *entis,* adj. Suave, odorant, parfumé.

suaveolentia, *ae,* f. Parfum.

suaviatio, *onis,* f. Voy. SAVIATIO.

suavidicus, *a, um,* adj. A la douce parole; doux à entendre.

suaviloquens, *entis,* adj. Qui parle agréablement; au doux parler, au parler harmonieux.

suaviloquentia, *ae,* f. Doux parler.

suaviloquium, *ii,* n. Doux langage.

suaviloquus, *a, um,* adj. Qui parle agréablement; au doux langage.

suaviolum. Voy. SAVIOLUM.

suavior. Voy. SAVIOR.

suavis, *e,* adj. Doux, agréable, délicieux (aux sens). *Suave,* adv. Voy. SUAVE. ¶ Doux, agréable (à l'esprit *ou* à l'âme). — *homo,* homme aimable (*qqf. ironiquement*).

suavitas, *atis,* f. Douceur, suavité, charme, agrément (pour les sens). — *oris,* haleine embaumée. Au plur. *Suavitates,* douceurs, jouissances. ¶ Douceur, agrément, charme (pour l'âme); amabilité. Au plur. *Suavitates,* charmes, agréments.

suavitudo, *dinis,* f. Douceur, charme, agrément. || Amabilité. ¶ (T. de caresse.) Mon amour.

suavium. Voy. SAVIUM.

sub, prép. avec l'abl. *ou* l'acc. ¶ (Avec l'abl.) Sous, en restant sous. *Sub sole,* au soleil, en plein soleil. *Sub divo,* en plein air. *Sub signis,* sous les drapeaux. ¶ En sortant de dessous. ¶ Sous, au bas de, près de. *Sub monte,* au pied de la montagne. ¶ En bas, dans, au fond de. *Sub valle,* au fond de la vallée. *Sub templo,* au fond du temple. ¶ Sous, devant. *Sub manu esse,* être à la portée. || Derrière, immédiatement après. ¶ Vers, à, pendant (en parl. du temps). — *ipsa profectione,* au moment même du départ. — *luce,* au point du jour. — *die,* de jour. — *Tiberio Caesare,* sous l'empereur Tibère. ¶ Sous, dans la dépendance de. — *regno esse,* vivre sous une monarchie, sous le régime monarchique. ¶ (Pour indiquer les circonstances d'un fait.) Sous (le nom de), sous (le fallacieux prétexte). ¶ (Av. l'acc.). En se rendant sous, sous. — *furcam ire,* passer sous la fourche. — *sensum cadere,* tomber sous les sens. ¶ En s'élevant vers. ¶ Vers, un peu avant (en parl. du temps). — *vesperum,* sur le soir. ¶ Immédiatement après ¶ (En parl. des circonstances.) Sous, dans la dépendance de, au pouvoir de.

subabsurde, adv. D'une manière un peu absurde.

subabsurdus, *a, um,* adj. Un peu absurde. ¶ Ridicule, étrange. ¶ Niais.

subaccuso, *as, are,* tr. Accuser légèrement; blâmer faiblement.

subacidus, *a, um,* adj. Aigrelet.

subactio, *onis,* f. Action de battre, de pétrir. || Trituration, broiement. ¶ *Fig.* Exercice, culture de l'esprit.

subactus, abl. *u,* m. Action de pétrir, de triturer. [cultivé.

subagrestis, *e,* adj. Un peu rustique, peu subalare. *is.* n. Baudrier.

subalares, *ium,* f. pl. Plumes qui se trouvent sous les ailes.

subalaris, *e,* adj. Qui se trouve sous les ailes. ¶ Qu'on porte sous l'aisselle, sous le bras.

subalbicans, *antis,* adj. Blanchâtre.

subalbidus, *a, um,* adj. Blanchâtre.

subalbulus, *a, um,* adj. Blanchâtre.

subalbus, *a, um,* adj. Blanchâtre.

suballigatura, *ae,* f. Amulette.

subalpinus, *a, um,* adj. Subalpin.

subamare, adv. Avec quelque amertume.

subamarus, *a, um,* adj. Un peu amer. Neutre adv. *Subamarum,* avec quelque amertume.

subaquilus, *a, um,* adj. Un peu foncé, un peu brun (couleur de l'aigle).

subarator, *oris,* m. Celui qui creuse la terre en dessous. [un peu.

subaresco, *is, ere,* intr. Se dessécher

subaro, *as, are,* tr. Fouir en dessous.

subarro, *as, avi, atus, are,* tr. Obliger par des arrhes; mettre en gage.

subarroganter, adv. Avec un peu de présomption.

subassentiens, *entis,* adj. Qui s'accorde un peu; qui concorde avec.

subasso, *as, atus, are,* tr. Faire rôtir un peu *ou* à petit feu.

subatio, *onis,* f. Rut des truies.

subaudio, *ire,* tr. Entendre un peu. ¶ Sous-entendre, compléter. [tivement.

subausculto, *as, are,* tr. Ecouter fur-

subbajulo, *as, are,* tr. Hisser.

subbalbe, adv. En bégayant un peu.

subbasilicanus, *i,* m. Qui se tient dans les basiliques; désœuvré, oisif.

subbibo, *is, bibi, ere,* tr. Boire un peu.

subblandior, *iris, itus sum, iri.* Flatter un peu. ¶ Caresser, cajoler.

subbrevis, *e,* adj. Un peu court.

subcerno, *is, ere,* tr. Cribler, passer, tamiser. ¶ Agiter, secouer.

subcontumeliose, adv. Un peu ignominieusement.

subcresco, *is,* intr. Voy. succresco.

subcrispus, *a, um,* adj. Un peu crépu

subcrudus, *a, um,* adj. Un peu cru; à moitié cru. [nolent

subcruentus, *a, um,* adj. Un peu sangui-

subcubo, *as, are,* intr. Voy. succubo

subcubones, *ae,* f. Voy. succubonea

subcultro, *as, avi, arum, are,* tr. Couper avec un couteau.

subcumbo. Voy. succumbo.

subcumbus (succumbus), *i,* m. Borne d'un champ.

subdebilis, *e,* adj. Légèrement paralysé.

subdebilitatus, *a, um,* adj. Un peu affaibli. ¶ (*Fig.*) Découragé.

subdeficio, *ere,* intr. S'affaiblir peu à peu; défaillir.

subdialis, *e,* adj. Découvert, exposé au grand air. ¶ Subst. subdiale, *is,* n. Plate-forme, balcon terrasse.

subdifficilis, *e,* adj. Un peu difficile.

subdiffido, *ere,* intr. Se défier un peu.

subditic.us, *a, um,* adj. Supposé, apocryphe. [dessous

subditus, abl. *u,* m. Action de mettre

subdo, *is, didi, ditum, ere,* tr. Mettre *ou* placer sous, appliquer sous. ¶ Soumettre, assujettir; exposer. ¶ Subordonner. ¶ Soumettre, donner, inspirer. ¶ Mettre à la place de, substituer. ¶ Mettre à la suite de. ¶ Suborner; supposer.

subdoceo, *es, ere,* tr. Instruire à la place d'un maître. ¶ *Intr.* Suppléer un maître; être sous-maître.

subdole, adv. Avec un peu d'artifice.

subdolus, *a, um,* adj. Un peu rusé, astucieux, fourbe, perfide; trompeur (en parl. des ch.).

subdubito, *as, are,* intr. Douter un peu.

subduco, *is, duxi, ductum, ere,* tr. Retirer de dessous, retirer, ôter. ¶ Tirer (d'un lieu), faire passer (d'un lieu dans un autre). ¶ Retirer, enlever, soustraire. ¶ Enlever secrètement *ou* furtivement, soustraire; dérober, voler. — *se,* s'esquiver, s'échapper. ¶ Retirer d'un lieu bas, faire monter, tirer. — *supercilium,* froncer le sourcil. ¶ *Fig.* Compter, calculer, supputer. *Subducta ratione,* tout bien compté, tout bien pesé. ¶ (Arithm.) Soustraire. ¶ (Techn.) Prendre un ris, carguer. || Tirer les vaisseaux sur le rivage, les mettre à sec. ¶ (Méd.) Evacuer.

subductio, *onis,* f. Calcul, compte. ¶ Extase. ¶ Conduite (d'eau) souterrain . ¶ (T. de marine.) Action de tirer les vaisseaux sur la plage.

subductus, *a, um,* p. adj. Retiré, enfoncé, éloigné. [ceâtre.

subdulcis, *e,* adj. Un peu doux, dou-

subdurus, *a, um,* adj. Un peu dur.

subedo, *is, edi, esum, ere,* p. Ronger par-dessous.

subeo, *is, ii, itum, ire,* intr. et tr. Aller sous, entrer dans, s'introduire, pénétrer dans. ¶ Se diriger vers, s'avancer au pied de. || Aller en avant. || *Spéc.* Attaquer. ¶ Arriver furtivement, s'insinuer. ¶ Se mettre sous un fardeau, se charger d'un fardeau; prendre sur soi. || Entreprendre, se charger de (faire qqch.). ¶ *Fig.* Se charger (d'un mal), se soumettre à, supporter, subir, endurer. ¶ S'adresser à. ¶ Suivre immédiatement. || Succéder; remplacer. ¶ Croître, pousser. ¶ Arriver, se présenter, survenir. ¶ S'offrir à la pensée, venir à l'esprit.

suber, *beris,* n. Liège, chêne-liège.

suberectio, *onis*, f. Météorisation.

subereus, *a, um*, adj. De liège.

suberies, *ei*, f. Comme SUB R. [monter.

suberigo, *erectum, ere*, tr. Elever, faire

suberinus, *a, um*, adj. Comme SUBER-
EUS. |sous.

suberro, *are*, intr. Errer sous, couler

subf... Voy. SUFF . [peu de feuillage.

subfrondeo, *ere*, intr. Se couvrir peu à

subg Voy. SUGG .

subgluttus, *us*, m. Comme SINGULTUS.

subhaereo, *es, ere*, intr. Rester en dessous,
demeurer en arrière; dépendre de.

subheres, *edis*, m. Second héritier.

subhor sco. Voy. PERSUBHORRESCO.

subhorridus, *a, um*, adj. Un peu négligé,
un peu grossier.

subhumidus, *a, um*, adj. Un peu humide.

subicio. Voy. SUBJICIO.

subidus, *a, um*, adj. En rut.

subigo, *is, egi. actum, ere*, p. Pousser sous,
mettre sous. ¶ Contraindre, réduire,
forcer. ¶ Soumettre (par les armes).
réduire, subjuguer. || Dompter. ¶
Remuer dans tous les sens, retourner
(la terre), labourer, bêcher. || Tra-
vailler, rendre maniable. || Briser,
concasser, pétrir, façonner, assouplir.
¶ Faire violence à, attenter à la pudeur. ¶ Aiguiser. ¶ Former, cultiver
(l'esprit). ¶ Apprivoiser. || Dompter,
¶ Malmener, tourmenter. || Ployer,
courber. || Asservir, opprimer.

subimpudens, *entis*, adj. Un peu impudent.

subinanis, *e*, adj. Un peu vain.

subinde, adv. Immédiatement après,
tout aussitôt. ¶ Successivement,
coup sur coup, à la file; toujours.
¶ Souvent.   [assez insipide.

subinsulsus, *a, um*, adj. Peu spirituel;

subinvideo, *ere*, intr. Porter un peu
envie à.

subinvisus, *a, um*, adj. Un peu odieux.

subinvito, *are*, tr. Inviter un peu, engager, provoquer à.

subirascor, *eris, irasci*, dép. intr.
S'irriter un peu, se fâcher. || Avoir
du dépit (contre quelqu'un).   [fâché.

subiratus, *a, um*, adj. Un peu irrité,

subitaneus, *a, um*, adj. Soudain; un peu
subit.

subitarius, *a, um*, adj. Fait subitement,
fait à la hâte; pressant, pressé, urgent.

1. subito, abl. de *subitum*, n. adv. Subitement, tout à coup, subitement, rapidement, vite. ¶ A l'instant, sur-le-
champ.

2. subito, *as. avi, are*, intr. Apparaître
tout à coup, arriver subitement.

subitum, *i*, n. Evénement *ou* cas
imprévu. *Subita*, cas imprévus; sur-
prises. ¶ Chose présente *ou* urgente.
In subito, dans une alerte. *Per subitum*, tout à coup. *Ad subitum*, immédiatement.

subitus, *a, um*, p. adj. Qui vient à l'im-
proviste, inattendu, soudain. || Qui

a lieu sans préparation, improvisé. ¶
Brusque, rapide.

subium, *ii*, n. Lèvre supérieure; mous-
taches.

subjaceo, *es, jacui, ere*, intr. Etre couché
dessous, être placé dessous *ou* à côté.
¶ (Au fig.) Etre subordonné à, dépendre de. ¶ *Impers*. Il est clair
comme le jour que...

subjacio, *is, ere*, tr. Comme SUBJICIO.

subjecte, adv. Humblement.

subjectio, *onis*, f. Action de mettre
sous. ¶ (Sens concret.) Chevet, base
d'une catapulte. ¶ Supposition, substitution. ¶ Soumission, assujettisse
ment politique. ¶ Adjonction, addition.¶ Réponse que fait l'orateur à
une question qu'il s'est posée lui-
même.

subjecto, *as. are*, tr. Mettre sous, approcher, ajouter. ¶ Enlever, soulever.

subjector, *oris*, m. Celui qui suppose
(un testament).

1. subjectus, *a, um*, p. adj. Placé sous
ou après, voisin, proche, limitrophe.
¶ Sujet, assujetti, soumis, exposé à.

2. subjectus, abl. *u*, m. Application
(d'un topique).

subjicio, *is, jeci, jectum, ere*, tr. Mettre
sous. *Vis subjecta vocibus*, force des
mots, valeur des termes. ¶ Mettre
auprès: approcher. ¶ Mettre sous la
main, présenter. ¶ Soumettre, assujettir. — *se alicui*, reconnaître l'auto-
rité de qqn. || Faire dépendre de. ¶
Exposer, livrer. ¶ Mettre après, faire
suivre. ¶ Mettre après, suivre, ajouter
(en parlant *ou* en écrivant). || Répon-
dre. ¶ Attribuer à, comprendre dans;
subordonner à. ¶ Mettre (une chose)
à la place d'une autre), substituer,
supposer. ¶ Suborner. ¶ Suggérer.
souffler, inspirer. ¶ Fournir, offrir. ¶
Qqf. Jeter en l'air, pousser en haut;
faire sauter.   [attacher le joug.

subjugia, *orum*, n, pl. Courroies pour

subjugius, *a, um*, adj. Qui s'attache
au joug. — *lora*, courroies pour attacher le joug.

subjugo, *as, avi, atum, are*, tr. Faire passer sous le joug. ¶ (Au fig.) Subjuguer,
soumettre, dompter. ¶ Adjoindre,
unir, joindre.   [joug.

subjugus, *a, um*, adj. Qui s'attache au

subjunctio, *onis*, f. Subjonction (t. de
rhét.).

subjunctorium, *ii*, n. Voiture traînée
par des animaux, attelage. ¶ (*Méton*.)
Animal qu'on attelle, bête de trait.

subjungo, *is, junxi, junctum, ere*, tr.
Attacher sous || Mettre sous le joug,
atteler. ¶ Mettre dessous. ¶ Attacher
à; *fig*. rattacher à, joindre, ajouter. ¶
Ajouter (en parlant). ¶ Soumettre,
subjuguer, assujettir. ¶ Mettre à la
place de, substituer.

sublabor, *eris, lapsus sum, labi*, dép.
intr. S'écrouler, tomber, s'évanouir.

¶ Se glisser en dessous, s'insinuer p..u à peu.

sublate, adv. A une grande hauteur. ¶ D'une manière élevée *ou* sublime. || Pompeusement. [sous.

sublateo, *es*, *ere*, intr. Etre caché des-**sublatio**, *onis*, f. Action d'élever, de soulever. ¶ Action de soulever dans ses bras (un enfant); *d'où* éducation. ¶ Soustraction, enlèvement. ¶ (T. de métrique.) Elévation de la main (en battant la mesure); temps faible de la mesure.

sublaturus. Voy. TOLLO.

sublatus, *a*, *um*, p. adj. Levé, élevé. || D'un ton haut. ¶ Très élevé. ¶ Enorgueilli, enflé, fier.

1. **sublego**, *is*, *legi*, *lectum*, *ere*, tr. Ramasser sous, recueillir (ce qui est par terre). ¶ Prendre en cachette, ravir, dérober. ¶ Recueillir furtivement *ou* au passage; intercepter. ¶ Elire comme remplaçant, adjoindre.

2. **sublego**, *is*, *ere*, tr. Faire la lecture de.

sublevatio, *onis*, f. Allègement, action de jeter par dessus le bord (d'un navire). ¶ (Au fig.) Soulagement.

sublevo, *as*, *avi*, *atum*, *are*, tr. Soulever, élever, relever. ¶ (Fig.) Relever, soutenir. || Aider, soulager. ¶ Alléger, diminuer, adoucir. || Atténuer.

1. **sublica**, *ae*, f. Pieux (enfoncés en terre), palissade. ¶ Pilotis.

2. **sublica**, *ae*, f. Vêtement de dessus.

sublices, *um*, f. pl. Pilotis.

sublicius, *a*, *um*, adj. Construit sur pilotis, de pilotis, de charpente.

subligaculum, *i*, n. Tablier pour cacher la nudité, sorte de caleçon.

subligar, *garis*, n. Tablier pour cacher la nudité, sorte de caleçon.

subligatio, *onis*, f. Action de lier en dessous.

subligo, *as*, *avi*, *atum*, *are*, tr. Attacher en dessous *ou* par-dessous, lier, attacher retrousser.

sublime, *is*, n. Hauteur, hautes régions; les airs, l'espace. ¶ *Adv*. En haut; en l'air.

sublimis, *e*, adj. Qui est dans les airs haut, élevé. ¶ (*Fig*.) Elevé, relevé, noble, grand, illustre, glorieux, magnanime. ¶ Hautain, fier, altier. ¶ Elevé, relevé, noble, sublime (en parl. du style et des écrivains).

sublimitas, *atis*, f. Hauteur, élévation. ¶ *Fig*. Grandeur, élévation, sublimité. ¶ Elévation du style, noblesse, grandeur.

sublimiter, adv. En haut, en levant la tête, en tenant le corps droit; avec grandeur, avec élévation, d'une manière sublime.

sublimitus, adv. En haut (en faisant un saut).

sublimo, *as*, *avi*, *atum*, *are*, tr. Lever en l'air, élever. ¶ (Au fig.) Elever, exalter, glorifier. ¶ Rehausser, honorer.

sublingio, *onis*, m. Aide de cuisine, marmiton.

sublino, *is*. *levi*, *litum*, *ere*, sub. Enduire en dessous, frotter en dessous; recouvrir. || (Techn.) Appliquer (un apprêt): faire un fond (en peinture). ¶ Etendre dessous, recouvrir; faire l'apprêt d'une couleur avec qq. ch.). ¶ Recouvrir d'une feuille, garnir. ¶ Enduire en bas, crépir. — *os alicui*, barbouiller la face de qqn. c.-à-d. se gausser de lui. [peu avant le jour.

sublucanus, *a*, *um*, adj. Qui a lieu un

subluceo, *es* *luxi*, *ere*, intr. Luire un peu; jeter une faible lueur. ¶ (Au fig.) Jeter un faible éclat.

subluo, *is*, *lui*, *lutum*, *ere*, tr. Laver en dessous, nettoyer. ¶ (Par ext.) Arroser, baigner le pied de.

sublustris, *e*, adj. Faiblement éclairé. ¶ (Au fig.) Qui jette une faible lueur.

submergo, *is* *mersi*, *mersum*, *ere*, tr. Plonger sous l'eau, submerger, couler bas; engloutir. ¶ (Au fig.) Etouffer, supprimer, ensevelir; *famil*. faire tomber dans l'eau.

submersio, *onis*, f. Submersion, engloutissement; perdition. ¶ (Particul.) Submersion, coucher des astres.

submerso, *as*, *are*, tr. Submerger complètement. [sion.

submersus, *us*, m. Submersion, immer-**subministratio**, *onis*, f. Action de présenter, de fournir, de procurer.

subministrator, *oris*, m. Fournisseur, pourvoyeur.

subministratus, abl. *u*, m. Action de fournir de présenter, d'administrer (des aliments).

subministro, *as*. *avi*, *atum*, *are*, tr. Donner de la main à la main, fournir, procurer (comme secours); *qqf*. produire.

submisse, adv. Bas; à voix basse doucement, d'un ton peu élevé, d'un ton modeste. ¶ Humblement.

submissim, adv. Doucement, à voix basse. — *ridere*, rire sous cape, rire dans sa barbe.

submissio, *onis*, f. Action de baisser (la voix). || (Au fig.) Style peu élevé. ¶ Abaissement, infériorité.

1. **submissus**, *a*, *um*, p. adj. Abaissé, baissé, bas. ¶ *Fig*. Bas (en parl. de la voix). ¶ Peu élevé, modeste, simple (en parl. du style). ¶ (En parl. du caractère.) Bas, vil, abject.

2. **submissus**, *us*, m. Introduction furtive (au fig.).

submitto (SUMMITTO), *is*, *misi*, *missum*, *ere*, tr. Mettre dessous. ¶ Soumettre, subordonner. ¶ Abaisser, baisser, faire descendre. — *fasces alicui*, abaisser les faisceaux devant qqn; *fig*. rendre hommage à qqn, baisser pavillon devant lui. ¶ Diminuer amoindrir. ¶ Laisser croître, laisser pousser. — *barbam ac capillum*, laisser pousser sa barbe et ses cheveux. ¶

Faire croître, faire pousser, produire ¶ Elever (les mains en suppliant). ¶ Envoyer sous main *ou* en secret.|| Su borner, corrompre. ¶ Envoyer au secours. ¶ Substituer, envoyer comme successeur. || Remplacer, compléter

submoleste, adv. Avec un peu de peine; avec quelque contrariété.

submolestus, *a*, *um*, adj. Un peu désagréable, assez contrariant.

submorosus, *a*, *um*, adj. Un peu morose: qui est d'assez mauvaise humeur.

submoveo, *e movi, motum, ere,* tr. Faire retirer, écarter, éloigner. ¶ Faire ranger la foule (à l'arrivée du consul) faire faire place (en parl. du licteur) ¶ Repousser (l'ennemi). ¶ (En parl. d'un lieu.) Diviser, séparer. ¶ *Fig.* Détourner, tenir loin de, écarter chasser. ¶ (T. de la langue rurale.) Se défaire de, vendre.

subnascor, *eris, natus sum, nasci,* dép. intr Naître en dessous, pousser par-dessous. ¶ Renaître, pousser.

subnecto, *is, nexui, nexum, ere,* tr. Attacher par-dessous, nouer sous, lier ¶ Ajouter, joindre (en parlant *ou* en écrivant).

subnego, *as, are,* tr. Refuser à peu près

subnexio, *is,* f. Subjonction, subnection (r. de rhét.) Voy. SUBJUNCTIO ¶ Prosapodose répétition du même mot à des places déterminées des phrases).

subniger, *gra, gum,* adj. Un peu noir noirâtre. ¶ (En parl. des pers.) Qui a le teint bronzé.

subnixus, *a, um,* adj. Appuyé sur qui porte sur, soutenu par. ¶ Qui se trouve sous qq. ch.: qui est soumis à qq. ch. ¶ Qui se repose sur, confiant, fier de.

subnoto, *a , avi, atum, are,* tr. Faire une marque au-dessous; écrire au bas de; annoter, marquer. ¶ Remarquer, no ter (tacitement *ou* à la dérobée).

subnubilus, *a, um,* adj. Un peu obscur, un peu ténébreux.

subobscoenus, *a, um,* adj. Un peu obscène, graveleux.

subobscure, adv. D'une manière un peu obscure (en parl. du style).

subobscurus, *a, um,* adj. Un peu sombre, un peu terne. ¶ (Au fig.) Un peu obscur (en parlant du style *ou* de l'écrivain).

subocculte, adv. D'une façon un peu secrète, un peu clandestine.

subodiosus, *a, um,* adj. Un peu odieux. ¶ Passablement ennuyeux. [froisser.

suboffendo, *is, ere,* tr. Déplaire un peu;

suboleo, *es, ere,* intr. Sentir, flairer (fig.).

suboles, *is,* f. Tout ce qui croît. || Rejeton, pousse, rameau. ¶ (Au fig.) Descendants, race, lignée, postérité. || Petits des animaux.

subolesco, *is, ere,* intr. (Grandir à la place de), faire souche.

suborior, *iri,* dép. intr. Naître successivement, renaître, se reproduire. ¶ (Au fig.) Se produire.

subornator, *oris,* m. Suborneur.

subornatrix, *tricis,* f. Celle qui aide la coiffeuse.

suborno, *as, avi, atum, are,* tr. Equiper, pourvoir, munir de. ¶ Tenir prêt, mander, faire venir. ¶ (Particul.) Préparer en dessous, dresser à une mauvaise action, suborner.

subortus, *us,* m. Action de naître, à mesure qu'une chose périt.

subp... V. SUPP...

subquartus, *a, um,* adj. Qui est plus petit d'un quart que (le nombre fractionnaire avec lequel on le compare); qui est dans le rapport de 4 à 5.

subrancidus, *a, um,* adj. Un peu rance.

subraucus, *a, um,* adj. Un peu rauque. Adv. *Subraucum,* d'une façon un peu rauque.

1. **subrectus**, *a, um,* adj. Un peu droit.
2. **subrectus**, part. de SUBRIGO.
3. **subrectus**, *us,* m. Action de dresser

subrefectus, *a, um,* adj. Un peu remis; un peu soulagé.

subremigo, *as. are,* intr. Ramer sous l'eau, ramer silencieusement (pr. et fig.). ¶ *Tr.* Mettre en mouvement, agiter comme avec la rame.

subrepo, *is, repsi, reptum, ere,* intr. Glisser sous, s'avancer en se glissant: se traîner. ¶ (*Au fig.*) Se glisser, s'insinuer. ¶ Croître, pousser insensiblement.

1. **subrepticius**, *a, um,* adj. Clandestin, secret.   [enlevé, volé.
2. **subrepticius**, *a, um,* adj. Soustrait

1. **subreptio**, *onis,* f. Action de se glisser, de s'insinuer secrètement. ¶ Subreption.   [ponnerie.
2. **subreptio**, *onis,* f. Vol, larcin, fri-

subreptor, *oris,* m. Voleur, fripon.

subrideo, *es, risi, risum, ere,* intr. Sourire.

subridicule, adv. Assez plaisamment.

subrigo, *is, rexi, rectum, ere,* tr. Se lever se dresser. ¶ Attacher (au poteau dans l'amphithéâtre); exposer aux bêtes. ¶ (Au fig.) Elever.

subringor, *eris, ringi,* dép. intr. Faire la moue; être contrarié.

subripio. Voy. SURRIPIO.   [titution.

subrogatio, *onis,* f. Subrogation, subs-

subrogo, *as, avi, atum, are,* tr. Faire choisir (par le peuple) un magistrat à la place d'un autre; élire en remplacement d'un autre; subroger. ¶ Modifier (une loi), y ajouter. ¶ Mettre à la disposition de, fournir, procurer.

subrostrani, *orum,* m. pl. Gens qui avaient l'habitude de s'arrêter sur la place publique à Rome, au pied de la tribune aux harangues.

subrotatus, *a, um,* adj. Qui a des roues en dessous, monté sur des roues.

subrubeo, *es, ere,* intr. Etre un peu rouge.

subruber, *bra, brum,* adj. Rougeâtre.

subrubeus, *a, um,* adj. Un peu rouge, rougeâtre.   [cramoisi, ponceau.

subrubicundus, *a, um,* adj. Rougeâtre,

subrufus, *a, um,* adj. Roussâtre, rougeâtre. ¶ (En parl. des hommes.) Roux, qui a les cheveux roux.

subruo, *is, rui, rutum, ere,* tr. Arracher par-dessous, miner, saper ‖ Abattre, renverser, ruiner. ¶ *Fig.* Miner, saper, détruire.

subrustice, adv. D'une façon un peu rustique, un peu grossièrement.

subrusticus, *a, um,* adj. Un peu rustique.

subrutilo, *as. are,* intr. Tirer sur le rouge, briller un peu. ¶ *Fig.* Etre assez clair, assez évident, assez intelligible.

subrutilus, *a. um,* adj. Tirant sur le rouge, rougeâtre.

subsanium. Voy. SUBSANNIUM.

subsannatio, *onis,* f. Action de railler en faisant des grimaces, moquerie, dérision.

subsannator, *oris,* m. Celui qui raille en faisant des grimaces, moqueur.

subsannatorius, *a, um,* adj. Qui tourne en dérision.   [cale.

subsannium, *i,* n. Intérieur d'un navire;

subsanno, *as. avi, are,* tr. Se moquer de... (en faisant des grimaces), **tourner** en dérision.   [peu.

subscindo, *is, ere,* tr. Fendre, diviser un

subscribo, *is scripsi, scriptum, ere,* tr. Ecrire dessous, inscrire en bas. ¶ Apposer son nom, sa signature au bas de, signer. ¶ Ajouter une formule de politesse *ou* quelques mots gracieux à l'adresse du destinataire, dans une réponse faite à une pétition (à l'époque impériale). ¶ Souscrire, approuver, adhérer à. ‖ Signer (un acte d'accusation), se porter accusateur. ¶ Appuyer, soutenir une accusation (portée par un autre). ¶ Inscrire, enregistrer.

subscriptio, *onis,* f. Action d'inscrire, inscription au-dessous de *ou* au bas de. ¶ Action de souscrire à une plainte judiciaire comme partie; accusation. ¶ Action d'approuver *ou* d'appuyer un acte d'accusation. ¶ Action d'ajouter quelques paroles gracieuses à un rescrit, à un mémoire. ¶ Inscription; enregistrement, note.

subscriptor, *oris,* m. Celui qui souscrit à une accusation, qui signe l'acte déposé. ¶ Celui qui adhère, approbateur, partisan.

subsecivus. La véritable forme est SUB-SICIVUS.

subseco, *as, secui, sectum, are,* tr. Couper en dessous, *ou* par en bas.

subsecundarius, *a, um,* adj. Qui vient après, secondaire.

subsecutio, *onis,* f. Suite, continuation

subsellarium, *ii,* p. n. Place des magistrats au théâtre.

subsellia, *orum,* n. pl. Sièges des juges,

tribunal, barre. ¶ Siège des avocats, barreau.

subsellium, *ii,* n. Siège bas (sans dossier), tabouret, escabeau, banquette. ¶ Toute espèce de banc.

subsequor, *eris, secutus sum, sequi,* dép.tr. Suivre de près, venir immédiatement après. ¶ Suivre, se régler sur, imiter.

1. **subsero,** *is, ere,* tr. Planter à la place de *ou* après, renouveler un plant.

2. **subsero,** *is serui, sertum, ere,* tr. Insérer dessous, introduire à la suite de, ajouter. ¶ *Fig.* Insinuer.

subservio, *is, ire,* intr. Etre esclave de, servir, obéir. ¶ Venir au secours de, seconder, aider.

subsessor, *oris,* m. Celui qui est à l'affût, qui guette (en parl. de chasseurs *ou* de bandits); chasseur. ¶ (Au fig.) Celui qui guette, qui convoite.

subsicivus, *a, um,* adj. Retranché, rogné (comme étant de trop). ¶ (Par ext. en parl. du temps.) Retranché sur le temps des affaires, dérobé aux occupations. ‖ Qui est de reste.

subsideo. Voy. SUBSIDO.

subsidiarius, *a, um,* adj. De réserve. ¶ (Par ext.) Qu'on réserve. ¶ (Terme de droit.) Subsidiaire.

subsidior, *aris, ari,* dép. intr. Former la réserve.

subsidium, *ii,* n. Ligne de troupes en position derrière le front de bataille, corps *ou* troupes de réserve. ‖ Secours, renfort. ¶ Secours, assistance, appui; protection. ‖ Refuge, asile. ¶ Ressource, moyen.

subsido, *is, sedi et sidi, sessum, ere,* intr. Se baisser. ¶ Se blottir, s'accroupir. ¶ Se porter, se tenir en embuscade. ¶ Déposer, former un précipité, un dépôt. ¶ S'affaisser, s'enfoncer; être englouti. ¶ Tomber, se calmer, cesser. ¶ S'arrêter, rester, demeurer, séjourner. ‖ S'établir.

subsignanus, *a, um,* adj. Qui est *ou* qui sert sous les drapeaux. — *milites,* soldats destinés à renforcer le centre de la ligne de bataille.

subsigno, *as, avi, atum, are,* tr. Transcrire plus bas; rapporter plus loin. ¶ Enregistrer, inscrire, consigner. ¶ Engager par sa signature. ¶ Engager, offrir en garantie.

subsilio (SUBSILIO), *is, silui, ire,* intr. Sauter en l'air, bondir; s'élancer vers. ¶ *Fig.* S'échapper par un bond, se dégager. ¶ Sauter dedans, à l'intérieur.

subsisto, *is, stiti, ere,* intr. S'arrêter, faire halte. ¶ Rester, demeurer. ¶ Résister. tenir bon. ¶ (Au fig.) *En parl. de ch.* S'arrêter, cesser; se retirer. ¶ S'interrompre, s'arrêter en parlant. ‖ *Spéc.* Hésiter en parlant; ne pas affirmer. ¶ Persister, se maintenir. ¶ Assister soutenir; porter secours à. ¶ Opposer de la résistance, faire face à; être à la hauteur de. ¶ Subsister, *c.-à-d.* exister, être. ¶ *Tr.* Résister à, arrêter.

1. subsōlānus, *a, um*, adj. Tourné vers l'orient; de l'est.

2. subsōlānus, *i*, m. Vent d'est.

subsortior, *iris titus sum, iri*, dép. tr; Tirer au sort (pour remplacer).

subsortitio, *onis*, f. Tirage au sort (pour remplacer).

substantia, *ae*, f. Substance, être, existence. || Matière, fond; réalité. ¶ *Spéc.* Subsistance, nourriture, aliment. ¶ Etat de fortune, moyen de subsistance; avoir. || (Méton.) Fortune, bien. ¶ Pouvoir, faculté.

substerno, *is, stravi, stratum, ere*, tr. Etendre sous, mettre sous. ¶ Joncher, couvrir de. ¶ (*Fig.*) Soumettre, subordonner; exposer, offrir. ¶ Livrer, prostituer.

substituo, *is, tui, tutum, ere*, tr. Mettre, placer sous *ou* après, *ou* derrière. ¶ Soumettre à. || Rendre responsable. ¶ Mettre à la place, substituer. ¶ Substituer (comme héritier), subroger. || Donner (à qqn) un second héritier.

substitutio, *onis*, f. Action de désigner qqn en remplacement d'un autre, substitution, remplacement. ¶ *Jur.* Substitution (d'un second héritier).

substo, *as, are*, intr. Etre dessous.|| Etre à l'état latent. ¶ Résister; tenir bon.

substratus, *abl. u*, m. Action d'étendre sous.   [ment; faire à peine entendre.

substrepo, *is, ere*, intr. Murmurer faible-

substrictus, *a, um*, p. adj. Serré, étriqué, étroit; grêle, maigre, court, chétif.

substringo, *is, strinxi, strictum, ere*, tr. Serrer par-dessous, attacher. ¶ Resserrer, restreindre; contenir.

substructio, *onis*, f. Bâtisse souterraine, substruction. || Fondation, assise. ¶ Construction faite au bas d'un édifice; soutènement. ¶ Grande muraille. ¶ Mur qui soutient un aqueduc.

substructum, *i*, n. Substruction, fondation.

subtruo, *is, struxi, structum, ere*, tr. Construire en dessous, faire une fondation, un soubassement. ¶ Paver. || Donner une assise au pavage.

subsultim, adv. Par soubresauts. || En sautillant.

subsum, *es, fui, esse*, intr. Etre sous, être placé dessous. ¶ Etre dans le voisinage, être proche. ¶ (*Fig.*) Etre caché dessous, être au fond de (comme motif). ¶ Etre exposé à.

subsuo, *is, i, sutus, ere*, tr. Coudre au bas, garnir par en bas. ¶ (*Fig.*) Ajouter par écrit.

subsutio, *onis*, f. Action de coudre par-dessous. || (Méton.) Pièce cousue par-dessous.   [reprise.

subsutura, *ae*, f. Couture par-dessous;

subtegmen, *inis*, n. Voy. SUBTEMEN.

subtego, *is, texi, tectum, ere*, tr. Couvrir, recouvrir, cacher.

subtemen (SUBTEGMEN), *minis*, n. Trame d'un tissu. || (Méton.) Tissu, || Fil (des Parques).

subtendo, *is, tendi, tentum, ere*, tr. Tendre par-dessous. ¶ *Intr.* S'étendre par-dessous.

subter, adv. Dessous. ¶ (Prép.) Sous, au-dessous de. || De de sous, au bas de, au pied de, près de.   [par-dessous

subterago, *is, egi, actum, ere*, tr. Pousser

subterduco, *is, duxi, ere*, tr. Emmener secrètement soustraire.

subterfluo, *is, ere*, intr. Couler au-dessous. ¶ (Fig.) Tr. Fuir, échapper à.

subterfugio, *is, fugi, ere*, intr. Fuir secrètement, s'esquiver. ¶ *Tr.* Se dérober à, se soustraire à, éviter.

subterjaceo, *es, ere*,intr.Etre situé sous...

subterjacio, *is, ere*, tr. Jeter sous...

subterlabor, *eris, lapsus sum, labi*; dép. intr. Couler sous ou au pied de, par-dessous. ¶ S'échapper.   [sous.

subterlino, *is, ere*, tr. Oindre par-des-

subterluo, *is, ere*, tr. Baigner, arroser par-dessous.

subtero, *is, trivi, tritum, ere*, tr. User en dessous. ¶ Broyer, écraser, piler.

subterraneum, *i*, n. Souterrain.

subterraneus, *a, um*, adj. Qui est sous terre; souterrain.

subterrenus, *a, um*, adj. Souterrain.

subterreus, *a, um*, adj. Souterrain.

subtersterno, *is, stravi, ere*, tr. Répandre, couvrir en dessous.

subtervaco, *is, are*, intr. Etre vide par-dessous.   [dessous.

subtervolvo, *is, ere*, intr. Rouler en

subtexo, *is, texui, textum, ere*, tr. Tisser dessous.|| (Par ext.) Etendre *ou* mettre dessous; mettre devant. ¶ Voiler, couvrir. ¶ Ajouter au tissu; joindre, réunir. ¶ Faire, composer, ourdir. ¶ Ajouter, exposer ensuite.

subtilis, *e*, adj. D'un tissu fin, *d'où* subtil, délié, mince, grêle, ténu. ¶ (En parl. des sens.) Fin, délicat. ¶ *Fig.* Délicat, fin, ingénieux, subtil; pénétrant; sagace, judicieux, perspicace. ¶ Scrupuleux, juste, exact, méthodique, soigné. ¶ Précis, sobre, simple et clair (en parl. du style). ¶ Comme VERSUTUS.

subtilitas, *atis*, f. Finesse, ténuité, délicatesse. ¶ Subtilité, finesse (des sens, de l'esprit). ¶ Justesse, exactitude. ¶ Précision, sobriété, simplicité (du style). ¶ Adresse, ruse, artifice.

subtiliter, adv. Finement, d'une manière ténue. ¶ Avec goût, avec sagacité, avec pénétration. ¶ Subtilement ¶ Avec justesse, exactement. ¶ Avec précision, avec simplicité. || Sobrement, sans apprêt.   [appréhension.

subtimeo, *es, ere*, intr. Avoir une secrète

subtraho, *is, traxi, tractum, ere*, tr. Retirer de dessous, retirer furtivement, soustraire. *Subtracto solo*, le sol manquant sous les pieds. ¶ Retirer, éloigner, enlever, ôter. || (*Fig.*) Soustraire. ¶ Retirer (qqch. à qqn), refuser, ne pas donner. — *se*, retirer sa garantie *ou* se retirer (par modestie), décliner (une dignité). ¶ Retrancher, omettre; passer sous silence. ¶ (Arithm.) Soustraire.

subtristis, *e*, adj. Un peu triste.

subtunicalis, *is*, f. Vêtement de dessous (des prêtres juifs). [teux.

subturpiculus, *a*, *um*, adj. Un peu honteux.

subturpis, *e*, adj. Assez ignominieux.

subtus, adv. En dessous, par-dessous. ¶ *Prép.* Sous.

subtusus, *a*, *um*, adj. Un peu broyé; meurtri. ¶ *Fig.* Obtus (t. de géom.).

subucula, *ae*, f. Tunique de dessous; chemise (d'homme et de femme). ¶ Sorte de gâteau offert aux dieux.

subula, *ae*, f. Alène. ¶ Outil pour polir les pierres, grelet. [porcher.

subulcus, *i*, m. Gardeur de cochons, subulo, *onis*, m. Joueur de flûte. ¶ Daguet, sorte de cerf. ¶ Infâme débauché.

suburbanitas, *atis*, f. Banlieue de Rome.

suburbanum (s.-e. PRAEDIUM), *ii*, n. Maison de campagne près de Rome. ¶ Banlieue. ¶ Faubourg.

suburbanus, *a*, *um*, adj. Situé dans le voisinage de la ville, qui est aux portes de la ville (de Rome), suburbain. — *peregrinatio*, tournée dans la banlieue (de Rome). ¶ Subst. *Suburbani*, *orum*, m. pl. Les habitants de la banlieue (de Rome).

suburbium, *ii*, n. Faubourg, banlieue.

suburgueo, *es*, *ere*, tr. Pousser près de.

suburo, *is*, *ussi*, *ustum*, *ere*, tr. Brûler légèrement. ¶ (*Fig.*) Enflammer légèrement (en parl. de l'amour).

subus. *i*, m. Comme RHOMBUS.

subustio, *onis*, f. Action de chauffer pardessous. [tion qui répond à une autre.

subvas, *vadis*, m. Seconde caution, caution.

subvectio, *onis*, f. Action de transporter. ‖ Transport par eau. *Subvectiones*, arrivages. [turer, charrier.

subvecto, *as*, *are*, tr. Transporter; voiture.

subvector, *oris*, m. Celui qui transporte.

subvectus, *us*, m. Transport (par eau).

subveho, *is*, *vexi*, *vectum*, *ere*, tr. Transporter de bas en haut; remonter un fleuve. — *naves*, faire remonter le courant à des navires. *Nilo subvehi*, remonter le Nil. ¶ Transporter, voiturer, charrier. ¶ (*Fig.*) Pousser à, élever.

subvenio, *is*, *veni*, *ventum*, *ire*, intr. Venir au secours de. ¶ (Par ext.) Subvenir, venir en aide à. ‖ Remédier à, parer à. ¶ Intervenir pour, prendre la défense de. ¶ Survenir; se présenter.

subventio, *onis*, f. Aide, secours.

subvento, *as*, *are*, intr. Accourir au secours, secourir avec empressement.

subventor, *oris*, m. Qui vient au secours de. ‖ Protecteur, soutien. [der.

subvereor, *eris*. *eri*, dép. intr. Appréhender.

subversio, *onis*, f. Renversement, ruine, destruction, anéantissement. ¶ (Méton.) Vin trouble, lie de vin.

subversor, *oris*, m. Celui qui renverse. destructeur.

subverto (SUBVORTO), *is*, *verti*, *versum*, *ere*, tr. Mettre sens dessus dessous. retourner, renverser. ¶ Bouleverser, détruire, anéantir. [pente.

subvexus, *a*, *um*, adj. Qui s'élève en subviridis, *e*, adj. Verdâtre.

subvolo, *as*, *are*, intr. S'élever en volant prendre son essor.

subvolvo, *is*, *ere*, intr. Rouler de bas en haut, élever. *Subvolvi* (pass. moyen), se rouler, se mouvoir sous (qqch.).

subvulturius, *a*, *um*, adj. Dont la couleur ressemble un peu à celle du vautour.

succaelestis. Voy. SUBCAELESTIS.

succano, *is*, *ere*, intr. Voy. SUCCINO.

succanto, *are*, tr. Seriner, rebattre les oreilles.

succarum, *i*, n. Voy. SACCHARON.

1. **succedaneus** (SUCCIDANEUS), *a*, *um* adj. Substitué, qui remplace; suppléant. [pléant. ‖ Successeur

2. **succedaneus**, *i*, m. Remplaçant, suppléant.

succedo, *is*, *cessi*, *cessum*, *ere*, intr. Aller sous, s'avancer sous, entrer sous pénétrer dans. ¶ (Fig.) Venir sous, se présenter, se charger de, s'assujettir à. — *oneri*, se charger d'un fardeau. ¶ (Techn. milit.) S'approcher de, s'avancer (jusqu'à), marcher (sur). ¶ S'élever, monter; remonter (un cours d'eau), gravir. - *murum*, monter à l'assaut. ¶ Venir après, venir à son tour, remplacer, succéder à. ¶ *Fig.* Venir après, être placé à la suite de, ‖ Suivre. ¶ Marcher à souhait, avoir du succès, réussir. - *parum*, échouer Au passif. *Cum omnia velles mihi successa*, comme tu me souhaitais tous les succès.

succendo, *is*, *cendi*, *censum*, *ere*, tr. Allumer par-dessous, mettre le feu à, incendier; brûler. ¶ (*Fig.*) Allumer, enflammer, embraser. *Succensus ira*, brûlant de colère. *Succensus* (absol.), brûlant d'amour, fortement épris. ¶ (Au pass. moy.) *Succendi*, être atteint d'une violente inflammation.

succenseo. Voy. SUSCENSEO.

1. **succensio**, *onis*, f. Action d'allumer. ¶ Embrasement, incendie. ¶ Action de chauffer; chauffage.

2. **succensio**, *onis*, f. Voy. SUSCENSIO.

succentio, *onis*, f. Son léger, bruit qui se prolonge en s'affaiblissant.

succentivus, *a*, *um*, adj. Qui sert d'accompagnement, qui accompagne.

succentor, *oris*, m. Accompagnateur. ¶ *Fig.* Conseiller, fauteur, instigateur.

succenturio, *as*, *avi*, *atum*, *are*, tr. Ajouter pour compléter une centurie. ¶ (*Fig.*) Placer en réserve.

succentus, *us*, m. Action d'accompagner (un musicien), accompagnement. ¶ Ton grave.

succerno, *is*, *ere*, tr. Voy. SUBCERNO.

successio, *onis*, f. Action de venir après, succession, remplacement. ¶ Issue, résultat.

successor, *oris*, m. Remplaçant, successeur, héritier.

successus, *us*, m. Action d'entrer sous, de pénétrer dans. || (Méton.) Lieu où l'on pénètre, caverne, antre, gouffre. ¶ Action d'avancer, marche en avant, approche; arrivée. ¶ Suite; succession. ¶ (*Fig.*) Réussite, succès. ¶ (Méton.) Postérité, race. || Enfants. [lard.

succidia, *ae*, f. Quartier de porc *ou* de

1. succido, *is*, *cidi*, *cisum*, *ere*, tr. Couper au bas; couper par le pied; trancher. ¶ Egorger. ¶ (Par ext.) Abattre, renverser, détruire. ¶ Tailler au ciseau. ciseler.

2. succido, *is*, *cidi*, *ere*, intr. Tomber sous.|| Etre compris dans. ¶ S'affaisser, fléchir. || Défaillir. || Succomber. || *Fig.* Se laisser abattre.

3. succido, *as*, *are*, intr. Voy. SUCIDO.

succidus, *a*, *um*, adj. Voy. SUCIDUS.

1. succiduus, *a*, *um*, adj. Comme SUCCE-DANEUS.

2. succiduus, *a*, *um*, adj. Qui fléchit, qui s'affaisse, chancelant. ¶ Qui fait défaut, qui manque. || Supprimé.

succincte, adv. Brièvement, succinctement. || D'une manière expéditive.

succinctim, adv. Comme le précédent.

succinctio, *onis*, f. Action de se vêtir (de feuillage). ¶ (Méton.)Tablier, garniture.

succinctorium, *ii*, n. Tablier. [ment.

succinctulus, *a*, *um*, adj. Ceint légère-

succinctus, *a*, *um*, p. adj. Prêt, préparé; dispos, agile. Voy. SUCCINGO. ¶ Serré, court, peu étendu, bref, succinct.

succingo, *is*, *cinxi*, *cinctum*, *ere*, tr. Retrousser, relever (un vêtement); attacher avec une ceinture. Au partic. *Succinctus*, qui a la robe retroussée et serrée à la taille; *d'où* empressé, dispos, alerte. ¶ Entourer (d'une ceinture), envelopper, ceindre; *par ext.* revêtir (de). ¶ (*Fig.*) Pourvoir, munir, garnir.

succingulum, *i*, n. Ceinturon, baudrier.

succino, *is*, *ere*, intr. et tr. Chanter après un chant; répondre à un chant; chanter alternativement. ¶ (*Fig.*) Venir après; faire le pendant de. ¶ S'accorder avec. ¶ Débiter, marmotter.

succinum, *i*, n. Voy. SUCINUM.

1. succinus, *a*, *um*, adj. Voy. SUCINUS.

2. succinus, *i*, m. Forme vulg. de SUCCINUM, p. SUCINUM.

succipio, *is*, *cepi*, *ere*, tr. Prendre par dessous; recueillir qqch. (qui tombe). Voy. SUSCIPIO. [coupe, taille.

succisio, *onis*, f. Action de couper ras.

succisivus, *a*, *um*, adj. Voy. SUBSICIVUS.

succisor, *oris*, m. Qui taille les arbres

succlamatio, *onis*, f. Cris, clameurs, vociférations.

succlamo (SUBCLAMO), *as*, *avi*, *atum*, *are*, intr. S'exclamer, se récrier; vociférer. Au passif : *succlamatus invidia*, objet de clameurs malveillantes.

succrepo, *as*, *are*. intr. Craquer par dessous.

succresco (SUBCRESCO), *is*, *crevi*, *cretum*, *ere*, intr. Pousser au-dessous. ¶ Repousser, se reproduire (en parl. des plantes). || Reparaître. ¶ (*Fig.*) Surgir, se produire après. [vale (en beauté).

succuba, *ae*, f. Concubine. ¶ (*Fig.*) Rival.

succubo, *as*, *are*, intr. Etre couché sous.

succulentus, *a*, *um*, adj. Voy. SUCU-LENTUS.

succumbo, *is*, *cubui*, *cubitum*, *ere*, intr. Se coucher sous, se prosterner; tomber sous, fléchir, succomber. ¶ *Spéc.* Se coucher, s'aliter, tomber malade. ¶ (*Fig.*) Succomber, céder, être vaincu. — *animo*, perdre courage. — *oneri*, plier sous un fardeau, sous le faix. || Etre abattu. ¶ S'accoupler avec.

succurro, *is*, *curri*, *cursum*, *ere*, intr. Courir sous, venir se placer sous. ¶ (*Fig.*) S'exposer à, affronter. ¶ Venir à la pensée, se présenter à l'esprit. ¶ Courir au secours de, aider, secourir || Assister; garantir. ¶ *En parl. de ch.* Remédier à, soulager, être bon, *ou* efficace pour.

succursor, *oris*, m. Celui qui porte secours à, qui assiste; second.

succus, *i*, m. Voy. SUCUS.

succussator, *oris*, m. Qui secoue, qui fait faire des soubresauts; qui a le trot dur. [cheval).

succussatura, *ae*, f. Trot dur (d'un

succussio, *onis*, f. Secousse, ébranlement, tremblement (de terre).

succussus, *us*, m. Secousse.

succutio, *is*, *cussi*, *cussum*, *ere*, tr. Secouer en haut, remuer, agiter. ¶ (*Fig.*) Bouleverser, ébranler.

1. sucidus, *a*, *um*, adj. Humide, moite. — *lana*, laine grasse. [de sève.

2. sucidus, *a*, *um*, adj. Plein de suc *ou*

sucinacius, *a*, *um*, adj. Qui a la couleur du succin. [bre jaune.

sucinum (SUCCINUM), *i*, n. Succin, am-

sucinus (SUCCINUS), *a*, *um*, adj. De succin. [toyable.

suco (SUCCO), *onis*, m. Usurier impi-

sucophanta, *ae*, m. Voy. SYCOPHANTA.

sucositas, *atis*, f. Nature juteuse.

sucosus (SUCCOSUS), *a*, *um*, adj. Plein de suc *ou* de sève. ¶ Juteux. ¶ Humide. — *lana*, laine grasse. ¶ *Fig.* Riche, cossu.

suctus, *us*, m. Action de sucer, succion.

sucula, *ae*, f. Jeune truie. ¶ Sorte de treuil (employé dans les pressoirs) ¶ (Par méprise.) L'étoile la plus brillante des Hyades.

suculentus (SUCCULENTUS), *a*, *um*, adj. Plein de sève, bien portant, vigoureux

suculus, *i*, m. Jeune porc, goret.

1. sucus (SUCCUS), *i*, m. Suc, sève. ¶ Tout liquide épais; jus, huile; essence. — *lactis* et (absol.) *sucus*, lait. ¶ Jus d'herbe, décoction; potion. tisane. || Jus de viande. ¶ (*Fig.*) Sève, force, vigueur. ¶ Suc, goût, saveur.

2. sucus, *us*, m. Comme le précédent

sudabundus, *a, um*, adj. Qui est tout en sueur. [essuyer la sueur).

sudariolum, *i*, n. Petit mouchoir (pour

sudarium, *ii*, n. Mouchoir. ¶ Par ext Linge. ‖ Suaire.

sudatio, *onis*, f. Action de suer, transpiration; sueur. ¶ (Méton.) Etuve. ¶ Au plur. *Sudationes*, sudorifiques.

sudator, *oris*, m. Qui transpire facilement ou beaucoup.

sudatorium, *ii*, n. Etuve.

sudatorius, *a, um*, adj. Sudorifique.

sudatrix, *tricis*, f. Celle qui sue. ¶ *Adj.* Qui fait suer.

sudis, *is*, f. Petit pieu, piquet, échalas. ¶ Epieu (durci au feu). ¶ (Par ext.) Pointe, piquant, épine. ¶ Espèce de brochet.

sudo, *as, avi, atum, are*, intr. Suer. être en sueur, transpirer. ¶ *Fig.* Suer c.-à-d. se donner de la peine. ¶ Etre humide, être dégouttant de. ‖ Suinter tomber goutte à goutte. ¶ *Tr.* Distiller, verser, répandre. ¶ Tremper de sueur. ¶ *Fig.* Arroser de sueur; faire péniblement, faire à la sueur de son front. ‖ Faire suer (l'argent).

sudor, *oris*, m. Sueur. ¶ Liquide qui suinte, humidité, rosée. ¶ *Fig.* Sueur; peine, effort. *Multo sudore*, à grand peine.

sudum, *ii*, n. Sérénité, ciel pur, bleu du ciel. ¶ Temps clair, beau temps.

sudus, *a, um*, adj. Sans humidité. ‖ Sec (en parl. du vent). ‖ Dégagé de nuages (en parl. du ciel), sec, serein, clair.

1. suellus, *i*, m. Jeune porc; goret.

2. suellus, *a, um*, adj. Voy. SUILLUS

suesco, *is, suevi, suetum, ere*, intr. S'accoutumer, s'habituer. ¶ Au parf. *Suevi* j'ai coutume. ¶ *Tr.* Accoutumer, habituer.

suetus, *a, um*, p. adj. Accoutumé, habitué. ¶ Habituel, ordinaire. Subst. *Sueta*, n. pl. Habitudes.

sufes, *fetis*, m. Premier magistrat des villes puniques; suffète.

suffarcino, *as, avi, atum, are*, tr. Bourrer, remplir. *Suffarcinatus*, chargé surchargé, bourré.

suffectio, *onis*, f. Addition, mélange ¶ Substitution, remplacement.

suffectura, *ae*, f. Substitution, remplacement.

suffercitus, *a, um*, adj. Voy. SUFFERTUS.

sufferenter, adv. Avec patience, en se donnant du mal.

suffero, *fers, ferre*, tr. Placer sous, soumettre. ¶ Offrir, porter, présenter. [Maintenir. ‖ Se charger de. ¶ Supporter, soutenir, souffrir, endurer.

suffertus, *a, um*, adj. Plein, nourri.

sufficiens, *entis*, p. adj. Qui suffit, suffisant. ‖ Dont le témoignage a du poids. ¶ Qui sait se contenter de.

sufficienter, adv. Suffisamment.

sufficientia, *ae*, f. Suffisance, ce qui suffit. — *sui*, suffisance, contentement de soi-même.

sufficio, *is, feci, fectum, ere*, tr. Mettre sous; mettre comme fond. ‖ Imprégner d'une couleur; colorer, teindre. ¶ Mettre à la place de, substituer. ‖ Elire (en remplacement de). ‖ (Spéc.) *Consul suffectus*, consul qui remplace le consul ordinaire dans la dernière partie de l'année. ¶ Par ext. Préposer à une charge. ¶ Présenter, fournir, donner. ¶ Intr. Suffire, être suffisant; être assez bon pour.

suffigo, *is, fixi, fictum, ere*, tr. Attacher en dessous. ‖ Clouer, suspendre. ¶ Garnir.

suffimen, *minis*, n. Fumée qui s'exhale; fumigation. ‖ Parfum.

suffimentum, *i*, n. Fumigation, odeur. Voy. SUFFIMEN. ¶ Purification.

sufflo, *is, ivi et ii, itum, ire*, intr. et tr. ¶ *Intr.* Faire des fumigations (avec). ¶ *Tr.* Fumiger, exposer à une fumigation. *Suffitae apes*, abeilles enfumées. ¶ (Par ext.) Echauffer. ¶ Brûler (une substance) pour fumiger.

suffitio, *onis*, f. Fumigation, action de parfumer (par la vapeur).

suffitus, *us*, m. Fumigation; action d'exposer à la vapeur. ¶ (Méton.) Fumée *ou* odeur d'une substance brûlée.

sufflamen, *minis*, n. Sabot à enrayer; chaîne. ¶ (Fig.) Arrêt; entrave. obstacle. [fig.)

sufflamino, *as, are*, tr. Enrayer (pr. et 1. **sufflatus**, *a, um*, p. adj. Enflé, gonflé. ¶ *Fig.* Bouffi (d'orgueil); enflé (de colère). ‖ Boursouflé (en parl. du style).

2. sufflatus, abl. *u*, m. Action de souffler. ¶ Souffle, haleine. [blond clair.

sufflavus, *a, um*, adj. Un peu blond;

sufflo, *as, avi, atum, are*, intr. Souffler sur *ou* contre. ‖ Se gonfler. ¶ *Tr.* Souffler, gonfler; enfler. — *se*, s'emporter. ‖ Souffler sur.

suffocatio, *onis*, f. Suffocation, étouffement. ¶ (Fig.) Etranglement.

suffoco, *as, avi, atum, are*, tr. Etouffer suffoquer, étrangler. Au passif : *suffocari*, étouffer, suffoquer.

suffodio, *is, fodi, fossum, ere*, tr. Creuser sous, saper, miner.

suffossio, *onis*, f. Action de creuser. ¶ Excavation; mine.

suffossor, *oris*, m. Mineur.

suffragatio, *onis*, f. Action de donner son suffrage *ou* d'appuyer une candidature. ‖ Suffrage (en faveur de qqun). ¶ (Fig.) Faveur, recommandation, appui.

suffragator, *oris*, m. Votant; électeur. ¶ (Fig.) Approbateur, partisan.

suffragium, *ii*, n. Tesson (qui servait à exprimer son vote). ¶ (Fig.) Suffrage, vote. — *ferre*, voter. *Jus suffragii*, droit d'électeur. — *testarum*, ostracisme. *In suffragium revocare* procéder à un nouveau scrutin. ¶ Droit de suffrage. ¶ (*Fig.*) Suffrage, approbation, faveur.   [drupède.

1. **suffrago**, *ginis*, f. Jarret d'un qua-
2. **suffrago**, *as, avi, are*, intr. Favoriser, appuyer de son suffrage. ¶ Réussir, avoir du succès.

suffragor, *aris, atus sum, ari*, dép. intr. Donner son suffrage à, voter pour. ¶ *Fig.* Favoriser, soutenir. || Seconder, approuver.

suffringo, *is, fregi, fractum, ere*, tr. Briser par en bas; rompre.

suffugio, *is, fugi, fugitum, ere*, intr. S'enfuir sous, s'abriter sous, se mettre à couvert. ¶ *Tr.* Echapper à, éviter; fuir.

suffugium, *ii*, n. Refuge, abri. ¶ *Fig.* Ressource; échappatoire. ¶ Action de remonter.

suffulcio, *is, fulsi, fultum, ire*, tr. Appuyer par dessous, étayer, soutenir. ¶ Donner pour support. ¶ *Fig.* Sustenter.   [ner pour fondement à.

1. **suffundo**, *as, avi, atum, are*, tr. Don-
2. **suffundo**, *is, fudi, fusum, ere*, tr. Verser, répandre par-dessous. *Suffusa bilis*, épanchement de bile, ictère, jaunisse. ¶ Répandre sur *ou* dans; verser en mélangeant. ¶ Répandre sur, mouiller, baigner. *Oculi suffunduntur*, les yeux se remplissent de larmes. ¶ Couvrir de. *Suffundi pudore* ou (simpl.) *suffundi*, rougir de honte. ¶ Imprégner de.

suffuror, *aris, ari*, dép. tr. Voler en cachette, dérober.   [bronzé.

suffusculus, *a, um*, adj. Un peu bronzé.

suffuscus, *a, um*, adj. D'un brun foncé.

suffusio, *onis*, f. Action de verser. || Infusion. ¶ Rouge de la honte. || Timidité. ¶ Suffusion, épanchement. — *oculorum* ou (simpl.) *suffusio*, cataracte; fluxion ophtalmique. — *pedum*, engorgement aux jambes.

suffusorium, *ii*, n. Burette (d'huile).

suffusus, *a, um*, p. adj. Rougi. ¶ Pudique. || Timide.

suggerenda, *ae*, f. Suggestion; conseil.

suggero, *is, gessi, gestum, ere*, tr. Porter sous, mettre sous. — *invidiae flammam*, attiser la haine (populaire). ¶ Apporter de bas en haut, entasser, élever. *Humus suggesta*, terrasse. ¶ (Apporter sous la main de); procurer, fournir; donner. || *Fig.* Fournir, produire, donner lieu à. ¶ Inspirer, conseiller, suggérer. || Faire un rapport. ¶ Mettre après, faire succéder. ¶ Faire suivre, ajouter. ¶ Apporter sous main. — *lud em alicui*, jouer un tour à qqn.

suggestio, *onis*, f. Addition successive et graduelle. ¶ Subjection (fig. de rhét.); interrogation suivie de la réponse. ¶ Suggestion, avis, conseil; inspiration.

suggestum, *i*, n. Lieu élevé, élévation en terre *ou* en pierres. || Tribune; estrade.

suggestus, *us*, m. Action de construire dessous, soubassement; assise. ¶ Elévation, éminence, hauteur. || Dessus de tête, coiffure en forme de boisseau. || *Fig.* Comble (de la fortune). ¶ Plateforme, estrade, tribune (aux harangues). || Tribunal (du préteur). || Trône. ¶ Appareil, préparatifs, apprêts. ¶ *Fig.* Conseil, avis, suggestion.

suggill... Voy. SUGIL...   [hoquet.

sugglutio, *is, ire*, intr. Avoir un léger

suggredior, *eris, gressus sum, gredi*, dép. intr. S'avancer furtivement; s'approcher. ¶ *Tr.* Attaquer.

suggrunda, *ae*, f. Avant-toit, auvent; appentis. ¶ Entablement.

suggrundarium, *ii*, n. Tombeau d'un enfant de moins de quarante jours.

suggrundatio, *onis*, f. Comme SUGGRUNDA.

suggrundium, *ii*, n. Comme SUGGRUNDA.

suggrunio, *is, ire*, intr. Grogner un peu (en parl. de porcs).

sugillatio, *onis*, f. Meurtrissure, contusion, tache bleuâtre. ¶ *Fig.* Tache, flétrissure, déshonneur. ¶ Outrage. || Dérision, moquerie.

sugillatiuncula, *ae*, f. Légère tache. ¶ Dérision, moquerie.

sugillo (SUGGILLO), *as, avi, atum, are*, tr. Meurtrir; contusionner. *Oculi sugillati*, yeux pochés. *Sugillata* (s.-e. *loca*), contusions, meurtrissures. ¶ (*Fig.*) Flétrir, déshonorer. || Outrager, diffamer. ¶ Inculquer. || Suggérer, inspirer.

sugo, *is, suxi, suctum, ere*, tr. Sucer. ¶ Epuiser (en suçant).

sui, *sibi, se*, pron. réfléchi. Se, soi; lui elle; eux, elles.

suifico, *as, are*, tr. Faire sien.

suile, *is*, n. Porcherie.

suilla (s.-e. CARO), *ae*, f. Viande de porc

suillinus, *a, um*, adj. De porc.

suillus, *a, um*, adj. De porc.

suina (s.-e. CARO), *ae*, f. Viande de porc

sulcator, *oris*, m. Celui qui trace des sillons: celui qui laboure. ¶ *Fig.* Celui qui sillonne, qui fend, qui parcourt.

sulcatoria, *ae*, f. Bateau de transport.

sulco, *as, avi, atum, are*, tr. Sillonner faire des sillons; labourer; cultiver. ¶ *Par ext.* Sillonner, fendre; ouvrir; creuser. ¶ *Spéc.* Parcourir, traverser || Fendre (les flots). ¶ Tracer (sur le parchemin); écrire, composer (un ouvrage).

1. **sulcus**, *a, um*, adj. Dans l'express. *Ficus sulca*, sorte de figue inconnue.
2. **sulcus**, *i*, m. Sillon. *Sulcum ducere* tracer un sillon. || (Méton.) Labour, labourage. ¶ *Par ext.* Entaille (semblable à un sillon). || Ride. || Balafre. ¶ Sillon (de feu), météore. || Foudre. ¶ Sillon (sur l'eau). || Sillage. ¶ Ligne trait. || Caractère (d'écriture), écriture.

¶ Rigole, fosse, fossé. ¶ Repli (d'un serpent).

sulfur (SULPHUR, SULPUR), *uris*, n. Soufre. Au plur. *Sulfura*, morceaux de soufre, allumettes; eaux sulfureuses, bains sulfureux. ¶ (Méton.) Foudre (à cause de son odeur de soufre).   [soufre, sulfureux.

sulfurans, *antis*, adj. Qui renferme du

sulfuraria, *ae*, f. Soufrière.

sulfurata (s.-e. FILA), *orum*, n. pl. Fils soufrés; allumettes soufrées. ¶ (S.-e. LOCA.)Veines de soufre, mine de soufre, soufrière.

sulfuratio, *onis*, f. Soufrière. [du soufre.

sulfuratus, *a*, *um*, adj. Qui contient

sulfureus (SULPHUREUS, SULPUREUS) *a*, *um*, adj. De soufre; du soufre. || De couleur de soufre. ¶ Qui contient du soufre. || Sulfureux.

sulfurosus, *a*, *um*, adj. Riche en soufre.

sullaturio, *is*, *ire*, intr. Trancher du Sylla.

1. **sulphur**, *uris*, n. Voy. SULFUR.

2. **sulphur**, *is*, m. Voy. SULFUR.

sulpur, *uris*, n. Comme SULFUR.

sulpurans. Voy. SULFURANS.

1. **sum**, *es*, *fui*, *esse*, intr. Etre, exister; vivre. ¶ Etre (accidentellement), se trouver. || Avoir lieu, arriver. ¶ Etre, c.-à-d. se trouver, habiter, vivre. *Fuit ad me diu*, il resta longtemps auprès de moi, chez moi. *Secum esse*, vivre à part. — *in aere alieno*, être endetté; vivre dans les dettes. — *in odio*, être haï. ¶ Etre réel, être effectif. *Prope est ut ou in eo res est ut...*, il va bientôt arriver que... *Est quod...*, c'est une raison de, il y a sujet (lieu) de... *Nihil est quod rideas*, il n'y a pas là du tout de quoi rire. ¶ Consister en; se composer de. || Comporter, exiger. *Res est summi laboris*, l'affaire exige de grands efforts. ¶ Appartenir. *Optimarum partium esse*, être du parti aristocratique. || *Spéc.* Appartenir. c.-à-d. être dévoué à. *Suarum rerum esse*, ne s'intéresser qu'à ses affaires ne s'attacher qu'à ses intérêts. || Etre le propre de, le devoir de, l'intérêt de.|| Etre de nature à, avoir pour objet de. servir à. *Haec prodendi imperii sunt*, agir ainsi, c'est trahir l'Etat. ¶ Valoir, coûter. *Magni, pluris, plurimi, tanti, parvi esse*, valoir cher, plus cher. très cher, valoir autant, valoir peu. ¶ Etre habile à, capable de (en parl. de pers.); être bon (pour ou contre). *Esse solvendo* ou *non solvendo*, être solvable ou insolvable. *Radix est vescendo*, cette racine est comestible. *Res quae sunt ad incendia*, matières inflammables ou combustibles.

2. **sum**, p. EUM. Voy. IS.

sumbula, etc. Voy. SYMBOLA, etc.

sumbus, *i*, m. Comme RHOMBUS.

sumen, *minis*, n. Tétine. || *Spéc.* Tétine de truie. || (Méton.) Truie. ¶ (Par ext.)

Partie grasse et fertile d'un territoire.

suminata (s.-e. SCROFA), *ae*, f. Truie qui allaite.   [truie.

suminatus, *a*, *um*, adj. De tétine. ¶ De

summa, *ae*, f. Le plus haut point, le rang le plus élevé; le plus haut point de perfection. || Suprématie. ¶ La partie principale, l'essentiel, l'important, le point capital. *Periculum summae rerum facere*, risquer une action décisive. ¶ Somme, total; totalité. — *populi*, la population totale. *Summam facere* ou *subducere*, faire le total. *Haec summa est*, c'est là mon dernier mot. *Ad summam*, en somme, au total: en résumé, en un mot. *In summa*, en définitive. || *Spéc.* Somme (d'argent). ¶ La totalité, l'ensemble, le tout — *imperii*, le commandement suprême.

summarium, *ii*, n. Sommaire, résumé, abrégé.

summas, *matis*, m. De haute naissance, noble, éminent. Subst. *Summates*, les nobles, les puissants, les grands.

summatim, adv. A la surface; légèrement, sans enfoncer. ¶ Superficiellement, sommairement, succinctement.

summatus, *us*, m. Souveraineté.

summe, adv. Au plus haut degré, extrêmement, particulièrement.

summergo. Voy. SUBMERGO.

sumministro. Voy. SUBMINISTRO.

summissim. Voy. SUBMISSIM.

summitas, *atis*, f. Partie supérieure d'un objet, sommité, sommet, cime, pointe. ¶ Superficie.

summiter, adv. D'en haut.

summitto. Voy. SUBMITTO.   [résumer.

summo, *as*, *avi*, *are*, tr. Récapituler;

summoneo, *ere*, tr. Voy. SUBMONEO

summopere, adv. Avec le plus grand soin. ¶ De tous ses efforts.

summoveo, *es*, *ere*, tr. Voy. SUBMOVEO.

summum, *i*, n. Le point le plus élevé, extrémité, sommet. || Le haut. *A summo*, d'en haut, par en haut. *Ad summum*, vers le haut. ¶ Surface. *Redire in summum*, revenir à la surface, surnager.

summula, *ae*, f. Petite somme.

summus, *a*, *um*, adj. Le plus haut, le plus élevé, qui est au bout, qui est à la partie la plus élevée; extrême; qui est au sommet. — *fluctus*, la pointe d'une vague. — *mons*, le sommet d'un mont. — *digiti*, l'extrémité des doigts. ¶ Qui est à la surface. — *aqua*, la surface de l'eau. ¶ (Par ext.) Le plus élevé (en parl. du son). *Summa voce*, de toute la force des poumons. — *vox*, notes hautes, élevées. ¶ (En parl. du temps.) Extrême, dernier. *Summo carmine*, à la fin du poème. *Ab summo*, par la fin. *Summo*, à la fin, en dernier lieu. ¶ (En parl. du grade, du rang, etc.) Le plus élevé, supérieur, le plus grand, le plus distingué. *Summo loco natus*, d'une très haute naissance.

|| Le plus important, le principal. *Summa voluntate*, de très grand cœur. *Summo reipublicae tempore*, dans les conjonctures les plus graves pour l'Etat. — *respublica*, le bien de l'Etat, l'intérêt général. || (En parl. de pers.) Le plus élevé, le plus grand, le meilleur. *Summi et infimi*, ceux qui sont placés en haut et en bas de l'échelle. (sociale). — *amicus*, l'ami le plus cher. ¶ Entier. — *res*, la somme, le tout; le résumé.

sumo, *is*, *sumpsi*, *sumptum*, *ere*, tr. Prendre, se saisir de. — *calceos*, mettre ses chaussures. — *virilem togam*, prendre la robe virile. — *venenum*, prendre du poison, s'empoisonner. Fig. — *animum*, prendre courage. — *supplicium de aliquo*, infliger un supplice à qqn. — *poenas*, maltraiter. ¶ Prendre, c.-à-d. acheter. — *navem aliquo*, prendre passage sur un navire pour telle destination. — *parvo*, acheter à bas prix. ¶ Prendre (dans une intention), dépenser. || Consacrer appliquer. || Employer. ¶ Prendre pour soi, adopter; choisir. — *aliquem judicem*, prendre qqn pour juge. — *ma a*, choisir la mauvaise voie, la voie du mal. ¶ Recourir à. || Se charger de; entreprendre. — *bellum*, prendre les armes. ¶ (Dans un discours.) Prendre, c.-à-d. citer. — *exemplum*, prendre un exemple ou alléguer un cas semblable. ¶ Poser en principe, affirmer, supposer. Part. subst. *Sumptum*, *i*, n. Prémisse (d'un syllogisme). ¶ (*Fig.*) Prendre, s'assimiler. ¶ S'attribuer, s'arroger; prendre la liberté de. ¶ Calculer, compter.

sumptio, *onis*, f. Action de prendre. || Prise, vol ¶ *Fig.* Etendue, capacité. ¶ Prémisse d'un syllogisme.

sumptito, *as*, *avi*, *are*, tr. Prendre en quantité ou à forte dose.

1. **sumptuarius**, *a*, *um*, adj. Qui concerne la dépense. ¶ Somptuaire.

2. **sumptuarius**, *ii*, m. Dépensier, économe. ¶ Caissier.

1. **sumptum**, *i*, n. Comme 1. SUMPTUS.

2. **sumptum**, *i*, n. Voy. SUMO.

sumptuose, adv. A grands frais; somptueusement.   [dissipateurs.

sumptuosi, *orum*, m. pl. Gens prodigues.

sumptuosus, *a*, *um*, adj. Coûteux, dispendieux, riche, magnifique. || Somptueux. ¶ (En parl. de pers.) Dépensier, prodigue; fastueux.

1. **sumptus**, *us*, m. Action de prendre (une médecine). ¶ (Ordin.) Dépense, frais. *Sumptum afferre*, causer de la dépense, imposer des frais. *Sumptum dare*, allouer des frais. *Sumptu parcere*, économiser.

2. **sumptus**, *i*, m. Comme le précédent. *Sumpti facere*, faire la dépense de (avec l'Acc.).   [attacher.

suo, *is*, *sui*, *sutum*, *ere*, tr. Coudre;

suovetaurilia (SUOVITAURILIA), *ium*, n. pl. Sacrifice d'un porc, d'une brebis et d'un taureau (dans les lustrations ou purifications).

supelex, *lectilis*, f. Voy. SUPELLEX.

supellectilis, *is*, f. Voy. SUPELLEX.

supellex, *lectilis*, f. (Ce qui peut être ramassé); ustensiles de ménage; mobilier, meubles. || Attirail, appareil; matériel. || Bagages. ¶ (*Fig.*) Provision, bagage.

1. **super**, *a*, *um*, adj. Voy. SUPERUS.

2. **super**, adv. Dessus, en dessus, par dessus; de dessus; au-dessus. ¶ Au delà, en sus, en outre; de plus. — *quam quod*, outre que, indépendamment de ce que. ¶ De reste.

3. **super**, prép. (avec l'Acc. et l'Abl.).(En parl. de l'espace.) Par-dessus, sur; au-dessus de. || Au delà de, après. ¶ (En parl. de la durée.) Pendant durant. — *cenam*, pendant le repas; à table. ¶ (En parl. du nombre ou de la mesure.) Outre, en sus de. ¶ (En parl. du rang, de la supériorité.) Sur, par-dessus. ¶ (Avec l'Abl. seulement.) Sur, au sujet de, touchant.

supera, adv. En haut, au-dessus. || *Fig.* Plus haut, ci-dessus. ¶ *Prépos*, Au-dessus de, sur.

superabilis, *e*, adj. Qui peut être franchi. ¶ (*Fig.*) Qu'on peut vaincre, qu'on peut surmonter.

superabluo, *is*, *ere*, tr. Laver, baigner en haut, dans la partie supérieure (en parl, de la mer).   [ment.

superabundanter, adv. Surabondamment.

superabundo, *as*, *avi*, *are*, intr. Surabonder.

superaccipio, *is*, *ere*, tr. Prendre par-dessus le marché.

superaccommodo, *as*, *avi*, *are*, tr. Ajuster par-dessus, adapter.   [amonceler

superacervo, *as*, *are*, tr; Ent sser,

superaddo, *es*, *addidi*, *additum*, *ere*, tr. Mettre par dessus, ajouter.

superadduco, *is*, *ere*, tr. Amener ou donner en sus.

superadhibeo, *es*, *ere*, tr. Appliquer par dessus.   [jouter.

superadjectio, *onis*, f. Action de surajouter.

superadjicio, *is*, *jeci*, *ere*, tr. Ajouter en sus, surajouter.   [plus possible.

superadjuvo, *as*, *are*, tr. Fortifier le

superadmiror, *aris*, *ari*, dép. tr. Admirer, avoir la plus grande admiration pour.   [surface.

superadornatus, *a*, *um*, p. adj. Orné à la

superaggero, *as*, *are*, tr. Combler.

superans, *antis*, p. adj. Qui domine; élevé, haut. ¶ *Fig.* Qui prend de l'accroissement, qui s'accroît.

superantia, *ae*, f. Excès.   [au-dessus.

superappareo, *es*, *ere*, intr. Apparaître

superapparitio, *onis*, f. Action d'apparaitre au-dessus.   [Placer dessus.

superappono, *is*, *posui*, *positum*, *ere*, tr.

superargumentor, *aris*, *ari*, dép. intr. Appuyer des preuves sur.

superarius, *a*, *um*, adj. De dessus.

superascendo, *is*, *ere*, tr. Dépasser.

superaspergo (SUPERADSPERGO), *is*, *ere*. tr. Répandre sur.   [dessus.

superasto, *as*, *are*, intr. Se tenir au superatio, *onis*, f. Action de l'emporter. ‖ Excès. ¶ Action de surmonter, action de triompher de.

superator, *oris*, m. Vainqueur.   [de.

superattollo, *is*, *ere*, tr. Lever au-dessus

superatrix, *icis*, f. Celle qui l'emporte sur.

superbe, adv. Arrogamment, orgueilleusement, avec fierté, avec hauteur. ¶ Despotiquement.

superbia, *ae*, f. Action de s'élever (au-dessus des autres). ¶ *Péjor.* Hauteur, arrogance, présomption. ‖ Orgueil. ¶ Noble fierté, élévation de sentiments. ¶ Aspect superbe, beauté.

superbificus, *a*, *um*, adj. Qui rend fier; qui enorgueillit.   [somptueux.

superbiloquentia, *ae*, f. Langage présuperbio, *is*, *ire*, intr. S'enorgueillir, être fier de, montrer de l'arrogance. ¶ Etre superbe, briller.   [très fort.

superbullio, *is* *ire*, intr. Bouillonner

superbus, *a*, *um*, adj. Qui s'élève au-dessus des autres; superbe, orgueilleux, fier, arrogant, insolent. ¶ Dédaigneux, difficile, délicat. ¶ Remarquable, distingué, supérieur. ¶ Superbe, magnifique, brillant, excellent.

superciliosus, *a*, *um*, adj. Renfrogné, rébarbatif. ‖ Sombre. ‖ Sévère. ¶ Qui indique de la fierté, de l'arrogance.

supercilium, *ii*, n. Sourcil, arcade sourcilière. ¶ (Méton.) Morgue, hauteur, orgueil, arrogance. ¶ Front sourcilleux, visage renfrogné, mine chagrine, air sombre. ¶ (Par ext.) Partie saillante, sommet, éminence, cime, butte, tertre, mamelon. ¶ Saillie, proéminence.

supercresco, *is*, *crevi*, *ere*, intr. Croître par dessus. ‖ S'ajouter à. ¶ *Tr.* Dépasser, surpasser.

supercuro, *as* *are*, tr. Soigner, guérir.

supercurro, *is*, *ere*, intr. Courir au-devant, prendre les devants. ¶ *Tr.* Dépasser, excéder.

superduco, *is*, *duxi*, *ductum*, *ere*, tr. Tirer, étendre, mettre par-dessus. ¶ Amener en sus; imposer. ¶ Excéder, dépasser (un nombre).   [ture).

superductio, *onis*, f. Surcharge (d'écrisuperebullio, *is*, *ire*, intr. Comme SUPERBULLIO.   [après.

superedo, *is*, *edi*, *ere*, tr. Manger

supereminco, *es*, *ere*, intr. et tr. S'élever au-dessus. ¶ *Fig.* S'élever au-dessus, dominer, surpasser.   [Mourir sur.

superemorior, *eris*, *emori*, dép. intr.

superenato, *as*, *are*, tr. Nager sur, flotter par-dessus.   [franchir.

supereo, *is*, *ire*, tr. Passer par-dessus,

superequito, *as*, *are*, intr. S'emporter, se déchaîner.

supererogatio, *onis*, f. Action de donner en plus, surérogation.

supererogo, *as*, *avi*, *are*, tr. Payer, dépenser en sus *ou* en trop.

superevolo, *as*, *are*, tr. Voler par-dessus; franchir en volant.

superelatus, *a*, *um*, adj. Elevé, gonflé.

superelevo, *as*, *are*, tr. Eleverau-dessus.

superemico, *as*, *are*, tr. Sauter par-dessus.

supereminentia, *ae*, f. Elévation, grandeur suprême; excellence.

superexcresco, *is*, *ere*, intr. Croître de façon à faire saillie.   [déborder,

superexcurro, *is*, *ere*, intr. Dépasser,

superexeo, *is*, *ire*, intr. S'avancer, s'étendre au delà (fig.).

superexhaustus, *a*, *um*, adj. Vidé, épuisé outre mesure.

superexigo, *is*, *ere*, tr. Exiger au delà de ce qui est dû.   [qu'on ne doit.

superexpendo, *is*, *ere*, tr. Payer plus

superfero, *fers*, *tuli*, *latum*, *ferre*, tr. Porter au-dessus, faire franchir. Au passif. *Superferri*, surnager, être porté à la surface. ¶ Prolonger au delà du terme. ¶ Elever en l'air. ¶ Elever au plus haut degré, former le superlatif.   [nouveau.

superfeto, *as*, *are*, tr. Concevoir de superficialis, *e*, adj. Relatif à la surface; qui exprime une surface (en parl. d'un nombre). ¶ Superficiel, peu exact.

superficiarius, *a*, *um*, adj. Qui n'est que de la surface (en parl. de la propriété d'un immeuble bâti sur le terrain d'autrui.) ¶ Usufruitier.

superficiens, *entis*, adj. Superflu.

superficies, *ei*, f. Le dessus, l'extérieur, la superficie, la surface. ¶ Ancienne peau du serpent; dépouille. ¶ *Fig.* Extérieur, dehors, apparence. ¶ *Jur.* Propriété (sur un terrain appartenant à autrui). ¶ (Méton.) Surface.

superficium, *ii*, n. Comme SUPERFICIES.

superfio, *is*, *fieri*, pass. Etre de reste, rester.   [tilement.

superflue, adv. Surabondamment, inususperfluitas, *atis*, f. Surabondance; exubérance.

1. superfluo, adv. Comme SUPERFLUE.

2. superfluo, *is*, *fluxi*, *ere*, intr. Déborder. ¶ *Fig.* Etre trop abondant, surabonder, être superflu. ¶ Avoir en abondance. ‖ Etre en abondance *ou* en excès. ¶ *Tr.* Couler devant.

superfluum, *i*, n. Superflu. ¶ Excédent. ¶ Reste, surplus.

1. superfluus, *a*, *um*, adj. En abondance, qui dépasse la mesure, superflu, excessif. ¶ Superflu, inutile. ¶ De reste, restant.

superfundo, *is*, *fudi*, *fusum*, *ere*, tr. Verser sur, répandre. ¶ Répandre sur, arroser, couvrir.

superfusio, onis, f. Action d'étendre par-dessus. ¶ Effusion, débordement, inondation. |Comme SUPERGREDIOR.

supergradior, eris, gradi, dép. intr.

supergredior, eris, gressus sum, gredi, dép. intr. Marcher sur. ¶ Passer au-delà; franchir. || Fig. Dépasser. surpasser. || Transgresser. ¶ Surmonter, triompher de.

supergressus, us, m. Action de dépasser.

superilligo, as, avi, atum, are, tr. Attacher par-dessus, lier en dessus.

superillinio, is, ire, tr. Voy. SUPERILLINO.

superillino, levi, litum, tr. Oindre à la surface, frotter. ¶ Etendre sur (en oignant).

superimmineo, es, ere, intr. S'élever au-dessus, être suspendu, menacer.

superimpendens, entis, p. adj. Suspendu au-dessus, qui surplombe, qui menace.

superimpono, is, positum, ere, tr.

superincendo, is, ere, tr. Enflammer encore davantage. [dessus.

superincerno, is, ere, tr. Cribler au-

1. superincido, is, ere, intr. Tomber d'en haut, s'abattre sur.

2. superincido, is, ere, tr. Couper, inciser par-dessus. [Croître par-dessus.

superincresco, is, crevi, ere, intr.

superincumbo, is, cubui, ere, intr. Coucher, être étendu dessus. [naire

superindictum, i, n. Impôt extraordi-

superinduco, is, duxi, ductum, ere, tr. Mettre par-dessus. ¶ Envoyer au-dessus; faire fondre sur. ¶ Ajouter; décrire ensuite.

superindumentum, i, n. Ce qu'on met par-dessus. || Vêtement de dessus.

superinduo, is, dui, dutum, ere, tr. Endosser par-dessus, revêtir.

superinfero, infers, ferre, tr. Apporter en sus. [Verser par-dessus.

superinfundo, is, fudi, fusum, ere, tr.

superingero, is, gestum, ere, tr. Entasser par-dessus, mettre par-dessus.

superinjicio, is, jeci, jectum, ere, tr. Jeter par-dessus; répandre sur.

superinl... Voy. SUPERILL...

superinm... Voy. SUPERIMM...

superinp... Voy. SUPERIMP...

superinspicio, is, ere, tr. Inspecter, surveiller. [sternere, tr. Etendre sur.

superinsterno, is, stravi, stratum,

superintego, is, ere, tr. Recouvrir.

superinunctorius, a, um, adj. Qui sert en frictions légères.

superinundo, as, are, intr. Déborder; au fig. être très abondant. [bassiner.

superinungo, is, ere, tr. Oindre dessus.

superinveho, is, ere, tr. Amener dessus.

superior, us, adj. (au compar.) Supérieur, plus haut, plus élevé, qui est en haut de. ¶ (En parl. du temps.) Antérieur, passé, précédent. || Plus âgé. ¶ (En parl. du rang.) Supérieur, plus élevé. ¶ (En parl. du crédit, de l'autorité.) Supérieur, plus puissant, plus distingué, éminent.

superjaceo, es, ere, intr. Rester étendu sur, être appliqué sur.

superjacio, is, jeci, jectum, ere, tr. Jeter par-dessus, placer sur. ¶ Lancer sur. ¶ Dépasser, franchir. ¶ Exagérer, renchérir sur.

superjacto, as, are, tr. Jeter en l'air. ¶ Sauter par-dessus, franchir, dépasser.

superjectio, onis, f. Action de jeter dessus. ¶ Exagération, hyperbole (t. de rhét.). [dessus sur.

superjectus, a, um, p. adj. Situé au-

superjectus, abl. u, m. Action de jeter sur. ¶ Saillie.

superlabor, eris, lapsus sum, labi, dép. intr. Couler dessus, glisser dessus.

superlatio, onis, f. Exagération hyperbole. ¶ Superlatif (t. de gramm.).

superlative, adv. Au superlatif.

superlativus, a, um, adj. Qui est au superlatif. ¶ Qui sert à la gradation, qui donne plus de force à.

superlatus, a, um, p. adj. Exagéré, hyperbolique.

superlimen, minis, n. et superliminare, is, n. Linteau de porte.

superlino, is, levi, litum, ere, tr. Appliquer sur. ¶ Oindre, enduire, frotter de.

superlitio, onis, f. Liniment. [dessus.

supermeo, as, are, intr. Couler par-

supermetior, iris, mensus sum, iri, dép. tr. Mesurer largement, faire bonne mesure.

supermisceo, es, ere, tr. Mélanger par-dessus, en sus.

supermolaris lapis, m. Pierre meulière de dessus. [tr. Venir à bout de.

supermolior, iris, itus sum, iri, dép.

supermundialis, e, adj. Qui est au-dessus du monde. céleste.

supermunio, is, ire, tr. Garantir, couvrir par en haut. [nouveau.

supernarratio, onis, f. Récit repris à

supernas, atis, adj. Du pays haut ou de la mer supérieure (l'Adriatique).

supernascor, eris, natus sum, nasci, dép. intr. Croître par-dessus. ¶ Croître, se former en sus. [par-dessus.

supernatio, onis, f. Action de croître

supernato, as, avi, are, intr. Flotter sur, surnager.

superne, adv. D'en haut. ¶ Par-dessus; par en haut. ¶ Vers le haut. ¶ En haut de. [surnager.

superno, as, are, intr. Nager à la surface;

supernus, a, um, adj. Supérieur, placé en haut. ¶ D'en haut, céleste.

supero, as, avi, atum, are, intr. Etre en haut, s'élever au-dessus. ¶ Fig. Avoir l'avantage, être ou rester vainqueur; triompher. || L'emporter sur. ¶ Etre de reste, être très abondant; abonder. ¶ Rester, être encore présent, subsister, survivre. ¶ Aller au delà, dépasser, franchir. ¶ Surpasser, l'emporter sur, être supérieur à.

superoperor, *aris, ari*, dép. intr. S'appliquer.   [au-dessus.

superpendens, *entis*, p. adj. Suspendu

superpeto, *is, ere*, tr. Demander plus qu'il n'est dû.

superpingo, *is, pictum, ere*, tr. Peindre dessus *ou* à la surface.   [ailes) sur.

superplaudo, *is, ere*, intr. Battre (des

superplenus, *a, um*, adj. Surabondant.

superpono, *is, posui, positum, ere*, tr. Mettre sur, placer sur, superposer. || (Méd.) Appliquer un emplâtre. ¶ Placer au-dessus *ou* plus haut. ¶ Préposer, mettre à la tête de. ¶ Préférer, mettre au-dessus de. ¶ Placer après, ajouter, joindre. ¶ Dépasser.

superpositio, *onis, i*, Paroxysme de la maladie, crise.   [à, chargé de.

1. **superpositus**, *a, um*, p. adj. Préposé

2. **superpositus**, *i*, m. Préposé.

superquadriquintus, *a, um*, adj. Qui contient un nombre et les quatre cinquièmes de ce nombre.

superquam, conj. Outre que.

superquartus, *a, um*, adj. Qui contient un nombre et le quart de ce nombre.

superquatio, *is, ere*, tr. Secouer en haut.

superquintus, *a, um*, adj. Qui contient un nombre et le cinquième de ce nombre.   [dessus *ou* à la surface.

superrado, *is, si, sum ,ere*, tr. Racler

superscando, *is, ere*, intr. Passer par-dessus, franchir, escalader.

superscribo, *is, scripsi, scriptum, ere*, tr. Écrire par-dessus, mettre une inscription, un titre, une enseigne sur. ¶ Faire une remarque écrite. ¶ Raturer, faire une surcharge.

superscriptio, *onis*, f. Suscription, inscription.

supersedeo, *es, sedi, sessum, ere*, intr. Etre assis, perché, posé sur. ¶ Siéger au-dessus, avoir la préséance; présider. ¶ Surseoir à, différer, renoncer à; se dispenser d'une chose, se l'épargner, s'abstenir de. || S'épargner la peine de: ne pas vouloir.

supersellium, *ii*, n. Housse (de cheval).

supersido, *is, ere*, intr. S'asseoir en haut sur ..

supersilio, *is, ere*, intr. Sauter sur.

supersisto, *is, stiti, ere*, tr. Se placer, se poser au-dessus de.   [outre.

supersorbeo, *es, ere*, tr. Absorber en

superspargo, *is* et **superspergo**, *is, ere*, tr. Répandre sur.   [espoir excessif.

superspero, *as, avi, are*, intr. Avoir un

superspicio, *is, spexi, ere*, tr. Regarder au delà de.   [un lac (par débordement).

superstagno, *as, avi, are*, intr. Former

superstatumino, *as, are*, tr. Placer, établir (qqch.) comme fondement, comme lit, comme base.

supersterno, *is, stravi, stratum, ere*, tr. Etendre sur, étaler sur. ¶ Couvrir de.

superstes, *stitis*, adj. Qui se tient près; qui est présent, témoin. ¶ Qui reste: survivant, sain et sauf; qui survit à.

superstitio, *onis*, f. Terreur religieuse, superstition, fanatisme. ¶ Crainte religieuse, vénération, culte. ¶ Observation scrupuleuse; scrupule exagéré. ¶ Pratique religieuse contraire aux usages reçus.

superstitiose, adv. Superstitieusement. ¶ Minutieusement, trop consciencieusement: avec pédantisme.

superstitiosus, *a, um*, adj. Superstitieux. ¶ D'un scrupule exagéré. ¶ Divinatoire *ou* qui a le don de la divination.

superstito, *as, are*, tr. Laisser vivre, conserver sain et sauf. ¶ Etre en abondance.

supersto, *as, stiti, stare*, intr. Etre placé, être posé sur. ¶ Etre à la tête de. ¶ Se tenir debout sur. ¶ Etre monté sur.

superstringo, *is, strinxi, strictum, ere*, tr. Serrer, lier par-dessus.

superstruo, *is, struxi, structum, ere*, tr. Bâtir par-dessus, élever sur.

supersum, *es, fui, esse*, intr. Etre de reste, rester. ¶ Etre encore en vie survivre. ¶ Etre très abondant, abonder, affluer. ¶ Aider, assister. ¶ Etre au-dessus de, dominer. ¶ Présider à; être préposé à. ¶ Etre, se tenir sur.

supersumo, *is, ere*, tr. Prendre en outre.

supertego, *is, texi, tectum, ere*, tr. Couvrir par-dessus, garantir, abriter.

supertraho, *is, ere*, tr. Traîner par-dessus.   [dessus: dépasser.

supertranseo, *is, ire*, tr. Passer par-

supertripartiens, *entis*, adj. et **supertriquartus**, *a, um*, adj. Qui contient un nombre et trois de ses parties.

superunctio, *onis*, f. Liniment, fomentation.

superundo, *as, are*, intr. Déborder.

superungo, *is, unxi, unctum, ere*, tr. Frotter, enduire, oindre dessus.

superurgeo, *es, ere*, intr. Presser d'en haut.

superus, *a, um*, adj. Qui est haut, supérieur. ¶ Qui est au-dessus (de la terre); du ciel; céleste. ¶ Qui est en haut, sur la terre (par opposition aux enfers). ¶ Supérieur, plus haut, plus élevé, qui est en haut de. ¶ (En parl. du temps *ou* de la succession.) Antérieur, précédent, passé. ¶ (En parl. du rang.) Supérieur. ¶ (En parl. de la puissance du crédit.) Haut placé.

supervacaneo, adv. Surabondamment, inutilement.

supervacaneus, *a, um*, adj. Qui est en sus, accessoire, supplémentaire. ¶ Qui est de trop, superflu, inutile.

supervaco, *as, are*, intr. Surabonder, être de trop.   [tilement.

supervacue, adv. Surabondamment, inu-

supervacuitas, *atis*, f. Vanité, néant.

supervacuo, adv. Sans fondement; à propos de rien, inutilement.

supervacuus, *a, um*, adj. Superflu, inutile, sans motif, oiseux. ¶ Surabandant, excessif. ¶ Sans valeur; qu'on peut dédaigner.   [lader

supervado, *is*, *ere*, tr. Franchir; escalader.

supervagor, *aris*, *atus sum*, *ari*, dép. intr. S'étendre trop, pousser trop de bois (en parl. de la vigne).

supervaleo, *es*, *ere*, intr. Avoir encore plus de valeur; prévaloir.

supervalesco, *is*, *ere*, intr. Devenir encore plus fort.

supervector, *aris*, *ari*, dép. intr. Etre transporté *ou* passer sur.

superveho, *is*, *vectus*, *ere*, tr. Transporter par-dessus *ou* au delà.

supervehor, *eris*, *vectus sum*, *vehi*, dép. tr. Etre porté, passer sur. ¶ Franchir, doubler (un promontoire). ¶ Etre monté sur (un âne).   [cédent.

supervenio, *is*, *veni*, *ventum*, *ire*, tr. et intr. Venir par-dessus *ou* sur (pour couvrir), *d'où* recouvrir. ¶ Saillir. ¶ Survenir, fondre à l'improviste sur. ¶ Survenir, arriver. ¶ Dépasser, excéder, surpasser.   [daine, surprise.

superventio, *onis*, f. Apparition soudaine, surprise.

superventor, *oris*, m. Celui qui après boire rosse les passants. ¶ Au plur. *Superventores*, cavalerie légère, employée dans les coups de main.

superventus, *us*, m. Action de survenir; arrivée imprévue. ¶ Surprise.

supervestio, *is*, *itus*, *ire*, tr. Recouvrir; revêtir, habiller.   [pher de.

supervinco, *is*, *vici*, *ere*, tr. Vaincre, triompher de.

supervivo, *is*, *vixi*, *ire*, intr. Survivre.

supervolito, *as*, *avi*, *are*, tr. Voltiger au-dessus.

supervolo, *as*, *are*, intr. et tr. Voler par-dessus : voler au-dessus de. ¶ S'élever au-dessus de, dominer.

supervolvo, *is*, *volvi*, *volutum*, *ere*, tr. Rouler au-dessus, tourner sur.

supinatio, *onis*, f. Action de renverser.

supine, adv. Négligemment, avec insouciance.   [couchée.

supinitas, *atis*, f. Position renversée *ou*

supino, *as*, *avi*, *atum*, *are*, tr. Jeter à la renverse, renverser sur le dos; retourner. ¶ Retourner, labourer. ¶ Elever.

supinus, *a*, *um*, adj. Penché en arrière; couché sur le dos, renversé. ¶ Etendu, incliné (en pente douce), qui s'étend en surface. ¶ Qui recule, qui reflue (en parl. d'un fleuve). ¶ Qui penche la tête en arrière. || Fier. ¶ (Fig.) Paresseux, négligent, insouciant, indolent, apathique. ¶ (Gramm.) *Supinum* (s.-e. *verbum*), le supin. || Gérondif, || Verbe neutre. || Verbe passif.

suppaenitet, *ere*, imp. Se repentir un peu. || Etre quelque peu mécontent de...   [un peu, caresser.

suppalpor, *aris*, *ari*, dép. intr. Flatter

suppar, *paris*, adj. A peu près égal. Presque du même âge. ¶ Qui correspond à peu près, à peu près conforme.

supparasitor, *aris*, *ari*, dép. intr. Flatter à la manière des parasites.

supparatura, *ae*, f. Reconstitution, reproduction de la race.   [rhét.).

1. **supparile**, *is*, n. Paronomase (fig. de 1. *supparo*, *as*, *are*, tr. Adapter, ajuster.

2. **supparo**, *as*, *are*, tr. Rendre à peu près semblable.

suppartior, *iris*, *iri*, dép. tr. Subdiviser.

supparum (SIPARUM, SIPHARUM), *i*, n. Vêtement de dessus, en toile, à manches courtes et assez étroites qui couvraient l'avant-bras jusqu'au coude, || *Spéc.* Vêtement rose de l'Aurore. || Petite voile qui surmonte la grande voile de perroquet. || Petit drapeau, flamme.   [cédent.

supparus (SIPHARUS), *i*, m. Voy. le précédent.

suppateo, *es*, *ere*, intr. Etre ouvert en dessous, s'étendre en dessous.

suppedaneus, *a*, *um*, adj. Placé sous les pieds.   [provision.

suppeditatio, *onis*, f. Abondance, riche

suppedito, *as*, *avi*, *atum*, *are*, tr. Etre en abondance sous la main, s'offrir facilement; être à discrétion. ¶ Etre riche, regorger de. ¶ Etre assez abondant, être suffisant; suffire, être de force à; être capable de.   [gruité.

suppedo, *ere*, tr. Lâcher une petite incon-

suppelex, *lectilis*, f. Voy. SUPELLEX.

suppernatus, *a*, *um*, adj. Qui a les cuisses coupées. ¶ Taillé, ébranché (en parl. d'un arbre).

suppetiae, *arum*, f. pl. Secours, assistance. *Alicui suppetias ire*, venir en aide à qqn.   [Assister, venir en aide.

suppetior, *aris*, *atus sum*, *ari*, dép. intr.

suppetium, *ii*, n. Secours, assistance.

suppeto, *is*, *ivi* et *ii*, *itum*, *ere*, intr. Etre sous la main, s'offrir, être en abondance. ¶ Etre suffisant, être à la hauteur de. ¶ Répondre à. ¶ Demander, briguer sous main.

suppilo, *as*, *avi*, *atum*, *are*, tr. Dérober en tapinois, soustraire en cachette. ¶ Voler, dépouiller qqn.

1. **suppingo**, *is*, *pegi* *pactum*, *ere*, tr. Enfoncer, ficher sous. ¶ Garnir, ferrer dessous.   [par-dessous.

2. **suppingo**, *is*, *pinxi*, *ere*, tr. Peindre

suppinguis, *e*, adj. Un peu gras.

supplantatio, *onis*, f. Croc-en-jambe; fourberie.

supplantator, *oris*, m. Celui qui donne un croc-en-jambe, celui qui supplante, trompeur.

supplanto, *as*, *avi*, *atum*, *are*, tr. Donner un 'roc-en-jambe (à)' renverser. ¶ Coucher, étendre. ¶ Renverser, supprimer.

supplaudo. Voy. SUPPLODO.

supplementum, *i*, n. Supplément, complément. ¶ (Par ext.) Aide complémentaire, secours. ¶ (T. de la langue militaire.) Recrutement. || (Méton.) Recrues.

suppleo, *es*, *plevi*, *pletum*, *ere*, tr. Remplir à nouveau (en comblant les vides); remplir après. ¶ Ajouter ce qui manque à; compléter, suppléer. ¶ Suppléer, remplacer. ¶ Ajouter pour compléter. ¶ Donner comme supplément. ¶ Accomplir. ¶ Recruter, remplir les cadres. [complément.

suppletio, *onis*, f. Action de compléter.

suppletorium, *ii*, n. Corollaire.

supplex, *plicis*, adj. Qui plie les genoux, qui s'agenouille. ¶ Subst. *Supplex*, un suppliant, une suppliante.

supplicatio, *onis*, f. Prières publiques et solennelles (soit pendant les fléaux, soit en actions de grâces). ¶ Cérémonies religieuses instituées souvent en l'honneur d'un général victorieux. ¶ Reddition humiliante absolue.

supplicator, *oris*, m. Suppliant, adorateur. [ment.

supplice, adv. En suppliant; humble-

suppliciter, adv. D'une manière suppliante; en suppliant; humblement.

supplicium, *ii*, pl. L'action de s'agenouiller (aussi bien pour faire une prière, que pour subir une peine). ¶ Offrande, sacrifice. ¶ Humble prière, supplication (faite aux hommes). ¶ Punition, supplice, peine capitale, châtiment.

supplico, *as*, *avi*, *atum*, *are*, intr. Se prosterner (aux genoux, aux pieds de qqn). ¶ Adresser des prières *ou* des offrandes aux dieux.

supplicue, adv. Humblement.

supplodo, *is*, *plosi*, *plosum*, *ere*, tr. Frapper du pied, témoigner son mécontentement, donner des signes d'impatience. ¶ Repousser, confondre, anéantir. ¶ Applaudir.

supplosio, *onis*, f. Action de frapper du pied, trépignement.

suppoenitet. Voy. SUPPAENITET.

suppono, *is*, *posui*, *positum*, *ere*, tr. Mettre sous, placer sous. ¶ Soumettre, subordonner. ¶ Ajouter, joindre à, rattacher. ¶ Placer après. ¶ Substituer (frauduleusement), supposer. ¶ Engager, hypothéquer.

supportatio, *onis*, f. Action de supporter.

supporto, *as*, *avi*, *atum*, *are*, tr. Porter, transporter, voiturer. ¶ Supporter, soutenir.

suppositicius, *a*, *um*, adj. Mis à la place, substitué, remplaçant. ¶ Substitué, faux, supposé.

suppositio, *onis*, f. Action de mettre sous. ¶ Substitution frauduleuse, supposition de personne. ¶ Hypothèse, supposition. [marchepied.

suppositorium, *ii*, n. Support, appui,

suppositorius, *a*, *um*, adj. Placé dessous.

suppostrix, *icis*, f. Celle qui substitue frauduleusement.

suppostus, *a*, *um*. part. Pour SUPPOSITUS. Voy. SUPPONO.

suppressio, *onis*, f. Action d'étouffer un bruit. ¶ Oppression, étouffement. ¶ Soustraction, escroquerie.

suppressor, *oris*, m. Recéleur d'esclaves.

suppressus, *a*, *um*, p. adj. Retenu, contenu. ¶ Court.

supprimo, *is*, *pressi*, *pressum*, *ere*, tr. Abaisser, enfoncer en pressant. ¶ Retenir, contenir, arrêter. ¶ Supprimer ‖ Recéler, cacher. [honteux de

suppudet, *uit*, *ere*, impers. Etre un peu honteux de

suppuratio, *onis*, f. Suppuration, plaie, abcès, apostume.

suppuratorius, *a*, *um*, adj. Suppuratif.

suppuro, *as*, *avi*, *atum*, *are*, tr. et intr. Etre en suppuration, suppurer, être purulent. ¶ Faire que qqch. suppure, engendrer des abcès. ¶ Rejeter (comme du pus). — *aestum*, concevoir une passion violente. [haut, fier.

suppus, *a*, *um*, adj. Qui porte le nez

supputatio, *onis*, f. Supputation, calcul.

1. **supputo**, *as*, *avi*, *atum*, *are*, tr. Tailler, émonder. [puter

2. **supputo**, *as*, *are*, tr. Calculer, sup-

1. **supra**, adv. A la partie supérieure; en haut, par-dessus, en dessus, au-dessus. ¶ Précédemment, plus haut, ci-dessus. ¶ (En parl. du nombre et de la mesure.) Au delà de; en sus, de plus.

2. **supra**, prépos. (avec l'acc.). Sur, par-dessus, au-dessus de. ¶ (En parl. du temps.) Avant, antérieurement. ¶ (En parl. du nombre *ou* de la mesure.) Plus haut que, au delà de; en sus de. ‖ Outre. ¶ (En parl. d'un emploi auquel un homme est préposé.) A la tête de.

supracaelestis, *e*, adj. Supracéleste.

supradictus, *a*, *um*, adj. Susdit.

suprajacio, *is*, *ere*, tr. Jeter dessus.

suprascando, *is*, *ere*, tr. Dépasser, franchir, escalader. [ou au-dessus.

suprascribo, *is*, *ere*, tr. Ecrire en haut

supremitas, *atis*, f. Extrémité, bout. ¶ Le plus haut degré. ¶ Terme de la vie, mort.

supremo, adv. Pour la dernière fois.

supremum, adv. Pour la dernière fois. ¶ A la fin; enfin.

supremus, *a*, *um*, adj. Très haut, le plus haut. ¶ (En parl. du temps.) Dernier, qui est à la fin, extrême. *Suprema*, les derniers moments, la mort; derniers devoirs, funérailles; dernières volontés. ¶ (En parl. du grade, du degré.) Le premier, le plus élevé, suprême. — *supplicium*, le dernier supplice.

sups... Voy. SUBS...

sur Pour SUB (devant *r* en composition).

sura, *ae*, f. Bas de la jambe. ¶ Le plus petit des os de la jambe, péroné.

surcularius, *a*, *um*, adj. De rejeton. ¶ Qui se trouve sur les rejetons.

surculo, *as*, *are*, tr. Débarrasser des rejetons, tailler, élaguer.

surculose, adv. A la façon d'une branche, comme du bois.

surculosus, *a*, *um*, adj. Ligneux.

surculum, i, n. Voy. SURCULUS.

surculus, i, m. Jeune branche, rejeton: surgeon, scion, drageon. ¶ Branche pour enter, greffe, marcotte. ¶ Branche cassée, morceau, éclat de bois, écharde. ¶ Petite éclisse (t. de chirurgie).

surdaster, tra, trum, adj. Un peu sourd; dur d'oreille. [sans entendre.

surde, adv. A la manière des sourds;

surditas, atis, f. Surdité.

surdus, a, um, adj. Un peu dur d'oreille. ¶ Qui ne veut pas entendre ou écouter; sourd, insensible, inflexible. ¶ Sourd et muet. ¶ Sourd, sans sonorité. ¶ Qu'on entend mal. ¶ Faible, émoussé. || Terne. ¶ Dont on ne parle pas; silencieux, inconnu, obscur.

1. surena, ae, f. Sorte de coquillage inconnu.

2. surena, ae, m. Le suréna, le grand vizir, le premier personnage après le roi (chez les Parthes).

surgo, is, surrexi, surrectum, surgere, tr. et intr. ¶ Tr. Lever, élever. ¶ Intr. Se mettre debout. ¶ Se lever pour combattre. ¶ S'élever, se dresser, monter, surgir. ¶ Fig. Naître, paraître, commencer. ¶ Croître, s'élever, grandir (en parl. de ch.). ¶ Tr. Ressusciter (qqn).

surrectus, a, um, part. p. Voy. SUBRIGO.

surref... Voy. SUBREF...

surreg... Voy. SUBREG...

surren... Voy. SUBREN...

surrepo, is. psi, intr. Voy. SUBREPO

surrepsit, subj. arch. Voy. SURRIPIO.

surrepticius, a, um, adj. Voy. SUBREPTICIUS.

surrid... Voy. SUBRID.

surrigo, is, rexi, ere, tr. Voy. SUBRIGO.

surripio, is, ripui, reptum, ere, tr. Prendre à la dérobée, soustraire, enlever, dérober, ravir. ¶ (Spéc.) Fig. Piller (un auteur), faire un plagiat littéraire. ¶ Fig. Soustraire, dérober furtivement. || Spéc. Au passif : surripi, échapper à une condamnation (en subornant les juges).

surrut... Voy. SUBRUT...

sursum, adv. En haut, en montant (avec l'idée de mouvement). ¶ (Avec l'idée de repos.) En haut, sur les hauteurs.

sursuosum, adv. Comme SURSUM.

sursus, adv. Comme SURSUM.

surus, i, m. Branche, piquet, pieu.

1. sus, adv. En haut. Susque deque. en haut et en bas, dessus et dessous (employé proverbialement pour marquer l'indifférence, le dédain).

2. sus, suis, m. et f. Porc, cochon pourceau, truie. ¶ Sorte de poisson.

suscenseo, es, censui, censum, ere, intr. S'enflammer de colère, s'irriter, se fâcher.

suscensio, onis, f. Emportement, colère.

susceptaculum, i, n. Endroit de réception

susceptio, onis, f. Action de se charger de, entreprise. ¶ Action de recevoir: réception, admission. ¶ Comme AUXILIUM ou OPITULATIO. [entreprendre

suscepto, as, avi, are, tr. Se charger de:

susceptor, oris, m. Celui qui entreprend des travaux; entrepreneur. ¶ Recéleur. ¶ Receveur, percepteur, caissier. ¶ Défenseur, appui, soutien.

susceptorium, ii, n. Réceptacle.

susceptorius, a, um, adj. Qui accueille

susceptrix, tricis, f. Celle qui reçoit

suscipio, is, cepi, ceptum, ere, tr. Prendre sur soi (qqch.). || Empêcher de tomber || Soutenir, étayer. ¶ (Fig.) Soutenir. appuyer, défendre. — aliquem, se charger de la défense de qqn. — candidatum, appuyer un candidat. ¶ Prendre sur soi, assumer, se charger de; prendre en main. || Commencer entreprendre (qqch. sans y être contraint). Part. subst. Susceptum, entreprise. || Spéc. Accomplir une cérémonie religieuse, faire un sacrifice, etc. — vota, faire des vœux. ¶ S'exposer à, affronter; souffrir. — culpam, être responsable d'une faute. — poenam subir un châtiment. ¶ Prendre un enfant qui vient de naître et le reconnaître en l'élevant dans ses bras: relever, élever. || Engendrer. — filium ex conjuge, avoir un enfant de sa femme. ¶ Accueillir, admettre. || Faire subir, prescrire une cure. Partic. subst. Susceptus, i, m. Un patient. ¶ Recevoir, agréer, accepter. || Comporter admettre. ¶ Recevoir, accepter comme vrai, concéder. [à mettre en train.

suscitabulum, i, n. Ce qui sert à exciter

suscitatio, onis, f. Résurrection (qu'on opère).

suscitator, oris, m. Celui qui ressuscite. ¶ Celui qui réveille, qui ranime, qui restaure.

suscito, as, avi, atum, are, tr. Lever; dresser, mettre debout. ¶ Elever, bâtir. ¶ Faire que qqn se lève de son siège, de son lit; faire lever, réveiller ¶ Animer, exciter, stimuler, provoquer. ¶ Susciter, faire paraître.

suspectio, onis, f. Grande estime, admiration. ¶ Soupçon.

1. suspecto, as, avi, atum, are, tr. Regarder de bas en haut, contempler. ¶ Suspecter, soupçonner (en parlant des personnes). [manière suspecte.

2. suspecto, adv. Avec soupçon, d'une

1. suspector, aris, ari, dép. tr. Soupçonner. Voy. 1. SUSPECTO.

1. suspector, oris, m. Celui qui révère, adorateur.

1. suspectus, a, um, adj. Suspect, soupçonné. ¶ Soupçonnant, défiant.

2. suspectus, us, m. Action de regarder en haut. || (Méton.) Hauteur, élévation. ¶ (Fig.) Estime, admiration, vénération. — nimius sui, suffisance.

Au plur. *Suspectus habere*, être admiré.

suspendium, *ii*, n. Action de se pendre *ou* (*rar.*) de pendre; pendaison.

suspendo, *is*, tr. Attacher en haut: suspendre. ¶ *Spéc.* Pendre qqn pour le faire mourir. ¶ Pendre, suspendre un ex-voto; dédier. ¶ Mettre dans un lieu élevé, élever, soulever. ¶ Maintenir en l'air; ne pas faire toucher (le sol). ¶ Elever en voûte, construire en voûte. ¶ Soutenir, appuyer, faire porter sur. ¶ Retenir, contenir, arrêter. ¶ Tenir en suspens, laisser dans l'indécision. ¶ Fixer sur, tenir attaché à.

suspense. adv. D'une manière douteuse.

suspensio, *onis*, f. Action d'être suspendu. ¶ Voûte. ¶ Action de suspendre, interruption. ¶ Action de se replier, de s'enfoncer.

suspensus. *a*, *um*, adj. Suspendu, haut, élevé. ¶ (Au fig.) Qui dépend de, subordonné à; qui repose sur. ¶ Incertain, *ou* douteux qui est en suspens, dans l'attente, flottant, indécis. ¶ Qui est troublé, inquiet, tourmenté: craintif. ¶ Dispensé de travail, qui est en repos, en fête.

suspicabilis, *e*, adj. Conjectural.

suspicatio, *onis*, f. Conjecture, supposition.

suspicax, *cacis*, adj. Soupçonneux, défiant. ¶ Qui excite le soupçon; suspect.

1. suspicio, *is*, *spexi*, *spectum*, *ere*, int. Regarder en haut. ¶ Regarder (en haut *ou* vers, contempler.¶ Elever sa pensée vers, contempler, admirer, révérer. ¶ Se douter d'une chose, présumer; (en parl. des pers.) soupçonner.

2. suspicio, *onis*, f. Soupçon, suspicion. ¶ Conjecture, idée, pressentiment. ¶ Apparence, trace légère, soupçon.

suspiciose, adv. De façon suspecte; de manière à faire naître des soupçons.

suspiciosus, *a*, *um*, *onis*, adj. Soupçonneux, ombrageux. ¶ Plein de sous-entendus, suspect.

suspico, *as*, *are*, tr. Comme **SUSPICOR**.

suspicor, *aris*, *atus sum*, *ari*, dép. tr. Soupçonner. ¶ Avoir idée, se douter de; conjecturer, pressentir. (plainte.

suspiratio, *onis*, f. Soupir, gémissement.

suspiratus, *us*, m. Gémissement. Voy. SUSPIRITUS.

suspiriose, adv. A la façon d'un poussif.

suspiriosi, *orum*, m. pl. Les asthmatiques.

suspiriosus, *a*, *um*, adj. Asthmatique; poussif (en parl. des hommes).

suspiritus, *us*, m. Soupir; gémissement.

suspirium, *ii*, n. Respiration forte et profonde, soupir. || (Méton.) Soupirs amoureux, amour. ¶ Asthme. ¶ (Par ext.). Respiration.

suspiro, *as*, *avi*, *atum*, *are*, intr. Respirer fortement, soupirer, gémir. ¶ Rendre des exhalaisons. ¶ *Tr.* Exhaler, dire

en soupirant, soupirer après; se plaindre de. ¶ Exhaler, émettre.

susquoque 1e. Voy. 1. SUS.

sustentaculum, *i*, n. Support, étai. ¶ Soutien, appui. ¶ (Par ext.) Entretien: nourriture.

sustentatio, *onis*, f. Action de retenir, d'arrêter, de contenir. || Retenue, réserve. ¶ Délai, retard, atermoiement. ¶ Alimentation, nourriture. ¶ (Rhét.) Subjection, action de retenir l'auditeur.

sustentator, *oris*, m. Protecteur.

sustentatrix, *icis*, f. Celle qui entretient, qui nourrit.

sustentatus, *us*, m. Action de maintenir debout, de soutenir en l'air. ¶ *Fig.* Soutien, appui.

sustento, *as*, *avi*, *atum*, *are*, tr. Soutenir, maintenir en l'air *ou* debout: supporter, porter, appuyer. ¶ *Fig.* Conserver, maintenir, réconforter, soutenir. ¶ *Spéc.* Soutenir, alimenter, nourrir. || Ranimer, prendre soin de. ¶ Endurer, supporter. ¶ Arrêter, contenir. ¶ Différer, remettre.

sustineo, *es*, *tinui*, *tentum*, *ere*, tr. Soutenir en l'air; maintenir debout, empêcher de tomber. || Porter, supporter. ¶ Arrêter, retenir. ¶ Maintenir, entretenir, conserver en état, défendre. ¶ Entretenir, soutenir, sustenter, nourrir, subvenir à. ¶ Supporter, souffrir (avec constance), prendre sur soi; subir, résister à, se résigner à. | Tenir bon, résister. ¶ Patienter. ¶ Arrêter, ajourner, suspendre.

sustollo, *is*, *ere*, tr. Lever en haut, élever. ¶ (Fig.) Supprimer, enlever, faire disparaître.

susum, adv. Voy. SURSUM.

susurratio, *onis*, f. Chuchoterie, murmure, paroles prononcées à l'oreille.

susurrator, *oris*, m. Celui qui chuchote. ¶ Médisant.

susurratrix, *icis*, f. Celle qui chuchote.

1. susurro, *as*, *are*, intr. Murmurer. || Chuchoter, parler à voix basse. || Médire (tout bas). || Bourdonner (en parl. d'abeilles). || Frémir (en parl. du vent). ¶ *Tr.* Murmurer, fredonner.

2. susurro, *onis*, m. Médisant, délateur, diffamateur. (qui chuchote.

1. susurrus, *a*, *um*, adj. Qui murmure;

2. susurrus, *i*, m. Bourdonnement, murmure, frémissement. ¶ (Spéc.) Causerie à voix basse: chuchotements, cancans, commérages.

3. susurrus, *us* m. Comme 2. SUSURRUS.

susus, adv. Voy. SURSUM.

sutela, *as*, f. Assemblage de pièces cousues.

sutilis, *e*, adj. Cousu, composé de pièces entrelacées *ou* enchâssées.

sutor, *oris*, m. Cordonnier, savetier. ¶ *Au fig.* Arrangeur, auteur.

1. sutorius, *a*, *um*, adj. De cordonnier.

2. sutorius, *ii*, m. Un ex-cordonnier.

sutrina, *ae*, f. Métier de cordonnier.
¶ Boutique de cordonnier.

sutrinum, *i*, n. Métier de cordonnier.

sutrinus, *a*, *um*, adj. De cordonnier.

sutura, *ae*, f. Couture, suture. ¶ (Méd.)
Suture.

suus, *a*, *um*, pron. poss. Son, sa; sien
sienne; son propre. sa propre; leur
¶ Propre, convenable. naturel, déterminé, fixé, légitime. ¶ Propre, favorable, qui appartient à, qui est du
parti de, dévoué. ¶ Propice. ¶ Propre,
non étranger. ¶ Qui est son maître,
libre, indépendant.

sycophanta, *ae*, m. Sycophante, délateur; fourbe. ¶ Parasite flatteur.

sycophantia, *ae*, f. Chicane, fourberie
imposture.   [cieusement

sycophantiose, adv. En fourbe, astu-

sycophantor, *aris*, *ari*, dép. intr. User
de ruse, ruser.   [fleur de figue.

sycitis, *tidis*, f. Pierre précieuse de cou-

sycomorus, *i*, f. Figuier sauvage, figuier
égyptien, sycomore.

sydus, *deris*, n. Voy. SIDUS.

syllaba, *ae*, f. Syllabe. ¶ (Méton.) *Syl-
labae*, vers, poésie (syllabes mesurées).

syllabarii, *orum*, m. pl. Ceux qui ap-
prennent à lire, qui ne peuvent
qu'épeler les syllabes.

syllabatim, adv. Syllabe par syllabe;
minutieusement.

syllabice, adv. Par syllabes. ¶ Par
l'addition d'une syllabe.

syllabicus, *a*, *um*, adj. De syllabe.

syllabus, *i*, m. Registre, rôle, liste.

syllepsis, *is*, m. Syllepse (fig. de grammaire).

1. **syllibus**, Voy. SITTIBOS.

2. **syllibus**. Voy. SYLLYBUS.

syllogismus, *i*, m. Syllogisme, raisonnement en forme.

syllogistice, adv. Par syllogisme.

syllogisticus, *a*, *um*, adj. Syllogistique.

sylva. Voy. SILVA.

symbola, *ae*, f. Pique-nique.

symbolice, adv. Symboliquement figu-
rément.   [allégorique.

symbolicus, *a*, *um*, adj. Symbolique,

symbolum, *i*, n. Signe, marque (servant
à accréditer un envoyé *ou* à se faire
reconnaître de qqn). ¶ Cachet, sceau.
¶ Confession (de foi); symbole.

symbolus, *i*, pl. Comme SYMBOLUM.

symphonia, *ae*, f. Accord harmonieux
de plusieurs sons; symphonie. ¶ Harmonie musicale, concert. ¶ (Méton.)
Instrument de musique, sorte de
tambour.

1. **symphoniacus**, *a*, *um*, adj. De concert, de musique. — *herba*, jusquiame.

2. **symphoniacus**, *i*, m. Musicien.

symphonium, *ii*, n. Comme SYMPHONIA.

symphyton *ou* **symphitum**, *i*, n. Consoude officinale, plante. ¶ Plante
appelée aussi HELENION.

symplectos, *on*, adj. Lié. — *pes*, pied
métrique composé de deux longues et
de trois brèves.

symplegas, *adis*, f. Cohésion.

symplegma, *matis*, n. Entrelacement. ||
Groupe de deux *ou* plusieurs athlètes
qui luttent et ont les mains entrelacées ¶ Embrassement, enlacement.

symposiaccus, *a*, *um*, adj. De festin.

symposiaca, *orum*, n. pl.Propos de table.

symposion et **symposium**, *ii*, n. Banquet. ¶ Le banquet (titre d'un ouvrage
de Platon et d'un autre de Xenophon).

synaliphe, *es*, f. Synalèphe (fusion de
deux syllabe en une).

synanche, *es*, f. Inflammation de la
gorge, esquinancie, angine.

synanchicus, *a*, *um*, D'angine.

synaloepha, *ae*, f. Comme SYNALOEPHE.

synaloephe, *es*, f. Synalèphe.

synanche, *es*, f. Esquinancie.

synanchicus, *a*, *um*, adj. D'angine.

synaphia, *ae*, f. Connexion, continuité
de mètre (dans la poésie lyrique quand
un vers et le suivant n'en forment
qu'un).   [religieuse.

synaxis, *eos*, f. Réunion, congrégation

syncategorema, *matis*, n. Partie du
discours qui, prise isolément n'a pas
de signification, mais qui, unie à un
autre mot, donne un sens complet.

syncerastum, *i*, n. Mets composé de
différents ingrédients, ragoût, macédoine, pot pourri.

syncerus. Voy. SINCERUS.

syncopa, *ae*, f. Voy. SYNCOPE.

syncopatus, *a*, *um*, adj. Qui a des dé-
faillances, qui est en syncope.

syncope, *es*, f. Syncope, défaillance,
évanouissement. ¶ Retranchement
d'une syllabe au milieu d'un mot;
syncope.   [rhét.).

synecdoche, *es*, f. Synecdoque (fig. de

synecdochice, adv. Par synecdoque.

synecdochicus, *a*, *um*, adj. De synecdoque, par une synecdoque.

synedrium, *ii*, n. Salle des séances.
consistoire.   [les Macédoniens.

synedrus, *i*, m. Synèdre, sénateur chez

synesis, *is*, f. L'intelligence, un des
Eons de Valentin.

syngenicon, *i*, n. Parenté.

syngrapha, *ae*, f. Billet, obligation,
engagement, écrit. reconnaissance;
lettre de change.

syngraphe, *es*, f. Comme SYNGRAPHA.

syngraphum, *i*, n. Billet, écrit.

syngraphus, *i*, m. Contrat, billet. ¶ Sauf-
conduit, passeport.

synhodus. Voy. SYNODUS.

synizesis, *is*, f. Synizèse, contraction
de deux voyelles en une syllabe.

synl... Voy. SYLL...

synodalia, *um*, n. pl. Statuts synodaux.

synodalis, *e*, adj. Synodal.   [synode.

synodaliter, adv. Par décision d'un

synodia, *ae*, f. Unisson, accord.

synodice, adv. Conformément aux synodes.

synodicus, *a*, *um*, adj. Qui arrive en
même temps, synodique. ¶ Relatif

aux synodes, conforme aux synodes

synoditae, *arum*, m. pl. Ceux qui mènent la vie en commun, cénobites, sorte de religieux.

1. **synodus**, *i*, f. Confrérie de prêtres collège de prêtres. ¶ Assemblée ecclésiastique, synode. [spare.

2. **synodus**, *dontis*, m. Poisson de mer,

synoecium, *ii*, n. Chambre commune.

synoneton, *i*, n. Achat de plusieurs choses à la fois.

synonymia, *ae*, f. Synonymie.

synonymon ou **synonymum**, *i*, n. Synonyme. [signification, synonyme.

synonymos, *on*, adj. Qui a la même

synopsis, *is*, f. Plan dessin, petit relevé: inventaire. || Inventaire (d'un temple). ¶ Modèle d'une construction.

synoris, *ridis*, f. Attelage à deux chevaux.

syntecticus, *a*, *um*, adj. Qui se meurt de consomption, qui souffre de la phtisie. [atrophie

syntexis, *is*, f. Consomption, phtisie;

synthema, *matis*, n. Signe concerté. ¶ Permis pour avoir des chevaux de poste. [repas.

synthesina, *ae*, f. Vêtement pour les **synthesis**, *is*, acc. *in*, abl. *i*, f. Réunion de plusieurs ustensiles du même genre; service (dans un repas). ¶ Ensemble des vêtements que l'on revêt: mise, costume. || Léger vêtement de dessous,

sorte de robe de chambre. ¶ (T. de méd.) Composition, mixture.

syntonum, *i*, n. Instrument de musique.

syntroph um, *ii*, n. Ronce.

syriace, adv. En langue syriaque.

syriarcha, *ae*, m. Grand-prêtre de Syrie qui s'occupait de l'organisation des spectacles. [prêtre.

syriarchia, *ae*, f. Dignité de ce grand

syringa, *ae*, f. (T. méd.) Seringue à injection. (Méton.) Injection. ¶ Ulcère, creux, fistule. [terraine, grotte

syrinx, *ringis*, f. Roseau. ¶ Galerie souterrite, *ae*, m. Pierre qui se forme dans la vessie du loup.

1. **syrma**, *matis*, n. Robe traînante. ¶ Robe traînante portée par les tragédiens.

2. **syrma**, *ae*, f. Comme le précédent.

syrmaticus, *a*, *um*, adj. Traînant.

syrus, *i*, m. Balai. [(le rythme).

systalticus, *a*, *um*, adj. Qui resserre

systema, *matis*, n. Un tout composé de plusieurs choses; système.

systematicus, *a*, *um*, adj. Systématique.

systole, *es*, f. Systole, abrègement d'une syllabe longue par nature.

systylos, *on*, adj. Systyle (lorsque l'espace entre deux colonnes est égal à l'épaisseur de deux colonnes).

syzygia, *ae*, f. Assemblage, réunion, jonction. ¶ Réunion de plusieurs pieds métriques; pieds composés.

T

T, t. Dix-neuvième lettre de l'alph. latin. ¶ En abrév. T = Titus, Ti. = Tiberius.

tabanus, *i*, *m*. Taon, insecte.

tabefacio, *is*, *factus*, *facere*, tr. Faire fondre, dissoudre. ¶ Corrompre.

tabeflo, *is*, *fieri*, passif du précédent. Tomber en pourriture.

tabella, *ae*, f. Petite planche, planchette. || Plaque. ¶ Ce qui est fait d'une planchette ou ressemble à une planchette; tablette à écrire, d'où écrit, lettre, registre, pièce, acte, contrat, papier. || Bulletin de vote. || Tableau, peinture. || Ex-voto, table votive. || Table à jeu, damier. || Eventail, écran.

tabellarius, *a*, *um*, adj. Relatif aux lettres. ¶ Relatif aux bulletins de suffrage.

tabeo, *es*, *ere*, intr. Fondre, se liquéfier, se décomposer, se corrompre. ¶ Se dissiper, décroître,

taberna, *ae*, f. Construction en planches, cabane; logement de pauvre. ¶ Boutique, magasin. ¶ Taverne, cabaret. ¶ Allée couverte dans le cirque pour la commodité des spectateurs.

tabernaculum, *i*, n. Baraque, tente. ¶

Eccl. Tabernacle. [commerce.

tabernaria, *ae*, f. Boutiquière. ¶ Petit

1. **tabernarius**, *a*, *um*, adj. De boutique, de cabaret. Trivial. [Cabaretier.

2. **tabernarius**, *ii*, m. Boutiquier.

tabernula, *ae*, f. Bouge. ¶ Petite boutique.

tabes, *is*, f. Dissolution, liquéfaction. || Fonte. ¶ Décomposition morbide, consomption, langueur. ¶ (Méton.) Humeur corrompue, pus.

tabesco, *is*, *tabui*, *ere*, intr. Se dissoudre, se liquéfier, se consumer, dépérir. ¶ (Esprit) qui perd son énergie. ¶ Consumé de chagrin. ¶ Qui corrompt, qui consume. [consume.

tabificus, *a*, *um*, adj. Dissolvant, qui

tablinum, *i*, n. Voy. TABULINUM.

tablisso, *as*, *are*, intr. Jouer aux dés.

tabula, *ae*, f. Planche, ais. ¶ Ce qui est fait d'une planche ou ressemble à une planche. || Banc. ¶ Bureau de change, comptoir. || Table à jeu, échiquier, damier. || Tableau, peinture. || Table votive. || Carte (géographique). || Table de bois ou de bronze; affiche. ¶ Table de la loi. || Table de proscription. || Tablette (à écrire), acte, document, minute. ‖ Registre; livre de comptes. ‖ Bulletin de vote. ¶ Carré de terrain, portion de vignes, valant 72 perches. ¶ *Au plur.* Plis du vêtement.

tabulare, *is,* n. Plancher. *Tabularia,* n. pl. Planches (instrument de torture).

tabularia, *ae,* f. Archives, dépôt d'archives.

tabularis, *e,* adj. De planche. ¶ Propre à faire des lames, des plaques.

tabularium, *ii,* n. Dépôt des archives.

1. **tabularius,** *a, um,* adj. Relatif aux documents écrits, aux archives, aux minutes.

2. **tabularius,** *ii,* n. Archiviste, greffier. ‖ Teneur de livres, comptable. ‖ Caissier, receveur des finances.

tabulatio, *onis,* f. Assemblage de planches : plancher.

tabulatum, *i,* n. Assemblage de planches *ou* de charpentes. ‖ Echafaudage; plancher, parquet. ‖ Tillac. ‖ Assise, sol. ‖ Etage. ‖ Etage (d'un espalier).

tabulatus, *a, um,* adj. Fait de planches. ‖ Couvert de planches, planchéié. ¶ Plissé; qui fait des plis. ‖ Disposé par étages.

tabulinum, *i,* n. Endroit planchéié en plein air, balcon, galerie. ¶ Galerie de tableaux. ¶ Dépôt d'archives.

tabum, *i,* n. Humeur corrompue, sanie, pus, liquide infectieux. ‖ *Par ext.* Contagion, peste. ¶ Suc tinctorial du pourpre, pourpre tyrienne.

taceo, *es, tacui, tacitum, ere,* intr. Se taire. ¶ *Tr.* Taire quelque chose, n'en point parler. [en secret.

tacite, adv. En silence. ¶ Sans bruit,

tacito, adv. En silence. Voy. TACITE.

taciturnitas, *atis,* f. Silence, taciturnité. ¶ Discrétion.

taciturnus, *a, um,* adj. Taciturne, discret, silencieux. ¶ Silencieux, tranquille, qui ne fait aucun bruit.

tacitum, *i,* n. Secret, mystère. ¶ Silence, calme.

tacitus, *a, um,* adj. Qui se tait; silencieux, discret. ¶ Que l'on tait, dont on n'a point parlé; passé sous silence. ‖ Non exprimé formellement, tacite. ¶ Caché, secret, intime. ¶ (*En parl. de ch.*) Muet, calme, silencieux.

tactio, *onis,* f. Attouchement, action de toucher. ¶ Sens du toucher.

tactus, *us,* m. Attouchement, action de toucher. ¶ Sens du toucher. ¶ Tangibilité.

taeda, *ae,* f. Arbre résineux ¶ Torche de pin. ¶ Petit morceau de graisse (employé dans les sacrifices).

taedescit, *ere,* imp. Commencer à se dégoûter de. [TAEDET.

taedeo, *ere,* intr. S'ennuyer. Voy.

taedeor, *eri,* dép. intr. Etre triste.

taedet, *taeduit* et *taesum est, ere,* impers. Etre ennuyé, fatigué, dégoûté de.

taedifer, *fera ferum,* adj. Qui porte une torche.

taediosus, *a, um,* adj. Ennuyeux, fastidieux; fatigant. ¶ Plein de chagrin.

taedium, *ii,* n. Dégoût, fatigue, aversion. ¶ Objet de dégoût; incommodité.

taenea, *ae,* f. Voy. le suivant.

taenia, *ae,* f. Bande, bandeau, bandelette; ruban. ¶ Bande de l'architrave; listel. ¶ Long banc de récifs. ¶ Ténia, ver solitaire. ¶ Nom d'un poisson.

taeniola, *ae,* f. Petit bandeau, petit ruban.

taet... Voy. TET...

taeter, *tra, trum,* adj. Repoussant, dégoûtant, infect. ¶ Repoussant, ignoble, odieux (au moral). ¶ Noirâtre, de couleur sombre. [ignoble.

taetre, adv. D'une façon dégoûtante,

taetro, *as, are,* tr. Rendre horrible.

taetrum, adv. V. TAETRE.

tagax, *gacis,* adj. Qui touche volontiers à quelque chose; qui vole; voleur.

tago, *is, taxi, ere,* tr. Toucher.

talaria, *ium,* n. pl. Parties voisines du talon. ‖ Chevilles des pieds. ¶ Talonnières (*ou* ailes attachées aux talons). ‖ Robe longue, descendant jusqu'aux chevilles. ¶ Instrument de supplice, qui serre les chevilles; brodequin. [talons.

talaris, *e,* adj. Qui a rapport aux

talarius, *a, um,* adj. Qui a rapport aux dés; de dés.

talea, *ae,* f. Bouture, scion. ¶ Branche, bâton. ‖ *Spéc.* Chausse-trappe. ‖ Petite solive. ‖ Petite barre de fer, monnaie courante chez les Bretons insulaires.

talentum, *i,* n. Talent, poids grec, de différentes valeurs, selon les Etats, mais pesant le plus souvent un demi-quintal. ¶ Talent (somme d'argent, variant selon les lieux et les époques).

taleola, *ae,* f. Petite bouture.

1. **talio,** *as, are,* tr. Fendre, entailler.

2. **talio,** *onis,* f. Talion, peine du talion.

talis, adj. Tel, telle, semblable; pareil, de telle nature. ¶ Qui est tel qu'on vient de dire *ou* qu'on va dire. ¶ De cette importance; si grand.

taliter, adv. De telle manière; ainsi; de cette façon.

talitrum, *i,* n. Chiquenaude.

talpa, *ae,* f. Taupe, animal.

talus, *i,* m. Astragale. ‖ Cheville. ‖ Talon. ‖ Osselet (pour jouer) sorte de dé oblong ayant quatre côtés.

1. **tam,** adv. Autant; à un tel degré. ¶ Tant, tellement, à tel point.

2. **tam,** conj. Voy. TAMEN.

tamarice, *es,* f. Tamarix, plante.

tamaricium, *ii,* n. Voy. TAMARICE.

tamdiu, adv. Aussi longtemps. ¶ Si longtemps. ¶ Depuis si longtemps.

tamen, conj. Pourtant, toutefois, néanmoins, cependant. ¶ A la fin, pourtant, enfin. ¶ Par conséquent, donc.

tametsi, conj. Quoique; bien que.

tamine, adv. Arch. pour TAM NE.

taminia, *ae,* f. Taminier, bryone noire, plante.

tamquam (TANQUAM), adv. De même que, comme. ¶ Comme. par exemple. ¶ Comme si. ¶ Comme, vu que, en tant que.

tamtus, a, um, adj. Voy. TANTUS.

tandem, adv. Enfin, à la fin. ¶ *Dans les interrogat* ns, *passionnées* : donc; de grâce. ¶ Enfin (*après une énumération*).

tango, is, tetigi, tactum, ere, tr. Toucher. ¶ Toucher à, être contigu à. ¶ Aborder, atteindre, parvenir, entrer dans. ¶ Toucher, porter la main sur, frapper. || ·Atteindre. ¶ Attenter à, violer. ¶ Mettre la main sur, toucher à, s'approprier. ¶ Toucher, émouvoir, fléchir. ¶ Toucher (un sujet en parlant), traiter, s'occuper de. ¶ Blesser qqn par une raillerie, le piquer. ¶ Tenter, mettre la main à.

tanquam. Voy. TAMQUAM.

tanti, gén. de prix. Autant, aussi cher; tant, si cher; à tel prix.

tantidem, adv. Au même prix; autant, aussi cher; de la même valeur.

tantillulus, a, um, adj. Si petit, si mince. [Tant soit peu de.

tantillus, a, um, adj. Si petit. ¶

tantisper, adv. Aussi longtemps que. ¶ Pendant ce temps là : en attendant.

tanto (devant un compar.). Tant, autant, d'autant.

tantopere (TANTO OPERE), adv. Avec tant de difficulté; tant, tellement.

tantulus, a, um, adj. Si petit, si faible. ¶ Si peu de chose, si *ou* aussi peu de.

1. **tantum**, i, n. Autant (de). || Tant (ue).

2. **tantum**. adv. Autant, tant, tellement. ¶ Seulement; tout juste; tout au plus, à peine.

tantummodo, adv. Seulement. ¶ Pourvu, seulement, pourvu du moins que. [même quantité.

tantumdem (TANTUNDEM), n. Autant, la

tantus, a, um, adj. Aussi grand; en aussi grande quantité.

tantusdem. *adem, umdem* ou *undem*, adj. Aussi grand; de la même grandeur. ¶ De la même importance. || En aussi grande quantité.

tapes. Voy. TAPETE.

tapete, is, n. Tapis, tapisserie (pour revêtir les murs, le sol, les tables).

tardatio, onis, f. Lenteur.

tarde, adv. Lentement. ¶ Tardivement, tard. ¶ Comme DIU.

tardesco, is, tardui, ere, intr. Devenir lent, s'engourdir. [lente.

tardigradus, a, um, adj. A la marche

tardiloquus, a, um, adj. Qui parle lentement.

tardipes, pedis, adj. Qui marche lentement; boiteux (surnom de Vulcain).

tarditas, atis, f. Lenteur, démarche lente. ¶ Lenteur, action lente. ¶ Saison avancée. ¶ Lenteur d'esprit, stupidité.

tardities, ei, f. Lenteur.

tarditudo, inis, f. Lenteur.

tardo, as, avi, atum, are, tr. Retarder, ralentir; arrêter. ¶ *Intr.* Tarder, être en retard.

tardus, a, um, adj. Lent, indolent, paresseux. ¶ Qui vient tard, tardif. ¶ Qui engourdit. ¶ Qui dure longtemps, prolongé; invétéré (en parlant d'un mal).

tarmes, mitis, m. Termite, ver qui ronge le bois. ¶ Ascaride, ver de la viande.

tat, interj. Tiens ! Ah !

tata, ae, m. Papa (appellat. enfantine).

tatae, interj. Voy. TAT.

tatula, ae, m. Petit papa.

1. **tau**. Mot celtique [Grec.

2. **tau**, indécl. Nom de la lettre t en

taura, ae, f. Taure, vache stérile.

taurarius, ii, m. Toréador.

1. **taurea**, ae, f. Comme TAURA.

2. **taurea**, ae, f. Lanière en cuir de taureau. [cuir.

taureus, a, um, adj. De taureau, de

tauricornis, e, adj. Qui a des cornes de taureau. [des taureaux.

taurifer, fera, ferum, adj. Qui nourrit

tauriformis, e, adj. Qui à la forme d'un taureau. [reau.

taurigenus, a, um, adj. Né d'un tau-

taurinicium, n. Chasse de taureaux (dans le cirque).

taurinus, a, um, adj. De taureau.

taurobliatus, a, um, p. adj. Qui consacre le souvenir d'un taurobole.

taurobolicus, a, um, adj. Qui sert au sacrifice d'un taureau.

taurobolinus, a, um, adj. Qui a offert un taurobole.

taurobolior, aris, atus sum, ari, dép. intr. Offrir le sacrifice d'un taureau en l'honneur de Cybèle.

taurobolium, ii, n. Taurobole, sacrifice d'un taureau en l'honneur de Cybèle.

taurobolus, i, m. Prêtre chargé du taurobole. ¶ Celui pour qui est offert le taurobole.

taurus, i, m. Taureau. ¶ Bœuf. ¶ (Méton.) Peau de taureau. ¶ Le Taureau, signe du zodiaque. ¶ *Par anal.* Butor, oiseau qui imite le mugissement du taureau. ¶ Espèce de scarabée. ¶ (Médec.) Périnée. ¶ Racine d'arbre.

tautologia, ae, f. Tautologie.

taxatio, onis, f. Evaluation. || Valeur. ¶ Clause restrictive (dans un contrat ou un testament).

taxator, aris, m. Celui qui injurie (un autre personnage, sur la scène). ¶ Médisant. [chez les Gaulois.

taxea, ae, f. Mot désignant le lard,

taxeota, ae, m. Apparitear d'un magistrat, taxéote. [en bois d'if;

1. **taxeus**, a, um, adj. De l'if (arbre).

2. **taxeus**, i, f. Comme TAXUS.

taxillus, i, m. Petit dé à jouer. ¶ Petit

morceau de bois; tasseau.

taxo, *as*, *avi*, *atum*, *are*, tr. Toucher fortement *ou* plusieurs fois. ¶ Apprécier (par le toucher), évaluer, estimer. ¶ Attaquer en paroles, vilipender, diffamer. [en bois d'If.

taxus, *i*, f. If, arbre. ¶ Pique, lance, 1. **te**. Suffixe pronominal qui s'ajoute à TU et à TE.

2. **te**, acc. *ou* abl. de TU.

techina, *ae*, f. Comme TECHNA.

techna, *ae*, f. Artifice, fourberie, mauvais tour, ruse.

technicus, *i*, m. Maître qui enseigne les règles d'un art. ¶ Maître de grammaire *ou* de rhétorique.

tecte, adv. A couvert, en cachette.

tectoriolum, *i*, n. Joli ouvrage en stuc.

tectorium, *ii*, n. Couverture. ¶ Revêtement, crépi. || Ouvrage en stuc. ¶ Pâte qu'on se mettait sur le visage, fard. || *Fig.* Fard, fausseté.

tectorius, *a*, *um*, adj. Qui sert à couvrir. ¶ Qui sert à revêtir les murs.

tectulum, *i*, n. Petit toit.

tectum, *i*, n. Toiture, abri. || Toit. ¶ Plafond (de la chambre). || Ciel de lit. ¶ (Méton.) Couvert, abri, asile. || Séjour, habitation.

tectus, *a*, *um*, p. adj. Couvert d'un toit. ¶ Caché, souterrain. ¶ *Fig.* A l'abri, en sûreté, protégé, garanti. || Qui se tient sur ses gardes. ¶ Couvert, secret, caché.|| (*En parl. de pers.*) Dissimulé, concentré.

ted, équivalent de TE. Voy. TU.

ted... Voy. TAED...

teges, *getis*, f. Natte. [couvrir.

tegeste, *is*, n. Matériaux servant à

tegillum, *i*, n. Petite couverture; petite enveloppe.

tegimen (TEGUMEN) et **tegmen**, *minis*, n. Couverture; tout ce qui sert à couvrir le corps; vêtement, voile, abri; enveloppe. || *Fig.* Protection. ¶ *Spéc.* Toit.

tegimentum (TEGUMENTUM) et **tegmentum**, *i*, n. Couverture, enveloppe, vêtement. [TEGIMENTUM.

tegmen, **tegmentum**. Voy. TEGIMEN,

tego, *is*, *texi*, *tectum*, *ere*, tr. Couvrir, recouvrir. ¶ Abriter, cacher, dérober aux regards. || *Fig.* Dissimuler, cacher. ¶ Protéger, mettre en sûreté. ¶ Mettre sur soi, revêtir.

1. **tegula**, *ae*, f. Tuile. || (Méton.) Toiture (en tuiles). ¶ *Par anal.* Au plur. *Tegulae*, dalles de marbre, plaques (de cuivre) pour recouvrir.

2. **tegula**, *ae*, f. Poêle. [tuilier.

tegularius, *ii*, m. Fabricant de tuiles.

tegulum, *i*, n. Couverture, toiture.

tegumen, **tegumentum**. Voy. TEGIMEN, etc.

1. **tegus**, *goris*, n. Abri.

2. **tegus**, *goris*, n. Comme TERGUS.

tela, *ae*, f. Tissu, toile. ¶ *Fig.* Trame, intrigue. ¶ Chaîne d'une étoffe,

trame d'un tissu. || (Méton.) Métier de tisserand.

telamo et **telamon**, *onis*, m. Figure d'homme qui soutient une corniche, (Cariatide). [figue noire.

telanus, *a*, *um*, adj. Nom d'une sorte de

tellus, *uris*, f. La terre, le sol. ¶ Pays, région. || Population, peuple. || Bien; fond; domaine. [percepteur.

telonarius, *ii*, m. Receveur d'impôts.

telonearius, *ii*, m. Comme TELONARIUS.

teloneum, *ii* et **telonium**, *ii*, n. Bureau de percepteur; perception.

telum, *i*, n. Arme pour combattre de loin, arme de trait, trait, javelot, flèche. ¶ Rayon de soleil. || *Au plur.* Traits de la foudre. ¶ Arme, trait.

temerarie, adv. Imprudemment, en téméraire.

temerarius, *a*, *um*, adj. Qui arrive par hasard, accidentel, fortuit. ¶ Inconsidéré, i m p r u d e n t, déraisonnable, étourdi, téméraire. [tion.

temeratio, *onis*, f. Altération corruptrice.

temere, adv. Par hasard, par aventure, sans intention, à la légère. ¶ N'importe comment; guère.

temeritas, *atis*, f. Hasard, événement fortuit. ¶ Irréflexion, étourderie, témérité, audace.

temero, *as*, *avi*, *atum*, *are*, tr. Traiter d'une manière inconsidérée, déshonorer, profaner, souiller. [pur.

temetum, *i*, n. Breuvage capiteux; vin

temno, *is*, *ere*, tr. Mépriser, dédaigner.

1. **temo**, *onis*, m. Timon, flèche d'un char. ¶ Char. ¶ Perche, traverse, pièce de bois transversale.

2. **temo**, *onis*, n. Somme donnée pour l'exemption du service militaire.

temperamentum, *i*, n. Combinaison habile, juste mesure. ¶ Juste mesure, sage proportion, tempérament, équilibre.

temperans, *antis*, p. adj. Qui garde la mesure, modéré, retenu, tempérant.

temperanter, adv. Avec mesure.

temperantia, *ae*, f. Mesure, modération, retenue.

temperate, adv. Avec mesure, modérément. ¶ Avec réserve, avec modération.

temperatio, *onis*, f. Proportion convenable; juste mesure; rapport exact, équilibre. ¶ Bonne organisation. ¶ (Sens concret.) Principe organisateur. ¶ Combinaison, accommodage.

temperator, *oris*, m. Qui règle, tempère, ordonne, équilibre.

temperatura, *ae*, f. Mélange exact, juste proportion.

1. **temperatus**, *a*. *um*, p. adj. Convenablement réglé, bien combiné. ¶ Modéré, mesuré, tempéré. ¶ Modéré, calme, tempéré.

2. **temperatus**, *us*, m. Abstinence.

tempere, adv. Voy. TEMPERI.

temperi, adv. A temps; au beau moment.

temperies, *ei,* f. Juste proportion, mélange convenable. ¶ Température moyenne. ¶ *Fig.* Modération, retenue.

tempero, *as, avi, atum, are,* tr. Diviser, distribuer, mélanger dans une juste proportion. ¶ Modérer, tempérer, adoucir. ¶ Diriger, régler, organiser, ordonner, gouverner. ¶ Garder une juste mesure, être modéré; se contenir. ¶ Epargner.

temperor. *ari,* dép. tr. Comme TEMPERO.

tempestas, *atis,* f. Temps, laps de temps. ¶ Temps qu'il fait; état du ciel. || Mauvais temps, ouragan. ¶ *Fig.* Fléau destructeur (en parl. de pers.).

tempestive, adv. A temps, à propos.

tempestivitas, *atis,* f. Temps propice, opportun, favorable. ¶ Bon tempérament.

tempestivus, *a, um,* adj. Qui arrive à propos, opportun; qui a lieu en son temps. ¶ Mûr (en parl. des pers.). ¶ Qui se fait de bonne heure, précoce, prématuré. ¶ Matineux. [pos.

tempestus, *a, um,* adj. Qui arrive à pro-

templum, *i,* n. Cercle d'observation, espace découvert tracé par le bâton de l'augure. ¶ Lieu saint, lieu consacré. ¶ Lieu consacré à une divinité, temple. ¶ Pannes (d'un toit), *au plur.*

1. temporalis, *e,* adj. Temporaire, momentané, éphémère, périssable. ¶ *Eccl.* Du monde, du siècle; terrestre; temporel. ¶ *Gramm.* Qui marque le temps; qui se rapporte à l'idée de temps. ¶ Qui a du temps. [poral.

2. temporalis, *e,* adj. De la tempe; temporarie, adv. Pour un temps.

temporarius, *a, um,* adj. Né des circonstances; accidentel. ¶ Momentané, passager.

tempori, adv. A temps. Voy. TEMPERI.

1. tempus, *poris,* n. Temps, espace de temps. || Durée. ¶ Moment, instant. ¶ *Epoque.* ¶ *Spéc.* Temps favorable, moment opportun, occasion. || Circonstance, conjoncture. || Position, situation, sort, affaire, relations. ¶ Temps de la vie. ¶ Circonstance malheureuse, temps d'épreuve; malheur, infortune. ¶ Durée de la prononciation; quantité. ¶ *Gramm.* Temps (des verbes). [¶ Tête.] ¶ Visage.

2. tempus, *oris,* n. Tempe (surt. au pl.).

temulentia, *ae,* f. Ivresse.

temulentus, *a, um,* adj. En état d'ivresse, ivre. ¶ Qui se ressent de l'ivresse.

tenacitas, *atis,* f. Force avec laquelle on retient. ¶ Fermeté, constance.

tenaciter, adv. En tenant fortement. ¶ Opiniâtrement, obstinément.

tenax, *acis,* adj. Qui tient fortement, qui adhère solidement à, tenace; compact, serré. ¶ Tenace, attaché à, ferme. ¶ Obstiné, opiniâtre, rétif. ¶ Qui tient à son bien; parcimonieux, avare. ¶ Qui garde ses forces.

tendicula, *arum,* f. pl. Petite corde des foulons servant à étendre le drap. ¶ Filet, lacet.

tendo, *is, tetendi, ere,* tr. Tendre, étendre, déployer ¶ Tendre, présenter. ¶ Diriger vers, avoir tel but. ¶ Tendre à, se diriger vers, voyager, marcher, aller. ¶ Mener à, aboutir. ¶ Tendre vers, viser à. ¶ Chercher à; tâcher *ou* s'efforcer de. ¶ Résister; combattre, lutter.

tenebellae, *arum,* f. pl. Obscurité.

tenebrae, *arum,* f. Ténèbres, obscurité; nuit. ¶ Cécité (maladie). ¶ Obscurcissement de la vue (dans les syncopes). || Ténèbres de la mort. ¶ (Méton.) Lieu ténébreux, trou, cachette. ¶ *Fig.* Obscurité. || Ténèbres (de l'erreur). ¶ Trouble, étourdissement. ¶ Obscurité, c.-à-d. chose inintelligible.

tenebricosus, *a, um,* adj. Obscur, ténébreux. [breux.

tenebrosum, *i,* n. Obscurité, lieu ténébrosus,

tenebrosus, *a, um,* adj. Ténébreux, obscur. ¶ *Fig.* Plongé dans les ténèbres, c.-à-d. dans l'ignorance *ou* l'erreur. ¶ Obscur, inintelligible.

tenellulus, *a, um,* adj. Tendre, délicat; tout mignon.

tenellus, *a, um,* adj. Tendre, délicat.

teneo, *es, tenui, tentum, ere,* tr. Tenir, avoir à la main. ¶ *Fig.* Saisir, c.-à-d. comprendre. ¶ Diriger (un vaisseau), mettre le cap sur. ¶ Tenir, c.-à-d. posséder. ¶ Etre maître de. ¶ *Fig.* S'emparer de (en parl. d'un sentim.). ¶ Captiver, séduire. ¶ Contenir, embrasser. *Teneri,* se rattacher à. ¶ Maintenir, ne pas laisser échapper, conserver. ¶ *Fig.* Se souvenir de. ¶ Défendre, ne pas laisser prendre. ¶ Prendre sur le fait. ¶ S'appliquer à; lier, obliger. ¶ Soutenir avec force une opinion, réussir à faire prévaloir. ¶ Faire durer, persister dans. ¶ Tenir, c.-à-d. persister; prendre racine. ¶ Retenir, empêcher; mater.

tener, *era, erum,* adj. Tendre, délicat. ¶ Du premier âge, jeune, tendre. ¶ Tendre, sensible, doux, affectueux. ¶ Voy. TENUIS.

tenerasco, *is, ere,* intr. Devenir tendre.

tenere, adv. Tendrement, délicatement, mollement.

teneresco, *is, ere,* intr. S'amollir.

teneris, *e,* adj. Voy. TENER. [tendreté.

teneritas, *atis,* f. Mollesse, délicatesse, teneritudo, *dinis,* f. Qualité de ce qui est tendre. ¶ Comme TENUITAS.

tenor, *oris,* m. Course ininterrompue, mouvement continu. ¶ Cours ininterrompu, continuité, suite.

tensa, *ae,* f. Tensa, char sur lequel on promenait les images des dieux (dans les jeux du cirque). ¶ Char (en général). [adj. Qui tente, qui essaye.

tentabundus (TEMPTABUNDUS), *a, um,*

tentamen (TEMPTAMEN), *minis,* n.

Essai; tentative. ¶ Expérience.

tentamentum (TEMPTAMENTUM), *i*, n. Essai, tentative, expérience.

tentatio (TEMPTATIO), *onis*, f. Attaque, atteinte (d'une maladie). ¶ Essai, tentative. ¶ Tentation.

tentator (TEMPTATOR),*oris*,m. Séducteur. ¶ *Eccl.* Tentateur. ¶ Celui qui attaque.

tentigo, *ginis*, f. Rut.

tentio, *onis*, f. Tension.

tento (TEMPTO), *as*, *avi*, *atum*, *are*, tr. Toucher tâter, manier. ¶ Chercher à mettre la main sur *ou* à atteindre *ou* à s'emparer de. ¶ Chercher à séduire, à corrompre; circonvenir. ¶ Attaquer; s'attaquer à.

tentorium, *ii*, n. Tente.

1. **tentus**, *a*, *um*, part. de TENEO ou de TENTO. ¶ Subst. *Tenta*, *orum*, n. pl. Ce qu'on tient (dans la main), ce qu'on possède.

2. **tentus**, *us*, m. Action de retenir, d'entraver, d'arrêter.

tenuatio, *onis*, f. Amaigrissement.

tenuiculus, *a*, *um*, adj. Assez mince, chétif, mesquin.

tenuis, *e*, adj. Mince, fin, tendre. ¶ Faible, peu profond. ¶ Clair, limpide. ¶ *Fig.* Subtil, fin, délicat. ¶ De peu de valeur, faible, mesquin, misérable. ¶ De petite naissance, humble, obscur.

tenuitas, *atis*, f. Ténuité, finesse, délicatesse. ¶ Finesse, subtilité, délicatesse (du style).

tenuiter, adv. Finement, délicatement. ¶ Petitement, pauvrement. ¶ Légèrement, superficiellement.

tenuo, *as*, *avi*, *atum*, *are*, tr. Amincir, rétrécir. ‖ Amaigrir. ¶ Diminuer, affaiblir. ¶ Polir, façonner finement.

1. **tenus**, *us*, m. Cordelette, lacet, filet.

2. **tenus**, *oris*, n. Voy. le précédent.

3. **tenus**, prép. Jusqu'à; seulement jusqu'à; pas plus loin que.

tepefacio, *is*, *feci*, *factum*, *ere*, tr. Faire tiédir, chauffer doucement.

tepefio, *is*, *factus sum*, *fieri*, passif. S'échauffer, devenir tiède. ¶ *Fig.* Etre tiède (en amour).

tepeo, *es*, *ere*, intr. Etre tiède; être assez chaud. ¶ Brûler d'amour, aimer, être épris. ‖ N'éprouver que de la tiédeur.

tepesco, *is*, *tepui*, *ere*, intr. Commencer à s'échauffer. ¶ Perdre sa chaleur, se refroidir. ¶ (Qqf.) *Tr.* Echauffer.

tepidarium, *ii*, n. Salle de bains tièdes.

tepidarius, *a*, *um*, adj. Qui concerne l'eau tiède, les bains tièdes.

tepide, adv. A une température tiède. ¶ Tièdement, c.-à-d. faiblement, froidement.

tepido, *as*, *are*, tr. Faire chauffer un peu, faire tiédir.

tepidus, *a*, *um*, adj. Tiède; un peu chaud. ¶ Refroidi, déjà froid. ¶ (*Fig.*) Tiède, languissant.

tepor, *oris*, m. Faible chaleur, tiédeur. ¶ Chaleur. ‖ (Méton.) Pays chaud,

pays du midi. ¶ Fraîcheur d'un bain qui devrait être chaud.

ter, adv. Trois fois. ¶ *Improprem.* Pour la troisième fois. [fois.

terdecies (TERDECIENS), adv. Trente terdecimus, *a*, *um*, adj. Treizième.

terebinthinus, *a*, *um*, adj. De térébinthe.

terebinthus, *i*, f. Térébinthe, arbre résineux.

terebra, *ae*, f. Foret, vrille, tarière (machine à percer). ¶ Trépan. ¶ Machine de guerre. ¶ Artison (ver qui perce et ronge le bois). [de percer.

terebratio, *onis*, f. Percement, action **terebratus**, *us*, m. Percement. [sonder.

terebro, *as*, *avi*, *atum*, *are*, tr. Percer, terebrum, *i*, n. Tarière, foret, vrille.

teredo, *dinis*, f. Ver qui perce le bois.

teres, *etis*, adj. Arrondi, fait au tour, poli, rond. ¶ Joli, fin, bien fait.

tergeminus. Voy. TRIGEMINUS.

tergeo, *es*, *tersi*, *tersum*, *ere*, tr. Essuyer, frotter, nettoyer. ¶ Corriger, expier, effacer. [refus déguisé, faux-fuyants.

tergiversatio, *onis*, f. Tergiversation, tergiversator, *oris*, m. Qui tergiverse, qui use de détours.

tergiversor, *aris*, *atus sum*, *ari*, dép. intr. Tergiverser (tourner le dos), biaiser, user de détours, de faux-fuyants.

tergo, *is*, *ere*, tr. Voy. TERGEO.

tergum, *i*, n. Dos (de l'homme et des animaux).

1. **tergus**, *i*, m. Comme TERGUM.

2. **tergus**, *goris*, n. Dos. ¶ Peau, cuir. ¶ Corps d'un animal.

1. **termes**, *mitis*, m. Branche, rameau.

2. **termes**, *mitis*, f. Voy. TARMES.

terminalis, *e*, adj. Qui concerne les bornes; terminal. ¶ Final, définitif.

terminatio, *onis*, f. Action de mettre des bornes; bornage. ¶ Ce qui limite; borne; frontière. ¶ Délimitation, définition. ¶ Terminaison.

terminatus, *us*, m. Pose de bornes; bornage.

termino, *as*, *avi*, *atum*, *are*, tr. Borner, limiter, délimiter. ¶ Déterminer, faire consister. ¶ Terminer, clore, fermer.

terminus, *i*,m . Borne; limite, ligne de démarcation. ¶ *Fig.* Limites, bornes. ¶ Terme, fin, conclusion. [trois.

terni, *ae*, *a*, adj. distrib. pl. Trois par **ternio**, *onis*, m. Le nombre trois; terne, coup de trois (aux dés).

ternus, *a*, *um*, adj. Voy. TERNI.

tero, *is*, *trivi*, *tritum*, *ere*, tr. Frotter, gratter. ¶ User (par le frottement). ¶ Battre (le blé en le foulant aux pieds). ¶ Frotter pour nettoyer, polir. ¶ Avoir souvent dans les mains, faire un usage journalier de. ¶ Venir souvent dans un lieu; fréquenter. ¶ Rendre docile, fatiguer. ¶ Employer son temps.

terplico, *as*, *are*, tr. Voy. TRIPLICO.

terra, *ae*, f. Terre, globe terrestre,

monde, univers. ¶ Terre, sol (*opposé
à* mer et à ciel). ¶ Terre cultivée.
¶ Terre, pays, contrée, région.

terraneola, *ae*, f. Alouette (?).

terrarium, *ii*, n. Remblai (levée de
terre); chaussée.

terrarius, *a*, *um*, adj. Qui pousse en
pleine terre, qui a grandi en liberté.

terrena, *orum*, n. pl. Les choses ter-
restres.   [terre; les hommes.

terreni, *orum*, m. pl. Les habitants de la

terrenus, *a*, *um*, adj. Formé *ou* composé
de terre; de terre; en terre. ¶ De la
terre; qui se trouve sur la terre. || Ter-
restre (*opp. à* céleste).

terreo, *es*, *terrui*, *territum*, *ere*, tr.
Effrayer, épouvanter. ¶ Chasser,
faire fuir en effrayant; repousser.
¶ Détourner par crainte.

terrester, *stris*, *stre*, adj. Relatif à la
terre, terrestre. ¶ Produit par la terre.
¶ Qui s'élève au-dessus de la terre
(en parl. de qq. oiseaux, *par ex.* de
la caille).   [terre. ¶ Terrestre.

terreus, *a*, *um*, adj. De terre; fait en

terribilis, *e*, adj. Terrible, effrayant.
¶ Qui commande le respect.

terricula, *ae*, f. Epouvantail, fantôme,
spectre. ¶ Retranchement, palissade.

terriculamentum, *i*, n. Fantôme, objet
d'horreur, d'épouvante.   [spectre.

terriculum, *i*, n. Epouvantail, fantôme,

terrifico, *as*, *are*, tr. Effrayer, épouvanter; terrifier.

terrificus, *a*, *um*, adj. Qui répand l'effroi,
terrible.

terrigena, *ae*, m. Né de la terre.

terrigenus, *a*, *um*, adj. Né de la terre.

terriloquus, *a*, *um*, adj. Qui dit des
choses effrayantes.

terripuvium. Voy. TRIPUDIUM. [vante.

territo, *as*, *avi*, *are*, tr. Frapper d'épou-

territorialis, *e*, adj. Relatif au territoire,
territorial. [appartenant à une ville.

territorium, *ii*, n. Territoire; terre

terror, *oris*, m. Terreur, effroi, épouvante. ¶ Objet qui inspire la terreur;
épouvantail. || Evénement effrayant,
nouvelle terrible.

1. **tersus**, *a*, *um*, adj. Bien nettoyé,
net, propre. ¶ Net, poli, élégant,
soigné.   [nettoyer, nettoyage.

2. **tersus**, *us*, m. Action d'essuyer, de

tertia, *ae*, f. Troisième heure. ¶ (S.-e.
PARS.) Le tiers. ¶ (Au plur.) *Tertiae*,
arum, f. Troisième rôle.

tertiadecimani et **tertiadecumani**, *orum*,
m. pl. Soldats de la 13e légion.

tertiani, *orum*, m. pl. Soldats de la
3e légion.

tertianus, *a*, *um*, adj. Qui vient le troisième jour *ou* tous les trois jours.
Subst. *Tertiana* (s.-e. *febris*), fièvre
tierce. ¶ De la troisième légion.

1. **tertiarius**, *a*, *um*, adj. Qui contient
le tiers d'une chose.

2. **tertiarius**, *ii*, m. Tiers (de l'unité de
mesure); double setier.

tertiatio, *onis*, f. Action de répéter pour
la troisième fois. || *Spéc.* Triple pres-
surage.

tertiato, adv. Pour la troisième fois.

1. **tertio**, *as*, *avi*, *atum*, *are*, tr. Répéter
pour la troisième fois. ¶ Donner une
troisième façon à la terre.

2. **tertio**, adv. Pour la troisième fois.
¶ En troisième lieu. ¶ (*Rar.*) Trois
fois.   [¶ Trois fois.

tertium, adv. Pour la troisième fois.

1. **tertius**, *a*, *um*, adj. Troisième.

2. **tertius**, *ii*, m. Troisième jour. ¶ Troisième livre.   [TERSUS.

tertus, *a*, *um*, adj. Propre, nettoyé. Voy.

teruncius, *ii*, m. Petite monnaie (valant le quart d'un as). ¶ Valeur des
trois douzièmes *ou* du quart. ¶ Quart.
¶ Faible valeur, peu de chose.

tesaurus. Voy. THESAURUS.

tesca et **tesqua**, *orum*, n. pl. Contrées
sauvages, lieux déserts; solitudes.

tescum, *i*, n. Solitude.

tessala. Voy. TESSELLA.

tessalarius. Voy. TESSELLARIUS.

tessella, *ae*, f. Petite pièce carrée. || Carré
de mosaïque. ¶ Petit morceau de
viande. ¶ Petit dé à jouer.

tessellarius, *a*, *um*, adj. Qui a trait à
la mosaïque.

tessellatim, adv. En carré, par carrés.

tessellatum, *i*, n. Ouvrage de mosaïque.

tessellatus, *a*, *um*, adj. Pavé en mosaïque; composé de petits cubes.

tessello, *as*, *avi*, *are*, tr. Carreler, paver
en mosaïque.

tessera, *ae*, f. Tessère, dé à jouer (portant un numéro sur les six faces). ¶ Petite tablette carrée sur laquelle était
écrit le mot d'ordre. ¶ Bon pour de
l'argent *ou* un don en nature. ¶ Signe
de reconnaissance (entre hôtes).

1. **tesserarius**, *a*, *um*, adj. Relatif aux
pièces de mosaïque. ¶ Relatif aux dés
ou au jeu de dés. ¶ Relatif au mot
d'ordre.

2. **tesserarius**, *ii*, m. Fabricant de carreaux pour mosaïque. ¶ Joueur de
dés. ¶ Officier chargé de transmettre
le mot d'ordre aux soldats.

tesserula, *ae*, f. Petit carré, petit cube.
|| Dé à jouer. ¶ Bon, jeton donné (au
peuple pour les distributions). ¶ Petite tablette pour voter aux comices.
¶ Petit carré de mosaïque.

testa, *ae*, f. Terre cuite, brique, tuile.
¶ Tesson, morceau de tuile cassée.
¶ Coquille, écaille (dont les Grecs se
servaient pour voter). ¶ Coquille des
mollusques. ¶ Crâne. ¶ Applaudissement avec la paume des mains (comme
avec deux tuiles).   [briques.

testaceus, *a*, *um*, adj. De terre cuite, de

1. **testamentarius**, *a*, *um*, adj. Qui a trait
aux testaments.

2. **testamentarius**, *ii*, m. Rédacteur
d'un testament.

testamentum, *i*, n. Testament, dernières

volontés. ¶ *Eccl.* Ancien et nouveau testament; les Ecritures.

estamentus, *i*, m. Voy. TESTAMENTUM.

estametum, *i*, n. Comme TESTAMENTUM.   [pièces.

testatim, adv. En petits morceaux, en

testatio, *onis*, f. Appel en témoignage. ¶ Déposition, témoignage; preuve, indice.

testato, adv. Après avoir testé, en laissant un testament. ¶ Devant témoins. ¶ A preuve.   [rend témoignage.

testator, *oris*, m. Testateur. ¶ Celui qui

testatus, *a*, *um*, adj. Attesté, constaté. || Manifeste.

testemonium, *ii*, n. Voy. TESTIMONIUM.

testeus, *a*, *um*, adj. De terre cuite, d'argile.

testicorius, *a*, *um*, adj. Testacé.

testiculata, *ae*, f. Plante appelée aussi ORCHION.   [des chevaux].

testiculatus, *a*, *um*, adj. Entier (en parl.

testiculus, *i*, m. Testicule. ¶ Plante appelée aussi SATYRION.

testiculis, *e*, adj. Testacé.

testificatio, *onis*, f. Déposition, témoignage (en justice). ¶ Témoignage, preuve.   [COR.

testifico, *as*, *are*, tr. Comme TESTIFI-

testificor, *aris*, *atus sum*, *ari*, dép. intr. Attester -qq. chose comme témoin. ¶ Déclarer, faire connaître; mettre au jour.

testimonialis, *e*, adj. Relatif au témoignage. ¶ (Subst.) *Testimoniales* (s.-e. *libri*), certificat, attestation écrite.

testimonium, *ii*, n. Témoignage écrit *ou* oral. ¶ Aide, secours, appui.

1. **testis**, *is*, m. Témoin.
2. **testis**, *is*, m. Testicule.

testor, *aris*, *atus sum*, *ari*, dép. tr. Etre témoin, déclarer comme témoin, attester. ¶ Prendre à témoin. ¶ Faire un testament, tester.

testu, n. indécl. Objet en terre cuite. ¶ Couvercle en terre cuite. ¶ Vase en terre cuite. ¶ Brique.

testudinatus, *a*, *um*, adj. Garni d'un plafond en voûte.   [tés d'écaille.

testudinea, *orum*, n. pl. Meubles incrus-

testudineatus, *a*, *um*, adj. Comme TESTUDINATUS.

testudineus, *a*, *um*, adj. De tortue. ¶ Fait en écaille (de tortue).

testudo, *dinis*, f. Tortue. ¶ Sorte de coiffure. ¶ Tout instrument à cordes, formé en voûte, en creux, la lyre, la cithare, le luth. ¶ Voûte d'un édifice, cour intérieure d'une maison romaine. ¶ Enveloppe, carapace du hérisson. ¶ Tortue, machine de guerre, sorte de toit en bois. || Manœuvre militaire.

testula, *ae*, f. Petite lampe en terre. ¶ Petit tesson.

testum, *i*, n. Voy. TESTA et TESTU

testumonium, *ii*, n: Comme TESTIMONIUM

teta, *ae*, f Sorte de pigeon.

tetanicus, *a*, *um*, adj. Atteint du tetanos.

tetanus, *i*, m. Tetanos, contraction des muscles.

tetartemoria, *ae*, f. Quart de ton (en musique).

tetartemorion, *ii*, n. Quart du zodiaque

teta. Voy. TU.

teter. Voy. TAETER.

tetrachordon, *i*, n. Tétracorde, succession de quatre tons.

tetrachordos, on, adj. Qui a quatre cordes *ou* quatre tons.

tetracolos, *on*, ad . Qui à quatre membres *ou* quatre parties rythmiques

tetracolum, *i*, n. Période à quatre membres

tetracordos,*on*,adj.Voy. TETRACHORDOS.

tetradeum, *i*, n. et **tetradium**, *ii*, n. Le nombre quatre.

tetradrachmum, *i*, n. Monnaie d'argent valant quatre drachmes.

tetrametros, *tri*, m. Voy. TETRAMETRUS.

tetrametrus, *a*, *um*, adj. (T. de métr.) Tétramètre, sorte de vers iambique, trochaïque *ou* anapestique, composé de quatre mètres *ou* pieds.

tetrans, *antis*, m. Quart de cercle.

tetrao, *onis*, m. Coq de bruyère.

tetraonymus, *a*, *um*, adj. Qui a quatre noms.

tetrapharmacum, *i*, n. Emplâtre fait de quatre ingrédients. ¶ Plat composé de quatre substances.

tetraphoros, *on*, adj. Qui est le quatrième à porter qqch.

tetraplasius, *a*, *um*, adj. Quadruple.

tetraplo, *as*, *are*, tr. Quadrupler.

tetraptotos, *on*, adj. (*Gramm.*). Qui n'a que quatre cas.

tetrapus, *podis*, m. Quadrupède (titre d'un ouvrage d'Apicius, qui traite des mets préparés avec la chair des quadrupèdes).   [portes.

tetrapylum, *i*, n. Passage à quatre

tetrarcha, *ae*, m. Comme TETRARCHES.

tetrarches, *ae*, m. Qui gouverne le quart d'un pays : petit prince.

tetrarchia, *ae*, f. Tétrarchie, pays gouverné par un tétrarque.

tetrarhythmus, *um*, adj. Qui contient quatre mesures (t. de musique).

tetras, *tradis*, f. Le nombre quatre : ensemble de quatre.   [syllabes.

tetrasemus, *a*, *um*, adj. Qui a quatre

tetrasticha, *on*, n. pl. Poème de quatre vers; quatrain.

tetrastichos, *on*, adj. Qui a quatre rangées. ¶ De quatre vers.

tetrastrophi, *orum*, m. pl. Poème de quatre strophes.

tetrastrophos, *on*, adj. De quatre strophes.

tetrastylon, *i*, n. Galerie *ou* temple à quatre colonnes de face.

tetrastylos, *on*, adj. A quatre colonnes.

tetrasyllabus, *a*, *um*, adj. De quatre syllabes.

tetre Voy. TAETRE.

tetricus, *a*, *um*, adj. Sombre, sévère, farouche. ¶ Austère.

texito, *as*, *are*, tr. Tisser comme il faut.

texo, *is*, *texui*, *textum*, *ere*, tr. Tisser; tresser. ¶ Construire, composer, faire. ¶ *Fig.* Tisser, tramer, ourdir. ¶ Faire entrer dans un tissu.

textile, *is*, n. Tissu, étoffe.

textilis, *e*, adj. Tissé. ¶ Tressé, entrelacé. ¶ Broché, brodé, piqué.

textor, *oris*, m. Tisserand.

textorius, *a*, *um*, adj. De tissu, de tresse. ¶ *Fig.* Captieux.

textricula, *ae*, f. (Jeune) ouvrière qui tisse la toile.

textrina, *ae*, f. Atelier de tisserand.

1. **textrinum**, *i*, n. Atelier de tisserand. ¶ Art du tisserand.

2. **textrinum**, *i*, n. Chantier de construction (pour navires).

textrinus, *a*, *um*, adj. Relatif au tissage *ou* à la profession de tisserand. ¶ Qui concerne la construction.

textrix, *icis*, f. Celle qui tisse.

textum, *i*, n. Tissu. ¶ Construction. ¶ *Fig.* Tissu, trame (du style).

textura, *ae*, f. Tissu. ¶ *Fig.* Tissu, c.-à-d. enchaînement.

textus, *us*, m. Tissu, tresse. ¶ Contexture. ‖ Charpente. ¶ *Fig.* Trame, enchaînement, suite. ¶ *Spéc.* Suite (d'un récit, d'un discours). ‖ Teneur, texte.

thalamus, *i*, m. Chambre. ‖ Séjour, demeure. ¶ *Spéc.* Chambre à coucher. ‖ (Méton.) Lit; lit nuptial. ‖ Mariage; hymen. ‖ Epoux.

thalassa, *ae*, f. La Mer, titre d'un des livres de La Cuisine d'Apicius.

thalassia, *orum*, n. pl. Lieux maritimes.

thalassicus, *a*, *um*, adj. De mer; marin. ¶ De marin.   [de mer.

thalassinus, *a*, *um*, adj. Qui est couleur

theatralis, *e*, adj. Relatif au théâtre, théâtral. ¶ Scénique; dramatique.

theatricus, *a*, *um*, adj. Du théâtre; qui concerne le théâtre.

theatrum, *i*, n. Théâtre, salle de théâtre. ‖ (Méton.) Public, spectateurs, auditeurs. ¶ *Fig.* Théâtre, scène.

theca, *ae*, f. Etui, gaine, fourreau. ‖ Coffre, boîte. ¶ *Spéc.* Etui en peau pour styles *ou* poinçons à écrire. ‖ *Eccl.* Reliquaire, châsse.   [fourreau.

thecatus, *a*, *um*, adj. Serré dans un

thema, *matis*, n. Thème, sujet proposé.

thensaurus. Voy. THESAURUS.

theogonia, *ae*, f. Théogonie.

theologia, *ae*, f. Théologie.

theologicus, *a*, *um*, adj. Théologique.

theologumena, *on*, n. pl. Recherches sur la divinité et sur les choses divines.

theologus, *i*, m. Théologien.

theorema, *atis*, n. Théorème.

theoretica, *ae*, f. Spéculation philosophique.

theoretice, *es*, f. Comme le précédent.

theoreticus, *a*, *um*, adj. Spéculatif.

theoria, *ae*, f. Spéculation; recherche philosophique.   [que.

theorice, *es*, f. Spéculation philosophi-

theoricus, *a*, *um*, adj. Spéculatif.

1. **theriaca**, *ae*, f. Remède contre la morsure des serpents.

2. **theriaca**, *on*, n. pl. Voy. le précédent.

theriace, *es*, f. Voy. 1. THERIACA.

theriacus, *a*, *um*, adj. Bon contre les morsures de bêtes venimeuses.

theristrum, *i*, n. Vêtement d'été. ¶ *Fig.* Voile (de la pudeur).

thermae, *arum*, f. pl. Sources d'eaux chaudes. ¶ Thermes, établissement de bains chauds.

thermipolion. Voy. THERMIPOLIUM.

thermipolium, *ii*, n. Voy. THERMOPOLIUM.

thermopolium (THERMOPOLION), *ii*, n. Cabaret où l'on sert des boissons chaudes.

thermospodion, *ii*, n. Cendre chaude.

thermulae, *arum*, f. pl. Petit établissement de bains chauds.

thesaurum, *i*, n. Voy. THESAURUS.

thesaurus (THENSAURUS), *i*, m. Lieu où l'on amasse des provisions. ‖ Magasin; grenier, cellier. ¶ *Fig.* Lieu où l'on garde les richesses. ‖ Trésor, ‖ Coffre-fort. ‖ *Fig.* Trésor, c.-à-d. répertoire. ¶ Provisions mises en réserve. ‖ *Fig.* Abondance, amas. ‖ *Spéc.* Provision d'argent, trésor. ‖ *Fig.* Trésor, c.-à-d. chose *ou* personne précieuse.

thesis, *is* (acc. *in*), f. Question à traiter. ¶ (Métr.) Temps fort (où l'on pose le pied), *qqf.* (*mais à tort*) temps faible où l'on abaisse la voix). ¶ Dépôt (préalable) d'argent.

thesmophoria, *orum*, n. pl. Thermophories, fêtes en l'honneur de Déméter (*ou* Cérès), législatrice.

thesmophorus, *a*, *um*, adj. Qui donne des lois.

theta, n. Théta, lettre de l'alph. grec. ¶ Signe, marque sur un bulletin de condamnation à mort. ‖ Signe placé après le nom d'un soldat, pour marquer qu'il est mort. ‖ Signe critique en marge d'un manuscrit.

theticus, *a*, *um*, adj. Qui établit un principe général.

thiasus, *i*, m. Ronde menée en l'honneur de Bacchus; danse bachique. ‖ (Méton.) Le chœur des danseurs.

tholus, *i*, m. Voûte; coupole. ‖ Dôme. ¶ (Méton.) Bâtiment à coupole. ‖ Etuve voûtée.

thorax, *acis* (acc. *acem* et *aca*), m. Poitrine. ¶ (Méton.) Ce qui couvre la poitrine. ‖ Cuirasse. ‖ Pourpoint. ‖ Camisole.

thorus, *i*, m. Voy. TORUS.   [lamentation.

threnus, *i*, m. Thrène, chant de deuil,

thridax, *dacis*, f. Laitue sauvage.

thrips, *ipis* (acc. pl. *ipas*), m. Ver qui

ronge le bois. ¶ (Au plur.) *Thripes*, choses insignifiantes.

thronus, *i*, m. Siège élevé, trône.

thunnarius. Voy. THYNNARIUS.

thunn... Voy. THYNN...

thur... Voy. TUR...

thus, *thuris*, n. Voy. TUS.

thya, *ae*, f. Thuya arbre odoriférant.

thyassus. Voy. THIASUS.   [thuya.

thyinus, *a*, *um*, adj. Fait en bois de thyon, *i*, n. Comme THYA.

thyius, *a*, *um*, adj. Fait en bois de thuya.

thymatus, *a*, *um*, adj. Qui contient du thym; au thym.

thymbra, *ae*, f. Sarriette.

thymbraeus, *a*, *um*, adj. De sarriette.

thymela, *ae*, f. Petit autel au milieu de l'orchestre et autour duquel le chœur évoluait.   [plante.

thymelaea, *ae* (acc. *an*), f. Thymélée,

thymele, *es*, f. Voy. THYMELA.

thymelica, *ae*, f. Actrice.

thymelici, *orum*, m. pl. Choristes.

thymelicos, *on*, adj. Comme THYMELICUS.

1. **thymelicus**, *a*, *um*, adj. Relatif à la thymélé; qui concerne le chœur. ¶ Relatif au théâtre, à la scène.

2. **thymelicus**, *i*, m. Acteur.

thymiama, *matis*, n. Parfum composé surtout d'encens et destiné à être brûlé.   [parfum.

thymiamatus, *a*, *um*, adj. Imprégné de

thymosus, *a*, *um*, adj. Qui sent le thym; imprégné de thym.

thymum, *i*, n. et **thymus**, *i*, m. Thym. ¶ (*Fig.*) Parfum (d'atticisme).

thynnarius, *a*, *um*, adj. Qui concerne les thons; de thons; à thons.

thynnus, *i*, m. Thon, poisson.

thyon, *i*, n. Voy. THYA. ¶ Ambre.

thyrsiger, *gera*, *gerum*, adj. Qui porte un thyrse.

thyrsus, *i*, m. Tige (d'une plante). ¶ Bâton entouré de lierre et de pampres, insigne de Bacchus et de ses servantes.

tiara, *ae*, f. Tiare, turban (coiffure des Orientaux).

tiaras, *ae*, m. Comme le précédent.

tiaratus, *a*, *um*, adj. Qui porte la tiare ou le turban.

tias... Voy. THIAS...

tibia, *ae*, f. Os antérieur de la jambe. || (Méton.) Jambe. ¶ Flûte. || Petit tuyau, canule.

tibialia, *um*, n. pl. Ce qui entoure les jambes; bas, guêtres.

tibialis, *e*, adj. Relatif au tibia ou à la jambe. ¶ Qui concerne la flûte. || Bon à faire des flûtes.

tibicen, *cinis*, m. Joueur de flûte. ¶ Pilier (en bois); étai, soutien.

tibicina, *ae*, f. Joueuse de flûte.

tibicinaria (s.-e. ARS), *ae*, f. Art de jouer de la flûte.

tibicinium, *ii*, n. Art de jouer de la flûte.

tigillum, *i*, n. Petite poutre; soliveau.

tignarii, *orum*, m. pl. Charpentiers.

tignarius, *a*, *um*, adj. Qui concerne les poutres, les solives.

tignum, *i*, n. Poutre. || Charpente. ¶ *Par ext.* Matériaux de construction.

tignus, *i*, m. Comme TIGNUM.

tigrinus, *a*, *um*, adj. Tigré, bariolé.

tigris, *is*, et *idis*, m. et f. Tigre. || (Méton.) Peau de tigre.

tigurium, *ii*, n. Voy. TUGURIUM.

tilia, *ae*, f. Tilleul, arbre. ¶ (Méton.) Tablette en bois de tilleul. ¶ Comme PHILYRA.

timefactus, *a*, *um*, adj. Qui a peur.

timendus, *a*, *um*, p. adj. Effrayant, redoutable.

timens, *entis*, p. adj. Qui a peur de. ¶ Craintif, timide, peureux.

timeo, *es*, *ui*, *ere*, tr. Craindre. || Se demander avec inquiétude.

timide, adv. Avec crainte; timidement.

timiditas, *atis*, f. Timidité, crainte.

timidus, *a*, *um*, adj. Timide, craintif, peureux.

timor, *oris*, m. Crainte, inquiétude, peur. || *Spéc.* Crainte religieuse ou superstitieuse. ¶ Timidité, tendance à la peur. || Pusillanimité. ¶ (Méton.) Objet de crainte, être dangereux. || Celui pour qui l'on craint; être aimé.

tinca, *ae*, f. Tanche, poisson.

tinctorium, *ii*, n. Baptistère.

tinctorius, *a*, *um*, adj. Relatif à la teinture; qui sert à teindre. ¶ Qui a tendance à se baigner dans le sang; sanguinaire.

tinctura, *ae*, f. Teinture.

1. **tinctus**, part. de TINGO.

2. **tinctus**, *us*, m. Action de tremper dans; action de teindre. ¶ (Méton.) Ce dans quoi trempe qqch.; sauce.

tinea (TINIA), *ae*, f. Teigne, mite. ¶ (*Par ext.*) Vermine. || Chenille. || Pou. ¶ (*Par confus. avec* TAENIA. Ver intestinal.

tingo, *is*, *tinxi*, *tinctum*, *ere*, tr. Mouiller, tremper, baigner. ¶ *Par ext.* Tremper (dans un bain de teinture); teindre. || Colorer. || Teindre en... ¶ *Eccl.* Baptiser. ¶ *Fig.* Baigner (de lumière); imprégner; assaisonner de. || Donner une teinture de.

tinia, *ae*, f. Voy. TINEA.

tiniaria, *ae*, f. Plante appelée aussi POLION.

tiniarius, *a*, *um*, adj. Qui concerne les teignes; à teignes, à mites.

tinnimentum, *i*, n. Tintement.

tinnio, *is*, *ivi* et *ii*, *itum*, *ire*, intr. Tinter. ¶ *Par ext.* Parler sur un ton aigre. || Crier, babiller. || Chanter ou gazouiller. ¶ Faire tinter; faire sonner (l'argent), pour s'acquitter de ce qu'on doit.

tinnitus, *us*, m. Tintement, son clair ou métallique. ¶ *Fig.* Cliquetis (de mots), verbiage.

tinnulus, *a*, *um*, adj. Qui tinte, qui rend un son clair ou métallique. ¶ *Fig.* Qui cherche les cliquetis de mots.

tinnunculus, *i*, m. Oiseau, *peut être* émouchet. [clochette.

tintinnabulum, *i*, n. Grelot, sonnette;

tintinnaculus, *a*, *um*, adj. Qui fait entendre un cliquetis (de chaînes); (esclave) mis aux fers.

tintinno, *as*, *are*, intr. Voy. TINNIO.

tippula, *ae*, f. Araignée d'eau.

1. tiro, *onis*, adj. m. Nouvellement enrôlé.

2. tiro, *onis*, m. Nouvelle recrue, conscrit. || Novice, débutant. ¶ *Spéc.* Jeune homme qui revêt la robe virile.

tirocinium, *ii*, n. Apprentissage de la guerre; premières armes. ¶ (Meton). *Tirocinia*, nouvelles recrues, jeunes soldats. ¶ Apprentissage, noviciat; premières armes (fig.); coup d'essai, début. || Inexpérience (d'un débutant). || Entrée dans le monde.

tirunculus, *i*, m. Tout jeune soldat. ¶ Novice, débutant.

tis. Voy. TU.

tisana, *ae*, f. Voy. PTISANA.

tisicus, *i*, m. Voy. PHTHYSICUS.

titelus, *i*, m. Voy. TITULUS.

titillatio, *onis*, f. Action de chatouiller; chatouillement.

titillo, *as*, *avi*, *atum*, *are*, tr. Chatouiller. ¶ *Fig.* Chatouiller, *c.-à-d.* charmer, flatter.

1. titio, *onis*, m. Tison.

2. titio, *as*, *are*, intr. Gazouiller, piailler (en parl. du moineau).

titubanter, adv. En trébuchant. ¶ *Fig.* D'une façon hésitante.

titubantia, *ae*, f. Action de trébucher; démarche hésitante. ¶ *Fig.* Bredouillement *ou* bégaiement. ¶ Hésitation, embarras.

titubatio, *onis*, f. Comme TITUBANTIA.

titubo, *as*, *avi*, *atum*, *are*, intr. Tituber, trébucher. || Avoir la démarche hésitante. ¶ (Par anal.) Flotter, être incertain. || Broncher, faire une faute.

titulum, *i*, n. Voy. le suivant.

titulus, *i*, m. Pancarte, affiche, écriteau. || *Spéc.* Ecriteau sur une maison à louer *ou* à vendre. ¶ Inscription. || Titre. || Intitulé. || Etiquette. || Nom, dénomination. || Faux nom, *d'ou* motif prétendu, prétexte. || Epitaphe, *d'où* (méton.) tombeau. ¶ Mention des dignités de qqn; titre (honorifique), dignité. || Eclat, gloire. ¶ *Fig.* Signe *ou* indice.

tmesis, *is* (acc. *in*), f. Tmèse (gramm.).

tocullio, *onis*, m. Usurier.

tofinus, *a*, *um*, adj. En tuf.

tofus (TOPHUS), *i*, m. Tuf.

toga, *ae*, f. Couverture. || *Qqf.* Toit (arch.). ¶ Ce qui couvre le corps; vêtement. || *Spéc.* Toge (vêtement des Romains en temps de paix). || (Méton.) Paix, vie civile. || Office d'avocat. || Eloquence judiciaire. || *Collect.* Le corps des avocats. || Office civil; *collect.* corps des fonctionnaires. || Une toge; un client.

togata, *ae* (s.-e. MULIER), f. Courtisane. ¶ (S.-ent. FABULA). Drame dont le sujet est romain. [toge.

1. togatulus, *a*, *um*, adj. Vêtu d'une

2. togatulus, *i*, m. Un client.

1. togatus, *a*, *um*, adj. Vêtu de la toge. ¶ *Par ext.* Qui n'appartient pas à l'armée; qui exerce une fonction civile. || Romain || Qui a pris les mœurs romaines *ou* qui peint les mœurs romaines.

2. togatus, *i*, m. Avocat, homme de loi. ¶ Client. ¶ Fonctionnaire civil.

togula, *ae*, f. Petite couverture.

tolerabilis, *e*, adj. Qu'on peut supporter; tolérable. ¶ Capable d'endurer.

tolerabiliter, adv. D'une façon supportable. ¶ Patiemment.

tolerans, *antis*, p. adj. Qui est capable de supporter; qui endure.

toleranter, adv. Patiemment. ¶ Passablement. [patience.

tolerantia, *ae*, f. Constance à supporter;

toleratio, *onis*, f. Comme TOLERANTIA.

tolerator, *oris*, m. Celui qui endure, qui supporte. [toléré. Voy. TOLERO.

1. toleratus, *a*, *um*, p. adj. Supporté,

2. toleratus, *us*, m. Patience.

tolero, *as*, *avi*, *atum*, *are*, tr. Porter, soutenir. || Etre capable de porter. ¶ *Fig.* Supporter *ou* endurer. || Tenir bon. ¶ Soutenir, sustenter. ¶ Rendre supportable, *c.-à-d.* soulager. ¶ Remplir, suffire à. ¶ Observer, garder.

tolleno, *onis*, m. Machine à soulever; grue.

tollo, *is*, *sustuli*, *sublatum*, *ere*, tr. Prendre sur soi; porter. ¶ Soulever, lever, élever. || Relever, ramasser. || Relever de terre (en parl. du père qui reconnaît ainsi l'enfant qui lui est né). || *Par ext.* Elever (un enfant), faire son éducation. ¶ Lever en l'air, *c.-à-d.* élever. || Faire monter (à bord), embarquer, prendre à son bord. ¶ Elever, faire monter (vers le ciel), *d'où* exhaler, pousser. || Faire naître, engendrer. ¶ *Fig.* Rehausser, orner, embellir. ¶ Encourager, réconforter. ¶ Enlever. || Emporter; desservir (une table). || Récolter, mettre en réserve. || Faire disparaître, supprimer, mettre fin à. || Anéantir, détruire. || Annuler, abroger. [¶ Trotteur.

tolutarius, *a*, *um*, adj. Qui va au trot.

tolutilis, *e*, adj. Qui trotte.

tolutim, adv. Au trot.

tolutor, *aris*, *ari*, dép. intr. Trotter.

tomacina, *ae*, f. Saucisson.

tomentum, *i*, n. Bourre, laine à matelas.

tomex, *icis*, f. Voy. TOMIX.

tomix, *icis*, f. Corde. || Lien (de chanvre *ou* de jonc).

tomum, *i*, n. Voy. le suivant.

tomus, *i*, m. Division, morceau, section. || Division d'un ouvrage; tome.

tondeo, *es*, *totondi*, *tonsum*, *ere*, tr.

Couper (les cheveux, etc., **onare raser**. || *Intr*. Se faire couper *ou* se couper les cheveux et la barbe. || Ne pas porter la barbe *ou* les cheveux longs. ¶ *Par ext*. Epiler. || Parer à l'excès. ¶ *Par anal*. Faucher, moissonner. ¶ Elaguer, ébrancher. ¶ Dépouiller. ¶ Brouter, paître. ¶ Raser (la surface de l'eau, etc.).

tondo, *is, ere*. tr. Voy. le précédent.

tonitralis, *e*, adj. Voy. TONITRUALIS.

tonitru, n. Voy TONITRUS.

tonitrualis, *e*. adj. Qui concerne le tonnerre. ¶ Qu'ance la foudre.

tonitrus, *us*, m. Tonnerre.

tonitruum, *i*, n. Voy. TONITRUS.

tonitruus, *us*. m. Voy. TONITRUS.

1. tono, *as, tonui, are*, intr. Faire entendre un grand bruit; résonner fortement. ¶ Tonner (en parl. de la foudre). Impers. *Tonat*, il tonne. ¶ *Fig*. Tonner (en parl d'un orateur); être un foudre d'éloquence. ¶ *Tr*. Faire retentir avec force. || Invoquer d'une voix forte.

2. tono, *is, ere*, intr. Comme le précédent.

tonsa, *ae*, f. Rame *ou* aviron.

tonsilis, *e*, adj. Qu'on peut tondre. raser. couper. ¶ Coupé, rasé, tondu, émondé. [amarrer un navire

tonsilla (TOSILLA), *ae*, f. Poteau pour

tonsillae, *arum*, f. pl. Amygdales.

tonsio, *onis* f. Action de couper *ou* de tondre: tonte.

tonsito, *as*. *are* tr Avoir l'habitude de tondre: tondre souvent.

tonsor, *oris* n. Tondeur. ¶ Barbier, perruquier. ¶ Emondeur.

tonsorius, *a, um*, adj. Qui concerne la taille (de la barbe, des cheveux, etc.). ¶ Qui sert à tondre.

tonstricula, *ae*, f. Barbière.

tonstrina, *ae*, f. Boutique de barbier.

tonstrinum, *i*, n. Boutique de barbier. ¶ Profession de barbier.

tonstrinus, *i*, m. Barbier. ♪

tonstrix, *icis*, f. Barbière.

tonsura, *ae*, f. Action de tondre, de couper, de raser. ¶ Tonte. ¶ Action d'émonder, d'ébrancher.

1. tonsus, *a, um*, part. de TONDEO.

2. tonsus, *us*, m. Comme TONSIO.

tonus et **tonos**, *i*, m. Tension d'une corde. [est tout pour qqn.

topanta, n. indécl. Le tout, celui qui

toparchia, *ae*, f. District, préfecture.

toph... Voy. TOF...

topia, *orum*, n. pl. Paysages (tableaux). ¶ Jardins artificiels. [dins.

topiaria, *ae*, f. Art de dessiner les jar-

topiarium, *ii*, n. Jardin dessiné artificiellement.

1. topiarius, *a, um*, adj. Qui concerne l'art de dessiner les jardins *ou* de donner une certaine forme aux arbres.

2. topiarius, *ii*, m. Dessinateur de jardins. [communs.

topica, *orum*, n. pl. Recueil de lieux

opice, *es*, f. Art de trouver et d employer les lieux communs.

topicus, *a, um*, adj. Qui concerne les lieux *ou* la connaissance des lieux. ¶ *Rhét*.. Relatif aux lieux communs.

topographia, *ae*, f. Description d'un lieu (réel).

topper, adv. arch. Tout de suite; promptement. ¶ Peut-être.

toral, *alis*, n. Couvre-lit; housse.

torces, *is*, m. et f. Comme TORQUES.

torcular, *aris*, n. Pressoir. ¶ Pièce où se trouve le pressoir.

torculare, *is*, n. Comme le précédent.

torcularis, *e*, adj. De pressoir; qui concerne le pressoir. [soir.

torcularius, *a, um*, adj. Relatif au pres-

torcularium, *ii*, n. Pressoir. [soir.

torculo, *as, are*, tr. Mettre sous le pres-

torculum, *i*, n. Pressoir. [pressoir.

torculus, *a, um*, adj. Qui concerne le

1. toreuma, *atis*, n. Ouvrage avec des dessins en relief; vase ciselé

2. toreuma, *ae*, f. Comme le précédent.

toreutes. *ae*. m. Ciseleur. [ciselure.

toreutice, *es*, f. Toreutique; art de la

tormentum, *i*, n. Instrument servant à tordre, à tourner, à presser. ¶ Corde tendue; câble. || Chaîne. ¶ Instrument de torture. ||(Méton.) Torture. ¶ *Simpl*. Douleur, gêne, angoisse, tourment ¶ Machine de guerre; baliste ; (Méton.) Projectile. ¶ Machine foulante.

tormentuosus, *a, um*, adj. Douloureux

torminosus, *a, um*, adj. Qui souffre de coliques, de tranchées.

tornatus, *a, um*, adj. Tourné (pr. et fig.).

torno, *as, avi, atum, are*, tr. Façonner au tour (pr. et fig.); tourner, arrondir.

tornus, *i*, m. Tour (instrument du tourneur). ¶ *Fig*. Art du poète de l'orateur. [bru.

torosus, *a, um*, adj. Musculeux, charnu

torpedo, *inis*, f. Paralysie, engourdissement, torpeur. ¶ Torpille, poisson.

torpeo, *es, ere*, intr. (*En parl. de pers*.) Etre paralysé, engourdi. ¶ *Moral*. Etre inerte, sans courage. ¶ (*En parl. de ch*.) Etre glacé, être immobile.

torpesco, *is, pui, ere*, intr. S'engourdir, devenir inerte. ¶ (*En parl. de ch*.) S'affaiblir. [engourdi, inerte

torpidus, *a, um*, adj. En état de torpeur

torpor, *oris*, m. Engourdissement, torpeur. ¶ Inertie, immobilité.

torquatus, *a, um*, adj. Décoré d'un collier, récompensé par un collier.

torqueo, *es, torsi, torsum, ere*, tr. Donner un mouvement de torsion à. ¶ Tourner, rouler. || *Spéc*. Tordre, enrouler, entortiller. ¶ Tresser (une corde). — *capillos ferro*, friser les cheveux. ¶ Faire virer, faire évoluer tourner, diriger vers. ¶ Rouler (dans son cours), faire tourbillonner. ¶ Balancer, brandir, lancer avec force. || Décrire en tournoyant. ¶ Donner une entorse à; luxer. || Faire dévier (pr

et fig.). ¶ Mettre à la torture. || *Fig.*
Tourmenter, martyriser.

torquis, *is*, m. et *qqf.* f. Collier. ¶ Collier
(des bœufs, etc.). || Collier de plumes
(que certains oiseaux ont autour du
cou). ¶ Guirlande. ¶ Tour, évolution.

torrefacio, *is*, *feci*, *factum*, *facere*, tr.
Rôtir, torréfier, dessécher.

torrefio, *factus sum*, *fieri*, intr. Passif
du précédent.

1. **torrens**, *entis*, p. adj. Qui dessèche,
brûlant. ¶ *Par ext.* Violent, impétueux;
dévastateur.   [rent, flux de paroles.

2. **torrens**, *entis*, m. Torrent. ¶ *Fig.* Tor-
torrenter, adv. Impétueusement; comme
un torrent.

torreo, *es*, *torrui*, *tostum*, *ere*, tr. Des-
sécher, brûler. || Rôtir, griller. ¶ Griller
(en parl. du froid).

torresco, *is*, *ere*, intr. Se dessécher,
devenir brûlant. || Rôtir.

torridus, *a*, *um*, adj. Desséché. || Grillé,
brûlé. || Grillé (par la gelée). ¶ Sec,
décharné. || Épuisé. ¶ Qui dessèche.
|| Brûlant, torride. ¶ Qui grille (en
parl. du froid).

torris, *is*, m. Tison, brandon.

torte, adv. De travers.

tortilis, *e*, adj. Enroulé *ou* tortillé.

tortio, *onis*, f. Action de tourner *ou* de
tortiller. ¶ Torture, vive douleur.

tortor, *oris*, m. Celui qui brandit, qui
lance. ¶ Bourreau.

tortuosus, *a*, *um*, adj. Tortueux, sinueux. ¶ *Fig.* Tortueux, entortillé;
qui n'est pas franc d'allure. ¶ Qui
torture; très douloureux.

tortura, *ae*, f. Action de tourner *ou* de
tordre. ¶ Douleur d'entrailles, tranchée. ¶ Torture.

1. **tortus**, *a*, *um*, p. adj. Contourné,
sinueux. ¶ *Fig.* Ambigu, équivoque.

2. **tortus**, *us*, m. Sinuosité, repli, courbure. ¶ Action de faire tournoyer
(pour lancer).

torulus, *i*, m. Cordon, rouleau (orne-
ment de tête). ¶ Muscle saillant.
Toruli, m. pl. Les chairs. ¶ (Par anal.)
Aubier. ¶ Petit lit.

torum, *i*, n. Voy. 1. TORUS.

1. **torus**, *i* m. Objet rond, faisant saillie.
¶ Cordon, tresse, bourrelet. ¶ Muscle
saillant sous la peau. || Saillie des
veines. || Rameau, tige charnue. ¶
Archit. Tore. ¶ Objet *ou* meuble rembourré; coussin, lit de table, sopha.
|| Lit, couchette. || Lit conjugal. ||Lit
funèbre. ¶ Renflement de terre, talus;
berge.

2. **torus**, *i*, m. Comme TORRIS.

torvidus, *a*, *um*, adj. Farouche.

torvitas, *atis*, f. Air farouche. ¶ Caractère farouche.

torvus, *a*, *um*, adj. Farouche, menaçant.
¶ Qui regarde de travers *ou* d'un air
sournois et féroce. || *En bonne part.*
Grave, imposant. ¶ *En parl. de ch.*
Rude, âpre.

tot, adj. pl. indécl. Aussi nombreux,
autant de. ¶ Si nombreux, tant de
¶ *Qqf.* Si peu de. ¶ Tant (indéterminé)

totidem, adj. pl. indécl. En nombre
égal, autant, aussi nombreux.

totiens. Voy. TOTIES.

toties (TOTIENS), adv. Autant de fois;
aussi souvent. ¶ Tant de fois; si souvent.

totum, *i*, n. Le tout. ¶ L'essentiel.

1. **totus**, *a*, *um*, adj. Tout entier; tout.
¶ Complet.   [égal à la même fraction.

2. **totus**, *a*, *um*, adj. Aussi grand, *c.-à-d.*

toxicon et **toxicum**, *i*, n. Poison (pour
empoisonner les flèches). || *Par ext.*
Poison. ¶ Gomme analogue au LA-
SANON.

trabalis, *e*, adj. Relatif aux poutres; à
poutres. — *clavus*, fiche (de charpentier). ¶ Gros *ou* fort comme une poutre
|| Énorme.

trabaria, *ae*, f. Pirogue.

trabea, *ae*, f. Manteau blanc à raies
rouges, trabée (portée par les rois,
les consuls, les chevaliers, les augures).

trabeatus, *a*, *um*, adj. Relatif à la
trabée. ¶ Qui orne la trabée. ¶ Vêtu
de la trabée.

trabecula, *ae*, f. Petite poutre.

trabica, *ae*, f. Sorte de radeau.

trabicula, *ae*, f. Comme TRABECULA.

trabis, *is*, f. Voy. TRABS.

trabs, *trabis*, f. Poutre. ¶ (Par ext.)
Tronc d'arbre. || Arbre. || *Spéc.* Gour-
din, bâton. || Lance, javelot. || Bran-
don, torche. ¶ (Méton.) Objet fait de
planches réunies. || Navire. || Maison;
toit. || Machine de guerre; baliste;
bélier.   [parties de la catapulte.

trachelus, *i*, m. (Le cou), nom d'une des

trachia, *ae*, f. Trachée-artère.

trachomaticus, *a*, *um*, adj. Propre à
supprimer les rugosités de la paupière.

tractabilis, *e*, adj. Que l'on peut toucher, palpable. ¶ Que l'on peut ma-
nier *ou* travailler. || Souple, flexible.
¶ *Fig.* Traitable, accommodant.

tractatio, *onis*, f. Maniement; pratique;
exercice. ¶ *Fig.* Examen (d'une question). ¶ *Spéc.* (rhétor.) Emploi particulier d'un mot. ¶ Traitement, procédé.

tractator, *oris*, m. Masseur. ¶ Celui qui
traite de. || Celui qui explique; com-
mentateur.

tractatus, *us*, m. Maniement; manipu-
lation. ¶ Mise en œuvre; pratique.
|| *Fig.* Examen, étude. ¶ Action de
traiter, d'exposer (un sujet), de dé-
battre (une question). || (Méton.)
Traité, ouvrage. || *Spéc.* Homélie,
sermon.

tractim, adv. En promenant la main;
tout doucement. ¶ En traînant; peu
à peu.

tracto, *as*, *avi*, *atum*, *are*, tr. Traîner
souvent *ou* longtemps *ou* violemment.
¶ Toucher, manier; avoir en main.

¶ Mettre en œuvre, travailler. || Pratiquer, exercer. ¶ Diriger, gérer, conduire. ¶ Examiner, étudier. || Délibérer. ¶ *Absol.* Traiter (une affaire). ¶ Traiter (un sujet), exposer. || Expliquer, interpréter. ¶ En user avec; traiter (bien *ou* mal).   [fraitre.

tractoria, *ae*, f. Sommation à comparactractoriae, *arum*, f. pl. Lettre remise à ceux qui voyagent officiellement et qui est un vrai bon de réquisition.

tractorius, *a, um*, adj. Qui sert à tirer, à élever. ¶ Qui sert à faire venir, à mander. ¶ Qui sert à réquisitionner.

tractum, *i*, n. Flocon de laine cardée. ¶ Sorte de gâteau à pâte feuilletée.

1. **tractus**, *a, um*, p. adj. Tiré de, emprunté à, dérivé de. ¶ Suivi; sans heurts; coulant. || Soutenu.

2. **tractus**, *us*, m. Action de traîner, d'entraîner, de tirer. ¶ Action d'aspirer *ou* de humer. ¶ Action de traîner en longueur; lenteur. ¶ Mouvement de ce qui est traîné. || Marche; cours (du temps); mouvement égal et soutenu du style. || Développement, étendue *ou* longueur. ¶ (Méton.) Ce qui présente une certaine étendue. || Trait, ligne. || Sillon. || Série, file. || Étendue de pays, région, zone. || (Par anal.) Espace de temps, durée.

traditio, *onis*, f. Action de livrer *ou* de remettre. ¶ Action de transmettre (oralement *ou* par écrit); enseignement, récit. ¶ (Méton.) Ce qu'on transmet; tradition.

traditor, *oris*, m. Celui qui livre. || *Absol.* Traître. ¶ Celui qui transmet par la parole, celui qui enseigne; maître.

traditus, *us*, m. Transmission; tradition.

trado, *is*, *didi*, *ditum*, *ere*, tr. Remettre, passer à; faire passer (de main en main). ¶ Remettre, faire livraison de; livrer. || *Spéc.* Vendre. ¶ Livrer, c.-à-d. trahir. ¶ Confier. || *Spéc.* Donner en mariage. ¶ Livrer, consacrer, adonner. ¶ Transmettre, léguer. ¶ Transmettre (par écrit *ou* oralement); donner connaissance de. || Publier, exposer. || Raconter, relater. || Enseigner; professer.

traduco (TRANSDUCO), *is*, *duxi*, *ductum*, *ere*, tr. Mener au delà, faire passer de l'autre côté; faire traverser. ¶ Mener d'un endroit à un autre. ¶ Faire passer d'une langue dans une autre; traduire. || *Gramm.* Dériver. ¶ Conduire *ou* faire passer à travers. ¶ Faire passer devant, faire défiler. || Faire paraître, publier. || *Péjor.* Livrer à la risée publique. || Prostituer, déshonorer. ¶ Passer (le temps).

traductio, *onis*, f. Passage, traversée, trajet. || *Fig.* Passage d'un état à un autre. || *Rhét.* Trope, métonymie. ¶ Action de faire défiler. *Rhét.* Répétition d'un même mot; paronomase. ¶ Action de livrer à la risée publique. ¶ Cours (du temps).

traductor, *oris*, m. Celui qui fait passer; celui qui transporte (pr. et fig.).

traductus, *us*, m. Passage. || Transport.

tradux, *ducis*, m. et f. Celui *ou* celle qui transmet. || Celui *ou* celle par qui qqch. se transmet. ¶ Crossette de vigne, sarment qu'on fait passer d'une vigne à une autre. ¶ *Abstr.* Intermédiaire; entremise.

trafero. Voy. TRANSFERO.   [tragique.

tragice, adv. Tragiquement. || En style

tragicomoedia, *ae*, f. Tragi-comédie.

tragici, *orum*, m. pl. Acteurs tragiques; tragédiens.

1. **tragicus**, *a, um*, adj. Relatif à la tragédie; tragique. ¶ *Fig.* Tragique. || Élevé, noble. || Triste; terrible.

2. **tragicus**, *i*, m. Poète tragique.

tragoedia, *ae*, f. Tragédie. ¶ (Par ext.) *Fig.* Fait tragique; événement terrible. || Ton tragique *ou* emphatique.

tragoedus, *i*, m. Acteur tragique, tragédien.

tragula, *ae*, f. Tragule, arme de jet des Gaulois et des Espagnols. ¶ Sorte de filet; tramail, seine. ¶ Espèce de claie, de traîneau.   [égrener les épis.

traha, *ae*, f. Traîneau; herse servant à

traho, *is*, *traxi*, *tractum*, *ere*, tr. Tirer, traîner. ¶ *Fig.* Pousser, engager à. || Reporter sur, imputer. || Interpréter dans le sens de, expliquer par. || Faire passer pour. ¶ Traîner avec soi *ou* après soi, se faire suivre de, entraîner. Au passif *trahi*, suivre. ¶ Tirer à soi, attirer. || Aspirer, humer. || Avaler. ¶ Se revêtir de. || S'approprier; acquérir. || Emprunter, contracter; prendre. ¶ Tirer de façon à rassembler. || Rassembler (les plis); plier; carguer (les voiles). ¶ Contracter, froncer. ¶ Tirer de façon à séparer. || Tirailler, déchirer. || Écarteler. || Dissiper, gaspiller. || Distribuer, répartir. || *Fig.* Agiter dans son esprit. — *belli atque pacis rationes*, débattre les raisons qu'on a de faire la guerre ou de rester en paix. ¶ Tirer de façon à détourner. || Ravir, emporter, enlever. || Détourner. || *Fig.* Faire dériver, déduire. ¶ Tirer de façon à extraire, d'où extraire, faire venir; faire monter *ou* descendre. ¶ Tirer de façon à allonger. || Tirer sur, allonger. || Filer. || Carder. || *Fig.* Traîner en longueur, faire durer. || Supporter pendant longtemps. || *Intr.* Se prolonger. *Decem annos traxit ista dominatio*, cette tyrannie dura dix ans.

traicio. Voy. TRAJICIO.

trajectio, *onis*, f. Passage, trajet. || Traversée. ¶ Transmission. ¶ *Fig.* (t. de rhét.) Transposition, inversion; hyperbate. || Hyperbole.

trajectus, *us*, m. Passage, trajet. || Traversée. ¶ Lieu d'où l'on part pour une traversée.

trajicio (TRANSJICIO), *is*, *jeci*, *jectum*, *ere*, tr. Jeter *ou* laisser au delà. ¶ Faire traverser, faire franchir; transporter de l'autre côté. ¶ Faire passer d'un endroit dans un autre. || *Spéc.* Transvaser. ¶ Faire passer à travers. ¶ Passer, traverser, franchir. ¶ Traverser, c.-à-d. transpercer, percer.

tralaticius. Voy. TRANSLATICIUS.

tralatio. Voy. TRANSLATIO.

trama, *ae,* f. Chaîne d'un tissu. ¶ (Par ext.) Trame.

trames, *mitis,* m. Chemin de traverse, sentier. ¶ *Par ext.* Chemin; route. ||Marche, cours. ¶ *Fig.* Rameau (d'une famille); branche collatérale.

tramigro. Voy. TRANSMIGRO.

tranato (TRANSNATO), *as, avi, atum, are,* tr. Traverser *ou* passer à la nage.

trano (TRANSNO), *as, avi, atum, are,* intr. Traverser à la nage. ¶ (Par ext.) Parcourir.

tranquille, adv. En paix; tranquillement.

tranquillitas, *atis,* f. Transparence, limpidité. ¶ Sérénité (du ciel); calme (de l'air); calme (de la mer), bonace. ¶ *Fig.* Tranquillité, sérénité, calme, paix.

1. **tranquillo,** *as, avi, are,* tr. Rendre la sérénité à...; calmer. [paix, en repos.

2. **tranquillo,** adv. Tranquillement; en bout de, surmonter. ¶ Passer au travers de, parcourir. || *Fig.* Passer (le

tranquillum, *i,* n. Beau temps. ¶ Calme (de la mer), bonace. ¶ *Fig.* Calme, tranquillité, repos.

tranquillus, *a, um,* adj. Transparent, limpide. ¶ Serein, calme. ¶ *Par ext.* Tranquille, paisible, calme, serein (*en parl. de pers.*).

trans, prép. avec l'acc. De l'autre côté; au delà; par delà; par-dessus.

transabeo, *is, ii, itum, ire,* tr. Aller au delà; dépasser. ¶ Transpercer.

transactor, *oris,* m. Entremetteur; médiateur.

transadigo, *is, egi, actum, ere,* tr. Faire passer à travers, enfoncer. ¶ Percer d'outre en outre; transpercer.

transcendo, *is, scendi, scensum, ere,* intr. et tr. ¶ *Intr.* Passer d'un endroit à un autre (en montant); monter, s'élever. ¶ *Tr.* Monter par-dessus; gravir, escalader. ¶ Franchir, passer, traverser. ¶ *Fig.* Dépasser *ou* surpasser. ¶ Outrepasser, transgresser.

transcensio, *onis,* f. Hyperbate, renversement de l'ordre naturel des mots.

transcensus, *us,* m. Action de passer par-dessus, d'escalader. ¶ *Fig.* Action de s'élever. ¶ Comme TRANSCENSIO.

transcido, *is, cidi, cisum, ere,* tr. Couper de part en part; fendre, déchirer.

transcribo, *is, scripsi, scriptum, ere,* tr. Transcrire; copier. ¶ Transférer (par un acte écrit). ¶ Faire passer au nom d'un autre (par un acte écrit). || Aliéner, vendre *ou* céder. ¶ Faire passer d'une liste à l'autre, d'une classe à l'autre; faire entrer *ou* admettre parmi.

transcriptio, *onis,* f. Copie. ¶ Transfert; virement. || *Spéc.* Action de s'excuser

d'un acte en en rejetant la responsabilité sur autrui.

transcurro, *is, curri, cursum, ere,* tr. et intr. ¶ *Intr.* Courir d'un endroit à l'autre. || *Fig.* Passer d'un sujet à l'autre. ¶ *Tr.* Parcourir d'un bout à l'autre. || Traverser rapidement. ¶ *Fig.* Passer rapidement sur. ¶ Passer sans s'arrêter; passer et disparaître. || Passer, s'écouler (en parl. du temps).

transcursus, *us,* m. Action de traverser *ou* de passer devant. ¶ Exposition rapide, abrégée.

transenna (TRANSENNA, TRASSENA), *ae,* f. Corde, câble, filet. ¶ Filet, piège.

transeo, *is, ii, itum, ire,* intr. et tr. Aller d'un côté à l'autre *ou* d'un point à un autre; se transporter; passer. || *Fig.* Passer à, se rallier à. ¶ Se transformer. ¶ Aller à travers, d'où passer. ¶ Passer devant sans s'arrêter; passer et disparaître. || Passer, s'écouler (en parl. du temps). ¶ *Tr.* Aller au delà de *ou* de l'autre côté; franchir, traverser, passer. || Devancer, dépasser. || *Fig.* Surpasser. ¶ Outrepasser. ¶ Venir à bout de, surmonter. ¶ Passer au travers de, parcourir. || *Fig.* Passer (le temps). ¶ Passer le long de (sans s'arrêter). || *Fig.* Passer sous silence, taire *ou* omettre. || Laisser échapper, ne pas faire attention à. || Echapper à l'attention.

transfero (TRAFERO), *fers, transtuli, translatum* et *tralatum, transferre,* tr. Porter d'un lieu dans un autre. ¶ Transporter que chose, transplanter. ¶ Transcrire. ¶ Appliquer à. ¶ Transporter d'une langue dans une autre, traduire. ¶ Employer métaphoriquement. ¶ Emprunter. ¶ Promener solennellement. ¶ Faire défiler.

transfigo, *is, fixi, fixum, ere,* tr. Transpercer. ¶ Enfoncer, profondément.

transfiguratio, *onis,* f. Transformation; métamorphose, transfiguration.

transfigurator, *oris,* m. Qui transforme, qui transfigure.

transfiguro, *as, avi, atum, are,* tr. Transformer, transfigurer, changer, métamorphoser. [déguiser.

transfingo, *is, ere,* intr. Transformer;

transfixio, *onis,* f. Action d'enfoncer.

transfluo, *is, fluxi, ere,* intr. Couler à travers, se répandre au dehors. ¶ S'écouler, couler (en parl. du temps).

transfodio, *is, fodi, fossum, ere,* tr. Percer, transpercer. [forme.

transformis, *e,* adj. Qui change de

transformo, *as, are,* tr. Changer la forme de; métamorphoser.

transforo, *as, are,* tr. Transpercer, percer de part en part.

transfreto, *as, avi, are,* intr. Faire une traversée. ¶ *Tr.* Passer (la mer), traverser.

transfuga, *ae,* m. Transfuge, déserteur.

¶ Qui passe d'un parti dans un autre.

transfugio, *is, fugi, fugitum, ere,* intr. Passer à l'ennemi. ¶ Abandonner; passer de l'autre côté.

transfugium, *ii,* n. Désertion. ¶ Abandon, retraite.

transfundo, *is, fudi, fusum, ere,* tr. Déposer les cendres de qqn dans l'urne. ¶ Transvaser. ¶ Faire passer, transporter; reporter.

transfusio, *onis,* f. Transfusion, action de transvaser. ¶ Action de faire passer.

transgero, *is, ere,* tr. Transporter; déplacer.

transgredior, *eris, gressus sum, gredi,* intr. et tr. *Intr.* Passer d'un lieu à un autre, se transporter. || *Fig.* Passer à, en venir à, se ranger à. ¶ *Tr.* Passer, traverser. ¶ Passer dans un parti, se railler à une cause. ¶ Passer par, traverser, franchir. ¶ *Fig.* Dépasser, l'emporter sur. || Dépasser, outrepasser, résider. ¶ Transgresser, enfreindre. ¶ Passer rapidement sur. ¶ Passer sous silence, taire.

transgressio, *onis,* f. Action de passer, de franchir, passage, traversée. ¶ Renversement de la construction ordinaire des mots; transposition.

transgressor, *oris,* m. Celui qui enfreint une loi, transgresseur.

transgressus, *us,* m. Passage, traversée; trajet.

transigo, *is, egi, actum, ere,* tr. Pousser pour faire entrer dans; enfoncer. ¶ Percer, transpercer. ¶ Passer, employer le temps; achever. || Exécuter, conclure; en finir avec; consumer. ¶ Conclure un arrangement, une transaction.¶ Se défaire de, liquider. || Vendre.

transilio (TRANSILIO), *is, silui, ire,* intr. Sauter par-dessus; passer rapidement. ¶ Franchir d'un bond, sauter. ¶ Dépasser. ¶ Sauter, omettre.

transitio, *onis,* f. Passage. ¶ Passage d'un parti à un autre; défection. ¶ Contagion (qui s'étend).¶ Transition dans le discours. ¶ Modification des mots (selon les cas et les temps). ¶ Passage, lieu où l'on peut passer.

transitive, adv. Transitivement; dans un sens transitif.   [ment.

transitorie, adv. En passant, incidemment.

transitorius, *a, um,* adj. Qui sert de passage.¶ Passager, court, momentané.

transitus, *us,* m. Passage, traversée. ¶ Défection. ¶ Passage d'une nuance à une autre. ¶ Transition. ¶ Action de passer sans s'arrêter.

transjacio. Voy. TRAJICIO.

transjugo, *as (avi), atum, are,* tr. Traverser, franchir.

translaticie (TRALATICIE), adv. En passant; négligemment. ¶ Métaphoriquement.

translaticius (TRALATICIUS), *a, um,* adj. Métaphorique, figuré. ¶ Traditionnel. ¶ Ordinaire, usuel.

translatio (TRALATIO), *onis,* f. Transport, transfert. ¶ Transplantation. ¶ Transvasement. ¶ Action de rejeter (une accusation sur un autre). ¶ Action de décliner (la compétence d'un juge). ¶ Traduction. ¶ Métathèse, transposition des lettres. ¶ Trope, métaphore (passage du sens propre au sens figuré). ¶ Changement; modification.

translative, adv. Au figuré.

translator, *oris,* m. Qui emporte ailleurs, qui détourne. ¶ Traducteur.

translatus (TRALATUS), *us,* m. Transport. ¶ Action de promener, en procession, procession, cortège.

transluceo (TRALUCCEO), *es, ere,* intr. Briller à travers. ¶ Renvoyer la lumière, se réfléchir. ¶ Etre diaphane, transparent.

translucidus (TRALUCIDUS), *a, um,* adj. Transparent. ¶ Brillant, clair, limpide.

transmeo (TRAMEO), *as, avi, atum, are,* tr. Traverser, franchir. ¶ Travers les habits (en parl. du froid), pénétrer.

transmigro, *as, avi, atum, are,* intr. Emigrer, changer de demeure. ¶ Faire passer dans un autre lieu.

transmissio, *onis,* f. Transmission. ¶ Action de rejeter une faute sur un autre. ¶ Trajet, traversée, passage.

transmissor, *oris,* m. Celui qui est chargé des péchés d'Israel (en parl. du bouc émissaire).   [¶ Transmission.

transmissus, *us,* m. Traversée, passage.

transmitto (TRAMITTO), *is, misi, missum, ere,* tr. Transporter, faire passer. ¶ Jeter en travers. ¶ Faire traverser. ¶ Céder, confier, remettre. ¶ Transmettre. ¶ Consacrer, vouer. ¶ Traverser, franchir, parcourir. ¶ Traverser, transpercer. ¶ Passer sous silence, omettre, négliger. ¶ Passer, *ou* laisser couler (le temps). ¶ Echapper (à un danger), réchapper (d'une maladie).

transmontanus, *i,* m. Qui habite au delà des monts.

transmotio, *onis,* f. Argumentation par laquelle on rejette une faute sur les circonstances.

transmoveo, *es, movi, motum, ere,* tr. Faire passer d'un endroit dans un autre. ¶ Faire passer sur, rejeter sur.

transmutatio, *onis,* f. Transposition de lettres.

transmuto, *as, are,* tr. Changer de place, transposer. ¶ Transformer.

transnato. Voy. TRANO.

transnominatio, *onis,* f. Métonymie.

transnomino, *as, avi, are.* Changer le nom, désigner par un nom nouveau.

transpadanus, *a, um,* adj. Situé au delà du Pô; transpadan.

transpono, *is, posui, positum, ere,* tr. Transporter ailleurs. || Transplanter. ¶ Transporter sur l'eau; faire traverser.

transportatio, *onis*, f. Changement de séjour, déplacement, émigration.

transporto, *as*, *avi*, *atum*, *are*, tr. Transporter, faire passer au delà. ¶ Reléguer. ¶ Permettre le transport, supporter. [du Rhin.

transrhenanus, *a*, *um*, adj. Situé au delà

transs... Voy. TRANS...

transthebaitanus, *a*, *um*, adj. Situé au delà de la Thébaïde. [delà du Tibre.

transtiberinus, *a*, *um*, adj. Situé au

transtineo, *es*, *ere*, intr. Livrer passage à travers. [Banc de rameurs.

transtrum, *i*, n. Poutre, traverse. ¶

transtrus, *i*, m. Voy. TRANSTRUM.

transulmanus, *a*, *um*, adj. Situé au delà d'un bois d'ormes.

transulto, *as*, *are*, intr. Sauter d'un bond de l'autre côté.

transuo, *is*, *sui*, *sutum*, *ere*, tr. Percer, transpercer (d'une aiguille), traverser (d'une couture).

1. **transvado**, *as*, (*avi*) *atum*, *are*, intr. Traverser à gué, franchir (sans danger).

2. **transvado**, *is*, *ere*, intr. Passer (l'eau), pour aller trouver qqn.

transvectio (TRANSVECTIO), *onis*, f. Traversée. ¶ Transport. ¶ Revue, défilé (des chevaliers romains devant le censeur). [voiture, à cheval, en bateau.

transvecto, *as*, *are*, tr. Transporter (en

transvecturarius, *ii*, m. Camionneur, charretier.

transveho (TRAVEHO), *is*, *vexi*, *vectum*, *ere*, tr. Transporter au delà. ¶ (Passif.) *Transveh*, passer, traverser (à cheval, en voiture, en bateau). ¶ Conduire, transporter, faire passer par. ¶ Faire passer devant. ¶ Porter solennellement en triomphe. ¶ Défiler devant le censeur (en parlant des chevaliers romains). ¶ (En parl. du temps.) Passer, s'écouler.

transvena, *ae*, m. Etranger, émigré.

transverbero, *as*, *avi*, *atum*, *are*, tr. Percer en frappant, transpercer. ¶ Fendre c.-à-d. passer à travers.

transversaria, *orum*, n. pl. Poutres transversales, traverses.

transversarius, *a*, *um*, adj. Placé en travers, transversal. ¶ Opposé, contraire. [obliquement.

transverse, *adv*. De travers, de biais,

transversum, *i*, n, Le travers. *Ex transverso*, de travers; à la traverse; inopinément.

transversim, *adv*. Comme TRANSVERSE.

transversus, *a*, *um*, p. adj. Place en travers, oblique, transversal. ¶ Qui dévie, qui s'égare. ¶ Qui vient à la traverse, qui contrarie. ¶ Inattendu, qui arrive à l'improviste. ¶ *Jur.* Collatéral.

transverto (TRANSVORTO), *is*, *verti* (*vorti*), *versum* (*vorsum*), *ere*, tr. Retourner, changer de côté. ¶ Tourner vers, convertir en. ¶ Détourner.

transvolito, *as*, *are*, intr. Traverser en voltigeant.

transvolo (TRAVOLO), *as*, *avi*, *atum*, *are*, intr. et tr. Traverser en volant, franchir à la hâte. ¶ S'écouler rapidement. ¶ Passer à côté de, ne pas faire attention. ¶ Passer devant (en coulant), raser, longer. || Passer, s'écouler rapidement.

trapetum, *i*, n. Voy. TRAPETUS.

trapetus, *i*, m. Pressoir du moulin à olive.

trapeza, *ae*, f. Table.

trapezita, *ae*, m. Banquier, changeur.

trapezium, *ii*, n. Trapèze.

trapizeum, *i*, n. Comme TRAPEZIUM.

trapizeus, *i*, m. Comme TRAPEZIUM.

trapizius. Voy. TRAPEZIUM.

traps, *trabis*, f. Voy. TRABS. [ENNA.

trasenna ou **trassenna**, voy. TRANS-

traveho. Voy. TRANSVEHO.

traversarius. Voy. TRANSVERSARIUS.

travolo. Voy. TRANSVOLO.

trea n. pl. Forme vulgaire de TRIA.

trecenarius, *a*, *um*, adj. De trois cents.

treceni, *ae*, *a*, adj. distr. Qui vont par trois cents. ¶ Trois cents. ¶ Un nombre indéterminé, un millier.

trecentesimus, *a*, *um*, adj. Trois centième.

trecenti, *ae*, *a*, adj. Trois cents.

trecenties (TRECENTIENS), adv. Trois cents fois.

tredecim, adv. Treize. [adj. Tremblant.

tremebundus (TREMIBUNDUS), *a*, *um*,

tremefacio, *is*, *feci*, *factum*, *ere*, tr. Faire trembler, ébranler.

tremefactio, *onis*, f. Tremblement causé par la crainte.

tremendus, *a*, *um*, p. adj. Redoutable.

tremesco, *is*, *ere*, intr. Trembler.

tremisco. Voy. TREMESCO.

tremissis, *missis*, m. Trémis (nom d'une monnaie qui, sous les derniers empereurs, valait le tiers d'un *aureus*).

tremo, *is*, *mui*, *ere*, intr. Trembler. ¶ *Tr.* Trembler devant (qq. chose).

tremor, *oris*, m. Tremblement, ébranlement. ¶ Objet d'effroi, épouvantail.

tremule, adv. En tremblant.

1. **tremulus**, *a*, *um*, adj. Tremblant.

2. **tremulus**, *i*, f. Tremble, arbre.

trepidanter, adv. Avec timidité; en tremblant.

trepidatio, *onis*, f. Agitation empressée, précipitation, désordre, trouble; effarement. ¶ Hésitation.

trepide, adv. En s'agitant, avec précipitation, hâtivement, avec crainte; avec effarement.

trepido, *as*, *avi*, *atum*, *are*, intr. S'agiter confusément, s'alarmer, être en désordre. ¶ Trembler, s'agiter; s'effarer.

trepidus, *a*, *um*, adj. Agité, affairé, effaré. || Inquiet, alarmé. ¶ Qui frémit, qui bouillonne.

tres, *tria*, adj. Trois.

tressis, *is*, m. Trois as, valeur de trois

as. ¶ Valeur insignifiante.

tresviri, *orum*, m. pl. Voy. TRIUMVIRI.

triacontas, *tadis*, f. Une trentaine.

triangulum, *i*, n. Triangle.

triangulus, *e*, adj. Triangulaire.

triarii, *orum*, m. pl. Triaires (les soldats les plus âgés et les plus expérimentés de la légion), quicombattaient au troisième rang, derrière les hastati.

trias, *adis*, f. Une triade; le nombre trois.

tribrachus, m. Comme TRIBRACHYS.

tribrachys, m. Tribraque, pied (d'un vers) formé de la réunion de trois brèves. [les tribus.

tribuarius, *a*, *um*, adj. Qui concerne

tribula, *ae*, f. Herse à battre le blé.

tribulatio, *onis*, f. Tribulation, vexation, détresse. [à la meule.

1. **tribulatus**, *a*, *um*, adj. Aiguisé comme

2. **tribulatus**, *a*, *um*, participe de TRIBULO.

tribulis, *is*, n. Qui est de la même tribu. ¶ Pauvre (qui appartient à la dernière classe du peuple). ¶ Qui appartient au même dème.

tribulo, *as*, *atus*, *are*, tr. Presser, tourmenter. [à battre le blé.

tribulum, *i*, n. Sorte de herse servant

tribunal, *alis*, n. Tribunal, estrade demi circulaire où siègent les magistrats. ¶ Monument élevé à la mémoire, d'un général ou d'un magistrat. ¶ Hauteur, élévation, haut degré. ¶ Levée, digue.

tribunatus, *us*, m. Tribunat.

tribunicius, *a*, *um*, adj. De tribun (du peuple ou militaire); tribunicien.

tribunos, *i*, m. Voy. TRIBUNUS.

tribunus, *i*, m. Chef d'une des trois tribus primitives. ¶ Tribun du trésor (adjoint au questeur). ¶ Tribun militaire (ils étaient six par légion). ¶ Tribun du peuple.

tribuo, *is*, *bui*, *butum*, *ere*, tr. Distribuer, diviser, partager. ¶ Distribuer, répartir, donner. ¶ Accorder qq. ch. à quelqu'un. ¶ Attribuer, assigner, imputer. ¶ Consacrer (son temps à).

tribus, *us*, f. Tribu (primitivement la troisième partie du peuple romain).

tributarius, *a*, *um*, adj. Relatif au tribut, tributaire. [tribu.

tributim, adv. Par tribus; tribu par

tributio, *onis*, f. Division, répartition. ¶ Payement d'un tribut; contribution.

tributor, *oris*, m. Distributeur, dispensateur. ¶ Celui qui donne, qui fournit.

tributoria, *ae*, f. Action intentée par la partie lésée dans un partage.

tributorius, *a*, *um*, adj. Relatif au partage, à la répartition.

tributum, *i*, n. Tribut, impôt, taxe, contribution. ¶ Don, offrande. ¶ Cotisation. [par tribus.

1. **tributus**, *a*, *um*, adj. Qui a lieu

2. **tributus**, *a*, *um*, p. adj. Voy. TRIBUO.

3. **tributus**, *us*, m. Tribut, taxe.

tricae, *arum*, f. pl. Sornettes, baga-

telles. ¶ Embarras, difficultés, tracasseries.

1. **tricenarius**, *a*, *um*, adj. De trente ans. ¶ Qui contient trente.

2. **tricenarius**, *ii*, m. Chef de trente soldats. ¶ Homme de trente ans.

triceni, *ae*, *a*, adj. Qui vont par trente : trente par trente, trente chaque fois.

tricennalia, *um et orum*, n. pl. Fêtes pour la 30e année d'un règne.

tricennalis, *e*, adj. De trente ans. ¶ Qui dure trente ans. ¶ Qui revient tous les trente ans. [ans.

tricennium, *ii*, n. Espace de trente

tricesimani, Voy. TRICESIMANI.

tricesimus, *a*, *um*, adj. Comme TRICESIMUS.

tricenti, *ae*, adj. Voy. TRECENTI.

tricenties, Voy. TRECENTIES.

triceps, *tricipitis*, adj. Qui a trois têtes. ¶ *Fig.* De trois sortes, triple.

tricesimani, *arum*, m. pl. Soldats de la trentième légion.

tricesimarius, *a*, *um*, adj. De trente unités. ¶ Qui revient tous les trente jours; mensuel.

tricesimus, *a*, *um*, adj. Trentième.

tricessis, *is*, m. Trente as; somme de trente as.

trichila, *ae*, f. Berceau de verdure, tonnelle, chambre verte.

tricies (TRICIENS), adv. Trente fois.

tricla, *ae*, f. Voy. TRICHILA.

triclea, (TRICLIA). Voy. TRICHILA.

triclinaris, Voy. TRICLINIARIS.

triclinarius, Voy. TRICLINIARIUS.

triclinia, *ae*, f. Comme TRICLINIUM.

tricliniarcha, *ae*, m. Comme TRICLINIARCHES. [la table, maître d'hôtel.

tricliniarches, *ae*, m. Esclave chargé de

tricliniares, *ium*, m. pl. Membres d'une corporation qui prennent leurs repas ensemble. [de table; lits de table.

tricliniaria, *um*, n. pl. Tapis pour lits

tricliniaris (TRICLINIARIS), *e*, adj. De table; de salle à manger.

1. **tricliniarius** (TRICLINIARIUS), *a*, *um*, adj. De table.

2. **tricliniarius**, *ii*, m. Maître d'hôtel.

triclinium, *ii*, n. Lit de table sur lequel les Romains se plaçaient (d'abord au nombre de 3, puis de 4 ou 5), pour prendre leurs repas. ¶ (Par ext.) Salle à manger. [¶ Mauvais payeur.

1. **trico**, *onis*, m. Chercheur de querelles.

2. **trico**, *as*, *are*, tr. Susciter des embarras. ¶ Chercher des faux-fuyants. ¶ Chicaner.

tricor, *aris*, *atus sum*, *ari*, dép. *intr.* Susciter des embarras, créer des difficultés. Voy. TRICO.

tricornis, *e*, adj. Qui a trois cornes.

tricorpor, *oris*, adj. Qui a trois corps.

tricuspis, *pidis*, adj. Qui a trois pointes.

tridens, *entis*, adj. Qui a trois dents ou trois pointes. ¶ *Subst.* Trident, harpon de pêcheur, arme des rétiaires, sceptre de Neptune.

tridentifer, *feri*, m. Qui porte le trident (Neptune).

triduanus, *a*, *um*, *adj*. Qui dure trois jours.

triduum, *i*, n. Espace de trois jours.

triennalis, *e*, *adj*. De trois ans; qui dure trois ans.

triennia, *ium*, n. Fêtes de Bacchus, célébrées à Thèbes tous les deux ans (les Romains comptaient l'année qui commence et celle qui finit la période; ils disaient donc tous les trois ans).

triennis, *e*, *adj*. De trois ans.

triennium, *ii*, n. Espace de trois ans.

triens, *entis*, m. Un tiers; la troisième partie d'un tout. ¶ Tiers d'as (monnaie). ¶ Intérêt d'un tiers p. cent par mois; intérêt de quatre pour cent par an. ¶ Tiers d'un journal de terre. ¶ Le nombre deux (*littér*. le tiers du nombre parfait six).   [trirème, triérarque.

trierarchus, *i*, m. Commandant d'une

trieris, *e*, *adj*. Qui a trois rangs de rames. ¶ *Subst*. f. Trirème, navire à trois rangs de rames.   [neur de Bacchus.

tricterica, *orum*, n. pl. Fêtes en l'hon-

trietericus, *a*, *um*, *adj*. Qui revient tous les trois ans.

trieteris, *ridis* (acc. *ida*), f. Espace de trios ans. ¶ Fête qu'on célèbre tous les trois ans. ¶ Les jeux Néméens.

trifariam, adv. En trois parties; en trois endroits; de trois côtés. ¶ De trois manières.

trifarie, adv. Comme TRIFARIAM.

trifarius, *a*, *um*, *adj*. Triple; de trois sortes.

trifaux, *faucis*, *adj*. Qui a trois gosiers ou gueules. ¶ Qui sort de trois gosiers.

trifer, *fera*, *ferum*, *adj*. Qui porte des fruits trois fois l'an.

trifida, *ae*, f. Patte d'oie; carrefour d'où partent trois routes.

trifidus, *a*, *um*, *adj*. Fendu en trois. ¶ A trois pointes. ¶ *Par ext*. Triple.

trifolium, *ii*, n. Trèfle (plante).

triformis, *e*, *adj*. Qui a trois formes; qui a trois têtes. ¶ Composé de trois éléments (l'air, la mer, la terre).

trifur, *furis*, m. Triple coquin.

trifurcus, *a*, *um*, *adj*. Qui a trois pointes. ¶ Qui se partage en trois.

triga, *ae*, f. Attelage de trois chevaux. ¶ *Par ext*. Assemblage de trois choses.

trigamia, *ae*, f. Trigamie, état de celui qui a contracté trois mariages.

trigamus, *i*, m. Trigame, marié trois fois.

1 **trigarium**, *ii*, n. Endroit où courent les chars, les chevaux.‖ Cirque, manège.

2. **trigarium**, *ii*, n. Triade.

1. **trigarius**, *a*, *um*, *adj*. Relatif à un attelage à trois chevaux. ¶ Qui a rapport au nombre trois.

2. **trigarius**, *ii*, m. Conducteur d'un attelage à trois chevaux.   [jumeaux.

trigemini, *orum*, m. pl. Trois frères

trigeminus, *a*, *um*, *adj*. Triple; composé de trois parties unies. ¶ Qui forme

un ensemble avec deux autres êtres.

trigies. Voy. TRICIES.

triginta, adj. indécl. Trente.

trigonum, *i*, n. Triangle.

1. **trigonus**, *a*, *un*., *adj*. Triangulaire; triangle.   [de forme triangulaire.

2. **trigonus**, *i*, m. Triangle. ¶ Pastille

3. **trigonus**, *i*, m. Voy. TRUGONUS.

trihemitonium, *ii*, n. Tierce mineure.

trihorium, *ii*, n. Espace de trois heures.

trilicis, *is*, *adj*. Comme TRILIX.

trilinguis, *e*, *adj*. Qui a trois langues. ¶ Qui parle trois langues.

trilix, *licis*, *adj*. A trois fils, qui contient trois fils dans son tissu. ¶ Formé d'un triple tissu.

trimestria, *um*, n. pl. Semences qui mûrissent en trois mois.

trimestris, *e*, *adj*. De trois mois. ¶ Qui mûrit en trois mois

trimetrius. Comme TRIMETROS.

trimeter, *tri*, m. Voy. TRIMETROS.

1. **trimetros**, *a*, *um*, *adj*. et **trimetrus**, *a*, *um*, *adj*. Trimètre, c.-à-d. composé de trois mesures ou mètres.

2. **trimetros** ou -**trus**, *i*, m. Trimètre, vers de trois mesures ou de six pieds.

trimodium, *ii*, n. Vase de la contenance de trois boisseaux.

trimodus, *a*, *um*, *adj*. Qui est de trois espèces; de trois manières.

trimus, *a*, *um*, *adj*. De trois ans. ‖ Agé de trois ans.   [compose de trois.

trinarius, *a*, *um*, *adj*. Ternaire; qui se

trini, *ae*, *a*, *adj*. Qui vont trois par trois. ‖ Trois chaque fois. ‖ Trois pour chacun.

trinio, *onis*, m. Le coup de trois au jeu de dés.   [trinité en Dieu.

trinitas, *atis*, f. Le nombre trois. ¶ La

trinodis, *e*, *adj*. Qui a trois nœuds. ¶ *Fig*. Qui a trois syllabes.

trinominis, *e*, *adj*. Qui a trois noms.

trinomius, *a*, *um*, *adj*. Qui a trois noms.

trinundinum, *i*, n. Intervalle de trois marchés, c.-à-d. intervalle de seize jours.

trinundinus, *a*, *um*, *adj*. Compris dans l'intervalle de trois marchés ou de seize jours : qui revient avec le troisième marché.

trio, *onis*, m. Bœuf de labour. ¶ Au plur. *Triones*, *um*, m. pl. Etoiles formant les deux constellations de la Grande et de la Petite Ourse.

triobolos, *i*, m. Triobole, monnaie valant trois oboles (ou une demi-drachme). ¶ Poids d'une demi-drachme.   [pingre.

triparcus, *a*, *um*, *adj*. Triple avare.

1. **tripartio** (TRIPERTIO), *onis*, f. Division en trois parties.   [en trois parties.

2. **tripartio**, *is*, *ivi*, *itum*, *ire*, tr. Diviser

tripartitio (TRIPERTITIO), adv. Division en trois parties.

tripartito, TRIPERTITO adv. En trois parties. ¶ En trois colonnes.

tripartitus (TRIPERTITUS), *a*, *um*, *adj*. Divisé en trois parties.

tripedalis, *e*, adj. De trois pieds de haut; de long *ou* de large. [DALIS.

tripedaneus, *a*, *um*, adj. Comme TRIPE-tripedo. Voy. TRIPODO.

tripertit... Voy. TRIPERTIT...

1. tripes, *pedis*, adj. Qui a trois pieds.

2. tripes, *pedis*, m. Trépied; vase à trois pieds. [rable, énorme.

1. triplex, *icis*, adj. Triple. ¶ Considé-

2. triplex, *icis*, n. Le triple.

triplicitas, *atis*, f. Triplicité, trinité. ¶ Qualité de ce qui est triple.

tripliciter, adv. D'une triple façon, triplement, de trois manières. ¶ Fortement, extrêmement.

triplico, *as*, *avi*, *atum*, *are*, tr. Tripler, multiplier par trois.

triplum, *i*, n. Le triple; trois fois autant.

triplus, *a. um*, adj. Triple.

tripoda, *ae*, f. Trépied de la Pythie.

tripodes, *um*, m. pl. Voy. TRIPUS.

tripodio. Voy. TRIPUDIO.

tripodo, *as*, *avi*, *are*, intr. Aller au trot. ¶ Voy. TRIPUDIO. [sur les rochers.

tripolion, *ii*, n. Plante marine qui croît

triportentum, *i*, n. Événement, triplement (c.-à-d. tout à fait), merveilleux.

tripticus, *a, um*, adj. Qu'on applique en frottant.

triptoton, *i*, n. Nom qui n'a que trois cas.

triptotos, *on*, adj. Qui n'a que trois cas.

tripudiatio. Voy. TRIPUDIATIO.

tripudiatio, *onis*, f. Danse religieuse.

tripudio, *are*, intr. Danser (la danse à trois temps) dans les solennités religieuses. ¶ Sauter, trépigner, bondir de joie.

tripudium, *ii*, n. Danse religieuse à trois temps (des prêtres saliens). ¶ Danse guerrière. ¶ *Fig.* Transports (de joie); joie (du triomphe). ¶ (*T. augur.*) Présage heureux tiré des grains que perdaient les poulets sacrés en mangeant gloutonnement.

1. tripus, *podis*, adj. Qui a trois pieds.

2. tripus, *podis*, m. Trépied donné en présent. ¶ Le trépied *et par ext.* l'oracle de la Pythie à Delphes. ¶ Siège, tabouret à trois pieds. ¶ Bassin à trois pieds.

triquetrum, *i*, n. Triangle.

triquetrus, *a, um*, adj. Triangulaire. ¶ De Sicile (à cause de la forme de l'île). [rames.

1. triremis, *e*, adj. Qui a trois rangs de

2. triremis, *is*, f. Trirème, vaisseau à trois rangs de rames.

tris. Voy. TRES. [rudement.

triste, adv. Avec tristesse. ¶ Durement,

tristega, *orum*, n. pl. Troisième étage.

tristiculus, *a, um*, adj. Un peu triste.

tristificus, *a, um*, adj. Qui rend triste, qui afflige.

tristis, *e*, adj. Sombre, peu riant. ¶ (Par ext.) *En parl. de pers.* Morne, soucieux. || Affligé, triste, chagrin, sombre. || De mauvaise humeur, renfrogné, morose. || Sérieux, grave. ¶ *En parl. de ch.*

Triste, pénible, affligeant || Désagréable au goût *ou* à l'odorat. || Amer, âcre.

tristitia, *ei*, f. Aspect triste, désagréable. ¶ *Spéc.* Air sombre, triste. ¶ Tristesse de l'âme. || Chagrin, mauvaise humeur. ¶ Tristesse (en parl. de choses). ¶ (En bonne part.) Sévérité, gravité.||(*Péjor.*) Apreté, rudesse, dureté.

tristities, *ei*, f. Voy. TRISTITIA.

tristitudo, *inis*, f. Voy. TRISTITIA.

tristor, *aris*, *ari*, dép. tr. Etre triste; être chagrin.

trisulcus, *a, um*, adj. Qui a trois pointes. *ou* trois ramifications. ¶ Qui se partage en trois. || Triple.

trisyllabum, *i*, n. Mot de trois syllabes.

trisyllabus, *a, um*, adj. Qui a trois syllabes, trysillabique. [froment.

1. triticarius, *a, um*, adj. Relatif au

2. triticarius, *ii*, m. Intendant préposé aux approvisionnements de blé; panetier.

triticeius, *a, um*, adj. De froment.

triticeus, *a, um*, adj. De froment.

triticiarius, *a, um*, adj. Relatif au froment *et par suite* qui concerne les choses nécessaires à la vie.

triticinus, *a, um*, adj. De froment; fait avec du froment; tiré du froment.

triticum, *i*, n. Froment, blé froment.

tritomus, *i*, m. Sorte de thon qu'on coupait en trois pour le saler.

tritor, *oris*, m. Celui qui frotte; *spéc.* tourneur, ciseleur. ¶ Celui qui broye, broyeur. ¶ Celui qui use.

trittilo, *as*, *are*, intr. Gazouiller (en parl. des oiseaux).

tritura, *ae*, f. Action de frotter, frottement. ¶ Action de battre le blé, battage des grains. [batteur en grange.

trituratorius, *a, um*, adj. Qui sert au

trituro, *as*, *are*, tr. Battre le blé. ¶ Battre; tourmenter. ¶ Triturer.

1. tritus, *a, um*, p. adj. Frotté. ¶ Usé (par le frottement); abîmé. ¶ Souvent foulé; frayé, fréquenté. || Souvent employé. || Rebattu, bien connu. ¶ Qui a de la pratique, accoutumé, exercé, rompu. [action de broyer.

2. tritus, *us*, m. Frottement, broiement,

triumf... Voy. TRIUMPH...

1. triumphalis, *e*, adj. De triomphe, triomphal. ¶ Qui sert à la cérémonie du triomphe, qui accompagne le triomphe. ¶ Qui a obtenu le triomphe. ¶ Qui donne lieu à un triomphe; dont on triomphe.

2. triumphalis, *is*, m. Personnage qui a obtenu le triomphe.

triumphator, *oris*, m. Triomphateur. ¶ Qui triomphe (de). [phateur.

triumphatorius, *a, um*, adj. De triom-

triumphatrix, *tricis*, f. La triomphante, surnom de la neuvième légion.

triumpho, *as*, *avi*, *atum*, *are*, intr. Triompher; obtenir les honneurs du triomphe. ¶ *Fig.* Etre au comble de la joie.

triumphus, *i*, m. Marche solennelle, triomphe, cortége triomphal (qui accompagnait le général victorieux à son entrée dans Rome). ¶ Triomphe, victoire, succès.

triumpus, *i*, m. Arch. p. TRIUMPHUS. *Triumpe*, exclamation de joie (que poussaient les frères Arvales, à certains moments de leur procession).

triumvir, *viri*, m. Membre d'un collège de trois personnes.

triumviralis, *e*, adj. De triumvir; des triumvirs; qui concerne un triumvir *ou* les triumvirs. ¶ Ordonné par les triumvirs (Octavien, Antoine et Lépide). [de triumvir.

triumviratus, *us*, m. Triumvirat, charge

triuncis, *e*, adj. De trois onces.

trivenefica, *ae*, f. Triple empoisonneuse (t. injur.)

trivialis, *e*, adj. De carrefour, de rue. ¶ Commun, banal, trivial, vulgaire. ¶ Triple, *c.-à-d.* qui concerne un groupe de trois.

trivir, *iri*, m. Comme TRIUMVIR.

trivium, *ii*, n. Carrefour (où se rencontrent trois chemins; ¶ Place publique; la rue, *c.-à-d.* la populace. ¶ Ensemble de trois choses, de trois sciences.

trochaeus, *i*, m. Le trochée (terme de métrique). ¶ Autre dénomination du tribraque. [En vers trochaïques.

trochaice, adv. A la façon d'un trochée.

trochaicus, *a*, *um*, adj. Trochaïque, composé de trochées. ¶ *Rar.* Composé de tribraques.

trochilus, *i*, m. Roitelet (très petit oiseau). || Trochile (oiseau du Nil) ¶ (*Archit.*)Trochile *ou* sco'te, moulure au sommet et à la base des colonnes.

trochlea, *ae*, f. Machine servant à élever les fardeaux; poulie. [lle.

trochleatim, adv. Au moyen d'une poutrochus, *i*, m. Trochus, cerceau de fer avec lequel jouent les enfants. ¶ Cerceau magique.

1. tropa, adv. Jeu dans lequel on lance à distance et dans un trou, des dés, des noix *ou* des glands (*peut-être* la bloquette).

2. tropa, *ae*, f. Solstice.

tropaeatus, *a*, *um*, adj. Honoré d'un trophée. ¶ Qui a eu l'honneur d'élever un trophée.

tropaeum, *i*, n. Trophée (monument de victoire). ¶ (*Par ext.*) Monument, souvenir.

tropaeus, *a*, *um*, adj. Qui souffle de la mer après avoir soufflé de la terre; qui change de direction.

trophaeum. Voy. TROPAEUM.

trophium. Voy. TROPAEUM.

tropica, *orum*, n. pl. Conversions, changements.

tropice, adv. Par tropes (au figuré).

1. tropicus, *a*, *um*, adj. Relatif aux changements, aux conversions. ¶ Qui

concerne le changement de direction du soleil; solstitial. ¶ (*Rhét.*) Métaphorique. [Tropique.

2. tropicus (s.-ent. CIRCULUS), *i*, m.

tropus, *i*, m. (*Rhét.*) Trope; emploi figuré d'un mot. ¶ (*Mus.*) Mode. || Mélodie, chant.

trossuli, *orum*, m. pl. Les trossules, surnom des chevaliers romains en service actif. ¶ Petits-maîtres, damerets, élégants.

trua, *ae*, f. Evier. ¶ Cuiller à pot; cuiller pour puiser.

trucidatio, *onis*, f. Action de couper, de tailler. ¶ Massacre, carnage, tuerie.

trucidator, *oris*, m. Meurtrier, égorgeur; assassin.

trucido, *as*, *avi*, *atum*, *are*, tr. Couper, tailler en pièces. ¶ Egorger, tuer, massacrer. ¶ *Fig.* Ruiner, accabler. ¶ Décrier, ruiner de réputation.

tructa, *ae*, f. Truite (poisson).

tructus, *i*, m. Comme TRUCTA.

truculenter, adv. D'une manière farouche; brutalement, durement.

truculentia, *ae*, f. Brusquerie de manières, caractère bourru. ¶ Inclémence du ciel, rigueur; âpreté.

truculentus, *a*, *um*, adj. Farouche, bourru, dur; brutal. [sorte de cric.

trudis, *is*, f. Perche munie d'un croc.

trudo, *is*, *trusi*, *trusum*, *ere*, tr. Pousser avec force, faire avancer, faire entrer *ou* faire sortir de force. ¶ Pousser (en parlant des plantes). ¶ Pousser de force.]

truella, *ae*, f. Comme TRULLA.

trulla *ae*, f. Vase à puiser le vin dans le *crater*, pour le verser dans les coupes

truncatim, *i*, n. Tronc d'arbre.

trunco, *as*, *avi*, *atum*, *are*, tr. Ebrancher. ¶ Tronquer, mutiler, amputer. ¶ Massacrer.

trunculus, *i*, m. Tronçon, extrémité d'un membre. Au plur. *Trunculi*, *orum*, m. Abats (de porc).

truncum, *i*, n. Comme TRUNCUS.

1. truncus, *i*, m. Tronc d'arbre, tronc. || Arbre. ¶ (*Anat.*) Tronc (du corps humain). (T. d'archit.) Fût d'une colonne. ¶ *Fig.* Bûche, lourdaud, imbécile. ¶ Morceau détaché. ¶ Morceau de viande. || Branche d'arbre. || Bloc de pierre.

2. truncus, *a*, *um*, adj. Ebranché. ¶ Coupé, mutilé, tronqué. ¶ *Fig.* Tronqué, incomplet, imparfait. || *Par ext.* Très petit. ¶ Détaché du corps.

truo, *onis*, m. Cormoran (oiseau). || *Plaisamm.* Homme au long nez.

trusito, *as*, *are*, tr. Bousculer.

truso, *as*, *are*, tr. Pousser avec violence; bousculer.

trutina, *ae*, f. Aiguille de la balance. ¶ (*Méton.*) Balance; trébuchet.

trutinator, *oris*, m. Appréciateur, juge; critique.

trutino, *as*, *are*, tr. Peser; examiner.

trutinor, *aris, ari*, dép. tr. Comme le précédent.

trux, *trucis*, adj. Farouche, rébarbatif, menaçant. ¶ Sauvage, cruel. ¶ *En parl. de ch.* Rude, dur, âpre, violent.

tryblium (TRUBLIUM), *ii*, n. Ecuelle, plat.

tu, pron. pers. Tu, toi.

tuba, *ae*, f. Tuyau, tube, conduit. ¶ Trompette militaire des romains. ¶ (Méton.) Signal du combat. || Guerre. ¶ Celui qui donne le signal; instigateur, ¶ Grand bruit, fracas. || (Méton.) Poésie épique. || Ton élevé, éloquence éclatante.

1. tuber, *beris*, n. Protubérance. ¶ Tumeur, bosse, excroissance. ¶ Nœud des arbres, des racines; tubercule. || Morille *et peut-être* truffe.

2. tuber, *beris*, m. Sorte de pomme, azérole. [azerolier.

3. tuber, *beris*, f. Sorte de pommier; tuberculum, *i*, n. Petite bosse, petite tumeur; léger renflement. [bérances.

tubero, *as, are*, intr. Avoir les protubérances.

tuberosus, *a, um*, adj. Plein de bosses, de saillies, de protubérances.

tuberositas. *atis*, f. Gibbosité.

tubicen. *cinis*, n. Celui qui sonne de la trompette (à la guerre, dans les sacrifices *ou* aux funérailles). ¶ Prêtre qui préside à la purification des trompettes. [de la trompette.

tubicinatio, *onis*, f. Action de sonner

tubula, *ae*, f. Petite trompette.

tubulatio, *onis*, f. Disposition (d'un objet) en forme de tube.

tubulatus, *a, um*, adj. Qui a la forme d'un tuyau, creux, tubulé. ¶ Muni de tuyaux.

tubulus, *i*, m. Petit tuyau, petit conduit. ¶ Barre de métal; lingot. ¶ Bas, chaussette.

tuburcinabundus (TUBURCHINABUNDUS), *a, um*, adj. Qui mange gloutonnement.

tuburcinor, *aris, atus sum, ari*, dép. tr. Manger gloutonnement, dévorer; bâfrer. [conduit.

1. tubus, *i*, m. Tube, canal, tuyau,

2. tubus, *i*, m. Trompette (employée dans les sacrifices).

tueo, *es, ere*, tr. Voy. TUEOR.

tueor, *eris, tuitus et tutus sum, eri*, dép. tr. Veiller *ou* avoir l'œil sur, considérer, examiner. ¶ Prendre soin de. ¶ Conserver, garder, entretenir. || *Spéc.* Nourrir. ¶ Garantir, protéger; défendre. ¶ Diriger, administrer. ¶ S'acquitter de; observer; pratiquer. ¶ tugurium, *ii*, n. Chaumière, hutte, cabane. [garde, conservation.

tuitio, *onis*, f. Défense, protection;

tulo, *is, tuli et tetuli, ere*, tr. Porter. ¶ Apporter. ¶ Supporter (la douleur).

tum, adv. (Pour marquer la coïncidence entre deux moments.) Alors, à ce moment-là. ¶ (Pour indiquer une chose qui arrive après un certain mo-

ment.) Puis, ensuite. ¶ (Pour indiquer l'ordre, la succession.) Alors, puis, enfin. ¶ (Répété *ou* en corrélation.) D'un côté, de l'autre; non seulement, mais encore et surtout.

tumba, *ae*, f. Tombe.

tumefacio, *is, feci, factum, ere*, tr. Faire enfler. ¶ Gonfler, enfler.

tumefio, *is, factus sum, fieri*, passif du précédent. Etre gonflé, se gonfler, s'enfler.

tumeo, *es, ere*, intr. Etre gonflé *ou* tuméfié. ¶ *Fig.* Etre bouffi (de colère, d'orgueil, etc.). ¶ Se gonfler, entrer en fermentation. || Se soulever, s'insurger, s'emporter. ¶ *Fig.* Etre boursouflé (en parl. du style).

tumesco, *is, tumui, ere*, intr. S'enfler, se gonfler. ¶ Se soulever, s'irriter. Fermenter, couver, être prêt à éclater.

tumide, adv. En se gonflant. ¶ *Fig.* Avec enflure, avec orgueil, avec emphase. [se soulève.

tumidosus, *a, um*, adj. Qui s'élève, qui

tumidus, *a, um*, adj. Enflé, gonflé. ¶ Gonflé, soulevé. ¶ Qui enfle, qui soulève.

tumor, *aris*, m. Gonflement, enflure. ¶ Emphase (en parl. du style).

tumulo, *as, avi, atum, are*, tr. Couvrir d'un tertre. ¶ Enterrer, ensevelir.

tumulosus, *a, um*, adj. Montueux, accidenté; semé de collines. [désordre.

tumultuarie, adv. Précipitamment; en

tumultuario, adv. Précipitamment.

tumultuarius, *a, um*, adj. Tumultuaire, levé à la hâte. ¶ Fait à la hâte; improvisé.

tumultuatio, *onis*, f. Tumulte, désordre. ¶ Enrôlement précipité.

tumultuo, *as, atum, are*, intr. Faire du vacarme.

tumultuor, *aris, atus sum, ari*, dép. intr. Etre agité, s'agiter, faire du bruit, du tapage, du désordre.

tumultuose, adv. Tumultueusement, en désordre.

tumultuosus, *a, um*, adj. Tumultueux bruyant. ¶ Plein de trouble confus. ¶ Qui répand le désordre; turbulent. ¶ Alarmant, inquiétant.

tumultus, *us*, m. Soulèvement, agitation, désordre. || Fracas, tumulte. ¶ Alarme. ¶ Agitation de l'air *ou* de la mer. || Ouragan, tempête. || Fracas des flots. || Bruit de tonnerre. ¶ Confusion. ¶ Trouble d'esprit.

tumulus, *i*, m. Elévation de terrain, éminence, tertre. ¶ Tertre funéraire, tombeau, sépulture.

tunc, adv. Alors, dans ce moment même, à cette époque. ¶ Dans ce cas; après cela; donc.

1. tundo, *is, tutudi, tunsum ou tusum, ere*, tr. Battre à coups redoublés, frapper, marteler. ¶ Piler, broyer, écraser. ¶ Marteler, façonner à coups de mar-

teau. ¶ Fatiguer, rebattre, assommer, importuner qqn.

2. **tundo**, *is*, *ere*, tr. Voy. TONDEO.

tunica, *ae*, f. Tunique, vêtement de dessous des Romains (à l'usage des deux sexes, et dont les manches étaient courtes). ¶ Couverture.|| Enveloppe, peau, pellicule, gousse.

tunicatus, *a*, *um*, adj. Vêtu d'une tunique. ¶ Enveloppé d'une pellicule.

tunicula, *ae*, f. Petite tunique. ¶ Petite enveloppe.

tunsio, *onis*, f. Action de frapper.

tuor, dép. tr. Comme TUEOR. [Vision.

2. **tuor**, *oris*, m. Sens de la vue. ¶

turabulum, *i*, n. Encensoir.

turalis, *e*, adj. Relatif à l'encens.

1. **turarius** (THURARIUS), *a*, *um*, adj. Relatif à l'encens, d'encens.

2. **turarius**, *ii*, m. Marchand d'encens.

turati, *orum*, m. pl. Ceux qui avaient sacrifié aux idoles.

turba, *ae*, f. Trouble, désordre, confusion. ¶ Brouille, querelle. *Turbae*, f. pl. Intrigues, cabales. ¶ Foule en désordre, cohue, foule, multitude, troupe. || *Péjor.* Vile multitude, populace. [bation. ¶ Désordre, trouble.

turbamentum, *i*, n. Moyen de perturbate. [trouble, désordre.

turbate, adv. En désordre, confusément.

turbatio, *onis*, f. Tumulte, confusion,

turbator, *oris*, m. Perturbateur, factieux.

turbatus, *a*, *um*, p. adj. Troublé, agité; en désordre. ¶ Troublé, déconcerté; confus. ¶ Courroucé.

turbelae. Voy. TURBELLAE.

turbellae, *arum*, f. pl. Vacarme, bruit.

turbide, adv. Avec trouble, en désordre.

1. **turbido**, *as*, *avi*, *atum*, *are*, tr. Troubler; altérer la pureté de...

2. **turbido** (TURBEDO), *dinis*, f. Bourrasque. ¶ Aspect trouble d'un liquide; défaut de pureté. [blé.

turbidulus, *a*, *um*, adj. Un peu troublé.

turbidus, *a*, *um*, adj. Troublé, agité, confus. ¶ Troublé, désordonné, violent. ¶ Troublé, égaré, agité. || Brusque, irrité, violent. || Remuant, turbulent.

turbinatio, *onis*, f. Forme conique.

turbinatus, *a*, *um*, adj. Qui a une forme conique, qui se termine en pointe, effilé. [tournoyant.

turbineus, *a*, *um*, adj. Tourbillonnant;

1. **turbo**, *as*, *avi*, *atum*, *are*, tr. Troubler, agiter, mettre en désordre. Rendre trouble (des liquides); troubler. ¶ Troubler, brouiller, jeter dans le désordre. ¶ Troubler (l'esprit), mettre en émoi. ¶ *Intr.* Se troubler, s'agiter (au sens polit.).

2. **turbo**, *binis*, m. Tourbillon, tournoiement; tourbillon de vent. ¶ Tourbillon, agitation, tourmente. ¶ Toupie (jouet d'enfant). ¶ Mouvement circulaire, rotation, révolution.

turbulente, *adv.* Avec confusion, avec trouble, avec emportement.

turbulentus, *a*, *um*, adj. Agité, troublé (en parl. d'un liquide). orageux. ¶ Trouble. ¶ Troublé, agité. ¶ Qui trouble, qui met le désordre. || Turbulent, remuant. ¶ Qui embrouille.

turdela, *ae*, f. Grive de la petite espèce.

turdella, *ae*, f. Petite grive.

turdus, *i*, m. Grive (oiseau). ¶ Tourd (poisson de mer). [à l'encens.

tureus, *a*, *um*, adj. D'encens; relatif

turgeo, *es*, *tursi*, *ere*, intr. Etre enflé, gonflé. ¶ *Fig.* Etre enflé, gonflé, plein de. || Etre gonflé (de colère). || (En parl. du style.) Etre boursouflé.

turgesco, *is*, *ere*, intr. S'enfler, se gonfler; grossir. ¶ Se gonfler (sous l'effet de la passion). || Etre courroucé,||s'emporter. || Devenir emphatique, ampoulé, s'enfler (en parl. du style). ¶ *Tr.* Faire enfler.

turgidulus, *a*, *um*, adj. Un peu gonflé.

turgidus, *a*, *um*, adj. Enflé, gonflé. ¶ Transporté de colère, courroucé. ¶ Boursouflé; emphatique.

turibolum, *i*, n. Comme TURIBULUM.

turibolus. Comme TURIBULUM.

turibulum (THURIBULUM), *i*, n. Cassolette à encens, encensoir. ¶ Constellation, nommé aussi ARA (l'autel).

turifer (THURIFER), *fera*, *ferum*, adj. Qui produit l'encens. ¶ Qui offre l'encens.

turificator (THURIFICATOR), *oris*, m. Qui offre de l'encens aux idoles; idolâtre. [turion.

turio, *onis*, m. Jeune pousse, rejeton,

turma, *ae*, f. Escadron, turme (division de la cavalerie romaine). ¶ Troupe, groupe, foule.

turmale, adv. A la façon d'un escadron.

turmalis, *e*, adj. D'escadron, de cavalier, de chevalier. Subst. *Turmales*, *ium*, m. pl. Les cavaliers composant une turme. || Equestre. [bandes.

turmatim, adv. Par escadrons; par turpe, adv. Honteusement. Voy. TURPITER. [quelque peu difforme.

turpiculus, *a*, *um*, adj. Assez laid,

turpificatus, *a*, *um*, adj. Dégradé, avili.

turpis, *e*, adj. Laid, difforme. ¶ Honteux, déshonorant, infâme, déshonnête, indécent, obscène. Subst. *Turpe*, *is*, n. Honte, infamie.

turpiter, adv. D'une manière laide, difforme. ¶ D'une manière honteuse, infâme, déshonnête, indécente.

turpitudo, *dinis*, f. Laideur, difformité. ¶ Laideur morale, turpitude, déshonneur, infamie.

turpo, *as*, *avi*, *atum*, *are*, tr. Enlaidir, défigurer. ¶ Salir, souiller. ¶ Déshonorer, flétrir, souiller.

turricula, *ae*, f. Petite tour, tourelle. ¶ Cornet pour jouer aux dés.

turriger, *gera*, *gerum*, adj. Qui porte une tour.

turris, *is*, f. Tout édifice élevé, palais. ¶ Au plur. *Turres*, les palais des rois. ¶ Tour, machine de siège. ¶ Tour servant de colombier: colombier. ¶ Ordre de bataille (formant un carré).

turritus, *a*, *um*, adj. Muni de tours; couronné de tours. ¶ En forme de tour, haut, élevé. [marsouin (poisson).

tursio (THURSIO), *onis*, m. Espèce de

turtur, *turis*, m. f. Tourterelle. ¶ Pastenague, sorte de raie.

turturilla, *ae*, f. Petite tourterelle (en parl. d'un homme efféminé), poule mouillée.

turunda, *ae*, f. Boule de pâte pour engraisser les oies. ¶ Sorte de gateau sacré. ¶ Charpie pour les blessures.

tus (THUS), *turis*, n. Encens.

tusculum, *i*, n. Un peu d'encens.

tusillae, *arum*, f. pl. Voy. TONSILLAE.

tussedo, *dinis*, f. Toux.

tussicula, *ae*, f. Toux légère.

tussilago, *ginis*, f. Tussilage pas-d'âne (plante).

tussio, *is*, *ire*, intr. Tousser violemment. ¶ *Tr.* Rejeter en toussant.

tussis, *is* (acc. *im*), f. Accès de toux. Au plur. *Tusses*, quintes de toux.

tutaculum, *i*, n. Protection, abri.

tutamen, *minis*, n. Protection, défense.

tutamentum, *i*, n. Protection, défense.

tutatio, *onis*, f. Protection, défense.

tutator, *oris*, m. Protecteur, défenseur.

1. tute. Voy. TU.

2. tute, adv. En sécurité; en sûreté.

tutela, *ae*, f. Soins vigilants; garde, défense. ¶ (Méton.) Protégé, protégée. ¶ Tutelle (t. de droit). ¶ Entretien, garde. ¶ Entretien, nourriture.

tutelaris, *e*, adj. Tutélaire. ¶ De tutelle. Qui concerne les pupilles, *ou* la minorité.

1. tuto, adv. En sûreté.   [rité.

2. tuto, *as*, *avi*, *atum*, *are*, tr. Protéger, défendre.

1. tutor, *atus sum*, *ari*, dép. tr. Protéger, défendre, prendre sous sa sauvegarde. ¶ Se préserver de. || S'assurer contre.

2. tutor, *oris*, m. Protecteur, défenseur. ¶ (*Jur.*) Tuteur.

tutorius, *a*, *um*, adj. De tuteur.

tutrix, *icis*, f. (*Jur.*) Tutrice. ¶ Protectrice.   [*tutulus.*

tutulatus, *a*, *um*, adj. Qui porte un **tutulus**, *i*, m. Touffe de cheveux rassemblés sur la tête en forme de cône.

tutum, *i*, n. Sûreté. ¶ Lieu sûr, abri.

tutus, *a*, *um*, adj. Bien gardé, protégé, défendu, sûr. ¶ Sûr, où l'on est en sûreté, à l'abri. || Qui préserve du danger. ¶ Circonspect, prudent, sage.

tuus, *a*, *um*, adj. Ton, ta. ¶ Le tien; la tienne.

tuxtax, *indecl.* Clic-clac *ou* pif-paf.

tympanicus, *i*, m. Qui souffre de la tympanite.

tympaniolum, *i*, n. Petit tambour.

tympanisso, *as*, *are*, intr. Voy. TYMPANIZO.   [phrygien.

tympanista, *ae*, f. Joueur de tambour

tympanistria, *ae*, m. Femme qui joue du tambour phrygien.

tympanites, *ae*, m. Tympanite, hydropisie caractérisée par l'enflure du ventre. ¶ Qui souffre de la tympanite.

tympaniticus, *i*, m. Qui souffre de la tympanite.

tympanium, *ii*, n. Perle plate (d'un côté) et ronde (de l'autre).

tympanizo, *as*, *are*, intr. Jouer du tambour phrygien.

tympanotriba, *ae*, m. Joueur de tambour phrygien (pour désigner un homme efféminé).

tympanum, *i*, n. Tambour phrygien employé par les prêtres de Cybèle. ¶ Roue pleine (faite d'une seule pièce de bois).

typanum, *i*, n. Voy. TYMPANUM.

typhon, *onis*, m. Violent tourbillon de vent, typhon. ¶ Sorte de comète.

typhus, *i*, m. Orgueil, arrogance.

typicalis, *e*, adj. Symbolique, allégorique.

typice, adv. Allégoriquement.

typici, *orum*, m. pl. Malades atteints de fièvres intermittentes.

typicus, *a*, *um*, adj. Qui sert de type, typique, symbolique, allégorique. ¶ Intermittent, périodique.

typus, *i*, m. Image, bas-relief. ¶ Caractère, marche d'une maladie.

tyrannice, adv. En tyran.

tyrannicida, *ae*, m. f. Meurtrier *ou* meurtrière d'un tyran.

tyrannicidium, *ii*, n. Meurtre d'un tyran.

tyrannicus, *a*, *um*, adj. De tyran, tyrannique.

tyrannis, *idis*, (acc. *idem* et *ida*), f. Autorité d'un tyran, gouvernement violent d'un seul, tyrannie. ¶ Femme tyran.

tyrannoctonus, *i*, m. Meurtrier d'un tyran; tyrannicide.

tyrannus, *i*, m. Monarque, souverain, prince ¶ (Dans un Etat libre.) Usurpateur, tyran.

tyrianthina, *orum*, n. pl. Vêtements teints en pourpre-violet.   [violet.

tyrianthinus, *a*, *um*, adj. De pourpre-**tyro...** Voy. TIRO...

tyrotarichum, *i*, n. Saumure apprêtée avec du fromage.

tzanga, *ae*, f. Voy. ZANCA.

U

U, u, vingtième lettre de l'alph. latin. || Abrév. : U = *urbs*; U.C. = *Urbis Conditae* ou *ab Urbe Condita*.

1. uber, *eris,* adj. Fécond, plantureux. || Abondant, riche de. ¶ Bien nourri, gros et gras, fort. ¶ Copieux, riche.

2. uber, *eris,* n. Sein nourricier, mamelle, pis. ¶ *Par anal.* Ce qui a la forme d'une mamelle. || Grappe d'abeilles suspendues à un arbre. ¶ *Fig.* Fécondité, abondance, richesse. || Sol fertile.

uberius, adv. Plus abondamment.

ubero, *as, avi, atum, are,* intr. Etre fertile. ¶ *Tr.* Rendre fertile, féconder.

uberositas, *atis,* f. Comme UBERTAS.

ubertas, *atis,* f. Fécondité, production abondante. ¶ Abondance, richesse profusion. ¶ Abondance (du style).

ubertim, adv. Abondamment.

ubi, adv. et conj. Où, dans le lieu où. ¶ Où? ¶ Quand, lorsque. *Ubi primum,* dès que. ¶ Où (au sens du relatif), dans lequel, sur lequel, auprès duquel.

ubicumque et **ubicunque,** adv. En quelque lieu que, partout où. ¶ Dans un endroit quelconque, n'importe où, partout. [ce soit, n'importe où.

ubilibet, adv. En quelque endroit que

ubinam, adv. Où donc?

ubiquaque, adv. Partout.

1. ubique, adv. En quelque lieu que ce soit. ¶ Partout et toujours.

2. ubique. Comme ET UBI. [CUMQUE.

ubiquomque, adv. Arch. Comme UBI-

ubiubi. Voy. UBICUMQUE.

ubivis, adv. Où l'on veut, en quelque endroit que ce soit; n'importe où; partout.

udus, *a, um,* adj. Mouillé, humide. || Trempé. || Liquide. ¶ *Plaisamm.* Légèrement ivre, pris de vin. ¶ *Par ext.* Mou, souple, flexible.

ulceraria, *ae,* f. Marrube, plante.

ulceratio, *onis,* f. Ulcération. ¶ (Méton.) Ulcère.

ulcero, *as, are,* tr. Ulcérer, écorcher, faire une plaie. ¶ (Fig.) Blesser le cœur.

ulcerosus, *a, um,* adj. Couvert d'ulcères, de plaies. ¶ Blessé *(au fig.)*

ulciscor, *eris, ultus sum, ulcisci,* dép. intr. Se venger de, tirer vengeance de, punir. ¶ *Tr.* Venger (une personne).

ulcus, *eris,* n. Ulcère, plaie vive, écorchure. ¶ *Fig.* Plaie, blessure de l'âme.

uliginosus, *a, um,* adj. Humide, marécageux. [du sol.

uligo, *inis,* f. Humidité naturelle

ullatenus, adv. En quelque manière, à quelque point de vue.

ullum, *i,* n. Rien, quoi que ce soit.

1. ullus, *a, um,* adj. Aucun; quelconque, quel que ce soit. [soit.

2. ullus, *ius,* m. Personne; qui que ce

ulmarium, *ii,* n. Endroit planté d'ormes; bois *ou* pépinière d'ormes.

ulmeus, *a, um,* adj. D'orme, de bois d'orme.

1. ulmus, *i,* f. L'orme, support de la vigne.

2. ulmus, *i,* m. Voy. 1. ULMUS.

ulna, *ae,* f. Un des os de l'avant-bras. || Avant-bras. || Bras. ¶ Mesure de longueur. || Coudée, brasse, aune.

ulterior, *ius,* adj. Qui est au delà, de l'autre côté. ¶ Qui est en outre, qui s'ajoute à. ¶ Plus reculé, lointain.

ulterius, adv. Plus au delà, plus loin. ¶ Plus, davantage; en outre.

ultime, adv. Enfin, en dernier lieu. ¶ De la pire manière.

1. ultimo, adv. Enfin, à la fin.

2. ultimo, *as, are,* intr. Arriver à la fin, toucher à sa fin.

ultimum, adv. Pour la dernière fois.

ultimus, *a, um,* adj. Qui est le plus au delà, le plus reculé, le dernier (dans l'espace). ¶ *Fig.* Extrême, dernier. ¶ Qui est au plus haut *ou* au plus bas degré.

ultio, *onis,* f. Vengeance, châtiment.

ultor, *oris,* m. Vengeur; celui qui punit. ¶ Surnom de Mars.

1. ultra, adv. Au delà, plus loin. ¶ Au delà, plus longtemps. ¶ En outre, de plus, davantage.

2. ultra, prép. av. l'acc. Au delà de. ¶ Au delà, après (en parl. du temps). ¶ Au delà; au-dessus de.

ultrix, *cis,* f. Vengeresse; qui punit.

ultro, adv. Au delà; de l'autre côté. ¶ Loin; au loin! au large! ¶ En outre, de plus; par-dessus. ¶ En prenant les devants, de soi-même, de son propre mouvement.

ultroneus, *a, um,* adj. Volontaire, spontané. ¶ Qui agit librement, de son plein gré.

ulula, *ae,* f. (L'oiseau qui hurle), chathuant.

ululatus, *us,* m. Hurlement (des animaux). ¶ Cri perçant *ou* prolongé (des hommes).

ululo, *as, avi, atum, are,* intr. Hurler, pousser des cris déchirants *ou* perçants. || Retentir de cris percants *ou* sauvages. ¶ Pousser des cris de joie. ¶ *Tr.* Faire retentir de hurlements. || Appeler, invoquer en hurlant. || Déplorer par des hurlements.

ulva, *ae,* f. Herbe des marais; ulve.

umbella, *ae,* f. Parasol, ombrelle.

umbilicus, *i,* m. Nombril, ombilic. || Cordon ombilical. ¶ Milieu, centre, point central. ¶ *Par anal.* Extrémité du cylindre servant à enrouler les volumes. || Le cylindre lui-même. || Fin (d'un livre). ¶ Gnomon, style d'un cadran solaire.

umbo, *onis,* m. Barre de bouclier, petit

cône (au milieu du bouclier). ¶ Bouclier.

umbra, *ae*, f. Ombre. ¶ L'ombre (en peinture). ¶ Tout ce qui donne de l'ombre (feuillage; arbre; portique, duvet des joues, barbe). ¶ Ombre, protection, abri. ¶ Ombre, apparence (*oppos. à la réalité*). ¶ Ombre, fantôme. ¶ Celui qui accompagne (comme fait l'ombre). ¶ Ombre (poisson semblable au saumon).

umbraculum, *i*, n. Ombrage, lieu ombragé, berceau de feuillage. ¶ Lieu retiré et tranquille, école. ¶ Ombrelle, parasol. [l'ombre, efféminé.

umbraticola, *ae*, m. Qui cherche

umbraticus, *a, um*, adj. D'ombre, qui est à l'ombre. ¶ Qui se fait à la maison. ¶ Qui n'a que l'apparence. ¶ D'école.

umbratilis, *e*, adj. D'ombre. ¶ Qui reste à l'ombre *ou* à la maison, *c.-à-d.* inactif, contemplatif. ‖ D'école, de cabinet; scolastique.

umbresco, *is, ere*, intr. Devenir une ombre; passer à l'état d'ombre. ¶ Entrer dans l'ombre; se couvrir d'ombre.

umbrifer, *fera, ferum*, adj. Qui donne de l'ombre. ¶ Qui transporte les ombres des morts.

umbro, *as, avi, atum, are*, intr. Donner de l'ombre. ¶ *Tr.* Ombrager; couvrir d'ombre. ‖ Couvrir.

umbrosus, *a, um*, adj. Où il y a beaucoup d'ombre, obscur, sombre.

umecto, umefacio, umeo. Voy. HUMECTO, HUMEFACIO, HUMEO.

umerus. Voy. HUMERUS. [DUS.

umesco, umidus. Voy. HUMESCO, HUMIMOR. Voy. HUMOR.

umquam, adv. Quelquefois, un jour.

una, adv. Ensemble, dans un seul et même lieu, en compagnie. ¶ Ensemble; en même temps.

unadevicensimus, *a, um*, adj. Comme UNDEVICESIMUS. [MANI.

unaetvicensimani. Voy. UNAETVICESI-

unaetvicesimani, *orum*, m. pl. soldats de la vingt et unième légion.

unalis, *e*, adj. Unique. [MUS.

unanimans, *antis*, adj. Comme UNANI-

unanimis, *e*, adj. Voy. UNANIMUS.

unanimitas, *atis*, f. Bonne intelligence, concorde, accord. [accord unanime.

unanimiter, adv. Unanimement, d'un

unanimus, *a, um*, adj. Qui est du même avis, qui a les mêmes sentiments. ¶ Qui vit en bon accord.

uncatio, *onis*, f. Courbure (en dedans).

uncatus, *a, um*, adj. Courbé en dedans; recourbé, crochu.

uncia, *ae*, f. Once, douzième partie de l'unité. ¶ (En gén.) Douzième partie de l'unité de mesure. ¶ Douzième d'un jugère. ¶ Intérêt d'un douzième pour cent par mois (*c.-à-d.* de un pour cent par an). ¶ Petite quantité, parcelle.

unciarius, *a, um*, adj. D'un douzième. ¶ Egal au douzième du capital. ¶ Du poids d'une once. [sou.

unciatim, adv. Once par once, sou par

uncinatus, *a, um*, adj. Recourbé, qui a la forme d'un crochet; crochu.

unctio, *onis*, f. Onction, friction. ¶ Onguent; huile pour frictionner.

unctito, *as, are,* tr. Oindre ordinairement.

unctor, *oris*, m. Esclave qui frotte d'uile *ou* d'essence; qui frictionne ou parfume. [les bains.

unctorium, *ii*, n. Salle de frictions (dans

unctorius, *a, um*, adj. Qui concerne les frictions. ‖ Où l'on frictionnne.

unctum, *i*, n. Graisse pour pommade, pommade, onguent. ¶ Repas somptueux; recherche dans les mets.

unctura, *ae*, f. Action d'oindre, d'embaumer (un cadavre).

1. **unctus**, *a, um*, p. adj. Oint, enduit, frotté d'huile, gras, graissé. ‖ Parfumé. ¶ Riche, somptueux. ‖ Mou, voluptueux.

2. **unctus**, *us*, m. Action d'oindre, onction, friction. [courbé.

1. **uncus**, *a, um*, adj. Crochu, courbé, re-

2. **uncus**, *i*, m. Croc, crochet, crampon. ¶ Croc (qu'on attachait au cou des suppliciés). ¶ Instrument (de chirurgie) recourbé. ¶ *Poét.* Ancre.

unda, *ae*, f. Onde, flot, vague. ¶ Flot, tourmente, agitation, trouble (pr. et fig.). ¶ T., d'archit.) Cannelure, cymaise. ¶ (En gén.) Flot, tourbillon. ‖ Colonne de fumée). ¶ Multitude pressée, foule tumultueuse. ¶ Eau, liquide; liqueur.

undatim, adv. En ondoyant, en ondulant. ¶ En foule, par bandes.

unde, adv. D'où, de l'endroit où. ¶ D'où? de quel endroit? ¶ (Pour marquer la cause, l'origine, le moyen.) D'où, par où; par qui, par quoi. ¶ De quelque endroit que; de n'importe quel côté.

undecennis, *e*, adj. Age de onze ans.

undecentesimus, *a, um*, adj. Quatre-vingt-dix-neuvième. [neuf.

undecentum, adj. Quatre-vingt-dix-

undecies, adv. Onze fois.

undecim, adj. num. Onze. [heure.

undecima (s.-e. HORA), *ae*, f. La onzième

undecimani, *orum*, m. pl. Soldats de la onzième légion.

undecimprimus, *i*, m. Un des onze premiers citoyens d'une ville. ¶ Membre d'une commission municipale de onze personnes.

undecimus, *a, um*, adj. Onzième.

undecimviri, *orum*, m. pl. Les onze magistrats (d'Athènes), chargés de la surveillance des prisons. [MANI.

undecumani, *orum*, m. pl. Voy. UNDECI-

undecumque *ou* **undecunque**. De quelle part que ce soit, de n'importe quel côté. ¶ A n'importe quel point de vue.

undelibet, adv. De quel côté que ce soit, n'importe d'où.

undeni, *ae, a*, adj. Onze par onze, onze à la fois.

undenonagesimus, *a, um*, adj. Quatre-vingt-neuvième.

undenonaginta, adj. Quatre-vingt-neuf.

undenus, *a, um*, adj. Onzième. [neuf.

undeoctoginta, adj. indécl. Soixante-dix.

undequadragesimus, *a, um*, adj. Trente-neuvième.

undequadragies, adv. Trente-neuf fois.

undequadraginta, adj. pl. indécl. Trente-neuf. [rante-neuvième.

undequinquagesimus, *a, um*, adj. Qua-

undequinquaginta, adj. pl. indecl. Qua-rante-neuf. [neuvième.

undesexagesimus, *a, um*, adj. Cinquante-

undesexaginta, adj. pl. indécl. Cin-quante-neuf.

undetriceni, *ae, a*, adj. Vingt-neuf à la fois, vingt-neuf par vingt-neuf.

undetricesimus (UNDETRIGESIMUS) et undetrigesimus, *a, um*, adj. Vingt-neuvième. [neuf.

undetriginta, adj. pl. indécl. Vingt-

undeviceni, *ae, a*, adj. Dix-neuf à la fois, qui vont par dix-neuf.

undevicesimani, *orum*, m. pl. Soldats de la dix-neuvième légion.

undevicesimus (UNDEVIGESIMUS), *a, um*, adj. Dix-neuvième.

undeviginti, adj. pl. indecl. Dix-neuf.

undique, adv. De tous côtés, de toutes parts; de partout.

undisonus, *a, um*, adj. Qui résonne du bruit des vagues; battu par la mer.

undo, *as, avi, atum, are*, intr. Avoir des vagues, se soulever, être agité; bouillonner. ¶ Etre ondoyant, on-doyer. || *Fig.* Etre agité, perplexe. ¶ Regorger, abonder en. ¶ *Tr.* Inonder.

undose, adv. En formant beaucoup de vagues. [agité, houleux.

undosus, *a, um*, adj. Plein de vagues;

unetvicesimani, *orum*, m. pl. Soldats de la vingt et unième légion.

unetvicesimus, *a, um*, adj. Vingt et unième.

ungeo, *es, ere*, tr. Comme UNGO.

ungo, *is, unxi, unctum, ere*, tr. Oindre, enduire; frotter d'un corps gras (par-fum, onguent, huile). || *Eccl.* Donner l'onction sainte à, sacrer. ¶ Enduire, goudronner, calfater. ¶ Assaisonner (avec de la graisse). ¶ Mouiller, tremper.

unguedo, *inis*, f. Onguent.

unguen, *inis*, m. Graisse, corps gras.

unguentaria, *ae*, f. Parfumeuse. ¶ Par-fumerie. || Métier de parfumeur.

unguentarium, *ii*, n. Boîte à parfums. ¶ Argent pour acheter des parfums.

1. unguentarius, *a, um*, adj. De parfum, relatif au parfum. [fums; parfumeur.

2. unguentarius, *ii*, n. Marchand de par-

unguentatus, *a, um*, p. adj. Parfumé, embaumé.

unguento, *as, avi, are*, tr. Parfumer.

unguentum, *i*, n. Essence, parfum, huile parfumée.

unguiculus, *i*, m. Ongle des mains *ou* des pieds.

unguinosus, *a, um*, adj. Gras, huileux, onctueux.

unguis, *is*, m. Ongle (des mains *ou* des pieds). ¶ Griffe, serre (*qqf.*) sabot. ¶ Croc, crochet de fer. ¶ Onglet (des plantes), partie inférieure des pétales. ¶ Taie sur la cornée de l'œil. ¶ Sorte de coquillage.

unguito. Voy. UNCTITO.

1. ungula, *ae*, f. Corne du pied (des herbivores). || Sabot. || (Méton.) Cheval. ¶ Ongle de fer (instr. de torture).

2. ungula, *ae*, f. Parfum, essence. || *Spéc.* Huile de myrrhe. [sabot; ongulé.

ungulatus, *a, um*, p. ad) Muni d'un

1. ungulus, *i*, m. Ongle du pied.

2. ungulus, *i* (mot osque), m. Anneau, bague.

unguo, *is, ere*, tr. Voy. UNGO.

unicalamus, *a, um*, adj. Qui n'a qu'un chaume, qu'un tuyau.

unicaulis, *e*, adj. Qui n'a qu'une tige.

unice, adv. Uniquement, exclusivement. ¶ D'une façon toute particulière, par-dessus tout. || Extraordinairement.

unicolor, *oris*, pl. Qui est d'une seule couleur. [cèdent.

unicolorus, *a, um*, adj. Voy. le pré-

unicornis, *e*, adj. Qui n'a qu'une corne.

unicus, *a, um*, adj. Unique, seul. ¶ Unique en son genre, remarquable, distingué, parfait. || *Péjor.* Extraordi-naire, excessif. ¶ Aimé par-dessus tout.

uniformis, *e*, adj. Qui n'a qu'une seule forme, uniforme, simple.

unigena, *ae*, m. et f. Né d'un même enfantement, jumeau, jumelle. ¶ Né seul, fils unique.

unigenitus, *a, um*, adj. Né seul, unique.

unimammae, *arum*, f. pl. Qui n'ont qu'une mamelle (en parl. des Ama-zones). [main.

unimanus, *a, um*, adj. Qui n'a qu'une

1. unio, *is, ire*, tr. Unir, réunir.

2. unio, *onis*, f. Union. ¶ Unité, le nombre un. || Coup de dés qui amène un.

3. unio, *onis*, m. Grosse perle qui se porte seule. ¶ Sorte d'oignon.

unitas, *atis*, f. Unité, qualité de ce qui est un, de ce qui ne fait qu'un. ¶ Uni-formité. || Ressemblance. ¶ Confor-mité de sentiments, accord, harmonie.

unite, adv. Uniformément, c.-à-d. par-tout, d'un bout à l'autre.

uniter, adv. De manière à ne faire qu'un, étroitement, intimement.

uniusmodi, adv. De la même espèce, d'une seule manière.

universalis, *e*, adj. Universel, général.

universe, adv. En général; générale-ment. [ensemble; *simpl.* tous.

univer-i, *orum*, m. pl. Tous réunis, tous

universitas, *atis*, f. L'ensemble des choses qui composent un tout, la totalité, la généralité. ¶ Corporation, communauté, collège, société.

universum, *i*, n. L'ensemble de la création, l'univers.

universus, *a*, *um*, adj. Rassemblé, réuni en un tout. ¶ Tout entier, pris dans son ensemble. ¶ Universel, général.

univira, *ae*, f. Femme qui ne s'est mariée qu'une fois.

univiratus, *us*, m. Condition de la femme qui ne s'est mariée qu'une fois.

univiris, *is*, f. Autre forme de UNIVIRA.

univocus, *a*, *um*, adj. Qui n'a qu'un son. ¶ Qui n'a qu'un seul nom. || Qui n'a qu'une seule signification.

universus, *a*, *um*, adj. Voy. UNIVERSUS.

uno, *as*, *are*, tr. Unir.

unquam. Voy. UMQUAM.

unus, *a*, *um*, adj. Un. || L'un (*opp. à* l'autre). ¶ Seul. ¶ Un seul, un entre tous (*ou* par excellence). ¶ Seul et même, le même, commun.|| Un certain, **unusquisque**, *unaquaeque*, *unumquodque* et *unumquidque*, pron. indéf. Chacun, chaque.

unx, m. Comme UNGUIS.

upilio, *onis*, m. Voy. OPILIO.

upupa, *as*, f. Huppe (oiseau). ¶ Sorte de pioche, de pic.

urbane, adv. A la manière des gens de la ville, civilement, poliment, d'une manière aimable. ¶ Finement, spirituellement, élégamment.

urbanitas, *atis*, f. Séjour de la ville, la vie à Rome. ¶ Politesse, civilité, urbanité, savoir vivre, bonnes manières, bon ton. ¶ Bon goût, élégance. || Finesse, esprit. || (Méton.) Mot fin.

urbanus, *a*, *um*, adj. De ville, de la ville (en particul. de Rome). ¶ Civil, poli, qui a de bonnes manières, qui a l'usage du monde *ou* du savoir vivre. ¶ Pur, élégant, poli (en parl. du style). || *Péjor.* Bouffon. || Effronté, rusé. ¶ (En parl. de ch.) Qui sert à la ville; qui est dans le goût de la ville. || De plaisance, d'agrément.

urbicapus, *i*, m. Preneur de villes.

urbicus, *a*, *um*, adj. De ville, de la ville de Rome. ¶ *Par ext.* Fin, spirituel.

urbigena, *ae*, m. et f. Né à la ville.

urbs, *is*, pl. Ville (entourée d'une enceinte de murailles). ¶ La ville de Rome. ¶ (Méton.) Ville, *c.-à-d.* les habitants de la ville. ¶ Acropole, citadelle.

urceatim, adv. Par cruches. ¶ A verse.

urceolus, *i*, m. Petit vase en terre, cruchon. [cruchon.

urceus, *i*, m. Sorte de vase, cruche,

uredo, *inis*, f. Charbon des plantes, nielle du blé. ¶ Démangeaison (cuisante), urticaire.

urgens, *entis*, p. adj. Pressant, urgent.

urgenter, adv. D'une manière pressante; instamment. [santes.

urgentia, *um*, n. pl. Nécessités pres-

urgeo, *es*, *ere*, tr. Presser, pousser, enfoncer. ¶ Peser sur, poursuivre, accabler, presser, insister, pousser à bout. ¶ Presser, menacer, être urgent. ¶ S'occuper avec ardeur et sans relâche de. || Presser, hâter.

urina, *ae*, f. Urine.

urinator, *oris*, m. Plongeur.

urino, *as*, *are*, intr. Voy. URINOR.

urinor, *aris*, *atus sum*, *ari*, dép. intr. Plonger sous l'eau.

urna, *ae*, f. Urne, vase à puiser de l'eau. ¶ Urne cinéraire. ¶ Urne pour tirer au sort *ou* pour déposer les suffrages. ¶ Mesure de capacité (pour les liquides), urne. [nance d'une urne.

urnalia, *um*, n. pl. Vases de la conte-

urnalis, *e*, adj. De la contenance d'une urne. [laquelle on plaçait les urnes.

urnarium, *ii*, n. Planche, table sur

uro, *is*, *ussi*, *ustum*, *ere*, p. Allumer. ¶ Brûler, faire brûler. ¶ Incendier, consumer, réduire en cendres. ¶ Enflammer (en parl. d'une passion); consumer, dévorer. ¶ Brûler, dessécher (par la grande chaleur ou le grand froid). ¶ Tourmenter, faire souffrir, désoler, dévaster.

ursa, *ae*, f. Ourse, femelle de l'ours. ¶ (*En gén.*) Ourse, la grande *ou* la petite ourse (constellation).

ursina, *ae*, f. Viande d'ours.

ursinus, *a*, *um*, adj. D'ours.

ursus, *i*, m. Ours.

urtica, *ae*, f. Ortie (plante). ¶ (*Méton.*) Démangeaison, désir violent. ¶ Ortie de mer (zoophyte).

uruca, *ae*, f. Chenille.

urus, *i*, m. Aurochs (taureau sauvage).

usitate, adv. Suivant l'usage; conformément à l'usage.

usitatus, *a*, *um*, p. adj. Usité, accoutumé, ordinaire, en usage, reçu.

usitor, *aris*, *atus sum*, dép. intr. Se servir habituellement de.

uspiam, adv. En quelque lieu, quelque part. ¶ En quelque cas que ce soit.

usquam, adv. En quelque lieu, quelque part. ¶ En quelque chose.

usque, adv. D'un bout à l'autre. ¶ Depuis le commencement, jusqu'à la fin, continuellement, toujours. ¶ Jusqu'à un certain point. || A l'exclusion de, sauf.

usquedum, conj. Jusqu'à ce que.

usquequaque, adv. Partout, *c.-à-d.* en tout lieu. ¶ Toujours, en tout temps. || Continuellement, sans fin. ¶ *Fig.* En toute chose, en toute occasion.

ussurarius. Voy. USURARIUS.

ussus. Voy. USUS.

usta, *ae*, f. Couleur rougeâtre mais tirant sur le jaune; cinabre brûlé.

ustio, *onis*, f. Action de brûler; embrasement, incendie. ¶ Cautérisation; brûlure, ulcération. ¶ Tatouage. ¶ Inflammation.

ustor, *oris*, m. Celui qui brûle (les cadavres).

ustulo, *as*, *avi*, *atum*, *are*, tr. Brûler un peu. ¶ Brûler, consumer, brûler (en parl. du froid); attaquer.

ustura, *ae*, f. Action de brûler, combustion. ¶ Inflammation; irritation.

1. **usucapio**, *is*, *cepi*, *captum*, *capere*, tr. Acquérir par une longue possession ou par prescription.

2. **usucapio**, *onis*, f. Usucapion, acquisition de la propriété par usage ou par prescription.

usucaptio, *onis*, f. Comme 2. USUCAPIO.

usura, *ae*, f. Usage, jouissance (d'une chose) pour un temps déterminé. ¶ Usage de l'argent prêté. ¶ Intérêt de l'argent prêté. ¶ Rapport, bénéfice.

usurarius, *a*, *um*, adj. Qui sert à notre usage pour un certain temps. ¶ Relatif aux intérêts usuraires. || Qui produit des intérêts. || Qui paie ou qui touche des intérêts.

usurpatio, *onis*, f. Emploi, usage, pratique. || Possession. ¶ Action de s'approprier qq. chose illégalement. ¶ Interruption dans la jouissance d'un bien.

usurpator, *oris*, m. Usurpateur.

usurpo, *as*, *avi*, *atum*, *are*, tr. S'approprier. || Acquérir par l'usage. || Acquérir illégalement, usurper. ¶ Faire usage de, employer, jouir de; pratiquer. ¶ Revendiquer la possession de, faire valoir ses droits. ¶ Saisir (par les sens), voir, entendre. ¶ Employer dans la conversation, parler de, faire mention de. ¶ Désigner sous le nom de, nommer; surnommer.

usus, *us*, m. Action de se servir : usage, emploi, pratique, expérience. ¶ Jouissance, usufruit (t. de droit). ¶ (Par ext.) Utilité, avantage. ¶ Besoin, nécessité. ¶ Fréquentation, commerce, relations, intimité. [droit].

usufructus *us*, m. Usufruit (t. de ut (UTI), adv. et conj. ¶ *Adv.* Comme, comment ? || *Excl.* Comme ! combien ! *Interr.* Comment ? ¶ *Relat.* Dans la mesure où il est vrai que, aussi vrai que (formule de serment, de protestation). ¶ Comme, en tant que, en qualité de, eu égard à. ¶ Par exemple; à savoir. ¶ Étant donné, pour (ce qui est de). ¶ *Conj.* Vu que, attendu que. || Selon que, à proportion que. || Lorsque, quand. *Ut primum*, aussitôt que, dès que. || Afin que. || Que (introd. une prop. complétive). || En admettant que, en supposant que.

utcumque ou **utcunque**, adv. De quelque façon que, de quelque manière que. ¶ Du moment où, dès que; si toutefois. ¶ De toute façon, dans tous les cas. || Tant bien que mal.

utei, arch. p. UT.

utendus, *a*, *um*, p. adj. Dont on doit ou dont on peut se servir.

utens, *entis*, p. adj. Qui fait usage de. ¶ Bien pourvu, riche.

utensilia, *um*, n. pl. Objets nécessaires. || Ustensiles. || Mobilier. || Bagage. || Provisions ou ressources.

utensilis, *e*, adj. Utile, nécessaire à la vie, à nos besoins.

1. **uter**, *utra*, *utrum*, adj. *Interr.* Lequel des deux ? qui des deux ? ¶ *Indéf.* L'un ou l'autre. ¶ N'importe lequel des deux.

2. **uter**, *utris*, m. Outre, peau préparée pour contenir les liquides. || Outre pour traverser les cours d'eau. ¶ *Fig.* Homme bouffi d'orgueil.

3. **uter**, *uteri*, m. Voy. UTERUS.

utercumque (UTEROUNQUE), *tracumque*, *trumcumque*, adj. *Relat.* Qui que ce soit des deux qui. ¶ *Indéf.* N'importe lequel des deux; l'un ou l'autre.

uterlibet, *utralibet*, *utrumlibet*, adj. et pron. indéf. Celui des deux qu'on voudra, l'un ou l'autre des deux.

uterque, *utraque*, *utrumque*, pron. L'un et l'autre, tous les deux. *Au plur.* Les uns et les autres, les deux partis, les deux camps.

1. **uterum**, adj. n. Pour UTRUM.

2. **uterum**, *i*, n. Voy. UTERUS.

uterus, *i*, m. Ventre (en général). ¶ Sein ou ventre de la mère. || Enfantement; couche. || Enfant (dans le sein de la mère); portée (des animaux). ¶ *Par ext.* Cavité; intérieur, flanc.

utervis, *utravis*, *utrumvis*, adj. et pron. Celui des deux qu'on voudra, n'importe lequel des deux.

uti, adv. et conj. Voy. UT.

utilis, *e*, adj. Qui sert à, propre à, utile, profitable, avantageux. ¶ Riche. ¶ De droit; fondé en équité; recevable.

utilitas, *atis*, f. Faculté de servir. *Utilitates*, f. pl. Services (qu'on rend). ¶ Utilité, avantage, profit, intérêt. || Besoin, nécessité.

utiliter, adv. De façon à pouvoir servir. || Utilement, avantageusement, avec profit. ¶ *Jur.* Conformément à ce que prescrit la loi, d'une manière valable; utilement.

utinam, adv. Plaise ou plût aux dieux que, fasse le ciel que, oh ! si !

1. **utique**, adv. De quelque manière que ce soit, en tout cas, de toute manière, à tout prix. ¶ Le cas échéant. ¶ Oui, vraiment. ¶ Surtout, principalement.

2. **utique**, pour ET UTI. Voy. UTI et UT.

uto, *is*, *ere*, intr. Voy. le suivant.

utor, *eris*, *usus sum*, *uti*, dép. intr. Faire usage de, user de, se servir de, employer, jouir de, profiter de. || Avoir; éprouver; rencontrer. || Vivre de. ¶ Avoir; posséder. ¶ Avoir des relations d'amitié avec qqn. ¶ Se comporter de telle ou telle manière avec qqn. ¶ Avoir besoin de.

utpote, adv. Comme il est possible.

¶ Puisque en effet, vu que; étant donné que.

utputa, adv. Comme, par exemple.

utralibet, adv. De celui des deux côtés que vous voudrez, indifféremment.

utrarius, *ii,* n. Celui qui (dans l'armée) porte l'eau dans les outres; porteur d'eau.

utricularius, *ii,* m. Batelier qui au moyen d'un radeau formé d'outres gonflées faisait passer de l'autre côté de la rivière. ¶ Joueur de cornemuse.

1. **utriculus,** *i,* m. Petite outre.

2. **utriculus,** *i,* m. Bas-ventre, ventre, ventre de la mère. ¶ Bourgeon, calice (des fleurs), involucre. ‖ Glume, balle (du blé).

utrimque, adv. De part et d'autre, des deux côtés. ¶ *Fig.* Doublement. ‖ Pour deux raisons.

utro, adv. Vers lequel des deux côtés? ¶ *(Par ext.)* Dans lequel des deux sens?

utrobi, adv. inter. Où? Dans lequel des deux endroits?

utrobique, adv. Dans les deux endroits, des deux côtés. ¶ *Fig.* Dans les deux cas, dans les deux occasions.

utrolibet. adv. Dans n'importe lequel des deux sens, d'un côté ou de l'autre, dans un sens ou dans l'autre.

utroque, adv. Vers les deux endroits;

dans les deux sens. ¶ D'un côté et de l'autre.

utrubi. Voy. UTROBI.

utrum, adv. Est-ce que…? Si…?

utut, adv. De quelque manière que, quoi qu'il en soit.

uva, *ae,* f. Raisin (fruit de la vigne); grappe (de raisin). ¶ Vigne, pied de vigne. ¶ Grappe (formée par un essaim d'abeilles). ¶ Luette. ¶ Sorte de poisson de mer. ‖ Grappe (d'œufs de seiches).

uvesco, *is, ere,* intr. Devenir humide, devenir moite. ¶ S'humecter; boire.

uviditas, *atis,* f. Humidité, moiteur.

uvidulus, *a, um,* adj. Un peu humide, un peu mouillé.

uvidus, *a, um,* adj. Humide, mouillé, moite. ¶ *Spéc.* Qui a bu, ivre. ¶ Juteux, plein de suc.

uxor, *oris,* f. Femme légitime, épouse (de l'homme libre). ¶ *(Par ext.)* Femelle.

uxorcula, *ae,* f. Petite femme (t. de moquerie); chère épouse (t. de caresse).

uxorium, *ii,* n. Philtre pour se faire aimer de sa femme. ¶ Impôt sur les célibataires.

uxorius, *a, um,* adj. D'épouse, de femme mariée. ¶ Complaisant *ou* trop complaisant, pour sa femme, esclave de sa femme.

V

V, v, vingtième lettre de l'alphabet, représentée par le même caractère que U. Abrév. V, *p. vir, votum,* etc. V, signe numérique = 5.

vacatio, *onis,* f. Exemption, dispense. ¶ Congé, libération du service militaire. ¶ (Méton.) Somme payée pour une dispense.

vacca, *as,* f. Vache.

vaccillo, *as, are,* intr. Voy. VACILLO.

vaccinium, *ii,* n. Voy. HYACINTHUS.

vaccula, *ae,* f. Petite vache. [FIO.

vacefio, *is, ieri,* intr. Voy. VACUE-

vacerra, *ae,* f. Pieu, bûche. ‖ Au plur. *Vacerrae,* clôture de pieux, palissade. ¶ *Fig.* Souche, bûche (t. de mépris).

vacerrosus, *a, um,* adj. Insensé, stupide-

vacillatio, *onis,* f. Vacillation, balancement.

vacillo, *as, avi, atum, are,* intr. Chanceler, vaciller. ¶ *Fig.* Etre chancelant, incertain.

vacive, adv. A loisir.

vacivitas, *atis,* f. Vide, c.-à-d. privation, manque.

vacivus, *a, um,* adj. Vide. ‖ Vacant, non occupé. ¶ Privé, dépourvu de.

vaco, *as, avi, atum, are,* intr. Etre vide, être désert, être inoccupé. ¶ Etre vacant, c.-à-d. sans propriétaire. ¶ Manquer de, n'avoir pas, être exempt

de. (Impers.). *Vacat,* il est loisible, il reste du temps; on a le temps de *ou* du temps pour. ¶ Etre inutile; ne pas servir. ¶ Etre à la disposition de, servir à. ¶ Vaquer, être vacant (en parl. d'un emploi). ¶ Etre libre; n'être pas marié (en parl. des femmes).

vacuefacio, *is, feci, factum, ere,* tr. Vider. ‖ Rendre vacant *ou* désert. ¶ Priver, délivrer. de ¶ Supprimer, abroger.

vacuefactio, *onis,* f. Action de vider.

vacuefio, *is, factus sum, fieri,* intr. Devenir vide; se vider. ‖ Devenir désert.

vacuitas, *atis,* f. Vide, espace vide. ¶ Exemption, absence. ¶ Loisir paresse. ¶ Vacance (d'un emploi); interrègne.

vacuo, *as, avi, atum, are,* tr. Vider, rendre vide, dégarnir, dépeupler. ¶ Réduire à rien, anéantir. ¶ Priver de; délivrer.

vacuum, *i,* n. Le vide, l'espace.

vacuus, *a, um,* adj. Vide, non occupé: désert. ¶ Libre, ouvert, abordable, accessible. ¶ Libre, vide, exempt. ¶ Inoccupé, oisif. ¶ Calme, tranquille, paisible. ¶ Loisible, permis. ¶ Vacant, libre, sans possesseur. ‖ Libre, non marié (en parlant des femmes). ¶ Vide, vain, frivole.

vadatus, a, um, p. adj. Assigné (en justice). Abl. abs. *Vadato*, après avoir déposé caution. ¶ *Fig.* Obligé, engagé. || Qui a promis de se présenter en justice.

vadimonium, ii, n. Engagement (moyennant caution) de comparaître en justice à certain jour. ¶ Engagement, promesse. ¶ Nécessité à subir.

1. vado, ds, are, intr. Passer, traverser, à gué.

2. vado, is, ere, intr. Aller, marcher, s'avancer (*en part.* avec résolution *ou* empressement).

vador, atus sum, ari, dép. tr. Assigner qqn en justice (en lui faisant donner caution).

vadosus, a, um, adj. Qu'on peut passer à gué; guéable, peu profond.

vadum, i, n. Gué, endroit guéable; bas-fond, ¶ Eau, mer. || *Fig.* Danger. ¶ Le fond (de la mer, d'un puits d'un cours d'eau).

vae, interj. *De douleur.* Ah! Hélas! ¶ *De menace.* Malheur!

vaecordia. Voy. VECORDIA.

vaecorditer, adv. Voy. VECORDITER.

vaeneo. Voy. VENEO.

vaenum. Voy. VENUM.

vaesan... Voy... VESAN...

vafer, vafra, vafrum, adj. Rusé, adroit, habile, subtil. ¶ Astucieux, retors.

vafre, adv. Finement, adroitement. ¶ Avec astuce. [¶ Rouerie, astuce.

vafritia, ae, f. Finesse, ruse, adresse.

vage, adv. D'une façon errante; çà et là, de côté et d'autre.

vagina, ae, f. Fourreau, étui, enveloppe; gaine. ¶ Involucre; balle (du blé).

vaginula, ae, f. Petite gaine; pellicule; petite balle (du blé).

vagio, is, ivi ou **ii, itum, ire,** intr. Pousser des vagissements, vagir. ¶ Retentir, résonner.

vagipennis, e, adj. Aux ailes flottantes.

vagitus, us, um. Vagissement (cri de l'enfant au berceau). ¶ Cri plaintif; cri de douleur.

vagor, aris, atus sum, ari. Aller çà et là. || Croiser (en parl. d'un navire). ¶ S'étendre, se répandre. ¶ *Fig.* Divaguer.

vagus, a, um, adj. Errant, vagabond; mobile. ¶ Incertain, indécis, flottant; vague. ¶ Libre, indépendant, non réglé.

vah, interj. *D'étonnement.* Bah! vraiment! ¶ *De douleur, de joie, de colère, de dépit, de mépris.* Ah! Oh!

valde, adv. Très, fort, beaucoup, extrêmement. ¶ Oui (dans les réponses, pour insister), mais oui très certainement.

vale. Voy. VALEO. [Dire adieu.

valedico, is, dixi, dictum, ere, intr.

valens, entis, adj. Fort, bien portant. ¶ Fort, robuste, vigoureux. ¶ Puissant, influent.

valenter, adv. Fortement, puissamment.

valentia, ae, f. Force, vigueur. ¶ Puissance. || Faculté, capacité.

valeo, es, ui, valitum, ere, intr. Etre fort *ou* vigoureux. || Etre bien portant. Impér. *Vale, valete,* porte-toi bien *ou* portez-vous bien; adieu (formule de congé). ¶ Avoir la force de, être capable de. ¶ Etre fort, être puissant, pouvoir, valoir. || Avoir de l'influence. || Etre efficace. ¶ Avoir telle *ou* telle valeur. ¶ Signifier (en parl. des mots), vouloir dire.

valesco, is, ui, ere, intr. Devenir fort, prendre de la force (pr. et fig.).

valetudinarium, ii, n. Infirmerie, hôpital; lazaret.

1. valetudinarius, a, um, adj. Malade, maladif, valétudinaire.

2. valetudinarius, ii, m. Un malade, un patient.

valetudo, dinis, f. Santé, état de santé. || Bonne santé. || Mauvaise santé, état maladif. ¶ Santé, vigueur (du style).

valgus, a, um, adj. Qui a les jambes tournées en dehors; bancroche. ¶ Tourné en dehors; retroussé; qui fait une moue disgracieuse.

valide, adv. Fort, fortement, beaucoup. ¶ (Dans les réponses.) Certainement; c'est bien cela.

validitas, atis, f. Force, vigueur.

validus, a, um, adj. Fort, bien portant. ¶ Fort, vigoureux, robuste. ¶ *Fig.* Puissant, influent; en crédit. ¶ (En parl. de choses.) Violent, vif, solide, résistant. ¶ Efficace, énergique, salutaire. ¶ Fort, puissant, influent; supérieur. ¶ (En parlant du discours *ou* d'un orateur). Fort, puissant.

vallaris, e, adj. De retranchement; de rempart. — *corona,* couronne décernée à celui qui le premier avait pénétré dans les retranchements ennemis.

valles, is, f. ou **vallis, is, f.** Vallée. ¶ Creux, vallon. || Cavité, enfoncement.

vallo, as, avi, atum, are, tr. Palissader, entourer de retranchements, fortifier, retrancher. ¶ *Fig.* Ceindre; entourer. || Garantir, défendre, protéger.

1. vallum, i, n. L'ensemble des palissades plantées autour d'un retranchement. ¶ *Fig.* Défense, rempart, protection.

2. vallum, i, n. Voy. 2. VALLUS.

1. vallus, i, m. Pieu, palis (pour former une palissade). || (Méton.) Palissade. ¶ Pieu, échalas (pour soutenir la vigne). ¶ (Par anal.) Ce qui ressemble à un pieu de palissade. || Dent de peigne. || Pieu garni de pointes pour couper le blé (chez les Gaulois).

2. vallus, i, f. Petit van, vannette.

valvae, arum, f. pl. Battants d'une porte (qui pouvaient être repliés sur eux-mêmes), porte à double battant.

vanesco, is, ere, intr. Disparaître, se

dissiper, s'évanouir. ¶ S'évanouir, s'évaporer, se perdre.

vanga, *ae,* f. Sorte de sarcloir, de hoyau.

vaniloquus, *a, um,* adj. Plein de jactance, fanfaron. ¶ Qui dit des choses frivoles; menteur.

vanitas, *atis,* f. Vide, néant, vanité. ¶ Résultat nul, inutilité. ¶ Fausseté; mensonge; imposture. ¶ Jactance, fanfaronnade. ¶ Futilité, légèreté, frivolité.

vanitudo, *dinis,* f. Vanité, mensonge.

vannus, *i,* f. Van.

vanus, *a, um,* adj. Vide, désert. ¶ Qui est sans réalité. ¶ Vain, sans fondement; inutile. ¶ (En parlant des pers.) Léger, sans caractère; vaniteux. ¶ Faux, fourbe, menteur. ¶ Trompé, déçu.

vapide, adv. A la façon du vin éventé. ¶ *Fig.* Avec une santé chancelante.

vapor, *oris,* m. Vapeur, émanation, exhalaison. ¶ Air chaud, bouffée de chaleur. ¶ *Fig.* Feu, flamme (de l'amour).

vaporatio, *onis,* f. Evaporation. ‖ Exhalaison, vapeur. ¶ Fomentation.

vaporatus, *a, um,* adj. Cuit à l'étuvée, en daube.

vaporo, *as, avi, atum, are,* intr. Dégager de la vapeur *ou* de la fumée. ¶ *Par ext.* Etre consumé, brûler. ¶ *Tr.* Remplir de vapeur *ou* de fumée, échauffer, réchauffer. ¶ Enfumer, parfumer. ¶ Fomenter.

vappa, *ae,* f. Vin éventé, mauvais vin. ¶ *Fig.* Drôle, vaurien, mauvais sujet.

vapulo, *as, avi, aturus, are,* intr. (Crier comme qqn qui est battu); recevoir des coups. ¶ Etre battu. ‖ Essuyer une défaite. ¶ Etre entamé, se dissiper (en parl. de la fortune). ¶ Etre attaqué (en paroles), être décrié.

variatim, adv. De différentes manières, diversement.

variatio, *onis,* f. Action de varier; variation. ¶ Changement du lit d'un fleuve, courbure. ¶ Figure par laquelle on change les régimes (en répétant le même verbe).

variatus, *a, um,* p. adj. Varié, nuancé; tacheté, moucheté.

varico, *as, avi, atum, are,* intr. Ecarter beaucoup les jambes. ¶ S'écarter de. ¶ Marcher, se promener. ¶ Passer par dessus, enjamber. [variqueux.

varicosus, *a, um,* adj. Qui a des varices.

varie, adv. Avec des nuances diverses. ¶ Diversement, en différentes manières. ¶ D'une façon variable, changeante, inconstante.

variego, *as, avi, atum, are,* tr. Peindre de divers couleurs, bigarrer. ¶ *Intr.* Etre bigarré, nuancé, varié.

varietas, *atis,* f. Variété de couleurs, de nuances. ¶ Variété, diversité, multiplicité. ¶ Différence (d'idées), dis-

sentiment. ¶ Alternative, vicissitude, changement. ¶ Humeur changeante; inconstance.

vario, *as, avi, atum, are,* tr. Varier, diversifier. ‖ Introduire la variété dans. ¶ Nuancer, tacheter, marbrer. ¶ *Intr.* Varier; changer; être bigarré, nuancé. ¶ Différer, varier, se modifier, être instable.

varius, *a, um,* adj. Bigarré, tacheté, nuancé, varié. ¶ Lépreux. ¶ Varié, divers, différent. ¶ Changeant, mobile, inconstant; fantasque.

varix, *icis,* m. et f. Varice.

1. **varus,** *i,* m. Qui a les jambes tournées en dedans, cagneux. ¶ Recourbé, qui s'écarte de la ligne droite, écarté. ¶ Divergent, opposé. [visage.

2. **varus,** *i,* m. Bouton, pustule sur le

1. **vas,** *vadis,* m. Caution, répondant.

2. **vas,** *vasis,* n. Vase, vaisseau. ¶ (Au plur.) *Vasa,* ustensiles, meubles, mobilier.

vasarium, *ii,* n. Indemnité allouée à un gouverneur de province (pour frais de voyage et d'établissement). ¶ Prix de location d'un pressoir à huile. ¶ Mobilier d'un établissement de bains. ‖ Cuve (pour l'eau chaude *ou* tiède). ‖ Dressoir, étagère. ¶ Archives.

vasarius, *a, um,* adj. Relatif aux vases, à la vaisselle, au mobilier.

vascularius, *ii,* m. Fabricant de vases en argent ou en or; *qqf,* orfèvre.

vasculum, *i.* Petit vase, pot. ¶ Capsule (de certains fruits).

vastatio, *onis,* f. Ravage, dévastation.

vastator, *oris,* m. Ravageur, dévastateur. [ou qui ravage.

vastatrix, *icis,* f. Celle qui dévaste,

vaste, adv. D'une manière étendue, au loin, au large. ¶ D'une manière lourde, grossièrement.

vastificus, *a, um,* adj. Dévastateur.

vastitas, *atis,* f. Désert, solitude. ¶ Etat de dévastation. ‖ Dévastation, ravage. ¶ Vaste dimension, immensité. ¶ Enormité. ‖ (Méton.) Colosse. ¶ Epaisseur.

vasto, *as, avi, atum, are,* tr. Rendre désert, dépeupler. ¶ Dévaster, ravager, saccager. ¶ Mettre à contribution, ruiner.

vastus, *a, um,* adj. Ravagé, dévasté, dépeuplé. ‖ Vide, désert. ¶ Enorme, colossal, prodigieux. ¶ Epais; d'une grande épaisseur. ¶ Grossier, inculte.

vates, *is,* m. et f. Devin, prophète; devineresse, prophétesse. ¶ Poète, poétesse; chantre (inspiré des dieux). ¶ Maître (dans un art); oracle.

vaticinatio, *onis,* f. Prédiction, oracle; prophétie.

vaticinator, *oris,* m. Devin, prophète.

vaticinatrix, *icis,* f. Devineresse, prophétesse. [prophétie.

vaticinium, *ii,* n. Prédiction, oracle,

vaticinius, *a, um,* adj. Prophétique.

vaticino. Voy. VATICINOR.

vaticinor, *aris*, *atus sum*, *ari*, tr. Prédire (l'avenir), prophétiser. ¶ Délirer, extravaguer.

vaticinus, *a*, *um*, adj. Prophétique.

1. ve, conj. encl. Ou, ou bien.

2. ve, adv. Particule privative entrant dans la composition des mots, indiquant un défaut *ou* la diminution de l'idée.

vea, *ae*, f. Voy. VIA.

vecordia, *ae*, f. Folie, démence, rage, égarement. ¶ Méchanceté. ¶ Sottise, stupidité.

vecorditer, adv. Comme un fou.

vecors, *cordis*, adj. Egaré, fou, furieux: méchant. ¶ Sot, stupide. ¶ Pervers.

vectabilis, *e*, adj. Transportable.

vectatio, *onis*, f. Action de porter, de transporter. ¶ Le fait d'être transporté, d'être porté (en voiture, à cheval).

vectigal, *galis*, n. Revenu. ¶ Revenu de l'état, tribut, contribution, impôt. redevance. ¶ Revenu d'un particulier; rentes.   [impôts.

vectigalarius, *ii*, m. Receveur des

vectigalis, *e*, adj. De tribut, d'impôt; payé comme impôt. ¶ Qui paye le tribut. ¶ Qui rapporte un revenu.

vectio, *onis*, f. Action de traîner *ou* de transporter, transport.

vectis, *is*, m. Levier, cric. || Pince pour effraction. ¶ Manivelle d'un pressoir. ¶ Pilon. ¶ Verrou. ¶ Brancard, civière.   [traîner, transporter.

vecto, *as*, *avi*, *atum*, *are*, tr. Porter,

vector, *oris*, m. Celui qui traîne *ou* qui porte. || Le nocher (des enfers). Charon. ¶ Celui qui est transporté. || Cavalier, voyageur, passager.

vectorius, *a*, *um*, adj. Qui sert à transporter.

vectura, *ae*, f. Transport (par terre *ou* par eau). ¶ Action de porter, port. ¶ Prix du transport, port. || Prix du passage.   [au transport.

1. vecturarius, *a*, *um*, adj. Qui sert

2. vecturarius, *ii*, m. Voiturier.

vegeo, *es*, *ere*, intr. et tr. ¶ *Intr*. Etre vif, dispos. ¶ *Tr.* Pousser fortement, animer, exciter.

vegeto, *as*, *avi*, *atum*, *are*, tr. Exciter, animer, vivifier, développer. ¶ *Intr.* Végéter.

vegetus, *a*, *um*, adj. Vif, dispos, fort, vigoureux, plein de vie. ¶ Actif, puissant; qui ragaillardit.

vegrandis, *e*, adj. Pas bien grand, petit, chétif. ¶ Extrêmement grand; colossal.

vehemens, *entis*, adj. Ardent, impétueux, fougueux, violent. ¶ Vif, violent, fort, énergique, actif.

vehementer, adv. Vivement, violemment. || Ardemment, impétueusement. ¶ Vivement, fortement, beaucoup, très.

vehementia, *ae*, f. Véhémence, ardeur,

impétuosité. ¶ Force, intensité.

vehes, *is*, f. Pierre si grosse qu'elle fait la charge d'une charrette. ¶ Charretée, charge, voiture. ¶ Voie (unité de mesure).

vehiculum, *i*, n. Moyen de transport, véhicule. ¶ Véhicule, voiture, chariot. ¶ Instrument pour couper le blé.

veho, *is*, *vexi*, *vectum*, *ere*, tr. Porter, transporter (sur son dos, à cheval, en voiture, en bateau), traîner, charrier, voiturer. Passif. *Vehi* ou intr. *vehere*, se transporter, voyager (à cheval, en voiture, en bateau).

vel, adv. et conj. Ou, ou bien. || Ou, si vous préférez. ¶ Et aussi, et pareillement. ¶ Même. ¶ Surtout, en particulier, par exemple.

velamen, *minis*, n. Enveloppe, vêtement, couverture. ¶ Dépouille (des animaux).

velamentum, *i*, n. Couverture, voile, enveloppe. ¶ Tunique, membrane (t. d'anat.). ¶ Bandelette de laine blanche, enroulée autour d'un bâton.

velarium, *ii*, n. Grand voile, grand rideau, bâche.

velarius, *ii*, m. Esclave chargé d'écarter les rideaux des portes, devant ceux qui entrent et sortent; huissier. ¶ Matelot chargé de plier et replier les voiles.

velati, *orum*, m. pl. Soldats de réserve destinés à combler les vides faits à l'armée.

veles, *itis*, m. Vélite. Au plur. *Velites*, *um*, m. Vélites, soldats armés à la légère, qui, placés selon les nécessités du combat, harcelaient l'ennemi et se repliaient ensuite.

velificatio, *onis*, f. Action de déployer les voiles; navigation à la voile.

velifico, *as*, *avi*, *atum*, *are*, intr. Aller à la voile, faire voile, naviguer, voguer. ¶ *Tr.* Traverser à la voile.

velificor, *aris*, *atus sum*, *ari*, dép. intr. Faire voile, naviguer. ¶ Tendre à, travailler pour; favoriser.

velificus, *a*, *um*, adj. Qui se fait avec des voiles.   [à la légère.

velitares, *ium*, m. pl. Troupes armées

velitaris, *e*, adj. Relatif aux vélites, de vélites.   [Assaut d'injures.

velitatio, *onis*, f. Escarmouche. ¶ *Fig.*

velites. Voy. VELES. [Voy. le suivant.

velito, *as*, *atus*, *are*, tr. Escarmoucher.

velitor, *aris*, *atus sum*, *ari*, dép. intr. Combattre à la manière des vélites. ¶ Faire assaut de querelles. ||Faire un essai. ¶ *Tr.* Menacer de.

velivolans, *antis*, adj. Qui vole avec des voiles; qui va à la voile.

velivolus, *a*, *um*, adj. Qui va à la voile. ¶ Où l'on va à la voile; sillonné par des voiles, c.-à-d. par des navires.

vellicatio, *onis*, f. Action de pincer. ¶ Piqûre. || Taquinerie, raillerie.

vellico, *as, avi, atum, are,* tr. Tirailler, pincer, picoter. ¶ Piquer (par des paroles), persifler; mordre. || Exciter, stimuler.

vello, *is, velli* et *vulsi, vulsum, ere,* tr. Tirer (la barbe à qqn), le houspiller. ¶ Arracher, détruire, renverser. ¶ Arracher (le poil, la plume de); épiler, tondre; plumer. ¶ *Fig.* Tourmenter, faire souffrir.

1. **vellus,** *eris,* n. Toison coupée, laine de brebis. || Brebis. ¶ (Par ext). Fourrure, pelage. ¶ Ce qui est en laine. || Bandelette de laine. ¶ Ce qui ressemble à de la laine. || *Au plur.* Flocons de soie.

2. **vellus,** *i,* m. Voy. VILLUS.

velo, *as, avi, atum, are,* tr. Couvrir d'un voile, voiler, envelopper. || Cacher. ¶ Revêtir, vêtir. ¶ Entourer, ceindre, orner. ¶ Couvrir, cacher, dissimuler; pallier. [vélocité; vivacité.

velocitas, *atis,* f. Vitesse, rapidité; **velociter,** adv. Rapidement, vite, promptement. [rapide.

velox, *ocis,* adj. Prompt, vite. ¶ Vif, [ton. (Navire.

1. **velum,** *i,* n. Voile de navire. || (Mé-

2. **velum,** *i,* n. Voile, draperie, tenture, rideau. ¶ *Fig.* Voile, c.-à-d. ce qui cache.

velut et **veluti,** adv. Comme, ainsi que, de même que. ¶ Par exemple, à savoir, c'est ainsi que. ¶ Comme; pour ainsi dire, en quelque sorte. ¶ Comme si.

vemens, *entis,* adj. Voy. VEHEMENS.

vena, *ae,* f. Veine, vaisseau sanguin. *Venae, arum,* f. pl. Le pouls. ¶ Veine ou filon (de métal). || Filet (d'eau), || Veine (du bois ou du marbre). ¶ Pore, conduit. ¶ *Fig.* Le cœur, le fond (d'une chose). ¶ Veine poétique, inspiration, talent. ¶ Petite partie.

venabulum, *i,* n. Epieu de chasseur. ¶ Fer en forme d'épieu.

1. **venaliciarius,** *a, um,* adj. Relatif au commerce des esclaves. [claves.

2. **venaliciarius,** *ii,* m. Marchand d'es-**venalicium,** *ii,* n. Impôt sur la vente; droits de vente. ¶ (Spéc.) *Venalicia, orum,* n. pl. Marchandises, denrées d'importation et d'exportation. ¶ Troupe, lot d'esclaves à vendre.

1. **venalicius,** *a, um,* adj. Qui est à vendre. ¶ (Esclave) mis en vente.

2. **venalicius,** *ii,* m. Marchand d'es-claves.

venalis, *e,* adj. Mis en vente, qui est à vendre, vénal. ¶ Vénal; qui se donne pour de l'argent.

venalitas, *atis,* f. Vénalité.

venaticius, *a, um,* adj. Relatif à la chasse, de chasse; pris à la chasse.

venaticus, *a, um,* adj. Relatif à la chasse, de chasse, qui sert pour la chasse.

venatio, *onis,* f. Chasse. ¶ Simulacre de chasse (dans le Cirque); combat d'hommes avec des animaux. ¶ (Méton.) Gibier. || Giber abattu; chasse; venaison.

venator, *oris,* m. Chasseur. ¶ Gladiateur (combattant contre des animaux dans le Cirque). ¶ Celui qui est à la piste de.. || Investigateur, observateur.

venatorius, *a, um,* adj. De chasse; de chasseur.

venatrix, *icis,* f. Chasseresse. ¶ *Fig.* Celle qui poursuit, qui recherche.

venatus, *us,* m. Chasse. ¶ Produit de la chasse, chasse, gibier tué. ¶ Pêche.

vendax, *acis,* adj. Qui aime à vendre.

vendibilis, *e,* adj. Facile à vendre, qui est de vente, de défaite facile. ¶ Qui se vend, c.-à-d. corruptible, vénal. ¶ Recherché, qui a du débit; qui a cours, recommandable; séduisant.

vendico, *as, are,* tr. Voy. VINDICO.

venditatio, *onis,* f. Action de mettre en vente, action de faire valoir; montre, étalage, ostentation.

venditator, *oris,* m. Celui qui fait parade, qui tire vanité de.

venditio, *onis,* f. Action de mettre en vente; vente. || *Spéc.* Vente aux en-chères. ¶ Aliénation. || *Spéc.* Location.

vendito, *as, avi, are,* tr. Chercher à vendre, mettre en vente. || Etaler, offrir. ¶ *Fig.* Trafiquer de, prostituer. ¶ Faire valoir, faire montre de, étaler, vanter. [¶ Celui qui trafique de.

venditor, *oris,* m. Vendeur, marchand.

venditrix, *icis* f. Venderesse, marchande.

vendo, *is, didi, ditum, ere,* tr. Vendre. || *Spéc.* Vendre aux enchères; mettre en adjudication. ¶ (Fig.) *Péjor.* Livrer pour de l'argent, trafiquer de. ¶ Faire valoir, recommander, vanter.

venefica, *ae* f. Sorcière. ¶ Empoison-neuse.

veneficium, *ii,* n. Crime d'empoison-nement. ¶ Préparation de breuvages magiques. || (Méton.) Maléfice, sorti-lège; breuvage empoisonné.

1. **veneficus,** *a, um,* p. Vénéneux, veni-meux. ¶ Magique. [Magicien.

2. **veneficus,** *i,* m. Empoisonneur. ¶

1. **venenarius,** *a um,* adj. De poison; qui contient du poison; empoisonné.

2. **venenar us,** *ii,* m. Empoisonneur.

venerator, *oris,* m. Empoisonneur.

venenatus, *a, um,* p. adj. Empoisonné. ¶ Envenimé. ¶ Enchanté, magique.

venenifer, *fera ferum,* adj. Qui contient du poison. || Venimeux.

veneno, *as, avi, atum, are,* tr. Empoi-sonner. || Gâter. ¶ Teindre, colorer.

venenose, adv. D'une façon venimeuse (fig.).

venenosus, *a, um,* adj. Vénéneux. ¶ Empoisonné (pr. et fig.). ¶ Funeste.

venenum, *i,* n. Philtre, breuvage ma-gique, sortilège, enchantement. ¶ Breuvage, suc, drogue (ayant une propriété active). ¶ Breuvage, poison; fléau, ruine. ¶ Teinture ¶ Substance pour embaumer les morts.

veneo, *ivi* ou *ii*, m. Etre mis en vente, être vendu.

venerabilis *e*, adj. Vénérable, respectable. ¶ Qui révère, respectueux.

venerabilitas, *atis*, f. Révérence (titre d'honneur).

venerabiliter, adv. Avec respect, avec vénération; respectueusement.

venerabundus, *a*, *um*, adj. Plein de respect; respectueux.

venerandus, *a*, *um*, p. adj Vénérable, respectable; digne d'hommage.

veneratio, *onis*, f. Vénération, respect (qu'on éprouve), hommage, culte. ¶ Vénération (qu'on inspire). || Caractère vénérable. [adorateur.

venerator, *oris*, m. Celui qui révère;

veneratus, abl. *u*, m. Vénération, respect. [gracieux; orner, embellir.

1. **venero**, *as*, *are*, tr. Faire paraître

2. **venero**, *as*, *are*, tr. Révérer, honorer, vénérer, adorer. ¶ Prier, supplier, Voy. VENEROR.

veneror, *aris*, *atus sum*, *ari*, dép. tr. Révérer, honorer, vénérer, adorer. || Rendre hommage. ¶ Prier, supplier.

venetiani, *orum*, m. Les bleus, la faction des bleus (au Cirque).

venetum, *i*, n. Couleur bleue.

1. **venetus**, *a*, *um*, adj. Bleu azuré, bleu.

2. **venetus**, *i*, m. Cocher de la faction des bleus; un bleu.

venia, *ae*, f. Grâce, faveur; complaisance, indulgence. || Autorisation. ¶ Grâce, pardon, rémission; excuse.

veniabilis, *e*, adj. Pardonnable, véniel.

venio, *is*, *veni*, *ventum*, *ire*, intr. Venir, arriver. ¶ S'avancer, se présenter; venir à la rencontre. || Survenir. ¶ Venir *c.-à-d.* naître, pousser, croître. ¶ Arriver (en parl. du temps, d'un événement). ¶ Venir, se présenter. ¶ Venir à, en venir à. ¶ Provenir, naître de. ¶ Arriver à, échoir. ¶ Aller en justice.

venor, *aris*, *atus sum*, *ari*, dép. intr. Chasser, aller à la chasse. ¶ *Tr.* Chasser, poursuivre à la chasse. || Donner la chasse à. ¶ *Fig.* Rechercher, briguer. || Faire la chasse à, poursuivre.

venosus, *a*, *um*, adj. Plein de veines, veineux, veiné. ¶ Dont on voit trop les veines, vieux, décharné.

vensic... Voy. VESIC...

venter, *tris*, pl. Ventre. || Bas-ventre, abdomen. || Estomac. || (Métón.) Voracité, faim. || Sensualité. || Goinfre. ¶ Ventre ou sein de la mère. || (Méton.) Fruit des entrailles. ¶ Ventre; renflement.

ventilabrum, *i*, n. Van.

ventilatio, *onis*, f. Exposition à l'air. ¶ Action de vanner. ¶ Triage. ¶ Action d'éventer ou de révéler qqch.; publicité.

ventilator, *oris*, m. Vanneur. ¶ Escamoteur. ¶ Celui qui trouble, agitateur, perturbateur. ¶ Celui qui examine, qui trie.

ventilo, *as*, *avi*, *atum*, *are*, tr. Agiter à l'air; secouer vivement au grand air. ¶ *Spéc.* Vanner. ¶ Eventer, faire du vent à. ¶ Agiter par un souffle, attiser en soufflant. ¶ *Par ext.* Agiter, remuer. || Faire blanc de son épée; s'escrimer. ¶ Mettre en mouvement. ¶ Remuer, fouiller, scruter. ¶ Agiter, tourmenter. ¶ Divulguer, exposer à la médisance. ¶ Exciter.

ventio *onis* f. Venue, arrivée.

ventito, *as*, *avi*, *atum*, *are*, intr. Venir fréquemment; venir habituellement.

vento, *as*, *are*, intr. Avoir l'habitude de venir.

ventosa, *ae*, f. Ventouse.

ventose, adv. Avec beaucoup de vent. ¶ En s'essoufflant. || D'une manière boursouflée.

ventosus, *a*, *um*, adj. Plein de vent. ¶ Exposé au vent, venteux. ¶ Soulevé par les vents, orageux (en parl. de la mer). ¶ Rapide comme le vent. ¶ Enflé, gonflé, vain, vaniteux. || Inconstant. [(servant de poche).

ventrale, *is*, n. Ventrière. || Ceinture

ventriculus, *i*, m. Petit ventre, ventre. ¶ Estomac. ¶ Cavité, poche. || Ventricule (du cœur). || Bourbillon (d'un furoncle).

ventriloquus, *i*, m. Ventriloque.

ventriosus, *a*, *um*, adj. Ventru, qui a un gros ventre.

ventulus, *i*, m. Léger vent.

1. **ventus**, *i*, m. Vent, souffle, haleine. ¶ Air, coup de vent. ¶ Vent; flatuosité. ¶ Etoffe très fine, gaze; vent tissé. ¶ Souffle de la fortune (favorable ou contraire). ¶ Souffle de l'opinion, bruit public.

2. **ventus**, *us*, m. Venue, arrivée.

venula, *ae*, f. Petite veine. ¶ Filet d'eau (pr. et fig.).

venum, *i*, n. Voy. 2. VENUS. Vente, trafic.

venundo (VENUMDO), *as*, *dedi*, *datum*, *are*, tr. Mettre en vente, vendre (*particul.* des esclaves).

1. **venus**, *eris*, f. Grâce, attrait, charme. ¶ Amabilité. || Amour, *méton.*, objet de l'amour. ¶ Coup de Vénus (au jeu de dés, chaque dé amenant un nombre différent).

2. **venus**, *us*, m. Vente, action de vendre.

venustas, *atis*, f. Beauté, grâce, charme. ¶ Agrément, élégance, finesse, distinction. ¶ Agrément (qu'on éprouve), plaisir, joie, satisfaction.

venuste, adv. Gracieusement, avec grâce, agréablement, élégamment.

venusto, *as*, *avi*, *atum*, *are*, tr. Embellir, orner, parer. [gentil.

venustulus, *a*, *um*, adj. Gracieux, joli,

venustus, *a*, *um*, adj. Charmant, joli, gracieux, aimable.

vepallidus, *a*, adj. Très pâle.

veprecula, *ae*, f. Petit arbuste épineux, buisson d'épines.

vepres, *is*, m. Buisson d'épines.‖Hallier.

vepretum, *i*, n. Lieu rempli d'épines, de buissons. ‖ Haie d'épines.

ver, *veris*, n. Printemps. ¶ (Méton.) Ce que produit le printemps; fleurs, etc.
— *sacrum*, vœu d'offrir aux dieux tout ce qui doit naître au printemps.

veraciter, adv. Avec véracité, sincèrement.

veratrum, *i*, n. Ellébore (plante).

verax, *acis*, adj. Véridique, sincère.

verbena, *ae*, f. Branche *ou* feuillage d'arbre consacré. ¶ Rameau sacré. ¶ (Méd.) Plantes astringentes.

verbenarius, *ii*, m. Fécial (porteur du rameau sacré).   [feuillage sacré.

verbenatus, *a*, *um*, adj. Couronné du

verber, *eris*, n. Fouet; verge, bâton.

verbera, *um*, n. pl. Bastonnade, fouet, correction. ¶ Coups de verges, étrivières.

verberatio, *onis*. Action de battre, de fouetter, coup de fouet (pr. et fig.).

verberator, *oris*, m. Celui qui fouette; fouetteur.

verberatus, abl. *u*, m. Heurt, choc.

1. **verbero**, *as*, *avi*, *atum*, *are*, tr. Frapper, battre, fouetter. ‖ *Spéc.* Battre de verges; fustiger, bâtonner. ¶ Maltraiter (en paroles), fustiger, gourmander.

2. **verbero**, *onis*, m. Celui qui mérite des coups; coquin, pendard.

verbose, adv. Verbeusement; d'une manière diffuse, prolixe.

verbositas, *atis*, f. Verbiage, bavardage.

verbosus, *a*, *um*, adj. Verbeux, diffus, prolixe.

verbum, *i*, pl *Verba*, discours. ¶ Mot (par opposition à la chose). ‖ Vaine parole. ¶ Mot; proverbe. ¶ Verbe (t. de gramm.) ¶ *Eccl.* Le Verbe (Dieu).

verculum, *i*, n. Petit printemps, cher printemps (terme de caresse).

vere, adv. Vraiment, avec vérité, avec raison. ¶ Véritablement, réellement. ¶ De la bonne manière; bien.

verecunde, adv. Avec retenue, avec réserve. ¶ Modestement, avec pudeur.

verecundia, *ae*, f. Crainte respectueuse, respect. ¶ Retenue, réserve, timidité.

verecundor, *aris*, *atus sum*, *ari*, dép. intr. Respecter. ¶Craindre (par pudeur); avoir honte de. ¶ Avoir de la retenue.

verecundus, *a*, *um*, adj. Retenu, réservé, discret. ¶ Chaste, pudique, honteux. ¶ Respectable, vénéré.

veredarius, *ii*, m. Courrier, messager.

veredus, *i*, m. Cheval de poste. ¶ Cheval léger (à la course), cheval de chasse.

verendus, *a*, *um*, p. adj. Respectable,

vénérable. ¶ Redoutable. ¶ Honteux.

vereor, *eris*, *itus sum*, *eri*, dép. tr. et intr. Craindre, avoir une crainte respectueuse pour, révérer. ‖ Ne pas oser. ¶ Craindre, redouter.

vergo, *is*, *versi*, *ere*, intr. Incliner, pencher, être tourné *ou* penché vers; regarder. ¶ Pencher; décliner, être sur son déclin. ¶ *Tr.* Faire pencher, incliner. Passif, *vergi*, s'incliner. ¶ Verser.

vergobretus, *i*, m. Vergobret (nom du chef suprême des Eduens.   [la vérité.

veridice, adv. Véridiquement; en disant

veridicus, *a*, *um*, adj. Véridique, qui dit la vérité. ¶ Vrai, sûr, certain.

veriloquium, *ii*, n. Véracité, sincérité. ¶ Etymologie.

veriloquus, *a*, *um*, adj. Qui dit la vérité.

veri similis, *e*, adj. Vraisemblable.

veri similiter, adv. Vraisemblablement.

veri similitudo, *inis*, f. Vraisemblance.

veritas, *atis*, f. Vérité, réalité. ‖ Vérité (*opp. à* mensonge), exactitude. ¶ Vérité, franchise, sincérité, droiture, loyauté; bonne foi.

veriverbium, *ii*, n. Véracité.

vermiculatus, *a*, *um*, adj. En forme de ver; en zigzag. ¶ Marqué, tacheté (en parl. des mosaïques). ¶ Animé d'un mouvement rapide.

vermiculor, *aris*, *ari*, dép. intr. Etre piqué des vers, être exposé aux piqûres des vers.

vermiculosus, *a*, *um*, adj. Plein de vers.

vermiculus, *i*, m. Petit ver, vermisseau. ¶ Ver qui se met dans les objets gâtés. ¶ Ver des chiens. ‖ (Méton.) Rage. ¶ Ver qui donne la couleur écarlate; cochenille. ¶ Ouvrage en mosaïque, mosaïque.   [¶ Convulsions.

vermina, *um*, n. pl. Tranchées, coliques.

verminatio, *onis*. Maladie des vers (chez les animaux). ¶ Démangeaison, élancement, douleur aiguë.

vermino, *as*, *are*, intr. Avoir des vers, être rongé des vers. ¶ Eprouver des démangeaisons, des élancements. ¶ Eprouver les douleurs de l'enfantement.

verminosus, *a*, *um*, adj. Plein de vers.

vermis, *is*, m. Ver. ¶ (Par anal.) Poisson du genre des lamproies.

1. **verna**, *ae*, m. et f. Esclave (né dans la maison du maître), esclave de naissance. ‖ *Par ext.* Farceur, mauvais plaisant. ¶ Citoyen romain (né à Rome même).

2. **verna**, *ae*, adj. m. et f. De la maison; domestique. ¶ Indigène; du pays même.

vernacula, *ae*, f. Esclave née dans la maison du maître.

vernaculi, *orum*, m. pl. Esclaves nés dans la maison. ¶ Farceurs, mauvais plaisants.

vernaculus, *a*, *um*, adj. D'esclave né dans la maison. ‖ Relatif aux esclaves nés dans la maison. ¶ Du pays même.

indigène. || National. || Romain. ¶ De la ville même, de la capitale. || Citadin.

1. **vernalis**, *e*, adj. Qui concerne le printemps, de printemps, printanier.

2. **vernalis**, *e*, adj. Propre aux esclaves nés dans la maison.

vernatio, *onis*, f. Mue (changement, de peau du serpent, au printemps). ¶ (Méton.) Dépouille des serpents (qu'ils abandonnent au printemps).

vernilago, *ginis*, f. Chardon sauvage.

vernilis, *e*, adj. D'esclave né dans la maison. ¶ (Par ext.) Servile, indigne d'un homme libre, bas. ¶ Plaisant, bouffon (*péjor.*).

vernilitas, *atis*, f. Politesse *ou* complaisance d'esclave, servilité. ¶ Bouffonnerie, mauvaise plaisanterie; effronterie.

verniliter, adv. En esclave, servilement. ¶ Avec une flatterie trop rampante; bassement. ¶ D'une manière bouffonne.

verno, *as, are*, intr. Etre au printemps. ¶ Subir l'influence du renouveau; rajeunir. || Reverdir. Impers. *Vernat*, c'est le printemps; on est au printemps. ¶ Etre jeune, être dans la fleur de l'âge.

1. **vernula**, *ae*, m. et f. Jeune esclave, né (*ou* née) dans la maison du maître.

2. **vernula**, *ae*, adj. m. et f. Du pays même; indigène.

vernulitas, *atis*, f. Bouffonnerie.

vernum, *i*, n. Le printemps.

vernus, *a, um*, adj. Du printemps, printanier.

1. **vero**, *as, are*, intr. Dire vrai.

2. **vero**, *onis*, m. Broche.

3. **vero**, adv. En vérité. ¶ Vraiment, réellement. ¶ Oui certes; sans doute. ¶ *Avec l'impér.* Donc; eh bien ! ¶ *Dans les gradations.* Encore, même. ¶ *Pour marquer une forte oppos.* Mais d'autre part. || Quant à.

verres, *is*, m. Verrat, porc mâle.

verriculum. Filet drague appelé aussi EVERRICULUM.

verro, *is, versum, ere*, tr. Traîner à terre, laisser traîner (de manière à balayer). || Balayer. ¶ Pousser devant soi, balayer, entraîner, ballotter. ¶ Enlever, emporter, pousser, soulever, ramasser (en balayant). ¶ Balayer, emporter, ravir. ¶ *Fig.* Frotter avec qqch. qui traîne; effleurer, raser. || Sillonner, parcourir.

verruca, *ae*, f. Eminence, hauteur escarpée. ¶ Verrue, poireau. ¶ Léger défaut, tache.

verrucaria, *ae*, f. Herbe aux verrues (nom de la plante appelée HELIOTROPIUM).

verrucosus, *a, um*, adj. Couvert de verrues. ¶ Raboteux; plein de rudesse (en parl. du style). [verrue.

verrucula, *ae*, f. Petite éminence, petite

verrunco, *as, are*, intr. Tourner (en parlant des événements), avoir telle ou telle issue.

verrutum, *i*, n. Voy. VERUTUM.

versabilis, *e*, adj. Mobile. ¶ Variable, inconstant, versatile.

versabundus, *a, um*, adj. Qui tourne sur soi-même qui tourbillonne.

versatilis, *e*, adj. Qui tourne aisément; mobile. ¶ Variable, inconstant, versatile. ¶ Souple, qui se plie à tout.

versatio, *onis*, f. Action de tourner, de faire tourner. ¶ Changement (fig.), révolution.

versicolor, *oris*, adj. Qui change de couleur, qui se nuance de différentes couleurs, chatoyant, bigarré.

versiculus, *i*, m. Petite ligne (d'écriture); petit vers; (*partic.*), vers burlesque.

versificatio, *onis*, f. Art de faire des vers, versification.

versificator, *oris*, m. Versificateur.

versifico, *as, avi, atum, are*, tr. Mettre en vers. ¶ *Intr.* Faire des vers.

1. **versipellis**, adj. Qui se métamorphose. ¶ Délié, souple.

2. **versipellis**, *is*, m. Qui peut se changer en loup; loup-garou.

verso, *as, avi, atum, are*, tr. Tourner souvent, remuer, retourner. ¶ Faire aller de côté et d'autre, pousser, faire avancer. ¶ Tourner, diriger. ¶ Rouler dans son esprit, méditer, réfléchir à. ¶ Secouer, agiter, troubler. ¶ Tourmenter, mal traiter. ¶ Tromper, duper.

versor, *aris, ari*. Se tourner habituellement, séjourner. ¶ Se trouver, être. ¶ S'appliquer à, s'occuper de.

versoria, *ae*, f. Cordage servant à virer de bord; amure.

versum, prép. Voy. 2. VERSUS.

versura, *ae*, f. Action de se tourner, direction. ¶ Changement. || *Spéc.* Changement de créancier; emprunt fait pour payer un créancier. ¶ Retour d'un angle rentrant, encoignure. ¶ *Fig.* Expédient (qui recule la difficulté, mais l'aggrave). || Emprunt (*pr. et fig.*).

1. **versus**, *us*, m. Tour; détour. || Pas (de danse). ¶ Ligne (au bout de laquelle on tourne), file, rangée. || Sillon. || Mesure agraire (cent pieds carrés). || Ligne d'écriture; vers. Au plur. *Versus*, poésie. || Rythme.

2. **versus** (VERSUM), adv. et prép. Dans la direction de, vers.

versute, adv. Adroitement, artificiellement, avec ruse.   [fice.

versutia, *ae*, f. Ruse, fourberie, arti-

versutiloquus, *a, um*, adj. Dont le langage est artificieux.

versutus, *a, um*, adj. Qui sait se retourner, adroit, plein de ressources. ¶ Fourbe, artificieux, astucieux.

vertebra, *ae*, f. Articulation. ¶ Vertèbre (de l'épine dorsale).

vertex, *icis*, m. Tournant d'eau, tourbillon, abîme. ¶ Point autour duquel qqch. tourne. || Pôle, extrémité de l'axe du ciel. ‖ Point culminant, sommet, faîte, crâne. ‖ Sommet de la tête, tête. ‖ Le plus haut degré.

vertibilis, *e*, adj. Variable.

verticinor. Voy. VERTIGINOR.

verticosus, *a*, *um*, adj. Plein de tourbillons.   [vertiges.

vertiginosus, *a*, *um*, adj. Sujet aux

vertigo, *inis*, f. Mouvement de rotation, tour; révolution. ¶ Etourdissement, éblouissement. ¶ Machine tournante animée d'un mouvement de rotation. ¶ *Fig.* Changement, révolution.

verto, *is*, *verti*, *versum*, *ere*, tr. Tourner, retourner. ¶ Retourner, remuer, rouler. ¶ Mettre sens dessus dessous, abattre, renverser, culbuter. ¶ Changer, convertir. *Omnia vertuntur*, tout change. ¶ Transporter; traduire. ¶ Tourner, faire passer à; rapporter, attribuer. ¶ *Fig.* Faire tourner. ¶ *Intr.* Se tourner. ¶ Se changer, se terminer. ¶ Courir (en parl. du temps). *Mense vertente*, dans le courant du mois. ¶ Au passif-moyen : *verti*, se tourner, s'appliquer à, dépendre de, rouler sur. ¶ S'écouler (en parl. du temps).

vertragus, *i*, m. Lévrier.   [PIUM.

vertumnus, *i*, m. Comme HELIOTRO-

veru, *us*, n. Broche. ¶ Pique. ¶ Obèle (signe critique, pour signaler un mot suspect). ¶ Balustre, barreau d'une grille (autour des autels).

verucul Voy. VERICUL...

veruina, *ae*, f. Pique, javeline.

1. **verum**, *i*, n. Vérité, réalité.

2. **verum**, adv. Vraiment, oui, sans doute. ¶ Mais (marque une forte opposition); sert aussi à passer d'un objet à un autre *ou* à interrompre le cours d'un discours.

3. **verum**, *i*, n. Voy. VERU.

verumtamen, conj. Mais pourtant, mais cependant. ¶ (Après une parenthèse.) Mais, dis-je.

verus, *a*, *um*, adj. Vrai, véritable, réel. ¶ Légitime, juste, raisonnable. ¶ Véridique, sincère.

verutum, *i*, n. Javelot; dard.

verutus, *a*, *um*, adj. Arme d'un dard.

vervex, *ecis*, m. Mouton, bélier. ¶ *Fig.* Imbécile, sot.

vervix, *vicis*, m. Comme VERVEX.

vesania, *ae*, f. Déraison, délire, folie, démence.

vesanus, *a*, *um*, adj. Insensé, fou, qui est en délire; furieux, frénétique. ¶ *En parl. de ch.* Furieux, déchaîné.

vesco, *is*, *ere*, tr. Nourrir. ¶ Manger.

vescor, *eris*, *vesci*, dép. intr. Se nourrir de, vivre de; manger. ¶ Se repaître de, jouir.

vescus, *a*, *um*, adj. Qui mange, qui ronge. ¶ Qui mange peu, qui n'a pas d'appétit. ¶ Maigre, chétif, grêle.

vesica, *ae*, f. Vessie. ¶ Objet, fait en peau de vessie *ou* ayant la forme d'une vessie : ballon, bourse, etc. ¶ Cloche, ampoule. ¶ Enflure (du style).

vesicula, *ae*, f. Vésicule (gousse des plantes). ¶ Tumeur sur la paupière. ¶ Jabot.   [cules *ou* de bulles.

vesiculosus, *a*, *um*, adj. Plein de vési-

vespa, *ae*, f. Guêpe.

vesper, *eris* et *eri*, m. Etoile du soir. ‖ (Méton.). Le soir. ‖ Le couchant, l'occident.   [soirée.

vespera, *ae*, f. Soir, temps du soir,

vesperasco, *is*, *avi*, *ere*, intr. Commencer à faire nuit. Inpers. *Vesperascit*, il se fait nuit; le soir tombe.

vespertilio, *onis*, m. Chauve-souris.

vespertinum, *i*, n. Soir.

vespertinus, *a*, *um*, adj. Du soir, qui a lieu le soir. ¶ Occidental, situé au couchant.   [¶ Chauve-souris.

vesperugo, *inis*, f. L'étoile du soir.

vesperus, *a*, *um*, adj. Du soir.

vespillo, *onis*, m. Croque-mort des pauvres (qui étaient enterrés le soir). ¶ Violateur de sépultures, profanateur de cadavres.

vester, *tra*, *trum*, adj. Votre, le vôtre.

vestiarium, *ii*, n. Garde-robe. ¶ Armoire à serrer les habits. ¶ Habillement, entretien des esclaves.

1. **vestiarius**, *a*, *um*, adj. Relatif aux habits.   [la garde-robe.

2. **vestiarius**, *ii*, m. Esclave chargé de

vestibulum, *i*, n. Vestibule (d'une maison). ‖ Vestibule, entrée, seuil. ¶ Commencement, début, préambule.

vestigatio, *onis*, f. Recherche, investigation.

vestigator, *oris*, m. Celui qui suit la piste du gibier; traqueur. ¶ Celui qui suit la trace, qui cherche, qui épie, espion.

vestigium, *ii*, n. Plante des pieds. ¶ Trace *ou* empreinte du pied; pas, vestige. ¶ Trace, marque, vestige. ¶ Place occupée, poste. ¶ Moment, instant.

vestigo, *as*, *avi*, *atum*, *are*, tr. Suivre à la trace, à la piste. ‖ Chercher, explorer, épier. ‖ Dépister, trouver en cherchant.   [Couverture

vestimentum, *i*, n. Vêtement, habit. ¶

vestio, *is*, *ivi*, ou *ii*, *itum*, *ire*, tr. Couvrir, vêtir, habiller. ¶ Couvrir, revêtir.

vestis, *is*, f. Habillement, vêtement, costume. ¶ Vêtement de dessous, chemise. ¶ Couverture, tapis. ¶ Peau du serpent. ¶ Toile de l'araignée. ¶ Duvet qui couvre le menton, barbe.

vestispex, *icis*, m. V. VESTISPICUS.

vestispica, *x*, f. Celle qui a la surveillance de la garde-robe, femme de chambre.

vestispicus. Celui qui a la surveillance de la garde-robe, valet de chambre.

vestitor, *oris*, m. Tailleur. ¶ Celui qui habille, qui orne.

1. **vestitus**, *a*, *um*, partic. de VESTIO.

2. **vestitus**, *us*, m. Vêtement, habillement, costume. ¶ Ce qui couvre, ce qui revêt; garniture, parure.

vestras, *atis*, adj. De votre famille, de votre nation.

veter. *is*, adj. Voy. VETUS.

veteramentarius. *a*, *um*, adj. Qui concerne les vieilles choses. ¶ Qui travaille dans le vieux.

1. **veteranus**, *a*, *um*, adj. Vieux, âgé, ancien. ¶ Qui a de longues années de service.

2. **veteranus**, *i*, m. Vétéran.   [vieux.

veteraria, *orum*, n. pl. Provision de vin

veterarium, *ii*, n. Cellier pour le vin vieux.   [qui est vieux.

1. **veterarius**, *a*, *um*, adj. Relatif à ce

2. **veterarius**, *ii*, m. Raccommodeur de vieux habits.   [vieillir.

veterasco, *is*, *ere*, intr. Devenir vieux;

veterator, *oris*, m. Celui qui a vieilli dans qqch. ¶ Vieux routier, vieux renard. ¶ Esclave déjà ancien. || Fourbe, fripon.

veteratorie, adv. En vieux routier. ¶ Finement, habilement. ¶ Avec rouerie, astucieusement.

veteratorius, *a*, *um*, adj. Où il y a de la rouerie. ¶ Roué, fin, habile.

veteratus. *a*, *um*, adj. Vieilli, invétéré.

veteres, *um*, m. pl. Les anciens, les hommes d'autrefois. ¶ Les aïeux, les ancêtres. ¶ Les anciens, les auteurs anciens.

veteresco. *is*, *ere*, intr. Voy. VETERASCO.

veteretum. *i*. n. Terre en friche.

veterinaria (s.-c. ARS), *ae*, f. Art vétérinaire.   [les bêtes de somme.

veterinarium, *ii*, n. Lieu où l'on soigne

1. **veterinarius**, *a*, *um*, adj. Relatif aux bêtes de somme *ou* de trait.

2. **veterinarius**, *ii*, m. Médecin-vétérinaire.   [ou de trait.

veterinae, *arum*, f. pl. Bêtes de somme

veterinus, *a*, *um*, adj. Vieilli; qui n'est plus propre qu'à traîner des fardeaux. ¶ De bête de somme.

veternosus, *a*, *um*, adj. Atteint de léthargie, léthargique. ¶ Somnolent, endormi, apathique, débile.

1. **veternus**, *a*, *um*, adj. Vieux, ancien.

2. **veternus**, *i*, m. Léthargie. ¶ Assoupissement, apathie, langueur. ¶ Vieillesse, vétusté.   [vieux, vieillir.

vetero, *as*, *avi*, *atum*, *are*, tr. Rendre

veterulus, *a*, *um*, adj. Passablement vieux.   [interdiction.

vetitum, *i*, n. Chose défendue; défense,

vetitus, *a*, *um*, p. adj. Défendu, interdit.

veto, *as*, *vetui*, *vetitum*, *are*, tr. Ne pas laisser faire, ne pas permettre. ¶ Empêcher, s'opposer à. ¶ S'opposer (en parl. des tribuns du peuple). ¶ S'opposer (être contraire).   [plante.

vettonica (BETTONICA), *ae*, f. Bétoine,

vetula, *ae*, f. Vieille femme, une vieille.

1. **vetulus**, *a*, *um*, adj. Assez vieux, vieux.

2. **vetulus**, *i*. m. Vieillard. ¶ Bon vieux. _

vetuo, tr. Comme VETO.

vetus, *eris*, adj. Vieux; âgé. ¶ *Par ext*. Vieilli dans. ¶ D'autrefois, ancien. Subst. *Veteres*, *um*, m. pl. Les anciens. *Vetera*, *um*, n. pl. Le passé.

vetusculus, *a*, *um*, adj. Un peu vieux, un peu vieilli.

vetustas, *atis*, f. Ancienneté, longue durée, antiquité. ¶ Vieillesse, grand âge. ¶ Vétusté, longue durée. ¶ Ancienne liaison. ¶ (Méton.) L'antiquité, les anciens. ¶ (Méton.) La postérité la plus reculée. ¶ [la manière des anciens.

vetuste, adv. Selon l'ancienne manière, à

vetustus, *a*, *um*, adj. Vieux; âgé. ¶ D'autrefois, ancien, antique. ¶ Vieux, suranné.

vexatio, *onis*, f. Secousse, ébranlement. ¶ Douleur, souffrance (physique *ou* morale). ¶ Tourment, mauvais traitement, persécution. ¶ Fatigue, incommodité.   [persécuteur, bourreau.

vexator, *oris*, m. Celui qui maltraite;

vexillarii, *orum*, m. pl. Soldats servant sous un vexillum, c.-à-d. composant un détachement séparé. || *Spéc*. Vexillaires, vétérans formant un corps particulier.

vexillarius, *ii*, m. Porte-enseigne. || *Fig*. Chef. ¶ Fabricant d'étendards.

vexillatio, *onis*, f. Corps de vexillaires, détachement. ¶ Corps de cavalerie.

vexillum, *i*, n. Enseigne, étendard, drapeau (d'un détachement). ¶ Compagnie, cohorte. ¶ Drapeau rouge (arboré en signe d'attaque *ou* de retraite). || (Méton.) Détachement.

vexo, *as*, *avi*, *atum*, *are*, tr. Ballotter, secouer, agiter fortement. ¶ Attaquer en ennemi, dévaster. ¶ *Fig*. Tourmenter, inquiéter.

via, *ae*, f. Voie, route, chemin.||Rue. ¶ Passage, couloir, conduit, canal. ¶ *Fig*. Voie, moyen, procédé, méthode, ¶ Chemin qu'on fait, trajet, route, marche, voyage.

vialis, *e*, adj. Relatif aux chemins, aux routes.

viarius, *a*, *um*, adj. Relatif aux routes.

viaticum, *i*, n. Provision pour le voyage; argent pour le voyage, frais de route. ¶ Economies du soldat en campagne. ¶ Voyage. ¶ *Fig*. Ressource, moyen.   [de route.

viaticus, *a*, *um*, adj. Relatif au voyage;

viator, *oris*, m. Voyageur. ¶ Messager d'état, appariteur, huissier. ¶ Licteur.

viatorius, *a*, *um*, adj. Relatif aux voyages; de voyage. ¶ D'appariteur.

1. **vibex**, *icis*, f. Meurtrissure; marque de coups.

2. **vibex**. Voy. VITEX.

vibratio, *onis*, f. Action de brandir, de lancer. ¶ Vibration, mouvement vibratoire.

vibrissae, *arum*, f. pl. Poils dans le nez.

vibrisso, *are*, intr. Faire des trilles, des roulades (en chantant).

vibro, *as*, *avi*, *atum*, *are*, tr. Agiter, secouer, balancer, brandir. ¶ Lancer, darder. ¶ *Intr.* S'agiter. || Trembler, osciller. ¶ Etinceler, scintiller; miroiter. || Vibrer, trembler, résonner. ¶ *Fig.* Eclater comme la foudre. || Etre plein d'éclat *ou* de vigueur.

viburnum, *i*, n. Viorne (arbrisseau).

vicanus, *a*, *um*, adj. De village, villageois. Subst. *Vicani*, *orum*, m. pl. Les habitants d'un bourg.

1. vicarius, *a*, *um*, adj. Qui tient la place d'un autre. ¶ Réciproque, mutuel.

2. vicarius, *ii*, m. Suppléant, remplaçant. || Esclave en sous-ordre. || Vicaire, lieutenant du préfet du prétoire, gouverneur de province en qualité de lieutenant.

1. vicatim, adv. De quartier en quartier. || De rue en rue. ¶ De bourg en bourg, par bourgs.

2. vicatim, adv. Voy. VICISSIM.

vicenalis, *e*, adj. Qui contient le nombre vingt; à vingt faces.

vicenarius, *a*, *um*, adj. Relatif au nombre vingt. ¶ Agé de vingt ans.

viceni, *ae*, *a*, adj. Qui vont par vingt, qui sont au nombre de vingt. ¶ Vingt à la fois.

vicennalia, *um*, n. pl. Fêtes pour célébrer la vingtième année du règne d'un empereur.

vicennalis, *e*, adj. De vingt ans.

vicennium, *ii*, n. Espace de vingt ans.

vicens... Voy. VICES...

vicesima (s.-e. PARS), *ae*, f. La vingtième partie. || Impôt du vingtième.

vicesimani, *orum*, m. pl. Les soldats de la vingtième légion.

1. vicesimarius, *a*, *um*, adj. Relatif au vingtième, à l'impôt du vingtième.

2. vicesimarius, *ii*, m. Receveur de l'impôt du vingtième.

vicesimatio, *onis*, f. Action de punir de mort un soldat sur vingt.

vicesimus et vigesimus, *a*, *um*, adj. Vingtième.

vicessis, *is*, m. Vingt as; somme de vingt ans

1. vicia, *ae*, f. Vesce, légumineuse.

2. vicia, *ae*, f. Comme VICTORIA.

vicies (VICIENS), adv. Vingt fois.

1. vicina, *ae*, f. Voisine.

2. vicina, *orum*, n. pl. Environs.

vicinalis, *e*, adj. De voisin; de voisinage, voisin. ¶ Qui rapproche des voisins; vicinal.

vicinarius, *a*, *um*, adj. De voisinage.

vicinia, *ae*, f. Voisinage, proximité. || (Méton.) Le voisinage, les voisins. ¶ Approche, proximité. ¶ Rapport, analogie; parenté.

vicinitas, *atis*, f. Voisinage, proximité. ¶ Rapport, analogie, parenté.

vicinor, *aris*, *ari*, dép. Intr. Etre

voisin, être proche. ¶ Se rapprocher, se ressembler.

vicinum, *i*, n. Voisinage, proximité.

1. vicinus, *a*, *um*, adj. Voisin, qui demeure *ou* se trouve dans le voisinage. || Proche, prochain. || Imminent. ¶ Voisin, analogue, qui se rapproche de.

2. vicinus, *i*, m, voisin.

vicis, gén. d'un nomin. inus. Changement, succession, alternative, vicissitude, changement. ¶ Réciprocité, échange, retour. ¶ Fois, tour. ¶ Place, lieu. *Vicem ou vice*, à la place de; en guise de. ¶ Rôle, office. ¶ Vicissitude du sort. || Sort.

vicissatim, adv. Voy. VICISSIM.

vicissim, adv. Alternativement, successivement, tour à tour; à son tour; en retour. ¶ En revanche, d'autre part, inversement.

vicissitudo, *dinis*, f. Vicissitude, changement, alternative. ¶ Réciprocité, échange.

victima, *ae*, f. Victime (gros animal destiné au sacrifice). ¶ Victime. ¶ Immolation.

1. victimarius, *a*, *um*, adj. Relatif aux victimes, au sacrifice.

2. victimarius, *ii*, m. Victimaire, ministre du sacrifice. ¶ Marchand d'animaux destinés au sacrifice

victimator, *oris*, m. Sacrificateur, celui qui frappe la victime.

victimo, *as*, *are*, tr. Offrir comme victime. ¶ Egorger une victime, sacrifier.

victito, *as*, *avi*, *are*, intr. Vivre de, se nourrir de; faire sa nourriture (habituelle) de.

victor, *oris*, m. Vainqueur. ¶ Victorieux. ¶ Vainqueur; qui a triomphé de. ¶ *Par ext.* Celui qui arrive à ses fins; celui qui réussit.

victoria, *ae*, f. Victoire. || Triomphe obtenu à cause d'une victoire. ¶ Victoire, avantage, supériorité.

1. victoriatus, *a*, *um*, adj. Marqué de l'image de la Victoire. ¶ Obtenu par la victoire.

2 victoriatus (s.-e. NUMMUS), *i*, m. Pièce d'argent à l'effigie de la Victoire, demi-denier. ¶ *Par ext.* Poids d'une demi-drachme.

victrix, *icis*, tr. Victorieuse. ¶ Victorieuse, triomphante.

victualia, *um*, n. pl. Vivres, victuailles.

victualis, *e*, adj. Relatif à la nourriture, à l'alimentation.

victuarius, *a*, *um*, adj. Relatif à la nourriture. ¶ De vivres. [ce mot.

1. victus, part. passé de VINCO. Voy.

2. victus, *us*, m. Vie; genre de vie, mœurs. ¶ Entretien, alimentation. || Nourriture, vivres.

viculus, *i*, m. Petit village.

vicus, *i*, m. Assemblage de maisons; quartier (d'une ville); rue. ¶ Village. || Hameau. || Ferme, métairie.

videlicet, adv. On peut voir, il est clair. ¶ Sans doute, assurément. ¶ Sans doute, peut-être, apparemment. ¶ A savoir, c'est-à-dire.

video, *es, vidi, visum, ere*, tr. Voir; apercevoir. ¶ Connaître (au moyen d'un sens autre que la vue). ¶ Aller voir, se concerter, s'aboucher (avec qqn). ¶ Regarder. ¶ Avoir en vue, aspirer. ¶ Voir, comprendre. ¶ Voir, assister à, être témoin de. ¶ Voir à, pourvoir à. Songer à ses intérêts.

videor, *eris, visus, sum*, Etre vu. ¶ Paraître, sembler. || Sembler vrai, sembler bon.

vidua, *ae*, f. Veuve; femme sans mari; femme dont le mari est mort ou absent.

viduatus, *us*, m. Veuvage.

vidubium, *ii*, n. Comme VIDUVIUM.

viduitas, *atis*, f. Manque, privation. ¶ Veuvage. [Panier à poisson.

vidulus, *i*, m. Malle en cuir, valise. ¶

viduo, *as, avi, atus, are*, tr. Dégarnir. ¶ Rendre vide, priver, dépouiller. ¶ Rendre veuve, faire vivre dans l'état de veuvage.

viduus, *a, um*, adj. Privé de, qui manque de. ¶ Qui n'est pas *ou* qui n'est plus marié. ¶ Privé de, qui est sans. ¶ De personne non mariée; solitaire.

viduvium, *ii*, n. Veuvage. [tresser.

vieo, *es, etum, ere*, tr. Lier, nouer.

viesco, *is, ere*, intr. Se rétrécir. ¶ Se dessécher, se flétrir.

vietus, *a, um*, adj. Flétri, fané. ¶ Mou, trop avancé (en parl. des fruits). ¶ Desséché (cassé, par l'âge). ¶ Flasque.

vigeni, *orum*, adj. Voy. VICENI.

vigenus, *a, um*, adj. Vingtième.

viginti. Voy. VIGINTI.

vigeo, *es, gui, ere*, intr. Etre plein de force et de jeunesse. ¶ Etre fort, être puissant par. ¶ *Fig.* Etre florissant, être en estime.

vigesco, *is, ere*, intr. Prendre de la force, commencer à être florissant.

vigesimus, *a, um*, adj. Voy. VICESIMUS.

vigessis, *is*, m. Voy. VICESSIS.

vigesumus, *a, um*, adj. Voy. VICESIMUS.

vigil, *ilis*, adj. Dispos; éveillé, vigilant. ¶

vigilans, *antis*, p. adj. Eveillé. ¶ Vigilant, attentif, infatigable.

vigilanter, adv. Avec vigilance. ¶

vigilantia, *ae*, f. Habitude de veiller. ¶ Vigilance, soin attentif, attention.

vigilarium, *ii*, n. Voy. VIGILIARIUM.

vigilate, adv. Soigneusement.

vigilatio, *onis*, f. Veille; action de veiller. ¶ Impossibilité de dormir, insomnie.

vigilax, *acis*, adj. Toujours éveillé; toujours en éveil.

vigiles, *um*, m. pl. Veilleurs de nuit.

vigilia, *ae*, f. Veille, insomnie. ¶ Garde de nuit. ¶ Garde, sentinelle, poste de nuit. ¶ Veillée religieuse, mystère

célébré la nuit. ¶ Vigilance, activité infatigable, soin vigilant.

vigiliarium, *ii*, n. Guérite, corps de garde. ¶ Petit tombeau (en forme de guérite).

vigilo, *as, avi, atum, are*, intr. Veiller, ne pas dormir. ¶ Veiller; être sur ses gardes, être vigilant, être attentif. ¶ *Tr.* Passer sans dormir. ¶ Faire à force de veilles, faire avec soin.

viginti, adj. num. indecl. Vingt.

vigintiangulus, *a, um*, adj. Qui a vingt angles.

vigintisevir (VIGINTISEXVIR). *viri*, m. Membre d'une commission de vingt-six magistrats.

vigintiviratus, *us*, m. Vigintivirat; dignité de vigintivir.

vigintiviri, *orum*, m. pl. Les vingt; commission de vingt membres. Au sing. *Vigintivir, iri*, m. Un des vingt, un membre de la commission des vingt.

vigor, *oris*, m. Vigueur, force vitale. ¶ Vigueur, énergie.

vilesco, *is, lui, ere*, intr. Perdre de sa valeur, s'avilir.

vilic... Voy. VILLIC...

vilis, *e*, adj. Qui est à bas prix, à bon marché. ¶ Qui est sans valeur, commun. ¶ Vil, méprisable.

vilitas, *atis*, f. Bas prix, bon marché. ¶ Vulgarité, bassesse, caractère méprisable. ¶ Mépris, dédain.

viliter, adv. A bon marché, à bas prix. ¶ Petitement, pauvrement.

villa, *ae*, f. Maison à la campagne, ferme, métairie, campagne. ¶ Maison de campagne; villa. ¶ Edifice public (*villa publica*) dans le champ de Mars.

villanus, *a, um*, adj. Comme VILLARIS ou VILLATICUS.

villaris, *e*, adj. Comme le suivant.

villaticus, *a, um*, adj. De ferme, de métairie, de basse-cour.

villica, *ae*, f. Fermière, femme du régisseur. ¶ Belle paysanne, type de campagnarde. [ferme.

villicatio, *onis*, f. Administration d'une

villicatus, abl. *u*, m. Comme VILLICATIO

1. **villico**, *as, are*, intr. Etre fermier administrer une ferme. ¶ *Tr.* Administrer (un bien) comme fermier.

2. **villico**, *onis*, m. Voy. 2. VILLICUS.

1. **villicus**, *a, um*, adj. De ferme, qui a rapport à la ferme; rustique.

2. **villicus**, *i*, m. Fermier, intendant, régisseur d'une ferme. ¶ Intendant, administrateur, surveillant.

villosus, *a, um*, adj. Velu, couvert de poils. ¶ *En parl. de plantes*. Chevelu.

villula, *ae*, f. Petite maison de campagne, petite ferme.

villum, *i*, n. Petite quantité de vin, pointe de vin, légère ivresse.

villus, *i*, m. Touffe de poils, houppe. ¶ (Par ext.) Mousse qui adhère aux arbres.

viman, *inis*, n. Ouvrage en osier tressé. || Corbeille. || Ruche. ¶ (*Méton.*) Bois flexible, baguette, osier. ¶ Baguette, osier.

vimentum, *i*, n. Branchage, clayonnage.

viminalia, *um*, n. pl. Arbres à branches flexibles : saule, osier.

viminalis, *e*, adj. Souple, propre à nouer, à tresser. ¶ Où croît l'osier.

viminarius, *ii*, m. Marchand d'objets en osier, vannier.

viminetum, *i*, n. Oseraie.

vimineus, *a*, *um*, adj. Fait de bois pliant, d'osier. ¶ Que l'on peut tresser.

vin, pour *visne*. Voy. VOLO.

vinacea, *ae*, f. Marc de raisin.

vinaceum, *i*, m. Pépin de raisin. ¶ Peau d'un grain de raisin; marc de raisins. ¶ Pot à vin.

vinaceus, *a*, *um*, adj. De vin, de raisin.

vinalia, *um*, n. pl. Fêtes du vin.

vinalis, *e*, adj. De vin, relatif au vin.

vinarium, *ii*, n. Pot à vin, cruche.

1. vinarius, *a*, *um*, adj. De vin; relatif au vin. ¶ Adonné au vin.

2. vinarius, *ii*, m. Marchand de vin: cabaretier. ¶ Buveur de vin, ivrogne.

vincibilis, *e*, adj. Qui peut être vaincu. ¶ Convaincant.

vincio, *is*, *vinxi*, *vinctum*, *ere*, tr. Entourer d'un lien, lier, attacher. ¶ Enchaîner, tenir prisonnier. || Contenir. ¶ Joindre ensemble, assembler, composer. ¶ Contenir, limiter, réprimer. ¶ *Fig.* Obliger. || Captiver, charmer. || Ensorceler.

vinco, *is*, *vici*, *victum*, *ere*, tr. Vaincre. triompher. ¶ L'emporter sur. ¶ Maîtriser, dominer. ¶ Fléchir. ¶ Prouver, démontrer victorieusement.

vinctura, *ae*, f. Action de lier, lien.

vinctus, abl. *u*, m. Lien.   [un lien.

vinculatus, *a*, *um*, adj. Tordu comme.

vinculo, *as*, *atum*, *are*, tr. Enchaîner, charger de liens, lier.

vinculum (VINCLUM), *i*, n. Lien (pr. et fig.). ¶ (*Spéc.*) Au plur. *Vincula*, *orum*, n. Chaines, fers, prison. ¶ Captivité, prison.

vindemia, *ae*, f. Vendange, récolte du raisin. || (*Méton.*) La vendange, le raisin. || Temps de la vendange. ¶ Récolte, cueillette (en gén.).

vindemialia, *um*, n. pl. Fêtes de la vendange.   [à la vendange.

vindemialis, *e*, adj. De vendange, relatif.

vindemiator, *oris*, m. Vendangeur. ¶ Etoile de la constellation de la Vierge.

vindemio, *as*, *avi*, *are*, intr. et tr. Vendanger, faire la vendange.|| Cueillir et (*par ext.*) récolter. ¶ *Eccl.* Corrompre; maltraiter (qqn).   [TOR.

vindemitor, *oris*, m. Comme VINDEMIA-.

vindex, *icis*, m. et f. Celui *ou* celle qui répond en justice pour qqn; garant, caution. ¶ Protecteur, protectrice; défenseur; sauveur. ¶ Celui *ou* celle qui venge, qui punit. || Vengeur, vengeresse.

vindicatio, *onis*, f. Action de revendiquer (en justice), réclamation. ¶ Défense, protection. ¶ Vengeance, punition.   [VINDEX.

vindicator, *oris*, m. Vengeur. Voy.

vindicatrix, *icis*, f. Vengeresse. Voy. VINDEX.

vindicia, *ae*, f. Voy. VINDICIAE.

vindiciae, *arum*, f. pl. Réclamation en justice (d'un objet en litige, faite par les deux parties, devant le préteur); action en référé. ¶ (*Méton.*) Objet en litige.

1. vindico, *as*, *avi*, *atum*, *are*, tr. Réclamer en justice, revendiquer. || Réclamer, revendiquer (en général). ¶ Réclamer la mise en liberté de, affranchir. ¶ Délivrer, sauver, protéger, garantir. ¶ Venger, punir.   [DICO.

2. vindico, *is*, *ere*, tr. Arch. p. 1. VIN-

vindicta, *ae*, f. Affranchissement (d'un esclave) prononcé par le préteur dans la forme solennelle. || (*Méton.*) Baguette, dont le préteur, touchait la tête de l'esclave qu'on affranchissait. ¶ Défense; protection. ¶ Affranchissement, libération. ¶ Vengeance, punition.

vinea, *ae* f. Vignoble. || Vigne. || Pied de vigne. ¶ (*Par anal.*) Machine de guerre (en forme de berceau de vigne); mantelet.

vinealis, *e*. adj. De vignoble, de vigne. ¶ Planté de vigne.

vinearius, *a*, *um*, adj. Comme le précédent   [vigne: relatif à la vigne.

vineaticus, *a*, *um*, adj De vignoble, de.

vineola *ae*, f. Petit vignoble.

vinetum, *i*, n. Lieu planté de vignes; vignoble, vigne.

vineus, *a* *um*. adj De vin: relatif au vin.

vinia, *ae*. f Comme VINEA.

vinitor, *oris*, m. Vigneron.

vinitorius, *a*, *um*. adj. De vigneron.

vinnulus *a*, *um*, adj. Gentil, mignon; caressant.

vinolentia, *ae*, f. Ivresse, ivrognerie.

vinolentus, *a*, *um*, adj. Gorgé de vin. ¶ Mêlé de vin, où il entre du vin.

vinositas, *atis*, f. Goût vineux. || (*Méton.*) Sauce au vin.

vinosus, *a*, *um*, adj. Plein de vin. || Ivre, gorgé de vin. ¶ Adonné au vin. ¶ Semblable au vin. || Vineux. — *sapor*, goût vineux.

vinti, adj. Indécl. Voy. VIGINTI.

vinulent... Voy VINOLENT...

vinulum, *i*, n. Un doigt de vin.

vinum, *i*, n. Vin ¶ Boisson tirée de différents fruits, cidre, etc.||(Méton.) Raisin. Vigne. ¶ Action de boire du vin; ivresse, ivrognerie.

vinus, *i*, m. Forme vulgaire de VINUM.

vio, *as*, *are*, intr. Aller, voyager, être en route.

viola, *ae*, f. Violette. ¶ Violier. ¶ (Méton.) Violet, couleur violette.

violabilis, *e*, adj. Qui peut être blessé

exposé aux coups. ¶ Qu'on peut violer, profaner.

violaceus, *a, um,* adj. Violet, de couleur violette. [lettes.

violarium, *ii,* n. Plate-bande de violariolarius, *ii,* n Teinturier en violet.

1. violatio. *onis,* f. Violation, outrage profanation.

2. violatio, *onis,* f. Couronnement des tombes avec des violettes.

violator, *oris,* m. Celui qui outrage, violateur, profanateur. [profane.

violatrix, *icis,* f. Celle qui outrage, qui violens, *entis,* adj Voy VIOLENTUS.

violenter, adv Avec violence, avec impétuosité, avec furie.

violentia, *ae,* f. Violence, impétuosité, emportement, furie, ardeur.

violentus, *a, um,* adj Violent, impétueux, emporté.

violo, *as, avi, atum, are,* tr. Violer, outrager, déshonorer. ¶ Enfreindre transgresser. ¶ Souiller offenser.

vipera, *ae,* f. Vipère.‖ Serpent.‖ *Fig.* Vipère, c.-à-d. méchante créature.

vipereus, *a, um,* adj. De vipère, de serpent.

viperinus, *a, um,* adj. De vipère, de serpent. ¶ Qui a la forme d'une vipère, d'un serpent.

vir, *viri,* m. Homme (*opp. à* femme). ¶ Homme de cœur; qui a les qualités d'un homme. ¶ Homme, soldat. ¶ Celui dont il s'agit.

virago, *inis,* f. Femme d'une nature virile femme guerrière, héroïne.

vird... Voy. VIRID...

virectum, *i,* n. Lieu verdoyant, bocage.

virens, *entis.* p. adj. Verdoyant, vert. ‖ *Fig,* Florissant; qui est dans la fleur de l'âge. [plantes.

virentia, *um,* n. pl. Les végétaux, les

1. vireo, *onis,* m. Verdier, poisson.

2. vireo, *es, ui, ere,* intr. Etre vert *ou* verdoyant, verdir. ¶ *Fig.* Etre florissant, être dans toute sa force, dans tout son éclat.

vires, *ium,* f. Voy. VIS.

viresco, *is, ui, ere,* intr. Commencer à verdir, devenir vert. ¶ *Fig.* Devenir florissant; s'épanouir.

viretum, *i,* n. Voy. VIRECTUM.

virga, *ae,* f. Branche verte, rejeton, bouture. ¶ Baguette; bâton, canne. ¶ Baguette, verge (pour battre). ‖ (Méton.) Verges des faisceaux; le consulat. ¶ Baguette magique. ¶ Tuteur, étai. ¶ Tige de lin. ¶ Bande colorée sur un vêtement. ¶ Rameau généalogique lignée. [verges.

virgator, *oris,* m. Celui qui frappe de

virgatus, *a, um,* adj. Tressé avec des baguettes. ¶ Rayé (en parl. d'une étoffe). [jeunes plants, oserale.

virgetum, *i,* n. Lieu où l'on élève de

virgeus, *a, um,* adj De jeunes branches. ¶ Fait avec des baguettes.

virginal, *alis,* n. Voy. VIRGINALE.

virginale, *is,* n. Virginité.

virginalis, *e,* adj. De jeune fille, de vierge, virginal.

virginarius, *a um,* adj. Voy. VIRGINALIS.

virgineus, *a, um,* adj. De jeune fille, de vierge, virginal.

virginia, *ae,* f. Jeune femme épousée en premières noces. [Jeune filles.

virginitas, *atis,* f. Virginité. ‖ (Méton.)

1. virginius, *a, um,* adj. Comme VIRGINEUS. [mari d'une femme.

2. virginius, *ii,* m. Premier (*ou* unique

virgo, *inis,* f. Jeune fille vierge.‖ Jeune homme vierge. ‖ Jeune femme ¶ Qui n'a pas encore été accouplé (en parl. des femelles). ¶ La Vierge (constellation). ¶ Nom d'une source qui alimentait Rome. ¶ La Sainte Vierge.

virgula, *ae,* f. Petite branche, petite baguette. ¶ (Par anal.) Petite raie. ‖ Raie (sur les vêtements). ‖ Trait (d'écriture). ‖ Accent, signe d'accent.

virgulatus, *a, um,* adj. Rayé.

virgultum, *i,* n. Etendue de terrain couvert de menues branches; buisson, hallier; broussailles. ¶ *Simpl.* Jeune pousse, scion, baguette.

virgultus, *a, um,* adj Couvert de broussailles, occupé par des broussailles.

virguncula, *ae,* f. Petite fille, fillette.

viridans, *antis,* p. adj. Verdoyant, vert.

viridarium, *ii,* n. Lieu planté d'arbres, jardin, bosquet. ¶ *Au plur.* Plantes vertes.

viridarius (VIRIDIARIUS), *ii,* m. Gardien d'un jardin d'agrément.

viride, *is,* n. Vert, couleur verte. ¶ Verdure arbre, gazon. Au plur. Voy. VIRIDIA.

viridesco, *is, ere,* intr. Devenir vert; commencer à verdir (pr et fig.).

viridia, *um,* n pl. Plantes verdoyantes, arbres, ombrages, verdure. ¶ Jardin, verger ‖ Pelouse ‖ Bosquet.

viridiarium, *ii,* n. Voy. VIRIDARIUM.

viridis, *e,* pl. Verdoyant, vert, de couleur verte. ¶ *Fig* Vert, dans la force de l'âge, vigoureux. ‖ *En parl. de ch.* Fort, frais, jeune, vif.

viriditas, *atis* f. Verdure, couleur verte. ¶ Fraîcheur de l'âge, verdeur, vivacité.

virido, *as, are,* tr. Rendre vert *ou* verdoyant. ¶ *Intr.* Etre vert, être verdoyant.

virilis, *e,* adj. D'homme, mâle, masculin. ‖ *Gramm.* Masculin. ¶ Qui a l'âge d'homme. ¶ Viril, courageux, énergique. ¶ D'un seul homme, d'une personne ‖ Individuel, personnel.

virilitas, *atis.* f. Virilité, âge viril, puberté. ¶ Virilité, vigueur, énergie.

viriliter, adv. En homme, comme il convient à un homme, virilement.

1. viripotens, *entis,* adj. Puissant; à la force puissante.

2. viripotens, *entis,* adj. Nubile.

viritim, adv. Par homme, par tête

¶ Homme contre homme, d'homme à homme. ¶ Personnellement, séparément. en particulier.

viror, *oris*, m. Couleur verte, verdure.

1. **virosus**. *a*, *um*, adj. Qui recherche les hommes.

2. **virosus**. *a*, *um*, adj. Empoisonné. ¶ Venimeux. || Vénéneux.

virtus, *utis*. f. Virilité. ¶ Valeur, courage, bravoure. || *Qqf.* Force, effet, influence. ¶ Bonne qualité. perfection, mérite, caractère ¶ Caractère d'un homme, de bien, vertu. ¶ *Par ext.* Qualité, mérite, talent. || Supériorité. || *En part. de ch.* Bonté, bonne qualité, propriété vertu.

virulentia, *ae*, f. Infection.

virulentus, *a*, *um*, adj. Venimeux. ¶ Empoisonné.

virus, *i*, n. Pus, humeur. || Mucosité. ¶ Venin, poison. ¶ Mauvaise odeur, infection, âcreté, goût désagréable.

1. **vis**, 2ᵉ pers. sing. du verbe VOLO. Voy. ce mot.

2. **vis** (acc. *vim*, abl. *vi*, plur. *vires*, *virium*), f. Force, puissance, énergie. ¶ Emploi de la force, violence. Au plur. *Vires*, forces physiques, vigueur. ¶ Influence, efficacité. ¶ Nature, substance, propriété, valeur. ¶ Moyen, ressources, facultés. ¶ Grande quantité, multitude. ¶ *Au plur.* Forces militaires, corps de troupes.[de glu.

viscatus, *a*, *um*, adj. Englué; frotté

visceratio, *onis*, f. Action de dépecer de la chair. ¶ Repas succédant à un sacrifice. || Distribution de viande faite au peuple.

visco, *as*. *avi*, *are*, tr. Enduire de glu, enduire d'une substance visqueuse.

viscosus. *a*, *um*, adj. Plein de glu, enduit de glu. ¶ Gluant, visqueux.

viscum, *i*, n. Gui, plante parasite. ¶ Glu (préparée avec les baies du gui).

1. **viscus**, *eris*, n. ordin. au plur. viscera, *um*, n. Viscères, intestins, entrailles. ¶ Chair.|| (Méton.) Fruit des entrailles, enfant, progéniture. ¶ *Fig.* Entrailles, cœur, intérieur: partie intime *ou* la plus secrète. || Moyens, ressources.

2. **viscus**. *i*, m. Voy. VISCUM.

visenda, *orum*, n. pl. Curiosités, raretés.

visendus. *a*. *um*, adj. Qui mérite d'être vu, curieux. [faculté de voir.

visibilis, *e*, adj. Visible. ¶ Qui a la

1. **visio**, *onis*, f. Vue, action de voir. ¶ Vue, spectacle, apparition. || Vision. ¶ Aspect particulier (d'une question), cas particulier, espèce.

2. **visio**, *is*, *ire*, intr. Vesser.

visitatio, *onis*, f. Vue, action de voir. ¶ Inspection (d'un couvent *ou* d'une église). ¶ Visite. ¶ Epreuve, c.-à-d. châtiment. [pecteur.

visitator, *oris*, m. Celui qui visite, ins-

visito, *as*, *avi*, *atum*, *are*, tr. Voir souvent. ¶ Visiter, venir voir, inspecter. ¶ Examiner.

viso, *is*, *visi*, *visum*, *ere*, tr. Voir, considérer, contempler. ¶ Aller voir: faire visite à. ¶ Donner des soins (à un malade), soigner; guérir.

visum, *i*, n. Objet vu, apparition: vision. ¶ Vision nocturne, rêve. ¶ Représentation, perception, image.

1. **visus**, part. p. de VIDEO.

2. **visus**, *us*, m. Vue, sens de la vue. ¶ Vue, regard, action de regarder. ¶ Vue, spectacle, apparition.

vita, *ae*, f. Vie, existence. ¶ Manière de vivre. || Sort, état, condition. ¶ Vie, suite de la vie, histoire, biographie. ¶ Vie, moyens de gagner sa vie. || Bonheur de la vie. || *T. de caresse* (Ma) vie. ¶ (*Méton.*) Etres vivants les hommes; le monde. ¶ Ame, ombre (d'un mort).

vitabilis, *e*, adj. Qu'on doit éviter.

vitabundus, *a*, *um*, adj. Qui cherche à éviter.

vitalia, *um*, n. pl. Les organes essentiels à la vie. ¶ Vêtements d'un mort, toilette funèbre.

vitalis, *e*, adj. De la vie; relatif à la vie; vital. ¶ Viable, qui peut vivre. || Destiné à vivre. ¶ Pendant lequel on peut vivre réellement); supportable (en parl. de la vie). ¶ Dont on a usé pendant la vie. [principe de la vie.

vitalitas, *atis*, f. Vitalité, force vitale:

vitaliter, adv. Avec un principe de vie, de manière à vivre. ¶ *Eccl.* Selon la chair.

vitatio, *onis*, f. Action d'éviter, de fuir.

vitator, *oris*, m. Celui qui évite.

vitellina. Voy. VITULINA.

vitellum, *i*, n. Jaune d'œuf. Voy. VITELLUS.

vitellus, *i*, m. Petit veau (t. de caresse). ¶ Jaune d'œuf. [de vignes.

viteus, *a*, *um*, adj. De vigne. ¶ Couvert

vitex, *icis*, f. Agnus-castus (arbrisseau).

vitiabilis, *e*, adj. Corruptible. ¶ Qui corrompt. [de déshonorer.

vitiatio, *onis*, f. Action de corrompre,

vitiator. *oris*, m. Corrupteur, séducteur.

vitícula, *as*, f. Petit cep de vigne. || Sarment. || Tige d'une plante grimpante.

vitifer, *era*, *erum*, adj. Qui produit de la vigne. ¶ Couvert de vignes.

vitigenus, *a*, *um*. De vigne, qui provient de la vigne.

vitiligo, *inis*, f. Dartre. ¶ Eléphantiasis, lèpre. ¶ Tache; léger défaut.

vitilia, *um*, n. pl. Objets tressés; corbeilles. [flexible.

vitilis, *e*, adj. Tressé avec du bois

vitio, *as*, *avi*, *atum*, *are*, tr. Corrompre, gâter, vitier. ¶ Souiller: déshonorer. ¶ Altérer, dénaturer, falsifier. ¶ Entacher d'irrégularité. || Frapper de nullité.

vitiose. adv. D'une manière défectueuse; mal. ¶ Irrégulièrement, contrairement aux auspices.

vitiositas, *atis*, f. Disposition vicieuse. ¶ Vice, méchanceté.

vitiosus, *a*, *um*, adj. En mauvais état. ‖ En mauvaise santé, souffrant. ¶ Malsain, insalubre. ¶ Gâté, corrompu. ¶ Défectueux, fautif, mauvais. ¶ Irrégulier, contraire aux auspices. ¶ Vicieux, méchant, pervers.

vitis, *is*, f. Sarment, bois de la vigne. ‖ Cep de vigne, bâton (porté par le centurion en signe de commandement). ‖ *Méton.* Grade de centurion. ¶ Tige d'une plante grimpante (semblable au sarment). ¶ Vigne (entière). ‖ *Méton.* Vin. ¶ *Par anal.* Vigne sauvage, brione, couleuvrée. ¶ Comme VINEA.

vitisator, *oris*, m. Celui qui a planté la vigne (surnom de Bacchus).

vitium, *ii*, n. Vice, défaut, défectuosité; imperfection. ¶ Défaut physique, vice de conformation; maladie, affection. ¶ Défaut moral, vice. ¶. Mauvaise observation des auspices *ou* auspice contraire. ¶ Faute, manquement, erreur. ‖ Vice de forme. ‖ Falsification (des monnaies). ‖ Attentat à la pudeur.

vito, *as*, *avi*, *atum*, *are*, tr. Eviter, *c.-à-d.* chercher à éviter, fuir. ‖ Se soustraire à, échapper à.

vitor, *oris*, m. Vannier.

vitraria, *ae*, f. Voy. VITRARIA.

vitrarium, *ii*, m. Verrerie.

1. vitrarius, *a*, *um*, adj. Relatif au verre; de verre. [souffle le verre.

2. vitrarius, *ii*, m. Verrier. celui qui

vitreus, *a*, *um*, adj. De verre, ¶ Clair, transparent, brillant comme le verre.

vitreus, *a*, *um*, adj. De verre; en verre. ¶ Clair, transparent, brillant comme le verre. ¶ Fragile comme le verre. ‖ Inconstant; éphémère. [plante.

vitriaria (VITRARIA), *ae*, f. Pariétaire,

vitriarius, *a*, *um*, adj. Voy. 1. VITRARIUS.

vitricus, *i*, m. Beau-père, second mari de la mère.

vitrum, *i*, n. Verre, matière transparente. ¶ Guède, pastel (servant à teindre en bleu).

vitta, *ae*, f. Ruban, bandelette (des prêtres des victimes, et des rameaux de suppliants). ¶ Cordon, cordelette.

vittatus, *a*, *um*, adj. Orné de bandelettes.

vitula, *ae*, f. Petite génisse. ¶ Jeune vache. [veau.

vitulina (s.-e. CARO), *ae*, f. Viande de

vitulinus, *a*, *um*, adj. De veau.

vitulor, *aris*, *atus*, *ari*, dép. intr. Entonner un chant, un hymne de victoire. ¶ Se réjouir, être transporté de joie.

vitulus, *i*, m. Veau, jeune taureau (au-dessous d'un an). ¶ Petit d'un animal.

vituperabilis, *e*, adj. Blâmable, répréhensible.

vituperatio, *onis*, f. Blâme, réprimande. ¶ Caractère répréhensible. (d'une action ; conduite répréhensible

vituperator, *oris*, m. Censeur, critique.

vituperium, *ii*, n. Blâme, mépris.

1. vitupero, *as*, *avi*, *atum*, *are*, tr Blâmer, reprendre, censurer.

2. vitupero, *onis*, m. Censeur, critique

vitus, *abl u*, m. Jante (de roue).

vivacitas, *atis*, f. Vitalité, longue vie. ¶ Vivacité d'esprit. [chaleur.

vivaciter, adv. Avec vivacité; avec

vivarium, *ii*, n. Parc où l'on nourrit des animaux, garenne. ¶ Vivier.

vivarius, *a*, *um*, adj. Relatif aux animaux vivants.

vivax, *acis*, adj. Plein de vie. Qui vit longtemps. ‖ *En parl. de ch.* Vivace, durable. ¶ Bouillant, ardent. ¶ Vif, animé, énergique, éveillé.

vive, adv. Vivement. ¶ Fortement, beaucoup.

vivesco (VIVISCO), *is*, *vixi*, *ere*, intr. Prendre vie; naître. ¶ Se développer, se fortifier. [ment, rondement.

vivide, adv. Vivement, rigoureuse-

vivido, *as*, *are*, tr. Rendre vivant, vivifier; animer.

vividus, *a*, *um*, adj. Plein de vie, animé, vivant. ¶ Plein de vie, actif, animé, ardent. ¶ Energique, puissant.

viviradix, *icis*, f. Plant vif, plante avec sa racine.

vivo, *is*, *vixi*, *victum*, *ere*, intr. Vivre, être vivant. ‖ Durer, subsister. ¶ Vivre de, entretenir sa vie. ¶ Vivre, passer sa vie. ¶ Avoir l'air de vivre, paraître vivant. [et fig.).

vivum, *i*, n. Le vif, la chair vive (pr. vivus, *a*, *um*, adj. Vivant, vif, qui est en vie. ¶ Vif, vivant, animé. ¶ Vif, actif, ardent; plein de chaleur.

vix, adv. A peine: avec peine. ¶ A peine (en parl. du temps).

vixdum, adv. A peine encore.

vocabulum, *i*, n. Mot qui sert à désigner un objet. ¶ (T. de gramm.) Le nom, le substantif. ¶ Mot qu'on met en avant; prétexte.

vocales, *ium*, m. pl. Chanteurs.

vocalis, *e*, adj. Doué de la voix, qui parle. ¶ Qui a une belle voix. ¶ Qui a une forte voix. ‖ *En parl. de choses.* Sonore, retentissant. ¶ Qui donne de la voix; qui fait retentir.

2. vocalis (s.-e. LITTERA), *is*, f. Voyelle.

vocalitas, *atis*, f. Sonorité, harmonie.

vocaliter, adv. D'une manière sonore, en criant. ¶ En se servant des mêmes sons; mot pour mot. [nom.

vocamen, *minis*, m. Dénomination,

1. vocatio, *onis*, f. Invitation à un repas. ¶ Citation en justice; assignation. ¶ *Eccl.* Vocation divine.

2. vocatio, *onis*, f. Voy. VACATIO.

vocative, adv. En appelant. ¶ Gramm. Au vocatif. [appeler.

1. vocativus *a*, *um*, adj. Qui sert à

2. vocativus (s.-e. CASUS), *i*, m. Vocatif (t. de gramm.).

vocator, *oris*, m. Celui qui appelle. ¶

Celui qui invite à un repas, hôte. ¶
Eccl. Celui qui appelle les Gentils
à la connaissance du VRAI Dieu.

vocatus, *us*, m. Action d'appeler. ¶
Convocation; appel. ¶ Invitation
à un repas. ¶ Invocation, prière.

vociferatio, *onis*, Clameurs, grands cris,
vociférations. || Plaintes bruyantes.

vociferator, *oris*, m. Celui qui crie,
qui vocifère.   [TIO.

vociferatus, *us*, m. Comme VOCIFERA-

vocifero, *as*, *avi*, *atum*, *are*, intr. Voy.
VOCIFEROR.

vociferor, *aris*, *atus sum*, *ari*, dép. intr.
Crier fort, pousser de grands cris,
vociférer. ¶ Résonner fortement
retentir. ¶ *Tr.* Dire à haute voix.
proclamer bien haut.

vocito, *as*, *avi*, *atum*, *are*, tr. Appeler
à plusieurs reprises; avoir l'habitude
d'appeler. ¶ Nommer, dénommer. ¶
Appeler à haute voix.

1. **voco**, *as*, *avi*, *atum*, *are*, tr. Adresser
la parole à. ¶ Appeler, invoquer
implorer. ¶ Mander, convoquer. ||
Citer, assigner. ¶ *Fig.* Inviter,
attirer. || Provoquer, défier. ¶ Ame-
ner à, réduire à. ¶ Invoquer, implorer. ¶ Nommer, appeler.

2. **voco**, *as*, *are*, intr. Comme VACO.

vocula, *ae*, f. Voix faible, son faible.
¶ Petit mot. ¶ Propos, discours insignifiant.   [accent.

voculatio, *onis*, f. Accentuation,

vola, *ae*, f. Paume *ou* creux de la
main. ¶ Le dessous du pied, creux
de la plante du pied.

volaema... Voy. VOLEM...

volarium Voy. BOLARIUM.

volatica, *ae*, f. Sorcière (ainsi nommée
parce qu'on croyait qu'elle pouvait
se muer en oiseau. || Sorcellerie;
magie.

volaticus, *a*, *um*, adj. Qui vole, ailé.
¶ Fugitif, passager, éphémère. ||
Volage.

volatilis, *e*, adj. Qui vole; qui a des
ailes. ¶ Léger, rapide. ¶ Fugitif,
passager, éphémère.   [vol.

volatio, *onis*, f. Action de voler,

volator, *oris*, m. Celui qui vole.

volatura, *ae*, f. Action de voler. ¶
Vol, volée (c.-à-d. bande, troupe
d'animaux qui volent ensemble).

volatus, *us*, m. Action de voler, vol.
¶ Faculté de voler. ¶ Course rapide.
|| Rapidité.

volemum *pirum*), n. Sorte de grosse
poire qui remplit le creux de la main.

volens, *entis*, p. adj. Qui veut. ¶ Qui
agit librement de son plein gré;
volontiers *ou* de bon cœur. ¶ Bien
disposé, favorable, propice. ¶ Avide,
passionné. ¶ Qui plaît, agréable. ||
Désiré.

volenter, adv. Volontiers. penchant.

volentia, *ae*, f. Volonté, inclination

voletar. Voy. BOLETAR.

volgiolus, *i*, m. Instrument pour niveler les parterres.

1. **volgo**, *as*, *are*, tr. Voy. 1. VULGO.

2. **volgo**, adv. Voy. 2. VULGO.

volgus. Voy. VULGUS.

volito, *as*, *avi*, *atum*, *are*, intr. Voleter:
voler çà et là. ¶ Courir çà et là. ¶
Se donner du mouvement, se donner
carrière, se répandre, se faire voir.
¶ Avoir l'esprit libre de soucis.

volnero, *are*, tr. Voy. VULNERO.

1. **volo**, *as*, *avi*, *atum*, *are*, intr. Voler,
avoir des ailes. ¶ *En parl. de ch.*
Flotter en l'air; être porté par l'air.
¶ Voler, courir, fuir rapidement (en
parl. du temps).

2. **volo**, *vis*, *volui*, *velle*, tr. Vouloir,
avoir l'intention de. || Vouloir bien;
consentir. || Souhaiter, désirer. ¶
Etre dans telle ou telle disposition
d'esprit. || Etre d'avis, juger à pro-
pos. || Avoir telle ou telle opinion;
soutenir, prétendre. ¶ Vouloir, décider, statuer. ¶ Vouloir dire: signifier. ¶ Aimer mieux, préférer.

3. **volo**, *onis*, m. Volontaire, soldat volontaire. Au plur. *Volones*,
um, m. Esclaves qui s'enrôlèrent
volontairement (après la défaite de
Cannes).

volpes, *is*, f. Voy. VULPES.

volsella, *ae*, f. Petite pince, outil d'ouvrier *ou* de chirurgien.   [VELLO.

volsus, *a*, *um*, p. VULSUS, part. de

volta, *ae*, f. Nom étrusque d'un
monstre.

voltur... Voy. VULTUR.

voltus, *us*, m. Voy. VULTUS.

volubilis, *e*, adj. Aisé à tourner, qui
roule, qui tourne; qui s'enroule. ¶
Changeant, variable; inconstant. ¶
Coulant, facile (en parl. du débit). ||
Qui a l'élocution facile.

volubilitas, *atis*, f. Facilité à tourner.
¶ Volubilité de la parole, facilité
d'élocution.

volubiliter, adv. En se tournant en
volant. ¶ Avec une grande facilité
d'élocution.

volucer, *cris*, *cre*, adj. Qui vole; ailé. ¶
Qui se meut rapidement, rapide,
vite, léger. ¶ Rapide, fugitif, passager, inconstant.

volucra, *ae*, f. Chenille qui s'enroule
dans les feuilles de la vigne, rouleuse.

volucre, *is*, n. Comme le précédent.

volucris, *is*, f. et *qqf.* m. Oiseau.

volumen, *inis*, n. Enroulement, courbure, cercle, anneau, spirale, repli:
tourbillon. ¶ *Fig.* Vicissitude. ¶
Objet enroulé; rouleau (de feuilles
manuscrites). ¶ Volume, livre *ou*
partie d'un ouvrage considérable. ||
Tome.

voluntarie, adv. Volontairement, de
plein gré; spontanément.

voluntarius, *a*, *um*, adj. Qui agit librement, de sa propre volonté, de son propre mouvement, volontaire. ¶ *En parl. de plantes*. Qui pousse naturellement, sans être semé. ¶ Spontané.

voluntas, *atis*, f. Volonté, vouloir, intention. || Consentement, bon vouloir, désir, souhait, ambition. || Intention, dessein, résolution. ¶ Dispositions bienveillantes, bienveillance; faveur. ¶ Dernières dispositions, dernières volontés, testament.

volup, adv. D'une manière agréable, avec plaisir.   [agréable.

voluptabilis, *e*, adj. Qui fait plaisir;

voluptarie, adv. Dans le plaisir; voluptueusement.

voluptarius, *a*, *um*, adj. Relatif au plaisir. ¶ Qui cause de la joie, du plaisir. ¶ Adonné aux plaisirs: voluptueux. ¶ Sensible au plaisir (en parl. des sens), se usuel.

voluptas, *atis*, f. Jouissance de l'âme ou du corps. ¶ Joie (terme de caresse). ¶ Plaisir, penchant aux plaisirs sensuels: envie, désir.   [volupté.

voluptuose, adv. Avec plaisir, avec volupté.

voluptuosus, *a*, *um*, adj. Plein de charme, délicieux.

voluta, *ae*, f. Volute, ornement du chapiteau des colonnes.

volutabilis, *e*, adj. Qu'on peut faire tourner en tous sens.

volutabrum, *i*, n. Bourbier, bauge (où les sangliers ont coutume de se vautrer).

volutabundus, *a*, *um*, adj. Qui se vautre.

volutatio, *onis*, f. Action de rouler; de se vautrer. ¶ *Fig*. Agitation (de l'âme), inquiétude. ¶ Instabilité, inconstance.

volutatus, *us*, m. Comme VOLUTATIO.

voluto, *is*, *avi*, *atum*, *are*, tr. Rouler, faire tourner en tous sens. || (Passif.) *Volutari*, se vautrer. ¶ Faire rouler le son, faire entendre, faire retentir. ¶ Rouler dans son esprit, méditer, réfléchir. ¶ Occuper. *Volutari*, s'occuper de.

volutus, *us*, m. La faculté de se rouler, de s'enrouler.

volva, *ae*, f, vulva, *ae*, f. Enveloppe. ¶ Matrice (chez la femme), vulve (chez la femelle de certains animaux).

volvo, *is*, *volvi*, *volutum*, *volvere*, tr. Rouler, faire avancer en roulant, faire tourner, faire tourbillonner. ¶ Rouler, enrouler, disposer en cercle. ¶ Dévider, dérouler. ¶ Rouler dans son cœur, dans sa pensée: méditer, projeter. ¶ Faire rouler un son, des mots, débiter avec abondance et volubilité.

volvola, *ae*, f. Liseron (plante).

volvula et **vulvula**, *ae*, f. Petite vulve, petite poche.

volvus. Voy. BULBUS.

vomer, *eris*, m. Soc de charrue. ¶

(Par analogie.) Style pour écrire.

vomeris, *is*, m. Voy. VOMER.

vomica, *ae*, f. Abcès, tumeur, dépôt d'humeur. ¶ Renflement, vésicule, bulle d'eau. ¶ *Fig*. Plaie, fléau, calamité.

vomicosus, *a*, *um*, adj. Couvert d'abcès.

vomis, *eris*, m. Comme VOMER.

vomitio, *onis*, f. Action de vomir; vomissement. ¶ (*Méton*.) Vomissement, c.-à-d. matières vomies.

vomito, *as*, *are*, intr. et tr. Vomir souvent ou abondamment.

vomitor, *oris*, m. Celui qui vomit.

vomitoria, *orum*, n. pl. Vomitoires, portes donnant accès aux gradins de l'amphithéâtre.

vomitorius, *a*, *um*, adj. Qui provoque le vomissement. ¶ *Fig*. Par où s'écoule la foule.

vomitus, *us*, m. Action de vomir. ¶ (*Méton*.) Vomissement, c.-à-d. matières vomies. || Ordures, outrages.

vomo, *is*, *ui*, *itum*, *ere*, intr. et tr. Vomir, rendre, cracher. ¶ Vomir, rendre, rejeter, exhaler. || Prodiguer. ¶ Donner passage à.

vopiscus, *i*, m. L'un des deux jumeaux qui vient au monde à terme quand l'autre, né trop tôt, est mort.

vopte, adj. Pour VOS IPSI.

voracitas, *atis*, f. Voracité; avidité. ¶ Nature dévorante.

vorago, *inis*, f. Abîme, gouffre (presque sans fond, qui engloutit tout). ¶ Gouffre, abîme.

voratrina, *ae*, f. Endroit où l'on dévore. || Cabaret où l'on bâfre. ¶ Endroit qui engloutit, gouffre.

voratus, *us*, m. Action de dévorer ou d'engloutir.

vorax, *acis*, adj. Qui dévore, qui engloutit ou absorbe, dévorant, vorace. ¶ Qui engloutit, qui consume. ¶ *Fig*. Qui ruine.

voro, *as*, *avi*, *atum*, *are*, tr. Dévorer, avaler, manger avidement (sans mâcher). ¶ Engloutir, faire disparaître. ¶ Ronger, consumer. ¶ *Fig*. Consommer, dissiper (de l'argent). ¶ Dévorer, faire qq. chose avidement ou à la hâte.

vors... Voy. VERS...

vort... Voy. VERT...

vos, *vestrum* ou *vestri*, pron. pers. Vous.

voster, *tra*, *trum*, adj. Voy. VESTER.

votivus, *a*, *um*, adj. Promis par un vœu, offert en exécution d'un vœu, votif; dédié, consacré. ¶ Désiré, qui vient à souhait, agréable.

voto. Voy. VETO.

votum, *i*, n. Vœu, promesse solennelle faite aux dieux. ¶ Objet promis par un vœu. ¶ Vœu, souhait, désir. ¶ Prière (accompagnée de vœu). ¶ Vœu pour le bonheur des époux. || Mariage, cérémonie nuptiale. ¶

Vœu, *c.-à-d.* souhait, désir. || (Méton.) Objet souhaité, objet aimé.

voveo, *es, vovi, votum, ere,* intr. et tr. Promettre solennellement (à une divinité), faire vœu de. ¶ Souhaiter, désirer.

vox, *vocis,* f. Voix, son de voix. ¶ Son (en général), ton, note (d'un instrument), bruit. ¶ Mot, parole, discours, sentence, ordre; paroles magiques. ¶ Langue, idiome. ¶ Prononciation. ¶ Accentuation.

vulga. Voy. BULGA.

vulgares, *ium,* m. pl. Gens du commun.

vulgaris, *e,* adj. Commun; qui appartient à tout le monde, ordinaire, vulgaire.

vulgaritas, *atis,* f. Vulgarité, caractère de ce qui est commun. || (Méton.) La foule, le vulgaire.

vulgariter, adv. Communément, d'une manière ordinaire *ou* vulgaire.

vulgate, adv. En divulguant; en faisant connaître.

vulgator, *oris,* n. Celui qui divulgue. révélateur.

1. **vulgatus**, *us,* m. Publication.

2. **vulgatus**, *a, um,* p. adj. Répandu dans le public. ¶ Répandu, propagé, divulgué, généralement, connu. ¶ Commun, ordinaire. ¶ Prodigué. ¶ Prostitué.

1. **vulgo**, adv. Universellement, généralement, indistinctement, partout. ¶ Communément, ordinairement. ¶ Publiquement, ostensiblement. ¶ Au hasard.

2. **vulgo**, *as, avi, atum, are,* tr. Répandre, propager, communiquer. ¶ Répandre, publier (un livre). ¶ Répandre, publier, divulguer.

1. **vulgus**, *i,* n. Le commun des hommes, le peuple, le vulgaire. ¶ La généralité, la pluralité. ¶ La foule, la multitude, la populace (avec idée de mépris).

2. **vulgus**, *i,* m. Voy. 1. VULGUS.

vulnerabilis, *e,* adj. Qui blesse, qui ulcère.

1. **vulnerarius** (VOLNERARIUS), *a, um* adj. Relatif aux blessures.

2. **vulnerarius**, *ii,* m. Chirurgien.

vulneratio (VOLNERATIO), *onis,* f.

Action de blesser, blessure, lésion. ¶ *Fig.* Blessure, atteinte.

vulnerator (VOLNERATOR), *oris,* m. Celui qui blesse.

vulnero, *as, avi, atum, are,* tr. Blesser, endommager. ¶ *Fig.* Blesser, offenser, causer de la douleur.

vulnificus, *a, um,* adj. Qui fait des blessures.

vulnus, *eris,* n. Blessure, plaie. ¶ Blessure, coup; mal, atteinte. || Revers, perte, dommage. ¶ Ce qui fait des blessures. || Coup, choc. || Arme.

vulpecula, *ae,* f. Petit renard. ¶ Renard.

vulpes, *is,* f. Le renard. ¶ *Fig.* Renard; caractère rusé, astuce. ¶ Sorte de requin.   [renard, être rusé.

vulpinor, *aris, ari,* dép. intr. Faire le

vulpinus, *a, um,* adj. De renard.

1. **vulsio**, *onis,* f. Action d'enlever une partie malade). || (Méton.) Fragment.

2. **vulsio**, *onis,* f. Mouvement convulsif, spasme.

vulso, *as, are,* intr. Avoir des attaques de nerfs. || Avoir des crampes.

vulsus, *a, um,* p. Dégarni de poils, épilé. || *Fig.* Efféminé. ¶ Qui souffre de convulsions; qui a des spasmes.

1. **vulticulus**, *i,* m. Regard, air, mine.

2. **vulticulus**, *i,* m. Air rébarbatif.

vultuose, adv. Avec force grimaces.

vultuosus, *a, um,* adj. Qui fait des grimaces. || Grimacier. ¶ Qui a l'air sombre, renfrogné.

vultur, *turis,* m. Vautour. ¶ *Fig.* Vautour, glouton, homme cupide, rapace.

vulturinus, *a, um,* adj. De vautour.

vulturius, *ii,* m. Vautour, oiseau de proie. || (Méton.) Vautour, homme rapace. ¶ Coup malheureux au jeu de dés.

vultus, *us,* m. Visage (en tant qu'il reflète les sentiments), air, physionomie. ¶ Visage, face, figure. ¶ *Fig.* Aspect des choses, face, apparence.

vulva, *ae,* f. Enveloppe, involucre, peau (d'un fruit), membrane. ¶ Matrice (surt. des femelles d'animaux). || *Spéc.* Ventre de truie.

vulvula, *ae,* f. Petite matrice d'animal,

X

X, x. Vingt et unième lettre de l'alphabet latin. ¶ Signe numérique, représentant 10.

xeniolum, *i,* n. Petit cadeau fait à un hôte.

xenium, *ii,* n. Présent fait à un hôte (après le repas). ¶ Présent fait aux personnes, dont on veut gagner les bonnes grâce *ou* reconnaître les services.

xiphias, *ae,* m. Espadon, poisson qui à la forme d'une épée. ¶ Sorte de comète qui a la forme d'une épée.

xiphion, *ii,* n. Glaïeul.

xylinus, *a, um,* adj. De bois; d'arbre. ¶ *Spéc.* De cotonnier.

xylobalsamum, *i,* n. Baumier, bois du baumier.

xylocasia ou **xylocossia**, *ae,* f. Bois du cassier.

xylocinnamomum, *i*, n. Bois du camelier. [dent.

xylocinnamum, *i*, n. Comme le précédent.

xylon, *i*, n. Baumier, arbrisseau.

xyris, *idis*, f. Nom de l'iris sauvage.

xystici, *orum*, m. pl. Athlètes qui, en cas de mauvais temps, s'exerçaient dans un lieu couvert.

xysticus, *a*, *um*, adj. Qui a rapport au xyste (lieu d'exercices des athlètes). ¶ Des athlètes, d'athlète.

xystra, *æ*, f. Etrille.

xystum, *i*, n. Voy. le suivant.

xystus, *i*, m. *Chez les Grecs*, portique *ou* galerie couverte où s'exerçaient les athlètes pendant la saison d'hiver. ¶ *Chez les romains*, promenade couverte *ou* terrasse d'un jardin.

Y

Y, y, voyelle grecque introduite assez tard en latin.

yaena. Voy. HYAENA.

ypogaeum. Voy. HYPOGAEUM.

yssopum. Voy. HYSSOPUM.

Z

Z, z, lettre grecque introduite dans l'alphabet latin pour écrire les mots étrangers.

zaberna, *æ*, f. Espèce de bissac.

zabolicus, *a*, *um*, adj. Diabolique.

zaeta. Voy. DIAETA.

zamia, *æ*, f. Dommage, préjudice.

zanca, *æ*, f. Sorte de botte molle (chez les Parthes). [riche.

zaplutus, *a*, *um*, adj. Extrêmement

zathene, *es*, f. Pierre précieuse de couleur jaune. [Sorte de romarin.

zea, *æ*, f. Epeautre (sorte de blé.) ¶

zelabilis, *e*, adj. Digne d'envie.

zelanter, adv. Avec zèle.

zelator, *oris*, m. Jaloux, envieux.

zelo, *as*, *avi*, *atum*, *are*, tr. et intr. Etre jaloux de. || Jalouser, envier. ¶ Aimer d'un amour jaloux. || Etre zélé pour, aimer avec ardeur; rechercher passionnément.

zelor, *aris*, *atus sum*, *ari*, dép. tr. Aimer d'un amour jaloux. Voy. le précédent.

zelotes, *æ*, m. Jaloux, qui ne peut souffrir qu'on aime qqn mieux que lui (en parl. de Dieu).

zelotypa, *æ*, f. Une jalouse.

zelotypia, *æ*, f. Jalousie, envie.

1. **zelotypus**, *a*, *um*, adj. Jaloux; envieux.

2. **zelotypus**, *i*, m. Un jaloux.

1. **zema**, *æ*, f. Vase de bronze, chaudière. ¶ Décoction; bouillon.

2. **zema**, *matis*, n. Décoction, bouillon.

zephyrius, *a*, *um*, adj. Sans germe, stérile (en parl. d'un œuf.)

zephyrus, *i*, m. Zéphyre, vent d'ouest doux et tiède, qui souffle au printemps.

1. **zeta**, *æ*, f. Voy. DIAETA.

2. **zeta**, n. indécl. Zéta (lettre de l'alphabet grec). ¶ Comme chiffre, le 6e ch. de l'Iliade d'Homère.

zetema, *matis*, n. Recherche, problème.

zetematium, *ii*, n. Petite recherche, petit problème.

zeugites, *æ*, m. Sorte de roseau.

zeugma, *matis*, n. Fig. de grammaire.

zeunitor, *oris*, m. Celui qui attelle.

zeus, *i*, m. Sorte de poisson de mer.

zingiber, *beris*, n. Gingembre.

zinziberi, indécl. n. Comme ZINGIBER.

zinzilulo, *as*, *are*, intr. Gazouiller (en parlant de certains oiseaux).

zinzio et zinzito, *as*, *are*, intr. Siffler (en parl. du merle).

zizania, *æ*, f. Comme le suivant.

zizania, *orum*, n. pl. Ivraie, mauvaises herbes. [bier.

ziziphum, *i*, n. Jujube, fruit du jujuziphus, *i*, f. Jujubier. [CHATES.

zmaragdachates. Voy. SMARAGDACHATES.

zmaragdus, *i*, m. Voy. SMARAGDUS.

zmilax, *acis*, f. Voy. MILAX.

zmyrus, *i*, m. Le mâle de la murène.

sodiacos. Voy. ZODIACUS.[Du zodiaque.

zodiacus, *i*, m. Le zodiaque. ¶ *Adj.*

zona, *æ*, f. Ceinture (des femmes). ¶ Ceinture (pour mettre de l'argent); bourse. ¶ Bordure d'un vêtement. ¶ Raie autour d'une gemme. ¶ Sorte d'érysipèle, zona. ¶ Zone de la terre et du ciel. [ceintures.

1. **zonarius**, *a*, *um*, adj. Relatif aux

2. **zonarius**, *ii*, m. Fabricant de ceintures.

zonula, *æ*, f. Petite ceinture.

zoophtalmon, *i*, n. Grande joubarbe.

zoophthalmos, *i*, m .Voy. le précédent.

zophorus, *i*, m. Frise (t. d'archit.).

zoster, *teris*, m. Ceinture. ¶ Zona *ou* érysipèle.

zotheca, *æ*, f. Petit appartement retiré où l'on repose pendant le jour; boudoir. ¶ Niche (pour une statue de divinité).

zothecula, *æ*, f. Petit boudoir.

zygia, *æ*, f. Relatif au joug *ou* qui sert à faire des jougs. ¶ Qui a rapport au mariage; nuptial.

zythum, *i*, n. Boisson faite avec de l'orge (chez les Egyptiens), sorte de bière.

LEXIQUE
DES
PRINCIPAUX NOMS PROPRES
QUI SE RENCONTRENT DANS LES TEXTES CLASSIQUES

NOTA. — Lorsque la traduction française d'un nom propre est identique au nominatif latin, la forme n'a pas été répétée.

Les adjectifs en *-aeus, a, um, -anus, a, um, -eus, a, um, -ensis, e, -icus, a, um, -inus, a, um, -ius, a, um,* (dérivés de noms de personnes, de peuples, de villes, de pays, etc.), signifiant *relatif à...*, *habitant de...*, ont été généralement omis dans ce lexique, lorsqu'ils se traduisent avec évidence. De même ont été omis la plupart des noms masculins en *-ades, ae,* et en *-ides, ae,* signifiant *descendant de...*

ABRÉVIATIONS

auj.	aujourd'hui.	pl.	pluriel.
f.	féminin.	prov.	province.
fl.	fleuve.	rég.	région.
hab.	habitant.	rel.	relatif ou relativement.
m.	masculin.	riv.	rivière.
mont.	montagne, chaîne de montagnes.	sing.	singulier.
n.	neutre.	v.	ville.
pers.	personnage, homme ou femme.	voy.	voyez.

A

A. Abréviation du prénom *Aulus* et du nom *Augustus*.

Abantiades, *ae*, m. Descendant d'Abas.

Abas, *antis*, m. Roi d'Argos. ¶ Centaure. ¶ Nom d'un Troyen.

Abdalonymus, *i*, m. Abdalonyme, roi de Sidon. [Abdère, v. de Thrace.

Abdera, *ae*, f. ou **Abdera,** *orum,* n.

Abderitanus, *a, um,* Abdéritain.

Abderites, *ae*, m. Habitant d'Abdère.

Abdolonymus. Voy. ABDALONYMUS.

Abella, *ae*, f. V. de Campanie.

Abellanus, *a, um,* D'Abella. [linum.

Abellinates, *ium*, m. Habitants d'Abel-

Abellinum, *i*, n. V. du Samnium.

Aborigenes, *um*, m. Aborigènes, peuple primitif du Latium. ¶ Premiers habitants d'un pays. [siane.

Abradates, *is*, m. Abradate, roi de Su-

Abydenus, *a, um,* D'Abydos.

Abydus, *i*, f. Abydos, v. d'Asie mineure. ¶ V. d'Egypte.

Academia, *ae*, f. L'Académie, gymnase où Platon enseignait.

Academus, *i*, m. Héros grec.

Acamas, *antis*, m. Fils de Thésée.

Acarnanes, *um*, m. Acarnaniens.

Acarnania, *ae*, f. Acarnanie, province de Grèce.

Acastus, *i*, m. Acaste, fils de Pélias.

Acca Larentia, *ae*, f. Déesse des champs, nourrice de Romulus.

Accius, *i*, m. Poëte latin.

Ace, *es*, f. V. de Phénicie (auj. Saint-Jean d'Acre).

Acesines, *is*, m. Fl. de l'Inde.

Acesta, *ae*, f. V. de Sicile.

Acestes, *ae*, m. Aceste, roi de Sicile.

Achaei, *orum*, m. Achéens, Grecs.

Achaemenides, *ae*, m. Achéménide.

Achaeus, *a, um,* D'Achaïe. [nèse.

Achaia, *ae*, f. Achaïe, pays du Péloponn-

Achaicus, *a, um,* D'Achaïe.

Achais, *idis* ou *idos*, f. Grecque. ¶ Achaïe, Grèce. [d'Enée.

Achates, *ae*, m. Achate, compagnon

Acheloias, *adis*, ou Acheloïs, *idis*, f. Fille de l'Achéloüs, sirène.

Acheloius, *a, um,* De l'Achéloüs.

Achelous, *i*, m. Fl. de Grèce.

Acheron, *ontis*, m. Nom de divers petits fleuves. ¶ Fl. des Enfers.

Acheruns, *untis*, m. Voy. ACHERON.

Achillas, *ae*, m. Pers.

Achilles, *is*, m. Achille, héros grec.

Achilleus, *a, um,* D'Achille.

Achivus, *a, um,* Achéen, Grec.

Achradina, *ae*, f. Achradine, quartier de Syracuse.

Acidalia, *ae*, f. Acidalie, surnom de Vénus, tiré de la source Acidalie, en Béotie.

Acidalius, *a, um,* D'Acidalie.

Acis, *is* ou *idis*, m. Riv. de Sicile. ¶ Nom de berger.

Acmon, *onis*, m. Pers. [de Vulcain.

Acmonides, *is*, m. Acmonide, forgeron

Acoetes, *ae*, m. Pers.

Aconteus, *i*, m. Pers.

Acradina. Voy. ACHRADINA.

Acragas. Voy. AGRIGENTUM.

Acrisioneus, *a, um,* D'Acrisius.

Acrisionades, *ae*, m. Descendant d'Acrisius, Persée.

Acrisius, *ii*, m. Roi d'Argos.

Acroceraunia, *orum*, n. Monts Acrocé-rauniens.

Acrota, *ae*, m. Roi d'Albe.

Actaeon, *onis*, m. Actéon, qui fut changé en cerf.

Actaeus, *a*, *um*. Attique.

Acte, *es*, f. Nom primitif de l'Attique.

Actiacus, *a*, *um*. D'Actium.

Actias, *adis*, f. D'Attique. ¶ D'Actium.

Actium, *ii*, n. Promontoire d'Acarnanie.

Actius, *a*, *um*. D'Actium.

Actor, *oris*, m. Pers.

Adamastus, *i*, m. Pers.

Addua, ou Adua, *ae*, m. Adda, riv.

Adherbal, *alis*, m. Roi de Numidie.

Adiabene, *es* ou Adiabena, *ae*, f. Adia-bène, prov. de l'Assyrie.   [bène.

Adiabeni, *orum*, m. Habitants de l'Adia-

Adimantus, *i*, m. Général corinthien.

Admagetobriga, *ae*, f. Admagétobrige, v. celtique.

Admetus, *i*, m. Admète, roi.

Adonis, *nidis*, m. Adonis, fils de Ciny-ras, roi de Chypre.

Adramytteum, *i*, n. ou Adramyttion, *ii*, n. ou Ad amytteos, *i*, f. Adramytte, v. de Mysie.

Adramyttenus, *i*, m. Hab. d'Adramytte.

Adrastus, *i*, m. Adraste, roi d'Argos.

Adr... Voy. HADR...

Adrumetum, *i*, n. Adrumète, v. (auj. Hamamet, en Tunisie).

Aduatuca, *ae*, f. V. des Eburons.

Aduatuci, *orum*, m. Aduatiques, peuple de la Gaule Belgique.

Aeacideius, *a*, *um*. D'Eaque.

Aeacus, *i*, m. Eaque, roi d'Egine.

Aedui, *orum*, m. Eduens, peuple de Gaule, entre la Saône et la Loire.

Aeduus, *a*, *um*. Rel. aux Eduens.

Aeeta, *ae*, m. Eétès, père de Médée.

Aeetes, *ae*, m. Voy. AEETA.

Aeetias, *adis*, f. Fille d'Eétès, Médée.

Aegaeon, *onis*, m. Egéon, géant.

Aegaeus, *a*, *um*. Egéen, de la mer Egée

Aegates, *ium*, ou Aegatae, *arum*, f. Iles Egates.

Aegeus, *i*, m. Egée, roi d'Athènes.

Aegiensis, *e*. D'Egium.

Aegina, *ae*, f. Egine, île grecque.

Aeginensis, *e*. D'Egine.

Aeginenses, *ium*, ou Aeginetae, *arum*, m. Eginètes.   [v. d'Achaïe.

Aegion, *ii*, ou Aegium, *ii*, n. Egium,

Aegisthus, *i*, m. Egisthe, fils de Thyeste.

Aegos flumen, *inis*, n. Aegos potamos, fl. et v. de la Chersonèse de Thrace.

Aegus, *i*, m. Chef gaulois.

Aegyptiacus, *a*, *um*. Egyptien.

Aegyptius, *a*, *um*. D'Egypte.

1. Aegyptus, *i*, m. Egyptus, frère de Danaus.

2. Aegyptus, *i*, f. L'Egypte.

Aemathia, *ae*, f. Voy. EMATHIA.

Aemilia, *ae*, f. prov. entre le Pô et les Apennins.

Aemilianus, *a*, *um*. De la famille Emilia, Emilien.

Aemilius, *a*, *um*. Emilien.

Aemon... Voy. HAEMON...

Aeneadae, *arum* ou *um*, m. Compa-gnons d'Enée.

Aeneas, *ae*, m. Enée.

Aeneis, *idos* ou *idis*, f. Enéide.

Aeneius, *a*, *um*. Relatif à Enée.

Aeoles, *um*, m. Eoliens.   [Mineure.

1. Aeolia, *ae*, f. Eolide, pays d'Asie

2. Aeolia, *ae*, f. Ile d'Eole, dieu des vents.   [l'Eolide.

Aeolicus, *a*, *um*. Des Eoliens, de

Aeolis, *idos*, f. Descendante d'Eole. ¶ Eolie, rég. d'Asie Mineure.

Aeolius, *a*, *um*. Eolien, relatif à Eole.

Aeolus, *i*, m. Eole, dieu des vents.

Aequi, *orum*, m. Eques, peuple d'Italie.

Aeschines, *is* ou *i*, m. Eschine, orateur athénien.   [gique athénien.

Aeschylus, *i*, m. Eschyle, poète tra-

Aesculapius, *ii*, m. Esculape, dieu de la médecine.

Aeson, *onis*, m. Eson, père de Jason.

Aesonides, *ae*, m. Jason, fils d'Eson.

Aesonius, *a*, *um*. D'Eson.

Aesopeus, ou Aesopius, ou Aesopicus, *a*, *um*. D'Esope.

Aesopus, *i*, m. Esope, fabuliste grec. ¶ Esopus, acteur.

Aethiopia, *ae*, f. Ethiopie.

Aethiopicus, *a*, *um*. D'Ethiopie.

Aethiops, *opis*, m. Ethiopien ou nègre.

Aetna, *ae*, f. Etna, volcan. ¶ Etna, v. proche du volcan.

Aetnaeus, *a*, *um*. De l'Etna, etnéen.

Aetnensis, *e*. De la ville d'Etna.

Aetoli, *orum*, m. Etoliens.

Aetolia, *ae*, f. Etolie, prov. de Grèce.

Aetolicus, *a*, *um*. D'Etolie.

Aetolis, *idis*, f. Etolienne.   [Etolien.

Aetolius, *a*, *um*, ou Aetolus, *a*, *um*.

1. Afer, *fra*, *frum*. Africain.

2. Afer, *fri*, m. Surnom Romain.

Afranius, *ii*, m. Pers.

Africa, *ae*, f. Afrique.

Africanus, *a*, *um*. D'Afrique, africain. ¶ L'Africain (Scipion).   [d'Afrique.

Africus, *a*, *um*. D'Afrique, qui vient

Agamemnon, *onis*, m. Roi de Mycènes.

Agamemnonius, *a*, *um*. D'Agamemnon.

Aganippe, *es*, f. Source de Béotie.

Aganippis, *idos*, f. De la source Aga-nippe. ¶ Mère de Danaé.

Agathocles, *is* ou *i*, m. Agathocle, tyran de Syracuse.

Agave, *es*, f. Fille de Cadmus.

Agedincum, *i*, n. V. de Gaule (auj. Sens).

Agenor, *oris*, m. Père de Cadmus.

Agesilaus, *i*, m. Agésilas, roi de Sparte.

Agis, *idis*, m. Roi spartiate.

Aglaie, *es*, f. Aglaé, une des Grâces.

Agricola, *ae*, m. Beau-père de Tacite.

Agrigentinus, *a*, *um*. Agrigentin, d'Agri-gente.   [Sicile.

Agrigentum, *i*, n. Agrigente, v. de

Agrippa, *ae*, m. Pers.

Agrippina, *ae*, f. Agrippine, pers. ¶ Colonie d'Agrippine (auj. Cologne).

Ajax, *acis*, m. Nom de guerrier.

Alamanni, *orum*, m. Alamans, peuple de Germanie.   [Alamans.

Alamannia, *ae*, f. Alamannie, pays des Alani, *orum*, m. Alains, peuple de Sarmatie.

Alaricus, *i*, m. Alaric, roi des Goths.

Alba, *ae*, f. Albe, v. du Latium.

Albani, *orum*, m. Albains.

Albanus, *a*, *um*. D'Albe, albain.

Albis, *is*, m. Elbe, fl. de Germanie.

Alcaeus, *i*, m. Alcée, poète grec.

Alcestis, *idis*, ou Alceste, *es*, f. Alceste, femme d'Admète.

Alceus, *ei*, ou *eos*, m. Alcée, fils de Persée.

Alcibiades, *is*, m. Alcibiade, Athénien.

Alcides, *ae*, m. Alcide ou Hercule.

Alcinous, *i*, m, Pers.

Alcmena, *ae*, ou Alcmene, *es*, f. Alcmène, mère d'Hercule.

Alcyone, *es*, f. Fille d'Eole.

Alecto, *us*, f. Une des trois Furies.

Alemann... Voy. ALAMANN...

Alesia, *ae*, f. Ville de Gaule.

Alexander, *dri*, m. Nom de divers rois et princes.   [drie, v.

Alexandrea (ou ...dria), *ae*, f. Alexandreus, *a*, *um*. D'Alexandrie.

Alexandrinus, *a*, *um*. D'Alexandrie, hab. Alexandrie.

Algidum, *i*, n. Algide, v. des Eques.

Algidus, *i*, m. Mont Algide, en Latium.

Alia ou Allia, *ae*, f. Allia, fl. du Latium.

Alliensis, *e*. De l'Allia.

Allobroges, *um*, m. Peuple de la Gaule.

Allobrogicus, *a*, *um*. Des Allobroges.

Alpes, *ium*, f. Montagnes.

1. Alpheus, ou Alpheos, *i*, m. Alphée, fl. du Péloponèse.

2. Alpheus, *a*, *um*. De l'Alphée.

Alpicus, *a*, *um*. Alpin, hab. des Alpes.

Alpinus, *a*, *um*. Des Alpes.

Alsiensis, *e*. D'Alsium.

Alsium, *i*, n. V. d'Etrurie.

Aluntinus, *a*, *um*. D'Aluntium, hab. Aluntium.

Aluntium, *ii*, n. V. de Sicile.

Alyattes, *is* ou *ei*, m. Alyatte, roi, père de Crésus.

Amadryas. Voy. HAMADRYAS.

Amalthea, *ae*, f. Amalthée, nymphe.

Amanicae pylae, f. pl. Défilé du mont Amanus.   [de Cilicie.

Amanienses, *ium*, m. Amaniens, peuple

Amanus, *i*, m. Mont dans le Taurus.

Amarbi, *orum*, m. Amarbes, peuple de Scythie. [Scythie. ¶ Peuple de Médie.

Amardi, *orum*, m. Amardes, peuple de

Amaryllis, *idis*, f. (Vocatif : Amarylli.) Nom de bergère.

Amasis, *is*, m. Roi d'Egypte.

Amata, *ae*, f. Femme du roi Latinus.

Amathus, *untis*, f. Amathonte, v. de Chypre.

Amathusia, *ae*, f. Surnom de Vénus, déesse d'Amathonte.

Amazon, *onis*, f. Amazone, femme guerrière.   [D'Amazone.

Amazonicus (ou ...nius), *a*, *um*.

Amazonis, *idis*, f. Voy. AMAZON.

Ambarri, *orum*, m. Ambarres, peuple de Gaule.

Ambiani, *orum*, m. Ambiens, peuple gaulois (pays d'Amiens).

Ambibarii, *orum*, m. Ambibares, peuple gaulois (Normandie).

Ambiliati, *orum*, m. Peuplade gauloise, près de la Somme.

Ambiorix, *rigis*, m. Prince des Eburons.

Ambivareti, *orum*, m. Ambivarètes, peuplade gauloise.

Ambivariti, *orum*, m. Ambivarites, peuplade gauloise sur la Meuse.

Ambracia, *ae*, f. Ambracie, v. et rég. d'Epire.   [Ambracie.

Ambraciensis, *e*. D'Ambracie, habitant d'Ambracie.

Ambraciotes, *ae*, m. Originaire d'Ambracie.

Ambracius, *a*, *um*. D'Ambracie.

Ambrones, *um*, m. Ambrons, peuple celtique.   [brie.

Ameria, *ae*, f. Amérie, cité de l'Om-

Amerinus, *a*, *um*. D'Amérie, hab. Amérie.

Amilcar. Voy. HAMILCAR.

Amisus, *i*, f. Amisos, v. du Pont.

Amiterninus, *a*, *um*. D'Amiternum, hab. Amiternum.

Amiternum, *i*, n. V. de la Sabine.

Amm... Voy. HAMM...

Ammianus Marcellinus, *i*, m. Ammien Marcellin, historien latin.

Ammonitae, *arum*, m. Ammonites, peuple de Palestine.

Amphiaraus, *i*, m. Héros et devin grec.

Amphictyones, *um*, m. Amphictyons, magistrats grecs.

Amphilochi, *orum*, m. Amphilochiens, peuple d'Acarnanie.   [d'Acarnanie.

Amphilochia, *ae*, f. Amphilochie, rég.

Amphilochium (Argos) ou Amphilochioum, *i*, n. V. de l'Amphilochie.

Amphio ou Amphion, *onis*, m. Amphion, fils de Jupiter.

Amphionius, *a*, *um*. D'Amphion.

Amphipolis, *is*, f. V. de Macédoine.

Amphipolitanus, *a*, *um*. D'Amphipolis.

Amphipolites, *ae*, m. Un Amphipolitain.

Amphissa, *ae*, f. V. de Locride.

Amphissius, *a*, *um*. D'Amphissa.

Amphitrite, *es*, f. Femme de Neptune.

Amphitryon, *onis*, m. Roi de Tyrinthe.

Amphitryoniades, *ae*, m. Fils d'Amphitryon (Hercule).

Amphrysos, *i*, m. Amphryse, riv.

Amphrysiacus, *a*, *um*. De l'Amphryse.

Amphrysius, *a*, *um*. Relatif à l'Amphryse.

Amulius, *i*, m. Roi d'Albe.

Amyclae, *arum*, f. Amyclée, v. de Laconie.

Amycus, i, m. Fils de Neptune.

Amyntas, ae, m. Nom de plusieurs rois.

Anacharsis, idis, m. Philosophe scythe.

Anacreon, ontis, m. Poète lyrique.

Anacreontius, a, um. Anacréontique.

Anactorium, ii, n. V. d'Acarnanie.

Anastasius, ii, m. Anastase, empereur.

Anaxagoras, ae, m. Anaxagore, philosophe grec. [sophe.

Anaximenes, is, m. Anaximène, philo-

Anchises (ou ...isa), ae, m. Anchise, père d'Énée. [(Énée).

Anchisiades, ae, m. Fils d'Anchise

Ancon, onis, ou Ancona, ae, f. Ancône, v. du Picenum.

Ancus. Voy. MARCIUS. [neure.

Ancyra, ae, f. Ancyre, v. d'Asie mi-

Andecavi, orum, m. Andecaves, peuple gaulois.

1. Andes, ium, m. Voy. ANDECAVI.

2. Andes, ium, f. Village près de Mantoue. [athénien.

Andocides, is, m. Andocide, orateur

Andria, ae, f. L'Andrienne, comédie.

Andriscus, i, m. Esclave imposteur.

Andrius, a, um. D'Andros.

Androclus, i, m. Esclave.

Androgeos (ou ...geus), i, m. Androgée, fils de Minos.

Andromache, es (ou ...cha, ae), f. Andromaque, femme d'Hector.

Andromede, es (ou ...meda, ae), f. Andromède, fille de Céphée.

Andronicus, i, m. Poète.

Andros ou Andrus, i, f. Andros, île des Cyclades.

Angli, orum, m. Angles, peuple suève.

Anien, enis, m. Voy. ANIENUS 2.

Aniensis, e. De l'Anio.

1. Anienus, a, um. De l'Anio.

2. Anienus, i, m, ou Anio, onis, m. Anio, riv.

Anna, ae, f. Sœur de Didon.

Annibal. Voy. HANNIBAL.

Anno. Voy. HANNO.

Annona, ae, f. Déesse.

Antaeus, i, m. Antée, géant.

Antenor, oris, m. Troyen.

Antenorides, ae, m. Descendant d'Anténor.

Antiates, ium, m. Hab. d'Antium.

Anticato, onis, m. L'Anticaton, libelle de César. [femme de Laërte.

Anticlea (ou ...clia), ae, f. Anticlée,

Anticyra, ae, f. Anticyre, v. de Phocide

Anticyrenses, ium, m. Hab. d'Anticyre.

Antiensis, e. D'Antium. [d'Œdipe.

Antigone, es (ou na, ae), f. Fille

Antigonus, i, m. Général d'Alexandre.

Antilibanus, i, m. Antiliban, mont.

Antilochus, i, m. Fils de Nestor.

Antiochea (ou ...chia), ae, f. Antioche, en Syrie.

Antiochenses, ium, m. Hab. d'Antioche.

1. Antiocheus, a, um. D'Antioche.

2. Antiocheus, a, um (ou ...chius, a, um). Rel. à Antiochus.

Antiochus, i, m. Nom de rois Syriens.

Antiopa, ae, ou Antiope, es, f. Antiope, pers.

Antipater, tri, m. Pers.

Antiphates, ae, m. Antiphate, roi.

Antiphon, ontis (ou ...pho, onis), m. Orateur attique. [philosophe.

Antisthenes, is ou ae, m. Antisthène,

Antium, ii, n. V. du Latium.

Antonianus, a, um. D'Antoine, partisan d'Antoine. [petit.

Antoniaster, tri, m. Un Antoine en

1. Antoninus, i, m. Antonin, empereur romain.

2. Antoninus, a, um. D'Antonin.

1. Antonius, ii, m. Antoine, pers.

2. Antonius, a, um. D'Antoine.

Anubis, idis, m. Divinité égyptienne

Anxur, uris, m. et n. V. du Latium.

Aones, um, m. Hab. de l'Aonie.

Aonia, ae, f. Aonie (l'ancienne Béotie).

Aonides, um, f. Les Aonides (les Muses).

Aornis, idis, f. Rocher près de l'Indus.

Aornos, i, m. et f. Lac de l'Averne.

Aous, i, m. Cours d'eau d'Illyrie.

Apamea (ou ...mia), ae, f. Apamée, v.

Apelles, is, m. Apelle, peintre.

Apenin... Voy. APENNIN...

Apenninicola, ae, m. Hab. de l'Apennin.

Apenninigena, ae, m. et f. Né dans l'Apennin.

Apenninus, i, m. L'Apennin, mont. de l'Italie. [mains.

Aper, pri, m. Nom de plusieurs Ro-

Aphrodite, es (ou ...ta, ae). Nom grec de Vénus.

Apion, onis, m. Pers.

Apis, is, m. Bœuf divinisé en Egypte.

1. Apollinaris, e. Rel. à Apollon.

2. Apollinaris, is, m. Apollinaire, pers.

Apollineus, a, um. Rel. à Apollon.

Apollo, onis, m. Apollon, dieu de la Poésie. [Locride.

Apollonia, ae, f. Apollonie, v. de

Apolloniatae, arum (ou ...niates, um ou ium), m. Hab. d'Apollonie.

App. Abréviation du prénom Appius.

Appia, ae, f. Prénom romain.

1. Appius, ii, m. Prénom romain.

2. Appius, a, um. D'Appius. ¶ Appia (via), voie appienne.

Aprilis, e. D'avril. ¶ Au m. sing. le mois d'avril.

Apulia, ae, f. Apulie, prov. d'Italie.

Apulus, a, um. Apulien, hab. l'Apulie.

Aquileja, ae, f. Aquilée, v. de l'Italie.

Aquilejensis, e. D'Aquilée, hab. Aquilée. [num.

Aquinas, atis. D'Aquinum, hab. Aqui-

Aquinum, i, n. V. des Volsques.

Aquitani, orum, m. Aquitains, hab. de l'Aquitaine. [la Gaule.

Aquitania, ae, f. Aquitaine, prov. de

Arabia, ae, f. Arabie, pays d'Asie. ¶ V. d'Arabie. [D'Arabie.

Arabicus (ou ...bius, ou ...bus), a, um.

Arabs, abis, m. Arabe, hab. de l'Arabie.

Arachne, *es*, f. Jeune Lydienne qui fut changée en araignée. [Perse.

Arachosia, *ae*, f. Arachosie, prov. de

Arachosii, *orum* (ou ...choti, *orum*, ou chotae..., *arum*), m. Hab. de l'Arachosie.

Aradii, *orum*, m. Hab. d'Aradus.

Aradus, *i*, f. V. de Phénicie.

Arae, *arum*, f. Les Autels, récifs voisins de la Sicile. [Saône).

Arar (ou **Araris**), *is*, m. Arar, fl. (la

Arateus (ou ...tius), *a*, *um*. D'Aratus.

Aratus, *i*, m. Poète grec. ¶ Général grec. [Orange).

Arausio, *onis*, f. Arausion, v. (auj.

Araxes, *is*, m. Araxe, fl. d'Asie.

Arbaces, *is*, ou Arbactus, *i*, m. Roi des Mèdes.

Arbela, *orum*, n. Arbèles, v. de l'Adiabène. [ponnèse.

Arcadia, *ae*, f. Arcadie, rég. du Pélo-

1. **Arcas**, *adis*, m. Fils de Jupiter.

2. **Arcas**, *adis*, m. Arcadien, hab. l'Arcadie. [sophe grec.

Arcesilas (ou ...laus, *i*), m. Philo-

Arcesius, *ii*, m. Père de Laërte.

Archelaus, *i*, m. Pers.

Archias, *ae*, m. Poète. [grec.

Archilochus, *i*, m. Archiloque, poète

Archimedes, *is*, m. Archimède, mathématicien. [rente.

Archytas, *ae*, m. Philosophe de Ta-

Arctophylax, *acos*, m. Bouvier, constellation.

Arctos, *i*, f. Ourse, constellation.

Arctous, *a*, *um*. Du Nord.

Arcturus, *i*, m. Etoile du Bouvier.

Ardea, *ae*, f. Ardée, v. des Rutules.

Ardeates, *ium*, m. Hab. d'Ardée.

Arduenna, *ae*, f. Forêt des Ardennes.

Arelate, *is*, n. ou Arelas, *atis*, f. Arles, v.

Aremorica, *ae*, f. (ou moricum, *i*, n.). Armorique (Bretagne). [l'Aréopage.

Areopagites (ou ...gita), *ae*, m. Juge de

Areopagus (ou ...gus), *i*, m. L'Aréopage d'Athènes.

Ares, *is*, m. Dieu de la Guerre.

Arete, *es*, f. Fille de Denys l'Ancien.

Arethusa, *ae*, f. Nymphe d'une source près de Syracuse.

Arethusis, *idis*, f. Aréthusienne.

Argentoratus, *i*, f. V. (auj. Strasbourg).

Argeus, *a*, *um*, ou Argivus, *a*, *um*. Argien, grec.

Argiletum, *i*, n. Quartier de Rome.

Argilos, *i*, f. V. de Macédoine.

Arginusa, *ae*, f. Lieu de Phrygie.

Arginusae (ou ...nussae), *arum*, f. Les Arginuses, îles.

Argo, *us*, f. Vaisseau des Argonautes.

Argolicus, *a*, *um*. D'Argolide.

Argolis, *idis*, f. L'Argolide, rég. du Péloponèse.

Argonautae, *arum*, m. Les Argonautes.

Argonautica, *orum*, n. Les Argonautiques, poème.

Argos, n. (et aux cas obliques Argi, *orum*, m.). V. de l'Argolide. ¶ Rég. d'Argos.

Argous, *a*, *um*. Rel. au navire Argo.

Argus, *i*, m. Argus aux cent yeux.

Aria, *ae*, f. Arie, prov. de Perse.

Ariadna, *ae*, ou Ariadne, *es*, f. Ariane, fille de Minos.

Ariarathes, *is*, m. Roi de Cappadoce.

Aricia, *ae*, f. V. du Latium. ¶ Nymphe.

Ariminum, *i*, n. V. d'Ombrie.

Ariobarzanes, *is*, m. Ariobarzane, satrape. ¶ Roi.

Arion (ou **Ario**), *onis*, m. Poète.

Ariovistus, *i*, m. Arioviste, prince germain.

Aristaeus, *i*, m. Aristée, berger.

Aristander, *dri*, m. Aristandre, devin.

Aristarchei, *orum*, m. Critiques sévères comme Aristarque.

Aristarchus, *i*, m. Aristarque, grammairien et critique.

Aristides, *is*, m. Aristide, Athénien.

Aristippus, *i*, m. Aristippe, philosophe.

Aristius Fuscus, *i*, m. Poète et érudit.

Aristodemus, *i*, m. Aristodème, roi de Messénie.

Aristogiton, *onis*, m. Meurtrier d'Hipparque.

Aristomache, *es*, f. Femme de Denys l'Ancien. [messénien.

Aristomenes, *ae*, m. Aristomène, héros

Aristonicus, *i*, m. Pers.

Aristophanes, *is*, m. Aristophane, poète.

Aristoteles, *is* ou *i*, m. Aristote, philosophe grec.

Armenia, *ae*, f. Arménie, rég. de l'Asie.

Armeniacus, *a*, *um*. Arménien.

Arminius, *ii*, m. Chef germain.

Armoricanus, *a*, *um*. Armoricain.

Arnus, *i*, m. Arno, fl. d'Etrurie.

Arpi, *orum*, m. V. d'Apulie.

Arpinas, *atis*. D'Arpinum, hab. Arpinum.

Arpinum, *i*, n. V. des Samnites.

Arpinus, *a*, *um*. D'Arpi. ¶ D'Arpinum.

Arretium, *ii*, n. V. d'Etrurie.

Arrhidaeus, *i*, m. Arrhidée, frère d'Alexandre.

Arruns, *untis*, m. Fils de Tarquin.

Arsaces, *is*, m. Roi des Parthes.

Artabanus, *i*, m. Artaban, meurtrier de Xerxès. [de Darius.

Artaphernes, *is*, m. Artapherne, neveu

Artaxerxes, *is*, m. Roi de Perse.

Artemis, *idis*, f. Nom grec de Diane.

Artemisia, *ae*, f. Artémise, reine de Carie. [bée.

Artemisium, *ii*, n. Promontoire de l'Eu-

Arverni, *orum*, m. Les Arvernes.

Arvernus, *a*, *um*. Rel. aux Arvernes.

Ascalo, *onis*, f. Ascalon, v. de Palestine.

Ascanius, *ii*, m. Fils d'Enée.

Ascra, *ae*, f. Bourg de Béotie, patrie d'Hésiode.

Asculum, *i*, n. V. d'Italie.

Asdrubal. Voy. HASDRUBAL.

Asia, *ae*, f. Asie.

Asiaticus, *a*, *um*. Asiatique. [Plaute.

Asinaria, *ae*, f. L'Asinaire, comédie de

Asopus, *i*, m. Fl. de Béotie.
Aspasia, *ae*, f. Aspasie, pers.
Aspendus, *i*, f. V. de Pamphylie.
Asphaltites, *ae*, m. (*lacus*). Lac Asphaltite, mer Morte.
Assaracus, *i*, m. Fils de Tros.
Assyria, *ae*, f. Assyrie, rég. d'Asie.
Astarte, *es*, f. La Vénus des Phéniciens.
Astraea, *ae*, f. Astrée, déesse de la Justice.
Astur, *uris*, m. Asturien.
Asturia, *ae*, f. Asturie, prov. d'Espagne.
Astyages, *is*, m. Astyage, roi de Médie.
Astyanax, *actis*, m. Fils d'Hector.
Astypalaea, *ae*, f. Astypalée, une des Sporades.
Atalante, *es* (ou ...ta, *ae*), f. Epouse d'Hippomène.
Atella, *ae*, f. V. de Campanie.
Atellana, *ae*, f. Atellane, sorte de comédie, originaire d'Atella. [mas.
Athamantis, *tidos*, f. Hellé, fille d'Athamas.
Athamas, *mantis*, m. Fils d'Eole.
Athenae, *arum*, f. Athènes, v.
Athenaeum, *i*, n. Temple d'Athéné.
Athenaeus, *i*, m. Athénée, rhéteur.
Atheniensis, *e*. Athénien, hab. Athènes.
Athesis, *is*, m. Adige, fl. d'Italie.
Athos, *o*, ou Atho, *onis*, ou Athon, *onis*, m. Mont Athos.
Atilius, *ii*, m. Pers.
Atinius, *ii*, m. Pers.
Atius, *ii*, m. Pers.
Atlantis, *tidis* ou *tidos*, f. D'Atlas.
¶ Atlantide, île fabuleuse.
Atlas, *antis*, m. Mont. d'Afrique.
Atrebas, *batis*, m. Un Atrébate (auj. hab. de l'Artois).
Atrebaticus, *a*, *um*. Rel. aux Atrébates.
1. Atreus, *i*, m. Atrée, père d'Agamemnon.
2. Atreus, *a*, *um*. D'Atrée.
Atropos, *i*, f. Une des Parques.
Attalus, *i*, m. Roi de Pergame.
Attica, *ae*, (ou Attice, *es*), f. L'Attique, rég. de la Grèce.
1. Atticus, *a*, *um*. Attique.
2. Atticus, *i*, m. Surnom romain.
Attila, *ae*, m. Roi des Huns.
Attius, *ii*, m. Pers.
Attus Navius, *i*, m. Augure de Tarquin.
Atys (ou Attys), *yos*, m. Ancêtre des rois de Lydie. ¶ Autre pers.
Aufidena, *ae*, f. V. du Samnium.
Aufidenates, *ium*, m. Hab. d'Aufidène.
Aufidius, *ii*, m. Nom romain.
Aufidus, *i*, m. Aufide, fl. d'Apulie.
Augias (ou geas), *ae*, m. Roi d'Elide.
Augusta, *ae*, f. Titre impérial. ¶ V.
Augustalia, *ium*, n. Jeux d'Auguste.
Augustalis, *e*. Rel. à l'empereur Auguste.
Augustinus, *i*, m. Saint Augustin.
Augustodunum, *i*, n. V. (auj. Autun).
1. Augustus, *i*, m. Auguste, empereur.
2. Augustus, *a*, *um*. D'Auguste. ¶ D'août; *augustus mensis*, août.
Aulerci, *orum*, m. Aulerques, peuple de Gaule, près de la Sarthe.

Aulis, *idis*, f. V. de Béotie. [Plaute.
Aularia, *ae*, f. La Marmite, pièce de
Aulus, *i*, m. Prénom romain.
1. Aurelianus, *i*, m. Aurélien, empereur.
2. Aurelianus, *a*, *um*. D'Aurélien
1. Aurelius, *ii*, m. Nom romain.
2. Aurelius, *a*, *um*. D'Aurélius.
Aurunci, *orum*, m. Les Aurunces, peuple de Campanie. [d'Italie.
Ausones, *um*, m. Ausoniens, peuple
Ausonia, *ae*, f. Ausonie, rég. d'Italie.
Auster, *tri*, m. Vent du sud.
Autolycus, *i*, m. Aïeul d'Ulysse.
Automedon, *ontis*, m. Cocher d'Achille.
Avaricum, *i*, n. V. (auj. Bourges).
Avennio (ou ...enio), *onis*, f. V. (auj. Avignon).
Aventicum, *i*, n. V. des Helvètes.
1. Aventinus, *i*, m. (ou ...num, *i*, n.). L'Aventin, colline de Rome.
2. Aventinus, *a*, *um*. De l'Aventin.
Avernalis, *e*. De l'Averne.
1. Avernus, *i*, m. Lac Averne, en Campanie. ¶ Enfers. [Enfers.
2. Avernus, *a*, *um*. De l'Averne. ¶ Des
Axius, *ii*, m. Fl. de Macédoine.
Axona, *ae*, m. Riv. (l'Aisne).

B

Baal (indéclinable) ou Bahal, *alis*, m. Baal, dieu syrien.
Babylon, *onis*, f. Babylone, v.
Babylonia, *ae*, f. Babylonie, rég. d'Asie.
Babyloniacus, *a*, *um*. Babylonien.
Bacchanal, *alis*, n. Lieu où l'on célèbre les fêtes de Bacchus. ¶ Au pl. Bacchanales, fêtes de Bacchus.
Bacchanalis, *e*. De Bacchus.
Bacchus, *i*, m. Dieu du vin.
Bacchylides, *is*, m. Bacchylide, poète grec. [triane.
Bactra, *orum*, n. Bactres, v. de la Bactriane.
Bactri, *orum*, m. Hab. de la Bactriane.
Bactria (ou ...triana), *ae*, f. Bactriane, rég. d'Asie.
Baetica, *ae*, f. Bétique (Andalousie).
Baetis, *is*, m. Bétis, fl. (Guadalquivir).
Bagaudae, *arum*, m. Bagaudes, rebelles gaulois.
Bagrada, *ae*, m. Fl. d'Afrique.
Baiae (ou Bajae), *arum*, f. Baïes, v. de Campanie.
Baleares, *ium*, f. Iles Baléares.
Bandusia, *ae*, f. Bandusie, source.
Barba, *ae*, m. Surnom romain.
Barcaei, *orum*, m. Hab. de Barcé.
Barcaeus, *a*, *um*. De Barcas.
Barcas, *ae*, m. Pers. carthaginois.
Barce, *es*, f. V. de Cyrénaïque.
Barcino, *onis*, f. Barcelone, v.
Barcinus, *a*, *um*. De Barcas.
Barium, *ii*, n. V. d'Apulie.

Basilea (ou... lia), *ae*, f. V. (Bâle).

Bastarna, *ae*, m. Un Bastarne, hab. d'une rég. de la Germanie.

Batavia, *ae*, f. Batavie (Hollande).

Batavus, *a*, *um*. De Batavie; Batave.

Baucis, *idis*, f. Phrygienne, épouse de Philémon.

Belga, *ae*, m. Belge.

Belgica, *ae*, f. Belgique.

Belgicus, *a*, *um*. De Belgique; belge.

Belgium, *ii*, n. Pays des Bellovaques.

Belis, *idis*, f. Petite-fille de Bélus.

Bellerophon, *ontis* (ou ...ontes, *ae*), m. Roi de Corinthe, vainqueur de la Chimère.

Bellocassi, *orum*, m. Bellocasses, peuple de la Gaule lyonnaise. [la Guerre.

Bellona, *ae*, f. Bellone, déesse de

Bellovaci, *orum*, m. Bellovaques, peuple de la Gaule (pays de Beauvais).

Belus, *i*, m. Fondateur de Babylone. ¶ Aïeul des Danaïdes. ¶ Père de Didon.

Benacus, *i*, m. Lac (de Garde).

Beneventum, *i*, n. Bénévent, v. du Samnium.

Berecyntus, *i*, m. Mont. de Phrygie.

Berenice, *es*, f. Pers. [de Phénicie.

Berytos (ou ...tus), *i*, f. Béryte, port

Bessus, *i*, m. Satrape de Bactriane.

Betis. Voy. BAETIS.

Bianor, *oris*, m. Nom d'un centaure.

Bias, *antis*, m. Sage de la Grèce.

Bibracte, *is*, n. V. des Eduens.

Bibrax, *actis*, f. V. des Rémois dans la Gaule Belgique. [d'Aquitaine.

Bigerri, *orum*, m. Bigorres, peuple

Bilbilis, *is*, f. V. près de Tarragone.

Bion (ou Bio), *onis*, m. Philosophe.

Bisontii, *orum*, m. Hab. de Vesontio.

Bistones, *um*, m. Bistoniens, peuple de Thrace.

Bistonia, *ae*, f. Bistonie, Thrace.

Bistonis, *idis*, f. De Bistonie; bacchante. [Mineure.

Bithynia, *ae*, f. Bithynie, pays d'Asie

Bithynus, *a*, *um*. Bithynien.

Bithynis, *idis*, f. Bithynienne.

Bitias, *ae*, m. Pers. [d'Argos.

Biton, *onis*, m. Fils d'une prêtresse

Bituricum, *i*, n. V. des Bituriges.

Biturix, *igis*, m. Un Biturige (rég. du Cher).

Biza... Voy. BYZA...

Bizanthe, *es*, f. V. de la Chersonèse de Thrace. [ritanie.

Boccar (ou Bucar), *aris*, m. Roi de Mau-

Bocchus, *i*, m. Roi de Mauritanie.

Boeoti (ou ...tii), *orum*, m. Béotiens.

Boeotia, *ae* (ou Boeotis, *idis*), f. Béotie.

Boja, *ae*, f. Pays des Boiens.

Boji, ou Boii, ou Boi, *orum*, m. Boiens, peuple de la Gaule lyonnaise. [nois.

Bomilcar, *aris*, m. Général carthagi-

Bononia, *ae*, f. V. (Bologne).

Bootes, *ae*, m. Bouvier, constellation.

Borealis, *e*. Boréal.

Boreas, *ae*, m. Borée, vent du nord.

Borysthenes, *is*, m. Borysthène, fl. (Dniéper). [phore, détroit.

Bosphorus (ou Bosporus), *i*, m. Bos-

Bovillae, *arum*, f. Bovilles, v. du Latium.

Brachmanae, *arum*, ou Brachmani, *orum*, m. Brahmanes, philosophes de l'Inde. [tres d'Apollon.

Branchidae, *arum*, m. Branchides, prê-

Brennus, *i*, m. Chef gaulois.

Briareus, *i*, m. Briarée ou Egéon, géant.

Brigantes, *um*, m. Peuple de la Bretagne. [tance.

Brigantia, *ae*, f. V. sur le lac de Cons-

Briseis, *idos*, f. Esclave d'Achille.

Britannia, *ae*, f. Bretagne (Angleterre).

Britannicus, *a*, *um*. Breton, de Bretagne. ¶ Britannicus, *i*, nom, m. Surnom du fils de Claude.

Britannus, *a*, *um*. De Bretagne, Breton.

Brontes, *ae*, m. Un des Cyclopes.

Bructeri, *orum*, m. Bructères, peuple germain.

Brundisium (ou ...dusium), *ii*, n. Brindes (auj. Brindisi). [Brutus.

Brutianus ou Brutinus, *a*, *um*. De

Bruttianus ou Bruttianus, ou Bruttius, ou Brutius, *a*, *um*. Du Brutium; brutien. [(Calabre).

Bruttium, ou Brutium, *ii*, n. Brutium

Brutus, *i*, m. Pers.

Bryges, *um*, m. Peuple de Macédoine.

Bubastis, *is*, f. Déesse de la lune en Egypte. [l'Inde.

Bucephala, *ae* (ou ...ale, *es*), f. V. de

Bucephalas, *ae*, m. Bucéphale, cheval d'Alexandre. [Peuple de la Mésie.

Bulgares, *um* (ou ...ari, *orum*), m.

Burdigala, *ae* (ou ...galis, *is*), f. V. (Bordeaux). [Gaule.

Burgundia, *ae*, f. Burgondie, pays de la

Burgundio, *onis*, m. Burgonde, hab. de la Burgondie.

Burrhus, *i*, m. Gouverneur de Néron.

Busiris, *idis*, m. Roi d'Egypte.

Buthrotos, *i*, f. (ou ...rotum, *i*, n.).

Buthrote, v. Épire.

Byblos, *i*, f. V. de Phénicie.

Byrsa, *ae*, f. Citadelle de Carthage.

Byzacenus, *a*, *um*. De la Byzacène.

Byzacium, *ii*, n. La Byzacène, rég. de l'Afrique. ¶ V. de la Byzacène.

Byzantium, *ii*, n. Byzance, v. (auj. Constantinople).

C

C. Abréviation du prénom *Gaius*.

Cabillonum, *i*, n. V. des Eduens (Chalon-sur-Saône).

Cacus, *i*, m. Brigand tué par Hercule.

Cadmea, *ae*, f. La Cadmée, citadelle de Thèbes. [mus.

Cadmeis, *idis*, f. Qui descend de Cad-

Cadmeius (ou ...**meus**), *a*, *um*. De Cadmus. [Cadmée.

Cadmus, *i*, m. Fils d'Agénor, fonda la Cadurci, *orum*, m. Cadurques, peuple de la Gaule narbonnaise.

Cadusii, *orum*, m. Cadusiens, peuple hab. près de la mer Caspienne.

Caecina, *ae*, m. Cécina, nom romain.

Caecubum, *i*, n. Cécube, vignoble italien. ¶ Vin de Cécube.

Caelius, *i*, m. Célius, colline de Rome.

Caeneus, *i*, m. Cénée, héros thessalien.

Caepio, *onis*, m. Cépion, surnom romain. [*itis*, f. Céré, v. d'Etrurie.

Caere (indéclinable), n. ou **Caeres**, **Caeres**, *itis*, ou *etis*. De Céré, hab. Céré.

Caesar, *aris*, m. César.

Caesarea, *ae*, f. Césarée, v. de Palestine.

Caesareanus, ou **Caesarianus**, ou **Caesareus**, *a*, *um*. Césarien.

Caesarienses, *ium*, m. Hab. de Césarée.

Caesarinus, *a*, *um*. Rel. à César.

Caesario, *onis*, m. Césarion, fils de César et de Cléopâtre.

Caesia (silva), *ae*, f. Forêt de Germanie.

Caicus, *i*, m. Fl. de Mysie. ¶ Compagnon d'Enée.

Cajeta, *es* (ou ...**eta**, *ae*), f. Nourrice d'Enée. ¶ V. du Latium.

Cajus (ou **Caius**), *i*, m. Caius, prénom romain.

Calaber, *bra*, *brum*. Calabrais.

Calabra, Curia, *ae*, f. La curie Calabra, au Capitole.

Calabria, *ae*, f. Calabre, rég. de l'Italie.

Calanus, *i*, m. Philosophe indien.

Calauria, *ae*, f. Calaurie, île.

Calchas, *antis*, m. Devin grec.

Calchedon, *onis* ou *onos*, f. Chalcédoine, v. de Bithynie.

Caledones, *um*, m. Calédoniens.

Caledonia, *ae*, f. Calédonie, partie nord de la Grande-Bretagne. [de Calès.

Calenus, *a*, *um*. De Calès. ¶ (au n.) Vin Cales, *ium*, f. V. de Campanie.

Calidius, *ii*, m. Orateur romain.

Caligula, *ae*, m. Surnom de Caius, empereur romain.

Callicratidas, *ae*, m. Général spartiate.

Callimachus, *i*, m. Callimaque, poète grec. [épique.

Calliope, *es* (ou ...**pea**, *ae*), f. Muse

Callirrhoe, *es*, f. Fontaine d'Athènes.

Callisthenes, *is*, m. Callisthène, neveu d'Aristote. [Lycaon.

Callisto (ou **Calisto**), *us*, f. Fille de Calor, *oris*, m. Fl. du Samnium.

Calpe, *es*, f. Mont. de Bétique.

Calpurnia, *ae*, f. Femme de César.

Calpurnius, *ii*, m. Nom romain.

Calydon, *onis*, f. V. d'Etolie.

Calydonis, *idis*, f. Déjanire, fille du roi de Calydon.

Calypso, *us*, f. Fille d'Atlas.

Camarina, *ae*, f. Camarine, v. de Sicile.

Cambunii, *orum* (montes), m. Monts Cambuniens, en Grèce.

Cambyses, *is*, m. Cambyse, roi de Perse.

Camena, *ae*, f. Nymphe des sources et de la poésie.

Camerinum, *i*, n. V. d'Ombrie.

Camillus, *i*, m. Surnom romain.

Campania, *ae*, f. Campanie, riche prov. d'Italie.

Campanus, *a*, *um*. Campanien.

Canaria, *ae*, f. Canarie, île de l'Atlantique.

Cannae, *arum*, f. Cannes, village d'Apulie. ¶ Victoire qu'Annibal y remporta.

Canopus, *i*, m. Canope, v. d'Egypte.

Cantabri, *orum*, m. Cantabres, peuple d'Espagne. [pagne.

Cantabria, *ae*, f. Cantabrie, rég. d'Es-

Canusium, *ii*, n. V. d'Apulie.

Capitolium, *ii*, n. Le Capitole, colline de Rome. [mineure.

Cappadocia, *ae*, f. Cappadoce, rég. d'Asie

Cappadocius (ou ...**docus**), *a*, *um*. De Cappadoce.

Cappadox, *ocis*. Cappadocien.

Capreae, *arum*, f. Caprée, île près de la Campanie.

Capsa, *ae*, f. V. de Numidie.

Capua, *ae*, f. Capoue, v. de Campanie.

Capys, *yis*, m. Compagnon d'Enée.

Car, *Caris*, m. Carien, hab. de la Carie.

Caracalla, *ae*, m. Empereur romain.

Cardaces, *um*, m. Troupes de milice perse.

Caria, *ae*, f. Carie, rég. d'Asie Mineure.

Carinae, *arum*, f. Les Carènes, quartier de Rome.

Carmani, *orum*, m. Hab. de la Carmanie.

Carmania, *ae*, f. Prov. de Perse.

Carmelus, *i*, m. Carmel, mont de Judée.

Carneades, *is*, m. Carnéade, philosophe de Cyrène. [Chartres et Orléans).

Carnutes, *um*, m. Peuple gaulois (entre

Carpathus, *i*, f. Carpathos, île de la mer Egée.

Carthaginiensis, *e*. De Carthage; carthaginois (hab. Carthage). ¶ De Carthagène.

Carthago (ou ...**tago**), *inis*, f. Carthage, v. d'Afrique. ¶ **Carthago Nova**, Carthagène, v. d'Espagne.

Carus, *i*, m. Nom et surnom romain.

Caryatides, *um*, f. Jeunes filles de Carie. ¶ Figures de femmes tenant lieu de pilastres.

Caspius, *a*, *um*. Caspien. ¶ **Caspium** (mare), n. Mer Caspienne.

Cassander, *dri*, m. Cassandre, roi de Macédoine. [Priam.

Cassandra, *ae*, f. Cassandre, fille de

Cassiodorus, *i*, m. Cassiodore, homme d'Etat sous Théodoric. [gues).

Cassiterides, *um*, f. Iles (auj. Sorlin-

Cassius, *ii*, m. Nom de pers. romain.

Castalia, *ae*, f. Castalie, fontaine de Béotie, consacrée aux Muses.

Castalides, *um*, f. Les Muses.

Castor, *oris*, m. Frère de Pollux.

Castores, *um*, m. Castor et Pollux, les Dioscures, les Gémeaux.

Castulo, *onis*, f. Castulon, v. d'Espagne.
Cataonia, *ae*, f. Cataonie, prov. d'Asie mineure.
Catilina, *ae*, m. Conjurateur romain.
Catilinarius, *a*, *um*. De Catilina; catilinaire.
Catina, *ae*, f. Catane, v. de Sicile.
Cato, *onis*, m. Caton le Censeur. ¶ Caton d'Utique.
Catullus, *i*, m. Poète latin.
Catulus, *i*, m. Surnom romain.
Caucasus, *i*, m. Caucase, mont.
Caudinus, *a*, *um*. De Caudium. ¶ Caudinae furcae, les Fourches Caudines.
Caudium, *i*, n. V. du Samnium, célèbre par son défilé.
Cauneae, *arum*, f. Figues de Caune.
Caunus, *i*, f. Caune, v. de Carie.
Caurus, *i*, m. Vent du nord-ouest.
Caystros (ou ...trus), *i*, m. Caystre, fl. de Lycie. [m. Les Cévennes.
Cebenna mons, m. ou Cebennici montes,
Cecropia, *ae*, f. Cécropie, forteresse d'Athènes. [crops.
Cecropides, *ae*, m. Descendant de Cécrops, *idis*, f. Fille de Cécrops.
Cecropius, *a*, *um*. De Cécrops, d'Athènes.
Cecrops, *opis*, m. Premier roi d'Athènes.
Celaenae, *arum*, f. Célènes, v. de Phrygie.
Celaeno, *us*, f. Céléno, une des Harpies.
Celeres, *um*, m. Célères, corps de cavalerie des rois de Rome.
Celtae, *arum*, m. Celtes, hab. de la Gaule.
Celtiberi, *orum*, m. Celtibères, peuple d'Espagne. [pagne.
Celtiberia, *ae*, f. Celtibérie, prov. d'Es-
Celtica, *ae*, f. Gaule Celtique.
Cenchreae, *arum*, f. Cenchrées, port de Corinthe. [gaulois.
Cenomani, *orum*, m. Cénomans, peuple
Cenomanus, *a*, *um*. Des Cénomans.
Centaurus, *i*, m. Centaure.
Centum Cellae, *arum*, f. Port d'Etrurie.
Ceos, *i*, f. Ile des Cyclades.
Cephallenes, *um*, m. Hab. de Céphallénie.
Cephallenia, *ae*, f. Céphallénie, île.
Cephalus, *i*, m. Céphale, époux de Procris. [l'Attique.
Cephisis, *idis*, f. Le Céphise, riv. de
Cephissos (ou ...issus, ou ...isus), *i*, m. Céphise, riv.
Ceramicos (ou ...cus), *i*, m. Le Céramique, place d'Athènes.
Cerasus, *untis*, f. Cérasonte, v. du Pont.
Ceraunia, *orum*, n. Monts Cérauniens, en Epire. ¶ Monts du Caucase.
Ceraunii montes, m. Voy. CERAUNIA.
Ceraunus, *i*, m. Surnom d'un Ptolémée, roi de Syrie. [chien des Enfers.
Cerberos (ou ...rus), *i*, m. Cerbère,
Cercyo, *onis*, m. Cercyon, brigand.
Cerealia, *ium*, n. Fêtes de Cérès.
Cerealis, *e*. Relat. à Cérès.
Ceres, *eris*, f. Déesse de l'Agriculture.
Cethegus, *i*, m. Nom romain.
Ceus, *a*, *um*. De Céos.

Ceutrones, *um*, m. Ceutrons, peuple de la Savoie.
Cevenna, Voy. CEBENNA.
Ceyx, *ycis*, m. Epoux d'Alcyoné.
Chabrias, *ae*, m. Général athénien.
Chaeronea, f. Chéronée, v. de Béotie.
Chalcedon. Voy. CALCHEDON. [Sparte.
Chalciœcos, *i*, f. Temple de Minerve, à
Chalcis, *idis* (ou Chalcidice, *es*), f. V. de l'Eubée. [Ionie.
Chaldaea, *ae*, f. Chaldée, rég. de la Baby-
Chaldaei, *orum*, m. Les Chaldéens.
Chamavi, *orum*, m. Chamaves, peuple de la rive droite du Rhin.
Chaones, *um*, m. Hab. de la Chaonie.
Chaonia, *ae*, f. Chaonie, rég. de l'Epire.
Chaonis, *idis*, f. De Chaonie.
Chares, *etis*, m. Général athénien.
Charon, *ontis*, m. Nocher des Enfers.
Charondas, *ae*, m. Législateur. [rin.
Charybdis, *is*, f. Charybde, gouffre ma-
Chatti, *orum*, m. Cattes, peuple de Germanie. [peuple de Germanie.
Chauci, *orum*, m. Chauques (ou Cauces),
Chelidoniae insulae, *arum*, f. Chédoines, îles.
Cherronesus, ou Chersonesus, *i*, f. Nom de plusieurs presqu'îles. ¶ Chersonèse Taurique (Crimée). ¶ Chersonèse de Thrace (presqu'île de Gallipoli).
Cherusci, *orum*, m. Chérusques, peuple de Germanie. [de la Grèce.
Chilon (ou Chilo), *onis*, m. Un des Sages
Chimaera, *ae*, f. La Chimère, monstre fabuleux.
Chios (ou Chius), *ii*, f. Ile grecque.
Chiron, *onis*, m. Centaure.
Chium, *ii*, n. Vin de Chios.
Christus, *i*, m. Jésus-Christ.
Chryses, *ae* ou *i*, m. Prêtre d'Apollon.
Chrysippus, *i*, m. Chrysippe, philosophe.
Cibyra, *ae*, f. Cibyre, v. de Phrygie.
Cibyrates, *ae*, m. et f. De Cibyre.
Cicero, *onis*, m. Cicéron, orateur romain.
Cicones, *um*, m. Ciconiens, peuple de Thrace.
Cilices, *um*, m. Ciliciens.
Cilicia, *ae*, f. Cilicie, rég. d'Asie Mineure.
Cilissa, *ae*, f. Cilicienne.
Cimber, *bri*, m. Cimbre, hab. de la Germanie.
Cimmerii, *orum* ou *on*, m. Cimmériens, peuple de la Crimée. ¶ Peuple fabuleux des extrémités du monde.
Cimmerius, *a*, *um*. Cimmérien. ¶ Ténébreux.
Cimon (ou Cimo), *onis*, m. Fils de Miltiade, général athénien.
Cincinnatus, *i*, m. Dictateur romain.
Cineas, *ae*, m. Ami de Pyrrhus.
Cingetorix, *igis*, m. Prince des Trévires.
Cinna, *ae*, m. Pers. romain.
Cinyras, *ae*, m. Roi en Orient.
Cinyreius, *a*, *um*. Relat. à Cinyras.
Circe, *es* ou *ae*, f. Magicienne.
Circius, *ii*, m. Vent violent du nord-ouest (mistral).
Cirrha, *ae*, f. V. de Phocide.

Cirta, ae, f. V. d'Afrique (Constantine).

Cisalpinus, a, um. Cisalpin.

Cisrhenanus, a, um. Qui est en deçà du Rhin.

Cithaeron, onis, m. Mont de Béotie.

Civilis, is, m. Chef des Bataves.

Claros, i, f. V. d'Ionie.

Clastidium, ii, n. V. forte de la Gaule cispadane.

Claudialis, e. De l'Empereur Claude.

Claudius, ii, m. Pers. [d'Ionie.

Clazomenae, arum, f. Clazomènes, v.

Cleanthes, is, m. Cléanthe, philosophe stoïcien.

Cleobis, is, m. Frère de Biton. [Grèce.

Cleobulus, i, m. Un des Sages de la

Cleombrotus, i, m. Cléombrote, roi de Sparte. [Sparte.

Cleomenes, is, m. Cléomène, roi de

Cleon, ontis, m. Démagogue athénien.

Cleopatra, ae, f. Cléopâtre, reine d'Egypte.

Clinias, ae, m. Père d'Alcibiade.

Clio, us, f. Muse de l'Histoire.

Cliternum, i, n. V. des Eques.

Clitumnus, i, m. Le Clitumne, affluent du Tibre.

Clitus, i, m. Général macédonien.

Clodius, ii, m. Tribun du peuple.

Cloelia, ae, f. Clélie, héroïne romaine.

Clotho (ou Cloto), us, f. Une des Parques.

Cluentius, ii, m. Nom de pers. romain.

Clupea, ae, (ou Clupeae, arum), f. V. d'Afrique.

Clusium, ii, n. V. d'Etrurie.

Clymene, es, f. Mère de Phaéton.

Clytaemnestra, ae, f. Clytemnestre, femme d'Agamemnon.

Cn. Abréviation du prénom Gnaeus.

Cnaeus. Comme GNAEUS.

Cnidos (ou ...dus), i, f. Cnide ou Gnide, v. de Carie.

Cnos... Voy. GNOS.

Cocles, itis, m. Guerrier romain.

Cocytos (ou ...tus), i, m. Cocyte, fl. des Enfers.

Codrus, i, m. Roi d'Athènes.

Coele, es, -Syria, ae, f. Coelé-Syrie, partie de la Syrie.

Colchis, idis ou idos, f. Colchide, rég. d'Asie Mineure.

Colchus, a, um. De Colchide; hab. la Colchide.

Collatinus, i, m. Collatin, surnom de Tarquin. [porte de Rome.

Collina porta, ae, f. Porte Colline,

Colonae, arum, f. Colones, v. de Troade.

Colophon, onis, f. V. de Lydie.

Columella, ae, m. Columelle, écrivain latin.

Commagene, es (ou ...gena, ae, ou ...genae, arum), f. Partie nord de la Syrie.

Commodus, i, m. Commode, empereur romain.

Compitalia, ium ou iorum, n. Compitales, fêtes populaires romaines.

Comum, i, n. Côme, v. de la Gaule transpadane.

Concordia, ae, f. La Concorde, déesse.

Condate, is, n. V. de Gaule (Rennes).

Conon, onis, m. Général athénien.

Consentes dii, m. Nom donné aux douze grands dieux du Conseil de l'Olympe.

Constantinopolis, is, f. Constantinople, v.

Constantinus, i, m. Constantin, empereur romain. [empereur romain.

Constantius, ii, m. Constance Chlore,

Coos, i, f. Cos, île de la mer Egée.

Copais, idis, f. Lac Copaïs en Béotie.

Copia, ae, f. L'Abondance, déesse.

Corbulo, onis, m. Corbulon, général romain.

Corculus, i, m. Surnom romain.

Corcyra, ae, f. Corcyre, île (auj. Corfou).

Corduba, ae, f. Cordoue, v. de la Bétique.

Corfinium, ii, n. V. du Samnium.

Corinna, ae, f. Corinne, poétesse grecque.

Corinthiacus, a, um. De Corinthe; corinthien. [v. de Grèce.

Corinthos (ou ...thus), i, f. Corinthe,

1. Coriolanus, a, um. De Corioles; hab. Corioles. [main.

2. Coriolanus, i, m. Coriolan, pers. ro-

Corioli, orum, m. Corioles, v. du Latium.

Cornelia, ae, f. Cornélie, pers.

Cornelianus, a, um. Rel. à Cornélius.

1. Cornelius, ii, m. Nom romain.

2. Cornelius, a, um. De Cornélius.

Coronea, ae, f. Coronée, v. de Béotie.

Corsica, ae, f. La Corse, île.

Cortona, ae, f. Cortone, v. d'Etrurie.

Coruncanius, ii, m. Nom d'une famille romaine.

Corvinus, i, m. Surnom romain.

Corybas, bantis, m. Corybante, prêtre de Cybèle.

Corycos (ou ...cus), i, m. Port de Cilicie.

Cos. Voy. Coos.

Cottianus, a, um. De Cottius, cottien.

Cottius, ii, m. Roi gaulois.

Cotys, yis, m. Roi thrace.

1. Cous, i, f. Voy. Coos.

2. Cous, a, um. De Cos.

Cranon, onis, f. V. de Thessalie.

Crassus, i, m. Surnom romain.

Craterus, i, m. Cratère, général d'Alexandre.

Cratinus, i, m. Poëte comique athénien.

Cratippus, i, m. Cratippe, philosophe.

Cremera, ae, f. Crémère, affluent du Tibre.

Cremona, ae, f. Crémone, v. d'Italie.

Cremutius, ii, m. Historien latin.

Creon, ontis, m. Roi de Corinthe.

Cres, Cretis, m. Un Crétois.

Cresius (ou Cressius), a, um, Crétois.

Cressa, ae, f. Crétoise.

Crete, es (ou Creta, ae), f. Ile.

Cretis, idis, f. Crétoise.

Creusa, ae, f. Créuse, fille de Créon.

¶ Fille de Priam, épouse d'Enée.

Crispus, i, m. Surnom romain.

Crissa, ae, f. V. de Phocide.

Critias, ae, m. Tyran d'Athènes.

Crito, onis, m. Criton, disciple de Socrate.

Croesus, *i*, m. Crésus, roi de Lydie.
Croto (ou **Croton**), *onis*, f. Crotone, v. du Brutium.
Crotona, *ae*, f. Voy. CROTO.
Crotoniatae, *arum*, m. Crotoniates.
Crotoniates, *ae*, m. Hab. de Crotone.
Ctesias, *ae*, m. Historien et médecin grec.
Cumae, *arum*, f. Cumes, v. de Campanie.
Cumaei, *orum*, m. Cyméens, hab. de Cymé en Eolie.
Cumaeus, *a*, *um*. De Cumes.
Cumani, *orum*, m. Hab. de Cumes.
Cumanum, *i*, n. Territoire de Cumes.
Cupido, *inis*, m. Cupidon, dieu de l'Amour.
Cures, *ium*, m. V. des Sabins.
Curiatii, *orum*, m. Les Curiaces, famille d'Albe.
Curio, *onis*, m. Surnom romain.
Curius, *ii*, m. Nom de pers. romain.
Cursor, *oris*, m. Surnom de Papirius.
Curtius, *ii*, m. Pers. romain.
Cyaneae, *arum*, f. Iles Cyanées (Pont-Euxin).
Cybele (ou **Cybebe**), *es*, f. Femme de Saturne, mère des Dieux, la même que Rhée. ¶ Cybèle,, mont de Phrygie.
Cybeleius, *a*, *um*. De la déesse Cybèle. ¶ Du mont Cybèle.
Cybelus, *i*, m. Cybèle, mont de Phrygie.
Cyclades, *um*, f. Iles de la Mer Egée.
Cyclops, *opis*, m. Cyclope.
Cycnus, *i*, m. Fils de Mars. ¶ Fils de Neptune, changé en cygne. ¶ Fils de Sthénélus, changé en cygne.
Cydnus, *i*, m. Fl. de Cilicie.
Cyllene, *es*, f. Mont. d'Arcadie.
Cymaeus, *a*, *um*. De Cymé; hab. de Cymé. [Cumes.
Cyme, *es*, f. V. d'Eolie, métropole de
Cynaegirus (ou **Cynegirus**), *i*, m. Cynégire, frère d'Eschyle.
1. **Cynicus**, *i*, m. Un philosophe cynique.
2. **Cynicus**, *a*, *um*. Des Cyniques.
Cynosarges, *is*, m. Cynosarge, bourg près d'Athènes.
Cynoscephalae, *arum*, f. Cynoscéphales, hauteurs de Thessalie.
Cynosurae, *arum*, f. Cynosure, promontoire de l'Attique. ¶ V. et mont. d'Arcadie.
Cynthia, *ae*, f. Diane, déesse du Cynthus.
Cynthius, *ii*, m. Apollon, dieu du Cinthus.
Cynthus, *i*, m. Mont dans l'île de Délos.
Cypros ou **Cyprus**, *i*, f. Cypre ou Chypre, île. [naïque.
Cyrenae, *arum*, f. Cyrène, v. de la Cyré-
Cyrenaica, *ae*, f. Cyrénaïque, prov. de Libye.
Cyrene, *es*, f. Mère d'Aristée.
Cyrnos, *i*, f. La Corse, île.
1. **Cyrus**, *i*, m. Roi de Perse. ¶ Prince de Perse.
2. **Cyrus**, *i*, m. Fl. de la mer Caspienne.
Cythera, *orum*, n. Cythère, île de la mer Egée.

Cytherea, *ae*, ou **Cythereia**, *ae*, f. Cythérée (Vénus, adorée à Cythère).
Cythereius, *a*, *um*. De Cythère, de Vénus
Cyzicenus, *a*, *um*. De Cyzique; hab. de Cyzique.
Cyzicos, *i*, f. ou **Cyzicus**, *i*, f. ou **Cyzicum**, *i*, n. Cyzique, v. de Mysie.

D

D. Abréviation du prénom *Decimus*.
Dacia, *ae*, f. Dacie (auj. Roumanie).
Dacus, *a*, *um*. Des Daces; hab. de la Dacie. [architecte.
Daedalus (ou ...los), *i*, m. Dédale,
Dahae, *arum*, m. Dahes, peuple scythique.
Dalmatae, *arum*, m. Dalmates, peuple de la Dalmatie. [mer Adriatique.
Dalmatia, *ae*, f. Dalmatie, pays sur la
Damascena, *ae*, ou **Damascene**, *es*, f. Le pays de Damas.
Damascenus, *a*, *um*. De Damas.
Damascus, *i*, f. Damas, v. de la Coelé-Syrie. [l'Ancien.
Damocles, *is*, m. Courtisan de Denys
Damon, *onis*, m. Pers. [de Persée.
Danae, *es*, f. Fille d'Acrisius, mère
Danaeius, *a*, *um*. De Danaé.
Danai, *orum*, m. Les Grecs.
Danaides, *um*, f. Les Danaïdes (les cinquante filles de Danaüs).
Danaus, *i*, m. Roi d'Argos. [fleuve.
Danubius ou **Danuvius**, *ii*, m. Danube,
Daphne, *es*, f. Fille du fl. Pénée. [poète.
Daphnis, *idis*, m. Berger de Sicile et
Dardania, *ae*, f. Dardanie, pays de Troie.
Dardanis, *idis*, f. Troyenne. [Troie.
1. **Dardanus**, *i*, m. Fondateur de
2. **Dardanus**, *a*, *um*. De Dardanus, ¶ Troyen. ¶ Enée.
Dares, *etis*, m. Compagnon d'Enée.
Darius (ou **Dareus**), *i*, m. Roi de Perse.
Datames, *is*, m. Datame, satrape perse.
Datis, *is*, m. Lieutenant de Darius.
Dauni, *orum*, m. Les Dauniens.
Daunia, *ae*, f. La Daunie (l'Apulie).
Daunus, *i*, m. Roi légendaire de l'Apulie.
Decelia, *ae*, f. Décélie, bourg de l'Attique.
1. **December**, *bris*, *bre*. De Décembre.
2. **December**, *bris*, m. Le mois de décembre.
Decimus, *i*, m. Prénom romain.
1. **Decius**, *ii*, m. Nom de pers. romain.
2. **Decius**, *a*, *um*. De Décius.
Deianira ou **Dejanira**, *ae*, f. Déjanire, épouse d'Hercule. [mède.
Deidamia, *ae*, f. Deidamie, fille de Lyco-
Deiphobe, *es*, f. Sibylle de Cumes.
Deiphobus, *i*, m. Deiphobe, fils de Priam.
Dejotarus, *i*, m. Tétrarque de Galatie.

Delia, ae, f. Diane, née à Délos.
Deliacus, a, um. De Délos; hab. Délos.
Delium, ii, n. Bourg de Béotie.
Delma... Voy. Dalma...
Delos, i, f. Une des Cyclades.
Delphi, orum, m. Delphes, v. de Phocide. ¶ Les Delphiens.
Delphis, idis, f. La Pythie, prêtresse de Delphes.   [athénien.
Demades, is, m. Démade, orateur
Demetrius, ii, m. Nom de Grec.
Democritus, i, m. Démocrite, philosophe d'Abdère.   [orateur grec.
Demosthenes, is ou i, m. Démosthène,
Dentatus, i, m. consul romain.
Dercetis, is (ou ...ceto, us), f. Déesse des Syriens.
Deucalion, onis, m. Fils de Prométhée.
Diagoras, ae, m. Philosophe de Mélos. ¶ Athlète Rhodien.
Dialis, e. De Jupiter.
Diana, ae, f. Diane, déesse.
Dido, onis ou us, f. Didon, reine de Carthage.   [(Jupiter).
Diespiter, pitris, m. Père du Jour
Diocletianus, i, m. Dioclétien, empereur romain.   [cynique.
Diogenes, is, m. Diogène, philosophe
Diomedes, is, m. Diomède, pers.
Dion (ou Dio), onis, m. Beau-frère de Denys l'Ancien.   [l'Océan. ¶ Vénus.
Dione, es (ou Diona, ae), f. Fille de
Dionysius, ii, m. Nom de Grecs célèbres.
Dionysus, i, m. Dionysos, nom grec de Bacchus.
Dis, Ditis, m. Pluton, roi des Enfers.
Discordia, ae, f. La Discorde, déesse.
Ditis, is, m. Voy. Dis.
Dodona, ae, f. Dodone, v. d'Epire.
Dolabella, ae, m. Nom romain.
Dolops, opis, m. Un Dolope (d'une peuplade de Thessalie.   [romain.
Domitianus, i, m. Domitien, empereur
Domitius, ii, m. Nom de Romain.
Dores, um, m. Doriens, peuple hellénique.
Doricus, a, um, ou Doriensis, e, ou Dorius, a, um. Dorien; dorique.
Doris, idis ou idos, f. Doride, contrée grecque.   [athénien.
Draco, onis, m. Dracon, législateur
Drancae (ou Drangae), arum, ou Drangiani, orum, m. Hab. de la Drangiane, en Perse.   [Drépane, v. de Sicile.
Drepana, orum, ou Drepanum, i, n.
Dromos, i, m. Plaine près de Sparte.
Druentia, ae, f. Affluent du Rhône (la Durance).   [tres gaulois.
Druides, um (ou ...dae, arum), m. Prê-
Drusilla, ae, f. Nom de femme.
Drusus, i, m. Nom de pers. romain.
Dryas, adis, f. Dryade, nymphe des bois.
Dubis, is, m. Riv. (le Doubs).
Duilius, ii, m. Consul romain.
Durius, ii, m. Fl. de la Lusitanie (le Douro).   [chium.
Dyrrachini, orum, m. Hab. de Dyrra-

Dyrrachium, ii, n. V. d'Illyrie.

E

Eburones, um, m. Eburons, peuple de Gaule Belgique.   [Lyonnaise.
Eburovices, um, m. Peuple de la Gaule
Ecbatana, ae, f. ou Ecbatana, orum, n. Ecbatane, v. de Médie.
Edessa, ae, f. Edesse, v. de Macédoine. ¶ V. de l'Osroène, en Mésopotamie.
Edonus, a, um. De Thrace; édonien.
Edonis, idis, f. Edonienne.
Egeria, ae, f. Egérie, nymphe conseillère du roi Numa.
Elaeus. Voy. Eleus.
Elatea, ae, f. Elatée, v. de Phocide.
Elaver, eris, n. Riv. de Gaule (l'Allier).
Elea, ae, f. Elée, v. de Lucanie.
Eleates, ae, m. Eléen.
Eleaticus, a, um. D'Elée; éléen.
Electra, es (ou Electra, ae), f. Sœur d'Oreste.
Elephantine, es, f. Ile du haut Nil.
Eleus, a, um. D'Elide, éléen; hab. l'Elide.
Eleusinius (ou ...sinus), a, um. D'Eleusis. ¶ Au n. pl. : les Fêtes de Cérès à Eleusis.   [l'Attique.
Eleusis (ou Eleusin), inis, f. V. de
Elis, idis, f. L'Elide, prov. du Péloponnèse. ¶ Elis, v. de l'Elide.
Elissa, ou Elissa, ae, f. Elise, nom de Didon.
Elpenor, oris, m. Compagnon d'Ulysse.
Elysium, ii, n. L'Elysée, les Champs Elysées (séjour des bienheureux après la mort).
Elysius, a, um. De l'Elysée. ¶ Elysii campi, les Champs Elysées.
Emathia, ae, f. L'Emathie, prov. de Macédoine.   [gente, philosophe.
Empedocles, is, m. Empédocle d'Agri-
Enceladus, i, m. Encelade, géant.
Enipeus, ei ou eos, m. Enipée, fl. de Thessalie.
Enna, ae, f. V. de Sicile.
Ennius, ii, m. Poète latin.
Eos, f. L'Aurore, (Ce mot n'est usité qu'au nominatif.)   [de l'orient.
Eous, a, um. Du matin; de l'aurore;
Epaminondas, ae, m. Général thébain.
Epeus (ou Epius), i, m. Grec qui construisit le Cheval de Troie.
Ephesus, i, f. Ephèse, v. d'Ionie.
Ephialtes, ae, m. Ephialte, géant. ¶ Traître qui guida les Perses aux Thermopyles.   [de Corinthe.
Ephyre, es (ou ...ra, ae), f. Ancien nom
Epicurus, i, m. Epicure, philosophe grec.   [Epidamne, v. d'Epire.
Epidamnus, i, f. ou Epidamnum, i, n.
Epidaurus, i, f. ou Epidaurum, i, n. Epidaure, v. d'Argolide.

Epigoni, *orum*, m. Les Epigones (fils des sept héros qui assiégèrent Thèbes).

Epimenides, *is*, m. Poète crétois.

Epirotes, *ae*, m. D'Epire; épirote; hab. de l'Epire.

Epiroticus, *a*, *um*. D'Epire.   [la Grèce.

Epirus, *i*, f. L'Epire, prov. de l'ouest de

Erato, *us*, f. Muse de la poésie lyrique et érotique.

Eratosthenes, *is*, m. Eratosthène, astronome et géographe d'Alexandrie.

Erebus, *i*, m. L'Erèbe, divinité infernale. ¶ Les Enfers.

1. **Erechtheus** (ou **Erichtheus**), *ei* ou *eos*, m. Erechthée, roi d'Athènes.

2. **Erechtheus**, *a*, *um*. D'Erechthée; d'Athènes.

Erechthidae, *arum*, m. Les Erechthides; les Athéniens.

Erechthis, *idis*, f. Fille d'Erechthée.

Eretria, *ae*, f. Erétrie, v. d'Eubée.

1. **Erichtonius**, *ii*, m. Erichton, roi d'Athènes. ¶ Roi de Troie.

2. **Erichtonius**, *a*, *um*. D'Erichton. D'Athènes. ¶ de Troie.

Eridanus, *i*, m. L'Eridan, fl. (le Pô).

Erigone, *es*, f. Fille d'Icare.

Erinnys, *yos*, f. Une des Furies.

Erycina, *ae*, f. Vénus Erycine.

Erymanthus (ou ...thos), *i*, m. Erymanthe, mont. d'Arcadie; fl. qui naît de cette montagne.

Erythrae, *arum*, f. Erythres, v. de Béotie, ¶ V. de l'Inde.

Erythraeus, *a*, *um*. D'Erythres; hab. Erythres. ¶ *Erythraeum mare*, la mer Erythrée (mer Rouge et mer des Indes).

Eryx, *ycis*, m. Mont de Sicile.

Esquiliae, *arum*, f. Les Esquilies, quartier de Rome.

1. **Esquilinus**, *i* (*mons*), m. L'Esquilin, colline de Rome.

2. **Esquilinus**, *a*, *um*. De l'Esquilin, esquilin. ¶ Esquilina (porta), *a*, f. La porte Esquiline.

Eteocles, *is*, m. Etéocle, fils d'Œdipe et frère de Polynice.   [l'Italie.

Etruria, *ae*, f. L'Etrurie, rég. de

Etruscus, *a*, *um*. D'Etrurie, étrusque.

Euboea, *ae*, f. Eubée, île de la mer Egée.

Euclides, *is*, m. Euclide, philosophe, mathématicien.   [d'Alexandre.

Eumenes, *is*, m. Eumène, lieutenant

Eumenides, *um*, f. Les Euménides, nom euphémique des Furies.

Eumolpidae, *arum*, m. Les Eumolpides, famille sacerdotale d'Athènes.

Eumolpus, *i*, m. Eumolpe, prêtre d'Eleusis.   [Syrie.

Euphrates, *is*, m. Euphrate, fl. de

Euripides, *is*, m. Euripide, poète grec.

Euripus, *i*, m. L'Euripe, détroit entre la Béotie et l'Eubée.

Europa, *ae*, f. Europe, fille d'Agénor. ¶ Partie du monde.

Eurotas, *ae*, m. Fl. de Laconie.

Eurus, *i*, m. Vent du sud-est.

Eurybiades, *ae*, m. Eurybiade, prince spartiate.

Eurydice, *es*, f. Femme d'Orphée.

Eurystheus, *ei* ou *eos*, m. Eurys hée. roi de Mycènes.

Euterpe, *es*, f. Muse de la Musique.

Euxinus, *a*, *um*. Du Pont-Euxin. ¶ *Euxinum* (*mare*) ou *Euxinus pontus*, le Pont-Euxin (mer Noire).

Evander, *dri*, m. Evandre, roi d'Arcadie, fondateur d'une colonie dans le Latium.

Evergetes, *ae*, m. Evergète (le bienfaisant), surnom de plusieurs rois de Macédoine et d'Egypte.

F

Fabius, *ii*, m. Nom de plusieurs Romains illustres. ¶ Au pl. : les Trois Cent, Fabius de la guerre de Véies.

Fabricius, *ii*, m. Général romain.

Faesulae, *arum*, f. Fésules, v. d'Etrurie.

Falerii, *orum*, m. Faléries, v. d'Etrurie.

Falernus, *a*, *um*. De Falerne. ¶ *Falernus* (*ager*), le territoire de Falerne, en Campanie. ¶ *Falernum* (*vinum*), le vin de Falerne.   [d'Etrurie.

Falisci, *orum*, m. Falisques, peuple

Faliscus, *a*, *um*. Des Falisques. ¶ Faliscum, *i*. n. Le territoire des Falisques.

Faunus, *i*, m. Roi légendaire du Latium, père de Latinus, dieu champêtre. ¶ Au pl. : divinités champêtres.   [Romulus et Rémus.

Faustulus, *i*, m. Berger qui recueillit

Faustus, *i*, m. Nom et surnom romain.

Februarius, *a*, *um*. De Février. ¶ Au m. sing., le mois de Février.

Feretrius, *ii*, m. Surnom de Jupiter victorieux.

Fidena, *ae*, f. ou Fidenae, *arum*, f. Fidènes, v. des Sabins.

Fidenas, *atis*. De Fidènes; hab. Fidènes.

Fidius, *ii*, m. Surnom de Jupiter, dieu de la bonne foi.

Fl. Abréviation de *Flavius*.

Flaccus, *i*, m. Surnom romain; surnom du poète Horace.

Flamininus, *i*, m. Pers. romain.

Flaminius, *ii*, m. Pers. romain.

Flavius, *ii*, m. Nom romain.

Flora, *ae*, f. Flore, déesse des fleurs.

Floralis, *e*. De Flore.

Florentia, *ae*, f. Florence, v. d'Etrurie.

Florus, *i*, m. Ecrivain latin.   [tium.

Formiae, *arum*, f. Formies, v. du La-

Formianus, *a*, *um*. De Formies; hab. Formies. ¶ **Formianum**, *i*, n. Maison de campagne de Cicéron à Formies.

Fregellae, *arum*, f. Frégelles, v. des Volsques.   [Germanie.

Frisii, *orum*, m. Frisons, peuple de la

Fucinus lacus. Lac Fucin, en Latium.

Fulvia, *ae*, f. Nom de femmes romaines.

Fulvius, *ii*, m. Nom de pers. romain.

Fundi, *orum*, m. V. du Latium.

Furiae, *arum*, f. Les Furies, divinités infernales.

Furius, *ii*, m. Pers. romain.

G

G. I. Abréviation de *Germania Inferior*. ¶ **G. S.** Abréviation de *Germania Superior*.

Gabii, *orum*, m. Gabies, v. du Latium.

Gabinius, *ii*, m. Pers. romain.

Gabinus, *a*, *um*. De Gabies; hab. Gabies.

Gades, *ium*, f. V. d'Espagne (auj. Cadix).

Gaditanus, *a*, *um*. De Gadès; hab. Gadès. ¶ *Gaditanum* (*fretum*), détroit de Gadès (auj. de Gibraltar).

Gaetulia, *ae*, f. Gétulie (Maroc actuel).

Gaetulus, *a*, *um*. De Gétulie; hab. la Gétulie, gétule.

Gaius. Voy. Caius.

Galaesus, ou **Galesus**, *i*, m. Galésus, fl. de l'Italie méridionale.

Galatae, *arum*, m. Galates, peuple celtique en Asie mineure.

Galatea, *ae*, f. Galatée, nom d'une bergère　　　　　　　　　　[mineure.

Galatia, *ae*, f. Galatie, prov. d'Asie

Galba, *ae*, m. Nom de pers. romain. ¶ Empereur romain.

Galenus, *i*, m. Galien, médecin célèbre.

Galerius, *ii*, m. Nom de pers. romain.

Galilea, *ae*, f. Galilée, rég. de la Palestine.　　　　　　　　　　　[gne.

Gallaecia, *ae*, f. Gallécie, prov. d'Espa-

Gallaecus, *a*, *um*. De Gallécie; hab. la Gallécie.　　　　　　　　　[Gaule.

1. **Galli**, *orum*, m. Gaulois, hab. la

2. **Galli**, *orum*, m. Galles, prêtres de Cybèle.

Gallia, *ae*, f. Gaule.

Gallice, adverbe. A la manière des Gaulois; en langue gauloise.

Gallicus, *a*, *um*. De la Gaule, gaulois.

Gallio, *onis*, m. Nom de pers.

Gallius, *ii*, m. Nom de pers.

Gallograeci, *orum*, m. Gallo-Grecs, Gaulois établis en Asie mineure (Galates).

Gallograecia, *ae*, f. Gallo-Grèce (Galatie).

1. **Gallus**, *i*, m. Gaulois.

2. **Gallus**, *i*, m. Nom de pers. romain. ¶ Empereur romain.

3. **Gallus**, *i*, m. Fl. d'Asie mineure.

Gangaridae, *arum*, m. Gangarides, peuple des bords du Gange.

Ganges, *is*, m. Gange, fl. de l'Inde.

Gangeticus, *a*, *um*. Du Gange.

Ganymedes, *is* ou *i*, m. Ganymède, échanson de Jupiter.

Garamantes, *um* (ou ...tae, *arum*), m. Peuple d'Afrique.

Garganus, *i*, m. Mont. de l'Italie.

Gargaphie, *es*, f. Vallée de Béotie.

Garumna, *ae*, m. Garonne, fl.

Gaugamela, *orum*, n. Gaugamèle, bourg voisin d'Arbèles.

Gaurus, *i*, m. Mont. de Campanie.

Gaza, *ae*, f. V. de Phénicie.

Gebenna. Voy. Cebenna.

Gedrosi, *orum*, m. Hab. de la Gédrosie.

Gedrosia, *ae*, f. Gédrosie, prov. de l'Asie (auj. Beloutchistan).

Gela, *ae*, f. V. de Sicile, ¶ Fl. de Sicile.

Gellius, *ii*, m. Nom de pers. romain. ¶ *Aulus Gellius*, Aulu-Gelle, Grammairien latin.　　　　　　　　　[Syracuse.

Gelon (ou **Gelo**), *onis*, m. Tyran de

Genabum, *i*, n. V. de Gaule (Orléans).

Genava, *ae*, f. Genève, v. des Allobroges.

Genua, *ae*, f. Gênes, v. de Ligurie.

Gergovia, *ae*, f. Gergovie, v. de Gaule.

Germania, *ae*, f. Germanie (Allemagne).

1. **Germanicus**, *a*, *um*. De Germanie.

2. **Germanicus**, *i*, m. Fils adoptif de Tibère.　　　　　[nie; hab. la Germanie.

Germanus, *a*, *um*. Germain, de Germa-

Geryon, *onis*, m. Géant à trois corps.

Getae, *arum*, m. Gètes, peuple de Thrace.　　　　　　　　　　　[Gètes.

Getice, adverbe. A la manière des

Geticus, *a*, *um*. Des Gètes, de Thrace.

Getul... Voy. Gaetul...　　[de la Terre.

Gigas, *antis*, m. Un des Géants, fils

Glaucus, *i*, m. Dieu marin.　[romain.

Gnaeus, *i*, m. (ou **Cnaeus**). Prénom

Gnid... Voy. Cnid...　　　　　　[Crète.

Gnossus ou **Gnosus**, *i*, f. Gnosse, v. de

Gordium, *ii*, n. V. de Phrygie.

Gordius, *ii*, m. Roi de Gordium.

Gorgo ou **Gorgon**, *onis*, f. Gorgone (Méduse).　　　　　　[ae), f. V. de Crète.

Gortyna, *es* (ou ...tyn, *tynos*, ou ...tyna.

Gortyniacus, *a*, *um*. De Gortyne.

Gracchus, *i*, m. Nom de Romains célèbres.

Gradivus, *i*, m. Surnom de Mars.

Graecanicus, *a*, *um*. De Grec, grec.

Graecia, *ae*, f. La Grèce.

Graeculus, *a*, *um*. Grec (pris en mauvaise part).

Graecus, *a*, *nm*. Grec, hab. la Grèce.

Grajus (ou **Graius**), *a*, *um*. Grec.

Grajugena, *ae*, m. Grec de naissance.

Granicus, *i*, m. Granique, fl. de Mysie.

Gryllus, *i*, m. Fils de Xénophon.　[des.

Gyaros (ou **Gyarus**), *i*, f. Ile des Cycla-

Gyas, *ae*, m. Troyen compagnon d'Enée.

Gyges, *is*, m. Roi de Lydie.

Gylippus, *i*, m. Général spartiate.

Gymnosophistae, *arum*, m. Gymnosophistes, philosophes de l'Inde.

Gyndes, *is*, m. Fl. de l'Assyrie.　[nie.

Gythium (ou **Gytheum**), *i*, n. V. de Laco-

H

Hadria, *ae*, f. V. du Picénum. ¶ V. de Vénétie. ¶ La mer Adriatique.

1. **Hadrianus**, *a*, *um*, Rel. à Hadria.

2. **Hadrianus**, *i*, m. Adrien, empereur romain.

Hadriaticus, *a*, *um*, ou **Hadriacus**, *a*, *um*. Rel. à Hadria. ¶ *Hadriaticum mare* ou *Hadriaticus sinus*, la mer Adriatique.

Hadrumetum. Voy. ADRUMETUM.

Haedu... Voy. AEDU...

Haemonia, *ae*, f. Hémonie, ancien nom de la Thessalie. [salien.

Haemonius, *a*, *um*. D'Hémonie; thessalien.

Haemus, *i*, m. Mont de Thrace.

Halcyone, *es*, f. Femme du roi de Thessalie Céyx.

Haliartus, *i*, f. Haliarte, v. de Béotie.

Halicarnassus, *i*, f. Halicarnasse, v. de Carie.

Halys, *yos*, m. Fl. de l'Asie mineure.

Hamadryas, *adis*, f. Hamadryade, nymphe des arbres. [thaginois.

Hamilcar, *aris*, m. Amilcar, général carthaginois.

Hammon, *onis*, m. Jupiter Ammon, adoré en Libye. [Ammon.

Hammoniacus, *a*, *um*. Rel. à Jupiter

Hannibal, *is*, m. Annibal, général carthaginois.

Hanno, *onis*, m. Hannon, pers. carthaginois. [Hipparque.

Harmodius, *ii*, m. Athénien qui tua Harpocrates, *is*, m. Harpocrate, dieu du silence.

Harpyiae, *arum*, f. Les Harpyes, monstres, moitié oiseaux, moitié femmes.

Hasdrubal, *alis*, m. Asdrubal, général carthaginois.

Hebe, *es*, f. Déesse de la jeunesse.

Hebraeus, *a*, *um*. Des Hébreux, hébreu, hébraïque, juif. ¶. Au m. pl. : les Hébreux.

Hebrus, *i*, m. L'Hèbre, fl. de Thrace.

Hecabe, *es*, f. Voy. HECUBA.

Hecate, *es*, f. Déesse de la magie, confondue avec Diane et avec la Lune.

Hecateis, *idis* ou *idos*, f. et **Hecateius**, *a*, *um*. D'Hécate, magique.

Hector, *oris*, m. Fils de Priam.

Hecuba, *ae*, f. Hécube, femme de Priam. [femme de Ménélas.

Helena, *ae*, ou **Helene**, *es*, f. Hélène,

Helenus, *i*, m. Fils de Priam, devin.

Heliades, *um*, f. Filles du Soleil.

Helice, *es*, f. La Grande Ourse, constellation. ¶ Le Nord; le pays du Nord.

Helicon, *onis*, m. Mont. de Béotie.

Heliopolis, *is*, f. V. de la Basse-Egypte.

Hellas, *adis*, f. Hellade, Grèce continentale. [nom à l'Hellespont.

Helle, *es*, f. Fille d'Athamas, donna son

Hellen, *enis*, m. Fils de Deucalion, père de la race grecque.

Hellespontus, *i*, m. L'Hellespont (le détroit des Dardannelles).

Helveticus, *a*, *um*, ou **Helvetius**, *a*, *um*. Des Helvétiens, helvétique. ¶ Au m. pl. : les Helvètes ou Helvétiens (peuple de la Suisse actuelle).

Helvii, *orum*, m. Helviens, peuple de la Gaule narbonnaise. [d'Alexandre.

Hephaestio, *onis*, m. Héphestion, ami

Heraclidae, *arum*, m. Héraclides, descendants d'Hercule. [grec.

Heraclitus, *i*, m. Héraclite, philosophe

Herculaneum, *i*, n. (ou ...num, *i*, n.). Herculanum, v. d'Italie ensevelie par le Vésuve.

Hercules, *is*, m. Hercule, fils de Jupiter et d'Alcmène. ¶ *Hercules, Hercule, Hercle, Mehercules, Mehercule, Mehercle*. Interjection : Par Hercule! En vérité!

Hercynia, *ae*, *silva*, f. La forêt hercynienne, en Germanie.

Herennius, *ii*, m. Pers. romain.

Hermes (ou **Herma**), *ae*, m. Hermès, Mercure. [tanie.

Herminius mons, m. Mont. de la Lusi-

Hermione, *es*, f. Fille de Ménélas et d'Hélène.

Hermus, *i*, m. Fl. d'Eolie. [Latium.

Hernici, *orum*, m. Herniques, peuple du

Herodes, *is*, m. Hérode, roi de Judée.

Herodotus, *i*, m. Hérodote, historien grec.

Hesiodus, *i*, m. Hésiode, poète grec.

Hesione, *es*, f. Fille de Laomédon.

Hesperides, *um*, f. Hespérides, qui gardaient, au delà de l'Atlas, le jardin aux pommes d'or.

Hesperus (ou **Hesperos**), *i*, m. Fils de l'Aurore. ¶ L'étoile du soir. ¶ L'occident.

Hiberes, *um*, ou **Hiberi**, *orum*, m. Ibères, hab. de l'Espagne. ¶ Hab. de l'Ibérie, au sud du Caucase.

Hiberia, *ae*, f. Ibérie, autre nom de l'Espagne. ¶ Pays au sud du Caucase (Géorgie). [lande.

Hibernia, *ae*, f. Hibernie (auj. l'Ir-

1. **Hiberus**, *i*, m. L'Ebre, fl. d'Espagne.

2. **Hiberus**, *a*, *um*. D'Ibérie.

Hiempsal, *alis*, m. Roi de Numidie.

Hiero, *onis*, m. Hiéron, nom de rois syracusains.

Hierosolyma, *orum*, n. ou **Hierosolyma**, *ae*, f. Jérusalem, v. de Palestine.

Hierosolymarius, *a*, *um*. De Jérusalem.

Hilotae, *arum*, ou **Helotes**, *um*, m. Ilotes, esclaves à Sparte.

1. **Himera**, *ae*, f. Himère, v. de Sicile.

2. **Himera**, *ae*, m. L'Himère, fl. de Sicile.

Himilco, *onis*, m. Himilcon, général carthaginois.

Hipparchus, *i*, m. Hipparque, fils de Pisistrate.

Hippias, *ae*, m. Fils de Pisistrate.

Hippo, *onis*, m. Hippone, v. d'Afrique (Bône). [grec.

Hippocrates, *is*, m. Hippocrate, médecin

Hippocrene, *es*, f. Source consacrée aux Muses.

Hippodame, *es*, ou **Hippodamia**, *ae*, f. Hippodamie, épouse de Pélops. ¶ Femme de Pirithoüs.

Hippolyte, *es*, f. Reine des Amazones.

Hippolytus, *i*, m. Hippolyte, fils de Thésée. [d'Atalante. ¶ Autre pers.

Hippomenes, *ae*, m. Hippomène, mari

Hirpini, *orum*, m. Hirpins, peuple du Samnium.

Hirpinus, *a*, *um*, Des Hirpins. [latin.

Hirtius, *ii*, m. Consul et historien

Hispalis, *is*, f. V. d'Espagne (Séville).

Hispania, *ae*, f. Hispanie (Espagne).

Histiaeus, *i*, m. Histiée de Milet.

Homerus, *i*, m. Homère, poète grec.

Horatius, *ii*, m. Nom romain. ¶ Horace, poète latin. ¶ Horatius Cocles, héros de la Rome primitive. ¶ Au pl. : les trois Horaces, adversaires des trois Curiaces.

Hortensius, *ii*, m. Orateur romain.

1. **Hostilius**, *ii*, m. D'Hostilius. ¶ *Hostilia curia*, la curie d'Hostilius, salle du Sénat.

2. **Hostilius**, *ii*, m. Pers. romain. ¶ Troisième roi de Rome.

Hyacinthus (ou ...thos), *i*, m. Hyacinthe, jeune Spartiate changé en fleur par Apollon.

Hyades, *um*, f. Constellation.

Hybla, *ae*, f. Mont. de Sicile.

Hydaspes, *is*, m. Hydaspe, fl. de l'Inde.

Hylas, *ae*, m. Compagnon d'Hercule.

Hymen, *enis*, ou **Hymenaeus**, *i*, m. Hymen ou Hyménée, dieu du mariage. ¶ Epithalame, chant d'hyménée. [mont. de l'Attique.

Hymettus (ou ...ttos), *i*, m. Hymette,

Hypanis, *is*, m. Fl. de Sarmatie.

Hypasis ou **Hyphasis**, *is*, m. Hypase, fl. de l'Inde.

Hyperboreus, *a*, *um*, Hyperboréen, septentrional. ¶ Au m. pl. : les Hyperboréens, peuple fabuleux de l'extrême Nord. [athénien.

Hyperides, *is*, m. Hypéride, orateur

Hyperion, *onis*, m. Père du Soleil.

Hyrcania, *ae*, f. Hyrcanie, prov. d'Asie.

Hystaspes, *is*, m. Hystaspe, père de Darius.

I

Iacchus, *i*, m. Autre nom de Bacchus.

Ialysius, *a*, *um*, D'Ialysos; rhodien.

Ialysos, *i*, f. V. dans l'île de Rhodes.

Ialysus, *i*, m. Nom de pers. [Iapet.

Iapetionides, *ae*, m. Descendant de

Iapetus, *i*, m. Iapet, géant, père

d'Atlas et de Prométhée. [l'Apulie

Iapygia, *ae*, f. Iapygie, partie de

Iapygius, *a*, *um*, D'Iapygie.

1. **Iapyx**, *ygis*, m. Fils de Dédale, qui donna son nom à l'Iapygie. ¶ Fl. de l'Iapygie. ¶ Vent de nord-ouest.

2. **Iapyx**, *ygis*, D'Iapyx. [tanie.

Iarbas (ou **Iarba**), *ae*, m. Roi de Mauri-

Iasion, *onis*, m. Roi aimé de Cérès.

Iason, *onis*, m. Jason, chef des Argonautes. ¶ Tyran de Phères.

Iber... Voy. HIBER...

Icarus, *i*, m. Icare, fils de Dédale.

Ida, *ae* (ou **Ide**, *es*), f. Mont. de Phrygie. ¶ Mont de Crète.

Idalia, *ae*, f. ou **Idalium**, *ii*, n. Idalie, v. et promontoire de Chypre, avec un temple de Vénus.

Idalie, *es*, f. Surnom de Vénus.

Idalius, *a*, *um*, D'Idalie, de Chypre. ¶ De Vénus. [Crète.

Idomeneus, *ei*, m. Idoménée, roi de

Iesus. Voy. JESUS.

Ilia, *ae*, f. Ilie ou Rhéa Silvia.

Iliacus, *a*, *um*, D'Ilion, de Troie.

Iliades, *ae*, m. Fils ou descendant d'Ilus ou d'Ilie.

Ilias, *ados*, f. Troyenne. ¶ L'Iliade, poème d'Homère.

Ilion (ou **Ilium**), *ii*, n. Ilion ou Troie, v.

Illyria, *ae*, f. ou **Illyricum**, *i*, n. L'Illyrie, contrée au nord de l'Epire.

Ilotae. Voy. HILOTAE. [cagne.

Ilus, *i*, m. Roi de Troie. ¶ Surnom d'As-

Inachides, *ae*, m. Descendant d'Inachus (Epaphus ou Persée).

Inachis, *idos*, f. D'Inachus. ¶ Fille d'Inachus, Io.

Inachius, *a*, *um*, D'Inachus; Grec.

Inachus, *i*, m. Dieu fluvial, roi d'Argos, père d'Io. ¶ Fl.

Inalpinus, *a*, *um*, Hab. les Alpes.

India, *ae*, f. L'Inde, contrée d'Asie.

1. **Indus**, *a*, *um*, De l'Inde; Indien, hab. l'Inde. [¶ Fl. de Carie.

2. **Indus**, *i*, m. L'Indus, fl. de l'Inde.

Ingaevones, *um*, m. Ingévons, peuple de Germanie.

Inguani, *orum*, m. Ingaunes, peuple de la Ligurie. [épouse d'Athamas.

Ino, *us* ou *onis*, f. Fille de Cadmus,

Insuber, *bris*, Insubrien, hab. la rég. de Mediolanum (Milan). [brie.

Interamna, *ae*, f. Interamne, v. d'Om-

Interamnas, *atis*, D'Interamne; hab. Interamne.

Io, *Ius* ou *Ionis*, f. Fille d'Inachus, aimée de Jupiter et changée en génisse par Junon.

Iocasta, *ae*, ou **Iocaste**, *es*, f. Jocaste, femme de Laïus et mère d'Œdipe.

Iolaus, *i*, m. Iolas, fils d'Iphiclus, compagnon d'Hercule.

Iolci, *orum*, m. Hab. d'Iolcos.

Iolcos (ou ...cus), *i*, f. V. de Thessalie.

Iole, *es*, f. Fille d'Eurytus, roi d'Œchalie.

Ion, *onis*, m. Chef des Ioniens.

Iones, *um*, m. Les Ioniens, un des peuples de la race hellénique.

Ionia, *ae*, f. L'Ionie, prov. d'Asie Mineure.

Ioniacus, ou **Ionicus,** ou **Ionius,** ou **Ionus,** *a, um*. D'Ionie, Ionien.¶ *Ionium mare*, la mer Ionienne (entre Italie, Sicile et Grèce).

Ios, *i*, f. Ile des Sporades.

Iphias, *adis*. f. La fille d'Iphis, Evadné.

Iphicrates, *is*, m. Iphicrate, général athénien.

Iphigenia, *ae*, f. Iphigénie, fille d'Agamemnon et de Clytemnestre.

Iris, *is* ou *idos*, f. Messagère des Dieux, déesse de l'arc-en-ciel.

Isaeus, *i*, m. Isée, rhéteur grec.

Isara, *ae*, m. Riv. de Gaule (l'Isère).

Isauria, *ae*, f. L'Isaurie, prov. de l'Asie Mineure. [Isaurien, hab. l'Isaurie.

Isaurus ou **Isauricus,** *a, um*. D'Isaurie,

Iseum, *i*, ou **Isium,** *ii*, n. Temple d'Isis.

Isiacus, *a, um*. D'Isis. ¶ Au m. : prêtre d'Isis. [épouse d'Osiris.

Isis, *is* ou *idis*, f. Divinité égyptienne,

1. **Ismara,** *ae*, f. V. de Thrace, près du mont Ismare.

2. **Ismara,** *orum*, n. ou **Ismarus,** *i*, m. Ismare, mont. de Thrace.

Ismarius, *a, um*. De l'Ismare; de Thrace.

Ismenis, *idis*, f. Thébaine.

Ismenius, *a, um*. Thébain.

Ismenus, *i*, m. Riv. de Béotie. [nien.

Isocrates, *is*, m. Isocrate, orateur athé-

Issa, *ae*, f. Ile de la mer Adriatique (auj. Lissa). [sis, *e*. D'Issa.

Issaeus ou **Issaicus,** *a, um*, ou **Issen-**

Issicus, *a, um*. D'Issus.

Issus, *i*, m. V. de Cilicie, lieu d'une victoire d'Alexandre.

Ister, *tri*, m. Nom du Danube inférieur.

Isthmia, *orum*, n. Les Jeux Isthmiques.

Isthmiacus, ou **Isthmicus,** ou **Isthmius,** *a, um*. De l'Isthme, isthmique, des Jeux Isthmiques. [Corinthe.

Isthmus ou **Isthmos,** *i*, m. L'Isthme de

Istri, *orum*, m. Les habitants de l'Istrie.

Istria, *ae*, f. L'Istrie, contrée voisine de l'Illyrie.

Istricus, *a, um*. D'Istrie.

Italia, *ae*, f. L'Italie.

Italica, *ae*, f. Nom donné à Corfinium. ¶ Nom d'une colonie romaine en Espagne.

Italicensis, *e*. D'Italica, hab. Italica.

1. **Italicus,** *a, um*. D'Italie, italique. ¶ *Bellum Italicum*, la Guerre sociale.

2. **Italicus,** *a, um*, ou **Italus,** *a, um*. D'Italie, Italien; hab. l'Italie.

Italis, *idis*, f. Italienne.

Ithaca, *ae*, ou **Ithace,** *es*, f. Ithaque, île, patrie d'Ulysse.

Ithacensis, *e*, ou **Ithacus,** *a, um*. D'Ithaque. ¶ Au m. : l'homme d'Ithaque, Ulysse.

Ituraea, *ae*, f. Iturée, prov. de Syrie.

Ituraei, *orum*, m. Les Ituréens, hab. de l'Iturée.

Itys, *yos*, m. Fils de Térée et de Procné.

Iuleus, *a, um*. De Iule, fils d'Enée. ¶ De César, de la famille de César.

Iulus, *i*, m. Iule, fils d'Enée.

Ixion, *onis*, m. Roi des Lapithes, père de Pirithoüs et des Centaures.

J

Janiculum, *i*, n. ou **Janiculus mons** (ou collis). Le Janicule, colline de Rome.

Januarius, *a, um*. De Janus. ¶ De Janvier. — Au m. sing. : Janvier.

Janus, *i*, m. Dieu à deux visages. ¶ Mois de Janus, janvier. ¶ Portique sur le Forum où se tenaient les banquiers.

Jason. Voy. IASON.

Jaxartes, *is*, m. Jaxarte, fl. de Sogdiane (Syr-Daria). [tine.

Jericho, f. indéclinable. V. de Palestine.

Jerusalem, f. indéclinable. Voy. HIEROSOLYMA.

Jesus ou **Iesus,** *u*, m. Jésus.

Joannes ou **Ioannes,** *is*, m. Jean.

Jordanes (ou ...nis), *is*, m. Le Jourdain fl. de Judée.

Jovis, génitif de Juppiter.

Juba, *ae*, m. Roi de Numidie. [tine.

Judaea, *ae*, f. Judée, contrée de Pales-

Judaeus, *a, um*. De Judée; hab. de la Judée, Juif.

Jugurtha, *ae*, m. Roi de Numidie.

Julia, *ae*, f. Julie, nom de pers. de la famille de César et d'Auguste. ¶ Julia, v.

1. **Julianus,** *a, um*. De Jules César, Julien. ¶ Au m. pl. : les soldats de Jules César, les Juliens.

2. **Julianus,** *i*, m. Nom de pers. romain.

1. **Julius,** *a, um*. De Jules, de César. de ses ancêtres ou de ses descendants. ¶ *Juliae Alpes*, Alpes Juliennes, partie des Alpes Carniques. ¶ De juillet. — Au m. sing., le mois de juillet.

2. **Julius,** *ii*, m. Julius ou Jules, nom de famille romain; nom de César.

1. **Junius,** *a, um*. De Jules. ¶ De juin. — Au m. sing., le mois de juin.

2. **Junius,** *ii*, m. Nom de pers. romain.

Juno, *onis*, f. Junon, sœur et épouse de Jupiter. ¶ *Juno Inferna*, la Junon des Enfers, Proserpine.

Junonicola, *ae*, m. et f. Adorateur, adoratrice de Junon. [Vulcain.

Junonigena, *ae*, m. Fils de Junon,

Junonius, *a, um*. De Junon. *Junonius ales*, l'oiseau de Junon, le paon. *Junonia hospitia*, Carthage.

Juppiter ou **Jupiter,** *Jovis*, m. Jupiter, fils de Saturne, roi des Dieux. *Jovis ales*, l'aigle. ¶ *Jupiter Stygius*, le Jupiter du Styx, Pluton. ¶ Pris au sens de ciel, température, climat. *Sub Jove*, en plein air. [mont.

Jura, *ae*, m. ou **mons Jura**. Le Jura.

Justinus, *i*, m. Justin, historien latin.

Juturna, *ae*, f. Juturne, nymphe et sœur de Turnus.

Juvenalis, *is*, m. Juvénal, poète latin.

K

Karthag... Comme CARTHAG...

L

L. Abréviation du prénom *Lucius*.

Labienus, *i*, m. Lieutenant de César.

Labyrinthos (ou ..**thus**), *i*, m. Le Labyrinthe d'Egypte. ¶ Le Labyrinthe de Crète construit par Dédale.

Lacaena, *ae*, f. Lacédémonienne.

Lacedaemon, *onis*, f. Lacédémone ou Sparte. Au locatif : *Lacedaemoni*, à Lacédémone. [hab. Lacédémone.

Lacedaemonius, *a*, *um*. Lacédémonien.

Lachesis, *is*, f. Une des Parques.

Laco ou **Lacon**, *onis*, m. Laconien, Lacédémonien, hab. la Laconie. ¶ Chien de Laconie.

Laconia ou **Laconica**, *ae*, f. Laconie, rég. du Péloponèse.

Laconicus, *a*, *um*. Laconien, Lacédémonien. ¶ Laconique.

Laconis, *idis*, f. Lacédémonienne.

Ladon, *onis*, m. Riv. d'Arcadie.

Laelius, *ii*, m. Nom de famille romain.

Laerta (ou ...**tes**), *ae*, m. Laërte, père d'Ulysse.

Laestrygones, *um*, m. Lestrygons, ancien peuple anthropophage de la Sicile. [la dynastie des Lagides.

Lagus, *i*, m. Père de Ptolémée, chef de

Laius (ou **Lajus**), *i*, m. Roi de Thèbes, père d'Œdipe.

Laletania, *ae*, f. La Lalétanie, partie de l'Espagne Tarraconaise.

1. **Lamia**, *ae*, f. V. de Thessalie.

2. **Lamia**, *ae*, m. Nom de pers.

Lampsacenus, *a*, *um*. De Lampsaque, hab. Lampsaque.

Lampsacum, *i*, n. ou **Lampsacus**, *i*, f. Lampsaque, v. de la Mysie.

Lanuvinus, *a*, *um*. De Lanuvium, hab. Lanuvium. ¶ Au n. : territoire de Lanuvium.

Lanuvium, *ii*, n. V. du Latium.

Laocoon, *ontis*, m. Prêtre de Neptune.

Laomedon, *ontis*, m. Roi de Troie, père de Priam. [Laomédon, Troyen.

Laomedonteus (ou ...**ius**), *a*, *um*. De

Laomedontiades, *ae*, m. Descendant de Laomédon. ¶ Au pl. : les Troyens.

Lapithae, *arum*, m. Lapithes, peuple de Thessalie.

1. **Lar**. Voy. LARS.

2. **Lar**, *Laris*, m. Lare, dieu domestique (généralement au pl. : *Lares*, *um* ou *ium*). ¶ Au figuré : maison familiale, foyer.

Larentia. Voy. ACCA.

Larisa ou **Larissa**, *ae*, f. Larisse, nom de différentes villes, dont l'une en Thessalie. [Côme.

Larius, *ii*, m. Lac d'Italie (lac de

Lars, *Lartis*, m. Lar, chef militaire, titre ou surnom chez les Etrusques.

Latialis, *e*. Rel. au Latium, latin. ¶ *Juppiter Latialis*, Jupiter Latial (protecteur du Latium).

Latiar, *aris*, n. Fête de Jupiter Latial.

Latinae (*feriae*), *arum*, f. Les féries latines.

Latiniensis, *e*. Latin, hab. du Latium.

1. **Latinus**, *a*, *um*. Du Latium, Latin, hab. du Latium.

2. **Latinus**, *i*, m. Roi de Laurente.

Latium, *ii*, n. Contrée de l'Italie. ¶ Latinité, droit latin ou latial.

Latius, *a*, *um*. Du Latium, latin.

Latois, *idis* ou *idos*, f. De Latone. ¶ Diane.

Latoius, *a*, *um*. De Latone. ¶ Au m. : Apollon. ¶ Au f. : Diane.

Latona, *ae*, f. Latone, mère d'Apollon et de Diane. [Latone.

Latonigena, *ae*, m. et f. Enfant de

Latonius, *a*, *um*. De Latone. ¶ Au f. : Diane. [Apollon.

Latous, *a*, *um*. De Latone. ¶ Au m. :

Laurens, *entis*. De Laurente; hab. Laurente.

Laurentum, *i*, n. Laurente, v. du Latium. [par Enée.

Lausus, *i*, m. Fils de Mézence, tué

Laverna, *ae*, f. Déesse protectrice du gain. [nus, femme d'Enée.

Lavinia, *ae*, f. Lavinie, fille de Lati-

Lavinium, *ii*, n. V. du Latium, fondée par Enée. [nium.

Lavinius (ou ...**nus**), *a*, *um*. De Lavi-

Lebadea (ou ...**dia**), *ae*, f. Lébadie, v. de Béotie.

Lechaeum, *i*, n. ou **Lecheae** (ou ...**chiae**), *arum*, f. Léchée, port de Corinthe.

Leda, *ae*, f. Mère de Castor et de Pollux, d'Hélène, de Clytemnestre.

Ledaeus, *a*, *um*. De Léda. ¶ Au m. pl.: Castor et Pollux.

Leleges, *um*, m. Peuple pélasgique d'Asie-Mineure et Grèce. [Léman.

Lemannus ou **Lemanus**, *i*, m. Le lac

Lemnias, *adis*, f. De Lemnos.

Lemnius, *a*, *um*. De Lemnos; hab. Lemnos. ¶ *Lemnius pater*, Vulcain.

Lemnos (ou ...**nus**), *i*, f. Ile de la mer Egée. [(dans le Limousin).

Lemovices, *um*, m. Peuple celtique

Lemures, *um*, m. Les Lémures, âmes des Morts. [Lémures.

Lemuria, *orum*, n. Lémuries, fêtes des

1. **Lenaeus**, *a*, *um*. De Bacchus. ¶ *Lenaeus latex* ou *honor*, le vin. ¶ *Lenaeus pater*, Bacchus. [Bacchus.

2. **Lenaeus**, *i*, m. Un des noms de

Lentulus, *i*, m. Nom de pers. romain.

Leonidas, *ae*, m. Roi de Sparte.

Leonnatus, *i*, m. Général d'Alexandre.

Leontini, *orum*, m. Léontini ou Léontium, v. de Sicile. [Léontium.

Leontium, *a*, *um*. De Léontium; hab.

Leotychides, *ae*, m. Léotychyde, père d'Agésilas.

Lepidus, *i*, m. Surnom romain.

Lepontii, *orum*, m. Lépontiens, peuple de Gaule cisalpine.

Leptis, *is*, f. V. de la côte d'Afrique.

Lerna, *es* (ou ...na, *ae*) f. Marais, v. et fl., près d'Argos. [bos, lesbien.

Lesbiacus ou **Lesbius**, *a*, *um*. De Lesbos.

Lesbias, *adis* ou **Lesbis**, *idis*, f. De Lesbos, lesbienne.

Lesbos, *i*, f. Ile de la mer Egée.

Lesbous, *a*, *um*. De Lesbos.

Lestrygones. Voy. LAESTRYGONES.

Lethaeus, *a*, *um*. Du Léthé, des Enfers. ¶ Qui donne l'oubli, soporifique.

Lethe, *es*, f. Le Léthé, fl. des Enfers.

Leto... Voy. LATO...

Leucadia, *ae*, f. Leucade, île de la mer Ionienne.

Leucas, *adis*, f. V. de l'île de Leucade.

Leucaspis, *idis*, m. Compagnon d'Ulysse.

Leucatas (ou ...tes), *ae*, m. Promontoire de Leucate, en Leucade.

Leucopetra, *ae*, f. Promontoire au sud du Bruttium.

Leuctra, *orum*, n. Leuctres, bourg de Béotie, célèbre par la victoire d'Epaminondas.

Lexovii, *orum*, m. Lexoviens, peuple de Gaule (près de Lisieux).

Libanus, *i*, m. Liban, mont. de Syrie.

Liber, *eri*, m. Autre nom de Bacchus. ¶ Vin. [¶ Nom d'Ariane.

Libera, *ae*, f. Nom de Proserpine.

Liberalia, *ium*, n. Fêtes de Bacchus.

Libitina, *ae*, f. Libitine, déesse de funérailles. [funérailles.

Libitinarius, *ii*, m. Entrepreneur de

Liburni, *orum*, m. Liburnes, peuple d'Illyrie. [d'Illyrie.

Liburnia, *ae*, f. Liburnie, contrée

Liburnicus, *a*, *um*. Des Liburnes. ¶ *Liburnica (navis)*, *ae*, f. Liburne, bateau léger des Liburnes.

Libycus, *a*, *um*. De Libye, libyen.

Libya, *es* (ou **Libya**, *ae*), f. Afrique du nord. ¶ L'Afrique. [Libye.

Libys, *yos*, m. Libyen; hab. de la Libye.

Libyssa, *ae*, f. De Libye, libyenne.

Lichas, *ae*, m. Esclave d'Hercule, qui lui porta la robe empoisonnée.

Licinius, *ii*, m. Nom de famille romain.

Ligarius, *ii*, m. Nom de famille romain.

Liger, *eris*, m. La Loire, fl.

Liguria, *ae*, f. Ligurie (pays de Gênes et Piémont actuels). [la Ligurie.

Ligus, *uris*, Ligure, ligurien, hab.

Ligustinus, *a*, *um*. De Ligurie, ligurien.

Lilybaeon (ou ...baeum), *i*, n. Lilybée, promontoire et v. de Sicile. [Lilybée.

Lilybaetanus (ou ...beius), *a*, *um*. De

Lingones, *um*, m. Lingons, peuple de la Gaule (pays de Langres).

Linus (ou ...nos), *i*, m. Inventeur de la Mélodie, maître d'Orphée.

Lipara, *ae*, f. La plus grande des îles Eoliennes. — Au pl. : Les îles Eoliennes (auj. Lipari).

Liris, *is*, m. Fl. du Latium.

Literninus ou **Liternus**, *a*, *um*. De Literne. — Au n. : maison de campagne près de Literne.

Liternum, *i*, n. Literne, v. de Campanie.

Livia, *ae*, f. Livie, femme d'Auguste. ¶ Nom d'autres femmes. [Livie.

Livianus, *a*, *um*. De Livius. ¶ De

1. **Livius**, *ii*, m. Nom de différents pers. romains. ¶ Tite-Live, historien.

2. **Livius**, *a*, *um*. De Livius.

Locrensis, *e*. De Locres, hab. Locres, locrien. ¶ De la Locride, locrien.

Locri, *orum*, m. Locres, v. du Bruttium. ¶ Locriens (hab. de la Locride), en Grèce.

Looris, *idis* ou *idos*, f. Locrienne. ¶ La Locride, rég. de la Grèce.

Locusta, *ae*, f. Locuste, empoisonneuse.

Lollius, *ii*, m. Nom de famille romain.

Lotophagi, *orum* ou *on*, m. Lotophages, peuple d'Afrique. [éléphant.

Luca, *ae*, m. De Lucanie. ¶ *Luca bos*,

Lucani, *orum*, m. Lucaniens, hab. de la Lucanie. ¶ Le territoire de la Lucanie.

Lucania, *ae*, f. Lucanie, rég. de l'Italie du sud. [nien.

1. **Lucanus**, *a*, *um*. De Lucanie, luca-

2. **Lucanus**, *i*, m. Lucain, poète.

Luceres, *um*, m. Une des tribus de citoyens romains.

Luceris, *ae*, f. Lucérie, v. d'Apulie.

Lucifer, *eri*, m. La planète Vénus, l'Etoile du Matin. ¶ Jour, journée.

Lucifera, *ae*, f. Surnom de Diane.

Lucilius, *ii*, m. Nom de famille romain.

Lucina, *ae*, f. Lucine, déesse de la lumière. Surnom de Junon qui préside à la naissance.

Lucius, *ii*, m. Prénom romain.

Lucretia, *ae*, f. Lucrèce, vertueuse épouse de Tarquin. ¶ Une Lucrèce, une femme de mœurs sévères.

Lucretilis, *is*, m. Le Lucrétile, mont. de la Sabine.

Lucretius, *ii*, m. Nom de famille romain, en particulier nom du poète Lucrèce.

1. **Lucrinus**, *i*, m. Le lac Lucrin, en Campanie.

2. **Lucrinus**, *a*, *um*. Du lac Lucrin.

Lucullus, *i*, m. Nom de famille romain.

Lucumo, *onis*, m. Titre des chefs de tribus étrusques. ¶ Nom de pers.

Lugdunum, i, n. Lugdunum, v. de Gaule (Lyon).

Lupercal, alis, n. ou Lupercalia, ium, n. Lupercales, fêtes en l'honneur de Pan. ¶ Grotte du Palatin consacrée à Pan. [¶ Prêtre de Pan.

Lupercus, i, m. Nom romain de Pan.

Lusitania, ae, f. La Lusitanie (Portugal).

Lusitanus, a, um. De Lusitanie, lusitanien, hab. la Lusitanie.

Lutatius, ii, m. Nom de famille romain.

Lutetia (Parisiorum), ae, f. Lutèce, v. de Gaule (Paris).

1. Lyaeus, i, m. Surnom de Bacchus (le Libérateur). ¶ Le vin.

2. Lyaeus, a, um. De Bacchus.

Lycabettus, i, m. Lycabette, mont. d'Attique. [d'Arcadie.

1. Lycaeus, i, m. Le Lycée, mont.

2. Lycaeus, a, um. Du Lycée.

Lycaon, onis, m. Roi d'Arcadie, changé en loup. [de la Lycaonie.

Lycaones, um, m. Lycaoniens, peuple

Lycaonia, ae, f. Lycaonie, rég. d'Asie-Mineure. [caonie.

Lycaonius, a, um. De Lycaon. ¶ De Ly-

Lyceum. Voy. LYCIUM.

Lycia, ae, f. Lycie, rég. d'Asie-Mineure.

Lycidas, ae, m. Centaure. ¶ Berger.

Lycium, ii, n. Le Lycée, gymnase d'Athènes avec des jardins où Aristote enseignait.

Lycius, a, um. De Lycie, lycien, hab. la Lycie. ¶ Lyciae sortes, l'oracle d'Apollon à Patare en Lycie. [Scyros.

Lycomedes, ι, m. Lycomède, roi de

Lycortas, ae, m. Chef de la Ligue Achéenne. [de Sparte.

Lycurgus, i, m. Lycurgue, législateur

Lycus ou Lycos, i, m. Roi de Béotie. ¶ Guerrier troyen. ¶ Autre pers. ¶ Fl. en Asie-Mineure.

Lydia, ae, f. Lydie, rég. d'Asie-Mineure.

Lydius, a, um. De Lydie, lydien. ¶ Etrusque.

Lydus, a, um. Lydien. ¶ Au m. pl. : Les Lydiens. ¶ Au m. pl. : les Etrusques.

1. Lynceus, i, m. Lyncée, argonaute, célèbre par sa vue perçante.

2. Lynceus, a, um. De Lyncée. Qui a la vue perçante.

Lyrnesos, i, f. V. de Troade.

Lysander, dri, m. Lysandre, général spartiate.

Lysias, ae, m. Orateur athénien.

Lysimachia, ae, f. Lysimachie, v. de la Chersonèse de Thrace.

Lysimachus, i, m. Lysimaque, général d'Alexandre, puis roi de Thrace et de Pont.

Lysippus, i, m. Lysippe, sculpteur grec.

Lysis, idis, m. Philosophe pythagoricien, maître d'Epaminondas.

Lysistratus, i, m. Statuaire, frère de Lysippe.

M

M. Abréviation de Marcus. ¶ M Abréviation de Manius.

Macedo, onis, m. Macédonien.

Macedonia, ae, f. Macédoine, pays entre Thessalie et Thrace.

Macedonicus, a, um. De Macédoine, macédonien. ¶ Au m. sing. : Surnom de Metellus, conquérant de la Macédoine.

Machaon, onis, m. Fils d'Esculape.

Macrobius, ii, m. Macrobe, grammairien latin.

Maeander (ou ...drus), i, m. Méandre, fl. sinueux d'Asie-Mineure. ¶ Sinuosité, détour.

Maecenas, atis, m. Mécène, ami d'Auguste, protecteur d'Horace et de Virgile. [Thrace.

Maedi, orum, m. Mèdes, peuple de

Maenala, orum, n. ou Maenalus, i, m. Ménale, mont. d'Arcadie.

Maeonia, ae, f. Méonie, prov. de Lydie.

Maeonides, ae, m. Le poète de Méonie, Homère. ¶ Un lydien. ¶ Un Etrusque.

Maeonis, idis, f. La Lydienne (Arachné ou Omphale). [¶ d'Homère.

Maeonius, a, um. Méonien, lydien.

Maeotae, arum, m. Méotes, peuple du Palus-Méotide.

Maeoticus, a, um. Méotique, scythique.

Maeotis, idis, f. Le Palus-Méotide, (auj. mer d'Azov). ¶ Méotique, scythique.

Magnes, etis, m. Qui est de la Magnésie ou de Magnésie. ¶ Magnes (lapis), pierre d'aimant. ¶ Au m. pl. : Magnètes, hab. de la Magnésie ou de Magnésie.

Magnesia, ae, f. La Magnésie, prov. de Thessalie. ¶ Magnésie, v. de Lydie. ¶ Magnésie, v. de Carie.

Magnesius, a, um. De Magnésie. ¶ Magnesius lapis, pierre d'aimant.

Mago, onis, m. Magon, général carthaginois.

Maia, ae, f. Mère de Mercure.

1. Maius, a, um. Du mois de mai.

2. Maius, ii, m. le mois de mai.

Malea, ae, f. Malée, promontoire de Laconie.

Maleus, a, um. Du cap Malée.

Maliacus sinus, m. Le golfe Maliaque, entre la Thessalie et la Locride.

Malli, orum, m. Peuple de l'Inde.

Mam. Abréviation de Mamercus.

Mamercus, i, m. Prénom romain. ¶ Tyran de Catane.

Mamertinus, a, um. Rel. aux Mamertins ; mamertin (hab. Messine).

Mamilius, ii, m. Nom de pers. romain.

Mamurra, ae, m. Pers. romain.

Mandubii, *orum*, m. Mandubiens,peuple de la Gaule.

Manilius, *ii*, m. Nom de pers. romain.

Manius, *ii*, m. Prénom romain.

Manlianus, *a*, *um*. De Manlius. ¶ Digne de Manlius, rigoureux. ¶ Au n. sing. : Maison de campagne de Cicéron.

Manlius, *ii*, m. Nom de famille romain. ¶ En particulier, nom de deux pers. romains célèbres par leur sévérité.

Mantinea, *ae*, f. Mantinée, v. d'Arcadie.

Mantua, *ae*, f. Mantoue, v. d'Italie, patrie de Virgile.

Mantuanus, *a*, *um*. De Mantoue, Mantouan. ¶ Au m. sing. : Virgile.

Maracanda, *orum*, n. Samarcande, v. de Sogdane.

Marathon, *onis*, f. Bourg de l'Attique.

Marathus, *i*, f. Marathe, v. de Phénicie.

Marcellus, *i*, m. Nom romain.

1. **Marcius**, *ii*, m. Pers. romain. ¶ Ancus Marcius, roi de Rome.

2. **Marcius**, *a*, *um*. De Marcius.

Marcomanni, *orum*, m. Marcomans, peuple de Germanie.

Marcus, *i*, m. Prénom romain.

Mardi, *orum*, m. Mardes, peuple des bords de la mer Caspienne.

Mardonius, *ii*, m. Général perse.

Mareoticus, *a*, *um*. Du lac Mareotis. ¶ D'Egypte.

Mareotis, *idis*, f. Le lac Mareotis.

Marianus, *a*, *um*. De Marius.

Marius, *ii*, m. Nom de pers. romain.

Maro, *onis*, m. Surnom de Virgile.

Marpesus ou **Marpessus**, *i*, m. Le Marpesse, mont. de l'île de Paros.

Marrucini, *orum*, m. Marrucins, peuple du Latium.

Mars, *Martis*, m. Dieu de la Guerre. ¶Guerre, combat. ¶Chance de succès à la guerre. ¶ Valeur, courage. ¶ La planète Mars. [Latium.

Marsi, *orum*, m. Marses, peuple du

Marsicus ou **Marsus**, *a*, *um*. Des Marses.

Marsyas (ou ...sya), *ae*, m. Satyre. ¶ Fl. de Phrygie. [latin.

1. **Martialis**, *is*, m. Martial, poète

2. **Martialis**, *e*. De Mars. Au m. pl. : Soldats de la légion de Mars, ou prêtres de Mars. [Du mois de mars.

1. **Martius**, *a*, *um*. De Mars, guerrier. ¶

2. **Martius**, *ii*, m. Mars, nom de mois.

Masinissa, *ae*, m. Roi des Numides.

Massagetae, *arum*, m. Massagètes, peuple scythe. [n. : Vin du Massique.

1. **Massicus**, *a*, *um*. Du Massique. ¶ Au

2. **Massicus**, *i*, m. Le Massique, coteau de Campanie. [(Marseille).

Massilia, *ae*, f. Massilie, v. de Gaule

Matrona, *ae*, m. Marne, affluent de la Seine.

Mauritania, *ae*, f. Mauritanie (Maroc).

Maurus, *a*, *um*. De Mauritanie ; maure (hab. la Mauritanie).

Mausoleus, *a*, *um*. De Mausole. ¶ Au n. : Tombeau de Mausole, mausolée ; tombeau.

Mausolus, *i*, m. Mausole, roi de Carie.

Mavors, *ortis*, m. Mars, dieu de la Guerre.

Mavortius, *a*, *um*. De Mars, guerrier.

Mazaca, *ae*, f. V. de la Cappadoce.

Mecastor (sous-entendu *juvet*). ParCastor (serment).

Mecenas. Comme MAECENAS.

Medea, *ae*, f. Médée, magicienne.

Medeis, *idis*, f. De Médée, magique.

Media, *ae*, f. Médie, rég. de l'Asie.

Medicus, *a*, *um*. De Médie, médique; de Perse, persique.

Mediolanum, *i*, n. V. d'Italie (Milan).

Mediomatrici, *orum*, m. Peuple de la Gaule sur les bords de la Moselle.

1. **Medus**, *a*, *um*. De Médie, des Mèdes, mède, hab. la Médie.

2. **Medus**, *i*, m. Le Médus, fl. de Perse. ¶ Médus, fils de Médée. [nes.

Medusa, *ae*, f. Méduse, une des Gorgo-

Medusaeus, *a*, *um*. De Méduse. ¶ *Medusaeus equus*, Pégase (né du sang de la tête coupée de Méduse). ¶ *Medusaeus fons*, l'Hippocrène (que Pégase fit jaillir du sol d'un coup de pied).

Megaera, *ae*, f. Mégère, une des Furies.

Megalopolis, *is*, f. V. d'Arcadie.

Megalopolitas, *arum* (ou ...tani, *orum*), m. Mégalopolitains, hab. de Mégalopolis.

Megara, *ae*, f. ou **Megara**, *orum*, n. Mégare, v. de la Mégaride. ¶ V. de Sicile. [rie.

Megareius, *a*, *um*. De Mégare; de Méga-

Megarensis, *e*. De Mégare; mégarien (hab. de Mégare). [pomène.

Megareus, *eos*, m. Mégarée, père d'Hip-

Megaricus, *a*, *um*. De Mégare, mégarien. ¶ Au m. pl. Les philosophes de l'école de Mégare.

Megaris, *idis*, f. Mégaride, rég. de la Grèce, près de l'Attique.

Melampus, *odis*, m. Devin et médecin.

Meleager (ou ...gros), *gri*, m. Méléagre, fils d'Œnée.

Meles, *etis*, m. Riv. d'Ionie.

Melicerta (ou ...tes), *ae*, m. Mélicerte, fils d'Ino et d'Athamas.

Melita, *ae*, f. Mélite (l'île de Malte).

Melitensis, *e*. De Malte, maltais, hab. Malte. ¶ Au n. pl. : étoffes, tapis de Malte. [Melun].

Melodunum, *i*, n. V. de Gaule (auj.

Melos, *i*, f. Ile de la mer Egée (auj. Milo)

Melpomene, *es*, f. Muse de la Tragédie et de la Poésie lyrique.

Memmius, *ii*, m. Pers. romain.

Memnon, *onis*, m. Fils de Tithon et de l'Aurore, roi d'Ethiopie.

Memnonius, *a*, *um*. De Memnon. ¶ Oriental. ¶ De nègre, noir.

Memphis, *idis* ou *is*, f. V. d'Egypte.

Menander (ou ...drus), *dri*, m. Ménandre poète comique d'Athènes.

Menelaeus, *a*, *um*. De Ménélas.

Menelaus, *i*, m. Ménélas, roi de Sparte, mari d'Hélène.

Menenius, ii, m. Pers. romain.

Menippus, i, m. Ménippe, philosophe cynique. [seleur célèbre.

Mentor, oris, m. Ami d'Ulysse. ¶ Cise-

Mercurialis, e. De Mercure. ¶ Au m. pl.: Corporation des marchands à Rome.

Mercurius, ii, m. Mercure, fils de Jupiter, dieu de l'Eloquence et du Commerce. ¶ Un Hermès (statue de Mercure). ¶ Mercure, planète.

Meriones, ae, m. Mérion, cocher d'Idoménée au siège de Troie.

Merops, opis, m. Roi des Ethiopiens.

Merula, ae, m. Nom de famille romain.

Mesopotamia, ae, f. Mésopotamie, rég. de l'Asie, entre le Tigre et l'Euphrate.

Messala (ou ...alla), ae, m.Pers. romain.

Messalina, ae, f. Messaline, femme de l'empereur Claude.

Messana, ae, f. V. de Sicile (Messine).

Messene, es (ou ...na, ae), f. V. de Messénie. [loponnèse.

Messenia, ae, f. Messénie, rég. du Pé-

Messenius, a, um. De Messène; messénien (hab. Messène).

Metellus, i, m. Pers. romain.

Methymna, ae, f. Méthymne, v. de Lesbos.

Methymnias, adis, f. De Méthymne.

Mettius (ou Metius), ii. m. Mettius Fufetius, chef des Albains.

Midas, ae, m. Roi fabuleux d'Orient.

Milesius, a, um. De Milet; milésien (hab. Milet).

Miletis, idis, f. Byblis, fille de Milétus.

1. Miletus, i, m. Fondateur de Milet.

2. Miletus, i, f. Milet, v. de Carie.

Milo, onis, m. Milon, de Crotone, athlète. ¶ Pers. romain.

Miltiades, is, m. Miltiade, général athénien, vainqueur à Marathon.

Mimas, antis, m. Promontoire d'Ionie.

Mincius, ii, m. Fl. d'Italie (Mincio).

Minerva, ae, f. Minerve, déesse de la Sagesse, des Arts et des Sciences. ¶ Esprit, intelligence, talent. ¶ Travail de la laine.

Minervalis, e. De Minerve.

Minois, idis, f. Ariane, fille de Minos.

Minoius, a, um. De Minos.

Minos, ois, m. Roi de Crète, juge aux Enfers. ¶ Petit-fils du précédent, époux de Pasiphaé.

Minotaurus, i, m. Le Minotaure, monstre homme et taureau.

Minturnae, arum, f. Minturnes, v. du Latium. [romain.

Minucius (ou ...nutius), ii, m. Pers.

Minyae, arum, m. Les Argonautes, descendants de Minyas.

Minyas, ae, m. Roi d'Orchomène, ancêtre des Argonautes.

Minyeias, adis, ou Minyeis, idis, f. Fille de Minyas.

Minyeius, aum. De Minyas.

Misenum, i, n. Misène, promontoire de Campanie.

Mithras ou Mithres, ae, m. Mithra, divinité persane du Soleil. [Pont.

Mithridates, is, m. Mithridate, roi de Mitylenae. Comme MYTILENAE.

Mnemon, onis, m. Surnom du roi de Perse Artaxerxès.

Mnemonides, um, f. Les Muses, filles de mémoire.

Mnemosyne, es, f. Déesse de la Mémoire et mère des Muses.

Moenus, i, m. Fl. de Germanie (le Mein).

Moesia, ae, f. La Mésie (Serbie et Bulgarie).

Molossia, ae, ou Molossis, idis, f. Molossie, pays des Molosses, en Epire.

Molossus, a, um. Du pays des Molosses; Molosse (hab. la Molossie).

Moneta, ae, f. La Conseillère, surnom de Junon. ¶ Temple de Junon à Rome, où l'on fabriquait la monnaie. ¶ Mnémosyne, mère des Muses.

Mopsopia, ae, f. L'Attique.

Mopsopius, a, um. Rel. à l'Attique, attique. ¶ Mopsopius juvenis, Triptolème.

Mopsus, i, m. Devin d'Argos. ¶ Autre pers.

Morini, orum, m. Morins, peuple de la Gaule Belgique. [meil.

Morpheus, eos, m. Morphée, dieu du som-

Mosa, ae, f. La Meuse, riv.

Mosella, ae, f. La Moselle, riv.

Moses (ou Moyses), is ou i, m. Moïse, législateur des Juifs.

Mucius, ii, m. Pers. romain.

Mulciber, beri ou bri, m. Surnom de Vulcain. ¶ Le feu.

1. Mulvius, ii, m. Pers. romain.

2. Mulvius, a, um. De Mulvius. ¶ Mulvius pons, le pont Mulvius, à Rome.

Mummius, ii, m. Pers. romain.

1. Munda, ae, f. V. de Bétique, célèbre par une victoire de César.

2. Munda ou Monda, ae, m. Fl. de Lusitanie. [d'Athènes.

Munychia, ae, f. Munychie, port

Murena, ae, m. Pers. romain.

Musaeus, i, m. Musée, ancien poète grec.

Musulami, orum, m. Musulames, peuplade de Numidie.

Mutina, ae, f. V. d'Italie (Modène).

Mutius. Voy. MUCIUS.

Mycale, es, f. Cap et v. d'Ionie. [lide.

Mycenae, arum, f. Mycènes, v. d'Argo-

Mycenis, idis, f. La Mycénienne, Iphigénie, fille d'Agamemnon.

Myconus, i, f. Mycone, île des Cyclades.

Mygdonia, ae, f. Mygdonie, rég. de la Macédoine. ¶ Rég. de l'Asie Mineure.

Mygdonides, ae, m. Fils de Mygdon, Corèbe, héros troyen. [ne.

Mygdonis, idis, f. De Mygdonie, lydien-

Mygdonius, a, um. Mygdonien, phrygien.

Mylae, arum, f. Myles, v. de Sicile.

Myndus, i, f. Mynde, port de Carie.

Myrmidones, um, m. Myrmidons, peuple de Thessalie.

Myrrha, *ae*, f. Fille de Cinyras, transformée en arbre à myrrhe.

Mysia, *ae*, f. Mysie prov. d'Asie Mineure

Mysus, *a*, *um*. De Mysie; mysien (hab. la Mysie). [de Lesbos.

Mytilenae, *arum*, f. Mytilène, v. de l'île

Myus, *untis*, f. Myonte, v. de Carie.

N

N. Abréviation du prénom *Numerius*.

Nabathaea, *ae*, f. La Nabathée, prov. de l'Arabie Pétrée.

Nabis, *is*, m. Tyran de Sparte.

Naevius, *ii*, m. Névius, poète tragique romain.

Naias, *adis* ou **Nais**, *idis*, f. Naïade, nymphe des fontaines.

Napaeae, *arum*, f. Napées, nymphes des vallées et des prairies.

Nar, *aris*, m. Nar, riv. d'Italie.

Narbo, *onis*, m. V. de Gaule (Narbonne).

Narcissus, *i*, m. Narcisse, fils de Céphise, changé en narcisse.

Narycius, *a*, *um*. De Naryx, de Locride. ¶ *Narycius heros*, Ajax, fils d'Oïlée. ¶ *Narycia* (*urbs*), Locres, en Italie.

Naryx, *ycis*, f. V. de la Locride Ozole.

Nasamones, *um*, m. Nasamons, peuple voisin de la Cyrénaïque.

Nasamoniacus, *a*, *um*. Des Nasamons.

Nasica, *ae*, m. Surnom de Scipion.

Naso, *onis*, m. Nom de famille romain. ¶ *Ovidius Naso*. Ovide, le poète.

Naupactus, *i*, f. V. d'Étolie (Lépante).

Naupliades, *ae*, m. Fils de Nauplius (Palamède).

Nauplius, *ii*, m. Roi d'Eubée.

Naxos (ou **Naxus**), *i*, f. Ile de la mer Égée.

Neapolis, *is*, f. V. de Campanie (Naples).

Neapolitanus, *a*, *um*. De Naples; napolitain (hab. Naples).

Neleius, *a*, *um*. De Nélée. ¶ Au m. sing. Nestor, fils de Nélée.

1. **Neleus**, *ei* ou *eos*, m. Nélée, fils de Neptune et père de Nestor.

2. **Neleus**, *a*, *um*. De Nélée.

Nelides, *ae*, m. Le fils de Nélée, Nestor.

1. **Nemea**, *ae*, f. Némée, bourg de l'Argolide. [brés à Némée.

2. **Nemea**, *orum*, n. Jeux Néméens célé-

Nemeaeus, *a*, *um*. De Némée. ¶ *Nemeaea moles*. Le lion monstrueux de Némée. [et de la Vengeance.

Nemesis, *is*, f. Déesse de la Justice

Nemetes, *um*, m. Peuple du nord de la Gaule. [d'Achille.

Neoptolemus, *i*, m. Néoptolème, fils

Nephele, *es*, f. Femme d'Athamas, mère de Phrixus et d'Hellé.

Nepheleis, *eidos*, f. La fille de Néphélé, Hellé.

Nepos, *otis*, m. Nom de pers. romain.

¶ *Cornelius Nepos*, historien latin.

Neptunius, *a*, *um*. De Neptune. ¶ *Neptunius heros*. Thésée. ¶ De la mer, maritime. [mer. ¶ Mer.

Neptunus, *i*, m. Neptune, dieu de la

Nereis, *idis*, f. Fille de Nérée, Néréide, nymphe de la mer.

Nereius, *a*, *um*. De Nérée. ¶ *Nereia genitrix*. Thétis, mère d'Achille.

Nereus, *ei* ou *eos*, m. Nérée, dieu marin, père de Thétis. [d'Ulysse.

Neritius, *a*, *um*. De Néritos, d'Ithaque.

Neritos (ou ...tus), *i*, m. Mont. d'Ithaque. ¶ Petite île voisine d'Ithaque (en ce sens, le mot est féminin).

Nero, *onis*, m. Néron, nom de famille romain. ¶ Néron, empereur romain.

Nerva, *ae*, m. Pers. romain. ¶ Empereur romain. [la Gaule Belgique.

Nervii, *orum*, m. Nerviens, peuple de

Nesis, *idis*, f. Ile près du cap Misène.

Nesseus, *a*, *um*. De Nessus.

Nessus, *i*, m. Centaure tué par Hercule.

Nestor, *oris*, m. Fils de Nélée.

Nicaea, *ae*, f. Nicée, v. de Bithynie. ¶ V. de Locride. ¶ V. de l'Inde. ¶ V. de Ligurie (auj. Nice).

Nicias, *ae*, m. Général athénien.

Nicolaus, *i*, m. Nicolas de Damas, philosophe. [comédie.

Nicomedensis, *e*. De Nicomédie; hab. Nicomédie.

Nicomedia, *ae*, f. Nicomédie, v. de Bithynie. [comédie.

Nicomedes, *is*, m. Nicomède, roi de Ni-

Niligena, *ae*, m. Né au bord du Nil, Égyptien.

Nilus, *i*, m. Le Nil, fl. [de Sémiramis.

Ninus, *i*, m. Roi des Assyriens, époux

Ninya, *ae*, m. Ninyas, fils de Ninus.

Niobe, *es* (ou ...ba, *ae*), f. Fille de Tantale.

Nola, *ae*, f. Nole, v. de Campanie.

Nomentum, *i*, n. V. du pays des Sabins.

Nonacrinus, *a*, *um*. De Nonacris; d'Arcadie. ¶ *Nonacrina virgo*. Callisto.

Nonacris, *is* ou *idis*, f. V. d'Arcadie. ¶ Mont d'Arcadie.

Nonacrius, *a*, *um*. De Nonacris. ¶ Au f. sing. : Atalante.

Nora, *orum*, n. Place forte en Cappadoce. ¶ V. de Sardaigne.

Norensis, *e*. De Nora, en Sardaigne.

Noricum, *i*, n. La Norique, rég. voisine de la Pannonie. [Norique.

Noricus, *a*, *um*. De la Norique; hab. la

1. **November**, *bris*, *bre*. De Novembre.

2. **November** (ou ...bris), *is*, m. Le mois de Novembre.

Nuceria, *ae*, f. Nucérie, v. de Campanie.

Numa, *ae*, m. Roi de Rome.

Numantia, *ae*, f. Numance, v. de la Tarraconaise.

Numerius, *ii*, m. Prénom romain.

Numida, *ae*, m. Numide, de la Numidie, hab. de la Numidie.

Numidia, *ae*, f. Numidie, contrée du nord de l'Afrique.

Numidicus, *a*, *um*. De Numidie, numide.
¶ Au m. sing. : Le Numidique, surnom de Cécilius Métellus.

Numitor, *oris*, m. Roi d'Albe, grand-père de Romulus et de Rémus.

1. **Nyctelius**, *ii*, m. Le dieu des fêtes nocturnes, Bacchus.

2. **Nyctelius**, *a*, *um*. De Bacchus.

Nympha, *ae*, ou **Nymphe**, *es*, f. Nymphe, divinité des sources, des bois et des montagnes.

Nymphaeum, *i*, n. Cap. et port d'Illyrie.

1. **Nysa**, *ae*, f. V. d'Asie Mineure.
¶ Mont. et v. de l'Inde, consacrée à Bacchus.

2. **Nysa**, *ae*, f. Nourrice de Bacchus.
¶ Fille de Nicomède II.

Nyseis, *idis*, f. De Nysa. [Bacchus.

Nyseus, *ei* ou *eos*, m. Le dieu de Nysa.

Nysius, *ii*, m. Comme NYSEUS.

O

Occidens, *entis*, m. L'Occident, l'ouest.

Occidentalis, *e*. Occidental.

Oceanus, *i* m. L'Océan Atlantique.
¶ Océan, fils du Ciel et de la Terre, époux de Thétis.

1. **Ochus**, *i*, m. Fl. d'Asie.

2. **Ochus**, *i*, m. Nom de roi, de prince, de guerrier perse.

Octavia, *ae*, f. Octavie. Sœur d'Auguste, femme de Marcellus, puis de Pompée, puis d'Antoine. ¶ Fille de Claude, femme de Néron.

Octavianus, *a*, *um*. D'Octave. ¶ Au m. pl. : les soldats d'Octave.

Octavius, *ii*, m. Nom de famille romain.
¶ Octave, l'empereur Auguste.

1. **October**, *bris*, *bre*. D'Octobre.

2. **October**, *bris*, m. Octobre.

Odrysae, *arum*, m. Les Odryses, peuple de Thrace.

1. **Odrysius**, *a*, *um*. Des Odryses, de Thrace. ¶ *Odrysius rex*, Térée, roi de Thrace.

2. **Odrysius**, *ii*, m. Le Thrace Polymnestor. ¶ Au pl. : les Odryses, les Thraces. [mère.

Odyssea, *ae*, f. L'Odyssée, poème d'Homère.

Oea, *ae*, f. V. d'Afrique (Tripoli).

Oeagrius, *a*, *um*. D'Oeagre; de Thrace.

Oeagrus, *i*, m. Oeagre, père d'Orphée et de Linus. [les Spartiates).

Oebalia, *ae*, f. Tarente (v. fondée par

Oebalides, *ae*, m. Descendant d'Oebalus.

Oebalis, *idis*, f. Descendante d'Oebalus, Hélène. ¶ Une Sabine (les Sabins passaient pour descendre des Spartiates).

Oebalius, *a*, *um*. Spartiate. ¶ Sabin.

Oebalus, *i*, m. Roi de Sparte, père de Tyndare, aïeul d'Hélène.

Oechalia, *ae*, f. Oechalie, v. d'Eubée.

Oechalis, *idis*, f. D'Oechalie.

Oecleus, *ei*, m. Oeclée, père d'Amphiaraüs. [Amphiaraüs.

Oeclides, *ae*, m. Descendant d'Oeclée.

Oedipodionius, *a*, *um*. Rel. à Oedipe.

Oedipus, *i* ou *odis*, m. Oedipe, fils de Laïus et de Jocaste, roi de Thèbes.

Oenanthe, *es*, f. Oenanthe, mère d'Agathocle.

1. **Oeneus**, *ei*, m. Oenée, roi de Calydon, père de Méléagre.

2. **Oeneus**, *a*, *um*. Rel. à Oenée.

Oenides, *ae*, m. Descendant d'Oenée (Méléagre ou Diomède).

Oenomaus, *i*, m. Roi de Pise, grand-père d'Atrée et de Thyeste.

Oenone, *es*, f. Nymphe de Phrygie.

Oenopia, *ae*, f. Oenopie, ancien nom de l'île d'Egine. [de Mérope.

Oenopion, *onis*, m. Roi de Chios, père

Oenotria, *ae*, f. Oenotrie, ancien nom d'une rég. de l'Italie du Sud.

Oenotrius (ou ...trus), *a*, *um*. Italien.

Oenotrus, *i*, m. Roi des Sabins.

Oeta, *ae* (ou **Oete**, *es*), f. Mont. entre Thessalie et Macédoine.

Ogyges, *is* (ou ...gius, *ii*), m. Roi fondateur de Thèbes.

Ogygia, *ae*, f. Ogygie, île de Calypso.

Ogygius, *a*, *um*. Thébain.

1. **Oileus**, *ei* ou *eos*, m. Oïlée, roi des Locriens, père d'Ajax.

2. **Oileus**, *a*, *um*. D'Oïlée. [Ajax.

Oiliades ou **Oilides**, *ae*, m. Fils d'Oïlée,

Olearos, *i*, f. Ile des Sporades, dans la mer Egée. [d'Etolie.

Olenus, *i*, f. Olène, v. d'Achaïe. ¶ V.

Olympeni, *orum*, m. Les hab. d'Olympe, en Lycie.

Olympia, *ae*, f. Olympie, lieu de l'Elide où se célébraient les jeux olympiques.

Olympiacus (ou ...picus), *a*, *um*. D'Olympie, olympique.

Olympias, *adis*, f. Olympias, mère d'Alexandre.

Olympicum (ou ...pium), *ii*, n. Temple de Jupiter Olympien. ¶ V. de Sicile où il y avait un temple de Jupiter Olympien.

Olympius, *a*, *um*. D'Olympie. ¶ Au n. pl. : les jeux olympiques. *Olympia vincere*, vaincre aux jeux olympiques.

1. **Olympus**, *i*, m. L'Olympe, mont. entre Thessalie et Macédoine. ¶ Le ciel. ¶ Le séjour des dieux.

2. **Olympus**, *i*, m. Olympe, v. de Lycie.

Olynthius, *a*, *um*. D'Olynthe; Olynthien (hab. Olynthe).

Olynthus, *i*, f. Olynthe, v. de Thrace.

Omphale, *es* (ou ...phala, *ae*), f. Omphale, reine de Lydie.

Onchesmites, *ae* (*ventus*), m. Vent qui souffle d'Onchesmus, port d'Epire.

Ophiusa, *ae*, f. Ancien nom de l'île de Chypre.

Ophiusius, *a*, *um*. De Chypre.

Opimius, *ii*, m. Pers. romain.

1. **Oppius**, *ii*, m. Pers. romain.

2. **Oppius**, *a*, *um*. D'Oppius.

Ops, *Opis*, f. Déesse de la Fécondité et de l'Abondance, la même que Rhée et que Cybèle.

Orbilius, *ii*, m. Grammairien de Rome.

Orbona, *ae*, f. Déesse invoquée par les parents pour la préservation de leurs enfants.

Orchomenos (ou ...nus), *i*, f. Orchomène, v. de Béotie. ¶ V. d'Arcadie.

Orcus, *i*, m. Pluton. ¶ Les Enfers. ¶ La Mort. [tagnes.

Oreas, *adis*, f. Oréade, nymphe des montagnes.

Orestae, *arum*, ou **Orestes**, *um*, m. Orestes, v. de Macédoine. [memnon.

Orestes, *ae*, ou *is* m. Oreste, fils d'Agamemnon.

Oresteus, *a*, *um*. D'Oreste.

Orestis, *idis*, f. L'Orestide, prov. entre l'Epire et la Macédoine. [d'Epire.

Oricum, *i*, n. (ou ...cus, *i*, f.). V.

Orion, *onis*, m. Chasseur tué par Diane. ¶ Constellation.

Orithyia, *ae*, f. Orithye, fille d'Erechtée roi d'Athènes. ¶ Reine des Amazones.

Orontes, *is* ou *ae*, m. L'Oronte, fl. de Syrie.

Oronteus, *a*, *um*. De l'Oronte, de Syrie.

1. **Orpheus**, *ei* ou *eos*, m. Orphée, chantre grec, époux d'Eurydice.

2. **Orpheus**, *a*, *um*. D'Orphée.

Orphicus, *a*, *um*. D'Orphée, orphique. ¶ Au n. pl. : les Orphiques, fêtes en l'honneur de Bacchus.

Ortona, *ae*, f. V. du Latium.

Ortygie, *es* (ou ...gia, ae), f. Ile toute proche de Syracuse. ¶ Ancien nom de Délos. [ques.

Osce, adverbe. A la manière des Osci, *orum*, m. Les Osques, ancien peuple de Campanie.

Oscus, *a*, *um*. Des Osques, osque.

Osiris, *idis*, m. Génie du Nil, divinité des Egyptiens.

Ossa, *ae*, f. Mont. de Thessalie.

Ostia, *ae*, f. Ostie, port à l'embouchure du Tibre. [¶ Empereur romain.

Otho, *onis*, m. Nom de pers. romain.

Othryades, *ae*, m. Fils d'Othrys, Panthus. [thus. ¶ Mont. de Thessalie.

Othrys, *yos*, m. Othrys, père de Panthus.

Ovidius, *ii*, m. Ovide, poète latin.

Oxus (ou Oxos), *i*, m. Fl. d'Asie.

P

P. Abréviation de *Publius*. ¶ P. R. Abréviation de *Populus Romanus*.

Pachynum, *i*, n. Cap au sud-est de la Sicile.

Pactolis, *idis*, f. Du Pactole.

Pactolus, *i*, m. Pactole, fl. de Lydie, qui roulait de l'or dans ses eaux.

Pactye, *es*, f. V. de la Chersonèse de Thrace.

Pacuvius, *ii*, m. Poète latin.

Padus, *i*, m. Le Pô, fl. d'Italie.

Paean, *anis*, m. Péan, surnom d'Apollon. ¶ Hymne en l'honneur d'Apollon. ¶ Chant de victoire.

Paeon, *onis*, m. Péon, médecin des dieux, surnom d'Apollon et d'Esculape. [Macédoine.

Paeones, *um*, m. Péoniens, peuple de

Paeonia, *ae*, f. Péonie, rég. de Macédoine appelée plus tard Emathie.

1. **Paeonius**, *a*, *um*. De Péonie, Péonien.

2. **Paeonius**, *a*, *um*. De Péon; médicinal, salutaire.

Paestum, *i*, n. V. de Lucanie.

Paetus, *i*, m. Surnom romain.

Pagasa, *ae*, ou **Pagasae**, *arum*, f. Pagase, v. de Thessalie. [marin.

Palaemon, *onis*, m. Palémon, dieu

Palaestina, *ae*, f. Palestine, rég. de la Syrie. [Nauplius, roi d'Eubée.

Palamedes, *is*, m. Palamède, fils de

Palatinus, *a*, *um*. Du mont Palatin. ¶ De l'empereur, impérial.

Palatium, *ii*, n. Le mont Palatin, colline de Rome. ¶ Palais des Césars sur le Palatin. ¶ Palais, résidence royale ou divine.

Pales, *is*, f. Déesse des Bergers.

Palilis, *e*. De Palès. ¶ Au n. pl. : fêtes de Palès. ¶ Cap de la Lucanie.

Palinurus, *i*, m. Palinure, pilote d'Enée.

Palladius, *a*, *um*. De Pallas, de Minerve. ¶ *Palladii latices*, la liqueur de Pallas, l'huile. ¶ *Palladiae arces*, Athènes. ¶ Au n. sing. : *Palladium*, statue de Pallas à Troie, dont la possession assurait le salut de la ville.

Pallanteum, *i*, n. Pallantée, v. d'Arcadie. ¶ V. fondée par Evandre sur le mont Palatin.

Pallantias, *adis*, f. L'Aurore, descendante du géant Pallas.

Pallantius, *a*, *um*. De Pallas.

1. **Pallas**, *adis*, f. Nom grec de Minerve. ¶ *Palladis arbor*, l'olivier. ¶ *Palladis ales*, la chouette. ¶ Olivier. ¶ Huile. ¶ Le Palladium (voy. PALLADIUS).

2. **Pallas**, *antis*, m. Nom de l'aïeul et du fils d'Evandre. ¶ Un des Géants. ¶ Autre pers. mythologique. ¶ Affranchi de Claude.

Palmyra, *ae*, f. Palmyre, v. de Syrie.

Pamphylia, *ae*, f. Pamphylie, rég. du sud de l'Asie Mineure.

Pan, *Panos*, m. Dieu des bergers et des bois. ¶ Au pl. : les Faunes et les Sylvains, divinités champêtres.

Panathenaicus, *a*, *um*. Rel. aux Panathénées. ¶ Au n. pl. : les Panathénées, fêtes solennelles à Athènes.

Panchaia, *ae*, f. Panchaïe, rég. de l'Arabie Heureuse, abondante en parfums. [mer Tyrrhénienne.

Pandataria, *ae*, f. Pandatarie, île de la

Pandora, *ae*, f. Pandore, nom de la première femme.

Pangaeus, *i*, m., ou **Pangaea**, *orum*, n. Pangée, mont. de Thrace.

Paniscus, *i*, m. Petit Pan, Sylvain, divinité champêtre.

Pannonia, *ae*, f. Pannonie, rég. d'Europe sur le Danube.

Panormos (ou ...**mus**), *i*, f., ou **Panormum**, *i*, n. Panorme, v. de Sicile (auj. Palerme).

Pansa, *ae*, m. Surnom romain.

Paphius, *a*, *um*. De Paphos, Paphien (hab. Paphos). ¶ Consacré à Vénus.

Paphlago, *onis*, m. Paphlagonien, hab. de la Paphlagonie.

Paphlagonia, *ae*, f. Paphlagonie, rég. de l'Asie Mineure.

Paphos (ou ...**us**), *i*, f. V. de l'île de Chypre, séjour favori de Vénus.

Papirius, *ij*, m. Pers. romain.

Parca, *ae*, f. Une des trois Parques, déesses du Destin.

Parilia. Comme *Palilia* (voy. PALILIS).

Paris, *idis*, m. Fils de Priam.

Parisii, *orum*, m. Parisiens, peuple de la Gaule, dont la capitale était Lutèce.

Parius, *a*, *um*. De Paros. — *Parius lapis*, marbre de Paros. ¶ Parien (hab. Paros).   [cispadane.

Parma, *ae*, f. Parme, v. de la Gaule

Parnasis (ou ...**assis**), *idis*, f. Du Parnasse.   [nasse.

Parnasius (ou **assius**), *a*, *um*, Du Parnasse.

Parnasos (ou ...**asus**) ou **Parnassos** (ou ...**assus**), *i*, m. Parnasse, mont. de Phocide, consacrée à Apollon et aux Muses.

Parnes, *ethis*, m. Mont. de l'Attique.

Paropamisadae, *arum*, m. Peuple hab. près du Paropamisus.   [trale.

Paropamisus, *i*, m. Mont. de l'Asie cen-

Paros (ou ...**rus**), *i*, f. Ile de la mer Egée.

Parrhasius, *ii*, m. Peintre grec.

Parthenon, *onis*, m. Temple de Minerve, à Athènes.

Parthenope, *es*, f. Nom d'une Sirène. ¶ Ancien nom de la v. de Naples.

Parthi, *orum*, m. Parthes, peuple de Parthie.

Parthia, *ae*, f. Parthie, pays de l'Asie, auprès de la mer Caspienne.

Parthiene (ou ...**thyene**), *es*, f. La Parthyène, prov. de la Parthie.

Parus. Comme PAROS.   [Perse.

Pasargadae, *arum*, f. Pasargade, v. de

Pasiphae, *es*, f. Epouse de Minos, mère du Minotaure.

Pasitigris, *idis*, m. Nom du Tigre après son confluent avec l'Euphrate. ¶ Fl. de la Susiane.

Patara, *orum*, n. Patare, v. de Lycie.

Patavinus, *a*, *um*. De Padoue; Padouan (hab. Padoue).   [cisalpine.

Patavium, *ii*, n. Padoue, v. de Gaule

Paterculus, *i*, m. Velleius Paterculus, historien latin.

Patrae, *arum*, f. Patras, v. d'Achaïe.

Patrocles, *is*, ou **Patroclus**, *i*, m. Patrocle, ami d'Achille.

Paulus (ou **Paullus**), *i*, m. Surnom dans la famille Aemilia. ¶ *Aemilius Paulus*, Paul-Emile.

Pausanias, *ae*, m. Roi de Lacédémone.

Pegaseius (ou ...**seus**), *a*, *um*. De Pégase.   [les Muses.

Pegasis, *idis*, f. De Pégase. ¶ Au pl.

Pegasus, *i*, m. Pégase, cheval ailé, né du sang de Méduse.   [tifs de la Grèce.

Pelasgi, *orum*, m. Pélasges, hab. primi-

Peleus, *ei* ou *eos*, m. Pelée, époux de Thétis, père d'Achille.

Peliacus, *a*, *um*. Du mont Pélion. ¶ *Peliaca cuspis*, la lance d'Achille (coupée sur le mont Pélion).

1. **Pelias**, *ae*, m. Roi d'Iolcos en Thessalie, oncle de Jason.   [Pélias.

2. **Pelias**, *adis*, f. De Pélias; fille de

Pelides, *ae*, m. Le fils de Pelée, Achille.

Pelion, *ii*, n. (ou ...**lios**, *ii*, m.). Mont. de Thessalie.

Pelius, *a*, *um*. Du Pélion.   [Alexandre.

Pella, *ae*, f. V. de Macédoine, où naquit

Pellaeus, *a*, *um*. De Pella. ¶ De Macédoine. ¶ D'Alexandrie, v. d'Egypte. ¶ D'Egypte.

Pelopeius ou **Pelopeus**, *a*, *um*. De Pélops.

Pelopeias, *adis*, f. De Pélops. ¶ Du Péloponèse.   [cendants de Pélops.

Pelopidae, *arum*, m. Pélopides, des-

Peloponnenses, *ium*, m. Péloponésiens, hab. du Péloponèse.

Peloponnesiacus (ou ...**ponnesius**), *a*, *um*. Du Péloponèse.

Peloponnesus, *i*, f. Péloponèse, péninsule de la Grèce (la Morée).

Pelops, *opis*, m. Fils de Tantale.

Peloros, *i*, m., ou **Pelorum**, *i*, n. Pélore, cap au nord-est de la Sicile.

Pelusiacus, ou **Pelusianus**, ou **Pelusius**, *a*, *um*. De Péluse.

Pelusium, *ii*, n. Péluse, v. d'Egypte.

Penates, *ium*, m. Pénates, dieux domestiques. ¶ Pénates, domicile.

Peneis, *idis*, f. Du Pénée. ¶ *Peneis nympha*, Daphné, fille du Pénée.

Penelope, *es* (ou ...**pa**, *ae*), f. Epouse d'Ulysse.

1. **Peneus**, *a*, *um*. Du Pénée.   [salie.

2. **Peneus**, *i*, m. Le Pénée, fl. de Thes-

Penninus, *a*, *um*. Des Alpes Pennines. ¶ *Alpes Penninae*, les Alpes Pennines (le mont Saint-Bernard).

1. **Pentelicus**, *i*, m. Le Pentélique, mont. de l'Attique.

2. **Pentelicus**, *a*, *um*. Du Pentélique.

Penthesilea, *ae*, f. Penthésilée, reine des Amazones.

Pentheus, *i*, m. Penthée, roi de Thèbes.

Peraea, *ae*, f. Pérée, rég. de la Carie. ¶ Partie de la Palestine.

Pergamenus, *a*, *um*, De Pergame (en Mysie), hab. Pergame. ¶ *Pergamena charta*, parchemin.

Pergamum, *i*, n., ou **Pergamus**, *i*, f., ou **Pergama**, *orum*, n. Pergame, citadelle de Troie, Troie. ¶ Pergame, v. de Mysie.

Periander, *dri*, m. Périandre, roi de Corinthe, un des sept sages de la Grèce. [d'Etat d'Athènes.

Pericles, *is* ou *i*, m. Orateur et homme

Perinthus, *i*, f. Périnthe, v. de Thrace.

Peripateticus, *a*, *um*. Péripatéticien. ¶ Au m. pl. : les Péripatéticiens, disciples d'Aristote.

Permessus, *i*, m. Permesse, fl. de Béotie, consacré à Apollon et aux Muses.

Perrhaebia, *ae*, f. Perrhébie, rég. de la Thessalie.

Perrhaebus, *a*, *um*. De Perrhébie, Perrhèbe (hab la Perrhébie). [Perse.

Persa, *ae*, m. Un Perse, hab. de la

Persephone, *es*, f. Proserpine, déesse des Enfers.

Persepolis, *is*, f. V. de Perse.

1. **Perses**, *ae*, m. Persès, fils de Persée et d'Andromède. ¶ Persès, fils du Soleil et de la nymphe Persa. ¶ Persée, dernier roi de Macédoine.

2. **Perses**, *ae*, m. Un Perse.

1. **Perseus**, *ei* ou *eos*, m. Persée, fils de Jupiter et de Danaé. ¶ Persée, roi de Macédoine. ¶ Nom d'autre pers. ¶ Persée, constellation.

2 **Perseus**, *a*, *um*. De Persée.

3. **Perseus**, *a*, *um*. De Perse. ¶ Des Perses.

Persia, *ae*, f. La Perse, pays d'Asie.

Persice, adverbe. A la manière des Perses; en langue perse.

Persicus, *a*, *um*. De Perse, persique. ¶ *Persica malus*, le pêcher. ¶ Au n. : la pêche, fruit.

Persis, *idis*, f. Perse, pays d'Asie. ¶ Femme de Perse.

Persius, *ii*, m. Perse, poète latin.

Perusia, *ae*, f. Pérouse, v. d'Etrurie.

Pessinus, *untis*, f. Pessinonte, v. de Galatie, où l'on adorait Cybèle.

Petelia (ou **Petilia**), *ae*, f. Pétilie, v. du Bruttium

Petra, *ae*, f. V. d'Arabie. ¶ V. de Sicile. ¶ Nom de plusieurs v. bâties sur des rochers.

Petrini, *orum*, m. Hab. de Pétra.

Petrocorii, *orum*, m. Les Pétrocoriens, peuple d'Aquitaine

Petronius, *ii*, m. Pétrone, pers. romain.

Phaeax, *acis*, m. Phéacien, hab. de Corcyre. [de l'île de Corcyre.

Phaeacia, *ae*, f. Phéacie, ancien nom

Phaeacis, *idis*, f. De Phéacie.

Phaedo, *onis*, m. Phédon, disciple de Socrate et ami de Platon.

Phaedra, *ae*, f. Phèdre, fille de Minos, épouse de Thésée.

Phaedrus, *i*, m. Phèdre, disciple de Socrate. ¶ Fabuliste latin.

Phaethon, *ontis*, m. Phaéton, fils du Soleil. ¶ Nom du Soleil.

Phaethontiades, *um*, f. Sœurs de Phaéton, changées en peupliers.

Phaethontis, *idis*, f. de Phaéton.

Phaethusa, *ae*, f. Phaétuse, sœur de Phaéton.

Phalanthus, *i*, m. Phalante, Lacédémonien, fondateur de Tarente.

Phalaris, *idis*, m. Tyran cruel d'Agrigente. [trius de Phalère.

Phalareus, *ei*, m. (*Demetrius*). Démétrius de Phalère.

Phalaricus, *a*, *um*. De Phalère.

Phalerum, *i*, ou **Phalera**, *orum*, n. Phalère, ancien port d'Athènes.

Pharao, *onis*, m. Pharaon, nom des rois en Egypte.

Pharius, *a*, *um*. De Pharos; d'Egypte. ¶ *Pharia juvenca*, Io. ¶ *Pharia turba*, les prêtres d'Isis.

Pharnaces, *is*, m. Pharnace, roi de Pont, grand-père de Mithridate. ¶ Fils de Mithridate.

Pharos (ou ...*rus*), *i*, f. Ile près d'Alexandrie, célèbre par son phare.

Pharsalia, *ae*, f. Le territoire de Pharsale. ¶ La Pharsale, poème épique de Lucain.

Pharsalus (ou ...*los*), *i*, f. Pharsale, v. de Thessalie, célèbre par la victoire de César sur Pompée.

Phaselis, *idis*, f. V. de Lycie.

Phaselitae, *arum*, m. Hab. de Phaselis.

Phasiacus, *a*, *um*. Du Phase.

Phasianus, *a*, *um*. Du Phase. ¶ *Phasiana* (*avis*) ou *Phasianus* (*ales*), faisan.

Phasias, *adis*, f. Du Phase; de Colchide, ¶ Médée. [chide.

1. **Phasis**, *idis*, m. Le Phase, fl. de Colchide, ¶ Médée.

2. **Phasis**, *idis*, f. Du Phase. ¶ Médée.

Phegeus, *ei* ou *eos*, m. Phégée, père d'Alphésibée. [(Alphésibée).

Phegis, *idis*, f. La fille de Phégée

Phemius, *ii*, m. Joueur de cithare d'Ithaque.

Pheneos, *i*, f. Phénée, v. d'Arcadie.

Pherae, *arum*, f. Phères, v. de Messénie. ¶ V. de Thessalie.

Phidiacus, *a*, *um*. De Phidias.

Phidias, *ae*, m. Sculpteur grec.

Phidippides, *is*, m. Phidippide, fameux coureur.

Philadelphus, *i*, m. Philadelphe, surnom d'un roi d'Egypte.

Philae, *arum*, f. Philé, île du Nil.

Philaeni, *orum*, m. Les Philènes, deux frères de Carthage qui se dévouèrent pour leur pays.

Philemon (ou ...*mo*), *onis*, m. Poète grec. ¶ Mari de Baucis.

Philippensis, *e*. De Philippes.

Philippeus, *a*, *um*. De Philippe. ¶ De Philippes.

Philippi, *orum*, m. Philippes, v. de Macédoine, où Brutus et Cassius furent défaits.

Philippicus, *a*, *um*. De Philippe. ¶ *Philippicae* (*orationes*), les Philippiques, discours de Démosthènes contre Philippe, ou discours de Cicéron contre Antoine.

Philippus, *i*, m. Philippe, nom de plusieurs rois de Macédoine, dont l'un fut le père d'Alexandre. ¶ Un philippe, monnaie d'or à l'effigie de Philippe.

Philistaei (ou ...tini), *orum*, m. Philistins, peuple de Palestine.

Philo, *onis*, m. Philon, philosophe, maître de Cicéron. ¶ Architecte athénien. [compagnon d'Hercule.

Philocteta (ou ...tetes), *ae*, m. Philoctète,

Philolaus, *i*, m. Philosophe pythagoricien.

Philomela, *ae*, f. Philomèle, fille de Pandion et sœur de Procné, changée en rossignol. ¶ Rossignol.

Philomelienses, *ium*, m. Hab. de Philomélium.

Philomelium, *ii*, n. V. de Phrygie.

Philometor, *oris*, m. Surnom d'un roi d'Egypte. [d'Egypte.

Philopator. *oris*, m. Surnom d'un roi

Philopoemen, *enis*, m. Chef de la Ligue Achéenne. [De Phinée.

1. Phineus (ou Phineius), *a*, *um*.

2. Phineus, *ei* ou *eos*, m. Phinée, roi de Salmydesse en Thrace. ¶ Frère de Céphée. [pythagoricien.

Phinthias ou Pythias, *ae*, m. Célèbre

Phintia, *ae*, f. V. de Sicile.

Phintiadae, *arum*, m. Hab. de Phintia.

Phlegethon. *ontis*, m. Fl. des Enfers.

Phlegethontis, *idis*, f. Du Phlégéthon.

Phlegra, *ae*, f. Prov. de Macédoine où les Géants furent foudroyés.

Phlegraeus, *a*, *um*. De Phlégra; brûlant. ¶ *Phlegraei campi*, les Champs Phlégréens, terrain volcanique près de Naples. ¶ *Phlegraeus campus*, le champ de bataille de Pharsale.

Phlegyae, *arum*, m. Peuple de brigands en Thessalie.

Phlegyas, *ae*, m. Roi des Lapithes, père d'Ixion et de Coronis.

Phocaea, *ae*, f. Phocée, v. d'Ionie, métropole de Marseille. [(hab. Phocée).

Phocaeensis, *e*. De Phocée; phocéen

Phocaicus, *a*, *um*. De Phocée. ¶ De Phocide.

Phocenses, *ium*, m. Les hab. de la Phocide. ¶ Les Phocéens, hab. de Phocée.

Phoceus, *a*, *um*. De Phocide.

Phocii, *orum*, m. Les hab. de la Phocide. [Grèce.

Phocis, *idis*, f. La Phocide, rég. de la

Phocus, *i*, m. Fils d'Eaque.

Phoebe, *es*, f. Phébé, sœur de Phébus (Diane). ¶ La Lune. ¶ Fille de Léda et sœur d'Hélène.

Phoebeius (ou ...beus), *a*, *um*. De Phébus, d'Apollon. ¶ *Phoebeia lampas*, le soleil. ¶ *Phoebeia ars*, la médecine ¶ *Phoebeius ales*, le corbeau.

Phoebeum, *i*, n. Temple d'Apollon.

Phoebidas, *ae*, m. Phébidas, général lacédémonien. [lape.

Phoebigena, *ae*, m. Fils d'Apollon, Escu-

Phoebus, *i*, m. Phébus, Apollon. ¶ Le soleil.

Phoenice, *es*, f. Phénicie, rég. de la Syrie.

Phoenicia, *ae*, f. Comme PHOENICE.

1. Phoenix, *icis*, m. Phénicien, hab. de la Phénicie.

2. Phoenix, *icis*, m. Phénix, compagnon d'Achille. ¶ Le Phénix, oiseau fabuleux.

Pholoe, *es*, f. Mont. d'Arcadie. [Méduse.

Phorcynis, *idis*, f. Fille de Phorcys,

Phorcys, *yos* (ou ...cus, *i*, ou ...cyn, *ynis*), m. Fils de Neptune, père des Gorgones. [sophe.

Phormio, *onis*, m. Phormion, philo-

Phraates ou Phrahates, *ae*, m. Phraate, nom de plusieurs rois des Parthes.

Phrixus, *i*, m. Fils d'Athamas, frère d'Hellé. [l'Asie mineure.

Phrygia, *ae*, f. La Phrygie, rég. de

Phrygianus, *a*, *um*. De Phrygie. ¶ Brodé en or.

Phrygius, *a*, *um*. De Phrygie, phrygien. ¶ *Phrygius pastor*, Pâris. ¶ *Phrygia mater*, Cybèle. ¶ *Phrygiae vestes*, étoffes brochées d'or. ¶ *Phrygii modi*, le mode phrygien. ¶ Au f. pl., les Troyennes.

Phryne, *es*, (ou ...na, *ae*), f. Athénienne célèbre par sa beauté. ¶ Autre pers.

Phryx, *ygis*. De Phrygie, phrygien. ¶ Phrygien, hab. de la Phrygie. ¶ Le Phrygien (Enée). ¶ Un prêtre de Cybèle. [patrie d'Achille.

Phthia, *ae*, f. Phthie, v. de Thessalie,

Phthias, *adis*, f. Femme de Phthie.

Phthiota (ou ...otes), *ae*, m. Phthiote, hab. de Phthie. [Thessalie.

Phthioticus, *a*, *um*. De Phthiotide. ¶ De

Phthiotis, *idis*, f. La Phthiotide, rég. de Thessalie. [*vir*, Achille.

Phthius, *a*, *um*. De Phthie. ¶ *Phthius*

Phylace, *es*, f. V. de Thessalie.

Phyle, *es*, f. bourg de l'Attique.

Phyllis, *idis*, f. Nom de jeune fille.

Picens, *entis*. Du Picénum. ¶ Picentin (hab. le Picénum). [d'Ancône).

Picenum, *i*, n. Rég. d'Italie (environs

Picenus, *a*, *um*. Du Picénum, picentin.

Pictavi, *orum*, m. Les Pictaves, peuple de l'Aquitaine. [de la Calédonie.

Picti, *orum*, m. Les Pictes, anciens hab.

Pictones, *um*, m. Comme PICTAVI.

Picumnus, *i*, m. Ancien dieu du Latium, qui présidait aux mariages et aux naissances.

Picus, *i*, m. Dieu latin, présidant aux augures et représenté sous la forme d'un pivert.

Pieria, *ae*, f. Piérie, rég. de Macédoine.

Pieris, *idis*, f. Fille de Pierus. ¶ Une Muse.

Pierius, *a*, *um*. Du mont Piérus. ¶ Des Muses, poétique. *Pierii modi*, poème. ¶ Au f. pl., les Muses.

Pierus (ou ...ros), *i*, m.[Le Piérus, mont de Thessalie, consacré aux Muses. ¶ Piérus, roi d'Emathie, qui donna à ses neuf filles les noms des neuf Muses.

Pilumnus, *i*, m. Divinité latine analogue à Picumnus. [rique, lyrique.

Pindaricus, *a*, *um*. De Pindare, pinda-

Pindarus, *i*, m. Pindare, poète lyrique grec de Thèbes. [Thessalie.

Pindus, *i*, m. Le Pinde, mont. de

Piraeus, *i*, m. Le Pirée, port d'Athènes.

Pirene, *es*, f. Fontaine près de Corinthe.

Pirenis, *idis*, f. De Pirène. ¶ *Pirenis Ephyre*, Corinthe, v. de Grèce.

Pirithous, *i*, m. Fils d'Ixion.

Pirustae, *arum*, m. Les Pirustes, peuple d'Illyrie.

Pisa, *ae*, ou **Pisae**, *arum*, f. Pise, v. d'Elide. ¶ Au pl. seulement, Pise, v. d'Etrurie. [hab. Pise.

Pisaeus, *a*, *um*. De Pise (en Elide).

Pisanus, *a*, *um*. De Pise (en Etrurie); hab. Pise.

Pisidae, *arum*, m. Hab. de la Pisidie.

Pisidia, *ae*, f. La Pisidie, rég. de l'Asie mineure. [d'Athènes.

Pisistratus, *i*, m. Pisistrate, tyran

Piso, *onis*, m. Pers. romain.

Pisonianus, *a*, *um*. De Pison.

Pistorium, *ii*, n. V. d'Etrurie.

Pithecusa, *ae*, ou **Pithecusae**, *arum*, f. Pithécuse, île sur la côte de Campanie.

Pittacus, *i*, m. Philosophe de Mitylène, un des sept Sages.

Placentia, *ae*, f. V. de la haute Italie, sur le Pô (auj. Plaisance).

Planaria (ou ...nasia), *ae*, f. Planasie, île voisine de l'île d'Elbe (auj. Pianosa).

Plataeae, *arum*, f. Platée, v. de Béotie, célèbre par la victoire des Grecs sur les Perses.

Plato, *onis*, m. Platon, philosophe grec, fondateur de l'école académique.

Platonicus, *a*, *um*. De Platon, platonique. ¶ Platonicien, philosophe de l'école de Platon. [latin.

Plautus, *i*, m. Plaute, poète comique

Pleias ou **Plias**, *adis*, f. Une Pléiade, une des sept filles d'Atlas et de Pléione. ¶ Au f. pl., les Pléiades, constellation.

Plemmyrium, *ii*, n. Cap de Sicile.

Plinius, *ii*, m. Nom de pers. romain. ¶ *C. Plinius Secundus (Major)*, Pline l'Ancien, le naturaliste. ¶ *C. Plinius Caecilius Secundus (Junior)*, Pline le Jeune, l'ami de Trajan.

Plotius, *ii*, m. Pers. romain. [phe grec.

Plutarchus, *i*, m. Plutarque, biogra-

Pluton (ou ...to), *onis*, m. Dieu des Enfers.

Plutonia, *orum*, n. Localité de Lydie où existait un sanctuaire de Pluton.

Plutus, *i*, m. Dieu de la Richesse. ¶ Richesse, fortune. [Philoctète.

Poeantiades, *ae*, m. Fils de Poeas.

Poeantius, *a*, *um*. De Poeas. ¶ *Poeantia proles*, Philoctète. [loctète.

Poeas, *antis*, m. Poeas, père de Phi-

Poecile, *es*, f. Le Pécile, portique peint à fresque, à Athènes.

Poenic... Voy. PUNIC...

Poeninus, *a*, *um*. Comme PENNINUS.

Poenus, *a*, *um*. Phénicien, carthaginois. ¶ Carthaginois (hab. Carthage). ¶ Fourbe, astucieux. [d'Athènes.

Polemon (ou ...mo), *onis*, m. Philosophe

Poliorcetes, *ae*, m. Poliorcète, surnom de Démétrius, roi de Macédoine.

Polites, *ae*, m. Polite, fils de Priam.

Polla, *ae*, f. (pour *Paula*). Polla, femme de D. Brutus. ¶ Autres pers.

Pollentia, *ae*, f. V. de Ligurie.

Pollio, *onis*, m. Pollion, pers. romain.

Pollux, *ucis*, m. Fils de Tyndare et de Léda.

Polybius, *ii*, m. Polybe, historien grec.

Polybus, *i*, m. Polybe, roi de Corinthe, père adoptif d'Œdipe. [teur grec.

Polycletus, *i*, m. Polyclète, sculp-

Polycrates, *is*, m. Polycrate, tyran de Samos.

Polydamas, *antis*, m. Guerrier troyen.

Polydectes (ou ...decta), *ae*, m. Polydecte, roi de l'île de Séripho. ¶ Un des rois de Sparte.

Polydorus, *i*, m. Polydore, fils de Priam.

Polygnotus, *i*, m. Polygnote, peintre grec.

Polyhymnia ou **Polymnia**, *ae*, f. Polymnie, une des Muses.

Polymnestor (ou **Polymestor**), *oris*, m. Roi de Thrace, gendre de Priam.

Polynices, *is*, m. Polynice, fils d'Œdipe, frère d'Etéocle. [fils de Neptune.

Polyphemus, *i*, m. Polyphème, cyclope,

Polysperchon, *ontis*, m. Général d'Alexandre. [de Priam.

Polyxene, *es* (ou ...xena, *ae*), f. Fille

Pomerium. Comme POMOERIUM.

Pometia (ou **Suessa Pometia**), *ae*, f. V. du Latium.

Pomoerium, *ii*, n. Espace vide qui entourait les remparts de Rome. ¶ Boulevards. [fruits.

Pomona, *ae*, f. Pomone, déesse des

Pomonalis, *e*. De Pomone.

Pompeia (ou ...eja), *ae*, f. Nom de diverses femmes romaines.

1. **Pompeianus**, *a*, *um*. De Pompée. ¶ Au m., Pompéien, partisan de Pompée.

2. **Pompeianus**, *a*, *um*. De Pompéi; hab. Pompéi. ¶ Au n. sing., villa de Cicéron, près de Pompéi.

Pompeii, *orum*, m. Pompéi, v. de Campanie.

1. **Pompeius** (ou ...ejus), *i*, m. Pompée, nom de plusieurs Romains célèbres, en particulier du rival de César.

2. **Pompeius** (ou ...ejus), *a*, *um*. De Pompée.

1. **Pompilius**, *ii*, m. Nom de famille romain. ¶ *Numa Pompilius*, roi de Rome.

2. **Pompilius** (ou ...lianus), *a*, *um*. De Pompilius. ¶ De Numa Pompillus.

Pomponius, *ii*, m. Nom de pers. romain.

Pomptin... ou **Pomtin...** Voy. PONTIN...

Ponticus, *a. um.* Du Pont-Euxin. Du Pont. De Mithridate.

Pontinus, *a, um,* Pontin. ¶ *Pontina palus,* marais pontins. ¶ Au n. sing., le pays pontin, dans le Latium.

1. **Pontus,** *i,* m. Le Pont-Euxin, la mer Noire. ¶ Les pays voisins du Pont-Euxin.

2. **Pontus,** *i,* m. Le Pont, rég. au nord-est de l'Asie mineure.

Popilius (ou **Popillius**), *ii,* m. Nom de plusieurs pers. romains.

Poplicola, *ae,* m. Comme PUBLICOLA.

Poppaea, *ae,* f. Poppée, femme de Néron.

Porcius, *ii,* m. Nom de famille romain.

Porphyrion (ou ...phyrio ou ...firion), *onis,* m. Un des Géants. ¶ Scholiaste d'Horace.   [ric.

Porsenna (ou ...ena), *ae,* m. Roi d'Etrurie.

Portumnus (ou ...tunus), *i,* m. Dieu marin, le même que Palémon.

Porus, *i,* m. Roi de l'Inde.

Posidonius, *ii,* m. Philosophe stoïcien.

Posthumius. Comme POSTUMIUS.

1. **Postumius** (ou ...mianus), a, *um.* De Postumius.

2. **Postumius,** *ii,* m. Nom de plusieurs pers. romains et de plusieurs dictateurs.

Potitius, *ii,* m. Nom de famille romain.

Potniae, *arum,* f. Potnies, bourg près de Thèbes.

Potnias, *adis,* f. De Potnies.

Praeneste, *is,* n. Préneste, v. du Latium, où était un temple de la Fortune.

Prasii, *orum,* m. Prasiens, peuple de l'Inde, sur le Gange.   [grec.

Praxiteles, *is,* m. Praxitèle, sculpteur

Priameius, *a, um.* De Priam.

Priamides, *ae,* m. Fils de Priam. ¶ Au pl., les Troyens.

Priamus, *i,* m. Priam, roi de Troie, époux d'Hécube. ¶ Son petit-fils, fils de Polites.   [des jardins.

Priapus ou **Priapos,** *i,* m. Priape, dieu

Priene, *es,* f. V. d'Ionie.

Priscianus, *i,* m. Priscien, grammairien du temps de Justinien.

Privernas, *atis.* De Priverne.

Privernates, *ium,* m. Les hab. de Priverne.   [ques.

Privernum, *i,* n. Priverne, v. des Volsques.

Procas (ou ...ca), *ae,* m. Roi d'Albe.

Prochyta, *ae,* f. Ile sur la côte de Campanie.

Procne. Comme PROGNE.

Procris, *is* ou *idis,* f. Fille d'Erechtée, femme de Céphale.

Procrustes *ae,* m. Procruste ou Procuste, brigand de l'Attique, tué par Thésée.

Proculeius, *ii,* m. Chevalier romain.

Proculus, *i,* m. Nom de divers pers. romains.

Procustes. Comme PROCRUSTES.

Procyon, *onis,* m. Etoile de la constellation du Petit Chien.

Prodicus, *i,* m. Sophiste contemporain de Socrate.

Proetides, *um,* f. Les trois filles de Prétus.

Proetus, *i,* m. Prétus, roi de Tirynthe.

Progne, *es,* f. Fille de Pandion, changée en hirondelle. ¶ Hirondelle. ¶ Petite île .voisine de Rhodes.

Prometheus, *ei* ou *eos,* m. Prométhée, fils de Japet et père de Deucalion.

Propertius, *ii,* m. Properce, poète latin.

Propoetides, *um,* f. Propétides, filles de Chypre, changées en pierres par Vénus.

Propontiacus, *a, um.* De la Propontide.

Propontis, *idis,* f. La Propontide (auj. mer de Marmara).

Propylaeon (ou ...laea, *orum*), n. Les Propylées, à Athènes.

Proserpina, *ae,* f. Proserpine, fille de Cérès, épouse de Pluton.

Protagoras, *ae,* m. Sophiste grec.

Protesilaus, *i,* m. Protésilas, premier Grec tué au siège de Troie.

Proteus, *ei,* m. Protée, dieu de la mer.

Protogenes, *is,* m. Protogène, peintre grec.

Prusa, *ae,* f. Pruse, v. de Bithynie.

Prusiacus, *a, um.* De Prusias. ¶ De Bithynie.

Prusias, *ae,* m. Roi de Bithynie.

Psamathe, *es,* f. Fille de Crotopus, roi d'Argos. ¶ Nymphe de la mer. ¶ Source de Laconie.

Psamathus, *untis,* f. Psamathonte, v. et port de Laconie.   [d'Egypte.

Psammetichus, *i,* m. Psammétique, roi d'Egypte.

Pseudocato, *onis,* m. Une espèce de Caton, un petit Caton.

Pseudophilippus, *i,* m. Un faux Philippe.

Psophis, *idis,* f. V. du Péloponèse.

Psyche, *es,* f. Epouse de Cupidon.

Psylli, *orum,* m. Psylles, peuple de Libye.

Psyra, *ae,* f. Ile des côtes de l'Asie.

Psyttalia, *ae,* f. Psyttalie, île voisine de la Sardaigne.

Pteleum, *i,* n. Ptélée, v. de Thessalie.

Ptolemaeus ou **Ptolomaeus,** *i,* m. Ptolémée, lieutenant d'Alexandre, roi d'Egypte. ¶ Nom de divers rois d'Egypte.   [lemaïs, v. d'Egypte.

Ptolemais, *idis,* f. De Ptolémée. ¶ Ptolémais, v. d'Egypte.

Publicius, *ii,* m. Nom de famille romain. ¶ *Publicius clivus,* colline de Rome.

Publicola, *ae,* m. Surnom de Valérius, consul romain.

Publilius, *ii,* m. Nom de famille romain.

Publius, *ii,* m. Prénom romain.

Pulcher, *chri,* m. Surnom romain.

Punicanus, *a, um.* Fait à la mode carthaginoise.

Punice, adverbe. A la manière des Carthaginois. ¶ En langue punique.

Puniceus, ou **Punicius,** ou **Poeniceus,** *a, um.* Carthaginois.

Punicus ou **Poenicus,** *a, um.* Phénicien, Carthaginois. ¶ *Punica fides,* foi punique (mauvaise foi). ¶ *Punicum malum,* grenade (fruit).

Pupillus, *i*, m. Surnom romain.

Pupinia, *ae*, f. V. du Latium.

Pupius, *a*, *um*. De la famille Pupia.

Puteolanus, *a*, *um*. De Putéoles. ¶ Hab. Putéoles. ¶ Au n., villa de Cicéron à Putéoles.

Puteoli, *orum*, m. Putéoles, v. de Campanie (auj. Pouzzoles).

Pydna, *ae*, f. V. de Macédoine.

Pygmaei, *orum*, m. Les Pygmées, peuple fabuleux de nains que les Grecs plaçaient en Éthiopie.

Pygmaeus, *a*, *um*. Rel. aux Pygmées. ¶ *Pygmaea avis*, grue.

Pygmalion, *onis*, m. Roi de Chypre, épris d'une statue qu'il avait faite et que Vénus anima. ¶ Roi de Tyr, frère de Didon.

Pylades, *ae* ou *is*, m. Pylade, ami d'Oreste. ¶ Un Pylade, un ami fidèle.

Pyladeus, *a*, *um*. De Pylade. ¶ Digne de Pylade.

Pylaemenes, *is*, m. Pylémène, chef des Paphlagoniens devant Troie.

Pylaïcus, *a*, *um*. Des Thermopyles.

Pylius, *a*, *um*. De Pylos; pylien (hab. Pylos). ¶ De Nestor.

Pylos (ou **Pylus**), *i*, f. V. de Messénie, patrie de Nestor. ¶ V. de Triphylie. ¶ V. d'Élide.

Pyracmon, *onis*, m. Un des Cyclopes.

1. **Pyramus**, *i*, m. Fl. de Cilicie.

2. **Pyramus**, *i*, m. Pyrame, Assyrien, amant de Thisbé.

Pyrenaeus, *a*, *um*. Des Pyrénées. *Pyrenaeus mons* ou *Pyrenaei montes*, les monts des Pyrénées.

Pyrene, *es*, f. Nourrice d'Hercule, qui donna son nom aux Pyrénées. ¶ Une des Danaïdes.

Pyrgi, *orum*, m. Pyrges, v. d'Étrurie.

Pyrgo, *us*, f. Nourrice des enfants de Priam.

Pyriphlegethon, *ontis*, m. Fl. des Enfers.

Pyrrha, *ae* (ou **Pyrrhe**, *es*), f. Femme de Deucalion.

Pyrrhidae, *arum*, m. Épirotes, hab. de l'Épire (dont Pyrrhus fut roi).

Pyrrhus, *i*, m. Roi d'Épire. ¶ Pyrrhus ou Néoptolème, fils d'Achille.

Pythagoras, *ae*, m. Pythagore, de Samos, philosophe grec.

Pythagoreus (ou **...gorius** ou **...goricus**), *a*, *um*. Rel. à Pythagore, de Pythagore. ¶ Au m. pl., les Pyth agoriciens, disciples de Pythagore.

1. **Pythia**, *ae*, f. La Pythie, prêtresse d'Apollon à Delphes.

2. **Pythia**, *orum*, n. Jeux pythiques.

Pythias. Comme PHINTHIAS.

Pythicus ou **Pythius**, *a*, *um*. Pythien, pythique, rel. à l'oracle de Delphes ou aux Jeux Pythiques. ¶ *Pythius Apollo*, Apollon Pythien.

Python, *onis*, m. Le serpent Python, tué par Apollon.

Q

Q ou **Qu**. Abréviation du prénom *Quintus*. [Germanie.

Quadi, *orum*, m. Les Quades, peuple de Quinctil... Voy. QUINTIL... [romain.

1. **Quinctius**, *ii*, m. Nom de famille

2. **Quinctius**, *a*, *um*. De Quinctius.

Quintilianus, *i*, m. Quintilien, professeur de rhétorique.

1. **Quintilis**, *e*. Rel. au cinquième mois (à partir de mars), rel. à Juillet.

2. **Quintilis**, *is*, m. Le mois de Juillet.

Quintilius, *ii*, m. Nom de pers. romain.

Quintius. Comme QUINCTIUS.

Quintus, *i*, m. Prénom romain.

Quirinalis, *e*. De Quirinus, quirinal. ¶ *Quirinalis mons*, le mont Quirinal, colline de Rome. ¶ Au n. pl. Les Quirinales, fêtes célébrées le 17 février en l'honneur de Quirinus.

1. **Quirinus**, *i*, m. Nom de Romulus après son apothéose. ¶ *Populus Quirini*, les Romains. ¶ Surnom de Janus.

2. **Quirinus**, *a*, *um*. Comme QUIRINALIS.

Quiris, *itis*, m. Natif de Cures. ¶ Sabin. ¶ *Quirites*, *um* ou *ium*, m. Les Romains. ¶ Les civils (par opposition aux militaires). *Jus Quiritium*, le Droit Civil.

R

R. Abréviation de *Romanus* et de *Rufus*. ¶ R. P. Abréviation de *Res Publica*.

Rabirius, *ii*, m. Nom de pers. romain.

Raetia, *ae*, f. Rhétie (rég. correspondant au canton des Grisons, au Tyrol et à une partie de la Lombardie).

Raeticus, *a*, *um*. De Rhétie, rhétique. ¶ *Raeticae Alpes*, Alpes Rhétiques.

Raetius, *a*, *um*. Comme RAETICUS.

Raetus, *a*, *um*. Comme RAETICUS. ¶ Au m. pl., hab. de la Rhétie.

Ramnes ou **Ramnenses**, *ium*, m. Les Ramnes, une des trois tribus primitives de Rome, une des trois premières centuries de chevaliers.

Raudius campus ou **Raudii campi**, m. Les Champs Raudiens, plaine de l'Italie supérieure, près du Pô, où Marius battit les Cimbres.

Rauraci, *orum*, m. Les Rauraques, peuple gaulois des bords du Rhin.

Rauracum, *i*, n. V. des Rauraques (auj. Augst, près de Bâle).

Rauric... Voy. RAURAC. [cispadane.

Ravenna, *ae*, f. Ravenne, v. de la Gaule

Ravennas, *atis*. De Ravenne. ¶ Au m. pl. : *Ravennates* ou *Ravennatenses*, *ium*, les hab. de Ravenne.

Reate, *is*, n. Réate, v. des Sabins.

Redones, *um*, m. Les Rédons, peuple celtique (autour de Rennes).

Regillanus, *a*, *um*, ou **Regillensis**, *e*. De Régille; hab. Régille.

1. **Regillus**, *i*, m. ou **Regillum**, *i*, n. ou **Regilli**, *orum*, m. Régille, v. des Sabins.

2. **Regillus** lacus ou **Regillus**, *i*, m. Le lac Régille, dans le Latium.

Regulus, *i*, m. Surnom romain. ¶ *Attilius Regulus*, célèbre et héroïque prisonnier des Carthaginois.

Remi, *orum*, m. Les Rémois, peuple de la Gaule Belgique (environs de Reims).

Remulus, *i*, m. Roi d'Albe.

1. **Remus**, *i*, m. Frère de Romulus.

2. **Remus**, *i*, m. Un Rémois (Voy. REMI).

Rhadamanthus, *i*, m. Rhadamanthe, frère de Minos, et l'un des juges des Enfers.

Rhaet... Voy. RAET...

Rhamnus, *untis*, m. Rhamnonte, bourg de l'Attique, célèbre par une statue de Némésis.   [Rhamnonte.

Rhamnusis, *idis*, f. La Némésis de

Rhamnusius, *a*, *um*. De Rhamnonte. ¶ Au f. sing. : Némésis.

Rhea, *ae*, f. Rhée, fille d'Uranus et de Géa, épouse de Saturne et mère des dieux (comme Cybèle ou Ops). ¶ **Rhea Silvia**, fille de Numitor et mère de Romulus et de Rémus.

Rhedones, *um*, m. Comme REDONES.

Rhegium, *ii*, n. V. du Bruttium.

Rhenus, *i*, m. Le Rhin, fl.

Rhesus, *i*, m. Roi de Thrace, tué par Diomède et Ulysse.

Rhidagus, *i*, m. Le Rhidage, riv. de l'Hyrcanie.

Rhipaeus, *a*, *um*. Des monts Riphées. ¶ Au m. pl., les monts Riphées en Scythie.

Rhodanus, *i*, m. Le Rhône, fl. de Gaule.

Rhodiensis, *e*, ou **Rhodius**, *a*, *um*. De Rhodes; rhodien (hab. Rhodes).

Rhodope, *es*, f. Le Rhodope, mont. de Thrace. ¶ La Thrace.

Rhodopeius (ou ...**peus**), *a*, *um*. Du mont Rhodope. ¶ De Thrace.

Rhodos (ou **Rhodus**), *i*, f. Rhodes, île et v. de la mer Égée.

Rhoeteum, *i*, n. Le Rhoeté, promontoire de la Troade.

Rhoeteus, *a*, *um*. Du Rhoeté. ¶ Troyen.

Rhoetus, *i*, m. Un Géant. ¶ Un Centaure. ¶ Un compagnon de Phinée. ¶ Un roi des Marses.

Riphaeus, *a*, *um*. Comme RHIPAEUS.

Roma, *ae*, f. Rome, v.

Romanus, *a*, *um*. De Rome, romain. ¶ Au m. Un Romain.   [main.

Romuleus, *a*, *um*. De Romulus. ¶ Romain.

Romulides, *ae*, m. Descendant de Romulus. ¶ Un Romain.

1. **Romulus**, *i*, m. Fondateur et premier roi de Rome.

2. **Romulus**, *a*, *um*. De Romulus.

Roscius, *ii*, m. Nom de pers. romain, en particulier d'un acteur ami de Cicéron.

Rosea, *ae*, f. Canton des Sabins.

Roseus, *a*, *um*. Du pays appelé Rosea.

Roxane, *es*, f. Femme d'Alexandre le Grand.

Rubico, *onis*, m. Le Rubicon, petite riv. entre la Gaule cisalpine et l'Italie.

Rudiae, *arum*, f. Rudies, v. de Calabre, patrie d'Ennius.   [d'Ennius).

Rudinus, *a*, *um*. De Rudies (en parlant

Rufrae, *arum*, f. Rufres, v. de Campanie.

Rufus, *i*, m. Surnom romain.

Rugii, *orum*, m. Rugiens, peuple de Germanie établi dans l'île de Rugen.

Rumina, *ae*, f. Déesse adorée près du figuier où Romulus et Rémus avaient été allaités par une louve.

Rupilius, *ii*, m. Nom de pers. romain.

Ruteni, *orum*, m. Rutènes, peuple de la Gaule Aquitaine.

Rutilius, *ii*, m. Nom de pers. romain.

Rutulus, *a*, *um*. Des Rutules (ancien peuple du Latium). ¶ Au m. : un Rutule; un Romain.

S

S. ou **Sex.** Abréviation de *Sextus*. ¶ **S.** ou **Sp.** Abréviation de *Spurius*. ¶ **S. C.** Abréviation de *Senatus Consultum*. ¶ **S. P. Q. R.** Abréviation de *Senatus PopulusQue Romanus* (l'État Romain).

Saba, *ae*, f. V. de l'Arabie Heureuse.

Sabaeus, *a*, *um*. De Saba; Sabéen (hab. Saba).   [rie.

Sabata, *ae* ou **Sabate**, *es*, f. V. d'Etru-

Sabatinus, *a*, *um*. De Sabata (ou Sabate); hab. Sabata.

Sabazius, *ii*, m. Surnom de Bacchus.

Sabazia, *orum*, n. Les Sabazies, fêtes en l'honneur de Bacchus.

Sabelli, *orum*, m. Les Sabelliens, ancien nom des Sabins.

Sabellicus ou **Sabellus**, *a*, *um*. Des Sabins.

Sabinus, *a*, *um*. Des Sabins, ¶ Au m. Un Sabin. ¶ Au f. Une Sabine; la sabine (herbe servant d'encens). ¶ Au n. Vin du pays des Sabins.   (la Sambre).

Sabis, *is*, m. Riv. du nord de la Gaule

Sacae, *arum*, m. Les Saces, nation scythique.

Sacriportus, *us*, m. V. des Volsques. ¶ V. sur le golfe de Tarente.

Saguntum, *i*, n. ou **Saguntus**, *i*, f. Sagonte, v. de la Tarraconaise.

Sais, *is*, f. V. de la Basse-Egypte.

Saitae, *arum*, m. Les hab. de Saïs.

Salacia, *ae*, f. Divinité marine.

Salaminiacus (ou ...nius), *a*, *um*. De Salamine; hab. Salamine.

Salamis, *inis* ou Salamina, *ae*, f. Salamine, île près d'Eleusis. ¶ V. de Chypre.

Salapia, *ae*, f. Salapie, v. d'Apulie.

Salapini (ou ...pitani), *orum*, m. Les hab. de Salapie.

Salentinus, *a*, *um*. Comme SALLENTINUS

Salernitanus, *a*, *um*. De Salerne.

Salernum, *i*, n. Salerne, v. du Picénum.

Salii, *orum*, m. Les Saliens, prêtres de Mars.

Sallentinus, *a*, *um*. Des Salentins (peuple de la Calabre). ¶ Au m. Un Salentin. ¶ *Sallentinum oppidum*, Egnatia.

Sallustianus, *a*, *um*. De Salluste. ¶ Au m. sing. Un imitateur de Salluste.

Sallustius, *ii*, m. Salluste, historien latin. ¶ Autres pers. du même nom.

Salmacis, *idis*, f. Nymphe et fontaine de Carie qui avait la propriété d'amollir et d'efféminer.

Salmoneus, *i*, m. Salmonée, fils d'Eole, foudroyé par Jupiter.

Salona, *ae*, ou Salonae, *arum*, f. Salone, port de la Dalmatie.   [Palestine.

Samaria, *ae*, f. Samarie, prov. et v. de

Samaritae, *arum*, m. Les Samaritains (hab. de Samarie).

Samarobriva, *ae*, f. V. de la Gaule Belgique (Amiens).

Same, *es*, f. Ancien nom de l'île de Céphallénie.

Samius, *a*, *um*. De Samos; hab. Samos. ¶ *Samius senex*, Pythagore. ¶ Au n. pl. Poteries en terre de Samos.

Samnis, *itis*. Du Samnium; des Samnites. ¶ Au m. Un Samnite.

Samniticus, *a*, *um*. Des Samnites.

Samnium, *ii*, n. Rég. de l'Italie, voisine du Latium.

Samos (ou Samus), *i*, f. Ile de la mer Egée, patrie de Pythagore. ¶ V. de l'île de Samos.

Samothrace, *es* (ou ...ca, *ae* ou ...cia, *ae*), f. Ile de la mer Egée sur la côte de Thrace.

Samothracenus, *a*, *um*. De Samothrace.

Samothraces, *um*, m. Les hab. de Samothrace. ¶ Les Cabires, dieux adorés dans les mystères de Samothrace.

Sancus, *i*, m. Dieu sabin.

Sangarius, *ii*, m. Fl. de l'Asie Mineure.

Sangualis, *e*. Comme SANQUALIS.

Sanqualis, *e*. Qui se rapporte au dieu Sancus. ¶ *Sanqualis avis*, l'orfraie, oiseau consacré à Sancus.

Santones, *um*, ou Santoni, *orum*, m. Les Santons, peuple de la Gaule, dans la Saintonge actuelle.

Sapphicus, *a*, *um*. De Sapho, saphique.

Sappho, *us*, f. Sapho, poétesse grecque de Mitylène.   [d'Assyrie.

Sardanapalus, *i*, m. Sardanapale, roi

Sardes, *ium*, f. Sardes, v. de la Lydie.

Sardi, *orum*, m. Les Sardes, hab. de la Sardaigne.   [Sardes.

Sardianus, *a*, *um*. De Sardes, hab.

Sardinia, *ae*, f. La Sardaigne, île.

Sardiniensis, *e*. De Sardaigne.

Sardonius, *a*, *um*. De Sardaigne, sarde.

Sardous ou Sardus, *a*, *um*. De Sardaigne, sarde.   [Sarmatie·

Sarmata, *ae*, m. Un Sarmate, hab. de la

Sarmatia, *ae*, f. La Sarmatie (Pologne et Russie actuelles).   [Sarmates.

Sarmatice, adverbe. A la manière des Sarmates.

Sarmatis, *idis*, f. De Sarmatie.

Sarmaticus, *a*, *um*. Des Sarmates.

Sarnus, *i*, m. Riv. de Campanie.

Sarpedon, *onis*, m. Roi de Lycie, tué sous les murs de Troie.

Sarra ou Sara, *ae*, f. Ancien nom de Tyr en Phénicie.

Sarranus ou Saranus, *a*, *um*. De Sarra, de Tyr, Tyrien. ¶ Carthaginois.

Sarrastes, *um*, m. Peuple de Campanie.

Sarsina, *ae*, f. Sarsine, v. d'Ombrie, patrie de Plaute.   [sine.

Sarsinatis, *e*. De Sarsine, hab. Sar-

Saturnalia, *orum*, n. Saturnales, fêtes en l'honneur de Saturne, célébrées en décembre.

Saturninus, *i*, m. Nom de pers. romain.

Saturnius, *a*, *um*. De Saturne. ¶ Au m. sing. Jupiter, Pluton. ¶ Au f. sing. Junon, fille de Saturne. — Saturnie, v. fondée par Saturne sur le Capitole.

Saturnus, *i*, m. Saturne, ancien dieu du Latium. ¶ Saturne identifié avec le dieu grec Chronos, fils d'Uranus et de Géa, père de Jupiter, de Pluton, de Junon et de Cérès. ¶ Saturne, planète.

Satyricus, *a*, *um*. Rel. aux Satyres.

Satyriscus, *i*, m. Petit Satyre.

Satyrus, *i*, m. Satyre, divinité silvestre avec des cornes et des pieds de bouc. ¶ Satyre, pièce dramatique des Grecs où jouaient des Satyres. ¶ Nom de pers. ¶ Satyre, sorte de singe.

Scaea porta ou Scaeae portae, f. La porte Scée à Troie.

Scaevola, *ae*, m. Scévola, surnom romain.   [(l'Escaut).

Scaldis, *is*, m. Fl. du nord de la Gaule

Scamander, dri, m. Le Scamandre, fl. de la Troade.   [par ses mines d'or.

Scaptesula, *ae*, f. V. de Thrace connue

Scaurus, *i*, m. Surnom romain.

Schoeneia, *ae*, ou Schoeneis, *idis*, f. La fille de Schénée, Atalante.

Scipiades, *ae*, m. Membre de la famille des Scipions.

Scipio, *onis*, m. Scipion, surnom de plusieurs Romains célèbres.

Sciron, *onis*, m. Brigand de la Mégaride tué par Thésée.

Scodra, *ae*, f. V. de Mysie.

Scoti, *orum*, m. Les Scots, peuple du nord de la Grande-Bretagne.

Scribonius, *ii*, m. Nom de pers. romain.

Scylaceum, i, n. V. maritime du Bruttium.

Scylla, ae, f. Ecueil dans le détroit de Sicile vis-à-vis de Charybde. ¶ Fille de Phorcus, changée en monstre marin. ¶ Fille de Nisus, roi de Mégare, changée en alouette.

Scyrius, a, um. De Scyros. ¶ Scyria virgo, Déidamie.

Scyros (ou ...rus), i, f. Ile des Sporades.

Scytha ou Scythes, ae, m. Un Scythe.

Scythia, ae, f. La Scythie, pays des Scythes, au nord de la mer Noire.

Scythis, idis, ou Scythissa, ae, f. Une femme scythe.

Sebethis, idis, f. De Sébéthos.

Sebethos, i, m. Petite riv. de Campanie.

Segesta, ae, f. Ségeste, v. de Sicile.

Segestes, is, m. Ségeste, prince germain, beau-père d'Arminius.

Segusiani, orum, m. Les Ségusiens, peuple de l'intérieur de la Gaule.

Sejanus, i, m. Séjan, favori de Tibère.

Seleucia, ae, f. Séleucie, nom de plusieurs v. d'Asie. [de Syrie.

Seleucus, i, m. Nom de plusieurs rois

Selinuntii, orum, n. Les hab. de Sélinonte. [¶ V. de Cilicie.

Selinus, untis, f. Sélinonte, v. de Sicile.

Semele, es (ou ...la, ae), f. Fille de Cadmus et mère de Bacchus.

Semeleius (ou ...leus), a, um. De Sémélé.

Semiplacentinus, a, um. Qui est à moitié de Plaisance (par sa mère).

Semiramis, is ou idis, f. Reine d'Assyrie, épouse de Ninus.

Semnones, um, m. Semnons, peuple de Germanie, entre l'Elbe et la Vistule.

Sempronia, ae, f. Sempronie, sœur des Gracques. ¶ Autre femme romaine.

Sempronius, ii, m. Nom de famille romain.

Sena, ae, f. V. d'Ombrie.

Seneca, ae, m. Nom de divers pers. romain, en particulier de Sénèque le Philosophe, précepteur de Néron.

Senones, um, m. Les Sénones ou Sénonais, peuple gaulois (environs de Sens). [tinum.

Sentinas, atis. De Sentinum, hab. Sentinum, i, n. V. d'Ombrie.

Seplasia, ae, f., ou Seplasia, orum, n. Rue des Parfumeurs, à Capoue.

September, bris, bre. Du septième mois. ¶ Au m. sing. : le septième mois de l'année romaine, le mois de septembre.

Septimius, ii, m. Nom de pers. romain.

Septimontialis, e. Rel. au Septimontium.

Septimontium, ii, n. L'enceinte des sept collines, emplacement de Rome. ¶ Fête célébrée à Rome, en décembre, en l'honneur des sept collines.

Sequana, ae, m. La Seine, fl. de Gaule.

Sequanus, a, um. Rel. aux Séquanais. ¶ Au m. : Séquanais, hab. les bords de la Seine.

1. Ser, Seris, m. Un Sère (les Sères étaient un peuple de l'Asie orientale, peut-être les Chinois).

2. Ser. Abréviation de Servius.

Serapis, idis ou is, m. Divinité égyptienne.

Sergius, ii, m. Nom de famille romain.

Sericus, a, um. Des Sères. ¶ Du pays de la soie; de soie. ¶ Au m. : marchand de soieries. ¶ Au n. : soierie, étoffe de soie. [de la mer Egée.

Seriphus ou Seriphos, i, f. Séripho, île

Serranus, i, m. Surnom romain.

Sertorius, ii, m. Général romain.

Servilia, ae, f. Nom de plusieurs femmes romaines.

1. Servilius, ii, m. Nom de pers. romain.

2. Servilius, a, um. De Servilius.

Servius, ii, m. Prénom romain.

Sesostris, is ou idis, m. Roi d'Egypte.

Sestiacus, a, um. De Sestos. [tius.

Sestianus ou Sestius, a, um. De Sestius, ii, m. Nom de pers. romain.

Sestos (ou ...tus), i, f. V. de Thrace, sur l'Hellespont.

Setia, ae, f. V. du Latium.

Severus, i, m. Sévère, surnom et nom de divers pers. romains.

Sextilis, e. D'août. ¶ Au m. sing : août, sixième mois de l'année romaine.

Sextilius, ii, m. Nom de pers. romain.

Sextius, ii, m. Nom de pers. romain.

Sextus, i, m. Prénom romain.

Sibylla, ae, f. Sibylle, devineresse. ¶ La Sibylle de Cumes, prêtresse d'Apollon.

Sibyllinus, a, um. De Sibylle: sibyllin.

Sicamber, bra, brum. Comme SYGAMBER.

Sicani, orum, m. Les Sicaniens, peuplade ibérique émigrée en Sicile.

Sicania, as, f. Sicanie, ancien nom de la Sicile.

Sicanis, idis, f. De Sicanie.

Sicanius ou Sicanus, a, um. De Sicanie, Sicanien.

Sicelis, idis, f. De Sicile; Sicilienne.

Sichaeus, i, m. Sichée, époux de Didon.

Sicilia, ae, f. La Sicile, île de la Méditerranée. [l'Ebre, en Espagne.

Sicoris, is, m. Le Sicoris, affluent de

Siculus, a, um. De Sicile, Sicilien. ¶ Au m. pl. : les Sicules, peuplade illyrienne émigrée en Sicile.

Sicyon, onis, f. Sicyone, v. d'Achaïe.

Sida, ae, f. V. de Pamphylie.

Sidetae, arum, m. Les hab. de Sida.

Sidicinus, a, um. De la v. de Teanum Sidicinum, en Campanie. ¶ Au m. : Sidicin, hab. de Teanum Sidicinum.

Sidon, onis (ou ...dona, ae), f. V. de Phénicie. [Sidoniens.

Sidones, um, m. Les hab. de Sidon, les

Sidonia, ae, f. Le pays de Sidon.

Sidonis, idis, f. De Sidon; de Phénicie. ¶ La Sidonienne Didon. [Troade.

Sigeum, i, n. Sigée, v. et cap. de la

Sigeus ou Sigeius, a, um. De Sigée; troyen.

Sigillaria, *orum*, n. Les Sigillaires, fête romaine où l'on échangeait des présents. ¶ Figurines. ¶ Marché aux figurines, à Rome.

Sigimerus i, m. Siglmer, chef des Chérusques, père d'Arminius.

Signia, *ae*, f. V. du Latium.

Sila, *ae*, f. Forêt du Bruttium.

Silarus, i, m. Fl. de Lucanie.

Silenus, i, m. Silène, satyre, père nourricier de Bacchus.

1. **Silius**, *a*, *um*. De Silius.

2. **Silius**, *ii*, m. Nom de divers pers. romains, en particulier du poète Silius Italicus.

Silvanus, i, m. Silvain, dieu des forêts.

Silvia, *ae*, f. Voy. RHEA.   [d'Albe.

Silvius, *ii*, m. Nom de plusieurs rois

Simo, *onis*, m. Simon, nom de pers.

Simois, *entis*, m. Riv. de la Troade.

Simonides, *is*, m. Simonide, poète grec.

Sinon, *onis*, m. Grec, qui persuada aux Troyens d'introduire dans leur ville le cheval de bois.   [de Diogène.

Sinope, *es*, f. V. de Paphlagonie, patrie

Sinopeus, *ei* ou *eos*, m. Le philosophe de Sinope, Diogène.   [en Campanie

Sinuessa, *ae*, f. Sinuesse, colonie latine

Siphnos (ou ...nus), i, f. Ile des Cyclades.

Sipontum, i, n. Siponte, v. d'Apulie.

Sipylus, i, m. Sipyle, mont. de la Lydie.

Sirenes, *um*, f. Les Sirènes, filles du fl. Achéloüs. ¶ Au sing. : Siren, *enis*, f. Sirène, séductrice.

Siriacus, *a*, *um*, De Sirius; caniculaire.

1. **Sirius**, *ii*, m. Sirius, étoile de la canicule; la canicule; le soleil.

2. **Sirius**, *a*, *um*. De Sirius; de la canicule.

Sisapo, *onis*, f. V. de Bétique.

Sisenna, *ae*, m. Cornélius Sisenna, historien romain contemporain de Cicéron. ¶ Autres pers.

Sisyphides, *ae*, m. Le descendant de Sisyphe, Ulysse.   [rinthe.

Sisyphius, *a*, *um*. De Sisyphe. ¶ De Co-

Sisyphus ou **Sisyphos**, i, m. Sisyphe, fils d'Eole, roi de Corinthe, tué par Thésée. ¶ Nain d'Antoine.

Sithon, *onis*. De Sithonie; de Thrace.

Sithonis, *idis*, f. De Thrace.

Sithonius, *a*, *um*. De Sithonie; de Thrace. ¶ Au m. pl. : les Sithoniens, peuple de Thrace; les Thraces.

Smilax, *acis*, f. Jeune fille qui fut changée en liseron.

1. **Smintheus**, i, m. Sminthée, surnom d'Apollon en Troade.   [d'Apollon.

2. **Smintheus**, *a*, *um*. De Sminthée;

Smyrna, *ae*, f. Smyrne, v. d'Ionie.

Socrates, *is*, m. Socrate, philosophe grec. ¶ Sculpteur grec.

Socraticus, *a*, *um*. De Socrate, socratique. ¶ Au m. disciple de Socrate.

Sogdiana, *ae*, f. La Sogdiane, prov. de Perse.

Sogdiani, *orum*, m. Les hab. de la Sogdiane, les Sogdiens.

Soldurii, *orum*, m. Compagnons gaulois liés à leur chef à la vie et à la mort.   [Cilicie. ¶ V. de Chypre.

Soli, *orum*, m. Soles. v. maritime de la

Solinus, i, m. Julius Solinus, écrivain latin.   [d'Athènes.

Solon (ou ...lo), *onis*, m. Législateur

Solonium, *ii*, n. Rég. près de Lanuvium.

Solus, *untis*, f. Solonte, v. de Sicile.

Sophocles, *is*, m. Sophocle, poète tragique grec.   [d'Asdrubal.

Sophonisba, *ae*, f. Sophonisbe, fille

Sora, *ae*, f. V. du Latium.

Soracte (ou **Sauracte**), *is*, m. Haute mont. d'Etrurie.

Sosius, *ii*, m. Pers. romain. ¶ Au pl. : les Sosies, libraires célèbres sous Auguste.   [de Junon.

Sospita, *ae*, f. Libératrice, épithète

Soter, *eris*, m. Libérateur. surnom de Jupiter. ¶ Surnom de Démétrius.

Sotiates, *um*, m. Les Sotiates, peuple de l'Aquitaine.

Sparta, *ae*, ou **Sparte**, *es*, f. Sparte ou Lacédémone, capitale de la Laconie.

Spartacus, i, m. Gladiateur thrace, chef d'un soulèvement à Rome et dans l'Italie.

Sparti, *orum*, m. Les Spartes, guerriers qui naquirent des dents de serpent semées par Cadmus.

Spartiates, *ae*, m. Un Spartiate.

Spartiaticus, *a*, *um*. De Sparte.

Spercheis, *idis*, f. Du Spherchius.

Spercheionides, *ae*, m. Descendant du Sperchius.   [Thessalie.

Sperchius (ou ...chios), *ii*, m. Fl. de

Speusippus, i, m. Speusippe, philosophe grec, neveu de Platon.

Sphinx, *ingis*, f. Monstre, moitié femme, moitié lion. ¶ Sorte de singe.

Spina, *ae*, f. V. voisino du Pô.

Spino, *onis*, m. Spinon, riv. des environs de Rome.   [Glycon.

Spiridion, *onis*, m. Surnom du rhéteur

Spoletium (ou ...letum), *ii*, n. Spolète, v. d'Ombrie.   [mer Egée.

Sporades, *um*, f. Groupe d'îles de la

Spurinna, *ae*, m. Surnom romain.

Spurius, *ii*, m. Prénom romain.   [nie.

Stabiae, *arum*, f. Stabies, v. de Campa-

Stabianus, *a*, *um*. De Stabies. Au n. sing. Territoire de Stabies; propriété près de Stabies.

Stagira, *orum*, n. Stagire, v. de Macédoine, patrie d'Aristote.   [tote.

Stagirites, *ae*, m. Le Stagirite, Aris-

Statiellii, *orum*, m. Les Statielliens, peuple de Ligurie. ¶ Aquae Statiellorum, Statielles, v. des Statielliens.

Statius, *ii*, m. Prénom, nom et surnom romain. ¶ Stace, poète latin auteur de la Thébaïde.   [en Campanie.

Stellatis (-*is*) *ager*. Le canton de Stella

Stentor, *oris,* m. Héraut grec au siège de Troie.

Sterope, *es,* f. Une des Pléiades.

Stertinius, *i,* m. Philosophe stoïcien.

Stesichorus, *i,* m. Stésichore, poète lyrique grec.

Sthenelëis, *idis,* f. De Sthénélus. ¶ *Stheneleis volucris,* le cygne.

Stheneleius, *a, um.* Rel. à Sthénélus.

Sthenelus *i,* m. Fils de Capanée, père d'Euristhée, un des chefs grecs au siège de Troie. ¶ Fils de Persée et d'Andromède. ¶ Roi de Ligurie, père de Cycnus.

Sthenius, *ii,* m. Nom de pers.

Stilicho ou **Stelicho,** *onis,* m. Stilicon, beau-père de l'empereur Honorius.

Stilpo, *onis,* m. Stilpon, philosophe grec.

Stoechas, *adis,* f. Une des îles Stéchades (îles d'Hyères).

Strabo, *onis,* m. Strabon, surnom romain. [Carie.

Stratonicea, *ae,* f. Stratonicée, v. de

Strophades, *um,* f. Les Strophades, îles de la côte de Messénie.

Strophius (ou ...phios), *ii,* m. Roi de Phocide, père de Pylade. [Thrace.

Strymon (ou ...mo), *onis,* m. Fl. de

Strymonius, *a, um.* Du Strymon. ¶ De Thrace. [doine.

Stubera, *ae,* f. Stubère, v. de Macé-

Stygius, *a, um.* Du Styx. ¶ Des Enfers. ¶ Infernal, sinistre, horrible.

Stymphalis, *idis,* f. De Stymphale. ¶ Oiseau du lac Stymphale.

Stymphalus, *i,* m. (ou ...lum, *i,* n.). Stymphale, rég., v., mont. et lac d'Arcadie.

Styx, *ygis* ou *ygos,* f. Le Styx, fontaine d'Arcadie. ¶ Fl. et étang des Enfers. ¶ Les Enfers.

Suada (ou ...dela), *ae,* f. Déesse de la persuasion. ¶ Persuasion.

Subalpinus, *a, um.* Subalpin, placé au pied des Alpes.

Subura ou **Suburra,** *ae,* f. Subure, rue et quartier de Rome qui renfermait un marché animé et des tavernes.

Sueba, *ae,* f. Femme suève.

Suebi, *orum,* m. Suèves, peuplade germanique (rég. de la Bavière actuelle).

Suebia, *ae,* f. Le pays des Suèves.

Suebicus ou **Suebus,** *a, um.* Des Suèves.

Suessa, *ae,* f. V. de Campanie, appelée aussi **Suessa Aurunca.** ¶ **Suessa Pometia,** v. du Latium.

Suessiones, *um,* m. Les Suessions, peuple de la Gaule (rég. de Soissons).

Suetonius, *ii,* m. Nom de pers. romain. ¶ Suétone, historien romain.

Suev... Comme **Sueb...**

Suiones, *um,* m. Suions, peuple du nord de la Germanie.

Sulla ou **Sylla,** *ae,* m. Nom de plusieurs pers. romains. ¶ *Cornelius Sulla,* Sylla, dictateur, rival de Marius.

Sullanus ou **Syllanus,** *a, um.* De Sylla, *Sullanae partes,* le parti de Sylla.

Sulmo, *onis,* m. Sulmone, v. du Samnium, patrie d'Ovide.

1. **Sulpicius,** *ii,* m. Nom de pers. romain.

2. **Sulpicius** (ou ...cianus), *a, um.* De Sulpicius.

Sunici ou **Sunuci,** *orum,* m. Peuple de la Belgique, voisin de la Moselle.

Sunium (ou ...nion), *ii,* n. Cap et v. de l'Attique. [de Tarquin.

Superbus, *i,* m. Le Superbe, surnom

Surrentum, *i,* n. Sorrente, v. de Campanie. [ancienne capitale de la Perse.

Susa, *orum,* n. Suse, v. de Susiane,

Susiane, *es,* f. La Susiane, prov. de Perse.

Susianus, *a, um.* De la Susiane: hab. la Susiane ou Suse.

Susis, *idis,* f. de Suse. *Susides pylae,* les Portes Susiennes, entre le pays des Uxiens et la Perse.

Suthul, indéclinable. V. de Numidie.

Sutrium, *ii,* n. V. d'Etrurie.

Sybaris, *is,* f. V. et riv. de la Grande Grèce. [Sybaris.

Sybarita, *ae,* m. Sybarite, hab. de

Sybaritanus, *a, um.* De Sybaris.

Syene, *es,* f. V. de la Haute-Egypte.

Syenites, *ae,* m. De Syène; hab. de Syène.

Sygamber, *bra, brum.* Des Sicambres. ¶ Au m., un Sicambre. [bres.

Sygambria, *ae,* f. Le pays des Sicambres... Voy. **Syll...** **SULL...**

Symaethum, *i,* n. ou **Symaethus,** *i,* m. V. et fl. de Sicile. [trée du Pont-Euxin.

Symplegades, *um,* f. Ecueils à l'en-

Symposion (ou ...sium), *i,* n. Le Banquet (titre d'un dialogue de Platon et d'un ouvrage de Xénophon).

Synnada, *orum,* n. ou **Synnada,** *ae,* f. V. de la Grande Phrygie.

Syphax, *acis,* m. Roi de Numidie.

Syracosius, *a, um.* De Syracuse.

Syracusae, *arum,* f. Syracuse, v. de Sicile.

Syracusanus ou **Syracusius,** *a, um.* De Syracuse, Syracusain, hab. Syracuse.

Syria, *ae,* f. La Syrie, rég. de l'Asie.

Syriacus, *a, um.* Syrien, de Syrie.

Syrinx, *ingis,* f. Nymphe qui fut changée en roseau. ¶ Roseau.

1. **Syrius,** *a, um.* Syrien, de Syrie, hab. la Syrie. ¶ *Syria dea,* la Déesse syrienne (tantôt Vénus, tantôt Junon).

2. **Syrius,** *a, um.* De Syros, originaire de Syros.

Syros, *i,* f. Ile des Cyclades.

Syrticus, *a, um.* Des Syrtes. ¶ *Gens Syrtica,* peuple voisin des Syrtes, ¶ Sablonneux.

Syrtis, *is,* f. Syrte, banc de sable près de la côte de Carthage. ¶ *Syrtis major,* la grande Syrte, golfe près de la Cyrénaïque. ¶ *Syrtis minor,* la petite Syrte, près de la Byzacène. ¶ Plage sablonneuse, rivage stérile, solitude.

1. Syrus, *a*, *um*. De Syrie; Syrien, hab. la Syrie.

2. Syrus, *i*, m. Poète latin. ¶ Autre pers. ¶ Un des chiens d'Actéon.

T

T. Abréviation du prénom *Titus*. ¶ **Ti** ou **Tib**. Abréviation du prénom *Tiberius*.   [nium et la Campanie.

Taburnus, *i*, m. Mont. entre le Samnium.

Tacitus, *i*, m. Tacite, surnom romain. ¶ Tacite, historien latin. ¶ Claudius Tacitus, empereur romain.

Taenarides, *ae*, m. Hyacinthe, le lacédémonien (qui était de Ténare).

Taenarius, *a*, *um*. Du cap Ténare, lacédémonien. *Taenariae fauces*, caverne du Ténare, entrée des Enfers.

Taenarum, *i*. n. ou **Taenara**, *orum*, n. ou **Taenarus** (ou …**ros**), *i*, m. ou f. Ténare, cap. v., et caverne de Laconie qui était considérée comme une des entrées des Enfers. ¶ Les Enfers, le Ténare.

Tages, *is*, m. Petit-fils de Jupiter, né d'un sillon, fondateur de l'art augural chez les Etrusques.

Tagus, *i*, m. Le Tage, fl. de Lusitanie.

Talaus, *i*, m. Un des Argonautes.

Talthybius, *ii*, m. Héraut d'Agamemnon.

Tamasos, *i*, f. V. de l'île de Chypre.

Tamesis, *is* ou **Tamesa**, *ae*, m. La Tamise, fl. de Grande-Bretagne.

Tanais, *is*, m. Fl. de Scythie (le Don).

Tanaquil, *ilis*, f. Femme de Tarquin l'Ancien.   [tale.

Tantalis, *idis*, f. Descendante de Tantalus, *i*, m. Tantale, roi de Phrygie.

Taprobane, *es*, f. Ile de la mer des Indes (Ceylan).

Tarbelli, *orum*, m. Les Tarbelles ou Tarbelliens, peuple d'Aquitaine (environs de Dax).

Tarentum, *i*, n. ou **Tarentus**, *i*, f. Tarente, v. de la Calabre.

Taricheae, *arum*, ou **Tarichea**, *ae*, f. Tarichée, v. de Galilée, sur la mer de Tibériade.

Tarpeia, *ae*, f. Jeune Romaine qui livra le Capitole aux Sabins.

Tarpeius, ou **Tarpejus**, *a*, *um*. Tarpéien, *Tarpeius mons* ou *Tarpeium saxum*, la colline Tarpéienne, sur le mont Capitolin.   [Tarquinies.

Tarquiniensis, *e*. De Tarquinies; hab. Tarquinii, *orum*, m. Tarquinies, v. d'Etrurie.   [¶ De Tarquin.

1. Tarquinius, *a*, *um*. De Tarquinies.

2. Tarquinius, *ii*, m. Tarquin, roi de Rome.

Tarracina ou **Terracina**, *ae*, f. Terracine v. du Latium.

Tarraco ou **Tarracon**, *onis*, f. Tarragone, v. d'Espagne.

Tarraconensis, *e*. De Tarragone: de la Tarraconnaise. ¶ *Hispania* ou *Colonia Tarraconensis*, l'Hispanie Tarraconnaise ou la Tarraconnaise.

Tarsus ou **Tarsos**, *i*, f. Tarse, v. de la Cilicie.

Tartarus (ou …**ros**), *i*, m. ou **Tartara**, *orum*, n. Le Tartare; les Enfers.

Tartessiacus ou **Tartessius**, *a*, *um*. De Tartesse.   [v. d'Espagne.

Tartessus (ou …**tessos**), *i*, f. Tartesse, v. d'Espagne.

Tatienses ou **Titienses**, *ium*, m. Les Tatiens, une des trois centuries des Chevaliers à Rome.

Tatius, *ii*, m. Roi des Sabins.

Taulantii, *orum*, m. Les Taulantiens, peuple d'Illyrie.

Tauri, *orum*, m. Les Taures ou Tauriens, hab. de la Chersonèse Taurique.

Tauricus, *a um*. Taurique, de la Chersonèse Taurique.

Taurini, *orum*, m. Les Tauriniens, peuple de la Gaule cisalpine (pays de Turin).

Tauromenitanus, *a*, *um*. De Tauroménium; hab. Tauroménium.

Tauromenium, *ii*, n. V. de Sicile.

Taurus, *i*, m. Mont. de l'Asie mineure.

Taygete, *es*, f. Une des Pléiades.

Taygetus, *i*, m. ou **Taygeta**, *orum*, n. Le Taygète, mont. de Laconie.

Teanum, *i*, n. Nom de v. ¶ *Teanum Apulum*, Téanum d'Apulie. ¶ *Teanum Sidicinum*, Téanum de Campanie.

Tecmessa, *ae*, f. Tecmesse, fille de Teuthras.

Tectosages, *um* (ou …**gi**, *orum*), m. Les Tectosages, peuple de la Gaule narbonnaise.   [d'Arcadie.

Tegea, *ae*, ou **Tegee**, *es*, f. Tégée, v.

Tegeates, *arum*, m. Les Tégéates, hab. de Tégée.

Tegeus, *a*, *um*. De Tégée; d'Arcadie.

Teius, *a*, *um*. De Téos; hab. Téos. ¶ *Teius senex*, Anacréon.

Telamon (ou …**mo**), *onis*, m. Roi de Salamine, père d'Ajax et de Teucer.

Telamoniades, *ae*, m. Fils de Télamon, Ajax.   [peuple pirate d'Acarnanie.

Teleboae, *arum*, m. Les Téléboens, peuple où Apollon avait un bois sacré.

Telegonus, *i*, m. Télégone, fils d'Ulysse et de Circé. [d'Ulysse et de Pénélope.

Telemachus, *i*, m. Télémaque, fils

Telephus, *i*, m. Télèphe, fils d'Hercule et de la nymphe Agé, roi de Mysie.

Telmessus ou **Telmissus**, *i*, f. Telmesse, ancienne v. de Lycie.   [d'Apollon.

Temenites, *ae*, m. De Téménos; surnom

Temenos, n. Lieu situé près de Syracuse où Apollon avait un bois sacré.

Tempe, n. pl. indéclinable. La vallée de Tempé en Thessalie. ¶ Toute vallée délicieuse.

Tenchteri ou **Tencteri**, *orum*, m. Les Tenctères, peuplade germanique près du Rhin.

Tenedos (ou ...dus), i, f. Ile de la mer Egée.

Tentyris, idis, f. (ou ...ra, orum, n.). V. de la Haute-Egypte.

Tentyritae, arum, m. Hab. de Tentyris. [créon.

Teos, i, f. V. d'Ionie, patrie d'Ana-

Terentia, ae, f. Femme de Cicéron.

1. Terentianus, a, um. De Térence, le poète. ¶ De Térentius Varron, consul.

2. Terentianus, i, m. Nom de pers.

Terentius, ii, m. Nom de pers. romain. ¶Terentius Varro, le consul Térentius Varron, vaincu à Cannes. ¶ Terentius Afer, Térence, le poète comique. ¶ Terentius Varro, le grammairien Varron.

Tergeste, is, n. V. d'Istrie.

Terminus, i, m. Le dieu Terme.

Terpsichore, es, f. La Muse de la Danse. ¶ Muse, poésie.

Terrac... Comme TARRAC...

Tethys, yos, f. Femme de l'Océan, mère des fleuves. ¶ La mer.

Teucer (ou ...crus), cri, m. Roi de Troie. ¶ Fils de Télamon et frère d'Ajax. [hab. Troie.

Teucrus, a, um. De Troie; Troyen.

Teucria, ae, f. La Troade. [ne.

Teucris, idis, f. De Troie. ¶ Une Troyen-

Teutates, ae, m. Divinité gauloise.

Teuthras, antis, m. Roi de Mysie, père de Thespius. ¶ Un des soldats de Turnus. ¶ Fl. de Campanie.

Teutones, um ou Teutoni, orum, m. Les Teutons, peuple de la Germanie.

Teutonicus, a, um. Des Teutons, teutonique.

Thais, idis, f. Nom d'une femme athénienne et de diverses autres femmes.

Thales, is ou etis, m. Thalès de Milet, un des sept Sages.

Thalia, ae, f. Thalie, muse de la Comédie. ¶ Une des trois Grâces. ¶ Une nymphe de la mer.

Thapsus, i, f. V. et promontoire de Sicile. ¶ V. d'Afrique, près de laquelle César battit les Pompéiens. [Egée.

Thasos (ou ...sus), i, f. Ile de la mer

Thaumantas, a, um. De Thaumas. Thaumantea virgo, Iris.

Thaumantias, adis, ou Thaumantis, idis, f. La fille de Thaumas, Iris.

Thaumas, antis, m. Fils de l'Océan et de la Terre, père d'Iris.

Thebae, arum, ou Thebe, es, f. Thèbes, v. de Béotie. ¶ Thèbe aux cent portes, v. de la Haute-Egypte. ¶ Thèbes, v. de Thessalie. ¶ Thèbes, v. de Mysie, patrie d'Andromaque. [femme.

Thebe, es, f. Nom de nymphe. ¶ Nom de

Thebaicus, a, um. De Thèbe en Egypte.

Thebais, idis, f. La Thébaïde, le territoire de Thèbe en Egypte. ¶ De Thèbes (en Béotie); une femme de Thèbes. ¶ La Thébaïne (Andromaque). ¶ La Thébaïde, poème de Stace; → tragédie de Sénèque.

Thebanus, a, um. De Thèbes en Béotie, thébain. ¶ Thebani modi, la poésie de Pindare. ¶ Au m., un Thébain, un hab. de Thèbes.

Themis, idis, f. Déesse de la Justice.

Themistocles, is, m. Thémistocle, célèbre général athénien. [bucolique grec.

Theocritus, i, m. Théocrite, poète

Theodorus, i, m. Théodore, sophiste grec. ¶ Nom d'un rhéteur.

Theodosius, ii, m. Théodose, empereur romain.

Theognis, idis, m. Poète grec.

Theogonia, ae, f. La Théogonie, titre d'un poème d'Hésiode.

Theophanes, is, m. Théophane, historien ami de Pompée.

Theophrastus, i, m. Théophraste, philosophe grec de Lesbos, disciple d'Aristote.

Theopompus, i, m. Théopompe, historien grec disciple d'Isocrate.

Thermae, arum, f. Thermes, v. de Sicile.

Therme, es, f. V. de Macédoine, nommée plus tard Thessalonique.

Thermitanus, a, um. De Thermes en Sicile; hab. Thermes.

Thermodon, ontis, m. Fl. de Cappadoce sur les bords duquel habitaient les Amazones.

Thermodonteus (ou ...tiacus, ou ...tius), a, um. Du Thermodon. ¶ Des Amazones.

Thermopylae, arum, f. Les Thermopyles, défilé entre le mont Œta et la mer.

Thersites, is, m. Thersite, Grec célèbre par sa laideur et ses injures. [sée.

1. Theseus ou Theseius, a, um. De Thé-

2. Theseus, i, m. Thésée, roi d'Athènes.

Thesides, ae, m. Le fils de Thésée, Hippolyte. ¶ Un Athénien.

Thesmophoria, orum, n. Les Thesmophories, fêtes en l'honneur de Cérès.

Thespiae, arum, f. Thespies, v. de Béotie. ¶ V. de Thessalie.

Thespias, adis, f. De Thespies. ¶ Une Muse (les Muses étaient honorées à Thespies en Béotie).

Thespis, is ou idis, m. Inventeur de la Tragédie chez les Grecs.

1. Thespius, ii, m. Fils d'Erechthée, fondateur de Thespies en Béotie.

2. Thespius, a, um. De Thespies; hab. Thespies. [d'Epire.

Thesprotia, ae, f. La Thesprotie, rég.

Thesprotus, a, um. De Thesprotie.

Thessalia, ae, f. La Thessalie, rég. de la Grèce.

Thessalicus, a, um. De Thessalie, Thessalien. ¶ Thessalica trabs, le navire Argo.

Thessalis, idis, f. De Thessalie; une Thessalienne. [Macédoine.

Thessalonica, ae, f. Thessalonique, v. de

Thessalus, a, um. De Thessalie; hab. la Thessalie. [tius.

Thestiades, ae, m. Descendant de Thes-

Thestias, *adis*, f. Fille de Thestius, Althée.

Thestius, *ii*, m. Roi d'Etolie, père de Léda et d'Althée, de Plexippe et de Toxée. [Calchas.

Thestorides, *ae*, m. Fils de Thestor,

Thetis, *idis*, f. Nymphe de la mer, épouse de Pélée et mère d'Achille. ¶ La mer.

Thisbe, *es*, f. Babylonienne aimée de Pyrame. ¶ V. de Béotie.

Thoas, *antis*, m. Roi de la Chersonèse Taurique. ¶ Roi de Lemnos, père d'Hypsipyle.

Thracia, *ae*, ou **Thraca**, *ae*, ou **Thrace**, *es*, f. La Thrace, rég. au nord-est de la Grèce.

Thrasimenus. Comme TRASIMENUS.

Thrasybulus, *i*, m. Thrasybule, Athénien qui délivra sa patrie des trente tyrans.

Thrax, *acis*, ou **Threx**, *ecis*, m. Thrace, hab. de la Thrace. ¶ Thrace, gladiateur armé à la mode des Thraces.

Threicius, *a*, *um*. De Thrace.

Threissa ou **Thressa**, *ae*, f. De Thrace. ¶ Une Thrace. [rien grec.

Thucydides, *is*, m. Thucydide, historien.

Thule, *is*, f. Grande île située à l'extrémité nord de l'Europe, (l'Islande?).

Thurii, *orum*, m. ou **Thurium**, *ii*, n. Thurium, v. bâtie sur l'emplacement de l'ancienne Sybaris.

Thybris, *idis*, m. Comme TIBERIS.

Thyestes, *ae*, m. Thyeste, fils de Pélops et frère d'Atrée. [Thyeste, Egisthe.

Thyestiades, *ae*, m. Descendant de Thymbra, *ae*, f. V. de Troade.

Thymbraeus, *i*, m. Surnom d'Apollon, adoré à Thymbra. [de Bacchus.

Thyone, *es*, f. Surnom de Sémélé, mère Thyoneus, *ei*, ou **Thyonnicus**, *i*, m. Le fils de Thyoné, Bacchus.

Tiberianus, *a*, *um*. De Tibère.

Tiberinus, *a*, *um*. Du Tibre. ¶ *Tiberinus pater*, le dieu du Tibre.

Tiberis, *is* ou *idis*, m. Le Tibre, fl. d'Etrurie. ¶ Le Tibre, dieu fluvial.

Tiberius, *ii*, m. Prénom romain. ¶ Tibère, empereur romain.

Tibullus, *i*, m. Tibulle, poète latin.

Tibur, *uris*, n. V. voisine de Rome (auj. Tivoli).

Tiburnus. Comme TIBURTUS.

Tiburs, *urtis*. De Tibur; hab. Tibur.

Tiburtinus, *a*, *um*. De Tibur. ¶ Au n. sing., maison de campagne à Tibur.

Tiburtus, *i*, m. Nom du fondateur de Tibur.

Ticinus, *i*, m. Le Tessin, riv. d'Italie.

Tifernus, *i*, m. Mont. du Samnium.

Tigranes, *is*, m. Tigrane, roi d'Arménie, gendre de Mithridate. [d'Asie.

Tigris, *is*, ou *idis*, m. Le Tigre, fl.

Timaeus, *i*, m. Timée, historien grec de Sicile. ¶ Philosophe Pythagoricien, contemporain de Platon.

Timagenes, *is*, m. Timagène, rhéteur du temps d'Auguste.

Timanthes, *is*, m. Timanthe, peintre contemporain de Parrhasius.

Timavus, *i*, m. Le Timave, fl. d'Istrie.

Timoleon (ou ...leo), *ontis*, m. Général corinthien.

Timoleonteus, *a*, *um*. De Timoléon.

Timolus, *i*, m. Comme TMOLUS.

Timon, *ontis*, m. Célèbre misanthrope d'Athènes.

Timotheus, *i*, m. Timothée, fils de Conon, général athénien. ¶ Musicien de Milet.

Tiphys, *yos*, m. Pilote du navire Argo.

Tiresias, *ae*, m. Devin de Thèbes.

Tiridates *ae* ou *is*, m. Tiridate, nom de plusieurs rois d'Arménie.

Tiro, *onis*, m. Tiron, affranchi de Cicéron.

Tiryns, *rynthis* ou *rynthos*, f. Tirynthe, v. de l'Argolide où Hercule fut élevé.

Tirynthius, *a*, *um*. De Tirynthe. ¶ *Tirynthius heros*, Hercule.

Tisiphone, *es*, f. Une des Furies.

Titan, *anis*, m. Frère de Saturne et aïeul des Titans. ¶ Le soleil, petit-fils de Titan. ¶ Prométhée, fils du Titan Japet. ¶ Au pl., les Titans, fils d'Uranus et de Rhée.

Titaniacus, *a*, *um*. De Titan.

Titanis, *idis*, f. De Titan. ¶ Titanide, descendante d'un Titan, Circé, fille du Soleil. ¶ Latone, fille du Titan Coüs. ¶ Tethys, sœur des Titans.

Titanius, *a*, *um*. Rel. aux Titans. ¶ Au m. sing., le Soleil. ¶ Au f. sing., sœur ou fille d'un Titan (Diane, Latone, Circé, Pyrrha).

Tithonius, *a*, *um*. De Tithon.

Tithonus, *i*, m. Tithon, fils de Laomédon, époux de l'Aurore.

Tities, *ium*, ou **Titienses**, *ium*, m. Les Titienses, une des trois tribus primitives de Rome.

Titius, *ii*, m. Nom de pers. romain.

Titurius, *ii*, m. Lieutenant de César, en Gaule. [reur romain.

Titus, *i*, m. Prénom romain. ¶ Empe-

Tityos, *yi*, m. Tityus, fils de Jupiter.

Tityrus, *i*, m. Nom de berger. ¶ Les églogues de Virgile. ¶ Virgile. [cule.

Tlepolemus, *i*, m. Tlépolème, fils d'Her-

Tmolites, *ae*, m. Du Tmole.

Tmolus, *i*, m. Le Tmole, mont. de Lydie, où le Pactole prend sa source.

Tolosa, *ae*, f. V. des Tectosages (Toulouse). [louse.

Tolosas, *atis*. De Toulouse; hab. Tou-

Tomi, *orum*, m. ou **Tomis**, *idis*, f. Tomes, v. sur la mer Noire où fut exilé Ovide.

Tomyris, *is*, f. Reine des Massagètes.

Torquatus, *i*, m. Surnom du consul Manlius et de ses descendants.

Trachinius, *a*, *um*. De Trachine. ¶ *Trachinius heros*, Ceyx, le héros de Trachine. ¶ Au f. pl., Les Trachiniennes, tragédie de Sophocle.

Trachin, *inis*, ou **Trachyn**, *ynos*, f. Trachine, v. de Thessalie. [main.

Trajanus, *i*, m. Trajan, empereur ro-

Tralles, *ium*, ou **Tralli**, *-orum*, m. Les Tralles, peuple d'Illyrie.

Tralliani, *orum*, m. Les hab. de Tralles.

Trallis, *is*, ou **Tralles**, *ium*, f. Tralles v. de Lydie.

Transalpinus, *a*, *um*. Transalpin, qui est ou qui a lieu au delà des Alpes; hab. au delà des Alpes.

Transpadanus, *a*, *um*. Transpadan, qui habite ou qui est situé au delà du Pô.

Transrhenanus, *a*, *um*. D'au delà du Rhin; hab. la rive droite du Rhin.

Transtiberinus, *a*, *um*. Qui habite ou qui est situé au delà du Tibre.

Trapezus, *untis*, f. Trapézonte, v. du Pont.

1. **Trasumenus** ou **Trasimenus**, *i*, lacus, m. Le lac Trasimène, en Etrurie.

2. **Trasumenus** ou **Trasimenus**, *a*, *um*. De Trasimène.

Trebatius, *ii*, m. Jurisconsulte, ami de Cicéron.

Trebellius, *ii*, m. Nom de famille romain.

Trebia, *ae*, f. La Trébie, affluent du Pô. ¶ Trébie, v. d'Ombrie.

Trebiani, *orum* ou **Trebiates**, *um*, m. Les hab. des bords de la Trébie.

Treveri ou **Treviri**, *orum*, m. Les Trévires, peuple de la Belgique sur les bords de la Moselle. ¶ Trèves, v. des Trévires.

Trevericus, *a*, *um*. Des Trévires.

Triballi, *orum*, m. Les Triballes, peuple de la Mésie inférieure ou de la Thrace.

Tribocci, *orum*, m. Les Triboques, peuplade germaine de la rive gauche du Rhin.   [de la Sicile.

Trinacria, *ae*, f. Trinacrie, ancien nom

Trinobantes, *um*, m. Peuple de la Grande Bretagne.

Triones, *um*, m. La Grande Ourse et la Petite Ourse, constellations.

Tripolis, *is*, f. V. de Phénicie. ¶ V. d'Afrique. ¶ V. de Thessalie. ¶ V. d'Arcadie.

Tripolitanus, *a*, *um*. De Tripolis.

Triptolemus, *i*, m. Triptolème, roi d'Eleusis, inventeur de l'agriculture.

Triton, *onis*, m. Dieu marin, fils de Neptune. ¶ Poisson de mer. ¶ Lac d'Afrique, où serait née Pallas.

Tritoniacus, *a*, *um*. De Triton. ¶ De Pallas.

Tritonis, *idis*, f. De Triton. ¶ De Pallas. — *Tritonis arx*, Athènes. — *Tritonis pinus*, le navire Argo, construit sur l'avis de Pallas.

Tritonius, *a*, *um*. De Triton. ¶ *Tritonia virgo* ou *Tritonia*, *ae*, f. Pallas.

Trivia, *ae*, f. Surnom de Diane, qui avait des chapelles dans les carrefours.

Troas, *adis*, f. De Troie, troyenne. ¶ La Troade, le pays de Troie. ¶ Une Troyenne. — Au pl., les Troyennes, tragédie de Sénèque.

Troezen, *enis*, ou **Troezene** *es*, f. Trézène, v. de l'Argolide.

Troglodytae, *arum*, m. Les Troglodytes,

peuple d'Ethiopie qui habitait dans les grottes.   [latin.

Trogus, *i*, m. Trogue Pompée, historien

Troicus, *a*, *um*. De Troie, troyen.

Troilus, *i*, m. Troïle, fils de Priam.

Troja ou **Troia**, *ae*, f. Troie, v. de Phrygie. ¶ V. bâtie par Enée en Italie. ¶ V. bâtie par Hélénus en Epire. ¶ Les Jeux Troyens, sorte de tournoi romain.

Trojanus, *a*, *um*. Troyen. ¶ *Trojanus equus*, le Cheval de Troie; un danger, un piège. ¶ Au m., un Troyen.

Trojugena, *ae*, m. et f. Troyen; né à Troie. ¶ Descendant des Troyens. ¶ Au m. Un Troyen. — Un Romain.

Trophonius, *ii*, m. Fondateur du temple d'Apollon, à Delphes. ¶ *Jupiter Trophonius*, divinité qui rendait des oracles dans un antre de Béotie.

Tros, *ois*, m. Roi de Phrygie. ¶ Un Troyen.   [main.

Tubero, *onis*, m. Tubéron, surnom romain.

Tullia, *ae*, f. Tullie, femme de Tarquin le Superbe. ¶ Fille de Cicéron.

Tullianus, *a*, *um*. De Tullius. ¶ Au n. sing., le Tullianum, prison d'Etat à Rome.

Tullius, *ii*, m. Nom de pers. romain. ¶ *Servius Tullius*, roi de Rome. ¶ *M. Tullius Cicero*, Cicéron.

Tullus, *i*, m. Prénom romain. ¶ *Tullus Hostilius*, roi de Rome.

Tunes, *etis*, f. V. d'Afrique (Tunis).

Turdetani, *orum*, m. Les Turdétains, peuple de la Bétique.

Turduli, *orum*, m. Les Turdules, peuple de la Bétique.   [Enée.

Turnus, *i*, m. Roi des Rutules, tué par

Turones, *um*, ou **Turoni**, *orum*, m. Les Turones, peuple de la Gaule (rég. de Tours).

Tuscanicus (ou ...**canus**), *a*, *um*. Toscan.

Tusce, adverbe. A la manière des Toscans.

Tusculanensis, *e*. De Tusculum.

Tusculanus, *a*, *um*. De Tusculum. ¶ *Tusculanae (disputationes)*, les Tusculanes, ouvrage de Cicéron composé à Tusculum. ¶ *Tusculani*, *orum*, m. Les hab. de Tusculum. ¶ *Tusculanum*, *i*, n. Maison de campagne de Cicéron à Tusculum.

Tusculum, *i*, n. V. du Latium.

Tuscus, *a*, *um*. Toscan, étrusque, d'Etrurie. ¶ *Tuscum mare*, la mer Tyrrhénienne. ¶ Au m., un Etrusque, un Toscan.   [doce.

Tyana, *orum*, n. Tyane, v. de Cappa-

Tyanaeus ou **Tyaneius**, *a*, *um*. De Tyane.

Tydeus, *ei* ou-*eos*, m. Tydée, père de Diomède.   [mède.

Tydides, *ae*, m. Le fils de Tydée, Dio-

Tyndarides, *ae*, m. Fils de Tyndare (Castor ou Pollux).

Tyndaris, *idis*, f. Fille de Tyndare, Hélène. ¶ V. de Sicile.

Tyndaritanus, *a*, *um*. De Tyndaris; hab. Tyndaris.

Tyndarus (ou ...reus), *i*, m. Tyndare, roi de Sparte, époux de Léda, père de Castor et de Pollux, d'Hélène et de Clytemnestre.

Typhoeus, *ei* ou *eos*, m. Typhée, Géant foudroyé par Jupiter.

Typhon, *onis*, m. Autre nom du Géant Typhée. ¶ (Nom commun). Vent violent.

Tyrius, *a*, *um*. De Tyr, tyrien, hab. Tyr. — *Tyrius murex*, la pourpre de Tyr. — *Tyria vestis*, robe de pourpre. ¶ De Carthage, carthaginois, hab. Carthage. — *Tyria urbs*, Carthage. ¶ De Thèbes (fondée par le Phénicien Cadmus).

Tyrrhenia, *ae*, f. Le pays des Tyrrhéniens, la Tyrrhénie. ¶ L'Etrurie.

Tyrrhenus, *a*, *um*. Tyrrhénien, étrusque — *Tyrrhenum mare*, la mer Tyrrhénienne. — *Tyrrhenum flumen*, le Tibre. ¶ Au m., un Tyrrhénien (les Tyrrhéniens étaient une population pélasgique, souche des Etrusques).

Tyrtaeus, *i*, m. Tyrtée, poète grec.

Tyrus ou **Tyros**, *i*, f. Tyr, v. de Phénicie.

U

U. Abréviation de *Urbs Roma*. ¶ **U. C.** Abréviation de *Urbis conditae*, ou de *ab Urbe condita*.

Ubius, *a*, *um*. Ubien; un Ubien (les Ubiens étaient une peuplade germanique hab. la rive droite du Rhin, aux environs de Cologne).

Ufens, *entis*, m. Petite riv. du Latium.

Ufentinus, *a*, *um*. De l'Ufens. ¶ Au m. sing. nom d'un chef des Eques.

Ulixes, *is* ou *ei* ou *i*, m. Ulysse, roi d'Ithaque. [romain.

Ulpianus, *i*, m. Ulpien, jurisconsulte

Ulysses, *is*, m. Comme ULIXES.

Umber, *bra*, *brum*. D'Ombrie, ombrien. ¶ Au m. Un Ombrien, hab. de l'Ombrie. — Chien d'Ombrie (estimé comme chien de chasse). ¶ Au f. Femme d'Ombrie, Ombrienne.

Umbria, *ae*, f. L'Ombrie, prov. d'Italie.

Uranie, *es* (ou ...nia, *ae*), f. Muse de l'Astronomie. [Ligurie.

Urba, *ae*, f. V. d'Helvétie. ¶ Fl. de

Urbigenus pagus, m. Canton d'Urba, dans l'Helvétie. [num.

Urbinas, *atis*. D'Urbinum; hab. Urbi-

Urbinum, *i*, n. V. d'Ombrie.

Urbs, *urbis*, f. La Ville (Rome).

Ursa, *ae*, f. La Grande ou la Petite Ourse, constellations.

Usipetes, *um* ou Usipii, *orum*, m. Les Usipiens, peuple de la Germanie, sur le Rhin.

Ustica, *ae*, f. Petite colline de la Sabine, près de la villa d'Horace.

Utica, *ae*, f. Utique, v. de Libye.

Uxellodunum, *i*, n. V. d'Aquitaine, chez les Cadurques (rég. du Lot).

Uxii, *orum*, m. Les Uxiens, ancien peuple de la Susiane.

V

Vacalus, *i*, m. Comme VAHALIS.

Vacca, *ae*, f. V. de Numidie.

Vadaei, *orum*, m. Les Vadéens, peuple de l'Arabie heureuse. [en Etrurie.

Vadimonis lacus, m. Le lac de Vadimon,

Vahalis, *is*, m. Le Vahal, bras du Rhin.

Valentia, *ae*, f. Valence, nom de plusieurs villes.

Valentius, *ii*, m. Nom de pers.

Valentinianus, *i*, m. Valentinien, empereur romain.

Valeria, *ae*, f. Valérie, nom de femme.

Valerius, *ii*, m. Nom de pers. romain. ¶ *Valerius Publicola*, consul romain. ¶ *Valerius Maximus*, Valère-Maxime, historien latin. ¶ *Valerius Flaccus*, poète du temps de Vespasien.

Vandali (ou ...lii), *orum*, m. Les Vandales, peuple de Germanie.

Vangiones, *um*, m. Les Vangions, peuple de Germanie sur le Rhin.

Vardaei, *orum*, m. Peuple de la Dalmatie.

Varianus, *a*, *um*. De Varus.

Varius, *ii*, m. Nom de pers. romain.

Varro, *onis*, m. Surnom romain.

Varronianus, *a*, *um*. De Varron.

1. **Varus**, *i*, m. Nom de pers. romain. ¶ *Quintilius Varus*, général romain, vaincu par Arminius.

2. **Varus**, *i*, m. Le Var, fl. de Gaule.

Vascones, *um*, m. Les Vascons, peuple de l'Espagne (les Basques).

1. **Vaticanus**, *i*, m. Dieu qui présidait aux premières paroles de l'enfance.

2. **Vaticanus**, *a*, *um*. Du Vatican, Vatican. — *Vaticanus mons* ou *collis*, le mont Vatican, une des collines de Rome. — *Vaticanus ager*, la vallée du Vatican (entre le Vatican et le Janicule).

Vectones, *um*, m. Comme VETTONES.

Vegetius, *ii*, m. Végèce, auteur qui a écrit sur l'art militaire.

Vei... Comme VEJ...

Vejens, *entis*. De Véies; Véien, hab. Véies. [hab. Véies.

Vejentanus, *a*, *um*. De Véies; Véien,

Veji, *orum*, m. Véies, v. d'Etrurie.

Vejus, *a*, *um*. De Véies, Véien.

Vejovis, *is*, m. Nom de Jupiter enfant. ¶ Jupiter ou Pluton considérés comme dieux de la Vengeance.

Velabrum, *i*, n. Le Vélabre, rue de Rome, près de l'Aventin.

Veleda, *ae*, f. Velléda, prophétesse honorée d'un culte chez les Germains.

1. **Velia**, *ae*, f. V. maritime de Lucanie.

2. **Velia**, *ae*, f. Une des éminences du mont Palatin.   [¶ De Vélia 2.

Veliensis, *e*. De Vélia 1; hab. Vélia 1.

Velinus, *a*, *um*. De Vélia 1. *Velinus lacus*, le lac de Vélia. ¶ De Vélia 2. *Velina* (*tribus*), la tribu Véline.

Veliocasses, *ium* (ou ...*cassi, orum*), m. Peuple Gaulois (pays du Vexin).

Veliternus, *a*, *um*. De Vélitres; hab. Vélitres.

Velitrae, *arum*, f. Vélitres, v. des Volsques.

Vellaunodunum, *i*, n. V. de la Gaule chez les Sénons.

Vellavi, *orum*, m. Vellaves, peuplade gauloise (pays du Velay).

Velleda. Comme VELEDA.

Velleius (ou ...*ejus*), *i*, m. Nom de pers. romain. ¶ Velleius Paterculus, historien latin.

Venafer, *fra*, *frum*. De Vénafre.

Venafranus, *a*, *um*. De Vénafre. ¶ Au n., huile de Vénafre.

Venafrum, *i*, n. Vénafre, v. de Campanie, célèbre pour son huile.

Venereus ou **Venerius**, *a*, *um*. De Vénus. *Venerei* (*servi*), esclaves du temple de Vénus Erycine. ¶ Adonné aux plaisirs de l'amour, voluptueux. ¶ Au m., le coup de Vénus (au jeu de dés, quand chaque dé présente un point différent). ¶ Au f. pl., sorte de coquillage.

Veneti, *orum*, m. Vénètes, hab. de la Vénétie actuelle. ¶ Vénètes, peuple Gaulois (rég. de Vannes).

Venetia, *ae*, f. Vénétie, partie de la Gaule Cisalpine. ¶ Pays des Vénètes en Gaule (Morbihan).

Veneticus, *a*, *um*. Des Vénètes. ¶ *Veneticae insulae*, îles près de la côte de la Vénétie gauloise.

Venetus, *a*, *um*. Des Vénètes. ¶ Bleu azuré. — *Veneta factio*, la faction des Bleus (dans les jeux du cirque). — Au m., cocher de la faction des Bleus.

Venus, *neris*, f. Vénus, déesse de la Beauté, mère de Cupidon et des Amours.

Venusia, *ae*, f., ou **Venusium**, *ii*, n. Vénusie, v. d'Apulie, patrie d'Horace.

Veragri, *orum*, m. Les Véragres, peuple de la Gaule Narbonnaise (dans le Chablais actuel).

Verbigenus. Comme URBIGENUS.

Vercingetorix, *igis*, m. Défenseur de la Gaule contre César.

Vergil... Comme VIRGIL...   [tellation.

Vergiliae, *arum*, f. Les Pléiades, cons-

Vergobretus, *i*, m. Vergobret, nom du chef suprême des Eduens.

Vero... Comme VIRO...   [transpadane.

Verona, *ae*, f. Vérone, v. de Gaule

Verres, *is*, m. Préteur de Sicile.

Verrinus ou **Verrius**, *a*, *um*. De Verrès.

Vertumnus, *i*, m. Vertumne, dieu qui présidait à la succession des saisons.

Verus, *i*, m. Nom de pers. romain. ¶ Empereur romain.   [panie.

Veseris, *is*, m. Le Véséris, fl. de Cam-

Vesevus ou **Vessevus**, *i*, m. Comme VESUVIUS.   [(Besançon).

Vesontio, *onis*, f. V. des Séquanais

Vespasianus, *i*, m. Empereur romain.

Vesta, *ae*, f. Déesse du foyer. ¶ Le temple de Vesta. ¶ Le feu.

Vestalis, *e*. De Vesta ou des Vestales, de Vestale. ¶ Au f., Vestale, prêtresse de Vesta.

Vesulus, *i*, m. Mont. de Ligurie (le mont Viso).

Vesuvius, *ii*, m. Le Vésuve, volcan.

Vettones, *um*, m. Les Vettons, peuple de Lusitanie, entre le Tage et le Douro.   [lian.

Veturia, *ae*, f. Véturie, mère de Coro-

Vicent... Comme VICET...   [toire.

Vicetia, *ae*, f. V. de la Gaule transpadane (auj. Vicence).

Victoriola, *ae*, f. Statuette de la Victoire.

Vienna, *ae*, f. Vienne, v. sur le Rhône.

Viminalis, *is*, m. Viminal, une des collines de Rome.   [peuple de Germanie.

Vindelici, *orum*, m. Les Vindéliciens.

Vindelicia, *ae*, f. La Vindélicie, pays situé entre les Alpes et le Danube.

Vindex, *dicis*, m. Nom de divers pers. ¶ Procurateur de Gaule qui se révolta contre Néron. ¶ Nom d'un grammairien.   [lien.

Virgilianus, *a*, *um*. De Virgile, virgi-

Virgilius, *ii*, m. Virgile, nom de divers pers. ¶ P. Virgilius Maro, Virgile, poète latin.

Virginia, *ae*, f. Virginie, jeune fille dont la mort amena la chute du décemvir Appius Claudius.

Virginius, *ii*, m. Père de Virginie.

Viriatus ou **Viriathus**, *i*, m. Viriate, chef des Lusitaniens contre les Romains.   [Gaule (dans le Vermandois).

Viromandui, *orum*, m. Peuple de la

Visurgis, *is*, m. Fl. de Germanie (le Weser).

Vitellianus, *a*, *um*. De Vitellius. ¶ Au m., un Vitellien, soldat de Vitellius.

1. **Vitellius**, *ii*, m. Nom de pers. romain. ¶ *Aulus Vitellius*, empereur romain.

2. **Vitellius**, *a*, *um*. De Vitellius.

Vitruvius, *ii*, m. Nom de pers. romain. ¶ Vitruve, architecte romain.

Vocontii, *orum*, m. Les Voconces, peuple du sud de la Gaule (pays de Vaucluse).   [cienne v. d'Etrurie.

Volaterrae, *arum*, f. Volaterres, an-

Volcae, *arum*, m. Les Volques ou Volces, peuple du sud de la Gaule répandu dans la Narbonnaise.

Volsci, *orum*, m. Les Volsques, peuple du Latium.

Volscus, *a*, *um*. Des Volsques, volsque.

Volsinii, *orum*, m. Volsinies, v. d'Etrurie.   [Coriolan.

Volumnia, *ae*, f. Volumnie, femme de

Vosegus, *i*, m. Mont. des Vosges.

Vulcanalis, *e*. De Vulcain.

Vulcanalia. *ium* ou *iorum*, n. Les Vulcanales, fête célébrée en août en l'honneur de Vulcain.

Vulcanius, *a*, *um*. De Vulcain. ¶ De feu.

Vulcanus, *i*, m. Vulcain, dieu du feu. ¶ Feu, flamme.

Vultur, *uris*, m. Mont. d'Apulie.

Vulturnum, *i*, n. Ancien nom de Capoue. ¶ Forteresse à l'embouchure du Vulturne.

Vulturnus, *i*, m. Le Vulturne, riv. de Campanie. ¶ Divinité des Romains.

X

Xanthias, *ae*, m. Nom de pers.

Xanthippe, *es*, f. Femme de Socrate. ¶ Nom d'autre pers.

Xanthippus, *i*, m. Xanthippe, père de Périclès. ¶ Général lacédémonien au service des Carthaginois.

Xanthos ou **Xanthus**, *i*, m. Le Xanthe, fl. de Lycie. ¶ Petit fl. d'Epire. ¶ Autre nom du Scamandre, fl. de Troade.

Xenia, *orum*, n. Les Xénies (présents faits à des hôtes après le repas), titre du treizième livre des Epigrammes de Martial.

Xenon (ou **Xeno**), *onis*, m. Philosophe épicurien d'Athènes, contemporain de Cicéron.

Xenocrates, *is*, m. Xénocrate, philosophe de Chalcédoine, disciple de Platon, chef de l'Académie après Speusippe.

Xenophanes, *is*, m. Xénophane, philosophe grec de Colophon, fondateur de l'école d'Elée.

Xenophon, *ontis*, m. Disciple de Socrate, philosophe, historien et général athénien. [Perse.

Xerxes (ou **Xerses**), *is* ou *i*, m. Roi de

Xyniae, *arum*, f. Xynies, v. de Thessalie.

Y

Yrcinia ou **Yrcania**, *ae*, f. Comme HYRCANIA.

Z

Zacynthos (ou ...**thus**), *i*, f. Zacynthe, île de la mer Ionienne.

Zaleucus, *i*, m. Législateur de Locres en Italie.

Zama, *ae*, f. V. d'Afrique, célèbre par la victoire de Scipion sur Annibal.

Zancle, *es*, f. Ancien nom de la v. de Messana, en Sicile.

Zeno, *onis*, m. Fondateur de l'école stoïcienne. ¶ Autre philosophe, de l'école d'Elée. ¶ Autre philosophe, de l'école d'Epicure. ¶ Empereur d'Orient.

Zenobia, *ae*, f. Zénobie, sœur de Mithridate, roi d'Arménie. ¶ Autre pers.

Zephyritis, *idis*, f. Flore, épouse de Zéphyre. ¶ Arsinoé, femme de Ptolémée Philadelphe, adorée après sa mort sous le nom de Vénus Zéphyritis.

Zephyrium, *ii*, n. Place forte sur la côte de Cilicie. ¶ Cap du Bruttium.

Zephyrus, *i*, m. Zéphyre, personnification du zéphyre, vent d'ouest doux et tiède.

Zerynthus, *i*, f. Zérynthe, v. de Thrace.

Zetes, *ae*, m. Fils de Borée.

Zethus, *i*, m. Fils de Jupiter et frère d'Amphion.

Zetus, *i*, m. Nom d'un mathématicien.

Zeugis, *is*, ou **Zeugitana regio**, f. La Zeugitane, rég. fertile de l'Afrique du Nord.

Zeugma, *atis*, n. V. de Syrie.

Zeuxis, *is* ou *idis*, m. Peintre grec.

Ziobetis, *is*, m. Fl. du pays des Parthes.

Zm... Comme SM...

Zoilus, *i*, m. Zoïle, grammairien d'Alexandrie, détracteur d'Homère. ¶ Un zoïle, un détracteur.

Zopyrus, *i*, m. Zopyre, Perse qui se mutila pour faciliter à Darius la prise de Babylone. ¶ Nom d'autres pers.

Zoroastres, *ae* ou *is*, m. Zoroastre, roi des Bactriens, fondateur de la religion des Perses, auteur du *Zend-Avesta*.

Zoster, *eris*, m. Promontoire, v. et port de l'Attique.

Zyras, *ae*, m. Fl. de Thrace.

TABLEAU
DES COMPARATIFS ET DES SUPERLATIFS
EN USAGE A L'ÉPOQUE CLASSIQUE

A

abjectus, *-tior, -tissimus.*
abruptus, *-tior, -tissimus.*
absolutus, *-tior.*
abstinens, *-nentissimus.*
abstrusus, *-sior.*
absurdus, *-dior, -dissimus.*
abundans, *-dantior, -dantissimus.*
abundanter, *-dantius.*
acceptus, *-tior, -tissimus.*
accomodate, *-tius, -tissime.*
accomodatus, *-tior, -tissimus.*
accurate, *-tius, -tissime.*
accuratus, *-tior, -tissimus.*
acer, *acrior, acerrimus.*
acerbe, *-bius, -bissime.*
acerbus, *-bior, -bissimus.*
acriter, *acrius, acerrime.*
acute, *-tius, -tissime.*
acutus, *-tior, -tissimus.*
adductus, *-tior.*
admirabilis, *-lior.*
adulescens, *-centior.*
adustus, *-tior.*
aegre, *aegrius, aegerrime.*
aequabilis, *-lior.*
aequabiliter, *-lius.*
aequaliter, *-lius.*
aequus, *aequior, aequissimus.*
afflictus, *-tior.*
affluenter, *-tius.*
agilis, *-lior.*
agitatus, *-tior.*
agrestis, *-tior.*
alacer, *-crior.*
alacriter, *-crius.*
alienus, *-nior, -nissimus.*
alte, *-tius, -tissime.*
altus, *-tior, -tissimus.*
amabilis, *-lior, -lissimus.*
amabiliter, *-lius.*
amans, *amantior, amantissimus.*
amanter, *-tius, -tissime.*
amarus, *-rior, -rissimus.*
ambitiose, *-sius, -sissime.*
ambitiosus, *-sior, -sissimus.*
amens, *amentior, amentissimus.*
amice, *-cissime.*
amicus, *-cior, -cissimus.*
amoene, *-nissime.*
amoenus, *-nior, -nissimus.*
ample, *-lius, -lissime.*
amplus, *-lior, -lissimus.*
anguste, *-tius, -tissime.*

angustus, *-tior, -tissimus.*
animose, *-sius, -sissime.*
animosus, *-sior.*
antique, *-quius.*
antiquus, *-quior, -quissimus.*
aperte, *-tius, -tissime.*
apertus, *-tior, -tissimus.*
apparate, *-tius.*
apparatus, *-tior, -tissimus.*
appetens, *-tentior, -tentissimus.*
appositus, *-tior.*
apte, *-tius, -tissime.*
aptus, *-tior, -tissimus.*
argute, *-tius, -tissime.*
argutus, *-tior, -tissimus.*
aridus, *-dior, -dissimus.*
armatus, *-tissimus.*
arrectus, *-tior.*
arrogans, *-gantior, -gantissimus.*
arroganter, *-tius.*
arte ou arcte, *-tius, -tissime.*
artificiose, *-sius, -sissime.*
artificiosus, *-sior, -sissimus.*
artus ou arctus, *-tior, -tissimus.*
asper, *-perior, -perrimus.*
aspere, *-perius, -perrime.*
assidue, *-duissime.*
assuetus, *-tior.*
astricte, *-tius.*
astrictus, *-tior.*
astutus, *-tior.*
atrociter, *-cius, -cissime.*
atrox, *atrocior, atrocissimus.*
attente, *-tius, -tissime.*
attentus, *-tissimus.*
attritus, *-tior.*
auctus, *-tior.*
audaciter ou audacter, *audacius, audacissime.*
audax, *-dacior, -dacissimus.*
audens, *-dentior.*
auguste, *-tius.*
augustus, *-tior, -tissimus.*
auspicatus, *-tissimus.*
austerus, *-rior.*
avarus, *-rior, -rissimus.*
aversus, *-sior, -sissimus.*
avide, *-dius, -dissime.*
avidus, *-dior, -dissimus.*

B

barbarus, *-rior.*
beate, *-tius, -tissime.*

beatus, *-tior, -tissimus.*
belle, *bellissime.*
bellicosus, *-sior, -sissimus.*
bellus, *bellissimus.*
bene, *melius, optime.*
beneficus ou benificus, *beneficentior, beneficentissimus.*
benevolus, *-lentior, -lentissimus.*
benigne, *-gnius, -gnissime.*
benignus, *-gnior, -gnissimus.*
blande, *-dius, -dissime.*
blandus, *-dior, -dissimus.*
bonus, *melior, optimus.*
brevis, *-vior, -vissimus.*
breviter, *-vius, -vissime.*

C

calamitosus, *-tosissimus.*
calidus, *-dior.*
callide, *-dissime.*
callidus, *-dissimus.*
candidus, *-didior, -didissimus.*
capax, *-pacior, -pacissimus.*
capitalis, *-lior.*
captiosus, *-sior, -sissimus.*
care, *-rius, -rissime.*
carus, *-rior, -rissimus.*
caste, *-tius, -tissime.*
castus, *-tior, -tissimus*
caute, *-tius, -tissime.*
cautus, *-tior.*
celeber, *-berrimus.*
celebratus, *-tior, -tissimus.*
celer, *-lerior, -lerrimus.*
celeriter, *-lerius, -lerrime.*
celsus, *-sior.*
certus, *-tior, -tissimus.*
circumscriptus, *-tior.*
citatim, *-tius, -tissime.*
citatus, *-tior, -tissimus.*
citer, *-terior, -timus* ou *-tumus.*
cito, *-tius, -tissime.*
civiliter, *-lius, -lissime.*
clare, *-rius, -rissime.*
clarus, *-rior, -rissimus.*
clemens, *-mentior, -mentissimus.*
clementer, *-tius, -tissime.*
comis, *-mior.*
commendatus, *-tior, -tissimus.*
commode, *-dius, -dissime.*
commodus, *-dior, -dissimus.*
commotus, *-tior, -tissimus.*
compositus, *-tior, -tissimus.*
compresse, *-pressius.*
compressus, *-pressior.*
concitate, *-tius,*
concitatus, *-tior, -tissimus.*
concorditer, *-dius, -dissime.*
conditus, *-tior.*
confertus, *-tior, -tissimus.*
conficiens, *-cientissimus.*
confidens, *-dentior, -dentissimus.*
confidenter, *-tius, -tissime.*
confirmatus, *-tior, -tissimus.*

confuse, *-sius.*
conjuncte, *-tius, -tissime.*
conjunctus, *-tior, -tissimus.*
conquisitus, *-tior, -tissimus.*
consceleratus, *-tissimus.*
considerate, *-tius, -tissime.*
consideratus, *-tior, -tissimus.*
consociatus, *-tissimus.*
consonans, *-nantior.*
conspectus, *-tior.*
constans, *-tantior, -tantissimus.*
constanter, *-tius, -tissime.*
consulte, *-tius.*
consummatus, *-tissimus.*
contemptus, *-tior, -tissimus.*
contente, *-tius.*
continens, *-nentior, -nentissimus.*
contorte, *-tius.*
contractus, *-tior.*
contumax, *-macior, -macissimus.*
contumeliose, *-sius, -sissime.*
contumeliosus, *-sior.*
conturbatus, *-tior.*
copiose, *-sius, -sissime.*
copiosus, *-sior, -sissimus.*
copulatus, *-tior.*
crassus, *-assior, -assissimus.*
creber, *-brior, -berrimus.*
crebro, *-brius, -berrime.*
credibilis, *-lior.*
crudelis, *-lior, -lissimus.*
crudeliter, *-lius, -lissime.*
cumulate, *-tius, -tissime.*
cumulatus, *-tior, -tissimus.*
cuneatus, *-tior.*
cupide, *-dius, -dissime.*
cupidus, *-dior, -dissimus.*
curiosus, *-sior, -sissimus.*

D

damnatus, *-tior.*
damnosus, *-sissimus.*
decens, *-centior, centissimus.*
decenter, *-tius, -tissime.*
deformis, *-mior.*
deliberatus, *-tior.*
delicatus, *-tior, -tissimus.*
demisse, *-missississime.*
demissus, *-missior.*
dense, *-sius.*
densus, *-sior, -sissimus.*
depresse (forme inusitée), *depressius.*
depressus, *-pressior.*
deruptus, *-tior.*
descriptus, *-tior.*
desertus, *-tior, -tissimus.*
desperatus, *-tior, -tissimus.*
despicatus, *-tissimus.*
deterior, comparatif de l'inusité deter.
deterius, adverbe au comparatif, n'ayant pas de positif.
detestabilis, *-lior.*
dexter, *-terior, -timus.*

dextere ou dextre, *dexterius.*
dicax, *-cacior.*
difficilis, *-cilior, -cillimus.*
difficulter, *-cilius, -cillime.*
diffuse, *-sius.*
dignus, *-nior, -nissimus.*
diligens, *-gentior, -gentissimus.*
diligenter, *-tius, -tissime.*
dilucidus, *-dior.*
directe, *-tius.*
diserte, *-tissime.*
disertus, *-tior, -tissimus.*
disjuncte, *-tius.*
disjunctus ou dijunctus, *-tior, -tissimus.*
dissimilis, *-milior, -millimus.*
dissolutus, *-tior, -tissimus.*
distentus, *-tissimus.*
distincte, *-tius.*
distinctus, *-tior.*
distortus, *-tior, -tissimus.*
distractus, *-tior, -tissimus.*
distribute, *-tius.*
districtus, *-tior.*
diu, *diutius, diutissime.*
diverse, *-sius.*
diversus, *-sior, -sissimus.*
divinus, *-nior, -nissimus.*
divulgatus, *-tissimus.*
docilis, *-lior.*
docte, *-tius, -tissime.*
doctus, *-tior, -tissimus.*
dolenter, *-tius.*
dulce ou dulciter, *-cius, -cissime.*
dulcis, *-cior, -cissimus.*
dure, *-rius, -rissime.*
durus, *-rior, -rissimus.*

E

editus, *-tior, -tissimus.*
effectus, *-tior.*
effeminatus, *-tissimus.*
efficaciter, *-cius, -cissime.*
efficax, *-cacior, -cacissimus.*
effrenate, *-tius.*
effrenatus, *-tior.*
effuse, *-sissime.*
effusus, *-sior, -sissimus.*
egens, *-entior, -entissimus.*
elate, *-tius.*
elatus, *-tior.*
electus, *-tissimus.*
elegans ou eligans, *elegantior, elegantissimus.*
eleganter ou eliganter, *elegantius, elegantissime.*
eloquens, *-entior, -entissimus.*
eloquenter, *-tius, -tissime.*
emendate, *-tius.*
emendatus, *-tissimus.*
eminens, *-entior, -entissimus.*
enixe, *-xius.*
enodate, *-tius.*

erectus, *-tior.*
eruditus, *-tior, -tissimus.*
evidens, *-entior, -entissimus.*
exactus, *-tissimus.*
excellens, *-entior, -entissimus.*
excellenter, *-tius.*
excelsus, *-sior.*
excitatus, *-tior, -tissimus.*
excusate, *-tius.*
exercitatus, *-tissimus.*
exoptatus, *-tior, -tissimus.*
expedite, *-tius, -tissime.*
expeditus, *-tissimus.*
explanate, *-tius.*
explicatus, *-tior.*
explicitus, *-tior.*
explorate, *-tius.*
exploratus, *-tior, -tissimus.*
expressus, *-pressior.*
exquisite, *-tius.*
exquisitus, *-tior, -tissimus.*
exsertus, *-tior.*
exspectatus, *-tissimus.*
exsultans, *-tantissimus.*
exsultanter, *-tius.*
extentus, *-tissimus.*
extenuatus, *-tissimus.*
exter ou exterus, *exterior, extremus ou extimus.*

F

facete, *-tius, -tissime.*
facile, *-cilius, -cillime.*
facilis, *-cilior, -cillimus.*
facinorosus, *-sissimus.*
factiosus, *-sior, -sissimus.*
facundus, *-dior, -dissimus.*
fallax, *-fallacissimus.*
familiaris, *-rior, -rissimus.*
familiariter, *-rius, -rissime.*
famosus, *-sior, -sissimus.*
fastidiose, *-sius.*
fastidiosus, *-sior, -sissimus.*
favorabiliter, *-lius.*
fecundus, *-dior, -dissimus.*
feliciter, *-cius, -cissime.*
felix, *-licior, -licissimus.*
ferax, *-racior, -racissimus.*
ferociter, *-cius, -cissime.*
ferox, *-rocior, -rocissimus.*
fertilis, *-lior, -lissimus.*
fervidus, *-dior.*
festivus, *-vior.*
fide, *-dissime.*
fidelis, *-lior, -lissimus.*
fideliter, *-lius, -lissime.*
fidenter, *-tius.*
fidus, *-dissimus.*
firme ou firmiter, *-mius, -missime.*
firmus, *-mior, -missimus.*
flagitiose, *-sissime.*
flagitiosus, *-sior, -sissimus.*
flagrans, *-antior, -antissimus.*

florens, *-entior, -entissimus.*
floridus, *-dior.*
foede, *-dius, -dissime.*
foedus, *-dior, -dissimus.*
formidabilis, *-lior.*
formidolosus, *-sissimus.*
formosus, *-sior, -sissimus.*
fortis, *-tior, -tissimus.*
fortiter, *-tius, -tissime.*
fortunatus, *-tior, -tissimus.*
fractus, *-tior.*
fragilis, *-lior, -lissimus.*
frequens, *-entior, -entissimus.*
frequenter, *-tius, -tissime.*
frigide, *-dius, -dissime.*
frigidus, *-dior, -dissimus.*
fructuosus, *-sissimus.*
frugalis, *-lior, -lissimus.*
frugaliter, *-lius.*
fugacius, comparatif de l'inusité **fuga-**
  citer.
fugax, *-gacior, -gacissimus.*
fulgens, *-entior, -entissimus.*
fundatus, *-tissimus.*
funestus, *-tior, -tissimus.*
furaciter, *-cissime.*
furax, *-racior, -racissimus.*
furens, *-rentior.*
furiosus, *-sior, -sissimus.*
fuse, *-sius.*

G

gelidus, *-dior.*
generosus, *-sior, -sissimus.*
gloriose, *-sius, -sissime.*
gloriosus, *-sior.*
gracilis, *-cilior, -cillimus.*
grandis, *-dior, -dissimus.*
gratiosus, *-sior, -sissimus.*
gratus, *-tior, -tissimus.*
gravis, *-vior, -vissimus.*
graviter, *-vius, -vissime.*

H

habilis, *-lior.*
hebes, *-betior.*
hilare ou hilariter, *-rius.*
hilaris ou hilarus, *-rior.*
honeste, *-tius, -tissime.*
honestus, *-tior, -tissimus.*
honoratus, *-tior, -tissimus.*
honorifice, *-centius, -centissime.*
honorificus, *-centior, -centissimus.*
horribilis, *-lior, -lissimus.*
horride, *-dius.*
horridus, *-dior.*
hospitalis, *-lior, -lissimus.*
humans ou humaniter, *-nius, -nissimus.*

humanus, *-nior, -nissimus.*
humilis, *-milior, -millimus.*
humiliter, *-millime.*

I

ignave, *-vius.*
ignavus, *-vior, -vissimus.*
ignotus, *-tior, -tissimus.*
illustris, *-trior, -trissimus.*
illustrius, adverbe au comparatif, inusité au positif.
imbecillis ou imbecillus, *-cillior, -cil-*
  lissimus.
imbecilliter, *-cillius.*
immanis, *-nior, -nissimus.*
immansuetus, *-tior, -tissimus.*
immitis, *-tior.*
immoderate, *-tius.*
immoderatus, *-tior.*
immundus, *-dior, -dissimus.*
impeditus, *-tior, -tissimus.*
impense, *-sius.*
impensus, *-sior.*
imperite, *-tius, -tissime.*
imperitus, *-tior, -tissimus.*
implacabilius, comparatif d'un adverbe
  dont le positif est inusité.
importunus, *-nior, -nissimus.*
impotens, *-tentior, -tentissimus.*
impotenter, *-tius, -tissimus.*
improbe, *-bius, -bissime.*
improbus, *-bissimus.*
imprudenter, *-tius.*
impudens, *-dentior, -dentissimus.*
impudenter, *-tius, -tissimus.*
impudicus, *-cissimus.*
impune, *-nius.*
impure, *-rissime.*
impurus, *-rissimus.*
incaute, *-tius.*
incautus, *-tior.*
incertus, *-tior, -tissimus.*
incitatus, *-tior, -tissimus.*
inclemens, *-mentior.*
inclementer, *-tius.*
inclinatus, *-tior.*
incommode, *-dius, -dissime.*
incommodus, *-dior, -dissimus.*
inconsideratus, *-tior, -tissimus.*
inconstans, *-tantior, -tantissimus.*
inconstanter, *-tius, -tissimus.*
inconsulte, *-tius.*
innorrupte, *-tius.*
incredibilis, *-lior.*
inculte, *-tius.*
incultus, *-tior.*
incuriose, *-sius.*
indecens, *-centior.*
indecenter, *-tius, -tissime.*
indigne, *-gnius, -gnissime.*
indignus, *-gnior, -gnissimus.*
indiligens, *-entior.*
indiligenter, *-tius.*

indoctus, -tior, -tissimus.
indulgens, -entior, -entissimus.
indulgenter, -tius, tissime.
inepte, -tius, -tissime.
ineptus, -tior, -tissimus.
iners, -ertior, -ertissimus.
infacundus, -dior.
infans, -antior, -antissimus.
infeliciter, -cius.
infelix, -licior, -licissimus.
infense, -sius.
inferus, -ferior, -fimus.
infeste, -tius, -tissime.
infestus, -tior, -tissimus.
infidelis, -lior, -lissimus.
infinitus, -tior.
infirmus, -mior, -missimus.
inflate, -tius.
inflatus, -tior.
infortunatus, -tior.
infra, inferius, infime.
infrequens, -entior, -entissimus.
ingeniosus, -sior, -sissimus.
ingens, -entior.
ingratus, -tior, -tissimus.
inhonestus, -tior, -tissimus.
inhonoratus, -tior.
inhumane, -nius.
inhumanus, -nior, -nissimus.
inimice, -cissime.
inimicus, -cior, -cissimus.
inique, -quius, -quissime.
iniquus, -quior, -quissimus.
injucunde, -dius.
injuriose, -sius.
injuriosus, -sior.
injuste, -tissime.
injustus, -tior, -tissimus.
insolenter, -tius.
instructe, -tius.
instructus, -tior, -tissimus.
intemperate, -tius.
intemperatus, -tior, -tissimus.
intente, -tius.
intentus, -tior.
(interus, forme inusitée), interior, intimus.
intolerabilis, -lior.
intolerans, -rantior, -rantissimus.
intoleranter, -tius.
intra, interius, intime.
inusitate, -tius.
inusitatus, -tior.
inutilis, -lior.
invidiosus, -sior, -sissimus.
invitus, -tior.
iratus, -tior, -tissimus.

J K

jactans, -antior, -antissimus.
jactanter, -tius.
jejune, -nius.
jejunus, -nior.

jucunde, -dius, -dissime.
jucundus, -dior, -dissimus.
junctus, -tior, -tissimus.
juste, -tius, -tissime.
justus, -tior, -tissimus.
juvenis, juvenior ou junior.

L

laboriose, -sius, -sissime.
laboriosus, -sior, -sissimus.
laetabilis, -lior.
laete, -tius, -tissime.
laetus, -tior, -tissimus.
languide, -dius.
languidus, -dior.
lapidosus, -sior.
large ou largiter, -gius, -gissime.
largus, -gior, -gissimus.
late, -tius, -tissime.
latus, -tior, -tissimus.
laudabilis, -lior.
laute, -tius, -tissime.
lautus, -tior, -tissimus.
laxe, -xius.
laxus, -xior, -xissimus.
lectus, -tior, -tissimus.
lenis, -nior, -nissimus.
leniter, -nius, -nissime.
lente, -tius, -tissime.
lentus, -tior, -tissimus.
lēvis (léger), -vior, -vissimus.
leviter, -vius, -vissime.
libens ou lubens, libentissimus.
libenter ou lubenter, libentius, libentissime.
liber, -berior, -berrimus.
liberalis, -lior, -lissimus.
liberaliter, -lius, -lissime.
libere, -berius.
libidinosus, -sior, -sissimus.
libratus, -tior.
licenter, -tius.
limate, -tius.
limatus, -tior.
liquide, -dius.
liquidus, -dior.
litterate, -tius.
litteratus, -tior, -tissimus.
locuples, -pletior, -pletissimus.
longe, -gius, -gissime.
longinquus, -quior.
longus, -gior, -gissimus.
loquaciter, -cius.
loquax, -acior, -acissimus.
lucide, -dius, -dissime.
lucidus, -dior.
luctuose, -sius.
luctuosus, -sior, -sissimus.
luculentus, -tior.
luxuriose, -sius.
luxuriosus, -sior.

M

maestus, *-tior, -tissimus.*
magnifice, *-centius, -centissime.*
magnificus, *-centior, -centissimus*
magnopere ou magno opere, *majore opere, maximopere* ou *maximo opere.*
magnus, *major, maximus.*
male, *pejus, pessime.*
maledicens ou maledicus, *-centior, -centissimus.*
malevolens ou malevolus, *-lentissimus.*
maligne, *-gnius.*
malignus, *-gnior.*
malitiose, *-sius.*
malus, *pejor, pessimus.*
manifeste ou manifesto, *-tius.*
mansuetus, *-tissimus.*
mature, *-urius, -urrime.*
maturus, *-urior, -urrimus.*
memorabilis, *-lior.*
mendicus, *-cissimus.*
mendose, *-sissime.*
mendosus, *-sior.*
meracus, *-cior.*
merito, *-tissimo.*
meritus, *-tissimus.*
minaciter, *-cius.*
minax, *-acior.*
minute, *-tius, -tissime.*
minutus, *-tior, -tissimus.*
mirabilis, *-lior.*
mirabiliter, *-lius.*
miser, *-serior, -serrimus.*
miserabilis, *-lior.*
misere, *-serius, -serrime.*
misericors, *-cordior.*
mite, *-tius, -tissime.*
mitis, *-tior, -tissimus.*
mobilis, *-lior, -lissimus.*
moderate, *-tius, -tissime.*
moderatus, *-tior, -tissimus.*
modeste, *-tius, -tissime.*
modestus, *-tior, -tissimus.*
modulate, *-tius.*
moleste, *-tius, -tissime.*
molestus, *-tior, -tissimus.*
mollis, *-mollior, -mollissimus.*
molliter, *mollius, mollissime.*
monstruosus, *-sissimus.*
multum, *plus* ou *mage* ou *magis, plurimum* ou *maxime.*
multus, ordinairement au pluriel : multi, *plures, plurimi.*
munificus, *-centior, -centissimus.*
munitus, *-tior, -tissimus.*
muscosus, *-sior.*

N

negligens ou neglegens, *-gentior.*

negligenter ou neglegenter, *-tius.*
nervose, *-sius.*
nervosus, *-sior.*
niger, *-grior, -gerrimus.*
nitidus, *-dior, -dissimus.*
nobilis, *-lior, -lissimus.*
nocens, *-centior, -centissimus.*
notatus, *-tatior, -tatissimus.*
notus, *-tior, -tissimus.*
nove, *-vissime.*
novus, *-vissimus.*
nuper, *-nuperrime.*

O

obaeratus, *-tior.*
oboediens ou obediens, *-entior, -entissimus.*
oboedienter ou obedienter, *-tius.*
obscene ou obscoene, *-nius.*
obscenus ou obscoenus, *-nior, -nissimus.*
obscure, *-rius.*
obscurus, *-rior, -rissimus.*
obsequens, *-entior.*
obsequenter, *-tissime.*
observans, *-antior, -antissimus.*
obsolete, *-tius.*
obsoletus, *-tior.*
obstinate, *-tius, -tissime.*
obstinatus, *-tior, -tissimus.*
obtuse, *-sius.*
obstusus, *-sior.*
occulte, *-tius, -tissime.*
occultus, *-tior, -tissimus.*
occupatus, *-tior, -tissimus.*
ocior (comparatif), *ocissimus.*
ociter, *ocius, ocissime.*
odiosus, *-sior, -sissimus.*
officiose, *-sius.*
officiosus, *-sior, -sissimus.*
offirmatus, *-tior.*
omissus, *-omissior.*
onerosus, *-sior.*
operose, *-sius.*
operosus, *-sior, -sissimus.*
opportune, *-nius, -nissimo.*
opportunus, *-nior, -nissimus.*
optatus, *-tatior, -tatissimus.*
opulens ou opulentus, *-lentior.*
opulente ou opulenter, *-tius.*
ordinatus, *-tior, -tissimus.*
ornate, *-tissime.*
ornatus, *-tior, -tissimus.*
otiosus, *-sior, -sissimus.*

P

pacatus, *-tior, -tissimus.*
parate, *-tius, -tissime.*

paratus, -tior, -tissimus.
parce, -cius.
parcus, -cior, -cissimus.
parens, -rentior.
parum, minus, minime ou minimum.
parvus, minor, minimus.
patens, -tentior.
patenter, -tius.
patiens, -tientior, -tientissimus.
patienter, -tius, -tissime.
paucus, d'ordinaire au pluriel: pauci,
  pauciores, paucissimi.
pauper, -perior, -perrimus.
pecuniosus, -sissimus.
perdifficilis, -cillimus.
perditus, -tior, -tissimus.
perfectus, -tior, -tissimus.
perfidiosus, -sissimus.
periculosus, -sissimus.
perite, -tius, -tissime.
peritus, -tior, -tissimus.
perjurus, -rissimus.
perniciose, -sius.
perniciosus, -sior, -sissimus.
perplexus, -xior.
perquisite, -tius.
perseverans, -rantior.
perseveranter, -tius, -tissime.
perspectus, -tissimus.
persuasus, -sissimus.
pertinaciter, -cius.
pertinax, -nacior, -nacissimus
perturbatus, -tior, -tissimus.
pervagatus, -tior, -tissimus.
perversus, -sissimus.
pervicaciter, -cacius.
pervicax, -cacior.
pestilens, -lentior, -lentissimus.
petulanter, -tius, -tissime.
piger, -gerrimus.
placabilis, -lior.

placate, -tius.
placatus, -tior, -tissimus.
placide, -dius.
placidus, -dior, -dissimus.
plane, -nius, -nissime.
planus, -nior, -nissimus.
plene, -nius, -nissime.
plenus, -nior, -nissimus.
politus, -tior, -tissimus.
porrectus, -tior.
posterius (comparatif), postremum ou
  postremo.
posterus ou poster, posterior, postremus ou postumus.
potens, -tentior, -tentissimus.
potenter, -tius.
potis, potior, potissimus.
potius (comparatif), potissime ou potissimum.
praecellens, -entissimus.
praeclare, -rissime.
praeclarus, -rissimus.
praefractus, -tior.
praeruptus, -tissimus.
praesens, -entior, -entissimus.
praestabilis, -lior.
praestans, -antior, -antissimus.

pravus,)-vior, -vissimus.
presse, -pressius.
pressus, -pressior.
pretiose, -sius.
pretiosus, -sior, -sissimus.
prior (comparatif), primus (superlatif).
probabilis, -lior.
probabiliter, -lius.
probatus, -tior, -tissimus.
procaciter, -cacius, -cacissime.
procax, -cacior, -cacissimus.
procere, -rius.
procliviter, -vius.
productus, -tior.
profligatus, -tissimus.
profundus, -dissimus.
prolixus, -xior.
prompte ou promte, -tissime.
promptus, -tior, -issimus.
pronus, -nior.
prope, propius, proxime ou proximo.
propense, -sius.
propensus, -sior.
properanter, -antius.
propinquus, propior, proximus ou proximus.
prosperus, -perior, -perrimus.
providens, -entior, -entissimus.
providenter, -tissime.
prudens, -entior, -entissimus.
prudenter, -tius, -tissime.
pudens, -entior, -entissimus.
pudenter, -tius, -tissime.
pugnaciter, -cius, -cissime.
pugnax, -acior, -acissimus.
pulcher, -chrior, -cherrimus.
pulchre, -chrius, -cherrime.
pure, -rissime.
purus, -rior, -rissimus.
putide, -dius.
putus, -tissimus.

Q

quaestuose, -sius, -sissime.
quaestuosus, -sior, -sissimus
quiete, -tius, -tissime.
quietus, -tior, -tissimus.

R

rapax, -pacior.
rapidus, -dior, -dissimus.
rare ou raro, -rius, -rissime.
rarus, -rior, -rissimus.
recens, -entior, -entissimus.
reconditus, -tior.
recte, -tius, -tissime.
rectus, -tior, -tissimus.
refertus, -tior, -tissimus.

religiose ou relligiose, *-sissime*.
religiosus ou relligiosus, *-sissimus*.
remisse, *-missius*.
remissus, *-missior*.
remote, *-tius*.
remotus, *-tior*, *-tissimus*.
restrictus, *-tior*.
retractatus, *-tatior*.
reverens, *-entior*, *-entissimus*.
reverenter, *-tius*.
rigidus, *-dior*.
robustus, *-tior*, *-tissimus*.
rotundus, *-dior*.

S

sacer, *-cerrimus*.
saepe, *-pius*, *-pissime*.
saeve ou saeviter, *-vius*, *-vissime*.
saevus, *-vior*, *-vissimus*.
sagaciter, *-cius*, *-cissime*.
sagax, *-gacior*, *-gacissimus*.
salse, *-sissime*.
salsus, *-sior*.
saluber ou salubris, *-brior*, *-berrimus*
salubriter, *-brius*, *-berrimus*.
sancte, *-tius*, *tissime*.
sanctus, *-tior*, *-tissimus*.
sane, *-nius*.
sanus, *-nior*, *-nissimus*.
sapiens, *-entior*, *-entissimus*.
sapienter, *-tius*, *-tissime*.
sat ou satis, *-satius*.
scelerate, *-tius*, *-tissime*.
sceleratus, *-tior*, *-tissimus*.
scelestus, *-tior*, *-tissimus*.
sciens, *-entior*, *-entissimus*.
scienter, *-tius*, *-tissime*.
scite, *-tissime*.
scitus, *-tior*, *-tissimus*.
secundus, *-dior*, *-dissimus*.
secus (adjectif), *-sequior*.
secus (adverbe), *-sequius*.
sedatus, *-tior*, *-tissimus*.
seditiose, *-sissime*.
segne ou segniter, *-gnius*.
segnis, *-gnior*.
senex, *-nior*.
separate ou separatim, *-tius*.
sero, *-rius*, *-rissime*.
serus, *-rior*, *-rissimus*.
severe, *-rius*, *-rissime*.
severus, *-rior*, *-rissimus*.
significanter, *-tius*.
similis, *-milior*, *-millimus*.
similiter, *-milius*, *-millime*.
simplex, *-plicior*.
sinister, *-terior*.
socorditer, *-dius*.
solidus, *-dior*, *-dissimus*.
sollers, *-ertior*, *-ertissimus*.
sollerter, *-tius*, *-tissime*.
solutus, *-tior*, *-tissimus*.
sordidus, *-didior*, *-didissimus*.

spatiosus, *-sior*, *-sissimus*.
speciose, *-sius*, *-sissime*.
speciosus, *-sior*, *-sissimus*.
spectatus, *-tatissimus*.
spinosus, *-sior*.
spissus, *-spissior*.
splendide, *-didius*, *-didissime*.
splendidus, *-didior*, *-didissimus*.
spurce, *-oius*, *-cissime*.
spurcus, *-cior*, *-cissimus*.
squalidus, *-dior*.
stabilis, *-lior*.
sterilis, *-lior*.
stolidus, *-dior*, *-dissimus*.
stomachose, *-sius*.
stomachosus, *-sior*.
strenuus, *-nuissimus*.
studiose, *-sius*, *-sissime*.
studiosus, *-sior*, *-sissimus*.
stulte, *-tius*, *-tissime*.
stultus, *-tior*, *-tissimus*.
suave ou suaviter, *-vius*, *-vissime*.
suavis, *-vior*, *-vissimus*.
subjecte, *-tissime*.
sublate, *-tius*.
submisse ou summisse, *-issius*.
submissus ou summissus, *-issior*.
subtilis, *-lior*, *-lissimus*.
subtiliter, *-lius*, *-lissime*.
sumptuosus, *-sior*.
superans, *-antior*, *-antissimus*.
superbe, *-bius*, *-bissime*.
superbus, *-bior*, *-bissimus*.
superus, *superior*, *supremus* ou *summus*.
supra, *superius*, *supremum* ou *supremo*.
suspectus, *-tior*.
suspiciose ou suspitiose, *-sius*.
suspiciosus ou suspitiosus, *-sior*.

T

tarde, *-dius*, *-dissime*.
tardus, *-dior*, *-dissimus*.
tecte, *-tius*.
tectus, *-tior*, *-tissimus*.
temperans, *-rantior*, *-rantissimus*.
temperanter, *-tius*.
temperate, *-tius*.
temperatus, *-tior*.
temperi ou tempori, *temperius*.
tenax, *-nacior*, *-nacissimus*.
tenebricosus, *-sissimus*.
tener, *-nerior*.
tenuis, *-nuior*, *-nuissimus*.
tenuiter, *-nuius*, *-nuissime*.
tepide, *-dius*.
tepidus, *-dior*, *-dissimus*.
terribilis, *-lior*.
tersus, *-sior*.
testatus, *-tior*.
teter ou taeter, *tetrior*, *teterrimus*.
tetre ou taetre, *teterrime*.

timide, *-dius, -dissime.*
timidus, *-dior, -dissimus.*
tolerabilis, *-lior.*
tolerabiliter, *-lius.*
tolerans, *-rantior.*
torrens, *-torrentior.*
tractabilis, *-lior.*
tranquille, *-quillius.*
tranquillus, *-quillior, -quillissimus.*
trepidanter, *-tius.*
triste, *-tius.*
tristis, *-tior, -tissimus.*
tritus, *-tior.*
truculenter, *-tius, -tissime.*
truculentus, *-tior.*
tumidus, *-dior.*
tumultuose, *-sius, -sissime.*
tumultuosus, *-sior, -sissimus.*
turbidus, *-dior, -dissimus.*
turbulente ou turbulenter, *-lentius.*
turbulentus, *-tior, -tissimus.*
turpis, *-pior, -pissimus.*
turpiter, *-pissime.*
tute ou tuto, *tutius, tutissime* ou *tutissimo.*
tutus, *tutior, tutissimus.*

U

uber, *uberior, uberrimus,*
uberius (comparatif), *uberrime.*
(ulter, forme inusitée), *ulterior, ultimus.*
ultra, *ulterius, ultimum.*
umbrosus, *-sior.*
unctus, *-tior.*
urbane, *-nius.*
urbanus, *-nior, -nissimus.*
usitatus, *-tior, -tissimus.*
utens, *utentior.*
utilis, *-lior, -lissimus.*
utiliter, *-lius, -lissime.*

V X Y Z

vacuus, *-cuissimus.*
valer, *-ferrimus.*
valens, *-lentior, -lentissimus.*
valenter, *-tius.*
valide, *-dius, -dissime.*
validus, *-dior, -dissimus.*
vaste, *-tius.*
vastus, *-tior, -tissimus.*
vecors, *-vecordissimus.*
vegetus *-tior.*
vehemens, *-entior, -entissimus.*
vehementer, *-tius, -tissime.*
velociter, *-cius, -cissime.*
velox, *-locior, -locissimus.*
venerabilis, *-lior.*
ventosus, *-sior, -sissimus.*
venuste, *-tius, -tissime.*
venustus, *-tior, -tissimus.*
verbose, *-sius.*
verbosus, *-sior.*
vere, *verius, verissime.*
verecunde, *-dius.*
verecundus, *-dior.*
verisimilis, *-milior, -millimus.*
versute, *-tissime.*
versutus, *-tior, -tissimus.*
verus, *-rior, -rissimus.*
vetus, *-terrimus.*
vetustus, *-tior, -tissimus.*
vicinus, *-nior.*
vigilans, *-antior, -antissimus.*
vigilanter, *-tius, -tissime.*
vilis, *-lior, -lissimus.*
viliter, *-lius, -lissime.*
vinosus, *-sior.*
violenter, *-tius, -tissime.*
violentus, *-tior, -tissimus.*
viridis, *-dior, -dissimus.*
vitiose, *-sius, -sissime.*
vitiosus, *-sior, -sissimus.*
vivax, *-vacior, -vacissimus.*
vividus, *-dior.*
vorax, *-racior.*
vulgatus, *-tior, -tissimus.*

LISTE
DES FORMES DIFFICILES DES CONJUGAISONS
ET DES DÉCLINAISONS LATINES
NON MENTIONNÉES A LEUR ORDRE ALPHABÉTIQUE
DANS LES PAGES PRÉCÉDENTES

ablatum, supin de aufero.
abstuli, parfait de aufero.
actum, supin de ago.
affui, parfait de adsum.
afui, parfait de absum.
allatum, supin de affero.
attuli, parfait de affero.

bubus, datif et ablatif de bos.

cecidi, parfait de cado ou de caedo.
cecini, parfait de cano.
cretum, supin de cerno ou de cresco.
crevi, parfait de cerno ou de cresco.
cultum, supin de colo.

datum, supin de do.
dedi, parfait de do.

egi, parfait de ago.
elatum, supin de effero.
esum, supin de edo.
extuli, parfait de effero.

fatus, participe de for.
feci, parfait de facio.

genitum, supin de gigno.
genui, parfait de gigno.

ii, parfait de eo.
illatum, supin de infero.
imb... Comme imb...
infumus. Comme infimus.
ivi, parfait de eo.
itum, supin de eo.

jeci, parfait de jacio.
junior, comparatif de juvenis.

latum, supin de fero.

levi, parfait de lino.
lub... Comme lib...

major, comparatif de magnus.
maliv... Comme malev...
maxum... Comme maxim...

obg... Comme ogg...
obp... Comme opp...
obtuli, parfait de offero.
opt... Comme obt...
oris, génitif de os 1.

peperci, parfait de parco.
peperi, parfait de pario 1.
pepigi, parfait de pango.
peposci, parfait archaïque de posco.
pepugi, parfait archaïque de pungo.
pulsi, parfait de pello.
pulsum, supin de pello.

ratus, participe de reor.

satum, supin de sero 2.
setius. Comme secius 2.
statum, supin de sisto ou de sto.
steti, parfait de sisto ou de sto.
subc... Comme succ...
summ... Comme subm...
superius, neutre de superior ou comparatif de supra.

tritum, supin de tero.
trivi, parfait de tero.

ussi, parfait de uro.
ustum, supin de uro.
usus, participe de utor.

vulsi, parfait de vello.
vulsum, supin de vello.

TABLE DES MATIÈRES

PUBLICATIONS NOUVELLES

GF GRAND-FORMAT

Vous trouverez chez votre libraire le catalogue complet de notre collection.

GF — TEXTE INTÉGRAL — GF

1518-V-1990. — Imp. Bussière, St-Amand (Cher).
N° d'édition 12634. — 4e trimestre 1966. — Printed in France.